Manque de temps ?
Envie de réussir ?
Besoin d'aide ?

La solution

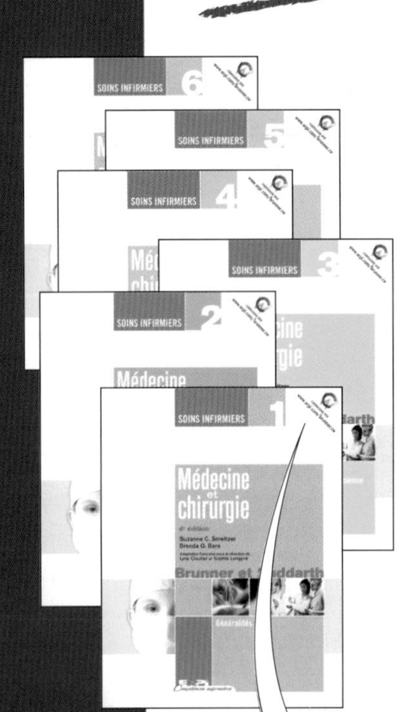

Le *Compagnon Web*:
www.erpi.com/brunner.cw

Vous y découvrirez en ligne, pour chacun des chapitres, des outils qui vous permettront d'approfondir vos connaissances. À vous de décider lesquels vous conviennent le mieux.

Bibliographie exhaustive – Liste d'ouvrages récents aussi bien en anglais qu'en français sur des sujets traités dans le chapitre. Les divers auteurs abordent les sujets sous des angles différents, ce qui favorise la compréhension et l'approfondissement de la matière.

Ressources et sites Web – Petit répertoire d'adresses précieuses qui vous guidera dans vos travaux de recherche.

La génétique dans la pratique infirmière – Articles exposant, lorsque le cas s'y prête, la part de la génétique dans la compréhension générale de l'étiologie des diverses affections.

Comment accéder au Compagnon Web de votre manuel ?

Étape 1: Allez à l'adresse www.erpi.com/brunner.cw

Étape 2: Lorsqu'ils seront demandés, entrez le nom d'usager et le mot de passe ci-dessous:

Nom d'usager bu45071 **Mot de passe** fydpce

Étape 3: Suivez les instructions à l'écran

Support technique: tech@erpi.com

7734

SOINS INFIRMIERS 2

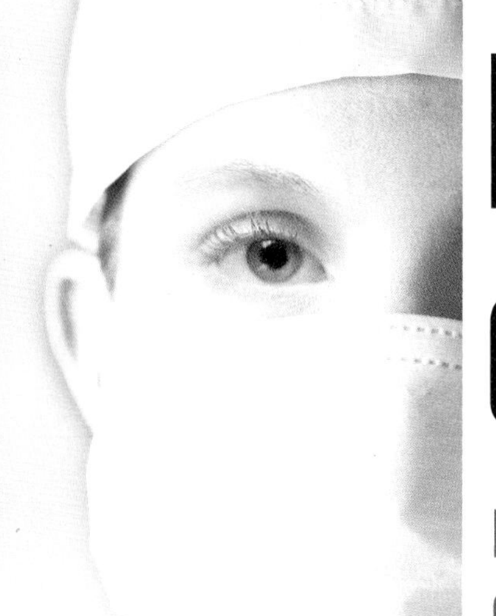

Médecine et chirurgie

Fonctions respiratoire, cardiovasculaire et hématologique

OUVRAGES PARUS DANS CETTE COLLECTION :

Notes au dossier – Guide de rédaction pour l'infirmière, Diane St-Germain avec la collaboration de Sylvie Buisson, Francine Ménard et Kim Ostiguy, 2001.

Diagnostics infirmiers, interventions et bases rationnelles – Guide pratique, 4e édition, Marilynn E. Doenges, Monique Lefebvre et Mary Frances Moorhouse, 2001.

L'infirmière et la famille – Guide d'évaluation et d'intervention, 2e édition, Lorraine M. Wright et Maureen Leahey, adaptation française de Lyne Campagna, 2001.

L'examen clinique dans la pratique infirmière, sous la direction de Mario Brûlé et Lyne Cloutier avec la collaboration de Odette Doyon, 2002.

Soins infirmiers en pédiatrie, Jane Ball et Ruth Bindler, adaptation française de Kim Ostiguy et Isabelle Taillefer, 2003.

Manuel de diagnostics infirmiers, traduction de la 9e édition, Lynda Juall Carpenito, adaptation française de Lina Rahal, 2003.

Guide des médicaments, 2e édition, Judith Hopfer Deglin et April Hazard Vallerand, adaptation française sous la direction de Nathalie Archambault et Sylvie Delorme, 2003.

Soins infirmiers en périnatalité, 3e édition, Patricia Wieland Ladewig, Marcia L. London, Susan M. Moberly et Sally B. Olds, adaptation française de Francine Benoit, Manon Bernard, Pauline Roy et France Tanguay, 2003.

Soins infirmiers – Psychiatrie et santé mentale, Mary C. Townsend, adaptation française de Pauline Audet avec la collaboration de Sylvie Buisson, Roger Desbiens, Édithe Gaudet, Jean-Pierre Ménard, Irène Robitaille et Denise St-Cyr-Tribble, 2004.

La dose exacte – De la lecture de l'ordonnance à l'administration des médicaments, Lorrie N. Hegstad et Wilma Hayek, adaptation française de Monique Guimond avec la collaboration de Julie Bibeau, 2004.

Soins infirmiers – Théorie et pratique, Barbara Kozier, Glenora Erb, Audrey Berman et Shirlee Snyder, adaptation française sous la direction de Sophie Longpré et Lyne Cloutier, 2005.

Soins infirmiers aux aînés en perte d'autonomie – Une approche adaptée aux CHSLD, sous la direction de Philippe Voyer, 2006.

Soins infirmiers – Théorie et pratique : La profession d'infirmière auxiliaire, France Cameron, 2006.

Pour plus de renseignements sur ces ouvrages, consultez notre site Internet :
www.competences-infirmieres.ca

SOINS INFIRMIERS 2

Médecine et chirurgie

4e édition

Fonctions respiratoire, cardiovasculaire et hématologique

Brunner et Suddarth

Suzanne C. Smeltzer
Brenda G. Bare

Adaptation française sous la direction de
Lyne Cloutier *et* **Sophie Longpré**

Avec la participation de
Julie Houle, Josée Grégoire,
Christian Godbout et Nancy Chénard

Et la collaboration de
Hugo Laplante

COMPAGNON WEB
www.erpi.com/brunner.cw

ÉDITIONS DU RENOUVEAU PÉDAGOGIQUE INC.

5757, RUE CYPIHOT, SAINT-LAURENT (QUÉBEC) H4S 1R3
TÉLÉPHONE : (514) 334-2690 TÉLÉCOPIEUR : (514) 334-4720
erpidlm@erpi.com www.erpi.com

Directeur, développement de produits : Sylvain Giroux

Supervision éditoriale : Jacqueline Leroux
Traduction : Marie-Hélène Courchesne, Mireille Daoust, Louise Durocher, Suzanne Marquis, Raymonde Paradis,Véra Pollak
Révision linguistique : Michel Boyer, Emmanuel Dalmenesche et Louise Garneau
Correction d'épreuves : Michel Boyer et Louise Garneau
Recherche iconographique : Chantal Bordeleau

Direction artistique : Hélène Cousineau
Coordination de la production : Muriel Normand
Conception graphique : Marie-Hélène Martel
Couverture : Benoit Pitre
Édition électronique : Infoscan Collette

Cet ouvrage est une version française de la dixième édition de *Brunner & Suddarth's textbook of medical-surgical nursing,* de Suzanne C. Smeltzer et Brenda G. Bare, publiée et vendue à travers le monde avec l'autorisation de Lippincott Williams & Wilkins.

Dans cet ouvrage, les termes désignant les professionnels de la santé ont valeur de générique et s'appliquent aux personnes des deux sexes.

Les auteurs et l'éditeur ont pris soin de vérifier l'information présentée dans ce manuel. Ils se sont également assurés que la posologie des médicaments est exacte et respecte les recommandations et les pratiques en vigueur au moment de la publication de ce manuel. Cependant, étant donné l'évolution constante des recherches, des modifications dans les traitements et l'utilisation des médicaments deviennent nécessaires. Nous vous prions de vérifier l'étiquette-fiche de chaque médicament et les instructions de chaque appareil avant de procéder à une intervention. Cela est particulièrement important dans le cas de nouveaux médicaments, de médicaments peu utilisés et de techniques peu courantes. Les auteurs et l'éditeur déclinent toute responsabilité pour les pertes, les lésions ou les dommages entraînés, directement ou indirectement, par la mise en application de l'information contenue dans ce manuel.

Dépôt légal : 2006
Bibliothèque et archives nationales du Québec
Bibliothèque nationale du Canada
Imprimé au Canada

VOLUME 1 : 20393 – ISBN 2-7613-2037-9
VOLUME 2 : 20394 – ISBN 2-7613-2038-7
VOLUME 3 : 20395 – ISBN 2-7613-2039-5
VOLUME 4 : 20396 – ISBN 2-7613-2040-9
VOLUME 5 : 20397 – ISBN 2-7613-2041-7
VOLUME 6 : 20398 – ISBN 2-7613-2042-5
ENSEMBLE : 20328 – ISBN 2-7613-1575-8

1234567890 II 09876
20394 ABCD LHM-9

AVANT-PROPOS

À l'aube du XXIe siècle, les infirmières ont devant elles un avenir qui sera fait de changements incomparables à ceux des siècles précédents:

- La science et la technologie ont presque aboli les frontières de notre monde et rendu la communication entre ses différentes parties plus aisée.
- La communication de masse s'est répandue et l'information est maintenant rapidement accessible tant pour les professionnels de la santé que pour la population.
- Les économies se situent davantage à l'échelle mondiale qu'à l'échelle régionale.
- Les changements industriels et sociaux ont conduit à une augmentation des voyages à travers le monde et des échanges culturels.

Aujourd'hui se présente aux infirmières une multitude d'occasions et de défis pour offrir dans des milieux de soins traditionnels ou non des soins de qualité supérieure fondés sur des résultats probants. Les soins de santé connaissant une évolution rapide, les infirmières doivent être en mesure d'élaborer des plans thérapeutiques* pour tous les milieux, que ce soit l'hôpital, la clinique, le domicile, les organismes communautaires ou les centres pour personnes âgées, et ce à toutes les étapes de la maladie et pour tous les âges de la vie. Une étude récente a démontré que les infirmières contribuaient grandement aux progrès des personnes hospitalisées. Par conséquent, elles doivent apprendre à déterminer rapidement les besoins des personnes à court ou à long terme et à collaborer efficacement avec ces dernières et la famille, ainsi qu'avec les membres de l'équipe de soins et les organismes communautaires, afin de créer un système de soins intégré. Pour s'assurer que les gens restent en bonne santé et pour promouvoir le bien-être de ceux qui sont atteints d'affections aiguës ou chroniques, les infirmières doivent encourager et favoriser l'adoption d'un mode de vie sain et des stratégies adéquates. La cartographie du génome humain et d'autres progrès ayant vulgarisé le sujet de la génétique, elles doivent se tenir au courant des questions qui y sont rattachées.

* Afin de refléter les changements législatifs de janvier 2003, nous avons retenu l'expression « plan thérapeutique infirmier ». La description et les modalités d'implantation de celui-ci n'étant toutefois pas établies officiellement au moment de la mise sous presse de l'ouvrage, il est possible que les choix qui seront arrêtés par l'Ordre des infirmières et infirmiers du Québec (OIIQ) diffèrent de la présentation qui a été retenue ici. Cependant, les adaptatrices sont convaincues que les interventions infirmières qu'elles proposent sont garantes d'une pratique consciencieuse et sécuritaire. L'OIIQ prévoit une campagne d'information qui permettra à tous et à toutes de mieux saisir les tenants et les aboutissants de la question. Nous vous invitons à consulter le site de l'Ordre (www.oiiq.org) afin de vous tenir au courant.

Pour bien se préparer à ces nombreuses perspectives et aux responsabilités qui seront les leurs, les infirmières doivent se tenir informées non seulement des nouvelles connaissances et compétences dans leur profession, mais également des résultats de recherches, des progrès scientifiques et des problèmes éthiques relatifs aux nombreux domaines de la pratique clinique. Plus que jamais, elles doivent développer leur esprit critique et faire preuve de créativité et de compassion.

Caractéristiques de la nouvelle édition

La nouvelle édition de *Soins infirmiers – Médecine et chirurgie* de Brunner et Suddarth est axée sur le XXIe siècle et sur la nécessité, pour les infirmières, d'être informées, hautement qualifiées, perspicaces, attentionnées et sensibles. Nous traitons des questions relatives aux soins infirmiers d'un point de vue physiologique, physiopathologique et psychosocial, et voulons aider l'étudiante à déterminer les priorités de soins dans ce contexte. L'information présentée est à la fine pointe de l'actualité et fournit à l'étudiante et aux autres utilisateurs du manuel les moyens de prodiguer des soins de qualité aux personnes et à leurs familles dans divers milieux et à domicile. Nous avons rédigé et adapté cette nouvelle édition de manière à aider les étudiantes à comprendre le rôle de l'infirmière dans une pratique en constante évolution et relativement aux divers aspects de la santé et de la maladie.

Outils d'enseignement

Chaque chapitre commence par l'énumération des objectifs d'apprentissage et par la rubrique *Vocabulaire*. Tout au long du manuel, l'étudiante trouvera des *Alertes cliniques* et des *Particularités reliées à la personne âgée* ainsi que des encadrés spécialisés traitant des sujets suivants :

- Enseignement
- Éthique et considérations particulières
- Examen clinique
- Facteurs de risque
- Gérontologie
- Grille de suivi des soins à domicile
- Pharmacologie
- Physiologie/physiopathologie
- Plan thérapeutique infirmier*
- Promotion de la santé
- Recherche en sciences infirmières
- Recommandations

Les illustrations, les photographies, les encadrés et les tableaux complètent la matière et visent à faciliter sa compréhension. Chaque chapitre se conclut par des exercices d'intégration et des références bibliographiques en anglais et en français. Le guide visuel (p. IX) vous permettra de vous familiariser avec les principales composantes du manuel.

Adaptation française

La version française a été réalisée par une équipe dynamique et chevronnée de professeures et cliniciennes issues de divers milieux de pratique et d'enseignement. La direction de l'adaptation a été réalisée par Lyne Cloutier et Sophie Longpré, toutes deux professeures au département des sciences infirmières de l'Université du Québec à Trois-Rivières. Ces deux professeures ont également assuré en 2005 la direction de l'ouvrage *Soins infirmiers – Théorie et pratique* de Kozier, Erb, Berman et Snyder. Fortes de cette expérience, elles ont pu établir la complémentarité des deux ouvrages et ainsi limiter les redondances.

L'équipe d'adaptation a eu le souci constant d'actualiser les connaissances présentées dans l'édition américaine en adaptant le contenu à la réalité québécoise et en l'étoffant lorsque c'était pertinent. L'ouvrage à été mis à jour de manière à ce qu'il reflète la pratique courante et aborde les progrès des soins de santé et de la technologie. D'une part, la terminologie respecte le contexte québécois, et, d'autre part, les informations statistiques, contextuelles, sociales ou environnementales sont fondées sur le contexte québécois ou canadien. L'équipe a été particulièrement soucieuse d'intégrer les résultats probants liés à la pratique au Québec et au Canada. On trouve ainsi dans le manuel les toutes dernières recommandations canadiennes pour le contrôle de l'hypertension artérielle, du diabète et de la dyslipidémie, pour n'en nommer que quelques-unes. De plus, chaque fois que cela était possible, les adaptatrices ont ajouté des résultats de recherches menées au Québec ou au Canada. Plusieurs outils, tels que des feuilles d'évaluation, des formulaires de triage, des formulaires de suivi ou des programmes d'enseignement provenant de milieux de pratique québécois, sont présentés tout au long de l'ouvrage.

Un pharmacien, M. Hugo Laplante, a révisé l'ensemble de l'ouvrage dans le but de fournir à l'étudiante une information scientifique à jour et adaptée à la pratique d'ici. L'étudiante est ainsi assurée de trouver des données et des informations conformes aux normes de l'Association des pharmaciens du Canada.

Ressources complémentaires

Des outils d'apprentissage complémentaires accompagnent cette nouvelle édition. Ainsi, le Compagnon Web (**www.erpi.com/brunner.cw**) comprend, par chapitre, une bibliographie exhaustive et une liste de ressources et de sites Web spécialisés, ainsi que la rubrique « La génétique dans la pratique infirmière », lorsque le cas s'y prête. Dans la partie du Compagnon Web qui leur est réservée, les enseignants trouveront également un diaporama (fichiers PowerPoint) portant sur plusieurs chapitres et des cas cliniques rattachés à des problèmes de santé prioritaires.

Remerciements

Cet ouvrage est le fruit d'un long travail auquel de nombreuses personnes ont participé de près ou de loin. Nous souhaitons tout d'abord remercier les adaptatrices qui ont su, par leur travail consciencieux, refléter la réalité québécoise et canadienne. Leurs efforts n'auront pas été vains puisque nous sommes maintenant en mesure de mettre à la disposition des étudiantes infirmières de toute la province un ouvrage en français d'actualité et d'une grande qualité. Plusieurs personnes ont également accepté d'agir à titre de consultantes à différentes étapes du travail afin de relire ou de commenter des passages. Leurs commentaires, leurs propositions et leurs critiques nous auront permis de nous assurer de la pertinence du contenu.

Nous tenons à souligner le soutien indéfectible de toute l'équipe des Éditions du Renouveau Pédagogique. Tout d'abord Jean-Pierre Albert et Sylvain Giroux, qui ont suffisamment cru en nous pour nous confier la direction de l'adaptation. Un merci tout particulièrement chaleureux à Jacqueline Leroux, éditrice de l'ouvrage, qui a su jongler de façon magistrale avec cet immense casse-tête en gardant la tête froide et un mot d'humour ! Merci aussi à toute l'équipe de traduction et de révision, notamment à Michel Boyer, à Louise Garneau et à Emmanuel Dalmenesche.

Ce travail de longue haleine a représenté un défi tout particulièrement rude à certains moments, et il nous a fallu à l'occasion puiser dans nos réserves la détermination et la persévérance nécessaires pour mener à terme ce projet. Ces qualités, nous les devons en grande partie à des gens pour qui nous éprouvons une grande admiration, nos parents. Nous voudrions donc ici remercier ceux qui, par leur exemple, nous ont communiqué leur vision de la vie : Paul-André Cloutier, Raymonde Labelle, Micheline Gagnon et Serge Longpré.

Lyne Cloutier et Sophie Longpré

ADAPTATION

Cet ouvrage a été adapté sous la direction de

Lyne Cloutier, inf., M.Sc.
Professeure, Département des sciences infirmières – Université du Québec à Trois-Rivières

Sophie Longpré, inf., M.Sc.
Professeure, Département des sciences infirmières – Université du Québec à Trois-Rivières

Avec la participation de

Nicole Allard, inf., Ph.D.
Professeure, Département des sciences infirmières – Université du Québec à Rimouski

Jacqueline Bergeron, inf., B.Sc., MAP
Chargée de cours, Département des sciences infirmières – Université du Québec à Trois-Rivières ; Infirmière bachelière, CLSC Sainte-Geneviève – Centre de santé et services de la Vallée-de-la-Batiscan

Nancy Chénard, inf., B.Sc., DESS sciences infirmières
Coordonnatrice en clinique de transplantation cardiaque – Institut de cardiologie de Montréal

Maud-Christine Chouinard, inf., Ph.D.
Professeure, Module des sciences infirmières et de la santé – Université du Québec à Chicoutimi

Francine de Montigny, inf., Ph.D.
Professeure, Département des sciences infirmières – Université du Québec en Outaouais

Michel Dorval, Ph.D.
Professeur agrégé, Faculté de pharmacie – Université Laval ; Chercheur, Unité de recherche en santé des populations – Centre hospitalier universitaire affilié de Québec

Lisette Gagnon, inf., M.Sc. administration des services de santé, M.Sc.inf.
Chargée de cours, Faculté des sciences infirmières – Université de Montréal

Christian Godbout, inf., M.Sc.
Responsable de la formation en soins critiques/soins intensifs, chirurgie cardiaque – Hôpital Laval ; Chargé de cours, Département des sciences infirmières – Université du Québec à Rimouski

Josée Grégoire, inf., M.Sc., CSIC(C), CSU(C)
Enseignante de soins infirmiers – Cégep régional de Lanaudière à Joliette

Julie Houle, inf., M.Sc.
Professeure, Département des sciences infirmières – Université du Québec à Trois-Rivières

Marie-Chantal Loiselle, inf., M.Sc.
Conseillère en soins spécialisés (néphrologie) – Hôpital Charles-Lemoyne

Caroline Longpré, inf., M.Sc.
Enseignante de soins infirmiers – Cégep régional de Lanaudière à Joliette

Cécile Michaud, inf., Ph.D. (Sc.inf.)
Professeure adjointe, École des sciences infirmières, Faculté de médecine et des sciences de la santé – Université de Sherbrooke

Diane Morin, inf., Ph.D.
Professeure agrégée, Faculté des sciences infirmières – Université Laval

Nicole Ouellet, inf., Ph.D.
Professeure, Département des sciences infirmières – Université du Québec à Rimouski

Bruno Pilote, inf., M.Sc.
Enseignant de soins infirmiers – Cégep de Sainte-Foy

Céline Plante, inf., M.Sc.Clinique (sciences infirmières)
Professeure, Module des sciences de la santé – Université du Québec à Rimouski

Ginette Provost, inf., B.Sc.inf., M.A.
Conseillère clinicienne en soins spécialisés, Regroupement clientèle « Soins critiques-Traumatologie » – Centre hospitalier universitaire de Sherbrooke

Isabelle Reeves, inf., Ph.D.
Professeure agrégée, École des sciences infirmières, Faculté de médecine et des sciences de la santé – Université de Sherbrooke

Isabelle Rouleau, M.Sc.
Agent de recherche, Unité de recherche en santé des populations – Centre hospitalier universitaire affilié de Québec

Liette St-Pierre, inf., Ph.D.
Professeure, Département des sciences infirmières – Université du Québec à Trois-Rivières

Lise Talbot, inf., Ph.D.
Professeure agrégée, École des sciences infirmières, vice-doyenne, Faculté de médecine et des sciences de la santé – Université de Sherbrooke

Andréanne Tanguay, inf., M.Sc.
Chargée de cours, École des sciences infirmières, Faculté de médecine et des sciences de la santé – Université de Sherbrooke

Marie-Claude Thériault, B.Sc.inf., M.Sc.inf.
Professeure, École de science infirmière – Université de Moncton

Alain Vanasse, M.D., Ph.D
Professeur adjoint, Département de médecine familiale, Faculté de médecine et des sciences de la santé – Université de Sherbrooke

Bilkis Vissandjée, inf., Ph.D.
Professeure titulaire, Faculté des sciences infirmières – Université de Montréal

Et la collaboration de

Hugo Laplante, B.Pharm., M.Sc.
Pharmacien – Hôpital Saint-François d'Assise – CHUQ

COMPAGNON WEB

Le modèle des cas cliniques a été élaboré par:

Martin Decoste, inf., B.Sc.
Enseignant de soins infirmiers – Cégep de Lévis-Lauzon

et le diaporama (fichiers PowerPoint) par:

Janine Roy, inf., B.Sc.
Chargée de cours, Université du Québec à Trois-Rivières

L'équipe d'adaptation et l'éditeur tiennent à remercier les personnes suivantes, qui ont apporté des commentaires précieux à diverses étapes de l'élaboration de l'ouvrage et de son matériel complémentaire :

Line Beaudet
Centre hospitalier universitaire de Montréal

Monique Bernard
Hôpital Maisonneuve-Rosemont

Monique Bernier
Cégep de Sainte-Foy

Johanne Bérubé
Cégep de Lévis-Lauzon

Suzanne Blair
Cégep André-Laurendeau

Raymonde Bourassa
Collège Montmorency

Sylvie Cantin
Cégep de Jonquière

Andrée Carbonneau
Cégep de Lévis-Lauzon

Julie Charette
CSSSTR, Centre de services Les Forges

Gilles Cossette
CSSS du Nord de Lanaudière

Jean-Guy Daniels
CSSS de la MRC d'Asbestos

Diane Demers
Collège Édouard-Montpetit

France Desrosiers
Cégep Saint-Jean-sur-Richelieu

Odette Doyon
Université du Québec à Trois-Rivières

Louise Gélinas
Collège de Bois-de-Boulogne

Denis Gervais
Cégep du Vieux Montréal

Monique Guillotte
Cégep André-Laurendeau

Isabelle Hemlin
Agence de développement de réseaux locaux de services de santé et de services sociaux de Montréal

Louise Hudon
Cégep de Sainte-Foy

Chantal Laperrière
Cégep de Saint-Laurent

Céline Laramée
Collège de Maisonneuve

Gaétane Lavoie
Cégep de Saint-Laurent

Marie-Noëlle Lemay
Collège de Bois-de-Boulogne

Sylvie Le May
Université de Montréal

Céline Longpré
Cégep de Saint-Jérôme

Renée Martin
Collège de Sherbrooke

Jocelyne Provost
Collège Montmorency

Pilar Ramirez Garcia
Faculté des sciences infirmières, Université de Montréal

Isabelle Sankus
Cégep de Saint-Laurent

Lise Schetagne
Collège Montmorency

Marie-Claude Soucy
Cégep de Limoilou

André St-Julien
Cégep du Vieux Montréal

Sylvie Théorêt
Institut de cardiologie de Montréal

Bach Vuong
Collège de Bois-de-Boulogne

GUIDE VISUEL

Les rubriques

Oncologie

Objectifs d'apprentissage

Après avoir étudié ce chapitre, vous pourrez:

1. Comparer la structure et le fonctionnement d'une cellule normale et d'une cellule cancéreuse.
2. Faire la distinction entre une tumeur bénigne et une tumeur maligne.
3. Nommer les agents et les facteurs cancérogènes reconnus.
4. Expliquer comment l'enseignement et la prévention en matière de santé contribuent à réduire l'incidence du cancer.
5. Comprendre ce qui différencie les divers types d'interventions chirurgicales effectuées dans les cas de cancer: curatives, diagnostiques, prophylactiques, palliatives et reconstructives.
6. Décrire les rôles respectifs de la chirurgie, de la radiothérapie, de la chimiothérapie, de la greffe de moelle osseuse et d'autres formes de traitement du cancer.
7. Décrire les caractéristiques des soins et traitements infirmiers destinés aux personnes sous chimiothérapie.
8. Décrire les diagnostics infirmiers et les problèmes connexes les plus fréquemment rencontrés chez les personnes atteintes de cancer.
9. Appliquer la démarche systématique aux personnes atteintes de cancer.
10. Comprendre l'approche utilisée dans les centres de soins palliatifs pour personnes atteintes de cancer à un stade avancé.
11. Expliquer le rôle de l'infirmière dans l'évaluation et le traitement des urgences oncologiques les plus fréquentes.

Objectifs d'apprentissage

Énumère les facettes des apprentissages que l'étudiante sera en mesure d'acquérir en lisant le chapitre. Ces objectifs incitent aussi l'étudiante à faire des liens entre les notions.

Vocabulaire

Définit les termes relatifs aux notions clés et apparaissant en caractères gras à leur première occurrence dans le chapitre. Ces termes cernent clairement l'ensemble des concepts clés du chapitre.

VOCABULAIRE

ABCD: abréviation anglaise de *Airways* (voies respiratoires), *Breathing* (respiration), *Circulation* (circulation) *neurological Deficit* (déficit neurologique).

Aponévrose: membrane fibreuse conjonctive, blanchâtre et résistante, liée au muscle squelettique.

Aponévrotomie: incision chirurgicale de l'aponévrose d'une extrémité, visant à alléger la pression et à restaurer la fonction neurovasculaire.

Attelle de traction de Hare: attelle de traction portative, installée sur un membre inférieur afin de l'immobiliser et de réduire une fracture de la tête du fémur.

AVPU: abréviation anglaise de *Alert* (alerte), *Verbal* (réponse aux stimuli verbaux), *Pain* (réponse aux stimuli douloureux), *Unresponsive* (aucune réaction).

Carboxyhémoglobine (COHb): hémoglobine qui, étant liée au monoxyde de carbone, ne peut se lier à l'oxygène; il en résulte une hypoxémie.

Indice préhospitalier de traumatologie (IPT): outil servant à juger et à évaluer la gravité d'un traumatisme grâce à divers signes cliniques tels que la pression artérielle systolique, les fréquences cardiaque et respiratoire, les changements dans l'état de conscience et la présence de blessures pénétrantes. Selon le score obtenu et la présence ou l'absence d'un impact à haute vélocité, un algorithme oriente les ambulanciers vers le centre le plus approprié pour recevoir la personne.

Inotrope: ayant trait à la contractilité de la fibre musculaire.

Lavage péritonéal diagnostique: instillation de lactate de Ringer ou d'un sérum physiologique dans la cavité abdominale afin d'y détecter la présence de globules rouges, de globules blancs, de bile, de bactéries, d'amylase ou de contenu gastro-intestinal indiquant la présence d'une lésion abdominale.

Sphygmooxymétrie (saturométrie): mesure de la saturation en oxygène de l'hémoglobine.

Triage: processus d'évaluation des besoins en matière de santé des personnes qui se présentent au service des urgences afin de déterminer l'ordre de priorité dans les soins qui leur seront prodigués et de les orienter vers les ressources appropriées.

Alerte clinique

Fournit des conseils judicieux pour la pratique clinique et des avertissements pour éviter les erreurs courantes.

! ALERTE CLINIQUE *De nombreuses personnes prennent des produits naturels et des suppléments nutritionnels, sans toutefois les considérer comme des «médicaments», de sorte qu'elles négligent parfois de signaler ce fait aux professionnels de la santé. Or, on doit mettre en garde les personnes qui reçoivent des anticoagulants, à la suite d'un AVC, d'un AIT ou d'un diagnostic de fibrillation auriculaire, contre deux plantes, le ginkgo biloba et les suppléments d'ail, dont les effets sur la warfarine (Coumadin) ont été démontrés. Le ginkgo est associé à une augmentation des temps de saignement, ainsi qu'à une p… d'hémorragies spontanées et d'hém… Par ailleurs, prendre à la fois des suppl… warfarine peut hausser de façon con… international normalisé (RIN), accroi… de saignement (Evans, 2000). De nom… naturels sont susceptibles d'accentuer … anticoagulant de la warfarine.*

Particularités reliées à la personne âgée

De nombreuses personnes âgées vivent des épisodes d'incontinence qui apparaissent de façon soudaine. Lorsque cela se produit, l'infirmière doit interroger la personne, et sa famille dans la mesure du possible, à propos de l'apparition des symptômes et des signes de l'incontinence urinaire ou d'autres symptômes ou signes pouvant indiquer une autre affection sous-jacente.

L'incontinence urinaire peut être provoquée par une infection urinaire aiguë ou une autre infection, la constipation, une diminution de l'apport liquidien, un changement dans l'évolution d'une affection chronique, comme l'augmentation du taux de glycémie chez une personne diabétique ou la

Particularités reliées à la personne âgée

Met en évidence les manifestations cliniques de l'affection chez la personne âgée.

EXERCICES D'INTÉGRATION

1. Un homme âgé de 55 ans déclare qu'il ne veut pas participer à une recherche clinique portant sur un médicament. Il déclare: «Il se peut qu'on ne me donne pas le médicament, mais plutôt un placebo. J'aimerais avoir recours aux médecines douces, puisque la médecine traditionnelle ne peut pas m'aider.» Comment l'infirmière devrait-elle réagir? Quelles données devrait-elle recueillir ou transmettre aux autres membres de l'équipe soignante?
2. Une infirmière travaille auprès d'une famille dont l'un des membres est alcoolique et cocaïnomane; elle met au point un plan thérapeutique infirmier. Cependant, un membre de la famille dit à l'infirmière qu'il n'est pas d'accord avec le plan auquel ont souscrit les autres proches. Que diriez-vous à cette personne? Quelles sont les stratégies qui pourraient s'avérer utiles auprès de cette personne et des autres membres de sa famille?
3. Vous soignez un homme qui est en phase terminale à la suite d'un cancer du poumon. Ses enfants vous confient qu'ils se sentent accablés en raison de la situation désespérée de leur père. Que pouvez-vous faire pour les conseiller et les aider à trouver de l'espoir au seuil de la mort? Comment pouvez-vous les soutenir et répondre à leurs besoins affectifs, sociaux et spirituels?

Exercices d'intégration

Ces exercices qui viennent clore chaque chapitre sont tirés de brèves études de cas. Les questions posées encouragent l'étudiante à faire preuve d'esprit critique, c'est-à-dire à analyser, à comparer, à examiner, à interpréter et à évaluer l'information.

RÉFÉRENCES BIBLIOGRAPHIQUES
en anglais • en français

Allard, N. (2000). Cancer et fatigue. *Infirmière du Québec, 7*(4), 12-13, 45-19.
Association canadienne des infirmières en oncologie (2001). *Conseils pratiques sur la façon dont les personnes atteintes de cancer peuvent gérer la fatigue*. Toronto: Ortho Biothec.
Association canadienne des infirmières en oncologie (2001). *Normes de soins, rôles infirmiers en oncologie et compétences relatives aux rôles infirmiers*. Toronto: Astra Zeneca.
Bremerkamp, M. (2000). Mechanisms of action of 5-HT3 receptor antagonists: Clinical overview and nursing implications. *Clinical Journal of Oncology Nursing, 4*(5), 201–207.
Comité consultatif fédéral-provincial-territorial sur la santé de la population (1999). *Pour un avenir en santé: Deuxième rapport sur la santé de la population canadienne*. Ottawa.
Fattorusso,V., et Ritter, O. (1998). *Vademecum clinique: du diagnostic au traitement* (15 éd.). Paris: Masson.
Fibison, W.J. (2000). Gene therapy. *Nursing Clinics of North America, 35*(3), 757–773.
Fisher, B., et al. (1998). Tamoxifen for prevention of breast cancer: Report of the National Surgical Adjuvant Breast and Bowel Project P-1 study. *Journal of National Cancer Institute, 9*

Références bibliographiques

Rassemble les notices bibliographiques, en anglais et en français, des auteurs cités dans le chapitre.

INDEX des six volumes

Les lettres *e*, *f* et *t* renvoient respectivement à des encadrés, à des figures et à des tableaux; les mentions **V1** à **V6** renvoient aux différents volumes.

Index

Pour faciliter le repérage de l'information, on trouve en fin d'ouvrage un index détaillé qui couvre l'ensemble des six volumes.

Les encadrés

Enseignement

Fournit des consignes explicites pour les autosoins ou pour aider la personne à surmonter diverses difficultés. Le recours au besoin à des schémas ou à des photographies facilite la compréhension de la technique à enseigner.

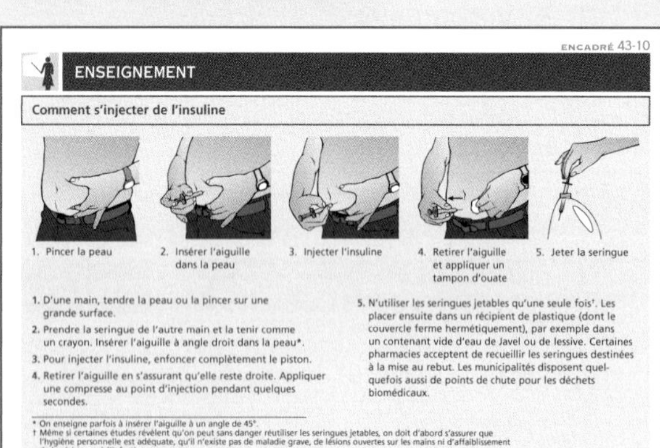

ENCADRÉ 43-10

ENSEIGNEMENT

Comment s'injecter de l'insuline

1. Pincer la peau
2. Insérer l'aiguille dans la peau
3. Injecter l'insuline
4. Retirer l'aiguille et appliquer un tampon d'ouate
5. Jeter la seringue

1. D'une main, tendre la peau ou la pincer sur une grande surface.
2. Prendre la seringue de l'autre main et la tenir comme un crayon. Insérer l'aiguille à angle droit dans la peau*.
3. Pour injecter l'insuline, enfoncer complètement le piston.
4. Retirer l'aiguille en s'assurant qu'elle reste droite. Appliquer une compresse au point d'injection pendant quelques secondes.
5. N'utiliser les seringues jetables qu'une seule fois†. Les placer ensuite dans un récipient de plastique (dont le couvercle ferme hermétiquement), par exemple dans un contenant vide d'eau de Javel ou de lessive. Certaines pharmacies acceptent de recueillir les seringues destinées à la mise au rebut. Les municipalités disposent quelquefois aussi de points de chute pour les déchets biomédicaux.

* On enseigne parfois à insérer l'aiguille à un angle de 45°.
† Même si certaines études révèlent qu'on peut sans danger réutiliser les seringues jetables, on doit d'abord s'assurer que l'hygiène personnelle est adéquate, qu'il n'existe pas de maladie grave, de lésions ouvertes sur les mains ni d'affaiblissement de la résistance à l'infection.

Éthique et considérations particulières

Propose de brèves études de cas soulevant des dilemmes éthiques.

ENCADRÉ 13-2

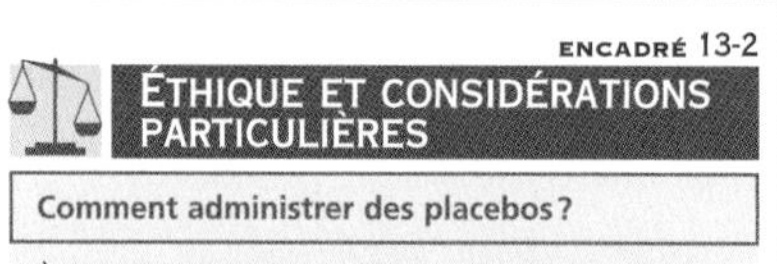

ÉTHIQUE ET CONSIDÉRATIONS PARTICULIÈRES

Comment administrer des placebos?

À cause des perceptions erronées sur les placebos et l'effet placebo, on doit se rappeler les principes suivants:
- L'effet placebo n'indique pas une absence de douleur; il est plutôt l'effet d'une réaction physiologique réelle.
- On ne doit jamais recourir à des placebos (comprimés ou injection sans ingrédients actifs) pour tester la sincérité d'une personne qui dit souffrir ou comme traitement de première ligne.
- On ne doit jamais interpréter une réponse positive à un placebo (par exemple diminution de la douleur) comme une indication … pas réelle.
- Un placebo ne … cament analgé… un effet analg… qu'elles se sen… décevoir l'infir…

EXAMEN CLINIQUE

Bronchopneumopathie chronique obstructive: exemples de questions à poser

ANAMNÈSE
- Depuis combien de temps la personne a-t-elle des problèmes respiratoires?
- L'effort augmente-t-il la dyspnée? Si oui, quel type d'effort?
- Quelles sont les limites de tolérance à l'effort chez cette personne?
- À quels moments de la journée la personne se plaint-elle le plus de fatigue et d'essoufflement?
- Quelles habitudes d'alimentation et de sommeil ont été touchées?
- Que sait la personne au sujet de son affection et de son état?
- Quels sont ses antécédents de tabagisme (primaire et secondaire)?
- Est-elle exposée à la fumée ou à d'autres polluants dans son milieu de travail?
- Quels facteurs ont déclenché la BPCO (effort, odeurs fortes, poussière, exposition à des animaux, etc.)?

EXAMEN PHYSIQUE
- Quelle position la personne adopte-t-elle pendant la consultation?
- Quel est son pouls et quelle est sa fréquence respiratoire?
- Quelles sont les caractéristiques de sa respiration? À l'effort et sans effort? Autres?
- Peut-elle finir une phrase sans chercher son souffl…
- Contracte-t-elle les muscles abdominaux au cours … l'inspiration?
- Utilise-t-elle les muscles accessoires des épaules et … lorsqu'elle respire?
- Prend-elle beaucoup de temps pour expirer (expiration prolongée)?
- Y a-t-il des signes de cyanose centrale?
- Les veines de son cou sont-elles gonflées?
- Y a-t-il un œdème périphérique?
- La personne tousse-t-elle?
- Quelles sont les caractéristiques de ses expectorations: couleur, quantité et consistance?
- Présente-t-elle un hippocratisme digital?
- Quels types de bruits pulmonaires (bruits clairs, faibles ou distants, crépitants, sibilants) perçoit-on? Décrire et consigner les observations à cet égard, ainsi que les régions où les bruits sont perçus.
- Quel est l'état de conscience de la personne?
- Note-t-on une altération de la mémoire à court terme ou à long terme?
- L'état de stupeur s'aggrave-t-il?
- La personne a-t-elle des appréhensions?

ENCADRÉ 28-1

FACTEURS DE RISQUE

MCV

FACTEURS NON MODIFIABLES
- Antécédents familiaux de coronaropathie prématurée
- Vieillissement
- Sexe (hommes, femmes ménopausées)
- Ethnie (risque plus élevé chez les autochtones que chez les sujets de race blanche)

FACTEURS MODIFIABLES
- Hyperlipidémie
- Hypertension
- Tabagisme
- Hyperglycémie (diabète)
- Obésité
- Sédentarité
- Caractéristiques de la personnalité de type A, particulièrement l'hostilité
- Usage de contraceptifs oraux

Examen clinique

Distingue clairement l'anamnèse, qui comprend d'une part des questions à poser pour établir l'histoire de santé et d'autre part les signes et symptômes qui permettent de détecter ou de prévenir les affections.

Facteurs de risque

Donne un aperçu des facteurs qui peuvent nuire à la santé (substances cancérogènes, environnement, consommation de certains produits, etc.).

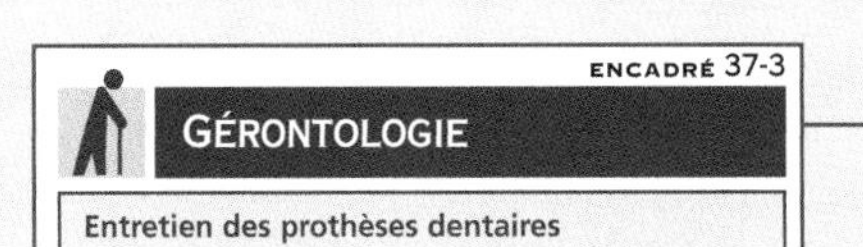

Entretien des prothèses dentaires

Comme un grand nombre de personnes âgées portent des prothèses dentaires, les mesures d'hygiène buccodentaire et les examens périodiques contribuent au maintien de la santé.

- Brosser les prothèses dentaires deux fois par jour.
- Retirer les prothèses au coucher et les faire tremper dans l'eau ou dans un produit de nettoyage (ne pas les mettre dans de l'eau chaude, car elles pourraient se déformer).
- Se rincer la bouche avec de l'eau tiède et salée, au lever, après chaque repas et au coucher.
- Nettoyer soigneusement la zone qui se trouve sous les prothèses partielles, car les particules alimentaires tendent à s'y loger.
- Consommer des aliments non adhérents et découpés en petits morceaux; mastiquer lentement.
- Rendre visite au denturologiste régulièrement pour qu'il évalue l'ajustement des prothèses et qu'il effectue les corrections nécessaires.

Gérontologie

Rassemble de l'information concernant les personnes âgées.

Grille de suivi des soins à domicile

Présente des recommandations explicites – destinées à la personne elle-même ou à son proche aidant, ou aux deux – afin d'assurer l'atteinte des objectifs de soins lorsque la personne a regagné son domicile.

ENCADRÉ 46-11

GRILLE DE SUIVI DES SOINS À DOMICILE

Personne sous dialyse péritonéale (DPCA ou DPA)

Après avoir reçu l'enseignement sur les soins à domicile, la personne ou le proche aidant peut:	Personne	Proche aidant
▪ Expliquer ce qu'est l'insuffisance rénale et quels sont ses effets sur l'organisme.	✔	✔
▪ Donner des informations générales sur la fonction rénale.	✔	✔
▪ Expliquer les différentes phases de l'affection.	✔	✔
▪ Expliquer les principes de base de la dialyse péritonéale.	✔	✔
▪ Entretenir le cathéter et effectuer les soins du point d'insertion.	✔	✔
▪ Évaluer les signes vitaux et le poids.	✔	✔
▪ Expliquer en quoi consistent la surveillance et le maintien de l'équilibre hydrique.	✔	✔
▪ Énumérer les principales techniques d'asepsie.	✔	✔
▪ Effectuer les échanges de la DPCA en utilisant les techniques d'asepsie recommandées (les personnes qui reçoivent une DPA devraient également être en mesure d'expliquer la … défaillance ou de non-disponibilité du cycleur).	✔	✔
… tenir, le cas échéant.	✔	✔
… possibles de la dialyse péritonéale, les mesures utilisées pour … les traiter.	✔	✔

Pharmacologie

Résume les traitements pharmacologiques courants et récents ainsi que les progrès dans le domaine.

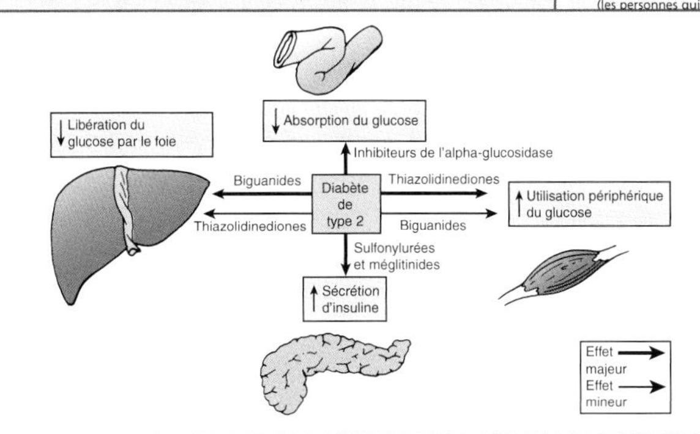

Promotion de la santé

Rappelle des consignes de sécurité susceptibles d'éviter des blessures ou des accidents.

PROMOTION DE LA SANTÉ

Prévention des coups de chaleur

- Recommander à la personne d'éviter toute nouvelle exposition à des températures élevées; pendant une période assez longue, elle peut en effet présenter une hypersensibilité à la chaleur.
- Insister sur la nécessité de s'hydrater suffisamment et régulièrement, de porter des vêtements légers, amples et de couleur claire, et de réduire son activité par temps chaud.
- Conseiller aux athlètes de surveiller leurs pertes liquidiennes et pondérales durant leur entraînement, et de les compenser en buvant suffisamment.
- Conseiller à la personne d'augmenter graduellement l'intensité de l'effort physique, en prenant le temps qu'il faut pour s'acclimater à la chaleur.
- Recommander aux personnes âgées et vulnérables, qui vivent en milieu urbain où la chaleur est parfois intense, de fréquenter des lieux où elles auront de l'air frais (centres commerciaux, bibliothèques, par exemple).

Recherche en sciences infirmières

Résume des exemples de recherche en précisant l'objectif, le dispositif, les résultats et les implications pour la pratique infirmière. Cette rubrique sensibilise l'étudiante à l'importance de maintenir ses connaissances à jour en plus d'intégrer les résultats probants issus d'études réalisées par des infirmières.

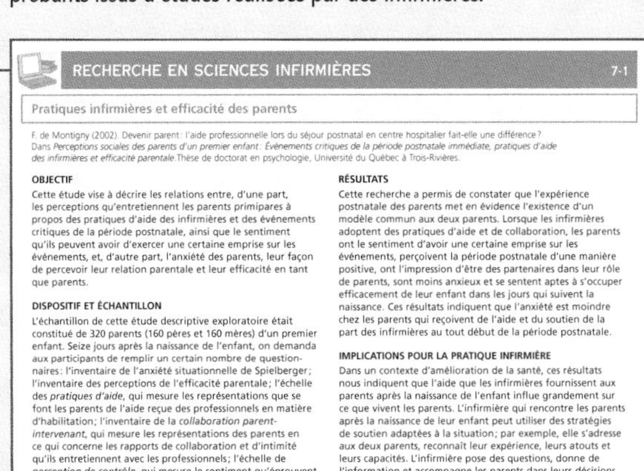

RECHERCHE EN SCIENCES INFIRMIÈRES 7-1

Pratiques infirmières et efficacité des parents

F. de Montigny (2002). Devenir parent: l'aide professionnelle lors du séjour postnatal en centre hospitalier fait-elle une différence? Dans *Perceptions sociales des parents d'un premier enfant: Événements critiques de la période postnatale immédiate, pratiques d'aide des infirmières et efficacité parentale*. Thèse de doctorat en psychologie, Université du Québec à Trois-Rivières.

OBJECTIF

Cette étude vise à décrire les relations entre, d'une part, les perceptions qu'entretiennent les parents primipares à propos des pratiques d'aide des infirmières et des événements critiques de la période postnatale, ainsi que le sentiment qu'ils peuvent avoir d'exercer une certaine emprise sur les événements, et, d'autre part, l'anxiété des parents, leur façon de percevoir leur relation parentale et leur efficacité en tant que parents.

DISPOSITIF ET ÉCHANTILLON

L'échantillon de cette étude descriptive exploratoire était constitué de 320 parents (160 pères et 160 mères) d'un premier enfant. Seize jours après la naissance de l'enfant, on demanda aux participants de remplir un certain nombre de questionnaires: l'inventaire de l'anxiété situationnelle de Spielberger; l'inventaire des perceptions de l'efficacité parentale; l'échelle des *pratiques d'aide*, qui mesure les représentations que se font les parents de l'aide reçue des professionnels en matière d'habilitation; l'inventaire de la *collaboration parent-intervenant*, qui mesure les représentations des parents en ce qui concerne les rapports de collaboration et d'intimité qu'ils entretiennent avec les professionnels; l'échelle de *perception de contrôle*, qui mesure le sentiment qu'éprouvent les parents de pouvoir influer sur les événements; l'inventaire des *moments critiques de la période postnatale*, qui mesure le nombre et l'intensité des moments critiques en période postnatale; l'inventaire portant sur l'*alliance parentale*, qui mesure si les conjoints forment une équipe dans le but d'accomplir les diverses fonctions parentales.

RÉSULTATS

Cette recherche a permis de constater que l'expérience postnatale des parents met en évidence l'existence d'un modèle commun aux deux parents. Lorsque les infirmières adoptent des pratiques d'aide et de collaboration, les parents ont le sentiment d'avoir une certaine emprise sur les événements, perçoivent la période postnatale d'une manière positive, ont l'impression d'être des partenaires dans leur rôle de parents, sont moins anxieux et se sentent aptes à s'occuper efficacement de leur enfant dans les jours qui suivent la naissance. Ces résultats indiquent que l'anxiété est moindre chez les parents qui reçoivent de l'aide et du soutien de la part des infirmières au tout début de la période postnatale.

IMPLICATIONS POUR LA PRATIQUE INFIRMIÈRE

Dans un contexte d'amélioration de la santé, ces résultats nous indiquent que l'aide que les infirmières fournissent aux parents après la naissance de l'enfant influe grandement sur ce que vivent les parents. L'infirmière qui rencontre les parents après la naissance de leur enfant peut utiliser des stratégies de soutien adaptées à la situation; par exemple, elle s'adresse aux deux parents, reconnaît leur expérience, leurs atouts et leurs capacités. L'infirmière pose des questions, donne de l'information et accompagne les parents dans leurs décisions et leurs actions. Elle encourage les interactions avec le nouveau-né. Elle est à l'écoute des parents, elle les aide à communiquer entre eux de même qu'avec la famille étendue, soutenant ainsi la santé de la famille durant cette période de transition.

Recommandations

Décrit des interventions infirmières et leurs justifications scientifiques les plus récentes en vue de favoriser l'acquisition d'habiletés importantes. Chaque fois que des lignes directrices ont été énoncées par des comités d'experts, elles sont présentées dans la rubrique.

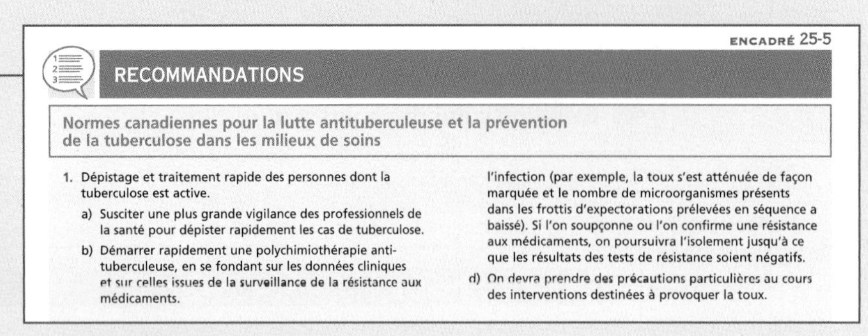

ENCADRÉ 25-5

RECOMMANDATIONS

Normes canadiennes pour la lutte antituberculeuse et la prévention de la tuberculose dans les milieux de soins

1. Dépistage et traitement rapide des personnes dont la tuberculose est active.
   a) Susciter une plus grande vigilance des professionnels de la santé pour dépister rapidement les cas de tuberculose.
   b) Démarrer rapidement une polychimiothérapie antituberculeuse, en se fondant sur les données cliniques et sur celles issues de la surveillance de la résistance aux médicaments.

l'infection (par exemple, la toux s'est atténuée de façon marquée et le nombre de microorganismes présents dans les frottis d'expectorations prélevées en séquence a baissé). Si l'on soupçonne ou l'on confirme une résistance aux médicaments, on poursuivra l'isolement jusqu'à ce que les résultats des tests de résistance soient négatifs.

d) On devra prendre des précautions particulières au cours des interventions destinées à provoquer la toux.

Les figures et tableaux

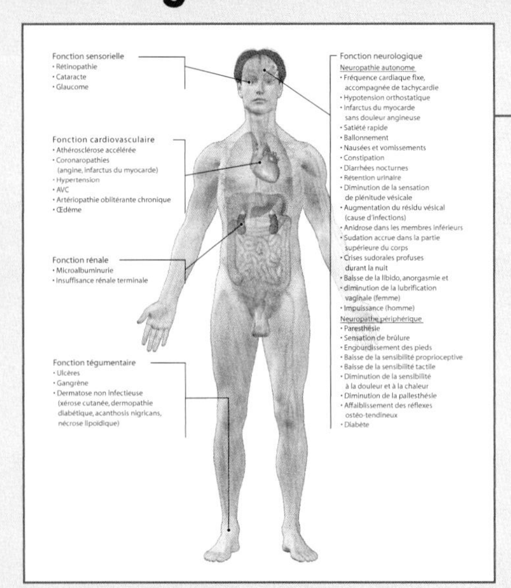

Effets multisystémiques

Schématise les conséquences multisystémiques d'une affection et permet d'en visualiser les principales manifestations cliniques.

Physiologie/physiopathologie

Démontre la séquence des événements physiopathologiques par des figures et des schémas clairs ainsi que par des algorithmes qui mettent en évidence les informations les plus utiles permettant de comprendre les manifestations cliniques et les options thérapeutiques.

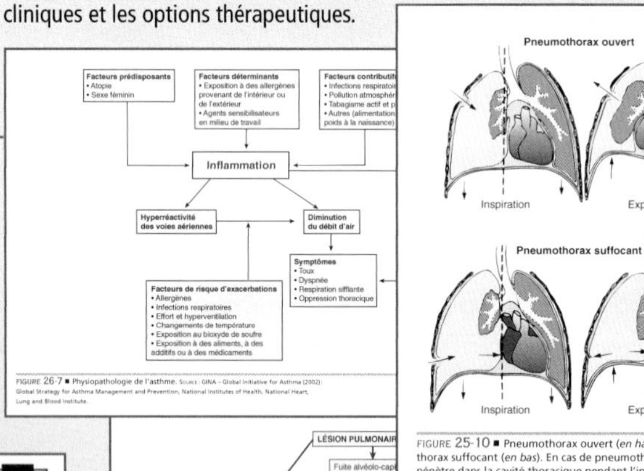

FIGURE 26-7 ■ Physiopathologie de l'asthme.

FIGURE 25-10 ■ Pneumothorax ouvert (*en haut*) et pneumothorax suffocant (*en bas*). En cas de pneumothorax ouvert, l'air pénètre dans la cavité thoracique pendant l'inspiration et en ressort pendant l'expiration. Le poumon affecté peut reprendre partiellement sa place à cause de la diminution de pression consécutive à la sortie de l'air. En cas de pneumothorax suffocant, l'air peut pénétrer dans le thorax, mais ne peut pas en ressortir. À mesure que la pression s'élève, le cœur et les gros vaisseaux sont comprimés et les structures du médiastin sont refoulées du côté opposé. La trachée est également repoussée vers le côté opposé du thorax et le poumon sain est comprimé.

FIGURE 25-6 ■ Pathogenèse et physiopathologie du syndrome de détresse respiratoire aiguë.

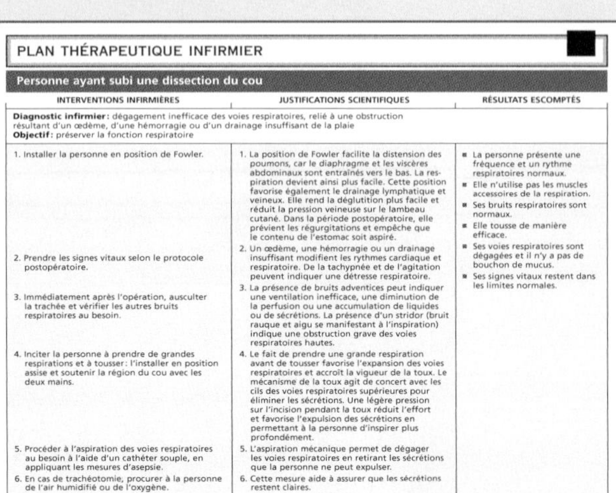

PLAN THÉRAPEUTIQUE INFIRMIER

Personne ayant subi une dissection du cou

INTERVENTIONS INFIRMIÈRES	JUSTIFICATIONS SCIENTIFIQUES	RÉSULTATS ESCOMPTÉS
Diagnostic infirmier : dégagement inefficace des voies respiratoires, relié à une obstruction résultant d'un œdème, d'une hémorragie ou d'un drainage insuffisant de la plaie **Objectif :** préserver la fonction respiratoire		
1. Installer la personne en position de Fowler.	1. La position de Fowler facilite la distension des poumons, car le diaphragme et les viscères abdominaux sont entraînés vers le bas. La respiration devient ainsi plus facile. Cette position favorise également le drainage lymphatique et veineux. Elle rend la déglutition plus facile et réduit la pression veineuse sur le lambeau cutané. Dans la période postopératoire, elle prévient les régurgitations et empêche que le contenu de l'estomac soit aspiré.	■ La personne présente une fréquence et un rythme respiratoires normaux. ■ Elle n'utilise pas les muscles accessoires de la respiration. ■ Ses bruits respiratoires sont normaux. ■ Elle tousse de manière efficace. ■ Ses voies respiratoires sont dégagées et il n'y a pas de bouchon de mucus. ■ Ses signes vitaux restent dans les limites normales.
2. Prendre les signes vitaux selon le protocole postopératoire.	2. Un œdème, une hémorragie ou un drainage insuffisant modifient les rythmes cardiaque et respiratoire. De la tachypnée et de l'agitation peuvent indiquer une détresse respiratoire.	
3. Immédiatement après l'opération, ausculter la trachée et vérifier les autres bruits respiratoires au besoin.	3. La présence de bruits adventices peut indiquer une ventilation inefficace, une diminution de la perfusion ou une accumulation de liquides ou de sécrétions. La présence d'un stridor (bruit rauque et aigu se manifestant à l'inspiration) indique une obstruction grave des voies respiratoires hautes.	
4. Inciter la personne à prendre de grandes respirations et à tousser : l'installer en position assise et soutenir la région du cou avec les deux mains.	4. Le fait de prendre une grande respiration avant de tousser favorise l'expansion des voies respiratoires et accroît la vigueur de la toux. Le mécanisme de la toux agit de concert avec les cils des voies respiratoires supérieures pour éliminer les sécrétions. Une légère pression sur l'incision pendant la toux réduit l'effort et favorise l'expulsion des sécrétions en permettant à la personne d'inspirer plus profondément.	
5. Procéder à l'aspiration des voies respiratoires au besoin à l'aide d'un cathéter souple, en appliquant les mesures d'asepsie.	5. L'aspiration mécanique permet de dégager les voies respiratoires en retirant les sécrétions que la personne ne peut expulser.	
6. En cas de trachéotomie, procurer à la personne de l'air humidifié ou de l'oxygène.	6. Cette mesure aide à assurer que les sécrétions restent claires.	
Diagnostic infirmier : risque élevé d'infection **Objectif :** prévenir l'infection		

Plan thérapeutique infirmier*

Illustre les soins et les traitements sous l'angle de la démarche systématique dans la pratique infirmière. La numérotation et l'utilisation des puces font ressortir les liens entre chacune des interventions infirmières, leurs justifications scientifiques et les résultats escomptés.

* Voir la note de la page V.

TABLE DES MATIÈRES

PARTIE 5

Fonction respiratoire

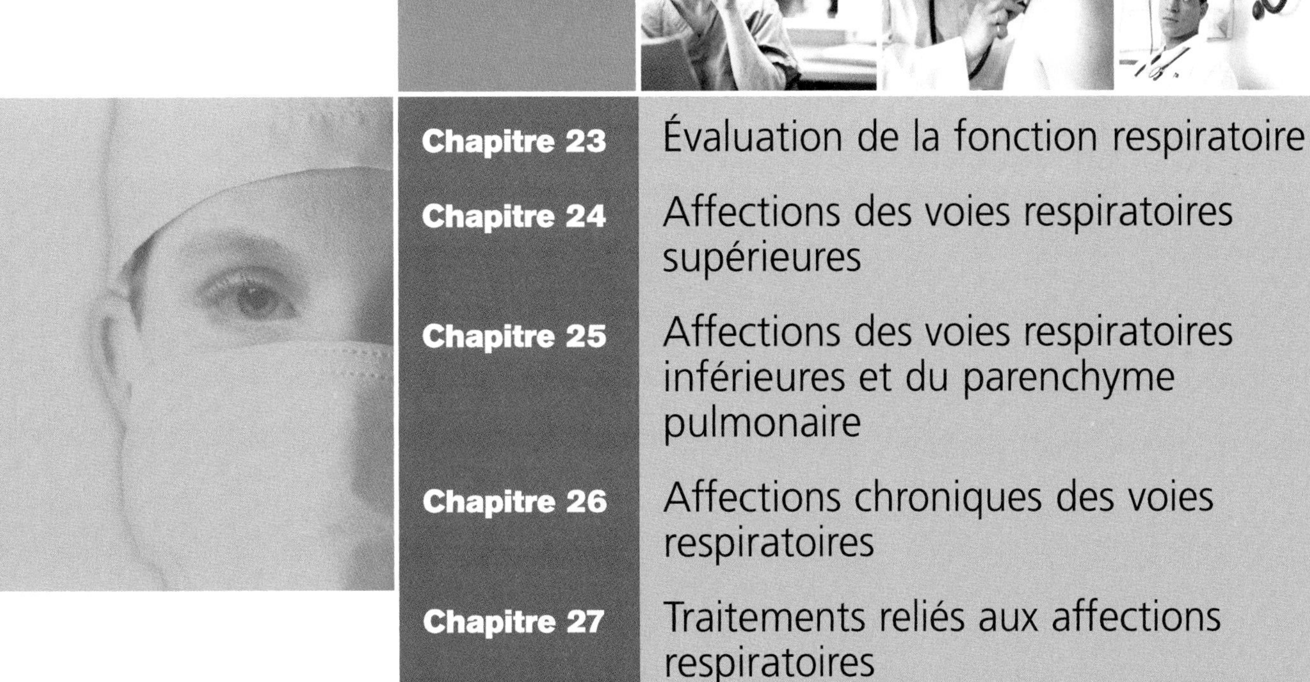

Adaptation française
Sophie Longpré, inf., M.Sc.
Professeure, Département des sciences infirmières – Université du Québec à Trois-Rivières

CHAPITRE 23

Évaluation de la fonction respiratoire

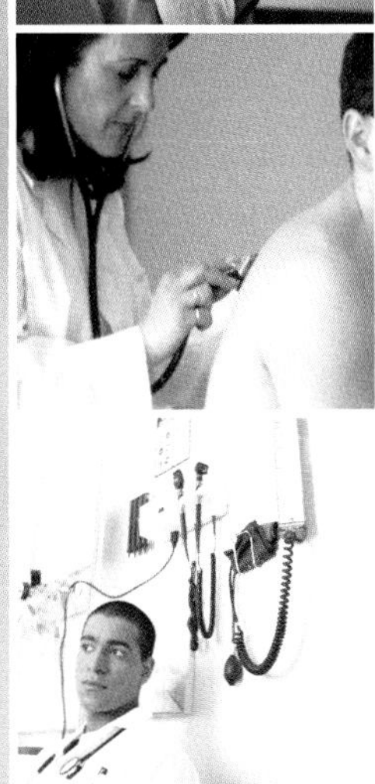

Objectifs d'apprentissage

Après avoir étudié ce chapitre, vous pourrez:

1. Décrire les structures et les fonctions des voies respiratoires supérieures et inférieures.
2. Expliquer les phénomènes de la ventilation, de la perfusion, de la diffusion et de la dérivation pulmonaires, ainsi que leurs liens avec la circulation pulmonaire.
3. Distinguer les bruits respiratoires normaux des bruits anormaux.
4. Utiliser les paramètres de l'évaluation qui permettent de déterminer les caractéristiques et la gravité des principaux symptômes de dysfonctionnement respiratoire.
5. Déterminer le rôle de l'infirmière dans les différentes interventions servant à évaluer la fonction respiratoire et à diagnostiquer les diverses affections respiratoires.

Les troubles touchant l'appareil respiratoire sont courants, et les infirmières peuvent les rencontrer dans tous les milieux, allant de la pratique dans la communauté aux soins intensifs. Pour évaluer l'appareil respiratoire, l'infirmière doit savoir distinguer les résultats normaux des résultats anormaux. Elle doit acquérir de bonnes habiletés d'évaluation et les utiliser lorsqu'elle prodigue des soins aux personnes présentant des problèmes respiratoires aigus ou chroniques. De plus, elle doit bien comprendre la fonction respiratoire et la signification des résultats anormaux d'un examen paraclinique.

Anatomie et physiologie

L'appareil respiratoire est composé des voies respiratoires supérieures et inférieures, qui assurent la **ventilation** (mouvement de va-et-vient de l'air dans les voies aériennes). Les voies supérieures réchauffent et filtrent l'air inspiré, ce qui permet aux voies inférieures (les poumons) d'effectuer les échanges gazeux. Lors des échanges gazeux, l'oxygène est acheminé vers les tissus par la circulation sanguine et les déchets gazeux, comme le gaz carbonique, sont éliminés pendant l'expiration.

ANATOMIE DES VOIES RESPIRATOIRES SUPÉRIEURES

Les structures des voies aériennes supérieures comprennent le nez, les sinus et les voies nasales, le pharynx, les amygdales, le larynx et la trachée.

Nez

Le nez est composé d'une partie externe et d'une partie interne. La partie externe fait saillie sur le visage; elle est soutenue par les os et le cartilage du nez. Les narines constituent les orifices externes des fosses nasales.

La partie interne du nez est une cavité; elle est divisée en deux fosses nasales, la droite et la gauche, par une mince cloison verticale. Chaque fosse nasale est divisée à son tour en trois voies par la projection des cornets nasaux à partir des parois latérales du nez. Les fosses nasales sont tapissées d'une muqueuse ciliée, très vascularisée, appelée muqueuse nasale. Le mucus, sécrété de façon continue par les cellules caliciformes, couvre la surface de la muqueuse nasale et, par l'activité des **cils** (petits poils fins), il est renvoyé dans le nasopharynx.

Le nez sert de voie de passage à l'air qui entre dans les poumons et qui en sort. Il filtre les impuretés et il humidifie et réchauffe l'air inhalé. Le nez abrite l'organe de l'odorat, du fait que les récepteurs olfactifs sont situés dans la muqueuse nasale. Cette fonction se détériore avec le vieillissement.

Sinus paranasaux

Les sinus paranasaux sont constitués de quatre paires de cavités osseuses, tapissées de muqueuse nasale et d'un épithélium prismatique, cilié et pseudostratifié. Ces espaces aériens sont annexés à une série de conduits qui débouchent dans les fosses nasales. Le nom de ces sinus est déterminé par leur emplacement dans le crâne, soit les sinus frontaux, ethmoïdaux, sphénoïdaux et maxillaires (figure 23-1 ■). Les sinus servent surtout de caisse de résonance. Ils sont souvent le siège d'infections.

Cornets nasaux

Les cornets nasaux ont la forme d'une coquille. Par leur courbure, ces os augmentent la surface de la muqueuse des voies nasales et bloquent légèrement l'air qui les traverse (figure 23-2 ■).

VOCABULAIRE

Bronchoscopie: examen direct du larynx, de la trachée et des bronches à l'aide d'un endoscope.

Cils: petits poils fins qui effectuent un constant mouvement de balayage servant à éloigner le mucus et les substances étrangères des poumons et à les propulser vers le larynx.

Crépitants: bruits surajoutés, discontinus et de faible intensité, qu'on peut entendre lors de l'inspiration; ils sont dus à la réouverture tardive des voies aériennes.

Diffusion: échanges des molécules de gaz entre les régions à fortes et à faibles concentrations.

Dyspnée: difficulté respiratoire qui se manifeste par une respiration laborieuse ou un essoufflement.

Espace mort anatomique: portion de l'arbre trachéobronchique qui ne participe pas aux échanges gazeux.

Hémoptysie: expectoration de sang provenant des voies respiratoires.

Hypoxémie: diminution de la teneur en oxygène du sang artériel.

Hypoxie: diminution de l'apport d'oxygène aux tissus et aux cellules.

Orthopnée: incapacité de respirer normalement autrement qu'en position debout.

Perfusion pulmonaire: débit du sang qui traverse le réseau vasculaire des poumons.

Respiration: échanges gazeux entre les cellules et l'air extérieur par l'intermédiaire du sang.

Sibilants: sons continus, de tonalité aiguë, associés au rétrécissement ou à l'obstruction partielle des voies aériennes.

Ventilation: ensemble des phénomènes physiques et mécaniques qui rendent possibles les échanges gazeux au cours de la respiration.

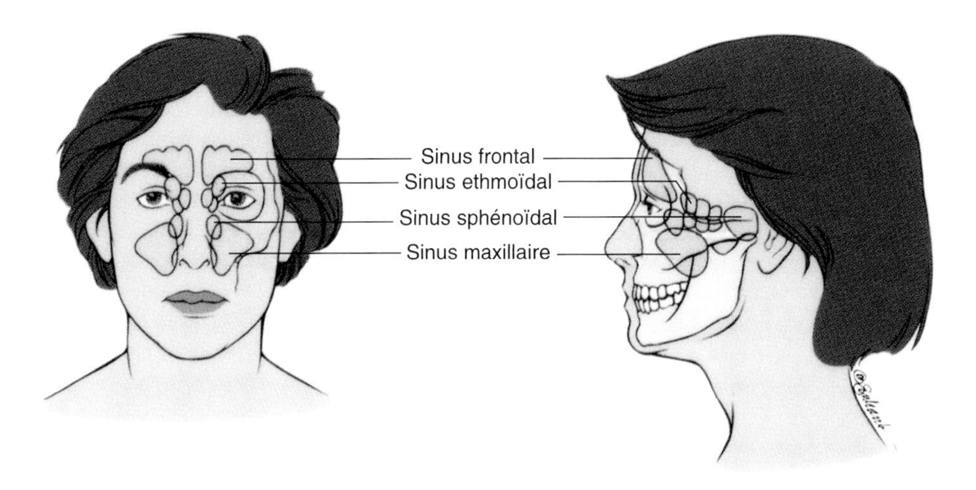

FIGURE 23-1 ■ Les sinus paranasaux.

L'air qui pénètre dans les narines est dévié vers la racine du nez et suit un chemin détourné qui aboutit au nasopharynx. Il entre en contact avec la muqueuse humide et chaude qui, grâce à sa grande superficie, le débarrasse de presque tous les microorganismes et particules de poussière. L'air ainsi humidifié et réchauffé à la température du corps parvient aux nerfs sensitifs. Certains de ces nerfs détectent les odeurs; d'autres provoquent des éternuements permettant d'expulser les particules de poussière, irritantes.

Pharynx et amygdales

Le pharynx, ou gorge, est une structure en forme de tube qui relie les fosses nasales et la cavité buccale au larynx. Le pharynx est divisé en trois régions: nasale, buccale et laryngée. Le nasopharynx, ou région nasale, est situé derrière le nez, au-dessus du palais mou. L'oropharynx, ou région buccale, renferme les amygdales palatines. Le laryngopharynx, ou région laryngée, s'étend de l'os hyoïde au cartilage cricoïde. L'épiglotte constitue l'entrée du larynx.

L'amygdale pharyngienne (végétations adénoïdes) est située dans la voûte du nasopharynx. Les amygdales palatines et pharyngiennes ainsi que d'autres tissus lymphoïdes entourent la gorge. Ces structures sont des liens importants dans la chaîne des ganglions lymphatiques chargée de protéger l'organisme contre l'invasion des microorganismes qui pénètrent dans le nez et la gorge. Le pharynx sert de passage aux voies respiratoires et digestives.

Larynx

Le larynx, organe de la phonation, est une structure cartilagineuse, tapissée d'épithélium, qui relie le pharynx et la trachée. La principale fonction du larynx est la vocalisation. Il protège aussi les voies aériennes inférieures des matières étrangères et facilite la toux. Le larynx est constitué des éléments suivants:

- *Épiglotte* clapet cartilagineux qui recouvre l'entrée du larynx au cours de la déglutition
- *Glotte* région du larynx comprise entre les cordes vocales
- *Cartilage thyroïde* la plus grande des structures cartilagineuses, dont une partie forme la pomme d'Adam
- *Cartilage cricoïde* seul anneau cartilagineux complet du larynx (situé sous le cartilage thyroïde
- *Cartilages aryténoïdes* structures sollicitées, avec le cartilage thyroïde, lors du mouvement des cordes vocales
- *Cordes vocales* ligaments régis par les mouvements musculaires qui produisent des sons; elles sont situées dans la lumière du larynx

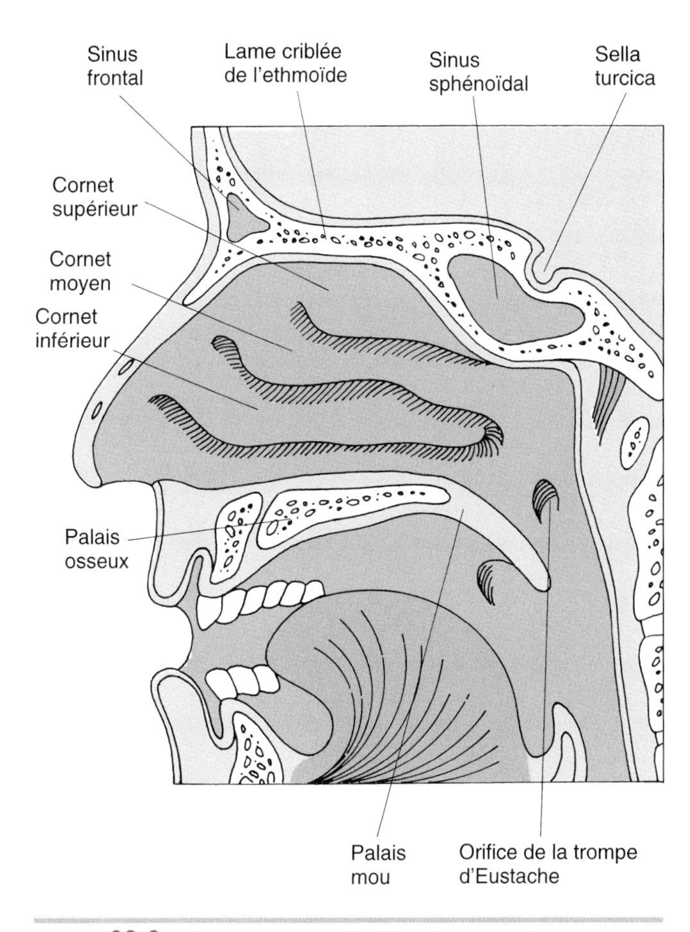

FIGURE 23-2 ■ Coupe transversale d'une fosse nasale.

Trachée

La trachée est constituée de muscles lisses, jalonnés à intervalles réguliers de demi-anneaux de cartilage. Ces anneaux cartilagineux, incomplets sur leur face postérieure, renforcent la paroi de la trachée et l'empêchent de s'affaisser. La trachée sert de voie de passage entre le larynx et les bronches.

Anatomie des voies respiratoires inférieures : poumons

Les voies respiratoires inférieures sont constituées des poumons, qui renferment les structures bronchiques et alvéolaires nécessaires aux échanges gazeux.

Poumons

Les poumons sont des structures élastiques jumelées contenues dans la cage thoracique, une cavité étanche dont les parois sont extensibles (figure 23-3 ■). La ventilation ne pourrait se faire sans les mouvements de la paroi de la cage thoracique et de son plancher, le diaphragme. Les mouvements de la paroi thoracique et du diaphragme diminuent et augmentent, tour à tour, la capacité du thorax. Lorsque le thorax se dilate, l'air peut pénétrer dans la trachée (inspiration), où la pression est plus faible, et gonfle les poumons. Lorsque la paroi thoracique et le diaphragme reprennent leur position de départ (expiration), les poumons se rétractent et chassent l'air vers l'extérieur par les bronches et la trachée. La phase inspiratoire de la respiration est normalement active,

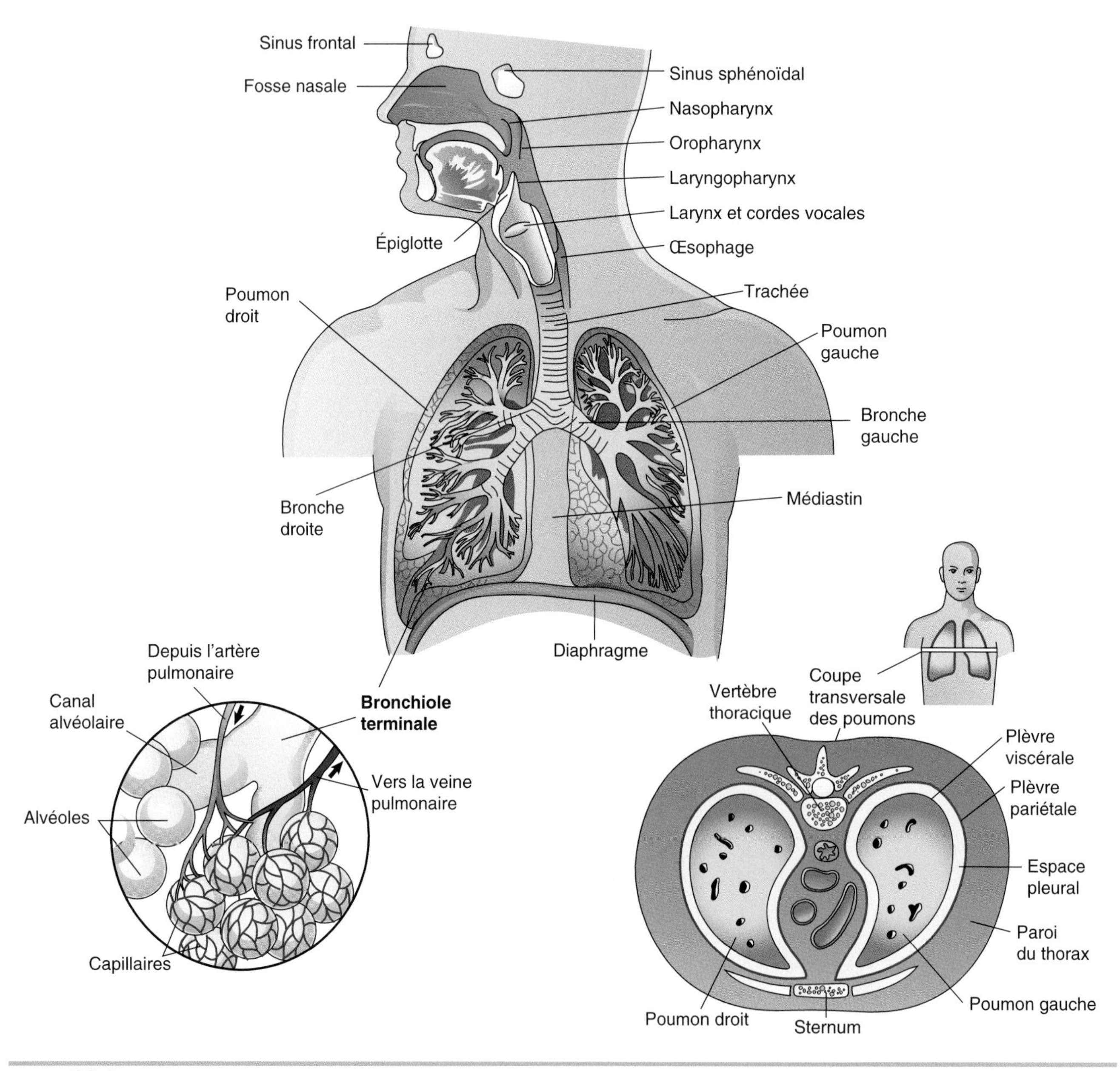

FIGURE 23-3 ■ Appareil respiratoire; structures des voies respiratoires supérieures et structures du thorax (*en haut*); alvéoles et coupe transversale des poumons (*en bas*).

alors que la phase expiratoire est habituellement passive. L'inspiration a lieu au cours du premier tiers du cycle respiratoire et l'expiration, au cours des deux derniers.

Plèvre

Les poumons et la paroi du thorax sont recouverts d'une membrane séreuse, appelée plèvre. La plèvre viscérale recouvre les poumons, alors que la plèvre pariétale tapisse le thorax. Les plèvres viscérale et pariétale ainsi que la petite quantité de liquide pleural se trouvant entre ces deux feuillets permettent aux poumons de bouger librement dans la cavité thoracique à chaque respiration.

Médiastin

Le médiastin est situé au centre du thorax, entre les cavités pleurales qui renferment les deux poumons. Il s'étend du sternum à la colonne vertébrale et contient tous les tissus thoraciques, à l'exception des poumons.

Lobes

Chaque poumon se divise en plusieurs lobes. Le poumon gauche est formé de deux lobes, soit le lobe supérieur et le lobe inférieur, alors que le poumon droit est formé de trois lobes, soit le lobe supérieur, le lobe moyen et le lobe inférieur (figure 23-4 ■). Les lobes sont séparés par des scissures, lesquelles sont des prolongements de la plèvre. Chaque lobe se divise à son tour en deux à cinq segments.

Bronches et bronchioles

Dans chaque lobe pulmonaire, les bronches se ramifient plusieurs fois. On y trouve tout d'abord les bronches lobaires (trois dans le poumon droit et deux dans le poumon gauche), qui se divisent en bronches segmentaires (10 dans le poumon droit et 8 dans le poumon gauche). Les bronches segmentaires déterminent la position qui favorise le mieux le drainage postural chez une personne. Les bronches segmentaires se ramifient à leur tour en bronches sous-segmentaires, qui sont entourées de tissu conjonctif contenant des artères, des vaisseaux lymphatiques et des nerfs.

Les bronches sous-segmentaires se divisent en bronchioles, dont les parois sont dépourvues de cartilage. La perméabilité d'une bronchiole dépend entièrement de la rétraction élastique du muscle lisse qui l'entoure et de la pression alvéolaire. Les bronchioles contiennent des glandes sous-muqueuses, qui produisent le mucus recouvrant la paroi interne des voies respiratoires. Les bronches et les bronchioles sont tapissées également de cellules dont la surface est recouverte de cils, qui exercent un constant mouvement de balayage servant à expulser vers le larynx le mucus et les matières étrangères des poumons.

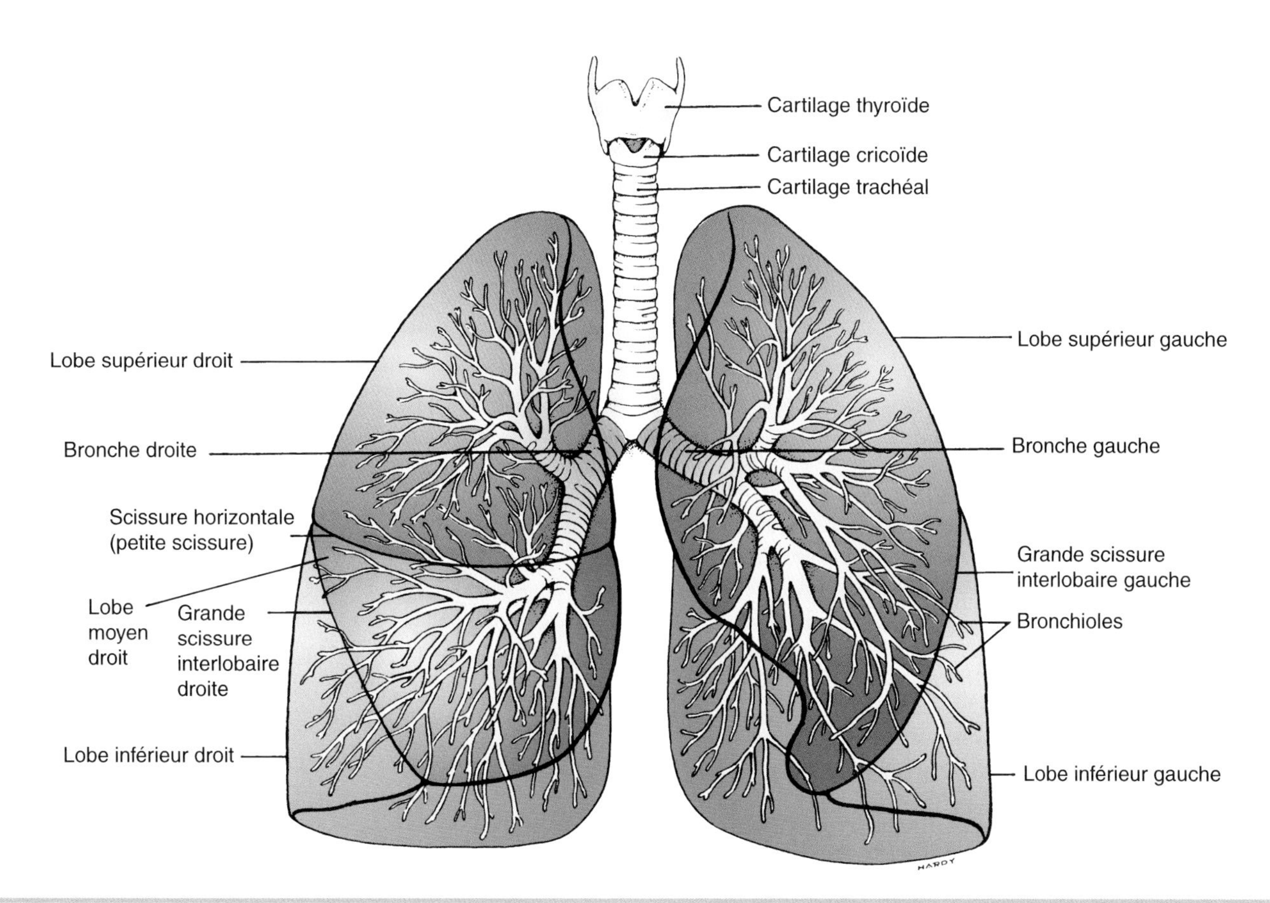

FIGURE 23-4 ■ Les poumons sont formés de cinq lobes. Le poumon droit a trois lobes (supérieur, moyen et inférieur), alors que le gauche en a deux (supérieur et inférieur). Les lobes sont séparés par des scissures. L'arbre bronchique permet le passage de l'air ambiant vers les poumons.

Les bronchioles se divisent ensuite en bronchioles terminales, lesquelles n'ont ni glandes muqueuses ni cils et se séparent en bronchioles respiratoires. Les bronchioles respiratoires constituent la zone de transition entre les voies aériennes de la zone de conduction et les voies aériennes de la zone des échanges gazeux. Jusqu'à cette zone de transition, les voies aériennes de la zone de conduction contiennent environ 150 mL d'air distribués dans l'arbre trachéobronchique; cette partie, qui ne contribue pas aux échanges gazeux, est appelée **espace mort anatomique**. Les bronchioles respiratoires mènent ensuite aux canaux alvéolaires et aux sacs alvéolaires, puis aux alvéoles pulmonaires, où se produisent les échanges d'oxygène et de gaz carbonique.

Alvéoles

Le poumon contient environ 300 millions d'alvéoles disposées en grappes de 15 à 20. Les alvéoles sont si nombreuses que, si on les ouvrait et les plaçait côte à côte, elles couvriraient une superficie de 70 m^2 (les dimensions d'un court de tennis).

Il existe trois types de cellules alvéolaires: les pneumocytes membraneux, les pneumocytes granuleux et les macrophages alvéolaires. Les pneumocytes membraneux, ou pneumocytes de type I, sont des cellules épithéliales qui forment les parois des alvéoles. Les pneumocytes granuleux, ou pneumocytes de type II, sont des cellules ayant une fonction métabolique; ils sécrètent le surfactant, un phospholipide qui recouvre l'intérieur des alvéoles et les empêche de s'affaisser. Enfin, les macrophages alvéolaires, ou cellules de type III, sont des cellules phagocytaires volumineuses qui ingèrent les substances étrangères (comme le mucus et les bactéries) et qui constituent un important mécanisme de défense.

Fonction respiratoire

Les cellules tirent l'énergie dont elles ont besoin de l'oxydation des glucides, des graisses et des protéines; ce processus est une forme de combustion et de ce fait nécessite la présence d'oxygène. Certains tissus, tels que ceux du cerveau et du cœur, ne peuvent survivre sans recevoir un apport constant d'oxygène. Par ailleurs, l'oxydation qui se produit à l'intérieur des tissus entraîne la formation de gaz carbonique; celui-ci doit être éliminé des cellules pour prévenir l'accumulation de déchets acides. La fonction respiratoire vise à faciliter les processus de maintien de la vie, comme le transport d'oxygène, la respiration et la ventilation, et les échanges gazeux.

Transport d'oxygène

Le sang circulant livre l'oxygène aux cellules et recueille le gaz carbonique qu'elles rejettent. Les cellules sont en contact étroit avec les capillaires dont les minces parois facilitent les échanges d'oxygène et de gaz carbonique. L'oxygène traverse la paroi des capillaires et diffuse dans le liquide interstitiel, puis à travers la membrane des cellules. C'est là que les mitochondries l'utilisent pour la respiration cellulaire. L'évacuation du gaz carbonique se fait par diffusion en sens inverse, soit des cellules vers le sang.

Respiration

Après ces échanges qui ont lieu dans les capillaires des tissus, le sang entre dans les veines de la circulation générale (il est alors appelé sang veineux) et se dirige vers la circulation pulmonaire. La concentration du sang en oxygène dans les capillaires pulmonaires est inférieure à celle des alvéoles. En raison de ce gradient de concentration, l'oxygène diffuse des alvéoles vers le sang. Le gaz carbonique, dont la concentration est plus élevée dans le sang que dans les alvéoles, diffuse du sang vers les alvéoles. Le va-et-vient de l'air dans les voies aériennes (ventilation) assure un apport constant d'oxygène et évacue le gaz carbonique des voies aériennes des poumons. Ce processus d'échanges gazeux entre l'air ambiant et le sang et entre le sang et les cellules s'appelle **respiration**.

Ventilation

Pendant l'inspiration, l'air du milieu ambiant entre dans la trachée, puis dans les bronches et les bronchioles, et parvient enfin aux alvéoles. Lors de l'expiration, le gaz alvéolaire refait le même trajet en sens inverse.

On peut regrouper sous le terme «mécanique de la ventilation» les phénomènes physiques qui sont à l'origine du mouvement de l'air dans les voies respiratoires. Ces phénomènes comprennent les variations de la pression d'air, la résistance au débit de l'air et la compliance pulmonaire.

Variations de la pression d'air

L'air se déplace d'un milieu à haute pression vers un milieu à basse pression. Lors de l'inspiration, la contraction du diaphragme et des autres muscles respiratoires dilate la cavité thoracique, ce qui réduit la pression intrathoracique jusqu'à un niveau inférieur à celui de la pression atmosphérique. L'air entre alors dans la trachée et les bronches, puis dans les alvéoles.

Lors d'une expiration normale, le diaphragme se relâche et les poumons se rétractent, rapetissant ainsi la cavité thoracique. La pression alvéolaire devient alors supérieure à la pression atmosphérique et l'air passe des poumons à l'atmosphère.

Résistance des voies respiratoires

La résistance dépend principalement du diamètre (ou calibre) du conduit aérien par lequel l'air passe. Par conséquent, tout facteur qui modifie le diamètre des bronches modifie également la résistance des voies respiratoires ainsi que le débit de l'air pour un gradient de pression donné durant la respiration (encadré 23-1 ■). Lorsque la résistance des voies respiratoires s'accroît, la personne doit fournir un travail respiratoire plus grand que la normale pour parvenir à un niveau de ventilation équivalent.

Compliance

Le va-et-vient de l'air dans les poumons résulte du gradient de pression qui s'établit entre la cavité thoracique et l'atmosphère. Un changement de pression dans le poumon normal entraîne un changement proportionnel du volume du poumon. La mesure de l'élasticité, de l'extensibilité et de la capacité de

ENCADRÉ 23-1

Causes de la résistance accrue des voies respiratoires

Les phénomènes courants qui peuvent modifier le diamètre des bronches, et par conséquent la résistance des voies respiratoires, sont les suivants:

- Contraction des muscles lisses bronchiques, comme en cas d'asthme
- Épaississement des muqueuses bronchiques, comme dans la bronchite chronique
- Obstruction des voies respiratoires par le mucus, une tumeur ou un corps étranger
- Diminution de l'élasticité des poumons, comme dans l'emphysème, celui-ci se caractérisant par la présence, autour des voies respiratoires, de tissu conjonctif qui les maintient ouvertes au cours de l'inspiration et de l'expiration

dilatation des poumons et des structures thoraciques porte le nom de compliance. Les facteurs qui déterminent la compliance pulmonaire sont la tension superficielle dans les alvéoles (qui est normalement basse en présence de surfactant) et le tissu conjonctif des poumons (c'est-à-dire le collagène et l'élastine).

On détermine la compliance par l'analyse de la relation volume-pression dans les poumons et le thorax. Lorsque la compliance est normale (1,0 L/cm H_2O), les poumons et le thorax s'étirent facilement et se distendent sous l'effet de la pression. La compliance est élevée ou s'accroît lorsque les poumons ont perdu leur élasticité et que le thorax est surdistendu (comme en cas d'emphysème, où les fibres élastiques dans les parois alvéolaires sont détruites). Lorsque les poumons et le thorax sont rigides, la compliance est faible ou réduite. Divers phénomènes réduisent la compliance, tels que la formation de tissus cicatriciels, l'accumulation de liquide dans les tissus ou un déficit en surfactant. Les affections associées à une faible compliance sont notamment le pneumothorax, l'hémothorax, l'épanchement pleural, l'œdème pulmonaire, l'atélectasie, la fibrose pulmonaire et le syndrome de détresse respiratoire aiguë; toutes ces affections seront abordées dans les prochains chapitres. La mesure de la compliance est l'une des méthodes utilisées pour évaluer l'évolution du syndrome de détresse respiratoire aiguë ou l'amélioration qu'un traitement peut apporter. Lorsque la compliance pulmonaire est réduite, il faut dépenser plus d'énergie pour que la ventilation soit normale. La compliance est habituellement mesurée dans des conditions statiques normales.

Volumes et capacités pulmonaires

On évalue la fonction pulmonaire, qui est le reflet de la mécanique de la ventilation, en se basant sur les volumes et les capacités pulmonaires. Les volumes pulmonaires sont mesurés selon diverses catégories, à savoir le volume courant (VC), le volume de réserve inspiratoire (VRI), le volume de réserve expiratoire (VRE) et le volume résiduel (VR), tandis que la capacité pulmonaire renvoie à la capacité vitale (CV), à la capacité inspiratoire (CI), à la capacité résiduelle fonctionnelle (CRF) et à la capacité pulmonaire totale (CPT). Ces termes sont définis au tableau 23-1 ■. La mesure des volumes et des capacités pulmonaires s'effectue au moyen d'un spiromètre et les valeurs obtenues sont représentées sous forme de spirogramme (figure 23-5 ■).

Diffusion et perfusion

La **diffusion** est le processus par lequel l'oxygène et le gaz carbonique sont échangés. Grâce à sa grande surface et à sa faible épaisseur, la membrane alvéolocapillaire est parfaitement adaptée à la diffusion. Chez l'adulte en bonne santé, l'oxygène et le gaz carbonique traversent cette membrane sans difficulté en raison des différences de concentration des gaz dans les alvéoles et les capillaires.

La **perfusion pulmonaire** désigne l'irrigation sanguine à travers la circulation pulmonaire. Le sang est pompé par le ventricule droit et il est acheminé vers les poumons par l'artère pulmonaire. Celle-ci peut irriguer les deux poumons puisqu'elle est divisée en deux branches: la droite et la gauche. La branche droite rejoint le poumon droit, et la branche gauche, le poumon gauche. Ces deux branches se ramifient davantage pour irriguer toutes les parties de chaque poumon. Normalement, environ 2 % du sang pompé par le ventricule droit échappe à ce processus. Ce sang est dévié vers la partie gauche du cœur et il ne participe pas aux échanges gazeux qui ont lieu dans les alvéoles.

La circulation pulmonaire est dite à basse pression, car la pression artérielle systolique dans l'artère pulmonaire est de 20 à 30 mm Hg, et la pression diastolique de 5 à 15 mm Hg. Grâce à ces faibles pressions, la capacité du réseau vasculaire pulmonaire varie pour lui permettre de s'adapter au débit sanguin qui le traverse. Cependant, lorsque nous sommes en position debout, la pression de l'artère pulmonaire n'est pas assez forte pour vaincre l'effet de la gravité et approvisionner en sang l'apex des poumons. De ce point de vue, en station debout, on peut diviser les poumons en trois parties: la partie supérieure, peu irriguée, la partie inférieure, très irriguée, et la partie intermédiaire, moyennement irriguée. Lorsque nous sommes en position couchée, tournés sur un côté, le poumon de ce même côté est davantage irrigué.

La perfusion est aussi régie par la pression alvéolaire. Comme les capillaires pulmonaires sont intercalés entre les alvéoles, une pression alvéolaire suffisamment élevée peut les comprimer. Selon la pression, certains capillaires seront complètement écrasés et d'autres se rétréciront.

La pression de l'artère pulmonaire, la gravité et la pression alvéolaire déterminent le profil de la perfusion. En présence d'affections pulmonaires, ces facteurs varient et la perfusion des poumons peut s'écarter considérablement de la normale.

Équilibre et perturbation de la ventilation et de la perfusion

La ventilation est le va-et-vient des gaz dans les poumons, et la perfusion, le remplissage des capillaires pulmonaires par le sang. Les échanges gazeux appropriés dépendent d'un rapport ventilation/perfusion adéquat. Ce rapport varie dans les différentes parties du poumon.

Un changement de la pression de l'artère pulmonaire, de la pression alvéolaire ou de la gravité peut entraîner des perturbations de la perfusion. L'obstruction des voies respiratoires,

TABLEAU 23-1

Volumes et capacités pulmonaires

Termes	Symboles	Description	Valeurs normales*	Remarques
VOLUMES PULMONAIRES				
Volume courant	VC	Volume d'air inspiré et expiré à chaque respiration	500 mL ou 5-10 mL/kg	Le volume courant peut ne pas varier, même en présence d'une affection grave.
Volume de réserve inspiratoire	VRI	Volume maximal d'air qu'on peut encore inspirer après une inspiration normale	3 100 mL	
Volume de réserve expiratoire	VRE	Volume maximal d'air qu'on peut encore expirer après une expiration normale	1 200 mL	Le volume de réserve expiratoire diminue en cas de restriction (par exemple, obésité, ascite ou grossesse).
Volume résiduel	VR	Volume d'air qui reste dans les poumons après une expiration maximale	1 200 mL	Le volume résiduel peut augmenter en présence d'une maladie obstructive.
CAPACITÉS PULMONAIRES				
Capacité vitale	CV	Volume maximal d'air pouvant être expiré après une inspiration maximale CV = VC + VRI + VRE	4 800 mL	On peut constater une diminution de la capacité vitale en cas de troubles neuromusculaires, de fatigue généralisée, d'atélectasie, d'œdème pulmonaire ou de bronchopneumopathie chronique obstructive.
Capacité inspiratoire	CI	Volume maximal d'air inspiré après une expiration normale CI = VC + VRI	3 600 mL	La diminution de la capacité inspiratoire peut indiquer la présence d'un trouble restrictif.
Capacité résiduelle fonctionnelle	CRF	Volume d'air qui reste dans les poumons après une expiration normale CRF = VRE + VR	2 400 mL	La capacité résiduelle fonctionnelle peut augmenter en cas de bronchopneumopathie chronique obstructive et diminuer en présence du syndrome de détresse respiratoire aiguë.
Capacité pulmonaire totale	CPT	Volume d'air présent dans les poumons après une inspiration maximale CPT = VC + VRI + VRE + VR	6 000 mL	La capacité pulmonaire totale peut diminuer en présence d'un trouble restrictif (atélectasie, pneumonie) ou augmenter en cas de bronchopneumopathie chronique obstructive.

*Valeurs notées chez des hommes en bonne santé; chez les femmes, les valeurs sont inférieures de 20 à 25 %.

les modifications locales de la compliance et la gravité peuvent, quant à elles, modifier la ventilation.

On parle de déséquilibre du rapport ventilation/perfusion (VA/QC) lorsque la ventilation ou la perfusion est inadéquate, ou lorsqu'elles le sont toutes les deux. Le rapport VA/QC dans le poumon (encadré 23-2 ■) peut être normal, faible (dérivation), élevé (espace mort physiologique) ou inexistant (silence).

La perturbation de la ventilation et de la perfusion peut court-circuiter la circulation sanguine, entraînant une **hypoxie** (faible concentration d'oxygène dans les cellules). La dérivation pulmonaire semble être la principale cause de l'hypoxie qui survient après une chirurgie thoracique ou abdominale, ou encore de celle qui caractérise la plupart des types d'insuffisance respiratoire. Lorsque la quantité de sang dévié est supérieure à 20 %, une hypoxie grave s'ensuit. Un apport supplémentaire d'oxygène peut éliminer l'hypoxie, selon le type de déséquilibre VA/QC.

Échanges gazeux

L'air qu'on respire est un mélange gazeux comprenant principalement de l'azote (78,62 %) et de l'oxygène (20,84 %). Il contient également des traces de gaz carbonique (0,04 %), de vapeur d'eau (0,05 %), d'hélium et d'argon. La pression atmosphérique est d'environ 760 mm Hg au niveau de la mer. La pression partielle est la pression exercée par chaque

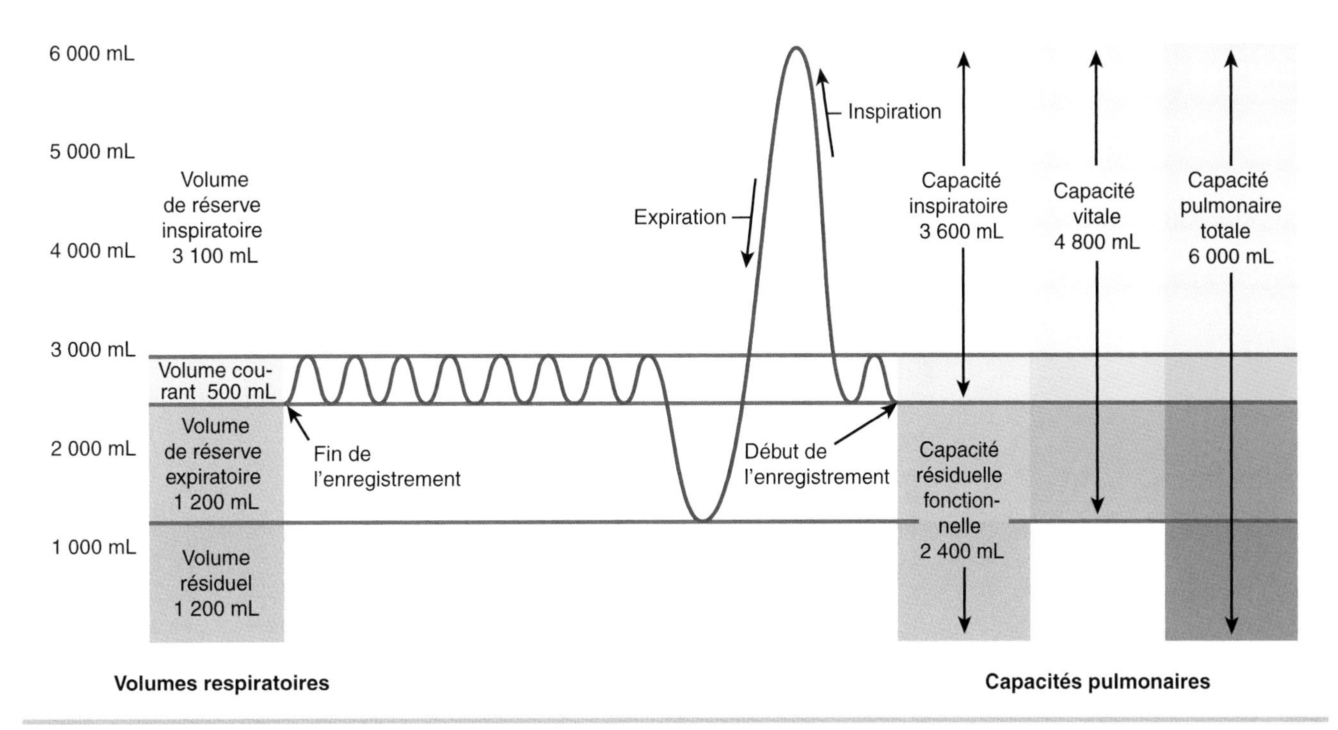

FIGURE 23-5 ■ Spirogramme des volumes et capacités pulmonaires (valeurs moyennes chez l'adulte en bonne santé).
SOURCE : G. J. Tortora et S. Reynolds Grabowski (2000). *Principles of Anatomy and Physiology* (9e éd.), New-York : John Wiley & Sons, Inc. Traduction française : © ERPI, 2001, p. 843.

gaz qui entre dans un mélange gazeux. La pression partielle d'un gaz est proportionnelle à la concentration du gaz dans le mélange. La pression totale exercée par un mélange gazeux est égale à la somme des pressions partielles.

Pression partielle des gaz

À partir de ces données, on peut calculer la pression partielle de l'azote et de l'oxygène. La pression partielle de l'azote correspond à 79 % de 760 (0,79 × 760), soit 600 mm Hg, et celle de l'oxygène correspond à 21 % de 760 (0,21 × 760), soit 160 mm Hg. À l'encadré 23-3 ■, on indique les termes et les abréviations reliés à la pression partielle des gaz.

Lorsqu'il pénètre dans la trachée, l'air se sature complètement de vapeur d'eau, ce qui déplace certains gaz, si bien que la pression de l'air à l'intérieur des poumons reste égale à la pression atmosphérique (760 mm Hg). La vapeur d'eau exerce une pression de 47 mm Hg quand elle sature pleinement un mélange gazeux à la température corporelle de 37 °C. L'azote et l'oxygène exercent à ce moment-là une pression équivalente aux 713 mm Hg restants (760 – 47). Quand il arrive dans les alvéoles, le mélange azote-oxygène est davantage dilué, cette fois par le gaz carbonique. Dans les alvéoles, la vapeur d'eau continue d'exercer une pression de 47 mm Hg. Des 713 mm Hg restants, 569 mm Hg sont attribuables à l'azote (74,9 %), 104 mm Hg à l'oxygène (13,6 %) et 40 mm Hg au gaz carbonique (5,3 %).

Pression partielle et échanges gazeux

Lorsqu'il est en contact avec un liquide, un gaz se dissout jusqu'à l'atteinte d'un point d'équilibre. Le gaz dissous exerce aussi une pression partielle. Au point d'équilibre, la pression partielle du gaz dans le liquide est égale à sa pression partielle dans le mélange gazeux. L'oxygénation du sang veineux dans les poumons illustre bien ce phénomène. Dans le poumon, le sang veineux et l'oxygène alvéolaire sont séparés par une membrane alvéolaire très mince. L'oxygène traverse cette membrane pour se dissoudre dans le sang jusqu'à ce que sa pression partielle soit la même que dans les alvéoles (104 mm Hg). Le gaz carbonique, quant à lui, est un sous-produit de l'oxydation cellulaire et sa pression partielle dans le sang veineux est plus élevée que dans l'air alvéolaire. Il diffuse donc dans les poumons en passant du sang veineux à l'air alvéolaire. Au point d'équilibre, sa pression partielle dans le sang est la même que dans l'air alvéolaire (40 mm Hg). La figure 23-6 ■ illustre les changements des pressions partielles.

Effets de la pression sur le transport d'oxygène

L'oxygène et le gaz carbonique sont transportés simultanément grâce à leur capacité de se dissoudre dans le sang ou de se combiner à certains de ses éléments. L'oxygène est transporté dans le sang sous deux formes : premièrement, dissous physiquement dans le plasma et, deuxièmement, combiné à l'hémoglobine des globules rouges. Chaque portion de 100 mL de sang artériel normal transporte 0,3 mL d'oxygène dissous physiquement dans le plasma et 20 mL d'oxygène combiné à l'hémoglobine. Le sang peut transporter une grande quantité d'oxygène parce que celui-ci peut se combiner de façon réversible à l'hémoglobine pour former l'oxyhémoglobine :

$$O_2 + Hb \leftrightarrow HbO_2$$

Le volume de l'oxygène dissous physiquement dans le plasma dépend directement de la PaO_2 (pression partielle de l'oxygène artériel). Plus la PaO_2 est élevée, plus la quantité

ENCADRÉ 23-2

Rapports entre la ventilation et la perfusion

RAPPORT VENTILATION/PERFUSION NORMAL (A)
Dans le poumon sain, une alvéole reçoit une quantité donnée de sang et est exposée à une quantité égale de gaz **(A)**. Le rapport est de 1:1 (ventilation égale à la perfusion).

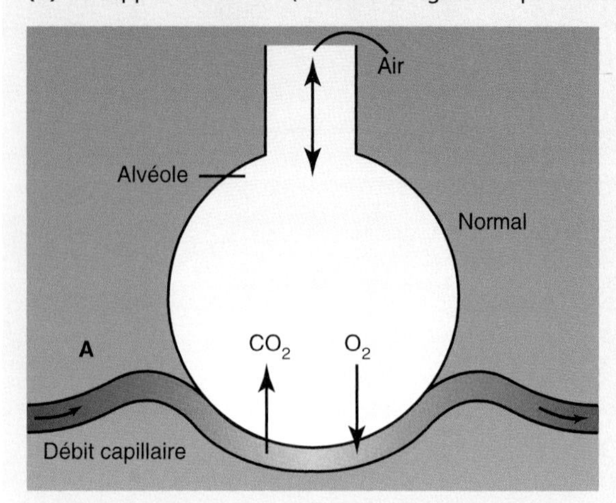

RAPPORT VENTILATION/PERFUSION FAIBLE: DÉRIVATION (B)
Les troubles caractérisés par un rapport ventilation/perfusion faible peuvent être appelés troubles entraînant une dérivation. Quand la perfusion excède la ventilation, il se produit une dérivation **(B)**. Le sang circule autour des alvéoles, sans qu'il y ait d'échange gazeux. La dérivation accompagne les troubles obstructifs des voies respiratoires distales, comme la pneumonie, l'atélectasie, une tumeur ou un bouchon de mucus.

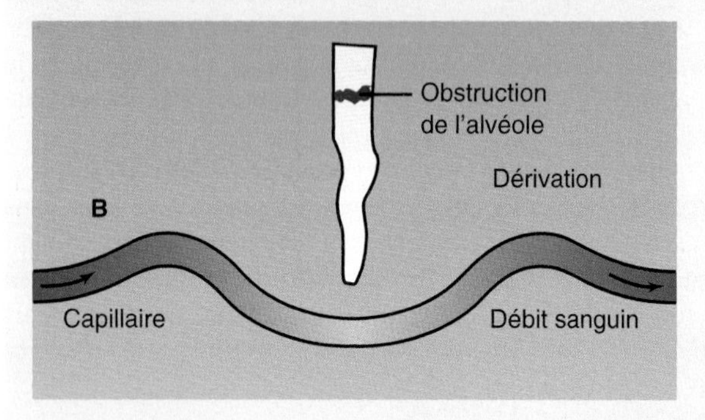

RAPPORT VENTILATION/PERFUSION ÉLEVÉ: ESPACE MORT (C)
Quand la ventilation excède la perfusion, un espace mort physiologique se met en place **(C)**. Les alvéoles ne reçoivent pas suffisamment de sang pour qu'il y ait des échanges gazeux. L'espace mort est associé à de nombreuses affections, dont l'embolie pulmonaire, l'infarctus pulmonaire et le choc cardiogénique.

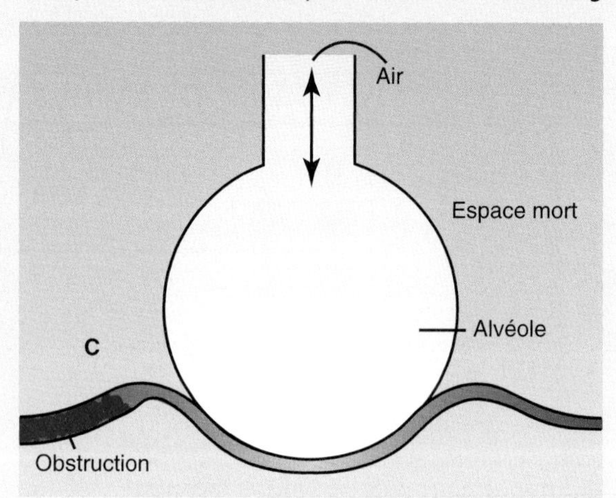

RAPPORT INEXISTANT: SILENCE (D)
En l'absence de ventilation et de perfusion ou lorsque les deux fonctions sont très réduites, il se produit un silence **(D)**. On peut observer un silence en présence d'un pneumothorax et dans les cas graves de poumon de choc (syndrome de détresse respiratoire aiguë).

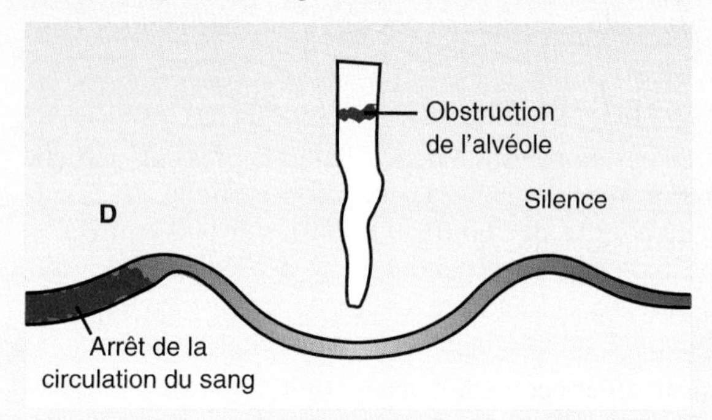

ENCADRÉ 23-3

Abréviations des pressions partielles

- P: pression
- PO_2: pression partielle de l'oxygène
- PCO_2: pression partielle du gaz carbonique
- PAO_2: pression partielle de l'oxygène alvéolaire
- $PACO_2$: pression partielle du gaz carbonique alvéolaire
- PaO_2: pression partielle de l'oxygène artériel
- $PaCO_2$: pression partielle du gaz carbonique artériel
- $P\bar{v}O_2$: pression partielle de l'oxygène veineux
- $P\bar{v}CO_2$: pression partielle du gaz carbonique veineux
- P_{50}: pression partielle de l'oxygène quand l'hémoglobine est saturée à 50 %

d'oxygène dissous est élevée. Par exemple, si la PaO_2 est de 10 mm Hg, la dissolution de l'oxygène sera de 0,03 mL dans 100 mL de plasma. À 20 mm Hg, la dissolution sera deux fois plus importante, et à 100 mm Hg 10 fois plus. La quantité d'oxygène dissous est donc directement proportionnelle à la pression partielle et augmente avec elle, quelle que soit l'élévation de la pression de l'oxygène.

Le volume de l'oxygène qui se combine à l'hémoglobine dépend également de la pression partielle de l'oxygène artériel, mais seulement si celle-ci ne dépasse pas 150 mm Hg. À une PaO_2 supérieure à 150 mm Hg, l'hémoglobine est saturée à 100 %; elle ne peut donc plus se combiner avec l'oxygène. Au point de saturation maximale (100 %), 1 g d'hémoglobine se combine avec 1,34 mL d'oxygène. Par conséquent, chez une personne dont l'hémoglobine est à 140 g/L, 100 mL de sang contiennent environ 19 mL d'oxygène combiné. Si la

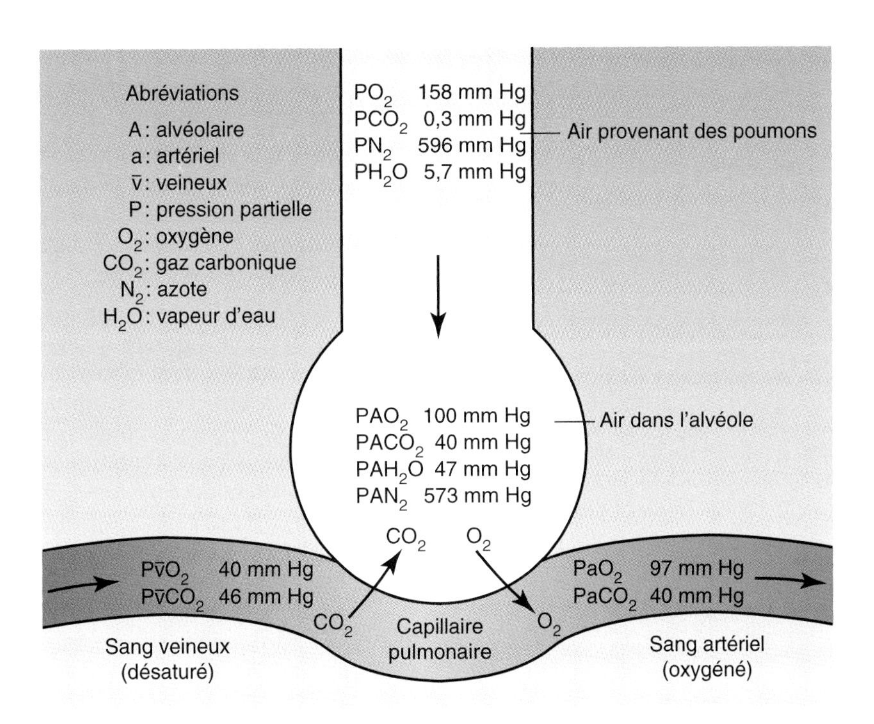

FIGURE 23-6 ■ Pendant la respiration, la pression partielle des gaz fluctue. Ces valeurs varient à cause des échanges entre l'oxygène et le gaz carbonique et en raison des changements dans leur pression partielle qui se produisent au fur et à mesure que le sang veineux traverse les poumons. SOURCE : M.C. Wills (1996). *Medical Terminology: The language of healthcare*. Baltimore : Williams & Wilkins.

PaO_2 est inférieure à 150 mm Hg, le pourcentage d'hémoglobine saturée en oxygène est moins élevé. Par exemple, à une PaO_2 de 100 mm Hg (valeur normale), l'hémoglobine est saturée à 97 % ; à une PaO_2 de 40 mm Hg, la saturation est de 70 %.

Courbe de dissociation de l'oxyhémoglobine

La courbe de dissociation de l'oxyhémoglobine (encadré 23-4 ■) illustre la relation entre la pression partielle de l'oxygène artériel (PaO_2) et le pourcentage de saturation de l'oxygène (SaO_2). Le pourcentage de saturation dépend des facteurs suivants : gaz carbonique, concentration des ions hydrogène, température et 2,3-diphosphoglycérate. Si ces facteurs augmentent, la courbe se déplace vers la droite, ce qui signifie que, pour une même PaO_2, les tissus reçoivent une plus grande quantité d'oxygène. Si ces facteurs diminuent, la courbe se déplace vers la gauche et la liaison de l'oxygène à l'hémoglobine est plus forte : pour une même PaO_2, les tissus reçoivent moins d'oxygène. La courbe de dissociation de l'oxyhémoglobine présente une forme inhabituelle, ce qui constitue un avantage certain pour la personne atteinte d'une affection, pour deux raisons :

1. Si la PO_2 artérielle passe de 100 à 80 mm Hg à la suite d'une affection pulmonaire ou cardiaque, l'hémoglobine du sang artériel reste saturée presque à son maximum (94 %) et les tissus ne manquent pas d'oxygène (donc, il n'y a pas d'hypoxie).
2. Lorsque le sang artériel passe dans les capillaires des tissus et est exposé à la pression de l'oxygène tissulaire (environ 40 mm Hg), l'hémoglobine libère de grandes quantités d'oxygène que ces tissus peuvent utiliser.

Implications cliniques La valeur normale de la PaO_2 se situe entre 80 et 100 mm Hg (saturation de 95 à 98 %). À ce degré d'oxygénation, les tissus disposent d'une réserve de 15 %. Lorsque l'hémoglobine (Hb) est normale (150 g/L) et que la PaO_2 est de 40 mm Hg (saturation en oxygène à 75 %), les tissus disposent de suffisamment d'oxygène, mais l'organisme n'a pas de réserves en cas de stress physiologique qui accroîtrait la demande des tissus en oxygène. S'il se produit un trouble grave (par exemple, bronchospasme, aspiration, hypotension ou arythmies cardiaques) réduisant l'apport d'oxygène aux poumons, une hypoxie tissulaire s'ensuivra.

Le débit cardiaque joue un rôle important dans le transport de l'oxygène, car il détermine la quantité d'oxygène fournie à l'organisme et influe sur la perfusion pulmonaire et tissulaire. Lorsque le débit cardiaque est normal (5 L/min), la quantité d'oxygène que les tissus reçoivent à la minute est normale. Lorsqu'il baisse, l'apport d'oxygène aux tissus baisse également. Dans des conditions normales, la plus grande partie de l'oxygène transporté dans l'organisme n'est pas utilisée. En effet, l'oxygène qui va aux tissus n'est utilisé qu'à raison de 250 mL par minute, ce qui ne représente que 25 % de la quantité d'oxygène disponible. Le reste de l'oxygène retourne au cœur droit et la PO_2, qui se situait au départ entre 80 et 100 mm Hg, est d'environ 40 mm Hg dans le sang veineux.

Transport du gaz carbonique

Pendant que l'oxygène passe du sang aux tissus, le gaz carbonique diffuse dans le sens inverse (c'est-à-dire des cellules tissulaires au sang) et est transporté jusqu'aux poumons pour être éliminé. La quantité de gaz carbonique en circulation est l'un des facteurs qui influent le plus sur

ENCADRÉ 23-4

Courbe de dissociation de l'oxyhémoglobine

La courbe de dissociation de l'oxyhémoglobine montre trois niveaux de saturation en oxygène:

1. Le niveau normal, quand la PaO_2 est supérieure à 70 mm Hg
2. Le niveau relativement sûr, quand la PaO_2 se situe entre 45 et 70 mm Hg
3. Le niveau dangereux, quand la PaO_2 est inférieure à 40 mm Hg

La courbe normale (N), celle du milieu, montre qu'une saturation à 75 % se produit à une PaO_2 de 40 mm Hg. Si la courbe se déplace vers la droite (D), le même taux de saturation (75 %) se produit à une PaO_2 plus élevée, soit de 57 mm Hg. Si la courbe se déplace vers la gauche (G), le même taux de saturation (75 %) se produit à une PaO_2 de 25 mm Hg.

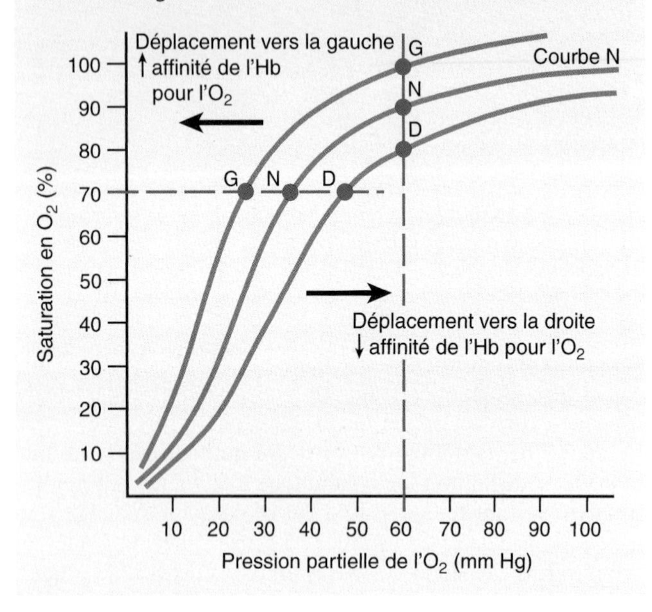

l'équilibre acidobasique de l'organisme. Normalement, seulement 6 % du gaz carbonique veineux est rejeté et il en reste suffisamment dans le sang artériel pour exercer une pression de 40 mm Hg. La plus grande partie du gaz carbonique (90 %) se trouve dans les globules rouges, tandis que 5 % environ sont dissous dans le plasma (PCO_2) et constituent le principal facteur qui détermine si le gaz carbonique pénètre dans le sang ou en sort.

En conclusion, il est important de retenir que les différents mécanismes de transport des gaz respiratoires ne se manifestent pas de façon intermittente, mais plutôt rapidement, simultanément et de façon continue.

Régulation neurologique de la ventilation

La respiration au repos est le résultat d'une stimulation cyclique des muscles respiratoires exercée par le nerf phrénique. La rythmicité de la respiration est déterminée par les centres respiratoires situés dans l'encéphale. Les centres inspiratoire et expiratoire, situés dans le bulbe rachidien et dans le pont, régissent la fréquence et l'amplitude de la ventilation de façon à répondre aux besoins métaboliques de l'organisme.

On pense que le centre apneustique, situé dans la partie inférieure du pont, stimule le centre inspiratoire, favorisant les inspirations profondes et prolongées, et que le centre pneumotaxique, qui se trouve dans la partie supérieure du pont, régit le cycle respiratoire.

Plusieurs groupes de récepteurs participent à la régulation de la fonction respiratoire par l'encéphale. Les chimiorécepteurs centraux sont situés dans le bulbe rachidien et réagissent aux changements chimiques qui se produisent dans le liquide céphalorachidien, changements eux-mêmes dus à des changements chimiques qui se produisent dans le sang. Les chimiorécepteurs centraux sont sensibles aux variations du pH: si le pH augmente ou diminue, un message est envoyé aux poumons, lesquels changent alors l'amplitude et, ensuite, la fréquence de la ventilation afin de corriger le déséquilibre. Les chimiorécepteurs périphériques, situés dans l'arc aortique et les artères carotides, réagissent tout d'abord aux variations de la PaO_2, puis à celles de la $PaCO_2$ et du pH. Le réflexe de Hering-Breuer est déclenché par des tensorécepteurs situés dans les alvéoles. Lorsque les poumons sont distendus, l'inspiration est inhibée pour prévenir une distension pulmonaire exagérée. Par ailleurs, des propriocepteurs situés dans les muscles et les articulations réagissent aux mouvements du corps, comme pendant l'exercice, en augmentant la ventilation. Par conséquent, les exercices d'amplitude des mouvements chez les personnes alitées stimulent la respiration. Enfin, les barorécepteurs, situés eux aussi dans les zones chimioréceptrices de l'aorte et des carotides, réagissent à une hausse ou à une baisse de la pression artérielle en déclenchant une hypoventilation ou une hyperventilation réflexe.

Particularités reliées à la personne âgée

Entre le début et le milieu de l'âge adulte, la fonction respiratoire décline graduellement; la structure tout autant que le fonctionnement de l'appareil respiratoire s'en trouvent changés. La capacité vitale des poumons et la force des muscles respiratoires sont maximales entre 20 et 25 ans, pour décroître ensuite avec les années. À partir de 40 ans, des changements dans les alvéoles réduisent la surface qui sert aux échanges d'oxygène et de gaz carbonique. Vers 50 ans, les alvéoles commencent à perdre de leur élasticité. Une diminution de la capacité vitale accompagne la perte de mobilité de la paroi thoracique, ce qui limite le mouvement de l'air. L'espace mort respiratoire augmente avec l'âge. Ces changements reliés au vieillissement diminuent la capacité de diffusion de l'oxygène, entraînant une baisse de la concentration d'oxygène dans la circulation artérielle. Chez les personnes âgées, on note une diminution de la capacité d'inhaler et d'expirer rapidement l'air des poumons. Les changements reliés à l'âge qui interviennent dans l'appareil respiratoire sont résumés au tableau 23-2 ■. Malgré ces changements, les personnes âgées (celles qui ne souffrent pas d'affection pulmonaire chronique) sont capables d'accomplir leurs tâches quotidiennes, même si elles ne peuvent plus tolérer aussi bien l'activité prolongée ou l'effort intense.

TABLEAU 23-2

Changements dans l'appareil respiratoire dus au vieillissement

	Changements structuraux	Changements fonctionnels	Antécédents et résultats de l'examen physique
Mécanismes de défense (respiratoires et non respiratoires)	■ ↓ nombre de cils et production de mucus ■ ↓ toux et réflexe pharyngé ■ Réduction de la surface de la membrane capillaire ■ Ventilation irrégulière et/ou débit sanguin insuffisant	■ ↓ protection contre les particules étrangères ■ ↓ protection contre l'aspiration des sécrétions ■ ↓ réponse des anticorps aux antigènes ■ ↓ réponse à l'hypoxie et à l'hypercapnie (chimiorécepteurs)	■ ↓ réflexe tussigène et production de mucus ■ ↑ nombre d'infections ■ Antécédents d'infections respiratoires, de BPCO, de pneumonie ■ Facteurs de risque: usage de tabac, exposition à des polluants, exposition au bacille de la tuberculose
Poumons	■ ↓ diamètre des voies aériennes ■ ↑ diamètre des canaux alvéolaires ■ ↑ collagène dans les parois alvéolaires ■ ↑ épaisseur des membranes alvéolaires ■ ↓ élasticité des sacs alvéolaires	■ ↑ résistance des voies aériennes ■ ↓ compliance pulmonaire ■ ↓ débit expiratoire ■ ↓ capacité de diffusion de l'oxygène ■ ↑ espace mort anatomique ■ Fermeture prématurée des voies aériennes ■ Décalage entre la ventilation et la perfusion ■ ↓ tolérance à l'effort ■ ↑ diamètre antéro-postérieur (AP) du thorax	■ Capacité pulmonaire totale (CPT) inchangée ■ ↑ volume résiduel (VR) ■ ↓ volume de réserve inspiratoire (VRI) ■ ↓ volume de réserve expiratoire (VRE) ■ ↓ capacité vitale forcée (CVF) et capacité vitale (CV) ■ ↑ capacité résiduelle fonctionnelle (CRF) ■ ↓ PaO_2 ■ ↑ CO_2
Paroi thoracique et muscles	■ Calcification des cartilages intercostaux ■ Arthrite des articulations costovertébrales ■ Changements ostéoporotiques ■ ↓ masse musculaire ■ Atrophie musculaire	■ ↑ rigidité de la cage thoracique ■ ↓ force des muscles respiratoires ■ ↑ travail ventilatoire ■ ↓ tolérance à l'effort ■ ↓ chimiosensibilité périphérique ■ ↑ risque de fatigue musculaire inspiratoire	■ Cyphose, thorax en tonneau (↑ diamètre AP du thorax) ■ Modifications squelettiques ■ Essoufflements ■ ↑ respiration abdominale et diaphragmatique ■ ↓ débits expiratoires maximaux

Examen clinique

ANAMNÈSE

L'anamnèse porte d'abord sur les problèmes physiques et fonctionnels de la personne ainsi que sur les répercussions de ces problèmes sur sa vie. Les principaux motifs de consultation sont: la **dyspnée** (essoufflement), la douleur, l'accumulation de mucus, la respiration sifflante, l'**hémoptysie** (expectoration de sang), l'œdème des chevilles et des pieds, la toux et la fatigue ou la faiblesse généralisée.

En plus de cibler la raison principale de la consultation, l'infirmière essayera de déterminer le moment où le problème de santé ou le symptôme s'est manifesté pour la première fois, sa durée et la façon de le soulager, le cas échéant. Elle doit aussi recueillir des données sur les facteurs déclenchants ainsi que sur la durée et la gravité des facteurs ou symptômes associés, et évaluer par ailleurs les facteurs de risque et les antécédents familiaux qui pourraient avoir des effets sur la fonction respiratoire (encadré 23-5 ■).

L'infirmière évalue également les répercussions des signes et des symptômes sur la capacité de la personne de mener à bien les activités de la vie quotidienne et de participer aux tâches habituelles et aux activités familiales. De plus, elle explore les facteurs psychosociaux qui peuvent modifier la

ENCADRÉ 23-5

FACTEURS DE RISQUE

Affection respiratoire

- Usage du tabac (principal facteur favorisant l'apparition d'une affection pulmonaire)
- Antécédents personnels ou familiaux d'affection pulmonaire
- Profession
- Allergènes et polluants environnementaux
- Pratique de certaines activités récréatives

vie de la personne (encadré 23-6 ■), notamment l'anxiété, les modifications qui interviennent dans l'exercice du rôle, les relations familiales, les problèmes financiers ou professionnels, ainsi que les stratégies d'adaptation que cette personne utilise.

De nombreuses affections respiratoires sont chroniques et évolutives. Par conséquent, afin de planifier les interventions appropriées, il faut faire une évaluation continue des capacités physiques de la personne, des réseaux de soutien psychosocial à sa disposition et de sa qualité de vie. La personne atteinte d'une affection respiratoire doit bien comprendre sa maladie et connaître les interventions d'autosoins dont elle peut se prévaloir. L'infirmière évalue ces facteurs au fil du temps et donne l'enseignement nécessaire, selon le cas.

Signes et symptômes

Les principaux signes et symptômes d'affection respiratoire sont les suivants: dyspnée, toux, expectorations, douleur thoracique, respiration sifflante, hippocratisme digital, hémoptysie et cyanose. Ces manifestations cliniques sont reliées à la durée et à la gravité de la maladie.

Dyspnée

La dyspnée (respiration difficile ou laborieuse, essoufflement) constitue un symptôme courant de nombreuses affections pulmonaires et cardiaques, surtout si la compliance pulmonaire diminue ou que la résistance des voies aériennes augmente. La maladie pulmonaire finit par affecter le ventricule droit du cœur, car ce ventricule doit envoyer le sang aux poumons malgré une résistance plus élevée. La dyspnée peut également être associée à des troubles neurologiques ou neuromusculaires, tels que la myasthénie grave, le syndrome de Guillain-Barré ou la dystrophie musculaire.

Implications cliniques En général, les affections pulmonaires aiguës entraînent une dyspnée plus marquée que les affections pulmonaires chroniques. L'apparition soudaine de la dyspnée chez une personne en bonne santé peut être le signe d'un pneumothorax (air dans la cavité pleurale), d'une obstruction respiratoire aiguë ou d'un syndrome d'insuffisance respiratoire aiguë. Chez les personnes immobilisées, une dyspnée soudaine peut indiquer une embolie pulmonaire. Quant à l'**orthopnée** (incapacité de respirer normalement autrement qu'en position debout), elle peut se manifester chez les personnes souffrant d'une affection cardiaque et, parfois, chez celles qui sont atteintes de bronchopneumopathie chronique obstructive (BPCO). La dyspnée accompagnée d'expirations sifflantes est également un signe de BPCO. La respiration sifflante peut être causée par le rétrécissement d'une voie aérienne ou par l'obstruction localisée d'une grosse bronche par une tumeur ou un corps étranger. Une respiration sifflante à l'inspiration et à l'expiration est généralement due à l'asthme si la personne ne souffre pas d'insuffisance cardiaque.

L'infirmière doit tout d'abord déterminer les circonstances dans lesquelles la dyspnée se manifeste. Elle posera donc les questions suivantes:

- Quel est le degré d'effort qui déclenche l'essoufflement?
- La dyspnée s'accompagne-t-elle de toux?
- S'accompagne-t-elle d'autres symptômes?
- Est-elle apparue soudainement ou graduellement?
- À quel moment du jour ou de la nuit se manifeste-t-elle?
- S'aggrave-t-elle en position couchée?
- Se manifeste-t-elle au repos? à l'effort? lorsque vous courez? montez un escalier?
- Est-elle aggravée par la marche? Si oui, après avoir parcouru quelle distance et à quelle vitesse?

Mesures de soulagement L'objectif visé dans le traitement de la dyspnée est de remonter jusqu'à la cause de l'affection et d'y remédier. On peut parfois soulager les symptômes en installant la personne en position couchée avec la tête surélevée (position haute de Fowler). L'administration d'oxygène et une médication peuvent aussi être indiquées.

Toux

La toux est due à l'irritation de la muqueuse de n'importe quel segment des voies respiratoires. Elle peut être déclenchée par une infection ou par l'exposition à un agent irritant aéroporté comme la fumée, le smog, la poussière ou un gaz. C'est le principal réflexe de protection contre l'accumulation de sécrétions dans les bronches et les bronchioles.

Implications cliniques La toux peut être le signe d'une affection pulmonaire grave. L'infirmière doit noter les caractéristiques de la toux: s'agit-il d'une toux sèche, d'un toussotement, d'une toux rauque, sifflante, grasse ou forte? Une toux sèche et irritante traduit une infection virale des voies respiratoires supérieures ou peut être l'effet secondaire du traitement par un inhibiteur de l'enzyme de conversion de l'angiotensine (IECA). La laryngotrachéite entraîne une toux irritante qui produit des sons aigus. Les lésions trachéales, quant à elles, provoquent une toux rauque. Une toux forte ou changeante peut être un signe de cancer bronchopulmonaire. Une toux accompagnée de douleur thoracique de type pleurétique peut indiquer une atteinte de la paroi pleurale ou thoracique (musculosquelettique).

ENCADRÉ 23-6

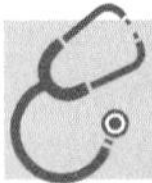

EXAMEN CLINIQUE

Facteurs psychosociaux

Voici certaines questions que l'infirmière devrait se poser lors de l'évaluation des facteurs psychosociaux liés à une affection pulmonaire et à la fonction respiratoire:

- Quels sont les mécanismes d'adaptation qui permettent à la personne de composer avec les signes, les symptômes et les problèmes associés à la maladie pulmonaire?
- Que traduit son comportement (anxiété, colère, hostilité, dépendance, repli sur soi, isolement, évitement, non-observance du traitement, acceptation, déni)?
- Quels réseaux de soutien la personne utilise-t-elle pour faire face à sa maladie?
- Peut-elle compter sur le soutien de sa famille, de ses amis ou de groupes communautaires? Cette personne et sa famille utilisent-elles les ressources de façon efficace?

L'infirmière doit noter également le moment où la toux apparaît. Une toux nocturne peut être un signe précoce d'insuffisance cardiaque gauche ou d'asthme bronchique, alors qu'une toux matinale accompagnée d'expectorations peut être un signe de bronchite. Une toux qui s'aggrave en position couchée peut être due à un écoulement dans l'arrière-nez (sinusite). Si elle apparaît après un repas, elle peut être due à l'aspiration d'un corps étranger dans l'arbre trachéobronchique. Une toux d'apparition récente est habituellement due à une infection aiguë.

Expectorations

Si elle tousse suffisamment longtemps, la personne en vient presque toujours à produire des expectorations. Une toux violente provoque un spasme bronchique et une obstruction qui aggravent l'irritation des bronches, ce qui peut entraîner une syncope (évanouissement). Lorsqu'une toux forte, répétée ou impossible à maîtriser est improductive, elle peut devenir épuisante, voire dangereuse. L'expectoration est la réaction des poumons à une irritation récurrente. Elle peut également être reliée à un écoulement nasal.

Implications cliniques Si une personne expulse une quantité importante de crachats purulents (épais, de couleur jaune, verte ou rouille) ou dont la couleur change, on peut supposer qu'elle souffre d'une infection bactérienne. Une augmentation graduelle des sécrétions d'origine pulmonaire peut témoigner d'une bronchite chronique ou d'une bronchectasie. Lorsqu'elles sont claires et mucoïdes, les expectorations sont souvent caractéristiques d'une bronchite d'origine virale. Quand elles sont muqueuses et rosées, elles sont un signe de tumeur pulmonaire. Si elles sont rosées, spumeuses et abondantes, et remontent fréquemment dans la gorge, elles peuvent indiquer la présence d'un œdème pulmonaire. Enfin, des expectorations nauséabondes et une mauvaise haleine peuvent être le signe d'un abcès du poumon, d'une bronchectasie ou d'une infection causée par un fusospirochète ou un autre micro-organisme anaérobie.

Mesures de soulagement Si les sécrétions sont trop épaisses pour être expectorées, il faut les éclaircir en faisant boire de l'eau et inhaler une solution en aérosol (à l'aide de n'importe quel type de nébuliseur).

La personne doit éviter de fumer si ses expectorations sont très abondantes, car l'inhalation de la fumée nuit aux mouvements ciliaires, augmente les sécrétions bronchiques, provoque une inflammation et une hyperplasie des muqueuses et réduit la production de surfactant. Ainsi, le tabagisme entrave l'écoulement bronchique. Si la personne cesse de fumer, le volume de ses expectorations diminuera et sa résistance aux infections bronchiques s'améliorera.

La personne peut avoir moins d'appétit à cause de l'odeur des expectorations et du goût qu'elles laissent dans la bouche. Pour stimuler son appétit, l'infirmière doit l'encourager à pratiquer une bonne hygiène buccodentaire et à bien choisir ses aliments. De plus, elle devrait inciter cette personne et sa famille à mettre hors de la vue, avant les repas, les crachoirs, les bassins qui servent à recueillir les vomissures et les linges souillés. Elle pourrait aussi recommander à la personne de boire un jus d'agrumes au début du repas pour rendre les aliments qui suivront plus appétissants, car ce type de jus enlève le mauvais goût laissé par les expectorations et rafraîchit la bouche.

Douleurs thoraciques

Les douleurs thoraciques peuvent être dues à une affection pulmonaire ou à une cardiopathie. La douleur thoracique reliée à une affection pulmonaire peut être vive, lancinante et intermittente, ou sourde et persistante. Elle est habituellement ressentie du côté atteint, mais elle peut irradier ailleurs, comme dans le cou, le dos ou l'abdomen.

Implications cliniques La douleur thoracique peut être un signe de pneumonie, d'embolie pulmonaire avec infarctus pulmonaire ou de pleurésie. Elle peut aussi être un symptôme tardif de carcinome bronchique; la douleur est alors sourde et persistante à cause de l'envahissement par les cellules cancéreuses de la paroi thoracique, du médiastin ou de la colonne vertébrale.

L'affection pulmonaire ne provoque pas toujours de douleur thoracique, car les poumons et la plèvre viscérale sont dépourvus de nerfs sensitifs et sont donc insensibles aux stimuli douloureux. La plèvre pariétale, par contre, est riche en nerfs sensitifs qui réagissent aux inflammations et à l'étirement de la membrane. La douleur pleurétique causée par l'irritation de la plèvre pariétale est vive et semble «frapper» la personne lors de l'inspiration; les personnes qui en souffrent la comparent souvent à un «coup de poignard». Elles se sentent mieux quand elles sont couchées sur le côté atteint, car cette position a tendance à exercer une pression sur la paroi thoracique, à restreindre l'expansion et la contraction du poumon et à atténuer, de ce côté, le frottement entre les plèvres affectées. On peut soulager la douleur reliée à la toux en comprimant la cage thoracique avec les mains.

L'infirmière doit évaluer le caractère, l'intensité et l'irradiation de la douleur et en déterminer les facteurs déclenchants, ainsi que leur lien avec la position de la personne. Enfin, elle ne doit pas oublier d'évaluer les phases inspiratoire et expiratoire de la respiration ainsi que leurs effets sur la douleur.

Mesures de soulagement Les analgésiques peuvent soulager efficacement la douleur thoracique, mais il faut veiller à ce qu'ils ne dépriment pas le centre respiratoire. Ils ne doivent pas non plus inhiber une toux productive, le cas échéant. Les anti-inflammatoires non stéroïdiens (AINS) permettent de résoudre ce problème et, en conséquence, on les administre pour soulager la douleur pleurétique. En cas de douleur extrême, le médecin peut aussi prescrire une anesthésie régionale par blocage nerveux.

Respiration sifflante (sibilants)

La respiration sifflante, provoquant un son appelé **sibilant**, est souvent le principal symptôme de la bronchoconstriction et du rétrécissement d'une voie aérienne. On peut l'entendre avec ou sans stéthoscope, selon son point d'origine. Elle produit un son aigu musical, audible surtout à l'expiration.

Mesures de soulagement Un bronchodilatateur administré par voie orale ou par inhalation fait disparaître les sibilants dans la plupart des cas.

Hippocratisme digital

L'hippocratisme digital est un signe de maladie hypoxique chronique, d'infection pulmonaire chronique ou de tumeur maligne au poumon. À ses débuts, il peut se manifester par une atteinte du lit unguéal, qui devient spongieux et s'aplatit (figure 23-7 ■).

Hémoptysie

L'hémoptysie (expectoration de sang) est un symptôme de certaines affections pulmonaires et de certaines cardiopathies. En général, elle apparaît soudainement et elle peut être intermittente ou continue. Elle peut prendre la forme de crachats striés de sang ou d'une hémorragie soudaine et abondante. Elle justifie toujours un examen attentif. Ses causes les plus courantes sont les suivantes:

- Infection pulmonaire
- Cancer du poumon
- Anomalies du cœur ou des vaisseaux
- Anomalies de l'artère pulmonaire ou d'une veine pulmonaire
- Embolie pulmonaire ou infarctus du poumon

Il faut habituellement procéder à plusieurs examens pour en connaître la cause: radiographie thoracique, angiographie pulmonaire et bronchoscopie. Pour poser le diagnostic de l'affection sous-jacente, il est essentiel d'établir les antécédents de la personne et de la soumettre à un examen physique complet, quelle que soit la quantité de sang expectoré, car cette dernière n'est pas toujours révélatrice de la gravité de l'affection.

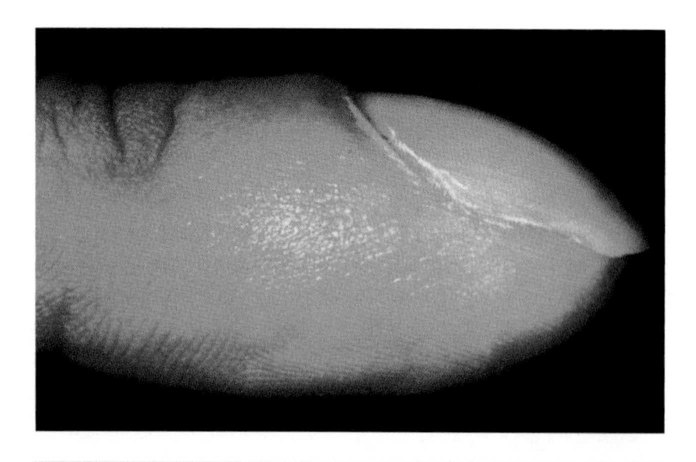

FIGURE 23-7 ■ Doigt en spatule. Dans les cas d'hippocratisme digital, la phalange distale de chaque doigt est arrondie et bulbeuse. La table unguéale est plus convexe, et l'angle entre la table unguéale et le sillon latéral proximal de l'ongle (base de l'ongle) s'ouvre jusqu'à 180 degrés ou plus. À la palpation, la base de l'ongle donne une sensation élastique ou de flottement. L'hippocratisme digital a plusieurs causes, notamment l'hypoxie chronique et le cancer du poumon.

Il importe, tout d'abord, de déterminer l'origine du saignement; il peut provenir des gencives, du nasopharynx, des poumons ou de l'estomac. L'infirmière est parfois la seule personne à observer des saignements. Lorsqu'elle note l'épisode au dossier, elle doit donc tenir compte des éléments suivants:

- Les saignements provenant du nez ou du nasopharynx sont habituellement précédés de forts reniflements, et du sang peut s'écouler des narines.
- Le sang provenant des poumons est habituellement rouge vif, spumeux et mêlé à des crachats. Les premiers symptômes sont un léger picotement dans la gorge, un goût salé dans la bouche, une sensation de brûlure ou de bouillonnement dans la poitrine et, parfois, une douleur thoracique (dans ce dernier cas, la personne a tendance à comprimer le côté atteint). Le terme «hémoptysie» s'applique uniquement au sang expectoré, c'est-à-dire provenant des voies respiratoires. Le pH de ce sang est alcalin (supérieur à 7,0).
- Si l'hémorragie provient de l'estomac, le sang est vomi (hématémèse), et non expectoré. Le sang qui a été en contact avec du suc gastrique est parfois si foncé qu'il ressemble à du marc de café. Le pH du sang vomi est acide (inférieur à 7,0).

Cyanose

La cyanose, ou coloration bleutée de la peau, est un signe très tardif d'hypoxémie. Sa présence ou son absence est déterminée par la quantité d'hémoglobine non oxygénée dans le sang. Elle apparaît quand le sang contient au moins 50 g/L d'hémoglobine non oxygénée. La personne dont le taux d'hémoglobine est de 150 g/L ne devient cyanosée qu'à 50 g/L d'hémoglobine non oxygénée, ce qui diminue le taux efficace d'hémoglobine circulante aux deux tiers de la concentration normale. La personne anémique présente rarement une cyanose, et la personne polycythémique peut sembler cyanosée même si elle est bien oxygénée. La cyanose *n'*est donc *pas* un signe fiable d'hypoxémie.

La cyanose est plus ou moins facile à évaluer selon l'éclairage de la pièce, la couleur de la peau de la personne et la distance qui sépare les vaisseaux sanguins de la surface de la peau. Si la personne souffre d'une affection pulmonaire, on évalue la cyanose centrale en examinant la couleur de la langue et des lèvres. La coloration bleutée indique une diminution de la pression de l'oxygène dans le sang. La cyanose périphérique est due à une diminution de l'apport sanguin dans une certaine région du corps (comme la vasoconstriction des lits unguéaux ou des lobes des oreilles occasionnée par le froid). Elle n'est pas nécessairement le signe d'un problème d'ordre général.

Examen physique des voies respiratoires supérieures

Pour effectuer un examen courant des voies respiratoires supérieures, il suffit d'utiliser une lampe-stylo. Dans le cas d'un examen plus approfondi, on a recours au spéculum nasal.

Nez et sinus

L'infirmière examine la partie extérieure du nez et vérifie s'il y a des lésions, une asymétrie ou une inflammation. Elle demande ensuite à la personne de pencher la tête en arrière. En relevant délicatement le bout du nez, elle pourra examiner les structures internes du nez et inspecter les muqueuses pour déceler un changement de couleur ou la présence d'œdème, d'exsudats ou de saignements. Les muqueuses nasales sont normalement plus rouges que les muqueuses buccales, mais elles peuvent être tuméfiées et hyperémiques si la personne est enrhumée. Cependant, en cas de rhinite allergique, elles sont plutôt pâles et œdémateuses.

L'infirmière inspecte ensuite la cloison des fosses nasales et note s'il y a une déviation, une perforation ou des saignements. La plupart des gens présentent une légère déviation de la cloison, mais un déplacement important du cartilage vers la droite ou vers la gauche peut entraîner une congestion nasale. Une légère déviation ne cause habituellement aucun symptôme.

Pendant que la personne garde la tête penchée en arrière, l'infirmière examine les cornets moyen et inférieur. En cas de rhinite chronique, des polypes nasaux de couleur grisâtre peuvent se former entre ces cornets. Contrairement aux cornets nasaux, les polypes sont gélatineux et mobiles.

L'infirmière palpe ensuite les sinus frontaux et maxillaires et en évalue la sensibilité (figure 23-8 ▪). À l'aide de ses pouces, elle applique une légère pression vers le haut, au niveau des arcades sourcilières (sinus frontaux) et des joues, près du nez (sinus maxillaires). L'infirmière pourrait aussi faire une percussion directe sur ces sites. Une sensibilité dans l'une ou l'autre de ces régions indique généralement la présence d'une inflammation. Les sinus frontaux et maxillaires peuvent être inspectés par transillumination ; cette technique consiste à faire passer une lumière intense dans une cavité osseuse, un sinus par exemple (figure 23-9 ▪). Si la lumière n'arrive pas à pénétrer dans la cavité, celle-ci renferme vraisemblablement du liquide ou du pus.

Oropharynx et bouche

Après l'inspection du nez, l'infirmière peut examiner la cavité buccale et l'oropharynx en demandant à la personne d'ouvrir grand la bouche et de respirer profondément. Habituellement, la partie postérieure de la langue s'aplatit alors et laisse voir pendant un bref moment les arcs palatoglosse et palatopharyngien, les amygdales, la luette et la partie postérieure du pharynx (figure 23-10 ▪). L'infirmière inspecte ces structures pour en déterminer la couleur et la symétrie, et pour déceler la présence d'exsudats, d'une ulcération ou d'un gonflement. Si elle doit utiliser un abaisse-langue pour voir le pharynx, elle le pressera fermement sur le tiers moyen de la langue pour ne pas déclencher le réflexe nauséeux.

Trachée

À l'étape suivante de l'examen, l'infirmière peut noter par palpation directe la position et la mobilité de la trachée. Pour ce faire, elle place le pouce et l'index de part et d'autre de la trachée, juste au-dessus de l'incisure jugulaire du sternum (fourchette sternale). La palpation ne doit pas être trop ferme, car elle peut déclencher la toux ou le réflexe nauséeux. À son entrée dans le thorax, la trachée est normalement située dans le plan médian, mais elle peut être déviée à cause de masses présentes dans le cou ou le médiastin. Les maladies pleurales ou pulmonaires, telles qu'un pneumothorax important, peuvent également la déplacer.

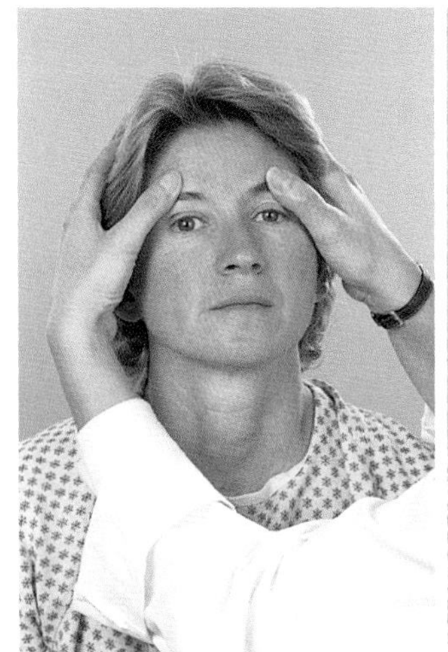

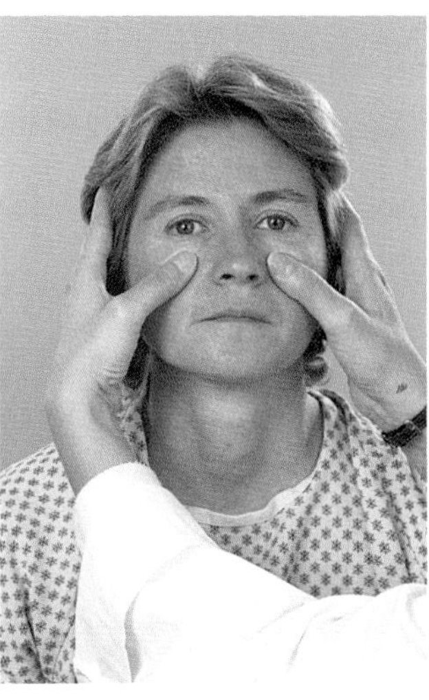

FIGURE 23-8 ▪ Technique de palpation des sinus frontaux, à gauche, et des sinus maxillaires, à droite. SOURCE : J. Weber et J. Kelley (2003). *Health assessment in nursing* (2e éd.). Philadelphie : Lippincott Williams & Wilkins.

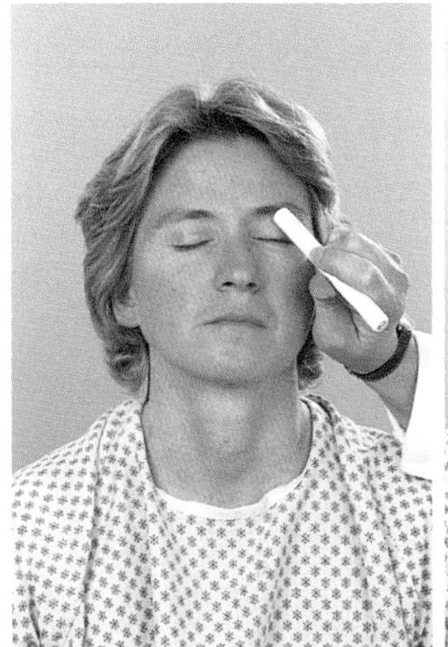

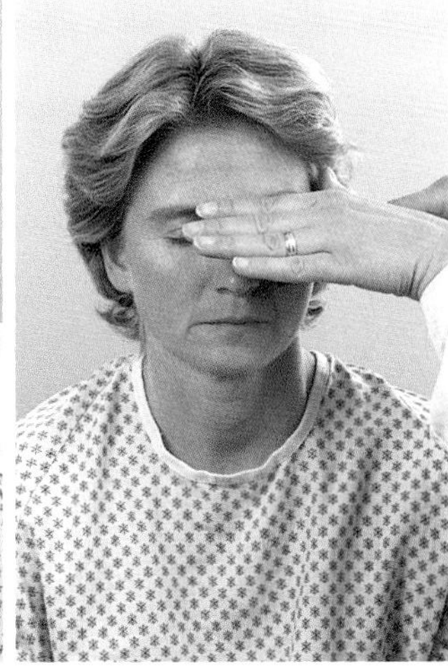

FIGURE 23-9 ▪ À gauche, l'infirmière place la source de lumière de manière à éclairer le sinus frontal par transillumination. À droite, elle couvre le sourcil de la personne et allume sa lampe-stylo. Dans des conditions normales (dans une pièce sombre), la lumière traverse les tissus et se manifeste au niveau du sinus frontal par une lueur rougeoyante (au-dessus de la main de l'infirmière). SOURCE : J. Weber et J. Kelley (2003). *Health assessment in nursing* (2e éd.). Philadelphie : Lippincott Williams & Wilkins.

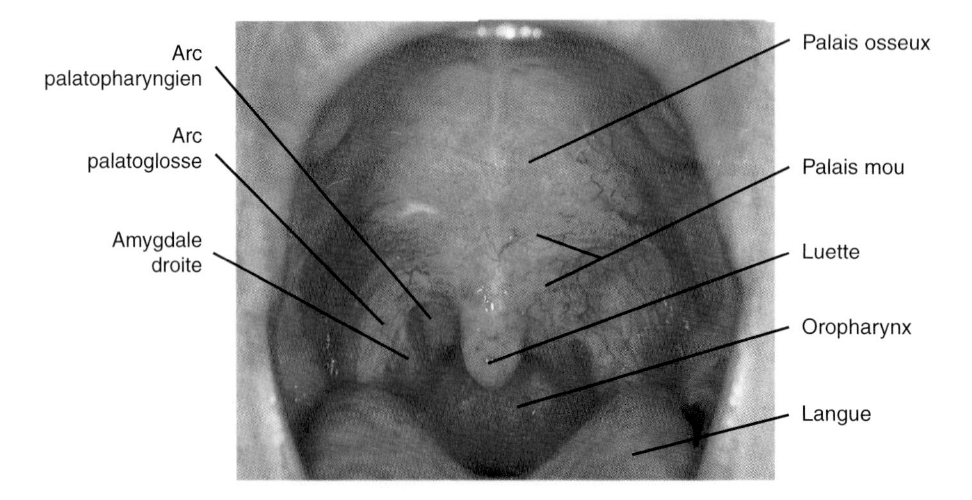

FIGURE 23-10 ■ Lorsque la bouche est ouverte, on peut voir facilement l'oropharynx et les autres structures buccales: les arcs, les amygdales, la luette, le palais osseux, le palais mou, la partie postérieure du pharynx et la langue.

EXAMEN PHYSIQUE DES VOIES RESPIRATOIRES INFÉRIEURES ET ÉVALUATION DE LA RESPIRATION

Thorax

L'inspection du thorax renseigne sur les structures musculosquelettiques, l'alimentation et l'état de l'appareil respiratoire. L'infirmière observe la couleur et l'élasticité de la peau recouvrant le thorax à la recherche de signes indiquant une perte de tissus sous-cutanés. S'il existe une asymétrie, elle doit la signaler. Lorsqu'elle prend en note les données recueillies ou qu'elle les communique, elle utilise des repères anatomiques comme points de référence (encadré 23-7 ■).

Configuration du thorax

Normalement, le rapport des diamètres antéropostérieur et transversal du thorax est de 1:2. Cependant, ce rapport peut être modifié par des déformations thoraciques associées aux affections respiratoires. Les quatre principales déformations sont le thorax en tonneau, le thorax en entonnoir (*pectus excavatum*), le thorax en carène ou en bréchet (*pectus carinatum*) et la cyphoscoliose.

Thorax en tonneau Le thorax en tonneau est dû à une surdistension des poumons et se manifeste par une augmentation du diamètre antéropostérieur du thorax. Chez la personne atteinte d'emphysème, les côtes sont plus espacées les unes des autres, et les espaces intercostaux ont tendance à bomber lors de l'expiration. L'aspect de la personne souffrant d'emphysème avancé est donc assez caractéristique, et on peut le remarquer facilement, même de loin.

Thorax en entonnoir (*pectus excavatum*) Le thorax en entonnoir est dû à une dépression de la partie inférieure du sternum. Cette dépression peut comprimer le cœur et les gros vaisseaux et entraîner des souffles. Le thorax en entonnoir peut apparaître chez les personnes atteintes de rachitisme ou du syndrome de Marfan.

Thorax en carène (ou en bréchet) Le thorax en carène se caractérise par un déplacement du sternum et une augmentation du diamètre antéropostérieur. Cette anomalie peut accompagner le rachitisme, le syndrome de Marfan ou la cyphoscoliose grave.

Cyphoscoliose La cyphoscoliose se caractérise par une élévation de l'omoplate associée à une incurvation en S de la colonne. Cette anomalie restreint le mouvement des poumons dans le thorax. Elle peut accompagner l'ostéoporose ou d'autres affections osseuses touchant le thorax.

Types de respiration

Lors de l'examen, il est important d'observer la fréquence, le rythme et l'amplitude de la respiration. Chez l'adulte au repos, la fréquence respiratoire normale se situe entre 10 et 20 respirations par minute. À l'exception des soupirs occasionnels, l'amplitude et le rythme de la respiration sont réguliers. La respiration normale porte le nom d'eupnée.

La bradypnée, aussi appelée respiration lente, peut être due à une pression intracrânienne accrue, à un traumatisme crânien ou à une surdose de médicament. La tachypnée, ou respiration rapide, est courante chez les personnes souffrant de pneumonie, d'œdème pulmonaire, d'acidose métabolique, de septicémie, de douleurs graves ou d'une fracture costale. Par ailleurs, on appelle hypoventilation une respiration superficielle, où la fréquence et l'amplitude sont réduites.

L'hyperpnée est une augmentation de l'amplitude de la respiration, tandis que l'hyperventilation est une augmentation de l'amplitude et de la fréquence de la respiration, se traduisant par une diminution de la $PaCO_2$ (pression partielle du gaz carbonique dans le sang artériel). Lors de la respiration rapide, l'inspiration et l'expiration sont de durée presque égale. On appelle respiration de Kussmaul une hyperventilation caractérisée par une augmentation de la fréquence et de l'amplitude respiratoires, associée à une acidose grave d'origine diabétique ou rénale.

ENCADRÉ 23-7

Repères thoraciques

Pour situer les données concernant le thorax, on se sert de points de repère horizontaux et verticaux, alors que pour situer celles qui portent sur les poumons on se fonde sur des repères définis en fonction des lobes.

POINTS DE REPÈRE HORIZONTAUX

Pour situer des données sur le plan horizontal, l'examinateur définit les repères thoraciques en fonction de leur proximité des côtes ou des espaces intercostaux qu'il palpe avec ses doigts. Sur la face antérieure du thorax, on peut situer les côtes à partir de l'angle sternal, un angle saillant qui se trouve au point de rencontre du manubrium sternal et de l'extrémité supérieure du corps du sternum, soit au niveau de la deuxième côte.

On peut donc situer les autres côtes en les comptant à partir de la deuxième. Pour situer un espace intercostal, on fait référence à la côte qui se situe juste au-dessus. Par exemple, le cinquième espace intercostal se trouve sous la cinquième côte.

Il est plus difficile de trouver l'emplacement des côtes sur la face postérieure du thorax. On doit tout d'abord repérer les processus épineux en trouvant le processus le plus saillant, soit celui de la septième vertèbre cervicale (vertèbre proéminente). Lorsque le cou est légèrement fléchi, le septième processus épineux ressort nettement. On peut alors repérer les autres vertèbres en les comptant à partir de la septième.

POINTS DE REPÈRE VERTICAUX

Pour situer sur le plan vertical les données d'un examen thoracique, on emploie des lignes imaginaires. La *ligne sternale* est la ligne fictive qui descend le long du sternum, en son milieu. La *ligne médioclaviculaire* est la ligne verticale qui part du milieu de la clavicule. Habituellement, le *choc de pointe du cœur* se situe le long de cette ligne, sur le côté gauche du thorax.

Quand le bras est en abduction de 90 degrés par rapport au corps, on peut tracer trois lignes verticales: depuis le pli axillaire antérieur, depuis le milieu de l'aisselle et depuis le pli axillaire postérieur. Ces lignes sont appelées, respectivement, *ligne axillaire antérieure*, *ligne médioaxillaire* et *ligne axillaire postérieure*. La ligne imaginaire qui passe verticalement par les angles supérieur et inférieur de l'omoplate s'appelle *ligne scapulaire,* tandis que celle qui descend le long de la colonne vertébrale porte le nom de *ligne vertébrale*. En utilisant ces points de repère, l'infirmière peut communiquer plus clairement les données recueillies. Elle peut, par exemple, dire qu'elle a observé une zone de matité qui s'étend de la ligne vertébrale à la ligne scapulaire, entre la septième et la dixième côte sur la droite.

LOBES DES POUMONS

On peut situer les lobes du poumon sur la paroi de la cage thoracique de la façon suivante: du côté gauche, la ligne séparant les lobes supérieur et inférieur commence au processus épineux de la troisième vertèbre thoracique, contourne le thorax et traverse la cinquième côte au niveau de la ligne médioaxillaire pour ensuite rejoindre la sixième côte au niveau médioclaviculaire. Du côté droit, cette ligne sépare le lobe moyen du lobe inférieur. La ligne qui sépare le lobe supérieur droit du lobe moyen est une ligne incomplète qui commence à la cinquième côte sur la ligne médioaxillaire, où elle croise la ligne séparant les lobes supérieur et inférieur, et continue horizontalement jusqu'au sternum, rejoignant la quatrième côte. Par conséquent, les lobes supérieurs sont dominants sur la face antérieure du thorax, alors que les lobes inférieurs sont dominants sur la face postérieure. Le lobe moyen du poumon droit n'est pas présent sur la face postérieure du thorax.

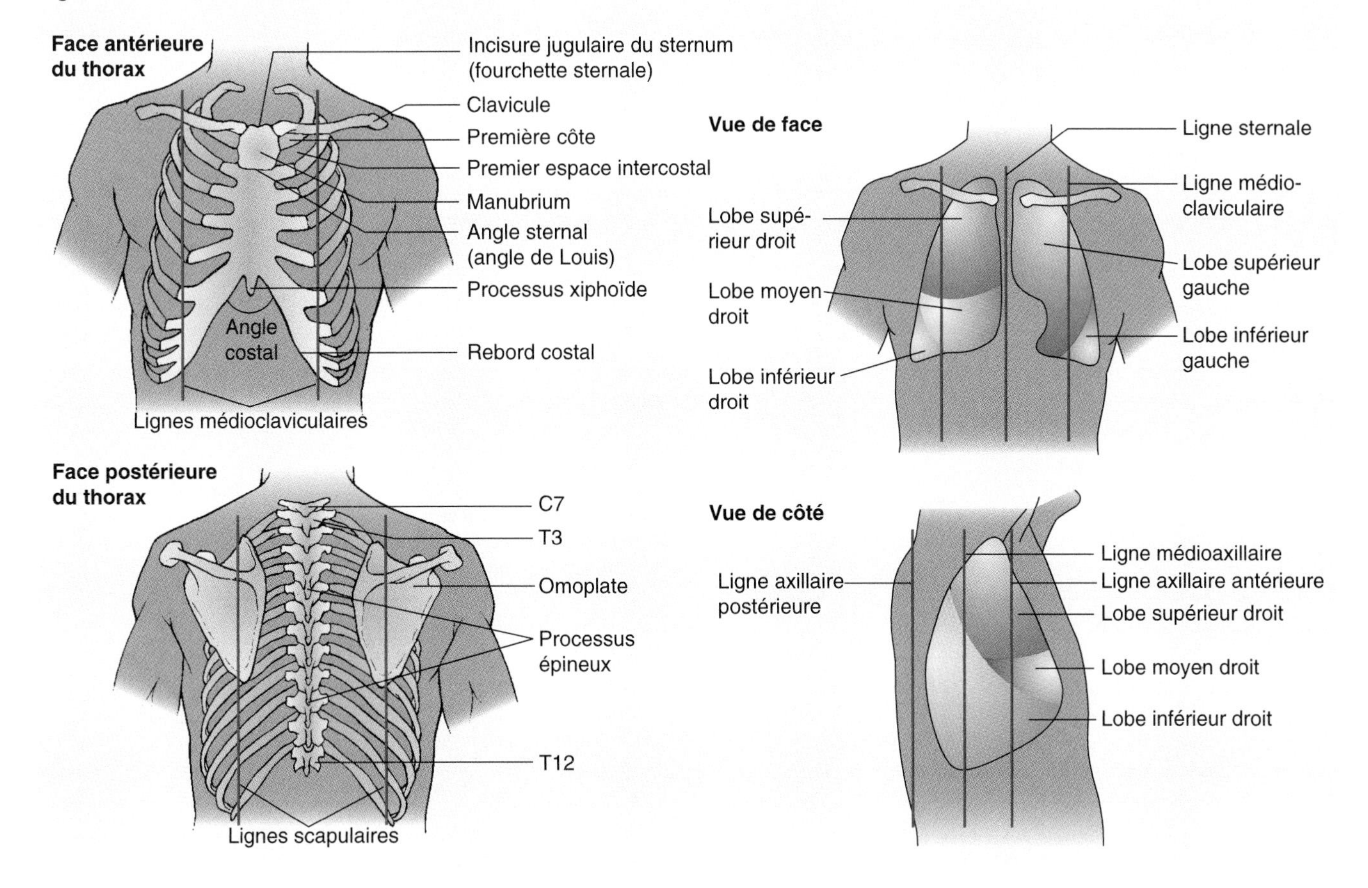

L'apnée se manifeste par des périodes variables d'arrêt de la respiration. Si elle persiste, l'apnée peut mettre en danger la vie de la personne.

La respiration de Cheyne-Stokes est caractérisée par l'alternance d'épisodes d'apnée (arrêt respiratoire) et de respiration profonde. Les respirations deviennent de moins en moins profondes, suivies de périodes d'apnée qui peuvent durer environ 20 secondes. Le cycle recommence après chaque période d'apnée. La durée de la période d'apnée peut varier et se prolonger graduellement ; par conséquent, il faut chronométrer ces périodes et signaler au médecin leur durée. La respiration de Cheyne-Stokes est le plus souvent associée à une insuffisance cardiaque ou à une atteinte du centre respiratoire (due à des médicaments, à une tumeur ou à un traumatisme).

La respiration de Biot et Savard (ou ataxique) consiste en des cycles de respirations plus ou moins profondes, ponctués de périodes d'apnée de durée variable. La respiration de Biot et Savard est associée à certains troubles du système nerveux central.

Certains types de respiration caractérisent des affections précises. Les rythmes respiratoires et les écarts par rapport à la respiration normale sont des données importantes que l'infirmière doit prendre en note et signaler. La fréquence, le rythme et l'amplitude des différents types de respirations sont présentées à la figure 23-11 ■.

Chez les personnes minces, il est normal de constater une légère rétraction des espaces intercostaux au cours d'une respiration normale. Une voussure (bombement) pendant l'expiration indique que l'écoulement du gaz expiratoire est entravé, comme dans les cas d'emphysème. Une rétraction prononcée lors de l'inspiration, surtout si elle est asymétrique, est le signe d'une obstruction d'un conduit de l'arbre bronchique. Une voussure asymétrique des espaces intercostaux droit ou gauche est due à une élévation de la pression dans l'hémithorax, causée par un épanchement d'air (pneumothorax) ou de liquide (pleurésie) dans l'espace compris entre la plèvre viscérale et la plèvre pariétale.

Palpation du thorax

Après l'inspection, l'infirmière passe à la palpation du thorax afin de déceler les zones douloureuses et la présence de masses ou de lésions. Elle évalue également les mouvements de la cage thoracique et les vibrations vocales. Si la personne qui subit l'examen signale une zone douloureuse ou si des lésions sont apparentes, la palpation doit se faire avec le bout des doigts (ce qui permet de repérer les lésions cutanées ou les masses sous-cutanées). La palpation avec la paume de la

Eupnée
- Respiration normale
- Fréquence de 10 à 20 respirations/minute
- Rythme régulier
- Amplitude profonde
- Silencieuse

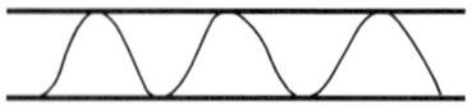

Bradypnée
- Respiration plus lente que la normale
- Fréquence < 10 respirations/minute
- Rythme régulier
- Amplitude de profondeur normale

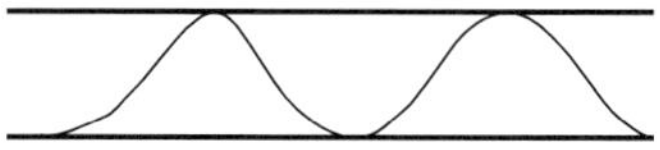

Tachypnée
- Respiration plus rapide
- Fréquence > 28 respirations/minute
- Rythme régulier
- Amplitude de profondeur normale
- Peut être légèrement bruyante

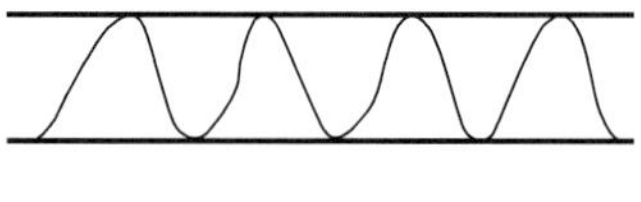

Hypoventilation
- Diminution de la fréquence et diminution de l'amplitude

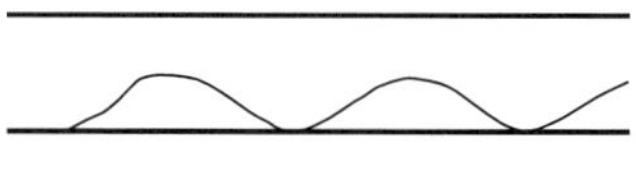

Hyperventilation
- Augmentation de la fréquence et augmentation de l'amplitude (appelée respiration de Kussmaul, si elle est due à une acidocétose diabétique)

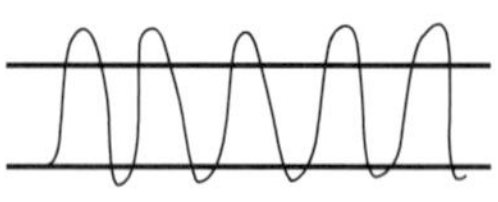

Apnée
- Arrêt de la respiration de durée variable ; l'apnée peut se manifester brièvement au cours d'autres troubles respiratoires, comme l'apnée du sommeil. Si l'apnée est soutenue, elle peut mettre la vie de la personne en danger.

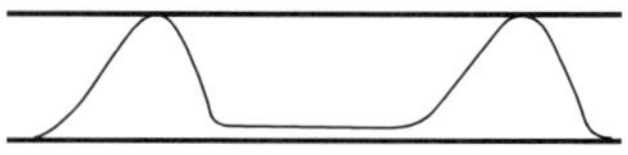

Respiration de Cheyne-Stokes
- Cycle régulier, mais caractérisé par une élévation de la fréquence et de la profondeur des respirations, qui diminuent par la suite jusqu'à ce que l'apnée survienne (laquelle peut durer jusqu'à 20 secondes)

Respiration de Biot et Savard (ataxique)
- Rythme et fréquence irréguliers et imprévisibles avec périodes d'apnée (habituellement de 10 secondes à 1 minute)

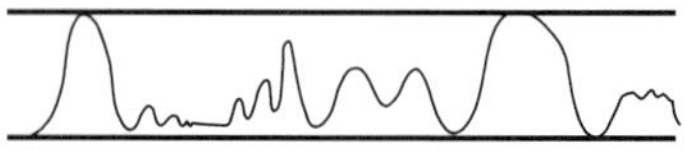

FIGURE 23-11 ■ Représentation graphique de différents types de respiration.

main permet de dépister les masses profondes ou de trouver la cause de douleurs lombaires ou costales généralisées.

Mouvements de la cage thoracique

Les mouvements de la cage thoracique permettent d'estimer l'amplitude du thorax et renseignent parfois sur les mouvements qui se produisent pendant la respiration. L'infirmière évalue l'amplitude des mouvements et leur symétrie. Pour ce faire, elle place d'abord ses deux mains le long du rebord costal, sur la face antérieure du thorax, et glisse ses deux pouces vers le centre de façon à former un pli cutané d'environ 2,5 cm (figure 23-12A ■). Elle demande ensuite à la personne d'inspirer profondément et observe le mouvement de ses pouces durant l'inspiration et l'expiration. Normalement, ce mouvement est symétrique.

Pour examiner les mouvements de la face postérieure du thorax, l'infirmière doit placer ses pouces près de la colonne vertébrale, à la hauteur de la 10ᵉ côte (figure 23-12B ■), avec ses mains reposant sur les côtés de la cage thoracique. Elle glisse les pouces vers le centre de façon à former un pli cutané d'environ 2,5 cm et demande à la personne d'inspirer profondément et d'expirer complètement. Elle peut ainsi vérifier si le pli cutané disparaît et si le mouvement du thorax est symétrique.

La diminution de l'amplitude thoracique peut être due à une fibrose chronique. Un mouvement asymétrique peut être causé par une contracture musculaire douloureuse, attribuable à une pleurésie, à une fracture des côtes, à un traumatisme de la paroi thoracique ou à une obstruction bronchique unilatérale.

Vibrations vocales

Les sons produits par le larynx se déplacent en aval le long de l'arbre bronchique et provoquent des frémissements dans la paroi thoracique, surtout lorsque ces sons sont des consonnes. Ces frémissements s'appellent vibrations vocales.

Les vibrations vocales normales varient beaucoup. Évidemment, elles dépendent de l'épaisseur de la paroi thoracique, plus précisément de l'épaisseur des muscles. Elles sont aussi influencées par l'excès de tissu sous-cutané qui caractérise l'obésité. Si le poumon est normal, les sons graves se transmettent mieux que les sons aigus et produisent plus de vibrations dans la paroi thoracique. Ainsi, ces vibrations sont plus prononcées chez l'homme, dont la voix est grave, que chez la femme. Normalement, elles sont plus fortes là où les grosses bronches se trouvent tout près de la paroi thoracique et elles sont de moins en moins perceptibles à mesure que l'on descend vers les petites ramifications de l'arbre bronchique. Par conséquent, elles sont davantage palpables dans la partie supérieure des faces antérieure et postérieure du thorax.

Pour provoquer des vibrations vocales, la personne qui est soumise à l'examen doit répéter «trente-trois» à chaque mouvement des mains de l'infirmière le long du thorax. Cette dernière peut détecter les vibrations en plaçant la paume de ses mains sur le thorax. Pour faciliter la comparaison, elle palpe le thorax des deux mains à la fois, de haut en bas, en suivant un ordre particulier (figure 23-13 ■). Elle compare les zones correspondantes des côtés gauche et droit. Les régions osseuses ne sont pas palpées.

Les lois physiques de la transmission du son nous enseignent que si l'air transmet mal le son, les corps solides, comme les tissus, le transmettent bien, à condition qu'ils soient élastiques et qu'ils ne forment pas de masse non résonante. Par conséquent, une augmentation de la quantité de tissu solide par unité de volume pulmonaire accentue les vibrations vocales, tandis qu'une augmentation de la quantité d'air par unité de volume pulmonaire les atténue. Ainsi, les vibrations vocales sont presque absentes chez la personne atteinte

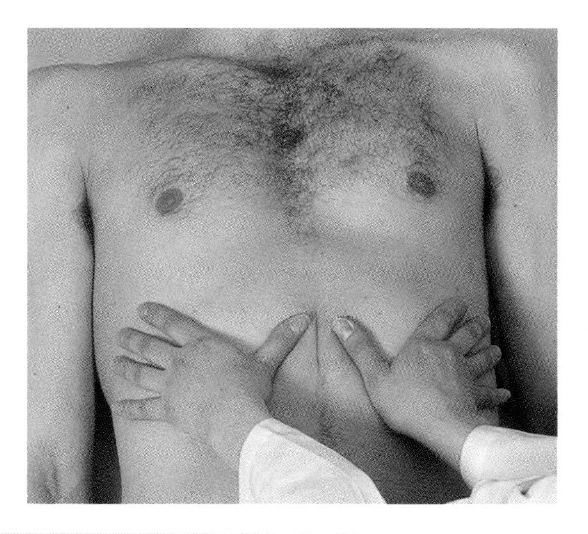

A

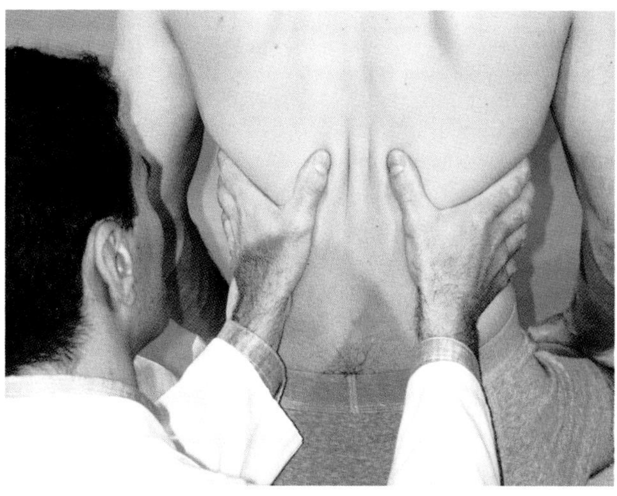

B

FIGURE 23-12 ■ Méthode servant à évaluer les mouvements du thorax. **(A)** Mouvement antérieur. Placer d'abord les deux mains le long du rebord costal, sur la face antérieure du thorax, et glisser les deux pouces vers le centre de façon à former un pli cutané d'environ 2,5 cm. **(B)** Mouvement postérieur. Placer les deux mains sur la face postérieure du thorax, à la hauteur de la T9 ou de la T10. Faire glisser les mains vers la colonne vertébrale de façon à former un pli cutané d'environ 2,5 cm entre les pouces. Déterminer si la respiration est symétrique. SOURCES: (PHOTO A) L.S. Bickley (2003). Bates' Guide to Physical Examination and History Taking (8ᵉ éd.). Philadelphie: Lippincott Williams & Wilking. (PHOTO B) M. Brûlé, L. Cloutier et O. Doyon (2002). *L'examen clinique dans la pratique infirmière*. Saint-Laurent (Québec): Éditions du Renouveau Pédagogique, p.73. Université du Québec à Trois-Rivières, Service du soutien pédagogique et technologique, Claude Demers.

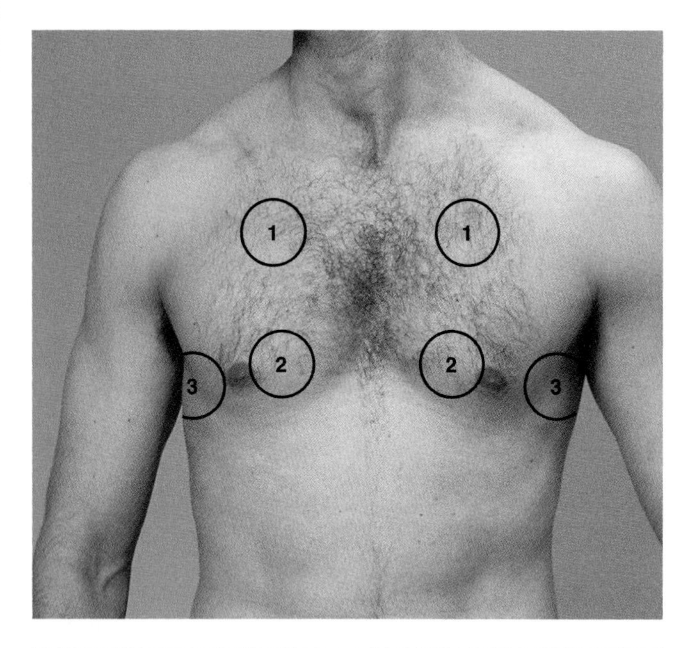

FIGURE 23-13 ■ Ordre dans lequel s'effectue la palpation visant à évaluer les vibrations vocales. SOURCE : L.S. Bickley (2003). *Bates' guide to physical examination and history taking* (8e éd.). Philadelphie : Lippincott Williams & Wilkins.

d'emphysème (conséquence de la rupture des alvéoles et du piégeage de l'air), alors que chez celle qui souffre d'une consolidation d'un lobe pulmonaire consécutive à une pneumonie, les vibrations vocales du côté atteint sont plus fortes que la normale. L'air qui peut se trouver dans la cavité pleurale ne transmet pas le son.

Percussion du thorax

La percussion fait bouger la paroi thoracique et les organes qu'elle renferme. Elle produit ainsi des vibrations audibles et tactiles. L'infirmière utilise la percussion pour déterminer si les tissus sous-jacents sont remplis d'air, de liquide ou d'une masse dense. On peut également se servir de la percussion pour évaluer les dimensions et la position de certaines structures intrathoraciques (diaphragme, cœur, foie).

Habituellement, l'infirmière commence la percussion sur la face postérieure du thorax. Il est préférable que la personne soit assise, la tête penchée vers l'avant et les bras croisés sur les épaules. De cette façon, les omoplates sont bien écartées et dégagent une bonne partie des poumons. On doit commencer la percussion au niveau des épaules (figure 23-14 ■). On continue ensuite de haut en bas, en percutant des points symétriques, à intervalles de 5 cm (toujours sur la face postérieure du thorax), entre l'omoplate et la ligne scapulaire. Il faut placer d'abord le majeur sur un espace intercostal, parallèlement aux côtes, en appuyant fermement contre la paroi thoracique, puis percuter à l'aide du majeur de l'autre main. On ne percute pas les régions osseuses (omoplates, côtes).

Pour percuter la face antérieure du thorax, la personne doit s'asseoir, tirer les épaules vers l'arrière et placer ses bras de chaque côté du corps. On commence, cette fois-ci, par la région sus-claviculaire et on descend d'un espace intercostal à l'autre. Chez la femme, il est souvent nécessaire de déplacer les seins pour bien examiner la face antérieure du thorax. Il est normal de constater une matité à gauche du sternum entre les troisième et cinquième espaces intercostaux ; cette matité correspond au cœur. Il est normal également de noter une zone de matité au niveau du foie, c'est-à-dire à droite du thorax, depuis le cinquième espace intercostal jusqu'au rebord costal droit sur la ligne médioclaviculaire.

Pour permettre l'examen des régions antérieure et latérale du thorax, la personne peut être couchée sur le dos. Si elle est incapable de s'asseoir, on peut faire la percussion de la face postérieure du thorax en la plaçant sur le côté.

On décèle une zone de matité dans le poumon lorsque du liquide ou du tissu dense remplace l'air qui s'y trouve normalement. Au tableau 23-3 ■, on présente les sons révélés par la percussion et leurs caractéristiques.

Excursion diaphragmatique

La sonorité normale des poumons s'arrête au diaphragme. La position du diaphragme n'est pas la même pendant l'inspiration et l'expiration.

Pour évaluer la position et l'excursion du diaphragme, l'infirmière demande à la personne d'expirer à fond. Le relâchement du diaphragme permet à l'air de sortir des poumons et fait en sorte que le diaphragme se trouve à son niveau supérieur maximal. Pendant que la personne retient sa respiration, l'infirmière percute de haut en bas jusqu'à ce que le son passe de la sonorité à la matité diaphragmatique. Elle

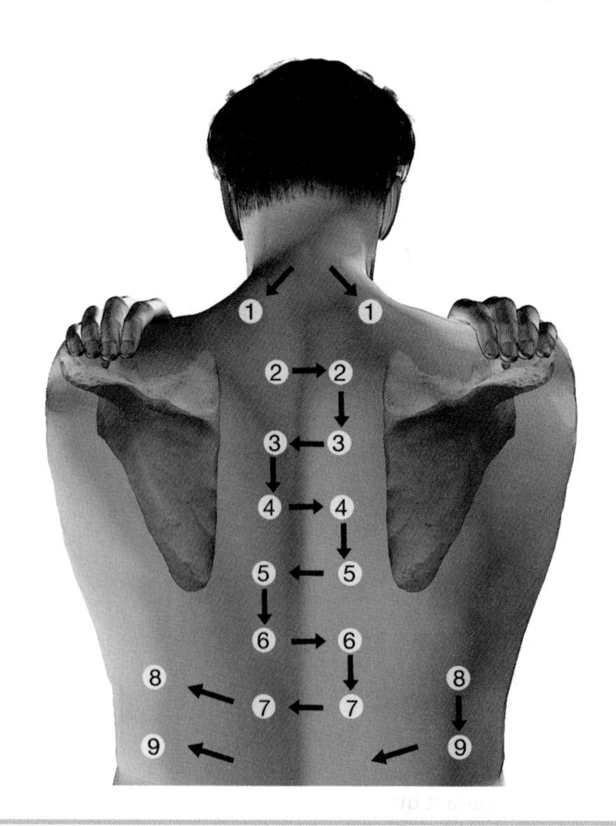

FIGURE 23-14 ■ Percussion de la face postérieure du thorax. Une fois que la personne est installée en position assise, on percute les points symétriques des poumons à des intervalles de 5 cm. La percussion commence à l'apex de chaque poumon et se termine sur chacun des côtés de la paroi thoracique.

TABLEAU 23-3

Caractéristiques des sons révélés par la percussion

Son	Intensité relative	Hauteur tonale relative	Durée relative	Exemple d'emplacement	Affection possible
Matité franche	Faible	Aiguë	Très courte	Cuisse	Épanchement pleural important
Submatité	Moyenne	Moyenne	Courte	Foie	Pneumonie lobaire
Sonorité	Forte	Basse	Longue	Poumon normal	Bronchite chronique simple
Hypersonorité	Très forte	Plus basse	Très longue	Son normalement absent	Emphysème, pneumothorax
Tympanisme	Forte	Aiguë*	Très longue*	Bulle d'air gastrique (ou bien joues gonflées)	Pneumothorax étendu

*Le son se distingue surtout par son timbre musical.

marque ce point. Après avoir laissé à la personne le temps de prendre quelques respirations normales, elle lui demande ensuite d'inspirer profondément et de retenir son souffle. L'inspiration et la contraction du diaphragme permettent à l'air d'entrer dans les poumons et déplacent le diaphragme à son point le plus bas. Pendant ce temps, l'infirmière poursuit sa percussion vers le bas afin de délimiter le nouveau niveau de matité diaphragmatique et marque avec un stylo ce point sur la ligne médioclaviculaire. La distance entre les deux marques indique l'amplitude du mouvement du diaphragme.

L'excursion maximale du diaphragme peut atteindre de 8 à 10 cm chez un homme jeune, grand et en bonne santé. Chez la plupart des gens, toutefois, elle est de 5 à 7 cm. Normalement, le diaphragme est plus haut (2 cm) du côté droit à cause de la position du cœur et du foie (le premier étant situé audessus du segment gauche du diaphragme et le second audessous du segment droit). L'excursion diaphragmatique est parfois réduite en présence d'un épanchement pleural ou d'emphysème. Par ailleurs, lorsque la pression intra-abdominale est accrue (comme dans le cas de la femme enceinte ou d'une personne souffrant d'ascite), le diaphragme peut remonter haut dans le thorax.

Auscultation du thorax

L'auscultation sert à évaluer l'écoulement de l'air dans l'arbre bronchique et à déceler la présence d'une obstruction solide ou liquide dans les structures pulmonaires. Pour évaluer l'état des poumons, l'infirmière ausculte les bruits normaux, les bruits surajoutés (adventices) et les bruits de la voix.

On procède à l'auscultation des faces antérieure, postérieure et latérales du thorax comme suit. L'infirmière appuie la membrane du stéthoscope fermement contre la paroi thoracique pendant que la personne respire lentement et profondément par la bouche. Elle ausculte les zones correspondantes de chaque poumon, de façon systématique, depuis l'apex jusqu'à la base, et le long des lignes médioaxillaires. L'ordre d'auscultation et la position de la personne soumise à l'examen sont les mêmes que pour la percussion. Il est souvent nécessaire d'écouter à deux reprises l'inspiration et l'expiration complètes dans chaque zone pour être certain de bien interpréter les bruits perçus. À force de respirer profondément pour les besoins de l'auscultation, la personne peut manifester des symptômes d'hyperventilation (par exemple, étourdissements). Pour prévenir l'apparition de ces symptômes, il faut la laisser respirer normalement à intervalles réguliers durant l'examen.

Bruits respiratoires

Les bruits respiratoires normaux se distinguent par leur emplacement dans une zone précise du poumon. On les appelle murmures vésiculaires, bruits bronchovésiculaires, bruits bronchiques et bruits trachéaux (tableau 23-4 ■).

L'auscultation permet de déterminer l'emplacement, la qualité et l'intensité des bruits respiratoires. Quand l'écoulement de l'air est entravé par une obstruction bronchique (atélectasie) ou quand du liquide (épanchement pleural) ou un excès de tissu (obésité) éloignent le stéthoscope des voies aériennes, les bruits respiratoires sont atténués ou inexistants. Par exemple, chez la personne atteinte d'emphysème, les bruits respiratoires sont faibles et souvent inaudibles. Lorsqu'on la perçoit à l'auscultation, la phase expiratoire se prolonge. Les bruits bronchiques et les bruits bronchovésiculaires, audibles dans les zones pulmonaires autres que les bronches principales, sont un signe d'affection et indiquent habituellement une consolidation dans les poumons (par exemple, pneumonie ou insuffisance cardiaque). Dans ce cas, il est nécessaire de procéder à des examens plus approfondis.

Bruits surajoutés (adventices)

Toute anomalie touchant l'arbre bronchique et les alvéoles se manifeste par des bruits surajoutés, ou adventices. Ces bruits se classent en deux catégories: les bruits discontinus (crépitants fins et rudes) et les bruits continus (sibilants et ronchi). Il est important de déterminer la durée du bruit, puisque c'est elle qui permettra de distinguer un bruit continu d'un bruit discontinu (tableau 23-5 ■).

Bruits respiratoires

TABLEAU 23-4

Bruits respiratoires	Durée des bruits	Intensité du bruit expiratoire	Hauteur tonale du bruit expiratoire	Emplacement normal
Murmures vésiculaires*	Les bruits inspiratoires durent plus longtemps que les bruits expiratoires.	Faible	Relativement basse	Dans tout le thorax, sauf dans la partie supérieure du sternum et entre les omoplates.
Bruits broncho-vésiculaires	Les bruits inspiratoires et expiratoires sont d'une durée presque égale. Il n'y a pas de pause entre les bruits inspiratoires et les bruits expiratoires.	Moyenne	Moyenne	Souvent, au niveau des 1er et 2e espaces intercostaux, sur la face antérieure et entre les omoplates (au-dessus de la bronche souche).
Bruits bronchiques	Les bruits expiratoires durent plus longtemps que les bruits inspiratoires. Il y a une pause entre les bruits inspiratoires et les bruits expiratoires.	Forte	Relativement aiguë	S'ils sont perçus, c'est au-dessus du manubrium.
Bruits trachéaux	Les bruits inspiratoires et expiratoires sont d'une durée presque égale. Il y a une pause entre les bruits inspiratoires et les bruits expiratoires.	Très forte	Relativement aiguë	Sur la trachée, au niveau du cou.

* L'épaisseur des barres indique l'intensité des bruits respiratoires. Plus l'angle est prononcé, plus les bruits respiratoires sont aigus.

Bruits surajoutés (adventices)

TABLEAU 23-5

Bruits surajoutés	Description	Causes
BRUITS DISCONTINUS		
Crépitants rudes	Sons forts, longs, de basse tonalité, perçus à l'inspiration; bruits humides et plus intenses, produits dans les grosses bronches, dénotant la présence de liquide dans les voies aériennes ou dans les alvéoles, ou bien l'ouverture d'alvéoles collabés. La toux ou le changement de position peuvent faire diminuer les bruits.	Maladie respiratoire obstructive
Crépitants fins	Sons doux, de haute tonalité, très brefs, perçus à la fin de l'inspiration; on peut les simuler, en roulant entre les doigts une mèche de cheveux près de l'oreille. Sons produits dans les alvéoles. Ne disparaissent pas si la personne tousse.	Pneumonie interstitielle, maladie respiratoire restrictive (par exemple, fibrose). Les crépitants fins perçus au début de l'inspiration sont attribuables à la bronchite ou à la pneumonie.
BRUITS CONTINUS		
Ronchi	Bruits sonores, continus, de basse fréquence, audibles habituellement pendant l'expiration, causés par le passage de l'air dans des voies trachéobronchiques rétrécies. Les bruits peuvent disparaître si la peronne produit une toux efficace.	Sécrétions ou tumeur
Sibilants	Bruits musicaux aigus, continus, semblables à des sifflements, perçus pendant l'inspiration et l'expiration, causés par le passage de l'air dans des voies aériennes rétrécies ou partiellement obstruées.	Bronchospasme, asthme ou accumulation de sécrétions
BRUITS EXTRAPULMONAIRES		
Frottement pleural	Bruits de raclement qu'on peut simuler en frottant l'un sur l'autre deux morceaux de cuir, perçus au cours de l'inspiration seulement ou aux deux temps de la respiration. Ces bruits peuvent disparaître lorsque la personne retient son souffle; par contre, la toux ne les fait pas disparaître.	Inflammation ou surfaces pleurales rugueuses, pleurésie

Les **crépitants** sont des bruits discontinus, dus à la réouverture tardive de voies aériennes privées d'air. La toux fait parfois disparaître les crépitants. Ils sont le signe d'une inflammation ou d'une congestion sous-jacente et sont souvent présents dans les cas de pneumonie, de bronchite, d'insuffisance cardiaque, de bronchectasie ou de fibrose pulmonaire.

Les *sibilants* sont dus à l'oscillation de la paroi bronchique et aux changements dans le diamètre des voies aériennes. Ils sont le plus souvent perceptibles chez les personnes atteintes d'asthme, de bronchite chronique ou de bronchectasie.

L'inflammation des deux feuillets de la plèvre produit un crépitement ou un bruit de raclement qui s'entend habituellement aux deux temps de la respiration et qui porte le nom de frottement pleural. Pour rendre ce bruit extrapulmonaire plus intense, il suffit d'appuyer la membrane du stéthoscope sur la paroi thoracique. On peut le simuler en frottant deux morceaux de cuir. On le perçoit le plus facilement sur le côté, sur la face antérieure du thorax au niveau de la base des poumons.

Bruits de la voix

On appelle transmission de la voix le son que l'on perçoit à l'auscultation par stéthoscope quand la personne parle. Les vibrations produites dans le larynx sont transmises à la paroi thoracique quand elles passent dans les bronches et le tissu alvéolaire. Pendant le trajet, les sons diminuent en intensité et sont modifiés, de sorte qu'on ne peut distinguer les syllabes. En général, l'infirmière évalue les bruits de la voix en demandant à la personne de répéter continuellement «trente-trois» pendant qu'elle ausculte avec un stéthoscope les zones du thorax, depuis l'apex des poumons jusqu'à leur base.

Si les bruits de la voix sont plus forts et plus nets que la normale, on parle de bronchophonie. S'ils sont déformés, il s'agit d'égophonie. Pour dépister l'égophonie, on doit demander à la personne de répéter le son «i». Quand il y a une consolidation, le son «i» est transformé en un «é» très clairement perceptible. La bronchophonie et l'égophonie s'interprètent exactement comme la respiration bronchique avec une augmentation des vibrations vocales. Lorsqu'une anomalie est décelée, on doit en confirmer la présence par d'autres examens. Les changements dans les vibrations vocales sont moins évidents et peuvent passer inaperçus. Par contre, on percevra très clairement la respiration bronchique et la bronchophonie.

La pectoriloquie aphone est un phénomène très subtil, qu'on ne perçoit que dans les cas de consolidation importante des poumons. La transmission des sons aigus est tellement intensifiée par les tissus consolidés que même les mots chuchotés sont perçus à l'auscultation, ce qui n'est pas le cas dans des conditions physiologiques normales. La bronchophonie et la pectoriloquie aphone s'interprètent de la même façon.

Les bruits qui caractérisent les affections respiratoires les plus courantes sont résumés au tableau 23-6 ■.

Évaluation de la capacité respiratoire d'une personne en phase aiguë

On peut facilement évaluer la capacité respiratoire de la personne, à son chevet, en mesurant la fréquence respiratoire (voir la section «Types de respiration», p. 20 et suivantes), le volume courant, la ventilation-minute, la capacité vitale, la force inspiratoire et la compliance pulmonaire. Ces mesures sont particulièrement importantes chez les personnes qui présentent des risques de complications pulmonaires, notamment chez celles qui ont subi une intervention thoracique ou

TABLEAU 23-6 **Tableau clinique de quelques affections courantes**

Affections	Vibrations vocales	Percussion	Auscultation
Consolidation	Accrues	Matité	Bruits bronchiques, crépitants fins, bronchophonie, égophonie, pectoriloquie aphone
Bronchite	Normales	Sonorité	Bruits respiratoires normaux ou réduits, sibilants et ronchi
Emphysème	Réduites	Hypersonorité	Bruits d'intensité réduite, habituellement avec une expiration prolongée
Asthme (crise aiguë)	Normales ou réduites	Sonorité ou hypersonorité	Sibilants
Œdème pulmonaire	Normales	Sonorité	Crépitants fins à la base des poumons, souvent, sibilants
Épanchement pleural	Absentes	Submatité ou matité	Bruits respiratoires faibles ou absents, bruits bronchiques au-dessus de l'épanchement, au niveau de la zone de compression pulmonaire, aucun bruit surajouté excepté un éventuel frottement pleural
Pneumothorax	Réduites	Hypersonorité	Absence de bruits respiratoires
Atélectasie	Absentes	Matité	Bruits respiratoires faibles ou absents

abdominale, qui ont été soumises à une anesthésie prolongée, qui souffrent déjà d'une affection pulmonaire, ou qui sont âgées. De plus, on utilise couramment ces tests chez les personnes sous ventilation assistée.

Chez les personnes dont l'amplitude thoracique est restreinte par l'obésité ou une distension abdominale, ou qui sont incapables de respirer profondément à cause de douleurs ou de l'usage de sédatifs après une intervention chirurgicale, les volumes courants sont faibles (c'est-à-dire qu'elles inspirent et expirent un faible volume d'air). Une hypoventilation prolongée avec volumes courants faibles peut entraîner une atélectasie, ou affaissement des alvéoles. La quantité d'air qui reste dans les poumons après une expiration normale (capacité résiduelle fonctionnelle) chute, la capacité de distension des poumons (compliance) baisse et la personne doit respirer plus vite pour maintenir le même degré d'oxygénation tissulaire. Ces changements peuvent être plus graves chez les personnes qui souffrent déjà d'une affection pulmonaire ou chez les personnes âgées dont la compliance des voies respiratoires est réduite du fait que les petites voies aériennes peuvent s'affaisser durant l'expiration.

ALERTE CLINIQUE *Pour déterminer si la ventilation est adéquate, on ne doit pas se fier à la simple observation de la fréquence, du rythme et de l'amplitude des mouvements respiratoires. Les mouvements respiratoires peuvent en effet sembler normaux ou exagérés, alors qu'en réalité ils déplacent tout juste assez d'air pour ventiler l'espace mort. Si l'on a le moindre doute concernant la suffisance de la ventilation, on devrait procéder à l'auscultation ou recourir à la sphygmooxymétrie, ou aux deux, pour effectuer une évaluation plus poussée de l'état respiratoire de la personne.*

Volume courant

On appelle volume courant le volume d'air qui se déplace à chaque respiration (les volumes et les capacités pulmonaires sont indiqués au tableau 23-1). L'inspiromètre d'incitation est un instrument qui permet de mesurer les volumes au chevet de la personne. Si elle respire par une sonde endotrachéale ou une canule de trachéotomie, on abouche l'inspiromètre d'incitation directement à la sonde ou à la canule; le volume expiré est indiqué sur le cadran. Dans d'autres cas, l'inspiromètre d'incitation peut être fixé à un masque facial ou à un embout buccal placé de façon à empêcher les fuites.

Le volume courant peut varier d'une respiration à l'autre. Pour que les données recueillies soient fiables, il faut donc répéter la mesure sur plusieurs respirations. On note ensuite l'écart entre les valeurs obtenues ainsi que le volume courant moyen.

Ventilation-minute

Pris séparément, le volume courant et la fréquence respiratoire n'indiquent pas de façon fiable si la ventilation est adéquate, car ils varient trop d'une respiration à l'autre. Évalués ensemble, cependant, ils permettent d'obtenir la ventilation-minute (volume d'air expiré par minute), qui peut indiquer qu'il y a une insuffisance respiratoire. La ventilation-minute est le produit du volume courant multiplié par la fréquence respiratoire. Dans la pratique clinique, on ne calcule pas la ventilation-minute, mais on la mesure directement à l'aide d'un inspiromètre d'incitation.

De nombreuses affections peuvent réduire la ventilation-minute et provoquer une hypoventilation. Lorsque la ventilation-minute baisse, la ventilation alvéolaire diminue aussi et la $PaCO_2$ augmente. Les facteurs de risque d'hypoventilation sont indiqués à l'encadré 23-8 ■.

Capacité vitale

Pour mesurer la capacité vitale, la personne soumise à l'examen doit inspirer et expirer complètement dans un spiromètre. La valeur normale dépend de l'âge, du sexe, de la constitution morphologique et du poids.

ALERTE CLINIQUE *Chez la plupart des gens, la capacité vitale est deux fois plus élevée que le volume courant. Si la capacité vitale est inférieure à 10 mL/kg de masse corporelle, la personne ne peut pas maintenir une ventilation spontanée et a besoin d'assistance ventilatoire.*

Lorsque tout l'air qui correspond à la capacité vitale est expiré à un débit maximum, c'est la capacité vitale forcée (CVF) qu'on mesure. La plupart des personnes peuvent expirer au moins 80 % de leur capacité vitale en une seconde (volume expiratoire maximum par seconde, ou $VEMS_1$) et la presque totalité de leur capacité vitale en trois secondes ($VEMS_3$). Une diminution du $VEMS_1$ indique un écoulement anormal des gaz pulmonaires. Si le $VEMS_1$ et la CVF sont abaissées proportionnellement, la distension maximale des poumons est réduite. Si la diminution du $VEMS_1$ est beaucoup plus importante que la diminution de la CVF, les voies aériennes pourraient être plus ou moins obstruées.

ENCADRÉ 23-8

FACTEURS DE RISQUE

Hypoventilation

- Affections qui réduisent les influx nerveux transmis par le cerveau aux muscles respiratoires, entre autres une lésion de la moelle épinière, un accident vasculaire cérébral, une tumeur, une myasthénie grave, le syndrome de Guillain-Barré, la poliomyélite ou une surdose de médicament
- Inhibition des centres respiratoires du bulbe rachidien, due à l'anesthésie ou à une surdose de médicament
- Restriction des mouvements thoraciques (cyphoscoliose) ou pulmonaires (épanchement pleural, pneumothorax), ou réduction des tissus pulmonaires fonctionnels (affections pulmonaires chroniques, œdème pulmonaire grave)

Force inspiratoire

La mesure de la force inspiratoire permet d'évaluer l'effort nécessaire à l'inspiration. Comme elle peut être prise sans la coopération de la personne, elle a son utilité si cette dernière est inconsciente. Pour déterminer la force inspiratoire, on doit se servir d'un manomètre qui mesure la pression négative et de raccords pour relier le manomètre à un masque anesthésique ou à une sonde endotrachéale à ballonnet. Une fois le manomètre installé, les voies respiratoires se trouvent complètement obstruées pendant 10 à 20 secondes, laps de temps qui permet d'enregistrer les efforts inspiratoires. La pression inspiratoire normale est d'environ 100 cm H_2O. Si la pression inspiratoire négative enregistrée après 15 secondes d'obstruction des voies aériennes est inférieure à environ 25 cm H_2O, il faut habituellement recourir à la ventilation assistée, car la personne n'a pas la force musculaire nécessaire pour respirer profondément ou pour produire une toux efficace.

Examens paracliniques

La fonction respiratoire peut être évaluée grâce aux nombreux examens paracliniques que nous décrivons ci-dessous.

EXPLORATION FONCTIONNELLE RESPIRATOIRE

On a souvent recours à une exploration fonctionnelle respiratoire (EFR) chez les personnes atteintes d'affections respiratoires chroniques. L'examen sert à évaluer la fonction respiratoire et à déterminer la gravité du dysfonctionnement. Une telle exploration comporte notamment la mesure des volumes pulmonaires, de la fonction ventilatoire, de la mécanique respiratoire, de la capacité de diffusion et des échanges gazeux (tableau 23-7 ■).

L'EFR permet de suivre l'évolution d'une affection respiratoire manifeste et d'évaluer la réponse au traitement, ainsi que de dépister des affections respiratoires professionnelles (potentiellement dangereuses), comme celles qui peuvent affecter les personnes travaillant dans les mines de charbon ou dans des lieux où elles sont exposées à l'amiante ou à d'autres émanations, poussières ou gaz nocifs. Ces tests sont également utiles en période préopératoire chez les personnes qui doivent subir une chirurgie thoracique ou abdominale haute et chez les personnes symptomatiques ayant des antécédents qui les exposent à un risque élevé.

TABLEAU 23-7 Exploration fonctionnelle respiratoire

Terminologie	Symbole	Description	Remarques
Capacité vitale forcée	CVF	Capacité vitale lors d'une expiration forcée maximale.	La capacité vitale forcée est souvent réduite en présence d'une bronchopneumopathie chronique obstructive (BPCO), à cause de la rétention d'air.
Volume expiratoire maximal par seconde (accompagné d'un indice donnant l'intervalle en secondes)	$VEMS_t$, habituellement $VEMS_1$	Volume d'air expiré en un temps déterminé pendant la mesure de la capacité vitale forcée; le $VEMS_1$ est le volume expiré en une seconde.	Ce paramètre donne une très bonne idée de la gravité de l'obstruction des voies aériennes à l'expiration.
Rapport entre le volume expiratoire maximal et la capacité vitale forcée, exprimé en pourcentage (coefficient de Tiffeneau)	$VEMS_t$ /CVF %, habituellement $VEMS_1$/CVF %	Pourcentage de la capacité vitale forcée.	Il s'agit d'une autre façon de dépister la présence d'une obstruction des voies aériennes.
Débit expiratoire de pointe	DEP	Débit d'air maximal pendant l'expiration forcée.	Ce débit peut renseigner sur une obstruction des voies aériennes de gros calibre; il peut atteindre 600 L/min.
Débit expiratoire médian maximal	DEMM ou $DEM_{25\text{-}75\ \%}$	Débit pouvant être mesuré durant la première moitié de la capacité vitale forcée.	Ce débit est réduit en cas d'obstruction des petites voies aériennes.
Débit expiratoire maximal	$DEM_{75\text{-}85\ \%}$	Débit pouvant être mesuré durant la dernière partie de la capacité vitale forcée.	Ce débit est réduit en cas d'obstruction des plus petites voies aériennes.
Ventilation maximale minute	VMM	Volume d'air maximal pouvant être ventilé volontairement par un individu pendant un temps déterminé (12 secondes). Il est de l'ordre moyen de 120 litres en une minute.	La ventilation maximale joue un rôle important dans la mesure de la tolérance à l'effort.

Le plus souvent, ces examens sont effectués par un technicien, qui recourt à un inspiromètre muni d'un dispositif enregistrant simultanément les volumes respiratoires et le temps. Il faut toujours effectuer plusieurs tests, car une seule mesure ne permet pas d'obtenir des résultats précis. On trouve au tableau 23-7 la description des tests d'EFR. Grâce aux nouvelles techniques, on peut réaliser des évaluations plus poussées de la fonction respiratoire. On peut notamment établir des courbes débit-volume courant à l'effort ou mesurer la pression expiratoire négative, les concentrations de monoxyde d'azote et l'oscillation forcée. Ces tests permettent donc d'obtenir une évaluation détaillée des anomalies du débit expiratoire et de l'inflammation des voies aériennes (Johnson, Beck, Zeballos et Weisman, 1999).

Habituellement, on interprète les résultats des tests d'EFR en les comparant aux valeurs normales, compte tenu de la taille, du poids, de l'âge et du sexe de la personne. Étant donné qu'il existe des écarts considérables dans les valeurs normales, les résultats des tests d'EFR ne permettent pas toujours de déceler à ses débuts une anomalie localisée. Par conséquent, on doit soumettre les personnes qui présentent des symptômes respiratoires (dyspnée, respiration sifflante, toux, expectorations) à des examens complets, même si les résultats de l'EFR sont «normaux». Les tendances des résultats fournissent des renseignements sur l'évolution de l'affection ainsi que sur la réponse au traitement.

On peut montrer aux personnes atteintes d'affections respiratoires comment mesurer à domicile, à l'aide d'un débitmètre, leur débit de pointe (qui représente le débit maximal expiratoire). Elles peuvent ainsi suivre l'évolution du traitement, modifier les médicaments et les autres interventions, selon leurs besoins et en fonction des consignes du personnel soignant, ou consulter un professionnel si malgré tout leur état ne s'améliore pas. Les consignes de soins à domicile sont présentées au chapitre 26, qui traite de l'asthme.

Mesure des gaz du sang artériel

Pour orienter le traitement des personnes atteintes de problèmes respiratoires et pour adapter l'oxygénothérapie à leurs besoins, on mesure le pH du sang ainsi que la pression partielle d'oxygène et de gaz carbonique dans le sang artériel. La pression partielle d'oxygène dans le sang artériel (PaO_2) indique le degré d'oxygénation du sang, tandis que la pression partielle de gaz carbonique dans le sang artériel ($PaCO_2$) renseigne sur l'efficacité de la ventilation alvéolaire. L'analyse des gaz du sang artériel aide notamment à évaluer la capacité des poumons de fournir suffisamment d'oxygène et d'extraire le gaz carbonique ainsi que la capacité des reins de réabsorber ou d'excréter les ions bicarbonates pour maintenir un pH normal. Des analyses répétées des gaz sanguins peuvent également indiquer avec précision si le poumon a été atteint après un traumatisme thoracique. Le prélèvement de l'échantillon pour l'analyse des gaz du sang artériel se fait par ponction de l'artère radiale, humérale ou fémorale, ou à partir d'un cathéter artériel. Au chapitre 14, on trouve plus de détails sur les concentrations des gaz du sang artériel.

Sphygmooxymétrie

La sphygmooxymétrie, une méthode non effractive, est utilisée pour mesurer de façon continue la saturation de l'hémoglobine en oxygène (SaO_2). Bien que la sphygmooxymétrie ne remplace pas la mesure des gaz du sang artériel, elle constitue un outil efficace pour suivre les changements peu perceptibles ou soudains de la saturation en oxygène. On l'utilise dans les lieux où l'on a besoin de mesurer constamment la saturation en oxygène, comme à domicile, dans les cliniques de consultations externes, dans les services de chirurgie ambulatoire et dans les hôpitaux.

Pour réaliser cet examen, on fixe un capteur (figure 23-15 ■) au bout du doigt, sur le front, sur le lobe de l'oreille ou sur la racine du nez de la personne. Le capteur détecte les variations des niveaux de saturation en oxygène à l'aide de signaux lumineux émis par le sphygmooxymètre et réfléchis par les pulsations du sang dans les tissus auxquels le capteur est fixé. Les valeurs normales de la SaO_2 se situent entre 95 et 100 %. Des valeurs inférieures à 85 % indiquent que les tissus ne reçoivent pas suffisamment d'oxygène et qu'il faut recourir à des examens plus poussés. Les valeurs de la SaO_2 obtenues par sphygmooxymétrie ne sont pas fiables en cas d'arrêt cardiaque ou d'état de choc, lorsqu'on a utilisé des colorants (comme le bleu de méthylène) ou des médicaments vasoconstricteurs, ou encore lorsque la personne présente une anémie grave ou une concentration élevée de gaz carbonique.

Cultures

On peut mettre en culture un échantillon prélevé dans la gorge pour déterminer les microorganismes causant une pharyngite ou une infection des voies respiratoires inférieures. On

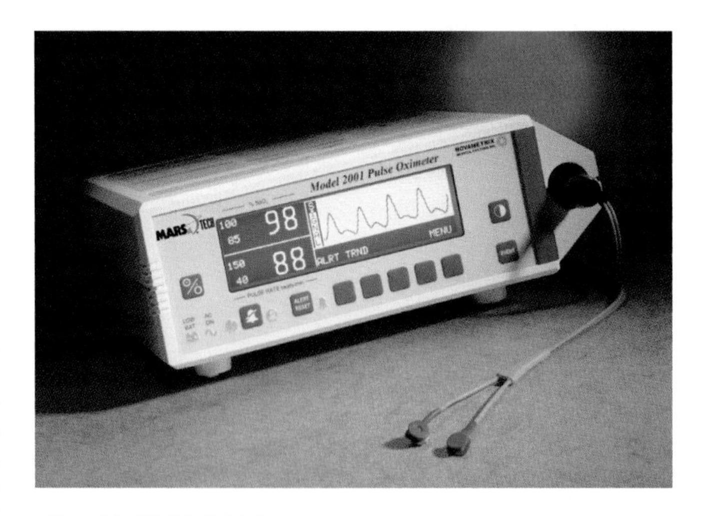

FIGURE 23-15 ■ La mesure de l'oxygénation du sang par sphygmooxymétrie rend moins indispensable le recours aux interventions effractives, comme le prélèvement d'échantillons de sang pour en analyser la concentration d'oxygène. Le capteur du sphygmooxymètre est facile à installer sur le doigt. On peut ensuite lire les mesures de saturation en oxygène sur l'écran de l'appareil. Le sphygmooxymètre est un instrument portatif, idéal pour usage à domicile. SOURCE: Novametrix Medical Systems, Inc.

peut aussi effectuer un écouvillonnage du nez pour ce même type d'analyse.

Examen des expectorations

L'examen des expectorations permet d'identifier les agents pathogènes à l'origine d'une infection et de dépister des cellules malignes. Il peut également servir à évaluer une hypersensibilité (laquelle s'accompagne d'une augmentation des granulocytes éosinophiles). Il est parfois nécessaire d'examiner à intervalles réguliers les expectorations des personnes qui prennent des antibiotiques, des corticostéroïdes ou des immunosuppresseurs pendant une période prolongée, car ces médicaments ouvrent la porte aux infections opportunistes. En général, la culture des expectorations sert à poser un diagnostic, à évaluer la sensibilité à un médicament et à orienter le traitement.

Pour obtenir un échantillon, on demande d'abord à la personne de se moucher, de se racler la gorge et de se rincer la bouche pour diminuer le plus possible la contamination. La personne doit ensuite prendre quelques respirations profondes, tousser (et non cracher) en se servant de son diaphragme et expectorer dans un contenant stérile.

Si la personne est incapable d'expectorer spontanément, on peut provoquer une toux profonde en lui faisant inhaler un aérosol contenant une solution salée sursaturée, du propylène glycol ou un autre agent irritant pulvérisé à l'aide d'un nébuliseur ultrasonique. On peut aussi obtenir des échantillons d'expectorations par d'autres méthodes : aspiration endotrachéale, bronchoscopie, brossage bronchique, aspiration transtrachéale et aspiration gastrique, cette dernière étant utilisée particulièrement pour la recherche du bacille de la tuberculose (chapitre 25 ⚭). En général, les sécrétions provenant des régions les plus profondes (celles qui sont situées à la base des poumons) sont prélevées tôt le matin, après qu'elles se sont accumulées pendant la nuit.

L'échantillon doit être porté au laboratoire par la personne ou l'infirmière dans les deux heures suivant le prélèvement. Si on le laisse pendant plusieurs heures à la température ambiante, il se produira une prolifération excessive de contaminants qui peut compliquer inutilement l'interprétation de l'analyse (surtout dans le cas de *Mycobacterium tuberculosis*). L'infirmière chargée des soins à domicile peut aider la personne qui a du mal à produire un échantillon ou qui ne peut pas aller le porter au laboratoire assez rapidement.

Épreuves d'imagerie

Les épreuves d'imagerie, notamment la radiographie, la tomodensitométrie, l'imagerie par résonance magnétique (IRM), les examens effectués à l'aide d'une substance de contraste et la scintigraphie, peuvent faire partie de tout examen paraclinique, qu'il s'agisse de traiter une sinusite ou une tumeur cancéreuse.

Radiographie du thorax

Les tissus pulmonaires normaux étant transparents, les opacités dues à la présence de liquide, d'une tumeur, de corps étrangers ou d'autres facteurs pathologiques peuvent être détectées par radiographie. Grâce à cette technique, il est possible de déceler une affection grave, avant que les symptômes ne se manifestent. On prend généralement deux clichés du thorax : une vue postéroantérieure et une vue de profil. Habituellement, on les prend après une grande inspiration (respiration profonde) parce qu'on voit mieux les poumons quand ils sont remplis d'air et que le diaphragme est à sa position la plus basse. De plus, les poumons sont alors pleinement distendus. Les radiographies prises au moment de l'expiration peuvent mettre en relief un pneumothorax jusqu'alors passé inaperçu ou l'obstruction d'une artère de gros calibre.

Tomodensitométrie

La tomodensitométrie est une méthode d'imagerie qui permet d'explorer les poumons en couches successives à l'aide de rayons X émis en faisceaux très fins. Les images obtenues donnent une vue en coupe de la poitrine. Alors que la radiographie ordinaire met au jour les gros contrastes de densité entre les os, les tissus mous et l'air, la tomodensitométrie permet de distinguer des contrastes de densité tissulaire subtils. On peut l'utiliser pour localiser des nodules pulmonaires ou de petites tumeurs situées près des surfaces pleurales, qui ne sont pas visibles par radiographie ordinaire. On s'en sert aussi pour mettre en évidence les anomalies médiastinales et l'adénopathie hilaire, qui sont rarement révélées par les autres méthodes radiologiques. L'injection d'agents de contraste est surtout utile pour examiner le médiastin et son contenu.

Imagerie par résonance magnétique

L'imagerie par résonance magnétique (IRM) est similaire à la tomodensitométrie, sauf qu'on utilise des champs magnétiques et des signaux de radiofréquence plutôt qu'un faisceau très fin de rayons X. L'IRM permet d'obtenir une image diagnostique beaucoup plus détaillée que celle qui est donnée par la tomodensitométrie. Elle est utilisée pour caractériser les nodules pulmonaires, pour déterminer le stade d'un carcinome bronchique (degré d'envahissement de la paroi thoracique) et pour évaluer l'activité inflammatoire en cas d'affection pulmonaire interstitielle, d'embolie pulmonaire aiguë et d'hypertension pulmonaire thrombolytique chronique (Kauczor et Kreitner, 2000).

Radioscopie

La radioscopie est utilisée pour faciliter la localisation des lésions lors de certaines interventions effractives, telles que la ponction-biopsie thoracique ou la biopsie transbronchique. On s'en sert également pour étudier le déplacement de la cage thoracique, du médiastin, du cœur et du diaphragme, pour déceler la paralysie du diaphragme et pour trouver l'emplacement des masses dans les poumons.

Angiographie pulmonaire

L'angiographie pulmonaire est le plus souvent utilisée pour visualiser les thrombo-embolies pulmonaires et les anomalies congénitales de l'arbre vasculaire pulmonaire. Elle consiste en un examen radiologique des vaisseaux pulmonaires dans lesquels on fait passer une substance opaque aux rayons X.

On peut injecter la substance de contraste dans une veine d'un bras ou des deux bras (simultanément), ou dans la veine fémorale, à l'aide d'une aiguille. On peut aussi utiliser une sonde introduite dans le tronc pulmonaire, dans une de ses branches, ou dans les veines de gros calibre situées en amont de l'artère pulmonaire.

Examens radio-isotopiques (scintigraphie pulmonaire)

Il existe plusieurs types de scintigraphies pulmonaires, tels que la scintigraphie de ventilation et de perfusion, la scintigraphie au gallium et la tomographie par émission de positrons. On les utilise pour évaluer le fonctionnement des poumons, l'irrigation du réseau vasculaire pulmonaire et les échanges gazeux.

Pour effectuer une scintigraphie de ventilation-perfusion pulmonaire, on injecte une substance radioactive dans une veine périphérique, puis on procède à un examen scintigraphique du thorax pour détecter les rayonnements émis. Les particules isotopiques traversent le cœur droit et se répartissent dans les poumons en quantités proportionnelles au débit sanguin local, ce qui permet d'observer et de mesurer l'irrigation des poumons. La scintigraphie de ventilation-perfusion est utilisée en clinique pour évaluer l'intégrité des vaisseaux pulmonaires en relation avec le débit sanguin et pour révéler les anomalies de la circulation sanguine, comme celles qu'on observe en présence d'une embolie pulmonaire. L'exploration dure habituellement de 20 à 40 minutes; la personne doit rester couchée sous la caméra et porter un masque couvrant la bouche et le nez. On passe ensuite à l'examen de la ventilation. La personne respire profondément un mélange d'oxygène et de gaz radioactifs qui se diffuse dans ses poumons. On détecte par scintigraphie les anomalies chez les individus qui présentent des différences de ventilation d'une région pulmonaire à l'autre. Cette intervention peut s'avérer utile pour diagnostiquer la bronchite, l'asthme, la fibrose inflammatoire, la pneumonie, l'emphysème et le cancer du poumon. Dans les cas d'embolie pulmonaire, on observe une ventilation sans perfusion.

La scintigraphie au gallium est une scintigraphie pulmonaire radio-isotopique. Elle est utilisée pour détecter les affections inflammatoires, les abcès et les adhérences, ainsi que pour déceler, repérer et mesurer les tumeurs. Elle sert également à déterminer le stade des cancers bronchopulmonaires et à évaluer la régression d'une tumeur traitée par chimiothérapie ou radiothérapie. Le gallium est injecté par voie intraveineuse et la scintigraphie est effectuée 6, 24 ou 48 heures plus tard (ou après chacun de ces délais) pour évaluer la quantité de gallium captée par les tissus pulmonaires.

La tomographie par émission de positrons (TEP) est une analyse radio-isotopique ayant une plus grande portée diagnostique. Elle est utilisée pour évaluer la malignité des nodules pulmonaires. La TEP peut révéler les changements métaboliques dans les tissus, distinguer les tissus normaux des tissus atteints (comme dans le cas du cancer) ou les tissus viables des tissus nécrosés ou en dégénérescence, montrer le débit sanguin dans la région examinée et déterminer la distribution et le sort des médicaments dans l'organisme (Shuster, 1998). La TEP permet de dépister les cancers avec plus de précision que la tomodensitométrie (Coleman, 1999; Graeber, Gupra et Murray, 1999) et elle est tout aussi précise que les interventions effractives, telles que la thoracoscopie, lorsqu'il s'agit de détecter des tumeurs malignes (Lowe, Fletcher, Gobar *et al.*, 1998).

Techniques endoscopiques

Bronchoscopie

La **bronchoscopie** permet l'inspection et l'examen directs du larynx, de la trachée et des bronches à l'aide d'un bronchoscope souple (fibrobronchoscope) ou rigide. Dans la pratique actuelle, on utilise plus fréquemment le bronchoscope souple.

Sur le plan diagnostique, la bronchoscopie sert: (1) à examiner des tissus ou à prélever des sécrétions; (2) à déterminer le point d'origine et la gravité de l'atteinte et à prélever un échantillon de tissu pour examen (biopsies par brossage, par curetage ou à la pince); (3) à vérifier si on peut réséquer une tumeur; et (4) à diagnostiquer les zones hémorragiques (sources possibles d'une hémoptysie).

Sur le plan thérapeutique, on recourt à la bronchoscopie pour: (1) retirer un corps étranger de l'arbre trachéobronchique; (2) évacuer les sécrétions qui bloquent l'arbre trachéobronchique lorsque la personne est incapable de les expectorer elle-même; (3) traiter une atélectasie postopératoire; et (4) détruire des lésions ou lyser des tissus.

Le fibroscope souple (ou fibrobronchoscope) est un bronchoscope flexible et étroit qu'on peut introduire jusque dans les bronches segmentaires (figure 23-16 ■). Grâce à son petit diamètre, à sa souplesse et à l'excellent système optique dont il est muni, il permet de mieux voir les voies aériennes périphériques et constitue l'instrument idéal de diagnostic des lésions pulmonaires. Le fibrobronchoscope permet la biopsie de tumeurs autrement inaccessibles, et on peut s'en servir au chevet de la personne. On peut également le passer par la sonde endotrachéale ou la canule de trachéotomie chez les personnes reliées à un respirateur. Enfin, il rend possible l'examen cytologique sans recours à une incision chirurgicale.

Le bronchoscope rigide est un tube de métal creux, muni d'une lumière à son extrémité. On l'emploie principalement pour retirer des corps étrangers ou pour rechercher la source d'une hémoptysie abondante; on s'en sert aussi dans le cadre d'opérations endobronchiques. Le bronchoscope rigide n'est utilisé qu'en salle d'opération, jamais au chevet.

Les complications possibles de la bronchoscopie sont les réactions allergiques à l'anesthésie locale, les infections, l'aspiration, le bronchospasme, l'**hypoxémie** (faible teneur du sang en oxygène), le pneumothorax, les hémorragies et les perforations.

Interventions infirmières

Il faut obtenir le consentement éclairé de la personne avant l'intervention. Étant donné que l'anesthésie pendant la bronchoscopie inhibe le réflexe tussigène, il faut mettre la personne au jeûne complet six heures avant l'intervention pour prévenir les risques d'aspiration. Pour rassurer la personne et pour réduire son anxiété, l'infirmière doit lui expliquer en quoi consiste la bronchoscopie. Elle lui administre aussi les

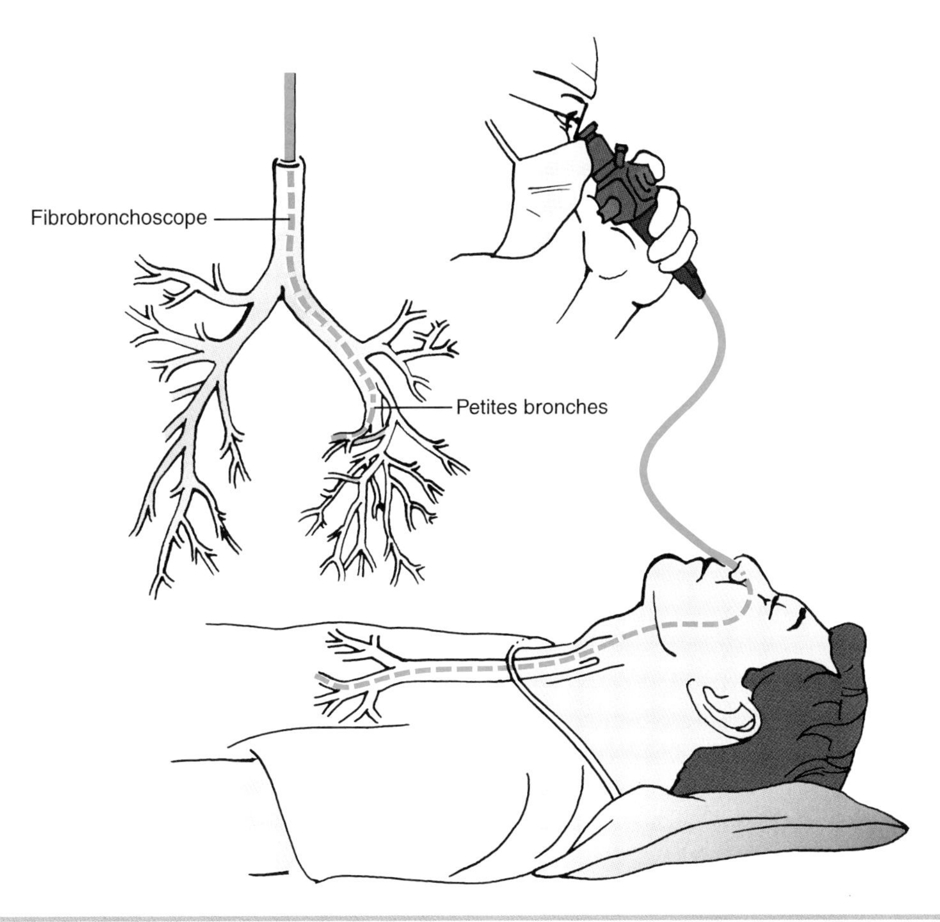

FIGURE 23-16 ■ La bronchoscopie endoscopique permet d'examiner les structures bronchiques. Le bronchoscope est généralement introduit par le nez jusqu'aux structures bronchiques. Grâce à cet instrument, le clinicien peut non seulement diagnostiquer diverses affections pulmonaires, mais également les traiter.

médicaments préopératoires prescrits (habituellement, de l'atropine et un sédatif ou un opioïde) pour inhiber la stimulation vagale (ce qui prévient la bradycardie, les arythmies et l'hypotension), bloquer le réflexe tussigène, calmer la personne et réduire son anxiété.

! ALERTE CLINIQUE *L'administration de sédatifs aux personnes atteintes d'insuffisance respiratoire peut déclencher un arrêt respiratoire.*

La personne qui se soumet à une bronchoscopie doit retirer ses prothèses dentaires ou tout autre type de prothèse buccale avant l'intervention. La bronchoscopie se fait habituellement sous anesthésie locale, mais on peut aussi la pratiquer sous anesthésie générale si l'on utilise un bronchoscope rigide. On peut vaporiser sur le pharynx un anesthésique topique, comme la lidocaïne (Xylocaine), ou le laisser tomber goutte à goutte sur l'épiglotte et les cordes vocales ainsi que dans la trachée afin d'atténuer le réflexe tussigène et la douleur. Pour obtenir une sédation plus forte, on administre des sédatifs ou des opioïdes par voie intraveineuse, si le médecin le prescrit.

Après la bronchoscopie, la personne ne doit rien prendre par la bouche tant que le réflexe tussigène n'est pas rétabli, car la sédation préopératoire et l'anesthésie locale entravent pendant plusieurs heures les réflexes de la toux et de la déglutition. Lorsque la personne peut tousser, l'infirmière peut lui donner de petits morceaux de glace et, par la suite, des liquides. Elle doit aussi vérifier l'état respiratoire de la personne et être attentive aux signes d'hypoxie, d'hypotension, de tachycardie, d'arythmie, d'hémoptysie et de dyspnée. Elle doit prévenir rapidement le médecin de toute anomalie. La personne ne peut quitter le service de réanimation avant qu'un réflexe tussigène et un état respiratoire adéquats ne soient rétablis. L'infirmière incite la personne ayant subi l'intervention et le membre de la famille qui lui administre les soins à signaler immédiatement les dyspnées ou les saignements.

Thoracoscopie

La thoracoscopie est une méthode diagnostique qui permet d'examiner la cavité pleurale à l'aide d'un endoscope (figure 23-17 ■). On pratique de petites incisions dans la cavité pleurale, au niveau d'un espace intercostal; l'emplacement des incisions dépend des résultats des examens cliniques et paracliniques. Après avoir aspiré tous les liquides qui s'y trouvent, on effectue l'examen de la cavité pleurale en y introduisant le médiastinoscope à fibres optiques. Après l'intervention, on peut placer un drain thoracique et faire un drainage sous eau à pression négative.

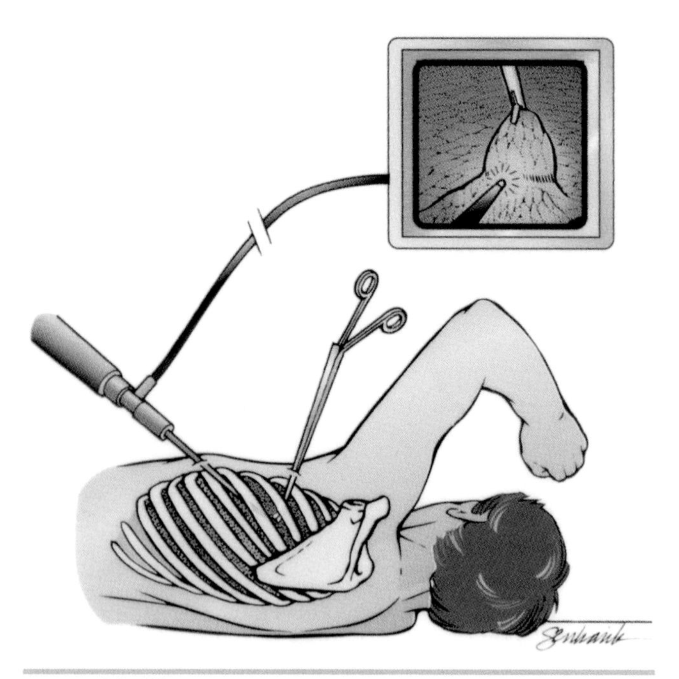

FIGURE 23-17 ■ Thoracoscopie endoscopique. Tout comme pour la bronchoscopie, on utilise un instrument à fibres optiques et des caméras vidéo pour examiner les structures thoraciques. Contrairement à la bronchoscopie, pour pratiquer une thoracoscopie, le chirurgien doit faire une petite incision par laquelle il introduit l'endoscope. Comme elle est à la fois diagnostique et thérapeutique, la thoracoscopie permet de faire l'excision des tissus à des fins de biopsie.

La thoracoscopie est principalement utile au diagnostic d'un épanchement pleural ou d'une affection pleurale et à la définition du stade d'une tumeur. La biopsie sous thoracoscopie est indiquée tout particulièrement chez les personnes qui pourraient bénéficier d'une meilleure prise en charge grâce à un diagnostic certain.

Les interventions sous thoracoscopie se sont multipliées grâce à la possibilité d'en suivre le déroulement sur un écran vidéo, ce qui permet de mieux visualiser le poumon. On a également utilisé de telles méthodes avec le laser à gaz carbonique pour diminuer un emphysème sous-cutané ou pour traiter un pneumothorax spontané. On se sert également du laser pour exciser des nodules pulmonaires périphériques. Bien qu'il ne remplace pas la thoracotomie dans le traitement de certains cancers du poumon, on utilise de plus en plus le laser, car il permet de recourir à des interventions moins effractives.

Interventions infirmières

Le suivi dans les établissements de santé ou à domicile comporte la recherche des signes de dyspnée (qui pourraient indiquer un pneumothorax). La personne se soumet à quelques restrictions mineures sur le plan des activités, qui varient selon l'intensité de l'intervention effectuée. En présence d'un drain thoracique, il est essentiel de vérifier le système de drainage et le point d'insertion du drain (chapitre 27).

Thoracentèse

La cavité pleurale contient normalement une mince couche de liquide pleural. Cependant, en présence de certaines affections, ce liquide peut s'accumuler. On peut en obtenir un échantillon par thoracentèse (aspiration de liquide pleural à des fins diagnostiques ou thérapeutiques). Il est important de placer la personne qui doit subir cette intervention dans la position décrite à l'encadré 23-9 ■.

On peut effectuer en même temps une biopsie à l'aiguille de la plèvre. Les analyses du liquide pleural comprennent la mise en culture, la coloration de Gram, l'antibiogramme, le test par un colorant résistant à l'acide, la formule leucocytaire, la cytologie, ainsi que la mesure du pH, de la densité et des concentrations de protéines totales et de lacticodéshydrogénase.

Biopsie

On peut effectuer une biopsie (excision d'un fragment de tissu) pour permettre l'examen des cellules du pharynx, du larynx et des voies nasales. On administre une anesthésie locale, topique ou générale, selon le siège du prélèvement et selon l'intervention à effectuer (voir également plus loin la section « Biopsie du poumon »).

Biopsie pleurale

La biopsie pleurale est réalisée par une biopsie à l'aiguille de la plèvre ou par thoracoscopie au moyen d'un fibrobronchoscope introduit dans la cavité pleurale. On effectue ce type de biopsie en présence d'exsudats d'origine indéterminée et lorsqu'il faut mettre en culture les tissus ou les soumettre à un test de coloration afin de déceler la présence du bacille de la tuberculose ou de champignons.

Biopsie du poumon

Lorsque les radiographies du thorax ne sont pas concluantes ou si elles révèlent une opacité (témoignant d'un infiltrat ou d'une lésion), il est préférable de pratiquer une biopsie pulmonaire pour déterminer la nature exacte de la lésion. Il existe plusieurs techniques de biopsie pulmonaire non chirurgicale qui peuvent fournir des données précises et qui s'accompagnent d'un faible risque de morbidité, soit: (1) le brossage bronchique à l'aide d'un bronchoscope; (2) la biopsie transbronchique; ou (3) la ponction-biopsie percutanée.

Pour faire un brossage bronchique, on introduit un fibrobronchoscope dans la bronche sous contrôle radioscopique. On fixe ensuite une petite brosse au bout d'un fil métallique souple et on introduit ce fil dans le fibrobronchoscope. Sous examen visuel direct, on passe la brosse dans la zone suspecte, dans un mouvement de va-et-vient, pour détacher des cellules et les faire adhérer à la brosse. Si l'on désire pratiquer plusieurs biopsies, on peut irriguer le fibrobronchoscope avec une solution salée après chaque prélèvement pour le nettoyer. On retire ensuite la brosse du fibrobronchoscope, puis on prépare une lame pour examen microscopique. On peut aussi détacher la brosse du fil métallique et l'envoyer au laboratoire pour des analyses histopathologiques.

ENCADRÉ 23-9

RECOMMANDATIONS

Personne devant se soumettre à une thoracentèse

La thoracentèse (aspiration de liquide ou d'air contenu dans la cavité pleurale) est pratiquée chez des personnes qui présentent divers problèmes cliniques. Méthode diagnostique ou thérapeutique, elle peut servir à:

- Retirer du liquide ou de l'air de la cavité pleurale
- Aspirer du liquide pleural à des fins diagnostiques
- Prélever un fragment de tissu en vue d'une biopsie
- Instiller un médicament dans la cavité pleurale

Voici un résumé des soins que l'infirmière prodigue à la personne devant se soumettre à une thoracentèse et les raisons justifiant l'administration de ces soins:

INTERVENTIONS INFIRMIÈRES	JUSTIFICATIONS SCIENTIFIQUES
1. Vérifier avant l'intervention si une radiographie thoracique a été prescrite, si elle a été réalisée, le cas échéant, et si le formulaire de consentement a été signé.	1. Les clichés radiographiques des faces antéropostérieure et latérale du thorax servent à repérer le liquide et l'air qui se trouvent dans la cavité pleurale et à choisir le point de ponction. Quand le liquide est loculé (poche de liquide pleural), on a recours aux ultrasons pour déterminer au mieux l'endroit où sera pratiquée l'aspiration à l'aiguille
2. Déterminer si la personne est allergique à l'anesthésique local qu'on prévoit utiliser. Administrer le sédatif prescrit, le cas échéant.	2. Si la personne est allergique à l'anesthésique initialement prescrit, les données recueillies pendant l'anamnèse permettent d'en choisir un autre qui est plus sûr. Le sédatif procure un certain état de relaxation avant l'intervention.
3. Expliquer à la personne la nature de l'intervention: a) Lui indiquer qu'il est important de rester immobile. b) L'avertir qu'elle ressentira une pression dans le thorax. c) La prévenir qu'elle ressentira probablement un peu de douleur après l'intervention.	3. Ces explications aideront la personne à comprendre l'intervention et à mobiliser ses ressources; elles lui fournissent également l'occasion de poser des questions et de verbaliser son anxiété.
4. Aider la personne à s'installer et s'assurer qu'elle est à l'aise. Si possible, lui demander de s'asseoir avec le dos bien droit ou l'installer dans l'une des positions suivantes: a) Assise sur le bord du lit, les pieds contre un appui, les bras et la tête sur une table haute, sur laquelle on aura placé un coussin.	4. La position assise facilite le retrait du liquide qui se trouve habituellement à la base du thorax. La personne est plus susceptible de se détendre si elle est à l'aise.

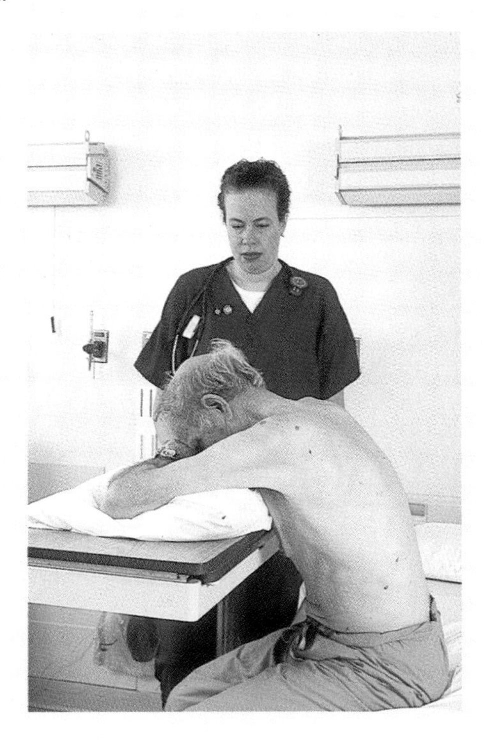

Position de la personne en vue d'une thoracentèse

Personne devant se soumettre à une thoracentèse (*suite*)

b) Assise à califourchon sur une chaise, les bras et la tête reposant sur le dossier.	
c) Couchée sur le côté indemne, la tête du lit étant surélevée de 30 à 45 degrés, si la personne est incapable de rester en position assise.	
5. Apporter son soutien à la personne et la rassurer pendant l'intervention.	5. Un mouvement brusque ou inattendu, comme la toux, peut provoquer une lésion dans la plèvre viscérale et, par conséquent, un traumatisme au poumon.
a) L'avertir que la solution germicide appliquée sur sa peau produira une sensation de froid et que l'infiltration de l'anesthésique local provoquera une sensation d'oppression.	
b) Lui recommander de se retenir de tousser.	
6. Dégager tout le thorax. On choisit un point de ponction d'après les clichés radiographiques et les bruits perçus à la percussion. S'il y a du liquide dans la cavité pleurale, on choisit le point de thoracentèse en fonction des radiographies, de l'échographie et des résultats de l'examen physique (particulièrement en fonction de la région où on a observé la plus forte matité à la percussion).	6. S'il y a de l'air dans la cavité pleurale, on fait habituellement la ponction dans le deuxième ou le troisième espace intercostal sur la ligne médioclaviculaire, puisque l'air remonte dans le thorax.
7. On pratique l'intervention dans des conditions d'asepsie. Après le nettoyage de la peau, le médecin injecte lentement dans l'espace intercostal un anesthésique local à l'aide d'une aiguille de petit calibre.	7. L'anesthésique est injecté lentement jusqu'à ce qu'une papule se forme; une injection trop rapide est douloureuse. La plèvre pariétale étant très sensible, il faut que le médecin attende qu'elle soit bien infiltrée d'anesthésique avant d'enfoncer l'aiguille à thoracentèse.
8. Le médecin enfonce l'aiguille à laquelle il a fixé une seringue. Lorsque l'aiguille atteint la cavité pleurale, il commence l'aspiration à l'aide de la seringue.	8.
a) Une seringue de 20 mL, munie d'un robinet à trois voies (robinet d'arrêt), est fixée à l'aiguille (une extrémité du robinet est reliée à l'aiguille, et l'autre au tube menant au contenant qui reçoit le liquide aspiré).	a) Quand on retire beaucoup de liquide, on se sert d'un robinet à trois voies pour empêcher l'air de pénétrer dans la cavité pleurale.
b) Si on doit retirer une grande quantité de liquide, on maintient l'aiguille en place dans la paroi thoracique à l'aide d'une petite pince hémostatique.	b) La pince hémostatique retient l'aiguille dans la paroi thoracique. Si la personne ressent soudainement une douleur au niveau de la plèvre ou de l'épaule, il se peut que la pointe de l'aiguille irrite la plèvre viscérale ou diaphragmatique.
9. Après avoir retiré l'aiguille, il faut exercer une pression sur le point de ponction et appliquer un petit pansement stérile.	9. La pression permet d'arrêter les saignements; le pansement protège le point de ponction.
10. Prévenir la personne qu'elle doit se reposer au lit et qu'on prendra une radiographie après la thoracentèse.	10. La radiographie permet de s'assurer que la personne ne présente pas de pneumothorax.
11. Noter la quantité totale de liquide aspiré ainsi que la nature du liquide, sa couleur et sa viscosité. Au besoin, préparer des échantillons de liquide pour une analyse en laboratoire. Si on doit faire une biopsie pleurale, il faut préparer un contenant rempli de formaldéhyde (formol) pour recueillir l'échantillon prélevé.	11. Le liquide peut être clair, séreux, strié de sang, purulent, etc.
12. Évaluer l'état de la personne à intervalles réguliers et être à l'affût des signes suivants: augmentation de la fréquence respiratoire, asymétrie des mouvements de la respiration, étourdissements, vertiges, oppression thoracique, toux incontrôlable, mucus spumeux strié de sang, pouls rapide, signes d'hypoxémie.	12. La thoracentèse peut provoquer un pneumothorax, un pneumothorax sous tension, un emphysème sous-cutané ou une infection pyrogène. Lorsqu'on retire une grande quantité de liquide, un déplacement soudain du contenu du médiastin peut produire un œdème pulmonaire ou une défaillance cardiaque.

Le brossage bronchique par bronchoscopie est utilisé pour l'examen cytologique des lésions pulmonaires et pour l'identification des agents pathogènes (*Nocardia*, *Aspergillus*, *Pneumocystis carinii* et autres). Le brossage est une technique particulièrement utile chez les personnes immunodéprimées.

Pour faire une biopsie transbronchique, on introduit des pinces tranchantes dans les bronches, à l'aide d'un fibrobronchoscope. Cet examen est indiqué quand on soupçonne la présence d'une lésion pulmonaire et que l'examen courant des crachats et les lavages bronchoscopiques donnent des résultats négatifs.

On peut aussi pratiquer un brossage bronchique en introduisant le cathéter dans la membrane du muscle cricothyroïde par ponction à l'aiguille. Après cette intervention, la personne doit presser avec un doigt le point de ponction quand elle tousse pour empêcher l'air de s'infiltrer dans les tissus adjacents.

La ponction-biopsie percutanée à l'aiguille se fait avec une aiguille tranchante ou par aspiration à l'aide d'une aiguille à ponction lombaire. Elle permet de prélever un fragment de tissu en vue d'un examen histologique. Un analgésique est parfois administré avant l'intervention. La peau recouvrant le point de ponction est nettoyée et anesthésiée. On pratique ensuite une petite incision et on y introduit l'aiguille à biopsie jusqu'à la plèvre pendant que la personne retient son souffle à mi-chemin d'une expiration. Sous contrôle radioscopique, le chirurgien avance l'aiguille jusqu'à la périphérie de la lésion et prélève un échantillon de tissu de la masse à analyser. Le pneumothorax, l'hémorragie pulmonaire et l'empyème comptent parmi les complications possibles de cette intervention.

Interventions infirmières

Après ce type d'intervention, le rétablissement et les soins à domicile sont similaires à ceux dont il a été question dans le cas de la bronchoscopie et de la thoracoscopie. L'infirmière doit rester à l'affût des dyspnées, des hémorragies et des signes d'infection. Avant de lui donner congé, l'infirmière recommande à la personne, ou à un membre de sa famille, de signaler immédiatement la présence de douleurs, de dyspnées, de saignements visibles, de pus ou de rougeurs de la peau au siège de l'incision. Les personnes qui ont subi une biopsie sont souvent anxieuses en raison de ce que représente le recours à cette intervention et à cause des résultats possibles; l'infirmière doit tenir compte de cet état lorsqu'elle prodigue des soins ou donne un enseignement après l'intervention.

Biopsie des ganglions lymphatiques

Les ganglions préscaléniques sont enchâssés dans le fond de la lame graisseuse cervicale qui surplombe le muscle scalène antérieur. Ils drainent les poumons et le médiastin, et peuvent présenter des anomalies histologiques en présence d'une affection intrathoracique. Lorsque ces ganglions sont palpables à l'examen physique, il peut être indiqué de faire une biopsie. Cette intervention sert à établir si une affection pulmonaire s'est propagée dans ces organes, à poser le diagnostic de certaines affections (maladie de Hodgkin, sarcoïdose, maladie fongique, tuberculose et carcinome) et à en évaluer le pronostic.

La médiastinoscopie est l'examen endoscopique du médiastin. Elle permet d'explorer les ganglions lymphatiques médiastinaux qui drainent les poumons et de pratiquer une biopsie sans recourir à la thoracotomie. Habituellement, on prélève un fragment de tissu par incision sus-sternale. La médiastinoscopie sert à évaluer l'atteinte médiastinale consécutive à une tumeur maligne au poumon et à prélever du tissu pour diagnostiquer d'autres affections (par exemple, la sarcoïdose).

On estime que la médiastinotomie antérieure offre une meilleure vue et de plus grandes possibilités diagnostiques que la médiastinoscopie. On la pratique en faisant une incision dans la région du deuxième ou du troisième cartilage costal. Elle sert à explorer le médiastin et à prélever des biopsies de tous les ganglions lymphatiques qu'on trouve dans cette région. Après l'intervention, il faut effectuer un drainage à thorax fermé. La médiastinotomie est tout particulièrement utile pour déterminer si une lésion pulmonaire peut être réséquée.

Interventions infirmières

Les soins après l'intervention visent à procurer une oxygénation adéquate, à déceler les saignements et à soulager la douleur. La personne peut quitter l'établissement de soins quelques heures après l'intervention, une fois qu'on a retiré le système de drainage thoracique. L'infirmière devrait inciter la personne et les membres de sa famille à rester à l'affût des changements de l'état respiratoire. Ce faisant, elle doit tenir compte de l'effet de l'anxiété (causée par l'attente des résultats de la biopsie) sur la capacité de se souvenir des consignes.

EXERCICES D'INTÉGRATION

1. Une personne qui a subi une biopsie transbronchique semble anxieuse; elle vous signale qu'elle se sent essoufflée. Lorsqu'elle tousse, ses crachats sont striés de sang. Selon vos connaissances des risques associés à la biopsie du poumon, sur quels éléments votre évaluation devra-t-elle porter? Sur le plan physique et sur le plan psychologique, quelles seraient les interventions infirmières appropriées dans ce cas?
2. La personne que vous soignez doit subir une thoracoscopie sous-monitorage vidéo. Décrivez les soins infirmiers et l'enseignement à donner à cette personne après l'intervention. Repérez les paramètres d'évaluation particulièrement indiqués dans ce cas.
3. La personne que vous soignez a subi une thoracentèse pour diminuer sa dyspnée et permettre de prélever du liquide pleural à des fins d'analyses de laboratoire. Quel genre d'évaluation devriez-vous entreprendre après l'intervention? Que devriez-vous enseigner à cette personne et aux membres de sa famille si elle quitte l'établissement de soins une heure après l'intervention? Comment adapteriez-vous les consignes que vous donneriez à cette personne, sachant qu'elle vit seule?
4. Vous vous occupez d'une personne âgée et affaiblie qui est atteinte d'une affection cardiaque de longue date. Cette personne doit subir des tests d'exploration fonctionnelle respiratoire (EFR) avant une chirurgie visant à réparer ses valvules cardiaques. Quelles explications devriez-vous lui donner à propos de ces épreuves? Quels problèmes risquent de survenir après ces tests?

RÉFÉRENCES BIBLIOGRAPHIQUES

en anglais • en français

Brûlé, M., Cloutier, L., et Doyon, O. (2002). *L'examen clinique dans la pratique infirmière*. Saint-Laurent (Québec): Éditions du Renouveau Pédagogique.

Chartrand-Lefebvre, C., Cordeau, M.P., Samson, L., et Jean, M. (1999). La tomodensitométrie haute résolution du poumon dans la pratique courante. *Le Clinicien, 14*(7), 115-124.

Coleman, R.E. (1999). PET in lung cancer. *Journal of Nuclear Medicine, 40*(5), 814–820.

Graeber, G.M., Gupta, N.C., & Murray, G.F. (1999). Positron emission tomographic imaging with fluorodeoxyglucose is efficacious in evaluating malignant pulmonary disease. *Journal of Thoracic and Cardiovascular Surgery, 117*(4), 719–727.

Johnson, B.D., Beck, K.C., Zeballos, R.J., & Weisman, I.M. (1999). Advances in pulmonary laboratory testing. *Chest, 116*(5), 1377–1387.

Kauczor, H.U., & Kreitner, K.E. (2000). Contrast-enhanced MRI of the lung. *European Journal of Radiology, 34*(3), 196–207.

Lafond, C. (1999). Avez-vous bien évalué l'état pulmonaire préopératoire de votre patient? *Le Clinicien, 14*(6), 145-161.

Lowe, V.J., Fletcher, J.W., Gobar, L., Lawson, M., et al. (1998). Prospective investigation of positron emission tomography in lung nodules. *Journal of Clinical Oncology, 16*(3), 1075–1084.

Pagana, K.D., et Pagana, T. (2000). *L'infirmière et les examens paracliniques* (5e éd.). Edisem/Maloine.

Samson, L., et Cordeau, M.P. (2004). L'imagerie dans le dépistage du cancer du poumon: où en sommes-nous? *Le Clinicien, 19*(1), 71-75.

Shuster, D.P. (1998). The evaluation of lung function with PET. *Seminars in Nuclear Medicine, 28*(4), 341–351.

Tortora, G.J., et Grabowski, S.R. (2001). *Principes d'anatomie et de physiologie*. Saint-Laurent (Québec): Éditions du Renouveau Pédagogique.

En complément de ce chapitre, vous trouverez sur le Compagnon Web:

- une bibliographie exhaustive;
- des ressources Internet;
- une rubrique «La génétique dans la pratique infirmière»: *Affections respiratoires*.

Adaptation française
Sophie Longpré, inf., M.Sc.
Professeure, Département des sciences infirmières – Université du Québec à Trois-Rivières

CHAPITRE 24

Affections des voies respiratoires supérieures

Objectifs d'apprentissage

Après avoir étudié ce chapitre, vous pourrez:

1. Décrire les soins infirmiers prodigués aux personnes atteintes d'une infection des voies respiratoires supérieures.
2. Comparer les différentes infections des voies respiratoires et les distinguer selon leurs causes, leur fréquence, leurs manifestations cliniques, leur traitement et les soins préventifs requis.
3. Appliquer la démarche systématique aux personnes atteintes d'une infection des voies respiratoires supérieures.
4. Décrire les soins infirmiers prodigués aux personnes souffrant d'épistaxis.
5. Appliquer la démarche systématique aux personnes soumises à une laryngectomie.

Un grand nombre d'infections des voies respiratoires supérieures sont bénignes et n'entraînent qu'une gêne et un malaise légers et passagers. Toutefois, certaines de ces affections peuvent être aiguës, graves et menaçantes pour la vie, et entraîner une modification permanente de la respiration et de la phonation. De ce fait, l'infirmière doit posséder de bonnes habiletés d'évaluation et bien connaître toutes les affections qui peuvent toucher les voies respiratoires supérieures et leurs répercussions.

Puisque bon nombre de ces affections sont traitées en milieu extrahospitalier ou à domicile, par les personnes elles-mêmes, l'enseignement représente un important aspect des soins infirmiers. Dans le cas d'une affection aiguë, menaçante pour la vie, l'infirmière doit non seulement être en mesure de faire une évaluation complète de l'état de la personne et connaître tous les traitements qui lui conviennent, mais aussi pouvoir combler les besoins sur le plan de la réadaptation.

Infections des voies respiratoires supérieures

La plupart des gens souffrent de temps à autre d'une infection des voies respiratoires supérieures. Il peut s'agir d'une infection aiguë, dont les symptômes ne durent que quelques jours, ou encore d'une infection chronique, dont les symptômes sont récurrents ou tenaces. L'hospitalisation est rarement nécessaire. Néanmoins, l'infirmière travaillant en milieu extrahospitalier ou dans un établissement de soins prolongés peut se trouver en présence de personnes ayant contracté ce type d'infection. Elle doit donc savoir en reconnaître les signes et symptômes afin d'être en mesure de prodiguer les soins appropriés.

RHINITE

La **rhinite** désigne un groupe d'affections caractérisées par l'inflammation et l'irritation des muqueuses nasales. Elle peut être d'origine allergique ou non. La rhinite allergique touche environ 25 % des jeunes adultes et entre 10 % et 18 % de la population nord-américaine (Chakor et Mantha, 2004). La rhinite serait au 5e rang des problèmes de santé déclarés par la population québécoise. Cette prévalence est en augmentation constante depuis 1987. L'affection toucherait 14,6 % des Québécois de 15 à 24 ans et 13,6 % des 25 à 44 ans, occupant le 1er et le 2e rang des maladies déclarées (Masson et Poulin, 2004). La rhinite peut être aiguë ou chronique.

Physiopathologie

La rhinite non allergique peut être déclenchée par divers facteurs, dont des facteurs environnementaux (changement de temps, humidité, odeurs ou aliments), une infection, l'âge, une affection généralisée, les drogues (cocaïne), les médicaments ou l'aspiration d'un corps étranger. La rhinite médicamenteuse peut être provoquée par des décongestionnants nasaux utilisés pendant de longues périodes et par divers médicaments, dont certains antihypertenseurs. La rhinite qui est la manifestation d'une allergie (chapitre 55) porte le nom de rhinite allergique. La figure 24-1 ■ illustre le processus pathologique qui sous-tend la rhinite et la sinusite.

Manifestations cliniques

Les signes et symptômes de la rhinite sont notamment la **rhinorrhée** (écoulement de grandes quantités de liquide séromuqueux par le nez, liquide parfois purulent dans le cas

VOCABULAIRE

Amygdalite: inflammation des amygdales, habituellement due à une infection aiguë.

Aphonie: perte plus ou moins complète de la capacité d'utiliser sa voix en raison d'une affection ou d'une lésion du larynx.

Apnée: arrêt de la respiration.

Communication alaryngée: méthode de communication qui ne sollicite pas le larynx; mode de communication utilisé par les personnes ayant subi une ablation du larynx.

Dysphagie: difficultés de déglutition.

Épistaxis: hémorragie provenant des fosses nasales, due à la rupture de très petits vaisseaux distendus, situés dans la muqueuse du nez.

Herpès labial: manifestation cutanée d'une infection virale, caractérisée par l'apparition de vésicules douloureuses sur la langue, le palais, les gencives, la muqueuse buccale ou les lèvres.

Laryngectomie: excision d'une partie ou de l'ensemble du larynx et des structures environnantes.

Laryngite: inflammation du larynx attribuable à une sollicitation extrême des cordes vocales, à l'exposition à des irritants ou à des microorganismes infectieux.

Pharyngite: inflammation de la gorge, habituellement d'origine virale ou bactérienne.

Résection sous-muqueuse: intervention chirurgicale qui corrige une obstruction des voies nasales causée par une déviation de la cloison du nez; aussi appelée septoplastie.

Rhinite: inflammation de la muqueuse nasale; elle peut être causée par une infection, une allergie ou une inflammation.

Rhinorrhée: écoulements de grandes quantités de liquide séromuqueux par le nez.

Sinusite: inflammation aiguë ou chronique des sinus, due à un virus, à une bactérie ou à un champignon.

Xérostomie: sécheresse de la bouche attribuable à diverses causes.

PHYSIOLOGIE/ PHYSIOPATHOLOGIE

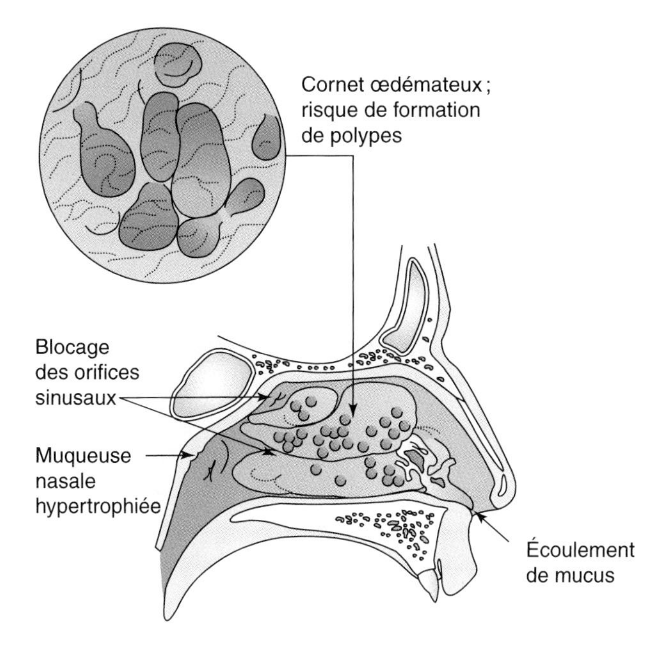

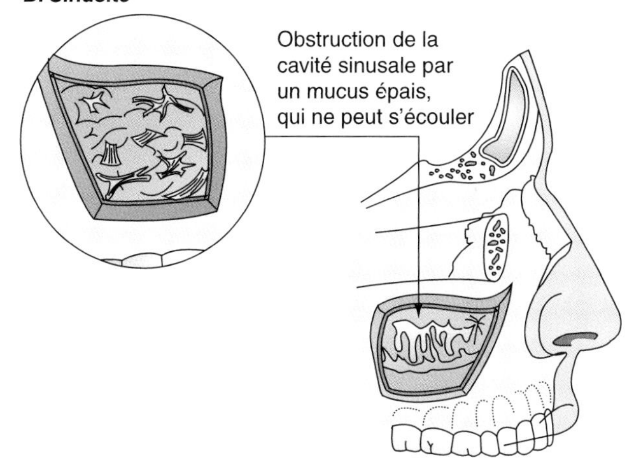

FIGURE 24-1 ■ Processus physiopathologiques qui sous-tendent la rhinite et la sinusite. Bien qu'ils soient similaires, les processus physiopathologiques de ces deux affections ne concernent pas les mêmes structures. Lors d'une rhinite **(A)**, la muqueuse qui tapisse l'intérieur du nez s'enflamme, se congestionne et devient œdémateuse. Les cornets nasaux enflés bloquent les orifices sinusaux, et les mucosités s'écoulent par les narines. La sinusite **(B)** se caractérise aussi par l'inflammation et la congestion; dans ce cas, des sécrétions muqueuses épaisses remplissent les cavités sinusales et en obstruent les orifices.

de la rhinite bactérienne), la congestion et la démangeaison nasales, et les éternuements. De plus, la rhinite provoque des démangeaisons et des rougeurs aux yeux, des larmoiements et une conjonctivite dans 50 % des cas. La rhinite peut s'accompagner de maux de tête, surtout quand elle se complique d'une sinusite.

Traitement médical

Le traitement de la rhinite dépend de sa cause, qui peut être déterminée par l'anamnèse et un examen physique. Il faut interroger la personne sur les symptômes récents et chercher à savoir si elle est exposée à des allergènes à son domicile, dans son quartier ou à son travail. En présence de rhinite virale, on administre des médicaments pour soulager les symptômes. Lorsqu'on soupçonne une rhinite allergique, on peut soumettre la personne à un bilan allergologique. Selon la gravité de l'allergie, il peut être nécessaire de recourir à la désensibilisation ou à des corticostéroïdes (chapitre 55). Si les symptômes indiquent une infection bactérienne, on administre un antibiotique (voir la section «Traitement médical de la sinusite»).

Pharmacothérapie

La pharmacothérapie de la rhinite, qu'elle soit d'origine allergique ou non, vise le soulagement des symptômes. On administre des antihistaminiques en cas d'éternuements, de démangeaisons et de rhinorrhée, et des décongestionnants oraux ou intranasaux en présence de congestion nasale. De plus, le médecin peut recommander des corticostéroïdes par voie intranasale en cas de congestion importante et des agents ophtalmiques pour soulager l'irritation, les démangeaisons et les rougeurs des yeux.

Soins et traitements infirmiers

Enseigner les autosoins

L'infirmière doit recommander à la personne souffrant de rhinite allergique d'éviter les agents allergènes et les irritants comme la poussière, les moisissures, les animaux, les gaz, les odeurs, les poudres, les aérosols et la fumée de tabac, ou de s'y exposer le moins possible. Elle lui explique qu'il est important de contrôler l'air ambiant à la maison et au travail. La pulvérisation d'une solution salée dans le nez ou le recours à un aérosol peuvent aider à calmer l'irritation de la muqueuse, à ramollir les sécrétions croûteuses et à déloger les substances irritantes. L'infirmière montre à la personne comment s'administrer correctement les médicaments par voie nasale; pour obtenir un soulagement optimal, il est important qu'elle se mouche auparavant. En cas de rhinite infectieuse, l'infirmière lui explique la méthode de lavage des mains qui permet de prévenir la transmission des microorganismes. Elle doit également lui enseigner les méthodes de traitement des symptômes de rhinite virale. Les personnes âgées et toute autre personne exposée à un risque élevé doivent être sensibilisées aux avantages de se faire vacciner à l'automne afin qu'elles soient immunisées avant le début de la saison de la grippe.

RHINITE VIRALE

L'expression «rhume banal» (rhume, ou coryza) désigne souvent une infection des voies respiratoires supérieures, spontanément résolutive, due à un virus (rhinite virale). Cette affection est caractérisée par la congestion nasale, la rhinorrhée, des éternuements, des maux de gorge et une sensation de malaise généralisé. Au sens strict du terme, le «rhume» est une inflammation aiguë, apyrétique et infectieuse de la muqueuse nasale et, au sens large, une infection aiguë des voies respiratoires supérieures. Il arrive qu'on utilise aussi ce terme lorsque le virus en cause est le virus grippal. Le rhume et la grippe sont toutefois différents. La confusion est en partie due au fait que les symptômes du rhume et de la grippe se ressemblent, bien que ceux de la grippe soient souvent plus graves. La grippe est causée par un *Influenzavirus*, contre lequel un vaccin est mis au point chaque année. Au Canada, la saison de la grippe s'étend normalement de novembre à avril et peut toucher de 10 à 25 % de la population canadienne. La plupart des personnes se rétablissent complètement. Par ailleurs, la grippe cause plus de complications que le rhume, surtout chez les enfants, les personnes âgées, les personnes immunodéprimées ou ayant une affection chronique. On estime qu'au Canada de 500 à 1 500 personnes, surtout des personnes âgées, meurent chaque année de la pneumonie liée à la grippe. D'autres complications graves de la grippe pourraient entraîner de nombreux autres décès (Santé Canada, 2003).

On emploie les mots «rhinite», «pharyngite» et «laryngite» pour distinguer le siège principal de l'affection. Le rhume est très contagieux puisque le virus commence à être excrété environ deux jours avant l'apparition des symptômes et continue de l'être tout au long de la phase symptomatique initiale. On estime que chaque adulte attrape en moyenne de deux à cinq rhumes par année. Le rhume est la cause la plus courante d'absence de l'école et du travail (Mandell, Bennet et Dolin, 2000).

Les six virus responsables des signes et symptômes de la rhinite virale sont le rhinovirus, le virus parainfluenza, le coronavirus, le virus respiratoire syncytial (VRS), le virus grippal et l'adénovirus. Chaque virus peut avoir plusieurs souches. Par exemple, il existe plus de 100 souches de rhinovirus, lequel est à l'origine de la moitié des rhumes. Bien que l'affection puisse se manifester à n'importe quel moment de l'année, on note trois vagues dans les épidémies de rhumes:

- En septembre, juste après la rentrée scolaire
- À la fin de janvier
- Vers la fin d'avril

L'immunité après le rétablissement est de durée variable et dépend de nombreux facteurs, dont la résistance naturelle de l'hôte et le virus en cause.

ENCADRÉ 24-1

Rhume et herpès labial

Le virus de l'herpès simplex de type 1 (HSV-1) est l'agent pathogène responsable de l'*herpès labial* commun, aussi appelé bouton de fièvre ou feu sauvage. On croyait autrefois que cette atteinte labiale vésiculaire douloureuse était causée par la fièvre ou un rhume. Même si les chercheurs ont découvert l'origine de l'herpès labial, on l'appelle encore bouton de fièvre. L'infection par le virus herpétique demeure à l'état latent dans les cellules de la lèvre ou du nez et est activée par le stress, l'exposition au soleil ou une affection s'accompagnant de fièvre, telle que le rhume, la pneumonie streptococcique, la méningite méningococcique et même la malaria.

La période d'incubation est de 2 à 12 jours. Le virus se transmet principalement par contact direct avec les sécrétions infectées. Il peut aussi être transmis par une personne asymptomatique. Une éruption de petites vésicules, isolées ou en grappe, peut apparaître sur la lèvre, à l'intérieur de la bouche, notamment sur la langue, le palais osseux, le palais mou, les gencives, la muqueuse buccale, et sur le pharynx. Ces vésicules se rompent rapidement et forment des ulcérations peu profondes, dont le nombre s'accroît. Les gencives peuvent saigner et être douloureuses.

Le virus de l'herpès peut se résorber spontanément dans les 10 à 14 jours. Si ce n'est pas le cas, on peut administrer de l'acyclovir (Zovirax), un agent antiviral, par voie orale ou topique, pour réduire les symptômes et la durée de la flambée. Les analgésiques, comme l'acétaminophène (Tylenol) avec codéine ou l'aspirine avec codéine, peuvent soulager la douleur et la gêne. Les préparations en vente libre, comme Herpecin-L, et celles qui contiennent un anesthésique local peuvent calmer la douleur. Les lotions ou les liquides dessiccatifs peuvent assécher les lésions.

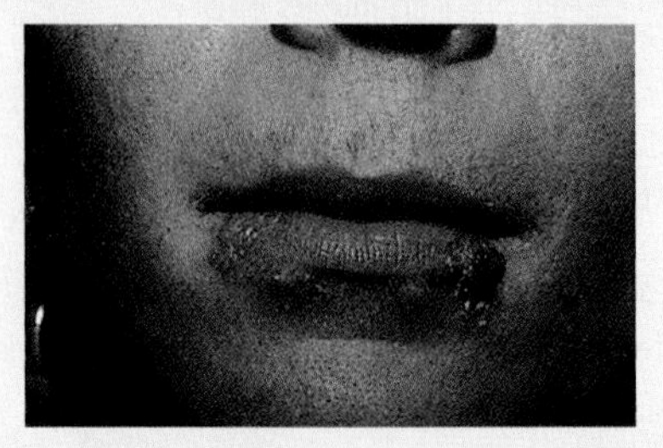

SOURCE: H.P. Goodheart (1999). *Photoguide of common skin disorders: Diagnosis and management.* Baltimore: Lippincott Williams & Wilkins.

Manifestations cliniques

Les signes et symptômes de la rhinite virale sont la congestion nasale, les sécrétions et les écoulements nasaux, les éternuements, les démangeaisons nasales, le larmoiement, l'irritation ou la sensibilité de la gorge, un malaise généralisé, une température subfébrile, des frissons et, souvent, des céphalées et des douleurs musculaires. Au fur et à mesure que l'affection évolue, on note habituellement l'apparition de la toux. Chez certaines personnes, la rhinite virale provoque l'exacerbation de l'**herpès labial** (encadré 24-1 ■).

La fréquence de la rhinite virale augmente pendant les mois d'hiver, là où les gens demeurent davantage à l'intérieur. Un stress physique et émotif, la fatigue et l'affaiblissement du système immunitaire peuvent accroître la vulnérabilité. Les signes et symptômes durent de une à deux semaines. Si la fièvre est élevée ou si les symptômes respiratoires généralisés sont plus graves, il ne s'agit plus de rhinite virale, mais d'une autre infection aiguë des voies respiratoires supérieures. Les réactions allergiques peuvent entraîner des symptômes au niveau du nez, qui ressemblent à ceux du rhume.

Traitement médical

Il n'existe pas de traitement spécifique contre le rhume; on n'en traite que les symptômes. Parmi les mesures à prendre, notons la consommation d'une importante quantité de liquide, le repos, la prévention des frissons et la prise d'un expectorant, s'il y a lieu. Un gargarisme à l'eau tiède salée apaise le mal de gorge. L'acétaminophène (Atasol, Tylenol) et les anti-inflammatoires non stéroïdiens (AINS), tels que l'ibuprofène (Advil, Motrin), calment les douleurs, les courbatures et la fièvre. On a recours aux antihistaminiques pour contrer les éternuements, la rhinorrhée et la congestion nasale. Les décongestionnants topiques (nasaux) peuvent soulager la congestion nasale; toutefois, si on en abuse, ils peuvent entraîner une congestion de rebond pire que celle qui fut éprouvée au départ. D'après certaines études, les symptômes du rhume durent moins longtemps et sont moins intenses si on commence à prendre des pastilles de zinc dans les 24 heures suivant leur apparition (Prasad, Fitzgerald et Bao, 2000). Les antibiotiques ne doivent pas être utilisés pour traiter le rhume ou la grippe, car ils n'ont aucun effet sur les virus et ne réduisent pas la fréquence des complications bactériennes.

De façon générale, les symptômes de la grippe se traitent de la même façon que ceux du rhume. Il existe en plus des médicaments qui sont efficaces contre les *Influenzavirus* engendrant la grippe. Il s'agit de l'amantadine (Symmetrel), du zanamivir (Relenza) et de l'oseltamivir (Tamiflu). Ils permettent d'atténuer les signes et symptômes des personnes infectées et de raccourcir la durée de l'infection. Ils sont efficaces aussi en traitement prophylactique pour prévenir la propagation de la grippe.

Soins et traitements infirmiers

Enseigner les autosoins

La plupart des virus se transmettent de diverses façons: par contact direct avec les sécrétions infectées, par inhalation de particules volumineuses qui atterrissent sur une muqueuse après un éternuement ou une toux, ou par l'inhalation de petites particules (projetées sous forme d'aérosol) qui peuvent rester en suspension dans l'air pendant une période allant jusqu'à une heure. Il est important d'enseigner à la personne comment briser la chaîne de l'infection. Le lavage des mains demeure la mesure la plus efficace pour prévenir la transmission des microorganismes. L'infirmière doit également faire connaître les méthodes de traitement des symptômes du rhume, ainsi que les mesures préventives (encadré 24-2 ■). Une autre mesure préventive spécifique de la grippe est le vaccin annuel, donné généralement au cours de l'automne. L'encadré 24-3 ■ décrit les groupes cibles, chez qui la vaccination est particulièrement indiquée.

SYNDROME RESPIRATOIRE AIGU SÉVÈRE

Le syndrome respiratoire aigu sévère (SRAS) est une affection respiratoire causée par un type de *Coronavirus* inconnu auparavant. Habituellement, les *Coronavirus* provoquent des symptômes bénins ou modérés dans les voies respiratoires supérieures, comme le rhume. Le SRAS est une nouvelle affection et les scientifiques tentent toujours de trouver des réponses aux nombreuses questions qu'ils se posent à son sujet.

Physiopathologie

Le SRAS se propage au moyen de contacts étroits avec une personne infectée par le *Coronavirus* du SRAS, comme le fait de vivre sous le même toit qu'elle, de lui prodiguer des soins ou d'avoir un contact direct avec ses sécrétions respiratoires et ses liquides organiques. Certains facteurs de risque commencent à émerger, tels qu'un séjour récent dans une région où le SRAS se propage et un contact étroit récent avec une personne malade du SRAS ou qui a séjourné dans une région où le SRAS se propage. Diverses inconnues persistent au sujet de cette affection, mais il semblerait que les personnes infectées ne soient pas contagieuses avant l'apparition des symptômes, qui peuvent prendre jusqu'à 10 jours pour se manifester.

Manifestations cliniques

Les personnes atteintes du SRAS présentent tout d'abord une fièvre de plus de 38 °C, suivie de toux, de dyspnées et de difficultés respiratoires. De plus, elles peuvent éprouver des frissons, des maux de tête, des douleurs musculaires, des maux de gorge et de la diarrhée.

Complications

Chez certaines personnes ayant contracté le SRAS, l'affection évolue vers une pneumonie grave ou une insuffisance respiratoire qui peuvent être fatales. Les effets du SRAS sur la santé sont plus graves chez les personnes plus âgées ou ayant une affection sous-jacente, comme le diabète.

Examens cliniques et examens paracliniques

Aucun examen ne permet de détecter rapidement le SRAS. Toutefois, certains signes cliniques indiquent qu'il pourrait s'agir de cette affection: température supérieure à 38 °C, toux ou difficulté à respirer. En outre, une radiographie du poumon pourrait révéler une infection par le *Coronavirus* du SRAS, par exemple une pneumonie ou le syndrome de détresse respiratoire (SDR). En présence de ces signes ou lorsqu'on ne peut déterminer la cause d'une affection, le médecin peut prescrire des tests pour déceler la présence du virus du SRAS.

Traitement médical et soins infirmiers

Il n'existe pas de vaccin ou de traitement contre le SRAS. Les traitements médicaux et les soins infirmiers s'inspirent des mêmes interventions que celles qu'on effectue lors d'une pneumonie grave (chapitre 25). Les recherches pour trouver un médicament se poursuivent (Santé Canada, 2004).

SINUSITE AIGUË

Les sinus sont des cavités remplies d'air dont les parois sont protégées par un mucus qui s'écoule normalement dans le nez. Ils sont le siège d'un grand nombre d'infections des voies respiratoires supérieures. Si les orifices qui relient les sinus aux fosses nasales ne sont pas obstrués, l'infection guérit rapidement. Par contre, si les conduits sont bloqués par un septum dévié, des cornets hypertrophiés, des éperons, des polypes ou des tumeurs, la sinusite peut persister à l'état latent ou se transformer subitement en sinusite purulente aiguë (s'accompagnant d'un écoulement purulent). La **sinusite** touche plus de 14 % de la population (Tierney, McPhee et Papadakis, 2001). Certaines personnes ont une prédisposition à la sinusite plus élevée que la moyenne, en raison de leur travail. Par exemple, une exposition continue à des facteurs de risque environnementaux comme la peinture, la sciure de bois et les produits chimiques peut entraîner une inflammation chronique des voies nasales.

ENCADRÉ 24-2

GRILLE DE SUIVI DES SOINS À DOMICILE

Prévention et prise en charge des infections des voies respiratoires supérieures

Après avoir reçu l'enseignement sur les soins à domicile, la personne ou le proche aidant peut:	Personne	Proche aidant
PRÉVENTION		
▪ Énumérer les mesures permettant de prévenir l'infection et, en cas d'infection, celles qui préviennent la contagion. • Se laver souvent les mains. • Utiliser des mouchoirs en papier. • Éviter les foules pendant la saison de la grippe. • Éviter les personnes atteintes de rhume ou d'une infection des voies respiratoires. • Se faire vacciner contre la grippe, si le médecin le recommande (mesure visant particulièrement les personnes âgées ou celles qui sont atteintes d'une affection chronique).	✔	✔
▪ Adopter de saines habitudes de vie. • Consommer des aliments nutritifs. • Se reposer et dormir suffisamment. • Éviter ou atténuer le stress autant que possible. • Faire de l'exercice. • Ne pas fumer, éviter la fumée secondaire et ne pas consommer des quantités importantes d'alcool. • Accroître le taux d'humidité dans la maison, particulièrement l'hiver. • Adopter de bonnes habitudes d'hygiène buccale.	✔	✔
▪ Éviter les allergènes, lorsque les allergies sont associées aux infections des voies respiratoires supérieures.	✔	
PRÉVENTION ET TRAITEMENT		
▪ Repérer les stratégies qui favorisent un milieu ambiant sain. • Maintenir un taux d'humidité adéquat (pas trop élevé) dans la maison. • Installer un déshumidificateur dans le sous-sol, au besoin. • Installer un système de ventilation central et un climatiseur à filtre microstatique. • Diminuer l'exposition aux substances irritantes (poussière, produits chimiques, fumée de tabac) lorsque cela est possible. • Diminuer l'exposition aux animaux domestiques, particulièrement dans la chambre à coucher.	✔	✔
TRAITEMENT		
▪ Décrire les mesures permettant de soulager les symptômes des infections des voies respiratoires supérieures. • Se gargariser avec de l'eau salée. • Accroître l'apport en liquides, particulièrement en boissons chaudes. • Produire de l'air chaud et humide à l'aide de la douche ou d'un humidificateur pour soulager les muqueuses tuméfiées. • Éviter autant que possible l'exposition aux substances irritantes (poussière, produits chimiques, fumée de tabac).	✔	✔
▪ Reconnaître les signes et symptômes d'infection et savoir à quel moment il faut en informer un professionnel de la santé. • Symptômes d'infection des voies respiratoires supérieures persistant pendant plus de 7 à 10 jours. • Gorge très rouge ou présence de plaques blanches dans l'arrière-gorge. • Écoulements nasaux dont la couleur a changé ou qui dégagent une odeur fétide. • Fièvre de 38 °C pendant plus de deux jours. • Essoufflement, respiration sifflante. • Ganglions (nœuds) lymphatiques tuméfiés. • Douleur aiguë ou sensibilité autour des yeux, ou douleur persistante dans la région des sinus. • Céphalées intenses.	✔	✔

Physiopathologie

La sinusite aiguë est une inflammation des sinus paranasaux. Elle se manifeste fréquemment à la suite d'une infection des voies respiratoires supérieures (par exemple, infection virale ou bactérienne qui persiste à l'état latent) ou à la suite de l'exacerbation d'une rhinite allergique. La congestion nasale causée par l'inflammation, l'œdème et les sécrétions, entraîne l'obstruction des cavités nasales (figure 24-1), ce qui favorise la prolifération bactérienne. Plus de 60 % des cas de sinusite

ENCADRÉ 24-3

Groupes cibles pour la vaccination antigrippale

La vaccination antigrippale est particulièrement indiquée pour les groupes suivants:

- Les enfants de 6 à 24 mois
- Les adultes et les enfants atteints d'une affection cardiaque ou pulmonaire chronique
- Toute personne vivant dans un centre d'hébergement de soins prolongés de longue durée
- Les personnes de 65 ans et plus
- Les personnes atteintes d'une affection chronique comme le diabète, l'anémie, le cancer, l'immunodépression, l'infection par le VIH ou une affection du rein
- Les enfants et les adolescents qui reçoivent un traitement à l'aspirine à long terme
- Les travailleurs de la santé et d'autres soignants et les contacts familiaux susceptibles de transmettre le virus aux groupes à risque mentionnés ci-dessus
- Les personnes à risque élevé de complications de la grippe qui voyagent dans des régions où le virus grippal est probablement en circulation.

Certains groupes **ne devraient pas** être vaccinés, notamment les enfants de moins de six mois et les personnes ayant une réaction allergique grave aux œufs ou à une dose du vaccin reçue antérieurement.

SOURCE: Santé Canada (2003). *Votre santé et vous: la grippe* (page consultée le 26 mai 2005) [en ligne], http://www.hc-sc.gc.ca/iyh-vsv/diseases-maladies/flu-grippe_f.html. Adapté avec la permission du Ministre des Travaux publics et Servives gouvernementaux Canada 2005.

aiguë sont dus à des bactéries, notamment à *Streptoccus pneumoniæ*, *Hæmophilus influenzæ* et *Moraxella catarrhalis* (Murray et Nadel, 2001). Il arrive que les infections dentaires provoquent aussi une sinusite aiguë.

Manifestations cliniques

Parmi les signes et symptômes de la sinusite aiguë, citons une sensation de pression ou des douleurs dans la zone entourant le sinus atteint, l'obstruction nasale, la fatigue, des sécrétions nasales purulentes, la fièvre, des céphalées, des otalgies et une sensation d'engorgement dans la région auriculaire, des algies dentaires, la toux, une altération de l'odorat, des maux de gorge, un œdème palpébral ou une congestion se manifestant au niveau du visage. Il peut être difficile de distinguer la sinusite aiguë d'une infection des voies respiratoires supérieures ou d'une rhinite allergique.

Examen clinique et examens paracliniques

Il faut prendre soigneusement en note les antécédents et effectuer un examen clinique. L'infirmière doit examiner la tête, le cou et la poitrine, et plus particulièrement le nez, les oreilles, les dents, les sinus et le pharynx. La région entourant le sinus infecté peut être sensible à la palpation. On doit effectuer la percussion des sinus à l'aide de l'index ou du majeur, par tapotements légers, pour évaluer la douleur. La transillumination de la région touchée peut également s'avérer utile; la sinusite empêche la lumière de pénétrer dans la cavité atteinte (chapitre 23 ⓒⓓ, figure 23-9). On peut effectuer une radiographie des sinus pour déceler une opacité, un épaississement de la muqueuse ou la destruction des os, et pour mettre en évidence le niveau hydroaérique. La tomodensitométrie est le moyen le plus efficace d'établir un diagnostic de sinusite. On peut aussi y recourir pour écarter la présence d'autres affections locales ou généralisées, telles qu'une tumeur, une fistule ou une allergie.

Complications

Si la sinusite aiguë n'est pas traitée, ses complications (méningite, abcès cérébral, infarctus ischémique et ostéomyélite) peuvent être graves et parfois menaçantes pour la vie. Les autres complications de la sinusite, bien que rares, comprennent la cellulite orbitaire grave, l'abcès sous-périosté et la thrombose des sinus caverneux.

Traitement médical

Le traitement de la sinusite vise à juguler l'infection, à réduire l'inflammation de la muqueuse nasale et à soulager la douleur. L'utilisation inappropriée d'antibiotiques pour combattre les infections des voies respiratoires supérieures d'origine virale devient de plus en plus préoccupante. En effet, en raison d'une telle pratique, les antibiotiques administrés dans le traitement des infections bactériennes, comme la sinusite, ont perdu de leur efficacité à cause de l'émergence de souches résistantes de bactéries. Par conséquent, on attend habituellement que les symptômes persistent au moins 7 jours avant d'amorcer une antibiothérapie, car cette persistance est souvent un signe d'infection bactérienne.

L'antibiotique de premier recours est l'amoxicilline (Amoxil). Les antibiotiques de deuxième recours sont les céphalosporines, telles que le céfuroxime axétil (Ceftin) et le cefprozil (Cefzil), ainsi que l'amoxicilline/clavulanate (Clavulin). Parmi les antibiotiques plus coûteux et plus récents, dotés d'un plus large spectre d'action, on compte les macrolides: l'azithromycine (Zithromax) et la clarithromycine (Biaxin). Le médecin peut aussi prescrire des quinolones, telles que la lévofloxacine (Levaquin), la gatifloxacine (Tequin) et la moxifloxacine (Avelox). Les macrolides et les quinolones peuvent être donnés en cas d'allergie à la pénicilline. La durée du traitement est habituellement de 10 à 14 jours. Une étude récente a révélé qu'il y avait peu de différence sur le plan des résultats entre les antibiotiques de premier et de deuxième recours; les antibiotiques de deuxième recours, plus récents, se distinguaient par leur prix plus élevé (Piccirillo, Mager, Frisse *et al.*, 2001).

On peut aussi administrer des décongestionnants oraux ou topiques pour réduire la tuméfaction des polypes nasaux et dégager ainsi les sinus. La pulvérisation de vapeur tiède et les irrigations avec des solutions salées peuvent aussi désobstruer les cavités enflammées. Les décongestionnants oraux tels que la pseudoéphédrine (Sudafed) et la phényléphrine (Dimetapp) sont efficaces en raison de leurs propriétés vasoconstrictrices. On peut utiliser des décongestionnants topiques, tels que l'oxymétazoline (Dristan) ou la xylométazoline (Otrivin), pendant 72 heures au maximum. Lorsqu'on les administre, il est important que la personne se penche légèrement la tête vers l'avant afin de favoriser une dispersion maximale du médicament. La guaifénésine, un agent mucolytique, peut aussi réduire la congestion nasale.

En 2000, Santé Canada a émis un avis de santé publique au sujet de la phénylpropanolamine, utilisée couramment à titre de décongestionnant oral et d'anorexigène, recommandant aux consommateurs de ne pas utiliser de médicaments contenant ce produit. En 2001, Santé Canada a retiré du marché les médicaments contenant du phénylpropanolamine (Santé Canada, 2001). Le retrait volontaire des préparations renfermant cet ingrédient se fondait sur une étude qui établissait un lien entre cette molécule et des AVC hémorragiques chez la femme. Les hommes pourraient eux aussi être exposés à ce risque (Kernan *et al.*, 2000).

Si l'on soupçonne une composante allergique, on peut administrer des antihistaminiques, tels que la loratadine (Claritin), la cétirizine (Reactine) et la fexofénadine (Allegra).

Soins et traitements infirmiers

Enseigner les autosoins

L'enseignement est un aspect important des soins infirmiers en cas de sinusite aiguë. L'infirmière enseigne à la personne des méthodes permettant de dégager les sinus, par exemple l'inhalation de vapeur (bain de vapeur, douche chaude, sauna facial), la consommation accrue de liquides et l'application locale de chaleur (compresses chaudes et humides). Elle doit aussi mettre en garde la personne contre les effets secondaires des vaporisateurs nasaux et la congestion de rebond qui peut être provoquée par les médicaments. En effet, il arrive que les décongestionnants topiques aient un effet d'accoutumance s'ils sont utilisés pendant plus de 72 heures, si bien que les récepteurs cellulaires n'arrivent pas à maintenir les voies nasales dégagées lorsque le traitement cesse d'être appliqué.

L'infirmière doit aussi insister sur l'importance du respect de la posologie des antibiotiques qui a été prescrite par le médecin, car il faut maintenir dans le sang des concentrations de médicament suffisantes pour vaincre l'infection. Elle renseigne par ailleurs la personne sur les premiers signes de sinusite et lui recommande de recourir à des mesures préventives, telles qu'adopter de saines habitudes de vie et éviter le contact avec les personnes atteintes d'une infection des voies respiratoires supérieures (encadré 24-2).

L'infirmière devrait prévenir la personne que la fièvre, les céphalées intenses et la raideur de la nuque sont des signes de complications possibles. Si la fièvre persiste malgré l'antibiothérapie, il lui faut consulter le médecin de nouveau.

SINUSITE CHRONIQUE

La sinusite chronique est une inflammation des sinus qui persiste pendant plus de trois semaines chez l'adulte et pendant plus de deux semaines chez l'enfant.

Physiopathologie

La sinusite chronique est habituellement due au rétrécissement ou à l'obstruction de l'ostium des sinus frontaux, maxillaires et ethmoïdaux antérieurs, empêchant l'écoulement normal des sécrétions par le nez. La région comprenant l'ostium et le méat sinusal forme le complexe ostioméatique. Chez l'adulte, l'obstruction peut perdurer pendant plus de trois semaines, dans les cas d'infection, d'allergie ou d'anomalie structurale. Dans ces conditions, les sécrétions stagnent, créant ainsi un milieu très propice aux infections. Les agents pathogènes à l'origine de la sinusite chronique sont les mêmes que ceux de la sinusite aiguë. Toutefois, les personnes immunodéprimées sont exposées à un risque accru de sinusite mycosique, laquelle est causée le plus souvent par *Aspergillus fumigatus*.

Manifestations cliniques

Les manifestations cliniques de la sinusite chronique sont notamment une ventilation et une épuration mucociliaire entravées, la toux (en raison des sécrétions épaisses qui s'écoulent constamment vers le nasopharynx), la raucité chronique de la voix, les céphalées chroniques dans la région périorbitaire et la douleur faciale. Ces symptômes sont habituellement plus prononcés le matin, au réveil. La fatigue et la congestion nasale sont également des symptômes courants. De plus, certaines personnes notent une perte de l'odorat et du goût, ainsi qu'une sensation d'engorgement au niveau des oreilles.

Examen clinique et examens paracliniques

Afin d'exclure la possibilité d'une autre affection locale ou généralisée, telle qu'une tumeur, une fistule ou une allergie, il faut s'informer soigneusement des antécédents, effectuer un examen physique et des examens paracliniques, dont une tomodensitométrie et des épreuves d'imagerie par résonance magnétique (si l'on soupçonne la présence d'une sinusite mycosique). On peut recourir à une endoscopie nasale pour écarter toute affection sous-jacente, telle que des tumeurs ou des mycétomes sinusaux (bulles géantes infectées par des champignons). Le mycétome est habituellement composé d'une substance de couleur brune ou noir verdâtre ayant la consistance du beurre d'arachides ou du fromage cottage.

Complications

Les complications de la sinusite chronique, bien que rares, sont notamment la cellulite orbitaire grave, l'abcès sous-périosté, la thrombose des sinus caverneux, la méningite, l'encéphalite et l'infarctus ischémique.

Traitement médical

Le traitement médical de la sinusite chronique est presque identique à celui de la sinusite aiguë. Les antibiotiques de choix pour la sinusite chronique sont toutefois ceux qui sont indiqués en deuxième ligne pour la sinusite aiguë. Le traitement peut durer de trois à quatre semaines. Les décongestionnants, les antihistaminiques et les solutions salées pulvérisées dans le nez peuvent procurer un soulagement des symptômes.

Traitement chirurgical

Lorsque le traitement médical habituel échoue, il peut être indiqué de recourir à la chirurgie, généralement par endoscopie, pour corriger les anomalies structurales qui bloquent les ostiums (orifices) sinusaux. L'excision et la cautérisation des polypes, la correction d'une déviation du septum nasal, l'incision et la vidange des sinus, l'aération des sinus et l'excision des tumeurs représentent quelques-unes des interventions envisageables. Lorsque la sinusite est due à une infection mycosique, il faut recourir à la chirurgie pour exciser le mycétome et les tissus nécrosés, et pour drainer les sinus. On prescrit habituellement des corticostéroïdes oraux ou topiques et on administre un antibiotique avant et après l'intervention chirurgicale. Certaines personnes atteintes de sinusite chronique ne pourront obtenir un soulagement qu'en s'établissant dans un endroit où le climat est sec.

Soins et traitements infirmiers

Puisque le traitement de la sinusite chronique se fait surtout à domicile, l'enseignement est la principale intervention infirmière.

Enseigner les autosoins

L'infirmière enseigne les méthodes qui favorisent le dégagement des sinus: élever l'humidité ambiante (bain de vapeur, douche chaude et sauna facial), augmenter la consommation de liquides et appliquer des compresses chaudes et humides surtout sur la figure. Elle insistera aussi sur l'importance d'une observance rigoureuse de la pharmacothérapie. Il lui faudra par ailleurs expliquer les premiers signes d'infection des sinus et les mesures préventives.

PHARYNGITE AIGUË

La **pharyngite** aiguë est une inflammation ou une infection de la gorge, habituellement douloureuse.

Physiopathologie

Dans environ 70 % des cas, la pharyngite aiguë est d'origine virale. Lorsqu'elle est due à une bactérie (15 à 20 % des pharyngites), il s'agit le plus souvent d'un streptocoque bêtahémolytique du groupe A; on parle alors d'angine streptococcique (Bisno, 2001). L'inflammation du pharynx, qui est la réponse de l'organisme à l'action du germe infectant, entraîne des douleurs, de la fièvre, une vasodilatation, de l'œdème et des lésions tissulaires, caractérisées par une rougeur et une tuméfaction des arcs palatoglosse et palatopharyngien, de la luette et du palais mou. Parfois, des exsudats crémeux recouvrent les arcs près des amygdales (figure 24-2 ■).

Habituellement, les infections virales non compliquées guérissent rapidement, soit dans les 3 à 10 jours qui suivent leur apparition. Toutefois, la pharyngite causée par une bactérie plus virulente, comme le streptocoque bêtahémolytique du groupe A, est une affection qui doit être traitée, car les complications peuvent être graves et menaçantes pour la vie. Parmi celles-ci, on compte la sinusite, l'otite moyenne, l'abcès périamygdalien, la mastoïdite et l'adénopathie cervicale. Dans de rares cas, l'infection peut entraîner une bactériémie, une pneumonie, une méningite, un rhumatisme articulaire aigu ou une néphrite. Plus rarement, la pharyngite peut être d'origine fongique (candidose); elle se manifeste particulièrement à la suite de l'utilisation prolongée d'antibiotiques ou de corticostéroïdes en aérosol ou chez une personne immunodéprimée (infectée par le VIH, par exemple).

Manifestations cliniques

Les signes et symptômes de la pharyngite aiguë sont l'hyperémie des amygdales et de la muqueuse pharyngée, la tuméfaction des follicules lymphoïdes, qui se recouvrent de plaques d'exsudat blanc violacé, et la tuméfaction des ganglions (nœuds) lymphatiques cervicaux, qui deviennent sensibles. On peut par ailleurs observer de la fièvre, un malaise généralisé, des maux de gorge qui rendent la déglutition difficile ainsi qu'une toux douloureuse.

Examen clinique et examens paracliniques

Pour identifier l'agent pathogène en cause et pour pouvoir prescrire le traitement approprié, on effectue des tests de dépistage rapide, tels que l'épreuve d'agglutination au latex, le dosage immunoenzymatique en phase solide (ELISA), l'immunoessai optique, la recherche d'anticorps antistreptolysine et la mise en culture de prélèvements de la gorge. On doit parfois recourir également à l'écouvillonnage du nez et à une hémoculture (Corneli, 2001).

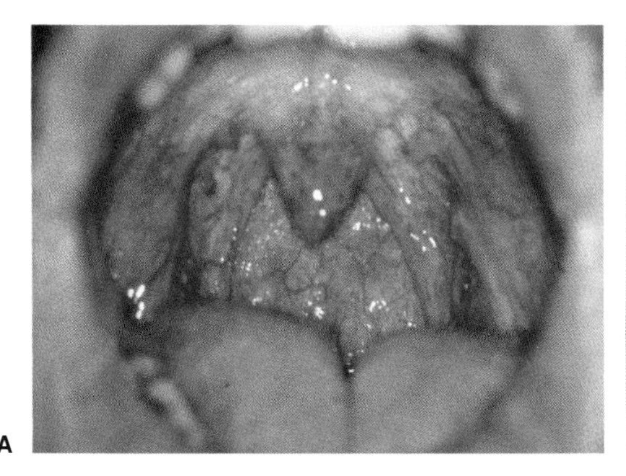
A

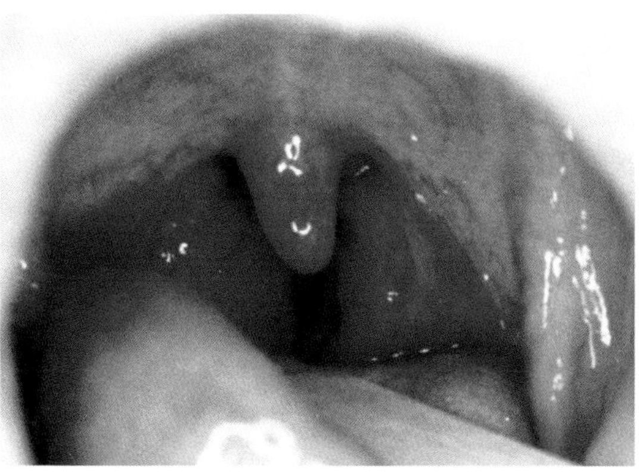
B

FIGURE 24-2 ■ Pharyngite: inflammation sans exsudat. **(A)** Hyperémie et vascularisation légères ou modérées des arcs et de la luette. **(B)** Rougeur diffuse vive. La personne se plaindra probablement de maux de gorge. SOURCE: L.S. Bickley (2003). *Bate's guide to physical examination and history taking* (8e éd.). Philadelphie: Lippincott Williams & Wilkins.

Traitement médical

Pour traiter la pharyngite virale, on doit se limiter à des mesures de soutien, puisque les antibiotiques n'ont aucun effet sur l'agent pathogène en cause. On traite la pharyngite bactérienne à l'aide de divers antibiotiques.

Pharmacothérapie

Lorsqu'on établit que la pharyngite est d'origine bactérienne, la pénicilline est le médicament de choix. Chez les personnes allergiques à la pénicilline ou infectées par une souche résistante, on peut administrer une céphalosporine ou un macrolide (clarithromycine [Biaxin] et de l'azithromycine [Zithromax]). Pour éliminer l'infection de l'oropharynx, l'antibiothérapie doit être administrée pendant 5 à 10 jours selon l'antibiotique utilisé.

On peut soulager les maux de gorge intenses par des analgésiques. Par exemple, le médecin peut prescrire de l'ibuprofène (Advil, Motrin) ou de l'acétaminophène (Atasol, Tylenol) à prendre à des intervalles de 4 à 6 heures ou, si besoin est, de l'acétaminophène avec codéine à prendre 3 ou 4 fois par jour. Il peut être nécessaire de recourir aux antitussifs (codéine, dextrométorphane [sirops DM], hydrocodone [Hydocan]) pour maîtriser la toux douloureuse et persistante qui accompagne souvent la pharyngite aiguë.

Nutrition

Au stade aigu de l'affection, la personne doit suivre une diète liquide ou de consistance molle, selon son appétit et la douleur qu'elle ressent au moment de la déglutition. Parfois, la gorge est tellement douloureuse qu'il est impossible de boire suffisamment de liquides. Dans ce cas, il faut administrer à la personne des liquides par voie intraveineuse. Autrement, il faut l'inciter à boire autant qu'elle le peut (au moins de 2 à 3 litres par jour).

Soins et traitements infirmiers

La personne doit garder le lit pendant le stade fébrile de l'affection. Quand elle commence à se lever et à marcher, il lui faut s'accorder de fréquentes périodes de repos. On l'incite à jeter les mouchoirs souillés de façon à prévenir la propagation de l'infection. L'infirmière examine la peau une ou deux fois par jour pour déceler tout signe d'éruption cutanée, car la pharyngite aiguë peut précéder une autre maladie transmissible (la rubéole, par exemple).

Selon la gravité des lésions et l'intensité de la douleur, on peut recourir à l'irrigation ou à des gargarismes à l'eau chaude et salée. Les bienfaits de ce traitement reposent sur l'intensité de la chaleur appliquée. L'infirmière expliquera que la température indiquée doit être assez élevée pour être efficace et aussi chaude que la personne peut la tolérer, habituellement de 40 à 43 °C. L'irrigation appropriée de la gorge est un moyen efficace de réduire les spasmes des muscles pharyngés et de soulager la douleur. Si la personne ou ses proches ne comprennent pas bien l'objectif de cette intervention et la méthode à utiliser, les résultats ne seront pas satisfaisants.

Un collet réfrigéré peut aussi soulager les maux de gorge. Une bonne hygiène buccale peut atténuer les malaises et prévenir l'inflammation de la muqueuse buccale et l'apparition de fissures (crevasses) sur les lèvres dans les cas d'infection bactérienne. L'infirmière conseille à la personne de reprendre graduellement ses activités. Un traitement antibiotique complet est nécessaire quand l'infection est causée par les streptocoques bêtahémolytiques du groupe A afin de prévenir des complications comme la néphrite ou le rhumatisme articulaire aigu, qui peuvent se manifester de deux à trois semaines après la disparition de la pharyngite. L'infirmière explique à la personne atteinte de pharyngite et à ses proches qu'il est important d'observer le traitement jusqu'au bout et de signaler tous symptômes qui pourraient révéler une complication.

PHARYNGITE CHRONIQUE

La pharyngite chronique est une inflammation persistante du pharynx. Elle est courante chez les adultes qui travaillent ou vivent dans un milieu poussiéreux, qui forcent leur voix, qui souffrent de toux chronique, qui boivent de l'alcool ou fument de façon régulière.

Il existe trois types de pharyngite chronique:

- *Pharyngite hypertrophique* Caractérisée par un épaississement et une congestion généralisés de la muqueuse pharyngienne
- *Pharyngite atrophique* Probablement un stade avancé du premier type (muqueuse mince, blanchâtre, brillante et parfois plissée)
- *Pharyngite granuleuse* Caractérisée par la présence de nombreux follicules lymphoïdes tuméfiés sur les parois pharyngiennes

Manifestations cliniques

Les personnes souffrant d'une pharyngite chronique se plaignent d'une constante sensation d'irritation ou de congestion dans la gorge, d'une accumulation de mucus que la toux peut expulser et de difficultés de déglutition.

Traitement médical

Le traitement de la pharyngite chronique vise à soulager les symptômes. Il faut aussi éviter les substances irritantes, traiter les affections des voies respiratoires supérieures et les affections pulmonaires ou cardiaques qui pourraient être à l'origine de la toux chronique.

On peut recommander la prise d'ibuprofène ou d'acétaminophène en raison de leurs propriétés anti-inflammatoires et analgésiques.

Soins et traitements infirmiers

Enseigner les autosoins

Pour prévenir la propagation de l'infection, l'infirmière recommande d'éviter tout contact avec d'autres personnes, au moins jusqu'à la fin du stade fébrile. Elle conseille également à la personne atteinte de pharyngite chronique de ne pas boire d'alcool, de ne pas fumer, d'éviter de s'exposer à la fumée secondaire et de se protéger contre le froid. La personne devrait aussi éviter de s'exposer à des agents polluants à la maison et au travail, ou s'en protéger en portant un masque jetable. Elle devrait également boire beaucoup de liquides. Les gargarismes à l'eau salée tiède peuvent soulager le mal de gorge, et les pastilles peuvent procurer une sensation de fraîcheur.

AMYGDALITE ET ADÉNOÏDITE

Les amygdales, dont les principales sont situées de chaque côté de l'oropharynx, se composent de tissu lymphatique. Les amygdales palatines et linguales sont situées les unes derrière l'arc palatoglosse et les autres derrière la langue, respectivement. Elles constituent souvent le foyer d'une infection aiguë (**amygdalite**). L'amygdalite chronique est moins courante que l'amygdalite aiguë, et on la confond parfois avec d'autres affections comme l'allergie, l'asthme et la sinusite.

L'amygdale pharyngienne (végétations adénoïdes) est composée de tissu lymphatique; elle est située près du centre de la paroi postérieure du nasopharynx. On note souvent une infection adénoïde en présence d'une amygdalite aiguë. L'agent pathogène le plus fréquemment à l'origine des amygdalites et des adénoïdites est le streptocoque bêtahémolytique du groupe A.

Manifestations cliniques

Les symptômes de l'amygdalite sont notamment l'irritation de la gorge, la fièvre, le ronflement et des difficultés de déglutition. L'hypertrophie de l'amygdale pharyngienne oblige la personne à respirer par la bouche et provoque des otalgies, l'otorrhée, des rhumes de cerveau fréquents, la bronchite, une haleine fétide, une voix nasillarde et une respiration bruyante. Des végétations adénoïdes de grosseur anormale remplissent parfois tout l'espace situé derrière les choanes, ce qui peut empêcher l'air de passer du nez à la gorge et entraîner une obstruction nasale. L'infection peut gagner l'oreille moyenne, en empruntant la trompe d'Eustache, et causer une otite moyenne aiguë, laquelle peut provoquer la rupture spontanée du tympan. Elle peut aussi se propager dans les cellules mastoïdiennes, entraînant une mastoïdite aiguë, ou demeurer dans l'oreille moyenne sous forme latente et chronique, et provoquer une surdité permanente.

Examen clinique et examens paracliniques

Il faut d'abord effectuer un examen physique détaillé et noter soigneusement les antécédents de la personne afin d'écarter la possibilité de troubles connexes ou généralisés. On doit également mettre en culture un échantillon prélevé dans la région des amygdales (culture de gorge) afin de déterminer s'il s'agit d'une infection bactérienne. Si la personne atteinte d'adénoïdite a souffert à répétition d'otites moyennes purulentes et ayant entraîné des pertes auditives, il est important de lui faire passer un examen audiométrique complet (chapitre 62).

Traitement médical

On pratique habituellement une amygdalectomie dans les cas d'infections récurrentes lorsque la pharmacothérapie a échoué et qu'il y a une hypertrophie grave, une asymétrie ou un abcès périamygdalien qui bloque le pharynx, rendant la déglutition difficile et gênant la respiration (particulièrement pendant le sommeil). L'hypertrophie des amygdales justifie rarement leur excision; la plupart des enfants ont des amygdales volumineuses dont la taille diminue avec l'âge.

L'amygdalectomie ou l'adénoïdectomie ne sont indiquées que dans les cas suivants: amygdalites à répétition; hypertrophie des amygdales palatines et pharyngienne qui pourraient bloquer les voies respiratoires ou causer une apnée obstructive du sommeil; otites moyennes purulentes à répétition; risque de surdité provoquée par une otite moyenne séreuse associée à une hypertrophie des amygdales; certains autres troubles comme l'exacerbation de l'asthme ou du rhumatisme articulaire aigu. Après une amygdalectomie ou une adénoïdectomie, il faut amorcer l'antibiothérapie appropriée. L'antibiotique le plus souvent employé est la pénicilline à prendre par voie orale pendant sept jours. Le médecin peut aussi prescrire de l'amoxicilline (Amoxil) ou un macrolide.

Soins et traitements infirmiers

Soins postopératoires

Immédiatement après l'opération et tout au long de la période de récupération, l'infirmière doit garder la personne en observation constante en raison du risque élevé d'hémorragie. Immédiatement après l'intervention, la meilleure position est le décubitus ventral, la tête tournée sur le côté pour faciliter l'écoulement des sécrétions de la bouche et du pharynx. Il faut laisser la canule buccale en place jusqu'à ce que l'on soit certain que le réflexe de déglutition est rétabli. L'infirmière doit par ailleurs installer un collet réfrigéré autour du cou de la personne et lui fournir un bassin et des mouchoirs pour lui permettre d'expectorer le sang et le mucus.

Le sang est rouge vif s'il est expectoré avant d'être avalé. Cependant, il est souvent avalé et brunit alors aussitôt à cause de l'acidité du suc gastrique.

L'hémorragie est une complication possible de l'amygdalectomie et de l'adénoïdectomie. Si la personne opérée vomit de grandes quantités de sang de couleur foncée ou crache du sang rouge vif à intervalles rapprochés, ou si la fréquence de son pouls et sa température s'élèvent et qu'elle est agitée, l'infirmière doit prévenir le chirurgien immédiatement et préparer les accessoires suivants, qui serviront à l'examen de la région opérée pour trouver l'origine des saignements: une lampe, un miroir frontal, des compresses de gaze, des pinces hémostatiques recourbées et un bassin.

Il est parfois nécessaire de suturer ou de ligaturer le vaisseau qui saigne. Il faut alors ramener la personne en salle d'opération et l'anesthésier. Après la ligature, la personne doit être gardée en observation constante et recevoir les mêmes soins postopératoires qu'après l'intervention initiale.

S'il n'y a pas de saignements, l'infirmière peut servir de l'eau et de la glace concassée à la personne dès que celle-ci le désire. Elle lui recommande aussi de ne pas trop parler ni tousser pour prévenir les maux de gorge.

Enseigner les autosoins

En règle générale, les amygdalectomies et les adénoïdectomies ne nécessitent pas d'hospitalisation. Puisque la personne rentrera chez elle peu de temps après l'intervention, une hémorragie peut encore survenir, en particulier dans les 12 à 24 heures qui suivent la chirurgie. En conséquence, l'infirmière doit bien en expliquer les signes et symptômes, tant à la personne qu'à ses proches. Elle insiste sur le fait qu'il faut signaler au médecin toute effusion de sang rouge vif.

Les rince-bouche alcalins ainsi que les solutions salées aident à composer avec le mucus épais et l'haleine fétide qui sont des conséquences possibles de l'intervention. Il faut prévenir la personne qu'elle risque de souffrir de maux de gorge, de raideur de la nuque ou de vomissements dans les 24 heures suivant l'opération. Elle doit suivre une diète liquide ou semiliquide pendant quelques jours, comprenant entre autres des sorbets et des gelées de fruits. Il lui faut éviter les aliments épicés, très chauds, acides ou de texture rugueuse. On lui recommande de réduire la consommation de lait et de produits laitiers (crème glacée et yogourt), puisque ces aliments rendent plus difficile l'élimination du mucus.

L'infirmière prévient la personne que, au cours des premiers jours, elle peut être affectée par une haleine fétide et une légère otalgie. Elle doit aussi lui recommander d'éviter de se brosser les dents vigoureusement, en raison des risques de saignements.

ABCÈS PÉRIAMYGDALIENS

L'abcès, ou phlegmon, périamygdalien est formé d'exsudats purulents qui s'accumulent entre la loge amygdalienne et les tissus environnants, dont le palais mou. On pense qu'il faut l'attribuer à une amygdalite aiguë qui évolue vers une cellulite locale menant à la formation de l'abcès.

Manifestations cliniques

Outre les symptômes habituels d'une infection, on note la présence de certains symptômes locaux, dont la raucité de la voix, l'odynophagie (une sensation intense de brûlure et de constriction lors de la déglutition), la **dysphagie** (difficultés de déglutition), l'otalgie (maux d'oreilles) et la sialorrhée (salive visqueuse qui s'écoule par la bouche). À l'examen, on constate une tuméfaction marquée du palais mou, souvent si étendue qu'elle obstrue la moitié de l'orifice qui relie la bouche au pharynx, une hypertrophie amygdalienne unilatérale et la déshydratation.

Examen clinique et examens paracliniques

Pour pouvoir poser le diagnostic approprié, il faut aspirer à l'aiguille un échantillon de pus, qui est mis en culture et soumis à la méthode de coloration de Gram. La tomodensitométrie s'impose lorsqu'il est impossible de faire un prélèvement.

Traitement médical

Les antibiotiques (habituellement la pénicilline) sont extrêmement efficaces pour juguler l'infection à l'origine de l'abcès périamygdalien. Si l'on amorce l'antibiothérapie dès le début de l'infection, l'abcès peut disparaître sans qu'on ait à l'inciser.

Traitement chirurgical

Si le traitement est différé, il faudra vider l'abcès. On commence par pulvériser un anesthésique topique sur la muqueuse recouvrant la tuméfaction, puis on injecte un anesthésique local. On draine ensuite l'abcès, soit par une ou plusieurs aspirations à l'aiguille, soit par une incision. Il est préférable que la personne reste en position assise pendant ces interventions, car il lui est alors plus facile de cracher le pus et le sang qui s'accumulent dans le pharynx. L'intervention procure un soulagement presque immédiat. L'amygdalectomie est indiquée chez environ 30 % des personnes présentant un abcès périamygdalien (Tierney *et al.*, 2001).

Soins et traitements infirmiers

L'application d'un anesthésique topique et l'irrigation de la gorge, ou des gargarismes fréquents, avec des solutions salées ou alcalines à une température de 40 à 43 °C, apportent un soulagement considérable. L'infirmière doit recommander à la personne de se gargariser à une ou deux heures d'intervalle pendant 24 à 36 heures. Les liquides froids ou à la température ambiante sont habituellement bien tolérés.

LARYNGITE

La **laryngite**, ou inflammation du larynx, est souvent provoquée par une utilisation excessive de la voix, par l'inhalation de poussière, de produits chimiques, de fumée et d'autres polluants ou par une infection des voies respiratoires supérieures. Elle peut également être due à une infection isolée qui ne touche que les cordes vocales.

L'infection est presque toujours d'origine virale, la contaminaton bactérienne pouvant être secondaire. La laryngite est habituellement associée à une rhinite allergique ou à une pharyngite. Divers facteurs peuvent favoriser l'infection, notamment un changement brusque de température, des carences alimentaires, la dénutrition et l'immunodépression. Fréquente en hiver, la laryngite est très contagieuse.

Manifestations cliniques

Les signes et symptômes de la laryngite aiguë sont l'enrouement ou l'**aphonie** (perte complète de la voix) et une forte toux. La laryngite chronique se caractérise par un enrouement persistant. La laryngite peut être une complication d'une infection des voix respiratoires supérieures.

Traitement médical

Il n'existe pas de traitement spécifique de la laryngite aiguë. Le repos vocal, le renoncement au tabac, le repos, l'inhalation de vapeurs froides ou l'aérosolthérapie procurent du soulagement. S'il s'agit d'une composante d'une infection bactérienne plus étendue ou plus grave des voies respiratoires, il faut amorcer une antibiothérapie. La plupart du temps, un traitement conservateur suffit à guérir l'affection. Cependant, chez les personnes âgées, la laryngite est souvent plus grave et peut se compliquer d'une pneumonie.

Quant à la laryngite chronique, son traitement comporte le repos vocal, la suppression de toute infection primitive des voies respiratoires, le renoncement au tabac et la diminution de l'exposition à la fumée secondaire. On peut aussi recourir à l'inhalation de préparations de corticostéroïdes, comme le fluticasone (Flovent). Ces préparations n'ont pas d'effets indésirables systémiques et ne réduisent que les réactions inflammatoires locales.

Soins et traitements infirmiers

L'infirmière doit recommander à la personne de reposer sa voix et de bien humidifier la pièce où elle se trouve. L'administration d'un expectorant peut également aider à réduire les sécrétions laryngiennes durant la phase aiguë de l'affection. La consommation de 2 à 3 L de liquides par jour contribue à rendre les sécrétions moins visqueuses.

DÉMARCHE SYSTÉMATIQUE dans la pratique infirmière

Personne atteinte d'une infection des voies respiratoires supérieures

COLLECTE DES DONNÉES

L'anamnèse peut révéler la présence des signes et symptômes suivants: céphalées, mal de gorge, douleurs autour des yeux et de chaque côté du nez, difficultés de déglutition, toux, enrouement, fièvre, congestion nasale, malaise généralisé et fatigue. Dans le cadre de la collecte des données, l'infirmière doit déterminer à quel moment les symptômes sont apparus et quels facteurs les ont déclenchés. Elle note également ce qui peut les soulager, le cas échéant, et ce qui les exacerbe. Elle doit aussi vérifier si la personne a des antécédents d'allergies et si elle souffre d'une affection intercurrente.

L'inspection du nez peut révéler un œdème, des lésions, une asymétrie, des saignements ou des écoulements. L'infirmière examine la muqueuse nasale afin de déceler des anomalies comme une hyperémie, une tuméfaction, la présence d'exsudats et de polypes nasaux, qui accompagnent parfois la rhinite chronique.

Elle palpe ensuite les sinus frontaux et maxillaires pour vérifier s'il y a des points douloureux indiquant une inflammation. Pour examiner la gorge, elle demande à la personne d'ouvrir grand la bouche et de prendre une respiration profonde. Elle peut ainsi inspecter les amygdales et le pharynx pour dépister des anomalies comme des rougeurs, une asymétrie, des écoulements, des ulcérations ou une hypertrophie.

La palpation permet de s'assurer que la trachée se situe bien au centre du cou. Elle sert aussi à révéler les masses ou les déformations. Enfin, l'infirmière palpe les ganglions lymphatiques cervicaux pour déterminer s'ils sont tuméfiés ou sensibles.

ANALYSE ET INTERPRÉTATION

Diagnostics infirmiers

En se fondant sur les données recueillies, l'infirmière peut poser les diagnostics infirmiers suivants:

- Dégagement inefficace des voies respiratoires, relié à une production importante de mucus à cause de l'accumulation de sécrétions et de l'inflammation
- Douleur aiguë, reliée à une irritation des voies respiratoires supérieures, entraînée par l'infection
- Communication verbale altérée, reliée aux changements physiologiques et à l'irritation des voies respiratoires supérieures, dus à l'infection ou à l'œdème
- Déficit de volume liquidien, relié à une perte liquidienne accrue due à la diaphorèse accompagnant la fièvre
- Connaissances insuffisantes sur la prévention des infections des voies respiratoires supérieures, le schéma thérapeutique, l'intervention chirurgicale ou les soins postopératoires

Problèmes traités en collaboration et complications possibles

En se fondant sur les données recueillies, l'infirmière peut déterminer les complications susceptibles de survenir, notamment:

- Septicémie
- Méningite
- Abcès périamygdalien
- Otite moyenne
- Sinusite

PLANIFICATION

Les principaux objectifs sont les suivants: dégager les voies respiratoires; soulager la douleur; maintenir des moyens de communication efficaces; encourager la consommation de liquides; favoriser les soins à domicile et dans la communauté en enseignant des mesures de prévention des infections des voies respiratoires supérieures; et prévenir les complications.

INTERVENTIONS INFIRMIÈRES

Dégager les voies respiratoires

Chez la personne atteinte d'une infection des voies respiratoires supérieures, les sécrétions qui s'accumulent peuvent obstruer les voies respiratoires. Le mode de respiration s'en trouve changé, et un plus grand effort est nécessaire pour s'oxygéner. Il existe plusieurs façons d'éclaircir les sécrétions épaisses ou de les humidifier pour que la personne puisse les expectorer plus facilement. Une consommation accrue de liquides permet de rendre le mucus moins visqueux. On peut humidifier la pièce à l'aide d'un humidificateur ou faire inhaler de la vapeur, ce qui permet en même temps de réduire l'inflammation des muqueuses. On peut également recommander à la personne d'adopter une position qui facilite le drainage des sinus. La position la plus appropriée dépend du siège de l'infection ou de l'inflammation. Par exemple, la position assise, le dos droit, est recommandée en cas de sinusite ou de rhinite. Dans certains cas, le médecin prescrit des médicaments par voie topique ou générale pour soulager la congestion du nez ou de la gorge.

Soulager la douleur

L'infection des voies respiratoires supérieures entraîne souvent une douleur localisée. S'il s'agit d'une sinusite, la douleur peut être ressentie dans la région des sinus ou prendre la forme d'un mal de tête. En cas de pharyngite, de laryngite ou d'amygdalite, la personne aura mal à la gorge. L'infirmière peut alors l'encourager à prendre des analgésiques, comme de l'acétaminophène avec codéine, si le médecin les recommande. Les anesthésiques topiques permettent de soulager les symptômes de l'herpès (encadré 24-1) et le mal de gorge. Les compresses chaudes soulagent la congestion des sinus et favorisent l'écoulement des sécrétions. Les gargarismes ou les irrigations à l'eau tiède soulagent le mal de gorge. Le repos permet de diminuer le malaise généralisé et d'abaisser la fièvre, symptômes qui accompagnent nombre d'infections des voies respiratoires supérieures (surtout la rhinite, la pharyngite et la laryngite). L'infirmière doit aussi enseigner les mesures générales d'hygiène qui préviennent la propagation de l'infection. Un collet réfrigéré, appliqué immédiatement après une amygdalectomie ou une adénoïdectomie, peut réduire la tuméfaction et diminuer les saignements.

Maintenir des moyens de communication efficace

L'infection des voies respiratoires supérieures peut entraîner la raucité ou l'aphonie. L'infirmière conseille à la personne de ne pas parler et de communiquer plutôt par écrit, si c'est possible, afin d'épargner ses cordes vocales et de favoriser le retour de sa voix.

Encourager la consommation de liquides

Lors d'une infection des voies respiratoires supérieures, l'effort et la fréquence respiratoires augmentent au fur et à mesure que l'inflammation évolue et que des sécrétions s'accumulent. Ce mode de respiration anormal peut accroître, à son tour, les pertes hydriques insensibles. La fièvre, quant à elle, augmente la vitesse du métabolisme, entraînant la diaphorèse et, par le fait même, une perte accrue de liquide.

En raison du mal de gorge, des malaises et de la fièvre, la personne peut refuser de manger. À moins de contre-indications, l'infirmière doit toutefois l'encourager à boire de 2 à 3 L de liquides par jour pendant la phase aiguë de l'infection afin d'éclaircir les sécrétions et d'en faciliter l'expectoration. Dans certains cas, les liquides (chauds et froids) peuvent apaiser la douleur.

Favoriser les soins à domicile et dans la communauté

Enseigner les autosoins

Il est difficile de prévenir la plupart des infections des voies respiratoires supérieures, car leurs causes sont nombreuses. Toutefois, la plupart de ces infections sont transmises par les mains. Par conséquent, il est important d'enseigner à la personne et à ses proches les méthodes permettant de diminuer la propagation de l'infection. D'autres mesures préventives sont énumérées à l'encadré 24-2. L'infirmière recommande aussi d'éviter tout contact avec les personnes qui risquent de contracter une affection grave à la suite d'une infection des voies respiratoires, notamment les personnes âgées, les personnes immunodéprimées et celles qui sont atteintes d'affections chroniques.

Par ailleurs, l'infirmière enseigne à la personne et à sa famille les mesures permettant de soulager les symptômes de l'infection, soit humidifier l'air ambiant, boire suffisamment de liquides, se reposer, faire des gargarismes ou des irrigations à l'eau tiède et utiliser des anesthésiques locaux pour calmer les maux de gorge, appliquer des compresses chaudes pour soulager la congestion. Elle doit aussi insister sur le fait qu'il est de la plus haute importance de mener à terme le traitement, particulièrement lorsque des antibiotiques ont été prescrits.

Assurer le suivi

Il est rare que la personne ait besoin de soins infirmiers à domicile. Toutefois, cela peut être indiqué si sa santé était précaire avant que l'infection des voies respiratoires se déclare ou si elle est incapable de prendre en charge les autosoins sans aide. Dans ce cas, l'infirmière doit évaluer l'état respiratoire de la personne et l'évolution de la convalescence. Elle peut conseiller aux personnes âgées et à celles qui sont exposées à un risque accru d'infection des voies respiratoires de se faire vacciner tous les ans contre la grippe (influenza) et tous les cinq ans contre les pneumocoques (chapitre 25). Elle devrait conseiller à celles dont la santé est fragile de consulter leur médecin généraliste afin de s'assurer que l'infection des voies respiratoires est guérie.

Prévenir et traiter les complications

Bien que les principales complications des infections des voies respiratoires supérieures soient rares, l'infirmière doit les connaître et les dépister, le cas échéant. Puisque la plupart des personnes atteintes d'une infection des voies respiratoires supérieures sont traitées à domicile, c'est à l'infirmière qu'il revient de leur expliquer, à elles et à leurs proches, les signes et symptômes et de leur recommander de consulter immédiatement un médecin si leur état ne s'améliore pas ou semble s'aggraver.

La septicémie et la méningite peuvent se manifester chez les personnes immunodéprimées ou chez celles qui présentent une infection bactérienne foudroyante. On recommande à la personne atteinte d'une infection des voies respiratoires supérieures et à ses proches de consulter un médecin si l'état de celle-ci ne s'améliore pas dans les quelques jours qui suivent l'apparition des symptômes ou s'il se détériore, ou encore si des symptômes inhabituels se manifestent. L'infirmière les informe des signes et symptômes qui doivent être rapidement pris en charge: fièvre élevée ou persistante, essoufflements accrus, confusion, faiblesse et malaise qui empirent. La septicémie doit être traitée sans délai. Il faut dans ce cas juguler l'infection, stabiliser les signes vitaux, empêcher l'aggravation de l'état septique et prévenir ou traiter l'état de choc. Si l'état de la personne se détériore, il faut lui administrer des soins intensifs (par exemple, surveillance hémodynamique, administration d'agents vasoactifs, de liquides par voie intraveineuse et de corticostéroïdes, soutien nutritionnel) pour stabiliser les signes vitaux. On peut administrer de fortes doses d'antibiotiques pour enrayer l'agent pathogène en cause. L'infirmière doit prendre les signes vitaux, assurer une surveillance hémodynamique, tenir compte des résultats des épreuves de laboratoire, administrer le traitement prescrit, améliorer le bien-être de la personne et fournir à celle-ci et à ses proches des explications et un soutien affectif.

L'abcès périamygdalien peut se manifester à la suite d'une infection aiguë des amygdales. On doit drainer l'abcès et administrer des antibiotiques pour traiter l'infection et recommander des analgésiques topiques et des irrigations de la gorge pour soulager la douleur et les maux de gorge. Le suivi est nécessaire pour s'assurer que l'abcès s'est résorbé; l'amygdalectomie s'impose dans certains cas. L'infirmière aide la personne à s'irriguer la gorge. Par ailleurs, elle doit expliquer à cette personne et à ses proches qu'il est important d'observer scrupuleusement le traitement prescrit et de prendre des rendez-vous de suivi.

Les infections des voies respiratoires supérieures peuvent se compliquer d'une otite moyenne et d'une sinusite. L'infirmière explique à la personne et à sa famille les signes et symptômes de l'otite moyenne et de la sinusite, et elle souligne l'importance du suivi par un généraliste qui pourra s'assurer que ces affections sont bien évaluées et traitées.

ÉVALUATION

Résultats escomptés

Les principaux résultats escomptés sont les suivants:

1. La personne dégage ses voies respiratoires en réduisant les sécrétions.
   a) Elle se dit moins congestionnée.
   b) Elle adopte la position qui facilite le plus l'élimination des sécrétions.
2. La personne signale qu'elle se sent mieux.
   a) Elle prend des mesures favorisant son bien-être: prise d'analgésiques, application de compresses chaudes, gargarismes, repos.
   b) Elle connaît les mesures d'hygiène buccale.
3. La personne est capable de communiquer ses besoins, ses désirs et son degré de bien-être.
4. La personne boit suffisamment de liquides.
5. La personne connaît les mesures visant à prévenir les infections des voies respiratoires supérieures et les réactions allergiques.
   a) Elle fait une démonstration de la méthode appropriée de lavage des mains.
   b) Elle reconnaît l'utilité du vaccin antigrippal.
6. La personne a acquis suffisamment de connaissances et s'engage dans les autosoins de façon appropriée.
7. La personne ne manifeste plus les signes et symptômes d'une infection.
   a) Ses signes vitaux sont normaux (température, pouls, fréquence respiratoire).
   b) Elle ne présente pas d'écoulements purulents.
   c) Elle n'éprouve plus de douleurs aux oreilles, aux sinus et à la gorge.

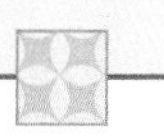

Obstruction et traumatisme des voies respiratoires supérieures

OBSTRUCTION PENDANT LE SOMMEIL

Diverses affections des voies respiratoires se manifestent pendant le sommeil. La plus courante est le syndrome d'apnée du sommeil, qui se caractérise par l'arrêt de la respiration (**apnée**) pendant que la personne dort.

Physiopathologie

L'apnée du sommeil se présente sous trois formes:

- *Obstructive* Circulation de l'air entravée par l'occlusion du pharynx
- *Centrale* Arrêt simultané de la circulation de l'air et des mouvements respiratoires
- *Mixte* Association des apnées obstructive et centrale lors d'un épisode apnéique

Nous présentons ici la forme la plus courante d'apnée, soit l'apnée obstructive.

Manifestations cliniques

Environ 4 % des hommes et 2 % des femmes d'âge moyen souffrent d'apnée du sommeil (Fondation des maladies du cœur, 2003). Elle est donc plus fréquente chez les hommes, particulièrement chez ceux qui sont âgés (plus de 40 ans) et obèses. L'usage du tabac représente un facteur de risque. L'apnée du sommeil se caractérise par des ronflements forts et fréquents, et l'arrêt de la respiration pendant au moins 10 secondes, au moins 5 fois par heure, suivi d'un réveil brusque accompagné d'un reniflement sonore au moment où la concentration d'oxygène dans le sang chute. L'arrêt de la respiration peut durer jusqu'à 90 secondes. Les fluctuations des concentrations d'oxygène et de gaz carbonique, amenant l'hypoxémie (baisse de la PaO_2) et l'hypercapnie (augmentation de la $PaCO_2$) pendant une période d'apnée, stimulent le centre respiratoire, ce qui réveille brusquement la personne. La fréquence de l'apnée du sommeil varie de cinq épisodes par heure jusqu'à plusieurs centaines par nuit. Les autres symptômes sont une somnolence diurne excessive, des céphalées le matin, des maux de gorge, une détérioration des facultés intellectuelles, le changement de caractère, des troubles de comportement, l'énurésie, l'impuissance et l'obésité. De plus, le conjoint signale que la personne ronfle bruyamment et qu'elle est très agitée pendant son sommeil (encadré 24-4 ■).

L'obstruction peut être due à des facteurs mécaniques, par exemple des voies aériennes supérieures de petit calibre ou des modifications dynamiques qui peuvent intervenir à ce niveau pendant le sommeil. L'activité des muscles dilatateurs toniques des voies aériennes supérieures est réduite quand on dort. Ce type de modifications peut prédisposer la personne à l'affaissement des voies aériennes supérieures en raison de la faible pression négative engendrée au cours de l'inspiration. L'apnée obstructive du sommeil peut être associée à l'obésité et à d'autres problèmes qui diminuent le tonus du muscle pharyngien (par exemple, affections neuromusculaires, prise d'hypnosédatifs, consommation de grandes quantités d'alcool).

ENCADRÉ 24-4

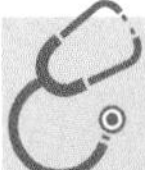

EXAMEN CLINIQUE

Apnée obstructive du sommeil

Les signes cliniques de l'apnée obstructive sont les suivants:

- Somnolence diurne excessive
- Réveils nocturnes fréquents
- Insomnie
- Ronflements bruyants
- Céphalées matinales
- Détérioration des facultés intellectuelles
- Changement de caractère, irritabilité
- Impuissance
- Hypertension artérielle
- Arythmies
- Hypertension pulmonaire, cœur pulmonaire
- Polycythémie
- Énurésie

Le diagnostic d'apnée du sommeil se fonde sur les signes cliniques et sur les résultats de la polysomnographie (test effectué pendant que la personne dort), examen durant lequel on évalue l'état cardiopulmonaire au cours d'un épisode.

L'apnée obstructive du sommeil peut avoir des effets dévastateurs sur le cœur et les poumons. Les épisodes à répétition entraînent l'hypoxie et l'hypercapnie, ce qui déclenche une réaction sympathique. Par conséquent, les personnes apnéiques souffrent souvent d'hypertension artérielle et sont exposées à un risque accru d'infarctus du myocarde et d'AVC. Chez les personnes présentant une affection cardiaque sous-jacente, l'hypoxémie nocturne peut provoquer des arythmies.

Traitement médical

Les personnes atteintes d'apnée du sommeil consultent habituellement les services de santé à cause des inquiétudes exprimées par leur conjoint ou d'une somnolence qui survient à des moments ou à des endroits peu appropriés (par exemple, au volant). On peut recourir à divers traitements. Dans les cas légers, on recommande à la personne de ne pas consommer d'alcool ni de médicaments qui dépriment les voies aériennes supérieures, et on lui conseille de perdre du poids. Dans les cas plus graves, s'accompagnant d'hypoxémie et d'une rétention importante de CO_2 (hypercapnie), il faut assurer une ventilation spontanée en pression positive continue ou une pression positive à deux niveaux avec administration d'oxygène par sonde nasale. Ces traitements sont expliqués au chapitre 27.

On peut pratiquer une intervention chirurgicale (par exemple, à l'uvulopalatopharyngoplastie) pour élargir l'espace pharyngé. En dernier recours, s'il y a risque d'insuffisance respiratoire ou d'arythmies menaçantes pour la vie, on peut effectuer une trachéotomie pour contourner l'obstruction. La canule à trachéotomie n'est ouverte que pendant le sommeil. Bien que ce traitement soit efficace, on ne l'emploie pas souvent (Murray et Nadel, 2001).

Pharmacothérapie

Le traitement de l'apnée du sommeil comprend aussi l'administration de médicaments. On a recommandé l'utilisation d'acétate de médroxyprogestérone (Provera) et d'acétazolamide (Diamox) pour l'apnée du sommeil associée à l'hypoventilation alvéolaire chronique et pour l'apnée centrale, mais les bienfaits de ces agents n'ont pas été clairement établis. L'oxygène à bas débit, administré par voie nasale la nuit, peut soulager l'hypoxie chez certaines personnes, mais ce type d'oxygénothérapie a peu d'effets sur la fréquence ou la gravité de l'apnée.

Soins et traitements infirmiers

La personne atteinte d'apnée obstructive du sommeil peut ignorer les répercussions de cette affection. Par conséquent, l'infirmière doit lui donner toutes les explications dans un langage facilement compréhensible et relier les symptômes (somnolence diurne) au trouble sous-jacent. Elle doit aussi renseigner la personne et ses proches sur les traitements, et insister sur l'usage approprié et sûr de l'oxygène, s'il a été prescrit.

ÉPISTAXIS

L'**épistaxis** (saignement de nez) est provoquée par la rupture de très petits vaisseaux dilatés de la muqueuse nasale. Elle peut prendre naissance dans n'importe quelle partie du nez, mais elle se manifeste rarement dans le tissu richement vascularisé qui recouvre les cornets. La plupart du temps, le saignement provient de la partie antérieure de la cloison nasale, là où trois vaisseaux sanguins importants pénètrent dans les fosses nasales: (1) l'artère ethmoïdale antérieure, située dans la partie antérieure de la paroi supérieure (aires de Kiesselbach); (2) l'artère sphénopalatine, située dans la partie postérosupérieure; (3) les branches de la maxillaire interne (réseau de veines situé dans la partie postérieure de la paroi latérale, sous le cornet inférieur).

Les causes de l'épistaxis sont nombreuses: traumatisme, infection, inhalation de drogues illicites, usage abusif d'aérosol nasal, maladie cardiovasculaire, dyscrasie, tumeur nasale, rhinite allergique, sécheresse de l'air, aspiration d'un corps étranger et déviation de la cloison du nez. Le fait de se moucher trop fort ou de se mettre les doigts dans le nez peut également provoquer des saignements. Un temps de saignement prolongé, causé par exemple par la prise régulière d'AAS ou d'AINS, ou tout état modifiant la numération plaquettaire, prédispose aussi à l'épistaxis.

Traitement médical

Le traitement de l'épistaxis dépend du point de saignement. Pour le découvrir, on peut utiliser un spéculum nasal ou un photophore frontal. Le plus souvent, l'hémorragie provient de la partie antérieure du nez. Pour l'arrêter, on doit tout d'abord exercer une pression directement sur le nez. La personne s'assoit le dos droit et penche la tête vers l'avant pour éviter d'avaler ou d'inhaler du sang. Avec le pouce et l'index, elle doit se pincer le nez en comprimant de façon continue la partie molle extérieure contre le milieu de la cloison, pendant 5 à 10 minutes. Si cette pression ne donne pas le résultat escompté, il faut essayer un autre traitement. Pour les saignements provenant de la partie antérieure du nez, on peut recourir à une cautérisation chimique avec du nitrate d'argent ou à une cautérisation électrique (avec un galvanocautère), ou appliquer une éponge de gélatine. On peut également prescrire des vasoconstricteurs topiques comme l'adrénaline (1:1 000), la cocaïne (0,5 %) et la phényléphrine.

Si l'épistaxis provient de la région postérieure du nez, on peut introduire dans la narine une compresse de coton imbibée d'une solution vasoconstrictrice pour réprimer l'hémorragie et pour avoir une meilleure vue lors de l'examen. On peut aussi utiliser un tampon de coton pour tenter d'arrêter le saignement ou pratiquer une aspiration pour retirer le sang et les caillots de la région à inspecter. L'examen doit se faire du quadrant antéro-inférieur au quadrant antéropostérieur, puis du quadrant postérosupérieur au quadrant postéro-inférieur. Pour que le sang ne gêne pas la vue, on continue de pratiquer des aspirations et on change les tampons de coton. Cependant, on ne peut observer qu'environ 60 % de la fosse nasale.

Quand on ne parvient pas à déterminer l'origine du saignement, on peut introduire dans la narine de la gaze imbibée de vaseline ou d'un onguent antibiotique. Au préalable, on devrait pulvériser dans le nez un anesthésique topique et un décongestionnant. Au lieu de la gaze, on peut aussi utiliser une sonde à ballonnet (figure 24-3 ■). Le tampon peut être laissé dans le nez pendant 48 heures ou jusqu'à 5 ou 6 jours, si on n'arrive pas à réprimer le saignement autrement. Il faut parfois prescrire des antibiotiques en raison du risque de sinusite iatrogène et de syndrome de choc toxique.

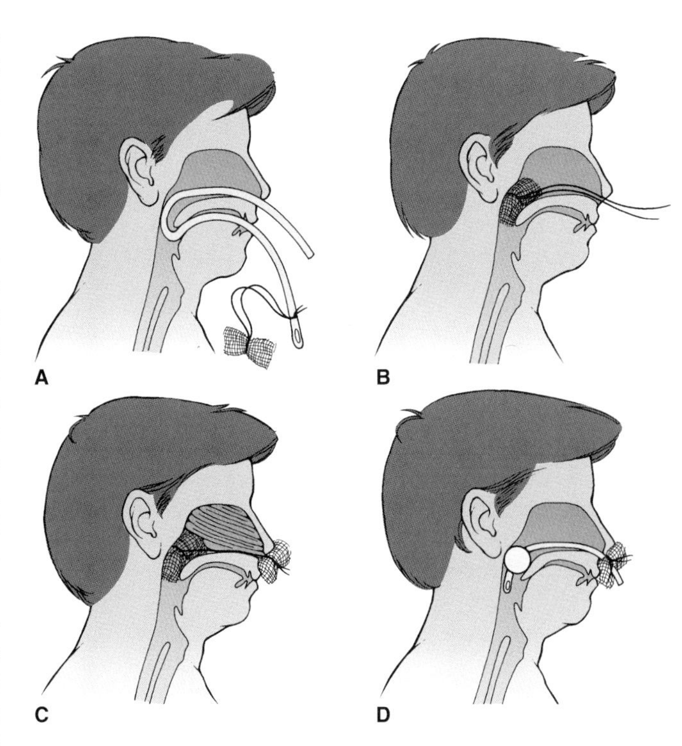

FIGURE 24-3 ■ Tamponnement servant à réprimer un saignement provenant de la partie postérieure du nez. **(A)** On introduit une sonde par la narine qui saigne et on la ramène par la bouche à l'aide d'une pince hémostatique. On attache le tampon de gaze à l'extrémité de la sonde à l'aide de bandelettes. **(B)** En retirant la sonde par le nez, on entraîne le tampon de gaze et on le détache lorsqu'il se trouve à l'endroit voulu. **(C)** Après avoir complètement retiré la sonde, on noue les bandelettes autour d'un coussinet pour maintenir le tampon de gaze en place; ce coussinet est fait d'une compresse pliée en accordéon. **(D)** Autre méthode: on installe une sonde à ballonnet à la place d'un tampon de gaze.

Soins et traitements infirmiers

L'infirmière prend régulièrement les signes vitaux et aide la personne à réprimer les saignements. Elle lui laisse également à portée de la main des mouchoirs et un bassin pour lui permettre d'expectorer le sang accumulé. L'épistaxis provoque parfois une réaction d'anxiété, non seulement à cause de la vue du sang sur les vêtements et les mouchoirs, mais aussi parce que l'examen et le traitement sont désagréables. Pour atténuer cette anxiété, l'infirmière doit dire à la personne, sur un ton calme et rassurant, que le saignement peut être réprimé.

Enseigner les autosoins

Avant de renvoyer la personne chez elle, l'infirmière lui enseigne les différentes méthodes de prévention de l'épistaxis: éviter de se moucher trop fort, de faire des efforts, d'aller en altitude et de provoquer des lésions dans la muqueuse (en se mettant les doigts dans le nez, par exemple). De plus, une bonne humidification de l'air ambiant peut prévenir le dessèchement des fosses nasales. Si la personne souffre d'épistaxis récurrente, l'infirmière doit lui expliquer qu'il faut se pincer le nez avec le pouce et l'index pendant 15 minutes. Si les saignements ne cessent pas, il faut lui conseiller de se rendre à une clinique ou au service des urgences d'un établissement de soins.

OBSTRUCTION NASALE

Il arrive fréquemment que le passage de l'air par les narines soit entravé à cause d'une déviation de la cloison, de l'hypertrophie des cornets ou de la pression exercée par des polypes saillants (bosses en forme de grappe qui se forment sur la muqueuse des sinus, surtout des sinus ethmoïdaux). En plus de nuire à la respiration, ces anomalies peuvent entraîner une infection chronique du nez et provoquer des accès répétés de rhinopharyngite. Très souvent, l'infection gagne les sinus. Une fois que la sinusite s'est déclarée, les sécrétions ne peuvent plus s'écouler de ces cavités à cause de la déformation du nez ou de la tuméfaction de la muqueuse nasale et la région entourant le sinus atteint devient douloureuse.

Traitement médical

Il faut commencer par éliminer l'obstruction, puis traiter l'infection chronique, s'il y a lieu. Dans de nombreux cas, il faut aussi traiter une allergie sous-jacente. Il est parfois nécessaire de procéder à une chirurgie endoscopique pour bien drainer les sinus. L'intervention chirurgicale qu'il faut pratiquer dépend du type d'obstruction. En général, elle se fait sous anesthésie locale.

Si l'obstruction est due à une déviation de la cloison nasale, le chirurgien doit pratiquer une incision dans la muqueuse, soulever celle-ci et retirer l'os et le cartilage déviés à l'aide d'un davier. La muqueuse est ensuite replacée et maintenue en place à l'aide d'un tampon serré qu'on retire de 24 à 36 heures plus tard. En général, on utilise des tampons imbibés de vaseline liquide pour qu'il soit plus facile de les extraire. Cette intervention chirurgicale porte le nom de **résection sous-muqueuse**, ou septoplastie.

Quant aux polypes nasaux, on peut les exciser en les coupant à la base avec un collet de fil métallique. Les cornets hypertrophiés peuvent être traités par l'application d'un astringent, qui les rétrécira.

Soins et traitements infirmiers

La plupart de ces interventions sont exécutées en consultation externe. Si la personne est hospitalisée, l'infirmière surélève la tête du lit pour faciliter l'écoulement des sécrétions et pour réduire le malaise causé par la tuméfaction. La personne a souvent la muqueuse de la bouche desséchée, car elle ne peut pas respirer par le nez. Elle a donc besoin de soins d'hygiène buccodentaire fréquents.

FRACTURES DU NEZ

À cause de sa position, le nez est très vulnérable. En fait, les fractures de l'os du nez sont plus fréquentes que toute autre fracture. Elles sont habituellement provoquées par un coup direct. En général, elles n'ont pas de conséquences graves, mais la déformation qu'elles risquent d'entraîner peut mener à l'obstruction des voies nasales et modifier les traits du visage.

Manifestations cliniques

Les signes et symptômes de la fracture du nez sont des saignements par les narines et dans le pharynx, la tuméfaction des tissus mous autour du nez et la déformation.

Examen clinique et examens paracliniques

Il faut d'abord examiner l'intérieur du nez pour s'assurer que le coup n'a pas provoqué une fracture de la cloison et un hématome septal sous-muqueux. À cause de l'œdème et du saignement qui accompagnent une fracture du nez, le diagnostic peut seulement être posé après que la tuméfaction a diminué.

Si un liquide transparent s'écoule de l'une des narines, il peut s'agir d'une fuite de liquide céphalorachidien causée par la fracture de la lame criblée. Comme le liquide céphalorachidien contient du glucose, on peut facilement le distinguer du mucus nasal à l'aide d'une bandelette réactive (Dextrostix). Pour vérifier s'il y a déviation de l'os ou rupture des cartilages, il suffit habituellement d'inspecter ou de palper délicatement le nez. Les radiographies permettent d'évaluer le déplacement des os fracturés et d'écarter le risque de fracture du crâne.

Traitement médical

En général, on réprime les saignements en appliquant des compresses froides. Pour évaluer la symétrie du nez, on doit l'examiner avant l'apparition de l'œdème ou après sa disparition. De trois à cinq jours après l'accident, on adresse la personne à un spécialiste qui décidera s'il faut procéder à une remise en place des os. On peut réduire une fracture du nez par une intervention chirurgicale, de 7 à 10 jours après l'accident.

Soins et traitements infirmiers

L'infirmière doit recommander à la personne d'appliquer des sacs de glace pendant 20 minutes, 4 fois par jour, pour réduire l'œdème. La personne qui souffre d'un saignement de nez (épistaxis) à cause d'un accident ou pour toute autre raison inexpliquée est d'habitude effrayée et anxieuse. Le tamponnement nécessaire pour réprimer les saignements peut être désagréable, car le tampon bloque les voies nasales et empêche la personne de respirer par le nez, ce qui dessèche la muqueuse buccale. Les rince-bouche aident à garder la bouche humide et à réduire l'odeur et le goût du sang séché dans l'oropharynx et le nasopharynx.

OBSTRUCTION LARYNGIENNE

L'œdème laryngé est une affection grave et souvent mortelle. Le larynx est un cylindre rigide, qui ne peut s'étirer. L'espace entre les cordes vocales (glotte), par lequel l'air doit absolument passer, est restreint. Par conséquent, une muqueuse tuméfiée peut fermer l'ouverture hermétiquement et provoquer la suffocation. L'œdème de la glotte s'observe rarement dans les cas de laryngite aiguë, mais il peut parfois être provoqué par l'urticaire et, plus souvent, par une inflammation grave de la gorge (provoquée, par exemple, par la scarlatine ou une réaction allergique). Il peut entraîner la mort s'il y a anaphylaxie grave (œdème angioneurotique).

Il arrive souvent qu'un corps étranger soit aspiré dans le pharynx, le larynx ou la trachée. Ce genre d'accident pose un double problème. Tout d'abord, le corps étranger bloque les voies respiratoires, ce qui rend la respiration difficile et peut provoquer l'asphyxie. Ensuite, il peut être aspiré plus profondément, pénétrer dans les bronches et causer des symptômes d'irritation comme une toux croupale, l'expectoration de sang ou de mucus, ou une respiration laborieuse. Ces signes physiques et les résultats des radiographies permettent de confirmer le diagnostic.

Traitement médical

Quand l'obstruction est causée par une réaction allergique, le traitement repose sur l'administration d'adrénaline et/ou d'un corticostéroïde (chapitre 55) et sur l'application d'un sac de glace sur la gorge. Quand il s'agit d'une urgence et que les signes d'asphyxie sont évidents, il faut traiter immédiatement la personne. Si le corps étranger s'est logé dans le larynx et qu'il est visible, il est souvent possible de le retirer avec le doigt.

Si, par contre, il a été aspiré dans le larynx ou la trachée, il faut pratiquer la manœuvre de Heimlich, c'est-à-dire une poussée abdominale sous-diaphragmatique (encadré 24-5 ■). Si cette manœuvre n'est pas efficace, une trachéotomie immédiate s'impose (ce sujet sera abordé plus en détail au chapitre 27).

Cancer du larynx

Le cancer du larynx prend la forme d'une tumeur maligne. S'il est dépisté précocement, il peut être guéri. Il compte pour 1 % des cancers et touche quatre fois plus souvent les

ENCADRÉ 24-5

Manœuvre de Heimlich

Pour aider une personne qui suffoque à la suite de l'aspiration d'un corps étranger, l'infirmière effectue la manœuvre de Heimlich (poussée abdominale sous-diaphragmatique), conformément aux consignes de l'Association pulmonaire du Canada (2004). (*Remarque*: Se croiser les mains sur la gorge est un signe universel de suffocation.) Voici le déroulement de l'intervention:

1. S'installer debout, derrière la personne qui suffoque.
2. Placer ses deux bras autour de la taille de la personne.
3. Former un poing avec une main, le pouce à l'extérieur du poing.
4. Placer le poing (le pouce contre le corps de la personne) sur l'abdomen, au-dessus du nombril et sous la pointe du sternum.
5. Saisir le poing avec l'autre main.
6. Exercer avec force une pression contre le diaphragme de la personne en effectuant des mouvements rapides et fermes vers le haut.
7. Effectuer de 6 à 10 compressions, jusqu'à l'éjection du corps étranger.
8. La pression exercée par les poussées devrait soulever le diaphragme, comprimer l'air dans les poumons et créer une toux artificielle suffisamment puissante pour déloger le corps étranger.

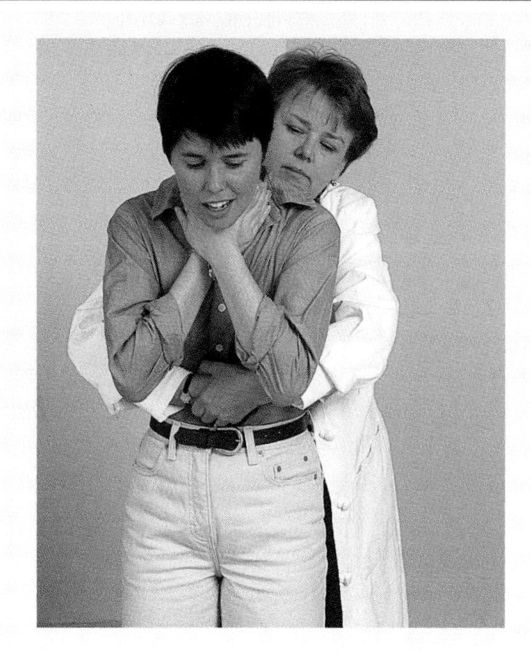

hommes que les femmes, surtout les personnes âgées de 50 à 70 ans. L'incidence du cancer du larynx continue de diminuer en général, mais elle ne cesse de croître chez les femmes par comparaison avec les hommes. Selon l'Agence de santé publique du Canada (2001), il y aurait eu 6 cas de cancer du larynx pour 100 000 habitants au Canada en 2001.

Certains agents carcinogènes contribuent à l'apparition du cancer du larynx, notamment le tabac (tous types d'usage confondus) et l'alcool (et leurs effets combinés), l'exposition à l'amiante, au gaz moutarde, à la sciure de bois, à la poussière de ciment, aux produits à base de goudron, aux cuirs et aux métaux. Certains autres facteurs sont l'effort vocal, la laryngite chronique, les carences nutritionnelles (riboflavine) et la prédisposition familiale (encadré 24-6 ■).

La tumeur maligne peut prendre naissance dans trois régions du larynx: la région glottique (cordes vocales), la région sus-glottique (située au-dessus de la glotte ou des cordes vocales, renfermant l'épiglotte et les fausses cordes vocales) et la région sous-glottique (située sous la glotte ou les cordes vocales et s'étendant jusqu'au cartilage cricoïde). Deux tiers des cancers du larynx touchent la région glottique. Les cancers sus-glottiques comptent pour environ un tiers des cas et les tumeurs sous-glottiques pour moins de 1 %. Les tumeurs glottiques se disséminent rarement si elles sont décelées précocement en raison du nombre limité de vaisseaux lymphatiques qui irriguent les cordes vocales (Lenhard, Osteen et Gansler, 2001).

Manifestations cliniques

Si la tumeur se situe dans la région glottique, une raucité de la voix qui persiste pendant plus de deux semaines est l'un des premiers symptômes, parce que la masse empêche les cordes vocales de se rapprocher durant la phonation. La voix peut être rude, rauque et basse. La dysphonie n'est cependant pas un signe précoce des tumeurs sus-glottiques ou sous-glottiques. La personne peut signaler une toux, des maux de gorge persistants ou une douleur, parfois cuisante, dans la

ENCADRÉ 24-6

FACTEURS DE RISQUE

Cancer du larynx

AGENTS CARCINOGÈNES

- Tabac (tous types d'usage confondus)
- Effets combinés de l'alcool et du tabac
- Amiante
- Fumée secondaire
- Vapeurs de peinture
- Sciure de bois
- Poussière de ciment
- Produits chimiques
- Produits à base de goudron
- Gaz moutarde
- Cuir et métaux

AUTRES FACTEURS

- Effort vocal
- Laryngite chronique
- Carences nutritionnelles (riboflavine)
- Antécédents d'alcoolisme
- Prédisposition familiale
- Âge (incidence accrue après l'âge de 60 ans)
- Sexe (plus courant chez les hommes)
- Race (plus fréquent parmi la population noire)
- Système immunitaire affaibli

gorge, particulièrement lorsqu'elle consomme des boissons chaudes ou des jus d'agrumes. Une masse dans le cou est perceptible dans certains cas. Les symptômes qui apparaissent plus tard sont la dysphagie, la dyspnée (difficultés respiratoires), l'écoulement de liquide ou l'obstruction d'une des voies nasales, un enrouement permanent de la voix, des ulcérations persistantes et la mauvaise haleine. Les signes qui indiquent des métastases sont les adénopathies cervicales, une perte pondérale inexpliquée, une faiblesse généralisée et une douleur irradiant jusqu'à l'oreille.

Examen clinique et examens paracliniques

Il faut commencer par mettre au jour les antécédents de la personne et examiner minutieusement sa tête et son cou. L'anamnèse permet à l'infirmière de se renseigner sur les facteurs de risque, les antécédents familiaux et les troubles sous-jacents. L'examen initial, une laryngoscopie indirecte, doit être effectué par un otorhinolaryngologiste, qui utilise un endoscope pour évaluer le pharynx, le larynx et la tumeur, le cas échéant. Ce spécialiste vérifie également la mobilité descordes vocales. Si elle est insuffisante, il se pourrait que la tumeur ait atteint le muscle, d'autres tissus et même les voies respiratoires. Il doit aussi palper les ganglions lymphatiques du cou et la glande thyroïde pour déceler d'éventuelles métastases (Haskell, 2001).

Si l'on soupçonne la présence d'une tumeur du larynx dès la première consultation, on fixe un rendez-vous pour une laryngoscopie directe. Cet examen s'effectue sous anesthésie locale ou générale et permet d'évaluer l'ensemble du larynx et de prélever des échantillons de tissus pour une analyse histologique. La tumeur peut toucher l'une ou l'autre des trois régions du larynx et prendre diverses formes.

L'épithélioma malpighien (épidermoïde) représente plus de 90 % des cas de cancer du larynx (Haskell, 2001). Pour déterminer le traitement approprié, on doit établir le stade de la tumeur. La classification TNM, élaborée par l'American Joint Committee on Cancer (AJCC), est la méthode par laquelle on définit actuellement les stades des tumeurs de la tête et du cou. Elle sert également à choisir les modalités de traitement. Parce que bon nombre de ces lésions sont sous-muqueuses, le prélèvement en vue d'une biopsie doit se faire au moyen d'une chirurgie microlaryngée ou d'une coupe transversale de la muqueuse par laser à gaz carbonique.

La tomodensitométrie et l'imagerie par résonance magnétique (IRM) permettent d'évaluer les adénopathies régionales et l'état des tissus mous, ainsi que de définir le stade et l'étendue de la tumeur. L'IRM permet aussi de faire un suivi après le traitement et de déceler une éventuelle récidive. On utilise aussi la tomographie par émissions de positrons (TEP) pour dépister une éventuelle récidive après le traitement.

Traitement médical

Le traitement du cancer du larynx dépend du stade de la tumeur, que l'on établit en tenant compte du siège et de la dimension des lésions, des résultats histologiques, ainsi que du nombre et de la taille des métastases dans les ganglions lymphatiques cervicaux. Les options thérapeutiques sont notamment l'excision chirurgicale, la radiothérapie et la chimiothérapie. Divers facteurs influent sur le pronostic: le stade de la tumeur, le sexe et l'âge de la personne, les caractéristiques pathologiques de la tumeur, dont le degré et la profondeur de l'infiltration. Par ailleurs, le plan de traitement ne sera pas le même selon qu'il s'agit du premier diagnostic ou d'une récidive. Les petites tumeurs glottiques, de stade I ou II, sans infiltration des ganglions lymphatiques, sont associées à un taux de survie de 75 à 95 %. Chez les personnes atteintes d'un cancer de stade III ou IV ou présentant des tumeurs à un stade avancé, le taux de survie est de 50 à 60 %, le risque de récidive de 50 % et celui de métastases de 30 %. Les récidives surviennent le plus souvent au cours des deux ou trois premières années et sont rares après 5 ans. Dans ce dernier cas, il s'agit habituellement d'une nouvelle tumeur primitive (Lenhard *et al.*, 2001).

La chirurgie et la radiothérapie sont toutes deux efficaces dans le traitement du cancer du larynx aux premiers stades. En règle générale, on utilise la chimiothérapie dans les cas de récidive ou de métastases. Plus récemment, on l'a employée en association avec la radiothérapie pour éviter la laryngectomie totale ou, avant l'intervention, pour faire régresser la tumeur. Il faut effectuer un examen dentaire complet pour écarter la présence de toute affection buccale et régler, dans la mesure du possible, tout problème de cette nature avant l'intervention. Si l'on doit recourir à une intervention chirurgicale, une équipe multidisciplinaire évalue les besoins de la personne et de sa famille pour mettre au point un plan de traitements efficace (Forastiere *et al.*, 2001).

Traitement chirurgical

Les récentes techniques chirurgicales utilisées dans le traitement du cancer du larynx peuvent atténuer les déficits esthétiques et fonctionnels. Selon le siège et le stade de la tumeur, quatre types de **laryngectomie** (excision chirurgicale du larynx, en tout ou en partie, et des tissus environnants) peuvent être envisagés:

- Laryngectomie partielle
- Laryngectomie sus-glottique
- Hémilaryngectomie
- Laryngectomie totale

L'endoscopie permet de pratiquer certaines chirurgies microlaryngées. On peut utiliser le laser à gaz carbonique pour traiter bon nombre de tumeurs du larynx, à l'exception de celles qui touchent les gros vaisseaux.

Laryngectomie partielle On recommande la laryngectomie partielle (laryngo-cordectomie) lorsque le cancer localisé dans la région glottique est à un stade précoce et lorsqu'une seule corde vocale est atteinte. Cette intervention est associée à un taux de guérison élevé. On peut aussi y recourir en cas de récidive lorsque la radiothérapie a échoué. On excise une portion du larynx, ainsi qu'une corde vocale et la tumeur, sans toucher aux autres structures. Les voies aériennes demeurent intactes, et la personne ne devrait connaître aucune difficulté de déglutition. Cependant la qualité de la voix peut changer, ou la voix peut devenir rauque.

Laryngectomie sus-glottique La laryngectomie sus-glottique est indiquée dans le traitement des lésions précoces sus-glottiques de stade I et des lésions précoces de stade II. On excise dans ce cas l'os hyoïde, la glotte et les fausses cordes vocales. Les vraies cordes vocales, le cartilage cricoïde et la trachée demeurent intacts. Pendant la chirurgie, on résèque en même temps les ganglions lymphatiques cervicaux du côté atteint. On installe dans la trachée une canule à trachéotomie (chapitre 27) jusqu'au rétablissement du conduit glottique. On la retire habituellement après quelques jours pour que la stomie puisse se refermer. L'alimentation se fait par voie nasogastrique jusqu'à la cicatrisation; on peut ensuite commencer une diète semi-liquide. Pendant les deux semaines qui suivent l'intervention, la personne peut éprouver des difficultés de déglutition. Il y a risque d'aspiration puisqu'elle doit apprendre une nouvelle façon d'avaler (déglutition sus-glottique). Le principal avantage de cette intervention est la préservation de la voix, même si sa qualité peut changer. L'orthophonie est nécessaire avant et après l'intervention. Le principal désavantage est le risque élevé de récidive; les candidats doivent donc être choisis judicieusement.

Hémilaryngectomie On pratique une hémilaryngectomie dans le cas des tumeurs de moins de 1 cm, limitées à la région glottique. Elle peut aussi être utile en présence de lésions glottiques de stade I. Lors de cette intervention, on coupe le cartilage thyroïde du larynx dans le plan médian du cou et on excise la tumeur et une partie des cordes vocales (une vraie et une fausse corde vocale). On enlève aussi le cartilage aryténoïde et la moitié de la thyroïde. On installe une canule à trachéotomie et une sonde gastrique qui resteront en place pendant 10 à 14 jours après l'intervention. Il y a risque d'aspiration pendant la période postopératoire. La voix peut changer. Elle peut devenir rude, rauque et éraillée, et sa portée peut être réduite. Les voies aériennes et la capacité de déglutition demeurent intactes.

Laryngectomie totale On pratique une laryngectomie totale dans les cas de cancer du larynx à un stade avancé (IV), lorsque la tumeur s'étend au-delà des cordes vocales ou lorsque la radiothérapie s'avère inefficace contre la lésion primitive ou les récidives. Une laryngectomie totale comporte l'excision de toutes les structures laryngées, incluant l'os hyoïde, l'épiglotte, le cartilage cricoïde et deux ou trois anneaux de la trachée. On préserve la langue, les parois du pharynx et la trachée. La laryngectomie totale entraîne une perte permanente de la voix et modifie les voies aériennes.

Bon nombre de médecins recommandent une résection totale des ganglions lymphatiques cervicaux du côté de la lésion, même si les métastases ne sont pas décelables, car elles sont courantes dans cette région. L'intervention est plus délicate lorsque les structures médianes ou les deux cordes vocales sont atteintes. Que l'on résèque ou non les ganglions lymphatiques, la laryngectomie totale comporte la création d'une stomie trachéale permanente, parce que le sphincter protecteur du larynx a été excisé. La stomie trachéale empêche l'aspiration d'aliments et de liquides dans les voies respiratoires inférieures. La personne ne pourra plus parler, mais elle gardera sa capacité de déglutir. La laryngectomie totale modifie la façon dont les voies aériennes sont utilisées lors de la respiration et de la phonation, comme l'illustre la figure 24-4 ■. Les complications possibles sont la sialorrhée, une infection de la plaie causée par la présence d'une fistule pharyngocutanée, une sténose de la stomie et la dysphagie découlant du rétrécissement du pharynx et de l'œsophage cervical.

Radiothérapie

L'objectif de la radiothérapie est d'éradiquer le cancer et de préserver les fonctions du larynx. On opte pour ce traitement en tenant compte de plusieurs facteurs, notamment le stade

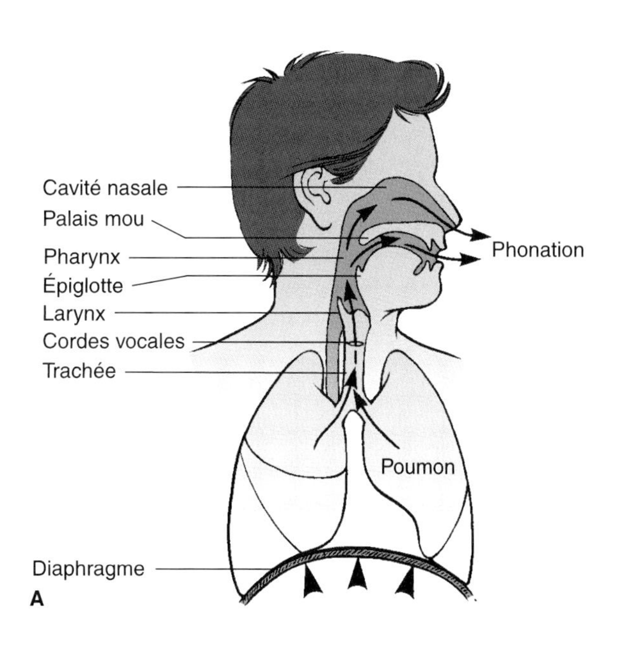

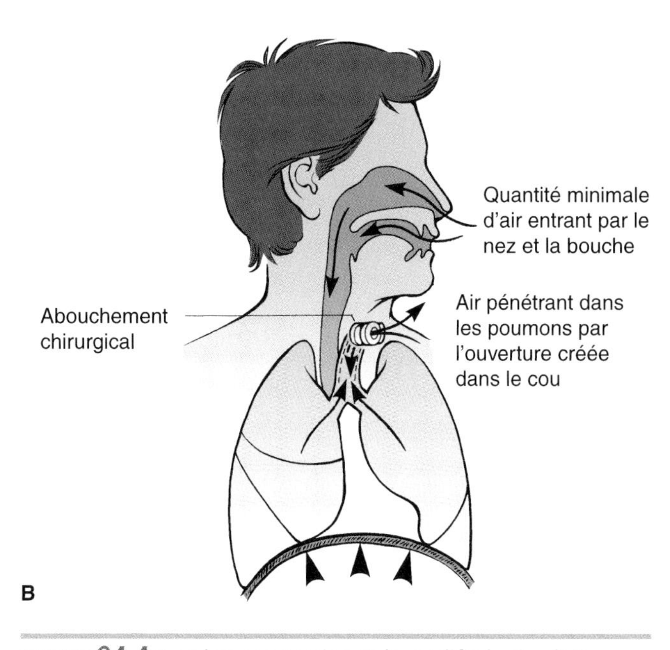

FIGURE 24-4 ■ La laryngectomie totale modifie la circulation de l'air et, par le fait même, la respiration et la phonation. **(A)** Circulation normale. **(B)** Circulation après une laryngectomie totale.

de la tumeur (traitement de choix dans les cas de cancer de stade I ou II), l'état de santé global de la personne, son mode de vie (incluant sa profession) et ses préférences personnelles. La radiothérapie est associée à d'excellents résultats chez les personnes présentant des tumeurs glottiques à un stade précoce (I et II) lorsqu'une seule corde vocale est atteinte et que la mobilité est normale (mouvement avec phonation) et chez celles qui présentent des petites lésions sus-glottiques. L'un des avantages de la radiothérapie est la préservation d'une voix presque normale. Dans quelques cas, la chondrite (inflammation du cartilage) ou une sténose peuvent se manifester. La laryngectomie pourrait être indiquée ultérieurement chez un petit nombre de personnes.

La radiothérapie administrée avant une intervention chirurgicale permet parfois de réduire la taille de la tumeur. On l'utilise également dans les cas de cancer du larynx à un stade avancé (stades III et IV), comme traitement adjuvant à la chirurgie ou à la chimiothérapie. Elle sert aussi de traitement palliatif. Lors de diverses études, on a administré en association la radiothérapie et la chimiothérapie dans le traitement de tumeurs du larynx à un stade avancé. D'après les résultats des premières études, il semble que l'association améliore la réponse de la tumeur à la radiothérapie. Le traitement associant la chimiothérapie et la radiothérapie pourrait être une solution de rechange à la laryngectomie totale.

Les complications de la radiothérapie découlent de l'irradiation secondaire de la tête et du cou, et peut-être même de la glande parotide régulant la production de la salive. Les symptômes sont notamment une inflammation aiguë ou l'ulcération de la muqueuse, la douleur, la **xérostomie** (sécheresse de la bouche), la perte du goût, la dysphasie, la fatigue et des réactions cutanées. Au nombre des complications ultérieures, mentionnons la nécrose laryngée, l'œdème et la fibrose.

Orthophonie

Avant l'intervention chirurgicale, l'orthophoniste s'entretient avec la personne qui doit subir la laryngectomie et avec les membres de sa famille de la perte de la voix ou des problèmes phonatoires qui se produiront immanquablement, et procède à une évaluation préopératoire. L'infirmière, quant à elle, les renseigne sur les méthodes de communication possibles dans les jours qui suivent l'intervention, à savoir l'écriture, la lecture sur les lèvres et les tableaux de communication ou de mots. On établit ainsi un moyen de communication avec la personne, sa famille, l'infirmière et le médecin, qui sera mis en application systématiquement après la chirurgie.

On doit aussi mettre au point un plan d'acquisition d'une nouvelle voix qui sera exécuté après l'intervention. Les trois modes les plus courants de **communication alaryngée** sont la voix œsophagienne, le larynx artificiel (électrolarynx) et la communication à l'aide d'une fistule trachéo-œsophagienne. La personne commencera à apprendre ces techniques dès que le médecin l'aura autorisé.

Parole œsophagienne Jusqu'en 1980, la parole (ou voix) œsophagienne était la principale méthode de communication alaryngée enseignée. La personne doit apprendre à comprimer l'air dans l'œsophage et à l'expulser progressivement pour produire des vibrations dans le segment pharyngo-œsophagien. On peut lui enseigner cette technique dès qu'elle commence à se nourrir par la bouche, soit environ une semaine après l'intervention. Il faut tout d'abord apprendre à éructer, et l'infirmière doit lui rappeler de le faire une heure après le repas. Ensuite, la technique sera répétée régulièrement. Par la suite, la personne apprend à utiliser l'éructation volontaire pour faire sortir l'air de l'œsophage et produire un son modulé en langage. L'orthophoniste travaille alors avec elle pour que les sons produits soient intelligibles et que la parole se rapproche le plus possible de la normale. Étant donné que l'acquisition de la parole œsophagienne est un long processus, le taux de succès est faible.

Électrolarynx Si la parole œsophagienne ne donne pas de bons résultats ou si la personne n'arrive pas à maîtriser la technique, l'électrolarynx peut servir de moyen de communication. Il s'agit d'un appareil à piles qui projette le son dans la cavité buccale. Quand la bouche est utilisée pour articuler, les sons provenant de l'électrolarynx se changent en énoncés audibles. La voix qui en résulte a une consonance mécanique et certains mots peuvent être difficiles à distinguer; la personne est cependant en mesure de communiquer assez facilement et peut en même temps continuer à apprendre à communiquer à l'aide de la parole œsophagienne ou de la fistule trachéo-œsophagienne.

Fistule trachéo-œsophagienne La troisième technique d'acquisition d'une nouvelle voix par la personne laryngectomisée se base sur la création d'une fistule trachéo-œsophagienne (figure 24-5 ■). On recourt le plus souvent à

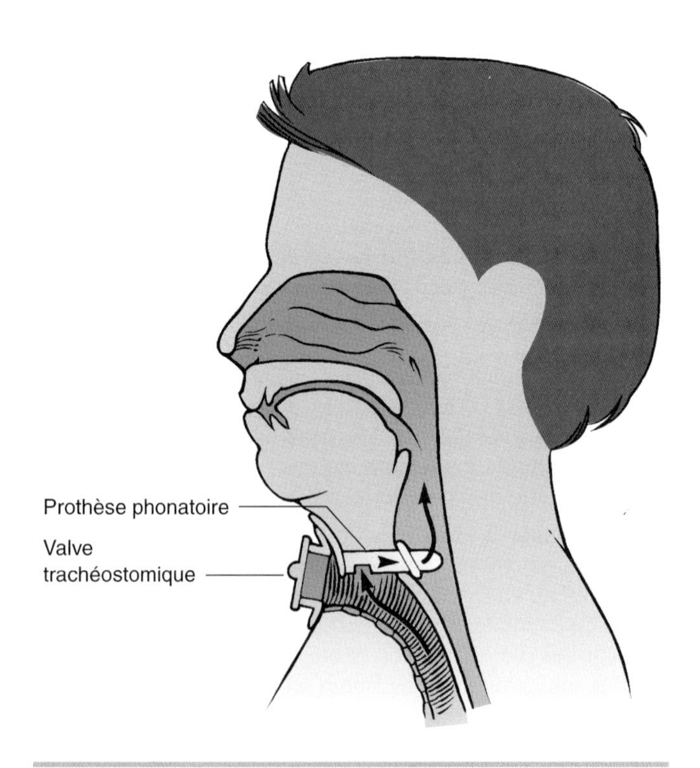

FIGURE 24-5 ■ Représentation schématique de la communication à l'aide d'une fistule trachéo-œsophagienne. L'air sort des poumons et passe dans l'œsophage par une fistule créée dans la paroi postérieure de la trachée, puis sort par la bouche. Une prothèse phonatoire est installée sur la fistule.

cette technique parce que les sons qu'elle permet de produire se rapprochent le plus des sons normaux (le résultat étant un mélange de voix et de parole œsophagienne) et qu'elle est facile à apprendre. On installe une valve dans la stomie trachéale pour faire passer l'air dans l'œsophage, puis dans la bouche. Une fois que cette fistule créée par voie chirurgicale s'est cicatrisée, on installe par-dessus une prothèse phonatoire (Blom-Singer). Pour prévenir l'obstruction des voies respiratoires, il faut enlever et nettoyer la prothèse lorsque du mucus s'accumule. L'orthophoniste enseigne à la personne la méthode de production des sons. Le mouvement de la langue et des lèvres transforme, comme avant, les sons en mots. Cette technique fonctionne chez 80 à 90 % des personnes (DeLisa et Gans, 1998).

DÉMARCHE SYSTÉMATIQUE dans la pratique infirmière

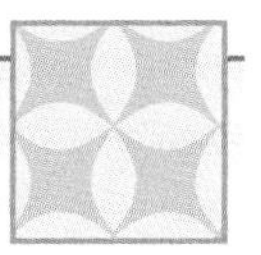

Personne soumise à une laryngectomie

COLLECTE DES DONNÉES

L'infirmière doit rechercher les symptômes suivants: raucité de la voix, mal de gorge, dyspnée, dysphagie, brûlure dans la gorge. Elle palpe ensuite le cou pour vérifier s'il y a une tuméfaction.

Lorsque le traitement comporte une intervention chirurgicale, l'infirmière doit en connaître la nature pour planifier les soins appropriés. Par exemple, si on sait que la personne perdra la voix après l'opération, on doit alors prévoir une évaluation préopératoire par un orthophoniste. Il faut évaluer la capacité de la personne d'entendre, de voir, de lire et d'écrire. Une faible acuité visuelle et l'analphabétisme fonctionnel peuvent poser des problèmes additionnels de communication auxquels il peut être nécessaire de trouver des solutions originales pour s'assurer que la personne pourra faire connaître ses besoins.

L'infirmière évalue aussi la préparation psychologique de la personne et de sa famille. La plupart des gens sont terrifiés à l'idée de souffrir d'un cancer et, lorsqu'il s'agit du cancer du larynx, cette peur s'ajoute à celle de perdre la voix de façon permanente et, dans certains cas, d'être défiguré. L'infirmière doit donc évaluer les stratégies d'adaptation de la personne et de sa famille afin de savoir comment leur apporter un soutien efficace tant avant qu'après l'opération.

ANALYSE ET INTERPRÉTATION

Diagnostics infirmiers

En se fondant sur les données recueillies, l'infirmière peut poser les diagnostics infirmiers suivants:

- Connaissances insuffisantes sur l'intervention chirurgicale et les suites opératoires
- Anxiété, reliée au diagnostic de cancer et à l'intervention chirurgicale imminente
- Dégagement inefficace des voies respiratoires, relié à une production excessive de mucus, due à la modification des voies respiratoires entraînée par la chirurgie
- Communication verbale altérée, reliée au déficit anatomique produit par l'ablation du larynx et l'œdème
- Alimentation déficiente, reliée à l'incapacité d'ingérer des aliments à cause des difficultés de déglutition
- Image corporelle et estime de soi perturbées, reliées à une intervention chirurgicale majeure au cou et au changement de la structure et de la fonction du larynx
- Déficit de soins personnels, relié aux douleurs, à la faiblesse, à la fatigue et aux modifications musculosquelettiques entraînées par l'intervention chirurgicale et les suites opératoires

Problèmes traités en collaboration et complications possibles

En se fondant sur les données recueillies, l'infirmière peut déterminer les complications susceptibles de survenir, notamment:

- Détresse respiratoire (hypoxie, obstruction des voies respiratoires, œdème trachéal)
- Hémorragie
- Infection
- Déhiscence de la plaie chirurgicale

PLANIFICATION

Les principaux objectifs sont les suivants: favoriser l'acquisition de connaissances sur les suites opératoires; réduire l'anxiété; maintenir la perméabilité des voies respiratoires (la personne est en mesure de prendre en charge ses propres sécrétions); encourager l'apprentissage d'une nouvelle méthode de communication; favoriser une alimentation adéquate; améliorer l'image corporelle et l'estime de soi; prévenir les complications; favoriser les soins à domicile et dans la communauté.

INTERVENTIONS INFIRMIÈRES

Favoriser l'acquisition de connaissances sur les suites opératoires

Le cancer du larynx est un diagnostic qu'on perçoit souvent à travers le prisme de la peur et des idées fausses. Un grand nombre de personnes ont tendance à croire qu'il entraîne systématiquement la perte de la voix et le défigurement. Une fois que le médecin a annoncé le diagnostic à la personne, l'infirmière doit s'assurer que celle-ci comprend bien la situation: elle lui explique où se trouve le larynx, le rôle de cet organe, en quoi consiste l'intervention chirurgicale qu'elle subira et quels en sont les effets sur la parole. Pour renforcer son enseignement, l'infirmière remet à la personne et aux membres de sa famille de la documentation écrite ou audiovisuelle sur l'intervention.

Si la personne doit subir une laryngectomie totale, l'infirmière lui explique qu'elle perdra complètement sa voix naturelle, mais qu'elle pourra, en suivant un programme de réadaptation, apprendre une nouvelle technique de communication. (Elle la préviendra toutefois qu'elle ne sera plus capable de chanter, de rire ou de siffler.) L'infirmière doit également expliquer à la personne qu'avant de commencer son programme de rééducation orthophonique elle pourra demander de l'aide en utilisant la sonnette d'appel et qu'elle pourra se servir d'un tableau de communication spécial ou s'exprimer par écrit. L'infirmière doit répondre aux questions de la personne concernant la nature de l'opération et reprendre les explications du médecin au sujet de la perte de voix, tout en la rassurant sur le fait qu'elle pourra suivre un programme de réadaptation. Une équipe multidisciplinaire effectue une évaluation initiale de la personne et de sa famille. Cette équipe peut être formée de l'infirmière, du médecin, de l'inhalothérapeute, de l'orthophoniste, du travailleur social, de la diététiste et de l'infirmière chargée des soins à domicile.

Enfin, l'infirmière présentera à la personne et à sa famille le matériel et les traitements qui seront utilisés en période postopératoire, enseignera des exercices de toux et de respiration profonde, et observera la personne pendant qu'elle refait les mêmes mouvements. Elle expliquera le rôle que la personne devra jouer après l'opération et au cours de la réadaptation.

Réduire l'anxiété

Étant donné que la laryngectomie est pratiquée le plus souvent dans le cas d'une tumeur maligne, la personne peut poser beaucoup de questions ; par exemple : « Le chirurgien sera-t-il capable d'enlever toute la tumeur ? Est-ce que j'ai le cancer ? Vais-je mourir ? Vais-je m'étouffer ? Vais-je suffoquer ? Pourrai-je parler de nouveau un jour ? De quoi aurai-je l'air ? » Par conséquent, la préparation psychologique de la personne est tout aussi importante que sa préparation physique.

La personne qui s'apprête à se faire opérer ressent une vive appréhension. Dans le cas d'une intervention chirurgicale au larynx, ses craintes peuvent être reliées au diagnostic de cancer et empirer à cause de la possibilité de perdre la voix et d'être défigurée de façon permanente. L'infirmière doit donc permettre à la personne et aux membres de sa famille d'exprimer leurs sentiments et leurs perceptions, et corriger tout malentendu. Avant ou après l'intervention chirurgicale, il serait utile qu'une personne ayant subi le même type d'opération rende visite à la personne, ce qui lui fera comprendre qu'on est prêt à l'aider à surmonter l'épreuve et qu'il est possible de bien s'en sortir grâce à la réadaptation.

Maintenir la perméabilité des voies respiratoires

Une fois que la personne sort de l'anesthésie, on peut l'aider à respirer efficacement en la plaçant en position de Fowler ou semi-Fowler. L'infirmière doit être à l'affût des problèmes respiratoires ou circulatoires : agitation, respiration laborieuse, appréhension et augmentation de la fréquence cardiaque. Il faut administrer avec prudence les médicaments qui dépriment les mouvements de l'appareil respiratoire, particulièrement les opioïdes. Comme d'habitude après une intervention chirurgicale, l'infirmière doit inciter la personne à changer de position, à tousser et à prendre des respirations profondes. Elle doit aussi faire parfois des aspirations pour retirer les sécrétions, et inciter la personne à marcher dès que possible après l'opération afin de prévenir l'atélectasie et la pneumonie.

Si la personne a subi une résection totale du larynx, on aura probablement installé une canule à laryngectomie. (Certaines personnes n'ont pas de canule, d'autres en ont une temporairement, mais la plupart du temps le dispositif est permanent.) Cette canule (plus courte que la canule trachéale, mais de plus grand diamètre) est la seule voie dont la personne dispose pour respirer. Les soins à donner sont les mêmes que ceux qui sont nécessaires dans le cas de la canule trachéale (chapitre 27). Pour garder la stomie propre, l'infirmière la nettoie tous les jours avec une solution physiologique ou une autre solution prescrite par le médecin. On utilise parfois un onguent antibiotique (sans huile) qu'on applique autour de la stomie et de la ligne de suture. Si une croûte se forme ou si des sécrétions collent autour de la stomie, l'infirmière doit les retirer avec des pinces stériles et appliquer de l'onguent.

On installe aussi parfois des drains dans la plaie pour évacuer le liquide ou l'air qui s'y accumule. On peut aussi avoir recours à l'aspiration, mais il faut l'effectuer avec prudence pour éviter tout traumatisme à l'incision et à la plaie. L'infirmière doit observer et noter les caractéristiques des écoulements et leur volume. Habituellement, le médecin retire le drain si les écoulements ne dépassent pas les 50 ou 60 mL par jour.

La personne crache souvent des quantités importantes de mucus par la stomie. Étant donné que l'air passe directement par la trachée, sans être d'abord réchauffé et humidifié par la muqueuse des voies respiratoires supérieures, l'arbre trachéobronchique compense en sécrétant beaucoup de mucus. La personne aura donc de fréquents accès de toux et cette toux l'inquiétera quelque peu par son timbre rauque et l'expectoration de mucus qu'elle provoque. Elle doit savoir que ces problèmes s'atténueront avec le temps, au fur et à mesure que la muqueuse trachéobronchique s'adaptera aux nouvelles conditions physiologiques.

Quand la personne tousse, il faut nettoyer la stomie et retirer le mucus. On peut placer sous la stomie une compresse de gaze, une débarbouillette ou un simple essuie-tout (plus mince et plus absorbant) pour que le mucus abondant, expulsé initialement, ne souille pas les vêtements.

Pour réduire la toux et la production de mucus, et pour prévenir la formation de croûtes autour de la stomie, il est important que l'air ambiant soit bien humidifié. Les humidificateurs mécaniques et les atomiseurs (nébuliseurs) sont d'excellentes méthodes d'humidification, essentielles au bien-être de la personne.

La canule à laryngectomie peut être enlevée quand la stomie est bien cicatrisée, généralement de trois à six semaines après l'opération. L'infirmière montre à la personne comment nettoyer et changer cette canule (chapitre 27) et comment éliminer les sécrétions.

Encourager l'apprentissage d'une nouvelle méthode de communication

Il est essentiel de comprendre les besoins de la personne après l'intervention chirurgicale et d'établir, avant l'opération, une méthode de communication qui sera utilisée systématiquement par tout le personnel soignant. On peut, par exemple, placer une sonnette d'appel ou une cloche à portée de sa main. Étant donné qu'on se sert souvent d'un « tableau magique » comme support de communication, l'infirmière doit savoir avant l'opération si la personne écrit de la main droite ou de la main gauche, afin d'installer la tubulure de perfusion dans le bras qui ne sera pas utilisé. Si la personne communique en écrivant des notes sur du papier, celles-ci doivent être détruites pour protéger son droit à la vie privée. Si elle n'est pas capable d'écrire, elle emploiera le langage gestuel ou un tableau d'images, de mots et de phrases.

L'incapacité de parler peut être très contraignante, car il est très laborieux d'écrire ou de mimer tout ce que l'on veut dire. Certaines personnes s'impatientent ou se fâchent quand on ne comprend pas ce qu'elles essaient de dire. L'infirmière doit aussi avertir les autres membres du personnel que la personne ne peut pas utiliser le système d'interphone.

En général, l'objectif ultime de la rééducation orthophonique est de restaurer la capacité de communiquer. L'infirmière, en collaboration avec la personne laryngectomisée, l'orthophoniste et les membres de la famille encouragera l'acquisition d'une nouvelle technique de communication.

Favoriser une alimentation adéquate

Au cours des 10 à 14 jours suivant l'opération, la personne ne pourra probablement ni boire ni se nourrir par la bouche. Il faut donc l'alimenter et l'hydrater par d'autres moyens : liquides par voie intraveineuse, alimentation entérale par sonde nasogastrique ou alimentation parentérale totale.

Lorsque la personne est prête à se nourrir par la bouche, l'infirmière lui explique qu'on lui servira, pour commencer, des liquides épais qui sont faciles à avaler. Elle lui recommande de ne pas prendre d'aliments sucrés, car ils augmentent la salivation et suppriment l'appétit. L'introduction des aliments solides sera fonction de la tolérance de la personne. L'infirmière lui recommande aussi de se rincer la bouche avec de l'eau tiède ou un rince-bouche et de se brosser fréquemment les dents.

La personne doit s'attendre à subir une perte gustative et olfactive pendant un certain temps après l'opération. Étant donné que l'air inspiré va directement dans la trachée et ne se rend plus par le nez jusqu'aux terminaisons des récepteurs olfactifs, les odeurs seront moins nettement perçues. Et comme l'odorat est étroitement lié au goût, il en va de même pour les saveurs. Avec le temps, toutefois, l'odorat s'adapte et s'améliore en même temps que l'appétit. L'infirmière doit rester à l'affût des problèmes de déglutition, particulièrement lorsque la personne peut recommencer à manger ; le cas échéant, elle signale ces problèmes au médecin.

Améliorer l'image corporelle et l'estime de soi

Les interventions chirurgicales qui modifient les traits du visage et les modes de communication peuvent perturber grandement l'estime de soi et l'image corporelle. De plus, la personne craint souvent la réaction des membres de sa famille et de ses amis.

L'infirmière l'encourage à exprimer ce qu'elle ressent face aux changements apportés par l'intervention chirurgicale, particulièrement la peur, la colère, la dépression et le sentiment d'isolement.

Il est important que l'infirmière adopte une attitude positive à l'égard de la personne laryngectomisée. Elle encourage celle-ci et les membres de sa famille à participer aux soins dès que possible. Elle doit par ailleurs être à l'écoute des membres de la famille et les soutenir, particulièrement lorsqu'elle explique l'utilité des canules, des pansements et des drains qui sont mis en place après l'intervention chirurgicale. Pour aider la personne et ses proches à s'adapter aux changements qui se produisent dans leur vie, l'infirmière peut également les orienter vers un groupe de soutien, comme l'Association des laryngectomisés de leur région ou vers un des deux centres de services pour laryngectomisés du Québec. Ces groupes favorisent et soutiennent la réadaptation des personnes ayant subi une laryngectomie en leur offrant l'occasion d'échanger des idées et de partager des renseignements (Fédération québécoise des laryngectomisés, 1999).

Prévenir les complications

Les complications pouvant survenir immédiatement après la laryngectomie sont la détresse respiratoire et l'hypoxie, l'hémorragie, l'infection et la déhiscence de la plaie chirurgicale.

Détresse respiratoire et hypoxie

L'infirmière doit rester à l'affût des signes et symptômes de détresse respiratoire et d'hypoxie, particulièrement la nervosité, l'irritation, l'agitation, la confusion, la tachypnée, l'utilisation des muscles accessoires et la diminution de la saturation en oxygène mesurée par sphygmooxymétrie (SaO_2). Tout changement dans la fonction respiratoire nécessite une intervention immédiate. Il faut écarter la présence d'une obstruction en effectuant une aspiration et en demandant à la personne de tousser et de respirer profondément. Si l'hypoxie et l'obstruction des voies respiratoires ne sont pas traitées immédiatement, elles peuvent mettre la vie de la personne en danger. L'infirmière doit avertir immédiatement le médecin si les interventions infirmières n'améliorent pas la fonction respiratoire de la personne.

Hémorragie

Le sang évacué par les drains ou éliminé lors de l'aspiration de la trachée peut être le signe d'une hémorragie au siège de l'intervention chirurgicale. L'infirmière doit informer immédiatement le chirurgien de la présence de saignements. Les effusions de sang peuvent survenir à divers endroits, notamment au siège de l'intervention, dans la trachée ou le long des drains. La rupture de l'artère carotide est particulièrement grave. Si cette complication survient, l'infirmière doit exercer une pression directement sur l'artère, demander de l'aide et rassurer la personne jusqu'à ce que le vaisseau soit ligaturé. Il est important de prendre les signes vitaux pour relever tout changement, particulièrement une accélération de la fréquence du pouls, une baisse de la pression artérielle et une respiration rapide et de grande amplitude. Une peau froide, pâle et moite peut être un signe d'hémorragie.

Infection

L'infirmière doit rester à l'affût des signes d'infection. Les signes précoces sont, notamment, l'élévation de la température et une accélération de la fréquence cardiaque, une modification de l'aspect des écoulements de la plaie, et une rougeur plus étendue ou une sensibilité accrue au siège de l'intervention. Les autres signes sont des écoulements purulents ou plus abondants et une odeur fétide. L'infirmière doit signaler au chirurgien tout changement marqué.

Déhiscence de la plaie

La déhiscence de la plaie due à l'infection, à un retard de cicatrisation, à la formation d'un trajet fistuleux, à la radiothérapie ou à la croissance de la tumeur peut se traduire par une urgence menaçante pour la vie. L'artère carotide, située près de la stomie, peut se rompre en raison de l'érosion provoquée par une mauvaise cicatrisation. L'infirmière examine la stomie pour déceler le lâchage des sutures, un hématome ou des saignements, et signale tout changement marqué au chirurgien. En cas de déhiscence de la plaie, la personne doit être gardée en observation, car elle est exposée à un risque élevé d'hémorragie de l'artère carotide.

Favoriser les soins à domicile et dans la communauté

Enseigner les autosoins

L'infirmière joue un rôle important dans le rétablissement et la réadaptation de la personne laryngectomisée. Afin de l'aider à s'engager dans les autosoins, l'infirmière lui transmet les consignes concernant les soins à domicile dès que la personne est en mesure d'y participer. Lors des soins infirmiers, des séances d'enseignement et de la réadaptation en milieu hospitalier, en consultations externes ou dans un centre d'hébergement et de soins de longue durée, il faut tenir compte des émotions, des changements physiques et des modifications du mode de vie auxquels doit faire face la personne. Dans le cadre de la préparation du retour à la maison, l'infirmière évalue la volonté de la personne d'apprendre les autosoins et les connaissances qu'elle détient sur ce sujet. L'infirmière rassure la personne et sa famille quant à leur capacité d'accomplir les tâches nécessaires. La personne devra mener à bien un certain nombre de soins, dont les soins d'hygiène buccale et ceux de la stomie et de la plaie. De plus, l'infirmière doit insister sur les mesures d'hygiène adéquates et sur le choix d'activités récréatives qui ne comportent pas de dangers.

Soins de la stomie L'infirmière transmet toutes les consignes reliées à la trachéostomie et à sa prise en charge, et enseigne les méthodes d'aspiration, les mesures d'urgence et les soins à prodiguer. Elle doit insister sur le fait qu'il est très important de respirer un air humide et recommander l'installation d'un système d'humidification avant que la personne laryngectomisée ne rentre chez elle. De plus, elle doit conseiller à la personne de ne pas s'exposer à l'air conditionné qui pourrait être trop frais ou trop sec et, par conséquent, trop irritant dans son cas. (Tous les soins à administrer dans les cas de trachéotomie sont présentés au chapitre 27 .)

Hygiène et mesures de sécurité En raison des changements anatomiques qui découlent de l'intervention chirurgicale, l'infirmière doit enseigner à la personne laryngectomisée et aux membres de sa famille les mesures de sécurité qu'il leur faut prendre. Pendant la douche, il faut empêcher l'eau de pénétrer dans la stomie. La personne peut porter un bavoir de plastique pas trop serré ou simplement protéger l'ouverture avec sa main. La natation est déconseillée, car la personne laryngectomisée peut se noyer sans même s'être mouillé le visage. Chez le coiffeur ou l'esthéticienne, elle doit demander que les aérosols, les cheveux ou poils coupés et les poudres n'entrent pas en contact avec la région de la stomie, car cela peut provoquer une irritation et même une infection. Ces mesures d'autosoins sont résumées à l'encadré 24-7 ■.

Les loisirs et l'exercice sont importants. La personne laryngectomisée peut faire des exercices sans danger, s'ils ne sont pas vigoureux. Elle doit cependant éviter de se fatiguer, car il lui sera alors plus difficile de parler, ce qui peut être décourageant. Il faut aussi renseigner la personne sur d'autres mesures de sécurité qu'elle peut prendre: porter ou avoir sur soi un bracelet ou une carte de type « Medic Alert » indiquant qu'elle est laryngectomisée et qu'il faut prendre des mesures spéciales en cas de réanimation. S'il faut recourir à la réanimation, on doit faire une respiration bouche à stomie. Par ailleurs, on devrait garder près du téléphone des messages enregistrés pour la police, les pompiers ou un autre service de secouristes, qui pourront être utilisés rapidement en cas d'urgence.

L'infirmière encourage la personne à se nettoyer régulièrement la bouche pour prévenir la mauvaise haleine et l'infection. Si elle est soumise à une radiothérapie, la personne salivera moins; il lui faudra donc utiliser de la salive artificielle. L'infirmière lui conseillera de boire de l'eau ou des liquides sans sucre tout au long de la journée et d'utiliser un humidificateur. Pour aider à maintenir une hygiène buccale appropriée, la personne devrait se brosser les dents et se rincer la bouche à plusieurs reprises pendant la journée.

Assurer le suivi

Dans le cadre des soins postopératoires, il est important d'orienter la personne qui a subi une laryngectomie vers un service de soins à domicile, ce qui lui facilitera le retour à la maison. L'infirmière chargée des soins à domicile évalue l'état de santé général de la personne et sa capacité de s'administrer, à l'aide de ses proches, les soins relatifs à la trachéostomie. Elle examinera l'incision et se rendra compte de l'état nutritionnel, de la fonction respiratoire et de l'efficacité des mesures de soulagement de la douleur. Il lui faudra non seulement noter les signes et symptômes de complications, mais aussi s'assurer que la personne et ses proches connaissent ceux qui doivent être signalés au médecin. Au cours de sa visite à domicile, l'infirmière vérifie que la personne laryngectomisée et ses proches ont les connaissances nécessaires en ce qui à trait aux soins et elle leur enseigne toute notion qu'ils devraient acquérir; par exemple, les moyens de s'adapter aux changements physiques et fonctionnels ainsi qu'aux modifications du mode de vie. Il est tout aussi important d'évaluer l'état psychologique de la personne. L'infirmière chargée des soins à domicile consolide les apprentissages antérieurs, rassure la personne et ses proches, et leur prête son soutien selon les besoins.

L'infirmière devra encourager la personne laryngectomisée à se soumettre à des examens physiques à intervalles réguliers et à demander conseil pour tout problème relié au rétablissement et à la réadaptation. Elle incitera également la personne à participer aux activités favorisant la santé et à se prêter à des examens de dépistage. Elle lui expliquera aussi qu'il est important de se présenter à ses rendez-vous avec le médecin, l'orthophoniste et tout autre professionnel de la santé.

ÉVALUATION

Résultats escomptés

Les principaux résultats escomptés sont les suivants:

1. La personne a acquis les connaissances appropriées, dit comprendre l'intervention chirurgicale qu'elle subira et se montre capable de bien exécuter les autosoins.
2. La personne est moins anxieuse.
   a) Elle reprend espoir.
   b) Elle connaît les organismes d'aide et les ressources de sa collectivité.
   c) Elle participe aux rencontres d'un groupe de soutien.
3. La personne dégage ses voies aériennes et prend en charge ses sécrétions; elle démontre qu'elle maîtrise la méthode de nettoyage et de changement de la canule à laryngectomie.
4. La personne apprend à communiquer efficacement.
   a) Elle utilise des outils et des techniques de communication (tableau magique, sonnette d'appel, tableau illustré, langage des signes, lecture des lèvres, ordinateur).

ENCADRÉ 24-7

GRILLE DE SUIVI DES SOINS À DOMICILE

Personne laryngectomisée

Après avoir reçu l'enseignement sur les soins à domicile, la personne ou le proche aidant peut:	Personne	Proche aidant
▪ Faire une démonstration des méthodes permettant de dégager les voies aériennes et d'évacuer les sécrétions.	✔	✔
▪ Expliquer la raison pour laquelle il faut humidifier l'air ambiant à l'aide d'un humidificateur ou d'un nébuliseur.	✔	✔
▪ Montrer comment on doit nettoyer la peau autour de la stomie, comment appliquer les onguents et comment retirer les croûtes à l'aide des pinces.	✔	✔
▪ Expliquer la raison pour laquelle il faut protéger la stomie avec un pansement lâche.	✔	✔
▪ Expliquer la raison pour laquelle il faut éviter l'air conditionné et l'air froid qui peuvent irriter les voies respiratoires.	✔	✔
▪ Faire la démonstration de la méthode qui permet de changer sans danger la canule à laryngectomie.	✔	✔
▪ Reconnaître les signes et symptômes d'une infection et savoir comment les prendre en charge.	✔	✔
▪ Décrire les mesures de sécurité ou d'urgence en cas de difficultés respiratoires ou de saignements.	✔	✔
▪ Expliquer la raison pour laquelle il est nécessaire de porter une carte ou un bracelet Medic Alert et les façons d'obtenir de l'aide en cas d'urgence.	✔	✔
▪ Expliquer la raison pour laquelle il faut protéger la stomie pendant la douche ou le bain.	✔	✔
▪ Indiquer quel est l'apport hydrique et énergétique nécessaire.	✔	✔
▪ Décrire les soins d'hygiène buccale et en reconnaître l'importance.	✔	✔
▪ Faire la démonstration de l'acquisition d'une nouvelle technique de communication.	✔	✔
▪ Exposer comment on contacte des groupes de soutien et fournir l'adresse des organismes d'aide.	✔	✔
▪ Expliquer la raison pour laquelle il faut se soumettre à des examens de suivi à intervalles réguliers et signaler immédiatement tout problème.	✔	✔

b) Elle suit les recommandations de l'orthophoniste.

5. La personne maintient une alimentation et un apport hydrique équilibrés.
6. La personne améliore son image corporelle, son estime de soi et son concept de soi.
   a) Elle exprime ses sentiments et ses inquiétudes.
   b) Elle participe aux autosoins et à la prise de décisions.
   c) Elle accepte qu'on l'informe au sujet des groupes de soutien.
7. La personne ne présente pas de complications.
   a) Ses signes vitaux sont normaux (pression artérielle, température, pouls, fréquence respiratoire).
   b) Elle ne présente pas de rougeur, de sensibilité ni d'écoulements purulents au siège de l'intervention.
   c) Ses voies aériennes sont dégagées et sa respiration est appropriée.
   d) Elle ne présente pas de saignements au siège de l'intervention et il s'écoule peu de sang par les drains.
   e) Les sutures n'ont pas lâché et les lèvres de la plaie sont bien affrontées.
8. La personne suit le programme de réadaptation et de soins à domicile.
   a) Elle fait les exercices de réadaptation orthophonique.
   b) Elle prouve qu'elle comprend bien les principes d'hygiène relatifs aux soins de la stomie et de la canule à laryngectomie, si elle en a une.
   c) Elle connaît les symptômes à signaler au médecin.
   d) Elle sait quelles mesures prendre en cas d'urgence.
   e) Elle effectue les soins d'hygiène buccale qu'on lui a prescrits.

EXERCICES D'INTÉGRATION

1. Une enseignante de 36 ans souffre de sinusite aiguë. Elle prend des médicaments en vente libre depuis deux semaines sans obtenir de soulagement. Quelles données devez-vous recueillir et quel traitement prévoyez-vous? Quels renseignements devez-vous lui transmettre et quelles mesures de prise en charge devez-vous lui enseigner? Comment justifiez-vous votre démarche?
2. Une personne âgée de 68 ans, atteinte d'un cancer du larynx, doit subir une laryngectomie totale. Quels renseignements devez-vous lui fournir sur la prise en charge des changements touchant la respiration et la parole survenant immédiatement après l'intervention et par la suite? Quels renseignements devez-vous transmettre aux membres de sa famille?
3. Vous vous rendez pour une première visite à domicile chez une personne qui vient de quitter l'établissement de soins. Elle a été hospitalisée à cause d'une pneumonie et d'une perte de poids importante (27 kg). Il y a 8 mois, elle a subi une laryngectomie pour traiter un cancer du larynx. Sur quoi porterez-vous votre attention lors de cette première visite? Quelles sont les données qu'il vous faut recueillir à cette occasion et quels sont les soins que vous devez lui prodiguer lors de cette première visite? Comment aiderez-vous cette personne et sa famille à planifier les soins pendant le mois suivant? pendant les six prochains mois?
4. À son admission à l'urgence, une personne âgée de 36 ans présente une épistaxis grave à la suite d'un accident de voiture. Elle vous signale qu'elle est hémophile et qu'elle a été infectée par le VIH à cause de l'utilisation à répétition de facteurs de coagulation. Quelles mesures devez-vous d'abord prendre pour faire cesser l'hémorragie? Quelles sont les autres options, si vous n'arrivez pas à arrêter les saignements dans un laps de temps raisonnable? En quoi l'infection par le VIH et l'hémophilie influeront-elles sur le plan thérapeutique infirmier?

RÉFÉRENCES BIBLIOGRAPHIQUES

en anglais • en français

Agence de santé publique du Canada (2001). *Incidence du cancer par siège* (page consultée le 25 mai 2005) [en ligne], http://dsol-smed.phac-aspc.gc.ca/dsol-smed/cgi-bin/cancerchart2?data_type=r&cause=all&year=01&area=00&age=0&sex=1&locale=f&ccause1=Afficher+le+graphique.

Association pulmonaire du Canada (2004). *Obstruction laryngienne* (page consultée le 25 mai 2005) [en ligne], http://www.poumon.ca/maladies/obstruction_laryngienne.html.

Bisno, A.L. (2001). Primary care: Acute pharyngitis. *New England Journal of Medicine, 344*(3), 205–211.

Chakor, K., et Mantha, M.M. (2004). *Rhinite allergique, Réseau Proteus: prévention et santé, une approche intégrée* (page consultée le 24 mai 2005) [en ligne], http://www.reseauproteus.net/fr/Maux/Problemes/Fiche.aspx?doc=rhinite_allergique_pm.

Chrétien, L. (2002). Un virus à prendre au sérieux. *L'infirmière du Québec, 9*(3), 29-30.

Corneli, H. (2001). Rapid strep tests in the emergency department: An evidence-based approach. *Pediatric Emergency Care, 17*(4), 272–278.

DeLisa, J.A., & Gans, B.M. (1998). *Rehabilitation medicine principles and practice* (3rd ed.). Philadelphia: Lippincott-Raven.

Fabregas, B., Barry, B., Panajotopoulos, A., Fauré, J., Caraty, F., Vannereau, F., Mandon, M., Bancel, C., Martineau, A., Derrouch, P., Régent, L. (2004). Cancers du larynx et soins de la personne. *Soins, 683*, 31-51.

Fédération québécoise des laryngectomisés (1999). *Un document d'information indispensable au nouveau laryngectomisé du Québec* (page consultée le 25 mai 2005) [en ligne], http://fqlar.qc.ca/fra/voirclair.htm#7.

Fondation des maladies du coeur (2003). *L'apnée du sommeil* (page consultée le 24 mai 2005) [en ligne], http://ww2.fmcoeur.ca/Page.asp?PageID=907&ArticleID=2624&Src=heart&From= SubCategory.

Forastiere, A., Koch, W., Trotti, A., & Sidransky, D. (2001). Head and neck cancer. *New England Journal of Medicine, 345*(26), 1890–1900.

Fortin, C. (2001). L'influenza: une priorité de santé publique. *Le Clinicien, 16*(1), 100-110.

Giraud, M. (1999). La prise en charge du syndrome d'apnée du sommeil. *Revue de l'infirmière, 54*, 40-41.

Haskell, C.M. (2001). *Cancer treatment* (5th ed.). Philadelphia: W.B. Saunders.

Kernan, W.N., Viscoli, C.M., Brass, L.M., et al. (2000). Phenylpropanolamine and the risk of hemorrhagic stroke. *New England Journal of Medicine, 343*(25), 1826–1832.

Lamarre, D. (2001). Médicaments contre les symptômes du rhume et de la grippe: un arsenal à manipuler avec précaution. *Médecin du Québec, 36*(9), 43-53.

Lenhard, R.E., Osteen, R.T., & Gansler, T. (2001). *The American Cancer Society's clinical oncology* (1st ed.). Atlanta: American Cancer Society Inc.

Leroux, J.F., Desrosiers, M., et Blaquière, M. (2001). La rhinite allergique ou quand fleur ne rime plus avec bonheur, *Le Clinicien, 16*(4), 75-87.

Mandell, G.L., Bennett, J.E., & Dolin, R (Eds.) (2000). *Principles and practice of infectious diseases* (5th ed.). Philadelphia: Churchill Livingstone.

Masson, E., et Poulin, C. (2001). *La rhinite allergique au 5e rang des problèmes de santé des Québécois, Le flash herbe à poux, RRSSS Montérégie* (page consultée le 24 mai 2005) [en ligne], http://www.santepub-mtl.ca/Environnement/herbe/pdf/flaschv2n3.pdf.

Murray, J.F., & Nadel, J.A. (2001). *Textbook of respiratory medicine* (Vols. 1 & 2, 3rd ed.). Philadelphia: W.B. Saunders.

Piccirillo, J.F., Mager, D.E., Frisse, M.E., Brophy, R.H., & Goggin, A. (2001). Impact of first-line vs. second-line antibiotics for the treatment of acute uncomplicated sinusitis. *Journal of the American Medical Association, 286*(15), 1849–1856.

Prasad, A.S., Fitzgerald, J.T., Bao, B., et al. (2000). Duration of symptoms and plasma cytokine levels in patients with the common cold treated with zinc acetate: A randomized, double-blind, placebo-controlled trial. *Annals of Internal Medicine, 133*(4), 245–252.

Roger-Achim, D. (2001). Du rhume à la sinusite: peut-on aider notre patient? *Le Médecin du Québec, 36*(1), 25-29.

Santé Canada (2001). *Santé Canada retire du marché les médicaments contenant de la phénylpropanolamine (PPA)* (page consultée le 26 mai 2005) [en ligne], http://www.servicevie.com/02Sante/Manchette/Manchette18062001/manchette18062001b.html.

Santé Canada (2003). *La grippe* (page consultée le 26 mai 2005) [en ligne], http://www.hc-sc.gc.ca/francais/vsv/maladies/grippe.html.

Santé Canada (2004). *Syndrome respiratoire aigu sévère (SRAS)* (page consultée le 26 mai 2005) [en ligne], http://hc-sc.gc.ca/francais/vsv/maladies/sras.html.

Société canadienne du cancer (2005). *Qu'est-ce que le cancer du larynx?* (page consultée le 25 mai 2005) [en ligne], http://www.cancer.ca/ccs/internet/standard/0,3182,3172_10175_432957_langId-fr,00.html.

St-Onge, L. (2003). La vaccination contre l'influenza: une formule gagnante pour tout le monde. *Perspective infirmière, 1*(2), 10.

Tierney, L.M., McPhee, S.J., & Papadakis, M.A. (2001). *Current medical diagnosis and treatment 2001* (40th ed.). New York: Lange Medical Books/McGraw Hill.

En complément de ce chapitre, vous trouverez sur le Compagnon Web:

- une bibliographie exhaustive;
- des ressources Internet.

Adaptation française
Sophie Longpré, inf., M.Sc.
Professeure, Département des sciences infirmières – Université du Québec à Trois-Rivières

Affections des voies respiratoires inférieures et du parenchyme pulmonaire

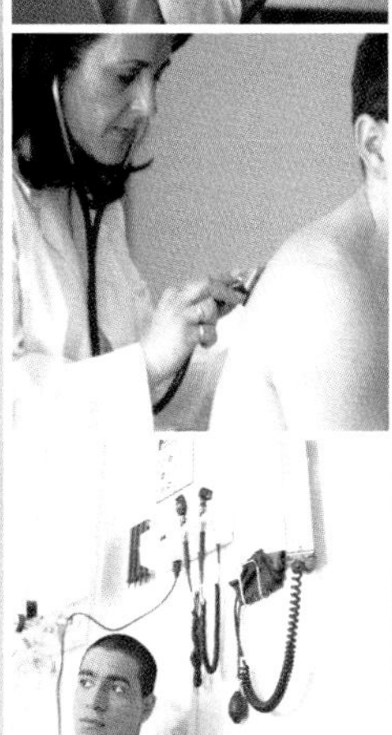

Objectifs d'apprentissage

Après avoir étudié ce chapitre, vous pourrez:

1. Reconnaître les signes avant-coureurs de l'atélectasie et choisir les interventions infirmières permettant de la prévenir et de la prendre en charge.
2. Comparer les diverses infections pulmonaires, du point de vue des causes, des manifestations cliniques, des soins et traitements infirmiers, des complications et de la prévention.
3. Appliquer la démarche systématique aux personnes atteintes de pneumonie.
4. Décrire les liens entre la pleurésie, l'épanchement pleural et l'empyème dans les infections pulmonaires.
5. Expliquer de quelle manière le tabagisme et les polluants atmosphériques peuvent provoquer une affection pulmonaire.
6. Faire le lien entre les techniques de prise en charge et la physiopathologie du syndrome de détresse respiratoire aiguë.
7. Répertorier les facteurs de risque et les méthodes de prévention et de traitement de l'embolie pulmonaire.
8. Décrire les mesures qui permettent de prévenir les pneumopathies professionnelles.
9. Énoncer les modalités de traitement du cancer du poumon et les soins et traitements infirmiers qui s'y rattachent.
10. Décrire les complications du traumatisme thoracique, leurs manifestations cliniques et les soins et traitements infirmiers qui s'y rattachent.
11. Énoncer les mesures que doit prendre l'infirmière pour prévenir une pneumopathie par inhalation.

Les voies respiratoires inférieures peuvent être le siège d'affections aiguës ou chroniques. Un grand nombre de ces affections sont graves et mettent la vie en péril. L'infirmière doit donc être en mesure de bien évaluer la situation et d'intervenir à point nommé. Elle doit aussi avoir une bonne compréhension des répercussions de l'affection sur la qualité de vie de la personne et sur sa capacité de mener à bien ses activités quotidiennes. L'enseignement à la personne et à sa famille est une intervention infirmière importante dans toutes les affections des voies respiratoires inférieures.

Atélectasie

L'**atélectasie** est provoquée par la fermeture ou l'affaissement des alvéoles. Elle est souvent révélée par les examens radiologiques et par des signes et symptômes caractéristiques. Aiguë ou chronique, elle peut entraîner une vaste gamme de modifications physiopathologiques, allant de la microatélectasie (qu'on ne peut dépister par radiographie thoracique) à la macroatélectasie (ou atélectasie massive), qui provoque une diminution du volume d'un segment ou d'un lobe pulmonaire, ou du poumon tout entier. La forme qu'on observe le plus couramment est l'atélectasie aiguë, qui survient souvent en période postopératoire ou chez la personne qui est immobilisée et dont la respiration est superficielle. Des sécrétions excessives et des bouchons muqueux peuvent également entraver l'entrée de l'air dans les poumons et

VOCABULAIRE

Amiantose (ou asbestose): fibrose pulmonaire diffuse provoquée par l'exposition aux fibres d'amiante.

Atélectasie: absence d'air dans les alvéoles; collapsus dû à l'hypoventilation, à l'obstruction des voies respiratoires ou à leur compression.

Biopsie pulmonaire: prélèvement de tissu pulmonaire par une petite incision.

Cavité pleurale: espace virtuel compris entre la plèvre pariétale et la plèvre viscérale.

Cœur pulmonaire: dilatation ou hypertrophie du ventricule droit, qui peut être consécutive à une affection pulmonaire.

Cyanose centrale: couleur bleuâtre de la peau ou des muqueuses à cause de la diminution de la quantité d'oxygène acheminée par l'hémoglobine.

Cytoponction transthoracique à l'aiguille fine: introduction d'une aiguille par la paroi thoracique pour prélever des cellules dans une masse ou une tumeur; cette intervention est habituellement effectuée sous guidage radioscopique ou tomographique.

Embolie pulmonaire: obstruction d'un vaisseau pulmonaire par un embole; il peut s'agir d'un caillot de sang, de bulles d'air ou de gouttelettes de graisse.

Empyème: accumulation de pus dans la cavité pleurale.

Épanchement pleural: accumulation anormale de liquide dans la cavité pleurale.

Frottement pleural: bruit de raclement localisé dû au frottement l'une contre l'autre des plèvres viscérale et pariétale enflammées.

Hémoptysie: expectoration par la bouche d'une quantité plus ou moins importante de sang provenant des voies respiratoires.

Hémothorax: collapsus partiel ou complet du poumon dû à l'accumulation de sang dans la cavité pleurale, à la suite d'une intervention chirurgicale ou d'un traumatisme.

Induration: durcissement excessif d'une lésion ou réaction anormale à une épreuve, par exemple réaction positive à la tuberculine.

Nosocomial: qui se rapporte à un établissement de soins; par exemple, une infection nosocomiale est une infection contractée en milieu hospitalier.

Œdème pulmonaire: accumulation de liquide extravasculaire dans le poumon.

Opacités: signe radiographique qui traduit une consolidation du tissu pulmonaire à cause du collapsus des alvéoles ou d'un processus infectieux (pneumonie).

Orthopnée: difficultés respiratoires en position couchée.

Pneumothorax: collapsus partiel ou complet du poumon dû à une pression positive dans la cavité pleurale.

Pneumothorax suffocant: pneumothorax caractérisé par une pression positive accrue dans la cavité pleurale à chaque respiration; il s'agit d'une urgence, car il faut décompresser immédiatement la cavité ou en évacuer l'air.

Purulent: contenant du pus ou laissant s'écouler du pus.

Rapport ventilation/perfusion: rapport entre la ventilation et la perfusion pulmonaires; la concordance entre la ventilation et la perfusion optimise les échanges gazeux.

Syndrome de détresse respiratoire aiguë: réponse pulmonaire non spécifique à diverses agressions, pulmonaires ou non pulmonaires; se caractérise par des infiltrats interstitiels, une hémorragie alvéolaire, l'atélectasie, une compliance pulmonaire réduite et une hypoxémie réfractaire.

Syndrome respiratoire restrictif: ensemble de symptômes pulmonaires qui entraînent une diminution du volume des poumons.

Thoracentèse: introduction d'une aiguille dans la cavité pleurale pour retirer le liquide accumulé et pour diminuer la pression qui s'exerce sur les tissus pulmonaires; il peut également s'agir d'un examen paraclinique visant à déterminer les causes possibles d'un épanchement pleural.

Transbronchique: qui traverse la paroi bronchique; par exemple, biopsie transbronchique.

provoquer une atélectasie localisée. Enfin, l'atélectasie peut affecter les personnes qui présentent une obstruction chronique des voies respiratoires, laquelle empêche l'air de pénétrer dans les poumons ou d'en sortir librement (comme dans le cas d'une tumeur du poumon qui envahit ou comprime les voies respiratoires). Ce type d'atélectasie est plus insidieux et plus lent à se manifester.

Physiopathologie

L'atélectasie peut toucher l'adulte dont la ventilation alvéolaire est réduite ou qui présente une obstruction privant les alvéoles de l'air en provenance des bronches et des autres voies respiratoires. Dans ce cas, l'air emprisonné dans les alvéoles est absorbé par le sang circulant, mais l'air extérieur ne peut plus venir le remplacer. De ce fait, les alvéoles s'affaissent dans la partie du poumon en aval de l'obstruction. Ce genre de problème peut être le résultat d'un mode respiratoire inadéquat, d'une accumulation de sécrétions, de douleurs, de la modification du fonctionnement des voies respiratoires de petit calibre, d'un alitement prolongé, d'une pression abdominale accrue, d'un volume pulmonaire diminué à la suite d'une affection musculosquelettique ou neurologique, d'un trouble ventilatoire restrictif ou d'une intervention chirurgicale particulière (par exemple, une intervention dans le haut de l'abdomen, dans le thorax ou à cœur ouvert). Un volume pulmonaire diminué persistant, des secrétions ou une masse qui entrave l'entrée de l'air, ainsi que la compression du tissu pulmonaire sont autant de causes de collapsus ou d'obstruction des voies aériennes, qui occasionnent l'atélectasie.

La personne qui a subi une intervention chirurgicale est exposée à un risque élevé d'atélectasie en raison des nombreuses modifications respiratoires qui peuvent survenir. Une respiration superficielle peut provoquer la fermeture des voies aériennes et l'affaissement des alvéoles. Un tel mode respiratoire peut être l'effet de l'anesthésie ou des analgésiques, de l'alitement, de la contracture de la paroi thoracique à cause des douleurs, et de la distension de l'abdomen. Après une intervention chirurgicale, la personne peut également présenter une accumulation des sécrétions et un réflexe tussigène altéré, ou peut s'empêcher de tousser à cause des douleurs. La figure 25-1 ■ illustre les mécanismes pathogènes et les conséquences de l'atélectasie aiguë chez la personne ayant subi une intervention chirurgicale.

L'atélectasie provoquée par une obstruction bronchique peut se manifester chez la personne dont les mécanismes tussigènes sont dysfonctionnels (en raison d'une intervention chirurgicale ou d'une affection musculosquelettique ou neurologique), tout comme chez celle qui est affaiblie et alitée. Elle peut également être le résultat d'une compression excessive du tissu pulmonaire qui empêche les poumons de se distendre normalement à l'inspiration. Cette compression peut être due à l'accumulation dans la cavité pleurale de liquides (**épanchement pleural**), d'air (**pneumothorax**) ou de sang (**hémothorax**). La **cavité pleurale** est un espace virtuel compris entre la plèvre pariétale et la plèvre viscérale. La compression peut également être entraînée par l'accumulation de liquide dans le péricarde (épanchement péricardique), une tumeur qui se développe dans le thorax ou la surélévation du diaphragme.

Manifestations cliniques

Habituellement, l'atélectasie progresse de façon insidieuse. Les signes et symptômes comprennent notamment la toux, la production d'expectorations et une fièvre légère. Bien que la fièvre soit considérée comme un des signes cliniques de l'atélectasie, peu de données probantes confirment cette assertion. Plus vraisemblablement, la fièvre qui accompagne l'atélectasie est due à une infection ou à une inflammation en aval de l'obstruction à l'origine de l'affaissement des alvéoles.

En cas d'atélectasie aiguë qui touche un lobe entier, on peut observer une détresse respiratoire marquée. À ces signes et symptômes peuvent s'ajouter la dyspnée, la tachycardie, la douleur pleurale et une **cyanose centrale** (couleur bleuâtre de la peau, qui est un signe tardif d'hypoxémie). La personne a généralement du mal à respirer en position couchée et est anxieuse. Les signes et symptômes de l'atélectasie chronique sont similaires à ceux de la forme aiguë. Comme le collapsus alvéolaire est dans ce cas prolongé, il y a risque d'infection en aval de l'obstruction avec signes et symptômes à l'avenant.

Examen clinique et examens paracliniques

Au début, les bruits respiratoires sont estompés et des crépitants deviennent audibles au niveau de la région atteinte. Lorsqu'il y a atélectasie totale, aucun son ne parvient de la zone atteinte puisqu'aucune circulation d'air n'est possible. De plus, la radiographie thoracique peut révéler des zones d'infiltration ou de consolidation (opacités). Si la personne est alitée, l'atélectasie est diagnostiquée par radiographie ou par examen physique des régions pulmonaires avoisinantes, postérieures et basilaires. Selon la gravité de l'hypoxémie, la sphygmooxymétrie peut révéler une faible saturation de l'hémoglobine en oxygène (SaO_2 de moins de 90 %) ou le gaz artériel, une pression partielle de l'oxygène artériel (PaO_2) plus basse que la normale.

Prévention

Plusieurs mesures permettent de prévenir l'atélectasie. Ce sont, par exemple, les fréquents changements de position, le lever précoce et les stratégies visant à distendre les poumons et à éliminer les sécrétions. Les exercices de respiration profonde (au moins toutes les deux heures) aident non seulement à prévenir, mais aussi à traiter l'atélectasie. Pour faire ces exercices, la personne doit être alerte et prête à collaborer. L'enseignement et le renforcement positif contribuent au succès des interventions. L'utilisation d'un inspiromètre d'incitation ou les exercices de respiration profonde que la personne exécute de son propre gré favorisent la distension pulmonaire, diminuent le risque de fermeture des voies aériennes et peuvent déclencher le réflexe tussigène. Parmi les techniques d'évacuation des sécrétions, notons la toux volontaire et les exercices de toux contrôlée, l'aspiration trachéale, les nébulisations par aérosol, suivies d'une physiothérapie thoracique (drainage postural et percussion thoracique) ou d'une bronchoscopie. Dans certains milieux de soins, on administre des bronchodilatateurs par aérosol-doseur plutôt que par nébulisation. L'encadré 25-1 ■ résume les mesures de prévention de l'atélectasie.

PHYSIOLOGIE/PHYSIOPATHOLOGIE

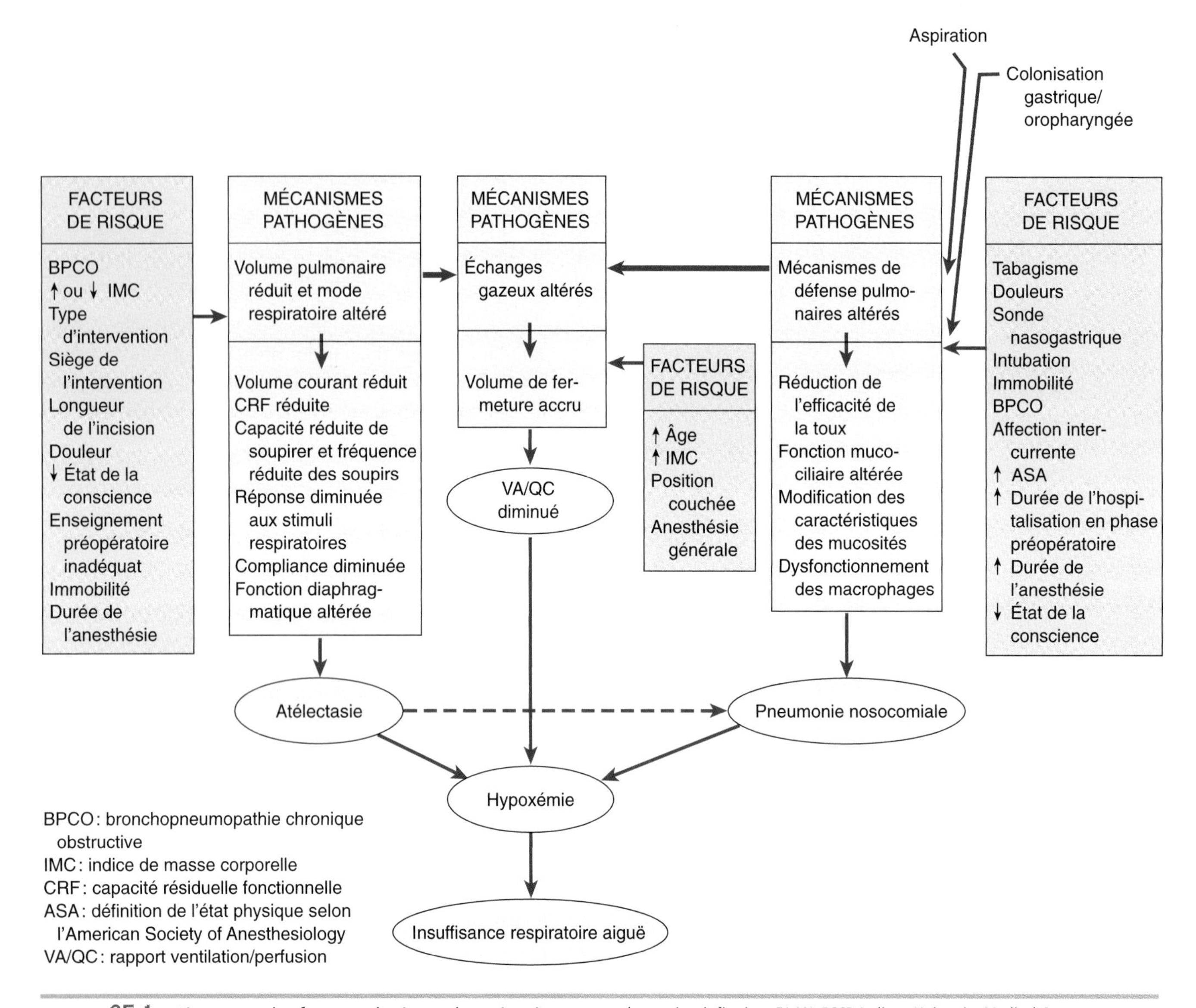

FIGURE 25-1 ■ Liens entre les facteurs de risque, les mécanismes pathogènes et les conséquences de l'atélectasie aiguë en phase postopératoire. SOURCE: Jo Ann Brooks-Brunn, infirmière diplômée, directrice des services infirmiers, FAAN, FCCP, Indiana University Medical Center, Indianapolis.

Traitement

Le traitement de l'atélectasie vise l'amélioration de la ventilation et l'évacuation des sécrétions. On utilise en premier recours les mêmes stratégies que dans le cas de la prévention, c'est-à-dire les fréquents changements de position, le lever précoce, les manœuvres visant la distension des poumons (à savoir, exercices de respiration profonde, inspirométrie d'incitation) et les exercices de toux. Chez les personnes qui ne répondent pas à ces mesures de première intention ou qui sont incapables d'effectuer des exercices de respiration profonde, on peut envisager d'autres traitements, notamment par pression expiratoire positive (PEP; il s'agit d'un simple masque attaché à un système monovalve qui maintient habituellement la pression entre 5 et 15 cm H_2O), par ventilation à pression positive intermittente (VPPI) ou continue, ou par bronchoscopie. Bien qu'on ait recours à la VPPI dans certains milieux de soins, les résultats sont peu probants et, en règle générale, ne justifient pas qu'on l'utilise après une intervention chirurgicale (Duffy et Farley, 1993). Avant d'envisager des interventions plus complexes, plus coûteuses et plus laborieuses, l'infirmière doit se poser un certain nombre de questions, notamment:

- La personne a-t-elle essayé de faire des exercices de respiration profonde?
- Lui a-t-on fait une démonstration de ces exercices? A-t-elle été suivie pendant qu'elle les exécutait? Lui a-t-on donné des conseils à cet égard?

ENCADRÉ 25-1

Prévenir l'atélectasie

- Veiller à ce que la personne change fréquemment de position et l'aider surtout à passer de la position couchée à la position assise pour améliorer la ventilation et pour prévenir l'accumulation de sécrétions.
- Encourager la personne à se lever peu après l'intervention chirurgicale, l'incitant d'abord à passer du lit au fauteuil et ensuite à marcher.
- Encourager la personne à faire des exercices de respiration profonde et à tousser pour dégager les sécrétions et pour en prévenir l'accumulation.
- Enseigner la technique d'utilisation d'un inspiromètre d'incitation ou renforcer l'enseignement.
- Administrer judicieusement les opioïdes ou les sédatifs prescrits en raison du risque de dépression respiratoire.
- Recourir au drainage postural et à la percussion thoracique, s'ils sont indiqués.
- Effectuer des aspirations trachéales pour évacuer les sécrétions trachéobronchiques, si le médecin le prescrit.

- A-t-on évalué les autres facteurs qui peuvent entraver la ventilation ou qui empêchent la personne de collaborer (changements de position peu fréquents, douleur excessive, sédation excessive)?

Si la cause de l'atélectasie est l'obstruction bronchique par des sécrétions, il faut les évacuer par la toux ou par des aspirations afin de permettre à l'air de pénétrer dans toutes les parties du poumon. Pour dégager les sécrétions, la physiothérapie (percussion thoracique et drainage postural) peut également s'avérer utile. L'administration par nébulisation d'un bronchodilatateur ou d'une solution d'acétylcystéine (Mucomyst) peut aussi aider la personne à expectorer les sécrétions. Si l'obstruction ne peut être éliminée par ces mesures, il faudra recourir à une bronchoscopie. Une atélectasie grave ou massive peut provoquer une insuffisance respiratoire aiguë, particulièrement en présence d'une affection pulmonaire sous-jacente. Parfois, il faut pratiquer une intubation endotrachéale ou employer la ventilation assistée. Un traitement rapide réduit le risque d'insuffisance respiratoire aiguë ou de pneumonie.

Si c'est une compression du tissu pulmonaire qui entraîne l'atélectasie, il faut la réduire. Dans certains cas, la compression, et le collapsus des alvéoles qui en découle, résulte d'un épanchement pleural important. On peut alors recourir à une **thoracentèse**, c'est-à-dire à l'évacuation du liquide par ponction à l'aide d'une aiguille, ou à l'installation d'un drain thoracique. On peut également employer les méthodes de distension pulmonaire dont il a été question plus haut.

Le traitement de l'atélectasie chronique consiste à éliminer la cause de l'obstruction des voies respiratoires ou de la compression du tissu pulmonaire. Par exemple, on peut recourir à une bronchoscopie pour ouvrir la voie respiratoire obstruée par une tumeur cancéreuse ou par une lésion bénigne. Cette intervention peut s'accompagner d'une cryothérapie ou d'un traitement au laser. Le but est de désobstruer la voie aérienne et de ventiler la zone affaissée. Parfois, un traitement chirurgical est indiqué.

Infections respiratoires

TRACHÉOBRONCHITE AIGUË

La trachéobronchite aiguë, qui est une inflammation aiguë de la muqueuse de la trachée et de l'arbre bronchique, est souvent la conséquence d'une infection des voies respiratoires supérieures. C'est ainsi qu'une personne affaiblie par une infection virale peut contracter une infection bactérienne secondaire. De ce fait, le traitement approprié des infections des voies respiratoires supérieures est l'une des principales mesures de prévention de la bronchite aiguë. Par ailleurs, l'inhalation d'irritants physiques et chimiques, de gaz ou d'autres polluants atmosphériques peut également provoquer une irritation bronchique aiguë.

Physiopathologie

En cas de trachéobronchite aiguë, la muqueuse bronchique enflammée produit des sécrétions mucopurulentes, souvent en réponse à une infection à *Streptococcus pneumoniæ*, à *Hæmophilus influenzæ* ou à *Mycoplasma pneumoniæ*. Cependant, une infection fongique (par exemple à *Aspergillus*) peut également provoquer une trachéobronchite. Afin de pouvoir déterminer le microorganisme responsable de l'infection, il faut mettre en culture un échantillon d'expectoration.

Manifestations cliniques

Au départ, la personne souffre d'une toux sèche et irritante, et produit une petite quantité d'expectorations épaisses. La toux provoque des douleurs sternales s'accompagnant de fièvre ou de frissons, de sueurs nocturnes, de céphalées et d'un malaise généralisé. À mesure que l'infection évolue, la personne peut éprouver des difficultés respiratoires, émettre des bruits à l'inspiration et à l'expiration (stridor [à l'inspiration] et sibilants [à l'expiration]) et expectorer des sécrétions **purulentes** (contenant du pus). En cas de trachéobronchite grave, les expectorations peuvent être striées de sang à cause de l'irritation de la muqueuse des voies aériennes.

Traitement médical

Le médecin peut prescrire une antibiothérapie, si les expectorations sont purulentes et si les symptômes et les résultats des cultures en confirment l'utilité. On ne recourt habituellement pas à des antihistaminiques, car ils risquent d'assécher excessivement l'arbre bronchique et de rendre encore plus difficile l'expectoration. Le médecin peut aussi prescrire des expectorants, bien qu'on puisse mettre en question leur efficacité. On encourage la personne à consommer beaucoup de liquides afin de rendre les sécrétions moins visqueuses et tenaces. Une grande quantité de sécrétions purulentes que la toux ne permet pas d'expectorer accroît le risque d'une obstruction des voies aériennes et, ce qui est plus grave, d'une infection des voies respiratoires inférieures, comme la pneumonie. Pour évacuer les sécrétions, on doit parfois employer l'aspiration ou la bronchoscopie. Dans de rares cas, si la trachéobronchite évolue vers une insuffisance respiratoire aiguë, on doit procéder à une intubation endotrachéale. Ce genre d'intervention peut s'imposer chez les personnes très affaiblies ou qui sont atteintes d'une affection intercurrente qui touche aussi l'appareil respiratoire.

Dans la plupart des cas, le traitement de la trachéobronchite vise le soulagement des symptômes. En premier lieu, on recommande le repos. L'humidification de l'air ambiant ou l'inhalation de vapeurs chaudes ou froides permet de soulager l'irritation du larynx et de la trachée. Des compresses humides et chaudes sur la poitrine soulagent souvent les douleurs sternales. Un léger analgésique ou antipyrétique peut également être recommandé.

Soins et traitements infirmiers

La trachéobronchite aiguë est souvent traitée à domicile. L'infirmière a pour principale tâche d'encourager une bonne hygiène bronchique, comme l'augmentation de la consommation de liquides et l'élimination des sécrétions par la toux. Elle doit conseiller à la personne de se mettre souvent en position assise pour produire une toux efficace et pour prévenir l'accumulation de sécrétions mucopurulentes. Si des antibiotiques sont administrés en traitement d'une infection sous-jacente, l'infirmière recommande à la personne de prendre toute la quantité prescrite. La fatigue est une conséquence de la trachéobronchite. L'infirmière conseille donc le repos, car tout effort indu peut provoquer une rechute ou l'exacerbation de l'infection.

Pneumonie

La pneumonie est une inflammation du parenchyme pulmonaire due à une infection. La « pneumopathie inflammatoire », terme plus général, est un processus inflammatoire qui se manifeste dans le tissu pulmonaire et qui prédispose la personne à une invasion microbienne. Chaque année, de 200 000 à 300 000 Canadiens en sont atteints, et le taux de mortalité peut s'élever à près de 30 % des personnes touchées dans certaines populations à risque (Association pulmonaire du Québec, 2004a). Dans la population en général, le Québec affiche un taux de mortalité due à la pneumonie ou à la grippe de 18,1 pour 100 000 habitants, comparativement à un taux de 23,3 au Canada. Les hommes meurent plus de pneumonie que les femmes. Au Québec, par exemple, les hommes affichent un taux de 24,8 pour 100 000 habitants, comparativement à un taux de 14,5 chez les femmes (Statistique Canada, 2000). La pneumonie est traitée autant en établissement de soins qu'en consultations externes.

Les bactéries pénètrent souvent dans les voies aériennes inférieures, mais ne causent pas de pneumonie si les mécanismes de défense de l'hôte sont intacts. La pneumonie, si elle se manifeste, est due à divers microorganismes, notamment aux bactéries, aux mycobactéries, aux chlamydies, auxmycoplasmes, aux champignons, aux parasites et aux virus. Il existe divers systèmes de classification des pneumonies. Un de ces systèmes comprend quatre catégories qui sont fondées sur le type de microorganisme infectant. C'est ainsi que les pneumonies peuvent être bactériennes ou typiques, atypiques, anaérobies/cavitaires et opportunistes. Cependant, certains microorganismes sont à l'origine de pneumonies typiques et atypiques. Selon un autre système de classification, les principales catégories sont la pneumonie extrahospitalière, la pneumonie nosocomiale, la pneumonie touchant un hôte immunodéprimé et la pneumonie par inhalation (tableau 25-1 ■). Cette classification n'est pas non plus très précise, puisque toutes ces maladies peuvent être contractées en divers milieux.

L'Association pulmonaire du Québec préconise la classification de la pneumonie selon l'agent causal. Elle distingue donc la pneumonie bactérienne, la pneumonie à mycoplasmes, la pneumonie virale et les autres formes de pneumonies (Association pulmonaire du Québec, 2004a). Chacune de ces formes de pneumonies peut se retrouver à l'intérieur de l'une ou l'autre des quatre catégories que nous venons de mentionner, soit pneumonie extrahospitalière, nosocomiale, touchant un hôte immunodéprimé ou par inhalation.

La pneumonie extrahospitalière (PEH), comme son nom l'indique, est contractée hors d'un établissement de soins. Cependant, elle peut se manifester dans les 48 premières heures après qu'une personne a été admise dans un établissement. La gravité de l'infection détermine si l'hospitalisation est nécessaire. Les agents le plus souvent à l'origine de la maladie sont *S. pneumoniæ, M. pneumoniæ, C. pneumoniæ, H. influenzæ* et certains autres bacilles à Gram négatif. Dans environ 50 % des cas, on arrive à cerner l'agent pathogène en cause.

La pneumonie à *S. pneumoniæ* (pneumocoque) est la forme la plus courante de pneumonie bactérienne et de PEH chez les personnes âgées de moins de 60 ans qui ne souffrent d'aucune affection intercurrente et chez les personnes âgées de plus de 60 ans qui ont une affection intercurrente. Sa prévalence est plus élevée en hiver et au printemps, saisons pendant lesquelles les infections des voies respiratoires supérieures sont les plus fréquentes. *S. pneumoniæ* est un coque capsulé, non motile, à Gram positif, qui colonise normalement les voies respiratoires supérieures. Il peut être responsable des infections suivantes : infections envahissantes disséminées, pneumonie et autres infections des voies respiratoires inférieures, et infections des voies respiratoires supérieures, dont l'otite moyenne et la sinusite (CDC, 1998). Ce type de pneumonie peut être lobaire ou prendre la forme d'une bronchopneumopathie chez les personnes de tous âges. Elle est par ailleurs plus fréquente chez les personnes les plus vulnérables, telles que les alcooliques, les personnes très faibles, les opérés et les personnes souffrant d'affections respiratoires ou d'infections virales.

La pneumonie à mycoplasmes est un autre type de PEH à transmission interhumaine ; elle frappe le plus souvent les enfants plus âgés et les jeunes adultes, et se propage au moyen de gouttelettes respiratoires infectées. Il existe des tests de dépistage des anticorps antimycoplasme. L'infiltrat inflammatoire est principalement interstitiel plutôt qu'alvéolaire. Il se répand partout dans l'appareil respiratoire, y compris dans les bronchioles, et la réaction qu'il déclenche a les caractéristiques d'une bronchopneumonie. L'otalgie et la myringite bulleuse sont courantes. Il y a risque de problèmes de ventilation et de diffusion.

H. influenzæ peut également être à l'origine d'une PEH, laquelle touche surtout les personnes âgées et celles qui sont atteintes d'une affection intercurrente (par exemple, bronchopneumopathie chronique obstructive [BPCO], alcoolisme, diabète). Ce type de pneumonie entraîne le même genre de symptômes que les autres PEH bactériennes. Elle peut se

(suite p. 76)

Pneumonies courantes

TABLEAU 25-1

Type de pneumonie Microorganisme responsable	**Épidémiologie**	**Caractéristiques cliniques**	**Traitement**	**Commentaires**
PNEUMONIES EXTRAHOSPITALIÈRES				
Pneumonie streptococcique (à pneumocoques) *Streptococcus pneumoniæ*	▪ Nette recrudescence en hiver. ▪ L'incidence la plus élevée est notée chez les personnes âgées ou alcooliques et chez celles qui sont atteintes de BPCO, d'insuffisance cardiaque ou d'asplénie, après qu'elles ont contracté une grippe. ▪ Principale cause infectieuse de la maladie, sur le plan mondial, chez les jeunes enfants, les personnes âgées et chez celles qui sont atteintes d'une affection cardiaque chronique sous-jacente. ▪ La mort survient chez 14 % des adultes hospitalisés.	▪ Maladie toxicogène, d'apparition brusque, dans un ou plusieurs lobes; douleurs pleurétiques au thorax. ▪ La radiographie révèle souvent des infiltrats lobaires ou des signes évocateurs d'une bronchopneumonie. ▪ Une bactériémie se déclare chez 15 à 25 % des personnes.	▪ Pénicillines ▪ Solutions de remplacement: céfotaxime (Claforan) ou ceftriaxone (Rocephin); fluoroquinolones respiratoires (lévofloxacine [Levaquin], gatifloxacine [Tequin], moxifloxacine [Avelox]), macrolides (azithromycine [Zithromax], clarithromycine [Biaxin]), télithromycine (Ketek)	Complications: choc, épanchement pleural, surinfection, péricardite et otite moyenne
Pneumonie à *H. influenzæ* *Hæmophilus influenzæ*	▪ Atteint surtout les personnes âgées ou alcooliques, celles qui vivent dans un centre d'hébergement et de soins de longue durée ou dans un centre d'accueil, celles qui souffrent de diabète ou de BPCO, et les enfants âgés de moins de 5 ans. ▪ Fréquence: de 3 à 10 % des PEH ▪ Taux de mortalité: 30 %	▪ Apparition souvent insidieuse, parallèlement à une infection des voies respiratoires supérieures; l'infection ne devient manifeste que de 2 à 6 semaines plus tard. Fièvre, frissons, toux sèche. Touche habituellement un ou plusieurs lobes. La bactériémie est fréquente. La radiographie révèle des infiltrats qui évoquent parfois une bronchopneumonie.	▪ Ampicilline (IV)/ amoxicilline (PO), céphalosporine de 3e génération, macrolides (azithromycine [Zithromax], clarithromycine [Biaxin]), télithromycine (Ketek), fluoroquinolones	Complications: abcès pulmonaire, épanchement pleural, méningite, arthrite, péricardite, épiglottite
Maladie du légionnaire *Legionella pneumophila*	▪ Nette recrudescence en été et à l'automne. ▪ Cas sporadiques ou épidémies. ▪ L'incidence la plus élevée s'observe chez les hommes d'âge moyen ou avancé, chez les fumeurs et chez les personnes atteintes d'une affection chronique, chez celles qui sont sous traitement immunodépresseur ou chez celles qui vivent près d'un chantier de terrassement. ▪ Fréquence: 2-8 % des PEH ▪ Taux de mortalité: de 15 à 50 %	▪ Symptômes pseudogrippaux, fièvre élevée, confusion, céphalées, douleur pleurétique, myalgie, dyspnée, toux productive, hémoptysie, leucocytose. ▪ La radiographie montre des signes de bronchopneumonie, une atteinte unilatérale ou bilatérale et des opacités lobaires.	▪ Azithromycine (Zithromax) ou une fluoroquinolone respiratoire (lévofloxacine [Levaquin], gatifloxacine [Tequin], moxifloxacine [Avelox]). ▪ Un traitement de 2 à 3 semaines est nécessaire.	Complications: hypotension, choc et insuffisance rénale aiguë

Pneumonies courantes (*suite*)

TABLEAU 25-1

Type de pneumonie / Microorganisme responsable	Épidémiologie	Caractéristiques cliniques	Traitement	Commentaires
Pneumonie à mycoplasme *Mycoplasma pneumoniæ*	■ Nette recrudescence à l'automne et en hiver. ■ Le microorganisme entraîne des épidémies d'affections respiratoires. ■ C'est le type le plus courant de pneumonie atypique. ■ Fréquence: 20 % des PEH. Les enfants et les jeunes adultes y sont le plus souvent prédisposés. ■ Taux de mortalité < 0,1 %	■ Apparition habituellement insidieuse. Affection moins éprouvante que les autres pneumonies. Maux de gorge, congestion nasale, otalgies, céphalées, faible fièvre, douleurs pleurétiques, myalgie, diarrhée, éruption maculopapuleuse, pharyngite. La radiographie révèle des infiltrats interstitiels.	■ Macrolides (azithromycine [Zithromax], clarithromycine [Biaxin]), fluoroquinolones respiratoires (lévofloxacine [Levaquin], gatifloxacine [Tequin], moxifloxacine [Avelox]), télithromycine (Ketek) ou tétracycline	Complications: méningite aseptique, méningo-encéphalite, myélite transverse, paralysies des nerfs crâniens, péricardite, myocardite
Pneumonie virale *Influenzavirus* de type A et B (virus de la grippe), adénovirus, virus para-influenza, *Coronavirus*	■ Nette recrudescence en hiver. ■ Des épidémies surviennent tous les deux ou trois ans. ■ Microorganismes causals les plus fréquents chez les adultes. ■ Autres microorganismes chez les enfants: cytomégalovirus, virus syncytial respiratoire. ■ Fréquence: 2-15 % des PEH	■ La radiographie révèle des plaques d'infiltrats et de faibles épanchements pleuraux. ■ Chez la plupart des gens, la grippe prend au début la forme d'une infection des voies respiratoires supérieures; d'autres personnes souffrent de bronchite, de pleurésie, etc., et d'autres encore de symptômes gastro-intestinaux.	■ Traitement des symptômes. ■ Les antimicrobiens habituels sont inefficaces. ***Influenzavirus:*** ■ Amantadine (Symmetrel), oseltamivir (Tamiflu), zanamivir (Relenza). ■ Permettent d'écourter la durée de la fièvre et réduisent les complications systémiques, si on les administre dans les 48 heures qui suivent l'apparition d'une infection grippale non compliquée. ■ Réduisent également la quantité de virus et la durée de la présence de ceux-ci dans les sécrétions respiratoires. **Virus syncytial respiratoire:** ■ ribavirine en aérosol	Complications: surinfection bactérienne, broncho-pneumonie
Pneumonie à *Chlamydia* (souche TWAR) *C. pneumoniæ*	■ Les étudiants, les militaires et les personnes âgées y sont davantage prédisposés. ■ Microorganisme souvent à l'origine d'une PEH, mais pouvant aussi être présent en même temps que d'autres agents pathogènes. ■ Taux de mortalité faible, car la majorité des cas sont relativement bénins. Il faut parfois hospitaliser les personnes âgées souffrant d'une infection ou d'une affection intercurrente ou encore d'une réinfection.	■ Raucité de la voix, fièvre, frissons, pharyngite, rhinite, toux non productive, myalgies, arthralgies. ■ La radiographie révèle un seul infiltrat; un épanchement pleural est possible.	■ Macrolides (azithromycine [Zithromax], clarithromycine [Biaxin]), fluoroquinolones respiratoires (lévofloxacine [Levaquin], gatifloxacine [Tequin], moxifloxacine [Avelox]), télithromycine (Ketek) ou doxycycline (Vibra-Tabs)	Complications: réinfection, insuffisance respiratoire aiguë
PNEUMONIES NOSOCOMIALES				
Pneumonie à *Pseudomonas* *Pseudomonas æruginosa*	■ Incidence plus élevée en cas de pneumopathie préexistante, de cancer (en particulier de leucémie), d'homogreffe	■ La radiographie révèle des opacités diffuses. ■ Infection toxicogène: fièvre, frissons, toux productive, bradycardie, leucocytose.	■ Associer deux antibiotiques efficaces contre les *Pseudomonas*: aminosides, ticarcilline (en association avec de l'acide clavulanique dans	Complications: formation de cavités, risque d'envahissement des

Type de pneumonie Microorganisme responsable	**Épidémiologie**	**Caractéristiques cliniques**	**Traitement**	**Commentaires**
	(greffe homologue), de brûlures, et chez les personnes affaiblies, chez celles qui sont sous antibiothérapie ou chez celles qui ont subi une trachéotomie, une aspiration endotrachéale ou une intervention chirurgicale. ▪ Presque toujours nosocomiale (15 % des pneumonies nosocomiales). ▪ Taux de mortalité de 40 à 60 %		Timentin), pipéracilline (Pipracil, en association avec du tazobactam dans Tazocin), ceftazidime (Fortaz), céfépime (Maxipime), ciprofloxacine (Cipro), imipénem (en association avec la cilastatine dans Primaxin), méropénem (Merrem)	vaisseaux sanguins provoquant hémorragies et infarctus pulmonaires. Hospitalisation habituellement nécessaire.
Pneumonie à staphylocoques *Staphylococcus aureus*	▪ L'incidence la plus élevée est notée chez les personnes immunodéprimées, chez les consommateurs de drogues IV et en tant que complication d'une grippe épidémique. ▪ Pneumonie souvent nosocomiale. ▪ Fréquence: de 10 à 30 % des pneumonies nosocomiales ▪ Taux de mortalité: de 25 à 60 %	▪ Hypoxémie grave, cyanose, infection nécrosante. La bactériémie est fréquente.	▪ Cloxacilline (Orbenin), céfazoline (Ancef, Kefzol), clindamycine (Dalacin) **Pneumonie à *Staphylococcus aureus* résistant à la méthicilline (SARM):** ▪ vancomycine, linézolide (Zyvoxam)	Complications: épanchements pleuraux/ pneumothorax, abcès pulmonaires, empyème, méningite, endocardite. Hospitalisation souvent nécessaire. Le traitement doit être vigoureux et prolongé, car il y a risque de destruction des tissus pulmonaires.
Pneumonie à *Klebsiella* *Klebsiella pneumoniæ* (bacille de Friedländer: bacille aérobie, encapsulé, à Gram négatif)	▪ L'incidence la plus élevée est notée chez les personnes âgées, chez les alcooliques, chez les personnes atteintes d'une affection chronique comme le diabète, l'insuffisance cardiaque, la BPCO, chez celles qui vivent dans un centre d'hébergement et de soins de longue durée ou dans un centre d'accueil. ▪ Fréquence: de 2 à 5 % des PEH et de 10 à 30 % des pneumonies nosocomiales ▪ Taux de mortalité: de 40 à 50 %	▪ Nécrose tissulaire rapide. Infection toxicogène: fièvre, toux avec expectorations, bronchopneumonie, abcès pulmonaires. La radiographie révèle des consolidations lobaires et une bronchopneumonie.	▪ Céphalosporines de 3e génération (céfotaxime [Claforan], ceftriaxone [Rocephin]), ticarcilline + acide clavulanique (Timentin), pipéracilline + tazobactam (Tazocin), fluoroquinolone, imipénem (en association avec la cilastatine dans Primaxin), méropénem (Merrem)	Complications: abcès pulmonaires multiples avec formation de kystes, empyème, péricardite, épanchement pleural. Infection pouvant être fulminante et à évolution fatale.
PNEUMONIES CHEZ LE SUJET IMMUNODÉPRIMÉ				
Pneumonie à *Pneumocystis carinii* (PCP) *Pneumocystis carinii*	▪ L'incidence la plus élevée est notée chez les personnes atteintes du sida et chez celles qui sont sous traitement immunosuppresseur à cause d'un cancer, d'une autre affection ou d'une transplantation d'organe. Elle survient souvent en même temps qu'une infection à cytomégalovirus.	▪ La radiographie révèle des infiltrats pulmonaires. Toux non productive, fièvre, dyspnée.	▪ Triméthoprime /sulfaméthoxazole (TMP-SMX [Bactrim, Septra]), dapsone (Avlosulfon) + triméthoprime (Proloprim), pentamidine (Pentacarinat), primaquine + clindamycine (Dalacin)	Complication: insuffisance respiratoire

TABLEAU 25-1 Pneumonies courantes (*suite*)

Type de pneumonie *Microorganisme responsable*	Épidémiologie	Caractéristiques cliniques	Traitement	Commentaires
	■ Taux de mortalité : de 15 à 20 % chez les personnes hospitalisées. Souvent d'issue fatale en l'absence de traitement.			
Pneumonie fongique *Aspergillus fumigatus*	■ L'incidence la plus élevée est notée chez les sujets immunodéprimés et neutropéniques. ■ Taux de mortalité : de 15 à 20 %	■ Toux, hémoptysie. La radiographie révèle des infiltrats.	■ Voriconazole (Vfend), caspofongine (Cancidas), amphotéricine B (Fungizone, Abelcet, AmBisome) ■ Lobectomie	Complications : dissémination extrapulmonaire, au cerveau, dans le myocarde et/ou à la glande thyroïde
Tuberculose *Mycobacterium tuberculosis*	■ L'incidence s'est accrue chez les indigents, les immigrants, au sein de la population carcérale, chez les personnes atteintes du sida et chez les sans-abri. ■ Taux de mortalité : < 1 % (selon la présence d'affections intercurrentes)	■ Perte de poids, fièvre, sueurs nocturnes, toux avec expectorations, hémoptysie. La radiographie révèle des infiltrats non spécifiques (lobes inférieurs), une hypertrophie du ganglion hilaire, un épanchement pleural.	■ Traitement de première intention : rifampicine (Rifadin, Rofact), éthambutol (Etibi, Myambutol), isoniazide, pyrazinamide (Tebrazid)	Complications : réinfection, infection aiguë des voies respiratoires

présenter sous une forme subaiguë, avec de la toux et une faible fièvre, pendant plusieurs semaines avant qu'un diagnostic soit posé. La radiographie thoracique peut révéler une bronchopneumonie multilobaire, avec **opacités** en plaques (qui traduisent la consolidation du tissu pulmonaire à cause soit d'un collapsus des alvéoles, soit d'une pneumonie).

Les virus sont les principaux agents pathogènes responsables de la pneumonie chez les nourrissons et les enfants. La PEH virale chez l'adulte immunocompétent est assez rare. Lorsqu'elle survient, elle est causée la plupart du temps par l'*Influenzavirus* de type A ou B (le virus de la grippe), l'adénovirus, le virus parainfluenza, le *Coronavirus* ou le virus de la varicelle et du zona (*herpes zoster*). Chez l'adulte immunodéprimé, la PEH virale est le plus souvent due au cytomégalovirus, mais elle peut aussi être déclenchée par *Simplexvirus* (responsable de l'herpès), l'adénovirus et le virus respiratoire syncytial. Pendant la phase aiguë d'une infection respiratoire d'origine virale, ce sont les cellules ciliées des voies aériennes qui sont envahies. Ensuite, les virus s'infiltrent dans l'arbre trachéobronchique. En cas de pneumonie, le processus inflammatoire se propage aux alvéoles, entraînant un œdème et des exsudations. Les signes et symptômes cliniques de la pneumonie virale sont difficiles à distinguer de ceux de la pneumonie bactérienne.

La pneumonie **nosocomiale** est une pneumonie contractée en milieu hospitalier, dont les symptômes se déclarent au moins 48 heures après l'admission. Elle compte pour 15 % des infections nosocomiales, mais elle en est la forme la plus mortelle. Selon les estimations, elle affecterait de 0,5 à 1 % des personnes hospitalisées et de 15 à 20 % de celles qui sont traitées dans les unités de soins intensifs. On peut considérer que la pneumonie causée par les ventilateurs est un type de pneumonie nosocomiale provoquée par l'intubation endotrachéale et la ventilation assistée.

Les microorganismes le plus souvent à l'origine de la pneumonie nosocomiale sont les espèces d'*Enterobacter, Escherichia coli*, les espèces de *Klebsiella, Proteus, Serratia marcescens, P. æruginosa* et les souches de *Staphylococcus aureus* méthicillinosensibles et méthicillinorésistantes. Ces infections se déclarent dans l'une des trois circonstances suivantes : (1) les défenses de l'hôte sont affaiblies ; (2) un inoculum bactérien pénètre dans les voies respiratoires inférieures et les défenses de l'hôte sont incapables de le combattre ; ou (3) le microorganisme est particulièrement virulent. Une hospitalisation prolongée, tout comme certaines affections qui altèrent les mécanismes de défense de l'hôte, peuvent prédisposer à une pneumonie nosocomiale (par exemple, affections graves aiguës ou chroniques, diverses affections intercurrentes, coma, dénutrition, hypotension, troubles du métabolisme). La personne hospitalisée peut aussi être exposée à des bactéries provenant d'autres sources, comme des appareils d'inhalothérapie, ou être contaminée par les agents pathogènes qui prolifèrent sur les mains du personnel soignant. De nombreux facteurs reliés aux interventions thérapeutiques peuvent également accroître le risque de pneumonie nosocomiale (par exemple administration de médicaments qui provoquent une dépression du système nerveux central et entraînent une ventilation réduite, une mauvaise évacuation des sécrétions ou un risque d'aspiration; interventions thoracoabdominales prolongées ou compliquées, qui peuvent altérer la fonction mucociliaire et affaiblir les mécanismes de défense cellulaires de l'hôte; intubation endotrachéale; antibiothérapie prolongée ou inappropriée; utilisation d'une sonde nasogastrique). Enfin, les personnes immunodéprimées sont exposées à un risque particulièrement important. La pneumonie nosocomiale est associée à un taux élevé de mortalité, en partie à cause de la virulence des microorganismes ou de leur résistance aux antibiotiques et de la présence d'affections sous-jacentes.

La pneumonie à *Pseudomonas* affecte les personnes affaiblies, celles qui souffrent de troubles mentaux ou celles qui ont été soumises à une trachéotomie ou à une intubation prolongée. La pneumonie à staphylocoques peut se manifester à la suite de l'inhalation du microorganisme ou d'une contamination par voie hématogène. Elle s'accompagne souvent d'une bactériémie et elle est mise en évidence par les cultures. Les staphylocoques sont responsables de moins de 10 % des cas de PEH, mais plus de 30 % des cas de pneumonie nosocomiale leur sont attribuables. Le taux de mortalité est élevé. Certaines souches de staphylocoques sont résistantes à la majorité des agents antimicrobiens, à l'exception entre autres de la vancomycine et du linézolide. Ces souches sont appelées SARM pour *S. aureus* résistants à la méthicilline. Une surutilisation ou une utilisation inappropriée des antibiotiques constituent les principaux facteurs de risque d'émergence de tels microorganismes résistants. Puisque les SARM sont très virulents, il faut limiter leur propagation: isoler la personne infectée dans une chambre privée et instaurer des mesures de prévention lors des contacts (port de masque, blouse, gants et utilisation de savon antibactérien). Il faut également réduire le nombre de personnes admises dans la chambre d'isolement et prendre des précautions particulières lorsqu'on transporte la personne infectée d'un service à l'autre du centre hospitalier.

Habituellement, la signature radiographique d'une pneumonie nosocomiale est la présence d'un nouvel infiltrat; on observe également des signes cliniques d'infection comme la fièvre, des symptômes respiratoires, des expectorations purulentes ou une leucocytose. Les pneumonies dues à *Klebsiella* ou à d'autres microorganismes à Gram négatif (*E. coli, Proteus, Serratia*) se caractérisent par la destruction des tissus pulmonaires et des parois alvéolaires, la consolidation des tissus et une bactériémie. Les personnes particulièrement exposées à ce type d'infections sont les personnes âgées, alcooliques, atteintes de diabète ou d'une affection pulmonaire chronique. Souvent la pneumonie se déclare par une toux d'apparition brutale s'accompagnant parfois d'expectorations striées de sang. Les expectorations peuvent être minimes ou inexistantes chez les personnes affaiblies ou déshydratées. On observe souvent des épanchements pleuraux, une fièvre élevée et une tachycardie. Le taux de mortalité reste élevé, même si la pneumonie est traitée.

L'incidence de la pneumonie chez les sujets immunodéprimés est en augmentation puisque la proportion des personnes atteintes au sein de la population est de plus en plus élevée. Ces personnes risquent de contracter la pneumonie à *Pneumocystis carinii* (PCP), les pneumonies fongiques et la tuberculose pulmonaire. Ce type de pneumonie peut également toucher, bien que rarement, les personnes immunocompétentes et se déclarer dans divers milieux. Les causes du déficit immunitaire sont l'usage de corticostéroïdes ou d'autres immunosuppresseurs, la chimiothérapie, une carence alimentaire, l'administration d'antibiotiques à large spectre, une affection immunitaire héréditaire, le sida ou une ventilation assistée prolongée. Les personnes immunodéprimées sont souvent la proie de microorganismes habituellement peu virulents. Par ailleurs, chez un nombre croissant d'entre elles, la pneumonie est due à des bacilles à Gram négatif (*Klebsiella, Pseudomonas, E. coli, Enterobacteriaceæ, Proteus, Serratia*).

Les pneumonies qui affectent les sujets immunodéprimés peuvent être causées par les microorganismes qui sont à l'origine des PEH ou des pneumonies nosocomiales (*S. pneumoniæ, S. aureus, H. influenzæ, P. æruginosa, M. tuberculosis*). La PCP est rare chez le sujet immunocompétent et c'est souvent une complication précoce du sida. Que la personne soit immunocompétente ou immunodéprimée, la présentation clinique de cette forme de pneumonie est similaire. Elle apparaît de manière insidieuse, s'accompagnant de toux non productive, de fièvre et de dyspnée évolutive.

Dans les autres formes de pneumonies, notons les pneumonies par obstruction bronchique provoquée par une tumeur par exemple, ou les pneumonies causées par l'inhalation d'aliments (contenu gastrique), de liquides, de substances chimiques exogènes, de gaz irritants, de poussières ou d'un autre corps étranger. La pneumonie par inhalation est la conséquence de la pénétration de substances exogènes ou endogènes dans les voies respiratoires inférieures. La forme la plus courante est une infection due à l'inhalation de bactéries normalement hébergées dans les voies respiratoires supérieures. Elle peut être extrahospitalière ou nosocomiale. Les agents pathogènes le plus souvent à l'origine de cette infection sont *S. pneumoniæ, H. influenzæ* et *S. aureus*. L'inhalation de l'une ou l'autre de ces substances peut altérer les défenses pulmonaires, entraîner des modifications inflammatoires et provoquer une prolifération bactérienne aboutissant à la pneumonie. (Nous reviendrons sur les pneumopathies par inhalation à la fin du présent chapitre.)

Physiopathologie

La structure des voies respiratoires supérieures prévient normalement la pénétration de particules infectieuses dans les voies respiratoires inférieures, qui sont généralement stériles. De ce fait, la personne atteinte de pneumonie souffre souvent d'une affection sous-jacente, aiguë ou chronique, qui altère ses mécanismes de défense. La pneumonie est provoquée soit par une flore bactérienne normalement présente dans l'organisme, mais qui devient pathogène chez la personne dont la résistance est affaiblie, soit par l'inhalation de microbes qui se sont établis dans l'oropharynx. Elle peut également être due à des microorganismes transportés par le sang, qui pénètrent dans la circulation pulmonaire et restent emprisonnés dans le réseau capillaire.

La pneumonie affecte souvent la ventilation et la diffusion. Une réaction inflammatoire peut se produire au niveau des alvéoles, produisant un exsudat qui entrave la diffusion de l'oxygène et du dioxyde de carbone. Des leucocytes, le plus souvent des neutrophiles, migrent également vers les alvéoles et remplissent les espaces qui contiennent normalement de l'air. Dans les régions insuffisamment ventilées à cause des sécrétions et de l'œdème des muqueuses qui obstruent partiellement les bronches ou les alvéoles, la pression de l'oxygène baisse. En cas d'affection respiratoire réactive, il y aussi risque de bronchospasme. À cause de l'hypoventilation, il n'existe plus de parfaite concordance entre la ventilation et la perfusion dans les régions pulmonaires affectées. Une partie du sang veineux qui entre dans la circulation pulmonaire traverse les régions insuffisamment ventilées et, lorsqu'elle pénètre dans le cœur gauche, sa teneur en oxygène est faible, ce qui entraîne à la longue une hypoxémie artérielle.

Si une partie importante d'un ou de plusieurs lobes est touchée, on parle de pneumonie «lobaire». La bronchopneumonie, quant à elle, est un type de pneumonie par plaques, qui prend naissance dans une ou plusieurs zones des bronches et qui envahit le parenchyme pulmonaire adjacent. La bronchopneumonie est plus fréquente que la pneumonie lobaire (figure 25-2 ■).

Facteurs de risque

L'infirmière doit bien connaître les facteurs et les circonstances qui prédisposent à la pneumonie afin d'être prête à intervenir auprès des personnes qui sont à risque (encadré 25-2 ■).

De plus en plus de personnes dont les mécanismes de défense sont altérés risquent de contracter une pneumonie. Certains types de pneumonie, comme celles qui sont causées par des virus, se déclarent chez des personnes auparavant en bonne santé, souvent à la suite d'une infection virale.

La pneumonie est fréquente en présence de certaines affections sous-jacentes, comme l'insuffisance cardiaque, le diabète, l'alcoolisme, la BPCO et le sida. Certaines affections sont également associées à des agents pathogènes spécifiques, par exemple la pneumonie staphylococcique est plus fréquente après une épidémie de grippe, alors que les personnes atteintes de BPCO sont exposées à un risque accru de pneumonie due à des pneumocoques ou à *H. influenzæ*. Par ailleurs, la fibrose kystique prédispose à des infections pseudomonales ou staphylococciques des voies respiratoires, et le sida à une PCP. Les pneumonies qui affectent les personnes hospitalisées sont souvent attribuables à des microorganismes qui ne sont pas habituellement responsables d'une PEH, dont les entérobacilles à Gram négatif et *S. aureus*.

Afin de diminuer les risques de pneumonies nosocomiales, trois stratégies sont recommandées: (1) formation du personnel et contrôle des infections; (2) arrêt de la transmission des microorganismes par contacts personnels ou par un matériel mal entretenu; et (3) modification des facteurs de risque qui exposent l'hôte à l'infection (CDC, 1997). Les mesures de prévention et la prophylaxie sont des mesures infirmières d'importance.

Pour réduire ou pour prévenir les complications graves d'une PEH, la vaccination contre les pneumocoques est recommandée chez les personnes à haut risque:

- Personnes âgées de 65 ans ou plus
- Personnes immunocompétentes, exposées à un risque élevé de pneumonie et de mort à cause d'une affection chronique (affections cardiaque, pulmonaire, hépatique ou diabète)
- Personnes présentant une asplénie anatomique ou fonctionnelle
- Personnes vivant dans des milieux où le risque de maladie est élevé
- Personnes immunodéprimées exposées à un risque élevé d'infection (CDC, 1998).

Le vaccin prévient la pneumonie à pneumocoques et les autres infections attribuables à ce type de microorganismes (otite moyenne et infections des voies respiratoires supérieures). La vaccination est contre-indiquée au cours du premier trimestre de la grossesse.

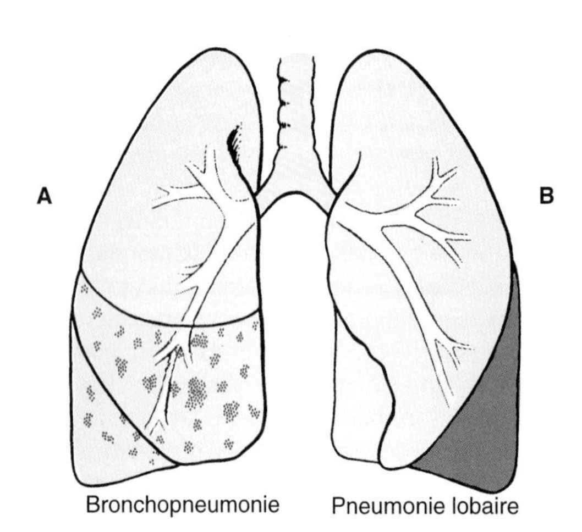

FIGURE 25-2 ■ Distribution de l'atteinte en cas de pneumonie lobaire et de bronchopneumonie. En présence de bronchopneumonie **(A)**, on observe des consolidations par plaques, alors qu'en cas de pneumonie lobaire **(B)** les opacités remplissent le lobe.

Manifestations cliniques

Les signes et symptômes de pneumonie dépendent du microorganisme infectieux et de l'affection sous-jacente. Cependant, quel que soit le type de pneumonie, le diagnostic ne peut reposer sur les manifestations cliniques seules. Par exemple, chez la personne atteinte de pneumonie streptococcique (à pneumocoques), des frissons se manifestent brusquement, la fièvre s'élève rapidement (de 38,5 °C à 40,5 °C) et des douleurs pleurétiques s'installent; elles sont aggravées par la toux et les respirations profondes. La personne est très affaiblie, elle présente une tachypnée marquée (de 25 à 45 respirations à la minute), accompagnée d'autres signes de dépression respiratoire (par exemple, essoufflement, utilisation des muscles respiratoires accessoires). Le pouls est rapide et bondissant, et il s'élève habituellement d'environ 10 battements à la minute avec chaque degré de température de plus. Si, compte tenu de l'importance de la fièvre, on observe une bradycardie relative, on peut soupçonner une infection virale ou une infection à mycoplasme ou à *Legionella*.

ENCADRÉ 25-2

FACTEURS DE RISQUE

Pneumonie

FACTEURS DE RISQUE	MESURES DE PRÉVENTION
Affections ou habitudes de vie qui entraînent la production de mucosités ou l'obstruction des bronches et qui ne permettent pas une évacuation normale des sécrétions (par exemple cancer, BPCO, tabagisme)	Inciter la personne à tousser et à expectorer les sécrétions.
Déficit immunitaire ou neutropénie (diminution du nombre de granulocytes neutrophiles)	Prendre les précautions qui s'imposent pour combattre l'infection.
Tabagisme: la fumée de cigarette entrave l'activité mucociliaire ainsi que celle des macrophages	Inciter la personne à arrêter de fumer.
Immobilisation prolongée et respiration superficielle	Effectuer des changements fréquents de position et encourager les exercices de respiration profonde et de toux. Commencer à pratiquer des aspirations et amorcer une physiothérapie thoracique, si le médecin le recommande.
Affaiblissement du réflexe tussigène (à cause de médicaments, de la faiblesse de l'organisme ou de muscles respiratoires insuffisamment développés); inhalation de matières étrangères dans les poumons pendant un épisode d'obnubilation de la conscience (blessure à la tête, anesthésie, etc.) ou à cause de mécanismes de déglutition altérés	Effectuer des changements fréquents de position pour prévenir l'inhalation de substances étrangères et administrer les médicaments judicieusement, particulièrement ceux qui augmentent ce risque. Effectuer des aspirations et prodiguer des soins de physiothérapie thoracique, selon les recommandations du médecin.
Période de jeûne; installation d'un tube nasogastrique, orogastrique ou endotrachéal	Assurer une bonne hygiène buccale. Réduire le risque d'inhalation en vérifiant l'emplacement du tube.
Antibiothérapie (chez les personnes très affaiblies, l'oropharynx peut être colonisé par des bactéries à Gram négatif)	Inciter la personne à prendre adéquatement et complètement l'antibiothérapie prescrite.
Intoxication éthylique (puisque l'alcool abolit les réflexes physiologiques, il y a risque d'inhalation de matières étrangères tout comme de diminution de la mobilisation des leucocytes et du mouvement ciliaire trachéobronchique)	Encourager la personne à mieux gérer sa consommation d'alcool (si elle est dans un état de stupeur alcoolique, l'installer dans une position qui l'empêchera d'inhaler des substances nocives).
Anesthésie générale, prise de sédatifs ou d'analgésiques opioïdes qui provoquent une dépression respiratoire, entraînant une respiration superficielle et prédisposant la personne à l'accumulation des sécrétions bronchiques et à la pneumonie	Observer la fréquence respiratoire et la profondeur des respirations pendant la période de récupération après une anesthésie générale et avant d'administrer les médicaments. Si la dépression respiratoire est patente, ne pas administrer les médicaments et en prévenir le médecin.
Âge avancé, en raison de l'affaiblissement des réflexes tussigène et glottique, et d'éventuelles carences nutritionnelles	Encourager la personne à changer fréquemment de position, à marcher et à bouger dès que possible, à faire des exercices de toux productive et de respiration profonde et à suivre son plan alimentaire.
Inhalothérapie administrée à l'aide d'un matériel insuffisamment nettoyé	S'assurer que le matériel d'inhalothérapie est adéquatement nettoyé; participer à l'amélioration constante de la qualité des nettoyages en collaboration avec le service de soins respiratoires.

Certaines personnes présentent une infection des voies respiratoires supérieures (congestion nasale, maux de gorge), avec des symptômes de pneumonie non spécifiques et graduellement évolutifs. Les symptômes prédominants sont les céphalées, une faible fièvre, des douleurs pleurétiques, une myalgie, un rash et la pharyngite. Après quelques jours, la personne commence à produire des expectorations mucoïdes ou mucopurulentes. En cas de pneumonie grave, les joues sont rouges, les lèvres et le lit unguéal présentent des marques de cyanose centrale (signe tardif d'une oxygénation insuffisante [hypoxémie]).

En général, la personne souffre d'**orthopnée** (essoufflement en position couchée). Dans ce cas, elle pourra se sentir mieux lorsqu'elle est assise, soutenue par des oreillers et penchée vers l'avant (position orthopnéique), ce qui favorise un échange gazeux approprié, sans qu'il soit nécessaire de tousser ni de respirer profondément. La personne manque d'appétit, se fatigue facilement et souffre de diaphorèse. Ses expectorations sont souvent purulentes, mais elles ne peuvent renseigner adéquatement sur le microorganisme infectieux. Elles peuvent être de couleur rouille et striées de sang, s'il s'agit d'une pneumonie à streptocoques (pneumocoques), à staphylocoques ou à *Klebsiella*.

Les signes et symptômes de pneumonie dépendent aussi de l'affection sous-jacente. Les signes sont différents si la personne souffre d'une autre affection, comme d'un cancer, ou si elle est sous traitement par des immunosuppresseurs qui diminuent sa résistance à l'infection. Dans ce cas, la personne a de la fièvre et une respiration crépitante et elle présente des signes physiques qui évoquent la consolidation des tissus pulmonaires, dont des vibrations vocales accrues (détectées par palpation), une matité thoracique à la percussion, un bruit bronchique anormal, l'égophonie (à l'auscultation le «é» est perçu comme un «è», ou le «i» est perçu comme un «é»), la pectoriloquie aphone (les sons chuchotés sont facilement audibles à travers la paroi thoracique). Ces changements se produisent parce que les sons sont mieux transmis par des tissus solides ou denses (consolidation) que par des tissus normaux remplis d'air. On trouve une description de ces sons au chapitre 23.

Les expectorations purulentes ou de légères modifications des symptômes respiratoires pourraient constituer les seuls indices de pneumonie chez la personne atteinte de BPCO. Il pourrait se révéler difficile de déterminer si une aggravation des symptômes est due à l'exacerbation d'une affection sous-jacente ou à un processus infectieux parallèle. Un résumé des différentes manifestations cliniques est présenté à l'encadré 25-3 ■.

Examen clinique et examens paracliniques

Le diagnostic de pneumonie repose sur l'anamnèse (les données les plus importantes sont celles qui concernent une infection récente des voies respiratoires), l'examen physique, la radiographie thoracique, les résultats de l'hémoculture (la bactériémie, ou présence de bactéries dans le sang, est fréquente) et l'examen des expectorations. Pour obtenir un échantillon d'expectoration, il faut demander à la personne de procéder de la façon suivante: (1) se rincer la bouche à l'eau pour réduire la contamination par la flore buccale normale; (2) prendre plusieurs respirations profondes; (3) tousser efficacement; et (4) expectorer dans un récipient stérile.

On peut recourir à des méthodes plus effractives pour prélever des échantillons, par exemple à l'aspiration nasotrachéale ou orotrachéale des sécrétions dans un collecteur ou à la bronchoscopie (chapitre 23). Celle-ci est souvent utilisée chez les personnes qui ont contracté une infection chronique ou rebelle à tout traitement ou chez les personnes immunodéprimées lorsqu'il est impossible de poser un diagnostic à partir d'un échantillon d'expectoration obtenu par la toux ou par une technique d'induction.

Traitement médical

On traite la pneumonie par une antibiothérapie appropriée, déterminée par les résultats de l'antibiogramme. Toutefois, dans la majorité des cas de PEH, il faut se limiter à un traitement empirique, car l'agent infectieux ne peut pas être identifié. Le traitement de la PEH ne cesse de faire des avancées. On a émis diverses directives concernant le choix des antibiotiques; cependant, il faut tenir compte de l'émergence de souches résistantes, de la prévalence locale des agents pathogènes, des facteurs de risque particuliers à la personne, ainsi que du prix des nouveaux antibiotiques et de leur accessibilité.

Plusieurs organismes ont publié des recommandations sur le traitement médical de la PEH (Bartlett *et al.*, 2000; American Thoracic Society, 2001; Conseil du médicament, 2005). La classification des consignes se fonde sur les facteurs de risque en présence, sur le milieu de soins (établissement de soins ou service de consultations externes) ou sur les agents pathogènes particuliers.

On recommande de prescrire aux personnes atteintes de PEH, traitées en consultations externes, qui souffrent ou non de bronchopneumopathie chronique obstructive et qui ne présentent pas de facteurs pouvant modifier les modalités thérapeutiques (entre autres antibiothérapie ou corticothérapie dans les trois derniers mois), un macrolide (azithromycine [Zithromax] ou clarithromycine [Biaxin]), la télithromycine (Ketek) ou la doxycycline (Vibra-Tabs). Dans le cas des personnes traitées en consultations externes, qui souffrent de bronchopneumopathie chronique obstructive et qui présentent d'autres facteurs qui pourraient modifier l'antibiothérapie, on doit administrer une fluoroquinolone exerçant des effets accrus sur *S. pneumoniæ* (gatifloxacine [Tequin], lévofloxacine [Levaquin], moxifloxacine [Avelox]) ou la combinaison d'un macrolide ou de télithromycine avec l'amoxicilline-clavulanate (Clavulin) ou la céfuroxime axétil (Ceftin) (Conseil du médicament, 2005). Dans le cas des personnes traitées en consultations externes chez qui on souçonne une microaspiration (des bactéries anaérobies étant souvent présentes), on doit administrer un des trois traitements suivants: amoxicilline-clavulanate (Clavulin) avec ou sans macrolide; fluoroquinolone exerçant des effets accrus sur *S. pneumoniæ*; une combinaison de céfuroxime axétil (Ceftin)

ENCADRÉ 25-3

Manifestations cliniques

PNEUMONIE

- Frissons
- Fièvre (38,5 °C à 40,5 °C)
- Douleurs pleurétiques
- Tachypnée (25 à 45 respirations à la minute)
- Essoufflement
- Orthopnée
- Utilisation des muscles respiratoires accessoires
- Pouls rapide et bondissant
- Infection des voies respiratoires supérieures (congestion nasale, maux de gorge, pharyngite)
- Céphalées
- Toux
- Expectorations (mucoïdes ou mucopurulentes)
- Anorexie
- Asthénie
- Vibrations vocales accrues
- Matitéthoracique à la percussion
- Bruit bronchique anormal (ou murmures vésiculaires augmentés)
- Égophonie
- Pectoriloquie aphone
- Cyanose (signe tardif d'hypoxémie)

SOURCE: "Guidelines for the management of adults with community-acquired pneumonia". *American Journal of Respiratory and Critical Care Medicine*, 163(7), 1730-1754. Official Journal of the Thoracic Society ©American Thoracic Society.

et de clindamycine (Dalacin) ou de métronidazole (Flagyl). Il ne s'agit cependant que de recommandations thérapeutiques, l'antibiothérapie pouvant être adaptée à chaque cas particulier (Conseil du médicament, 2005).

Chez les personnes qui ont contracté une PEH et doivent être hospitalisées, on administrera une fluoroquinolone exerçant des effets accrus sur *S. pneumoniæ* ou une combinaison d'une céphalosporine de 2e ou 3e génération (céfuroxime [Kefurox, Zinacef], ceftriaxone [Rocephin], céfotaxime [Claforan]) et d'un macrolide ou de télithromycine (Conseil du médicament, 2005). Dans le cas d'une infection aiguë nécessitant un traitement aux soins intensifs, on administrera une combinaison d'une céphalosporine de 2e ou 3e génération avec une fluoroquinolone exerçant des effets accrus sur *S. pneumoniæ* par voie intraveineuse ou un macrolide par voie intraveineuse. En présence d'un risque élevé d'infection par *P. aeruginosa*, on administrera par voie intraveineuse une antibiothérapie efficace pour *Pseudomonas* (tableau 25-1).

Lorsqu'on connaît l'agent responsable de la PEH, on peut administrer des médicaments plus spécifiques (tableau 25-1).

L'étiologie des pneumonies nosocomiales se distingue de celle des PEH. Lorsqu'on craint l'apparition d'une pneumonie nosocomiale, on amorce habituellement un traitement empirique par un antibiotique à large spectre, par voie intraveineuse, administré seul ou en association. En présence d'une affection de gravité légère ou moyenne et d'un faible risque d'infection à *Pseudomonas*, on peut avoir recours aux antibiotiques suivants: une céphalosporine de 3e génération (ceftriaxone [Rocephin] ou céfotaxime [Claforan]), une fluoroquinolone (gatifloxacine [Tequin], lévofloxacine [Levaquin], moxifloxacine [Avelox] ou une pénicilline à large spectre (ticarcilline + acide clavulanique [Timentin], pipéracilline + tazobactam [Tazocin]).

En cas de risque élevé d'infection à *Pseudomonas*, on doit administrer une antibiothérapie composée de deux antibiotiques efficaces contre celui-ci (tableau 25-1).

Par ailleurs, on assiste avec appréhension à l'émergence incessante de microorganismes résistants à de multiples antibiotiques, tels que l'entérocoque résistant à la vancomycine (ERV) ou *S. pneumoniæ* multirésistant (McGeer et Low, 2000). Les médecins ont tendance à prescrire des antibiothérapies intensives qui ne sont pas appropriées ou à recommander des agents à large spectre, alors que les agents à spectre plus étroit seraient efficaces. Depuis quelque temps, on a mis en place certains règlements qui visent à réduire l'utilisation abusive des antibiotiques. Il est important que les médecins se tiennent au courant des dernières directives de traitement des infections des voies respiratoires, directives qui se fondent sur des études rigoureuses. Par ailleurs, il est tout aussi important qu'ils suivent de près les courbes de résistance des agents pathogènes de leur localité.

Habituellement, on passe de la voie intraveineuse à la voie orale lorsque la personne répond à l'antibiothérapie et est capable de tolérer une médication par voie orale. Le traitement d'une PEH en externe dure de 5 à 10 jours selon l'antibiotique utilisé. Celui d'une PEH nécessitant une hospitalisation ou celui d'une pneumonie nosocomiale peut être plus long. Il se poursuit habituellement 72 heures après que la fièvre a cédé.

Le traitement de la pneumonie virale en est surtout un de soutien. Les antibiotiques sont inefficaces en cas d'infection virale et peuvent entraîner par ailleurs des réactions indésirables. Leur utilisation dans ces cas est un bon exemple d'emploi abusif de ces médicaments. Les antibiotiques ne sont indiqués lors d'une infection virale des voies respiratoires *que si* une sinusite, une bronchite ou une pneumonie bactérienne secondaire est présente. L'hydratation est un élément essentiel du traitement, car la tachypnée et la fièvre peuvent provoquer des pertes hydriques insensibles importantes. On peut administrer des antipyrétiques pour traiter la fièvre et les céphalées, ainsi que des antitussifs pour combattre la toux. L'inhalation d'air chaud et humide aide à soulager l'irritation bronchique. Les antihistaminiques peuvent réduire les éternuements et la rhinorrhée, alors que les décongestionnants par voie nasale peuvent aider à traiter les symptômes et à améliorer le sommeil; toutefois, un usage excessif peut mener à une congestion nasale de rebond. Le traitement de la pneumonie virale est le même que celui de la pneumonie bactérienne (sauf pour ce qui est de l'administration d'agents antimicrobiens). La personne devra demeurer alitée jusqu'à la résolution des symptômes d'infection. Si elle est hospitalisée, elle fera l'objet d'une observation étroite jusqu'à ce que son état clinique se soit amélioré.

En cas d'hypoxémie, on administre de l'oxygène. On surveille la sphygmooxymétrie et on procède à l'analyse des gaz du sang artériel pour confirmer les besoins en oxygène et l'efficacité de l'oxygénothérapie. Une concentration élevée d'oxygène est contre-indiquée en cas de BPCO, en raison du risque de détérioration de la ventilation alvéolaire. En effet, un taux d'oxygène excessif diminue la stimulation des centres respiratoires, entraînant une plus grande décompensation. Les mesures de soutien de la respiration comprennent l'oxygénothérapie à fortes doses (pourcentage d'oxygène inspiré [FiO_2]), l'intubation endotrachéale et la ventilation assistée (chapitre 27).

La figure 25-3 ■ présente un algorithme du traitement des personnes dont l'état évoque une PEH.

Particularités reliées à la personne âgée

Chez les personnes âgées, la pneumonie peut être une affection primaire ou la complication d'une affection chronique. Les infections pulmonaires sont souvent difficiles à traiter et entraînent des taux de mortalité supérieurs à ceux qu'on observe chez les autres adultes. Une détérioration générale, la faiblesse, des symptômes abdominaux, l'anorexie, la confusion, la tachycardie et la tachypnée font partie des signes de pneumonie. Le diagnostic de pneumonie risque d'être écarté du fait que les symptômes classiques, soit la toux, les douleurs thoraciques, les expectorations et la fièvre, peuvent être masqués ou absents. Par ailleurs, la présence d'autres signes peut mettre le médecin sur une fausse piste. Un murmure vésiculaire diminué, par exemple, peut être dû à une microatélectasie, qui peut affecter la personne âgée à cause de sa mobilité réduite, d'un volume pulmonaire diminué ou d'autres modifications de la fonction respiratoire. Puisque l'insuffisance cardiaque est une affection chronique fréquente, il faudrait procéder à une radiographie thoracique afin de s'assurer que c'est bien la pneumonie qui est la cause des signes et symptômes cliniques.

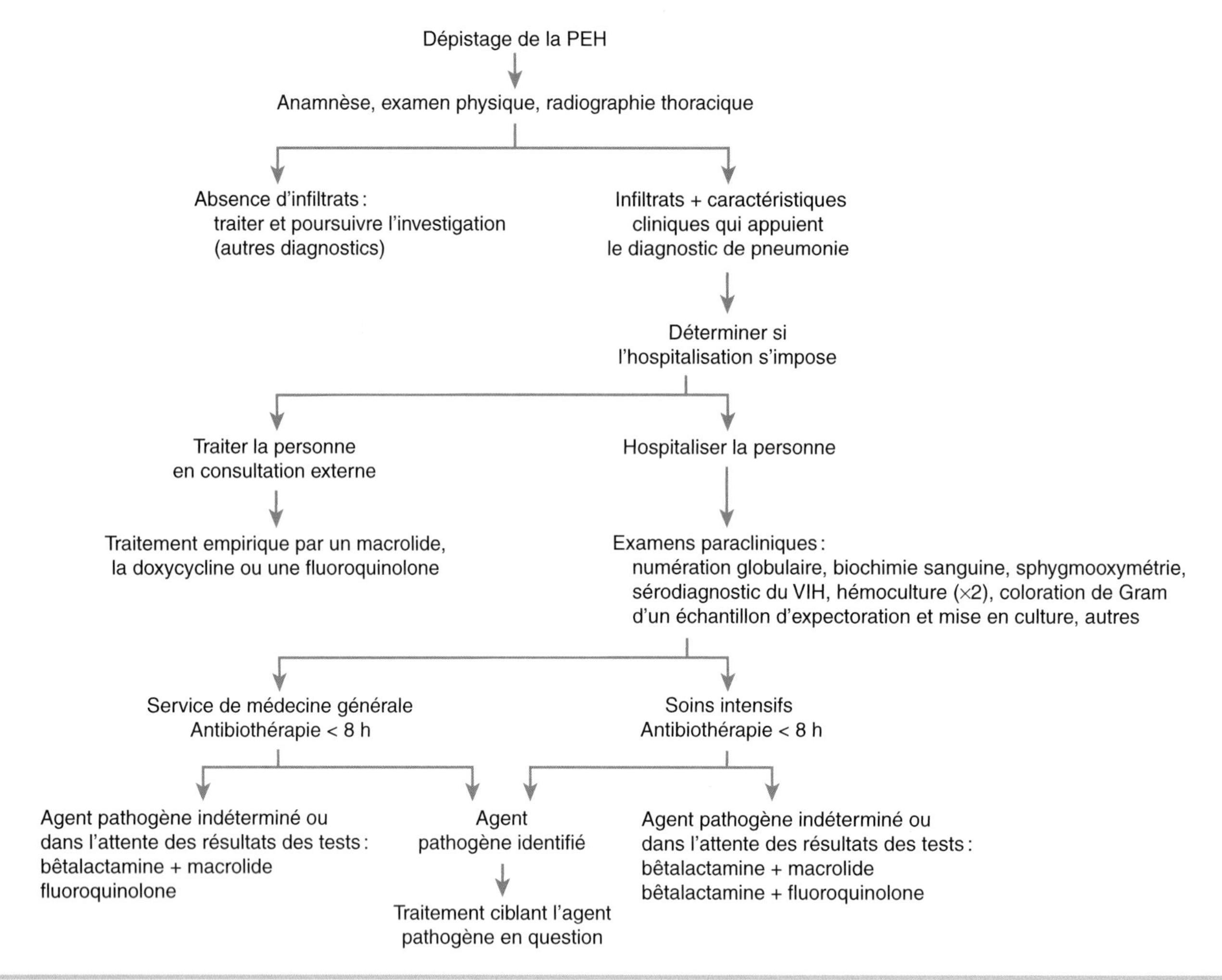

FIGURE 25-3 ■ Algorithme du traitement prodigué aux personnes dont l'état évoque une PEH. SOURCE : J.G. Bartlett *et al.* (2000). Practice guidelines for the management of community-acquired pneumonia in adults. *Clinical Infectious Diseases, 31*(2), 347-382.

Le traitement de soutien comprend notamment l'hydratation (mais il faut faire preuve de prudence et assurer une surveillance étroite, car la personne âgée est exposée à un risque de surcharge volémique) et l'oxygénothérapie supplétive. Il faut également inciter la personne à faire des exercices de respiration profonde, à tousser, à changer de position fréquemment et à commencer à marcher dès que possible. Toutes ces mesures sont très importantes. On recommande aussi fortement la vaccination contre les infections grippales et pneumococciques pour réduire ou prévenir les complications graves que la pneumonie peut entraîner.

Complications

Choc et insuffisance respiratoire

Les complications graves de la pneumonie sont l'hypotension, le choc et l'insuffisance respiratoire (particulièrement dans le cas d'une infection par des bactéries à Gram négatif chez les personnes âgées). Ces complications frappent surtout les personnes n'ayant pas reçu de traitement spécifique ou celles qui ont reçu un traitement inapproprié ou tardif. Elles surviennent également lorsque le microorganisme infectieux résiste au traitement ou qu'une affection intercurrente aggrave la pneumonie.

Si la personne est très affaiblie, le traitement intensif peut comporter un soutien ventilatoire et hémodynamique pour combattre le collapsus périphérique, maintenir la pression artérielle et fournir une oxygénation adéquate. On peut administrer un vasopresseur par perfusion intraveineuse, en ajustant le débit à la réponse tensionnelle. On peut aussi donner des corticostéroïdes par voie parentérale pour combattre le choc et la toxicité en cas de pneumonie très grave, qui risque d'entraîner la mort. Parfois, il faut recourir à l'intubation endotrachéale et à la ventilation assistée. L'insuffisance cardiaque, les arythmies, la péricardite et la myocardite sont également des complications de la pneumonie qui peuvent provoquer un état de choc.

Atélectasie et épanchement pleural

L'atélectasie survenant à la suite de l'obstruction d'une bronche par des sécrétions peut se manifester à n'importe quelle phase d'une pneumonie aiguë. L'épanchement pleural est qualifié de parapneumonique lorsqu'il est associé à une pneumonie bactérienne, à un abcès pulmonaire ou à une bronchiectasie. On observe ce type d'épanchement dans au moins 40 % des cas de pneumonie bactérienne. Quand sa présence est confirmée par radiographie pulmonaire, on peut effectuer une thoracentèse pour évacuer les liquides. On envoie un échantillon de ces liquides au laboratoire pour le faire analyser. D'après leur pathogenèse, les épanchements pleuraux parapneumoniques sont de trois types: non compliqués, compliqués et de type empyème thoracique. L'**empyème** survient lorsque des liquides purulents s'accumulent dans la cavité pleurale, avec formation de fibrine et d'une région loculée (cloisonnée), qui constitue le foyer de l'infection. (Nous expliquons l'empyème plus en détail à la section «Affections de la plèvre», p. 95) On peut traiter l'infection pleurale grâce à un drain thoracique, qui aide à évacuer les sécrétions. Pour stériliser la région où l'empyème s'est formé, il faut administrer des antibiotiques pendant quatre à six semaines. Parfois, une intervention chirurgicale s'impose.

Surinfection

Une surinfection peut se déclarer lors de l'administration de doses massives d'antibiotiques, comme la pénicilline, ou à la suite d'une antibiothérapie d'association. Elle peut aussi survenir si la personne a reçu plusieurs cycles d'antibiothérapie avec divers types d'antibiotiques. Dans de tels cas, les bactéries peuvent devenir résistantes aux médicaments. On peut soupçonner la présence d'une surinfection si, après que l'état de la personne s'est amélioré grâce à une antibiothérapie initiale, on constate une reprise de la fièvre, une aggravation de la toux et des signes évoquant la récurrence de la pneumonie. Il faut alors changer d'antibiotique ou, dans certains cas, cesser d'en administrer.

DÉMARCHE SYSTÉMATIQUE dans la pratique infirmière

Personne atteinte de pneumonie

COLLECTE DES DONNÉES

L'infirmière joue un rôle essentiel dans le dépistage de la pneumonie. La fièvre, les frissons ou les sueurs nocturnes qui accompagnent d'autres symptômes respiratoires devraient la mettre d'emblée sur la piste d'une pneumonie bactérienne. Un examen physique de l'appareil respiratoire lui permettra d'en déceler les autres manifestations: douleurs de type pleurétique, bradycardie, toux et expectorations purulentes. L'infirmière devra en même temps repérer le siège de la douleur thoracique et en déterminer la gravité et trouver les interventions qui pourraient la soulager. Elle devrait également recueillir les données suivantes:

- Modification de la température et du pouls
- Quantité, odeur et couleur des sécrétions
- Fréquence et gravité de la toux
- Gravité de la tachypnée ou des essoufflements
- Changements dans les résultats des examens physiques (surtout dans les signes décelés par l'inspection et l'auscultation thoraciques)
- Changements dans les résultats des examens radiologiques

De plus, chez la personne âgée, l'infirmière doit rester à l'affût de tout comportement inhabituel, des modifications de l'état de la conscience, de la déshydratation, d'une fatigue excessive et d'une insuffisance cardiaque concomitante.

ANALYSE ET INTERPRÉTATION

Diagnostics infirmiers

En se fondant sur les données recueillies, l'infirmière peut poser les diagnostics infirmiers suivants:

- Dégagement inefficace des voies respiratoires, relié à des sécrétions trachéobronchiques abondantes
- Intolérance à l'activité, reliée à un déficit respiratoire
- Risque de déficit de volume liquidien, relié à la fièvre et à la dyspnée
- Alimentation déficiente
- Connaissances insuffisantes sur le traitement et sur les mesures de prévention

Problèmes traités en collaboration et complications possibles

En se fondant sur les données recueillies, l'infirmière peut déterminer les complications susceptibles de survenir, notamment:

- Persistance des symptômes après le début du traitement
- Choc
- Insuffisance respiratoire
- Atélectasie
- Épanchement pleural
- Confusion
- Surinfection

PLANIFICATION

Les principaux objectifs sont les suivants: améliorer la perméabilité des voies aériennes; favoriser le repos pour conserver l'énergie; maintenir un volume liquidien approprié; fournir un apport nutritionnel approprié; accroître les connaissances sur le protocole de traitement et les mesures de prévention; et surveiller et traiter les complications.

INTERVENTIONS INFIRMIÈRES

Améliorer la perméabilité des voies aériennes

Il est important d'évacuer les sécrétions qui risquent d'entraver les échanges gazeux et de retarder la guérison. L'infirmière doit encourager la personne à consommer une quantité suffisante de liquides (de 2 à 3 litres par jour), car une bonne hydratation rend les sécrétions pulmonaires moins visqueuses et plus faciles à éliminer. On peut recourir à un humidificateur pour liquéfier les sécrétions et améliorer la ventilation. Les masques aérosol (à oxygène ou à air comprimé) favorisent la pénétration d'air chaud et humide dans l'arbre bronchique et aident à dégager les sécrétions et à soulager l'irritation. L'infirmière doit également chercher à stimuler le réflexe tussigène ou encourager la personne à tousser volontairement. Des manœuvres de distension pulmonaire, comme les respirations profondes à l'aide d'un inspiromètre d'incitation, peuvent rétablir le réflexe tussigène. Pour améliorer la perméabilité des voies aériennes, des exercices de toux peuvent s'avérer nécessaires. L'infirmière doit donc encourager la personne à tousser efficacement. Pour ce faire, elle doit tout d'abord l'aider à s'installer dans la bonne position. Elle lui demandera ensuite de prendre une inspiration profonde, de fermer sa glotte, de contracter ses muscles expiratoires avec la glotte fermée, d'ouvrir celle-ci brusquement et d'expirer fortement, ce qui la fera tousser. Dans certains cas, l'infirmière devra aider la personne à effectuer cette manœuvre en plaçant les mains sur la partie inférieure de sa cage thoracique (face antérieure ou postérieure), ce qui contribuera à concentrer l'attention de la personne et l'incitera à inspirer lentement et profondément, puis elle exercera une pression externe durant la phase expiratoire.

La physiothérapie thoracique (percussion thoracique et drainage postural) est également une intervention importante qui aide à liquéfier et à mobiliser les sécrétions (chapitre 27). Elle est indiquée dans les cas suivants : impossibilité de déloger les mucosités par une toux spontanée ou dirigée, antécédents de problèmes pulmonaires traités par physiothérapie, signes de sécrétions persistantes (murmure vésiculaire diminué ou anormal, modification des signes vitaux), résultats radiographiques anormaux évoquant la présence d'une atélectasie ou d'infiltrats, et oxygénation inadéquate. La personne devra être placée dans une position qui favorise le drainage du segment pulmonaire affecté, après quoi l'infirmière effectuera des percussions et des vibrations manuellement.

Après chaque changement de position, l'infirmière devra encourager la personne à respirer profondément et à tousser. Si cette dernière est trop faible pour tousser efficacement, on peut retirer les sécrétions par aspiration nasotrachéale (chapitre 27). Parfois, la mobilisation des sécrétions et leur expectoration de l'arbre bronchique est un long processus. L'infirmière doit donc s'assurer après chaque séance de physiothérapie que la personne tousse et élimine les sécrétions.

L'infirmière doit également administrer l'oxygène aux concentrations prescrites. L'efficacité de l'oxygénothérapie est attestée par l'amélioration des signes et symptômes et par une oxygénation appropriée, confirmée par sphygmooxymétrie et par analyse des gaz du sang artériel.

Favoriser le repos et l'économie d'énergie

L'infirmière doit encourager la personne affaiblie à se reposer et à éviter le surmenage de façon à prévenir une exacerbation possible des symptômes. Elle doit l'installer dans une position confortable qui lui permette de se reposer et de bien respirer (par exemple, en position semi-Fowler) et la faire changer souvent de position pour favoriser l'élimination des sécrétions et pour améliorer la ventilation/perfusion des poumons. Il faut conseiller aux personnes traitées en consultations externes de ne pas se surmener et de ne pas s'engager au cours de la phase initiale du traitement dans des activités qui risquent de les épuiser.

Encourager la consommation de liquides

La fréquence respiratoire de la personne atteinte de pneumonie s'accélère à cause de la surcharge de travail imposée par la fièvre et les difficultés respiratoires. La fréquence respiratoire accrue augmente les pertes insensibles de liquides au cours de l'expiration et peut entraîner la déshydratation. Il est donc important d'encourager la personne à augmenter sa consommation de liquides (au moins 2 L par jour), sauf s'il y a contre-indication.

Fournir un apport nutritionnel approprié

La personne fatiguée et qui a du mal à respirer perd souvent l'appétit et ne voudra prendre que des liquides. Des boissons enrichies d'électrolytes (comme celles qu'on trouve dans le commerce, par exemple Gatorade) ont une teneur énergétique et électrolytique appropriée et permettent à la personne de consommer la quantité de liquides nécessaire. On peut aussi proposer d'autres boissons enrichies ou lui administrer des liquides et des nutriments par voie intraveineuse, s'il le faut.

Accroître les connaissances

L'infirmière doit expliquer à la personne et aux membres de sa famille les causes de la pneumonie, le traitement des symptômes et l'importance du suivi (voir plus loin). Elle doit également les informer des facteurs de risque qui prédisposent à la pneumonie (externes ou inhérents à la personne), des stratégies qui accélèrent le rétablissement et préviennent la récurrence. Si la personne est hospitalisée, il faut lui expliquer le but et l'importance des stratégies de prise en charge adoptées et lui recommander de les observer scrupuleusement tout au long de l'hospitalisation et après la sortie de l'hôpital. Les explications doivent être simples et données dans un langage que la personne peut comprendre. Il faudrait également lui remettre, dans la mesure du possible, des informations et des instructions par écrit. En raison de la gravité des symptômes, il faut parfois répéter les consignes et les explications plusieurs fois.

Surveiller et traiter les complications

Symptômes persistant après le début du traitement

En général, on note une réponse à l'antibiothérapie en l'espace de 24 à 48 heures. L'absence de réponse se traduit par la modification de l'état physique (détérioration ou persistance des symptômes), par une fièvre persistante et récurrente pouvant être engendrée par une allergie médicamenteuse (se manifestant parfois par un rash), par la résistance au médicament ou par une réponse lente (au-delà de 48 heures) du microorganisme infectant, par une surinfection, par un épanchement pleural ou par la présence d'un microorganisme inhabituel, tel que *P. carinii* ou *Aspergillus fumigatis*. Une pneumonie qui ne cède pas au traitement ou des symptômes qui perdurent malgré les changements intervenus dans les résultats radiographiques doivent inciter les professionnels de la santé à penser à d'autres affections sous-jacentes, comme le cancer du poumon. Comme nous l'avons expliqué auparavant, une tumeur cancéreuse peut envahir ou comprimer les voies aériennes, provoquant une atélectasie obstructive susceptible d'entraîner une pneumonie.

L'infirmière ne doit pas se contenter de surveiller les symptômes persistants de pneumonie. Elle doit en plus rechercher d'autres complications, comme le choc et la défaillance de plusieurs systèmes, l'atélectasie, l'épanchement pleural et la surinfection qui peut survenir durant les premiers jours de l'antibiothérapie.

Choc et insuffisance respiratoire

Pour évaluer les signes et symptômes de choc et d'insuffisance respiratoire, l'infirmière doit prendre les signes vitaux et interpréter les résultats de la sphygmooxymétrie et les paramètres hémodynamiques. Elle doit signaler au médecin toute détérioration de l'état de la personne et administrer les liquides intraveineux et les médicaments prescrits pour combattre le choc (chapitre 15). L'intubation et la ventilation assistée peuvent s'imposer en cas d'insuffisance respiratoire (chapitre 27).

Atélectasie et épanchement pleural

L'infirmière doit rester à l'affût d'une atélectasie et prendre les mesures qui s'imposent pour la prévenir. En cas d'épanchement pleural et de thoracentèse visant à évacuer le liquide accumulé, elle prête son aide durant l'intervention et l'explique à la personne qui doit la subir. Après une thoracentèse, elle doit rester à l'affût d'un pneumothorax ou d'un épanchement pleural récurrent. S'il faut introduire un drain thoracique, elle surveille l'état respiratoire de la personne (chapitre 27).

Surinfection

Il faut rester à l'affût d'une surinfection (amélioration minime des signes et symptômes, élévation de la température avec aggravation de la toux, augmentation des vibrations vocales et bruits respiratoires surajoutés révélés par l'auscultation des poumons). L'infirmière doit informer le médecin de la présence de ces signes et l'aider à entreprendre les interventions visant le traitement de la surinfection.

Confusion

L'infirmière doit rechercher chez la personne souffrant de pneumonie des signes de confusion ou des changements plus subtils dans l'état mental. Il s'agit de signes qui assombrissent le pronostic. La confusion peut accompagner l'hypoxémie, la fièvre, la déshydratation, le manque de sommeil ou un début de septicémie. Elle peut aussi être due à la présence d'affections intercurrentes. La prise en charge des facteurs sous-jacents et les mesures qui visent à assurer la sécurité de la personne sont des interventions infirmières importantes.

Favoriser les soins à domicile et dans la communauté

Enseigner les autosoins

Selon la gravité de la pneumonie, la personne sera traitée en consultations externes ou dans un établissement de soins, mais dans tous les cas la prise appropriée des antibiotiques prescrits est de première importance. Il arrive parfois qu'on commence une antibiothérapie par voie intraveineuse en milieu hospitalier et qu'on la poursuive à domicile. Dans, ce cas la transition entre le traitement en établissement de soins et à domicile doit se faire sans accroc, ce qui est favorisé lorsqu'il y a une bonne communication entre les infirmières des deux milieux de soins. Par ailleurs, si la personne reçoit des antibiotiques par voie orale, l'infirmière doit lui enseigner la façon de les prendre adéquatement et la renseigner sur les effets secondaires possibles.

Lorsque la personne n'a plus de fièvre, elle peut reprendre graduellement ses activités. Cependant, la fatigue et la faiblesse peuvent persister pendant un certain temps, bien que la pneumonie soit guérie, particulièrement chez les personnes âgées. L'infirmière doit encourager les exercices de respiration pour favoriser l'élimination des sécrétions et la distension des poumons. Elle doit, en outre, inciter la personne à revenir à la clinique pour se soumettre à une radiographie et à un examen de suivi. Souvent, les résultats de la radiographie thoracique ne s'améliorent pas aussi rapidement que les signes et symptômes.

L'infirmière doit également encourager la personne à arrêter de fumer. La fumée inhibe le mouvement ciliaire trachéobronchique, qui constitue la première défense des voies respiratoires inférieures. Elle irrite également la muqueuse des bronches et entrave la fonction des macrophages alvéolaires (qui absorbent les corps étrangers et les débris).

L'infirmière doit également recommander à la personne d'éviter le stress, la fatigue, les changements brusques de température et la consommation de quantités excessives d'alcool, autant de facteurs qui diminuent sa résistance à la pneumonie. Elle doit lui expliquer les principes d'une bonne alimentation et d'un repos adéquat, car un épisode de pneumonie peut prédisposer à des infections récurrentes des voies respiratoires.

Assurer le suivi

Les personnes très affaiblies ou qui ne peuvent pas se prendre en charge devraient bénéficier de soins à domicile. L'infirmière qui visite la personne chez elle doit déterminer son état physique, dépister les risques de complications, évaluer le milieu de vie et renforcer les enseignements précédents. Elle doit également évaluer la fidélité au régime thérapeutique (prise des médicaments exactement selon les recommandations du médecin, exercices de respiration, consommation d'une quantité suffisante de liquides et apport alimentaire approprié, renonciation au tabagisme et à la consommation d'alcool, et activités physiques). L'infirmière doit expliquer à la personne et aux membres de sa famille qu'il est important de rester à l'affût des complications. Elle doit également encourager la personne à se faire vacciner contre la grippe, car cette infection la prédispose à une pneumonie bactérienne secondaire, particulièrement à staphylocoques, à *H. influenzæ* et à *S. pneumoniæ*. Par ailleurs, elle devrait lui recommander de demander au médecin s'il lui est utile de recevoir un vaccin (Pneumovax) contre *S. pneumoniæ*.

ÉVALUATION

Résultats escomptés

Les principaux résultats escomptés sont les suivants:

1. La perméabilité des voies aériennes s'améliore, comme en témoignent une oxygénation appropriée (confirmée par sphygmooxymétrie ou analyse des gaz du sang artériel), une température normale, un murmure vésiculaire normal et une toux productive.
2. La personne se repose et économise son énergie, en réduisant ses activités et en s'alitant tant que les symptômes sont présents; par la suite, elle reprend ses activités graduellement.
3. La personne est suffisamment hydratée, comme le montrent la consommation de liquides en quantité suffisante, le débit urinaire et l'élasticité de la peau.

4. L'apport nutritionnel de la personne est suffisant, comme le prouvent le maintien ou l'augmentation de son poids corporel, sans rétention excessive de liquides.
5. La personne comprend les stratégies de traitement.
6. La personne ne présente pas de complications.
   a) Ses signes vitaux ainsi que les résultats de la sphygmooxymétrie et les mesures des gaz du sang artériel sont normaux.
   b) Elle signale que sa toux est efficace et qu'elle diminue avec le temps.
   c) Elle ne manifeste pas de signes et symptômes de choc, d'insuffisance respiratoire ou d'épanchement pleural.
   d) La personne est orientée et consciente de son entourage.
   e) Elle maintient son poids ou l'augmente.
7. La personne respecte le protocole de traitement et adopte des stratégies de prévention.

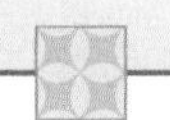

TUBERCULOSE PULMONAIRE

La tuberculose est une maladie infectieuse qui touche principalement le parenchyme pulmonaire. Elle peut également se propager et atteindre d'autres parties de l'organisme, comme les méninges, les reins, les os et les ganglions lymphatiques. Le principal agent infectieux, *Mycobacterium tuberculosis*, est un bacille aérobie acidorésistant, qui croît lentement et qui est sensible à la chaleur et aux rayons ultraviolets. *Mycobacterium bovis* et *Mycobacterium avium* sont rarement mis en cause.

La tuberculose est un problème sanitaire mondial, avec des taux de morbidité et de mortalité qui continuent de s'élever. Selon les estimations, *M. tuberculosis* infecterait un tiers de la population de la planète. De plus, 8,3 millions de nouveaux cas et près de 2 millions de décès seraient enregistrés dans le monde chaque année, ce qui place cette affection au deuxième rang des causes de décès par maladie infectieuse à l'échelle du globe (Agence de santé publique du Canada, 2004a). La tuberculose est une cause majeure de mortalité chez les personnes infectées par le VIH (Organisation mondiale de la santé, 2005). Elle reste étroitement liée à la pauvreté, à la dénutrition, au surpeuplement, aux logements insalubres et à des soins de santé inadéquats.

Au Canada, après l'arrivée des premiers médicaments antituberculeux en 1952, le taux de tuberculose a chuté de façon significative pendant une trentaine d'années. Depuis les années 1985, on note une recrudescence du nombre de cas signalés. Ce fait a été attribué à plusieurs facteurs, dont l'immigration accrue, l'épidémie d'infections par le VIH, l'émergence de souches infectieuses multirésistantes, l'augmentation du nombre de sans-abri, un intérêt moindre pour cette affection et la diminution des efforts de dépistage (Small et Fujiwara, 2001). En 2002, 1634 nouveaux cas (5,2 pour 100 000) de tuberculose active et de rechute ont été signalés au Système canadien de déclaration des cas de tuberculose (SCDCT). C'est au Nunavut que le taux était le plus élevé (93,4 pour 100 000). Le plus faible taux a été enregistré en Nouvelle-Écosse (1 pour 100 000). Les trois provinces les plus populeuses (Ontario, Québec et Colombie-Britannique, regroupant 75 % de la population canadienne) ont signalé 77 % des cas. Ce sont les personnes de 25 à 34 ans qui forment le groupe où le plus grand nombre d'infections a été enregistré, 6,9 pour 100 000, soit 19 % de l'ensemble. Par ailleurs, on note un taux de 9,3 pour 100 000 chez les personnes de 65 à 74 ans et de 11,8 pour 100 000 chez celles de plus de 74 ans. En 2002, 67 % des personnes chez lesquelles on signalait une tuberculose étaient nées à l'étranger. Les Autochtones nés au Canada représentaient 15 % des cas déclarés et les non-Autochtones nés au Canada, 16 %. Le lieu de naissance n'était pas connu dans 3 % des cas (Agence de santé publique, 2005).

Transmission et facteurs de risque

La tuberculose se transmet d'une personne à l'autre par inhalation de microorganismes aéroportés. La personne infectée disperse des noyaux de gouttelettes (en général, des particules de 1 à 5 micromètres de diamètre) lorsqu'elle parle, tousse, éternue, rit ou chante. Les gouttelettes plus volumineuses se déposent, alors que les plus petites restent suspendues dans l'air et sont inhalées par les personnes sensibles. Les facteurs de risque de tuberculose sont indiqués à l'encadré 25-4 ■. À l'encadré 25-5 ■, nous résumons les recommandations de Santé Canada, publiées par l'Association pulmonaire du Canada (2000), concernant les normes canadiennes pour la lutte antituberculeuse et la prévention de la transmission de la tuberculose dans les milieux de soins.

Physiopathologie

Lorsqu'une personne sensible inhale la mycobactérie, elle peut devenir infectée. Les bacilles sont alors transmis par voie aérienne et pénètrent dans les alvéoles où ils commencent à proliférer. Ils peuvent aussi être transportés par le système lymphatique et le sang vers d'autres parties du corps (reins, os, cortex cérébral) ou vers d'autres parties des poumons (lobes supérieurs). Le système immunitaire de l'organisme répond par une réaction inflammatoire. Les phagocytes (granulocytes neutrophiles et macrophages) engloutissent un grand nombre de ces bactéries et les lymphocytes T spécifiques lysent (détruisent) les cellules infectées. La réaction tissulaire entraîne l'accumulation d'exsudats dans les alvéoles, provoquant une bronchopneumonie. L'infection primaire se déclare habituellement dans les 2 à 10 semaines qui suivent l'exposition.

Les granulomes, composés de nouvelles masses tissulaires de bacilles morts et vivants, sont entourés de macrophages qui les isolent des tissus environnants. Les granulomes deviennent des masses fibreuses, dont la partie centrale porte le nom de nodule de Ghon. Cette masse (bactéries et macrophages) se nécrose en un amas caséeux qui se calcifie et forme une lésion collagénique. À ce stade, l'infection est latente et elle n'évolue plus. On appelle cet état tuberculose-infection ou tuberculose latente. Les personnes porteuses de la tuberculose-infection ne sont pas contagieuses et ne présentent aucun symptôme.

Après une première exposition, la forme active de l'affection peut se manifester si le système immunitaire de la personne est affaibli ou produit une réponse inadéquate. L'affection active peut également être entraînée par une réinfection ou par l'activation des bactéries dormantes. Dans ce cas, le

ENCADRÉ 25-4

FACTEURS DE RISQUE

Tuberculose

- Contact étroit avec une personne dont la tuberculose est active. La quantité de noyaux de gouttelettes aéroportés inhalée est fonction du laps de temps passé dans le même espace clos, de la proximité de la personne infectée et du degré d'aération de la pièce.
- Personnes immunodéprimées (par exemple, personnes infectées par le VIH, atteintes de cancer, ayant subi une transplantation d'organe ou ayant suivi une corticothérapie à doses élevées).
- Personnes toxicomanes (qui utilisent des drogues IV ou qui sont alcooliques).
- Toute personne ne bénéficiant pas de soins de santé adéquats (sans-abri, indigents; groupes minoritaires, particulièrement les enfants de moins de 15 ans et les jeunes adultes de 15 à 44 ans).
- Affections préexistantes ou traitements particuliers (diabète, insuffisance rénale chronique, dénutrition, certains cancers, hémodialyse, transplantation ou pontage jéjuno-iléal).
- Immigrants venant de pays où la prévalence de la tuberculose est élevée (Asie du Sud-Est, Afrique, Amérique latine, Antilles).
- Personnes vivant en établissement (dans des centres d'hébergement et de soins de longue durée, des instituts psychiatriques, en milieu carcéral).
- Personnes habitant dans des conditions sanitaires insalubres.
- Nourissons et jeunes enfants des premières nations.
- Professionnels de la santé qui effectuent des tâches à haut risque: administration de pentamidine et d'autres médicaments en aérosol, induction des expectorations, bronchoscopies, aspirations, induction du réflexe tussigène, soins aux personnes immunodéprimées, soins à domicile de personnes à risque élevé, administration d'anesthésiques et autres procédés connexes (par exemple, intubation, aspiration).

ENCADRÉ 25-5

RECOMMANDATIONS

Normes canadiennes pour la lutte antituberculeuse et la prévention de la tuberculose dans les milieux de soins

1. Dépistage et traitement rapide des personnes dont la tuberculose est active.
   a) Susciter une plus grande vigilance des professionnels de la santé pour dépister rapidement les cas de tuberculose.
   b) Démarrer rapidement une polychimiothérapie antituberculeuse, en se fondant sur les données cliniques et sur celles issues de la surveillance de la résistance aux médicaments.
2. Prévention de la transmission des noyaux de gouttelettes infectés par des méthodes de contrôle des sources d'infection et par la réduction de la contamination microbienne dans les espaces clos.
   a) Prendre immédiatement des mesures de précaution afin d'isoler toutes les personnes chez lesquelles la tuberculose est soupçonnée ou déclarée. Les mesures de précaution comprennent l'isolement dans une chambre privée où la pression de l'air est négative par rapport aux aires attenantes et où l'air peut être renouvelé au moins six fois par heure. L'air de la pièce doit être envoyé directement vers l'extérieur. On peut envisager comme mesures supplémentaires l'utilisation de lampes à rayons ultraviolets ou de filtres à particules à haute efficacité.
   b) Les personnes qui doivent entrer dans la chambre d'isolement doivent porter un respirateur à filtre de particules jetable, qui s'adapte parfaitement au visage.
   c) Les mesures d'isolement doivent être poursuivies jusqu'à ce qu'il y ait confirmation clinique de la diminution de l'infection (par exemple, la toux s'est atténuée de façon marquée et le nombre de microorganismes présents dans les frottis d'expectorations prélevées en séquence a baissé). Si l'on soupçonne ou l'on confirme une résistance aux médicaments, on poursuivra l'isolement jusqu'à ce que les résultats des tests de résistance soient négatifs.
   d) On devra prendre des précautions particulières au cours des interventions destinées à provoquer la toux.
3. Surveillance de la transmission de la tuberculose.
   a) Maintenir la surveillance de la transmission de la tuberculose chez les travailleurs de la santé par des tests cutanés tuberculiniques, effectués à intervalles réguliers. Leur recommander le traitement prophylactique approprié chaque fois qu'il est indiqué.
   b) Maintenir la surveillance des cas de tuberculose chez les personnes atteintes et le personnel soignant.
   c) Démarrer sans tarder le dépistage des personnes qui ont été en contact avec des travailleurs de la santé, des patients et des visiteurs exposés à une personne atteinte de tuberculose non traitée ou insuffisamment traitée, qui n'a pas été isolée. Recommander le traitement ou la prophylaxie approprié aux personnes ainsi dépistées qui se révèlent atteintes de tuberculose latente ou active. Les régimes thérapeutiques doivent être choisis compte tenu des antécédents cliniques et des données locales, issues de la surveillance de la résistance aux médicaments.

SOURCE: Association pulmonaire du Canada (2000). *Normes canadiennes pour la lutte antituberculeuse*, 5e éd.

nodule de Ghon s'ulcère et libère le matériel caséeux dans les bronches. Les bactéries, devenant ainsi aéroportées, peuvent disséminer la maladie. Le nodule ulcéré guérit et se transforme en tissu cicatriciel. De ce fait, les poumons infectés s'enflamment davantage, ce qui entraîne de nouveaux épisodes de bronchopneumonie et la formation de nouveaux nodules.

Si elle ne peut être arrêtée, l'affection se propage lentement vers les hiles pulmonaires et, ensuite, vers les lobes adjacents. Elle peut durer de nombreuses années et peut être entrecoupée de longues périodes de rémission auxquelles succèdent des périodes de réactivation. Environ 10 % des personnes infectées par le bacille tuberculeux (tuberculose-infection ou tuberculose latente) présentent la forme active de l'affection au cours de leur vie. Chez certaines d'entre elles, la tuberculose se réactive à la suite d'un affaiblissement des défenses de l'hôte (ce type de tuberculose porte le nom de tuberculose de type adulte). Celle-ci siège le plus souvent dans les poumons, habituellement dans les segments apicaux ou postérieurs des lobes supérieurs, ou encore dans les segments supérieurs des lobes inférieurs.

Manifestations cliniques

Les signes et symptômes de la tuberculose pulmonaire sont insidieux. Dans la plupart des cas, ils se manifestent par un état fébrile, des quintes de toux, des sueurs nocturnes, de la fatigue et une perte de poids. La toux peut être inefficace ou produire des expectorations mucopurulentes. Une hémoptysie peut aussi survenir. Les symptômes pulmonaires et généraux sont habituellement chroniques et peuvent persister pendant plusieurs semaines ou plusieurs mois. Ils sont généralement moins prononcés chez les personnes âgées. La tuberculose touche davantage les personnes atteintes du sida, pouvant se déclarer chez 70 % d'entre elles (Niederman et Sarosi, 2000; Small et Fujiwara, 2001).

Examen clinique et examens paracliniques

Le diagnostic de la tuberculose repose sur l'anamnèse, l'examen physique, la radiographie pulmonaire, le test cutané à la tuberculine, le dépistage des bacilles acidorésistants sur les frottis et la mise en culture d'échantillons des expectorations. Chez la personne atteinte de tuberculose, la radiographie révèle habituellement des lésions dans les lobes supérieurs, et les frottis contiennent des mycobactéries.

Test cutané à la tuberculine

Le test de Mantoux permet de déterminer si une personne est infectée par le bacille de la tuberculose. Il s'agit d'un test normalisé, qui doit être administré et interprété par des personnes spécialement formées. Ce test se déroule comme suit: on injecte un extrait de bacille de la tuberculose (tuberculine PPD [dérivé protéinique purifié], de teneur intermédiaire (5 uT), dans le derme de la face antérieure de l'avant-bras, à environ 10 cm du coude (figure 25-4 ■). L'injection se fait à l'aide d'une seringue à tuberculine et d'une aiguille courte et fine (de 1,25 mm de long et d'environ 1,5 mm de diamètre). On enfonce la pointe de l'aiguille, ouverture vers le haut, à un angle de 15° dans la peau, et on injecte 0,1 mL de PPD afin de créer une papule. On doit noter le siège de la ponction, le nom et la teneur de l'antigène, le numéro de lot, la date et l'heure du test. Le relevé du résultat du test a lieu de 48 à 72 heures après l'injection. Si le relevé a lieu après 72 heures,

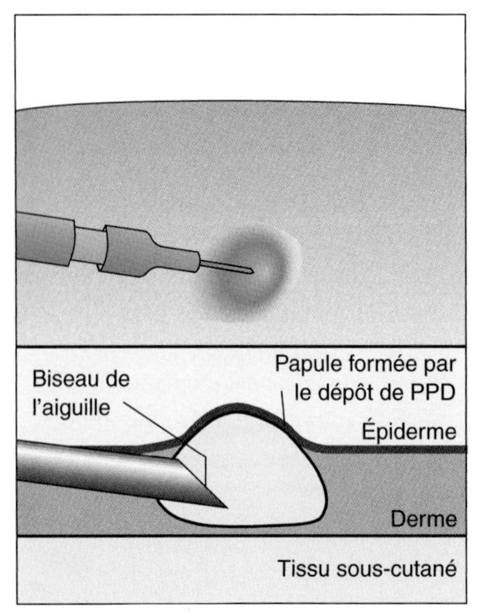

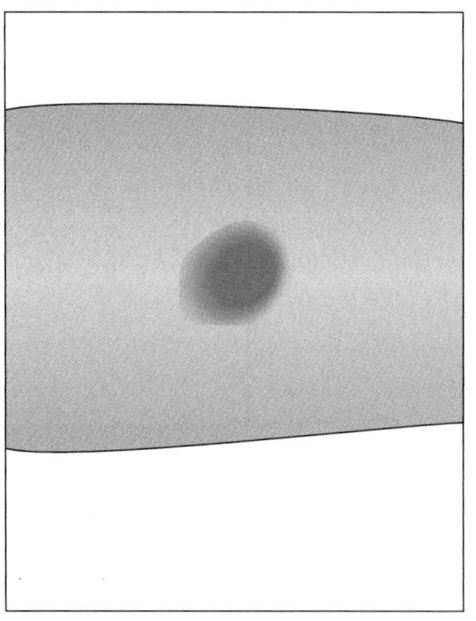

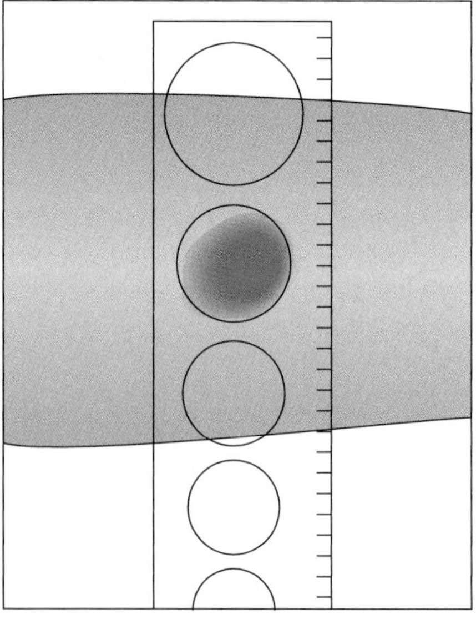

FIGURE 25-4 ■ Test de Mantoux pour le dépistage de la tuberculose. **(A)** On introduit le PPD sous la peau en insérant une aiguille dont l'ouverture en biseau s'oriente vers le haut. **(B)** La réaction se traduit habituellement par la formation d'une papule ortiée ferme. **(C)** On mesure la papule à l'aide d'un calibre. Si son diamètre est de 5 mm ou plus, on considère que la réaction est positive.

on risque de sous-estimer la véritable taille de l'**induration**. Une réaction locale différée indique que la personne est sensible à la tuberculine.

Il y a réaction lorsqu'une induration et un érythème (rougeur) sont présents. Après l'inspection de l'induration, on palpe délicatement le siège de l'injection, à partir de la peau normale jusqu'aux bordures de l'induration. On prend ensuite la mesure en millimètres du diamètre de l'induration dans sa partie la plus large (sans la partie érythémateuse) et on note cette mesure. Un érythème sans induration n'est pas considéré comme une réaction positive.

Interprétation des résultats La taille de l'induration détermine l'importance de la réaction. Une induration de 0 à 4 mm n'est pas considérée comme une réaction positive; une induration de 5 mm ou plus peut être considérée comme une réaction positive chez une personne à risque. Une induration de 10 mm ou plus est habituellement considérée comme une réaction positive chez la personne dont le système immunitaire est intact ou légèrement affaibli. Une réaction positive indique que la personne a été exposée à *M. tuberculosis* récemment ou par le passé, ou qu'elle a été vaccinée avec le bacille Calmette-Guérin (BCG). Le vaccin BCG confère une résistance plus grande contre la tuberculose. Il est efficace chez 76 % des personnes. Par ailleurs, le BCG complique l'interprétation du test de Mantoux; c'est pourquoi on l'abandonne de plus en plus. Il est utilisé en Europe et en Amérique latine, mais on ne l'administre plus systématiquement au Canada ni aux États-Unis. Au Québec, on a cessé de le donner aux élèves vers la fin des années 1970 et, depuis peu, aux étudiants du secteur de la santé. Seuls les nourissons des communautés des premières nations reçoivent le vaccin BCG au Canada, mais on se propose de mettre un terme à cette pratique dans toutes les communautés (Agence de santé publique du Canada, 2004b).

Une induration de 5 mm ou plus est considérée comme une réaction positive chez les personnes contaminées par le VIH ou qui sont à risque pour cette infection sans qu'elle soit confirmée, chez celles qui sont en contact étroit avec une personne dont la tuberculose est active et chez celles dont les résultats radiologiques évoquent la tuberculose.

Une réaction positive ne signifie pas nécessairement que l'affection est active. Chez plus de 90 % des personnes qui ont une réaction positive à la tuberculine, la tuberculose ne sera pas cliniquement manifeste. Toutefois, toutes ces personnes pourraient souffrir de la forme active de l'affection. En général, plus la réaction est importante, plus grand est le risque d'infection active.

Une réaction négative n'exclut pas la présence d'une infection ou de la tuberculose, puisque chez les personnes immunodéprimées il est impossible d'obtenir une réponse immunitaire suffisante pour produire une réaction positive au test (anergie).

La justesse du relevé du test cutané dépend des compétences de la personne qui interprète les résultats. Selon une étude (Kendig, Kirkpatrick, Carter *et al.*, 1998), les professionnels de la santé tendent à sous-estimer la taille de l'induration: seulement 7 % des 107 professionnels ayant constitué l'échantillon ont inscrit la mesure exacte dans les dossiers.

Classification de la tuberculose

D'après les données issues de l'anamnèse, de l'examen physique, de l'examen radiologique et des examens microbiologiques, on regroupe les manifestations de la tuberculose en cinq classes. Une telle classification fournit aux autorités de la santé publique un moyen systématique de surveillance et de traitement de l'affection (American Thoracic Society, 2000).

- Classe 0: ni exposition ni infection
- Classe 1: exposition sans signe d'infection
- Classe 2: infection latente sans affection (réaction positive au PPD, mais sans signe clinique de tuberculose active)
- Classe 3: affection présente, cliniquement active
- Classe 4: affection présente, cliniquement inactive (latente)
- Classe 5: affection soupçonnée; diagnostic à confirmer

Particularités reliées à la personne âgée

La tuberculose peut prendre une forme atypique chez les personnes âgées, les symptômes pouvant être notamment un comportement inhabituel et un état mental perturbé, la fièvre, l'anorexie et la perte de poids. Un grand nombre de personnes âgées peuvent ne présenter aucune réaction (perte de la mémoire immunitaire) ou une réaction différée, parfois d'une semaine (phénomène de rappel). Il est recommandé d'effectuer un deuxième test cutané une ou deux semaines plus tard.

Traitement médical

Le principal traitement de la tuberculose pulmonaire est une chimiothérapie de 6 à 12 mois à base d'agents antituberculeux. Le traitement doit être prolongé afin d'assurer l'éradication des microorganismes et de prévenir la rechute. Depuis les années 1950, les organismes sanitaires du monde entier s'inquiètent de la résistance toujours plus grande de *M. tuberculosis* aux médicaments antituberculeux et cette résistance constitue un défi de taille à relever. Lors de la planification d'un traitement efficace, il faut tenir compte de plusieurs types de résistance, notamment:

- *Résistance primaire* Résistance de l'agent pathogène à l'un des agents antituberculeux de première ligne chez une personne qui n'a jamais été traitée auparavant.
- *Résistance secondaire ou acquise* Résistance de l'agent pathogène à l'un ou à plusieurs agents antituberculeux chez une personne sous traitement.
- *Multirésistance* Résistance de l'agent pathogène à deux agents, soit à l'isoniazide (INH) et à la rifampicine. Les personnes exposées au risque le plus élevé de multirésistance sont celles qui sont infectées par le VIH, celles qui vivent en établissement et les sans-abri.

En raison de la prévalence accrue de la résistance aux médicaments, il faut utiliser quatre médicaments ou plus dès le début du traitement et veiller à mener celui-ci à terme. D'autre part, il faut continuer de mettre au point et d'évaluer de nouveaux agents antituberculeux.

TABLEAU 25-2

Antibiothérapie de première intention

Agents couramment prescrits	Posologie quotidienne chez l'adulte*	Effets secondaires les plus courants	Interactions médicamenteuses†	Remarques*
Isoniazide (INH)	5 mg/kg (300 mg par jour au maximum)	Neuropathie périphérique, élévation des taux des enzymes hépatiques, hypersensibilité	■ Antabuse ■ Alcool	■ Bactéricide ■ Administrer de la pyridoxine en prophylaxie de la neuropathie. Suivre de près les taux d'AST (TGO) et d'ALT (TGP).
Rifampicine (Rifadin, Rofact)	10 mg/kg (600 mg par jour au maximum)	Hépatite, réaction fébrile, purpura (rare), nausées, vomissements	■ La rifampicine accélère le métabolisme d'un grand nombre de médicaments, dont les contraceptifs oraux, les corticostéroïdes, les anticoagulants oraux, la méthadone, plusieurs antirétroviraux, les benzodiazépines et les sulfonylurées.	■ Bactéricide ■ Toutes les sécrétions organiques (urine, larmes, sueur, salive) deviennent rouge-orangé. ■ Changement de couleur des lentilles cornéennes. ■ Suivre de près les taux d'AST (TGO) et d'ALT (TGP).
Pyrazinamide	15 à 30 mg/kg (2 g par jour au maximum)*	Hyperuricémie, toxicité hépatique, rash, arthralgies, nausée, perte d'appétit		■ Bactéricide ■ Suivre de près l'acide urique et les taux d'AST (TGO) et d'ALT (TGP).
Éthambutol (Etibi, Myambutol)	15 à 25 mg/kg (aucune indication quant à la dose quotidienne maximale; calculer selon la masse maigre)*	Névrite optique (risque de cécité, mais très rare à une dose de 15 mg/kg), rash		■ Bactériostatique ■ À administrer avec prudence en présence d'affection rénale ou lorsqu'il est impossible d'effectuer un examen oculaire. Suivre de près l'acuité visuelle‡.

*Consulter la monographie du produit pour connaître tous les détails concernant la posologie, les contre-indications, les interactions médicamenteuses, les effets indésirables et les consignes de surveillance.
† Consulter les dernières publications, particulièrement en ce qui concerne la rifampicine, puisqu'elle élève les taux des microenzymes hépatiques et interagit ainsi avec de nombreux médicaments.
‡ Procéder à un examen avant le traitement.

Pharmacothérapie

Actuellement, pour traiter la tuberculose, on utilise les médicaments suivants en première intention (tableau 25-2 ■): l'isoniazide ou INH, la rifampicine, le pyrazinamide et l'éthambutol.

Pour améliorer l'observance du traitement, on peut utiliser des associations médicamenteuses, comme l'INH avec le pyrazinamide et la rifampicine (Rifater). La streptomycine, la capréomycine, l'éthionamide, le paraaminosalicylate de sodium et la cyclosérine sont des médicaments de deuxième intention. Parmi les autres médicaments qui peuvent s'avérer efficaces, citons l'amikacine, les quinolones, la rifabutine, la clofazimine et les associations.

Selon les recommandations de traitement de la tuberculose pulmonaire chez les personnes nouvellement diagnostiquées (American Thoracic Society et CDC, 2003), il faudrait administrer une polythérapie à base d'INH, de rifampicine, de pyrazinamide et d'éthambutol. Ce schéma de traitement initial intensif doit être habituellement poursuivi quotidiennement pendant huit semaines. Si les résultats de la mise en culture montrent que le microorganisme est sensible à cette association médicamenteuse avant la fin de ces huit semaines, on peut retirer l'éthambutol du schéma thérapeutique. Après huit semaines de polythérapie, on peut arrêter l'administration du pyrazinamide et continuer l'administration de l'INH et de la rifampicine pendant encore quatre mois. Cependant, ce type de traitement peut aussi se poursuivre pendant douze mois. On considère que la personne n'est plus contagieuse après deux ou trois semaines de traitement continu. On administre de la vitamine B (pyridoxine) en même temps que l'INH pour prévenir la neuropathie périphérique que ce médicament peut entraîner (tableau 25-2).

On peut aussi administrer l'INH en prophylaxie chez les personnes exposées au risque de contracter une tuberculose grave, notamment:

- Les membres de la famille de la personne dont la tuberculose est active et qui vivent sous le même toit qu'elle
- Les personnes infectées par le VIH, qui présentent une induration de 5 mm ou plus à la suite du test de Mantoux

- Les personnes chez qui un examen radiologique a permis de dépister des lésions fibreuses évoquant une tuberculose ancienne, et qui présentent une induration de 5 mm ou plus à la suite du test de Mantoux
- Les personnes dont les résultats à un nouveau test de Mantoux montrent par rapport aux résultats antérieurs un changement pouvant témoigner d'une exposition récente aux bacilles de la tuberculose (on parle alors de virage)
- Les personnes immunodéprimées ou ayant eu une greffe d'organe et qui présentent une induration de 5 mm ou plus à la suite du test de Mantoux
- Les utilisateurs de drogues (injectables ou intraveineuses) qui présentent une induration de 10 mm ou plus à la suite du test de Mantoux
- Les personnes souffrant d'une affection intercurrente augmentant le risque de tuberculose et qui présentent une induration de 10 mm ou plus à la suite du test de Mantoux

Les autres candidats à un traitement prophylactique par l'INH sont les personnes âgées de 35 ans ou moins, qui présentent une induration de 10 mm ou plus à la suite du test de Mantoux et qui répondent à un ou plusieurs des critères suivants:

- Personnes nées dans un pays ou la prévalence de la tuberculose est élevée
- Personnes faisant partie de populations à haut risque, ne bénéficiant pas de services médicaux suffisants
- Personnes vivant en établissement, incarcérées ou logées dans des centres d'hébergement et de soins de longue durée

Un traitement prophylactique par l'INH peut aussi être offert aux personnes âgées de 35 ans ou moins, qui présentent une induration de 15 mm ou plus à la suite du test de Mantoux et qui ne sont exposées à aucun autre facteur de risque de tuberculose.

Dans le cadre d'un traitement prophylactique par l'INH, il faut prendre les doses tous les jours pendant 6 à 12 mois. On évalue mensuellement les enzymes hépatiques, l'urée et les taux de créatinine. On surveille, par ailleurs, les cultures des expectorations pour dépister l'apparition des bacilles acidorésistants et pour vérifier l'observance du traitement.

En 2000, on a fait des recommandations concernant le traitement de la tuberculose latente (American Thoracic Society et CDC, 2000). Quatres régimes thérapeutiques sont proposés. L'administration quotidienne d'INH pendant neuf mois reste le traitement de prédilection. L'administration quotidienne d'INH pendant six mois ou deux fois par semaine pendant six à neuf mois sous traitement directement observé (TDO) est aussi possible. En raison du risque de toxicité de l'INH et d'inobservance reliée à la durée de ces régimes thérapeutiques, des traitements plus courts à base de rifampicine (administration quotidienne de rifampicine pendant quatre mois ou administration quotidienne de rifampicine et de pyrazinamide pendant deux mois) sont aussi envisageables. Toutefois, en 2003, les CDC ont recommandé d'éviter le traitement de deux mois par la rifampicine et le pyrazinamide en raison de son potentiel de toxicité hépatique (CDC, 2001, 2003).

DÉMARCHE SYSTÉMATIQUE dans la pratique infirmière

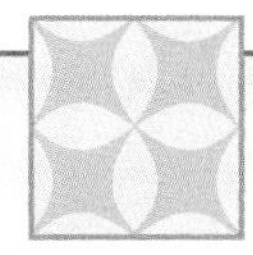

Personne atteinte de tuberculose

COLLECTE DES DONNÉES

L'infirmière doit effectuer une anamnèse détaillée et un examen physique. Des manifestations cliniques comme la fièvre, l'anorexie, la perte pondérale, les sueurs nocturnes, la fatigue, la toux et la production d'expectorations doivent l'inciter à procéder à un examen plus approfondi de la fonction respiratoire; par exemple, dépister la consolidation des tissus pulmonaires par l'évaluation des bruits pulmonaires (murmure vésiculaire normal ou diminué, crépitants), des vibrations vocales, de l'égophonie ou des sons mats à la percussion. Elle doit également déceler par palpation les ganglions lymphatiques hypertrophiés et douloureux. Par ailleurs, il lui incombe de recueillir des données sur le milieu de vie de la personne, sur sa perception de la tuberculose et sur la compréhension qu'elle a de cette affection et de son traitement ainsi que sur sa volonté d'en apprendre davantage sur le sujet.

ANALYSE ET INTERPRÉTATION

Diagnostics infirmiers

En se fondant sur les données recueillies, l'infirmière peut poser les diagnostics infirmiers suivants:

- Mode de respiration inefficace, relié à des sécrétions trachéobronchiques abondantes
- Connaissances insuffisantes sur le schéma thérapeutique et les mesures prophylactiques, reliées à une prise en charge inefficace du traitement (non-observance)
- Intolérance à l'activité, reliée à la fatigue, à des carences nutritionnelles et à la fièvre

Problèmes traités en collaboration et complications possibles

En se fondant sur les données recueillies, l'infirmière peut déterminer les complications susceptibles de survenir, notamment:

- Dénutrition
- Effets indésirables des médicaments: hépatite, neuropathies, rash, effets gastro-intestinaux
- Résistance de l'agent pathogène à plusieurs médicaments
- Propagation de l'infection (tuberculose miliaire)

PLANIFICATION

Les principaux objectifs sont les suivants: maintenir la perméabilité des voies respiratoires; accroître les connaissances sur l'affection et le schéma de traitement et favoriser l'observance du schéma posologique; accroître la tolérance à l'activité; et prévenir les complications.

INTERVENTIONS INFIRMIÈRES

Favoriser le dégagement des voies respiratoires

Des sécrétions abondantes obstruent les voies aériennes de nombreuses personnes atteintes de tuberculose et entravent les échanges gazeux. Un apport accru en liquides favorise l'hydratation de tout l'organisme et aide la personne à expectorer. L'infirmière doit enseigner à la personne les positions qui l'aideront à dégager ses voies respiratoires (drainage postural, chapitre 27).

Favoriser l'observance du traitement

La polythérapie nécessaire pour traiter la tuberculose peut se révéler difficile à suivre. C'est pourquoi il faut informer la personne des médicaments qu'elle doit prendre, de leur posologie et de leurs effets secondaires. Il faut aussi bien lui expliquer que la tuberculose est une maladie contagieuse et que la fidélité au traitement qui lui a été prescrit est le moyen le plus efficace d'en prévenir la transmission. La principale raison de l'échec du traitement est l'inobservance (la personne ne prend pas ses médicaments de façon régulière ou ne suit pas le traitement pendant toute la durée nécessaire). L'infirmière doit également enseigner à la personne les principales mesures d'hygiène, soit les soins de la bouche et le lavage des mains, et lui expliquer qu'il lui faut se couvrir la bouche et le nez lorsqu'elle tousse ou éternue et mettre soigneusement au rebut les mouchoirs en papier utilisés.

Encourager l'activité et une saine alimentation

Les personnes atteintes de tuberculose sont souvent affaiblies à cause de cette affection chronique et des carences alimentaires. L'infirmière doit planifier un programme progressif d'activités qui vise une tolérance accrue à l'effort et le renforcement musculaire. L'anorexie, la perte pondérale et la dénutrition sont courantes chez la personne atteinte de tuberculose. Son désir de manger peut être émoussé à cause de la fatigue provoquée par la toux excessive, la production d'expectorations, la douleur thoracique ou l'affaiblissement généralisé. Le coût de la nourriture peut aussi poser problème chez les personnes défavorisées économiquement (les sans-abri par exemple). Il peut s'avérer nécessaire d'élaborer un plan d'alimentation qui prévoit la consommation fréquente de petites portions. Les suppléments nutritionnels sous forme liquide peuvent aider à subvenir aux besoins énergétiques de base.

Surveiller et traiter les complications

Dénutrition

La dénutrition peut être la conséquence du mode de vie de la personne ou d'un manque de connaissances sur la bonne alimentation et son rôle dans le maintien de la santé; elle peut aussi résulter du manque de ressources, de la fatigue ou du manque d'appétit à cause de la toux et de la production de mucosités. Pour contrecarrer les effets de ces facteurs, l'infirmière, en collaboration avec la diététiste, le médecin, le travailleur social, les membres de la famille et la personne atteinte de tuberculose, doit repérer les stratégies permettant d'assurer un apport nutritionnel approprié. Elle doit également chercher des ressources locales (par exemple, abris, soupes populaires, repas livrés à domicile) qui permettront à la personne de manger suffisamment. Elle peut lui recommander de prendre des suppléments énergétiques pour augmenter son apport alimentaire à partir des produits normalement stockés dans un garde-manger. L'achat de suppléments alimentaires peut entraîner des dépenses que la personne ne peut se permettre, mais une diététiste peut l'aider à préparer des repas riches en énergie, malgré des ressources limitées.

Effets secondaires du traitement médicamenteux

Il est important de dépister les effets secondaires des médicaments, puisqu'ils sont souvent la raison pour laquelle la personne n'observe pas le traitement qui lui a été prescrit. Il faut tout faire pour réduire les effets secondaires et accroître ainsi le désir de la personne de prendre les médicaments en suivant scrupuleusement les recommandations du médecin.

L'infirmière expliquera à la personne qu'elle doit prendre l'INH et la rifampicine à jeun ou au moins une heure avant les repas, car les aliments en entravent l'absorption (cependant, si ces médicaments sont pris à jeun, il y a souvent risque de troubles gastro-intestinaux). Les personnes qui prennent de l'INH doivent éviter les aliments contenant de la tyramine et de l'histamine (aliments vieillis ou fermentés comme les fromages affinés, la bière, le vin, les saucisses séchées, le soja fermenté et la choucroute, la sauce soja, les extraits de levure), qui peuvent entraîner des interactions avec le médicament et provoquer des céphalées, des symptômes vasomoteurs, de l'hypertension, une sensation de tête légère, des palpitations et la diaphorèse.

La rifampicine accélère le métabolisme d'autres médicaments, les rendant moins efficaces (tableau 25-2). Il faut aborder ce problème avec le médecin ou le pharmacien afin que les posologies soient adaptées en conséquence. L'infirmière doit informer la personne que la rifampicine colore les sécrétions biologiques (urine, larmes, sueur), ce qui peut changer la couleur des lentilles cornéennes, et lui conseiller de porter des lunettes pendant le traitement. Elle suivra également de près les autres effets secondaires des médicaments antituberculeux, dont l'hépatite, les neuropathies et le rash, tout comme les résultats des diverses épreuves de laboratoire (taux des enzymes hépatiques, urée, taux de créatinine sérique), afin de dépister les modifications de la fonction hépatique et rénale occasionnées par les médicaments. Elle recherchera en outre les bacilles acidorésistants dans les expectorations pour évaluer l'efficacité et l'observance du traitement.

Multirésistance

L'infirmière doit mesurer soigneusement les signes vitaux pour déceler les pics de température ou les modifications de l'état clinique de la personne. Elle signalera toute modification de l'état respiratoire au médecin traitant et mettra la personne en garde contre le risque d'émergence d'une souche résistante de l'agent pathogène si l'observance du traitement n'est pas rigoureuse.

Propagation de l'infection

On appelle tuberculose extrapulmonaire (ou miliaire) des lésions tuberculeuses à distance, formées à partir du siège pulmonaire initial à la suite de la pénétration du bacille dans la circulation sanguine (foyer de Ghon). Il s'agit habituellement de la réactivation tardive d'une infection latente dans le poumon ou ailleurs. Les bacilles qui pénètrent dans la circulation sanguine peuvent provenir d'un nodule chronique qui s'est ulcéré, déversant son contenu dans un vaisseau sanguin, ou d'une multitude de nodules miliaires qui tapissent la paroi interne du conduit thoracique. Les microorganismes migrent depuis ces foyers vers la circulation sanguine et sont transportés dans l'organisme par voie hématogène, se disséminant dans tous les tissus. Ainsi de nouveaux nodules miliaires peuvent se former dans les poumons, la rate, le foie, les reins, les méninges et d'autres organes.

L'évolution clinique de la tuberculose extrapulmonaire peut aller d'une infection aiguë qui progresse rapidement, caractérisée par une fièvre élevée, jusqu'à un processus plus lent, marqué quant à lui par une température subfébrile, l'anémie et l'affaiblissement. Au début, tout signe local peut être absent, en dehors d'une rate hypertrophiée et d'un nombre réduit de leucocytes. Après quelques semaines, cependant, la radiographie thoracique peut révéler de petites opacités diffuses, disséminées dans les deux champs pulmonaires. Ce sont des nodules miliaires qui se développeront graduellement.

En raison du risque d'apparition d'une tuberculose extrapulmonaire, il faut dépister cette forme très grave d'infection. L'infirmière prend les signes vitaux et reste à l'affût des pics de température et des modifications de la fonction cognitive et rénale. Peu de signes peuvent être décelés par l'examen physique, mais à ce stade de l'affection la personne a une toux grave et de la dyspnée. Le traitement de la tuberculose extrapulmonaire est le même que celui de la tuberculose pulmonaire.

Favoriser les soins à domicile et dans la communauté

Enseigner les autosoins

L'infirmière joue un rôle vital dans la prise en charge de la personne tuberculeuse et de sa famille. Elle doit déterminer si la personne est capable de poursuivre son traitement à domicile. Elle doit enseigner à la personne et aux membres de sa famille les méthodes de lutte contre l'infection qui consistent, entre autres, à mettre au rebut de façon appropriée les mouchoirs en papier, à se couvrir la bouche quand on tousse et à se laver soigneusement les mains. Il lui faut aussi vérifier si la personne est fidèle à son traitement médicamenteux, car il y a risque d'émergence de souches résistantes de bacilles si la pharmacothérapie n'est pas suivie à la lettre. Si l'infirmière doute de la fidélité de la personne à son traitement, elle pourra l'adresser à une clinique de consultations externes où le médicament lui sera administré quotidiennement en vertu d'un programme appelé traitement directement observé.

Assurer le suivi

L'infirmière doit évaluer tout le milieu de vie de la personne atteinte de tuberculose, c'est-à-dire son domicile, son milieu de travail et son milieu social, pour repérer les personnes qui auraient pu être en contact avec elle au cours de la phase infectieuse. Elle doit organiser des visites de dépistage pour toutes ces personnes. Les infirmières qui ont des contacts avec la personne atteinte de tuberculose à son domicile, à l'hôpital, à la clinique, dans son milieu de travail ou dans un centre doivent évaluer son état physique et physiologique et sa capacité d'observer le traitement prescrit. C'est également à l'infirmière qu'il incombe de noter les effets secondaires des médicaments et tout écart sur le plan de l'observance (prise des médicaments selon les recommandations du médecin, pratique d'une bonne hygiène, consommation d'aliments nutritifs en quantité suffisante et poursuite des activités qui conviennent). Par ailleurs, l'infirmière doit renforcer ses enseignements antérieurs et insister sur le fait qu'il est important de respecter les rendez-vous pris avec le médecin traitant, tout comme de poursuivre les autres activités qui favorisent le rétablissement de la santé et de se présenter aux examens de dépistage.

ÉVALUATION

Résultats escomptés

Les principaux résultats escomptés sont les suivants:

1. Les expectorations sont évacuées grâce à l'hydratation, à l'humidification de l'air ambiant, aux exercices de toux et au drainage postural.
2. La personne prouve qu'elle a des connaissances adéquates.
   a) Elle donne le nom de ses médicaments et en indique correctement la posologie.
   b) Elle nomme les effets secondaires de ses médicaments.
   c) Elle sait à quel moment ou pour quelle raison elle doit contacter un professionnel de la santé.
3. La personne observe scrupuleusement son traitement, en prenant les médicaments selon les recommandations du médecin et en se présentant aux rendez-vous de suivi.
4. La personne prend des mesures de prévention.
   a) Elle met adéquatement au rebut ses mouchoirs en papier.
   b) Elle incite les personnes avec lesquelles elle entretient des contacts étroits à se présenter aux tests de dépistage.
   c) Elle observe les recommandations concernant le lavage des mains.
5. La personne respecte son programme d'activités.
6. La personne ne présente pas de complications.
   a) Elle maintient un poids adéquat ou gagne du poids, si cela est indiqué.
   b) Ses résultats aux tests d'exploration de la fonction hépatique et rénale sont normaux.
7. La personne prend des mesures pour diminuer les effets secondaires des médicaments.
   a) Elle prend des suppléments vitaminiques (vitamine B), si le médecin l'a recommandé, pour réduire le risque de neuropathie périphérique due à l'INH.
   b) Elle évite de boire de l'alcool.
   c) Elle évite de consommer des aliments contenant de la tyramine et de l'histamine.
   d) Elle se soumet régulièrement à des examens physiques et à des analyses sanguines pour évaluer la fonction hépatique et rénale, et pour dépister la neuropathie, ainsi qu'à des tests auditifs et à des tests de vérification de l'acuité visuelle.

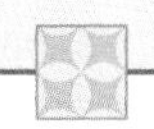

ABCÈS DU POUMON

Un abcès pulmonaire est une cavité localisée remplie de pus, due à une lésion nécrosée logée dans le parenchyme pulmonaire. Il est habituellement dû à l'inhalation de bactéries anaérobies. Par définition, l'examen radiologique révélera une cavité d'au moins 2 cm. Les personnes dont le réflexe tussigène est inadéquat et dont la glotte ne ferme pas, ainsi que celles qui ont des difficultés de déglutition sont susceptibles d'inhaler des substances étrangères et de présenter un abcès du poumon. Sont également à risque les personnes qui souffrent d'affections du système nerveux central (convulsions, accident vasculaire cérébral), d'affections de l'œsophage, de toxicomanie, d'immunodépression, ainsi que celles qui n'ont pas de dents, qui sont alimentées par un tube nasogastrique ou dont l'état de conscience est obnubilé à la suite d'une anesthésie.

Physiopathologie

La plupart des abcès représentent une complication d'une pneumonie bactérienne ou sont dus à l'inhalation dans le poumon de microorganismes anaérobies qui colonisent la cavité orale. Ils peuvent aussi être le résultat d'une obstruction assistée ou fonctionnelle des bronches par une tumeur ou un corps étranger, d'une sténose bronchique ou encore d'une pneumonie nécrosante, de la tuberculose, d'une embolie pulmonaire ou d'un traumatisme thoracique.

La plupart des abcès se trouvent dans une région pulmonaire qui peut être touchée par l'inhalation de la substance infectante. Le siège d'un abcès est relié à la gravitation et est déterminé par la position de la personne. Ainsi, chez la personne confinée au lit, les sièges les plus courants sont le segment postérieur d'un lobe supérieur et le segment supérieur d'un lobe inférieur. Toutefois, on peut aussi trouver des sièges atypiques, selon la position dans laquelle la personne se trouvait au moment de l'inhalation.

Initialement, la cavité pulmonaire peut ou non se creuser directement dans une bronche. Par la suite, l'abcès sera entouré, ou encapsulé, par du tissu fibreux. Le processus nécrotique peut se propager jusqu'au moment où il atteint la lumière d'une bronche ou la cavité pleurale et s'ouvrir ainsi dans une voie respiratoire ou faire communiquer la cavité pleurale avec l'extérieur, sinon les deux à la fois. Si l'abcès s'ouvre dans une bronche, les matières purulentes seront évacuées continuellement sous forme d'expectorations, alors que s'il s'ouvre dans la plèvre, il peut entraîner un empyème. Lorsque l'abcès crée une communication entre la bronche et la plèvre, on parle de fistule bronchopleurale.

Les microorganismes le plus souvent à l'origine des abcès du poumon sont *S. aureus, Klebsiella* et d'autres espèces à Gram négatif. Cependant, des bactéries anaérobies peuvent également être présentes. La nature des microorganismes dépend en fait des facteurs prédisposants.

Manifestations cliniques

Les manifestations cliniques d'un abcès pulmonaire peuvent aller d'une légère toux productive jusqu'à des symptômes aigus. La plupart des personnes présentent de la fièvre et une toux productive qui leur permet d'éliminer des quantités modérées ou une abondance d'expectorations fétides, souvent striées de sang. Une leucocytose peut aussi se manifester. La pleurésie ou une douleur thoracique sourde, la dyspnée, la faiblesse, l'anorexie et la perte de poids sont fréquentes. La fièvre et la toux peuvent être insidieuses et passer inaperçues pendant plusieurs semaines avant qu'un diagnostic ne soit posé.

Examen clinique et examens paracliniques

L'examen physique du thorax peut révéler une matité à la percussion et la diminution ou l'absence de murmure vésiculaire avec un **frottement pleural** (bruit de raclement localisé) intermittent constaté à l'auscultation. Des crépitants peuvent également être entendus. Le diagnostic est confirmé par radiographie, mise en culture des expectorations et, parfois, par fibroscopie bronchique. La radiographie révèle un infiltrat. Parfois, il faut avoir recours à la tomodensitométrie pour obtenir un tableau plus détaillé des poumons en coupes transversales.

Prévention

Les mesures suivantes peuvent diminuer le risque de formation d'un abcès pulmonaire :

- Antibiothérapie appropriée avant toute intervention dentaire chez les personnes qui doivent subir une extraction alors que leur dent ou leur gencive est infectée
- Une hygiène dentaire et buccale appropriée, car les bactéries anaérobies jouent un rôle dans la pathogenèse des abcès du poumon
- Antibiothérapie appropriée chez les personnes atteintes de pneumonie

Traitement médical

Les données issues de l'anamnèse, de l'examen physique, de l'examen radiologique et de la culture des expectorations indiquent le type de microorganisme présent et le traitement qui s'impose. Le drainage postural et la physiothérapie thoracique peuvent aider à réduire l'abcès efficacement. Il faut aussi s'assurer que la toux est suffisamment productive. Rarement, il faut installer une sonde thoracique percutanée pour assurer le drainage prolongé de l'abcès. Il est rare aussi qu'on ait recours à la bronchoscopie. Pour assurer la guérison, la personne doit également consommer des aliments très énergétiques et riches en protéines. Bien qu'on recoure rarement à la chirurgie, il faut parfois effectuer une résection du lobe pulmonaire (lobectomie) en présence d'une **hémoptysie** massive (expectoration de sang) ou lorsque la réponse au traitement médical est faible ou absente.

Pharmacothérapie

L'antibiothérapie intraveineuse, qu'il faut administrer pendant une période prolongée, dépend des résultats de la culture des expectorations et de la sensibilité des microorganismes. L'antibiotique de première intention est la clindamycine (Dalacin), suivie par la céfoxitine (Mefoxin) et les pénicillines à large spectre : ticarcilline (en association avec de l'acide clavulanique dans Timentin) et pipéracilline (en association avec du tazobactam dans Tazocin). L'association de pénicilline et de métronidazole (Flagyl) peut aussi être utilisée. En général, il est nécessaire d'administrer des doses massives par voie intraveineuse, car l'antibiotique doit pénétrer dans les tissus nécrosés et dans le liquide de l'abcès. Il faut poursuivre l'administration intraveineuse jusqu'à ce que l'amélioration des symptômes soit évidente.

On passe à une antibiothérapie par voie orale à long terme une fois qu'on note des signes d'amélioration (habituellement, en l'espace de trois à cinq jours). Ces signes sont une température normale, la diminution du nombre de leucocytes et de meilleurs résultats radiologiques (résolution des infiltrats qui entourent l'abcès, réduction de la taille de la cavité, résorption du liquide). L'administration d'antibiotiques par voie orale doit se poursuivre pendant quatre à huit semaines de plus, car si le traitement est arrêté prématurément, il y a risque de récidive.

Soins et traitements infirmiers

L'infirmière administre les antibiotiques et les autres médicaments par voie intraveineuse et suit de près les effets secondaires. Elle commence à prodiguer des soins de physiothérapie thoracique, si cette dernière est recommandée, pour faciliter le drainage de l'abcès. Elle enseigne aussi à la personne des exercices de toux et de respiration profonde pour favoriser la distension des poumons. Pour assurer un apport nutritionnel approprié, elle encourage la personne à consommer des aliments riches en protéines et en énergie. Elle doit également prêter à la personne un soutien affectif, car parfois la guérison est longue à venir.

Favoriser les soins à domicile et dans la communauté

Enseigner les autosoins La personne qui a subi une intervention chirurgicale peut parfois rentrer chez elle avant que la plaie ne soit complètement refermée ou pendant qu'elle porte encore un drain ou une canule. Il faut donc lui enseigner, à elle et à son proche aidant, comment changer les pansements pour prévenir l'excoriation de la peau et les odeurs, comment déceler les signes et symptômes d'infection et comment maintenir le drain ou la canule en place. L'infirmière doit également inciter la personne à faire des exercices de toux et de respiration profonde toutes les deux heures au cours de la journée et montrer au proche aidant comment accomplir la percussion thoracique et le drainage postural afin de faciliter l'expectoration des sécrétions pulmonaires.

Assurer le suivi Dans le cas où le traitement se poursuit à domicile, l'infirmière doit faire en sorte que la personne reçoive les soins nécessaires. Au cours des visites à domicile, elle évalue l'état physique de la personne, son état nutritionnel et son milieu de vie ainsi que la capacité des membres de sa famille à lui administrer le traitement prescrit. Elle renforce également ses enseignements et donne des conseils diététiques afin que la personne puisse atteindre et maintenir un état nutritionnel optimal. Pour prévenir les récidives, elle doit insister sur le fait qu'il est important de mener l'antibiothérapie à terme et d'observer les recommandations concernant le repos et les activités appropriées. Si le traitement intraveineux doit être poursuivi à domicile, c'est à elle qu'il revient de prendre des dispositions afin que les soins et traitements infirmiers soient assurés à cet égard. Bien que la plupart des traitements antibiotiques soient administrés à domicile, la personne pourrait également les recevoir dans une clinique. Dans certains cas, la personne atteinte d'un abcès peut avoir négligé sa santé. Il est donc important de profiter de cette occasion pour lui recommander des stratégies de maintien de la santé et pour l'inciter à se soumettre à des examens de dépistage.

Affections de la plèvre

Les affections de la plèvre sont celles qui touchent la tunique séreuse qui recouvre les poumons (plèvre viscérale) et la surface interne de la paroi thoracique (plèvre pariétale), ou celles qui atteignent la cavité pleurale.

PLEURÉSIE

Physiopathologie

L'inflammation des deux plèvres (viscérale et pariétale) porte le nom de pleurésie (pleurite). Elle peut se manifester par un dépôt de fibrine sur la surface de la plèvre (pleurésie sèche) ou, plus fréquemment, elle est accompagnée d'une augmentation de la production de liquide pleural (pleurésie humide). Dans ce dernier cas, il peut y avoir un épanchement pleural. La pleurésie peut apparaître en même temps qu'une pneumonie, une infection des voies respiratoires supérieures, la tuberculose ou la collagénose, tout comme après un traumatisme thoracique, un infarctus pulmonaire, ou une embolie pulmonaire. Elle peut également affecter les personnes atteintes d'un cancer primitif ou métastatique ou survenir après une thoracotomie. La plèvre pariétale a des terminaisons nerveuses, alors que la plèvre viscérale n'en a pas. Lorsque les membranes enflammées frottent l'une contre l'autre au cours de la respiration (surtout à l'inspiration), il en résulte une douleur aiguë, intense et térébrante (en « coup de poignard »).

Manifestations cliniques

La principale caractéristique de la douleur pleurétique est son lien avec les mouvements respiratoires. Elle est aggravée par les respirations profondes, les quintes de toux ou les éternuements. C'est une douleur circonscrite plutôt que diffuse et elle se manifeste habituellement d'un seul côté. Elle peut être minime ou absente lorsque la personne retient sa respiration ou encore elle peut être localisée, ou irradier vers l'épaule ou vers l'abdomen. Plus tard, lorsque l'épanchement pleural se constitue, la douleur diminue.

Examen clinique et examens paracliniques

Au début, tant que la quantité de liquide accumulée n'est pas importante, l'auscultation au stéthoscope peut révéler un frottement pleural, qui disparaît plus tard, lorsque la quantité de liquide qui s'est accumulée est suffisante pour séparer les séreuses enflammées. Les examens paracliniques comprennent les examens radiologiques, l'analyse des expectorations, la thoracentèse en vue d'obtenir un échantillon du liquide pleural et, plus rarement, la biopsie de la plèvre.

Traitement médical

Le traitement vise à découvrir l'affection qui sous-tend la pleurésie et à soulager la douleur. Habituellement, l'inflammation se résorbe lorsque l'affection sous-jacente (pneumonie, infection) est traitée. Il faut en même temps suivre de près les signes et symptômes de l'épanchement pleural, par exemple essoufflements, douleur, recherche d'une position dans laquelle la douleur est atténuée et diminution de l'excursion diaphragmatique ou de l'amplitude thoracique.

Pour soulager les symptômes, on peut administrer les analgésiques prescrits par le médecin et appliquer de la chaleur ou de la glace. Les anti-inflammatoires non stéroïdiens (AINS) peuvent soulager la douleur et permettre à la personne de prendre des respirations profondes et de tousser plus efficacement. Si la douleur est intense, on peut administrer un anesthésique pour bloquer les nerfs intercostaux.

Soins et traitements infirmiers

Puisque la personne éprouve des douleurs intenses à l'inspiration, l'infirmière peut chercher à les calmer, en lui suggérant, si elle est couchée, de se tourner souvent du côté atteint pour soutenir la paroi thoracique et pour réduire l'étirement de la plèvre. Elle peut également recommander à la personne de soutenir sa cage thoracique avec la main ou un oreiller pendant une quinte de toux.

ÉPANCHEMENT PLEURAL

Il est rare que l'épanchement pleural (accumulation de liquide dans la cavité pleurale) soit un processus pathologique primitif; il s'agit habituellement d'une atteinte secondaire. Normalement, la cavité pleurale contient une petite quantité de liquide (de 5 à 15 mL), qui lubrifie les feuillets de la plèvre et leur permet de bouger sans frotter l'un contre l'autre (figure 25-5 ■). L'épanchement pleural peut être une complication d'une insuffisance cardiaque, de la tuberculose, de la pneumonie, d'une infection pulmonaire (surtout d'origine virale), du syndrome néphrétique, d'une affection du tissu conjonctif, d'une embolie pulmonaire ou d'une tumeur cancéreuse. Le carcinome *in situ* du poumon est le cancer le plus couramment associé à un épanchement pleural.

Physiopathologie

En présence de certaines affections, du liquide peut s'accumuler dans la cavité pleurale en quantité suffisante pour que cette accumulation devienne cliniquement manifeste. Une telle accumulation évoque presque toujours un état pathologique. Le liquide accumulé peut être relativement clair ou contenir du sang ou du pus (empyème). Dans le cas de l'épanchement de liquide clair, il peut s'agir d'un transsudat ou d'un exsudat. Le transsudat (filtrats de plasma qui traversent les parois capillaires intactes) se constitue lorsque les facteurs qui déterminent la formation et la réabsorption du liquide pleural sont altérés, habituellement à cause d'un déséquilibre des pressions hydrostatique ou oncotique. Un épanchement de transsudat témoigne généralement de feuillets pleuraux intacts, sa cause la plus courante étant l'insuffisance cardiaque. Un exsudat (extravasation de liquide dans des tissus ou dans une cavité) se constitue habituellement à la suite d'une inflammation de la plèvre, due à des bactéries ou à une tumeur qui touche la plèvre.

Manifestations cliniques

Habituellement, les manifestations cliniques sont celles de l'affection sous-jacente. La pneumonie provoque de la fièvre, des frissons et des douleurs thoraciques de type pleurétique, alors qu'un épanchement malin peut provoquer de la dyspnée et des quintes de toux. Le volume de l'épanchement et l'affection pulmonaire sous-jacente déterminent la gravité des symptômes. Lorsqu'il est volumineux, l'épanchement entraîne de la dyspnée; si son volume est faible ou moyen, la dyspnée peut être absente ou seulement minime.

Examen clinique et examens paracliniques

L'auscultation de la région du poumon où l'épanchement s'est constitué révèle une diminution ou l'abolition du murmure vésiculaire ainsi qu'une diminution des vibrations vocales. La percussion, quant à elle, produit un bruit sourd et mat. Dans le cas d'un épanchement pleural extrêmement volumineux, la personne est en détresse respiratoire. On peut également noter que la trachée dévie du côté opposé à l'épanchement.

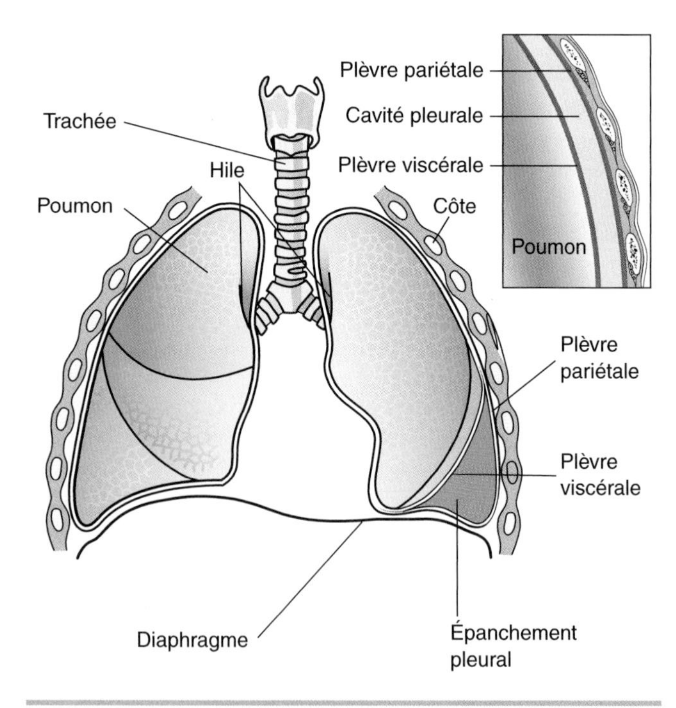

FIGURE 25-5 ■ Épanchement pleural. Un volume anormal de liquide s'accumule dans la cavité pleurale, entraînant des douleurs et de la dyspnée. L'épanchement pleural est habituellement consécutif à un autre processus pathologique.

L'examen physique, l'examen radiologique, la tomodensitométrie thoracique et la thoracentèse confirment la présence de liquide. Dans certains cas, il faut obtenir une radiographie en décubitus latéral, du côté atteint. On peut alors bien voir l'épanchement pleural, car dans cette position le liquide pleural est mis en évidence et une ligne hydroaérique devient visible.

Le liquide pleural est analysé: culture, coloration de Gram, dépistage des bacilles acidorésistants (pour déterminer si la cause sous-jacente est la tuberculose), numération érythrocytaire et leucocytaire, diverses analyses biologiques (glucose, amylase, déshydrogénase lactique, protéines), examen cytologique permettant le dépistage de cellules malignes et mesure du pH. On peut également procéder à une biopsie de la plèvre. Les exsudats ont un contenu riche en protéines et une densité supérieure à 1,015, tandis que les transsudats ont un contenu pauvre en protéines et une densité plus faible.

Traitement médical

Le traitement vise à découvrir la cause sous-jacente, à prévenir une nouvelle accumulation de liquide et à soulager la douleur, la dyspnée et la gêne respiratoire. Le traitement est donc dirigé vers la cause sous-jacente (insuffisance cardiaque, pneumonie, cancer du poumon, cirrhose). Si l'épanchement pleural est formé d'un exsudat, on effectue des examens paracliniques plus approfondis pour en déterminer la cause. Une fois que cette dernière est connue, on amorce le traitement qui s'impose.

La thoracentèse permet d'évacuer le liquide, d'obtenir un échantillon qui sera analysé et de soulager la dyspnée et l'atteinte respiratoire (chapitre 23). Elle sera effectuée sous guidage par ultrasons. Selon le volume de l'épanchement pleural, le liquide pourra être évacué pendant la thoracentèse ou à l'aide d'un drain thoracique branché à un système de drainage sous eau ou à une pompe d'aspiration. La thoracentèse peut également optimiser la distension des poumons.

Si la cause sous-jacente est un cancer, l'épanchement tend à se reformer en quelques jours ou en quelques semaines. Les thoracentèses répétées provoquent des douleurs, la déplétion des protéines et des électrolytes, et parfois un pneumothorax. Une fois que la cavité pleurale est adéquatement drainée, on peut procéder à une pleurodèse chimique pour faire adhérer les deux feuillets de la plèvre et pour prévenir une nouvelle accumulation de liquide. La pleurodèse peut être réalisée par une thoracoscopie ou par l'installation d'un drain thoracique. On instille ensuite dans la cavité pleurale des agents sclérosants (bléomycine ou talc). Lorsqu'on recourt au drainage thoracique, on clampe le drain pendant 60 à 90 minutes après l'instillation et on aide la personne à prendre diverses positions qui favoriseront une répartition uniforme de l'agent et un contact optimal avec la surface de la plèvre. On enlève ensuite le clamp, lorsque le médecin l'ordonne, mais on peut poursuivre le drainage thoracique pendant encore plusieurs jours pour prévenir une nouvelle accumulation de liquide et pour favoriser l'adhésion des deux feuillets de la plèvre.

Parmi les autres traitements d'un épanchement pleural malin (dû à une métastase cancéreuse), citons la pleurotomie chirurgicale, l'introduction d'une petite sonde attachée à un récipient de drainage pour une prise en charge en consultations externes ou la création d'une dérivation pleuropéritonéale à l'aide de deux sondes branchées à une pompe munie de deux valves unidirectionnelles. Le liquide est amené, par pompage manuel, de la cavité pleurale vers le corps de la pompe et ensuite vers la cavité péritonéale. Le pompage doit habituellement être effectué tous les jours (Taubert et Wright, 2000).

Soins et traitements infirmiers

Chez la personne atteinte d'un épanchement pleural, l'infirmière a la responsabilité de veiller au bon déroulement du traitement médical. Elle doit préparer la personne à la thoracentèse, l'installer dans la position adéquate et lui prêter son soutien tout au long de l'intervention. Comme la priorité est le soulagement de la douleur, l'infirmière aide la personne à adopter les positions les moins douloureuses. Toutefois, les changements fréquents de position et la marche sont importants, car ils facilitent l'assèchement de l'épanchement. L'infirmière administre aussi des analgésiques, selon les recommandations du médecin et selon les besoins.

Si on installe un drain thoracique et un système de drainage sous eau, il incombe à l'infirmière de vérifier si le système fonctionne adéquatement et d'inscrire la quantité de liquide recueillie, aux intervalles prescrits. Elle doit administrer les soins reliés à la cause sous-jacente de l'épanchement, compte tenu de l'affection présente. La prise en charge de la personne chez laquelle on a installé un drain thoracique est présentée au chapitre 27.

Si la personne porteuse d'un drain chirurgical est traitée en consultations externes, l'infirmière doit lui enseigner, à elle et à sa famille, les soins de la peau et l'entretien du drain et du système de drainage.

EMPYÈME

L'empyème est l'accumulation d'un liquide épais et purulent dans la cavité pleurale. Il est souvent accompagné par la formation de fibrine et d'une région loculée (cloisonnée) qui constitue le foyer d'infection. La plupart des empyèmes sont des complications d'une pneumonie bactérienne ou d'un abcès du poumon. Les autres causes sont notamment les traumatismes thoraciques perforants, l'infection hématogène de la cavité pleurale, les infections non bactériennes et les complications iatrogènes d'une intervention chirurgicale dans le thorax ou d'une thoracentèse.

Physiopathologie

Au début, le liquide pleural est clair (et le nombre de leucocytes bas), mais avec le temps il devient souvent fibropurulent et finit par enfermer les poumons dans un épais manteau exsudatif (empyème cloisonné).

Manifestations cliniques

La personne qui présente un empyème est très malade et présente des signes et symptômes similaires à ceux d'une infection respiratoire aiguë (fièvre, sueurs nocturnes, douleur de type pleurétique, toux, dyspnée, anorexie, perte de poids). Si elle est immunodéprimée, les symptômes peuvent être moins spécifiques, alors que, si elle a reçu des antibiotiques, ils sont moins évidents.

Examen clinique et examens paracliniques

L'auscultation thoracique révèle un murmure vésiculaire diminué ou aboli au niveau de la région où l'empyème s'est constitué. On observe aussi une matité à la percussion et une diminution des vibrations vocales. Le diagnostic est posé à l'aide d'un examen radiologique ou par tomodensitométrie. On effectue habituellement une thoracentèse diagnostique sous guidage par ultrasons.

Traitement médical

Le traitement vise le drainage de la cavité pleurale et la pleine distension des poumons. On évacue le liquide et on administre des doses massives de l'antibiotique qui peut éradiquer le microorganisme responsable. Pour que la cavité redevienne stérile, l'antibiothérapie doit se poursuivre pendant quatre à six semaines. Le drainage du liquide pleural dépend du stade de l'affection et on le réalise par l'une des méthodes suivantes:

- Aspiration à l'aiguille (thoracentèse) par une petite canule percutanée, si le volume de liquide est faible et si ce liquide n'est pas trop épais ou purulent
- Thoracotomie (drainage thoracique à l'aide d'un drain intercostal de gros calibre attaché à un système de drainage sous eau [chapitre 27]), avec instillation d'agents fibrinolytiques par le drain chez les personnes dont l'épanchement pleural est cloisonné ou compliqué
- Drainage du thorax ouvert par thoracotomie, avec résection costale possible, pour retirer la plèvre épaissie, le pus et les débris, et pour exciser le tissu pulmonaire atteint

Lorsque l'inflammation est présente depuis longtemps, un exsudat peut recouvrir le poumon et l'empêcher de se distendre normalement. Cet exsudat doit être retiré par voie chirurgicale (décortication). On laisse en place le drain jusqu'à l'oblitération complète de l'espace rempli de pus. Le monitorage de l'oblitération se fait par des radiographies en série. Il faut informer la personne que le traitement peut être de longue durée. Il arrive souvent que la personne quitte l'hôpital alors que le drain thoracique est toujours en place. Il faut alors lui demander de suivre l'écoulement du liquide à domicile.

Soins et traitements infirmiers

L'assèchement de l'empyème est un long processus. L'infirmière aide la personne à s'adapter à son état et lui enseigne des exercices qui favorisent le rétablissement de la fonction respiratoire. Elle lui explique aussi la méthode de drainage du liquide pleural (à savoir aspiration à l'aiguille, drainage à thorax fermé ou résection costale avec drainage). Si la personne porte toujours son drain lorsqu'elle quitte l'établissement de soins et que le traitement doit se poursuivre à domicile, l'infirmière lui explique, à elle et à sa famille, l'entretien de l'appareillage de drainage et les soins à apporter à l'incision pratiquée pour implanter le drain. Elle lui explique aussi comment mesurer la quantité de liquide évacuée, les caractéristiques qu'il faut noter, tout comme les signes et symptômes d'infection qu'il faut signaler à un professionnel de la santé (voir la «Démarche systématique dans la pratique infirmière: personne qui subit une intervention thoracique», au chapitre 27).

Œdème pulmonaire

L'**œdème pulmonaire** est le résultat d'une accumulation de liquide dans le tissu pulmonaire ou dans l'espace alvéolaire. Il s'agit d'un trouble grave et menaçant pour la vie.

Physiopathologie

L'œdème pulmonaire survient le plus souvent à la suite d'une pression microvasculaire accrue, due à une fonction cardiaque anormale. En effet, comme l'accumulation de sang dans les vaisseaux pulmonaires causée par le dysfonctionnement ventriculaire gauche entraîne une pression microvasculaire accrue, le liquide commence à s'écouler dans l'espace intercellulaire et dans les alvéoles. Les autres causes de l'œdème pulmonaire sont l'hypervolémie ou une élévation soudaine de la pression intravasculaire dans le poumon, comme en cas de pneumonectomie, par exemple. Après l'ablation d'un poumon, tout le flot sanguin s'écoule vers l'autre poumon. Si l'équilibre hydrique n'est pas suivi de près, un œdème pulmonaire peut rapidement se constituer au cours de la période postopératoire, pendant que les vaisseaux du poumon tentent de s'adapter à la nouvelle situation. On parle alors d'œdème aigu pulmonaire (OAP). Un deuxième type d'œdème pulmonaire est celui qui se forme après une réexpansion rapide du poumon, qui peut survenir lorsqu'on évacue l'air à la suite d'un pneumothorax ou qu'on retire le liquide provenant d'un épanchement pleural volumineux. L'hypoalbuminémie (produite par exemple par le syndrome néphrotique), l'altération de la perméabilité des capillaires (provoquée par exemple par une inflammation lors d'une pneumonie), une affection maligne du système lymphatique, la détresse respiratoire sont d'autres causes possibles de l'œdème pulmonaire.

Manifestations cliniques

Le principal symptôme de l'œdème pulmonaire est une détresse respiratoire accrue, caractérisée par la dyspnée, une respiration sifflante et la cyanose centrale. La personne est habituellement très anxieuse et souvent agitée. Les sérosités qui s'écoulent dans les alvéoles et se mélangent à l'air forment des sécrétions mousseuses, souvent striées de sang, que la personne élimine en toussant ou que l'infirmière aspire. Par ailleurs, la détresse respiratoire aiguë qui caractérise l'œdème du poumon peut mettre la personne dans un état de confusion ou de stupeur.

Examen clinique et examens paracliniques

L'auscultation révèle des crépitants à la base du poumon (en particulier, postérieurement) qui remontent rapidement vers le sommet et qui sont dus aux mouvements de l'air à travers le liquide alvéolaire. La radiographie thoracique montre des infiltrations interstitielles accrues. On peut noter la présence de tachycardie et de tachypnée. La sphygmooxymétrie révèle une chute graduelle de la teneur en oxygène du sang, alors que l'analyse des gaz du sang artériel montre une hypoxémie qui s'aggrave, donc une faible PaO_2 et une augmentation possible de CO_2, entraînant une acidose respiratoire.

Traitement médical

Le traitement vise à corriger le trouble sous-jacent. Si l'œdème pulmonaire est d'origine cardiaque, le but sera d'améliorer le fonctionnement du ventricule gauche. On peut administrer des vasodilatateurs, des médicaments inotropes, des agents visant à corriger la précharge, la postcharge ou les problèmes associés à la contractilité. Si l'œdème est dû à une surcharge volémique, on administre des diurétiques et on restreint la quantité de liquide que la personne est autorisée à consommer. Pour corriger l'hypoxémie, on administre de l'oxygène. Parfois, l'intubation et la ventilation assistée s'imposent. Puisque la personne peut être extrêmement anxieuse, on lui administre de la morphine pour la calmer et pour soulager la douleur.

Soins et traitements infirmiers

En présence d'un œdème pulmonaire, l'infirmière doit administrer de l'oxygène. En cas d'insuffisance respiratoire, elle participe à l'intubation et à la mise en place de la ventilation assistée. Elle doit aussi administrer les médicaments prescrits (morphine, vasodilatateurs, agents inotropes, médicaments destinés à corriger la précharge et la postcharge) et suivre de près la réponse de la personne à ce traitement (chapitre 32).

Insuffisance respiratoire aiguë

L'insuffisance respiratoire découle d'une détérioration soudaine, et menaçante pour la vie, des échanges gazeux intrapulmonaires. Elle s'installe lorsque les échanges d'oxygène et de dioxyde de carbone dans les alvéoles ne peuvent se faire au même rythme que la consommation d'oxygène et la production de dioxyde de carbone par les cellules de l'organisme.

L'insuffisance respiratoire aiguë survient lorsque la pression partielle de l'oxygène dans les artères (PaO_2) chute au-dessous de 50 mm Hg (hypoxémie), alors que la pression partielle de dioxyde de carbone ($PaCO_2$) s'élève au-dessus de 50 mm Hg (hypercapnie), avec un pH artériel inférieur à 7,35. En cas d'insuffisance respiratoire aiguë, les mécanismes de ventilation et de perfusion pulmonaires sont altérés. Voici les problèmes reliés aux mécanismes de la respiration qui peuvent provoquer une insuffisance respiratoire aiguë:

- Hypoventilation alvéolaire
- Troubles de la diffusion
- Déséquilibre ventilation/perfusion
- Dérivation

Il est important de bien distinguer l' insuffisance respiratoire aiguë de l'insuffisance respiratoire chronique. Cette dernière découle d'une détérioration insidieuse ou persistante des échanges gazeux intrapulmonaires, à la suite d'un épisode d'insuffisance respiratoire aiguë. L'absence de symptômes aigus et la présence d'une acidose respiratoire de longue date témoignent de la chronicité de ce problème respiratoire. Les deux causes de l'insuffisance respiratoire chronique sont la BPCO (chapitre 26) et les affections neuromusculaires (chapitre 68). Les personnes atteintes de ces affections s'adaptent à l'hypoxémie et à l'hypercapnie qui s'installent petit à petit. Cependant, une insuffisance respiratoire chronique n'empêche pas la survenue d'une insuffisance aiguë, comme en cas de BPCO, lorsque l'exacerbation de l'affection ou une infection peut altérer davantage les mécanismes à l'origine des échanges gazeux. Les principes de traitement des formes aiguë et chronique de l'affection sont différents. Nous ne parlerons ici que de l'insuffisance respiratoire aiguë.

Physiopathologie

On peut diviser les causes courantes de l'insuffisance respiratoire aiguë en quatre catégories: diminution de la fréquence respiratoire; dysfonctionnement de la paroi thoracique; dysfonctionnement du parenchyme pulmonaire; et autres causes.

Diminution de la fréquence respiratoire

La fréquence respiratoire peut diminuer à cause d'une atteinte cérébrale grave, de lésions étendues du tronc cérébral (sclérose en plaques), de la prise de sédatifs ou de troubles du métabolisme, comme l'hypothyroïdie. Ces troubles entravent la réponse des chimiorécepteurs du cerveau à une stimulation respiratoire normale.

Dysfonctionnement de la paroi thoracique

Les influx provenant du centre respiratoire sont acheminés par les nerfs qui vont du tronc cérébral jusqu'aux récepteurs des muscles respiratoires, en passant par la moelle épinière. De ce fait, toute affection ou atteinte des nerfs, de la moelle épinière, des muscles ou de la plaque motrice qui participent à la respiration, perturbe considérablement la ventilation et peut finir par provoquer une insuffisance respiratoire aiguë. Parmi ces affections ou atteintes, citons les affections musculosquelettiques (dystrophie musculaire, polymyosite), les lésions de la plaque motrice (myasthénie grave, poliomyélite), certaines atteintes des nerfs périphériques et les atteintes de la moelle épinière (sclérose latérale amyotrophique, syndrome de Guillain-Barré et lésions du rachis cervical).

Dysfonctionnement du parenchyme pulmonaire

L'épanchement pleural, l'hémothorax, le pneumothorax et l'obstruction des voies aériennes supérieures sont autant de troubles qui entravent la ventilation en empêchant les poumons de se distendre normalement et qui peuvent provoquer une insuffisance respiratoire aiguë. Ils sont habituellement dus à une affection pulmonaire ou pleurale sous-jacente, à un traumatisme ou à une blessure. Les autres affections pulmonaires qui peuvent amener une insuffisance respiratoire aiguë sont la pneumonie, l'état de mal asthmatique, l'atélectasie lobaire, l'embolie pulmonaire et l'œdème pulmonaire.

Autres causes

En période postopératoire, surtout après une intervention thoracique ou abdominale majeure, plusieurs facteurs peuvent être à l'origine d'une ventilation inappropriée et d'une insuffisance respiratoire. Par exemple, au cours de cette période, l'insuffisance respiratoire aiguë est parfois due aux effets des anesthésiques, des analgésiques et des sédatifs qui peuvent déprimer la respiration, comme nous l'avons expliqué auparavant, ou intensifier les effets des opioïdes et entraîner une hypoventilation. La douleur peut entraver la capacité de respirer profondément et de tousser. Le déséquilibre ventilation/perfusion est la cause habituelle de l'insuffisance respiratoire après une intervention chirurgicale majeure à l'abdomen, au cœur ou au thorax.

Manifestations cliniques

Les premiers signes, notamment l'agitation, la fatigue, les céphalées, la dyspnée, la respiration de Kussmaul, la tachycardie et l'élévation de la pression artérielle, sont associés à la diminution de l'oxygénation. À mesure que l'hypoxémie s'aggrave, d'autres signes évidents peuvent être présents, dont la confusion, la léthargie, la tachycardie, la tachypnée, la cyanose centrale, la diaphorèse et, finalement, l'arrêt respiratoire. Les symptômes physiques sont ceux d'une détresse respiratoire aiguë, notamment l'utilisation des muscles accessoires, la diminution du murmure vésiculaire, si la personne ne peut ventiler normalement, ainsi que d'autres symptômes reliés au processus pathologique sous-jacent.

Traitement médical

Le traitement vise à corriger la cause sous-jacente et à rétablir un échange gazeux pulmonaire approprié. L'intubation et la ventilation assistée peuvent s'avérer nécessaires pour maintenir une oxygénation adéquate pendant qu'on tente de traiter la cause sous-jacente.

Soins et traitements infirmiers

En cas d'insuffisance aiguë, l'infirmière doit aider à l'intubation et à la mise en place de la ventilation assistée (chapitre 27). Il lui faut suivre de près l'état de la respiration, en notant le degré de réponse au traitement, en mesurant les gaz du sang artériel et les signes vitaux, en interprétant les résultats de la sphygmooxymétrie et en évaluant la fonction respiratoire. Elle doit, par ailleurs, mettre en œuvre des stratégies (horaire des changements de position, soins de la bouche, soins de la peau, exercices d'amplitude articulaire des membres) visant à prévenir les complications. Elle veille aussi à ce que la personne comprenne les stratégies thérapeutiques qui sont mises en place et elle l'aide à communiquer ses besoins à l'équipe de soins. Les soins et traitements infirmiers visent également à corriger le problème qui a entraîné l'insuffisance respiratoire aiguë. À mesure que l'état de la personne s'améliore, l'infirmière s'assure que celle-ci comprend l'affection sous-jacente et lui enseigne la prise en charge adéquate.

Syndrome de détresse respiratoire aiguë

Le **syndrome de détresse respiratoire aiguë** (SDRA) est un syndrome clinique caractérisé par l'apparition soudaine d'un œdème pulmonaire qui s'étend, la présence d'infiltrats bilatéraux accrus, révélée par la radiographie thoracique, une hypoxémie réfractaire à l'oxygénothérapie et une compliance pulmonaire réduite. Ces signes apparaissent en l'absence d'une insuffisance cardiaque gauche. Les personnes qui présentent un syndrome de détresse respiratoire aiguë doivent habituellement être soumises à la ventilation assistée à des pressions plus élevées que la normale. Plusieurs facteurs peuvent provoquer le SDRA (encadré 25-6 ■), dont une lésion pulmonaire directe (par exemple, par inhalation de fumée) ou indirecte (par exemple, par un choc). Le SDRA a été associé à un taux de mortalité pouvant atteindre les 50 ou 60 %. La principale cause de décès à la suite d'un SDRA est la défaillance multiviscérale, à l'exclusion des poumons, s'accompagnant souvent de septicémie.

Physiopathologie

Le SDRA découle d'une inflammation qui déclenche la libération de médiateurs cellulaires et chimiques; ceux-ci lèsent la membrane alvéolo-capillaire, entraînant une fuite de liquide dans les espaces intercellulaires et dans les alvéoles de même qu'une lésion des lits capillaires.

En cas de SDRA, on note de forts déséquilibres ventilation/perfusion. Les alvéoles s'affaissent en raison des infiltrats inflammatoires, du sang et du plasma qui les inondent et de la diminution de l'effet tensioactif du surfactant. Les voies aériennes de petit calibre rétrécissent à cause de l'accumulation de liquide interstitiel et de l'obstruction bronchique. La compliance pulmonaire diminue de façon marquée, ce qui entraîne une réduction caractéristique de la capacité résiduelle fonctionnelle et une hypoxémie grave. Le sang veineux qui est envoyé aux poumons en vue des échanges gazeux passe

ENCADRÉ 25-6

Facteurs étiologiques reliés au SDRA

- Inhalation (sécrétions gastriques, noyade, hydrocarbures)
- Ingestion de drogues et surdose
- Affections hématologiques (coagulation intravasculaire disséminée, transfusions massives, pontage cardiopulmonaire)
- Inhalation prolongée d'oxygène à concentration élevée, de fumée ou de substances corrosives
- Infection localisée (pneumonie d'origine bactérienne, virale ou fongique)
- Troubles métaboliques (pancréatite, urémie)
- Choc (de toute origine)
- Traumatisme (contusion pulmonaire, fractures multiples, lésion crânienne)
- Intervention chirurgicale majeure
- Embolie graisseuse ou gazeuse
- Septicémie généralisée

par des zones pulmonaires dysfonctionnelles et mal ventilées, ce qui provoque une anastomose. Dans ce cas, le sang est en contact avec des alvéoles dysfonctionnelles et l'échange gazeux est fortement entravé, ce qui engendre une hypoxémie grave et réfractaire. La figure 25-6 ■ illustre la séquence des événements physiopathologiques qui aboutissent au SDRA.

Manifestations cliniques

Sur le plan clinique, la phase aiguë du SDRA est marquée par l'installation rapide d'une dyspnée grave, qui survient habituellement dans les 12 à 48 heures après le traumatisme ou l'affection initiale. Cette phase est caractérisée par une hypoxémie artérielle qui ne répond pas à l'oxygénothérapie. La radiographie thoracique présente un aspect analogue à celui de l'œdème pulmonaire d'origine cardiaque et met en évidence des infiltrats bilatéraux qui se disséminent rapidement. La lésion pulmonaire aiguë évolue vers une fibrose interstitielle avec hypoxémie grave et persistante. L'espace mort alvéolaire s'accroît (les alvéoles sont ventilées, mais insuffisamment perfusées) et la compliance pulmonaire diminue. On parle de rétablissement si l'hypoxémie se résorbe graduellement, si les signes radiologiques s'améliorent et si la compliance pulmonaire s'accroît (Ware et Matthay, 2000).

Examen clinique et examens paracliniques

L'examen physique révèle un tirage intercostal et des crépitants dus aux fuites de liquides dans l'espace intercellulaire des alvéoles. Voici les critères diagnostiques du SDRA: facteurs de risque systémiques ou pulmonaires, détresse respiratoire aiguë, infiltrats pulmonaires bilatéraux, absence de signes cliniques d'insuffisance cardiaque gauche et rapport entre la pression partielle de l'oxygène du sang artériel et la fraction d'oxygène du gaz inspiré (PaO_2/FIO_2) inférieur à 200 mm Hg (hypoxémie grave et réfractaire).

Traitement médical

Le traitement du SDRA vise en premier lieu à reconnaître le trouble sous-jacent et à le prendre en charge. Par ailleurs, il faut donner des soins intensifs de soutien pour compenser l'insuffisance respiratoire grave. Ces soins comportent presque toujours l'intubation et la ventilation assistée. Il faut aussi assurer une assistance circulatoire et un soutien nutritionnel et administrer des liquides en quantité adéquate. On amorce une oxygénothérapie dès que l'hypoxémie s'installe. Par la suite, au fur et à mesure qu'elle s'aggrave, on passe à l'intubation et à la ventilation assistée. La concentration d'oxygène et la pression et le mode ventilatoires sont déterminés par l'état de la personne, qu'on surveille par analyse des gaz du sang artériel, sphygmooxymétrie et tests d'exploration de la fonction pulmonaire effectués au chevet.

La pression positive en fin d'expiration (PEEP) est un élément clé du traitement du SDRA. Elle améliore habituellement l'oxygénation, sans cependant modifier l'évolution naturelle du syndrome. Elle permet aussi d'augmenter la capacité résiduelle fonctionnelle et renverse le collapsus alvéolaire, ce qui améliore l'oxygénation artérielle et réduit l'ampleur des déséquilibres ventilation/perfusion. Lorsqu'on recourt à la pression positive en fin d'expiration, on doit parfois abaisser la FIO_2. Le but qu'on vise est une PaO_2 supérieure à 60 mm Hg ou une saturation en oxygène supérieure à 90 %, à la FIO_2 la plus basse possible. Nous présentons de façon plus détaillée la pression positive en fin d'expiration et les modes de ventilation assistée au chapitre 27 ⊂⊃.

Le SDRA peut provoquer une hypotension systémique due à l'hypovolémie consécutive à la fuite de liquides dans les espaces intercellulaires et à la diminution du débit cardiaque

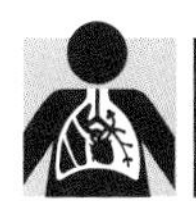

PHYSIOLOGIE/PHYSIOPATHOLOGIE

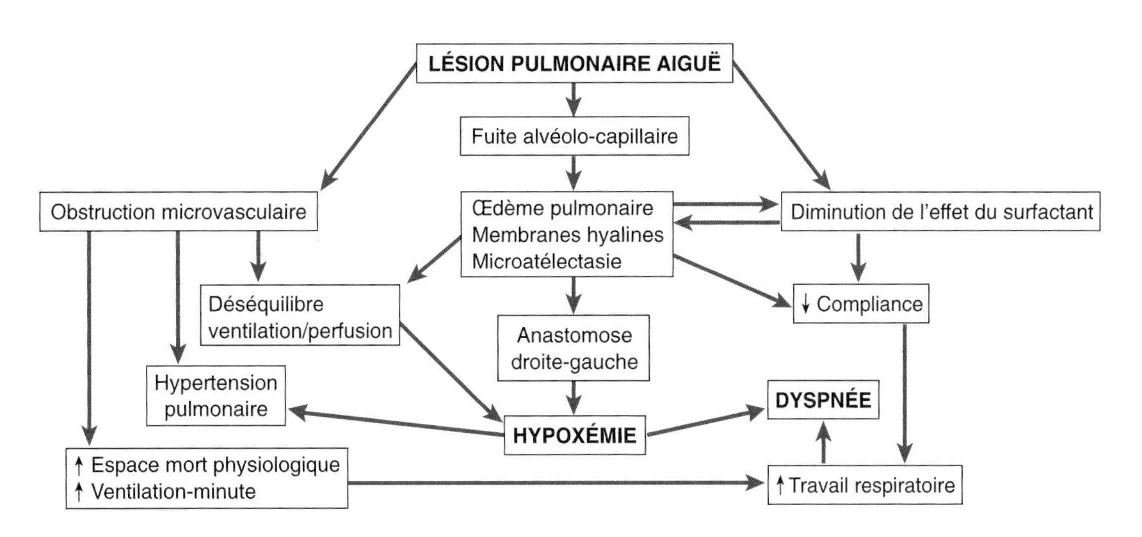

FIGURE 25-6 ■ Pathogenèse et physiopathologie du syndrome de détresse respiratoire aiguë.
SOURCE: S. Farzan (1997). *A concise handbook of respiratory diseases* (4e éd.). Stamford, CT: Appleton & Lange.

causée par le recours à une pression positive en fin d'expiration. L'hypovolémie doit être prise en charge avec prudence afin d'éviter une plus grande surcharge volémique. On administre par voie intraveineuse des solutions de cristalloïdes sous monitorage étroit de la fonction pulmonaire. Il faut parfois donner également des agents inotropes ou des vasopresseurs. On installe habituellement un cathéter de Swan-Ganz, ce qui permet de mesurer la pression artérielle pulmonaire afin de surveiller l'équilibre hydrique et l'hypertension pulmonaire évolutive et parfois grave qui peut accompagner le SDRA.

Pharmacothérapie

Un grand nombre de traitements médicamenteux visant à arrêter la cascade d'événements aboutissant au SDRA font actuellement l'objet de recherches. Il s'agit notamment d'antagonistes des récepteurs de l'interleukine 1 humaine recombinante, d'inhibiteurs des granulocytes neutrophiles, de vasodilatateurs pulmonaires spécifiques, de préparations de surfactants synthétiques, d'agents antiseptiques, de traitements antioxydants et de corticostéroïdes qu'on administre dans la phase tardive du SDRA (Ware et Matthay, 2000).

Nutrition

Un apport nutritionnel adéquat joue un rôle capital dans le traitement du SDRA. Pour combler les besoins de la personne, il faut assurer un apport énergétique de 145 à 190 kJ/kg par jour. L'alimentation entérale est l'intervention de base, bien qu'une nutrition parentérale puisse également s'imposer.

Soins et traitements infirmiers

Mesures générales

Puisque l'état de la personne atteinte du SDRA est critique, elle doit être étroitement surveillée, car ce syndrome peut mettre sa vie en péril. On prend la plupart des mesures visant à améliorer la fonction respiratoire qui sont décrites au chapitre 27 ⊂⊃ (oxygénothérapie, traitement par nébuliseur, physiothérapie thoracique, intubation endotrachéale, ventilation assistée, aspiration, bronchoscopie). Il faut évaluer l'état de la personne à intervalles fréquents pour s'assurer que le traitement est efficace.

En plus de la mise en œuvre du plan de traitement médical, l'infirmière doit satisfaire les autres besoins de la personne. Elle l'aide à changer souvent de position pour améliorer la ventilation et la perfusion pulmonaires et pour favoriser l'expectoration des sécrétions. Ce faisant, elle doit s'assurer que l'oxygénation ne se détériore pas. Parfois, le décubitus ventral peut permettre une meilleure oxygénation. C'est pourquoi on le privilégie dans certaines circonstances particulières. On mène actuellement des études pour évaluer les bienfaits et les inconvénients de cette position (Curley, 2000; Marion, 2001).

En raison de l'hypoxémie et de la dyspnée accrues, la pesonne est extrêmement anxieuse et agitée. L'infirmière doit lui expliquer toutes les interventions et prodiguer ses soins de façon calme et rassurante. Il est important de réduire l'anxiété, puisque celle-ci empêche la personne de se reposer et augmente ses dépenses en oxygène. Le repos est essentiel, car il réduit la consommation d'oxygène et, par conséquent, les besoins de l'organisme à cet égard.

Points à retenir concernant l'utilisation du ventilateur

Si la personne est intubée et sous ventilation assistée par pression positive en fin d'expiration, il faut tenir compte de plusieurs particularités. La pression positive en fin d'expiration donne lieu à un mode respiratoire qui n'est pas naturel et qui entraîne une sensation bizarre. La personne risque donc d'être anxieuse et de «se battre» contre la machine. L'infirmière doit rechercher les problèmes reliés à la ventilation qui peuvent provoquer la réaction d'anxiété: blocage de la tubulure à cause de l'entortillement ou des sécrétions, autres troubles respiratoires aigus (pneumothorax ou douleur, par exemple), manque soudain d'oxygène, aggravation de la dyspnée ou mauvais fonctionnement de l'appareil. Il est parfois nécessaire d'administrer un sédatif pour réduire la consommation d'oxygène, pour tirer le maximum du ventilateur et pour atténuer l'anxiété de la personne. Les sédatifs qu'on utilise habituellement sont les suivants: lorazépam (Ativan), midazolam (Versed), halopéridol (Haldol), propofol (Diprivan) et les barbituriques à action brève.

Si la pression positive en fin d'expiration ne peut être maintenue malgré la sédation, on peut administrer des bloquants neuromusculaires, comme le pancuronium (Pavulon), le vécuronium (Norcuron), l'atracurium (Tracrium) ou le rocuronium (Zemuron), pour favoriser le relâchement des muscles. Ainsi la personne pourra respirer plus facilement. À cause de l'état de paralysie que ces agents entraînent, la personne semble inconsciente, ses fonctions motrices sont abolies et elle ne peut ni parler, ni respirer, ni cligner des yeux. Elle garde cependant ses sensations, est éveillée et entend. L'infirmière doit la rassurer sur le fait que la paralysie a été engendrée par les médicaments et qu'elle est passagère. On doit garder la personne dans cet état pendant le plus court laps de temps possible et ne jamais provoquer la paralysie sans une sédation suffisante.

Les bloquants neuromusculaires ont un grand nombre d'effets secondaires et ils peuvent être dangereux. L'infirmière doit s'assurer que la personne est constamment branchée sur le ventilateur, car les muscles respiratoires sont paralysés et il y a risque d'apnée. Par conséquent, une surveillance très attentive s'impose. L'infirmière doit également s'assurer que l'avertisseur du ventilateur et la sonnette d'alarme fonctionnent en tout temps. Les soins oculaires sont tout aussi importants. En effet, la personne étant incapable de cligner des yeux, le risque d'abrasion de la cornée est élevé. Par ailleurs, les bloquants neuromusculaires prédisposent à la thrombose veineuse profonde, à l'atrophie musculaire et à des fissures cutanées. L'infirmière doit analyser la situation à tout moment pour réduire le risque de complications reliées au blocage neuromusculaire. Elle ne doit pas oublier que la personne peut être incommodée ou ressentir des douleurs, mais qu'elle est incapable de communiquer ces sensations. On administre habituellement des analgésiques en même temps que les bloquants neuromusculaires, car ceux-ci ne possèdent aucun effet analgésique. L'infirmière doit anticiper la douleur ou la gêne que la personne peut éprouver et vérifier si celle-ci est installée dans une position confortable qui respecte l'alignement corporel. Par ailleurs, elle doit lui parler et surtout ne pas parler d'elle à quelqu'un d'autre qui se trouve dans la pièce, car il ne faut pas oublier que, même si la personne sous bloquants neuromusculaires semble inconsciente, elle peut tout entendre.

Il est tout aussi important d'expliquer aux membres de la famille le but du traitement par bloquant neuromusculaire et les effets des médicaments. Si ces personnes ne savent pas pourquoi on a recours à ces agents, le traitement risque de les effrayer.

Hypertension pulmonaire

L'hypertension pulmonaire est une affection qui ne devient cliniquement évidente qu'au moment où elle est à un stade avancé. Elle est présente lorsque la pression systolique ou la pression moyenne dans l'artère pulmonaire s'élève au-dessus de 30 mm Hg ou de 25 mm Hg, respectivement. On ne peut pas mesurer indirectement ces pressions comme on le fait dans le cas de la pression artérielle systémique. La seule façon de les mesurer est par cathétérisme du côté droit du cœur. En l'absence de cette possibilité, les signes cliniques seuls permettent de déceler l'hypertension pulmonaire.

Il existe deux formes d'hypertension pulmonaire: primitive (ou idiopathique) et secondaire. L'hypertension pulmonaire primitive est une affection rare, dont le diagnostic ne peut être posé qu'en écartant toutes les autres possibilités. Bien qu'on n'en connaisse pas l'étiologie exacte, on lui attribue plusieurs causes possibles (encadré 25-7 ■). L'hypertension pulmonaire primitive ne s'accompagne pas nécessairement de troubles cardiaques ou pulmonaires, ou encore d'embolie pulmonaire. Elle touche le plus souvent les femmes âgées de 20 à 40 ans et elle aboutit habituellement au décès dans les cinq années qui suivent son diagnostic.

L'hypertension pulmonaire secondaire est plus courante et résulte d'une affection pulmonaire ou cardiaque. Le pronostic dépend de la gravité de l'affection sous-jacente et des modifications qui ont eu lieu dans les lits vasculaires du poumon. Une cause commune d'hypertension pulmonaire secondaire est la constriction de l'artère pulmonaire due à l'hypoxémie entraînée par la BPCO.

Physiopathologie

Les processus à l'origine de l'hypertension pulmonaire sont variés et plusieurs facteurs sont souvent en cause. Normalement, les vaisseaux pulmonaires permettent le passage du sang pompé par le ventricule droit. Les vaisseaux pulmonaires résistent faiblement au débit sanguin, ayant la capacité de se dilater lorsque le débit s'accroît. Mais si les lits vasculaires pulmonaires sont détruits ou obstrués, comme c'est le cas en présence d'hypertension pulmonaire, ils ne peuvent plus s'adapter au volume de sang qui les traverse et le débit sanguin accru élève la pression dans l'artère pulmonaire. À mesure que cette pression s'élève, la résistance vasculaire pulmonaire s'élève également. Tant la constriction de l'artère pulmonaire (comme en cas d'hypoxémie ou d'hypercapnie) que la diminution de la capacité des lits vasculaires du poumon (due à la présence d'un embole) élèvent la pression et la résistance vasculaire pulmonaires. La surcharge de travail qui en résulte affecte le fonctionnement du ventricule droit. À la fin, le myocarde n'arrive plus à fournir l'effort exigé, ce qui entraîne une hypertrophie (dilatation) du ventricule droit et de l'insuffisance cardiaque.

ENCADRÉ 25-7

Causes de l'hypertension pulmonaire

CAUSES PRIMITIVES, OU IDIOPATHIQUES

- Altération des mécanismes immunitaires
- Embolie pulmonaire silencieuse
- Maladie de Raynaud
- Drépanocytose
- Collagénose

CAUSES SECONDAIRES

- Vasoconstriction pulmonaire due à l'hypoxémie
  - Bronchopneumopathie chronique obstructive
  - Cyphoscoliose
  - Obésité
  - Inhalation de fumée
  - Séjour en haute altitude
  - Troubles neuromusculaires
  - Pneumonie interstitielle diffuse
- Diminution des lits vasculaires pulmonaires (de 50 à 75 %)
  - Embole pulmonaire
  - Vasculite
  - Pneumopathie interstitielle généralisée (sarcoïdose, sclérose généralisée)
  - Embole tumoral
- Affection cardiaque primitive
  - Congénitale (persistance du conduit artériel, communication interauriculaire, communication interventriculaire)
  - Acquise (endocardite, sténose mitrale, myxome, insuffisance ventriculaire gauche)

Manifestations cliniques

Le principal symptôme de l'hypertension pulmonaire est la dyspnée, survenant d'abord à l'effort et, par la suite, au repos. Les douleurs thoraciques rétrosternales sont également courantes, survenant dans 25 % à 50 % des cas. Les autres signes et symptômes sont les suivants: faiblesse, fatigue, syncope, hémoptysie occasionnelle et signes d'insuffisance cardiaque droite (œdème périphérique, ascite, distension des veines du cou, engorgement du foie, crépitants, souffle cardiaque).

Examen clinique et examens paracliniques

L'examen complet qui permet de poser le diagnostic d'hypertension pulmonaire comprend l'anamnèse, l'examen physique, la radiographie thoracique, les tests d'exploration de la fonction pulmonaire, l'électrocardiographie (ECG), l'échocardiographie, la scintigraphie de ventilation-perfusion et le cathétérisme cardiaque. Afin de poser le diagnostic définitif, on doit dans certains cas procéder à une biopsie du poumon, effectuée par thoracotomie ou par thoracoscopie. Le cathétérisme du côté droit du cœur révèle une pression élevée dans l'artère pulmonaire. L'échocardiographie renseigne sur l'évolution de l'affection et permet d'écarter la présence d'autres troubles se manifestant par des signes et symptômes similaires. L'ECG révèle une hypertrophie ventriculaire droite, une déviation axiale droite, des ondes P hautes et pointues dans les dérivations inférieures, des ondes R hautes en plan frontal, ainsi que la dépression du segment ST ou une onde T inversée en plan frontal, ou les deux. La PaO_2 est également réduite (hypoxémie). La scintigraphie de ventilation-perfusion ou l'angiographie pulmonaire permettent de dépister les atteintes des vaisseaux pulmonaires, comme l'obstruction par un embole. Les tests d'exploration de la fonction pulmonaire peuvent donner des résultats normaux ou montrer une faible diminution de la capacité vitale et de la compliance pulmonaire, avec une légère réduction de la capacité de diffusion.

Traitement médical

Le traitement vise à corriger l'affection cardiaque ou pulmonaire sous-jacente. La plupart des personnes atteintes d'hypertension pulmonaire primitive ne souffrent pas d'hypoxémie au repos et n'ont besoin d'oxygénothérapie qu'à l'effort. Cependant, celles qui sont atteintes d'insuffisance ventriculaire droite grave, qui présentent un débit cardiaque réduit et dont l'affection évolue, souffrent d'hypoxémie même au repos et doivent être maintenues sous oxygénothérapie continue. L'oxygénothérapie appropriée (chapitre 27) renverse la vasoconstriction et abaisse l'hypertension pulmonaire relativement rapidement.

En cas de cœur pulmonaire (voir ci-dessous), le traitement comprend notamment la restriction liquidienne, le repos et l'administration: (1) de diurétiques pour diminuer l'accumulation de liquides; (2) de glucosides digitaliques (digoxine) pour essayer d'améliorer le fonctionnement du cœur; et (3) de bloquants des canaux calciques pour favoriser la vasodilatation. Pour traiter l'hypertension pulmonaire primitive, on administre des vasodilatateurs (par exemple, des bloquants des canaux calciques ou de la prostacycline intraveineuse), mais les résultats obtenus sont peu sûrs. Les antagonistes des récepteurs de l'endothéline, comme le bosentan (Tracleer) et le sitaxsentan (encore à l'étude), réduisent aussi l'hypertension pulmonaire en bloquant l'action de l'endothéline, un puissant vasoconstricteur. La prostacycline (PGI_2 ou PGX) est l'une des prostaglandines produites par l'endothélium pulmonaire. Administrée par voie intraveineuse (époprosténol [Flolan]) ou sous-cutanée (treprostinil [Remodulin]), elle aide à abaisser l'hypertension pulmonaire en réduisant la résistance vasculaire et les pressions pulmonaires et en élevant le débit cardiaque. Le sildenafil (Viagra) est aussi à l'étude pour traiter l'hypertension pulmonaire. Ses effets vasodilatateurs utilisés dans le dysfonctionnement érectile pourraient être employés pour diminuer la résistance des vaisseaux pulmonaires (Humbert, 2004). Les anticoagulants comme la warfarine (Coumadin) peuvent être administrés dans les cas d'embolies pulmonaires chroniques. La transplantation cardiaque ou pulmonaire a été couronnée de succès chez certaines personnes atteintes d'hypertension primitive qui n'avaient pas répondu à d'autres traitements.

Soins et traitements infirmiers

Le principal objectif de l'infirmière est de déceler les personnes exposées à un risque élevé d'hypertension pulmonaire, comme celles qui sont atteintes de BPCO, d'embolie pulmonaire, de cardiopathie congénitale ou d'affection mitrale. Elle doit également rester à l'affût des signes et symptômes d'hypertension pulmonaire, administrer l'oxygénothérapie selon les recommandations du médecin et expliquer à la personne et à sa famille le bon usage de l'oxygénothérapie à domicile.

Cœur pulmonaire

Le **cœur pulmonaire** est une affection caractérisée par l'hypertrophie du ventricule droit (avec ou sans insuffisance cardiaque droite), à la suite d'affections qui touchent la structure ou le fonctionnement des poumons ou de leur réseau vasculaire. Toute affection touchant les poumons et qui s'accompagne d'hypoxémie peut provoquer un cœur pulmonaire. La cause la plus courante est la BPCO (chapitre 26), à cause des sécrétions accumulées et des modifications subies par les voies aériennes, qui réduisent la ventilation alvéolaire. Les autres causes sont des atteintes qui diminuent ou affaiblissent la capacité respiratoire, menant à l'hypoxémie ou à l'acidose (déformation de la cage thoracique, obésité) ou des affections qui altèrent les lits vasculaires pulmonaires (hypertension pulmonaire idiopathique primitive, embolie pulmonaire). Certains troubles du système nerveux ou certaines atteintes des muscles respiratoires, de la paroi thoracique et de l'arbre artériel pulmonaire peuvent également provoquer un cœur pulmonaire.

Physiopathologie

Les affections pulmonaires peuvent entraîner des modifications physiologiques qui, avec le temps, mettent le cœur à l'épreuve, dilatant le ventricule droit et amenant sa défaillance. Toute affection qui prive les poumons d'oxygène peut donner naissance à l'hypoxémie et à l'hypercapnie, et aboutir à une insuffisance respiratoire. L'hypoxémie et l'hypercapnie provoquent la vasoconstriction de l'artère pulmonaire et peuvent réduire les lits vasculaires pulmonaires, comme en cas d'emphysème ou d'embolie pulmonaire. De ce fait, la résistance s'accroît à l'intérieur de l'appareil circulatoire pulmonaire, ce qui provoque, ultérieurement, l'élévation de la pression artérielle pulmonaire (hypertension pulmonaire). En présence de cœur pulmonaire, la pression artérielle pulmonaire moyenne peut s'élever jusqu'à 45 mm Hg et même au-delà. Le ventricule droit s'hypertrophie alors et finit par défaillir. En résumé, le cœur pulmonaire est dû à l'hypertension pulmonaire qui provoque l'hypertrophie du cœur droit en raison de la surcharge de travail imposée pour pomper le sang à travers le réseau vasculaire pulmonaire en présence d'une résistance accrue.

Manifestations cliniques

Les symptômes du cœur pulmonaire sont généralement reliés à l'affection pulmonaire sous-jacente, comme la BPCO. Lorsqu'il y a défaillance du ventricule droit, les symptômes suivants peuvent se manifester: œdème des pieds et des jambes, distension des veines du cou, hypertrophie palpable du foie, épanchement pleural, ascite et souffle cardiaque. L'hypercapnie (taux élevés de dioxyde de carbone) peut entraîner des céphalées, de la confusion et de la somnolence. La personne qui présente un cœur pulmonaire souffre souvent de dyspnée qui va en s'aggravant, de respiration sifflante, de toux et de fatigue.

Traitement médical

Le traitement vise à améliorer la fonction respiratoire et à prendre en charge autant l'affection pulmonaire sous-jacente que les manifestations de la cardiopathie. On a recours à l'oxygénothérapie pour améliorer les échanges gazeux et pour abaisser la pression artérielle pulmonaire et la résistance des vaisseaux du poumon. Un meilleur transport de l'oxygène soulage l'hypertension pulmonaire à l'origine du cœur pulmonaire.

En cas d'hypoxémie grave, une oxygénothérapie administrée sans interruption prolonge la survie et diminue la résistance des vaisseaux pulmonaires. Pour que l'amélioration soit notable, le traitement doit parfois être poursuivi pendant quatre à six semaines, habituellement à domicile. Il faut évaluer à intervalles réguliers les gaz du sang artériel et la sphygmooxymétrie pour déterminer si la ventilation alvéolaire est suffisante et si l'oxygénothérapie est efficace.

La fonction respiratoire peut être améliorée davantage par la physiothérapie thoracique et par d'autres mesures d'hygiène bronchique recommandées dans le but d'évacuer les sécrétions accumulées, et par l'administration de bronchodilatateurs. Les autres mesures seront prises en fonction de l'état de la personne. L'insuffisance respiratoire peut dicter l'intubation endotrachéale et le recours à la ventilation assistée. En cas d'insuffisance cardiaque, il faut traiter l'hypoxémie et l'hypercapnie pour améliorer le débit et la fonction cardiaques. L'alitement, la restriction de sodium et l'administration de diurétiques sont autant de mesures judicieuses qui permettent de réduire l'œdème périphérique (la pression artérielle pulmonaire est abaissée par la diminution du volume sanguin total) et la charge de travail du cœur droit. En présence d'une insuffisance ventriculaire gauche, d'arythmies supraventriculaires ou d'insuffisance ventriculaire droite qui ne répond pas à d'autres traitements, le médecin peut prescrire des dérivés digitaliques dans une tentative d'abaisser l'hypertension pulmonaire.

La surveillance par ECG peut être indiquée, car le cœur pulmonaire s'accompagne souvent d'arythmies. Toute infection pulmonaire doit être jugulée rapidement pour ne pas perturber davantage les échanges gazeux et pour prévenir l'exacerbation de l'hypoxémie et de la cardiopathie pulmonaire. La capacité de renverser l'hypertension pulmonaire détermine le pronostic. (Nous avons traité plus haut de la prise en charge de l'insuffisance respiratoire aiguë.)

Soins et traitements infirmiers

Les soins et traitements infirmiers prodigués en cas de cœur pulmonaire visent la prise en charge de l'affection sous-jacente ainsi que celle des problèmes reliés à l'hyperventilation pulmonaire et à l'insuffisance cardiaque droite. S'il faut recourir à l'intubation et à la ventilation assistée pour soulager l'insuffisance respiratoire aiguë, l'infirmière aide à l'intubation et veille au bon fonctionnement du ventilateur. Elle doit aussi évaluer l'état cardiaque et respiratoire de la personne et lui administrer les médicaments prescrits.

Pendant le séjour à l'hôpital de la personne, l'infirmière doit lui expliquer qu'il est important de suivre de près divers symptômes (rétention hydrique, gain de poids, œdème) et d'observer scrupuleusement le traitement qui lui a été prescrit, et particulièrement l'oxygénothérapie continue. Elle doit également reconnaître et régler les problèmes qui peuvent entraver l'observance du traitement.

Favoriser les soins à domicile et dans la communauté

Enseigner les autosoins Puisque le cœur pulmonaire est une affection chronique, les soins et la surveillance devront se poursuivre en grande partie à domicile. Si une oxygénothérapie a été prescrite, l'infirmière en explique l'administration. Si la personne doit suivre un régime hyposodé ou un traitement diurétique, il convient de l'orienter vers une nutritionniste. L'infirmière doit aussi expliquer aux membres de la famille les signes et symptômes d'insuffisance ventriculaire droite qu'il faut suivre de près, ainsi que les interventions d'urgence. Par ailleurs, elle leur précise le moment où il faut demander de l'aide. Mais, par-dessus tout, l'infirmière doit conseiller à la personne atteinte de cœur pulmonaire d'arrêter de fumer.

Assurer le suivi Dans le cas de la personne qui ne peut pas mener à bien ses autosoins ou de celle dont l'état physique exige une étroite surveillance, il faut prendre des dispositions pour fournir des soins à domicile. Au cours de ses visites, l'infirmière doit évaluer l'état de la personne et s'assurer que les membres de la famille comprennent bien le régime thérapeutique et qu'ils y adhèrent rigoureusement. En cas d'oxygénothérapie à domicile, l'infirmière s'assure que le traitement ne comporte aucun danger et qu'il est suivi à la lettre. Elle vérifie si la personne a arrêté de fumer et explique également à tous les membres de la famille qu'ils doivent absolument abandonner l'usage du tabac, du moins en présence de la personne. Elle doit trouver des stratégies visant la désaccoutumance à la nicotine et conseiller le recours à des groupes de soutien. Par ailleurs, il lui faut réitérer l'importance des autres pratiques de maintien de la santé ainsi que des examens de dépistage.

Embolie pulmonaire

L'**embolie pulmonaire** est provoquée par l'obstruction de l'artère pulmonaire ou de l'une de ses branches par un ou plusieurs caillots (thrombus) formés dans une veine ou dans le côté droit du cœur. Bien qu'elle soit le plus souvent causée par un caillot de sang, l'embolie pulmonaire peut prendre diverses formes: gazeuse, graisseuse, amniotique et septique (thrombus infecté par des bactéries). L'embolie pulmonaire est une affection courante, découlant souvent d'un traumatisme, d'une intervention chirurgicale (orthopédique, abdominale majeure, pelvienne ou gynécologique), d'une grossesse, d'une insuffisance cardiaque, de l'hypercoagulabilité ou d'une immobilisation prolongée. Bien que les personnes de plus de 50 ans y soient davantage prédisposées, l'embolie pulmonaire peut affecter toute personne apparemment en bonne santé. Les facteurs de risque d'embolie pulmonaire sont indiqués à l'encadré 25-8 ■.

Même si la plupart des thrombus se constituent dans les veines profondes des jambes, ils peuvent également se former ailleurs, notamment dans les veines du bassin et dans l'oreillette droite du cœur. La thrombose veineuse peut être occasionnée par le ralentissement du flux sanguin (stase), à la suite d'une lésion de la paroi du vaisseau (particulièrement de l'endothélium) ou d'une modification des mécanismes de coagulation. La fibrillation auriculaire fait également partie des causes de l'embolie. Pendant la fibrillation d'une oreillette droite hypertrophiée, le flux sanguin stagne et des caillots peuvent se former dans cette région. Ces caillots peuvent entrer dans la circulation pulmonaire.

ENCADRÉ 25-8

FACTEURS DE RISQUE

Embolie pulmonaire

STASE VEINEUSE (RALENTISSEMENT DU FLUX SANGUIN DANS LES VEINES)
- Immobilisation prolongée (particulièrement à la suite d'une intervention chirurgicale)
- Voyages de longue durée ou position assise conservée pendant un laps de temps prolongé
- Varices
- Lésion de la moelle épinière

HYPERCOAGULABILITÉ (EN RAISON DE LA LIBÉRATION DE THROMBOPLASTINE TISSULAIRE APRÈS UNE INTERVENTION CHIRURGICALE OU UNE BLESSURE)
- Blessure
- Tumeur (pancréas, tube digestif, voies génito-urinaires, seins, poumons)
- Nombre élevé de plaquettes (polycythémie, splénectomie)

ATTEINTE DE L'ENDOTHÉLIUM VEINEUX
- Thrombophlébite
- Affection vasculaire
- Corps étranger (ligne de perfusion ou canule intraveineuse centrale)

CERTAINS PROBLÈMES DE SANTÉ (COMBINAISON DE STASE, D'ALTÉRATIONS DE LA COAGULATION ET D'ATTEINTE VEINEUSE)
- Cardiopathie (en particulier, insuffisance cardiaque)
- Traumatisme (en particulier, fracture de la hanche, du bassin, des vertèbres, des membres inférieurs)
- Postpartum ou période postopératoire
- Diabète
- Bronchopneumopathie chronique obstructive

AUTRES FACTEURS PRÉDISPOSANTS
- Âge avancé
- Obésité
- Grossesse
- Usage de contraceptifs oraux ou de tamoxifène, ou hormonothérapie de remplacement (œstrogènes et progestatifs)
- Antécédents de thrombophlébite ou d'embolie pulmonaire
- Port de vêtements serrés

Physiopathologie

Lorsqu'un thrombus obstrue complètement ou partiellement une artère pulmonaire ou l'une de ses branches, l'espace mort alvéolaire s'élargit. La région obstruée continue d'être ventilée, mais n'est que peu irriguée par le sang, sinon pas du tout. Par conséquent, les échanges gazeux dans cette région sont perturbés ou abolis. De plus, le caillot et la région environnante libèrent diverses substances qui provoquent la constriction des vaisseaux sanguins et des bronchioles qui se trouvent à cet endroit-là, ce qui élève la résistance vasculaire pulmonaire. Cette réaction accroît le déséquilibre ventilation/perfusion.

Les conséquences hémodynamiques de ce phénomène sont une résistance vasculaire pulmonaire accrue, due à la vasoconstriction régionale et au rétrécissement du lit vasculaire. De ce fait, la pression artérielle pulmonaire s'élève, ce qui augmente, en retour, la charge du ventricule droit qui essaie de maintenir le flux sanguin pulmonaire. Lorsque le ventricule droit ne peut plus fournir la quantité de travail qu'on lui impose, une insuffisance ventriculaire droite s'installe, amenant la diminution du débit cardiaque et l'abaissement de la pression sanguine systémique. L'état de choc s'ensuit.

Manifestations cliniques

Les symptômes de l'embolie pulmonaire dépendent de la taille du thrombus et de la région de l'artère pulmonaire qu'il obstrue. Ils peuvent ne pas être spécifiques. La dyspnée est le symptôme le plus fréquent; la tachypnée (fréquence respiratoire très rapide), quant à elle, est le signe le plus courant (Goldhaber, 1998). La durée et l'intensité de la dyspnée dépendent de l'étendue de la région obstruée par l'embole. Les douleurs thoraciques sont courantes, habituellement d'apparition soudaine et de nature pleurétique. Parfois, les douleurs sont rétrosternales et ressemblent à celles que provoquent l'angine de poitrine ou l'infarctus du myocarde. Les autres symptômes sont l'anxiété, la fièvre, la tachycardie, l'appréhension, la toux, la diaphorèse, l'hémoptysie et la syncope.

On définit mieux une embolie massive par le degré d'instabilité hémodynamique que par le pourcentage d'obstruction du réseau vasculaire pulmonaire. Elle est caractérisée par l'occlusion de la voie d'éjection du tronc pulmonaire ou de la bifurcation des artères pulmonaires, ce qui entraîne une dyspnée grave, des douleurs rétrosternales soudaines, un pouls rapide et de faible amplitude, le choc, la syncope et la mort subite. Plusieurs petits emboles peuvent se loger dans les artérioles pulmonaires terminales, provoquant autant de petits infarctus pulmonaires. L'infarctus provoque la nécrose ischémique d'une région du poumon et il survient dans moins de 10 % des cas d'embolie pulmonaire (Arroliga, Matthay et

Matthay, 2000). Le tableau clinique peut imiter celui qui caractérise la bronchopneumonie ou l'insuffisance cardiaque. Dans les cas atypiques, l'affection entraîne peu de signes ou symptômes, alors que dans d'autres cas elle simule diverses autres cardiopneumopathies.

Examen clinique et examens paracliniques

La mort à la suite d'une embolie pulmonaire survient dans l'heure qui suit l'apparition des symptômes ; par conséquent, la reconnaissance et le diagnostic rapides de ce trouble constituent une priorité. Étant donné que les symptômes de l'embolie pulmonaire peuvent être peu nombreux ou peu spécifiques, mais parfois intenses, il faut procéder à un bilan diagnostique pour écarter la présence d'autres affections. La thrombose veineuse profonde est très souvent la cause de l'embolie pulmonaire. Habituellement, la personne signale une douleur soudaine, de l'œdème ou une sensation de chaleur dans la partie proximale ou distale d'une extrémité, et la distension des veines superficielles. La douleur cède habituellement si on surélève le membre. Dans le cadre du bilan diagnostique, on peut effectuer une scintigraphie de ventilation-perfusion, une angiographie pulmonaire, des examens radiologiques, un ECG, des examens des vaisseaux périphériques, une pléthysmographie d'impédance et des analyses des gaz du sang artériel.

Les résultats de l'examen radiologique sont habituellement normaux, mais on peut aussi observer des lésions infiltratives, une atélectasie, la surélévation du diaphragme du côté atteint ou un épanchement pleural. La radiographie pulmonaire permet surtout d'écarter d'autres causes possibles. L'ECG révèle généralement une tachycardie sinusale, la dépression de l'intervalle PR et des modifications non spécifiques de l'onde T. L'exploration des vaisseaux périphériques peut comprendre une pléthysmographie d'impédance, une échographie Doppler ou une phlébographie (chapitre 33 🔗). Les résultats de tous ces examens pourront confirmer ou exclure la présence d'une embolie pulmonaire. La gazométrie artérielle pourra révéler l'hypoxémie ou l'hypercapnie (à cause de la tachypnée), bien que les valeurs soient normales dans environ 20 % des cas.

La scintigraphie de ventilation-perfusion est l'examen de choix lorsqu'on soupçonne la présence d'une embolie pulmonaire. La partie perfusion de l'examen peut révéler des régions où l'irrigation sanguine est diminuée ou absente ; il s'agit de l'examen le plus sensible pour écarter une embolie pulmonaire mettant en jeu le pronostic vital. La scintigraphie peut aussi révéler s'il y a des anomalies de la ventilation. Le déséquilibre du rapport VA/QC indique une forte probabilité d'embolie pulmonaire. La tomodensitométrie hélicoïdale aide aussi à l'établissement du diagnostic.

Si les résultats de la scintigraphie pulmonaire sont équivoques, on peut procéder à une angiographie pulmonaire qui reste l'étalon-or du diagnostic de l'embolie pulmonaire. Il s'agit d'un examen effractif, qui est effectué dans le service de radiologie interventionnelle. Pour effectuer cet examen, on injecte un agent de contraste dans le réseau artériel pulmonaire, ce qui permet d'observer les régions où le flux sanguin est entravé ainsi que les autres anomalies de l'irrigation.

Prévention

Chez la personne à risque, le moyen le plus efficace de parer l'embolie pulmonaire est la prévention de la thrombose veineuse profonde. Des exercices actifs des jambes pour éviter la stase veineuse, le lever précoce après une chirurgie et le port de bas de compression constituent des mesures prophylactiques générales. Les autres stratégies de prévention sont indiquées à l'encadré 25-9 ■.

Pour prévenir la thrombose veineuse profonde (TVP) et l'embolie pulmonaire (EP) chez les personnes ayant subi une intervention chirurgicale, on peut administrer par voie sous-cutanée de faibles doses d'héparine non fractionnée toutes les 8 à 12 heures, une héparine de faible poids moléculaire une ou deux fois par jour (daltéparine [Fragmin] ou énoxaparine [Lovenox] par exemple), du fondaparinux (Arixtra) ou un anticoagulant oral comme la warfarine. Le traitement utilisé dépend du risque de TVP associé au type de chirurgie. La prévention de la TVP et de l'EP chez les personnes non mobiles en soins médicaux est de plus en plus reconnue comme nécessaire. En plus du risque relié à l'immobilisation, plusieurs facteurs de risque de thrombose (par exemple : cancer, affection pulmonaire grave, antécédent de thrombose veineuse, insuffisance cardiaque mal contrôlée, accident vasculaire cérébral) peuvent être présents chez ces personnes. C'est pourquoi il est recommandé de leur administrer de l'héparine non fractionnée ou une héparine de faible poids moléculaire par voie sous-cutanée (Geerts *et al.*, 2004).

Les appareils de pressothérapie intermittente aident également à prévenir la thromboembolie. Ces dispositifs comportent un sac qui, une fois gonflé, comprime la jambe de façon intermittente, du mollet à la cuisse, améliorant ainsi le retour veineux. La personne peut commencer à se servir de l'appareil avant l'intervention et continuer à l'employer jusqu'au moment où elle recommencera à marcher. Ce dispositif est particulièrement utile chez les personnes qui ne sont pas de bonnes candidates à l'anticoagulothérapie (Clagett, Anderson, Geerts *et al.*, 1998).

Traitement médical

Puisque l'embolie pulmonaire est souvent une urgence médicale, un traitement immédiat s'impose. Une fois qu'on a pris les mesures d'urgence et que l'état de la personne s'est stabilisé, le but du traitement est d'assurer la dissolution (la lyse) du caillot déjà constitué et de prévenir la formation de nouveaux emboles. Le traitement de l'embolie pulmonaire comprend de nombreuses interventions, notamment les suivantes :

- Mesures générales visant l'amélioration de la respiration et de l'état des vaisseaux
- Anticoagulothérapie
- Traitement thrombolytique
- Intervention chirurgicale

Traitement d'urgence

Une embolie pulmonaire massive est une urgence médicale puisqu'elle met la vie de la personne en péril. L'objectif immédiat est de stabiliser l'appareil cardiopulmonaire. Une élévation brusque de la résistance pulmonaire accroît le travail

ENCADRÉ 25-9

GRILLE DE SUIVI DES SOINS À DOMICILE

Prévention des embolies pulmonaires récurrentes

Après avoir reçu l'enseignement sur les soins à domicile, la personne ou le proche aidant peut:	Personne	Proche aidant
▪ Décrire le processus pathologique qui sous-tend l'embolie pulmonaire.	✔	✔
▪ Expliquer la nécessité de poursuivre l'anticoagulothérapie après l'embolie initiale.	✔	✔
▪ Nommer l'anticoagulant prescrit et en connaître la posologie et le moment où il faut le prendre.	✔	✔
▪ Décrire les effets secondaires possibles de l'anticoagulation, comme les saignements et la formation d'ecchymoses, et les moyens de les prévenir.	✔	✔
• Éviter de se servir d'objets tranchants (rasoirs, couteaux, etc.) pour prévenir les coupures; utiliser un rasoir électrique. • Utiliser une brosse à dents à soies souples pour prévenir les blessures aux gencives. • Ne pas prendre de l'aspirine ou des AINS en même temps que la warfarine (Coumadin). • Ne prendre aucun médicament ou produit naturel, ni même un agent en vente libre, sans avoir consulté au préalable un professionnel de la santé. • Éviter de prendre des laxatifs contenant de l'huile minérale, puisqu'ils peuvent entraver l'absorption de la vitamine K. • Signaler immédiatement à un professionnel de la santé des selles goudronneuses de couleur foncée. • Porter un bracelet d'identité ou avoir sur soi une carte indiquant que la personne est sous anticoagulothérapie.		
▪ Décrire les mesures permettant de prévenir la thrombose veineuse profonde et l'embolie pulmonaire.	✔	✔
• Continuer de porter des bas de compression tant que le médecin le recommande. • Éviter la position assise avec les jambes croisées ou la position assise prolongée. • Pendant les voyages, changer de position à intervalles réguliers, marcher occasionnellement et faire des exercices actifs des jambes et des chevilles. • Consommer une quantité accrue de liquides, particulièrement pendant un voyage et par temps chaud, pour prévenir l'hémoconcentration due à une déperdition hydrique.		
▪ Décrire les signes et symptômes d'un trouble circulatoire des membres inférieurs ou d'une thrombose veineuse profonde: douleurs dans le mollet ou dans les pieds, tuméfaction, œdème du pied.	✔	✔
▪ Décrire les signes et symptômes d'une atteinte pulmonaire reliée à l'embolie pulmonaire récurrente.	✔	✔
▪ Décrire les symptômes d'une atteinte circulatoire ou pulmonaire qu'il faut signaler sans tarder à un professionnel de la santé.	✔	✔

du ventricule droit, ce qui peut provoquer une insuffisance cardiaque droite s'accompagnant d'un choc cardiogénique. En traitement d'urgence, il faut prendre les mesures suivantes:

- Administrer immédiatement de l'oxygène par voie nasale pour prendre en charge l'hypoxémie, la détresse respiratoire et la cyanose centrale.
- Mettre en place une ligne de perfusion pour créer une voie d'administration des médicaments et des liquides qui seront prescrits.
- Effectuer une scintigraphie de perfusion, des mesures hémodynamiques et des analyses des gaz du sang artériel. On peut aussi recourir à une tomodensitométrie hélicoïdale ou à une angiographie pulmonaire. La tomodensitométrie hélicoïdale est une technique de pointe qui permet de poser un diagnostic plus rapidement qu'à l'aide de la tomodensitométrie habituelle. Lors de cet examen, la personne passe devant un tube à rayons X qui décrit un cercle autour d'elle. On peut ainsi reconstituer des images de divers endroits du corps prises en coupes superposées.
- Traiter l'hypotension par perfusion lente de dobutamine (Dobutrex), qui dilate les bronches et les vaisseaux pulmonaires, ou de dopamine (Intropin).

- Assurer une constante surveillance ECG afin de déceler les arythmies et l'insuffisance ventriculaire droite, qui peut survenir subitement.
- Administrer, selon les besoins, des dérivés digitaliques, des diurétiques par voie intraveineuse ou des agents antiarythmiques.
- Faire une prise de sang en vue du dosage des électrolytes sériques, de la numération globulaire et de la mesure de l'hématocrite.
- Intuber la personne et la brancher sur un appareil de ventilation assistée, si l'examen clinique et l'analyse des gaz du sang artériel en montrent la nécessité.
- En cas d'embolie massive et d'hypotension, installer une sonde vésicale pour suivre de près le débit de l'urine.
- Administrer de petites doses de morphine ou de sédatifs par voie intraveineuse pour soulager l'anxiété et la gêne thoracique, pour aider la personne à mieux tolérer l'intubation endotrachéale et pour lui faciliter l'adaptation à la respiration artificielle.

Soins généraux

Il faut prendre des mesures pour améliorer la respiration et l'état des vaisseaux. L'oxygénothérapie vise à corriger l'hypoxémie, à soulager la constriction des vaisseaux pulmonaires et à abaisser l'hypertension pulmonaire. Les bas de compression ou les appareils de pressothérapie intermittente réduisent la stase veineuse du fait qu'ils favorisent la dérivation du sang vers les veines profondes et augmentent ainsi son débit dans ces vaisseaux. La surélévation de la jambe (au-dessus du niveau du cœur) permet également d'accroître le débit veineux.

Pharmacothérapie

Anticoagulothérapie L'anticoagulothérapie (héparine non fractionnée, héparines de faible poids moléculaire, warfarine) est par tradition la principale méthode de traitement de la thrombose veineuse profonde et de l'embolie pulmonaire (Goldhaber, 1998). Les médicaments employés permettent de prévenir la formation de nouveaux caillots, mais n'ont pas d'effet sur ceux qui se sont constitués. L'héparine non fractionnée est administrée sous la forme d'un bolus intraveineux, suivi d'une perfusion continue dont le débit initial est déterminé selon le poids de la personne et adapté selon les valeurs du temps de céphaline activée (TCA). La vitesse de perfusion est réduite chez les personnes exposées à un risque élevé de saignements. Le but de l'héparinisation est d'obtenir un TCA qui se situe entre 1,5 et 2,5 fois la normale. On peut aussi administrer une héparine de faible poids moléculaire comme l'énoxaparine (Lovenox) ou la daltéparine (Fragmin). Le traitement dure habituellement de cinq à sept jours.

On commence à administrer la warfarine (Coumadin) dans les 24 heures qui suivent le début du traitement à l'héparine, parce que l'effet voulu ne se manifeste complètement qu'après quatre ou cinq jours. On donne habituellement la warfarine pendant six à douze mois à la suite d'une EP. On maintient le temps de thromboplastine entre 1,5 et 2,5 fois la normale (ou à un RIN [rapport international normalisé] de 2,0 à 3,0). L'anticoagulothérapie est contre-indiquée chez les personnes exposées à un risque élevé de saignements (par exemple, chez celles qui sont atteintes de troubles gastro-intestinaux ou qui présentent des saignements en période postopératoire ou en postpartum).

Traitement thrombolytique On peut également administrer en traitement de l'embolie pulmonaire des agents thrombolytiques (streptokinase [Streptase], alteplase [Activase], retéplase [Retavase]), particulièrement chez les personnes gravement atteintes (comme celles qui sont hypotensives et dont l'hypoxémie persiste malgré l'oxygénothérapie). Les agents thrombolytiques assurent une dissolution plus rapide des thrombus ou emboles et un meilleur rétablissement de l'hémodynamique pulmonaire, abaissant par voie de conséquence l'hypertension pulmonaire et améliorant la perfusion, l'oxygénation et le débit cardiaque. Les saignements sont cependant des effets secondaires importants de ces agents. Les contre-indications sont notamment un accident vasculaire cérébral survenu au cours des deux mois précédents, tout autre processus intracrânien évolutif, des saignements évolutifs, une intervention chirurgicale pratiquée au cours des 10 jours qui ont précédé l'épisode thrombotique, un travail et un accouchement récents, un traumatisme récent ou une hypertension grave. Par conséquent, le traitement thrombolytique ne sera entrepris que si l'embolie pulmonaire affecte une partie importante des vaisseaux qui acheminent le sang aux poumons et si elle provoque une instabilité hémodynamique.

Avant de commencer le traitement, il faut connaître le temps de céphaline, le temps de thromboplastine, l'hématocrite et le décompte plaquettaire. On arrête l'administration de l'héparine avant de commencer celle de l'agent thrombolytique. Tout au long de ce traitement, il faut éviter les interventions effractives qui ne sont pas essentielles, en raison des risques d'hémorragie. S'il y a lieu, on administre du sang, un concentré de globules rouges, un cryoprécipité ou du plasma frais congelé pour remplacer les pertes sanguines et pour renverser la tendance aux saignements. À la fin de la perfusion de l'agent thrombolytique (dont la durée dépend de l'agent choisi et de l'affection en cause), on administre des anticoagulants.

Traitement chirurgical

Bien que rarement pratiquées, les embolectomies par voie chirurgicale sont indiquées en cas d'embolie pulmonaire massive, d'instabilité hémodynamique ou lorsque le traitement thrombolytique est contre-indiqué. L'embolectomie pulmonaire comporte une thoracotomie et un pontage cardiopulmonaire. Lors de l'embolectomie par cathéter transveineux, on introduit dans l'artère pulmonaire touchée, en passant par une veine, un cathéter raccordé à une cupule (système sous vide). L'embole est aspiré par succion dans la cupule. Le chirurgien maintient la succion pour garder l'embole dans la cupule et retire le cathéter en entier en le faisant passer par l'oreillette droite du cœur et par la veine fémorale. Par ailleurs, on peut aussi recourir à des sondes qui fragmentent le caillot par pulvérisation à grande vitesse d'un soluté isotonique de chlorure de sodium (Goldhaber, 1998). Pendant l'opération, on installe habituellement un filtre dans la veine cave inférieure pour prévenir les récurrences.

Une autre technique chirurgicale pratiquée en cas d'embolie pulmonaire récurrente ou d'intolérance à l'anticoagulothérapie est l'occlusion de la veine cave inférieure. Par cette approche, on empêche les thrombus délogés d'être chassés vers les poumons, tout en assurant un débit sanguin approprié. L'intervention privilégiée est celle qui comporte l'application de pinces de Teflon sur la veine cave inférieure pour en diviser la lumière en plusieurs petits canaux, sans entraver le flux sanguin. Par ailleurs, l'utilisation de dispositifs transveineux qui obstruent le vaisseau ou filtrent le sang qui traverse la veine cave est une façon peu dangereuse de prévenir les embolies pulmonaires récurrentes. L'une de ces techniques consiste en la mise en place dans la veine cave inférieure d'un filtre (comme un filtre de Greenfield), qu'on passe par la jugulaire interne ou par la veine fémorale (figure 25-7 ■). Une fois mis en place, le filtre en parapluie s'ouvre. Les perforations du «parapluie» laissent passer le sang, mais non les thrombus volumineux. On recommande de poursuivre l'anticoagulothérapie après l'installation du filtre, si elle n'est pas contre-indiquée.

Soins et traitements infirmiers

Réduire les risques d'embolie pulmonaire

Il incombe à l'infirmière de réduire le risque d'embolie pulmonaire chez toutes les personnes qu'elle soigne et de repérer celles qui sont exposées à un risque élevé. Elle doit être très vigilante dans tous les cas, mais particulièrement auprès des personnes atteintes de troubles qui les prédisposent au ralentissement du retour veineux (encadré 25-8).

Prévenir la formation de thrombus

L'une des principales responsabilités de l'infirmière est de prévenir la formation de thrombus. Elle doit encourager la personne à marcher et, pendant qu'elle est au lit, à faire des exercices actifs et passifs des jambes pour empêcher la stase veineuse. Elle lui enseigne des exercices de «pompage» des muscles de la jambe afin d'augmenter le débit veineux. Elle incite également la personne à ne pas rester longtemps en position assise ou couchée, à ne pas se croiser les jambes et à ne pas porter de vêtements serrés. Lorsque la personne est assise sur le bord du lit, elle ne doit pas laisser pendre ses jambes ni les maintenir en position déclive, mais plutôt les laisser reposer sur le plancher ou sur une chaise. Par ailleurs, les intraveineuses (de perfusion ou de mesure de la pression veineuse centrale) ne doivent pas rester en place pendant des périodes prolongées.

Évaluer le risque d'embolie pulmonaire

Chez les personnes exposées au risque d'embolie pulmonaire, l'infirmière doit déceler un signe de Homans positif, qui peut ou non indiquer une thrombose imminente des veines des jambes (chapitre 33). Pour déceler le signe de Homans, l'infirmière demande à la personne de se coucher sur le dos, de soulever la jambe et de mettre son pied en flexion dorsale. Elle doit déterminer si cet exercice provoque une douleur dans le mollet. La douleur – un signe de Homans positif – peut être un indice de thrombose veineuse profonde. Toutefois, le signe n'est pas spécifique et, dans la documentation, on recommande de moins en moins de l'utiliser.

Surveiller le traitement thrombolytique

L'infirmière doit surveiller le déroulement du traitement thrombolytique et de l'anticoagulothérapie. Les agents thrombolytiques (streptokinase, altéplase) lysent les thrombus constitués dans les veines profondes ainsi que les emboles pulmonaires, ce qui favorise la dissolution des caillots. Au cours de la perfusion de l'agent thrombolytique, la personne doit rester alitée. L'infirmière prendra ses signes vitaux toutes les deux heures. Par ailleurs, les interventions effractives seront réduites au strict nécessaire. Il faut effectuer des ponctions veineuses toutes les trois ou quatre heures après le début de la perfusion de l'agent thrombolytique afin de déterminer le temps de céphaline et le temps de thromboplastine, et ce pour confirmer l'activation du processus fibrinolytique. Étant donné que le temps de coagulation sera prolongé, on ne procédera qu'aux ponctions veineuses ou artérielles essentielles, et on appliquera une pression manuelle sur tous les points de ponction pendant au moins 30 minutes. La sphygmooxymétrie permet de déceler tout changement sur le plan de l'oxygénation. En cas d'hémorragie impossible à freiner, l'infirmière doit mettre fin immédiatement au traitement thrombolytique et à l'anticoagulothérapie. Les soins et traitements infirmiers destinés aux personnes sous anticoagulothérapie ou sous traitement thrombolytique sont présentés au chapitre 33 .

Soulager la douleur

La douleur thoracique, si elle est présente, est habituellement de nature pleurétique plutôt que de nature cardiaque. La position semi-Fowler rend les respirations moins douloureuses. Il est cependant important de tourner la personne souvent et de la faire changer de position à intervalles fréquents pour améliorer le **rapport ventilation/perfusion**. En cas de douleur intense, l'infirmière doit administrer les analgésiques opioïdes prescrits.

Surveiller le déroulement de l'oxygénothérapie

Il faut assurer une utilisation appropriée de l'oxygène et bien expliquer à la personne la nécessité d'une oxygénothérapie continue. L'infirmière doit rester à l'affût des signes

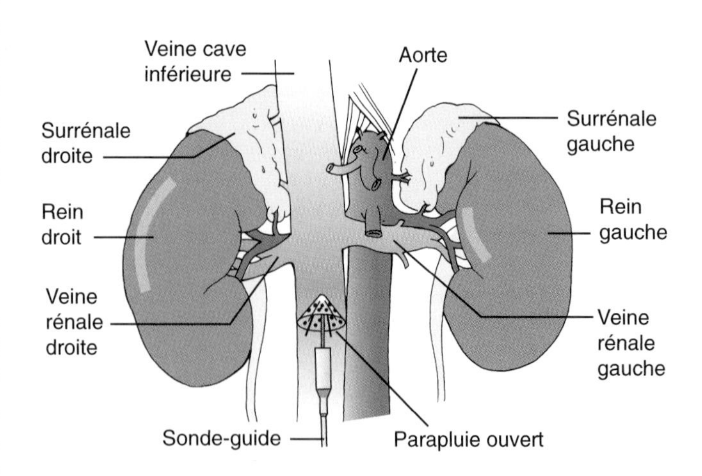

FIGURE 25-7 ■ Mise en place d'un filtre en parapluie dans la veine cave inférieure pour prévenir l'embolie pulmonaire. Le filtre (inséré dans une sonde-guide) est introduit par une incision pratiquée dans la veine fémorale. On retire la sonde-guide une fois que le filtre éjecté s'est fixé sur la paroi de la veine cave inférieure.

d'hypoxémie et suivre de près les valeurs de la sphygmo-oxymétrie pour s'assurer que l'oxygénothérapie est efficace. Des exercices de respiration profonde et une inspirométrie d'incitation sont toujours indiqués afin de réduire ou de prévenir l'atélectasie et d'améliorer la respiration. Un traitement par nébulisation ou par percussion thoracique et drainage postural permet de déloger les sécrétions.

Atténuer l'anxiété

Une fois que l'état de la personne s'est stabilisé, l'infirmière l'encouragera à exprimer ses peurs ou inquiétudes reliées à cet épisode angoissant, répondra à ses questions et à celles de ses proches avec exactitude et concision, et expliquera le traitement et la façon d'en reconnaître les effets indésirables.

Prévenir les complications

Chez la personne ayant souffert d'embolie pulmonaire, l'infirmière doit rester à l'affût des complications possibles, comme le choc cardiogénique ou l'insuffisance ventriculaire droite. Les interventions infirmières nécessaires en cas d'état de choc sont présentées au chapitre 15.

Prodiguer les soins postopératoires

Après l'intervention chirurgicale, l'infirmière doit mesurer la pression artérielle pulmonaire et le débit urinaire de la personne, et vérifier le point d'insertion du cathéter artériel pour déceler toute infection ou formation d'un hématome. Il faut stabiliser la pression artérielle à un niveau suffisant pour que l'irrigation des organes vitaux soit assurée. Pour prévenir la stase veineuse périphérique et l'œdème des membres inférieurs, l'infirmière doit surélever le pied du lit et inciter la personne à faire des exercices isométriques, à porter des bas de compression et à marcher dès qu'on l'autorise à se lever. Par ailleurs, elle lui déconseillera de rester en position assise, car les hanches en flexion compriment les grosses veines des jambes.

Favoriser les soins à domicile et dans la communauté

Enseigner les autosoins L'infirmière enseigne les autosoins à la personne avant que celle-ci ne quitte l'établissement de soins, puis à nouveau au cours des visites de suivi en consultation externe ou des visites à domicile. En particulier, elle lui explique les moyens de prévenir les récurrences et lui indique les signes et symptômes qu'il faut immédiatement signaler à un professionnel de la santé. Les consignes qu'elle transmet à la personne (encadré 25-9) visent à prévenir les récurrences et les effets secondaires du traitement.

Sarcoïdose

La sarcoïdose est une affection granulomateuse, multiviscérale, d'étiologie inconnue. Elle peut toucher presque tous les organes ou tissus, mais, le plus souvent, elle atteint les poumons, les ganglions lymphatiques, le foie, la rate, le système nerveux central, la peau, les yeux, les doigts et les glandes parotides. Bien qu'elle puisse frapper les personnes des deux sexes et de tout âge, elle est plus fréquente chez les femmes de 20 à 40 ans. On note que les personnes de race noire, en Amérique du Nord, en sont atteintes dans une proportion plus forte et sont plus gravement touchées que les personnes de race blanche (Association pulmonaire du Québec, 2004b). La sarcoïdose est bénigne dans la majorité des cas. Mais 10 à 30 % des personnes atteintes connaissent une évolution chronique de leur affection.

Physiopathologie

On pense que la sarcoïdose est une réaction d'hypersensibilité à un ou à plusieurs agents (bactéries, champignons, virus, substances chimiques) chez des personnes ayant une prédisposition héréditaire ou acquise à cette affection. Cette réaction entraîne la formation de granulomes dus à la libération de cytokines et d'autres substances qui favorisent la prolifération des fibroblastes. Dans les poumons, l'infiltration de granulomes et la fibrose peuvent diminuer la compliance, altérer la capacité de diffusion et réduire le volume pulmonaire (American Thoracic Society, 1999).

Manifestations cliniques

La sarcoïdose est une affection qui s'installe insidieusement et dont les signes et symptômes ne sont pas caractéristiques. Le tableau clinique dépend des organes touchés. Lorsqu'il s'agit des poumons, ces signes et symptômes peuvent être la dyspnée, la toux, l'hémoptysie et la congestion. Les symptômes généraux comprennent notamment l'anorexie, la fatigue et la perte de poids. Les autres signes possibles sont l'uvéite, les douleurs articulaires, la fièvre et les lésions granulomateuses de la peau (érythème squameux), du foie, de la rate, des reins et du système nerveux central. Les granulomes peuvent disparaître ou se transformer graduellement en tissu fibreux. Lorsque plusieurs organes sont touchés, on note des manifestations telles que la fatigue, la fièvre, l'anorexie, la perte de poids et les douleurs articulaires.

Examen clinique et examens paracliniques

On effectue des examens radiologiques et tomodensitométriques pour évaluer la gravité de l'adénopathie pulmonaire. Les radiographies peuvent révéler une adénopathie hilaire et des lésions miliaires et nodulaires disséminées dans les poumons. La médiastinoscopie ou la biopsie **transbronchique** (prélèvement d'un échantillon de tissu en traversant la paroi d'une bronche) permettent de confirmer le diagnostic. Dans de rares cas, on pratique une **biopsie pulmonaire**. Le diagnostic est vérifié par la présence de granulomes non caséeux dans le prélèvement biopsique. Les résultats des tests d'exploration de la fonction pulmonaire sont anormaux si la capacité pulmonaire totale est réduite. La gazométrie artérielle peut donner des résultats normaux ou montrer des concentrations réduites d'oxygène (hypoxémie) ou des concentrations élevées de dioxyde de carbone (hypercapnie).

Traitement médical

Chez un grand nombre de personnes, il y a rémission sans traitement spécifique. La corticothérapie peut s'avérer bénéfique chez certaines personnes, en raison de ses effets anti-inflammatoires qui apportent un soulagement des symptômes et améliorent le fonctionnement des organes touchés. Elle est surtout utile lorsque l'affection touche les yeux et le myocarde, la peau, les poumons (entraînant une pneumopathie grave qui peut entraver la fonction pulmonaire) ou le foie, ou encore lorsqu'elle provoque l'hypercalcémie. On a administré d'autres agents cytotoxiques ou immunosuppresseurs, mais les résultats n'ont pas été validés par des essais comparatifs. Il n'existe pas d'épreuve qui permette de suivre, à elle seule, l'évolution ou la récurrence de la sarcoïdose. Cependant, on doit recourir à plusieurs tests pour surveiller les organes touchés puisqu'il peut y avoir des dommages irréversibles aux poumons, au cœur, aux yeux et à d'autres organes vitaux. La sarcoïdose provoque souvent une sensibilité accrue à la vitamine D. Il est donc préférable de réduire l'exposition directe aux rayons du soleil, laquelle peut entraîner une accumulation de calcium dans le sang et causer des affections rénales. De plus, l'usage du tabac provoque des dommages pulmonaires qui risquent de laisser des séquelles plus graves lorsque la personne souffre de sarcoïdose.

Pneumopathies professionnelles : pneumoconioses

Les pneumopathies professionnelles peuvent être contractées dans de nombreux milieux de travail à la suite de l'exposition à des poussières organiques et inorganiques (minérales) et à des gaz nocifs (émanations délétères et particules d'aérosol). L'effet de l'inhalation de ces substances dépend de leur composition et de leur concentration, ainsi que de leur capacité à déclencher une réponse immunitaire, tout comme de leurs propriétés irritantes, de la durée de l'exposition et de la réaction de la personne ou de sa sensibilité à l'agent irritant. Le tabagisme peut aggraver le problème et accroître le risque de cancer du poumon chez les sujets exposés aux fibres d'amiante. Chez les personnes ayant des antécédents possibles d'affection respiratoire professionnelle, l'anamnèse doit porter notamment sur le type de travail et les tâches qu'il comporte, sur l'importance de l'exposition, sur l'hygiène générale, sur la période d'exposition et sur le type de protection des voies respiratoires utilisé. Elle doit également permettre de déterminer si l'exposition a été directe ou indirecte.

La pneumoconiose désigne une lésion non cancéreuse du poumon, provoquée par l'inhalation de poussières inorganiques ou minérales. Les pneumoconioses les plus courantes sont la silicose, l'amiantose (asbestose) et la pneumoconiose des mineurs de charbon (anthracose).

Silicose

La silicose est une pneumopathie fibrinogène chronique due à l'inhalation de poussières de silice (particules de dioxyde de silicium sous forme cristalline). L'exposition à la silice et aux silicates est monnaie courante chez presque tous les ouvriers engagés dans les opérations minières, les percements de tunnels ou l'exploitation des carrières, tout comme chez les verriers, les tailleurs de pierre, les fabricants de céramique et d'abrasifs et les ouvriers de fonderie. Les fines poussières de silice, comme celles qu'on trouve dans les savons, les agents de polissage et les filtres, sont extrêmement dangereuses.

Au Québec, les dirigeants ont reconnu la gravité des problèmes de santé des personnes atteintes de silicose. C'est pourquoi une loi spécifique d'indemnisation a été adoptée. Ainsi, la personne atteinte d'une incapacité permanente résultant de la silicose ou de l'amiantose établie médicalement par diagnostic a droit à une indemnité forfaitaire en proportion du degré d'incapacité permanente dont elle souffre. Si elle a perdu son emploi à cause de cette incapacité permanente, elle a aussi droit à une indemnité complémentaire équivalant à 90 % de son revenu net disponible (Institut canadien d'information juridique, 2005). De 1988 à 1997, on a diagnostiqué la silicose chez 298 travailleurs au Québec (Institut national de santé publique/Québec, 2003). Ceux-ci étaient en moyenne âgés de 58 ans et avaient été exposés à la silice durant 24 ans. Par ailleurs, les personnes souffrant de silicose accélérée étaient beaucoup plus jeunes (36 ans) et avaient été exposées moins longtemps (7 ans) à la silice que l'ensemble du groupe (Direction de santé publique de Montréal, 2002).

Physiopathologie

L'inhalation de poussières de silice, qui ont des propriétés fibrinogènes, provoque la formation de lésions nodulaires dans les poumons. Avec le temps et les expositions répétées, les nodules s'agrandissent et se rejoignent. Des masses denses se constituent dans la partie supérieure du poumon, diminuant le volume pulmonaire. Il en résulte un **syndrome respiratoire restrictif** (incapacité des poumons à se dilater complètement) et une pneumopathie obstructive due à l'emphysème secondaire. Des cavernes peuvent se former à cause d'une tuberculose surajoutée. L'affection et la dyspnée deviennent habituellement manifestes après une exposition de 15 à 20 années. La fibrose pulmonaire peut provoquer de l'emphysème, de l'hypertension pulmonaire et un cœur pulmonaire.

Manifestations cliniques

Les symptômes de la silicose aiguë, affection d'évolution rapide, sont la dyspnée, la fièvre, la toux et la perte de poids. Ils sont plus graves lorsque la silicose se complique d'une fibrose massive progressive. Généralement, cette affection est chronique, s'accompagnant d'une longue période de latence. La personne peut présenter des symptômes qui s'aggravent très graduellement et qui sont les manifestations de l'hypoxémie, de l'obstruction des voies aériennes et de l'insuffisance cardiaque droite. L'insuffisance cardiaque peut provoquer de l'œdème.

Traitement médical

Il n'existe pas de traitement spécifique de la silicose, car le processus fibrogène dans les poumons est irréversible. Le traitement de soutien vise à prendre en charge les complications et à prévenir l'infection. On procède à des examens paracliniques pour écarter d'autres affections, comme la tuberculose, le cancer du poumon ou la sarcoïdose. Si on dépiste la tuberculose, on la traite de manière vigoureuse. On administre parfois de l'oxygène, des diurétiques, des agonistes bêta-adrénergiques en inhalation, des anticholinergiques et des bronchodilatateurs.

AMIANTOSE

L'**amiantose** (communément appelée asbestose) est une affection caractérisée par une fibrose pulmonaire diffuse, provoquée par l'inhalation de poussières d'amiante. En vertu des lois actuelles, l'utilisation des fibres d'amiante est très réduite, mais bien des industries les ont utilisées par le passé. C'est pourquoi de nombreux ouvriers y ont été exposés et peuvent l'être encore. Il s'agit, entre autres, de ceux qui travaillent dans les mines et les usines d'extraction d'amiante ou dans les chantiers de construction navale, de ceux qui démolissent des structures contenant de l'amiante et des couvreurs. Des matériaux comme les bardeaux, le ciment, les carreaux de vinyle d'amiante, les peintures ignifuges, les tissus servant à la fabrication de certains vêtements, les garnitures de freins et les filtres ont tous contenu de l'amiante à une certaine époque, et un grand nombre de ces matériaux sont encore utilisés. L'exposition à l'amiante peut aussi provoquer le cancer du poumon, des mésothéliomes et des épanchements pleuraux. Les maladies reliées à l'amiante (amiantose, cancers pulmonaires et mésothéliomes) sont les affections pulmonaires le plus fréquemment indemnisées par la Commission de la santé et de la sécurité au travail (CSST) au Québec (Institut national de santé publique/Québec, 2003). L'amiantose vient au premier rang des maladies professionnelles entraînant la mort, avec 30 cas en 2002 (Marchand, 2004).

Physiopathologie

Les fibres d'amiante inhalées pénètrent dans les alvéoles où elles sont entourées de tissu fibreux, qui s'accumule et finit par obstruer l'alvéole. Les modifications fibreuses affectent aussi la plèvre, qui s'épaissit, et des plaques pleurales se constituent. Ces altérations physiologiques provoquent un syndrome respiratoire restrictif, avec diminution du volume pulmonaire et des échanges d'oxygène et de dioxyde de carbone, et apparition d'hypoxémie.

Manifestations cliniques

L'affection s'installe insidieusement. La dyspnée, la toux sèche et persistante, des douleurs thoraciques de légères à modérées, l'anorexie, la perte pondérale et les malaises apparaissent graduellement. Les premiers signes physiques sont de petits crépitants en fin d'inspiration, notés à la base des deux poumons, et dans les cas plus avancés un hippocratisme digital. Le cœur pulmonaire et l'insuffisance respiratoire se manifestent à mesure que l'affection évolue. Un grand nombre d'ouvriers qui avaient été exposés à la poussière d'amiante meurent à la suite d'un cancer du poumon, particulièrement lorsqu'il s'agit de fumeurs ou d'ex-fumeurs. On observe parfois un mésothéliome malin, une forme rare de cancer de la plèvre et du péritoine, qui est fortement associé à l'exposition à l'amiante.

Traitement médical

Il n'existe aucun traitement efficace de l'amiantose, puisque la lésion pulmonaire est permanente et souvent évolutive. Le traitement vise à prévenir l'infection et à prendre en charge la pneumopathie. Lorsque les échanges d'oxygène et de dioxyde de carbone sont fortement entravés, l'oxygénothérapie continue peut améliorer la tolérance à l'effort. Il faut conseiller à la personne atteinte d'amiantose d'éviter toute nouvelle exposition à l'amiante et d'arrêter de fumer.

PNEUMOCONIOSES DES MINEURS DE CHARBON

On appelle pneumoconioses des mineurs de charbon (anthracoses) un certain nombre d'affections respiratoires touchant les travailleurs qui ont inhalé de la poussière de charbon pendant de longues années. Cette poussière est constituée d'un mélange de charbon, de kaolin, de mica et de silice.

Physiopathologie

Lorsque la poussière de charbon se dépose dans les alvéoles et dans les bronchioles, les macrophages engloutissent les particules (par phagocytose) et les acheminent vers les bronchioles terminales, d'où elles sont éliminées par le mouvement mucociliaire. Avec le temps, comme ces mécanismes d'élimination ne peuvent plus faire face à la quantité excessive de poussière, les macrophages s'accumulent dans les bronchioles et les alvéoles. On note l'apparition de fibroblastes et la formation d'un réseau de réticuline qui entoure les macrophages chargés de poussière. La poussière de charbon, les macrophages morts et les fibroblastes bouchent les bronchioles et les alvéoles, et il se forme des masses noires amorphes, constituant les lésions primitives qui signent l'affection. Des lésions fibreuses apparaissent et, à mesure que les masses s'agrandissent, les bronchioles affaiblies se dilatent, provoquant un emphysème localisé. L'affection touche d'abord les lobes pulmonaires supérieurs, mais peut aussi s'étendre aux lobes inférieurs.

Manifestations cliniques

Les premiers signes de l'affection, une toux chronique et des expectorations, sont similaires aux signes qui caractérisent la bronchite chronique. À mesure que l'affection évolue, la personne souffre de dyspnée et, surtout lorsqu'il s'agit d'un fumeur, elle produit en toussant de grandes quantités d'expectorations contenant un liquide noirâtre plus ou moins abondant (mélanoptysie). Par la suite, un cœur pulmonaire ou une insuffisance respiratoire apparaissent. On peut poser un diagnostic d'après les résultats radiologiques et les antécédents d'exposition.

Traitement médical

Puisqu'on ne connaît pas de traitement efficace de cette affection, il est impératif de prendre des mesures pour la prévenir. Un diagnostic précoce et la prise en charge des complications sont de la plus haute importance. (Nous traitons de l'emphysème au chapitre 26 ⊂⊃).

Soins et traitements infirmiers

Enseigner les mesures de prévention

L'infirmière spécialisée en santé au travail a pour mandat de défendre les intérêts des employés en matière de santé et doit promouvoir par tous les moyens les mesures qui permettent de réduire l'exposition des travailleurs aux produits industriels. En vertu des lois en vigueur, le milieu de travail doit être adéquatement ventilé de sorte que tous les agents nocifs puissent en être évacués. L'élimination des poussières, notamment par la ventilation, l'arrosage des ateliers avec de l'eau pour abattre la poussière, ainsi que par le nettoyage fréquent et efficace des planchers, peut aider à prévenir un grand nombre de pneumoconioses. Il faut faire des prélèvements d'échantillons d'air pour en vérifier la pureté. Les substances toxiques doivent être gardées dans des récipients hermétiques et enfermées dans des endroits d'accès restreint. Les travailleurs doivent porter des dispositifs de protection (masques, respirateurs industriels) qui leur fournissent de l'air pur en présence d'une substance toxique. Les employés à risque doivent être soumis à des examens de dépistage et de suivi. Il y a risque de contracter des affections graves par inhalation de fumée (cancer) dans les milieux de travail qui utilisent des gaz, des poussières, des émanations délétères, des liquides et d'autres substances toxiques en grandes quantités. Il existe aussi un risque d'inhalation secondaire. L'amiante et les autres poussières ou substances toxiques peuvent être transmises à autrui par des vêtements ou souliers exposés. Il faut élaborer des programmes didactiques pour inciter les travailleurs à assumer la responsabilité de leur propre santé, à arrêter de fumer et à se faire vacciner contre la grippe.

La Loi relative au droit à l'information stipule qu'il faut renseigner les employés sur toutes les substances toxiques et dangereuses qui se trouvent dans leur milieu de travail. Il faut, par ailleurs, les sensibiliser à toutes celles qu'ils manipulent, leur expliquer les effets de ces substances sur leur santé et leur enseigner les mesures qu'ils peuvent prendre pour s'en protéger. En dernière analyse, il incombe aux autorités provinciales et fédérales de mettre en œuvre ces mesures et de les faire respecter.

Tumeurs thoraciques

Les tumeurs thoraciques peuvent être bénignes ou malignes. Les tumeurs malignes peuvent se former dans le poumon, sur la paroi thoracique ou dans le médiastin, et peuvent être primitives ou secondaires, par métastase de cancers primitifs de nombreux autres organes ou tissus. Les métastases pulmonaires sont fréquentes, car le sang transporte vers les poumons des cellules cancéreuses issues de tumeurs primitives situées à distance.

CANCER DU POUMON

Au Canada, le cancer du poumon est la principale cause de décès chez les hommes : on estime que 10 700 décès lui seront attribuables en 2005, nombre qui excède de loin les 4 500 dus au cancer colorectal, maintenant deuxième cause principale de mortalité par cancer chez l'homme ou aux 4 300 décès liés au cancer de la prostate (maintenant troisième cause de décès par cancer chez l'homme). Chez la femme canadienne, le cancer du poumon est aussi la principale cause de décès par cancer : 8 300 décès lui seront attribuables en 2005, comparativement à 5 300 pour le cancer du sein. L'incidence de cette affection est restée relativement constante chez les hommes, alors que chez les femmes elle ne cesse de s'accroître. Ceci s'explique par le fait que, chez la femme, le taux de mortalité par cancer du poumon a augmenté rapidement au cours des 30 dernières années, tandis que la mortalité par cancer du sein normalisée selon l'âge a diminué légèrement (Société canadienne du cancer/Institut national du cancer du Canada, 2005). Le cancer du poumon cause 29 % des décès dus au cancer chez l'homme et 25 % chez la femme, quoique les cancers les plus répandus soient le cancer de la prostate chez l'homme et le cancer du sein de la femme. Au Québec, le cancer est la première cause de mortalité, devant les maladies cardiovasculaires. Le carcinome *in situ* du poumon affecte surtout les personnes dans la cinquantaine ou âgées de plus de 60 ans ; moins de 5 % des personnes atteintes ont moins de 40 ans. Dans environ 70 % des cas, au moment du diagnostic, l'affection s'est répandue dans les ganglions lymphatiques régionaux ou dans d'autres zones. De ce fait, le taux de survie à long terme est faible. Les recherches indiquent que le cancer a tendance à apparaître à l'endroit d'une cicatrice pulmonaire antérieure (tuberculose, fibrose). Plus de 85 % des cas sont provoqués par l'inhalation de substances chimiques carcinogènes, le plus souvent par la fumée de cigarette (Schottenfeld, 2000).

Physiopathologie

Le cancer du poumon a pour origine la transformation d'une cellule épithéliale située dans les voies trachéobronchiques. Un agent carcinogène (fumée de cigarette, radon ou autre agent délétère présent dans l'environnement ou dans le milieu professionnel) se lie à l'ADN de la cellule et l'endommage. Les lésions de l'ADN entraînent des modifications cellulaires et une hyperplasie, lesquelles finissent par donner naissance à une cellule maligne. Au fur et à mesure des divisions cellulaires, l'ADN endommagé subit d'autres transformations et se déstabilise. L'accumulation de modifications génétiques provoque dans l'épithélium pulmonaire des transformations malignes qui aboutissent à l'apparition d'un carcinome envahissant.

L'épithélioma à cellules squameuses a tendance à se former dans les régions centrales des poumons, souvent dans les bronches segmentaires et sous-segmentaires, en réponse à une exposition répétée à des substances carcinogènes. L'adénocarcinome est le type de carcinome pulmonaire le plus fréquent chez les deux sexes ; sa présentation est plus périphérique et il prend la forme de masses ou de nodules qui se métastasent souvent. Le carcinome à grandes cellules du poumon (aussi appelé épithéliome indifférencié) est une tumeur à croissance rapide qui se situe le plus souvent en périphérie. Le cancer bronchioalvéolaire prend naissance dans une bronchiole terminale ou dans une alvéole ; sa croissance est habituellement moins rapide que celle des autres carcinomes *in situ* du poumon. Enfin, le carcinome à petites cellules se manifeste surtout par une ou plusieurs lésions proximales, mais les cellules malignes peuvent se développer dans n'importe quelle partie de l'arbre trachéobronchique.

Classification et définition des stades

Les carcinomes qui ne sont pas à petites cellules représentent de 70 à 75 % des tumeurs ; les carcinomes à petites cellules en représentent de 15 à 20 %. Parmi les carcinomes qui ne sont pas à petites cellules, les épithéliomas à cellules squameuses comptent pour 30 % des cas, les carcinomes à grandes cellules pour 10 à 16 %, et les adénocarcinomes pour 31 à 34 % ; ceux-ci comprennent les cancers bronchioalvéolaires, qui représentent de 3 à 4 % des cas. La plupart des carcinomes à petites cellules apparaissent dans les grosses bronches et se disséminent par infiltration le long de la paroi bronchique. Les carcinomes à petites cellules comptent pour 20 à 25 % des cancers du poumon *in situ* (Matthay, Tanoue et Carter, 2000).

Les cancers du poumon ne sont pas seulement classés par type de cellule, mais aussi par stade. Le stade du cancer est déterminé par la taille de la tumeur et par son siège ; on tient également compte de l'atteinte des ganglions lymphatiques et de la formation de métastases (American Joint Committee on Cancer, 2002). Le cancer du poumon qui n'est pas à petites cellules passe par quatre stades. Le cancer de stade I est celui qui comporte le taux de guérison le plus élevé, alors que le cancer de stade IV est un cancer qui s'est métastasé. Les carcinomes du poumon à petites cellules sont circonscrits ou étendus. Au chapitre 16 ⊂⊃, nous avons présenté les méthodes employées pour établir le diagnostic et avons donné plus de détails sur la définition des stades.

Facteurs de risque

Le risque d'être atteint d'un cancer du poumon est associé à divers facteurs, notamment le tabagisme, le tabagisme passif (inhalation involontaire de fumée), l'exposition à des agents carcinogènes en milieu de travail, l'exposition à des polluants environnementaux, le sexe de la personne, les facteurs génétiques et les carences alimentaires, tout comme les prédispositions héréditaires et certaines affections respiratoires sous-jacentes, entre autres la BPCO et la tuberculose.

Tabagisme

Le tabagisme représente la principale cause de décès et d'affections qu'on peut prévenir. Plus de 47 500 Canadiens meurent chaque année par suite de problèmes de santé imputables au tabac (Société canadienne du cancer, 2004). Le tabagisme est la cause de 30 % des décès attribuables au cancer, et l'inhalation de substances chimiques cancérogènes, comme celles que dégage la fumée de cigarette, est directement reliée à plus de 85 % des cas de cancer du poumon (Société canadienne du cancer, 2005). Ce dernier est 10 fois plus courant chez les fumeurs de cigarettes que chez les non-fumeurs. Selon les statistiques, 1 homme sur 11 et 1 femme sur 18 risquent d'avoir un cancer du poumon au cours de leur vie. Le risque est déterminé par le nombre de paquets-années (nombre de paquets par jour, multiplié par le nombre d'années de consommation), l'âge où la personne a commencé à utiliser le tabac, la profondeur de l'inhalation et la concentration de goudron et de nicotine de la marque de cigarette qu'elle fume habituellement. Plus on commence à fumer tôt, plus le risque de cancer du poumon est élevé. Lorsqu'on abandonne la cigarette, ce risque diminue avec les années sans consommation.

Fumée secondaire (inhalation involontaire de fumée)

L'inhalation involontaire de fumée constitue une cause possible de cancer du poumon chez les non-fumeurs. Autrement dit, les gens qui sont involontairement exposés à la fumée de cigarette dans un espace clos (maison, voiture, immeuble) courent un plus grand risque de cancer du poumon que les non-fumeurs dans un milieu sans tabac. L'exposition à vie à la fumée d'un conjoint ou d'un partenaire qui fume accroît d'environ 35 % le risque de cancer du poumon du non-fumeur, comparativement au risque à vie de 100 % encouru par le fumeur (Matthay, Tanoue et Carter, 2000).

Exposition aux polluants environnementaux et aux agents carcinogènes en milieu de travail

On a repéré de nombreuses substances carcinogènes dans l'atmosphère, notamment les gaz émis par les véhicules automobiles et les polluants émis par les raffineries et les usines. D'après les recherches, l'incidence du cancer du poumon est accrue en milieu urbain, à cause de l'accumulation de ces substances nocives.

Le radon est un gaz incolore et inodore qu'on trouve dans le sol et les roches. Pendant de nombreuses années, on a estimé qu'il ne se trouvait que dans les mines d'uranium, mais on sait aujourd'hui qu'il s'infiltre dans les maisons par les fondations. Des concentrations élevées de radon ont été associées à l'apparition du cancer du poumon, surtout chez les personnes qui fument.

On a également associé à l'apparition du cancer du poumon l'exposition prolongée, dans le milieu de travail, aux rayonnements ionisants et à des substances cancérogènes comme l'arsenic, l'amiante, le gaz moutarde, les chromates, les gaz de cokerie, le nickel et certaines huiles. En vertu des lois en vigueur, les entreprises ont l'obligation de limiter l'exposition des employés à ces agents nocifs.

Facteurs héréditaires

On pense qu'il existe une certaine prédisposition familiale au cancer du poumon, car l'incidence de ce cancer chez les proches parents d'une personne ayant l'affection, qu'ils soient ou non fumeurs, semble de deux à trois fois plus élevée que celle qu'on observe au sein de la population générale.

Habitudes alimentaires

Les recherches ont montré par le passé que les fumeurs qui mangent peu de fruits et de légumes sont exposés à un risque accru de cancer du poumon (Bast, Kufe, Pollock *et al.*, 2000).

On n'a pas encore déterminé quels étaient les agents réellement actifs dans l'alimentation riche en fruits et légumes. Selon les hypothèses, les caroténoïdes, particulièrement le carotène et la vitamine A, seraient importants à cet égard. On mène actuellement de front plusieurs études, lesquelles pourraient nous aider à déterminer si les suppléments de carotène ont des propriétés anticancérogènes. On évalue également d'autres nutriments, notamment la vitamine E, le sélénium, la vitamine C, certains lipides et les rétinoïdes, qui pourraient jouer un rôle protecteur contre le cancer du poumon (Bast, Kufe, Pollock *et al.*, 2000).

Manifestations cliniques

Souvent, l'apparition du cancer du poumon est insidieuse et l'affection reste asymptomatique jusqu'à une phase tardive de son évolution. Les signes et symptômes dépendent de l'emplacement et de la taille de la tumeur, de l'importance de l'obstruction qu'elle provoque et de la formation de métastases régionales ou à distance. Les symptômes peuvent aussi être la conséquence d'une atteinte générale de l'état de santé de la personne.

Le symptôme le plus courant est la toux ou les changements observés dans une toux chronique. On a souvent tendance à le minimiser, l'attribuant à la cigarette ou à une infection respiratoire. La toux est au départ sèche et persistante. Une fois que les voies aériennes sont obstruées, elle peut devenir productive s'il y a infection.

! ALERTE CLINIQUE *Une toux dont les caractéristiques changent devrait éveiller les soupçons, car elle peut être un signe de cancer du poumon.*

La respiration sifflante (qui se produit lorsqu'une bronche est partiellement obstruée par la tumeur) affecte environ 20 % des personnes atteintes de cancer du poumon. Certaines personnes souffrent de dyspnée et d'hémoptysie, ou émission d'expectorations teintées de sang. Dans certains cas, une fièvre récurrente fait partie des premiers symptômes. Elle se manifeste en réponse à une infection persistante dont le foyer se trouve dans une région d'inflammation distale. En réalité, il faudrait penser à un cancer du poumon chez toute personne qui présente des infections récurrentes des voies respiratoires supérieures. Des douleurs sourdes à la poitrine ou à l'épaule peuvent être le signe que la tumeur touche la plèvre ou la paroi thoracique. Une douleur osseuse est également une manifestation tardive qui pourrait être provoquée par des métastases aux os.

Si la tumeur se propage vers les régions adjacentes ou vers les ganglions lymphatiques régionaux, la personne peut ressentir des douleurs ou une oppression thoraciques, sa voix peut devenir rauque (atteinte du nerf laryngé récurrent), et elle peut aussi présenter une dysphagie, un œdème de la tête et du cou, et des symptômes d'épanchement pleural ou péricardique. Les sièges les plus courants des métastases sont les ganglions lymphatiques, les os, l'encéphale, le poumon controlatéral, les surrénales et le foie. Des symptômes non spécifiques, comme la fatigue, la faiblesse, l'anorexie et la perte pondérale, peuvent également aider le médecin à poser le diagnostic. La figure 25-8 ■ illustre les différentes manifestations possibles du cancer du poumon.

Examen clinique et examens paracliniques

Il faut penser à un cancer du poumon chez tout fumeur excessif qui se plaint de symptômes pulmonaires. L'examen physique peut mettre en évidence un rétrécissement bronchique par diminution de l'amplitude thoracique, une matité à la percussion, une réduction ou une disparition des murmures vésiculaires. L'examen radiologique permettra de déceler une opacité, un nodule pulmonaire unique, l'atélectasie ou une infection. La tomodensitométrie du thorax, quant à elle, permettra de voir de petits nodules que les rayons X ne peuvent révéler et d'examiner en séquence des régions de la cage thoracique qui ne sont pas bien visibles sur une radiographie.

L'examen cytologique des expectorations est rarement utile au diagnostic du cancer du poumon. En revanche, on utilise couramment la fibroscopie qui permet d'explorer en profondeur l'arbre trachéobronchique et d'effectuer des prélèvements par lavage, brossage ou biopsie dans les régions suspectes. Dans le cas des lésions périphériques, là où la biopsie par bronchoscope n'est pas possible, on peut aspirer des cellules par **cytoponction transthoracique à l'aiguille fine** réalisée par guidage radioscopique ou tomographique. Dans certaines circonstances, on peut effectuer une endoscopie de l'œsophage par ultrasons (échographie) pour prélever un échantillon d'un ganglion lymphatique tuméfié situé au-dessous de la carène et difficilement accessible par d'autres moyens.

On peut recourir à différents types d'explorations tomographiques pour évaluer les métastases: scintigraphie osseuse, tomographie abdominale, tomographie par émission de positrons (TEP), échographie ou tomographie du foie. On utilise la tomodensitométrie cérébrale, l'imagerie par résonance magnétique et d'autres explorations neurologiques pour déceler les métastases dans le système nerveux central. La médiastinoscopie ou la médiastinotomie peuvent s'avérer utiles pour prélever des échantillons en vue d'une biopsie des ganglions lymphatiques situés dans le médiastin.

Si on envisage une opération chirurgicale, il faut déterminer si la tumeur peut être excisée et si l'altération physiologique qu'une telle intervention entraînerait peut être tolérée. Des tests d'exploration de la fonction pulmonaires, des analyses des gaz du sang artériel, la scintigraphie de ventilation-perfusion, ainsi que des épreuves de tolérance à l'effort font partie des examens paracliniques en phase préopératoire (Knippel, 2001).

Traitement médical

L'objectif du traitement est la guérison, dans la mesure du possible. Ce en quoi il consiste dépend du type de cellules, du stade de l'affection et de l'état physiologique de la personne (en particulier, de l'état de ses poumons et de son cœur). En général, il peut prendre la forme d'une intervention chirurgicale, d'une radiothérapie ou d'une chimiothérapie, ou d'une combinaison de ces modalités thérapeutiques. On évalue

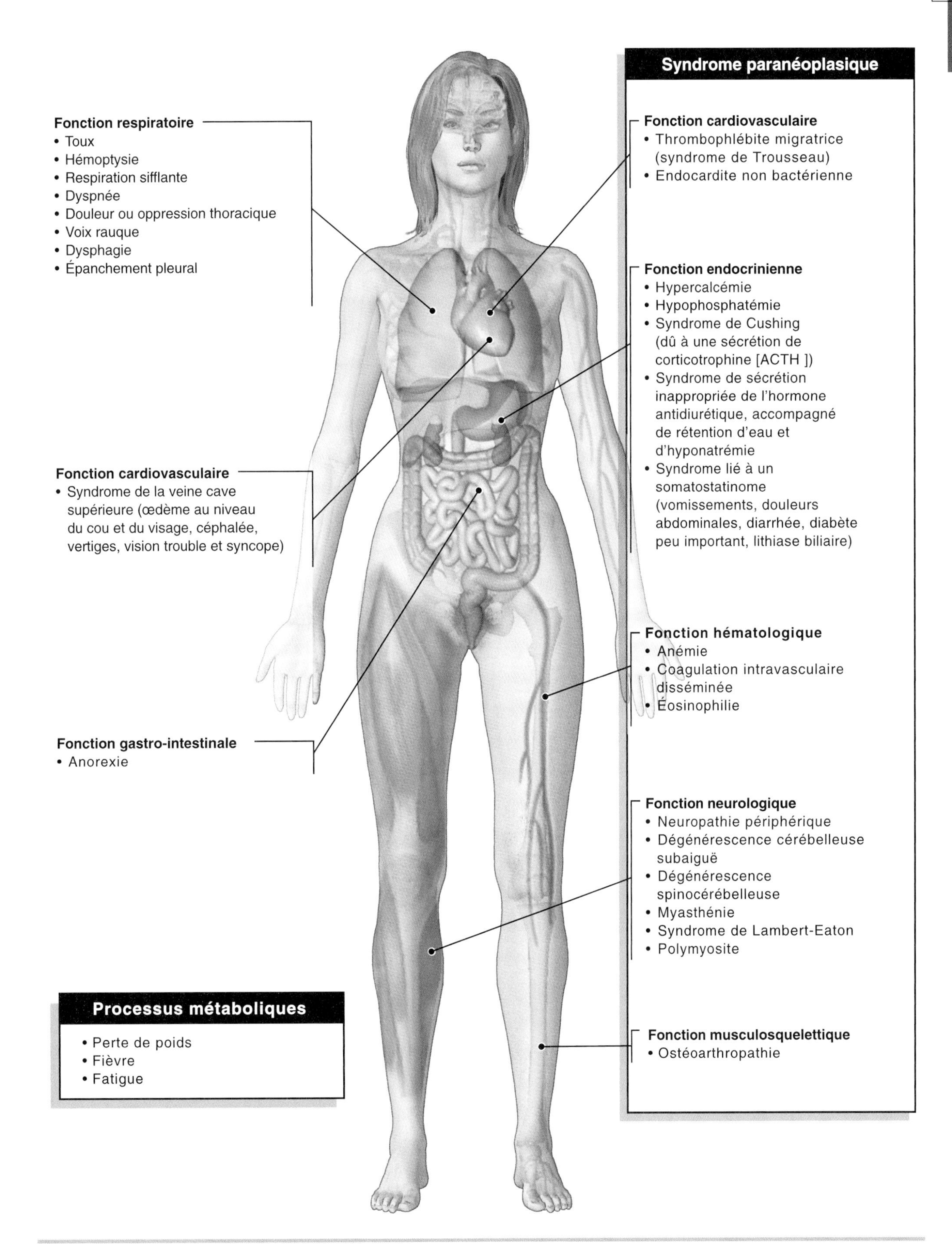

FIGURE 25-8 ■ Effets multisystémiques du cancer du poumon.
SOURCE : © Stéphane Bourrelle.

actuellement les bienfaits de traitements plus nouveaux et plus circonscrits, qui visent la modulation du système immunitaire (thérapie génique, ciblage d'antigènes spécifiques de la tumeur) et semblent donner des résultats prometteurs.

Traitement chirurgical

La résection chirurgicale est le traitement de prédilection des tumeurs qui ne sont pas à petites cellules lorsqu'elles sont localisées, sans métastases, et que la fonction cardiopulmonaire s'y prête. Si l'état cardiovasculaire, la fonction pulmonaire et l'état fonctionnel de la personne sont satisfaisants, la chirurgie est habituellement bien tolérée. Toutefois, en présence d'une coronaropathie, d'une insuffisance pulmonaire ou d'autres affections intercurrentes, une intervention chirurgicale peut être contre-indiquée. Le taux de guérison dépend du type et du stade du cancer. On a recours à la chirurgie surtout en cas de carcinome qui n'est pas à petites cellules, car ce type de cancer du poumon se caractérise par une croissance rapide des cellules tumorales donnant naissance à des métastases précoces et disséminées. Malheureusement, chez la plupart des personnes atteintes d'un cancer du poumon *in situ*, au moment où le diagnostic est posé, la tumeur est inopérable.

On peut pratiquer plusieurs types de résection pulmonaire. L'intervention chirurgicale la plus courante en présence d'une petite tumeur, apparemment curable, est la lobectomie (ablation d'un lobe pulmonaire). Dans certains cas, on peut exciser un poumon en entier (pneumonectomie). On trouve d'autres détails à cet égard au chapitre 27.

Radiothérapie

La radiothérapie peut apporter la guérison chez un petit nombre de personnes. Elle est utile pour freiner la propagation des tumeurs qu'on ne peut réséquer par voie chirurgicale. On peut également y recourir pour diminuer la taille d'une tumeur, pour rendre opérable une tumeur autrement inopérable ou pour diminuer la pression qu'une tumeur exerce sur un organe vital. Elle permet également de maîtriser les symptômes des métastases rachidiennes et de soulager la compression de la veine cave. Par ailleurs, chez certaines personnes, on s'en sert à titre prophylactique pour traiter les métastases microscopiques de l'encéphale. Elle peut aussi aider à calmer la toux, les douleurs thoraciques, la dyspnée, l'hémoptysie et les douleurs au niveau des os ou du foie. Le soulagement des symptômes peut se maintenir quelques semaines ou plusieurs mois; il constitue un bienfait important, car on peut ainsi améliorer la qualité de vie de la personne pendant le temps qui lui reste.

La radiothérapie exerce habituellement des effets toxiques sur les tissus sains qui se trouvent dans le champ irradié et peut amener des complications telles que l'œsophagite, des infections pulmonaires et la fibrose pulmonaire. De ce fait, elle peut altérer la capacité de ventilation et de diffusion pulmonaires et réduire grandement la réserve pulmonaire. Tout au long de ce traitement, il faut suivre de près l'état nutritionnel de la personne, son attitude à l'égard de son affection, son niveau de fatigue, tout comme les signes d'anémie et d'infection. Nous décrivons la prise en charge de la personne qui subit une radiothérapie au chapitre 16.

Chimiothérapie

La chimiothérapie vise à perturber le mode de croissance de la tumeur et à traiter les métastases à distance du cancer du poumon à petites cellules. Elle est également une modalité thérapeutique d'appoint après une intervention chirurgicale ou la radiothérapie. Les bithérapies ou les polythérapies peuvent s'avérer plus bénéfiques que les monothérapies. Plusieurs médicaments se sont avérés efficaces, dont les agents alkylants, (cyclophosphamide [Cytoxan, Procytox], ifosfamide [Ifex]), les analogues du platine (cisplatine [Platinol] et carboplatine [Paraplatin-AQ]), les taxanes (paclitaxel [Taxol], docétaxel [Taxotere]), les alcaloïdes de la pervenche (vinblastine [Velban], vincristine [Oncovin], vinorelbine [Navelbine]), la doxorubicine (Adriamycin, Caelyx), la gemcitabine (Gemzar), l'irinotécan (Camptosar) et l'étoposide (VP-16). Le choix de l'agent dépend du mode de croissance des cellules tumorales et de la phase spécifique du cycle cellulaire sur laquelle agit le médicament en question. De nombreuses chimiothérapies d'association font actuellement l'objet de recherches qui visent à trouver le régime optimal pour traiter les différents types de cancers du poumon.

La chimiothérapie peut apporter un soulagement, particulièrement des douleurs, mais ne peut habituellement pas guérir l'affection ni prolonger la vie de façon marquée. Par ailleurs, elle a de nombreux effets secondaires. Elle s'avère utile pour réduire les symptômes d'oppression causés par le cancer et pour traiter les métastases cérébrales, rachidiennes et péricardiques. Nous décrivons la chimiothérapie du cancer au chapitre 16.

Traitement palliatif

On peut utiliser les moyens suivants en guise de traitement palliatif: la radiothérapie pour diminuer la taille de la tumeur et soulager ainsi la douleur qu'elle provoque, diverses bronchoscopies visant à ouvrir une bronche ou un conduit aérien bouchés, des interventions destinées à atténuer la douleur et d'autres mesures qui peuvent améliorer le bien-être de la personne. L'évaluation de l'état de la personne et le recours aux soins palliatifs sont des aspects importants de la planification d'une fin de vie digne et sans souffrance pour le mourant et pour les membres de sa famille.

Complications reliées au traitement

Les divers traitements du cancer du poumon peuvent occasionner plusieurs complications. La radiothérapie peut entraîner une diminution du fonctionnement cardiopulmonaire et d'autres complications, comme la fibrose pulmonaire, la péricardite, la myélite et le cœur pulmonaire. La chimiothérapie, particulièrement si elle est associée à la radiothérapie, peut être à l'origine d'une pneumopathie inflammatoire. La toxicité pulmonaire est un effet indésirable important de la chimiothérapie. La résection chirurgicale, quant à elle, peut provoquer de l'insuffisance respiratoire, particulièrement si l'appareil cardiopulmonaire est affaibli avant même l'intervention. Les complications chirurgicales et le recours prolongé à la ventilation assistée sont également des issues possibles.

Soins et traitements infirmiers

Les soins à prodiguer en cas de cancer du poumon sont similaires à ceux qui sont nécessaires dans tous les cas de cancer (chapitre 16). Ces soins visent à répondre aux besoins physiologiques et psychologiques de la personne. Les problèmes physiologiques découlent principalement des manifestations de l'affection sur le plan de la fonction respiratoire. L'infirmière doit donc trouver des stratégies qui pourront soulager la douleur, améliorer le bien-être et prévenir les complications.

Traiter les symptômes

L'infirmière doit expliquer à la personne et aux membres de sa famille les divers effets secondaires possibles de chaque traitement et les stratégies permettant de les soulager. En se donnant les moyens d'atténuer la dyspnée, la fatigue, les nausées, les vomissements et l'anorexie, la personne et ses proches auront moins de difficulté à s'adapter aux mesures thérapeutiques.

Atténuer les problèmes respiratoires

Pour maintenir la perméabilité des voies aériennes, il est primordial d'aider la personne à éliminer les sécrétions en excédent par des exercices de respiration profonde et de toux dirigée, des soins de physiothérapie de drainage, des aspirations, et parfois par la bronchoscopie. Le médecin peut prescrire des bronchodilatateurs qui, comme leur nom l'indique, favorisent la dilatation des bronches. À mesure que la tumeur grossit et se propage, elle peut comprimer les bronches ou envahir une partie importante des tissus pulmonaires, entraînant un mode respiratoire inadéquat et des échanges gazeux insuffisants. À une certaine étape de l'affection, il faudra probablement entreprendre une oxygénothérapie.

Le principal objectif des mesures que l'infirmière doit prendre est de diminuer la dyspnée. À cette fin, elle devra encourager la personne à adopter des positions qui favorisent la distension des poumons et à faire des exercices de respiration qui aident les poumons à s'ouvrir et à se relâcher. Par ailleurs, elle devra lui enseigner des techniques lui permettant de dépenser moins d'énergie et de dégager ses voies aériennes (Connolly et O'Neill, 1999). Pour soulager les symptômes respiratoires, on peut orienter la personne, si tel est son désir et si son état le permet, vers un centre de rééducation respiratoire où bon nombre des techniques utilisées peuvent s'avérer utiles.

Atténuer la fatigue

La fatigue est un symptôme accablant, qui nuit grandement à la qualité de vie de la personne souffrant de cancer. Elle est très courante en cas de cancer du poumon et peut être due à l'affection elle-même, aux traitements et aux complications (comme l'anémie), aux troubles du sommeil, à la douleur et aux malaises, à l'hypoxémie, à une alimentation inadéquate ou aux conséquences psychologiques du cancer (par exemple, anxiété, dépression). L'infirmière a un rôle important à jouer à ce chapitre: elle doit évaluer soigneusement l'intensité de la fatigue, repérer les causes qui peuvent être traitées et vérifier auprès de la personne s'il s'agit pour elle d'un symptôme marquant. Pour aider la personne à surmonter son abattement, l'infirmière doit lui enseigner des techniques de préservation de l'énergie ou lui recommander des programmes de physiothérapie, d'ergothérapie ou de rééducation respiratoire. De plus, on a constaté depuis peu que les exercices dirigés peuvent s'avérer utiles pour diminuer la fatigue ressentie par les personnes atteintes de cancer. Il s'agit d'un domaine de recherche important, car il y a peu d'études qui ont été menées à cet égard, et celles qui existent ne portent que sur un petit nombre de sujets atteints de cancer.

Prêter un soutien psychologique

Un autre aspect important des soins et traitements infirmiers prodigués à la personne souffrant du cancer du poumon est le soutien psychologique et la recherche de ressources pouvant les soutenir, elle et les membres de sa famille. Souvent, l'infirmière doit amener toutes ces personnes à faire face au pronostic sombre et à l'évolution relativement rapide de l'affection. Elle doit aussi les aider à prendre des décisions éclairées à l'égard des choix de traitement qui s'offrent à eux, leur proposer des méthodes permettant de conserver la qualité de vie en dépit de l'affection et les informer des soins qu'on peut donner en fin de vie.

TUMEURS DU MÉDIASTIN

Les tumeurs du médiastin englobent les tumeurs neurogéniques, les tumeurs du thymus, les lymphomes, les tumeurs germinales, les kystes et les tumeurs mésenchymateuses, lesquelles peuvent toutes être bénignes ou malignes. On définit habituellement les tumeurs et les masses selon qu'elles se situent dans le médiastin antérieur, moyen ou postérieur.

Manifestations cliniques

Pratiquement tous les symptômes entraînés par les tumeurs du médiastin découlent de la pression que la masse exerce sur les principaux organes thoraciques. Il s'agit notamment de toux, de respiration sifflante, de dyspnée, de douleurs au cou et dans la partie antérieure du thorax, de bombement de la paroi thoracique, de palpitations, d'angine, d'autres troubles circulatoires, de cyanose centrale, du syndrome de la veine cave supérieure (œdème du visage, du cou et des membres supérieurs), d'une distension marquée des veines du cou et de la paroi thoracique (témoignant de l'obstruction des grosses veines du médiastin par compression extravasculaire ou par envahissement intravasculaire), ainsi que de dysphagie et de perte de poids causées par la pression qu'exerce la masse sur l'œsophage ou par l'infiltration de la tumeur dans ce segment du tube digestif.

Examen clinique et examens paracliniques

Pour diagnostiquer les tumeurs et les kystes du médiastin, on effectue d'abord des radiographies thoraciques. La tomodensitométrie est l'étalon-or des explorations du médiastin et des structures avoisinantes. Dans certaines circonstances, on peut aussi recourir à l'imagerie par résonance magnétique (IRM) ou à la tomographie par émission de positrons (TEP).

Traitement médical

Si la tumeur est maligne et si elle s'est infiltrée dans les tissus environnants, on doit recourir à une radiothérapie ou à une chimiothérapie, ou aux deux, si l'ablation chirurgicale de la tumeur tout entière (voir ci-dessous) ne peut être envisagée.

Traitement chirurgical

Un grand nombre de tumeurs du médiastin sont bénignes et opérables. Le type d'incision est déterminé par l'emplacement de la tumeur (dans le médiastin antérieur, moyen ou postérieur). L'abord chirurgical le plus fréquent est la sternotomie médiane, mais selon le siège de la tumeur on peut aussi recourir à une thoracotomie. Les autres abords chirurgicaux sont notamment la thoracotomie antérieure bilatérale (pratiquée par une incision dite en aile de papillon) ou la thoracoscopie chirurgicale vidéo-assistée (chapitre 27 ⊂⊃). Les soins prodigués sont similaires à ceux qu'on donne à toutes les personnes qui doivent subir une intervention chirurgicale au thorax. Parmi les principales complications, citons l'hémorragie, la lésion du nerf phrénique ou du nerf laryngé récurrent et l'infection.

Traumatismes thoraciques

Environ 60 % des victimes d'un traumatisme touchant plusieurs systèmes subissent un traumatisme thoracique quelconque (Owens, Chaudry, Eggerstedt et Smith, 2000). Les traumatismes thoraciques peuvent être fermés ou perforants. Les traumatismes fermés sont provoqués par une compression soudaine de la paroi thoracique. Les accidents de voiture (traumatisme infligé par le volant ou la ceinture de sécurité), les chutes et les accidents de vélo (traumatisme infligé par le guidon) sont les causes les plus courantes de traumatismes thoraciques fermés. Les traumatismes perforants sont provoqués par un objet qui traverse la paroi thoracique. Les plus fréquents sont les blessures par balle ou par arme blanche.

Traumatismes fermés

Bien que les traumatismes fermés soient plus courants, il est souvent difficile de délimiter la lésion, du fait que les symptômes peuvent être généralisés et vagues. De plus, les victimes d'un tel traumatisme tardent souvent à se faire traiter, ce qui peut compliquer le problème.

Physiopathologie

Les blessures au thorax mettent souvent la vie en danger et peuvent déclencher un ou plusieurs mécanismes pathologiques, notamment:

- Hypoxémie, dont les causes peuvent être les suivantes: rupture d'une voie aérienne; lésion du parenchyme pulmonaire, de la cage thoracique ou des muscles respiratoires; hémorragie massive; poumon collabé; pneumothorax
- Hypovolémie, à cause d'une perte importante de sang à la suite de la lésion d'un gros vaisseau, de la rupture du cœur (au niveau de l'aorte par exemple) ou de l'hémothorax
- Insuffisance cardiaque, à la suite d'une tamponnade (cardiaque), d'une contusion cardiaque ou d'une pression intrathoracique accrue

Ces mécanismes altèrent souvent la ventilation et la perfusion et peuvent provoquer une insuffisance respiratoire aiguë, un choc hypovolémique ou le décès.

Examen clinique et examens paracliniques

En présence d'un traumatisme thoracique, la rapidité du traitement est un facteur déterminant. Il faut donc recueillir sur-le-champ les données suivantes:

- Moment où la blessure est survenue
- Mécanisme à l'origine du traumatisme
- Faculté de réponse de la victime
- Blessures particulières
- Perte sanguine estimée
- Usage récent de drogue ou d'alcool
- Traitement avant l'admission à l'établissement de soins

L'examen clinique des blessures thoraciques doit permettre de révéler en premier lieu une obstruction des voies aériennes, un pneumothorax suffocant ou ouvert, un hémothorax massif, un volet costal ou une tamponnade cardiaque. Ces conséquences du traumatisme thoracique sont mortelles et doivent être traitées immédiatement. Par la suite, il faudra chercher à déceler un pneumothorax simple, un hémothorax, une contusion pulmonaire, la rupture traumatique de l'aorte, une rupture dans l'arbre trachéobronchique, la perforation de l'œsophage, une blessure traumatique du diaphragme et des plaies perforantes du médiastin (Owens, Chaudry, Eggerstedt et Smith, 2000). Bien qu'elles soient considérées comme secondaires, ces atteintes peuvent également être mortelles, selon les circonstances.

L'examen physique comporte l'inspection des voies aériennes, du thorax et des veines du cou. Il faut en même temps rester à l'affût des difficultés respiratoires. Les éléments particuliers sur lesquels l'infirmière devra s'attarder sont la fréquence et la profondeur des respirations, ainsi que des anomalies comme le stridor, la cyanose, le battement des ailes du nez, l'utilisation des muscles respiratoires accessoires, la présence de plaies ouvertes au visage, dans la bouche ou au cou. L'examen du thorax permettra de s'assurer que les mouvements de la cage thoracique et les murmures vésiculaires sont symétriques, de déceler des plaies ouvertes, des lésions entraînées par l'entrée ou la sortie de l'objet ayant causé le trauma, des objets enclavés, la distension des jugulaires, le déplacement de la trachée, un emphysème sous-cutané et des mouvements paradoxaux de la paroi thoracique. Par ailleurs, l'examen physique de la paroi thoracique permettra de noter les ecchymoses, les pétéchies, les lacérations et les brûlures. La mesure des signes vitaux et la couleur de la peau mettront au jour les signes de choc. La palpation du thorax permettra, quant à elle, de révéler une sensibilité au toucher et des crépitants. Enfin, l'infirmière devra également déterminer la position de la trachée.

L'élaboration du diagnostic initial se fonde sur les résultats des examens paracliniques suivants: radiographie thoracique, tomodensitométrie, numération globulaire, temps de coagulation, épreuves de typage et de compatibilité croisée, saturation en oxygène, analyse des gaz du sang artériel et ECG. Il faut déshabiller complètement la victime d'un traumatisme thoracique pour pouvoir découvrir toutes les lésions qui pourraient compliquer les soins. Un grand nombre de ces victimes présentent des blessures à la tête et à l'abdomen qu'il faut également prendre en charge. Il faut garder la personne en observation pour déterminer sa réponse au traitement et pour déceler tout signe précoce de détérioration sur le plan clinique.

Traitement médical

Le traitement, après évaluation de l'état de la victime, est axé avant tout sur la réanimation. Le premier geste est d'assurer le dégagement des voies aériennes, avec apport d'oxygène et, parfois, intubation et ventilation assistée. Il est également essentiel de rétablir le volume hydrique et une pression intrapleurale négative, et de drainer le sang et les liquides intrapleuraux.

Dans le cas de blessures thoraciques fermées ou perforantes, le risque d'importantes pertes de sang et d'exsanguination est élevé, du fait que de gros vaisseaux peuvent être lésés. Un grand nombre de victimes sont décédées ou en état de choc au moment de l'arrivée des secouristes sur les lieux de l'accident. L'agitation ou un comportement irrationnel ou agressif sont des signes d'un apport d'oxygène insuffisant au cortex cérébral. Les stratégies de rétablissement ou de maintien de la fonction cardiopulmonaire doivent assurer une respiration et un dégagement adéquats des voies aériennes, la stabilisation de l'état de la victime, le rétablissement de l'intégrité de la paroi thoracique, l'occlusion de toute ouverture du thorax (pneumothorax ouvert) et le drainage ou l'évacuation de l'air ou du liquide intrathoracique pour soulager le pneumothorax, l'hémothorax ou une tamponnade cardiaque. Il faut aussi corriger l'hypovolémie et normaliser le débit cardiaque. Un grand nombre de ces interventions thérapeutiques ainsi que les efforts visant à freiner l'hémorragie ont habituellement lieu simultanément, sur les lieux de l'accident ou au service des urgences. Si on ne parvient pas à arrêter l'hémorragie au service des urgences, la victime pourra être conduite immédiatement à la salle d'opération. Les principes de la prise en charge sont essentiellement les mêmes que ceux qui s'appliquent aux personnes qui ont subi une intervention chirurgicale au thorax (chapitre 27).

Fractures des côtes et du sternum

Les fractures du sternum sont le plus souvent provoquées par un accident d'automobile, lorsque le volant vient frapper la poitrine; elles sont plus courantes chez les femmes, chez les personnes âgées de plus de 50 ans et chez celles qui utilisent des ceintures diagonales ou des baudriers (Owens, Chaudry, Eggerstedt et Smith, 2000).

Les fractures costales constituent le type le plus courant de traumatisme thoracique. Elles sont présentes chez plus de 60 % des victimes d'une blessure thoracique fermée. La plupart de ces fractures sont bénignes et leur traitement est conservateur. Celles des trois premières côtes sont rares, mais elles peuvent être mortelles chez un grand nombre de personnes, si la veine ou l'artère sous-clavière est transpercée. Les fractures de la cinquième à la neuvième côte sont les plus fréquentes. Celles des dernières côtes peuvent provoquer des lésions de la rate ou du foie, si l'organe est lacéré par des fragments d'os.

Manifestations cliniques

Les fractures du sternum provoquent des douleurs dans la partie antérieure du thorax, une sensibilité superficielle, des ecchymoses, des crépitants, de l'œdème et, parfois, une déformation de la paroi thoracique. Les manifestations cliniques des fractures des côtes sont similaires: douleur intense, sensibilité à la pression et spasme musculaire au foyer de la fracture, aggravés par la toux, la respiration profonde et les mouvements. La région qui entoure le foyer de la fracture peut être contusionnée. Afin de réduire la douleur, la personne cherche à s'immobiliser la poitrine par des respirations superficielles et évite de soupirer, de respirer profondément, de tousser et de bouger. La peur de bouger ou de respirer profondément peut diminuer la ventilation, amener l'affaissement des alvéoles qui ne reçoivent pas suffisamment d'air (atélectasie), et provoquer une infection pulmonaire et l'hypoxémie. Un tel cycle peut aboutir à une insuffisance ou à une défaillance respiratoire.

Examen clinique et examens paracliniques

Il faut examiner attentivement la victime d'une fracture du sternum pour déceler les lésions cardiaques sous-jacentes. L'auscultation peut révéler des crépitement ou des bruits de frottement (crépitants sous-cutanés). L'élaboration du diagnostic se fonde sur des radiographies en gros plan du thorax ou des côtes atteintes, un ECG, les résultats de la sphygmooxymétrie et de l'analyse des gaz du sang artériel.

Traitement médical

Le traitement médical de la victime d'une fracture du sternum vise le soulagement de la douleur et la prise en charge des lésions connexes. Il faut également conseiller à la personne d'éviter les efforts excessifs. Il est rarement nécessaire de recourir à une intervention chirurgicale pour réduire la fracture, à moins que des fragments de l'os soient fortement déplacés et risquent de provoquer d'autres lésions.

L'objectif du traitement des fractures des côtes, quant à lui, est de soulager la douleur, de dépister les lésions et de les soigner. On administre des sédatifs pour réduire la douleur et pour faciliter la respiration profonde et la toux. Il faut cependant veiller à ne pas provoquer une hypersédation qui pourrait diminuer la fréquence et l'amplitude respiratoires. Les autres stratégies de soulagement de la douleur sont le blocage du nerf intercostal et l'application de glace sur le foyer de la fracture. Une bande thoracique peut rendre les mouvements moins pénibles. Habituellement, la douleur diminue en l'espace de cinq à sept jours et la gêne peut être calmée par analgésie épidurale ou analgésie autoadministrée, ou encore par la prise d'analgésiques non opioïdes. La plupart des fractures costales guérissent en l'espace de trois à six semaines. Il faut surveiller étroitement la personne pour déceler les signes et symptômes de lésions connexes.

Volet costal

Le volet costal (ou volet thoracique) est souvent une complication d'un traumatisme thoracique fermé, provoqué par le volant qui frappe le thorax lors d'un accident de la route. Il se produit lorsque au moins trois côtes voisines sont fracturées à plusieurs endroits et que des fragments d'os se désolidarisent du squelette. Il peut aussi être le résultat d'une fracture costale associée à la fracture de cartilages costaux ou à celle du sternum (Owens, Chaudry, Eggerstedt et Owens, 2000). De ce fait, la paroi thoracique se déstabilise et devient paradoxalement mobile, ce qui entraîne une altération de la respiration et, habituellement, une détresse respiratoire grave.

Physiopathologie

Lorsque le thorax se distend au moment de l'inspiration, un segment d'os désolidarisé du reste du squelette bouge de façon paradoxale, c'est-à-dire qu'il est aspiré vers l'intérieur, déplaçant le médiastin vers le côté sain et réduisant la quantité d'air qui pénètre dans les poumons. À l'expiration, du fait que la pression intrathoracique est supérieure à la pression de l'air, le segment détaché est poussé vers l'extérieur, diminuant la capacité de la personne d'exhaler l'air. Le médiastin est alors refoulé vers le côté affecté (figure 25-9 ■). Ce mouvement respiratoire paradoxal élargit l'espace mort, diminue la ventilation alvéolaire et réduit la compliance pulmonaire. Le volet costal provoque souvent la rétention des secrétions dans les voies aériennes et l'atélectasie. La personne présente une hypoxémie et ses échanges gazeux sont fortement altérés. L'acidose respiratoire qui en découle est le résultat de la rétention de CO_2. À mesure que le mouvement paradoxal du médiastin réduit le débit cardiaque, il s'ensuit de l'hypotension, une irrigation tissulaire insuffisante et de l'acidose métabolique.

Traitement médical

Dans le cas du volet costal, comme dans celui de la fracture d'une côte, on entreprend habituellement un traitement de soutien, qui peut comprendre notamment la ventilation assistée, l'évacuation des sécrétions des poumons et le soulagement de la douleur. La prise en charge spécifique dépend de la gravité du dysfonctionnement respiratoire. Si une petite partie du thorax est atteinte, les objectifs du traitement sont le dégagement des voies respiratoires à l'aide d'une position adéquate, d'exercices de toux et de respiration profonde et d'aspirations pour favoriser la distension pulmonaire, ainsi que le soulagement de la douleur, par blocage du nerf intercostal, analgésie péridurale de la partie supérieure du thorax ou usage prudent d'opioïdes par voie intraveineuse.

En cas de lésion légère ou modérée, on traite la contusion pulmonaire sous-jacente par régulation de l'apport liquidien, selon les besoins, tout en essayant de soulager simultanément la douleur thoracique. On recourt également à la physiothérapie thoracique pour améliorer la distension pulmonaire ainsi qu'à des techniques d'évacuation des sécrétions. On doit aussi suivre de près l'état de la fonction respiratoire pour déceler toute aggravation.

En cas de blessure grave, il faut recourir à l'intubation et à la ventilation assistée pour stabiliser le volet costal et pour corriger les anomalies des échanges gazeux. On peut ainsi traiter la contusion pulmonaire sous-jacente, stabiliser la cage thoracique pendant que la fracture guérit et améliorer la ventilation alvéolaire et le volume intrathoracique en diminuant le travail respiratoire. Toutes ces modalités thérapeutiques nécessitent l'intubation endotrachéale et la ventilation assistée. On utilise divers types de ventilateurs, compte tenu de l'état et des besoins particuliers de la personne.

Dans de rares circonstances, il faut recourir à la chirurgie pour stabiliser plus rapidement le segment costal détaché. Tel est le cas de la personne chez laquelle la ventilation assistée

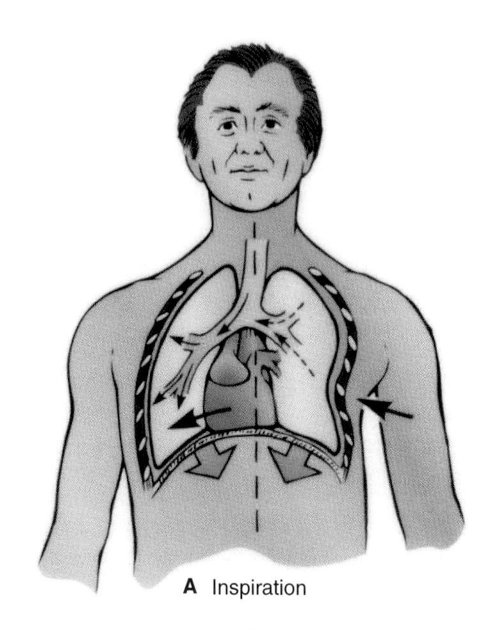

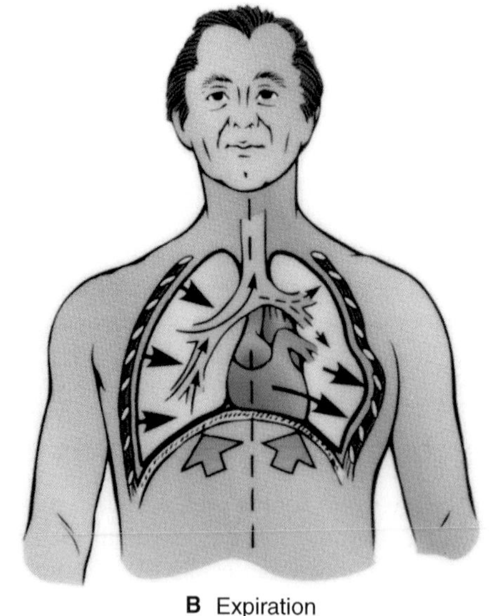

FIGURE 25-9 ■ Le volet costal est provoqué par un segment du gril costal qui se désolidarise du reste du squelette à la suite de la fracture de plusieurs côtes. **(A)** À l'inspiration, un mouvement paradoxal se produit au moment où le segment costal détaché est aspiré vers l'intérieur et où le médiastin se déplace vers le côté sain. De ce fait, une moindre quantité d'air peut pénétrer dans le poumon. **(B)** À l'expiration, le segment détaché est poussé vers l'extérieur et le médiastin est refoulé vers le côté affecté.

ne donne pas les résultats escomptés ou de celle qui est atteinte d'une pneumopathie sous-jacente, chez laquelle le sevrage du ventilateur peut poser problème.

Dans tous les cas, l'état de la personne doit être suivi de près, par des examens radiographiques en série, l'analyse des gaz du sang artériel, la sphygmooxymétrie et la surveillance de la fonction pulmonaire au chevet. Pour que le traitement soit couronné de succès, il faut prendre en charge la douleur. C'est ainsi qu'on peut avoir recours à l'analgésie autoadministrée, au blocage du nerf intercostal, à l'analgésie péridurale ou à l'administration intrapleurale d'opioïdes.

Contusion pulmonaire

Environ 20 % des adultes polytraumatisés, et les enfants dans une proportion encore plus élevée, souffrent d'une contusion pulmonaire en raison de la compliance accrue de leur paroi thoracique. La contusion est une lésion des tissus pulmonaires qui provoque une hémorragie et un œdème localisé. Elle est associée aux traumatismes thoraciques où il y a compression et décompression rapides du thorax (traumatisme fermé). Lors de l'examen initial, la contusion peut passer inaperçue, mais elle deviendra évidente pendant la période post-traumatique.

Physiopathologie

Le premier signe pathologique est l'accumulation anormale de liquide dans les espaces intercellulaires et intra-alvéolaires. On pense qu'une blessure du parenchyme pulmonaire et de son réseau capillaire entraîne une fuite de plasma et de protéines sériques. Celle-ci exerce une pression osmotique qui provoque un écoulement accru de liquides capillaires. L'œdème, le sang et les débris cellulaires (produits de la réponse cellulaire à la blessure) envahissent les poumons et s'accumulent dans les bronches et dans les alvéoles où ils entravent les échanges gazeux. Il s'ensuit une élévation de la résistance vasculaire et de la pression artérielle pulmonaire. On note une hypoxémie et la rétention de dioxyde de carbone. Parfois, la contusion se produit du côté qui se trouve à l'opposé du point d'impact; on parle alors d'une contusion par contrecoup.

Manifestations cliniques

Les contusions pulmonaires peuvent être légères, modérées ou graves. Leurs manifestations cliniques vont de la tachypnée, de la tachycardie, de la douleur pleurétique, de l'hypoxémie et de l'expectoration de sécrétions teintées de sang jusqu'à une tachypnée et tachycardie plus graves, des crépitants, des saignements francs, une hypoxémie grave et une acidose respiratoire. Des perturbations de l'état de conscience, comme une plus forte agitation et un comportement hostile et irrationnel, peuvent être des signes d'hypoxémie.

De plus, l'arbre trachéobronchique de la personne présentant une contusion pulmonaire modérée contient de grandes quantités de mucus, de sérum et de sang; la toux est souvent constante, mais elle ne permet pas d'éliminer les sécrétions. La personne atteinte de contusion pulmonaire grave présente les signes et symptômes d'un syndrome de détresse respiratoire aiguë, soit une cyanose centrale, de l'agitation, un comportement hostile et une toux productive avec évacuation de sécrétions spumeuses, teintées de sang.

Examen clinique et examens paracliniques

On détermine l'efficacité des échanges gazeux par sphygmooxymétrie et par analyse des gaz du sang artériel. La sphygmooxymétrie permet également de mesurer en continu la saturation en oxygène. Les radiographies thoraciques peuvent révéler des infiltrations pulmonaires. Cependant, il arrive que les clichés initiaux ne montrent rien d'anormal; en effet, les changements peuvent ne devenir manifestes qu'un jour ou deux après la blessure.

Traitement médical

Le traitement vise à assurer la perméabilité des voies aériennes et un apport suffisant en oxygène, et à soulager la douleur. En cas de contusion légère, une hydratation adéquate par voie intraveineuse et orale permettra de liquéfier les sécrétions. Toutefois, il faut surveiller de près l'apport liquidien pour prévenir l'hypervolémie. Pour évacuer les sécrétions, on a également recours à des techniques de distension pulmonaire, au drainage postural et à l'aspiration endotrachéale. On peut soulager la douleur par blocage du nerf intercostal, administration d'opioïdes à la demande ou d'autres méthodes d'analgésie. Habituellement, le médecin prescrira des antibiotiques, car le poumon lésé peut s'infecter, et aussi une oxygénothérapie par masque ou par canule pendant 24 à 36 heures.

En cas de contusion modérée, on doit parfois recourir à la bronchoscopie afin d'éliminer les sécrétions; l'intubation et la ventilation assistée avec pression positive en fin d'expiration peuvent également s'avérer nécessaires pour maintenir la pression et pour garder le poumon gonflé. On peut, par ailleurs, administrer des diurétiques en vue de tarir l'œdème. Pour soulager la distension gastro-intestinale, on peut mettre en place une sonde nasogastrique.

Une contusion pulmonaire grave peut provoquer l'insuffisance respiratoire. C'est pourquoi un traitement intense par intubation endotrachéale et respiration assistée, administration de diurétiques et restriction de liquides peut s'imposer. Pour traiter l'hypovolémie, on peut donner des solutions de colloïdes et de cristalloïdes.

Le médecin peut prescrire une antibiothérapie pour traiter l'infection. Il s'agit d'une complication courante de la contusion pulmonaire (dont la pneumonie au niveau du segment atteint est la forme le plus fréquemment observée), car le liquide et le sang qui pénètrent dans les espaces alvéolaires et intercellulaires constituent un excellent milieu de culture.

Traumatismes perforants: blessures par balle et par arme blanche

Les blessures par balle et par arme blanche sont les traumatismes thoraciques perforants les plus courants. Puisqu'on classe en général les armes selon la vitesse du projectile, les armes blanches sont considérées comme des armes à faible vitesse, puisqu'elles ne détruisent qu'une petite quantité de tissu autour de la plaie. Les blessures par arme blanche les plus courantes sont infligées par les couteaux ordinaires et les couteaux à ouverture automatique. L'apparence extérieure de la plaie peut être très trompeuse, du fait que même une petite fente, causée par un instrument de petit calibre comme un pic à glace, peut provoquer un pneumothorax, un hémothorax, une contusion pulmonaire ou une tamponnade cardiaque, s'accompagnant d'une hémorragie massive continuelle.

D'après la vitesse du projectile, on peut classer les blessures thoraciques par balle en blessures de vitesse faible, moyenne ou élevée. Les facteurs qui déterminent la vitesse du projectile et l'étendue de la plaie qui en résulte sont notamment la distance de tir, le calibre de l'arme, la forme et la taille de la balle. La blessure infligée peut entraîner diverses modifications physiopathologiques. Il peut y avoir des lésions au point de pénétration de la balle et tout au long de son trajet à l'intérieur du corps. Le projectile peut aussi ricocher sur une structure osseuse et léser les organes ou les gros vaisseaux du thorax. Quelle que soit l'arme, quand le diaphragme a été touché, il faut vérifier si la cavité thoracique est atteinte.

Traitement médical

L'objectif du traitement immédiat est de rétablir et de maintenir la fonction cardiopulmonaire. Une fois qu'on a dégagé la voie aérienne et que la respiration a été rétablie, il faut vérifier si la victime est en état de choc et déceler toute lésion thoracique ou abdominale. Pour effectuer l'examen, il faut déshabiller la personne complètement afin qu'on puisse découvrir les autres lésions éventuelles. Il y a un risque élevé de lésions abdominales connexes dans le cas des blessures par arme blanche infligées au-dessous du cinquième espace intercostal antérieur. Le décès peut être provoqué par une hémorragie massive laissant la victime exsangue ou par une infection abdominale généralisée.

Après avoir évalué les pouls périphériques, l'infirmière installe une perfusion intraveineuse, munie d'une aiguille de gros calibre. Le diagnostic se fonde sur les résultats de la radiographie thoracique, l'analyse biochimique du sang et des gaz du sang artériel, la sphygmooxymétrie et l'ECG. On doit aussi déterminer le groupe sanguin de la victime et effectuer des études de compatibilité croisée en prévision d'une transfusion. Pour surveiller le débit urinaire, l'infirmière installe une sonde vésicale à demeure. Une sonde nasogastrique est également mise en place pour prévenir l'inhalation de matières étrangères, pour diminuer la fuite du contenu gastrique et pour décompresser le tractus gastro-intestinal.

On traite en même temps l'état de choc, à l'aide de solutions colloïdales, de cristalloïdes ou de transfusions sanguines, selon les besoins. On effectue par ailleurs d'autres radiographies thoraciques et d'autres épreuves diagnostiques, compte tenu de l'état de la victime du traumatisme (par exemple, tomodensitométrie thoracique ou abdominale, radiographie de l'abdomen par objectif plat, ponction abdominale pour déceler les saignements).

Chez la plupart des victimes d'une blessure perforante au thorax, on installe un drain thoracique dans la cavité pleurale pour assurer une réexpansion rapide et continue des poumons. Ce drain permet généralement d'évacuer la quantité totale de sang et d'air ainsi que de déceler rapidement les saignements intrathoraciques continuels qui nécessiteraient une exploration chirurgicale. Toute blessure perforante au cœur, aux gros vaisseaux, à l'œsophage ou à l'arbre trachéobronchique dicte une intervention chirurgicale.

PNEUMOTHORAX

Le pneumothorax survient lorsqu'une déchirure de la plèvre pariétale ou viscérale expose la cavité pleurale à une pression atmosphérique positive. Normalement, la pression dans la cavité pleurale est négative par rapport à la pression atmosphérique; c'est cette pression négative qui maintient les poumons gonflés. Lorsque l'une des plèvres est déchirée, l'air pénètre dans la cavité pleurale et le poumon s'affaisse, partiellement ou en entier. Les pneumothorax peuvent être spontanés (simples), traumatiques ou suffocants.

Pneumothorax spontané

Un pneumothorax spontané (ou simple) se produit lorsque l'air peut pénétrer dans la cavité pleurale par une déchirure de la plèvre pariétale ou viscérale. Le plus souvent, le pneumothorax spontané survient à la suite de la rupture d'une bulle d'emphysème située sur la surface du poumon ou d'une fistule bronchopleurale. Il peut atteindre une personne apparemment en bonne santé, en l'absence de tout traumatisme. Le pneumothorax spontané peut compliquer une pneumopathie interstitielle diffuse ou un emphysème grave.

Pneumothorax traumatique

Un pneumothorax traumatique peut être provoqué par une lacération du poumon ou une blessure de la paroi thoracique qui permet à l'air de s'engouffrer dans la cavité pleurale. Il peut survenir à la suite d'une blessure thoracique fermée (par exemple, fracture costale) ou perforante, d'un traumatisme abdominal (blessure par balle ou par arme blanche) ou d'une déchirure du diaphragme. Il peut aussi résulter d'une intervention thoracique effractive (comme la thoracentèse, la biopsie pulmonaire transbronchique, l'installation d'une ligne sous-claviculaire) lorsque la plèvre est ponctionnée par inadvertance, ou encore d'un barotraumatisme chez un sujet sous ventilation assistée.

Le pneumothorax traumatique qui est provoqué par une blessure thoracique majeure s'accompagne souvent d'un hémothorax (accumulation de sang dans la cavité pleurale causée par la rupture de vaisseaux intercostaux ou la lacération d'un gros vaisseau ou d'un poumon). Après un traumatisme majeur, il arrive souvent que du sang et de l'air s'accumulent en même temps dans la cavité thoracique (hémopneumothorax). Une intervention chirurgicale peut également provoquer un pneumothorax traumatique en ouvrant une brèche dans la cavité pleurale par laquelle l'air et les liquides peuvent s'infiltrer.

Le pneumothorax ouvert est une forme de pneumothorax traumatique. Il survient lorsqu'une blessure à la poitrine est suffisamment volumineuse pour que l'air puisse entrer librement dans la cavité thoracique et en sortir à chaque respiration. Puisque l'air qui entre dans le poumon produit un bruit de succion, on appelle parfois ce traumatisme plaie «aspirante». Un tel pneumothorax provoque l'affaissement du poumon. À chaque inspiration, les structures du médiastin (cœur et gros vaisseaux) sont refoulées du côté sain et, à chaque expiration, du côté opposé. Le refoulement du médiastin entraîne de graves troubles circulatoires.

Manifestations cliniques

Les signes et symptômes du pneumothorax dépendent de sa gravité et de sa cause. La douleur est habituellement soudaine et de nature pleurétique. Dans le cas d'un pneumothorax spontané ou non compliqué, la détresse respiratoire peut être minime et la tachypnée et la gêne thoracique faibles. Un pneumothorax étendu avec affaissement complet du poumon provoque une détresse respiratoire aiguë. Les symptômes sont alors l'anxiété, la dyspnée, la respiration de Kussmaul, l'utilisation accrue des muscles accessoires et, parfois, la cyanose, à cause d'une hypoxémie grave. Une douleur thoracique intense peut survenir, s'accompagnant de tachypnée, d'une diminution de l'amplitude thoracique du côté atteint, d'un son tympanique à la percussion et d'une diminution ou de l'absence de murmures vésiculaires et de vibrations vocales du côté atteint.

Traitement médical

Le traitement médical du pneumothorax dépend de sa cause et de sa gravité. Le but est d'évacuer l'air ou le sang de la cavité pleurale. On introduit un drain thoracique de petit diamètre (28 Ch [Charrières] ou Fr [French]) près du deuxième espace intercostal; on choisit cet endroit puisqu'il s'agit de la partie la plus mince de la paroi thoracique, que le danger de toucher un nerf thoracique est moindre et que la cicatrice sera moins visible. En cas d'hémothorax simultané, on emploie un drain thoracique de gros diamètre (32 Ch ou plus) qu'on introduit dans le quatrième ou cinquième espace intercostal à la ligne axillaire, avec une orientation postérieure pour évacuer le liquide et l'air. Une fois que le ou les drains sont installés et qu'on a pratiqué une aspiration (drainage aspiratif effectué habituellement à une pression de 20 mm Hg), on réalise du coup une décompression de la cavité pleurale.

! ALERTE CLINIQUE *Un pneumothorax traumatique ouvert dicte une intervention urgente. La fermeture de la fuite d'air par la paroi thoracique est une mesure qui peut sauver la vie.*

Dans un tel cas d'urgence, on peut utiliser n'importe quel objet suffisamment grand pour remplir la plaie, par exemple une serviette ou un mouchoir ou, à défaut, le talon de la main. Si la personne est consciente, on lui demande d'inspirer et de fermer la glotte. Ainsi, on favorise la réexpansion du poumon et l'évacuation de l'air du thorax. En milieu hospitalier, on ferme l'ouverture avec de la gaze imprégnée de vaseline et on applique par-dessus un pansement compressif. Habituellement, on raccorde le drain thoracique à un système de drainage à dépression d'eau pour laisser s'écouler l'air et le liquide. Pour combattre l'infection provoquée par la contamination, le médecin prescrit habituellement des antibiotiques.

La gravité du pneumothorax ouvert dépend de la quantité de sang qui fuit et de la vitesse à laquelle il s'écoule, ainsi que de la quantité d'air qui se trouve dans la cavité pleurale. Celle-ci peut être décompressée par aspiration à l'aiguille (thoracentèse) ou par évacuation du sang et de l'air par un drain thoracique. On favorise ainsi la réexpansion du poumon qui peut alors reprendre le rôle qu'il joue dans les échanges gazeux. En règle générale, on ouvre la cage thoracique par voie chirurgicale lorsque le volume initial de sang aspiré par thoracentèse (ou celui évacué initialement à l'aide du drain) est supérieur à 1 500 mL, ou lorsque le volume du sang évacué par le drain continue de dépasser les 200 mL par heure. La vitesse à laquelle il faut évacuer le sang dépend de l'état de la fonction respiratoire. Au service des urgences, on peut également procéder à une thoracotomie immédiate, si on pense qu'il pourrait y avoir une lésion cardiovasculaire consécutive au traumatisme thoracique perforant.

Pneumothorax suffocant

Un **pneumothorax suffocant** survient lorsque l'air est inhalé dans la cavité pleurale à la suite de la lacération d'un poumon ou par une petite lésion ronde qui perfore la cage thoracique. Il peut aussi représenter une complication d'un autre type de pneumothorax. Contrairement au pneumothorax ouvert, l'air qui entre dans la cavité pleurale à chaque inspiration est emprisonné et ne peut plus être évacué, ni par les voies aériennes ni par le petit trou donnant sur l'extérieur. Avec chaque respiration, la pression (positive) s'accroît dans la cavité pleurale, ce qui provoque un affaissement complet du poumon, refoulant le cœur, les gros vaisseaux et la trachée du côté sain du thorax (refoulement du médiastin). La respiration et la circulation sont fortement affectées en raison de l'élévation de la pression intrathoracique. Cette dernière provoque une diminution du retour veineux au cœur et du débit cardiaque et l'altération de la circulation périphérique. Dans les cas extrêmes, le pouls peut être indétectable. On parle alors d'une activité électrique avec abolition des pouls.

Manifestations cliniques

Le tableau clinique est caractérisé par une respiration de Kussmaul, l'agitation, une hypoxémie accrue, la cyanose centrale, l'hypotension, la tachycardie et une diaphorèse profuse. La figure 25-10 ■ illustre la différence entre le pneumothorax ouvert et le pneumothorax suffocant.

! ALERTE CLINIQUE *On considère la prise en charge d'un pneumothorax suffocant comme une mesure d'urgence.*

Traitement médical

Si on soupçonne un pneumothorax suffocant, il faut administrer sans tarder une oxygénothérapie à forte concentration pour traiter l'hypoxémie et surveiller la saturation en oxygène par sphygmooxymétrie.

Dans les situations d'urgence, on peut décompresser le pneumothorax suffocant ou le convertir en pneumothorax

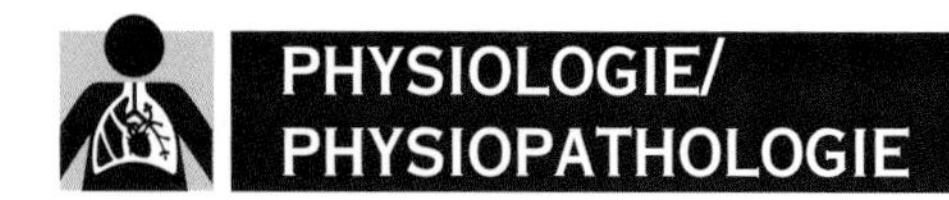

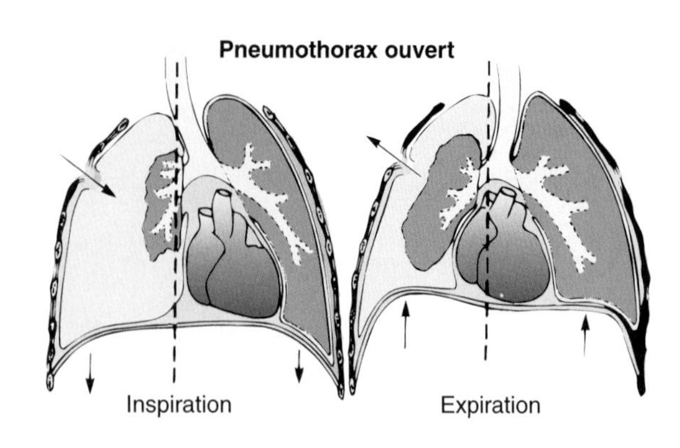

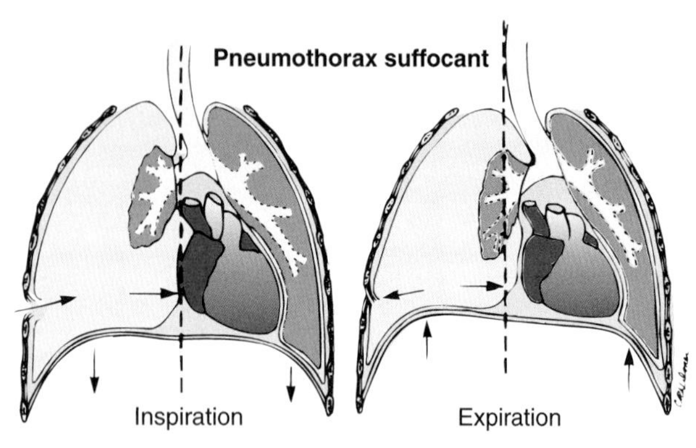

FIGURE 25-10 ■ Pneumothorax ouvert (*en haut*) et pneumothorax suffocant (*en bas*). En cas de pneumothorax ouvert, l'air pénètre dans la cavité thoracique pendant l'inspiration et en ressort pendant l'expiration. Le poumon affecté peut reprendre partiellement sa place à cause de la diminution de pression consécutive à la sortie de l'air. En cas de pneumothorax suffocant, l'air peut pénétrer dans le thorax, mais ne peut pas en ressortir. À mesure que la pression s'élève, le cœur et les gros vaisseaux sont comprimés et les structures du médiastin sont refoulées du côté opposé. La trachée est également repoussée vers le côté opposé du thorax et le poumon sain est comprimé.

simple par introduction d'une aiguille de gros calibre (14) dans le deuxième espace intercostal du côté affecté, au niveau de la ligne médioclaviculaire. On peut ainsi diminuer la pression positive et rejeter l'air dans la pièce. On met ensuite en place un drain thoracique qu'on raccorde à un système d'aspiration pour évacuer le restant d'air et de liquide, on rétablit une pression négative et on assure la réexpansion du poumon. Lorsque cette dernière est réalisée et que la fuite d'air à travers le parenchyme pulmonaire est stoppée, on peut normalement arrêter le drainage. Si l'air continue de fuir malgré le drainage thoracique par dépression d'eau, il est habituellement nécessaire de recourir à une intervention chirurgicale pour colmater la brèche.

TAMPONNADE CARDIAQUE

La tamponnade cardiaque est une compression du cœur par des liquides accumulés dans le péricarde. Elle est habituellement provoquée par une blessure thoracique fermée ou perforante. Une blessure cardiaque perforante est souvent mortelle. Un cathétérisme cardiaque de diagnostic, une angiographie ou la mise en place d'un stimulateur cardiaque sont des interventions qui peuvent provoquer une tamponnade et perforer le cœur ou les gros vaisseaux. Un épanchement péricardique (le liquide comprimant le cœur) peut également être provoqué par des métastases au péricarde de tumeurs malignes du sein, du poumon ou du médiastin, par un lymphome ou une leucémie, par l'insuffisance rénale, la tuberculose ou une radiothérapie thoracique à dose élevée. Nous traitons en détail de la tamponnade cardiaque au chapitre 32.

EMPHYSÈME SOUS-CUTANÉ

Quelle que soit la forme de traumatisme thoracique, lorsque les poumons ou les voies aériennes sont lésées, l'air peut pénétrer dans les tissus et se déplacer sur une certaine distance sous la peau (du cou, du thorax, par exemple). À la palpation, le tissu produit un crépitement et le visage, le cou, le scrotum et le corps tout entier peuvent prendre une apparence inquiétante lorsque l'air sous-cutané les déforme. Heureusement, l'emphysème sous-cutané, en lui-même, n'est habituellement pas une complication grave. L'air se résorbe spontanément si la fuite sous-jacente est colmatée ou s'arrête spontanément. Dans les cas graves d'emphysème sous-cutané disséminé, une trachéotomie est indiquée s'il y a risque d'obstruction des voies aériennes.

Pneumopathies par inhalation

L'inhalation du contenu gastrique dans les poumons est une complication grave qui peut provoquer une pneumonie, et donne lieu au tableau clinique suivant: tachycardie, dyspnée, cyanose centrale, hypertension, hypotension et, enfin, mort. Elle peut survenir lorsque les réflexes protecteurs des voies aériennes sont réduits ou abolis à cause de divers facteurs (encadré 25-10 ■).

ALERTE CLINIQUE *Lorsqu'une sonde nasogastrique qui fonctionne mal permet au contenu gastrique de s'accumuler dans l'estomac, il y a risque d'inhalation silencieuse. Elle passe souvent inaperçue et elle est plus courante qu'on ne le pense. Sans traitement, une inhalation massive du contenu gastrique peut se produire en l'espace de quelques heures.*

Physiopathologie

Les complications ou la mort provoquées par l'inhalation du contenu gastrique sont déterminées principalement par le volume et les caractéristiques des matières inhalées. Par exemple, l'inhalation dans un seul lobe pulmonaire d'une petite quantité de liquide régurgité peut provoquer une pneumonie et une détresse respiratoire aiguë; une inhalation massive engendre habituellement la mort.

ENCADRÉ 25-10

FACTEURS DE RISQUE

Pneumopathie par inhalation

- Convulsions
- Obnubilation de la conscience, à la suite d'un traumatisme, d'une intoxication par l'alcool ou des drogues, d'une sédation excessive ou d'une anesthésie générale
- Nausées et vomissements chez une personne dont la conscience est obnubilée
- Accident vasculaire cérébral
- Troubles de la déglutition
- Arrêt cardiaque
- Inhalation silencieuse

L'estomac plein contient des particules d'aliments sous forme solide. Si ces particules sont inhalées, elles provoquent une obstruction mécanique des voies aériennes et une infection secondaire. Pendant les périodes de jeûne, l'estomac contient des sucs gastriques acides, lesquels, une fois inhalés, peuvent avoir des effets très nocifs sur les alvéoles et les capillaires. La contamination fécale (plus vraisemblable en cas d'obstruction intestinale) augmente le risque de décès, car les endotoxines sécrétées par les microorganismes qui prolifèrent dans les intestins peuvent être absorbées par voie générale. Par ailleurs, les matières protéiniques épaisses contenues dans les intestins peuvent obstruer les voies aériennes, provoquant une atélectasie et une infection bactérienne secondaire.

Une pneumopathie par inhalation peut survenir à la suite de l'aspiration de substances dont le pH est inférieur à 2,5 et d'un volume de liquide gastrique supérieur à 0,3 mL par kilogramme de poids corporel (de 20 à 25 mL, chez l'adulte) (Marik, 2001). L'inhalation des matières contenues dans l'estomac provoque une brûlure chimique de l'arbre trachéobronchique et du parenchyme pulmonaire (Marik, 2001). La réponse inflammatoire qui s'ensuit entraîne la destruction des cellules endothéliales alvéolaires et capillaires et le déversement consécutif de liquides riches en protéines dans les espaces intercellulaires et intra-alvéolaires. La perte de surfactant qui en découle cause la fermeture des voies aériennes et l'affaissement des alvéoles. Enfin, les échanges gazeux d'oxygène et de dioxyde de carbone sont entravés, ce qui aboutit à une insuffisance respiratoire.

Une pneumonie par inhalation peut être provoquée par l'aspiration d'agents pathogènes qui colonisent l'oropharynx. Dans ce cas, c'est la réponse inflammatoire aiguë aux bactéries et à leurs produits qui déclenche le processus pathologique. Le plus souvent, les analyses bactériologiques révèlent la présence de coques à Gram positif, de bacilles à Gram négatif et, parfois, de microorganismes anaérobies (Marik, 2001).

Prévention

Lorsqu'il y a risque d'inhalation, la prévention constitue le premier objectif des soins.

Prendre en charge la personne dont les réflexes sont abolis

Il y a risque d'inhalation lorsque la personne n'est pas en mesure de coordonner adéquatement ses réflexes glottique, laryngé et tussigène. Ce danger est accru chez la personne dont l'abdomen est distendu, qui est couchée sur le dos ou dont les membres supérieurs sont immobilisés par une perfusion intraveineuse ou par un dispositif de contention. Il menace aussi la personne à laquelle on a administré des sédatifs ou une anesthésie locale de la région oropharyngée ou laryngée en vue d'une intervention diagnostique ou encore celle qui a été intubée pendant une période prolongée.

Normalement, lorsqu'une personne doit vomir, elle peut se protéger les voies aériennes en se tournant sur le côté ou en s'asseyant et en coordonnant ses respirations et ses réflexes tussigène, nauséeux et glottique. Lorsque ces réflexes fonctionnent, il ne faut pas intuber la personne. Si une sonde endotrachéale est installée, il faut la retirer dès que la personne a un haut-le-cœur afin d'éviter que la stimulation du réflexe pharyngé ne provoque des vomissements et l'inhalation des matières régurgitées. L'aspiration des sécrétions orales avec une sonde doit être effectuée en stimulant le moins possible le pharynx.

Vérifier la position de la sonde gastrique

Chez la personne intubée, il y a risque d'inhalation, même lorsqu'une sonde gastrique est mise en place. Ce type d'inhalation peut provoquer une pneumonie nosocomiale. Pour la prévenir, il est indispensable de vérifier la position de la sonde. La radiographie est la meilleure façon d'effectuer cette vérification. Parmi les autres méthodes qu'on a étudiées, celles qui se sont avérées les plus fiables sont l'inspection visuelle de l'échantillon prélevé par aspiration et la mesure de son pH. Les liquides gastriques peuvent être verts ou bruns, ou encore pâles ou incolores. L'échantillon prélevé du poumon peut être blanc cassé ou brun roux, et glaireux. Le liquide pleural est habituellement jaune paille et aqueux (Metheny et Titler, 2001). Le pH du contenu gastrique est généralement plus acide que le pH des matières intestinales ou des sécrétions respiratoires; celui-ci se situe le plus souvent entre 1 et 5, contre 7 ou plus (Metheny et Titler, 2001). Pour vérifier la position de la sonde, en cas d'alimentation entérale intermittente par des tubes de petit diamètre, il faut inspecter le contenu des échantillons prélevés par aspiration et déterminer leur pH, alors qu'en cas d'alimentation entérale continue la détermination du pH n'est pas utile sur le plan clinique, car la préparation qui traverse constamment la sonde fausse les résultats (Metheny et Titler, 2001).

La position de la personne doit être adaptée au type d'alimentation par sonde qu'on lui administre. En cas d'alimentation continue, elle reçoit de petites quantités de préparation à une faible pression et doit rester en position assise pour prévenir l'inhalation. En cas d'alimentation intermittente, elle doit se tenir en position assise le temps que dure le gavage et pendant au moins 30 minutes par la suite, pour que l'estomac puisse se vider partiellement. L'alimentation entérale ne devrait être envisagée que si la sonde peut être installée dans une position adéquate dans l'estomac. De nos jours, chez un grand nombre de personnes, le gavage entéral est pratiqué par une sonde souple, à petit diamètre, introduite directement dans le duodénum ou installée dans cette partie de l'intestin par voie chirurgicale. Les gavages se font lentement et ils sont réglés par une pompe. La position adéquate est confirmée par radiographie thoracique.

Déceler une vidange gastrique retardée

Lorsque l'estomac est plein, il y risque d'inhalation de son contenu à cause d'une pression intragastrique ou extragastrique accrue. Dans les circonstances cliniques suivantes, la vidange gastrique peut être retardée et exposer la personne au risque d'inhalation : obstruction intestinale ; sécrétions gastriques accrues en cas de reflux gastro-œsophagien pathologique ; sécrétions gastriques accrues pendant un épisode d'anxiété, de stress ou de douleurs ; distension abdominale provoquée par un iléus, l'ascite, la péritonite, l'usage d'opioïdes ou de sédatifs, une affection grave ou un accouchement par voie vaginale.

En cas d'alimentation entérale, on doit aspirer le contenu gastrique toutes les quatre heures en moyenne pour déterminer la quantité de préparation qui reste encore dans l'estomac (volume résiduel). Si on aspire plus de 50 mL, la vidange pourrait être retardée. Il faut alors reporter le gavage suivant, si l'alimentation est intermittente, ou l'arrêter pendant un certain temps, si elle est continue.

Prendre en charge les effets d'une intubation prolongée

Une sonde endotrachéale ou une canule de trachéostomie, installées pendant une période prolongée, peuvent déprimer les réflexes glottique ou laryngé restés trop longtemps inactifs. On encourage les personnes porteuses d'une canule de trachéostomie à émettre des sons et à faire travailler leurs muscles du larynx. Il serait utile qu'un spécialiste en réadaptation ayant de l'expérience dans le traitement des troubles de la parole et de la déglutition évalue le réflexe de déglutition de ces personnes.

RECHERCHE EN SCIENCES INFIRMIÈRES

Inhalation pulmonaire du contenu gastrique

E.H. Elpern, M.B. Okonek, M. Bacon, C. Gerstung et M. Skrzynski (2000). Effect of the Passy-Muir tracheostomy speaking valve on pulmonary aspiration in adults. *Heart Lung, 29*(4), 287-293.

OBJECTIF

La présente étude visait à déterminer la fréquence des inhalations du contenu gastrique chez des adultes porteurs d'une canule à trachéostomie et à évaluer les effets d'une valve « parlante » de type Passy-Muir à cet égard.

DISPOSITIF ET ÉCHANTILLON

Quinze sujets ont participé à cette étude. Les critères d'admission étaient les suivants : être porteur d'une canule de trachéostomie et avoir pris rendez-vous pour une vidéofluoroscopie de déglutition. Au cours de cette évaluation de la déglutition, on a noté à six reprises les caractéristiques des liquides clairs : à trois reprises lorsque la canule était munie d'une valve de type Passy-Muir, et à trois reprises lorsqu'elle n'en était pas munie.

RÉSULTATS

Chez 7 des 15 sujets (47 %), le liquide aspiré contenait des matières gastriques. Cinq sujets ont inhalé ces matières lorsque la canule n'était pas munie d'une valve, et deux lorsque la canule était ou non munie d'une valve. Aucun des sujets n'a inhalé de matières gastriques seulement lorsque la canule était munie d'une valve. L'inhalation a été moins fréquente lorsque la canule de trachéostomie était munie d'une valve « parlante » de type Passy-Muir.

IMPLICATIONS POUR LA PRATIQUE INFIRMIÈRE

L'inhalation du contenu gastrique est un problème courant et qui peut provoquer des complications pulmonaires graves, dont une obstruction mécanique, une inflammation pulmonaire ou une infection (pneumonie par inhalation). La collecte des données et une bonne connaissance des facteurs de risque jouent un rôle important dans l'évaluation des personnes susceptibles d'inhaler le contenu gastrique et dans la prévention de cette complication.

EXERCICES D'INTÉGRATION

1. Le médecin vient de poser un diagnostic de tuberculose active chez un chômeur âgé de 44 ans, qui vit avec sa mère âgée de 80 ans. On lui a prescrit des médicaments et on lui a donné toutes les consignes concernant sa médication. Quelles stratégies mettriez-vous en place pour vous assurer qu'il prend ses médicaments correctement ? Quelles stratégies adopteriez-vous pour vous assurer que la mère n'est pas contaminée, elle aussi ? En quoi les soins que vous administreriez seraient-ils différents si cette personne vivait seule ou n'avait pas de domicile fixe ?
2. Vous travaillez dans une unité chirurgicale. Vous vous occupez d'une femme de 67 ans qui a subi une intervention visant la correction d'une fracture de la hanche, survenue à la suite d'une chute provoquée par la consommation de quantités importantes d'alcool. Cette femme est une grande fumeuse depuis 35 ans et refuse de bouger dans le lit à cause des douleurs. Quelles complications pulmonaires risque-t-elle de présenter en période postopératoire ? De quels critères vous serviriez-vous pour évaluer son état respiratoire ? Quelles seraient vos interventions en vue de prévenir les complications pulmonaires chez cette personne ? Quels changements apporteriez-vous à vos soins, si elle avait des antécédents de thrombose veineuse profonde ?
3. Vous êtes chargée de donner des soins à une personne qui a subi un traumatisme thoracique fermé à la suite d'un accident d'automobile. Pour traiter un pneumothorax, on vient d'installer un drain thoracique. Le système de drainage a permis de retirer 400 mL d'un liquide rouge pâle au cours des six premières heures après la mise en place du drain. La personne est incapable de se souvenir de ce qui lui est arrivé lors de l'accident ou pendant les 24 heures qui l'ont précédé. Les douleurs dont elle souffre dictent l'administration d'opioïdes et la personne vous demande aussi de retirer le drain, car elle aimerait se rendre aux toilettes. Quels renseignements supplémentaires devriez-vous recueillir lors de l'anamnèse et que devriez-vous faire ? Comment expliqueriez-vous à cette personne et aux membres de sa famille l'utilité du drain thoracique ? En quoi modifieriez-vous vos explications et votre enseignement si, en outre, cette personne ne comprenait pas très bien le français ?

RÉFÉRENCES BIBLIOGRAPHIQUES

en anglais • en français

L'astérisque indique un compte rendu de recherche en soins infirmiers.

Agence de santé publique du Canada (2002). *La tuberculose au Canada 2002* (page consultée le 31 août 2005), [en ligne], http://www.phac-aspc.gc.ca/publicat/tbcan02/index_f.html.

Agence de santé publique du Canada (2004a). *Déclaration concernant le vaccin bacille Calmette-Guérin (BCG)* (page consultée le 31 août 2005), [en ligne], http://www.phac-aspc.gc.ca/publicat/ccdr-rmtc/04vol30/acs-dcc-5/index_f.html.

Agence de santé publique du Canada (2004b). *Utilisation du vaccin BCG au Canada : passé et présent* (page consultée le 31 août 2005), [en ligne], http://www.phac-aspc.gc.ca/tbpc-latb/bcgvac_0904_f.html.

Agence de santé publique du Canada (ASPC) (2005). *La tuberculose au Canada en 2002* (page consultée le 16 août 2005), [en ligne], http://www.phac-aspc.gc.ca/publicat/tbcan02/index_f.html.

American Joint Committee on Cancer (AJCC). (2002). *Cancer staging manual* (6th ed.). New York: Springer-Verlag.

American Thoracic Society. (2000). Diagnostic standards and classification of tuberculosis in adults and children. *American Journal of Respiratory and Critical Care Medicine, 161*(4), 1376–1395.

American Thoracic Society and Centers for Disease Control and Prevention. (2000). Targeted tuberculin testing and treatment of latent infection. *American Journal of Respiratory and Critical Care Medicine, 161*(4), S221–S247.

American Thoracic Society and Centers for Disease Control and Prevention. (2001). Fatal and severe liver injuries associated with rifampin and pyrazinamide for latent tuberculosis infection and revisions in American Thoracic Society/CDC Recommendations–United States 2001. *MMWR Morbidity Mortality Weekly Report, 50*(34), 733–735.

American Thoracic Society. (2001). Guidelines for the management of adults with community-acquired pneumonia. *American Journal of Respiratory and Critical Care Medicine, 163*(7), 1730–1754.

American Thoracic Society/Centers for Disease Control and Prevention/ Infectious Diseases Society of America. (2003). Treatment of tuberculosis. *Am J Respir Crit Care Med, 167*, 603.

American Thoracic Society. (1999). Statement on sarcoidosis. *American Journal of Respiratory and Critical Care Medicine, 160*(2), 736–755.

Arroliga, A.C., Matthay, M.A., & Matthay, R.A. (2000). Pulmonary thromboembolism and other pulmonary vascular diseases. In R. George, R. Light, M. Matthay, & R. Matthay (eds.), *Chest medicine: Essentials of pulmonary and critical care medicine* (4th ed., pp 233–261). Philadelphia: Lippincott Williams & Wilkins.

Association pulmonaire du Québec. *La pneumonie*, http://www.pq.poumon.ca/sections/mpulmonaires/fr/pneumonie/index.php.

Association pulmonaire du Canada (2000). *Normes canadiennes pour la lutte antituberculeuse* (5e éd.) (page consultée le 23 août 2005), [en ligne], http://www.poumon.ca/maladies/tb.standarts_fr.pdf.

Association pulmonaire du Québec (2004a). *La Pneumonie* (page consultée le 16 août 2005), [en ligne], http://www.pq.poumon.ca/sections/mpulmonaires/fr/pneumonieindex.php.

Association pulmonaire du Québec (2004b). *Maladie infectieuse : Sarcoïdose* (page consultée le 18 août 2005), [en ligne], http://www.pq.poumon.ca/sections/mpulmonaires/fr/sarcoidose/index.php.

Bartlett, J.G., Dowell, S.F., Mandell, L.A., File, T.M., Musher, D.M., & Fine, M.J. (2000). Practice guidelines for the management of community-acquired pneumonia in adults. *Clinical Infectious Diseases, 31*(2), 347–382.

Bast, R.C., Kufe, D.W., Pollock, R.E. et al. (eds.). (2000). *Cancer medicine* (5th ed.). Hamilton, Ontario: B.C. Decker, Inc.

Brisson, S., Ostiguy, G., Simard, R., et Turcot, J. (2000). La silicose : une maladie [professionnelle] du passé ? *Le Clinicien, 15*(6), 108-121, 125.

Centers for Disease Control and Prevention. (1997). Guidelines for prevention of nosocomial pneumonia. *MMWR Morbidity and Mortality Weekly Report, 46:*RR1, 1–79.

Centers for Disease Control and Prevention. (1998). Influenza and pneumococcal vaccination levels among adults aged > 65 years – United States. *MMWR Morbidity and Mortality Weekly Report, 47*, 797–802.

Centers for Disease Control and Prevention. (2003). Update: Adverse Event Data and Revised American Thoracic Society/CDC Recommendations Against the Use of Rifampin and Pyrazinamide for Treatment of Latent Tuberculosis Infection. *MMWR Morbidity and Mortality Weekly Report, 52*(31), 735-739.

Champoux, N., Roy, L., et Bichai, W.M. (2000). La pneumonie d'aspiration en centre d'hébergement [pour personnes âgées]. *Médecin du Québec, 35*(10), 71-75.

Chouinard, A., et Lajeunesse, J. (2001). Pneumonie et consultations sans rendez-vous : quand faut-il hospitaliser le patient ? *Le Médecin du Québec, 36*(1), 37-44.

Clagett, G.P., Anderson, F.A. Jr., Geerts, W., et al. (1998). Prevention of venous thromboembolism. *Chest, 114*(5), 531S-560S.

*Connolly, M., & O'Neill, J. (1999). Teaching a research-based approach to the management of breathlessness in patients with lung cancer. *European Journal of Cancer Care, 8*(1), 30–36.

Conseil du médicament (janvier 2005). *Pneumonie acquise en communauté chez l'adulte*, http://www.cdm.gouv.qc.ca.

Curley, M.A. (2000). Prone positioning of patients with acute respiratory distress syndrome: a systematic review. *American Journal of Critical Care, 9*(4), 295–296.

Direction de santé publique de Montréal (2002). *Santé au travail : Études des nouveaux cas de maladies professionnelles pulmonaires reliées à l'exposition à la silice au Québec de 1988 à 1997* (page consultée le 18 août 2005), [en ligne], http://www.santepub-mtl.qc.ca/Publication/travail/silice.html.

Duffy, S.Q., & Farley, D.E. (1993). *Intermittent positive pressure breathing: Old technologies rarely die* (AHCPR Publication No. 94-0001). Division of Provider Studies Research Note 18, Agency for Health Care Policy and Research, Rockville, MD: Public Health Service.

*Elpern, E.H., Okonek, M.B., Bacon, M., et al. (2000). Effect of the Passy-Muir tracheostomy speaking valve on pulmonary aspiration in adults. *Heart Lung,* 29(4), 287–293.

Farzan, S. (1997). *A concise handbook of respiratory diseases.* Stamford, CT: Appleton & Lange.

Fondation québécoise du cancer (2002). *Statistiques canadiennes sur le cancer 2002 : incidence et mortalité actuelles* (page consultée le 22 août 2005), [en ligne], http://fqc.qc.ca/dossiertexte.asp?id=24.

Gauthier, R. (2000). Les pneumonies contractées dans la communauté : vers un nouveau consensus. *Le Clinicien, 15*(9), 69-87, 89.

Gauthier, R. (2000). Le traitement de la pneumonie contractée dans la communauté : le nouveau consensus. *Le Clinicien, 15*(11), 93-99, 102-104.

Geerts, W.H., Pineo, G.F., Heit, J.A., et al. (2004). Prevention of Venous Thrombo-embolism: The Seventh ACCP Conference on Antithrombotic and Thrombolytic Therapy. *Chest, 126*(3), Supp., 338S-400S.

Goldhaber, S.Z. (1998). Medical progress: Pulmonary embolism. *New England Journal of Medicine, 339*(2), 93–104.

Humbert, M., Sitbon, O., Simonneau, G. (2004). Treatment of Pulmonary Arterial Hypertension. *New England Journal of Medicine, 351,* 1425–36.

Institut canadien d'information juridique (2005). *Loi sur l'indemnisation des victimes d'amiantose ou de silicose dans les mines et les carrières* (page consultée le 18 août 2005), [en ligne], http://www.canlii.org/qc/legis/loi/i-7/20050616/tout.html.

Institut national de santé publique/Québec (2003). *Maladies respiratoires reliées au travail (silicose et amiantose)* (page consultée le 18 août 2005), [en ligne], http://www.inspq.qc.ca/domaines/SanteTravail/MaladiesRespiratoires.asp?D=5&D5=2.

Knippel, S.L. (2001). Surgical therapies for lung carcinomas. *Nursing Clinics of North America, 36*(3), 517–525.

Kendig, E.L., Kirkpatrick, B.V., Carter, W.H., Hill, F.A., Caldwell, K., & Entwistle, M. (1998). Underreading of the tuberculin skin test reaction. *Chest, 113*(5), 1175–1177.

La Forge, S., et Martel, S. (1996). La sarcoïdose : du diagnostic au traitement. *Le Clinicien, 11*(5), 175-194.

Marchand, J.S. (2004). Perdre sa vie à la gagner. *Jobboom.com Le magasine* (page consultée le 18 août 2005), [en ligne], http://www.jobboom.com/jobmag/26-03-texte.html.

Marik, P.E. (2001). Aspiration pneumonitis and aspiration pneumonia. *New England Journal of Medicine, 344*(9), 665–671.

Marion, B.S. (2001). A turn for the better: 'Prone Positioning' of patients with ARDS. *American Journal of Nursing, 101*(5), 26–34.

Matthay, R.A., Tanoue, L.T., & Carter, D.C. (2000). Lung neoplasms. In R. George, R. Light, M. Matthay, & R. Matthay (eds.), *Chest medicine: essentials of pulmonary and critical care medicine* (4th ed., pp 346–376). Philadelphia: Lippincott Williams & Wilkins.

McGeer, A.J., & Low, D.E. (2000). Vancomycin-resistant enterococci. *Seminars in Respiratory Infections, 15*(4), 261–263.

Metheny, N.A., & Titler, M.G. (2001). Assessing placement of feeding tubes. *American Journal of Nursing, 101*(5), 36–45.

Niederman, M.S., & Sarosi, G.A. (2000). Respiratory tract infections. In R. George, R. Light, M. Matthay, & R. Matthay (eds.), *Chest medicine: Essentials of pulmonary and critical care medicine* (4th ed., pp 377–429). Philadelphia: Lippincott Williams & Wilkins.

Organisation mondiale de la santé (2005). *Tuberculose* (page consultée le 19 décembre 2005), [en ligne], http://www.who.int/mediacentre/factsheets/fr104/fr.

Owens, M.W., Chaudry, M.S., Eggerstedt, J.M., & Smith, L.M. (2000). Thoracic trauma, surgery and perioperative management. In R. George, R. Light, M. Matthay, & R. Matthay (eds.), *Chest medicine: Essentials of pulmonary and critical care medicine* (4th ed., pp 592–619). Philadelphia: Lippincott Williams & Wilkins.

*Sarna, L.P., Brown, J.K., Lillington, L., et al. (2000). Tobacco interventions by oncology nurses in clinical practice. *Cancer, 89*(4), 881–889.

Schottenfeld, D. (2000). Etiology and epidemiology of lung cancer. In H.I. Pass, J.B. Mitchell, D.H. Johnson, & J.D. Minna (eds). *Lung cancer: Principles and practice* (2nd ed., pp 367–388). Philadelphia: Lippincott Williams & Wilkins.

Small, P.M., & Fujiwara, P.I. (2001). Management of tuberculosis in the United States. *New England Journal of Medicine, 345*(3), 189–200.

Société canadienne du cancer (2004). *Tabagisme* (page consultée le 22 août 2005), [en ligne], http://www.cancer.ca/ccs/internet/standard/0,3182,3172_12971__langId-fr,00.html.

Société canadienne du cancer (2005). *Tabagisme et cancer du poumon* (page consultée le 22 août 2005), [en ligne], http://www.cancer.ca/ccs/internet/standard/0,3182,3172_367563_423793_langId-fr,00.html.

Société canadienne du cancer/Institut national du cancer du Canada (2005). *Statistiques canadiennes sur le cancer 2005* (page consultée le 22 août 2005), [en ligne], http://www.ncic.cancer.ca/vgn/images/portal/cit_86755361/8/14/400105690cw_stats_2005_fr.pdf.

Statistique Canada (2000). *Indicateurs de santé : décès dus à la pneumonie et à la grippe* (page consultée le 31 août 2005), [en ligne], http://www.statcan.ca/francais/freepub/82-221-XIF/tables/htmltables/c1t18_f.htm.

Taubert, J., & Wright, S. (2000). Malignant pleural effusion: nursing interventions using an indwelling pleural catheter with intermittent drainage. *Nursing Interventions in Oncology, 12,* 2–7.

Thivierge, C. (2001). Les programmes d'intervention intégrés de la CSST : une stratégie globale qui tire dans le mille de la prévention (la silicose). *Prévention au travail, 14*(4), 7-14.

Ware, L.B., & Matthay, M.A. (2000). The acute respiratory distress syndrome. *New England Journal of Medicine, 342*(18), 1334–1349.

En complément de ce chapitre, vous trouverez sur le Compagnon Web :

- une bibliographie exhaustive ;
- des ressources Internet.

Adaptation française
Sophie Longpré, inf., M.Sc.
Professeure, Département des sciences infirmières – Université du Québec à Trois-Rivières

CHAPITRE 26

Affections chroniques des voies respiratoires

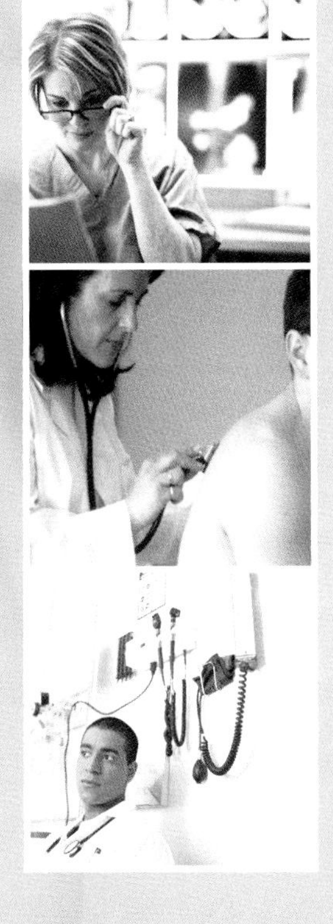

Objectifs d'apprentissage

Après avoir étudié ce chapitre, vous pourrez :

1. Décrire la physiopathologie de la bronchopneumopathie chronique obstructive (BPCO).
2. Énoncer les principaux facteurs de risque de BPCO et les interventions infirmières permettant de les réduire et de les prévenir.
3. Appliquer la démarche systématique aux personnes atteintes de BPCO.
4. Élaborer un programme d'enseignement destiné aux personnes atteintes de BPCO.
5. Décrire la physiopathologie de l'asthme.
6. Énumérer les médicaments utilisés dans le traitement de l'asthme.
7. Décrire les stratégies d'autosoins de l'asthme.
8. Décrire la physiopathologie de la fibrose kystique.

La bronchopneumopathie chronique obstructive (BPCO) est l'une des principales causes de morbidité et de mortalité au Canada. Les infirmières ont un rôle à jouer à toutes les étapes du traitement de la BPCO et dans tous les milieux, que ce soit dans les services de consultation externe, à domicile, dans les services de soins intensifs ou dans les centres de soins palliatifs. Les infirmières qui traitent la BPCO et l'asthme doivent non seulement avoir la compétence requise pour évaluer judicieusement l'état des personnes et leur prodiguer les soins appropriés, mais elles doivent aussi comprendre dans quelle mesure ces affections peuvent nuire à la qualité de la vie de ces personnes. L'enseignement donné à la personne atteinte de BPCO, d'asthme ou de fibrose kystique et aux membres de sa famille constitue une intervention infirmière importante qui vise à améliorer les autosoins.

Bronchopneumopathie chronique obstructive

La **bronchopneumopathie chronique obstructive (BPCO)** se caractérise par une obstruction progressive des voies respiratoires qui n'est pas réversible. Il s'agit de la définition la plus récente de la BPCO, qui a été donnée par le Global Initiative for Chronic Obstructive Lung Disease (GOLD) [Initiative mondiale relative à la bronchopneumopathie chronique obstructive] et qui a l'avantage de décrire l'affection ainsi que ses signes et symptômes avec plus de précision que par le passés (NIH, 2001a). En effet, dans les définitions antérieures, l'appellation BPCO regroupait l'emphysème et la bronchite chronique, ce qui prêtait souvent à confusion, car la plupart des personnes atteintes de BPCO présentent un ensemble de signes et symptômes qui recoupent ceux de ces deux affections, pourtant distinctes l'une de l'autre.

La BPCO peut s'accompagner d'une des affections qui provoquent l'obstruction des voies respiratoires et réduisent le débit d'air (emphysème ou bronchite chronique), ou des deux à la fois. D'autres affections, telles que la fibrose kystique, la bronchectasie et l'asthme, étaient autrefois classées sous la rubrique de la bronchopneumopathie chronique obstructive. Toutefois, l'asthme est maintenant considéré comme une affection distincte et fait partie des anomalies des voies respiratoires qui se caractérisent principalement par une inflammation réversible. La BPCO peut s'installer en même temps que l'asthme. Ces deux affections présentent les mêmes symptômes majeurs, mais ceux de l'asthme varient généralement plus que ceux de la BPCO. Dans ce chapitre, la BPCO est traitée à titre d'entité pathologique à part entière, et la bronchite chronique et l'emphysème sont brièvement décrits en tant qu'affections distinctes, ce qui fait ressortir la physiopathologie particulière de la BPCO. La bronchectasie, l'asthme et la fibrose kystique seront également abordés séparément.

Selon les statistiques de 2004, la BPCO toucherait 750 000 Canadiens et Canadiennes, soit 3,2 % de la population (Réseau canadien de la santé, 2004). C'est chez les 75 ans et plus que le pourcentage est le plus élevé, avec 6,9 % de la clientèle, soit 102 900 personnes. En 1997, la durée

VOCABULAIRE

Aérosol-doseur (pompe): cartouche renfermant un médicament à prendre en aérosol, que la personne s'administre; après inhalation, le médicament agit directement au niveau des poumons.

Asthme: affection qui peut être déclenchée par plusieurs mécanismes et dont l'issue clinique courante est l'obstruction réversible des voies aériennes; désormais considérée comme une entité pathologique distincte de la BPCO.

Bronchectasie: dilatation chronique d'une ou de plusieurs bronches; les voies aériennes dilatées deviennent sacciformes et constituent un milieu propice à l'infection chronique; affection désormais considérée comme une entité pathologique distincte de la BPCO.

Bronchite: affection des voies respiratoires caractérisée par la toux et la production d'expectorations pendant au moins 3 mois (au total) par année, au cours de 2 années consécutives; entre dans la définition de la BPCO.

Bronchopneumopathie chronique obstructive (BPCO): affection caractérisée par une obstruction progressive des voies respiratoires qui n'est pas réversible; on l'appelle parfois obstruction chronique des voies respiratoires ou, anciennement, maladie pulmonaire obstructive chronique (MPOC).

Déficit en alpha$_1$-antitrypsine: trouble héréditaire résultant d'une carence en alpha$_1$-antitrypsine, un agent protecteur des poumons; ce déficit accroît le risque d'emphysème panlobulaire, même si la personne ne fume pas.

Emphysème: affection des voies respiratoires caractérisée par la destruction des parois des alvéoles surdistendues; entre dans la définition de la BPCO.

Inhalateur à poudre sèche: dispositif renfermant un médicament sous forme de poudre sèche à prendre en inhalation; le médicament, que la personne s'administre, agit directement au niveau des poumons.

Polycythémie: hausse de la concentration sanguine de globules rouges; en présence de BPCO, l'organisme produit des quantités accrues de globules rouges afin d'améliorer le pouvoir oxyphore du sang.

Rétention d'air: vidange incomplète des alvéoles au cours de l'expiration, due à une perte d'élasticité des tissus pulmonaires (emphysème), à un bronchospasme (asthme) ou à une obstruction des voies respiratoires.

Spirométrie: tests d'exploration de la fonction respiratoire permettant de mesurer certains volumes pulmonaires (par exemple VEMS, CV) et débits pulmonaires ($DME_{25-75\%}$); on peut effectuer ces mesures avant et après l'administration d'un bronchodilatateur.

moyenne du temps d'hospitalisation pour une BPCO était de 10,5 jours. Le programme de suivi systématique des clientèles a pour objectif, entre autres, de diminuer ce temps d'hospitalisation. Or, le défi est de taille puisque la BPCO touche davantage les personnes de plus de 75 ans, qui ont souvent d'autres problèmes de santé. Par exemple, en moyenne, 10,9 % des personnes atteintes de BPCO font appel au service de soins à domicile, comparativement à 29,7 % chez les personnes de plus de 75 ans. En 1998, la BPCO était la cause directe de 4 % des décès au Canada, soit 5 398 hommes et 3 643 femmes. Or, ces chiffres ne tiennent pas compte des nombreux autres décès, par pneumonie, grippe ou autres, où la BPCO est un important facteur aggravant ou prédisposant (Santé Canada, 2001). Chez les personnes atteintes de BPCO, les symptômes commencent souvent à se manifester vers le milieu de l'âge adulte, et l'incidence de l'affection s'élève avec le vieillissement. Bien que certains paramètres de la fonction respiratoire diminuent normalement avec le temps (par exemple capacité vitale et volume expiratoire maximum par seconde [VEMS]), la BPCO accentue et accélère ces changements physiologiques.

Physiopathologie

En cas de BPCO, la diminution du débit d'air survient graduellement et s'accompagne d'une réponse inflammatoire anormale des poumons aux particules ou aux gaz nocifs. L'inflammation touche toutes les voies respiratoires, ainsi que le parenchyme et le réseau vasculaire des poumons (NIH, 2001a). En raison de cette inflammation chronique et des efforts de l'organisme pour la contrecarrer, les petites voies aériennes périphériques rétrécissent. Avec le temps, le processus inflammation-réparation entraîne la formation de tissus cicatriciels et le rétrécissement de la lumière des voies aériennes. Le flux d'air peut aussi être entravé à cause de la destruction du parenchyme pulmonaire, comme en cas d'emphysème, affection qui touche les alvéoles où ont lieu les échanges gazeux.

Outre l'inflammation, les processus liés aux déséquilibres entre les protéinases et les antiprotéinases des poumons peuvent entraîner une obstruction au flux d'air. Lorsqu'elles sont activées par l'inflammation chronique, les protéinases et d'autres substances peuvent être libérées, ce qui endommage le parenchyme pulmonaire. Les modifications qui touchent le parenchyme peuvent également être dues à une inflammation, à des facteurs environnementaux ou à des facteurs génétiques (par exemple déficit en alpha$_1$-antitrypsine).

Au premier stade de la BPCO, la réponse inflammatoire entraîne l'épaississement de la paroi des vaisseaux sanguins pulmonaires. Ces changements peuvent survenir à la suite de l'exposition à la fumée de cigarette ou de l'usage des produits du tabac, ou encore à la suite de la libération de médiateurs inflammatoires (NIH, 2001a).

Bronchite chronique

La **bronchite** chronique est une affection des voies respiratoires caractérisée par la toux et la production d'expectorations pendant au moins 3 mois par année, au cours de 2 années consécutives. Dans de nombreux cas, la fumée ou d'autres polluants environnementaux irritent les voies respiratoires, entraînant une hypersécrétion de mucus et une inflammation. Cette irritation constante provoque une augmentation du nombre de glandes sécrétant du mucus et de cellules caliciformes, une diminution de la fonction ciliaire et une plus grande production de mucus. Les parois des bronches s'épaississent, leur lumière rétrécit et les mucosités peuvent bloquer la voie aérienne (figure 26-1 ■). Les alvéoles voisins des bronchioles peuvent se léser et devenir fibreux, ce qui entraîne le dysfonctionnement des macrophages alvéolaires. Il s'agit d'une conséquence grave, car les macrophages jouent un rôle important dans la destruction des particules étrangères, dont les bactéries. Par conséquent, la personne est prédisposée aux infections respiratoires. Une grande diversité d'infections virales, bactériennes et mycoplasmiques peuvent déclencher des crises aiguës de bronchite. Les exacerbations de la bronchite chronique surviennent le plus souvent en hiver.

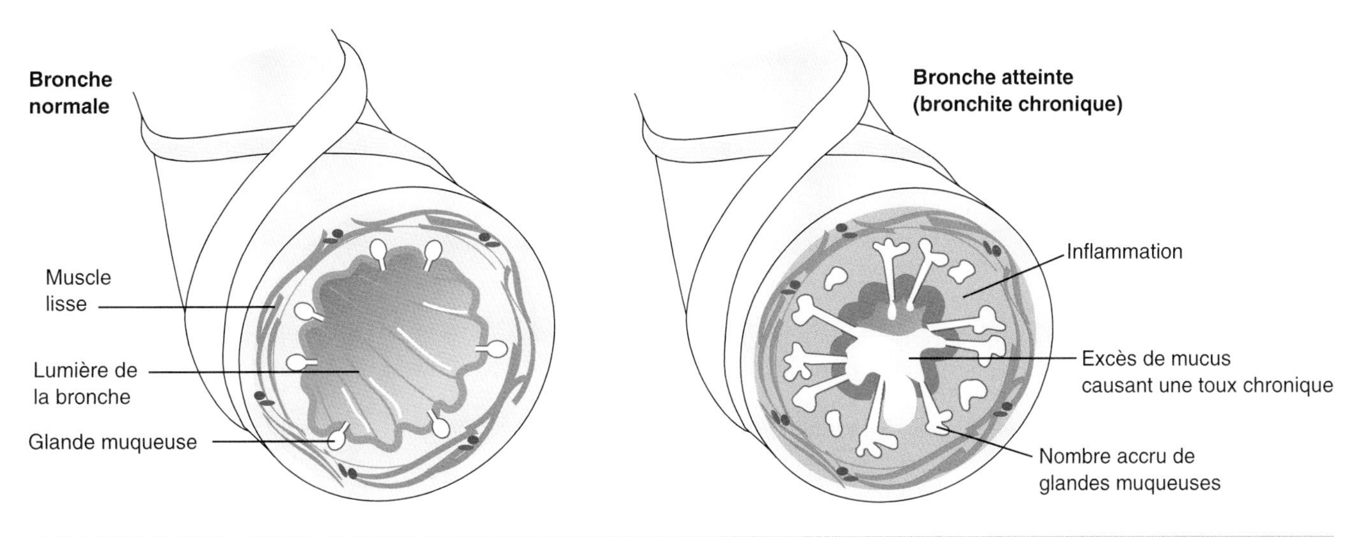

FIGURE 26-1 ■ Physiopathologie de la bronchite chronique: comparaison entre une bronche atteinte et une bronche normale. En présence de bronchite chronique, la lumière de la bronche rétrécit, le flux d'air est entravé sous l'effet de plusieurs mécanismes: inflammation, production excessive de mucus et constriction possible des muscles lisses (bronchospasme).

Emphysème

En présence d'**emphysème**, la destruction des parois des alvéoles surdistendus entrave les échanges gazeux (oxygène, gaz carbonique). L'emphysème correspond à une distension anormale des espaces aériens situés en aval des bronchioles terminales, associée à la destruction des parois alvéolaires. Il s'agit de l'étape finale d'un processus qui a évolué lentement pendant de nombreuses années. Au fur et à mesure que les parois alvéolaires sont détruites (phénomène accéléré par des infections récurrentes), la surface alvéolaire qui se trouve en contact direct avec les capillaires pulmonaires diminue, d'où une augmentation de l'espace mort physiologique (région du poumon où aucun échange gazeux ne peut avoir lieu) et une diminution de la diffusion de l'oxygène, provoquant l'hypoxémie. Au cours des derniers stades de l'affection, l'élimination insuffisante du gaz carbonique entraîne une élévation du taux de gaz carbonique dans le sang artériel (hypercapnie) et, par la suite, une acidose respiratoire. À mesure que la destruction des parois alvéolaires se poursuit, le lit capillaire pulmonaire diminue. Le débit sanguin pulmonaire s'en trouve donc accru, ce qui force le ventricule droit à maintenir une pression artérielle plus élevée dans l'artère pulmonaire. L'hypoxémie peut augmenter davantage encore la pression artérielle pulmonaire. L'insuffisance cardiaque droite (cœur pulmonaire) est donc une des complications de l'emphysème. La congestion, l'œdème déclive (orthostatique), la distension des veines du cou ou des douleurs dans la région du foie évoquent l'installation d'une insuffisance cardiaque.

Selon l'endroit où les changements surviennent dans le poumon, on distingue deux principaux types d'emphysème (figure 26-2 ■): l'emphysème panlobulaire (pan-acinaire) et l'emphysème centrolobulaire (centro-acinaire). Les deux types d'emphysème peuvent toucher une même personne. L'emphysème panlobulaire se caractérise par la destruction des bronchioles respiratoires, des conduits alvéolaires et des alvéoles. Bien que tous les espaces aériens dans le lobule s'élargissent, l'inflammation est minime. On note habituellement un thorax hyperdilaté ou surdistendu (thorax en tonneau), une dyspnée marquée à l'effort et une perte de poids. Pour que l'air puisse entrer dans les poumons et en sortir, la pression doit être négative au cours de l'inspiration, alors qu'une pression positive suffisante doit être atteinte et maintenue pendant l'expiration. Au repos, le poumon reste gonflé. Au lieu d'être passive et involontaire, l'expiration devient consciente et nécessite un effort musculaire. La personne est de plus en plus essoufflée, sa poitrine devient rigide et elle présente un tirage paradoxal des espaces intercostaux inférieurs.

Dans l'emphysème centrolobulaire, les modifications pathologiques se produisent surtout dans le centre du lobule secondaire, tandis que les parties périphériques de l'acinus sont préservées. Souvent, les rapports ventilation/perfusion sont perturbés, ce qui entraîne de l'hypoxémie, de l'hypercapnie (taux accrus de CO_2 dans le sang artériel), une **polycythémie** et des épisodes d'insuffisance cardiaque droite. Il s'ensuit une cyanose centrale, un œdème périphérique et une insuffisance respiratoire. On peut administrer des diurétiques pour résorber l'œdème.

Facteurs de risque

Les facteurs de risque de la BPCO comprennent des facteurs environnementaux et des facteurs propres à l'hôte (encadré 26-1 ■). Le facteur de risque de la BPCO le plus important est l'usage de la cigarette, bien que l'usage de la pipe, du cigare et des divers types de tabac constitue également un facteur de risque. Le tabagisme involontaire (passif) entraîne également des symptômes respiratoires et peut provoquer une BPCO (NIH, 2001a). Le tabagisme inhibe l'activité des monocytes/macrophages et affecte le mécanisme de nettoyage ciliaire des voies respiratoires qui bloque l'entrée des irritants, des bactéries et d'autres substances étrangères dans l'arbre bronchique. Chez la personne qui fume, ce mécanisme de nettoyage est altéré, le flux d'air est obstrué et l'air est retenu en amont de l'occlusion. Les alvéoles deviennent très distendus, ce qui réduit la capacité pulmonaire. La fumée irrite aussi les cellules caliciformes et les muqueuses, entraînant une accumulation accrue de mucosités, ce qui irrite davantage les voies respiratoires et augmente le risque d'infection et de lésion des poumons. De plus, le monoxyde de carbone (produit par la fumée du tabac) s'associe à l'hémoglobine pour former la carboxyhémoglobine. L'hémoglobine liée à la carboxyhémoglobine ne peut pas transporter l'oxygène adéquatement.

Il existe d'autres facteurs de risque de la BPCO que le tabagisme, notamment une exposition prolongée et intense à la poussière et aux produits chimiques en milieu de travail,

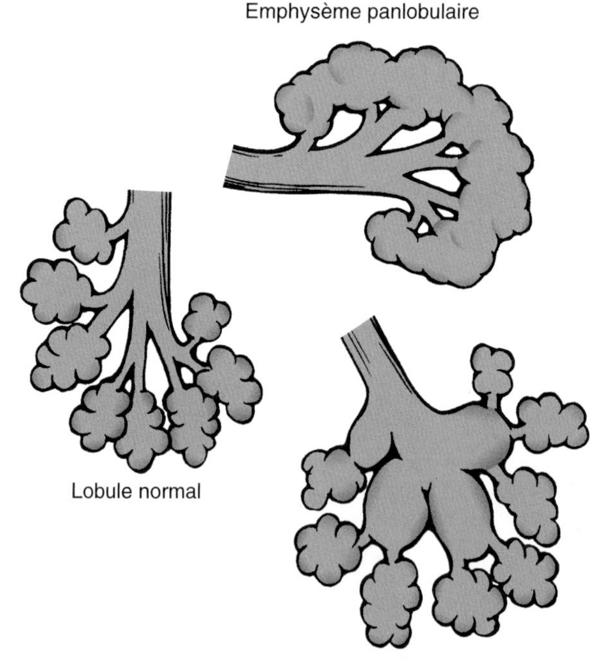

FIGURE 26-2 ■ Modifications de la structure alvéolaire en présence d'emphysème centrolobulaire et d'emphysème panlobulaire. En cas d'emphysème panlobulaire, les bronchioles, les canaux alvéolaires et les alvéoles sont détruits, et les espaces aériens dans les lobules s'élargissent. En cas d'emphysème centrolobulaire, les modifications pathologiques se produisent dans le lobule, tandis que les parties périphériques de l'acinus sont préservées.

ENCADRÉ 26-1

FACTEURS DE RISQUE

BPCO

- Exposition à la fumée de tabac: à l'origine d'environ 80 à 90 % environ des cas de BPCO (Rennard, 1998)
- Tabagisme involontaire
- Exposition à des substances nocives en milieu de travail
- Pollution de l'air ambiant
- Anomalies génétiques, dont le déficit en alpha$_1$-antitrypsine, un inhibiteur enzymatique qui freine normalement la destruction des tissus pulmonaires par certaines autres enzymes

ainsi qu'aux polluants de l'air ambiant et de l'air extérieur; toutes ces impuretés s'ajoutent aux autres particules inhalées dans les poumons (NIH, 2001a).

Un facteur de risque de BPCO propre à l'hôte est le **déficit en alpha$_1$-antitrypsine**, un inhibiteur enzymatique qui protège le parenchyme pulmonaire contre les lésions. Ce déficit peut prédisposer une personne jeune, même si elle ne fume pas, à l'apparition précoce d'un emphysème lobulaire. Le déficit en alpha$_1$-antitrypsine est une des affections génétiques mortelles les plus courantes chez les personnes de race blanche. Les personnes génétiquement prédisposées sont sensibles aux facteurs environnementaux (fumée de cigarette, polluants atmosphériques, agents infectieux, allergènes) et, avec le temps, présentent des symptômes obstructifs chroniques. Il faut dépister ce gène défectueux afin que les porteurs puissent modifier les facteurs de risque environnementaux, et retarder ou prévenir les symptômes patents de l'affection. Il faudrait également proposer à ces personnes des consultations génétiques. On peut prescrire aux porteurs de ce gène défectueux, ainsi qu'aux personnes dont l'affection a atteint un stade avancé, un inhibiteur de l'alpha-protéase qui ralentit l'évolution de l'affection. Ce traitement, administré par perfusion intermittente, coûte très cher et doit être poursuivi de façon continue.

Manifestations cliniques

La BPCO se caractérise par trois symptômes majeurs: toux, production d'expectorations et dyspnée d'effort (NIH, 2001a). Ces symptômes s'aggravent généralement avec le temps. La toux chronique et la production d'expectorations surviennent souvent plusieurs années avant que le flux d'air soit obstrué. Toutefois, la présence de toux et d'expectorations ne signifie pas nécessairement qu'une BPCO s'ensuivra. La dyspnée peut être grave et elle entrave souvent les activités quotidiennes. La perte de poids est courante, car la dyspnée empêche la personne de manger et l'effort respiratoire est très énergivore. Il arrive souvent que la personne ne puisse même pas faire un léger effort à cause de la dyspnée; au fur et à mesure que la BPCO évolue, la dyspnée se manifeste même au repos. La respiration devenant de plus en plus laborieuse avec le temps, les muscles accessoires sont de plus en plus sollicités. La personne atteinte de BPCO est exposée au risque d'insuffisance respiratoire et d'infections respiratoires, lesquelles, à leur tour, augmentent le risque d'insuffisance respiratoire aiguë et chronique (figure 26-3 ■).

Chez les personnes atteintes de BPCO avec une composante emphysémateuse primaire, la surdistension chronique provoque un «thorax en tonneau» qui résulte de la fixation des côtes en position inspiratoire (le poumon restant constamment en hyperinflation) et de la perte de l'élasticité pulmonaire (figure 26-4 ■). Le creux susclaviculaire se rétracte à l'inspiration, de sorte que les épaules se soulèvent (figure 26-5 ■). Dans les cas d'emphysème avancé, les muscles abdominaux se contractent aussi à l'inspiration.

Examen clinique et examens paracliniques

L'infirmière devrait obtenir tous les antécédents de la personne atteinte d'une BPCO patente ou possible. Les principaux facteurs qu'elle doit évaluer sont énumérés dans l'encadré 26-2 ■. On recourt aux épreuves de la fonction respiratoire pour confirmer le diagnostic de BPCO, déterminer la gravité de l'affection et en suivre l'évolution. On recourt à la **spirométrie** pour évaluer l'obstruction au flux d'air, qui est déterminée par le rapport VEMS/CV (volume expiratoire maximum par seconde/capacité vitale). Les résultats spirométriques sont exprimés en volume absolu et en pourcentage prévu par rapport aux valeurs normales correspondant au sexe, à l'âge et à la taille de la personne. En cas d'obstruction, soit l'expiration est difficile, soit l'expulsion de l'air du poumon est impossible, même en forçant, ce qui diminue le VEMS. On parle d'affection pulmonaire obstructive quand le rapport VEMS/CV est inférieur à 70 %.

De plus, pour écarter le diagnostic d'asthme et pour déterminer le traitement initial, on peut effectuer un test de réversibilité de l'obstruction en administrant un bronchodilatateur. Dans le cadre de ce test, on doit effectuer des mesures spirométriques avant d'administrer le bronchodilatateur par inhalation prévu par le protocole de l'établissement, puis répéter la spirométrie. On estime qu'une certaine réversibilité est possible si les valeurs de la fonction respiratoire s'améliorent après l'administration du bronchodilatateur.

On peut aussi mesurer les gaz du sang artériel pour obtenir des données initiales sur l'oxygénation et les échanges gazeux. Une radiographie thoracique permet d'écarter les autres diagnostics possibles. Enfin, on peut procéder au dépistage du déficit en alpha$_1$-antitrypsine chez les personnes âgées de moins de 45 ans ou chez celles qui ont des antécédents familiaux patents de BPCO.

Selon sa gravité, la BPCO est classée en cinq stades (GOLD, 2005), comme l'indique le tableau 26-1 ■. Les facteurs qui déterminent l'évolution clinique et la survie des personnes atteintes de BPCO sont les suivants: antécédents de tabagisme, tabagisme passif, âge, diminution du VEMS, hypoxémie, pression artérielle pulmonaire, fréquence cardiaque au repos, perte de poids et réversibilité de l'obstruction au flux d'air (George, San Pedro et Stoller, 2000).

Pour pouvoir poser un diagnostic de BPCO, on doit d'abord procéder à un diagnostic différentiel pour écarter la présence de nombreuses autres affections, surtout de l'asthme. Les

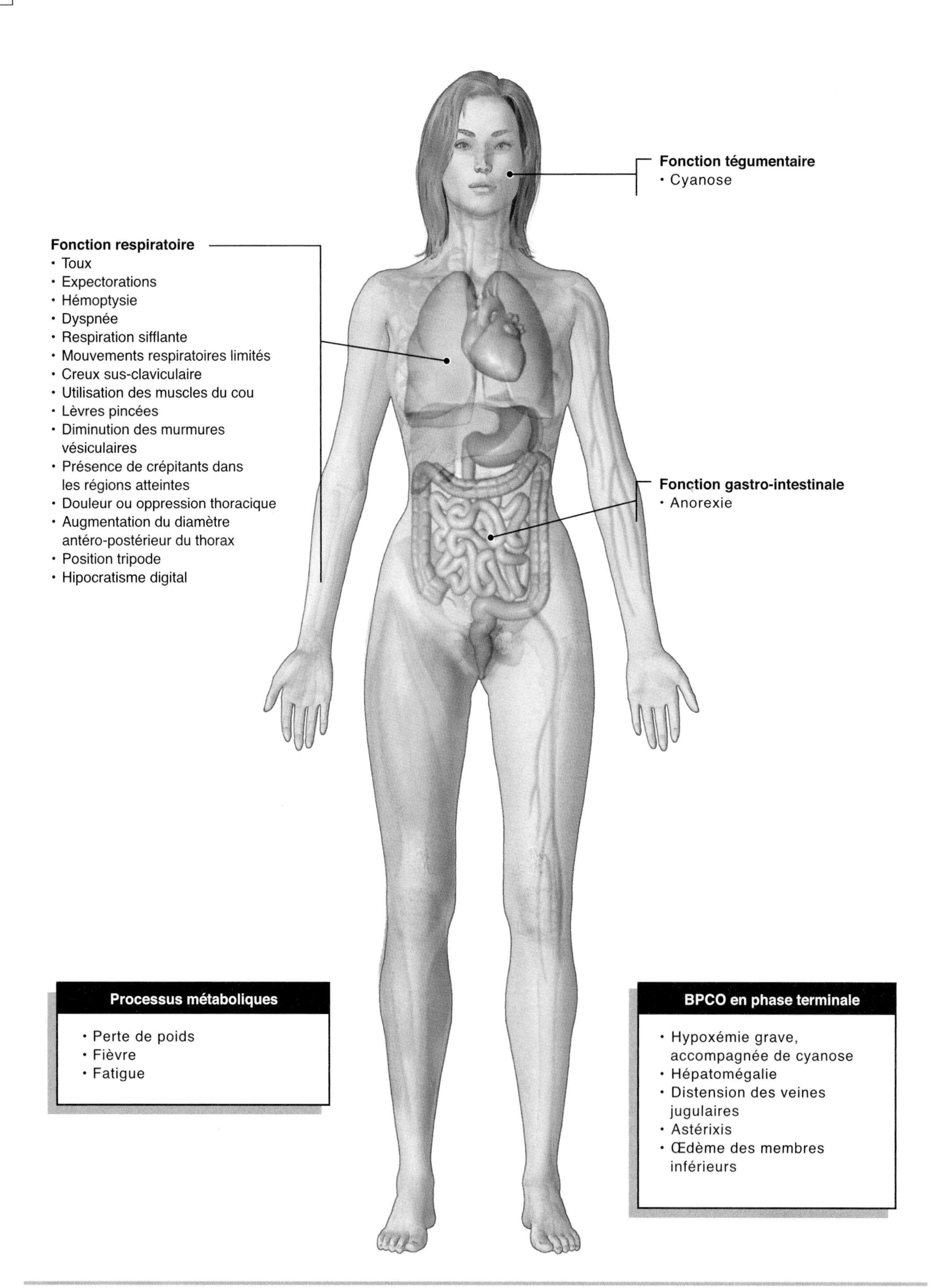

FIGURE 26-3 ■ Effets multisystémiques de la BPCO. SOURCE : © Stéphane Bourrelle.

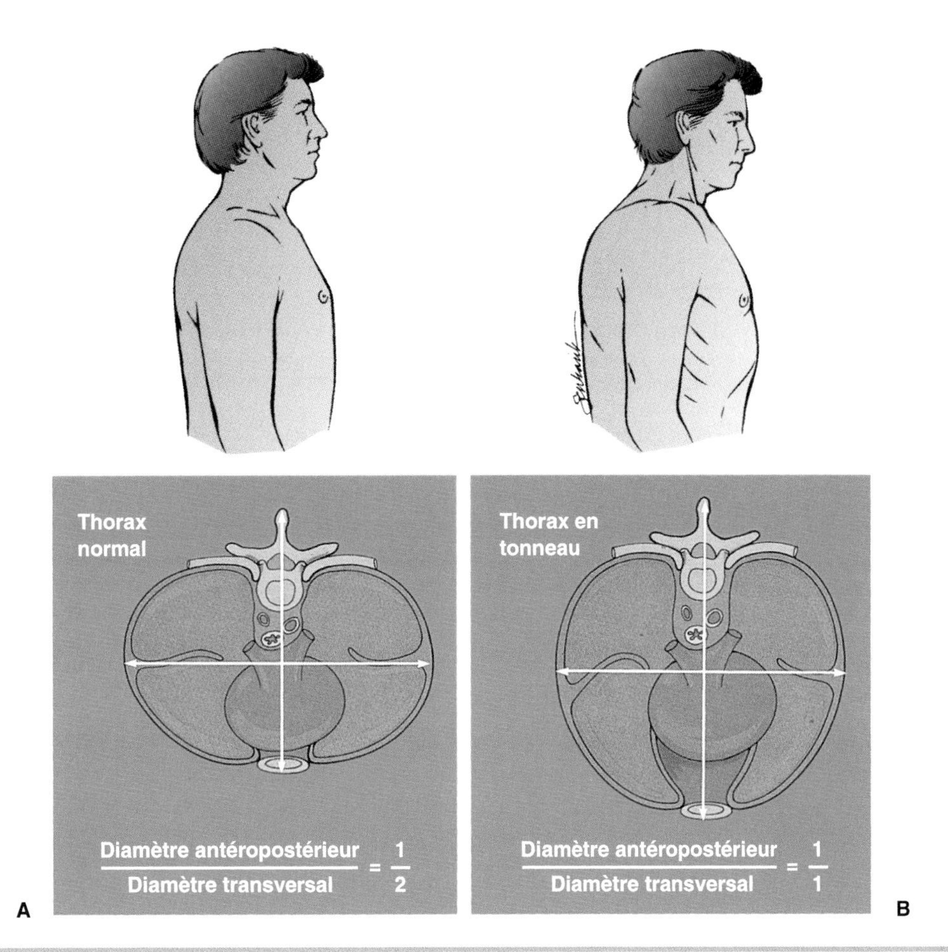

FIGURE 26-4 ■ **(A)** Paroi thoracique normale et coupe transversale. **(B)** Paroi thoracique en cas d'emphysème et coupe transversale. Le «thorax en tonneau» caractérise l'emphysème.

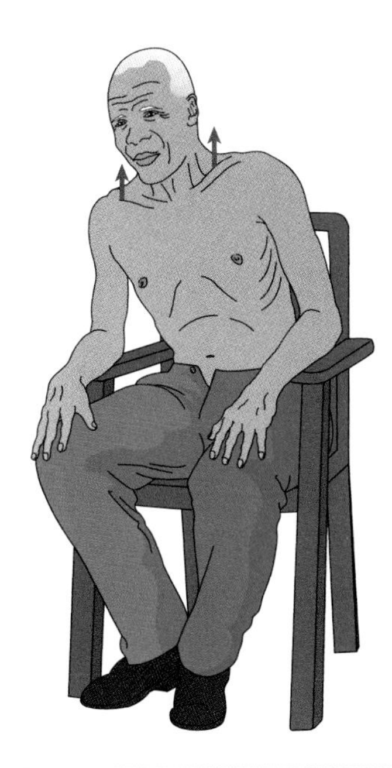

FIGURE 26-5 ■ Posture typique d'une personne souffrant de BPCO, et principalement d'emphysème. La personne a tendance à se pencher vers l'avant et elle utilise ses muscles accessoires pour respirer, de sorte que les épaules se soulèvent. De ce fait, le creux susclaviculaire se rétracte à l'inspiration.

principales caractéristiques de l'asthme sont notamment les suivantes: installation de l'affection souvent à un jeune âge; variabilité des symptômes quotidiens ou du moment de la journée où ils se manifestent; antécédents familiaux d'asthme; et obstruction des voies aériennes fortement réversible. Il peut être difficile de distinguer la BPCO de l'asthme chronique, mais les meilleurs indices sont les antécédents de la personne et sa réponse aux bronchodilatateurs. Lors du diagnostic différentiel, on doit également tenir compte de l'insuffisance cardiaque, de la bronchectasie et de la tuberculose (NIH, 2001a).

Complications

L'insuffisance respiratoire est la principale complication mortelle de la BPCO. L'intensité de l'insuffisance respiratoire à ses débuts et sa gravité dépendent des valeurs initiales de la fonction respiratoire, des résultats de la sphygmooxymétrie ou de l'analyse des gaz artériels, ainsi que de la présence d'affections intercurrentes et de la gravité des autres complications de la BPCO. L'insuffisance respiratoire peut être chronique (en présence d'une BPCO grave) ou aiguë (en cas de bronchospasmes intenses ou de pneumonie, chez les personnes atteintes d'une BPCO grave). En cas d'insuffisance respiratoire aiguë, on doit recourir à la ventilation assistée jusqu'à ce qu'on puisse traiter les autres complications aiguës, comme

RECHERCHE EN SCIENCES INFIRMIÈRES 26-1

Activité physique chez les personnes atteintes de BPCO

B. Belza, B.G. Steele, J. Hunziker, S. Lakshminaryan, L. Holt et D.M. Buchner (2001). Correlates of physical activity in chronic obstructive pulmonary disease. *Nursing Research, 50*(4), 195-202.

OBJECTIF

La tolérance à l'effort physique est un élément déterminant de la qualité de vie des personnes atteintes de BPCO. Cependant, le rôle joué par les variables psychologiques et physiologiques à cet égard n'a pas été complètement élucidé. Le but de cette étude était de déterminer les liens entre les différentes mesures de la performance fonctionnelle (activité physique, capacité fonctionnelle, symptômes présents et qualité de vie reliée à la santé) dans cette population.

DISPOSITIF ET ÉCHANTILLON

Lors de cette étude descriptive transversale, on a évalué en consultation externe 63 personnes atteintes de BPCO, avant de les inscrire à un programme de rééducation respiratoire. L'échantillon était constitué surtout d'hommes (60 hommes et 3 femmes), dont l'âge moyen était de 65,4 ans (± 8,0 ans). Aucun des participants n'avait été hospitalisé au cours des 2 derniers mois en raison d'un problème respiratoire ni ne participait à un programme d'exercices structuré. On a déterminé la performance fonctionnelle à l'aide de la tolérance à l'effort physique (mesurée par un accéléromètre et par l'autoévaluation). La capacité fonctionnelle, quant à elle, a été déterminée par trois mesures de l'invalidité (exploration de la fonction respiratoire [VEMS], test de marche de 6 minutes et questionnaire d'autoévaluation sur la capacité de marcher). Les symptômes de dyspnée et de fatigue, ainsi que la qualité de vie liée à la santé, ont été évalués à l'aide de questionnaires fiables et validés, largement utilisés.

RÉSULTATS

Au départ, on avait inscrit à cette étude 69 sujets, mais on en a retiré 6 en raison de données insuffisantes. L'activité physique quotidienne, mesurée par l'accéléromètre, a été fortement associée à la distance maximale parcourue en 6 minutes et au degré d'obstruction des voies aériennes, mesuré par les épreuves d'exploration de la fonction respiratoire, l'autoévaluation de la capacité de marcher et l'état de santé physique. On n'a pas établi de corrélation entre l'activité physique et l'autoévaluation de l'état fonctionnel. La marche de 6 minutes a été le seul prédicteur d'activité physique au sein de cet échantillon.

IMPLICATIONS POUR LA PRATIQUE INFIRMIÈRE

La performance fonctionnelle est une mesure multidimensionnelle de l'issue de l'affection, importante pour les infirmières comme pour les médecins. Cette étude montre que les différentes mesures de la performance fonctionnelle, qui sont souvent utilisées dans la pratique clinique et la recherche, ne renseignent pas uniformément sur le niveau réel de tolérance à l'effort physique.

l'infection. La prise en charge des personnes qui ont besoin d'une ventilation assistée est abordée dans le chapitre 27. Les autres complications de la BPCO sont notamment la pneumonie, l'atélectasie, le pneumothorax et le cœur pulmonaire.

Traitement médical

Réduction du risque

L'abandon de la cigarette est l'intervention la plus efficace pour prévenir la BPCO ou en ralentir l'évolution (NIH, 2001a). Selon l'enquête de surveillance de l'usage du tabac au Canada, seulement 20 % de la population âgée de 15 ans et plus, soit 5 millions de personnes, fumaient en 2004 (Santé Canada, 2004). C'est le taux le plus bas jamais enregistré. Non seulement il y a moins de fumeurs, mais la consommation moyenne de cigarettes a diminué aussi: elle était de 20,6 cigarettes par jour en 1985, comparativement à 15,2 cigarettes en 2004. Le tabagisme demeure néanmoins la première cause de maladies et de décès prématurés évitables au Canada: on estime que 45 000 Canadiens, dont 1 000 non-fumeurs, sont décédés à cause du tabac en 2004 (Santé Canada, 2005a). Les infirmières ont un rôle important à jouer auprès des fumeurs: elles doivent leur exposer non seulement les avantages de l'abandon de la cigarette, mais aussi les méthodes de sevrage efficaces. Les personnes chez qui on a diagnostiqué une BPCO, mais qui continuent de fumer, doivent être encouragées à se désaccoutumer du tabac et recevoir l'aide nécessaire pour atteindre cet objectif. Les facteurs associés aux difficultés de désaccoutumance, qui varient selon les personnes, sont notamment les suivants: forte dépendance à la nicotine, exposition continue aux stimuli associés au tabagisme (au travail ou lors des activités sociales), stress, dépression et habitude de fumer. On a observé que les personnes à faible revenu, peu scolarisées ou présentant des problèmes psychosociaux sont plus enclines que les autres à continuer de fumer (Pohl, 2000).

Comme de nombreux facteurs sont associés aux difficultés de désaccoutumance, il faut mettre en œuvre plusieurs stratégies pour aider la personne. Le professionnel de la santé devrait expliquer les avantages de la désaccoutumance, tout en présentant les risques qui sont associés à l'usage du tabac et en personnalisant son message «anti-tabac». Après avoir mis fermement en garde le fumeur contre l'usage du tabac, le professionnel de la santé devrait fixer en collaboration avec ce dernier la date exacte à laquelle cet usage sera abandonné. Un programme de lutte contre le tabagisme peut se révéler très utile. Pour garantir le succès de sa démarche, le professionnel de la santé devrait faire un suivi dans les 3 à 5 jours qui suivent la date prévue de l'abandon de la cigarette afin de passer en revue les progrès réalisés et de résoudre les problèmes éventuels; il faudrait répéter le suivi, selon les besoins. Il est également extrêmement bénéfique d'effectuer un renforcement continu par des appels téléphoniques ou des visites à la clinique. Toute rechute devrait être analysée. Le

ENCADRÉ 26-2

EXAMEN CLINIQUE

Principaux facteurs à évaluer chez la personne atteinte de BPCO

- Exposition aux facteurs de risque: types, intensité, durée
- Antécédents médicaux: affections et problèmes respiratoires, notamment asthme, allergies, sinusite, polypes nasaux et antécédents d'infection des voies respiratoires
- Antécédents familiaux de BPCO ou d'autres affections respiratoires chroniques
- Profil des symptômes
- Antécédents d'exacerbations ou d'hospitalisation en raison de problèmes respiratoires
- Présence d'affections intercurrentes
- Efficacité des traitements courants
- Répercussions de l'affection sur la qualité de la vie
- Possibilité de bénéficier d'un soutien familial et social
- Possibilité de réduire les facteurs de risque (par exemple abandon de la cigarette)

TABLEAU 26-1

Stades de la BPCO

Stades	Caractéristiques
0 (À risque)	■ Résultats spirométriques normaux ■ Symptômes chroniques: toux, production d'expectorations
I (BPCO légère)	■ VEMS/CV < 70 % ■ VEMS ≥ 80 % du taux prévu ■ Présence ou absence de symptômes chroniques (toux et expectorations)
II (BPCO modérée)	■ VEMS/CV < 70 % ■ VEMS ≤ à 50 % ou < 80 % du taux prévu ■ Présence ou absence de symptômes chroniques (toux et expectorations)
III (BPCO grave)	■ VEMS/CV < 70 % ■ VEMS ≤ 30 % ou < 50 % du taux prévu, accompagné d'insuffisance respiratoire ou de signes cliniques d'insuffisance cardiaque droite
IV (BPCO très grave)	■ VEMS/CV < 70 % ■ VEMS < 30 % du taux prévu ou VEMS < 50 % du taux prévu avec insuffisance respiratoire chronique

SOURCE: GOLD – Global Initiative for Chronic Obstructive Lung Disease (2005). http://www.goldcopd.com.

professionnel de la santé et le fumeur devraient en examiner les causes et trouver des solutions pour y remédier. Il est important de mettre l'accent sur les succès plutôt que sur les échecs. Les agents administrés en première intention qui augmentent de façon fiable les taux d'abstinence à long terme sont les suivants: bupropion SR (Zyban, Wellbutrin), gomme à mâcher à la nicotine, nicotine en aérosol, nicotine en vaporisateur nasal ou timbres à la nicotine. De la clonidine (Catapres) et ou de la nortriptyline (Aventyl) peuvent également être prescrites en deuxième intention (USPHS, 2000).

Le programme d'abandon de la cigarette peut débuter dans divers établissements de soins (par exemple services de consultations externes, centres de rééducation respiratoire, centres communautaires ou établissements de soins). Le fumeur peut également s'engager dans un programme à domicile. Dans tous les cas, l'infirmière devrait lui exposer les risques qu'il court et les avantages de la désaccoutumance. Il existe une vaste gamme de matériel, de ressources et de programmes qui peuvent aider le fumeur dans sa démarche (voir les «Ressources et sites Web» proposés le Compagnon Web de l'ouvrage).

Pharmacothérapie

Le choix des médicaments utilisés dépend de la gravité de l'affection. En cas de BPCO légère (stade I), on peut prescrire un bronchodilatateur à action brève à prendre au besoin. En cas de BPCO modérée (stade II), on peut associer des bronchodilatateurs à action brève avec des bronchodilatateurs à action prolongée. En cas de BPCO grave ou très grave (stade III et IV), on doit administrer à intervalles réguliers un ou plusieurs bronchodilatateurs et des corticostéroïdes par inhalation (GOLD, 2005).

Bronchodilatateurs Les bronchodilatateurs soulagent le bronchospasme et diminuent l'obstruction des voies aériennes en améliorant la distribution pulmonaire de l'oxygène et la ventilation alvéolaire. Ces médicaments sont la pierre angulaire du traitement de la BPCO (GOLD, 2005); on peut les administrer par aérosol-doseur, par inhalateur à poudre sèche, par nébuliseur ou par voie orale, sous forme de comprimés ou de liquide. Les bronchodilatateurs peuvent être pris selon un horaire quotidien fixe, mais aussi au besoin. On peut également les prescrire en traitement prophylactique de la dyspnée. Dans ce cas, il faut recommander à la personne de les prendre avant les repas ou avant d'effectuer une activité (par exemple manger ou marcher).

L'**aérosol-doseur** est un flacon pressurisé qui contient une solution médicamenteuse délivrée sous forme de bouffées d'aérosol. Chaque fois que la personne enfonce la cartouche, une quantité donnée de médicament est libérée (Dhand, 2000). On doit enseigner à la personne le mode d'emploi approprié de l'aérosol-doseur. L'utilisation d'une chambre d'inhalation permet à une plus grande quantité de particules aérosolisées de se déposer dans les poumons, tout en aidant la personne à mieux synchroniser l'actionnement de la cartouche et l'inspiration. Il existe plusieurs modèles de chambres d'inhalation, mais toutes sont fixées à l'aérosol-doseur et munies d'un embout buccal à l'extrémité opposée (figure 26-6 ■). Une fois la cartouche actionnée, le médicament est libéré dans la chambre d'inhalation qui le retient sous forme de particules aérosolisées jusqu'au moment de l'inspiration (Dhand, 2000). La personne devrait prendre une inspiration lente, qui dure de 3 à 5 secondes, immédiatement après avoir actionné la pompe (Expert Panel Report II, 1997).

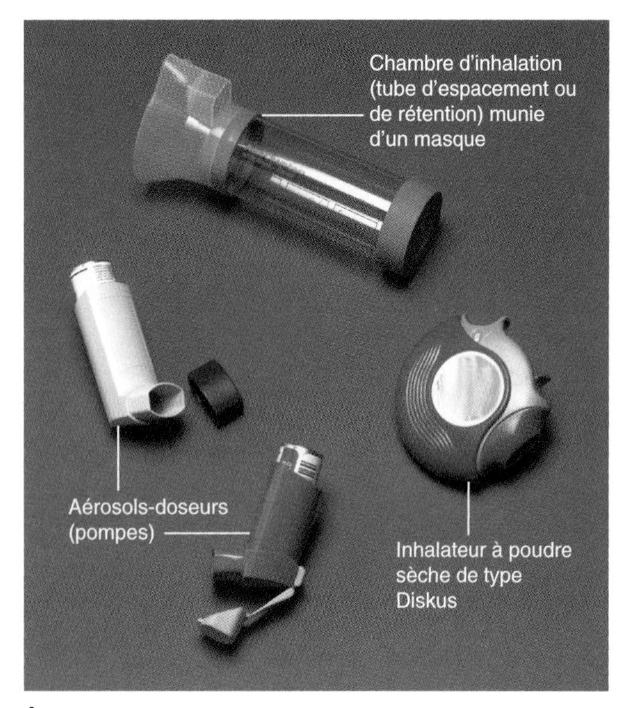

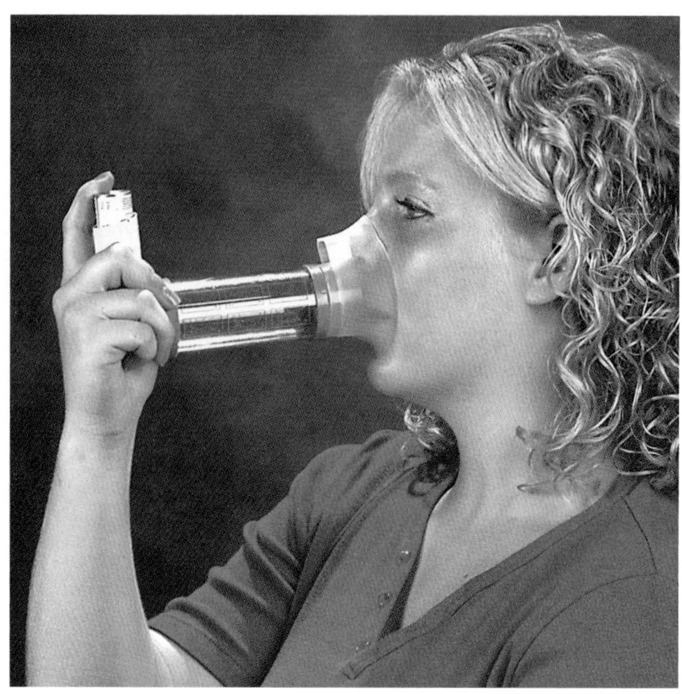

FIGURE 26-6 ■ **(A)** Exemples d'aérosols-doseurs et de chambres d'inhalation. **(B)** Utilisation d'un aérosol-doseur muni d'une chambre d'inhalation.

Les **inhalateurs à poudre sèche** sont aussi des dispositifs qui permettent l'administration de médicaments en inhalation. Il y en a plusieurs types: Aerolizer, Diskus, Handihaler et Turbuhaler. On doit enseigner à la personne le mode d'emploi propre à chacun de ces dispositifs, car malgré certains points communs la technique d'utilisation diffère pour chacun. Contrairement aux aérosols-doseurs, ils ne contiennent pas d'agent propulseur, n'exigent pas de synchronisme de la part de la personne, mais demandent un débit inspiratoire supérieur pour obtenir une bonne distribution du médicament dans les poumons. La personne doit activer le dispositif pour rendre la poudre accessible. Pour ce faire, elle emploie la méthode qui convient au type inhalateur qu'elle utilise. Ensuite, elle porte l'embout à sa bouche et inspire profondément pour inhaler la poudre contenue dans l'appareil.

On utilise plusieurs classes de bronchodilatateurs: les agonistes bêta$_2$-adrénergiques, les agents anticholinergiques et les méthylxanthines. On peut les administrer en association afin d'optimiser l'effet bronchodilatateur. Certains de ces agents ont une action brève, et d'autres une action prolongée. Les bronchodilatateurs à action prolongée permettent d'obtenir un effet plus soutenu, ce qui augmente leur efficacité et facilite le traitement en diminuant le nombre d'inhalations requises par jour. Des exemples de médicaments appartenant à ces différentes classes sont présentés dans le tableau 26-2 ■. Les médicaments administrés par nébuliseur (pulvérisation d'un liquide médicamenteux en fines gouttelettes à l'aide d'un compresseur d'air) sont également efficaces chez les personnes qui ne peuvent pas utiliser un aérosol-doseur de façon appropriée ou qui préfèrent cette méthode d'administration.

Corticostéroïdes Bien qu'ils soient surtout utilisés dans le traitement de l'asthme, les corticostéroïdes administrés par inhalation ou par voie générale (orale ou intraveineuse) peuvent aussi être employés dans le traitement de la BPCO. Ils ne ralentissent pas la détérioration de la fonction respiratoire, mais ils peuvent atténuer les symptômes de l'affection. On peut administrer des corticostéroïdes par inhalation de façon prolongée chez les personnes ayant un VEMS inférieur à 50 % (classes III et IV) et des exacerbations répétées (par exemple 3 dans les 3 dernières années). Les corticostéroïdes systémiques (par voie orale ou parentérale) sont très utiles dans le traitement des exacerbations. Ils en diminuent la durée, aident à la récupération de la fonction pulmonaire et pourraient réduire le risque de récidives. L'administration de corticostéroïdes par voie orale de façon prolongée n'est pas recommandée, car elle n'apporte pas de bénéfice et cause de nombreux effets indésirables. L'utilisation d'une corticothérapie orale de courte durée (2 semaines) ne semble pas être un bon prédicteur pour évaluer la réponse à long terme aux corticostéroïdes en inhalation (GOLD, 2005). Voici des exemples de corticostéroïdes qu'on peut administrer par inhalation: béclométhasone (Qvar), budésonide (Pulmicort), fluticasone (Flovent).

Autres médicaments À titre de prophylaxie des exacerbations de la BPCO, on devrait administrer un vaccin antigrippal, tous les ans, et un vaccin antipneumococcique, tous les 5 à 7 ans. Chez la plupart des adultes en bonne santé, le titre du vaccin antipneumococcique persiste pendant 5 ans ou plus (George, San Pedro et Stooer, 2000). Les autres modalités de traitement pharmacologiques de la BPCO sont le traitement de renforcement par l'alpha$_1$-antitrypsine, l'antibiothérapie et l'administration d'agents mucolytiques.

TABLEAU 26-2

Divers types de bronchodilatateurs

Classe/médicament	Méthode d'administration				
	Aérosol-doseur	**Poudre sèche**	**Nébuliseur**	**Voie orale**	**Durée d'action**
AGONISTES BÊTA$_2$-ADRÉNERGIQUES					
■ Fénotérol (Berotec)	X		X		Moyenne
■ Formotérol (Foradil, Oxeze)		X			Prolongée
■ Salbutamol (Airomir, Ventolin)	X	X	X	X	Brève
■ Salmétérol (Serevent)	X	X			Prolongée
■ Terbutaline (Bricanyl)		X	X		Brève
AGENTS ANTICHOLINERGIQUES					
■ Ipratropium (Atrovent)	X		X		Brève
■ Tiotropium (Spiriva)		X			Prolongée
MÉTHYLXANTHINES					
■ Aminophylline (Phyllocontin)				X	Variable
■ Théophylline (Theo-Dur, Uniphyl)				X	Variable
ASSOCIATIONS MÉDICAMENTEUSES					
■ Salbutamol + ipratropium (Combivent); fluticasone + salmétérol (Advair); formotérol + budésonide (Symbicort)	X (Combivent, Advair)	X (Advair Diskus, Symbicort)			Variable

Action brève: de 4 à 6 heures.
Action moyenne: de 6 à 8 heures.
Action prolongée: 12 heures ou plus.

Prise en charge des exacerbations

Il est difficile de diagnostiquer une exacerbation de la BPCO, mais les signes et symptômes possibles sont notamment les suivants: dyspnée accrue, production de plus grandes quantités d'expectorations purulentes, insuffisance respiratoire, modification de l'état mental ou aggravation des anomalies reliées aux gaz sanguins. Les principales causes d'une exacerbation aiguë sont l'infection trachéobronchique et la pollution atmosphérique (NIH, 2001a). Les causes secondaires sont les suivantes: pneumonie, embolie pulmonaire, pneumothorax, fractures des côtes ou traumatismes thoraciques, usage inapproprié des sédatifs, des opioïdes ou des bêtabloquants, et insuffisance cardiaque droite ou gauche. Il faut d'abord déterminer la cause principale de l'exacerbation, puis prendre les mesures qui s'imposent. Le traitement en première intention consiste à optimiser la pharmacothérapie par les bronchodilatateurs. Il s'agit de trouver le meilleur médicament ou les meilleures associations médicamenteuses pour la personne et d'établir le calendrier optimal des prises. Selon les signes et symptômes, on peut également prescrire des corticostéroïdes, des antibiotiques, une oxygénothérapie et des interventions respiratoires intensives. En cas d'exacerbation aiguë de la BPCO, l'hospitalisation est indiquée dans les cas suivants: dyspnée grave qui ne répond pas adéquatement au traitement initial; confusion ou léthargie; fatigue des muscles respiratoires; mouvements paradoxaux de la paroi thoracique; œdème périphérique; aggravation ou nouvelle manifestation de la cyanose centrale; hypoxémie persistante ou aggravée; et nécessité de recourir à une ventilation artificielle assistée, qu'elle soit effractive ou non (Celli, Snider, Heffner *et al.*, 1995; NIH, 2001a).

Oxygénothérapie

On peut administrer l'oxygénothérapie de façon continue et prolongée, au cours de l'effort ou dans le but de prévenir une dyspnée aiguë. L'oxygénothérapie prolongée améliore la qualité de la vie et la survie de la personne (NIH, 2001a). Chez les personnes dont la pression d'oxygène dans le sang artériel (PaO_2) est égale ou inférieure à 55 mm Hg de l'air ambiant, le maintien d'une sphygmooxymétrie constante et adéquate (> 90 %) est associé à un taux de mortalité beaucoup plus faible et à une meilleure qualité de la vie. L'oxygénothérapie d'appoint est indiquée si la PaO_2 est égale ou inférieure à 55 mm Hg ou s'il y a des signes évidents d'hypoxie tissulaire et de lésion d'organes (par exemple cœur pulmonaire, polycythémie secondaire, œdème dû à une insuffisance cardiaque droite ou altération de l'état mental). L'oxygénothérapie peut améliorer la tolérance à l'effort chez les personnes atteintes d'hypoxémie engendrée par l'effort. Les personnes qui sont hypoxémiques à l'état de veille le seront vraisemblablement aussi pendant leur sommeil; on recommande donc de leur administrer l'oxygénothérapie pendant la nuit, soit 24 heures durant. L'oxygénothérapie intermittente est indiquée lorsque la désaturation ne se produit qu'à l'effort ou pendant le sommeil.

ALERTE CLINIQUE *Comme l'hypoxémie stimule la respiration en cas de BPCO grave, une forte augmentation du flux d'oxygène peut élever fortement la concentration sanguine de l'oxygène. Mais, du même coup, la pulsion respiratoire sera supprimée: la rétention du gaz carbonique sera donc accrue, ce qui engendre un risque de narcose sous l'effet du CO_2. L'infirmière devrait suivre de près la réponse respiratoire à l'oxygénothérapie, en recourant à des examens physiques, à la sphygmooxymétrie et (ou) à la mesure des gaz du sang artériel.*

Traitement chirurgical

Bullectomie La bullectomie est une intervention chirurgicale possible chez les personnes atteintes d'emphysème bulleux. Les bulles sont des espaces aériens étendus, qui ne contribuent pas à la ventilation, mais qui occupent de l'espace dans le thorax; ces bulles peuvent donc être excisées par voie chirurgicale. Il arrive souvent que les bulles compriment des aires pulmonaires où les échanges gazeux sont adéquats. La bullectomie peut aider à réduire la dyspnée et à améliorer la fonction respiratoire. On peut l'effectuer par thoracoscopie (à l'aide d'un thoracoscope sous assistance vidéo) ou par thoracotomie pratiquée par une petite incision (chapitre 27 CD).

Chirurgie de réduction du volume pulmonaire Les options thérapeutiques sont limitées en cas de BPCO en phase terminale (stade IV) accompagnée d'emphysème primaire. La chirurgie de réduction du volume pulmonaire peut toutefois convenir à un sous-groupe particulier: les personnes dont l'affection est homogène ou localisée, c'est-à-dire non disséminée dans tout le poumon. La chirurgie de réduction du volume pulmonaire consiste à exciser une portion du parenchyme pulmonaire affecté, ce qui permet au tissu fonctionnel de se régénérer, améliorant ainsi l'élasticité du poumon et la mécanique pariétale et diaphragmatique. Bien qu'il ne soit pas curatif, ce type de chirurgie peut atténuer la dyspnée et améliorer la fonction respiratoire et la qualité de la vie dans son ensemble. Il est essentiel de choisir soigneusement les personnes appelées à subir cette intervention afin de diminuer le risque de morbidité et de mortalité. Les résultats à long terme sont inconnus.

L'étude NETT (National Emphysema Treatment Trial) est une vaste étude clinique multicentrique, à répartition aléatoire, amorcée en 1997 et toujours en cours. Le but de cette étude est de répondre à de nombreuses questions sur les risques et les bienfaits de la chirurgie de réduction du volume pulmonaire dans le traitement de l'emphysème grave. Tous les participants à cette étude suivent un programme de rééducation respiratoire d'une durée de 6 à 10 semaines et reçoivent des soins médicaux complets. Une fois le programme de rééducation respiratoire achevé, les personnes sont réparties en deux groupes: les personnes du premier groupe poursuivent le traitement médical, tandis que celles du second groupe sont soumises à la chirurgie de réduction du volume pulmonaire. Les résultats de cette étude permettront de déterminer le rôle de ce type de chirurgie chez les personnes atteintes d'emphysème grave (NIH, 2001b). On prévoit que 2500 personnes participeront à cette étude.

Greffe de poumon La greffe de poumon est une option valable en matière de traitement chirurgical définitif de l'emphysème en phase terminale. On a constaté que la greffe permettait d'améliorer la qualité de la vie et la capacité fonctionnelle (NIH, 2001c). La personne candidate à une greffe de poumon doit répondre à des critères précis; toutefois, les organes de donneurs sont peu nombreux et nombre de candidats à la greffe décèdent pendant la période d'attente.

Rééducation fonctionnelle respiratoire

On utilise la rééducation de la fonction respiratoire pour réduire les symptômes et optimiser l'état fonctionnel chez les personnes atteintes de BPCO. C'est une méthode dont l'utilité est bien établie et qui est largement acceptée. Les études à répartition aléatoire ou non aléatoire ont montré que la rééducation respiratoire permettait d'améliorer la tolérance à l'effort, de réduire la dyspnée et d'améliorer la santé et, de ce fait, la qualité de la vie (Rochester, 2000). L'objectif principal de la rééducation est de redonner aux personnes atteintes le niveau le plus élevé possible d'autonomie et d'améliorer leur qualité de la vie. Pour réussir, le programme de rééducation respiratoire doit être personnalisé et multidisciplinaire, tout en répondant aux besoins particuliers tant physiologiques qu'affectifs de la personne. La plupart des programmes de rééducation respiratoire comportent des volets didactiques, psychosociaux, comportementaux et physiques. On recommande à la personne des exercices de respiration, ainsi que des programmes d'exercices et de réadaptation, pour améliorer son état fonctionnel, et on lui enseigne les méthodes qui lui permettront d'atténuer ses symptômes.

On peut recourir à la rééducation respiratoire dans un but thérapeutique en présence d'autres affections que la BPCO, notamment l'asthme, la fibrose kystique, le cancer du poumon ou l'affection pulmonaire interstitielle, tout comme après une chirurgie thoracique ou une greffe de poumon. On peut mener ces programmes, dont la durée est variable, en milieu hospitalier, dans des services de consultations externes et même à domicile. Le choix du programme dépend de son accessibilité ainsi que de l'état physique, fonctionnel et psychosocial de la personne, de ses préférences ainsi que des nouvelles tendances thérapeutiques (Rochester, 2000).

Soins et traitements infirmiers

L'infirmière joue un rôle important dans le choix des personnes candidates à un programme de rééducation respiratoire, ainsi que dans le renforcement des apprentissages et des acquis qui en découlent. Toutes les personnes atteintes de BPCO ne peuvent participer à un programme de rééducation respiratoire en bonne et due forme. Toutefois, l'infirmière peut enseigner à la personne atteinte et aux membres de sa famille certains aspects d'un tel programme et faciliter l'accès à des services particuliers (par exemple inhalothérapie, physiothérapie, rééducation fonctionnelle, ergothérapie de préservation de l'énergie pendant les activités de la vie quotidienne et conseils alimentaires). De plus, l'infirmière peut recourir à de nombreux types de matériel didactique pour donner son enseignement. Quelques-uns des organismes que les personnes atteintes de BPCO peuvent contacter figurent dans la section «Ressources et sites Web» du Compagnon Web de l'ouvrage.

RECHERCHE EN SCIENCES INFIRMIÈRES 26-2

Administration d'oxygène et traitement de la dyspnée chez les personnes présentant un déficit en alpha$_1$-antitrypsine

A.R. Knebel, E. Bentz et P. Barnes (2000). Dyspnea management in alpha-1 antitrypsin deficiency: Effect of oxygen administration. *Nursing Research, 49*(6), 333-338.

OBJECTIF

Les personnes atteintes d'emphysème, dont celles qui présentent un déficit en alpha$_1$-antitrypsine (AAT), sont souvent obligées de réduire leurs activités. Le but de cette étude était de déterminer si l'oxygénothérapie de courte durée pouvait diminuer la dyspnée et améliorer la tolérance à l'effort chez les personnes, non hypoxémiques, atteintes d'emphysème attribuable à un déficit en AAT.

DISPOSITIF ET ÉCHANTILLON

Ont participé à cette étude croisée, à double insu, 31 personnes de race blanche, dont l'âge moyen était de 47 ans (± 7 ans); 62 % des participants étaient des hommes et 38 %, des femmes. Parmi ces personnes, 24 avaient utilisé l'oxygénothérapie à une certaine étape de leur affection. On a mesuré la saturation en oxygène et évalué la dyspnée pendant une marche de 6 minutes et à la fin de cet exercice, à 3 reprises, et cela chez deux groupes: un groupe qui a accompli l'exercice de marche avec administration d'oxygène par sonde nasale (groupe traité) et un autre qui l'a accompli avec administration d'air comprimé (groupe témoin).

RÉSULTATS

Les chercheurs ont trouvé des différences significatives sur le plan de la sphygmooxymétrie entre les sujets qui ont reçu de l'oxygène pendant l'exercice et ceux qui ont reçu de l'air comprimé ($p = 0,0001$), la sphygmooxymétrie étant plus élevée dans le premier groupe que dans le deuxième. On n'a pas noté de différence entre les deux groupes pour ce qui est de la distance parcourue et de la gravité de la dyspnée signalée par les personnes. Toutefois, on a relevé certaines différences entre les deux sexes. Les hommes n'ont pas retiré de bénéfice de l'oxygénothérapie administrée pendant la marche, tandis que les femmes ont été moins gênées par la dyspnée et, de ce fait, ont pu parcourir une plus grande distance.

IMPLICATIONS POUR LA PRATIQUE INFIRMIÈRE

D'après les résultats obtenus chez tous les participants présentant un déficit en AAT, l'apport en oxygène n'a pas amélioré de façon notable la sensation de dyspnée, ni augmenté la distance parcourue en 6 minutes. Toutefois, dans le groupe sous oxygénothérapie, on a relevé des différences entre les sexes pour ce qui est de la gravité de la dyspnée et de la distance parcourue. Des études devraient à l'avenir être menées auprès de personnes présentant divers degrés d'hypoxémie dans l'air ambiant. On devrait également se pencher de plus près sur les différences possibles entre les deux sexes en matière de tolérance à l'effort en cas d'administration d'une oxygénothérapie. Les infirmières devraient être conscientes du fait que la réponse à l'oxygénothérapie peut dépendre de l'affection sous-jacente, du degré d'hypoxémie et du sexe de la personne.

Enseignement

L'enseignement est une composante essentielle de la rééducation respiratoire et peut porter sur une grande diversité de sujets. Selon la durée du programme et le milieu où il se déroule, il peut notamment s'agir des sujets suivants: anatomie et physiologie normales des poumons; physiopathologie de la BPCO et changements qu'elle provoque; pharmacothérapie et oxygénothérapie à domicile; alimentation; diverses inhalothérapies; soulagement des symptômes; abandon du tabac; sexualité en présence de BPCO; adaptation à la maladie chronique; communication avec les membres de l'équipe de soins; et planification de l'avenir (directives par anticipation, testament biologique, décisions éclairées au sujet des autres options de soins).

Exercices respiratoires Chez la plupart des personnes atteintes de BPCO, la respiration est superficielle, rapide et inefficace. Plus l'affection est grave, plus la respiration devient inefficace. La respiration des personnes atteintes de BPCO s'effectue dans la partie supérieure du thorax. Des exercices de respiration aident à transformer ce type de respiration en respiration diaphragmatique, ce qui diminue la fréquence respiratoire, augmente la ventilation alvéolaire et permet parfois d'expulser tout l'air possible pendant l'expiration (chapitre 27). La respiration à lèvres pincées permet de ralentir l'expiration, prévient l'affaissement des petites voies aériennes et aide la personne à régler la fréquence et la profondeur de sa respiration. Ce type d'expiration aide également la personne à se détendre, car elle lui permet de mieux maîtriser la dyspnée et d'atténuer son sentiment de panique.

Entraînement des muscles inspiratoires Une fois que la personne maîtrise bien la technique de respiration diaphragmatique, on peut lui prescrire un programme d'entraînement des muscles inspiratoires pour l'aider à renforcer les muscles sollicités lors de la respiration. Ce type d'entraînement consiste à effectuer une respiration contre résistance tous les jours, pendant 10 à 15 minutes. Les muscles se renforcent au fur et à mesure qu'on augmente la résistance. La mise en forme des muscles respiratoires prend du temps; c'est pourquoi on conseille à la personne de poursuivre ses exercices à domicile (Larson, Covey, Wirtz *et al.*, 1999; NIH, 2001a).

Répartition des activités Chez la personne atteinte de BPCO, la tolérance à l'effort est réduite à des moments précis de la journée, particulièrement le matin au lever, car la position couchée entraîne l'accumulation des sécrétions bronchiques dans les poumons pendant la nuit. La personne peut avoir du mal à se laver ou à s'habiller. Les mouvements exigeant de maintenir les bras au-dessus de la poitrine peuvent entraîner fatigue ou détresse respiratoire, mais ils sont généralement mieux tolérés après que la personne a vaqué à ses occupations pendant au moins 1 heure. Avec l'aide de l'infirmière, la personne peut surmonter ces problèmes en planifiant ses activités d'autosoins et en déterminant les moments les plus propices pour se laver, s'habiller ou accomplir les tâches quotidiennes.

Autosoins À mesure que les échanges gazeux, le dégagement des voies aériennes et le mode de respiration s'améliorent, on encourage la personne à participer de plus en plus activement à ses propres soins. On lui apprend comment coordonner la respiration diaphragmatique lors d'un effort, par exemple lorsqu'elle marche, prend un bain, se penche en avant ou monte des escaliers. Pendant qu'elle prend son bain, s'habille ou fait une courte promenade, la personne devrait s'accorder quelques instants de repos afin de prévenir la fatigue et une dyspnée excessive. Elle devrait toujours garder de l'eau ou une boisson à portée de la main afin de s'hydrater régulièrement. Si le drainage postural doit être pratiqué à la maison, l'infirmière enseigne à la personne la méthode appropriée avant que cette dernière ne quitte l'établissement de soins ou lorsqu'elle se présente au service de consultations externes. De plus, l'infirmière doit s'assurer que la personne a bien compris les consignes.

Conditionnement physique Les techniques de mise en forme comprennent des exercices de respiration et des exercices généraux de préservation de l'énergie et d'augmentation de la ventilation pulmonaire. La bonne forme physique et la santé respiratoire sont étroitement liées. Des exercices gradués et des programmes de conditionnement physique (sur tapis roulant ou vélo d'exercice) et de marche sur terrain accidenté peuvent aider à atténuer les symptômes et à augmenter la performance respiratoire et la tolérance à l'effort. Toute activité physique régulière améliore la forme physique. Les personnes qui sont capables de se déplacer, mais qui ont besoin d'un supplément d'oxygène pendant un effort physique peuvent utiliser un appareil d'alimentation en oxygène portatif et léger.

Oxygénothérapie Pour administrer l'oxygène à domicile, on utilise des systèmes à gaz comprimé ou à oxygène liquide, ou des concentrateurs. Le recours aux appareils d'alimentation en oxygène portatifs permet à la personne de faire de l'exercice, de travailler ou de voyager. Pour aider la personne à bien observer son oxygénothérapie, l'infirmière lui explique comment régler le débit et le nombre d'heures de traitement prescrit, tout en lui indiquant les dangers auxquels on s'expose si on modifie arbitrairement le débit ou la durée du traitement. Elle doit également prévenir la personne qu'il est extrêmement dangereux de fumer près d'une source d'oxygène ou pendant le traitement. Par ailleurs, l'infirmière peut rassurer la personne en lui expliquant que l'oxygène n'entraîne pas de dépendance. En outre, elle lui recommande de se soumettre à des évaluations régulières de l'oxygénation du sang par sphygmooxymétrie ou par analyse des gaz du sang artériel.

Alimentation L'évaluation nutritionnelle et les conseils portant sur l'alimentation constituent des aspects importants de la rééducation respiratoire. Environ 25 % des personnes atteintes de BPCO sont sous-alimentées (NIH, 2001a; Ferreira, Brooks, Lacasse et Goldstein, 2001). La rééducation comprend également une évaluation attentive des besoins énergétiques de la personne, ainsi que des conseils sur la préparation des repas et sur les suppléments de vitamines ou autres.

Stratégies d'adaptation Tout facteur qui perturbe la respiration normale entraîne tout naturellement de l'anxiété, la dépression et des modifications du comportement. Un grand nombre de personnes se sentent épuisées même après un effort léger. La personne qui souffre de fatigue et d'essoufflement constants peut être irritable, angoissée, et même paniquée. Elle peut également éprouver de la colère, souffrir de dépression ou avoir des comportements revendicateurs en raison des restrictions à ses activités (et de la modification de l'exercice du rôle au sein de la famille entraînée par la perte d'emploi), de la frustration qu'entraîne l'effort nécessaire pour respirer et du fait qu'elle se rend compte du caractère chronique et persistant des symptômes. Si l'affection entraîne aussi un dysfonctionnement sexuel, l'estime de soi sera amoindrie. L'infirmière doit enseigner diverses stratégies d'adaptation au conjoint et aux proches de la personne atteinte: le rôle du proche aidant peut en effet se révéler difficile lorsque la BPCO atteint la phase terminale.

DÉMARCHE SYSTÉMATIQUE dans la pratique infirmière

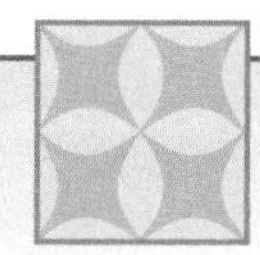

Personne atteinte de BPCO

COLLECTE DES DONNÉES

Au cours de la collecte des données, l'infirmière doit obtenir des renseignements sur les symptômes courants dont souffre la personne atteinte de BPCO et sur les manifestations antérieures de l'affection. Des exemples de questions permettant de dresser un tableau fidèle du processus pathologique sont présentés dans l'encadré 26-3 ■. Non seulement l'infirmière note les antécédents de la personne, mais elle doit aussi examiner les résultats des examens paracliniques qu'elle a à sa disposition.

ANALYSE ET INTERPRÉTATION

Diagnostics infirmiers

En se fondant sur les données recueillies, l'infirmière peut poser les diagnostics infirmiers suivants:

- Échanges gazeux perturbés et dégagement inefficace des voies respiratoires, reliés à l'inhalation prolongée de toxines
- Échanges gazeux perturbés, reliés à un déséquilibre entre la ventilation et la perfusion
- Dégagement inefficace des voies respiratoires, relié à la bronchoconstriction, à une production accrue de mucus, à une toux inefficace, à une infection bronchopulmonaire et à d'autres complications

ENCADRÉ 26-3

EXAMEN CLINIQUE

Bronchopneumopathie chronique obstructive: exemples de questions à poser

ANAMNÈSE

- Depuis combien de temps la personne a-t-elle des problèmes respiratoires?
- L'effort augmente-t-il la dyspnée? Si oui, quel type d'effort?
- Quelles sont les limites de tolérance à l'effort chez cette personne?
- À quels moments de la journée la personne se plaint-elle le plus de fatigue et d'essoufflement?
- Quelles habitudes d'alimentation et de sommeil ont été touchées?
- Que sait la personne au sujet de son affection et de son état?
- Quels sont ses antécédents de tabagisme (primaire et secondaire)?
- Est-elle exposée à la fumée ou à d'autres polluants dans son milieu de travail?
- Quels facteurs ont déclenché la BPCO (effort, odeurs fortes, poussière, exposition à des animaux, etc.)?

EXAMEN PHYSIQUE

- Quelle position la personne adopte-t-elle pendant la consultation?
- Quel est son pouls et quelle est sa fréquence respiratoire?
- Quelles sont les caractéristiques de sa respiration? À l'effort et sans effort? Autres?
- Peut-elle finir une phrase sans chercher son souffle?
- Contracte-t-elle les muscles abdominaux au cours de l'inspiration?
- Utilise-t-elle les muscles accessoires des épaules et du cou lorsqu'elle respire?
- Prend-elle beaucoup de temps pour expirer (expiration prolongée)?
- Y a-t-il des signes de cyanose centrale?
- Les veines de son cou sont-elles gonflées?
- Y a-t-il un œdème périphérique?
- La personne tousse-t-elle?
- Quelles sont les caractéristiques de ses expectorations: couleur, quantité et consistance?
- Présente-t-elle un hippocratisme digital?
- Quels types de bruits pulmonaires (bruits clairs, faibles ou distants, crépitants, sibilants) perçoit-on? Décrire et consigner les observations à cet égard, ainsi que les régions où les bruits sont perçus.
- Quel est l'état de conscience de la personne?
- Note-t-on une altération de la mémoire à court terme ou à long terme?
- L'état de stupeur s'aggrave-t-il?
- La personne a-t-elle des appréhensions?

- Mode de respiration inefficace, relié à la dyspnée, à la présence de mucus, à la bronchoconstriction et à la présence d'irritants dans les voies respiratoires
- Intolérance à l'activité, reliée à la fatigue, à un mode de respiration inefficace et à l'hypoxémie
- Connaissances insuffisantes sur les stratégies d'autosoins à adopter à domicile
- Stratégies d'adaptation inefficaces, reliées à des activités sociales limitées, à l'anxiété, à la dépression, à une faible tolérance à l'effort et à l'incapacité de travailler

Problèmes traités en collaboration et complications possibles

En se fondant sur les données recueillies, l'infirmière peut déterminer les complications susceptibles de survenir, notamment:

- Insuffisance respiratoire
- Atélectasie
- Infection pulmonaire
- Pneumonie
- Pneumothorax
- Hypertension pulmonaire

PLANIFICATION

Les principaux objectifs sont les suivants: renoncer au tabac; améliorer les échanges gazeux; dégager les voies respiratoires; améliorer le mode de respiration; améliorer la tolérance à l'effort; optimiser les autosoins; améliorer la capacité d'adaptation; observer le programme thérapeutique et les soins à domicile; et prévenir les complications.

INTERVENTIONS INFIRMIÈRES

Favoriser l'abandon du tabac

En raison des effets néfastes du tabagisme sur les poumons, l'infirmière s'entretient avec la personne atteinte de BPCO des stratégies qu'elle peut adopter pour arrêter de fumer. Même si les fumeurs croient qu'il est trop tard pour corriger les dommages causés par le tabac au fil du temps et qu'il est donc inutile de cesser de fumer, on doit les informer que continuer de fumer entrave les mécanismes permettant de dégager les voies respiratoires, ce qui favorise l'entrée des agents irritants. L'infirmière enseigne aux fumeurs les risques du tabagisme et les stratégies à adopter pour abandonner le tabac, leur donne des informations sur les programmes de lutte contre tabagisme et les renseigne sur les programmes d'abandon du tabac existant dans leur communauté.

Améliorer les échanges gazeux

Les bronchospasmes, qui surviennent au cours de nombreuses affections respiratoires, réduisent le calibre des petites bronches et peuvent provoquer dyspnée, accumulation de sécrétions statiques et l'infection. Des sibilants ou une diminution des murmures vésiculaires perçus lors d'une auscultation à l'aide d'un stéthoscope permettent parfois de les déceler. Une production accrue de mucus, accompagnée d'une activité mucociliaire réduite, contribue à restreindre davantage encore le calibre des bronches, ce qui entraîne une diminution du flux d'air et des échanges gazeux; ces phénomènes sont aggravés par la perte d'élasticité des poumons qui survient en présence de BPCO (NIH, 2001a).

En raison de ces changements affectant les voies respiratoires, l'infirmière doit suivre de près l'état de la personne pour déceler la présence de dyspnée et d'hypoxémie. Si des bronchodilatateurs ou des corticostéroïdes sont prescrits, l'infirmière les administre de façon appropriée, tout en restant à l'affût des effets secondaires possibles. Pour confirmer l'atténuation du bronchospasme, on vérifie si les débits et les volumes expiratoires (la force d'expiration, sa durée et la quantité d'air expulsée) se sont améliorés et si la dyspnée a diminué.

Dégager les voies respiratoires

Diminuer la quantité et la viscosité des expectorations permet de dégager les voies respiratoires et d'améliorer la ventilation pulmonaire et les échanges gazeux. On devrait éliminer ou réduire tous les irritants pulmonaires, surtout la fumée de cigarette, qui est la source la plus persistante d'irritation pulmonaire. L'infirmière doit enseigner à la personne des exercices de toux dirigée ou contrôlée, qui sont efficaces et réduisent la fatigue associée à une toux forcée incontrôlable. La toux dirigée consiste à prendre une inspiration maximale lente, suivie d'une période d'apnée de plusieurs secondes et de deux ou trois toussotements. Les exercices de toux « soufflante » peuvent également être efficaces. La technique consiste à faire deux ou trois expirations forcées à partir de volumes pulmonaires bas ou moyens, en laissant la glotte ouverte.

Pour certaines personnes, il peut également être utile de recourir à la physiothérapie thoracique avec drainage postural, à la respiration à pression positive intermittente, à un apport accru de liquides et aux nébuliseurs non médicamenteux (contenant un soluté physiologique ou de l'eau). Ces mesures doivent être prises en fonction de la réponse et de la tolérance de la personne.

Améliorer les modes de respiration

Les modes de respiration inefficaces et les essoufflements sont dus à une mécanique respiratoire inadéquate de la paroi thoracique et des poumons qui résulte de la **rétention d'air**, de mouvements diaphragmatiques inefficaces, de l'obstruction des voies aériennes, des besoins métaboliques engendrés par la respiration et le stress. On peut améliorer les modes de respiration en recourant à la mise en forme des muscles inspiratoires et à la rééducation de la fonction respiratoire. Les exercices de respiration diaphragmatique réduisent la fréquence respiratoire, augmentent la ventilation alvéolaire et aident parfois à expulser tout l'air possible au cours de l'expiration. La respiration à lèvres pincées ralentit l'expiration et prévient l'affaissement des petites voies aériennes, tout en aidant la personne à mieux maîtriser la fréquence et l'amplitude de sa respiration. De plus, elle favorise la détente, ce qui aide la personne à mieux maîtriser la dyspnée et à diminuer son sentiment de panique.

Améliorer la tolérance à l'effort

Avec le temps, les personnes atteintes de BPCO présentent une intolérance aux activités habituelles et à l'effort. L'enseignement est centré sur les techniques de rééducation qui favorisent l'autonomie lors des activités de la vie quotidienne. Ces techniques peuvent consister à mieux répartir les tâches au cours de la journée ou à utiliser des dispositifs de soutien qui réduisent les dépenses d'énergie. L'infirmière évalue la tolérance à l'activité de la personne et ses limites et lui enseigne des stratégies qui favorisent l'autonomie dans les activités de tous les jours. Il peut être indiqué de mettre en œuvre un programme d'exercices visant à renforcer les muscles des membres inférieurs et supérieurs et à améliorer ainsi la tolérance à l'effort et l'endurance. On peut aussi consulter d'autres personnes-ressources, comme des professionnels de la santé de diverses branches : spécialistes en rééducation de la fonction respiratoire, kinésithérapeutes, ergothérapeutes et physiothérapeutes.

Améliorer les stratégies d'autosoins

Tout en lui conseillant un programme de rééducation respiratoire, l'infirmière aide la personne à gérer ses autosoins en insistant sur le fait qu'il est important de se fixer des buts réalistes, d'éviter les températures extrêmes et de modifier son mode de vie (particulièrement pour ce qui est de l'abandon du tabac), lorsque cela est possible.

Établir des objectifs réalistes

Une partie importante de l'enseignement consiste à établir des objectifs réalistes, à court terme et à long terme, de concert avec la personne. Si celle-ci est fortement atteinte, les objectifs du traitement sont de préserver sa fonction respiratoire courante et de soulager le plus possible les symptômes. Si l'affection est légère, les objectifs thérapeutiques sont d'augmenter la tolérance à l'effort et de prévenir une détérioration plus grande de la fonction respiratoire. Il est important de planifier un programme thérapeutique et de discuter avec la personne des objectifs du traitement et de ses attentes. La personne et ses proches aidants doivent faire preuve de patience s'ils veulent atteindre les objectifs fixés.

Éviter les températures extrêmes

L'infirmière explique à la personne qu'elle doit éviter les chaleurs et les froids extrêmes. La chaleur accroît la température corporelle, ce qui entraîne une augmentation des besoins en oxygène; le froid a tendance à provoquer des bronchospasmes. Les polluants atmosphériques, comme les émanations nocives, la fumée, la poussière et même la poudre de talc, les peluches et les aérosols, peuvent aussi déclencher des bronchospasmes. Les hautes altitudes aggravent l'hypoxémie.

Modifier le mode de vie

Les personnes atteintes de BPCO devraient adopter un mode de vie caractérisé par un niveau d'activité modéré, idéalement sous un climat ne comportant pas de grands écarts de température et d'humidité. Dans la mesure du possible, la personne devrait éviter les bouleversements affectifs et les situations stressantes qui pourraient déclencher une quinte de toux. La pharmacothérapie destinée aux personnes atteintes de BPCO peut être assez complexe, en particulier pour ce qui est des médicaments en aérosol; l'utilisation d'un aérosol-doseur ou d'un inhalateur à poudre sèche peut notamment représenter un défi de taille. L'infirmière doit revoir avec la personne le mode d'emploi de l'appareil et lui demander d'en faire la démonstration, avant qu'elle quitte l'établissement de santé, au cours des visites de suivi à la clinique et au cours des visites à domicile (encadré 26-4 ■).

L'abandon du tabac va de pair avec les changements du mode de vie et l'infirmière doit encourager la personne à persévérer dans ses résolutions. Cesser de fumer est l'intervention thérapeutique la plus importante pour les personnes atteintes de BPCO. Il existe de nombreuses stratégies de lutte contre le tabagisme, notamment la prévention, l'abandon du tabac avec ou sans l'aide de médicaments administrés par voie orale ou de timbre médicamenteux et les techniques de modification du comportement.

Améliorer les stratégies d'adaptation individuelle

La BPCO est une affection évolutive dont les conséquences physiques, sociales et psychologiques sont toutes liées les unes aux autres. Les personnes atteintes souffrent de dépression, de troubles thymiques (affectifs), d'isolement social et d'incapacité fonctionnelle. L'infirmière doit reconnaître ces complications et favoriser les interventions qui permettront d'améliorer le fonctionnement physique et la stabilité affective et psychologique, et de renforcer le soutien social. Après l'évaluation initiale, l'infirmière peut orienter la personne vers des professionnels de la santé spécialisés dans ces divers domaines.

Surveiller et traiter les complications

L'infirmière doit déterminer la présence des diverses complications possibles, notamment une insuffisance respiratoire mettant la vie de la personne en danger, ainsi que l'infection respiratoire et l'atélectasie, qui peuvent accroître le risque d'insuffisance respiratoire. Elle doit également suivre de près les changements cognitifs (changement de la personnalité et du comportement, altération de la mémoire), l'aggravation de la dyspnée, la tachypnée et la tachycardie, qui peuvent être les signes d'une hypoxémie accrue et d'une insuffisance respiratoire imminente.

Par ailleurs, elle doit suivre de près les mesures de la sphygmooxymétrie pour déterminer les besoins en oxygène de la personne et administrer l'oxygénothérapie, selon les recommandations du médecin. L'infirmière doit également expliquer à la personne quels sont les signes et symptômes d'une infection respiratoire qui peuvent aggraver l'hypoxémie et signaler au médecin les changements de l'état physique et cognitif de la personne. D'autres interventions telles que l'intubation et la ventilation assistée (chapitre 27 ⊖) permettront de prendre en charge les complications possibles.

Il faut réprimer les infections bronchopulmonaires afin de réduire l'œdème inflammatoire et de rétablir l'activité ciliaire. En effet, si les infections respiratoires mineures sont sans conséquence pour la personne ayant des poumons sains, elles peuvent mettre en danger la vie d'une personne atteinte de BPCO. La toux associée à l'infection bronchique enclenche un cercle vicieux menant à des traumatismes et à des lésions pulmonaires, à l'évolution des symptômes, à l'augmentation des bronchospasmes et à une sensibilité accrue aux infections bronchiques. L'infection altère la fonction respiratoire; c'est une cause courante d'insuffisance respiratoire chez les personnes atteintes de BPCO.

En cas de BPCO, l'infection peut s'accompagner de changements subtils. L'infirmière doit encourager la personne à signaler au médecin tout signe d'infection tel que la fièvre ou le changement de la couleur, de l'aspect, de la consistance ou de la quantité des expectorations. La moindre aggravation des symptômes (oppression thoracique, dyspnée et fatigue accrues) peut traduire la présence d'une infection et doit donc être signalée. Les infections virales sont dangereuses pour les personnes atteintes de BPCO, car elles sont souvent suivies d'infections bactériennes causées, entre autres, par *Streptococcus pneumoniæ* et *Hæmophilus influenzæ*.

L'infirmière devrait inciter la personne atteinte de BPCO à se faire vacciner contre la grippe et la pneumonie à *S. pneumoniæ*, car elle est prédisposée aux infections respiratoires. Il est important de bien expliquer à la personne qu'elle doit éviter de sortir si la densité pollinique est trop élevée ou si la pollution atmosphérique est forte, en raison du risque accru de bronchospasme. La personne devrait également éviter les fortes chaleurs lorsque l'humidité est élevée.

Le pneumothorax est une complication possible de la BPCO. Chez les personnes présentant des changements emphysémateux importants, il peut se former de grosses bulles qui peuvent éclater et causer un pneumothorax. Le pneumothorax peut apparaître spontanément ou être relié à une forte toux ou à de grandes variations de pression intrathoracique. En cas d'épisode soudain de dyspnée, l'infirmière devrait rapidement rechercher la présence d'un pneumothorax, en vérifiant la symétrie des mouvements de la cage thoracique, les différences dans les bruits respiratoires à l'auscultation et les mesures de la sphygmooxymétrie. Le pneumothorax peut mettre la vie de la personne en danger si sa réserve pulmonaire est minime.

Avec le temps, l'hypoxémie chronique peut provoquer une hypertension pulmonaire. En réponse à l'hypoxémie, les artères pulmonaires se contractent, ce qui entraîne une hypertension pulmonaire. Pour prévenir cette complication, il faut assurer une oxygénation adéquate en maintenant un taux d'hémoglobine approprié, en améliorant l'équilibre ventilation/perfusion ou en administrant une oxygénothérapie continue (au besoin).

Favoriser les soins à domicile et dans la communauté

Enseigner les autosoins

L'enseignement est une intervention infirmière essentielle tout au long de l'évolution de la BPCO. Il devrait faire partie intégrante des soins et traitements infirmiers donnés à toute personne atteinte de BPCO. Il incombe à l'infirmière de déterminer dans quelle mesure la personne et les membres de sa famille connaissent l'affection et d'en tenir compte lorsqu'elle leur enseigne les stratégies d'autosoins. Par ailleurs, la personne et les membres de sa famille doivent se familiariser avec les médicaments prescrits et en connaître les effets secondaires possibles. Il faut aussi leur apprendre à reconnaître les premiers signes et symptômes d'une infection et des autres complications afin qu'ils puissent contacter rapidement un professionnel de la santé.

Assurer le suivi

Les soins à domicile sont importants, car ils permettent à l'infirmière d'évaluer le milieu de vie de la personne, ainsi que son état physique et psychologique, le degré d'observance du traitement prescrit et la

ENCADRÉ 26-4

GRILLE DE SUIVI DES SOINS À DOMICILE

Utilisation d'un aérosol-doseur

Après avoir reçu l'enseignement sur les soins à domicile, la personne ou le proche aidant peut:	Personne	Proche aidant
▪ Expliquer pourquoi il faut utiliser un aérosol-doseur pour administrer des médicaments par inhalation.	✔	✔
▪ Expliquer comment le médicament pénètre dans les poumons.	✔	✔
▪ Montrer comment on utilise correctement un aérosol-doseur:		
• Retirer le bouchon et tenir la pompe à la verticale.	✔	
• Bien secouer l'inhalateur.	✔	
• Pencher la tête légèrement vers l'arrière et expirer lentement.	✔	
• Placer l'inhalateur à environ 2,5 à 5 cm de la bouche ouverte ou utiliser une chambre d'inhalation.	✔	
• Lorsqu'on utilise une chambre d'inhalation, refermer les lèvres sur la pièce buccale.	✔	
• Actionner la cartouche pour libérer le médicament, tout en inspirant lentement par la bouche.	✔	
• Continuer d'inspirer pendant que le médicament est libéré (pousser la cartouche jusqu'au fond).	✔	
L'infirmière explique à la personne alitée le mode d'emploi de l'aérosol-doseur. © B. Proud.		
• Inspirer lentement et profondément pendant 3 à 5 secondes.	✔	
• Retenir son souffle pendant 8 à 10 secondes pour que le médicament pénètre dans les voies respiratoires.	✔	
• Répéter les inhalations selon les recommandations du médecin, en les espaçant de 1 à 2 minutes.	✔	
• Replacer le bouchon avant de ranger l'aérosol-doseur.	✔	
• Après l'inhalation de corticostéroïdes, se rincer la bouche avec de l'eau.	✔	
▪ Montrer comment on nettoie l'aérosol-doseur.	✔	✔
▪ Décrire comment on détermine la quantité de médicament restant dans l'aérosol-doseur.	✔	✔
▪ Savoir quand appeler un professionnel de la santé et comment obtenir un renouvellement de l'ordonnance de l'aérosol-doseur.	✔	✔

Expert Panel Report II (1997). *Guidelines for the diagnosis and management of asthma.* National Asthma Education and Prevention Program, National Institutes of Health.

capacité d'adaptation de la personne aux changements du mode de vie et de l'état physique. L'infirmière évalue le niveau de compréhension de la personne et des membres de sa famille en ce qui a trait aux complications et aux effets secondaires des médicaments. Au cours des visites à domicile, l'infirmière peut consolider les enseignements donnés pendant l'hospitalisation ou la rééducation pulmonaire en consultations externes, s'assurer que la personne effectue les exercices correctement et vérifier qu'elle prend les médicaments et l'oxygène conformément aux recommandations du médecin. Si la personne ne participe pas à un programme de rééducation de la fonction respiratoire en bonne et due forme, l'infirmière doit lui enseigner les exercices qui permettront d'optimiser l'état fonctionnel.

L'infirmière peut orienter la personne vers les ressources locales, comme les programmes de rééducation respiratoire et les programmes de lutte contre tabagisme, pour l'aider à mieux s'adapter à son affection chronique et au programme thérapeutique, et à retrouver espoir et bien-être. De plus, elle doit rappeler à la personne et aux membres de sa famille qu'il est important de participer aux activités de promotion de la santé et de dépistage systématique.

ÉVALUATION

Résultats escomptés

Les principaux résultats escomptés sont les suivants:

1. La personne connaît les dangers du tabagisme.
   a) Elle se dit prête à cesser de fumer ou envisage cette possibilité.
   b) Elle expose ses connaissances sur le tabagisme, les risques que comporte cette habitude, les avantages qu'il y aurait à y renoncer et les techniques à utiliser pour la soutenir dans ses efforts.
2. Les échanges gazeux de la personne se sont améliorés.
   a) Elle ne présente pas de signes de nervosité, de confusion ou d'agitation.
   b) Les résultats de la sphygmooxymétrie et de l'analyse des gaz artériels sont stables (sans que les valeurs soient nécessairement normales, à cause des changements intervenus avec le temps dans les échanges gazeux).
3. La personne réussit à dégager ses voies respiratoires dans la mesure du possible.
   a) Elle a cessé de fumer.
   b) Elle évite les substances nocives et les températures extrêmes.
   c) Elle maintient une hydratation suffisante.
   d) Elle effectue correctement les exercices de drainage postural, s'ils lui ont été recommandés.
   e) Elle connaît les premiers signes d'infection et sait quand et comment les signaler.
   f) Elle fait des exercices de toux dirigée sans se fatiguer excessivement.
4. La personne a amélioré son mode de respiration.
   a) Elle pratique la respiration à lèvres pincées et la respiration diaphragmatique.
   b) Elle fait moins d'effort lorsqu'elle respire (fréquence respiratoire réduite, dyspnée moindre).
5. La personne connaît les stratégies permettant d'améliorer sa tolérance à l'effort et de maintenir un maximum d'autonomie dans ses soins.
   a) Elle effectue ses autosoins dans les limites de sa tolérance.
   b) Elle sait comment éviter la fatigue et la dyspnée.
   c) Elle fait des exercices de respiration pendant ses activités.
   d) Elle utilise des dispositifs d'aide pour améliorer sa tolérance à l'effort et pour dépenser moins d'énergie.
6. La personne montre qu'elle connaît les stratégies d'autosoins.
   a) Elle participe à la planification de son programme thérapeutique.
   b) Elle comprend la justification scientifique des activités et du traitement médicamenteux.
   c) Elle observe son programme thérapeutique.
   d) Elle utilise des bronchodilatateurs et l'oxygénothérapie selon l'ordonnance.
   e) Elle a cessé de fumer.
   f) Elle maintient un niveau d'activité acceptable.
7. La personne utilise des mécanismes d'adaptation efficaces pour composer avec les conséquences de son affection.
   a) Elle adopte des stratégies d'autosoins pour diminuer le stress associé à l'affection.
   b) Elle connaît les ressources à sa disposition qui l'aideront à composer avec le fardeau psychologique de son affection.
   c) Elle participe à un programme de rééducation respiratoire, lorsque cela est approprié.
8. La personne utilise les ressources communautaires et les services de soins à domicile.
   a) Elle sait exposer ses connaissances sur les ressources communautaires (par exemple programme de lutte contre le tabagisme, groupes de soutien dans les établissements de soins ou dans la communauté).
   b) Elle participe à un programme de rééducation de la fonction respiratoire, lorsque cela est approprié.
9. La personne prévient ou réduit les complications.
   a) Elle ne montre aucun signe d'insuffisance respiratoire.
   b) Les résultats de la sphygmooxymétrie et de l'analyse des gaz artériels sont adéquats.
   c) Elle ne présente aucun signe ou symptôme d'infection, de pneumothorax ou d'hypertension pulmonaire.

Pour plus de détails, voir le plan thérapeutique infirmier à la page suivante.

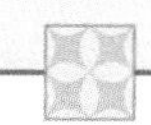

Bronchectasie

La **bronchectasie** (ou bronchiectasie) est une dilatation irréversible et chronique des bronches et des bronchioles. Compte tenu de la nouvelle définition de la BPCO, on la considère maintenant comme une entité pathologique distincte (NIH, 2001a). La bronchectasie peut être due à divers facteurs, notamment les suivants:

- Obstruction des voies respiratoires
- Lésion diffuse des voies respiratoires

(suite p. 154)

PLAN THÉRAPEUTIQUE INFIRMIER

Personne atteinte de BPCO

INTERVENTIONS INFIRMIÈRES	JUSTIFICATIONS SCIENTIFIQUES	RÉSULTATS ESCOMPTÉS
Diagnostic infirmier: échanges gazeux perturbés et dégagement inefficace des voies respiratoires, dus à l'inhalation prolongée de toxines **Objectif:** améliorer les échanges gazeux		
1. Si la personne fume, lui conseiller de suivre un programme de lutte contre le tabagisme et la soutenir dans ses efforts. a) Évaluer les habitudes courantes de la personne et des membres de sa famille à cet égard. b) Les renseigner sur les dangers de cette pratique et sur le lien entre le tabagisme et la BPCO. c) Déterminer si la personne a déjà essayé d'arrêter de fumer. d) Fournir le matériel didactique nécessaire. e) Conseiller à la personne un programme ou des ressources qui l'aideront à cesser de fumer.	1. La fumée entraîne des lésions pulmonaires permanentes et affaiblit les mécanismes de protection des poumons. Le débit d'air est entravé, la quantité de sécrétions augmente et la capacité de la fonction respiratoire diminue. Le tabagisme continu élève le risque de morbidité et de mortalité à la suite d'une BPCO, tout en étant un facteur de risque de cancer du poumon.	■ La personne reconnaît les dangers du tabac. ■ Elle s'inscrit à un programme de lutte contre le tabagisme. ■ Elle trouve les ressources pouvant la soutenir dans ses efforts. ■ Elle connaît les types de toxines inhalées. ■ Elle s'expose le moins possible aux toxines ou peut les éliminer de son milieu. ■ Elle surveille les communiqués sur la qualité de l'air et s'expose le moins possible aux toxines, sinon pas du tout lorsque la pollution atmosphérique est très élevée.
2. Évaluer le niveau courant d'exposition aux toxines en milieu de travail et à la pollution de l'air à l'intérieur et à l'extérieur (par exemple smog, fumées toxiques, produits chimiques). a) Insister sur la prévention primaire en milieu de travail. Le meilleur gage de réussite est l'élimination ou la diminution de l'exposition aux toxines en milieu de travail. b) Enseigner les moyens de se protéger contre la pollution de l'air à l'intérieur et à l'extérieur (par exemple utilisation de biocarburants pour la cuisson des aliments et chauffage dans les immeubles mal ventilés, protection contre la pollution atmosphérique). c) Inciter la personne à suivre les communiqués sur la qualité de l'air.	2. L'inhalation prolongée de toxines atmosphériques (à l'intérieur ou à l'extérieur) entraîne des lésions des voies respiratoires et altère les échanges gazeux.	
Diagnostic infirmier: échanges gazeux perturbés, reliés à un déséquilibre entre la ventilation et la perfusion **Objectif:** améliorer les échanges gazeux		
1. Administrer les bronchodilatateurs prescrits: a) Privilégier l'inhalation, qui est la voie d'administration de choix. b) Observer les effets secondaires possibles: tremblements, tachycardie, arythmies, excitation du système nerveux central, nausées et vomissements. c) Vérifier si la technique d'administration par l'aérosol-doseur ou l'inhalateur à poudre sèche est appropriée.	1. Les bronchodilatateurs dilatent les voies respiratoires. La dose de médicament doit être soigneusement adaptée à chaque personne, selon sa réponse clinique.	■ La personne connaît le rôle des bronchodilatateurs et la façon de les prendre. ■ Elle présente un moins grand nombre d'effets secondaires; sa fréquence cardiaque se situe près de la normale, elle n'a pas d'arythmies et son état mental est normal. ■ Elle signale une diminution de la dyspnée. ■ Son débit expiratoire s'est amélioré. ■ Le cas échéant, la personne utilise et nettoie convenablement son appareillage. ■ Elle pratique la respiration diaphragmatique et tousse efficacement. ■ Elle utilise l'appareil d'oxygénothérapie de façon appropriée, lorsque cela est indiqué.
2. Déterminer l'efficacité des traitements par nébuliseur, par aérosol-doseur ou par inhalateur à poudre sèche. a) Vérifier si la dyspnée, les sibilants et les crépitants ont diminué, si les sécrétions sont moins visqueuses et si l'anxiété est moindre. b) S'assurer que le traitement est administré avant les repas de façon à éviter les nausées et à diminuer la fatigue que cette activité entraîne.	2. On associe habituellement des médicaments et des bronchodilatateurs en aérosol pour maîtriser la bronchoconstriction en cas d'exacerbation aiguë. Toutefois, on privilégie en général l'usage d'un aérosol-doseur muni d'une chambre d'inhalation (traitement moins coûteux et de plus courte durée).	

INTERVENTIONS INFIRMIÈRES	JUSTIFICATIONS SCIENTIFIQUES	RÉSULTATS ESCOMPTÉS
3. Enseigner les techniques de respiration diaphragmatique et de toux, et encourager la personne à les utiliser.	3. Ces techniques améliorent la ventilation: elles favorisent le dégagement des voies respiratoires et l'élimination des expectorations. Les échanges gazeux se sont améliorés et la fatigue a diminué.	■ Les résultats de l'analyse des gaz artériels et de la sphygmooxymétrie se sont améliorés. ■ La personne utilise correctement l'aérosol-doseur ou son inhalateur à poudre sèche.
4. Administrer l'oxygénothérapie selon la méthode prescrite. a) Expliquer la raison de ce traitement et son importance. b) En évaluer l'efficacité; rester à l'affût des signes d'hypoxémie. Prévenir le médecin en cas de nervosité, d'anxiété, de somnolence, de cyanose ou de tachycardie. c) Analyser les résultats de la mesure des gaz artériels et les comparer aux valeurs initiales. d) Recourir à la sphygmooxymétrie pour évaluer la saturation en oxygène. e) Expliquer à la personne et aux visiteurs qu'il est interdit de fumer pendant l'oxygénothérapie.	4. L'administration d'oxygène corrigera l'hypoxémie. Il est important d'observer attentivement le débit d'oxygène en litres ou le pourcentage administré et son effet sur l'état de la personne. En cas de rétention prolongée de CO_2, une quantité excessive d'oxygène pourrait supprimer la pulsion hypoxique et les respirations: le débit d'oxygène doit alors être ralenti (entre 1 et 2 L/min). L'analyse des gaz artériels et la sphygmooxymétrie effectuées à intervalles réguliers aident à évaluer si l'oxygénation est adéquate. La poursuite du tabagisme peut fausser les résultats du sphygmooxymètre, car le monoxyde de carbone provenant de la fumée de cigarette sature également l'hémoglobine.	
Diagnostic infirmier: dégagement inefficace des voies respiratoires, relié à la bronchoconstriction, à une production accrue de mucus, à une toux inefficace, à une infection bronchopulmonaire et à d'autres complications **Objectif:** dégager les voies respiratoires		
1. Assurer une hydratation adéquate.	1. L'hydratation systématique permet de liquéfier les sécrétions et d'en rendre l'expectoration plus facile. Administrer les liquides avec prudence en cas d'insuffisance cardiaque droite ou gauche.	■ La personne sait qu'il est important de consommer suffisamment de liquides. ■ Elle fait des exercices de respiration diaphragmatique et de toux. ■ Elle exécute correctement le drainage postural. ■ Elle tousse beaucoup moins. ■ Elle ne fume pas. ■ Elle sait que les pollens, les émanations nocives, les gaz, les poussières, les températures extrêmes et l'humidité sont des irritants à éviter. ■ Elle reconnaît les premiers signes d'infection. ■ Elle n'a pas contracté d'infection (elle n'a pas de fièvre, les caractéristiques de ses expectorations ne changent pas, sa dyspnée diminue). ■ Elle sait qu'elle doit prévenir le médecin au tout premier signe d'infection. ■ Elle sait qu'elle doit éviter les foules ou les personnes enrhumées pendant la saison de la grippe. ■ Elle se renseigne sur la nécessité de se faire vacciner contre la grippe et la pneumonie afin de prévenir les infections.
2. Enseigner les techniques de respiration diaphragmatique et de toux, et encourager la personne à les utiliser.	2. Améliore la ventilation et mobilise les sécrétions sans causer d'essoufflement et de fatigue.	
3. Aider la personne à utiliser le nébuliseur, l'aérosol-doseur ou l'inhalateur à poudre sèche.	3. Assure une répartition adéquate du médicament dans les voies aériennes.	
4. Lorsque le médecin le recommande, effectuer le drainage postural par percussion et vibration, le matin et le soir.	4. Sous l'action de la gravité, les sécrétions peuvent remonter: elles seront ainsi plus facilement expectorées ou aspirées.	
5. Recommander à la personne d'éviter les irritants bronchiques, tels que la fumée de cigarette, les aérosols, les températures extrêmes et les émanations nocives.	5. Les irritants bronchiques entraînent de la bronchoconstriction et une production accrue de mucus, ce qui entrave le dégagement efficace des voies aériennes.	
6. Décrire les signes précoces d'infection à signaler immédiatement au médecin: a) Production accrue d'expectorations. b) Changement de couleur des expectorations. c) Expectorations plus épaisses. d) Essoufflement, gêne respiratoire ou fatigue accrue. e) Aggravation de la toux. f) Fièvre ou frissons.	6. Les infections respiratoires mineures, sans conséquence pour les gens ayant des poumons sains, peuvent entraîner des affections pulmonaires mortelles chez les personnes atteintes de BPCO. Il est donc extrêmement important de les déceler le plus tôt possible.	
7. Administrer les antibiotiques selon l'ordonnance.	7. Le médecin peut prescrire des antibiotiques pour prévenir ou pour traiter l'infection.	
8. Encourager la personne atteinte à se faire vacciner contre la grippe et la pneumonie à *Streptococcus pneumoniæ*.	8. Les personnes atteintes d'affections respiratoires sont davantage prédisposées aux infections respiratoires; on doit les encourager à se faire vacciner.	

Personne atteinte de BPCO (*suite*)

INTERVENTIONS INFIRMIÈRES	JUSTIFICATIONS SCIENTIFIQUES	RÉSULTATS ESCOMPTÉS
Diagnostic infirmier: mode de respiration inefficace, relié à la dyspnée, à la présence de mucus, à la bronchoconstriction et à la présence d'irritants dans les voies respiratoires **Objectifs:** améliorer le mode de respiration		
1. Enseigner à la personne la respiration diaphragmatique et la respiration à lèvres pincées. 2. L'encourager à alterner activités et périodes de repos. L'inciter à prendre les décisions concernant les soins d'hygiène (bain, rasage) selon son niveau de tolérance. 3. L'encourager à s'engager dans un entraînement visant le renforcement des muscles inspiratoires, si le médecin l'a recommandé.	1. Ces techniques aident à prolonger la phase d'expiration et à diminuer la rétention d'air. La respiration devient plus efficace et plus efficiente. 2. Une répartition judicieuse des activités diminue la détresse respiratoire. 3. Renforce les muscles respiratoires et maintient la personne en bonne forme physique.	■ Elle pratique la respiration à lèvres pincées et la respiration diaphragmatique et les utilise en cas de dyspnée ou d'activité qui demande un certain effort. ■ Elle fait moins d'efforts respiratoires et répartit adéquatement ses activités au cours de la journée. ■ Elle recourt à l'entraînement des muscles inspiratoires, si le médecin l'a prescrit.
Diagnostic infirmier: déficit de soins personnels, relié à la fatigue entraînée par un effort respiratoire accru et à une ventilation et une oxygénation insuffisantes **Objectif:** assurer les autosoins de façon autonome		
1. Enseigner à la personne comment coordonner la respiration diaphragmatique et les mouvements (par exemple marche, flexion vers l'avant). 2. L'encourager à se laver et à se vêtir sans aide, à marcher et à boire des liquides. Lui parler des mesures à prendre pour conserver son énergie. 3. Enseigner le drainage postural, s'il est indiqué.	1. Permet à la personne d'être plus active et d'éviter la fatigue et la dyspnée excessives au cours des activités. 2. Au fur et à mesure que l'état de la personne s'améliore, elle peut tolérer davantage d'efforts; il faut l'encourager à devenir de plus en plus autonome. 3. La personne sera encouragée à participer davantage à ses propres soins. Elle est mieux préparée à se prendre en main à la maison.	■ La personne fait des exercices de respiration contrôlée pendant qu'elle se lave, se penche ou marche. ■ Elle alterne les activités de la vie quotidienne et les périodes de repos pour réduire la fatigue et la dyspnée. ■ Elle décrit les stratégies de conservation d'énergie. ■ Elle s'engage dans les mêmes activités d'autosoins qu'auparavant. ■ Elle exécute correctement le drainage postural.
Diagnostic infirmier: intolérance à l'activité, due à la fatigue, à un mode de respiration inefficace et à l'hypoxémie **Objectif:** améliorer la tolérance à l'activité		
1. Aider la personne à suivre un programme d'exercices sur tapis roulant ou vélo d'exercice, comprenant aussi la marche ou d'autres exercices appropriés (par exemple marche dans un centre commercial). a) Déterminer le niveau courant de fonctionnement et élaborer un programme d'exercices selon l'état fonctionnel. b) Proposer à la personne de consulter un physiothérapeute ou de s'inscrire à un programme de rééducation de la fonction respiratoire qui soit personnalisé, adapté à ses capacités. c) Garder à portée de la main un appareil portatif d'alimentation en oxygène, si l'oxygénothérapie est recommandée pendant l'effort.	1. Les muscles qui manquent de tonus consomment plus d'oxygène et imposent aux poumons un fardeau supplémentaire. Grâce à des exercices réguliers et graduels, ces muscles sont renforcés et la personne peut accomplir plus de tâches sans être essoufflée. Les exercices gradués préviennent l'effet invalidant de l'affection.	■ La personne effectue ses activités en étant moins essoufflée. ■ Elle connaît les avantages des exercices quotidiens et fait la démonstration de ceux qu'elle doit faire à la maison. ■ Elle marche et augmente graduellement le temps de marche et la distance parcourue pour être en meilleure forme physique. ■ Elle fait des exercices de renforcement des groupes musculaires supérieurs et inférieurs.
Diagnostic infirmier: stratégies d'adaptation inefficaces, reliées à des activités sociales limitées, à l'anxiété, à la dépression, à une faible tolérance à l'effort et à l'incapacité de travailler **Objectif:** atteindre un niveau optimal d'adaptation		
1. Aider la personne à se fixer des buts réalistes. 2. L'encourager à pratiquer des activités selon son niveau de tolérance. 3. Lui enseigner une technique de relaxation ou lui proposer une cassette audio de musique de détente. 4. L'inscrire à un programme de rééducation respiratoire lorsqu'il en existe un.	1. Établir des buts réalistes donne de l'espoir à la personne, ainsi qu'un sentiment d'accomplissement, plutôt qu'un sentiment d'échec et de désespoir. 2. Réduit la tension et la dyspnée au fur et à mesure que la forme revient. 3. Diminue le stress, l'anxiété et la dyspnée, et aide la personne à mieux s'adapter à son affection. 4. Les programmes de rééducation de la fonction respiratoire améliorent la façon dont la personne perçoit son état et son estime de soi, augmentent sa tolérance à l'effort et diminuent le nombre d'hospitalisations.	■ La personne manifeste de l'intérêt pour l'avenir. ■ Elle participe au plan de congé. ■ Elle connaît les activités ou les méthodes qui aident à réduire les essoufflements. ■ Elle utilise les techniques de relaxation de façon appropriée. ■ Elle se montre intéressée à participer à un programme de rééducation respiratoire.

INTERVENTIONS INFIRMIÈRES	JUSTIFICATIONS SCIENTIFIQUES	RÉSULTATS ESCOMPTÉS
Diagnostic infirmier: connaissances insuffisantes sur les stratégies d'autosoins à adopter à domicile **Objectif:** observer le programme thérapeutique à domicile		
1. Aider la personne à comprendre les objectifs à court et à long terme. a) Lui donner un enseignement sur son affection, ses médicaments et les interventions auxquelles elle doit se soumettre, et lui préciser à quel moment elle doit consulter un médecin. b) Lui conseiller un programme de rééducation respiratoire. 2. Insister sur le fait qu'il faut cesser de fumer. Lui présenter les stratégies qui l'aideront à cet égard. La renseigner sur les groupes de soutien.	1. La personne doit participer à l'élaboration du plan thérapeutique et savoir ce qu'elle est en droit d'espérer. Les renseignements fournis sur l'affection constituent un des éléments les plus importants des soins, puisqu'ils préparent la personne à s'adapter à son affection et à améliorer sa qualité de vie. 2. La fumée de la cigarette entraîne des lésions pulmonaires permanentes et affaiblit les mécanismes de protection. Le débit d'air est entravé et la capacité de la fonction respiratoire diminue. Le tabagisme accroît le risque de morbidité et de mortalité et constitue également un facteur de risque de cancer du poumon.	▪ La personne comprend son affection et les facteurs qui en modifient l'évolution. ▪ Elle comprend qu'elle doit préserver sa fonction respiratoire en observant le programme prescrit. ▪ Elle comprend le but de sa pharmacothérapie et sait comment prendre correctement ses médicaments. ▪ Elle a cessé de fumer ou s'est inscrite à un programme de lutte contre le tabagisme. ▪ Elle sait qui appeler si elle a besoin d'aide et à quel moment le faire.
Problème traité en collaboration: atélectasie **Objectif:** prévenir l'atélectasie; les radiographies du poumon et l'examen physique n'indiquent pas d'atélectasie		
1. Surveiller l'état de la fonction respiratoire, notamment la fréquence et le mode de respiration, les bruits respiratoires, les signes et symptômes de détresse respiratoire et les résultats de la sphygmooxymétrie. 2. Enseigner les exercices de respiration diaphragmatique et de toux et encourager la personne à les effectuer. 3. Favoriser l'utilisation des techniques de distension pulmonaire prescrites (par exemple exercices de respiration profonde, inspirométrie d'incitation).	1. Un changement de l'état respiratoire (par exemple tachypnée, dyspnée et murmures vésiculaires diminués ou absents) peut témoigner de la présence de l'atélectasie. 2. Ces exercices améliorent la ventilation et la distension des poumons et, idéalement, les échanges gazeux. 3. Ces exercices favorisent la distension maximale des poumons.	▪ La fréquence respiratoire et le mode de respiration sont normaux (ils correspondent aux valeurs initiales de la personne). ▪ Les bruits de la respiration sont normaux pour la personne. ▪ La personne fait les exercices de respiration diaphragmatique et de toux recommandés. ▪ Elle recourt aux exercices de respiration profonde et à l'inspirométrie d'incitation, selon les recommandations du médecin. ▪ La sphygmooxymétrie indique une saturation en oxygène ≥ 90 %.
Problème traité en collaboration: pneumothorax **Objectif:** prévenir les signes et symptômes de pneumothorax		
1. Surveiller de près l'état respiratoire, notamment la fréquence et le mode de respiration, ainsi que la symétrie des mouvements de la cage thoracique, la présence de bruits respiratoires, la présence de signes et de symptômes de détresse respiratoire, et noter les résultats de la sphygmooxymétrie. 2. Prendre le pouls. 3. Évaluer les douleurs thoraciques et les facteurs déclenchants. 4. Palper la trachée pour déceler une éventuelle déviation ou déplacement vers le côté opposé au côté atteint. 5. Noter les résultats de la sphygmooxymétrie et, le cas échéant, de l'analyse des gaz artériels. 6. Administrer l'oxygénothérapie, selon les recommandations du médecin. 7. Administrer des analgésiques, selon les recommandations du médecin, pour soulager les douleurs thoraciques. 8. Aider à la mise en place du drain thoracique et utiliser le système de drainage pleural recommandé par le médecin.	1. Peuvent indiquer la présence d'un pneumothorax: dyspnée, tachypnée, tachycardie, douleurs pleurétiques aiguës, déviation de la trachée vers le côté opposé au côté atteint, absence de bruits respiratoires du côté touché et diminution des vibrations vocales. 2. La tachycardie peut être associée au pneumothorax et à l'anxiété. 3. Le pneumothorax peut s'accompagner de douleurs. 4. Le dépistage précoce du pneumothorax et une intervention rapide préviendront d'autres complications graves. 5. Le dépistage d'une détérioration de la fonction respiratoire préviendra les complications graves. 6. L'apport en oxygène corrigera l'hypoxémie; administrer l'oxygénothérapie avec prudence. 7. La douleur entrave la respiration profonde, entraînant une diminution de la distension pulmonaire. 8. L'expulsion de l'air de la cavité pleurale favorisera la réexpansion des poumons.	▪ La fréquence et le mode respiratoires sont normaux pour la personne. ▪ Les murmures vésiculaires sont perceptibles des deux côtés. ▪ Le pouls est normal pour la personne. ▪ Les vibrations vocales sont normales. ▪ La personne ne ressent aucune douleur. ▪ La trachée n'a pas dévié. ▪ La sphygmooxymétrie montre une saturation en oxygène ≥ 90 %. ▪ La sphygmooxymétrie et les résultats de l'analyse des gaz artériels sont normaux pour la personne. ▪ La personne ne présente ni hypoxémie ni hypercapnie (ou retour aux valeurs initiales). ▪ Le mouvement de la cage thoracique est symétrique. ▪ L'examen radiologique prouve la réexpansion des poumons.

Personne atteinte de BPCO (*suite*)

INTERVENTIONS INFIRMIÈRES	JUSTIFICATIONS SCIENTIFIQUES	RÉSULTATS ESCOMPTÉS
Problème traité en collaboration: insuffisance respiratoire **Objectif:** prévenir les signes et symptômes d'insuffisance respiratoire; les épreuves de laboratoire n'indiquent pas d'insuffisance respiratoire		
1. Suivre de près la fonction respiratoire, notamment la fréquence, le rythme et l'amplitude respiratoires, la présence de bruits respiratoires, et rester à l'affût des signes et symptômes de détresse respiratoire aiguë. 2. Noter les résultats de la sphygmooxymétrie et de l'analyse des gaz artériels. 3. Administrer l'oxygénothérapie d'appoint et contribuer à la mise en place de la ventilation assistée, selon les recommandations du médecin.	1. Dépister rapidement toute détérioration de la fonction respiratoire préviendra des complications ultérieures, telles que l'insuffisance respiratoire, l'hypoxémie grave et l'hypercapnie. 2. Dépister les changements dans l'oxygénation et dans l'équilibre acidobasique permettra de corriger et de prévenir les complications. 3. L'insuffisance respiratoire aiguë est une urgence médicale. L'hypoxémie en est le signe par excellence. L'oxygénothérapie et la ventilation assistée (si elle est indiquée) sont cruciales pour la survie de la personne.	■ La fréquence, le rythme et l'amplitude respiratoires sont normaux chez la personne ne présentant pas de détresse respiratoire aiguë. ■ La personne reconnaît les symptômes d'hypoxémie et d'hypercapnie. ■ Les résultats de l'analyse des gaz artériels et de la sphygmooxymétrie sont normaux ou correspondent aux valeurs initiales.
Problème traité en collaboration: hypertension pulmonaire **Objectif:** prévenir les signes d'hypertension pulmonaire; l'examen physique et les examens paracliniques n'indiquent pas d'hypertension pulmonaire		
1. Suivre de près la fonction respiratoire, notamment la fréquence, le rythme et l'amplitude respiratoires, la présence de bruits respiratoires, les résultats de la sphygmooxymétrie, et rester à l'affût des signes et symptômes de détresse respiratoire aiguë. 2. Rechercher les signes et symptômes d'insuffisance cardiaque droite, notamment: œdème périphérique, ascite, distension des veines du cou, crépitants à l'auscultation et souffle cardiaque. 3. Administrer l'oxygénothérapie, si le médecin l'a prescrite.	1. La dyspnée est le premier symptôme d'hypertension pulmonaire. Les autres symptômes sont les suivants: fatigue, l'angine, état de présyncope, œdème et palpitations. 2. L'insuffisance cardiaque droite est une manifestation clinique courante de l'hypertension pulmonaire, due à la surcharge de travail imposée au ventricule droit. 3. L'oxygénothérapie continue est essentielle dans le traitement de l'hypertension pulmonaire, car elle prévient l'hypoxémie et réduit par conséquent la constriction vasculaire pulmonaire (résistance) consécutive à l'hypoxémie.	■ La fréquence, le rythme et l'amplitude respiratoires sont normaux chez la personne. ■ La personne ne présente ni signe ni symptôme d'insuffisance cardiaque droite. ■ Les valeurs initiales des gaz artériels et de la sphygmooxymétrie sont maintenues.

- Infections pulmonaires et obstruction des bronches ou complications d'infections pulmonaires prolongées
- Troubles génétiques, tels que la fibrose kystique
- Anomalies des défenses de l'hôte (dyskinésie ciliaire ou immunodéficience humorale)
- Facteurs idiopathiques

Des infections respiratoires récurrentes contractées au cours de la petite enfance, la rougeole, la grippe, la tuberculose et l'immunodéficience peuvent prédisposer à la bronchectasie.

Physiopathologie

Le processus inflammatoire associé aux infections pulmonaires lèse la paroi des bronches, ce qui entraîne une modification de leur structure de soutien et un épaississement des expectorations qui finissent par obstruer ces voies aériennes. Les parois se distendent et se déforment de façon permanente, entravant ensuite les mécanismes mucociliaires. L'inflammation et l'infection gagnent les tissus péribronchiques; en cas de bronchectasie sacciforme, chaque tube dilaté correspond pratiquement à un abcès pulmonaire dont les exsudats s'écoulent librement dans les bronches. La bronchectasie est habituellement localisée, affectant un seul segment ou un seul lobe du poumon, le plus souvent un lobe inférieur.

La rétention des sécrétions et l'obstruction qui s'ensuit finissent par provoquer l'affaissement des alvéoles pulmonaires les plus éloignées de l'obstruction (atélectasie). Des tissus cicatriciels ou une fibrose remplacent le tissu pulmonaire fonctionnel. Avec le temps, la personne présente une insuffisance respiratoire qui s'accompagne d'une capacité vitale réduite, d'une ventilation diminuée et d'un rapport accru entre le volume résiduel et la capacité pulmonaire totale. On note également une hypoxémie et un déséquilibre entre la ventilation et la perfusion.

Manifestations cliniques

Les symptômes caractéristiques de la bronchectasie sont notamment la toux chronique et la production d'une quantité abondante d'expectorations purulentes. De nombreuses personnes atteintes de cette affection sont hémoptysiques. L'hippocratisme digital, dû à l'insuffisance respiratoire, est également un symptôme courant. On note habituellement des infections pulmonaires à répétition. Malgré les méthodes thérapeutiques modernes, l'âge moyen du décès des personnes atteintes est de 55 ans environ.

Examen clinique et examens paracliniques

On ne peut poser d'emblée le diagnostic de bronchectasie, car les symptômes de cette affection peuvent être pris à tort pour ceux d'une simple bronchite chronique. Une toux productive de longue date, s'accompagnant d'expectorations dont le contenu ne renferme pas de bacilles de la tuberculose, est un signe non équivoque de bronchectasie. On confirme le diagnostic par la tomodensitométrie, qui peut ou non montrer la présence d'une dilatation bronchique.

Traitement médical

L'objectif du traitement est de favoriser le drainage bronchique pour dégager des sécrétions excessives la portion affectée des poumons, et de prévenir ou de guérir les infections. Le drainage postural fait partie de tous les programmes thérapeutiques: drainer les régions atteintes de bronchectasie grâce à l'effet de la gravité permet de réduire la quantité des sécrétions et de circonscrire l'infection. On doit parfois extraire les expectorations mucopurulentes par bronchoscopie. La physiothérapie thoracique, incluant la percussion thoracique et le drainage postural, est une intervention importante pour éliminer les sécrétions.

La personne doit absolument cesser de fumer, car le tabagisme entrave le drainage postural en paralysant l'activité ciliaire, en augmentant les sécrétions bronchiques et en entraînant l'inflammation des membranes muqueuses, ce qui cause l'hyperplasie des glandes muqueuses. On jugule l'infection en administrant une antibiothérapie reposant sur les résultats des antibiogrammes. Le médecin peut prescrire une antibiothérapie à longueur d'année, ou de façon périodique, en changeant ou non de classe d'antibiotique par intervalle. Certains cliniciens prescrivent des antibiotiques pendant tout l'hiver ou lorsque surviennent des infections aiguës des voies respiratoires supérieures. La personne devrait être vaccinée contre la grippe et la pneumonie pneumococcique. Les bronchodilatateurs, qui peuvent être prescrits chez les personnes atteintes en même temps d'une affection respiratoire réactionnelle, peuvent également aider à éliminer les sécrétions.

L'intervention chirurgicale, bien qu'elle soit rarement utilisée, peut être indiquée si la personne continue d'expectorer de grandes quantités de sécrétions et connaît des accès répétés de pneumonie et d'hémoptysie malgré l'observance du traitement. Toutefois, pour qu'on puisse pratiquer une intervention chirurgicale, l'affection ne doit toucher qu'un ou deux lobes pulmonaires qu'on peut exciser sans risquer d'entraîner une insuffisance respiratoire. Le traitement chirurgical vise à conserver les tissus pulmonaires sains et à prévenir les complications infectieuses. On pratique l'exérèse des tissus malades, à condition que la fonction respiratoire postopératoire demeure adéquate. Il peut être nécessaire d'exciser un segment d'un lobe (résection segmentaire), un lobe au complet (lobectomie) ou, rarement, le poumon en entier (pneumonectomie). La résection segmentaire consiste à réséquer une petite partie d'un lobe pulmonaire. L'avantage principal d'une telle intervention est que seuls les tissus atteints sont retirés et que les tissus pulmonaires sains sont conservés.

La chirurgie est précédée d'une préparation minutieuse. L'objectif est d'obtenir un arbre trachéobronchique sec (sans trace d'infection) afin de prévenir les complications (atélectasie, pneumonie, fistules bronchopleurales et empyème). On peut dégager l'arbre trachéobronchique par drainage postural ou, selon l'emplacement des sécrétions, par aspiration directe à l'aide d'un bronchoscope. Le médecin peut également prescrire une antibiothérapie prophylactique. Après la chirurgie, les soins prodigués sont les mêmes que ceux qu'on donne à une personne qui a subi une chirurgie thoracique (chapitre 27).

Soins et traitements infirmiers

Les soins et traitements infirmiers ont pour but d'atténuer les symptômes et de favoriser le dégagement des sécrétions des voies aériennes. Dans son enseignement, l'infirmière devrait insister surtout sur l'élimination des facteurs qui augmentent la production de mucus et qui en empêchent l'élimination, notamment le tabagisme. Elle doit aussi montrer à la personne et aux membres de sa famille comment effectuer le drainage postural, tout en conseillant d'éviter tout contact avec des personnes atteintes d'une infection des voies respiratoires supérieures ou de tout autre type d'infection. En présence de fatigue et de dyspnée, il faut adopter des stratégies visant la préservation de l'énergie, mais qui permettent de maintenir un mode de vie aussi actif que possible. L'infirmière doit enseigner à la personne les signes précoces d'infection respiratoire et le mode d'évolution de l'affection afin que le traitement approprié puisse être amorcé rapidement. Comme la présence d'une grande quantité de mucus peut diminuer l'appétit et entraîner un apport alimentaire insuffisant, l'infirmière devrait évaluer l'état nutritionnel de la personne et mettre en place des stratégies visant à assurer une alimentation adéquate.

Asthme

L'**asthme** est une affection respiratoire inflammatoire chronique qui provoque l'hyperréactivité des voies aériennes, l'œdème des muqueuses et la production de mucus. Cette inflammation finit par entraîner des symptômes récurrents: toux, oppression thoracique, sibilants et dyspnée (figure 26-7 ■). L'enquête nationale de 1998-1999 sur la santé des populations au Canada établit qu'un diagnostic d'asthme a été posé chez 8,4 % des Canadiens. Plus spécifiquement, l'asthme touche 1 629 000 adultes, soit 7,5 % des personnes de plus de 20 ans, et 845 000 personnes de moins de 20 ans, soit 10,7 % des enfants. Il atteint plus les garçons que les filles, mais davantage les femmes que les hommes. Pour 14 % des personnes, les symptômes (respiration sifflante, essoufflement et fatigue) sont ressentis quotidiennement; ils sont présents plusieurs fois par mois dans 37 % des cas. Quoique les décès qu'on lui attribue soient relativement rares (500 personnes annuellement au Canada chez les 14 à 34 ans, dont 150 au Québec), l'asthme est tout de même une cause majeure d'hospitalisation

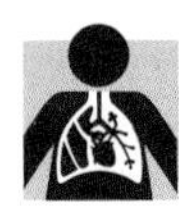

PHYSIOLOGIE/PHYSIOPATHOLOGIE

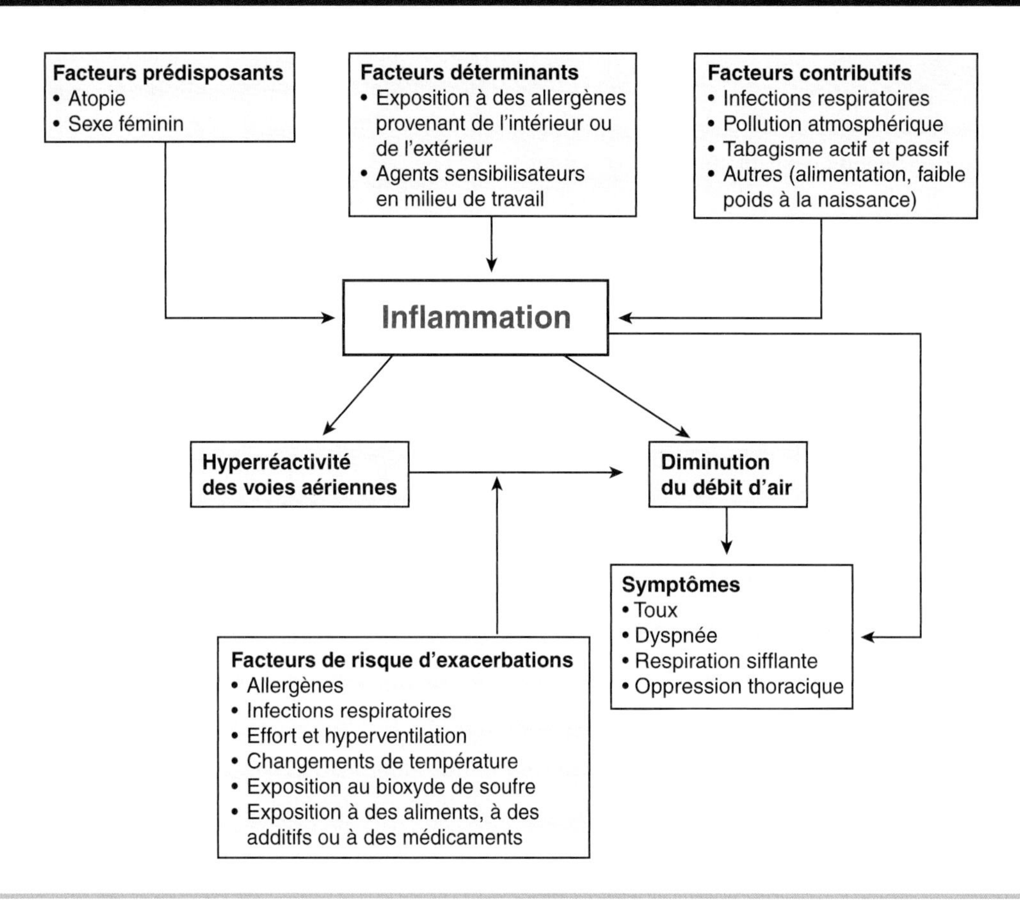

FIGURE 26-7 ■ Physiopathologie de l'asthme. SOURCE: GINA – Global Initiative for Asthma (2002): Global Strategy for Asthma Management and Prevention, National Institutes of Health, National Heart, Lung and Blood Institute.

avec 12 % des admissions chez les 0 à 4 ans et 10 % chez les 5 à 14 ans (Santé Canada, 2001). Au Canada, le coût annuel de l'asthme non maîtrisé est de 600 millions de dollars. L'affection occasionne 1,3 million de jours de travail perdus, 3 millions de visites médicales, 146 000 visites à l'urgence, 190 000 hospitalisations et 15 000 sorties d'ambulance. Au Québec, elle est à l'origine de 750 000 visites médicales, 40 000 visites à l'urgence et 50 000 jours d'hospitalisation (Réseau-Assurance-Santé, 1999).

L'asthme se distingue des autres affections respiratoires obstructives par le fait que ses symptômes sont en grande partie réversibles, que ce soit spontanément ou après traitement. Les personnes asthmatiques peuvent connaître une alternance de périodes asymptomatiques et d'exacerbations aiguës, qui vont de quelques minutes à quelques heures, voire à quelques jours. L'asthme peut se manifester à tout âge et constitue l'affection chronique la plus courante de l'enfance. Bien qu'on ait une meilleure connaissance de la pathologie de l'asthme et que des médicaments et des plans de soins plus efficaces aient été mis au point, les taux de décès dus à l'asthme ne cessent d'augmenter. Cette affection bouleverse la vie de la plupart des personnes qui en souffrent: elle les oblige à s'absenter de l'école ou du travail, rend difficiles les choix de carrière, entrave l'activité physique et détériore la qualité de la vie en général.

L'allergie est le principal facteur qui prédispose à l'asthme. Une exposition prolongée à des irritants des voies aériennes ou à des allergènes augmente également le risque de souffrir d'asthme. Les allergènes communs peuvent être saisonniers (par exemple foin, arbres et pollen de mauvaises herbes, comme l'herbe à poux) ou persistants (par exemple moisissures, poussière, coquerelles ou squames des animaux). Les facteurs déclenchants les plus courants des symptômes et des exacerbations de l'asthme sont notamment les suivants: irritants des voies respiratoires (par exemple polluants atmosphériques, froid, chaleur, changements de temps, odeurs fortes [peinture, colle, crayons feutres] ou parfums et fumée), effort, stress ou problèmes affectifs, sinusite accompagnée d'écoulements postnasaux, médicaments, infections virales des voies respiratoires et reflux gastro-œsophagien. La plupart des personnes asthmatiques sont sensibles à divers facteurs déclenchants. Leur état changera selon leur milieu, leurs activités, leurs pratiques thérapeutiques et d'autres facteurs (NHLBI, 1998).

Physiopathologie

Le processus pathologique qui sous-tend l'asthme est une inflammation diffuse et réversible des voies aériennes. L'inflammation finit par obstruer les voies aériennes, pour plusieurs raisons: l'œdème des membranes qui tapissent les voies aériennes (œdème des muqueuses) réduit leur diamètre; la contraction des muscles lisses bronchiques qui entourent les bronches (bronchospasmes) les rétrécit davantage encore; et la production accrue de mucus remplit la lumière des voies aériennes, ce qui peut les boucher complètement.

L'hypertrophie des muscles bronchiques et des glandes muqueuses s'accompagne de la production d'expectorations épaisses et tenaces et de l'hyperinflation des alvéoles. Chez certaines personnes, on note une fibrose membranaire à la base des voies aériennes («remodelage» des voix aériennes), qui est due à l'inflammation chronique. Les changements attribuables à la fibrose entraînent le rétrécissement des voies respiratoires et une obstruction, potentiellement irréversible, au flux d'air (NIH, 2001a; NHLBI, 1998).

Les mastocytes, les polynucléaires neutrophiles, les éosinophiles et les lymphocytes sont les cellules qui jouent un rôle clé dans l'inflammation due à l'asthme. Une fois activés, les mastocytes libèrent plusieurs substances chimiques appelées médiateurs, notamment l'histamine, la bradykinine, les prostaglandines et les leucotriènes. Ces substances chimiques entretiennent la réponse inflammatoire, ce qui entraîne les conséquences suivantes: augmentation du flux sanguin, vasoconstriction, fuites de liquides depuis le système vasculaire, attraction des leucocytes vers la région enflammée et bronchoconstriction (NHLBI, 1998). Une bonne partie des recherches menées actuellement sur le traitement pharmacologique de l'asthme portent sur la régulation de ces substances chimiques.

Par ailleurs, les récepteurs alpha- et bêta$_2$-adrénergiques du système nerveux autonome sont situés dans les bronches. La stimulation des récepteurs alpha-adrénergiques entraîne une bronchoconstriction, tandis que celle des récepteurs bêta$_2$-adrénergiques entraîne une bronchodilatation. L'équilibre entre les récepteurs alpha- et bêta$_2$-adrénergiques est principalement régi par l'adénosine-monophosphate cyclique (AMPc). À la suite de la stimulation des récepteurs alpha-adrénergiques, les concentrations d'AMPc diminuent, ce qui entraîne une augmentation des médiateurs chimiques libérés par les mastocytes et une bronchoconstriction. Par contre, à la suite de la stimulation des récepteurs bêta$_2$-adrénergiques, les concentrations d'AMPc s'élèvent, ce qui inhibe la libération des médiateurs chimiques et engendre une bronchodilatation (NHLBI, 1998).

Manifestations cliniques

Les trois symptômes les plus courants de l'asthme sont la toux, la dyspnée et les sibilants. Dans certains cas, la toux est le seul symptôme. Les crises d'asthme surviennent souvent la nuit ou à l'aube, probablement en raison des variations circadiennes qui modifient les valeurs seuils des récepteurs des voies aériennes.

L'exacerbation de l'asthme peut commencer soudainement, mais les symptômes sont souvent de plus en plus nombreux au cours des jours qui précèdent. La toux est toujours présente, accompagnée ou non de production de mucus. À certains moments, les mucosités qui se sont formées dans les voies aériennes rétrécies sont si épaisses que la toux ne peut plus les expulser. Il arrive qu'on note des sibilants (le bruit de l'air qui traverse les voies aériennes rétrécies), d'abord à l'expiration, puis parfois également à l'inspiration. Une gêne respiratoire généralisée et de la dyspnée se manifestent. L'expiration nécessite un effort supplémentaire et la phase expiratoire s'allonge. À mesure que l'exacerbation évolue, la diaphorèse, la tachycardie et une pression différentielle accrue peuvent survenir, accompagnées d'hypoxémie et de cyanose centrale (signe tardif d'une oxygénation insuffisante). Il arrive qu'une hypoxémie grave pouvant mettre la vie de la personne en danger se manifeste en présence d'asthme, mais c'est relativement rare. L'hypoxémie est consécutive à un déséquilibre entre la ventilation et la perfusion et répond rapidement à l'oxygénothérapie.

Les symptômes de l'asthme d'effort sont notamment les suivants: exacerbation des symptômes à l'effort, absence de symptômes nocturnes et, parfois, sensation de «suffocation» au cours de l'effort.

Examen clinique et examens paracliniques

Il est essentiel de connaître tous les antécédents familiaux, environnementaux et professionnels de la personne. Pour poser le diagnostic, le clinicien doit établir la présence de symptômes périodiques d'obstruction des voies aériennes, s'assurer que le débit d'air est au moins partiellement réversible et que les autres causes possibles ont été écartées. Les variables étroitement associées à l'asthme sont les suivantes: antécédents familiaux, facteurs environnementaux, notamment les changements saisonniers, une densité pollinique élevée, la présence de moisissures, les changements climatiques (particulièrement l'air froid) et la pollution de l'air. De plus, l'asthme peut être provoqué par nombre de substances chimiques et de composés reliés au milieu de travail, dont les sels métalliques, les poussières de bois et de végétaux, les médicaments (par exemple aspirine, bêtabloquants, cimétidine [Tagamet]), les produits chimiques industriels et les matières plastiques, les enzymes biologiques (par exemple détergents à lessive), les poussières d'animaux et d'insectes et les sécrétions. Les affections intercurrentes souvent présentes sont notamment le reflux gastro-œsophagien, l'asthme médicamenteux et l'aspergillose bronchopulmonaire allergique. L'eczéma, les rashs et l'œdème passager constituent d'autres réactions allergiques pouvant accompagner l'asthme.

Au cours des épisodes aigus, l'analyse des expectorations et les épreuves sanguines peuvent révéler la présence d'une éosinophilie (concentrations élevées d'éosinophiles). Les concentrations sériques d'immunoglobulines E peuvent être élevées en présence d'une allergie. L'analyse des gaz sanguins et la sphygmooxymétrie révèlent une hypoxémie au cours des crises aiguës. Initialement, l'hypocapnie et l'alcalose respiratoire sont présentes. À mesure que l'état de la personne s'aggrave et qu'elle devient plus fatiguée, la $PaCO_2$ peut augmenter. Une valeur de la $PaCO_2$ qui revient à la normale peut être le signe d'une insuffisance respiratoire imminente. Comme le CO_2 est 20 fois plus diffusible que l'oxygène, il est rare que la $PaCO_2$ soit normale ou élevée chez une personne qui respire très rapidement. Au cours d'une exacerbation, le VEMS et la CV sont grandement réduits, mais ils s'améliorent après la prise d'un bronchodilatateur (ce qui démontre le caractère réversible des symptômes). Entre deux épisodes d'exacerbation, la fonction respiratoire est habituellement normale.

En cas de réaction grave et continue, on parle d'état de mal asthmatique. Il s'agit d'une réaction qui peut être mortelle (voir plus loin).

Prévention

En cas d'asthme récurrent, on doit effectuer différentes épreuves permettant de déterminer les allergènes qui déclenchent les symptômes. Il peut notamment s'agir de la poussière, d'acariens détriticoles, de coquerelles, de certains types de tissus, d'animaux de compagnie, de chevaux, de détergents, de savons, de certains aliments, de moisissures et de pollens. Si les crises sont saisonnières, on peut fortement soupçonner que l'allergène en cause est le pollen. On conseille à la personne d'éviter dans la mesure du possible les agents qui sont à l'origine des crises.

Complications

Les complications de l'asthme sont notamment l'état de mal asthmatique, l'insuffisance respiratoire, la pneumonie et l'atélectasie. L'obstruction des voies respiratoires, particulièrement au cours de crises asthmatiques aiguës, est souvent attribuable à l'hypoxémie, ce qui rend nécessaires l'administration d'oxygène et le suivi des mesures de la sphygmooxymétrie et des gaz sanguins. Il faut administrer des liquides aux personnes atteintes d'asthme, car elles sont souvent déshydratées en raison de la diaphorèse et d'une augmentation de la perspiration insensible par les poumons due à l'hyperventilation.

Traitement médical

Une intervention immédiate est cruciale, car une dyspnée continue et évolutive entraîne une anxiété accrue, ce qui aggrave un état déjà critique.

Pharmacothérapie

Deux principaux types de médicaments sont administrés: des médicaments à action prolongée, pour maîtriser l'asthme persistant, et des médicaments à action rapide, pour traiter immédiatement les symptômes et les exacerbations (tableau 26-3 ■). L'inflammation étant à l'origine de l'affection, on maîtrise l'asthme persistant en administrant des agents anti-inflammatoires à intervalles réguliers. Puisque ces médicaments peuvent entraîner des effets secondaires systémiques lorsqu'ils sont utilisés pendant de longues périodes, on privilégie l'administration par inhalation, car il s'agit d'une voie topique qui diminue de beaucoup l'absorption systémique. Pour assurer le succès du traitement par inhalation, il est essentiel d'utiliser adéquatement l'aérosol-doseur ou l'inhalateur à poudre sèche (encadré 26-4). En cas de difficultés avec l'aérosol-doseur, la personne devrait se servir d'une chambre d'inhalation. Une approche par paliers du traitement de l'asthme est présentée dans le tableau 26-4 ■, dans lequel les divers types d'asthme sont classés selon les symptômes et les mesures objectives de l'obstruction au flux d'air (Expert Panel Report II, 1997). Le mode d'emploi de l'aérosol-doseur et de la chambre d'inhalation est abordé dans la section précédente, consacrée à la BPCO.

Médicaments à action prolongée Les corticostéroïdes sont les médicaments anti-inflammatoires les plus puissants et les plus efficaces actuellement commercialisés. Ils soulagent très efficacement les symptômes, améliorent la fonction respiratoire et diminuent les variations du débit de pointe. Au départ, le médecin prescrit des corticostéroïdes en inhalation. La personne asthmatique doit utiliser une chambre d'inhalation, si elle utilise un aérosol-doseur, et se rincer la bouche après le traitement pour prévenir la candidose buccale, une complication fréquente de la corticothérapie par inhalation. On peut aussi utiliser des corticostéroïdes par voie orale ou intraveineuse pour maîtriser rapidement l'affection, traiter l'asthme persistant et grave ou les exacerbations modérées ou graves, accélérer le rétablissement et prévenir les crises récurrentes (Dhand, 2000).

Chez les enfants, on prescrit plutôt du cromoglycate (Cromolyn, Intal) ou du nédocromil (Alocril), des agents anti-inflammatoires à action légère ou modérée. Ils sont également efficaces en traitement prophylactique pour prévenir l'asthme d'effort ou le déclenchement d'une crise à la suite d'une

TABLEAU 26-3 Classification des médicaments utilisés dans le traitement de l'asthme

Classe de médicaments	Dénomination commune (nom commercial)
MÉDICAMENTS À ACTION PROLONGÉE	
■ Corticostéroïdes	Béclométhasone (Qvar), budésonide (Pulmicort), fluticasone (Flovent), prednisone
■ Stabilisateurs des mastocytes	Cromoglycate (Cromolyn, Intal), nédocromil (Alocril)
■ Agents agonistes bêta$_2$-adrénergiques à action prolongée	Salmétérol (Serevent), formotérol (Foradil, Oxeze)
■ Dérivés de la xanthine	Aminophylline (Phyllocontin), théophylline (Theo-Dur, Uniphyl)
■ Antagonistes des récepteurs des leucotriènes	Zafirlukast (Accolate), montélukast (Singulair)
■ Associations médicamenteuses	Salbutamol + ipratropium (Combivent); fluticasone + salmétérol (Advair); formotérol + budésonide (Symbicort Turbuhaler)
MÉDICAMENTS PROCURANT UN SOULAGEMENT RAPIDE	
■ Agents agonistes bêta$_2$-adrénergiques à action brève	Salbutamol (Airomir, Ventolin)
■ Agents anticholinergiques	Ipratropium (Atrovent)

SOURCE: Expert Panel Report II (2002). *Guidelines for the diagnosis and management of asthma.* National Asthma Education and Prevention Program, National Institutes of Health.

Traitement de l'asthme, par paliers, chez les adultes et les enfants âgés de plus de 5 ans

TABLEAU 26-4

BUTS DU TRAITEMENT

- Prévenir les symptômes incommodants et chroniques (par exemple toux ou dyspnée se manifestant la nuit, à l'aube ou après un effort).
- Maintenir une fonction respiratoire normale, ou presque normale.
- Maintenir un niveau d'activité normal (exercice et autres activités physiques, pas d'absence du travail ou de l'école).
- Prévenir les exacerbations récurrentes de l'asthme et réduire le plus possible les visites aux urgences ou les hospitalisations.
- Administrer une pharmacothérapie optimale, entraînant peu d'effets indésirables, sinon aucun.
- Réduire le plus possible le recours aux agonistes bêta$_2$-adrénergiques à action brève.
- Répondre aux attentes de la personne asthmatique et à celles des membres de sa famille, et prodiguer des soins satisfaisants.

	Symptômes**	Symptômes nocturnes	Fonction respiratoire	Traitement de longue durée	Soulagement rapide	Enseignement
PALIER N° 4 ■ Grave ■ Persistant*	■ Symptômes continus ■ Activité physique restreinte ■ Exacerbations fréquentes	Fréquents	■ VEMS ou DEP ≤ 60 % du taux prévu ■ DEP variable > 30 %	Traitement de choix ■ Corticothérapie anti-inflammatoire par inhalation (fortes doses) ET ■ Agonistes bêta$_2$-adrénergiques à action prolongée en inhalation ET, si nécessaire, ■ Corticostéroïdes sous forme de comprimés ou de sirop pendant une longue période (2 mg/kg par jour; en général, ne pas dépasser 60 mg par jour). Réduire le plus possible ou ne plus recourir aux corticostéroïdes oraux et tenter de juguler l'affection à l'aide de corticostéroïdes en inhalation à fortes doses.	■ Bronchodilatateurs à action brève; agonistes bêta$_2$-adrénergiques, au besoin, pour soulager les symptômes. ■ L'intensité du traitement dépend de la gravité des exacerbations. ■ L'utilisation quotidienne d'agonistes bêta$_2$-adrénergiques à action brève en inhalation ou un usage accru indique qu'il est nécessaire d'optimiser le traitement de longue durée.	■ Mesures prises aux paliers 2 et 3, plus: ■ Counselling et enseignement individualisés.
PALIER N° 3 ■ Modéré ■ Persistant	■ Symptômes quotidiens ■ Usage quotidien d'agonistes bêta$_2$-adrénergiques à action brève en inhalation ■ Exacerbations affectant les activités ■ Exacerbations ≥ 2 fois par semaine, pouvant durer plusieurs jours	> 1 fois par semaine	■ VEMS ou DEP de 60 à 80 % du taux prévu ■ DEP variable > 30 %	Traitement de choix ■ Anti-inflammatoires: corticostéroïdes en inhalation (dose faible à moyenne) ET ■ Agonistes bêta$_2$-adrénergiques à action prolongée en inhalation. Autres traitements possibles ■ Corticostéroïdes en inhalation (dose moyenne) OU ■ Corticostéroïdes en inhalation (doses faible ou moyenne), avec de la théophylline à libération prolongée ou un antagoniste des leucotriènes.	■ Bronchodilatateurs à action brève; agonistes bêta$_2$-adrénergiques, selon les besoins, pour soulager les symptômes. ■ L'intensité du traitement dépend de la gravité des exacerbations. ■ L'utilisation quotidienne d'agonistes bêta$_2$-adrénergiques à action brève en inhalation ou un usage accru indique qu'il est nécessaire d'optimiser le traitement de longue durée.	Mesures prises au palier 1, plus: ■ Enseigner l'auto-surveillance. ■ Orienter vers des groupes d'apprentissage, s'il en existe. ■ Réviser et réactualiser le plan d'autosoins.
PALIER N° 2 ■ Léger ■ Persistant	■ Symptômes > 2 fois par semaine, mais < 1 fois par jour	> 2 fois par mois	■ VEMS ou DEP ≥ 80 % du taux prévu ■ DEP variable de 20 à 30 %	Traitement de choix ■ Corticostéroïdes en inhalation (doses faibles)	■ Bronchodilatateurs à action brève; agonistes bêta$_2$-adrénergiques,	Mesures prises au palier, 1 plus: ■ Enseigner l'auto-surveillance.

Traitement de l'asthme, par paliers, chez les adultes et les enfants âgés de plus de 5 ans (*suite*)

TABLEAU 26-4

	Symptômes**	Symptômes nocturnes	Fonction respiratoire	Traitement de longue durée	Soulagement rapide	Enseignement
	■ Exacerbations pouvant affecter les activités			Autres traitements possibles ■ Cromoglycate ou nédocromil (chez les enfants, on commence habituellement par un essai au cromoglycate ou au nédocromil). ■ Antagonistes des leucotriènes. ■ Théophylline à libération prolongée.	selon les besoins, pour soulager les symptômes. ■ L'intensité du traitement dépend de la gravité des exacerbations. ■ L'utilisation quotidienne d'agonistes bêta$_2$-adrénergiques à action brève en inhalation ou un usage accru indique qu'il est nécessaire de recourir à un traitement prolongé supplémentaire.	■ Orienter vers des groupes d'apprentissage, s'il en existe. ■ Réviser et réactualiser le plan d'autosoins.
PALIER N° 1 ■ Léger ■ Intermittent	■ Symptômes ≤ 2 fois par semaine ■ Affection asymptomatique et DEP normal entre les exacerbations ■ Exacerbations brèves (de quelques heures à quelques jours), d'intensité variable	≤ 2 fois par mois	■ VEMS ou DEP ≥ 80 % du taux prévu ■ DEP variable < 20 %	■ Pas de traitement quotidien	■ Bronchodilatateurs à action brève; agonistes bêta$_2$-adrénergiques, selon les besoins, pour soulager les symptômes. ■ L'intensité du traitement dépend de la gravité des exacerbations. ■ L'utilisation d'agonistes bêta$_2$-adrénergiques à action brève plus de 2 fois par semaine peut indiquer qu'il faut amorcer un traitement prolongé.	■ Enseigner les notions de base. ■ Montrer comment utiliser l'inhalateur, la chambre d'inhalation ou de rétention. ■ Expliquer le rôle des médicaments. ■ Élaborer un plan d'autosoins. ■ Élaborer un plan d'action concernant les mesures de secours (moment propice, type de mesure). ■ Sensibiliser aux mesures appropriées de maîtrise de l'environnement pour prévenir l'exposition aux allergènes et irritants connus.

APPROCHE PAR PALIERS DESCENDANTS

Revoir le traitement tous les 1 à 6 mois; une réduction graduelle du traitement pourrait être envisagée.

APPROCHE PAR PALIERS ASCENDANTS

Si l'asthme ne peut être maîtrisé, il faut passer à un palier de traitement plus élevé. D'abord, il faut revoir la technique d'administration des médicaments, le degré d'observance du traitement et les mesures de maîtrise de l'environnement (éviter les allergènes ou les autres facteurs qui contribuent à l'aggravation de l'asthme).

- Un traitement d'urgence par des corticostéroïdes systémiques peut être nécessaire à tout moment et à n'importe quel palier.
- Certaines personnes, aux crises d'asthme intermittentes, connaissent des exacerbations graves pouvant mettre leur vie en danger, qui sont séparées par de longues périodes où leur fonction respiratoire est normale et où aucun symptôme ne se manifeste. Cette situation est particulièrement fréquente lorsque les exacerbations sont provoquées par des infections respiratoires. On recommande alors d'administrer une corticothérapie générale de courte durée.

- À chaque palier, il faut maîtriser l'environnement afin de prévenir les crises d'asthme ou éviter, dans la mesure du possible, les facteurs aggravants (par exemple allergènes, irritants); pour ce faire, il faut poser un diagnostic précis et donner l'enseignement en conséquence.

REMARQUES

- L'approche par paliers comporte des consignes générales qui aident à prendre des décisions cliniques; il ne s'agit pas d'une directive à appliquer dans chaque cas. L'asthme se manifeste de façon très variable; les cliniciens devraient adapter les plans pharmacologiques aux besoins particuliers de chacun et aux circonstances.
- Il faut maîtriser les symptômes le plus vite possible, puis réduire le traitement de façon à ce que le plus petit nombre de médicaments possible puisse prévenir une nouvelle crise. On peut obtenir une bonne maîtrise en amorçant le traitement au palier qui correspond le mieux à la gravité initiale de l'asthme ou à un niveau plus élevé (par exemple un traitement à l'aide de corticostéroïdes systémiques ou une dose plus élevée de corticostéroïdes en inhalation).

DEP: débit expiratoire de pointe ou débit de pointe
* La présence d'une des caractéristiques de la gravité est suffisante pour classer la personne dans cette catégorie. On doit classer une personne asthmatique au palier le plus élevé où l'un des épisodes survient. Les caractéristiques qui figurent dans ce tableau sont générales et peuvent se chevaucher, car l'asthme est une affection dont les caractéristiques sont très variables. De plus, le classement peut se modifier avec le temps.
** Quelle que soit la gravité de leur état, les personnes peuvent connaître des exacerbations légères, modérées ou graves. Certaines des personnes qui subissent des crises d'asthme intermittentes connaissent des exacerbations graves pouvant mettre leur vie en danger, séparées par de longues périodes où leur fonction respiratoire est normale et où aucun symptôme ne se manifeste.
SOURCE: Expert Panel Report II (2002). *Guidelines for the diagnosis and management of asthma. Updates on selected topics 2002*. National Institutes of Health, National Heart, Lung and Blood Institute, NIH Publication, 02-5074.

exposition à des facteurs déclenchants connus impossible à éviter. Ces médicaments sont contre-indiqués dans le traitement des exacerbations asthmatiques aiguës.

Pour maîtriser les symptômes, particulièrement ceux qui surviennent pendant la nuit, on administre des agonistes bêta$_2$-adrénergiques à action prolongée en association avec des corticostéroïdes. En raison de leur longue durée d'action, ces agents sont efficaces dans la prévention de l'asthme d'effort. Le salmétérol, avec son long début d'action, ne devrait jamais être utilisé pour traiter les crises et les symptômes soudains et aigus. On lui préférera le formotérol en Turbuhaler (Oxeze), car son début d'action est assez rapide. Santé Canada (2005b) a émis un avis concernant une augmentation possible de la mortalité reliée aux agonistes bêta$_2$-adrénergiques à action prolongée dans le traitement de l'asthme. Dans cet avis, on formule les recommandations suivantes:

- Le salmétérol et le formotérol ne peuvent être utilisés qu'avec une dose appropriée de corticostéroïdes en inhalation tel que recommandé par un médecin.
- Les bêta$_2$-agonistes à longue durée d'action ne remplacent pas les corticostéroïdes administrés par inhalation ou par voie orale.
- Serevent, Foradil ou Advair ne devraient jamais être utilisés pour traiter les symptômes et crises d'asthme soudains et aigus.
- Symbicort n'est pas indiqué pour le traitement de symptômes et de crises d'asthme soudains.
- Oxeze peut être utilisé pour traiter des symptômes aigus ou soudains d'asthme chez les patients de 12 ans et plus.
- Il est recommandé de consulter un médecin si les médicaments contre l'asthme commencent à être moins efficaces ou si les patients ont besoin d'un plus grand nombre d'inhalations que normalement.
- Les patients ne doivent pas interrompre ou réduire leur traitement contre l'asthme sans consulter tout d'abord leur médecin prescripteur. L'arrêt brusque du médicament peut entraîner une détérioration du contrôle de l'asthme et mettre ainsi la vie du patient en danger.
- Les patients asthmatiques qui ont des questions au sujet de leur prescription ou leur traitement actuels devraient communiquer directement avec leur médecin ou leur pharmacien.

Les méthylxanthines (aminophylline et théophylline) sont des bronchodilatateurs légers ou modérés, habituellement utilisés en association avec des corticostéroïdes en inhalation, principalement pour soulager les symptômes nocturnes de l'asthme. Selon certaines données probantes, la théophylline peut avoir un effet anti-inflammatoire léger (NHLBI, 1998).

Les leucotriènes, une classe de substances inflammatoires, sont de puissants bronchoconstricteurs qui dilatent également les vaisseaux sanguins et en modifient la perméabilité. Les antagonistes des récepteurs des leucotriènes bloquent les molécules sur lesquels les leucotriènes exercent leur effet (Boushey, Fick, Lazarus et Martin, 2000). Ils peuvent constituer une solution de rechange aux corticostéroïdes en inhalation, dans le cas de l'asthme léger persistant, ou leur être ajoutés pour obtenir une meilleure maîtrise dans les cas plus graves.

L'omalizumab (Xolair) est une nouvelle option de traitement pour les adultes et les adolescents souffrant d'asthme allergique persistant modéré ou grave, qui ont eu un test cutané positif ou une réactivité *in vitro* à un allergène aérien non saisonnier et dont l'asthme n'est pas adéquatement maîtrisé par les corticostéroïdes en inhalation. L'omalizumab est un anticorps monoclonal qui se lie aux IgE à l'origine du déclenchement de la réaction inflammatoire reliée aux allergies. Il s'administre par injection sous-cutanée toutes les deux à quatre semaines. Les effets indésirables possibles sont des réactions au point d'injection, des infections virales, des infections des voies respiratoires supérieures et des céphalées (Ruffin, 2004).

Médicaments à action rapide Les agonistes bêta$_2$-adrénergiques à action brève sont les médicaments de choix pour soulager les symptômes aigus et prévenir l'asthme attribuable à l'effort. Ils agissent rapidement. Les agents anticholinergiques (par exemple ipratropium [Atrovent]) peuvent être utilisés dans les cas d'intolérance aux effets secondaires des agonistes bêta$_2$-adrénergiques ou lorsque la thérapie usuelle n'est pas suffisante, mais on les utilise beaucoup plus souvent dans le traitement de la BPCO. Leur début d'action est plus long et leur efficacité dans le cas de l'asthme est inférieure à celle des agonistes bêta$_2$-adrénergiques.

Traitement des exacerbations de l'asthme

La meilleure façon de maîtriser les exacerbations de l'asthme consiste à les traiter rapidement et à sensibiliser la personne à son état (Expert Panel Report II, 2002). On administre pour commencer des agonistes bêta$_2$-adrénergiques à action rapide pour dilater rapidement les voies respiratoires. Chez les personnes qui ne répondent pas aux agonistes bêta$_2$-adrénergiques, il peut être nécessaire d'administrer des corticostéroïdes à effet général pour diminuer l'inflammation des voies aériennes. Chez certaines personnes, on doit parfois recourir à l'oxygénothérapie pour soulager l'hypoxémie associée à une exacerbation modérée ou grave (Expert Panel Report II, 2002). Par ailleurs, on peut évaluer la réponse au traitement en effectuant des mesures en série de la fonction respiratoire.

L'outil le plus utile pour les personnes asthmatiques est le plan d'action présenté par écrit (figure 26-8 ■). Ce plan d'action constitue un guide d'autosoins des exacerbations et aide la personne à reconnaître les premiers signes d'aggravation de l'affection. La communication avec le personnel soignant sera plus efficace en cas d'exacerbation si la personne effectue ses autosoins de façon adéquate et si les problèmes sont dépistés rapidement (Expert Panel Report II, 2002).

Surveillance des débits de pointe

Le débitmètre mesure le débit d'air le plus élevé au cours d'une expiration forcée (figure 26-9 ■). On recommande de surveiller les débits de pointe quotidiennement chez toutes les personnes atteintes d'asthme modéré ou grave, car cela aide à déterminer la gravité de leur état. Par ailleurs, lorsqu'on associe cette mesure à la surveillance des symptômes, on peut déterminer jusqu'à quel point l'asthme est maîtrisé. On doit enseigner à la personne la méthode appropriée, particulièrement pour ce qui est de l'effort maximal. On détermine le «meilleur débit de pointe personnel» après avoir mesuré les débits de pointe pendant les 2 ou 3 semaines qui suivent un traitement optimal. On détermine les zones de couleur verte (de 80 à 100 % du meilleur débit personnel), jaune (de 60 à 80 %) et rouge (inférieur à 60 %), ainsi que les mesures qu'il est approprié de prendre dans chaque cas, ce qui permet à la personne de suivre et de modifier son traitement après qu'on lui a donné des consignes rigoureuses (Expert Panel Report II, 1997). Cette méthode favorise l'observance du traitement, l'autonomie et l'efficacité des autosoins (Reinke, 2000).

Soins et traitements infirmiers

Les soins et traitements infirmiers immédiats dépendent de la gravité des symptômes. En cas de symptômes relativement légers, la personne peut être traitée efficacement en consultation externe. En présence de crises d'asthme aiguës ou graves, il peut être nécessaire de l'hospitaliser et de la traiter à l'unité des soins intensifs.

Il est fréquent que la dyspnée effraie et angoisse la personne et les membres de sa famille. Par conséquent, les soins doivent être administrés calmement. Pour évaluer l'état respiratoire de la personne, l'infirmière doit déterminer la gravité des symptômes, ausculter les bruits de la respiration, mesurer le débit de pointe, interpréter les résultats de la sphygmooxymétrie et prendre les signes vitaux. Elle doit noter les antécédents de réactions allergiques de la personne aux médicaments avant de lui administrer tout médicament et elle vérifie l'usage courant que la personne en fait. L'infirmière administre les médicaments selon les recommandations du médecin, puis suit de près la réponse de la personne à son traitement. On peut administrer des liquides si la personne est déshydratée et des antibiotiques pour traiter une infection respiratoire sous-jacente. Si une intubation est indiquée en raison d'une insuffisance respiratoire aiguë, l'infirmière participe à l'intervention, continue de suivre de près l'état de la personne et informe celle-ci et les membres de sa famille des autres interventions prévues.

Favoriser les soins à domicile et dans la communauté

Enseigner les autosoins Un des grands défis du traitement de l'asthme est d'implanter les principes de base du traitement antiasthmatique dans la communauté (Reinke, 2000). À cet égard, les points clés sont les suivants: former les soignants, élaborer des programmes de formation sur l'asthme (destinés aux personnes asthmatiques et à leurs proches aidants), assurer des soins de suivi en consultation externe et administrer un traitement prolongé plutôt qu'un traitement épisodique lors des crises aiguës. L'infirmière joue un rôle important dans l'atteinte de chacun de ces objectifs.

L'enseignement est un élément crucial des soins (Plaut, 2001). Pour maîtriser à longue échéance les symptômes de l'asthme, on peut utiliser plusieurs types d'aérosols-doseurs et d'inhalateurs, administrer un traitement antiallergique ou des médicaments antireflux et prendre des mesures pour éviter les facteurs déclenchant les crises. Un traitement d'une telle complexité exige que la personne et son proche aidant collaborent étroitement pour déterminer les résultats escomptés et élaborer un plan qui permette de les atteindre. Il appartient ensuite à la personne de suivre son traitement quotidien dans le cadre des autosoins, en respectant les recommandations du soignant. Avant qu'un tel partenariat puisse être établi entre la personne et son proche aidant, on doit donner à la personne des explications sur les points suivants:

- Nature de l'asthme en tant qu'affection inflammatoire chronique
- Définition de l'inflammation et de la bronchoconstriction
- But du traitement et effet de chaque médicament
- Facteurs déclenchants à éviter et façon de le faire
- Technique correcte d'inhalation
- Méthode de surveillance du débit de pointe (encadré 26-5 ■)
- Façon de mettre en pratique un plan d'action
- Moment opportun pour demander de l'aide et comment le faire

Il existe de l'excellent matériel didactique, qu'on peut se procurer auprès de certains organismes. L'infirmière devrait

Conseils sur votre traitement

Renseignez-vous sur les facteurs qui aggravent votre asthme et évitez-les.

Corticostéroïde en inhalation

Votre médicament stabilisateur est :

____

- il diminue l'inflammation de vos bronches;
- il stabilise l'asthme et prévient les crises;
- il agit lentement;
- il doit être pris tous les jours pour être efficace;
- il faut augmenter la dose de ce médicament au premier signe de détérioration de votre asthme comme lors de rhume ou de grippe;
- vous devez vous rincer la bouche après l'avoir utilisé pour prévenir les effets indésirables.

Bronchodilatateur (courte durée)

Votre médicament de secours est :

____

- il dilate les muscles contractés de vos bronches;
- il soulage les symptômes rapidement, en quelques minutes;
- son effet dure de 4 à 6 heures;
- il doit être pris *au besoin* lors de symptômes d'asthme (*toux, sensation de serrement dans la poitrine, essoufflement, respiration sifflante*); comme point de repère, votre symptôme d'asthme le plus fréquent est : ______________________;
- il peut être pris, *au besoin*, quelques minutes avant un exercice ou un contact avec l'air froid pour prévenir les symptômes d'asthme;
- si vous devez l'utiliser régulièrement (ex.: **4 fois par semaine ou plus**), c'est un signe que votre asthme se détériore et nécessite une action.

Médicament additionnel possible

Bronchodilatateur (longue durée)

Votre bronchodilatateur à longue durée est :

____

- il se prend toujours avec un corticostéroïde en inhalation, tous les jours;
- il améliore la maîtrise de l'asthme et soulage les symptômes.

Anti-leucotriène

Votre anti-leucotriène est :

____

- il se prend ________ fois par jour, ______________, tous les jours;
- il améliore la maîtrise de l'asthme en diminuant l'inflammation.

Autre(s) médicament(s) possible(s)

- ______________________________
- ______________________________

ÉDITION
Comité de revue de l'utilisation des médicaments (CRUM)
Adresse Web : http://www.msss.gouv.qc.ca/crum

RÉDACTION
Rachel Rouleau, M.Sc., pharmacienne
Diane Blais, M.Sc., pharmacienne

RÉVISION
Danielle Doyon, DPH, MAP, pharmacienne
Dre Louise Roberge, omnipraticienne
Carole Chamberland, MBA, pharmacienne
Dre Renée Paré, omnipraticienne

COLLABORATION
Dr Jacques Bouchard, omnipraticien
Dr Louis-Philippe Boulet, pneumologue
Dr Pierre Larivée, pneumologue
Dr Jean-Paul Praud, pneumologue-pédiatre
Sous-comité des pharmaciens du Réseau québécois pour l'enseignement sur l'asthme
Parents d'enfants atteints d'asthme

RÉVISION LINGUISTIQUE
Joëlle Chauveau

CONCEPTION GRAPHIQUE ET ÉDITION ÉLECTRONIQUE
Solo communication graphique

Afin de faciliter la lecture du texte, le masculin est utilisé pour désigner à la fois les femmes et les hommes.

Octobre 2000
Mise à jour - Avril 2002

English version available on request

Québec
Comité de revue de l'utilisation des médicaments

C.R.U.M.
Comité de revue de l'utilisation des médicaments

Nom : ______________________

Date : ______________________

Médecin : ______________________

Rempli par : ______________________

FIGURE 26-8 ■ Plan d'action pour la personne atteinte d'asthme.
SOURCE : Comité de revue de l'utilisation des médicaments (CRUM). (page consultée le 20 octobre 2005), [en ligne], http://www.cdm.gouv.qc.ca/site/50.40.0.0.1.0.phtml. Reproduction autorisée par Les Publications du Québec.

Votre asthme → est maîtrisé

avec votre traitement de base

si vous

- ❑ ressentez, le jour, des symptômes d'asthme (*toux, sensation de serrement dans la poitrine, essoufflement, respiration sifflante*) mais **moins de 4 jours par semaine**; comme point de repère, votre symptôme d'asthme le plus fréquent est : ____________________;
- ❑ ne ressentez **aucun** symptôme la nuit ou au réveil;
- ❑ utilisez votre **bronchodilatateur (courte durée) moins de 4 fois par semaine** pour soulager vos symptômes;
- ❑ pouvez mener une vie normale et faire de l'exercice sans être incommodé par des symptômes d'asthme;
- ❑ avez des mesures de débits de pointe normales, supérieures à __________.

Dans ces conditions, continuez votre traitement de base qui est :

Corticostéroïde en inhalation :

____________________ inhalation(s)

__________ fois par jour, tous les jours.

Bronchodilatateur (courte durée) :

____

__________ inhalation(s) *au besoin* pour soulager rapidement les symptômes d'asthme.

Autre(s) médicament(s) :

____

____

Votre asthme  se détériore

et nécessite une action

si vous

- ❑ commencez un rhume ou une grippe;
- ❑ ressentez des symptômes d'asthme à la suite d'un contact avec un facteur déclenchant comme __________;
- ❑ ressentez des symptômes d'asthme le jour, **4 fois par semaine ou plus**;
- ❑ ressentez des symptômes d'asthme la nuit ou au réveil;
- ❑ utilisez votre **bronchodilatateur (courte durée) 4 fois par semaine ou plus** pour soulager vos symptômes;
- ❑ êtes incommodé lors de vos activités quotidiennes (ex. : marcher rapidement, monter des marches, etc.) ou lorsque vous faites de l'exercice;
- ❑ avez des mesures de débits de pointe diminuées, entre ________ et ________.

Si une ou plusieurs de ces conditions sont cochées, modifiez votre traitement le plus vite possible, comme suit :

Corticostéroïde :

____

pendant ______ jours,

puis retournez à **votre traitement de base.**

Si après 2 jours, votre asthme ne s'est pas amélioré, consultez rapidement un médecin ou :

____

Votre asthme → s'est aggravé

et nécessite une consultation immédiate

si vous

- ❑ ressentez des symptômes d'asthme plusieurs fois par jour, à l'effort léger (ex. : marche) ou au repos;
- ❑ ressentez des symptômes d'asthme qui vous réveillent plusieurs fois durant la nuit;
- ❑ ressentez des symptômes d'asthme au réveil, qui sont peu améliorés par votre **bronchodilatateur (courte durée)**;
- ❑ utilisez votre **bronchodilatateur (courte durée)** plusieurs fois par jour, ou s'il ne vous soulage pas bien (son effet dure moins de 4 heures);
- ❑ êtes incapable de mener vos activités quotidiennes ou de faire de l'exercice;
- ❑ avez des mesures de débits de pointe diminuées, inférieures à __________.

Si une ou plusieurs de ces conditions sont cochées, agissez immédiatement :

Consultez votre médecin rapidement ou présentez-vous à l'urgence.

____

Signature de la personne atteinte d'asthme (facultative)

En signant, je confirme que je comprends mon plan d'action.

FIGURE 26-8 ■ (*suite*).

FIGURE 26-9 ■ Le débitmètre mesure le volume de flux d'air le plus élevé au cours d'une expiration forcée (*à gauche*). Le volume est mesuré à l'aide de zones codées par couleur (*à droite*): la zone verte correspond à 80 à 100 % du meilleur débit de pointe de la personne, la zone jaune à 60 à 80 %, et la zone rouge à moins de 60 %. Si le débit de pointe chute au-dessous des valeurs de la zone rouge, la personne devrait suivre les mesures prescrites par son médecin.

remettre à la personne le matériel le plus récent possible, en tenant compte du diagnostic qui a été posé et des facteurs causaux; la documentation doit en outre être adaptée au niveau de scolarité de la personne et à sa culture.

Assurer le suivi L'infirmière qui côtoie une personne asthmatique dans quelque milieu que ce soit (établissement de soins, clinique, école ou milieu de travail) doit saisir cette occasion pour évaluer l'état de la fonction respiratoire et la capacité de la personne à prendre en charge ses autosoins pour prévenir les exacerbations graves. L'infirmière doit insister sur le fait qu'il est important d'observer le traitement prescrit, de prendre des mesures de prévention et de respecter les rendez-vous de suivi chez son médecin traitant. Dans le cas où les exacerbations sont récurrentes, il peut être nécessaire que l'infirmière fasse une visite au domicile de la personne pour vérifier si des allergènes ne sont pas en cause. L'infirmière peut également recommander à la personne des groupes de soutien locaux. De plus, elle doit lui rappeler, à elle et aux membres de sa famille, qu'il est important de poursuivre les activités de promotion de la santé et de dépistage systématique.

ÉTAT DE MAL ASTHMATIQUE

L'état de mal asthmatique est une forme d'asthme grave et persistante qui ne répond pas aux traitements classiques. Les crises peuvent durer plus de 24 heures. Cette complication peut être due aux facteurs suivants: infection, anxiété, usage abusif du nébuliseur, déshydratation, blocage adrénergique accru et irritants non spécifiques. Un épisode aigu peut aussi être déclenché par l'hypersensibilité à l'aspirine.

Physiopathologie

Les caractéristiques de base de l'asthme (constriction des muscles lisses des bronchioles, œdème des muqueuses bronchiques et production de sécrétions épaissies) mènent au rétrécissement de la lumière des bronches et deviennent apparentes en cas d'état de mal asthmatique. Un déséquilibre entre la ventilation et la perfusion entraîne initialement l'hypoxémie et une alcalose respiratoire, suivies d'une acidose respiratoire. On observe une PaO_2 réduite et une alcalose respiratoire initiale avec une $PaCO_2$ diminuée et un pH plus élevé. Au fur et à mesure que l'état de mal asthmatique s'aggrave, la $PaCO_2$ augmente et le pH chute, ce qui se traduit par une acidose respiratoire.

Manifestations cliniques

Les manifestations cliniques sont les mêmes qu'en cas d'asthme grave: respiration laborieuse, expiration prolongée, veines du cou engorgées et respiration sifflante. Toutefois, la force des sibilants n'est pas un indice de la gravité de la crise. Au fur et à mesure que l'obstruction s'aggrave, les sibilants peuvent disparaître, ce qui est souvent un signe d'insuffisance respiratoire imminente.

ENCADRÉ 26-5

GRILLE DE SUIVI DES SOINS À DOMICILE

Utilisation d'un débitmètre

Après avoir reçu l'enseignement sur les soins à domicile, la personne ou le proche aidant peut:	Personne	Proche aidant
■ Décrire les avantages d'un débitmètre dans le traitement de l'asthme.	✔	✔
■ Expliquer comment le suivi par le débitmètre, associé à la surveillance des symptômes, permet de déterminer la gravité de l'asthme.	✔	✔
■ Faire la démonstration du mode d'emploi correct du débitmètre:		
1. Placer l'indicateur au bas de l'échelle numérotée.	✔	
2. Se mettre en position debout ou s'asseoir bien droit.	✔	
3. Placer l'appareil à l'horizontale.	✔	
4. Prendre une grande inspiration pour remplir complètement ses poumons.	✔	
5. Placer l'embout du débitmètre dans sa bouche et refermer les lèvres (ne pas mettre la langue dans l'ouverture).	✔	
6. S'assurer que les doigts n'empêchent pas le curseur de se déplacer.	✔	
7. Expirer fortement et rapidement en un seul souffle.	✔	
8. Noter le chiffre atteint par l'indicateur.	✔	
■ Refaire les étapes 1 à 8, à 2 reprises, et noter la mesure la plus élevée dans le journal.	✔	
■ Expliquer comment on détermine le « meilleur débit de pointe personnel ».	✔	✔
■ Décrire la signification des zones de couleur pour le suivi des débits de pointe.	✔	✔
■ Montrer comment on nettoie le débitmètre.	✔	✔
■ Indiquer à quel moment où on doit contacter le professionnel de la santé et comment le contacter en cas de changements ou de baisses des valeurs du débit de pointe.	✔	✔

Examen clinique et examens paracliniques

Les épreuves de la fonction respiratoire sont les méthodes d'exploration qui renseignent le plus précisément sur l'obstruction aiguë des voies respiratoires. On mesure les gaz du sang artériel si la personne est incapable de respirer, à cause de l'obstruction importante ou de la fatigue, ou si elle ne répond pas au traitement. L'alcalose respiratoire ($PaCO_2$ faible) est la complication la plus courante chez les personnes asthmatiques. Une $PaCO_2$ accrue (jusqu'à des valeurs normales ou des niveaux indiquant l'acidose respiratoire) est souvent un signal d'alerte d'insuffisance respiratoire imminente.

Traitement médical

Dans les services des urgences, on traite initialement l'état de mal asthmatique par des agonistes bêta$_2$-adrénergiques à action brève et des corticostéroïdes. Il faut également recourir à une oxygénothérapie et administrer des liquides par voie intraveineuse pour réhydrater la personne. On recourt à l'oxygénothérapie pour traiter la dyspnée, la cyanose centrale et l'hypoxémie. On administre l'oxygène humidifié à l'aide d'un masque Venturi ou d'une sonde nasale. Le débit est réglé en fonction des résultats de la sphygmooxymétrie et de l'analyse des gaz artériels. La PaO_2 doit être maintenue entre 65 et 85 mm Hg. L'administration de sédatifs est contre-indiquée. On doit hospitaliser la personne s'il n'y a pas de réponse aux traitements répétés ou si on obtient de mauvais résultats aux épreuves de la fonction respiratoire et à l'analyse des gaz artériels (acidose respiratoire), ce qui peut indiquer que la personne se fatigue et qu'il faudra recourir à la ventilation assistée. Bien que la plupart des personnes asthmatiques n'aient pas besoin de ventilation assistée, on l'utilise chez celles qui sont en insuffisance respiratoire, qui se fatiguent et qui sont trop épuisées pour respirer par elles-mêmes ou qui ne répondent pas au traitement initial.

Les décès dus à l'asthme sont associés à plusieurs facteurs de risque, notamment aux facteurs suivants:

- Antécédents d'exacerbations soudaines et graves
- Antécédents d'intubation endotrachéale à cause de l'asthme
- Hospitalisation antérieure aux soins intensifs à cause d'une exacerbation de l'asthme
- Au moins 2 hospitalisations causées par l'asthme, au cours de la dernière année
- Au moins 3 visites au service des urgences à cause d'une crise d'asthme, au cours de la dernière année
- Usage excessif d'agonistes bêta$_2$-adrénergiques à action brève en aérosol-doseur (plus d'une cartouche [200 doses] par mois)

- Utilisation non appropriée d'agonistes bêta$_2$-adrénergiques à action prolongée
- Sevrage récent d'une corticothérapie systémique
- Affection intercurrente, par exemple affection cardiovasculaire ou BPCO
- Affection psychiatrique
- Personne défavorisée sur le plan socioéconomique
- Domicile en milieu urbain (Expert Panel Report II, 2002, et Santé Canada, 2005b)

Soins et traitements infirmiers

L'infirmière doit surveiller constamment la personne asthmatique pendant les 12 à 24 premières heures ou jusqu'à ce que l'état de mal asthmatique soit bien maîtrisé. Elle doit également examiner l'élasticité de la peau pour déterminer si la personne n'est pas déshydratée. L'apport liquidien est essentiel pour combattre la déshydratation, pour liquéfier les sécrétions et pour en faciliter l'expulsion. L'infirmière administre des liquides par voie intraveineuse, selon les recommandations du médecin, jusqu'à 3 à 4 L par jour, sauf contre-indication. On doit préserver l'énergie de la personne et on doit la placer dans une pièce calme et dépourvue de tout irritant respiratoire (notamment fleurs, fumée de cigarette, parfums ou odeurs d'agents de nettoyage). On devrait aussi utiliser un oreiller non allergène.

Fibrose kystique

La fibrose kystique (aussi appelée mucoviscidose) est la plus courante des affections autosomiques récessives d'issue fatale qui frappent la population de race blanche. Pour en être atteinte, la personne doit hériter une copie du gène défectueux de chacun de ses parents. On estime qu'un individu sur 25 est porteur du gène responsable de la fibrose kystique au Canada, la plupart du temps à son insu. La fréquence de l'affection est de 1 cas sur 2 500 naissances vivantes, et environ 3 000 personnes en souffrent au Canada (Association québécoise de la fibrose kystique, 2005). Bien que la fibrose kystique ait été considérée comme une affection mortelle chez l'enfant, environ 38 % des personnes qui en sont atteintes sont âgées de 18 ans ou plus (Cystic Fibrosis Foundation, 2002). Le diagnostic est habituellement établi chez le nourrisson ou au cours de la petite enfance, mais il est parfois posé plus tard. Dans ce cas, les symptômes respiratoires sont souvent la principale manifestation de l'affection.

Physiopathologie

La fibrose kystique est due à des mutations de la protéine CFTR (*cystic fibrosis transmembrane conductance regulator*) qui contrôle entre autres les mouvements du chlore à travers la membrane cellulaire (Katkin, 2002). Les problèmes de transport du chlorure entraînent la production de sécrétions plus consistantes et visqueuses dans les poumons, le pancréas, le foie, les intestins et l'appareil reproducteur, et ils accroissent la teneur en sel des sécrétions des glandes sudoripares. En 1989, on a réalisé des avancées importantes dans ce domaine en cernant le gène de la fibrose kystique. La capacité de déceler les mutations communes de ce gène permet de dépister systématiquement cette affection et les porteurs du gène défectueux. Les consultations génétiques constituent un aspect important des soins chez les couples à risque.

L'obstruction au flux d'air est une caractéristique clé de la fibrose kystique. Cette obstruction est due au blocage des bronches par des sécrétions purulentes, à l'épaississement de la paroi des bronches dû à l'inflammation et, avec le temps, à la destruction des voies aériennes (Katkin, 2002). Ces sécrétions retenues dans les voies aériennes constituent à la longue un excellent réservoir d'infections bronchiques ininterrompues.

Manifestations cliniques

Les manifestations respiratoires de la fibrose kystique sont notamment les suivantes: toux productive, sibilants, surdistension des champs pulmonaires visibles sur le cliché radiographique thoracique et résultats des épreuves de la fonction respiratoire confirmant la présence d'une affection obstructive des voies aériennes (Katkin, 2002). La colonisation des voies aériennes par des bactéries pathogènes survient habituellement en début de vie. Les microorganismes provoquant le plus souvent des infections pendant la petite enfance sont *Staphylococcus aureus* et *Hæmophilus influenzæ*. Au fur et à mesure que l'affection évolue, on retrouve aussi *Pseudomonas aeruginosa* dans les crachats de la plupart des personnes. Les manifestations de l'affection au niveau des voies respiratoires supérieures sont la sinusite et les polypes nasaux.

Les manifestations cliniques non pulmonaires de la fibrose kystique sont notamment les suivantes: troubles gastro-intestinaux (par exemple insuffisance pancréatique, douleurs abdominales récurrentes, cirrhose biliaire, carences vitaminiques, pancréatite récurrente [chapitre 42], perte de poids), troubles génito-urinaires (stérilité chez l'homme et la femme) et hippocratisme digital.

Examen clinique et examens paracliniques

La plupart du temps, on diagnostique la fibrose kystique lorsque l'on constate des résultats élevés au test du contenu en chlorures des sécrétions sudoripares, ainsi que les signes et symptômes cliniques associés à l'affection. Les personnes atteintes de fibrose kystique ont à plusieurs reprises des valeurs du contenu en chlorures supérieures à 60 mmol/L, ce qui les distingue des personnes souffrant d'autres affections obstructives. On peut également utiliser un diagnostic moléculaire pour évaluer les mutations génétiques courantes du gène de la fibrose kystique.

Traitement médical

Les problèmes respiratoires restent la première cause de morbidité et de mortalité en présence de fibrose kystique. Comme les personnes atteintes de fibrose kystique souffrent d'infections bactériennes chroniques des voies aériennes, le principal but du traitement est de maîtriser les infections. On prescrit régulièrement des antibiotiques pour traiter les exacerbations respiratoires aiguës de l'affection. Selon la gravité de l'exacerbation, on peut choisir une antibiothérapie par aérosol, par voie orale ou par voie intraveineuse. On choisit les antibiotiques selon les résultats de la mise en culture des expectorations et des tests de sensibilité. Chez les personnes atteintes de fibrose kystique, les bactéries deviennent résistantes à plusieurs médicaments, et il faut donc administrer plusieurs séries d'antibiothérapies pendant des périodes prolongées.

On prescrit fréquemment des bronchodilatateurs pour diminuer l'obstruction des voies respiratoires. Différentes techniques respiratoires permettent d'améliorer l'évacuation des sécrétions, notamment le drainage postural manuel, la percussion et la vibration thoraciques et divers dispositifs qui aident à dégager les voies respiratoires (masques PEP [qui génèrent une pression expiratoire positive], dispositifs de «flutter» [qui fournissent un schéma de pressions expiratoires oscillatoires avec une pression expiratoire positive favorisant l'expulsion des sécrétions]).

On peut aussi administrer des agents mucolytiques par inhalation, tels que le dornase alfa (Pulmozyme) ou la N-acétylcystéine (Mucomyst). Ces agents permettent de diminuer la viscosité des sécrétions et en favorisent l'élimination.

Pour diminuer l'inflammation et la destruction évolutive des voies aériennes, on peut également administrer des agents anti-inflammatoires, dont des corticostéroïdes par inhalation ou un traitement systémique. On étudie actuellement la possibilité d'utiliser d'autres médicaments anti-inflammatoires. L'ibuprofène a certains effets bénéfiques chez les enfants atteints de fibrose kystique, mais il y a peu de données sur son utilisation chez les jeunes adultes ou chez les adultes plus âgés qui sont atteints de fibrose kystique (Katkin, 2002).

On recourt à l'oxygénothérapie pour traiter l'hypoxémie évolutive qui accompagne la fibrose kystique. Non seulement elle aide à corriger l'hypoxémie, mais elle peut aussi réduire les complications d'une hypoxémie chronique (hypertension pulmonaire).

Dans des cas bien précis, la greffe d'un poumon peut aussi être une option valable pour certaines des personnes atteintes de fibrose kystique. On utilise la technique de transplantation des deux poumons en cas d'infection chronique des poumons observée durant la phase terminale de la fibrose kystique. Comme la liste d'attente de greffe est très longue, de nombreuses personnes meurent pendant la période d'attente.

La thérapie génique constitue une technique prometteuse; de nombreuses études cliniques portant sur cette option thérapeutique sont actuellement en cours. On espère que les diverses méthodes d'administration du traitement génique permettront de transporter des gènes sains dans les cellules endommagées et corrigeront les cellules défectueuses de la fibrose kystique. Aucun effort n'est épargné pour mettre au point des méthodes novatrices de traitement ciblant les cellules des voies aériennes atteintes par la fibrose kystique.

Soins et traitements infirmiers

L'infirmière doit aider les adultes atteints de fibrose kystique à prendre en charge les symptômes respiratoires et à prévenir les complications de la fibrose kystique. L'infirmière peut également recourir à des mesures particulières, notamment les techniques qui favorisent l'expectoration des sécrétions pulmonaires, la physiothérapie thoracique, dont le drainage postural, la percussion et la vibration thoraciques. De plus, l'infirmière enseigne à la personne des exercices de respiration; s'il s'agit d'un enfant, elle donne cet enseignement à un membre de sa famille. Il faut par ailleurs rappeler à la personne qu'elle doit réduire les facteurs de risque associés aux infections respiratoires (par exemple exposition aux foules ou aux personnes ayant des infections connues). Enfin, l'infirmière enseigne à la personne les signes et symptômes précoces d'infection respiratoire et d'évolution de l'affection dont celle-ci doit informer le médecin.

L'infirmière insistera sur le fait qu'il est important d'avoir un apport liquidien et alimentaire suffisant pour favoriser l'expectoration des sécrétions et pour assurer un état nutritionnel approprié. Comme la fibrose kystique est une affection qui dure toute la vie, les personnes atteintes doivent apprendre à modifier leurs activités quotidiennes en fonction de leurs symptômes et des modalités thérapeutiques. Toutefois, au fur et à mesure que l'affection évolue, il peut se révéler nécessaire d'évaluer le milieu de vie de la personne afin de déterminer les modifications à y apporter, ce qui permet de répondre aux besoins de la personne en fonction de la dyspnée et de la fatigue accrues et des symptômes non pulmonaires qu'elle présente.

Bien que la thérapie génique et la greffe des deux poumons soient des traitements prometteurs de la fibrose kystique, ce sont des options à accès limité et hautement expérimentales. Par conséquent, l'espérance de vie des adultes souffrant de fibrose kystique est écourtée. Il faut donc prendre en charge les problèmes et les préoccupations qui touchent ces personnes en fin de vie. Il faudrait discuter avec la personne dont l'affection évolue et chez qui l'hypoxémie s'aggrave des choix concernant les soins nécessaires pendant la phase terminale, prendre en note ses volontés et les respecter (chapitre 17). Les personnes atteintes de fibrose kystique et leur famille ont donc besoin de soutien.

EXERCICES D'INTÉGRATION

1. Une femme âgée de 75 ans atteinte d'une BPCO en phase terminale, qui était traitée au service des urgences, a été récemment admise dans votre unité de soins. Elle ne peut pas rester couchée sur le dos et elle est très essoufflée. Les murmures vésiculaires ont diminué dans tous les champs pulmonaires et on entend des crépitants au niveau des lobes inférieurs. Quelle est la physiopathologie associée à ces résultats ? Quelles interventions infirmières et médicales devrait-on mettre en œuvre pour atténuer ou soulager ces signes et symptômes ?
2. Vous recevez à la clinique de l'asthme une mère de famille âgée de 35 ans et vivant en milieu urbain. On lui a prescrit un traitement quotidien par aérosol-doseur à suivre à intervalles réguliers, mais elle explique qu'elle ne l'utilise que si elle en a vraiment besoin, c'est-à-dire quand elle est très essoufflée. Quelles techniques pédagogiques devrez-vous utiliser pour évaluer les connaissances de cette personne sur son médicament et lui expliquer le mode d'emploi de l'aérosol-doseur, la fréquence d'utilisation et l'administration appropriée du médicament ? Quelles méthodes utiliserez-vous pour vérifier si elle utilise correctement l'aérosol-doseur et comment consoliderez-vous votre enseignement ?
3. Vous travaillez dans une clinique. Vous êtes responsable de l'enseignement donné aux groupes et du counselling destiné aux personnes atteintes d'asthme. De quels facteurs déclencheurs de l'asthme parlerez-vous ? Que ferez-vous pour inciter les personnes asthmatiques à évaluer leur milieu de vie ?
4. Vous soignez un homme âgé de 64 ans qui a des antécédents de bronchectasie et d'insuffisance cardiaque à la suite de deux infarctus du myocarde. Pour favoriser l'expectoration des sécrétions pulmonaires, son médecin lui a prescrit une physiothérapie thoracique et le drainage postural. Cette personne vous explique qu'elle n'est capable de respirer facilement qu'en position assise. Comment modifierez-vous la physiothérapie thoracique et le drainage postural pour tenir compte du fait qu'elle est incapable de respirer en décubitus dorsal ou ventral ?
5. Vous traitez un étudiant âgé de 22 ans atteint de fibrose kystique. Il reçoit une antibiothérapie par voie intraveineuse dans votre service. Quelles sont les techniques de rééducation respiratoire appropriées, compte tenu de son âge et de son niveau d'activité ?

RÉFÉRENCES BIBLIOGRAPHIQUES

en anglais • en français

Association québécoise de la fibrose kystique (2005). *Le fibrose kystique* (page consultée le 7 septembre 2005), [en ligne], http://www.aqfk.qc.ca.

Belleau, R., Bérubé, C., Fournier, M.C., Bellavance, J.C., et Leclère, H. (1999). *Apprendre à vivre avec la bronchite chronique ou l'emphysème pulmonaire.* Québec : Presses de l'Université Laval.

Boulet, L.P., et Bourbeau, J. (2002). L'asthme et la maladie pulmonaire obstructive chronique : comment les différentier ? *Le Clinicien, 17*(11), 105-110.

Boulet, S. (2003). L'éducation sur l'asthme dans Internet. *L'infirmière du Québec, 10*(4), 38-41.

Boushey, H.A., Fick, R.B., Lazarus, S., & Martin, A. (2000). *Anti-IgE: A unique approach to asthma management.* Gardiner-Caldwell SynerMed, Califon, NJ, 2–24.

Boutin, H., Lachance, M.C., et Ribichaud, P. (2003a). Vivre avec l'asthme. 1. L'évaluation de la crise d'asthme. *L'infirmière du Québec, 10*(2), 48-50.

Boutin, H., Lachance, M.C., et Robichaud, P. (2003b). Vivre avec l'asthme. 2. L'information essentielle à la maîtrise de l'asthme. *L'infirmière du Québec, 10*(3), 28-30.

Celli, B.R., Snider, G.L, Heffner, J., et al. (1995). ATS standards for the diagnosis and care of patients with chronic obstructive pulmonary disease. *American Journal of Respiratory Critical Care Medicine, 152*(5), S77–S121.

Comité de revue de l'utilisation des médicaments (CRUM ; 2002). *Plan d'action pour la personne atteinte d'asthme* (page consultée le 20 octobre 2005), [en ligne], http://www.cdm.gouv.qc.ca/site/50.40.0.0.1.0.phtml (Le plan d'action : planact02-f.pdf).

Cystic Fibrosis Foundation (2002). What is CF? http://www.cff.org (accessed June 13, 2002).

Derrien, E. (2004). Connaissez-vous la BPCO ? *Revue de l'infirmière, 98*, 24-26.

Dhand, R. (2000). Aerosol therapy in asthma. *Current Opinion in Pulmonary Medicine, 6*(1), 59–70.

Expert Panel Report II (1997). *Guidelines for the diagnosis and management of asthma.* National Asthma Education and Prevention Program, National Institutes of Health.

Expert Panel Report II (2002). *Guidelines for the diagnosis and management of asthma. Updates on selected topics 2002.* National Institutes of Health, National Heart, Lung and Blood Institute, NIH Publication Number 02-5074.

Ferreira, I., Brooks, D., Lacasse, Y., & Goldstein, R. (2001). Nutritional intervention in COPD: A systematic overview. *Chest, 119*(2), 353–363.

Garnier, E. (2004a). Étude GOAL : La maîtrise optimale de l'asthme. *Médecin du Québec, 39*(12), 19-21.

Garnier, E. (2004b). Exacerbation de l'asthme : inutile de doubler la dose de stéroïdes en aérosol ? *Médecin du Québec, 39*(3), 21-25.

George, R.B., San Pedro, G.S., & Stoller, J.K. (2000). Chronic obstructive pulmonary disease, bronchiectasis, and cystic fibrosis. In R.B. George, R.W. Light, M.A. Matthay & R.A. Matthay (Eds.), *Chest medicine: Essentials of pulmonary and critical care medicine* (4th ed.). Philadelphia: Lippincott Williams & Wilkins.

Godard, P. (2002). *Soins infirmiers aux personnes atteintes d'affections respiratoires* (3e éd.). Paris : Masson.

GOLD – Global Initiative for Chronic Obstructive Lung Disease (2005). http://www.goldcopd.com.

Groupe de travail national sur la lutte contre l'asthme (2000). *Prévention et prise en charge de l'asthme au Canada : un défi de taille maintenant et à l'avenir* (page consultée le 7 septembre 2005), [en ligne], http:www.pharc-aspc.gc.ca/publicat/pma-pca00/pdf/astha00f.pff.

Katkin, J.P. (2002). *Clinical manifestations and diagnosis of cystic fibrosis.* UpToDate, Vol. 10(1), Wellesley, MA.

Larson, J.L., Covey, M.K., Wirtz, S.E., et al. (1999). Cycle ergometer and inspiratory muscle training in chronic obstructive pulmonary disease. *American Journal of Respiratory and Critical Care Medicine, 160*(2), 500–507.

Mallay, D. (dir. ; 1999). *Pneumologie.* Paris : Estem.

NHBLI – National Heart, Lung and Blood Institute. (1998). Asthma diagnosis and management. A continuing education module. http://www. nhlbi.nih.gov.

NIH – National Institutes of Health. (2001a). *Global initiative for chronic obstructive lung disease: Global strategy for the diagnosis, management, and prevention of chronic obstructive pulmonary disease.* U.S. Department of Health and Human Services, NIH Publication Number 2701B.

NIH – National Institutes of Health. (2001b). National emphysema treatment trial (NETT), evaluation of lung volume reduction surgery for emphysema. June 20, 2001. http://www.nhlbi.nih.gov/health/prof/lung/nett/lvrsweb.htm.

NIH – National Institutes of Health. (2001c). *NHLBI-funded emphysema study finds certain patients at high risk for death following lung surgery.* NIH news release, Aug. 14, 2001.

Plaut, T.F. (2001). Lack of knowledge leads to poor asthma care. *Advance for Managers of Respiratory Care, 10*(3), 38, 40–41.

Pohl, J.M. (2000). Smoking cessation and low-income women: Theory, research, and interventions. *Nurse Practice Forum, 11*(2), 101–108.

Reinke, L.F. (2000). Asthma education: Creating a partnership. *Heart Lung, 29*(3), 225–236.

Rennard, S.I. (1998). COPD: Overview of definitions, epidemiology, and factors influencing its development. *Chest, 113*(4, Suppl.), 235S–241S.

Renzi, P. (2004). La dyspnée : est-ce de l'asthme ? *Le Clinicien, 19*(2), 96-99.

Réseau-Assurance-Santé (1999). *L'asthme* (page consultée le 7 septembre 2005), [en ligne], http://www.uquebec.ca/daf-public/assurance-sante/mai_99/mai_99.html.

Réseau canadien de la santé (2004). Prévenir cette maladie silencieuse en hausse chez les femmes : la MPOC (page consultée le 26 octobre 2005), [en ligne], http://www.canadian-health-network.ca/servlet/ContentServer?cid=1098202425590&pagename=CHN-RCS %2FCHNResource %2FCHNResourcePageTemplate&c=CHN Resource&lang=Fr.

Roberge, D., Fournier, M., Michaud, C., et Pépin, J. (2003). La qualité des soins : qu'en pensent les personnes atteintes d'une MPOC ? *L'infirmière du Québec, 10*(5), 14-25.

Rochester, C.L. (2000). Which pulmonary rehabilitation program is best for your patient? *Journal of Respiratory Diseases, 21*(9), 539–546.

Ruffin, G.G., Busch, B.E. (2004). Omalizumab: A recombinant humanized anti-IgE antibody for allergic asthma. *Am J Health-Syst Pharm, 61*, 1449-59.

Santé Canada (2005a). *Les taux de tabagisme au Canada sont plus bas que jamais* (page consultée le 6 septembre 2005), [en ligne], http://www.hc-sc.gc.ca/ahc-asc/media/nr-cp/2005/2005_89_f.html.

Santé Canada (2005b). Programme canadien de surveillance des effets indésirables des médicaments (PCSEIM), 4 octobre 2005. *Renseignements en matière d'innocuité concernant une classe de médicaments contre l'asthme, les β_2-agonistes à longue durée d'action,* http://www.hc-sc.gc.ca/ahc-asc/ media/advisories-avis/2005/2005_107_f.html.

Santé Canada (2004). *Statistiques sur l'usage du tabac* (page consultée le 6 septembre 2005), [en ligne], http://www.hc-sc.gc.ca/hl-vs/tobac-tabac/research-recherche/stat/ctums-esutc/2004/index_f.html.

Santé Canada (2001). *Les maladies respiratoires au Canada* (page consultée le 6 septembre 2005), [en ligne], http://secure.cihi.ca/cihiweb/disppage.jsp?cw_page=ar_13_f.

Similowski, T., Muir, J.F., et Derenne, J.P. (1999). *Les bronchopneumopathies chroniques obstructives.* Paris : John Libbey Eurotext.

Société de pneumologie de langue française (2003). *Actualisation des recommandations de la SPLF pour la prise en charge des bronchopneumopathies chroniques obstructives* (page consultée le 1er septembre 2005), [en ligne], http://www.splf.org/bbo/revues-articles/RMR/publicationAnticipee/SPLF2003_ActuBPCO.pdf.

Tremblay, L., et Aubin, M. (2005). L'oxygène est-il efficace pour soulager l'essoufflement ? *L'actualité médicale, juillet*, 30.

USPH – United States Public Health Service. (2000). Treating tobacco use and dependence. Summary, June 2000. http://www.surgeon general. gov/tobacco.smokesum.htm.

En complément de ce chapitre, vous trouverez sur le Compagnon Web :

- une bibliographie exhaustive ;
- des ressources Internet.

Adaptation française
Sophie Longpré, inf., M.Sc.
Professeure, Département des sciences infirmières – Université du Québec à Trois-Rivières

CHAPITRE 27

Traitements reliés aux affections respiratoires

Objectifs d'apprentissage

Après avoir étudié ce chapitre, vous pourrez:

1. Décrire les soins et traitements infirmiers prodigués aux personnes soumises aux interventions suivantes: oxygénothérapie, ventilation en pression positive intermittente, traitement par mininébuliseur, inspirométrie d'incitation, physiothérapie respiratoire et rééducation respiratoire.
2. Décrire l'enseignement donné à la personne qui est sous oxygénothérapie à domicile, ainsi que les soins et traitements infirmiers prodigués.
3. Décrire les soins et traitements infirmiers prodigués à la personne porteuse d'une sonde endotrachéale ou d'une canule trachéale.
4. Faire la démonstration de la technique d'aspiration trachéale.
5. Appliquer la démarche systématique aux personnes qui sont sous ventilation assistée.
6. Décrire le déroulement du sevrage respiratoire.
7. Expliquer le but de l'examen clinique et de l'enseignement préopératoires chez les personnes qui s'apprêtent à subir une intervention chirurgicale au thorax.
8. Expliquer les principes du drainage thoracique ainsi que les responsabilités de l'infirmière dans la prise en charge de la personne reliée à un système de drainage thoracique.
9. Décrire l'enseignement donné à la personne qui a subi une opération thoracique, ainsi que les soins à domicile dont elle aura besoin.

On dispose d'un vaste éventail de traitements destinés aux personnes qui souffrent de diverses affections respiratoires. Le choix de la modalité la plus adaptée dépend du problème d'oxygénation en présence et diffère selon qu'il s'agit d'un dérèglement de la ventilation ou de la diffusion, ou des deux. Les traitements vont d'interventions simples et non effractives, telles que l'oxygénothérapie, le traitement au nébuliseur, la physiothérapie respiratoire et la rééducation respiratoire, à des interventions complexes et hautement effractives, telles que l'intubation, la ventilation assistée et l'intervention chirurgicale. L'examen clinique et le traitement seront d'autant mieux réalisés si on suit une approche pluridisciplinaire et si on travaille dans un esprit de collaboration.

Traitements respiratoires non effractifs

OXYGÉNOTHÉRAPIE

L'oxygénothérapie consiste à administrer de l'oxygène à une pression plus élevée que celle de l'atmosphère. Au niveau de la mer, la concentration d'oxygène de l'air ambiant est de 21 %. Le but de l'oxygénothérapie est de favoriser le transport de l'oxygène dans le sang tout en diminuant le travail ventilatoire et la sollicitation du myocarde.

Le transport de l'oxygène vers les tissus dépend de facteurs tels que le débit cardiaque, la teneur en oxygène du sang artériel, la concentration d'hémoglobine et les besoins métaboliques de l'organisme. Il faut tenir compte de tous ces facteurs quand on envisage une oxygénothérapie. (La physiologie de la respiration et le transport de l'oxygène sont traités dans le chapitre 23 .)

VOCABULAIRE

Canule trachéale: canule fixée dans la trachée pour faciliter la ventilation.

Drainage postural: utilisation de différentes positions pour évacuer les sécrétions accumulées dans l'ensemble des lobes pulmonaires et des voies respiratoires.

Fraction d'oxygène inspiré (FiO_2): concentration de l'oxygène livrée aux tissus (1,0 = 100 % d'oxygène).

Hypoxémie: diminution de la teneur en oxygène du sang artériel.

Hypoxie: diminution de l'apport d'oxygène aux tissus.

Inspirométrie d'incitation: technique d'inspiration qui fournit à la personne un repère visuel l'aidant à respirer profondément et lentement pour assurer une distension maximale de ses poumons.

Intubation endotrachéale: introduction par voie nasale ou buccale d'une sonde dans la trachée.

Percussion thoracique: technique consistant à frapper le thorax avec les mains qu'on dispose en forme de coupe afin de déloger les sécrétions visqueuses ou adhérant aux poumons.

Physiothérapie respiratoire: intervention visant à déloger les sécrétions accumulées dans les bronches, à améliorer la ventilation et à accroître l'efficacité des muscles respiratoires; les différents types de physiothérapie sont le drainage postural, la percussion et la vibration thoracique.

Pneumothorax: affaissement partiel ou complet du poumon dû à une pression positive dans la cavité pleurale.

Pression positive en fin d'expiration: pression positive maintenue par le respirateur à la fin de l'expiration (au lieu de la pression normale de zéro) pour accroître la capacité résiduelle fonctionnelle et maintenir ouvertes les alvéoles (sinon, elles s'affaissent); cette pression permet d'améliorer l'oxygénation, à une FiO_2 moins élevée.

Respirateur: appareil de respiration en pression positive ou négative qui peut maintenir la ventilation et l'oxygénation.

Sevrage respiratoire: processus de retrait graduel du respirateur, de la canule et de l'oxygène.

Système de drainage thoracique: utilisation d'un drain thoracique et d'un système de drainage hermétique permettant la réexpansion du poumon et l'évacuation de l'excédent d'air, de liquide et de sang.

Thoracotomie: intervention chirurgicale consistant à pratiquer une ouverture dans la cage thoracique.

Trachéotomie: intervention chirurgicale consistant à pratiquer une ouverture dans la trachée.

Ventilation assistée/contrôlée: mode de ventilation artificielle reposant sur le principe que le mode respiratoire de la personne peut déclencher la livraison par le respirateur d'un volume courant réglé d'avance; en l'absence de respiration spontanée, l'appareil assure une respiration contrôlée à une fréquence et à un volume courant minimaux réglés d'avance.

Ventilation en pression assistée: mode de ventilation artificielle qui assure, pendant la respiration spontanée, une pression positive préréglée afin de réduire le travail respiratoire.

Ventilation en pression contrôlée: mode de ventilation artificielle dans lequel le respirateur prend complètement en charge la respiration de la personne selon un volume courant et une fréquence respiratoire préréglés. En raison des difficultés de synchronisation, on y a rarement recours, sauf chez les personnes paralysées ou anesthésiées.

Ventilation obligatoire intermittente synchronisée: mode de ventilation artificielle dans lequel le respirateur permet à la personne de respirer spontanément, tout en maintenant un nombre préréglé (obligatoire) de respirations pour assurer une ventilation adéquate; la respiration par respirateur est synchronisée avec la respiration spontanée.

Vibration thoracique: type de massage consistant en une suite de pressions vigoureuses et rapides contre la paroi thoracique, pratiquées du bout des doigts ou en alternant les doigts de façon rythmique, ou encore à l'aide d'un appareil; ce type de massage aide à dégager les sécrétions pulmonaires.

Indications

La modification de la fréquence respiratoire ou du mode de respiration peut constituer un des premiers indices qu'une oxygénothérapie est nécessaire. Ces changements peuvent découler de l'hypoxémie ou de l'hypoxie. L'**hypoxémie** (diminution de la teneur du sang en oxygène) se manifeste de diverses façons: modifications de l'état de conscience (allant de troubles du jugement jusqu'au coma, en passant par l'agitation, la désorientation, la confusion et la léthargie); dyspnée; élévation de la pression artérielle; changements dans la fréquence cardiaque; arythmies; cyanose centrale (signe tardif); diaphorèse; et membres froids. L'hypoxémie mène souvent à l'**hypoxie** (diminution de l'apport d'oxygène aux tissus). L'hypoxie grave peut mettre en danger la vie de la personne.

Les signes et symptômes du manque d'oxygène peuvent dépendre de la rapidité avec laquelle le trouble apparaît. Lorsque l'hypoxie évolue rapidement, il se produit des changements dans le système nerveux central (SNC) parce que les centres supérieurs sont très sensibles au manque d'oxygène. Le tableau clinique peut évoquer l'état d'ébriété, car la personne manque de coordination et son jugement est altéré. L'hypoxie de longue date (courante en cas de bronchopneumopathie chronique obstructive [BPCO] et d'insuffisance cardiaque chronique) peut se traduire par les signes suivants: fatigue, somnolence, apathie, problèmes de concentration et réactions différées. On évalue les besoins en oxygène au moyen d'une analyse des gaz du sang artériel, de la sphygmooxymétrie et d'un examen clinique. Pour plus de détails sur l'hypoxie, voir l'encadré 27-1 ■.

ENCADRÉ 27-1

Types d'hypoxie

L'hypoxie peut être causée par une affection pulmonaire grave (apport insuffisant en oxygène) ou par une affection extrapulmonaire (distribution inadéquate) qui entrave les échanges gazeux au niveau cellulaire. Il existe quatre grands types d'hypoxie: l'hypoxie hypoxémique, l'hypoxie d'origine circulatoire, l'hypoxie des anémies et l'hypoxie histotoxique.

HYPOXIE HYPOXÉMIQUE

L'hypoxie hypoxémique se caractérise par une diminution de la concentration d'oxygène dans le sang, ce qui entraîne une moindre diffusion de l'oxygène dans les tissus. Ce type d'hypoxie peut être dû à l'hypoventilation; à un séjour en altitude; à un déséquilibre entre la ventilation et la perfusion (par exemple en cas d'embolie pulmonaire); à des dérivations caractérisées par l'affaissement des alvéoles pulmonaires, qui sont ainsi incapables d'alimenter le sang en oxygène; ou à un trouble de la diffusion pulmonaire. On la traite en augmentant la ventilation alvéolaire ou en administrant une oxygénothérapie.

HYPOXIE D'ORIGINE CIRCULATOIRE

L'hypoxie d'origine circulatoire résulte d'une diminution de la circulation capillaire. Elle peut être due à une diminution du débit cardiaque, à une obstruction locale des vaisseaux, à un ralentissement de la circulation (choc) ou à l'arrêt cardiaque. Bien que la pression partielle de l'oxygène (PO_2) dans les tissus ait diminué, la pression partielle de l'oxygène artériel (PaO_2) demeure normale. Pour corriger l'hypoxie d'origine circulatoire, on doit déterminer et traiter le trouble sous-jacent.

HYPOXIE DES ANÉMIES

L'hypoxie des anémies est due à la diminution de la concentration effective de l'hémoglobine, qui entraîne une baisse de la capacité oxyphorique du sang. Ce type d'hypoxie s'accompagne rarement d'hypoxémie. L'intoxication par le monoxyde de carbone ressemble à l'hypoxie des anémies parce que ce gaz réduit la capacité oxyphorique de l'hémoglobine; il ne s'agit toutefois pas d'une hypoxie des anémies *stricto sensu*, car la concentration d'hémoglobine peut être normale.

HYPOXIE HISTOTOXIQUE

L'hypoxie histotoxique apparaît quand une substance toxique (comme le cyanure) empêche les tissus d'utiliser tout l'oxygène disponible.

Précautions à prendre lors de l'oxygénothérapie

Comme pour tout médicament, l'infirmière doit administrer l'oxygène avec prudence et en évaluer attentivement les effets sur chaque personne. L'oxygène est un médicament et, sauf en situation d'urgence, on ne doit l'administrer que s'il est prescrit par un médecin.

En général, on administre l'oxygénothérapie à la personne souffrant d'une affection respiratoire uniquement pour ramener la pression partielle de l'oxygène artériel (PaO_2) à la normale, soit entre 60 et 95 mm Hg. Si on se rapporte à la courbe de dissociation de l'oxyhémoglobine (chapitre 23 ⊂⊃), à une telle pression, la saturation de l'hémoglobine se situe entre 80 et 98 %; l'augmentation de la fraction inspirée d'oxygène (FiO_2) n'élèvera pas la teneur en oxygène des globules rouges ou du plasma. En revanche, des quantités accrues d'oxygène pourraient entraîner des effets toxiques touchant les poumons et le SNC ou diminuer la ventilation (voir ci-dessous).

Quel que soit le mode d'administration de l'oxygène, il faut procéder à des évaluations fréquentes afin de déceler les signes souvent subtils d'oxygénation inadéquate: confusion, agitation évoluant vers la léthargie, diaphorèse, pâleur, tachycardie, tachypnée et hypertension. La sphygmooxymétrie intermittente ou continue permet d'évaluer la concentration d'oxygène.

Intoxication par l'oxygène

L'oxygène peut devenir toxique lorsqu'on l'administre à une trop forte concentration (plus de 50 %) pendant une période prolongée (plus de 48 heures). Cette toxicité s'explique par la surproduction de radicaux libres de l'oxygène, qui sont des sous-produits du métabolisme cellulaire. Si on ne traite pas l'intoxication par l'oxygène, ces radicaux libres peuvent gravement léser les cellules ou même les détruire. Les antioxydants, tels que la vitamine E, la vitamine C et le bêta-carotène, peuvent aider l'organisme à se protéger contre les radicaux libres (Scanlan, Wilkins et Stoller, 1999). La diététiste peut proposer un régime riche en antioxydants. La personne qui manque d'appétit ou qui est incapable de s'alimenter peut prendre des suppléments.

Les signes et symptômes de l'intoxication par l'oxygène sont notamment les suivants: douleurs sous-sternales, paresthésie, dyspnée, agitation, fatigue, malaises, difficulté de plus en plus grande à respirer et infiltrats alvéolaires visibles sur les radiographies pulmonaires.

Pour prévenir l'intoxication, il faut administrer l'oxygène en respectant rigoureusement la prescription du médecin. Si la personne a besoin de fortes concentrations d'oxygène, celui-ci doit être administré le moins longtemps possible, et on doit en réduire la concentration dès que possible. Souvent, pour les personnes sous ventilation assistée, on associe à l'oxygénothérapie une **pression positive en fin d'expiration** ou une ventilation spontanée en pression positive continue dans le but d'inverser ou de prévenir la microatélectasie, ce qui permet d'utiliser une concentration d'oxygène plus faible. On parle de «pression positive téléexpiratoire optimale» pour désigner la pression positive en fin d'expiration qui permet la meilleure oxygénation possible sans perturber l'hémodynamie.

Suppression de la ventilation

Chez les personnes atteintes de BPCO, le stimulus qui déclenche la respiration est la diminution de la concentration d'oxygène dans le sang, et non l'élévation de la concentration en gaz carbonique. Par conséquent, l'administration d'oxygène à une concentration élevée supprime la pulsion respiratoire principalement générée par une faible pression d'oxygène de longue date. La diminution de la ventilation alvéolaire qui en résulte peut entraîner une élévation graduelle de la pression partielle en gaz carbonique dans le sang artériel ($PaCO_2$), ce qui finit par entraîner le décès par narcose et acidose, provoquées par le gaz carbonique. Pour prévenir l'hypoventilation engendrée par l'oxygène, on doit administrer l'oxygène à un faible débit (de 1 à 2 L/min).

Autres complications

Parce que l'oxygène est combustible, il y a toujours un risque d'incendie lorsqu'on l'utilise. Il est important de poser des affiches «Défense de fumer» partout où on utilise de l'oxygène. Par ailleurs, l'appareil servant à l'oxygénothérapie est une source possible d'infection bactérienne croisée. L'infirmière doit donc changer la tubulure selon les règles de prévention des infections en vigueur dans l'établissement et selon le type d'appareil utilisé.

Méthodes d'administration de l'oxygène

L'oxygène est délivré à partir d'un réservoir ou d'un système intégré, muni d'un régulateur de pression, indispensable pour abaisser la pression au niveau désiré, et d'un débitmètre qui permet de régler la quantité d'oxygène en litres par minute. Lorsqu'on administre de l'oxygène à un débit élevé, on devrait l'humidifier pour prévenir l'assèchement des muqueuses des voies respiratoires.

Afin d'administrer différentes quantités d'oxygène, en particulier dans le cadre des soins à domicile, on peut également utiliser un concentrateur. Cet appareil, relativement facile à transporter et à utiliser, offre un bon rapport qualité-prix. Il nécessite cependant plus d'entretien que les réservoirs ou les bonbonnes d'oxygène liquide, et ne peut généralement pas fournir des débits supérieurs à 4 L (ce qui donne une FiO_2 de 36 % environ).

Tous les appareils d'oxygénothérapie doivent être utilisés selon l'ordonnance du médecin et entretenus correctement (tableau 27-1 ■). La quantité d'oxygène fournie est exprimée en pourcentage (par exemple 70 %). L'évaluation de la concentration des gaz du sang artériel (ou gazométrie) indique l'état d'oxygénation de la personne. Elle est le meilleur moyen de déterminer la forme d'oxygénothérapie appropriée.

On distingue les appareils d'oxygénothérapie selon qu'ils sont à fort ou à faible débit. Les appareils à faible débit fournissent une partie de l'air respiré: lorsque la personne respire, elle inspire en même temps l'air ambiant et l'oxygène. Ces appareils ne fournissent pas une concentration d'oxygène constante ou connue, car la quantité d'oxygène inspirée change au gré de la respiration de la personne. La canule nasale (lunettes nasales), la canule oropharyngée, le masque facial simple, le masque à réinspiration partielle et le masque sans réinspiration sont des exemples d'appareils d'oxygénothérapie à faible débit. Les appareils à fort débit fournissent la totalité de l'air inspiré par la personne: l'appareil fournit un pourcentage précis d'oxygène, indépendamment de la respiration de la personne. Ce type d'appareil est indiqué pour les personnes qui ont besoin d'un apport constant d'oxygène en quantité précise. La canule transtrachéale, le masque Venturi, le masque aérosol, la collerette de trachéostomie, le tube en T et la tente faciale sont des exemples d'appareils d'oxygénothérapie à fort débit (Cairo et Pilbeam, 1999; Scanlan, Wilkins et Stoller, 1999).

On utilise une canule nasale quand la personne a besoin d'une concentration d'oxygène faible ou moyenne et qu'il n'est pas essentiel de mesurer avec une grande précision. La canule est relativement simple à utiliser et elle permet à la personne de changer de position dans son lit, de parler, de tousser et de manger, sans que l'apport d'oxygène soit interrompu. Toutefois, si le débit dépasse 6 à 8 L/min, la personne peut avaler de l'air, ce qui peut provoquer l'irritation et l'assèchement des muqueuses nasales et pharyngiennes.

La canule oropharyngée est rarement utilisée, mais on peut la prescrire en traitement de courte durée pour administrer de l'oxygène à des concentrations faibles ou moyennes. Il faut changer la canule nasopharyngée toutes les huit heures et alterner les narines afin de prévenir l'infection et l'irritation. Quand on administre de l'oxygène par voie nasale (à l'aide d'une canule), le pourcentage d'oxygène qui pénètre dans les poumons dépend de l'amplitude et de la fréquence des respirations, surtout si la muqueuse nasale est tuméfiée ou si la personne est habituée à respirer principalement par la bouche.

Il existe différents types de masque à oxygène. Chacun est utilisé pour une raison différente (figure 27-1 ■). Le *masque facial simple* sert à administrer de l'oxygène à des concentrations faibles à moyennes. Le corps du masque recueille et emmagasine l'oxygène entre les respirations. La personne expire directement dans les ouvertures du corps du masque. Si le flot d'oxygène s'arrête, la personne peut aspirer de l'air par ces orifices situés sur les pourtours du masque (Scanlan, Wilkins et Stoller, 1999). Les masques faciaux simples sont largement utilisés, mais on ne peut pas s'en servir pour administrer des concentrations précises d'oxygène et, de plus, ils doivent être bien ajustés. Le masque ne doit pas être

Appareils d'oxygénothérapie

TABLEAU 27-1

Appareils	Débit suggéré (L/min)	Réglage du pourcentage d'oxygène	Avantages	Désavantages
APPAREILS À FAIBLE DÉBIT				
Canule nasale (lunettes nasales)	▪ 1-2 ▪ 3-5 ▪ 6	▪ 23-30 ▪ 30-40 ▪ 42	▪ Est légère, confortable, peu coûteuse; peut être utilisée de façon ininterrompue pendant les repas ou les activités.	Assèche la muqueuse nasale et fournit une FiO_2 variable.
Canule oropharyngée ou nasopharyngée	▪ 1-6	▪ 23-42	▪ Est peu coûteuse; n'exige pas de trachéotomie.	Irrite la muqueuse nasale et doit être changée fréquemment pour alterner les narines.
Masque facial simple	▪ 5-8	▪ 40-60	▪ Est peu coûteux et facile à utiliser.	S'ajuste mal, fournit une FiO_2 variable et doit être enlevé quand la personne mange.
Masque à réinspiration partielle	▪ 6-11	▪ 50-90	▪ Permet l'administration de concentrations d'oxygène moyennes.	Tient chaud, s'ajuste mal et doit être enlevé lorsque la personne mange.
Masque sans réinspiration	▪ 10-15	▪ 80-100	▪ Permet l'administration de concentrations d'oxygène élevées.	S'ajuste mal.
APPAREILS À FORT DÉBIT				
Canule transtrachéale	▪ 1/4-4	▪ 60-100	▪ Assure un plus grand confort (elle peut être dissimulée sous les vêtements) et permet d'administrer moins de litres d'oxygène par minute que la canule nasale.	Doit être nettoyée et changée à intervalles fréquents; doit être installée par voie chirurgicale.
Masque Venturi	▪ 4-6 ▪ 6-8	▪ 24, 26, 28 ▪ 30, 35, 40	▪ Permet d'administrer de l'oxygène à faible concentration dans le cadre d'une oxygénothérapie complémentaire. ▪ Donne une FiO_2 précise et permet une bonne humidification des muqueuses.	Doit être enlevé quand la personne mange.
Masque aérosol	▪ 8-10	▪ 30-100	▪ Assure une bonne humidification; fournit une FiO_2 précise.	Inconfortable pour certaines personnes.
Collerette de trachéostomie	▪ 8-10	▪ 30-100	▪ Assure une bonne humidification; est confortable; fournit une FiO_2 assez précise.	
Tube en T	▪ 8-10	▪ 30-100	▪ Offre des avantages identiques à ceux de la collerette de trachéostomie.	Tubulure encombrante.
Tente faciale	▪ 8-10	▪ 30-100	▪ Assure une bonne humidification et une FiO_2 assez précise.	Dispositif volumineux et encombrant.

pressé contre le visage, ce qui pourrait entraîner une réaction de claustrophobie et l'irritation de la peau. Le masque est muni de bandes élastiques ajustables qui assurent confort et sécurité.

Le *masque à réinspiration partielle* est muni d'un sac réservoir qui doit demeurer gonflé à la fois pendant l'inspiration et l'expiration. L'infirmière doit ajuster le débit pour s'assurer que le sac ne s'affaisse pas durant l'inspiration. Comme le masque et le sac servent de réservoirs d'oxygène, ce type d'appareillage permet de fournir de l'oxygène à une plus grande concentration. L'oxygène pénètre dans le masque par un tube de petit calibre qu'on branche à la jonction du masque et du sac. Lorsque la personne inspire, elle aspire de l'oxygène

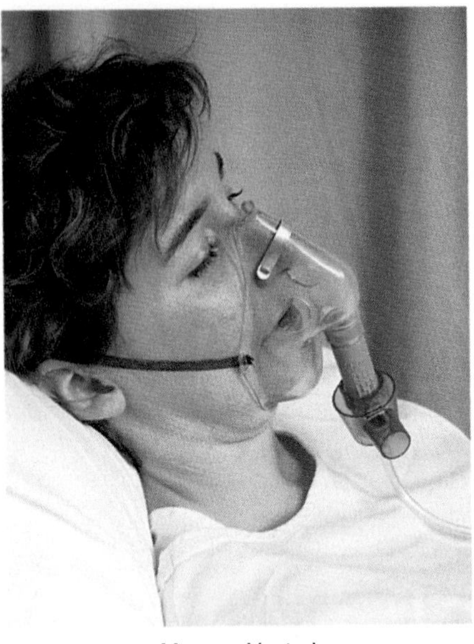

Masque Venturi

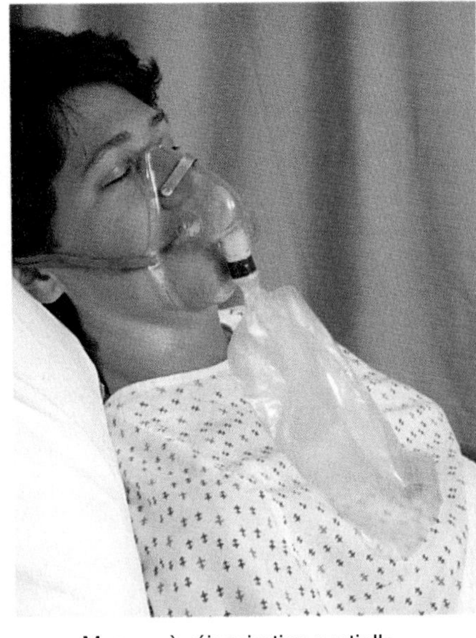

Masque à réinspiration partielle

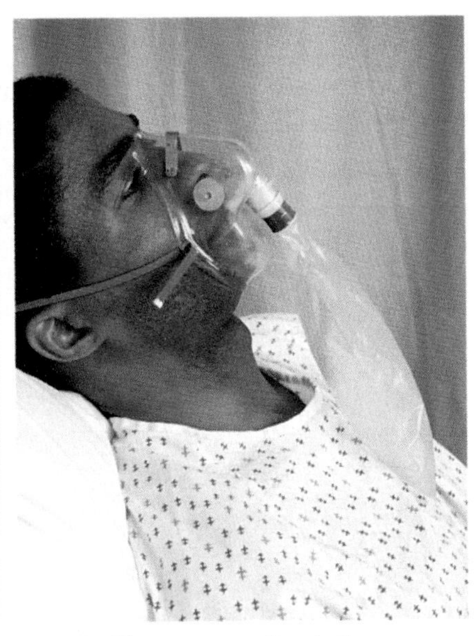

Masque sans réinspiration

FIGURE 27-1 ■ Types de masques utilisés pour administrer diverses concentrations d'oxygène.
Photos © Ken Kaspar.

du masque, du sac et probablement aussi de l'air ambiant par les orifices d'expiration. Lorsque la personne expire, le sac réservoir se remplit au premier tiers de l'expiration. Il s'agit en grande partie d'un espace mort qui n'intervient pas dans les échanges gazeux qui se produisent dans les poumons. Par conséquent, la concentration d'oxygène y est très élevée. Le reste des gaz expirés est évacué par les orifices du masque. Le pourcentage exact d'oxygène inhalé dépend du mode de ventilation de la personne (Cairo et Pilbeam, 1999).

Le *masque sans réinspiration* ne se distingue du masque à réinspiration partielle que par les deux valves dont il est muni. La première valve, unidirectionnelle, est située entre le sac réservoir et la base du masque. Elle permet aux gaz présents dans le réservoir de pénétrer dans le masque lors de l'inspiration et empêche les gaz présents dans le masque de retourner dans le sac réservoir lors de l'expiration. Quant à la seconde valve, il s'agit en réalité d'un jeu de valves unidirectionnelles situées sur les orifices d'expiration. Ces valves empêchent l'air ambiant de pénétrer dans le masque pendant l'inspiration et permettent en même temps aux gaz expirés d'en sortir (Cairo et Pilbeam, 1999). Comme avec le masque à réinspiration partielle, il est important d'ajuster le débit (en litres) afin que le sac réservoir ne s'affaisse pas totalement durant l'inspiration. En théorie, si le masque sans réinspiration est bien ajusté et si les deux orifices d'évacuation sont munis de valves unidirectionnelles, la personne peut recevoir de l'oxygène à 100 %, ce qui fait de ce masque un appareil à fort débit d'oxygène. Toutefois, puisqu'il est difficile d'ajuster parfaitement le masque dans tous les cas, il est presque impossible de fournir de l'oxygène à 100 %, ce qui fait de ce masque un appareil à faible débit d'oxygène.

Le *masque Venturi* est la méthode qui permet l'oxygénation la plus fiable et la plus précise par des moyens non effractifs. Il est conçu de façon à laisser passer un flot continu d'air ambiant mélangé à une quantité fixe d'oxygène. On l'utilise surtout chez les personnes souffrant de BPCO, car il peut fournir une oxygénothérapie complémentaire à des concentrations peu élevées et prévenir ainsi le risque de suppression de la pulsion respiratoire.

Le masque Venturi fonctionne selon le principe de l'aération du béton (vides aménagés pour emprisonner l'air) et peut ainsi fournir un débit élevé d'air enrichi d'une quantité déterminée d'oxygène. Avec chaque litre d'oxygène qui traverse l'orifice d'entrée, la personne inspire une proportion déterminée d'air ambiant. On peut fournir un volume précis d'oxygène en faisant varier la taille de l'orifice d'entrée et en réglant le débit d'oxygène. Le gaz en excès sort du masque par les deux orifices d'expiration et entraîne avec lui le gaz carbonique expiré. Le masque Venturi permet d'administrer une concentration constante d'oxygène, quelles que soient l'amplitude ou la fréquence des respirations.

Il faut que le masque soit parfaitement ajusté pour éviter que la personne reçoive de l'oxygène dans les yeux. L'infirmière doit également examiner le visage de la personne pour voir si la peau est irritée. Le masque doit être enlevé quand la personne mange, boit ou prend des médicaments.

La *canule transtrachéale* est introduite directement dans la trachée ; elle est indiquée chez les personnes qui doivent suivre une oxygénothérapie de longue durée. Ces canules sont plus confortables, elles dépendent moins du mode de respiration et sont moins visibles que d'autres appareils d'oxygénothérapie. La personne obtient une oxygénation adéquate à un débit moins élevé parce qu'il n'y a pas de perte d'oxygène dans l'air ambiant, ce qui rend cette méthode moins coûteuse et plus efficace.

Le *tube en T* se branche sur la tubulure endotrachéale et est très utile lors du sevrage de la ventilation assistée (figure 27-2 ■).

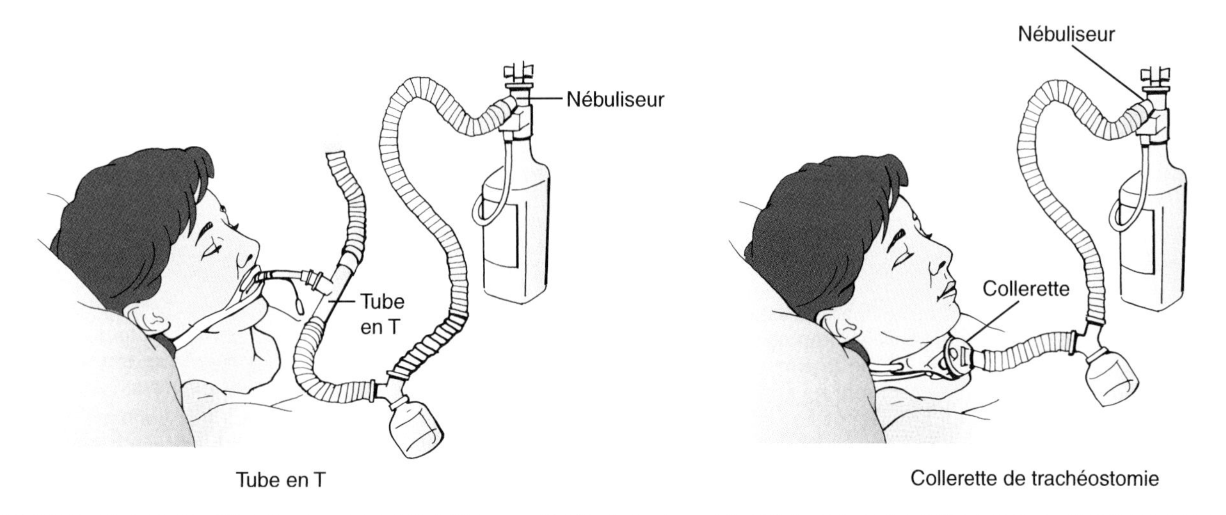

FIGURE 27-2 ■ On utilise les tubes en T et les collerettes de trachéostomie lors du sevrage des appareils de ventilation assistée.

Le *masque aérosol*, la *collerette de trachéostomie* et la *tente faciale* sont utilisés en même temps que des appareils d'aérosol (nébuliseurs) qu'on peut régler pour obtenir des concentrations d'oxygène allant de 27 à 100 % (0,27 à 1,00). Si le débit du mélange gazeux est inférieur aux besoins de la personne, l'air ambiant entrera dans le masque et diluera la concentration. La buée doit être pulvérisée de façon continue durant la phase inspiratoire.

Bien que l'oxygénothérapie soit généralement administrée en continu dans la plupart des cas, on a mis au point dernièrement de nouvelles méthodes de conservation de l'oxygène. L'*appareil d'oxygène à la demande* permet d'arrêter le flot d'oxygène pendant l'expiration, au moment où les pertes d'oxygène sont le plus importantes. L'efficacité de plusieurs modèles de ces appareils fait actuellement l'objet de recherches. Selon les études, lorsque la fréquence respiratoire augmente, ces appareils conservent l'oxygène et maintiennent la saturation en oxygène plus efficacement que les appareils à débit continu (Bliss, McCoy et Adams, 1999).

L'oxygénothérapie hyperbare consiste à administrer de l'oxygène à une pression supérieure à celle de l'atmosphère. Par conséquent, davantage d'oxygène est dissout dans le plasma, ce qui accroît la concentration d'oxygène dans les tissus. On administre l'oxygène dans une petite chambre cylindrique (pour une seule personne) ou dans une grande chambre (pour plusieurs personnes). L'oxygénothérapie hyperbare est utilisée dans les cas suivants: aéroembolisme, intoxication par le monoxyde de carbone, gangrène, nécrose des tissus, hémorragie, sclérose en plaques, ulcères au pied chez les diabétiques, traumatismes crâniens fermés et infarctus aigu du myocarde. Les recherches se poursuivent sur l'oxygénothérapie hyperbare en raison de ses effets indésirables possibles, tels que les traumatismes auriculaires, les atteintes du SNC et l'intoxication par l'oxygène (Takezawa, 2000; Woodrow et Roe, 2000).

Particularités reliées à la personne âgée

Lorsqu'elle évalue la personne âgée sous oxygénothérapie, l'infirmière doit tenir compte des changements qui touchent la fonction respiratoire en raison du vieillissement. Au fur et à mesure que les muscles respiratoires s'affaiblissent et que les grosses bronches et les alvéoles s'hypertrophient, on note une diminution de la surface pulmonaire, ce qui entraîne une diminution de la ventilation et des échanges gazeux. Le nombre de cils fonctionnels diminue également, ce qui réduit l'activité ciliaire et le réflexe tussigène. L'ostéoporose et la calcification des cartilages costaux entraînent une diminution de l'élasticité de la paroi thoracique. On observe parfois une rigidité thoracique et une fréquence respiratoire accrues, ainsi qu'une diminution de la PaO_2 et de la distension des poumons. L'infirmière ne doit pas oublier que, en raison de ces changements, la personne âgée est exposée à un risque d'inhalation de matières étrangères et d'infection. De plus, il est essentiel de donner un enseignement sur l'alimentation appropriée, car un apport alimentaire suffisant peut aider à réduire l'accumulation de dioxyde de carbone et à maintenir une fonction respiratoire optimale (Abraham *et al.*, 1999; Eliopoulos, 2001).

Soins et traitements infirmiers

Favoriser les soins à domicile et dans la communauté

Enseigner les autosoins Si la personne a besoin d'une oxygénothérapie à domicile, l'infirmière doit lui enseigner, à elle ou aux membres de sa famille, les méthodes d'administration de l'oxygène, sans oublier de leur expliquer que l'oxygène existe sous forme liquide, gazeuse ou concentrée. L'oxygène liquide ou gazeux s'utilise avec des appareils portables, qui permettent à la personne sous oxygénothérapie de sortir de chez elle. Il faut fournir suffisamment d'humidité pendant l'oxygénothérapie (sauf avec les appareils portables) afin de contrecarrer l'effet d'assèchement et d'irritation de l'oxygène comprimé sur les voies respiratoires (encadré 27-2 ■).

Assurer le suivi Selon l'état de la personne et ses besoins, on peut prendre des dispositions pour qu'une infirmière ou un inhalothérapeute assure des visites à domicile. Il importe d'évaluer le milieu de vie de la personne, son état physique et psychologique et ses besoins en matière d'enseignement.

ENCADRÉ 27-2

GRILLE DE SUIVI DES SOINS À DOMICILE

Oxygénothérapie

Après avoir reçu l'enseignement sur les soins à domicile, la personne ou le proche aidant peut:	Personne	Proche aidant
■ Décrire les soins à administrer pendant l'oxygénothérapie et les méthodes d'administration de l'oxygène.		
• Énoncer l'ordonnance du médecin et la façon dont l'oxygène doit être utilisé.	✔	✔
• Préciser quand il faut utiliser un humidificateur.	✔	✔
• Reconnaître les signes et symptômes nécessitant de modifier l'oxygénothérapie.	✔	✔
• Décrire les précautions et les mesures de sécurité à prendre lorsqu'on utilise de l'oxygène.	✔	✔
• Indiquer le moment où il faut se réapprovisionner en oxygène et la façon de le commander.	✔	✔
• Décrire le type d'alimentation qui répond aux demandes énergétiques.	✔	✔
■ Entretenir adéquatement le matériel d'oxygénothérapie.		
• Régler l'appareil au débit prescrit.	✔	✔
• Décrire la méthode de nettoyage de l'appareil et indiquer quand il faut remplacer les tubulures.	✔	✔
• Savoir quand on peut utiliser un appareil portable.	✔	✔
• Montrer qu'on peut utiliser un appareil portable de façon appropriée et en toute sécurité.	✔	✔
• Reconnaître les causes d'une panne et savoir à quel moment il faudra remplacer l'appareil.	✔	✔
• Expliquer pourquoi il est important de s'assurer que toutes les prises de courant fonctionnent correctement.	✔	✔

L'infirmière consolide l'enseignement portant sur les méthodes d'utilisation efficace et sans danger de l'oxygène, notamment les consignes de sécurité-incendie, car l'oxygène est inflammable. Pour garantir la qualité des soins à domicile, l'infirmière vérifie le diagnostic, le débit prescrit et les conditions d'utilisation (par exemple utilisation continue ou nocturne). Puisque l'oxygène est un médicament, l'infirmière doit insister, auprès de la personne sous oxygénothérapie de longue durée et de sa famille, sur l'importance des visites de suivi chez le médecin. Elle rappelle à la personne qu'elle doit voir son médecin tous les six mois, ou plus souvent si besoin est. L'évaluation des gaz du sang artériel et les épreuves de laboratoire doivent être effectuées tous les ans, ou plus souvent si l'état de la personne change (Smith et Matti, 1999).

VENTILATION EN PRESSION POSITIVE INTERMITTENTE

La ventilation en pression positive intermittente (VPPI) est une forme de respiration assistée ou contrôlée induite par un **respirateur** qui insuffle dans les voies respiratoires du gaz comprimé sous pression positive jusqu'à ce qu'une pression préréglée soit atteinte. L'expiration passive se fait à travers une valve. La pression et le volume nécessaires, ainsi que l'administration éventuelle de médicaments par nébulisation, sont prescrits selon l'état de chacun. L'infirmière doit encourager la personne à se détendre et la rassurer en lui indiquant que l'appareil coupera automatiquement le flux d'air à la fin de l'inspiration. Le respirateur en pression positive intermittente peut fonctionner à l'électricité ou au gaz; on peut y relier un embout buccal, un masque ou un raccord à trachéostomie.

Indications

La VPPI est notamment indiquée dans les cas suivants: difficulté d'expectorer les sécrétions bronchiques et capacité vitale (CV) réduite, accompagnées de respirations profondes inefficaces et de toux non productive. Le traitement par VPPI peut également être prescrit après l'essai infructueux d'autres méthodes plus simples et moins coûteuses visant l'évacuation des sécrétions, l'administration de médicaments par aérosol ou la distension des poumons.

Complications

La VPPI est rarement utilisée aujourd'hui en raison des risques qui l'accompagnent, notamment: **pneumothorax**, assèchement des muqueuses, augmentation de la pression intracrânienne, hémoptysie, distension abdominale, vomissements (avec risque d'inhalation des vomissures), dépendance psychologique (surtout en cas d'utilisation prolongée, comme en présence de BPCO), hyperventilation, administration excessive d'oxygène et problèmes cardiovasculaires.

TRAITEMENT AU MININÉBULISEUR

Le mininébuliseur est un appareil portable qui transforme un médicament liquide, comme un bronchodilatateur ou un mucolytique, en particules microscopiques et le pulvérise dans les poumons au cours de l'inspiration. Il fonctionne habituellement à l'aide d'un compresseur d'air auquel il est relié par des tubes. Certains nébuliseurs fonctionnent à l'oxygène et non à l'air. Pour être efficace, le nébuliseur doit produire une buée que la personne peut voir et inhaler.

Indications

Le mininébuliseur est indiqué dans les mêmes cas que la VPPI, à ceci près que la personne doit être capable de respirer profondément sans l'aide d'un respirateur en pression positive. Les exercices de respiration diaphragmatique (encadré 27-3 ■) permettent de se préparer à utiliser correctement le mininébuliseur. Les personnes atteintes de BPCO utilisent souvent les mininébuliseurs pour l'administration de médicaments par inhalation. Les mininébuliseurs sont habituellement destinés à un usage prolongé à domicile.

Soins et traitements infirmiers

Favoriser les soins à domicile et dans la communauté

Enseigner les autosoins L'infirmière explique à la personne qu'elle doit respirer par la bouche, prendre des respirations lentes et profondes et retenir son souffle pendant quelques secondes en fin d'inspiration pour augmenter la pression intrapleurale et rouvrir les alvéoles affaissées, ce qui augmentera sa capacité résiduelle fonctionnelle. Elle incite aussi la personne à tousser et à évaluer l'efficacité du traitement. Enfin, elle explique l'objectif du traitement, la méthode de réglage de l'appareil et les médicaments qu'il faut y verser. Elle doit également expliquer à la personne comment nettoyer l'appareil et où il faut le ranger.

INSPIROMÉTRIE D'INCITATION

L'**inspirométrie d'incitation** (inspiration maximale soutenue) fournit à la personne un repère visuel qui l'aide à inspirer lentement et profondément pour dilater au maximum ses poumons et pour prévenir ou réduire l'atélectasie. Idéalement, la personne s'installe en position assise ou en position semi-Fowler, ce qui facilite la course diaphragmatique (encadré 27-4 ■). Elle peut toutefois utiliser l'appareil dans n'importe quelle position.

Il existe deux types d'inspiromètre d'incitation: l'inspiromètre d'incitation de volume et l'inspiromètre d'incitation de débit. Lorsqu'on utilise le premier appareil, on règle le volume courant conformément à son mode d'emploi. Cet inspiromètre permet de s'assurer que le volume inspiratoire augmente peu à peu à mesure que la personne prend des inspirations de plus en plus profondes. Pour l'utiliser, la personne prend une inspiration profonde par l'embout buccal, retient son souffle lorsque ses poumons sont dilatés au maximum, puis se détend et expire. Pour réduire la fatigue, elle doit prendre quelques respirations normales entre deux inspirations à l'aide de l'inspiromètre. L'infirmière augmente le volume à intervalles réguliers selon la tolérance de la personne.

L'inspiromètre d'incitation de débit a la même fonction, mais le volume n'est pas préréglé. Cet inspiromètre contient un certain nombre de billes qui sont soulevées par la force de la respiration et maintenues en suspension pendant l'inhalation.

ENCADRÉ 27-3

ENSEIGNEMENT

Exercices de respiration

CONSIGNES GÉNÉRALES

- Respirer lentement et de façon rythmée pour expirer et vider les poumons complètement.
- Inspirer par le nez pour filtrer, humidifier et réchauffer l'air avant qu'il pénètre dans les poumons.
- En cas d'essoufflement, respirer plus lentement en prolongeant l'expiration.
- Maintenir l'air humidifié à l'aide d'un humidificateur.

RESPIRATION DIAPHRAGMATIQUE

Objectif: utiliser et renforcer le diaphragme pendant la respiration.

- Placer une main sur l'abdomen (juste au-dessous des côtes) et l'autre au milieu du thorax pour bien sentir la position du diaphragme et ses mouvements pendant la respiration.
- Inspirer lentement et profondément par le nez et gonfler l'abdomen le plus possible.
- Expirer par la bouche en maintenant les lèvres pincées, tout en resserrant (en contractant) les muscles abdominaux.
- Appuyer fermement sur l'abdomen en le pressant vers l'intérieur et vers le haut pendant l'expiration.
- Répéter l'exercice pendant 1 minute, puis se reposer pendant 2 minutes.
- Augmenter graduellement la durée de l'exercice pour arriver à le faire pendant 5 minutes, et le reprendre plusieurs fois par jour (avant les repas et au coucher).

RESPIRATION AVEC LES LÈVRES PINCÉES

Objectif: prolonger l'expiration et accroître la pression dans les voies aériennes pendant l'expiration afin de réduire la quantité d'air retenu et la résistance à l'écoulement de l'air.

- Inspirer par le nez en comptant jusqu'à 3 (le temps de dire: «sentir la rose»).
- Expirer lentement et uniformément par la bouche, avec les lèvres pincées et en resserrant les muscles abdominaux. (Le fait de pincer les lèvres augmente la pression intratrachéale; l'expiration par la bouche réduit la résistance à l'air expiré.)
- Compter jusqu'à 7 tout en prolongeant l'expiration par la bouche avec les lèvres pincées (le temps de dire: «souffler la chandelle»).
- En position assise (sur une chaise):
  - Croiser les bras sur l'abdomen.
  - Inspirer par le nez en comptant jusqu'à 3.
  - Se pencher vers l'avant, puis expirer par la bouche avec les lèvres pincées en comptant jusqu'à 7.
- En marchant:
  - Inspirer en avançant de 2 pas;
  - Expirer par la bouche avec les lèvres pincées en faisant 4 ou 5 pas.

ENCADRÉ 27-4

ENSEIGNEMENT

Assistance à la personne qui utilise un inspiromètre d'incitation

- Expliquer les raisons et l'objectif du traitement: l'air inspiré aide à distendre les poumons.
- Évaluer la douleur et administrer des analgésiques, s'ils ont été prescrits.
- Placer la personne en position semi-Fowler ou en position assise, le dos droit (n'importe quelle position peut toutefois être acceptable). L'inspiromètre d'incitation doit par ailleurs être bien à la verticale.
- Lui enseigner le mode de respiration diaphragmatique.
- Demander à la personne d'introduire l'embout de l'inspiromètre d'incitation dans sa bouche et de le maintenir fermement en place, d'inspirer lentement et profondément, de retenir son souffle pendant 2 ou 3 secondes en fin d'inspiration, puis d'expirer lentement. Graduellement, augmenter à 5 ou 6 secondes la durée pendant laquelle la personne retient son souffle.
- L'inciter à prendre environ 10 respirations toutes les heures à l'aide de l'inspiromètre, pendant les périodes d'éveil.
- Établir un objectif raisonnable quant au volume souhaitable et au nombre de répétitions (pour encourager la personne et lui donner un sentiment d'accomplissement).
- L'inciter à tousser pendant et après chaque séance.
- Conseiller à la personne qui vient d'être opérée d'exercer une légère pression sur son incision quand elle tousse.

- Placer l'inspiromètre d'incitation à la portée de la personne.
- Commencer le traitement immédiatement après l'intervention chirurgicale (l'atélectasie peut se manifester dans l'heure qui suit le début d'un épisode d'hypoventilation).
- Noter toutes les 2 heures le nombre de respirations effectuées avec l'inspiromètre d'incitation et l'efficacité de ces exercices.

On évalue approximativement le volume et le débit en se fiant au nombre de billes soulevées et au laps de temps pendant lequel elles flottent dans l'air.

Indications

On utilise l'inspirométrie d'incitation pendant la période postopératoire, surtout après une intervention thoracique ou abdominale, pour favoriser la distension des alvéoles et pour prévenir ou traiter l'atélectasie. En traitement prophylactique, elle est parfois plus efficace que la VPPI, car elle maximise le débit inspiratoire tout en maintenant sur les voies respiratoires des pressions relativement peu élevées.

Soins et traitements infirmiers

L'infirmière place la personne dans la position appropriée, lui explique comment utiliser l'inspiromètre d'incitation, établit des objectifs réalistes pour la personne en question et note les résultats du traitement.

PHYSIOTHÉRAPIE RESPIRATOIRE

La **physiothérapie respiratoire** comprend plusieurs types de traitements: le **drainage postural**, la **percussion thoracique**, la **vibration thoracique**, les exercices de respiration et la rééducation respiratoire. L'enseignement des exercices de toux est un élément important de la physiothérapie respiratoire. La physiothérapie respiratoire permet d'évacuer les sécrétions bronchiques, d'améliorer la ventilation et d'accroître l'efficacité des muscles respiratoires.

Drainage postural

Grâce au drainage postural (drainage d'un segment pulmonaire), on peut évacuer les sécrétions bronchiques par la force d'attraction universelle en installant la personne dans des positions particulières. Le drainage postural favorise l'écoulement des sécrétions provenant des bronchioles obstruées vers les bronches et la trachée, d'où elles peuvent être expectorées ou retirées par aspiration. Le drainage postural est indiqué pour prévenir ou traiter les obstructions bronchiques dues à l'accumulation de sécrétions.

Comme la personne garde le plus souvent la position assise, les sécrétions ont tendance à s'accumuler dans les segments inférieurs des poumons. Pour effectuer le drainage postural, on place la personne dans une série de positions différentes (figure 27-3 ■) de façon à permettre l'écoulement des sécrétions des petites bronches vers les bronches souches et la trachée grâce à la force de gravité. La personne peut alors évacuer les sécrétions en toussant. L'infirmière recommande à la personne d'inhaler un bronchodilatateur ou un mucolytique, si le médecin l'a prescrit, avant le drainage postural, car ces médicaments facilitent l'écoulement des sécrétions dans l'arbre bronchique.

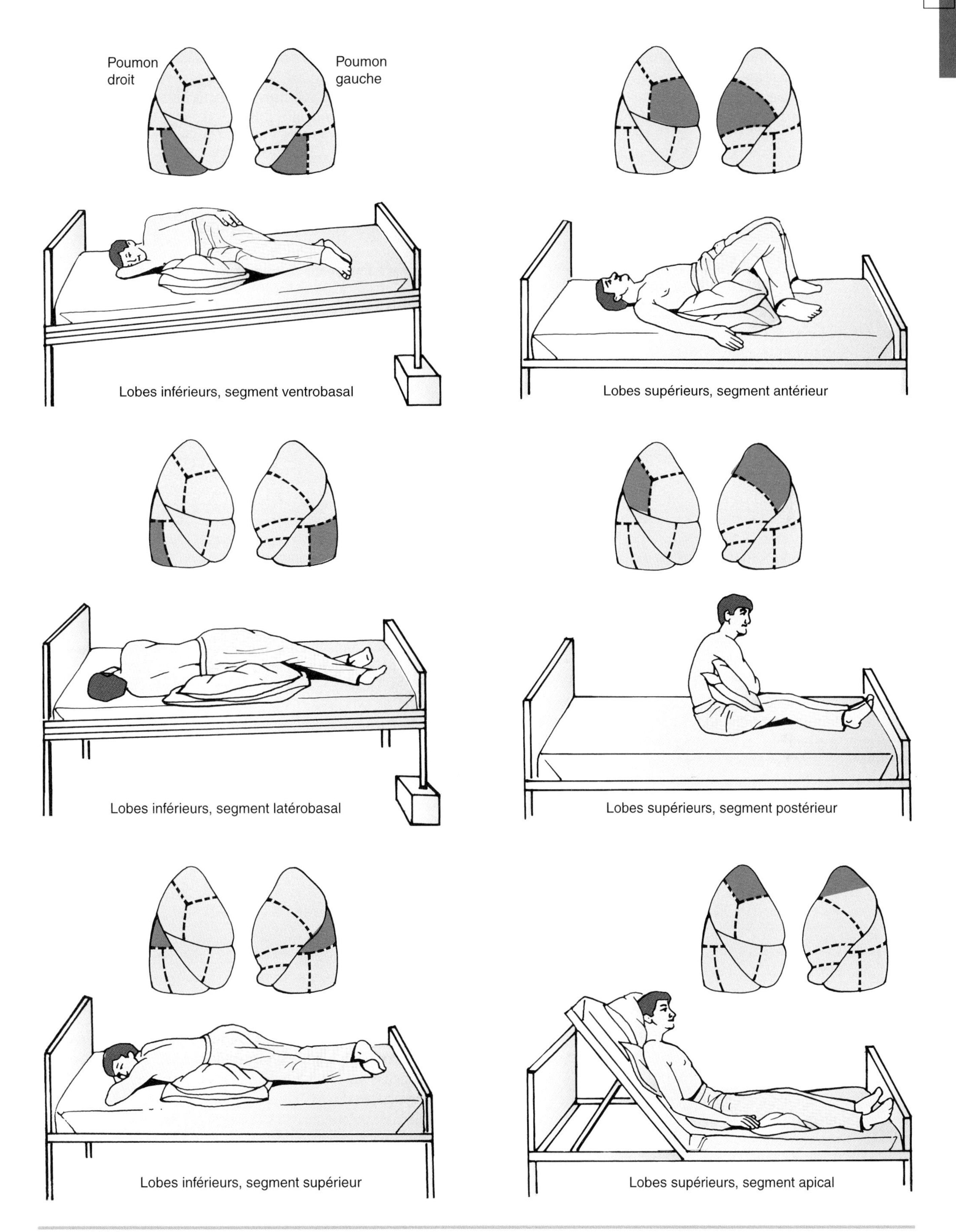

FIGURE 27-3 ■ Positions de drainage postural et segments des poumons drainés dans chaque position.

Les exercices de drainage postural permettent d'évacuer les sécrétions de n'importe quel segment du poumon. Les bronches des lobes inférieurs et moyens se vident plus efficacement quand la tête est placée vers le bas, alors que les bronches des lobes supérieurs se vident plus efficacement quand la tête est relevée. Souvent, on place la personne dans cinq positions différentes, soit une pour chaque lobe: tête baissée, sur le ventre, sur le côté droit, sur le côté gauche et en position assise.

Soins et traitements infirmiers

Avant d'effectuer le drainage postural, l'infirmière doit disposer des données suivantes: diagnostic, lobes ou segments pulmonaires atteints, état de la fonction cardiaque et tout écart anatomique de la paroi thoracique ou de la colonne vertébrale. Pour déterminer les régions pulmonaires à drainer et pour évaluer l'efficacité du traitement, l'infirmière doit ausculter le thorax avant et après le traitement. Elle montre aux membres de la famille qui aideront la personne à la maison comment évaluer les bruits respiratoires avant et après le traitement. Elle doit également explorer les stratégies qui aideront la personne à prendre les positions prescrites. Cela signifie qu'il faudra faire preuve de créativité et utiliser des objets qu'on trouve couramment chez soi, comme des oreillers, des coussins ou des boîtes de carton.

Habituellement, on effectue le drainage postural de deux à quatre fois par jour, avant les repas (pour prévenir les nausées, les vomissements et l'inhalation de matières étrangères) et au coucher. Si le médecin le prescrit, la personne utilise un nébuliseur pour inhaler des bronchodilatateurs, de l'eau ou une solution salée avant le drainage postural. L'inhalation dilate les bronches, diminue le bronchospasme, éclaircit le mucus et les sécrétions et prévient l'œdème des parois bronchiques. L'ordre des positions à adopter est le suivant: d'abord les positions permettant le drainage des lobes inférieurs, puis celles qui favorisent le drainage des lobes supérieurs.

Pendant la séance de drainage postural, l'infirmière s'assure que la personne est aussi à l'aise que possible dans chaque position. Elle met à sa portée une écuelle à vomissure et des mouchoirs de papier. La personne doit garder chaque position pendant 10 à 15 minutes. Elle inspire lentement par le nez, puis expire lentement par la bouche avec les lèvres pincées afin que ses voies aériennes restent ouvertes: les sécrétions peuvent ainsi être évacuées dans chaque position. Si la personne est incapable de rester dans une position donnée, l'infirmière doit l'aider à la modifier. Elle lui explique comment tousser et expectorer les sécrétions lorsqu'elle change de position (encadré 27-5 ■).

Si la personne est incapable de tousser, on peut retirer les sécrétions par aspiration mécanique. Parfois, on doit aussi recourir à la percussion et à la vibration thoraciques pour détacher les sécrétions bronchiques et les bouchons de mucus qui adhèrent aux bronchioles et aux bronches et pour les laisser s'écouler vers la trachée (voir, ci-contre, «Percussion et vibration thoraciques»). S'il faut recourir à l'aspiration à la maison, l'infirmière doit enseigner au proche aidant comment utiliser une technique d'aspiration sûre et comment entretenir le matériel d'aspiration.

ENCADRÉ 27-5

Technique permettant de produire une toux efficace

1. S'asseoir et se pencher légèrement vers l'avant pour pouvoir tousser plus vigoureusement.
2. Garder les genoux et les hanches fléchis pour favoriser la relaxation et réduire la tension que la toux exerce sur les muscles abdominaux.
3. À plusieurs reprises, inspirer lentement par le nez et expirer par la bouche avec les lèvres pincées.
4. Tousser deux fois à chaque expiration, tout en contractant rapidement les muscles abdominaux à chaque reprise.
5. En toussant, soutenir l'incision, le cas échéant, en exerçant une pression ferme avec la main, un oreiller ou une serviette roulée (figure 27-9). Au début, l'infirmière peut en faire la démonstration en guidant les mains de la personne.

Après la séance de drainage postural, l'infirmière note la quantité, la couleur, la viscosité et les caractéristiques des expectorations. Elle observe également la couleur de la peau et mesure le pouls de la personne pendant les premiers drainages. Certaines personnes ont besoin d'une oxygénothérapie pendant le drainage postural.

Si les expectorations dégagent une odeur nauséabonde, il faut faire le drainage postural dans une chambre isolée, loin des autres personnes et des membres de la famille. Les désodorisants en aérosol pouvant provoquer des bronchospasmes et irriter les bronches de la personne atteinte d'un trouble respiratoire, on doit les utiliser avec prudence (Zang et Allender, 1999). Après le drainage, on peut proposer à la personne de se rafraîchir la bouche en se brossant les dents et en se gargarisant avant de prendre du repos.

Percussion et vibration thoraciques

Pour favoriser le décollement et l'évacuation des sécrétions épaisses qui adhèrent aux bronchioles et aux bronches, l'infirmière peut percuter le thorax de la personne et lui imprimer des vibrations.

L'infirmière effectue la percussion en mettant ses mains en coupe et en frappant légèrement la paroi thoracique en cadence, au-dessus du segment pulmonaire qui doit être drainé. Afin que la percussion soit indolore, les poignets de l'infirmière doivent être tour à tour fléchis et en extension (figure 27-4 ■). On peut placer un linge doux ou une serviette sur la partie percutée pour protéger la peau des irritations et des rougeurs que peut provoquer un contact direct. Pour chaque position de drainage, l'infirmière alterne la percussion et la vibration pendant trois à cinq minutes. Entre-temps, la personne pratique la respiration diaphragmatique pour se détendre (voir, ci-contre, «Rééducation respiratoire»). Par mesure de précaution, il faut éviter de percuter le thorax à l'endroit où on a placé la tubulure de drainage; on doit également éviter le sternum, la colonne vertébrale, le foie, les reins, la rate et les seins (chez la femme). En raison de la fréquence de l'ostéoporose et du risque de fracture des côtes

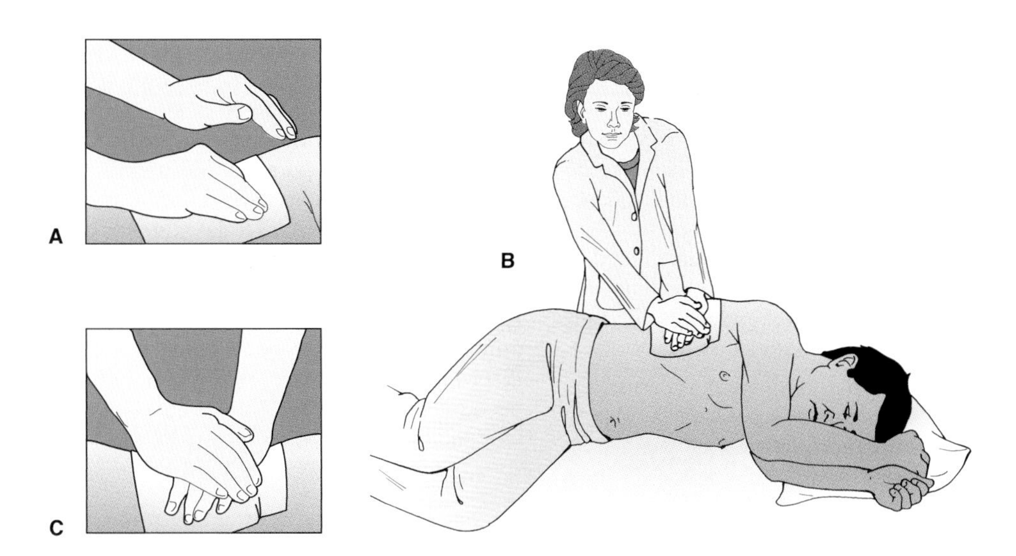

FIGURE 27-4 ■ Percussion et vibration thoraciques. **(A)** Position des mains pour la percussion. **(B)** Technique de vibration. Les poignets et les coudes restent en extension; les mouvements de vibration sont produits par les muscles des épaules. **(C)** Position des mains pour la vibration.

chez les personnes âgées, une grande prudence s'impose quand on pratique la percussion chez elles.

La vibration consiste à presser le thorax avec les mains et à lui imprimer un tremblement pendant la phase expiratoire de la respiration (figure 27-4). Elle permet de faire sortir plus rapidement l'air des petites voies aériennes, ce qui libère les mucosités. Après trois ou quatre vibrations, on demande à la personne de tousser en se servant de ses muscles abdominaux. (La contraction de ces muscles accroît l'efficacité de la toux.)

Dans la majorité des cas, un programme régulier d'exercices de toux et d'élimination des sécrétions, associé à une bonne hydratation, permet de réduire la quantité des expectorations. Le nombre de répétitions du cycle percussion-vibration dépend de la tolérance de la personne et de sa réponse clinique. Il est important d'évaluer les bruits de la respiration avant et après l'intervention.

Soins et traitements infirmiers

Pendant les interventions de physiothérapie respiratoire, l'infirmière doit s'assurer que la personne est installée confortablement, qu'elle porte des vêtements amples et qu'elle ne vient pas de manger. On traite d'abord les régions supérieures des poumons. L'infirmière administre les analgésiques prescrits avant la séance de percussion et de vibration, assure le soutien de l'incision et installe la personne sur des oreillers pour la soutenir, selon les besoins. Les positions varient, mais il faut se concentrer sur les régions atteintes. Après le traitement, l'infirmière aide la personne à reprendre une position confortable.

Il faut interrompre le traitement si un des effets indésirables suivants apparaît: douleur accrue, essoufflement accru, faiblesse, étourdissements ou hémoptysie. On poursuit le traitement jusqu'à ce que la personne retrouve une respiration normale, qu'elle soit capable de mobiliser ses sécrétions et que les bruits de la respiration et les clichés radiographiques soient normaux.

Favoriser les soins à domicile et dans la communauté

Enseigner les autosoins La physiothérapie respiratoire est souvent indiquée chez les personnes atteintes de BPCO, de bronchiectasie ou de fibrose kystique qui reçoivent des soins à domicile. Les techniques utilisées sont les mêmes que celles qui ont été décrites précédemment, à ceci près que la personne soulève les hanches pour le drainage postural à l'aide d'une boîte, d'une pile de magazines ou d'oreillers (à moins qu'elle dispose d'un lit d'hôpital). L'infirmière enseigne à la personne et aux membres de sa famille les positions et les techniques de vibration et de percussion thoraciques afin que le traitement puisse être poursuivi à domicile. De plus, elle recommande à la personne de boire suffisamment de liquides et d'humidifier l'air ambiant afin d'empêcher les sécrétions de s'épaissir et de s'incruster. Elle doit également expliquer à la personne les signes précoces d'infection, tels que la fièvre et un changement de couleur ou de caractéristique des expectorations. En maintenant chaque position du drainage postural pendant 5 à 10 minutes avant la séance de physiothérapie respiratoire, on accroît considérablement la quantité de sécrétions excrétées.

Assurer le suivi La physiothérapie respiratoire peut être administrée par une infirmière à domicile. Au cours de ses visites, l'infirmière évalue aussi l'état de la personne, sa compréhension du plan thérapeutique et son respect du traitement, ainsi que l'efficacité des interventions. Il est également opportun de renforcer à cette occasion l'enseignement donné à la personne et aux membres de sa famille. L'infirmière doit signaler au médecin toute détérioration de l'état physique de la personne, ainsi que l'incapacité de déloger les sécrétions.

Rééducation respiratoire

La rééducation respiratoire repose sur des exercices et des techniques respiratoires visant à augmenter l'efficacité de la respiration et à diminuer le travail ventilatoire. Elle est particulièrement indiquée chez les personnes dyspnéiques et chez les personnes atteintes de BPCO. Les exercices de rééducation respiratoire ont plusieurs avantages : ils favorisent la dilatation des alvéoles, procurent une détente musculaire, réduisent l'anxiété, coordonnent l'activité des muscles respiratoires et en améliorent l'efficacité, ralentissent la fréquence respiratoire et réduisent le travail ventilatoire. Une respiration lente, détendue et rythmée permet aussi de maîtriser l'anxiété qui survient en cas de dyspnée. La respiration diaphragmatique et la respiration avec les lèvres pincées sont deux exercices particulièrement utiles (encadré 27-3).

Les exercices de respiration diaphragmatique permettent d'utiliser et de renforcer le diaphragme pendant la respiration. La respiration diaphragmatique peut devenir automatique si la personne la pratique assez souvent et avec suffisamment de concentration. La respiration avec les lèvres pincées améliore le transport de l'oxygène, incite la personne à respirer lentement et profondément et l'aide à réguler sa respiration, même pendant les périodes de stress. Elle contribue également à prévenir l'affaissement des alvéoles provoqué par la perte de l'élasticité des poumons chez les personnes emphysémateuses. Elle renforce les muscles sollicités durant l'expiration, permettant ainsi de la prolonger et d'augmenter la pression dans les voies aériennes pendant cette phase de la respiration, ce qui diminue la rétention d'air et la résistance des voies aériennes. L'infirmière enseigne à la personne la technique de respiration diaphragmatique et de respiration avec les lèvres pincées (encadré 27-3). Les exercices respiratoires peuvent être effectués dans différentes positions, car la distribution de l'air et la circulation pulmonaire varient selon la position du thorax. Pendant les exercices, il est fréquent qu'une oxygénothérapie à faible débit soit nécessaire. Avec le vieillissement, les poumons subissent des changements semblables à ceux qu'engendre l'emphysème ; les exercices respiratoires sont donc indiqués chez toutes les personnes âgées hospitalisées ou sédentaires, même si elles n'ont pas d'affection pulmonaire.

Soins et traitements infirmiers

Favoriser les soins à domicile et dans la communauté

Enseigner les autosoins L'infirmière montre à la personne comment respirer lentement, de façon rythmée et détendue, afin d'expirer complètement et de vider le plus possible ses poumons. La personne doit également apprendre à toujours inspirer par le nez, car l'air inspiré est ainsi filtré, humidifié et réchauffé. Si elle s'essouffle, elle doit se concentrer et essayer de respirer lentement, en cadence. Pour éviter de déclencher un cycle d'essoufflements accrus et de panique, il est souvent préférable de prolonger la durée de l'expiration plutôt que de se contenter de ralentir la fréquence respiratoire. On peut aussi faciliter la respiration de la personne en réduisant la quantité de particules et de poussière dans l'air et en humidifiant suffisamment l'air ambiant. Pour réduire la quantité de particules et de poussière dans l'air, on peut enlever les rideaux ou les meubles capitonnés, utiliser des filtres à air, laver les planchers, épousseter et passer souvent l'aspirateur.

L'infirmière doit également expliquer qu'un apport alimentaire approprié favorise les échanges gazeux et accroît le niveau d'énergie. Il est important que la personne s'alimente suffisamment, mais non excessivement. L'infirmière devrait recommander à la personne de prendre souvent des repas légers et des collations. Lorsqu'on fournit à la personne des repas préparés à l'avance et des aliments qu'elle aime, elle est plus encline à s'alimenter de façon appropriée. Il faut éviter les aliments provoquant des flatulences, comme les fèves, les légumineuses, le brocoli, le chou et les choux de Bruxelles, afin de prévenir les troubles gastriques. Puisque bon nombre de ces personnes sont trop fatiguées pour manger, il faut les encourager à se reposer avant et après les repas pour préserver leur énergie (Lutz et Przytulski, 2001).

Prise en charge des voies respiratoires

Pour que la ventilation soit appropriée, l'air doit pouvoir circuler librement dans les voies respiratoires inférieures et supérieures. Le rétrécissement ou l'obstruction des voies respiratoires peut être causé par une affection, une bronchoconstriction (diminution du calibre des bronches due à la contraction des fibres musculaires), la présence d'un corps étranger ou l'accumulation de sécrétions. Le maintien ou le rétablissement de la perméabilité des voies respiratoires obéit à des règles précises, qu'il s'agisse d'une situation d'urgence (obstruction) ou de soins prolongés (personne portant une sonde endotrachéale ou une **canule trachéale**).

Traitement d'urgence d'une obstruction des voies respiratoires supérieures

L'obstruction des voies respiratoires supérieures peut avoir différentes causes. Une obstruction grave peut être causée par des particules de nourriture, de vomissures, de caillots de sang ou de tout autre corps étranger qui pénètrent dans le larynx ou dans la trachée. Elle peut également être causée par la tuméfaction de la paroi d'une voie aérienne (comme en cas d'épiglottite, d'œdème laryngé, de cancer du larynx ou d'angine phlegmoneuse) ou par l'accumulation de sécrétions épaisses. Enfin, elle peut être due à l'affaissement des parois d'une voie aérienne, comme dans le cas du goitre plongeant, d'une tuméfaction des ganglions médiastinaux, d'un hématome autour des voies aériennes ou d'un anévrisme de l'aorte thoracique.

Il y a également risque d'obstruction des voies aériennes supérieures en cas de perte partielle de la conscience, quelle qu'en soit la cause. En effet, la personne n'a plus ses réflexes de protection (réflexes tussigène et palatin) et ses muscles pharyngiens ont perdu leur tonus : sa langue peut donc glisser vers l'arrière et bloquer les voies respiratoires.

Pour évaluer les signes et symptômes d'obstruction des voies respiratoires supérieures, l'infirmière doit recueillir les données suivantes :

- *À l'inspection* La personne est-elle consciente ? Fait-elle un quelconque effort pour inspirer ? Son thorax se gonfle-t-il de façon symétrique ? Utilise-t-elle ses muscles respiratoires accessoires ? La couleur de sa peau est-elle normale ? Présente-t-elle des signes évidents de déformation ou d'obstruction (à cause d'un traumatisme, de débris d'aliments, d'une dent ou de vomissures) ? La trachée se trouve-t-elle dans l'axe médian ?
- *À la palpation* Les deux côtés du thorax se soulèvent-ils de façon égale à l'inspiration ? Y a-t-il des zones douloureuses, une fracture ou un emphysème sous-cutané (crépitation) ?
- *À l'auscultation* Peut-on entendre les mouvements de l'air, un stridor (bruit inspiratoire) ou des sibilants ? Les bruits pulmonaires sont-ils perceptibles dans les deux poumons et dans tous les lobes ?

Dès qu'elle décèle une obstruction, l'infirmière doit prendre des mesures d'urgence (encadré 27-6 ■). Pour plus de détails, voir au chapitre 24 et, au chapitre 18, les « Directives de prise en charge d'un corps étranger obstruant les voies aériennes ».

INTUBATION ENDOTRACHÉALE

L'**intubation endotrachéale** consiste à introduire un conduit souple, appelé tube endotrachéal (ou sonde endotrachéale), par la bouche ou le nez jusque dans la trachée (figure 27-5 ■). On y recourt en cas de détresse respiratoire impossible à traiter par des moyens plus simples. C'est l'intervention de choix pour les soins d'urgence. On l'utilise quand la personne est incapable d'assurer elle-même le passage de l'air dans ses voies respiratoires (par exemple en cas de coma ou d'obstruction des voies respiratoires supérieures) ou quand elle a besoin d'une ventilation assistée. De plus, l'intubation endotrachéale permet d'aspirer les sécrétions de l'arbre bronchique.

Habituellement, on introduit le tube endotrachéal à l'aide d'un laryngoscope. Cette intervention est pratiquée par un médecin, une infirmière ou un inhalothérapeute spécialement formé. (Pour plus de détails, voir, au chapitre 18, les « Consignes pour la mise en place d'une sonde dans les voies oropharyngées ».) Une fois que le tube se trouve dans la trachée, on gonfle le manchon qui l'entoure pour l'empêcher de bouger, prévenir les fuites d'air vers l'extérieur et réduire les risques ultérieurs d'inhalation.

L'infirmière doit être consciente du fait que la pression du manchon sur les parois de la trachée peut entraîner des complications. Elle doit vérifier cette pression à l'aide d'un manomètre anéroïde calibré, toutes les 8 à 12 heures, afin de la maintenir entre 20 et 25 mm Hg. Une pression trop élevée peut provoquer des saignements de la trachée, l'ischémie ou une nécrose due à une irrigation sanguine insuffisante, alors qu'une pression trop faible peut accroître le risque de pneumonie par inhalation. Il n'est pas recommandé de dégonfler systématiquement le manchon, en raison du risque accru d'inhalation d'un corps étranger et d'hypoxie. On dégonfle le manchon juste avant le retrait du tube endotrachéal (St. John, 1999b).

On aspire les sécrétions trachéobronchiques par le tube endotrachéal. Que la personne respire spontanément ou à l'aide d'un respirateur, on doit toujours administrer de l'oxygène réchauffé et humidifié. Le tube ne doit pas rester en place pendant plus de trois semaines, après quoi il faut envisager une **trachéotomie** pour diminuer l'irritation et la lésion de la paroi trachéale, réduire le risque de paralysie des cordes vocales (découlant de la lésion du nerf laryngien) et alléger le travail ventilatoire. Les soins et traitements infirmiers à prodiguer aux personnes porteuses d'un tube endotrachéal sont présentés dans l'encadré 27-7 ■.

Le tube endotrachéal et la canule trachéale ont plusieurs inconvénients. Tout d'abord, ils gênent la personne. De plus, ils inhibent le réflexe tussigène, car ils empêchent la fermeture de la glotte. Les sécrétions ont tendance à s'épaissir, car l'air n'est plus réchauffé et humidifié lors de son passage dans les voies supérieures. Étant soumis à un repos forcé et gêné dans ses mouvements par le tube ou la canule, le réflexe palatin (qui comprend les réflexes glottique, pharyngé et laryngé) est également inhibé, ce qui expose la personne à un risque accru d'inhalation d'un corps étranger. Enfin, le tube ou la canule peuvent entraîner une ulcération et le rétrécissement du larynx ou de la trachée. En outre, ils empêchent la personne de parler et de communiquer ses besoins.

Le retrait prématuré ou involontaire du tube peut entraîner des complications graves, voire mettre la vie de la personne en danger. C'est un problème qu'on rencontre fréquemment dans les unités de soins intensifs, qui peut survenir du fait de la personne ou au cours des soins et traitements infirmiers. L'infirmière doit expliquer à la personne et à sa famille pour quelles raisons on utilise un tube endotrachéal et quels sont les dangers associés à son retrait. Elle doit aussi évaluer la personne initialement, puis à intervalles réguliers. Il faut prendre des mesures pour que la personne tolère mieux le tube endotrachéal, par exemple lui administrer des analgésiques opioïdes et des sédatifs.

ALERTE CLINIQUE *Le retrait involontaire du tube endotrachéal peut entraîner un œdème pharyngé, l'hypoxémie, la bradycardie, l'hypotension et même la mort. Il faut donc prendre des mesures pour que le tube ne soit pas retiré involontairement ou prématurément.*

Pour empêcher que la personne retire le tube, on peut recourir aux stratégies suivantes : expliquer à la personne et aux membres de sa famille les raisons de l'intubation, distraire la personne par des interactions directes avec l'infirmière ou la famille ou par un autre moyen, tel que la télévision, et maintenir les mesures qui favorisent le bien-être. En dernier recours, on peut attacher les poignets de la personne, en respectant les règles en vigueur dans l'établissement de soins.

Des études ont montré que la meilleure façon d'empêcher la personne d'enlever le tube est de lui retenir les poignets dans un dispositif de contention doux (Happ, 2000). Toutefois, il faut toujours faire preuve de jugement et prendre des précautions avant de recourir à cette mesure. Si la personne ne peut pas atteindre le tube endotrachéal, il n'est pas nécessaire de lui attacher les poignets. Il en va de même si la personne est vigilante, orientée, en mesure de suivre les instructions et si elle coopère suffisamment, de sorte qu'il est peu probable qu'elle retire le tube endotrachéal.

ENCADRÉ 27-6

Dégagement des voies aériennes en cas d'obstruction

DÉGAGEMENT DES VOIES AÉRIENNES

- Renverser en arrière la tête de la personne en plaçant une main sur son front et les doigts de l'autre main sous son menton; soulever le cou et l'avancer. Ainsi, la langue n'obstrue pas l'arrière du pharynx.

Dégagement des voies aériennes

- Observer la poitrine de la personne, écouter et sentir le mouvement de l'air.
- Utiliser la technique des doigts croisés pour ouvrir la bouche de la personne et rechercher une obstruction apparente (sécrétions, caillots sanguins ou aliments).
- Si on ne décèle pas la circulation de l'air, exercer 5 pressions rapides juste au-dessous de la pointe du sternum pour dégager les voies aériennes (manœuvre de Heimlich). Répéter cette intervention jusqu'à ce que les voies soient dégagées.
- Lorsque les voies sont dégagées, tourner tout d'un bloc la personne sur le côté pour qu'elle puisse récupérer.
- Lorsque la personne est soulagée et qu'elle peut respirer spontanément, mais qu'elle ne peut pas tousser, avaler ou contracter le pharynx, installer une canule bucco-pharyngée ou nasopharyngée.

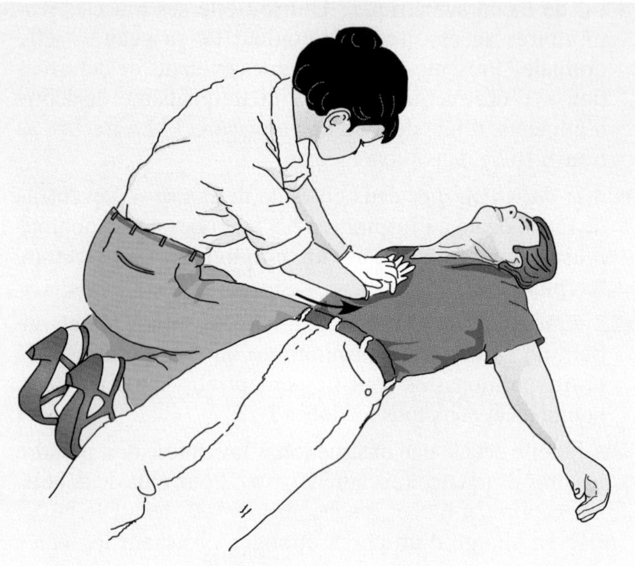

Manœuvre de Heimlich chez une personne inconsciente

RÉANIMATION PAR MASQUE ET BALLON

- Utiliser un masque et un ballon de réanimation si une ventilation assistée est nécessaire.
- Appliquer le masque sur le visage de la personne et le sceller en appuyant le pouce de la main non dominante contre l'arête du nez et l'index contre le menton; avec les trois autres doigts de la main, soulever le menton et l'angle mandibulaire pour maintenir le cou en extension. Utiliser la main dominante pour comprimer le ballon au maximum et gonfler ainsi les poumons.

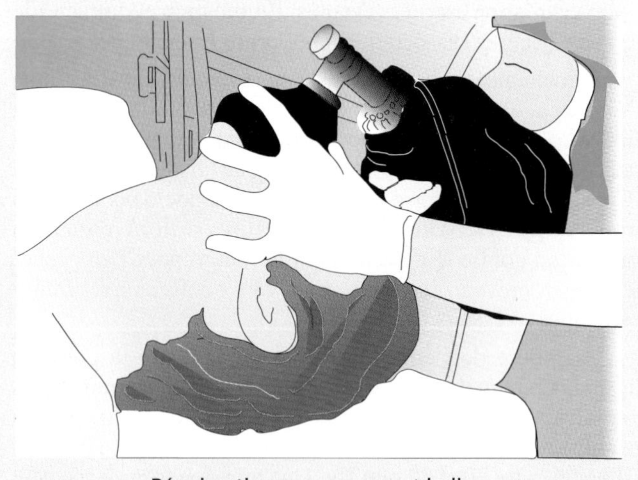

Réanimation par masque et ballon

TRACHÉOTOMIE

La trachéotomie est une intervention chirurgicale consistant à pratiquer une ouverture dans la trachée. La sonde introduite dans la trachée porte le nom de canule trachéale (figure 27-6 ■). La trachéotomie peut être permanente ou temporaire.

L'opération permet de rétablir la respiration quand les voies respiratoires supérieures sont obstruées, d'évacuer les sécrétions trachéobronchiques, d'utiliser la ventilation assistée pendant une période prolongée, de prévenir l'inhalation de

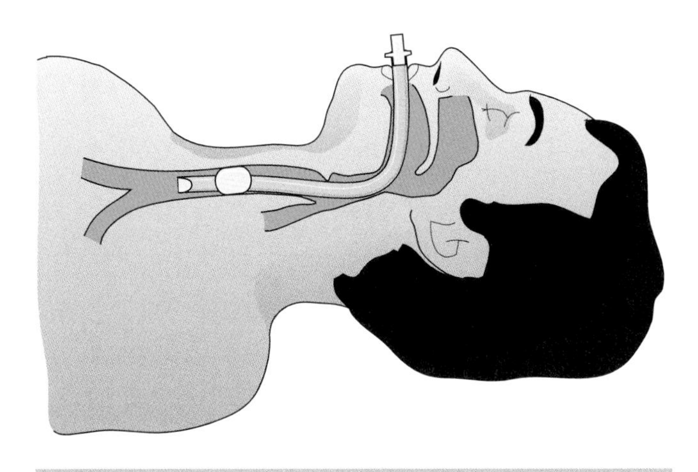

FIGURE 27-5 ■ Tube endotrachéal en place. Le tube a été introduit par voie buccale. On a gonflé le manchon pour maintenir le tube dans la bonne position et réduire le risque d'inhalation.

sécrétions buccales ou gastriques chez la personne inconsciente ou paralysée (en séparant la trachée de l'œsophage). On l'utilise aussi pour remplacer le tube endotrachéal. La trachéotomie est nécessaire dans de nombreuses affections et dans des situations d'urgence.

Intervention

Habituellement, l'intervention se déroule dans une salle d'opération ou une unité de soins intensifs, car elle exige qu'on surveille de près la ventilation et qu'on utilise une technique aseptique rigoureuse et optimale. On pratique une ouverture dans la trachée au niveau des deuxième et troisième anneaux. Quand la trachée est exposée, on introduit une canule trachéale à ballonnet de calibre approprié. Le ballonnet est un manchon gonflable, fixé à la canule trachéale ou au tube endotrachéal; il sert à boucher l'espace entre le tube et les parois de la trachée quand on a recours à la ventilation assistée. Il permet aussi de réduire le risque d'inhalation.

La canule trachéale est maintenue en place par un cordon passé autour du cou de la personne. Habituellement, on met un carré de gaze stérile entre la canule et la peau pour absorber les écoulements et prévenir l'infection.

Complications

Des complications peuvent survenir immédiatement après la mise en place de la canule trachéale ou plus tard, parfois des années après le retrait du dispositif. Les complications immédiates de la trachéotomie sont notamment les suivantes: saignements, pneumothorax, embolie gazeuse, inhalation de corps étrangers, emphysème sous-cutané ou médiastinal, lésions récurrentes du nerf laryngé ou perforation de la paroi postérieure de la trachée. Les complications tardives sont notamment les suivantes: obstruction des voies respiratoires causée par une accumulation de sécrétions ou par l'obstruction de l'orifice de la canule par le ballonnet, infections, rupture du tronc artériel brachiocéphalique, dysphagie, formation d'une fistule trachéo-œsophagienne, dilatation de la trachée, ischémie et nécrose de la trachée. Après l'extubation, il y a risque de sténose de la trachée. Les mesures que l'infirmière peut prendre pour prévenir les complications sont présentées dans l'encadré 27-8 ■.

Soins et traitements infirmiers postopératoires

L'infirmière doit constamment garder la personne en observation. Elle doit également maintenir la perméabilité de l'ouverture pratiquée dans la trachée en aspirant correctement les sécrétions. Dès que les signes vitaux se sont stabilisés, elle installe la personne en position semi-Fowler pour faciliter la ventilation, favoriser l'écoulement des sécrétions, réduire l'œdème et prévenir toute tension sur les sutures. On doit administrer les analgésiques et les sédatifs avec prudence afin de ne pas inhiber le réflexe tussigène.

Les soins et traitements infirmiers visent d'abord à apaiser les craintes de la personne et à établir avec elle un moyen de communication efficace. Pour que la personne puisse communiquer plus facilement, il faut laisser à sa portée la sonnette d'appel ainsi que du papier et un crayon ou un tableau magique. Les soins à prodiguer à la personne porteuse d'une canule trachéale sont résumés dans l'encadré 27-9 ■.

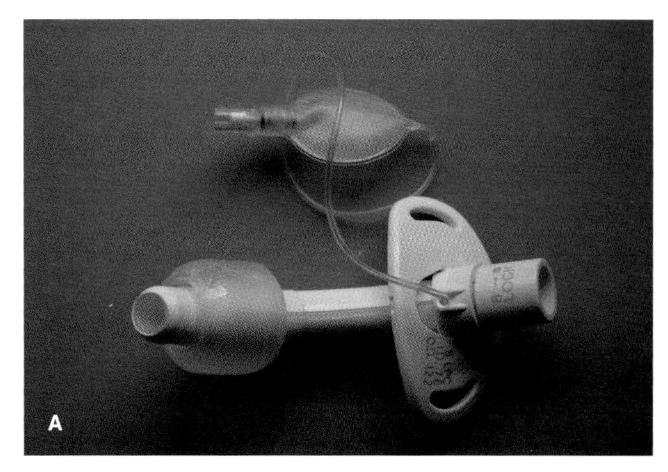

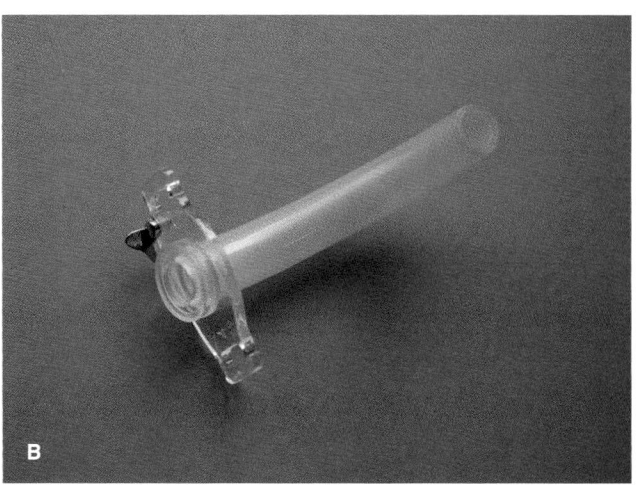

FIGURE 27-6 ■ Canules trachéales. **(A)** Canule à ballonnet. **(B)** Canule sans ballonnet. SOURCE: http://www.adep.asso.fr/patient/pat_tech_cant.html.

ENCADRÉ 27-7

Soins et traitements infirmiers prodigués à la personne portant un tube endotrachéal

IMMÉDIATEMENT APRÈS L'INTUBATION

1. Vérifier la symétrie des mouvements thoraciques.
   - Ausculter les bruits pulmonaires des faces antérieure et postérieure du thorax, bilatéralement.
   - S'assurer qu'une radiographie est effectuée pour vérifier si le tube est bien placé.
   - Vérifier la pression du ballonnet toutes les 8 à 12 heures.
   - Rester à l'affût des signes et symptômes d'inhalation d'un corps étranger.
2. Assurer un taux d'humidité élevé; on devrait voir se former une buée dans le tube en T ou dans la tubulure du respirateur.
3. Administrer l'oxygène à la concentration prescrite par le médecin.
4. Fixer le tube sur le visage de la personne à l'aide d'un ruban adhésif et marquer l'extrémité proximale pour s'assurer qu'il reste bien en place.
   - Pour que la personne ne morde pas et n'obstrue pas le tube, introduire une canule buccale ou un embout buccal.
5. Utiliser une technique d'aspiration stérile et entretenir le tube correctement afin de prévenir la contamination iatrogène et les infections.
6. Changer la personne de position toutes les 2 heures ou selon les besoins pour prévenir l'atélectasie et favoriser la dilation des poumons.
7. Administrer des soins d'hygiène buccodentaire et aspirer l'oropharynx chaque fois que c'est nécessaire.

EXTUBATION (RETRAIT DU TUBE ENDOTRACHÉAL)

1. Expliquer l'intervention à la personne.
2. Avoir un ballon autogonflable et un masque à portée de la main au cas où la personne aurait besoin d'une assistance ventilatoire immédiatement après l'extubation.
3. Aspirer l'arbre trachéobronchique et l'oropharynx, retirer le cordon et dégonfler le ballonnet.
4. Administrer quelques bouffées d'oxygène, puis introduire dans le tube un cathéter d'aspiration stérile.
5. Demander à la personne d'inspirer; au pic de l'inspiration, retirer le tube tout en aspirant les voies respiratoires.

APRÈS L'EXTUBATION

1. Administrer de la vapeur chaude et de l'oxygène à l'aide d'un masque.
2. Évaluer la fréquence respiratoire et la qualité des mouvements thoraciques. Vérifier si la personne présente un stridor ou un changement de coloration et s'il y a perte de vigilance ou modification du comportement.
3. Mesurer la concentration d'oxygène à l'aide d'un sphygmooxymètre.
4. Ne rien donner par la bouche ou seulement des morceaux de glace au cours des premières heures suivant l'extubation.
5. Administrer des soins d'hygiène buccodentaire.
6. Enseigner à la personne les exercices de toux et de respiration profonde.

ENCADRÉ 27-8

Prévention des complications associées au tube endotrachéal ou à la canule trachéale

- Administrer de la vapeur suffisamment chaude.
- Maintenir le ballonnet autour du tube ou de la canule.
- Pratiquer des aspirations selon les besoins établis lors de l'examen.
- Maintenir l'intégrité de la peau. Changer le cordon ou le pansement, selon les besoins ou selon le protocole.
- Ausculter les bruits pulmonaires.
- Rester à l'affût des signes et symptômes d'infection (prendre la température et vérifier la numération leucocytaire).
- Administrer la quantité d'oxygène prescrite et surveiller la saturation en oxygène.
- Rester à l'affût de la cyanose.
- Maintenir une hydratation appropriée.
- Utiliser une technique aseptique lors de l'aspiration et de l'administration des soins associés à la trachéostomie.

Aspiration trachéale par tube endotrachéal ou par canule trachéale

Lorsqu'une personne porte une canule trachéale ou un tube endotrachéal, il faut généralement aspirer les sécrétions, car le réflexe tussigène est moins efficace qu'en temps normal. On effectue l'aspiration trachéale quand on décèle des bruits surajoutés ou chaque fois qu'on note la présence de sécrétions. Une aspiration inutile peut déclencher un bronchospasme et provoquer une lésion mécanique de la muqueuse trachéale.

Tout matériel entrant en contact direct avec les voies respiratoires inférieures de la personne doit être stérile afin de prévenir les infections pulmonaires et généralisées irrépressibles. La marche à suivre pour effectuer l'aspiration des sécrétions chez la personne ayant subi une trachéotomie est présentée dans l'encadré 27-10 ■. Chez les personnes sous ventilation assistée, on peut utiliser un cathéter intégré pour permettre l'aspiration rapide, en cas de besoin, et pour réduire les risques de contamination croisée par les agents pathogènes en suspension dans l'air. On peut ainsi effectuer l'aspiration sans débrancher l'appareil de ventilation.

Réglage du ballonnet

En règle générale, le ballonnet du tube endotrachéal ou de la canule trachéale doit être gonflé. La pression à l'intérieur est gardée au minimum pour que la personne reçoive les volumes courants adéquats, mais elle est assez élevée pour contrer le risque d'aspiration. Habituellement, on la maintient au-dessous de 25 cm H_2O pour prévenir les lésions, et au-dessus de 20 cm H_2O pour empêcher l'inhalation de corps étrangers. Il faut vérifier la pression du ballonnet au moins toutes les 8 heures. Pour ce faire, on fixe un manomètre manuel au ballonnet pilote du tube ou de la canule, ou

ENCADRÉ 27-9

RECOMMANDATIONS

Soins administrés à la personne porteuse d'une canule trachéale

INTERVENTIONS INFIRMIÈRES	JUSTIFICATIONS SCIENTIFIQUES
1. Rassembler le matériel nécessaire, notamment: gants stériles, peroxyde d'hydrogène, solution physiologique ou eau stérile, cotons-tiges, pansements et cordons en ruban sergé (de même que le type de canule prescrite, s'il faut la changer).	▪ Avoir à portée de la main tout le matériel nécessaire permet de travailler plus efficacement.
▪ Une canule à ballonnet (l'air est injecté dans le ballonnet) est également nécessaire lorsqu'on recourt à la ventilation assistée. On utilise le plus souvent un ballonnet à faible pression.	▪ On utilise une canule à ballonnet pour empêcher les fuites d'air pendant la ventilation en pression positive et pour prévenir l'inhalation du contenu de l'estomac dans la trachée. On sait que l'obturation est complète quand il n'y a aucune fuite d'air par la bouche ou la stomie créée par la trachéotomie et quand on ne perçoit pas le gargouillement strident que fait l'air sortant de la gorge. Le ballonnet à basse pression exerce une pression minimale sur la muqueuse trachéale; il réduit donc les risques d'ulcération et de sténose de la trachée.
▪ On utilise habituellement une canule en métal sans ballonnet chez les personnes qui doivent porter une canule trachéale à long terme, mais qui peuvent respirer spontanément.	
2. Donner à la personne et à sa famille tous les conseils de soins nécessaires, en commençant par l'examen du pansement pour déceler des plaques d'humidité, des écoulements ou des sécrétions.	▪ On doit changer le pansement de la trachéostomie aussi souvent qu'il le faut pour que la peau reste propre et sèche. Il ne faut pas laisser un pansement souillé ou mouillé en contact avec la peau.
3. Bien se laver les mains.	▪ Un lavage à fond permet de réduire le nombre de bactéries présentes sur les mains.
4. Expliquer l'intervention à la personne et à sa famille, selon le cas.	▪ La personne a des appréhensions et a constamment besoin d'être rassurée et soutenue.
5. Enfiler des gants propres, enlever le pansement souillé et le jeter dans un contenant réservé aux objets contaminés.	▪ Pour réduire le risque de contamination croisée, il est important de jeter les pansements contaminés dans un contenant réservé à cet usage.
6. Préparer le matériel stérile: peroxyde d'hydrogène, solution physiologique ou eau stérile, cotons-tiges, pansement et cordons.	▪ Avoir à portée de la main tout le matériel nécessaire permet de travailler plus efficacement.
7. Mettre des gants stériles (la méthode dite propre pour les personnes trachéotomisées à long terme qui sont soignées à domicile est acceptée).	▪ Le port de gants stériles réduit le risque de contamination des voies respiratoires par la flore présente sur la peau. On peut utiliser à domicile la méthode dite propre, puisque le risque d'exposition aux agents pathogènes est moindre.
8. Nettoyer la plaie et la plaque de la canule à l'aide d'un coton-tige imbibé de peroxyde d'hydrogène, puis les rincer avec de la solution physiologique stérile.	▪ Le peroxyde d'hydrogène déloge efficacement les sécrétions croûteuses. La solution physiologique utilisée pour le rinçage enlève les résidus cutanés.
9. Faire tremper la canule dans le peroxyde d'hydrogène, puis la rincer avec la solution physiologique ou la remplacer par une nouvelle canule jetable.	▪ Le trempage permet de ramollir et d'enlever les sécrétions qui se sont déposées dans la lumière de la canule.
10. Retirer le cordon souillé une fois qu'un nouveau cordon propre a été mis en place, en introduisant une des extrémités dans l'une des ouvertures latérales de la plaque. Passer le cordon neuf autour du cou de la personne et en introduire l'autre extrémité dans l'autre ouverture. Ramener les deux extrémités sur un côté du cou et serrer le cordon juste assez pour qu'on puisse passer deux doigts par-dessous. Faire un nœud. Lorsqu'il s'agit d'une nouvelle trachéotomie, il faut deux personnes pour changer le cordon.	▪ Cette technique de changement du cordon permet d'obtenir une double épaisseur de tissu autour du cou. Cette précaution est importante, car un mouvement ou une forte toux peuvent déloger la canule, ce qui peut provoquer une détresse respiratoire, sans compter qu'il est difficile de réintroduire une canule trachéale. L'expulsion de la canule constitue une urgence médicale.
11. Enlever le cordon souillé et le jeter dans un contenant réservé aux objets contaminés.	▪ Le cordon souillé de sécrétions peut être contaminé par des bactéries.
12. Bien qu'elles soient cicatrisées, certaines incisions de trachéostomies de longue date requièrent un pansement.	▪ Lorsque la trachéostomie est cicatrisée et qu'il y a peu de sécrétions, il n'est pas nécessaire de mettre un pansement.

Soins administrés à la personne porteuse d'une canule trachéale (*suite*)

Dans ce cas, appliquer un pansement stérile pour trachéostomie et le fixer solidement sous le cordon et le bord de la canule de sorte qu'il recouvre l'incision (voir l'illustration ci-dessous).

Il ne faut pas utiliser des pansements qui peuvent s'effilocher, car un morceau de tissu, de la peluche ou des fils pourraient s'introduire dans la canule et atteindre la trachée, ce qui risquerait de provoquer une obstruction ou la formation d'un abcès. On utilise donc des pansements qui ne s'effilochent pas.

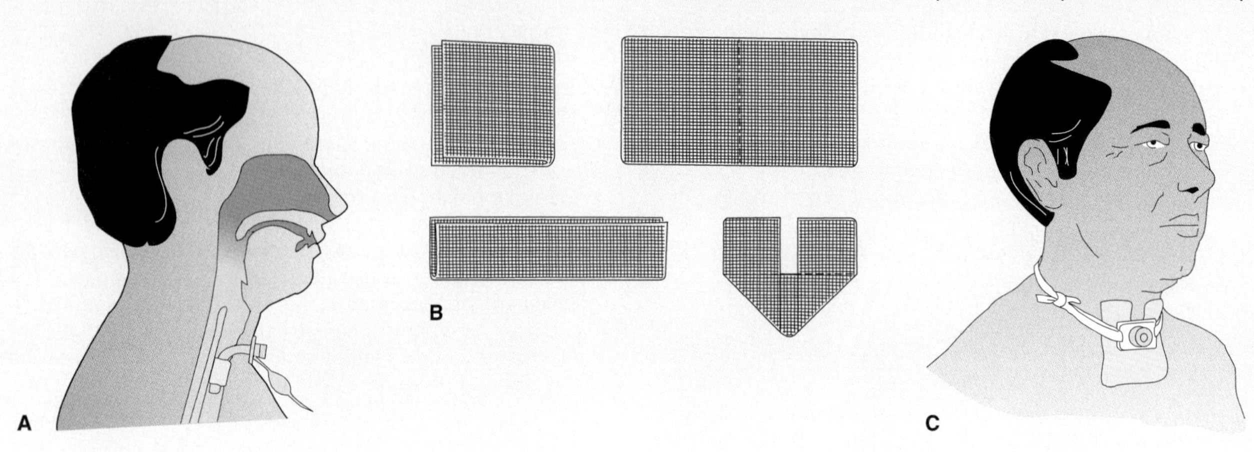

(A) Le ballonnet de la canule trachéale doit reposer contre les parois de la trachée de façon à favoriser la circulation, tout en empêchant les sécrétions et l'air de s'échapper. **(B)** On peut utiliser un pansement de 10 x 10 cm qu'on plie (il ne faut pas le couper en raison du risque d'inhalation d'effilochures) autour de la canule trachéale. **(C)** Le pansement est maintenu en place par un cordon dont les deux extrémités sont attachées aux ouvertures de la plaque cervicale de la canule trachéale; on noue le cordon sur le côté du cou afin que la nuque ne repose pas sur un nœud.

on utilise la technique du volume minimal de fuite ou d'occlusion. Dans le cas d'une intubation prolongée, il faut parfois augmenter la pression du ballonnet pour maintenir l'effet d'obturation.

Favoriser les soins à domicile et dans la communauté

Enseigner les autosoins Si la personne qui a subi une trachéotomie est soignée à domicile, l'infirmière enseigne à ses proches les soins qu'il lui faut prodiguer quotidiennement et les mesures à prendre en cas d'urgence. L'infirmière s'assure aussi que la personne et sa famille connaissent les ressources d'enseignement et de soutien disponibles. Pendant que l'infirmière administre les soins reliés à la trachéostomie, elle doit renseigner la personne et sa famille sur les stratégies de prévention des infections (McConnell, 2000).

Ventilation assistée

Le recours à la ventilation assistée peut être nécessaire pour diverses raisons, notamment pour réguler la respiration d'une personne lors d'une intervention chirurgicale ou du traitement d'une blessure grave à la tête, oxygéner le sang lorsque les efforts de ventilation de la personne sont inappropriés et laisser reposer les muscles respiratoires. Bon nombre de personnes sous ventilation assistée peuvent respirer spontanément, mais elles pourraient s'épuiser à le faire.

Le respirateur est un appareil de ventilation en pression positive ou négative qui peut maintenir la respiration et alimenter la personne en oxygène pendant une longue période. Les soins à donner à la personne sous respirateur font aujourd'hui partie intégrante des soins et traitements infirmiers administrés dans les unités de soins intensifs, dans les unités générales de médecine-chirurgie, dans les établissements de soins prolongés et à domicile. Les infirmières, les médecins et les inhalothérapeutes doivent connaître les besoins respiratoires de chaque personne et travailler en étroite collaboration pour fixer des objectifs réalistes. Pour obtenir de bons résultats, il faut connaître les principes de la ventilation assistée, ainsi que les soins prodigués à la personne sous respirateur. Les membres de l'équipe de soins doivent établir entre eux un véritable dialogue au sujet des objectifs thérapeutiques, du plan de sevrage et de la tolérance de la personne aux changements des paramètres de ventilation.

Indications de la ventilation assistée

La ventilation assistée est notamment indiquée dans les cas suivants: oxygénation (PaO_2) en baisse constante, augmentation de la concentration de gaz carbonique artériel ($PaCO_2$) et acidose persistante (diminution du pH). Certaines circonstances ou affections peuvent mener à une insuffisance respiratoire et exiger le recours à un respirateur: intervention thoracique ou abdominale, intoxications médicamenteuses, affections neuromusculaires, lésions par inhalation, BPCO, polytraumatisme, choc, défaillance multiviscérale et coma.

ENCADRÉ 27-10

Aspiration trachéale

MATÉRIEL

- Cathéters d'aspiration
- Gants
- Lunettes protectrices
- Solution physiologique stérile versée dans un bassin servant à l'irrigation du cathéter
- Ballon autogonflable (appareil de réanimation manuelle) avec oxygène
- Appareil d'aspiration

ÉTAPES DE L'ASPIRATION

1. Expliquer l'intervention à la personne et la rassurer, car elle peut avoir peur de suffoquer et d'être incapable de communiquer.
2. Se laver les mains.
3. Mettre l'appareil d'aspiration en marche (la pression ne doit pas dépasser 120 mm Hg).
4. Défaire l'emballage du cathéter d'aspiration.
5. Remplir le bassin de solution physiologique stérile.
6. Mettre en marche l'appareil de ventilation manuelle et démarrer l'oxygénothérapie à débit élevé pour maintenir la ventilation.
7. Enfiler un gant stérile sur la main dominante.
8. Prendre le cathéter d'aspiration dans la main gantée et le raccorder à l'appareil d'aspiration.
9. Oxygéner au maximum les poumons pendant plusieurs respirations profondes. N'instiller de la solution physiologique dans les voies respiratoires *que si* les sécrétions sont épaisses.
10. Introduire le cathéter d'aspiration au moins jusqu'au niveau de l'extrémité de la canule trachéale, sans aspirer. Le cathéter doit être introduit juste assez profondément pour déclencher le réflexe tussigène.
11. Aspirer en retirant le cathéter et en le tournant doucement sur 360 degrés (pas plus de 10 à 15 secondes, car l'aspiration peut entraîner de l'hypoxie et des arythmies pouvant mener à un arrêt cardiaque).
12. Procéder de nouveau à l'oxygénation et à la dilatation des poumons pendant quelques respirations.
13. Recommencer les trois étapes précédentes jusqu'à ce que les voies respiratoires soient dégagées.
14. Si besoin est, rincer le cathéter dans le bassin de solution physiologique entre les aspirations.
15. Une fois l'aspiration trachéale terminée, aspirer l'oropharynx.
16. Rincer la tubulure ayant servi à l'aspiration.
17. Mettre au rebut le cathéter d'aspiration, les gants et le bassin, selon le protocole de l'établissement.

Les critères présentés dans l'encadré 27-11 ■ aideront l'infirmière à déterminer si la personne a besoin ou non d'une ventilation assistée. Une apnée réfractaire peut également justifier l'utilisation d'un respirateur.

TYPES DE RESPIRATEURS

Les différents types de respirateurs sont classés selon leur effet sur la respiration. Les deux principales catégories sont les respirateurs à pression positive et les respirateurs à pression négative. Les respirateurs à pression positive sont les appareils de ventilation le plus couramment utilisés aujourd'hui.

Respirateurs à pression négative

Le respirateur à pression négative exerce une pression négative sur la face externe du thorax et diminue la pression intrathoracique pendant l'inspiration; l'air peut alors entrer dans les poumons et les dilater. Sur le plan physiologique, ce type de ventilation assistée s'apparente à la ventilation spontanée. Le respirateur à pression négative est surtout utilisé chez les personnes qui souffrent d'une insuffisance respiratoire chronique, accompagnée d'une affection neuromusculaire comme la poliomyélite, la dystrophie musculaire, la sclérose latérale amyotrophique et la myasthénie grave. La ventilation en pression négative n'est pas indiquée en cas d'état instable ou d'affection complexe, ni lorsqu'on doit modifier fréquemment les paramètres de ventilation de la personne. Les respirateurs à pression négative sont simples à utiliser et ne nécessitent pas d'intubation; ils conviennent donc particulièrement aux soins à domicile.

Il existe différents types de respirateurs à pression négative: le poumon d'acier, le caisson thoracoabdominal et la cuirasse.

Poumon d'acier

Le poumon d'acier (respirateur de type Drinker) est un caisson en pression négative qui sert à améliorer la ventilation. Autrefois largement utilisé lors des épidémies de poliomyélite, il sert aujourd'hui aux survivants de cette affection et aux personnes atteintes d'autres troubles neuromusculaires.

Caisson thoracoabdominal et cuirasse

On doit utiliser ces deux appareils portables avec une cage ou une coque rigide afin de créer une enceinte de pression négative autour du thorax et de l'abdomen. À cause des problèmes d'ajustement et de fuites qu'ils posent, ils ne sont utilisés que chez certaines personnes soigneusement choisies.

Respirateurs à pression positive

Les respirateurs à pression positive gonflent les poumons en exerçant une pression positive sur les voies aériennes, à la manière d'un soufflet, ce qui force les alvéoles à se dilater pendant l'inspiration. L'expiration est passive. Pour utiliser ce type de respirateur, il faut effectuer une intubation endotrachéale ou une trachéotomie. Les respirateurs à pression positive sont très souvent utilisés dans les centres hospitaliers et de plus en plus à domicile par les personnes souffrant d'une affection pulmonaire primitive. Les trois types de respirateurs à pression positive sont classés conformément à la méthode utilisée pour terminer la phase inspiratoire: selon la pression

RECHERCHE EN SCIENCES INFIRMIÈRES 27-1

Effet sur l'oxygénation de l'instillation d'une solution physiologique avant l'aspiration

D. Kinloch (1999). Instillation of normal saline during endotracheal suctioning: effects on mixed venous oxygen saturation. *American Journal of Critical Care, 8*(4), 231-240.

OBJECTIF

S'il a été avancé que l'instillation d'une solution physiologique dans le tube endotrachéal avant l'aspiration peut faciliter l'évacuation des sécrétions, peu d'études reposant sur des mesures *in vivo* de l'oxygénation de la personne ont été consacrées à cette intervention. Cette étude visait à déterminer si l'instillation d'une solution physiologique avant l'aspiration endotrachéale peut améliorer l'oxygénation.

DISPOSITIF ET ÉCHANTILLON

On a utilisé une méthode descriptive et observationnelle pour évaluer l'effet de l'instillation d'une solution physiologique avant l'aspiration endotrachéale sur la saturation en oxygène du sang veineux mêlé. Ont participé à cette étude 35 personnes ayant subi un pontage aortocoronarien. La décision d'instiller la solution physiologique dans le tube endotrachéal revenait au médecin traitant. Les personnes ont été réparties en deux groupes. On effectuait l'instillation chez les personnes du premier groupe ($n = 15$), et on ne l'effectuait pas chez les personnes du second groupe ($n = 20$). On a instillé 5 mL de solution physiologique aux personnes du premier groupe avant l'aspiration par le tube endotrachéal, tandis qu'on n'a pas recouru à l'instillation chez celles du second groupe. Un protocole d'aspiration normalisé a été utilisé: à part le recours à l'instillation, l'aspiration a été effectuée de la même façon dans les deux groupes. La saturation initiale en oxygène du sang veineux mêlé (SvO_2) a été mesurée à l'aide d'une sonde artérielle pulmonaire à intervalles de 1 minute, pendant 5 minutes, avant le début de l'aspiration. On a considéré que la moyenne de ces mesures indiquait la concentration initiale. Après l'aspiration, on a mesuré la SvO_2 à intervalles de 1 minute jusqu'au retour à la valeur initiale.

RÉSULTATS

Les concentrations moyennes de SvO_2 après l'aspiration ont été notablement plus faibles dans le groupe chez qui on a eu recours à l'instillation ($p = 0,007$) que dans l'autre groupe. De plus, la SvO_2 a mis en moyenne 3,8 minutes de plus dans le premier groupe que dans le second groupe pour revenir aux valeurs initiales; cette différence a été significative sur le plan statistique ($p = 0,05$).

IMPLICATIONS POUR LA PRATIQUE INFIRMIÈRE

Selon les normes actuelles de pratique, il faut instiller une solution physiologique avant l'aspiration, particulièrement si les sécrétions sont épaisses et tenaces. Bien que les résultats de cette étude donnent à penser qu'on devrait abandonner cette pratique, il faudrait étudier cette question plus à fond chez un plus grand nombre de personnes, réparties de façon aléatoire. Les résultats de cette étude sont utiles aux infirmières qui doivent pratiquer l'aspiration endotrachéale.

ENCADRÉ 27-11

Indications de la ventilation assistée

- $PaO_2 < 50$ mm Hg et $FiO_2 > 0,60$
- $PaO_2 > 50$ mm Hg, avec un $pH < 7,25$
- Capacité vitale < 2 fois le volume courant
- Force inspiratoire négative < 25 cm H_2O
- Fréquence respiratoire > 35/minute

(relaxateur de pression), selon la durée (respirateur à débit intermittent) ou selon le volume (relaxateur de volume). Un système de ventilation non effractive à pression positive peut aussi être utilisé chez certaines personnes.

Relaxateur de pression

Le relaxateur de pression est un appareil de ventilation en pression positive qui arrête l'inspiration quand un certain niveau de pression est atteint. Autrement dit, il se met en marche, insuffle de l'air jusqu'à ce que le niveau de pression préréglé soit atteint, puis s'arrête. Son principal inconvénient tient au fait que le volume d'air ou d'oxygène peut varier quand la résistance des voies respiratoires ou la compliance change. Le volume courant fourni est alors inconstant, ce qui peut compromettre la ventilation. Par conséquent, chez l'adulte, le relaxateur de pression sert uniquement aux soins de courte durée. Le relaxateur de pression le plus utilisé est le respirateur à pression positive intermittente (voir p. 178).

Respirateur à débit intermittent

Le respirateur à débit intermittent arrête ou règle l'inspiration après un laps de temps prédéterminé. Le volume d'air insufflé dépend de la durée de l'inspiration et du débit d'air. La plupart de ces respirateurs sont munis d'un régulateur de débit qui détermine la fréquence respiratoire. On les utilise chez les nouveau-nés et les nourrissons, mais rarement chez les adultes.

Relaxateur de volume

Le relaxateur de volume est de loin l'appareil de ventilation en pression positive le plus utilisé de nos jours (figure 27-7 ■). Il insuffle un volume d'air prédéterminé et s'arrête, ce qui permet alors une expiration passive. D'une respiration à l'autre, le volume d'air insufflé est assez constant. Ainsi, la respiration est suffisante et régulière malgré les variations de pression des voies aériennes.

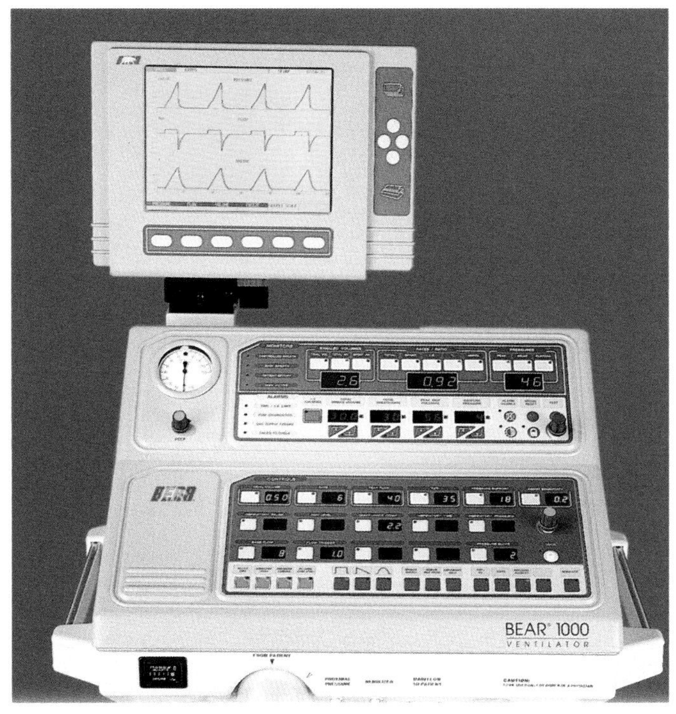

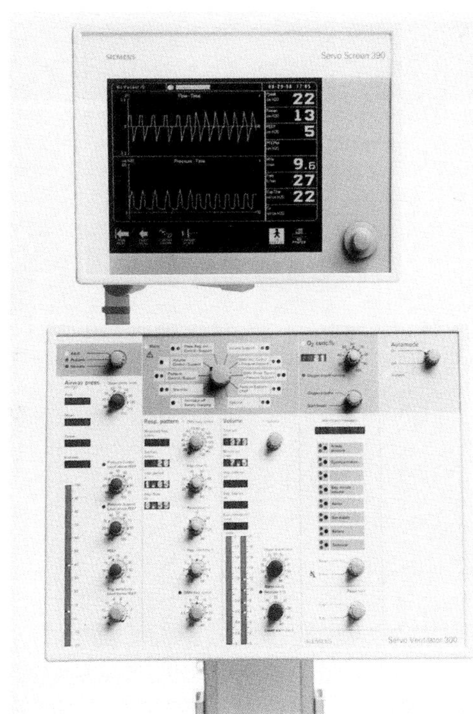

FIGURE 27-7 ■ Le panneau de commande des respirateurs en pression positive actuellement utilisés renseigne sur toutes les fonctions de cette technique de pointe. **(A)** Respirateur Bear 1000. SOURCE : Viasys Respiratory Care, Inc. **(B)** Le respirateur Servo 300 doté d'une fonction automatique permet de commencer le sevrage alors que la personne est encore intubée. SOURCE : Siemens Medical Systems, Inc.

Ventilation non effractive en pression positive

La ventilation en pression positive peut se faire à l'aide d'un masque facial qui couvre le nez et la bouche, d'un masque nasal ou d'autres appareils nasaux. Cette méthode permet d'éliminer l'intubation endotrachéale ou la trachéotomie et réduit le risque d'infections nosocomiales comme la pneumonie. La méthode la plus commode pour la personne est la ventilation contrôlée en pression assistée. Cette méthode facilite la respiration et favorise les échanges gazeux. On peut régler le respirateur à un taux minimal de soutien pour les personnes qui traversent des épisodes d'apnée.

La ventilation non effractive convient aux personnes atteintes d'insuffisance respiratoire aiguë ou chronique, d'œdème pulmonaire aigu, de BPCO ou d'insuffisance cardiaque chronique s'accompagnant d'un trouble respiratoire associé au sommeil. On peut aussi utiliser ce type de ventilation à domicile pour améliorer l'oxygénation des tissus et permettre aux muscles respiratoires de se reposer pendant le sommeil. Il est contre-indiqué dans les cas suivants : antécédents d'arrêt respiratoire ou traumatisme à la tête ou au visage, graves troubles du rythme cardiaque et altération de la fonction cognitive. On peut aussi utiliser la ventilation non effractive chez les personnes en fin de vie et chez celles qui refusent l'intubation endotrachéale, mais qui ont besoin d'une ventilation assistée de courte ou de longue durée (Scanlan, Wilkins et Stoller, 1999).

La ventilation à pression positive à deux niveaux (bi-PAP) permet de régler indépendamment la pression inspiratoire et la pression expiratoire, tout en fournissant une pression ventilatoire de soutien. Elle fournit deux niveaux de pression positive par un masque nasal ou buccal, par un coussin nasal ou par un embout buccal bien scellé et un respirateur portable. Chaque inspiration peut être amorcée par la personne ou par l'appareil s'il est réglé en mode assistance. Ce mode permet de s'assurer que la personne prendra un nombre préréglé de respirations par minute (Perkins et Shortall, 2000). L'appareil bi-PAP est le plus souvent utilisé chez les personnes qui ont besoin d'une assistance ventilatoire nocturne, par exemple les personnes atteintes de BPCO grave ou souffrant d'apnée du sommeil. La tolérance varie selon les personnes, mais l'appareil bi-PAP donne habituellement de meilleurs résultats chez les personnes très motivées.

RÉGLAGE DU RESPIRATEUR

Il faut régler le respirateur pour que la personne soit à l'aise et en phase avec l'appareil. Il faut aussi perturber le moins possible la dynamique normale de la fonction cardiovasculaire et respiratoire. Les modes de ventilation assistée sont décrits dans la figure 27-8 ■. Si le relaxateur de volume est correctement réglé, les concentrations des gaz du sang artériel seront satisfaisantes et la fonction cardiovasculaire ne sera pas altérée. Le mode de réglage de l'appareil est présenté dans l'encadré 27-12 ■.

VÉRIFICATION DU MATÉRIEL

L'infirmière doit vérifier le respirateur pour s'assurer qu'il fonctionne bien et qu'il est réglé correctement. Même si ce n'est pas elle qui est chargée de régler le respirateur ou de

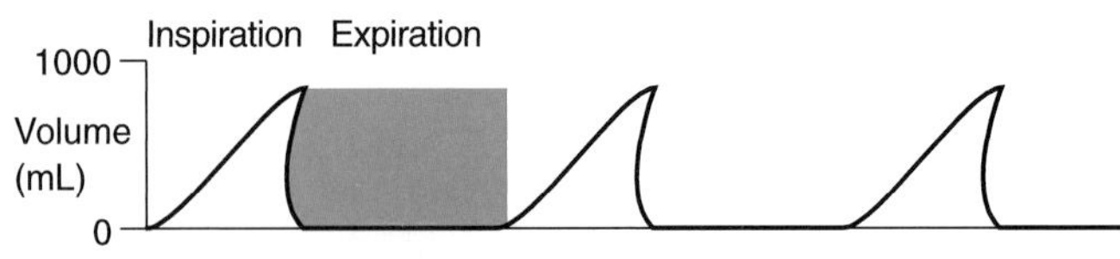

A VENTILATION MÉCANIQUE CONTRÔLÉE

A Passage de l'air en mode contrôlé. Le respirateur insuffle un volume préréglé de gaz en pression positive tout en « bloquant » la respiration spontanée.

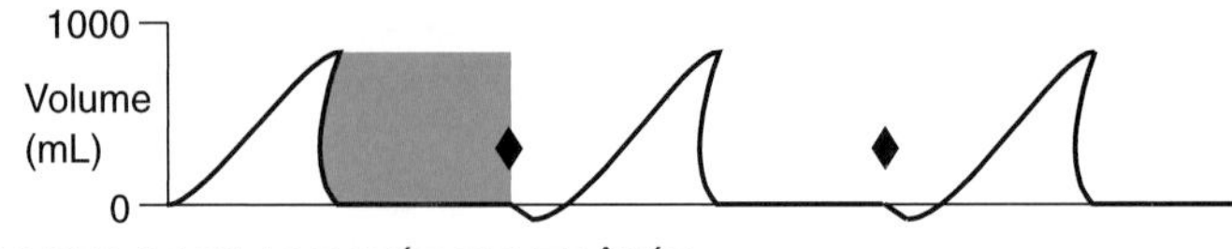

B VENTILATION ASSISTÉE CONTRÔLÉE

B Passage de l'air en mode assisté/contrôlé. Le volume d'air insufflé et le débit sont déterminés d'avance, mais la personne peut déclencher elle-même le respirateur par un effort inspiratoire négatif. En l'absence de respiration spontanée, l'appareil assure une respiration contrôlée.

C VENTILATION OBLIGATOIRE INTERMITTENTE SYNCHRONISÉE

C Passage de l'air en mode intermittent synchronisé. Le respirateur émet un nombre minimum d'insufflations prédéterminées, mais la personne peut également prendre des respirations spontanées de volumes variés. Noter combien les pressions inspiratoires et expiratoires diffèrent selon qu'il s'agit de respirations spontanées ou d'insufflations du respirateur.

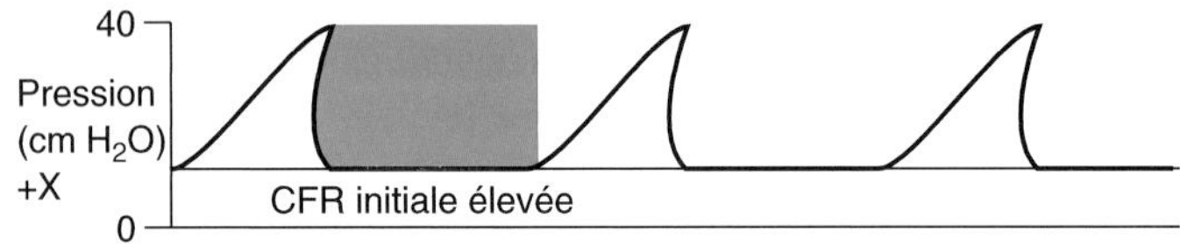

D PRESSION POSITIVE EN FIN D'EXPIRATION (PEEP)

D Pression positive dans les voies aériennes pendant l'expiration. Noter que, à la fin de la phase expiratoire, l'appareil ne laisse pas la pression retomber à zéro. CFR : capacité fonctionnelle résiduelle.

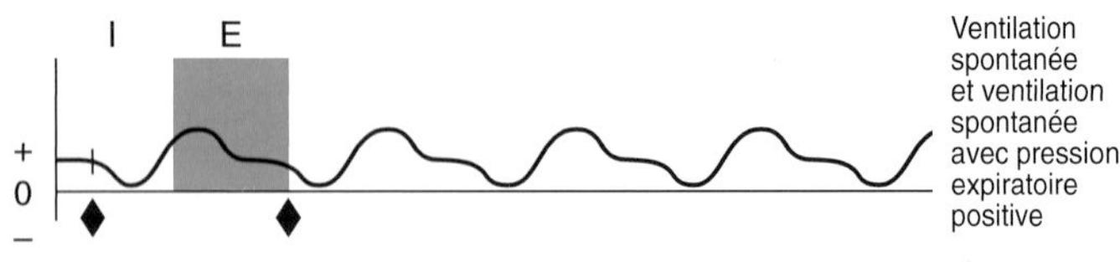

E VENTILATION EN PRESSION POSITIVE CONTINUE (PPC)

E Ventilation spontanée avec pression positive continue. Ce mode de ventilation d'appoint est utilisé seulement lorsque la ventilation est spontanée ; la personne respire spontanément par le respirateur à une pression initiale élevée tout au long du cycle respiratoire.

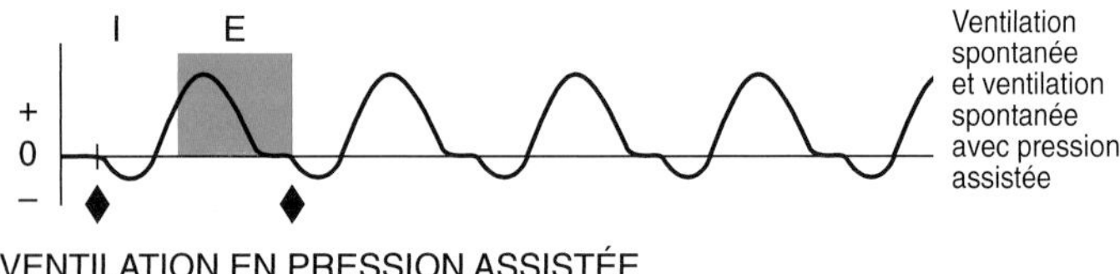

F VENTILATION EN PRESSION ASSISTÉE

F Ventilation spontanée avec pression assistée. La personne respire spontanément, avec pression assistée à chaque inspiration spontanée.

☐ Inspiration ■ Expiration ♦ Respiration déclenchée par la personne

FIGURE 27-8 ■ Modes de ventilation assistée et ondes correspondant au passage de l'air.

calculer les paramètres (tâches qui incombent généralement à l'inhalothérapeute), elle est responsable de la personne et doit donc évaluer les effets du respirateur.

Pour ce faire elle doit noter les points suivants :

- Type de respirateur (relaxateur de volume, relaxateur de pression ou respirateur à pression négative).
- Mode de ventilation (**ventilation en pression contrôlée**, **ventilation assistée/contrôlée**, **ventilation obligatoire intermittente synchronisée**).
- Réglage du volume courant et du débit (le volume courant est habituellement de 10 à 15 mL/kg ; le débit, de 12 à 16/min).
- Réglage de la FiO_2 (**fraction d'oxygène inspiré**).
- Pression inspiratoire atteinte et limite de pression (valeurs normales : de 15 à 20 cm H_2O ; ces valeurs augmentent avec la hausse de la résistance à l'écoulement gazeux dans les voies aériennes ou la diminution de la compliance).
- Sensibilité (une force inspiratoire de 2 cm H_2O devrait déclencher le respirateur).
- Rapport inspiration : expiration (habituellement de 1 : 3 [1 seconde d'inspiration et 3 secondes d'expiration] ou de 1 : 2).
- Ventilation-minute (volume courant × fréquence respiratoire, habituellement de 6 à 8 L/min).

- Réglage des inspirations profondes périodiques (habituellement, une fois et demie le volume courant, de 1 à 3 fois par heure), s'il y a lieu.
- Présence d'eau dans la tubulure, tubes débranchés ou entortillés.
- Humidification (l'humidificateur doit être rempli d'eau) et température.
- Système d'alarme (doit être enclenché et fonctionner correctement).
- Niveau de pression positive en fin d'expiration ou pression assistée, le cas échéant. La pression positive en fin d'expiration est habituellement de 5 à 15 cm H_2O.

ALERTE CLINIQUE *En cas de mauvais fonctionnement du respirateur, si on n'arrive pas à déceler ou à corriger le problème immédiatement, l'infirmière doit aider la personne à respirer à l'aide d'un ballon de réanimation jusqu'à ce que le problème soit corrigé.*

PROBLÈMES RELIÉS À LA VENTILATION ASSISTÉE

Un certain nombre de problèmes peuvent survenir en raison de la gravité de l'état de la personne et de la nature hautement complexe et technique de la ventilation assistée. Que le problème découle du respirateur ou de la personne, il faut apporter un soutien à celle-ci pendant qu'on essaie de déceler et de corriger le problème. Les complications associées au respirateur sont notamment l'altération de la fonction cardiovasculaire, le pneumothorax ou l'infection pulmonaire. Les problèmes liés à la ventilation assistée, ainsi que leurs causes possibles et les solutions à ces problèmes, sont indiqués dans le tableau 27-2 ■.

Causes de la désynchronisation entre la personne et le respirateur

La personne et le respirateur sont synchronisés quand la dilatation thoracique de la personne coïncide avec la phase inspiratoire du respirateur et que l'expiration se fait de façon passive. On dit que la personne «lutte» contre le respirateur quand elle n'est plus en phase avec l'appareil. Cela se produit quand elle essaie d'expirer pendant la phase inspiratoire mécanique du respirateur ou quand l'activité de ses muscles abdominaux augmente ou devient saccadée. Avant d'administrer un bloquant neuromusculaire, il faut déterminer la cause du problème (anxiété, hypoxie, sécrétions plus abondantes, hypercapnie, ventilation-minute inadéquate et œdème pulmonaire) et la corriger, car les bloquants neuromusculaires ne feraient que masquer le problème, ce qui entraînerait une détérioration de l'état de la personne.

On doit parfois administrer à la personne sous respirateur des myorelaxants, des tranquillisants, des analgésiques ou des bloquants neuromusculaires. En réduisant l'anxiété, l'hyperventilation et l'activité musculaire excessive, ces médicaments aident la personne à rester en phase avec le respirateur. Il faut choisir avec soin le médicament qui convient à la personne et déterminer la dose appropriée, en fonction de ses besoins et de la cause de son agitation. On utilise toujours les bloquants neuromusculaires en dernier recours et en association avec un sédatif.

ENCADRÉ 27-12

Réglage initial du respirateur

Voici un exemple des étapes à suivre pour régler un respirateur. Avant de démarrer la ventilation assistée, l'infirmière, en collaboration avec l'inhalothérapeute, doit toujours prendre connaissance du mode d'emploi du fabricant, qui varie selon l'appareil.

1. Régler l'appareil de façon à fournir le volume courant nécessaire (de 10 à 15 mL/kg).
2. Régler l'appareil de façon à administrer la concentration d'oxygène minimale nécessaire pour maintenir une PaO_2 normale (de 80 à 100 mm Hg). La concentration peut être élevée au début et diminuer graduellement, en fonction des résultats de l'analyse des gaz du sang artériel.
3. Noter la pression inspiratoire maximale.
4. Régler le mode (ventilation assistée/contrôlée ou ventilation obligatoire intermittente synchronisée) et le débit selon l'ordonnance du médecin. (Voir la définition des modes de ventilation dans la section «Vocabulaire».) Régler la pression positive en fin d'expiration ou la pression assistée, lorsqu'elles sont prescrites.
5. Si le respirateur est en mode assisté/contrôlé, régler l'appareil de façon à permettre à la personne de déclencher le respirateur avec un effort minimum (habituellement avec une force inspiratoire négative de 2 mm Hg).
6. Noter la ventilation-minute et mesurer la pression partielle du gaz carbonique (PCO_2), le pH et la PO_2 après 20 minutes de ventilation assistée ininterrompue.
7. Régler l'appareil (FiO_2 et débit) en fonction des résultats de l'analyse des gaz du sang artériel pour obtenir les valeurs normales ou les valeurs fixées par le médecin.
8. Si la personne présente de la confusion ou devient agitée (ou si elle commence à «se battre contre l'appareil»), vérifier si elle souffre d'hypoxie et l'assister manuellement au moyen d'un ballon de réanimation et d'oxygène à 100 %.

Soins et traitements infirmiers

Favoriser les soins à domicile et dans la communauté

Les personnes qui sont sous respirateur, sous oxygénothérapie ou qui ont subi une trachéotomie sont de plus en plus souvent traitées dans des centres de soins prolongés ou à domicile. Les personnes sous respirateur soignées à domicile souffrent généralement d'une affection neuromusculaire chronique ou de BPCO.

Enseigner les autosoins La personne sous respirateur peut recevoir des soins de qualité à la maison si les membres de sa famille sont capables d'assurer la plus grande partie des soins, sur les plans émotif, cognitif et physique. Il faut également qu'elle puisse compter sur une équipe de soins à domicile (infirmière, médecin, inhalothérapeute, travailleur social, service de soutien à domicile et fournisseur de matériel). On doit aussi effectuer une visite au domicile de la personne pour s'assurer que le matériel électrique nécessaire à son traitement

Causes et solutions des problèmes reliés à la ventilation assistée

TABLEAU 27-2

Problèmes	Causes	Solutions
RESPIRATEUR		
Augmentation de la pression maximale des voies aériennes	Toux ou tube bouché.	■ Procéder à l'aspiration des sécrétions des voies respiratoires; retirer le liquide de condensation du circuit.
	La personne «lutte» contre le respirateur.	■ Régler l'appareil.
	Diminution de la compliance pulmonaire.	■ Effectuer une ventilation manuelle. ■ Rechercher les signes d'hypoxie ou de bronchospasme. ■ Vérifier le dosage des gaz du sang artériel. ■ Administrer un sédatif seulement en cas de besoin.
	Entortillement de la tubulure.	■ Vérifier la tubulure; changer la position de la personne; introduire une canule buccale en cas de besoin.
	Pneumothorax.	■ Effectuer une ventilation manuelle; prévenir le médecin.
	Atélectasie ou bronchospasme.	■ Retirer les sécrétions.
Baisse de la pression ou perte de volume	Augmentation de la compliance pulmonaire.	■ Aucune.
	Fuite dans le respirateur ou la tubulure; ballonnet du tube ou raccord avec l'humidificateur non étanche.	■ Vérifier l'étanchéité de tous les raccords. ■ Corriger la fuite.
PERSONNE		
Atteinte cardiovasculaire	Diminution du retour veineux, causée par une pression positive qui s'exerce sur les poumons.	■ Vérifier si le volume est adéquat en mesurant la fréquence cardiaque, la pression artérielle, la pression veineuse centrale, la pression capillaire pulmonaire et le débit urinaire. ■ Prévenir le médecin si les valeurs sont anormales.
Barotraumatisme/ pneumothorax	Pression positive qui s'exerce sur les poumons; pressions moyennes élevées provoquant la rupture des alvéoles.	■ Prévenir le médecin. ■ Préparer la personne à l'installation d'un drain thoracique. ■ Ne pas régler la pression à un niveau trop élevé chez les personnes atteintes de BPCO ou de syndrome de détresse respiratoire aiguë ou présentant des antécédents de pneumothorax.
Infection pulmonaire	Défaillance des mécanismes de défense de l'organisme; fréquents bris du respirateur; mobilité réduite; insuffisance du réflexe tussigène.	■ Respecter à la lettre les techniques d'asepsie. ■ Effectuer fréquemment des soins d'hygiène buccodentaire. ■ Assurer un état nutritionnel optimal.

peut être utilisé en toute sécurité. Les conditions à réunir pour assurer des soins à domicile de qualité sont présentées dans l'encadré 27-13 ■.

Une fois qu'on a pris la décision d'effectuer la ventilation à domicile, l'infirmière doit préparer la personne et sa famille aux soins nécessaires. L'enseignement doit couvrir les points suivants: fonctionnement du respirateur, techniques d'aspiration, soins de la trachéostomie, signes d'infection pulmonaire, gonflage et dégonflage du ballonnet et prise des signes vitaux. L'enseignement commence souvent au centre hospitalier et se poursuit à la maison. L'infirmière doit s'assurer que les informations qu'elle donne à la personne et à sa famille sont bien comprises.

L'infirmière doit par ailleurs enseigner aux membres de la famille les techniques de réanimation cardiorespiratoire, notamment la réanimation bouche à canule trachéale (au lieu du bouche-à-bouche). Elle doit aussi expliquer les mesures à prendre en cas de panne de courant. La plupart des respirateurs conçus pour les soins à domicile passent automatiquement de l'alimentation électrique à l'alimentation par piles; l'appareil peut fonctionner sur piles pendant 1 heure environ. Enfin, les membres de la famille doivent apprendre

ENCADRÉ 27-13

Évaluation : conditions pour offrir des soins respiratoires de qualité à domicile

La décision d'utiliser la ventilation assistée à domicile repose habituellement sur les paramètres suivants.

CONDITIONS RELIÉES À LA PERSONNE

- La personne est atteinte d'une affection pulmonaire chronique.
- L'état pulmonaire de la personne est cliniquement stable.
- La personne accepte de rester chez elle sous ventilation assistée.

CONDITIONS RELIÉES AU MILIEU DE VIE

- Le milieu de vie de la personne est propice aux soins à domicile.
- Les installations électriques sont assez puissantes pour utiliser en toute sécurité le matériel électrique nécessaire aux soins.
- Il est possible de modifier le milieu de vie, notamment d'éliminer les courants d'air par temps froid et d'assurer une bonne aération par temps chaud.
- Il y a l'espace nécessaire pour nettoyer et ranger l'appareil.

CONDITIONS RELIÉES AUX MEMBRES DE LA FAMILLE

- Les membres de la famille sont compétents, dignes de confiance et prêts à prendre le temps de recevoir la formation nécessaire.
- Les membres de la famille comprennent le diagnostic et le pronostic.
- La famille dispose de suffisamment de ressources financières et de soutien.

à pratiquer la ventilation manuelle, dans le cas où ils devraient y avoir recours. Certaines des responsabilités de la personne et des membres de sa famille sont énumérées dans l'encadré 27-14 ■.

Assurer le suivi Une fois que la personne est rentrée chez elle, une infirmière spécialisée en soins à domicile évalue si celle-ci et sa famille s'adaptent bien à la situation. Elle vérifie si la ventilation, l'oxygénation et la perméabilité des voies respiratoires de la personne sont appropriées. Elle doit aussi trouver des solutions personnalisées aux problèmes d'adaptation que la personne pourrait rencontrer. Elle incite la personne et les membres de sa famille à exprimer leurs craintes et leurs frustrations et les soutient et les encourage au moment opportun. Elle doit aussi déterminer les services communautaires qui peuvent apporter de l'aide et y faire appel.

ENCADRÉ 27-14

GRILLE DE SUIVI DES SOINS À DOMICILE

Personne sous ventilation assistée

Après avoir reçu l'enseignement sur les soins à domicile, la personne ou le proche aidant peut :	Personne	Proche aidant
■ Indiquer les soins à administrer à la personne sous ventilation assistée.		✔
• Noter les signes physiques tels que la couleur de la peau, les sécrétions, le mode de respiration et l'état de conscience.		✔
• Prodiguer des soins physiques, comme l'aspiration des sécrétions ou le drainage postural, et aider la personne à marcher.		✔
• Vérifier régulièrement le volume courant et le manomètre à pression.		✔
• Prendre les mesures qui s'imposent si ces paramètres sont anormaux (par exemple procéder à une aspiration si la pression des voies respiratoires s'élève).		✔
• Fournir à la personne des moyens de communication (papier et crayon, électrolarynx, valve parlante).		✔
• Prendre les signes vitaux, selon les consignes du médecin.		✔
• Signaler une sensation d'essoufflement ou de détresse en utilisant un signe convenu d'avance.	✔	
■ Assurer le bon fonctionnement et l'entretien du respirateur.		✔
Vérifier les réglages du respirateur deux fois par jour et chaque fois que la personne en est retirée.		✔
• Au besoin, régler les avertisseurs sonores de volume et de pression.		✔
• Remplir l'humidificateur selon les besoins et vérifier le niveau d'eau trois fois par jour.		✔
• Vider l'eau de la tubulure, au besoin.	✔	✔
• Utiliser un humidificateur propre quand la tubulure de l'appareil est changée.		✔
• S'assurer que l'extérieur de l'appareil reste propre et ne jamais rien y déposer.		✔
• Changer la tubulure externe une fois par semaine, ou plus souvent.		✔
• Si le respirateur fonctionne mal ou produit des bruits inhabituels, en avertir immédiatement les personnes concernées.	✔	✔

Généralement, c'est le fournisseur du matériel qui assure la vérification régulière des aspects techniques du respirateur. Un inhalothérapeute doit faire de fréquentes visites à domicile pour évaluer l'état de la personne et vérifier le fonctionnement de l'appareil.

Il faut également prévoir le transport de la personne en cas d'urgence. On doit prendre ces dispositions avant de se trouver dans une telle situation.

Aujourd'hui, les progrès techniques permettent à la personne de rentrer vivre parmi les siens même si elle dépend d'un respirateur, ce qui peut être une expérience enrichissante. La ventilation assistée à domicile ne vise pas seulement à prolonger la vie de la personne, mais aussi à en améliorer la qualité.

DÉMARCHE SYSTÉMATIQUE dans la pratique infirmière

Personne sous respirateur

Collecte des données

L'infirmière jour un rôle crucial dans l'évaluation de l'état de la personne et du fonctionnement du respirateur.

Elle doit évaluer l'état physiologique de la personne et son niveau d'adaptation à la ventilation assistée. L'examen physique comprend l'évaluation systématique de tous les systèmes de l'organisme, avec un accent particulier sur la fonction respiratoire. Dans le cadre de l'examen approfondi de la fonction respiratoire, l'infirmière doit prendre les signes vitaux, évaluer le mode respiratoire (fréquence, rythme et amplitude), ausculter les bruits pulmonaires, observer les efforts spontanés de respiration et rester à l'affût des signes d'hypoxie. La présence de bruits surajoutés peut indiquer la nécessité de recourir à l'aspiration. L'infirmière doit aussi vérifier le réglage et le fonctionnement du respirateur comme il a été décrit précédemment.

Elle doit par ailleurs évaluer l'état neurologique de la personne et sa capacité d'adaptation à la ventilation assistée et aux changements que celle-ci entraîne. Il lui faut aussi assurer le bien-être de la personne et vérifier sa capacité de communiquer. Enfin, en vue du sevrage de la ventilation assistée, elle s'assure que l'alimentation de la personne est satisfaisante. Elle doit donc évaluer le fonctionnement du système gastro-intestinal et l'état nutritionnel.

Analyse et interprétation

Diagnostics infirmiers

En se fondant sur les données recueillies, l'infirmière peut poser les diagnostics infirmiers suivants:

- Échanges gazeux perturbés, reliés à l'affection sous-jacente ou à un mauvais réglage du respirateur au cours de la période de stabilisation ou de sevrage
- Dégagement inefficace des voies respiratoires, relié à la production accrue de mucosités à la suite de la ventilation assistée en pression positive permanente
- Risque de trauma ou d'infection, relié à l'intubation endotrachéale ou à la trachéotomie
- Mobilité physique réduite, reliée à la tubulure qui relie la personne au respirateur
- Communication verbale altérée, reliée au tube endotrachéal et à la tubulure qui relie la personne au respirateur
- Stratégies d'adaptation inefficaces et sentiment d'impuissance, reliés à l'état de dépendance qu'entraîne le respirateur

Problèmes traités en collaboration et complications possibles

En se fondant sur les données recueillies, l'infirmière peut déterminer les complications susceptibles de survenir, notamment:

- Altération de la fonction cardiaque
- Barotraumatisme (lésions des alvéoles) et pneumothorax
- Infection pulmonaire
- Septicémie

Planification

Les principaux objectifs sont les suivants: optimiser les échanges gazeux; maintenir la perméabilité des voies respiratoires; prévenir les traumatismes et les infections; améliorer la mobilité physique; s'adapter à des méthodes de communication non verbale; acquérir des stratégies d'adaptation efficaces; et prévenir les complications.

Interventions infirmières

Pour donner des soins à une personne sous respirateur, l'infirmière doit avoir des compétences techniques et interpersonnelles particulières. Les interventions infirmières sont les mêmes, quel que soit le milieu de soins. Seules varient la fréquence des soins et le degré auquel on a réussi à stabiliser l'état de la personne. Les soins et traitements destinés aux personnes sous respirateur sont les mêmes que ceux qui sont administrés dans tous les cas d'affection pulmonaire, mais l'infirmière doit de plus faire preuve de deux qualités extrêmement importantes: elle doit avoir un excellent sens de l'observation et être capable d'établir une relation thérapeutique avec la personne. Les interventions infirmières particulières dépendent de l'affection sous-jacente et de la réponse de la personne.

Ausculter les poumons et interpréter les résultats de la mesure des gaz du sang artériel sont deux interventions infirmières particulièrement importantes: elles permettent en effet à l'infirmière d'être la première à remarquer un changement indiquant l'apparition d'un problème important, tel qu'un pneumothorax, un déplacement du tube endotrachéal ou de la canule trachéale, ou une embolie pulmonaire.

Améliorer les échanges gazeux

Le but de la ventilation assistée est avant tout d'améliorer le plus possible les échanges gazeux en maintenant la ventilation alvéolaire et l'apport d'oxygène. La perturbation des échanges gazeux peut être due à l'affection sous-jacente ou à des facteurs mécaniques reliés au réglage du respirateur selon les besoins de la personne. L'équipe formée par l'infirmière, le médecin et l'inhalothérapeute doit observer la personne à intervalles réguliers pour s'assurer que les échanges gazeux sont appropriés, pour déceler les signes et symptômes d'hypoxie et pour déterminer la réponse au traitement. En raison de sa nature complexe, le diagnostic de perturbation des échanges gazeux doit donc être posé par une équipe pluridisciplinaire travaillant en étroite collaboration. Il est essentiel que les membres de l'équipe de soins échangent librement les informations et aient les mêmes priorités. Tous les autres objectifs de soins sont directement ou indirectement liés à l'objectif principal.

Pour améliorer les échanges gazeux, l'infirmière doit administrer judicieusement des analgésiques de façon à soulager la douleur, sans toutefois supprimer la pulsion respiratoire, et changer souvent la personne de position pour atténuer les effets de l'immobilité sur les poumons. Elle doit également vérifier le niveau d'hydratation de la personne. Pour ce faire, elle reste à l'affût des signes d'œdème périphérique, tient le bilan quotidien des ingesta et des excreta et pèse la personne tous les jours. Elle administre les médicaments prescrits pour maîtriser l'affection primitive et surveille leurs effets indésirables.

Favoriser le dégagement des voies respiratoires

Quelle que soit l'affection sous-jacente, la ventilation en pression positive continue augmente la production de sécrétions. Par conséquent, l'infirmière doit ausculter les poumons de la personne au moins toutes les deux à quatre heures pour vérifier si des sécrétions se sont accumulées. Si besoin est, elle prend ensuite des mesures pour dégager les voies respiratoires, notamment: aspiration, interventions de physiothérapie respiratoire, fréquents changements de position et augmentation de la mobilité physique, dès que possible. L'examen physique permet d'établir la fréquence des aspirations. Si l'inspection et l'auscultation révèlent la présence de sécrétions excessives, l'aspiration s'impose. Les expectorations ne sont pas produites de façon continue ou à intervalles réguliers, mais déterminées par l'affection en présence. Il n'y a donc pas lieu d'effectuer systématiquement une aspiration toutes les heures ou toutes les deux heures. Bien que celle-ci favorise l'évacuation des sécrétions, elle peut endommager la muqueuse des voies respiratoires et entraver l'activité ciliaire (Scanlan, Wilkins et Stoller, 1999).

Le respirateur doit être réglé de façon à insuffler un minimum de une à trois inspirations profondes par heure, à une fois et demie le volume courant, en mode de ventilation assisté/contrôlé. Ce mode de ventilation est moins souvent utilisé qu'auparavant, car une pression trop élevée peut entraîner l'hyperventilation et léser le tissu pulmonaire (barotraumatisme, pneumothorax). Si la personne est sous ventilation obligatoire intermittente synchronisée, les insufflations obligatoires correspondent à des inspirations profondes périodiques: en effet, le volume courant est dans ce cas plus élevé que lors des respirations spontanées. Les inspirations profondes périodiques préviennent l'atélectasie et l'accumulation des sécrétions.

L'infirmière doit s'assurer de l'humidification des mélanges gazeux administrés, ce qui réduit la viscosité des sécrétions et en facilite ainsi l'évacuation. On administre des bronchodilatateurs, adrénergiques ou anticholinergiques, pour dilater les bronchioles. Les bronchodilatateurs adrénergiques, surtout administrés par inhalation, stimulent les récepteurs bêta$_2$. Ils sont prescrits dans le but de décontracter les muscles lisses pour favoriser la dilatation des bronches. Les bronchodilatateurs adrénergiques comprennent le salbutamol (Airomir, Ventolin), le formotérol (Foradil, Oxeze Turbuhaler), le salmétérol (Serevent), le fénotérol (Berotec) et la terbutaline (Bricanyl Turbuhaler). Parmi les effets indésirables de ce type d'agents, on a signalé la tachycardie, les palpitations et les tremblements (Zang et Allender, 1999). Les bronchodilatateurs anticholinergiques, tels que le tiotropium (Spiriva), l'ipratropium (Atrovent) et l'ipratropium associé au salbutamol (Combivent), décontractent les voies respiratoires en inhibant la bronchoconstriction induite par l'activité cholinergique. Chez les personnes prenant un bronchodilatateur, quel qu'il soit, il faut être à l'affût des effets indésirables suivants: étourdissements, nausées, baisse de la sphygmooxymétrie, hypokaliémie, accélération de la fréquence cardiaque et rétention urinaire. Le médecin peut également prescrire des mucolytiques, comme l'acétylcystéine (Mucomyst), qui liquéfient les sécrétions de façon à en faciliter l'élimination. Chez les personnes qui reçoivent un mucolytique, l'infirmière doit s'assurer que le réflexe tussigène n'est pas aboli; elle doit observer les caractéristiques des expectorations et chercher à améliorer les résultats de l'inspirométrie d'incitation (McKenry et Salerno, 2001). Les effets indésirables de ces agents sont notamment les suivants: nausées, vomissements, bronchospasme, stomatite (aphtes), urticaire et rhinorrhée (LeFever et Hayes, 2000).

Prévenir les traumatismes et les infections

Les soins respiratoires comportent nécessairement l'entretien du tube endotrachéal ou de la canule trachéale. La tubulure du respirateur doit être placée de façon à ce que le tube ou la canule ne soit pas étiré ni tordu, afin de prévenir les lésions de la trachée. L'infirmière doit vérifier la pression du ballonnet de la canule trachéale toutes les huit heures afin de s'assurer que celle-ci reste au-dessous de 25 cm H_2O; elle s'assure également qu'il n'y a pas de fuites autour du ballonnet.

Chez les personnes porteuses d'un tube endotrachéal ou d'une canule trachéale, les mécanismes de défense habituels des voies respiratoires supérieures sont inhibés. De plus, d'autres systèmes de l'organisme étant atteints, il est fréquent que ces personnes soient immunodéprimées. À cause des risques accrus d'infection, les soins de la trachéostomie doivent être prodigués au moins toutes les huit heures, et plus fréquemment encore si cela est indiqué. Il faut remplacer la tubulure du respirateur et le tube d'aspiration intégré à intervalles réguliers, selon les consignes de prévention des infections.

L'infirmière doit également administrer des soins d'hygiène buccodentaire fréquents, car la cavité buccale est l'une des principales sources de contamination des poumons chez la personne intubée. On sait aussi que l'intubation nasogastrique prédispose les personnes sous respirateur à une pneumonie nosocomiale par inhalation. Enfin, la personne doit être installée autant que possible dans une position qui lui permette de garder la tête plus haute que l'abdomen. On peut administrer des agents antiulcéreux, comme le sulcrafate (Sulcrate) et les antagonistes des récepteurs H_2 de l'histamine (entre autres la ranitidine [Zantac]), pour maintenir un pH gastrique normal; les recherches ont montré que la fréquence de la pneumonie par inhalation est moindre lorsqu'on administre du sulcrafate ou un antagoniste des récepteurs H_2 de l'histamine (Scanlan, Wilkins et Stoller, 1999).

Améliorer la mobilité physique

La mobilité de la personne est réduite en raison de la tubulure qui la relie au respirateur. Si l'état de la personne est stable, l'infirmière devrait l'aider à se lever du lit et à s'asseoir dès que possible. La mobilité et l'activité musculaire sont bénéfiques, car elles stimulent la respiration et réconfortent la personne. Si la personne ne peut pas se lever, il faut lui faire faire des exercices actifs ou passifs toutes les huit heures pour prévenir l'atrophie musculaire, les contractures et l'insuffisance veineuse.

Favoriser la communication

On doit aider la personne sous respirateur à trouver de nouveaux moyens de communication. Pour ce faire, l'infirmière évalue les possibilités de la personne, en se posant les questions suivantes:

- La personne est-elle consciente et capable de communiquer? Peut-elle faire des signes de tête?
- A-t-elle une sonde dans la bouche qui l'empêche de parler?
- Sa main est-elle assez forte pour écrire? La main qu'elle utilise pour écrire est-elle libre? (On place si possible la perfusion intraveineuse dans le bras gauche des personnes droitières.)
- Une fois qu'elle connaît les possibilités de la personne, l'infirmière lui propose différentes méthodes de communication: lecture sur les lèvres (en utilisant des mots clés simples), papier et crayon ou tableau magique, planche de communication, expression par gestes ou électrolarynx. Elle peut aussi proposer au médecin de recourir à une canule trachéale perforée ou «parlante», qui permet à la personne de parler pendant qu'elle est sous respirateur. Au besoin, l'infirmière s'assure que la personne a accès à ses lunettes, à son appareil auditif ou aux services d'un interprète pour améliorer sa capacité de communiquer.

L'infirmière doit aider la personne à trouver la méthode de communication qui lui convient le mieux. Si celle-ci, l'infirmière ou les membres de la famille maîtrisent mal certaines de ces méthodes, il faut éviter de les utiliser, autant que possible. Un orthophoniste peut aider l'infirmière à déterminer le moyen de communication qui convient le mieux à la personne sous respirateur.

Favoriser les stratégies d'adaptation efficaces

L'état de dépendance que provoque le respirateur fait peur autant à la personne qu'aux membres de sa famille. Même la famille la plus stable en est perturbée. C'est pourquoi l'infirmière doit aider les membres de la famille à exprimer leurs sentiments à l'égard du respirateur, de l'affection et du milieu de soins en général. Chaque fois qu'elle s'apprête à effectuer une intervention, elle doit l'expliquer à la personne pour réduire son anxiété et la familiariser avec les pratiques courantes. Pour que la personne ait le sentiment d'avoir une emprise sur sa situation, il faut également l'encourager à prendre part aussi souvent que possible aux décisions qui concernent ses soins, les horaires et les traitements. Les personnes reliées à un respirateur ont tendance à se replier sur elles-mêmes et sont souvent déprimées, surtout en cas de ventilation assistée de longue durée. On doit donc les informer de leurs progrès, le cas échéant. Il est important que la personne utilise des techniques de diversion: regarder la télévision, écouter de la musique ou marcher (si possible). Enfin, on peut utiliser des techniques de gestion du stress (par exemple massage du dos, exercices de relaxation) pour aider la personne à relâcher sa tension et à maîtriser l'anxiété et les peurs reliées à son état et à sa dépendance.

Surveiller et traiter les complications

Altération de la fonction cardiaque

La ventilation en pression positive peut altérer le débit cardiaque. En effet, pendant l'inspiration la pression positive intrathoracique comprime le cœur et les gros vaisseaux et, de ce fait même, diminue le retour veineux et le débit. Habituellement, la situation se corrige lors de l'expiration, quand il n'y a plus de pression positive. La personne peut présenter une diminution du débit cardiaque entraînant une baisse de l'oxygénation et de l'irrigation des tissus.

Pour évaluer la fonction cardiaque, l'infirmière recherche d'abord les signes et symptômes d'hypoxie (agitation, peur, confusion, tachycardie, tachypnée, respiration laborieuse, pâleur évoluant vers la cyanose, diaphorèse, hypertension transitoire et diminution du débit urinaire). Si un cathéter est installé dans l'artère pulmonaire, on peut évaluer l'état de la personne en déterminant le débit et l'indice cardiaques, ainsi que d'autres valeurs hémodynamiques.

Barotraumatisme et pneumothorax

Une trop forte pression positive peut entraîner un barotraumatisme, ce qui provoque un pneumothorax pouvant rapidement dégénérer en pneumothorax sous pression. Dans ce cas, le retour veineux, le débit cardiaque et la pression artérielle se détériorent davantage. Tout changement soudain de la shygmooxymétrie ou toute détresse respiratoire doit être considéré comme une situation d'urgence mettant la vie de la personne en danger et exigeant une intervention immédiate.

Infection pulmonaire

Comme cela a été expliqué auparavant, la personne reliée à un respirateur est exposée à un risque élevé d'infection. L'infirmière doit signaler au médecin la présence de fièvre ou un changement de couleur ou d'odeur des expectorations.

ÉVALUATION

Résultats escomptés

Les principaux résultats escomptés sont les suivants:

1. Les échanges gazeux sont appropriés, comme en témoignent des bruits pulmonaires normaux, des résultats acceptables de l'analyse des gaz du sang artériel, des signes vitaux satisfaisants.
2. La personne respire bien et l'accumulation de sécrétions est minimale.
3. La personne ne présente ni lésion ni infection, comme en témoignent l'absence de fièvre et une numération leucocytaire normale.
4. La personne a une mobilité optimale compte tenu de ses capacités.
   a) Dès qu'elle en est capable, elle se lève, s'assoit, utilise ses articulations portantes et marche.
   b) Elle fait des exercices d'amplitude des mouvements toutes les 6 à 8 heures.
5. La personne communique efficacement, par des messages écrits, des gestes ou d'autres moyens de communication.
6. La personne adopte des stratégies d'adaptation efficaces.
   a) Elle exprime ses craintes et ses inquiétudes concernant son affection et les appareils utilisés.
   b) Elle prend part aux décisions qui la concernent, dans la mesure du possible.
   c) Elle utilise des techniques de gestion du stress, en cas de besoin.
7. La personne ne présente pas de complications.
   a) Sa fonction cardiaque est normale, comme en témoignent des signes vitaux stables et un débit urinaire approprié.

b) Elle ne présente pas de pneumothorax, comme en témoignent une excursion diaphragmatique bilatérale, des radiographies thoraciques normales et une oxygénation appropriée.

c) Elle n'a pas contracté d'infection pulmonaire, comme en témoignent une température normale, des sécrétions pulmonaires claires et des cultures des expectorations négatives.

SEVRAGE RESPIRATOIRE

Le **sevrage respiratoire** est le processus consistant à soustraire la personne à la dépendance du respirateur. Il se fait en trois étapes: la personne est d'abord graduellement sevrée du respirateur, puis du tube ou de la canule et, enfin, de l'oxygène. Il faut commencer le sevrage dès qu'on peut le faire sans risque pour la personne. On prend la décision de sevrer la personne en fonction de données physiologiques, et non de données mécaniques, ainsi qu'à la lumière du tableau clinique. On commence le sevrage quand la personne se rétablit du stade aigu de son affection ou de son opération, et quand la cause de son insuffisance respiratoire a rétrocédé à un niveau acceptable.

Le médecin, l'inhalothérapeute et l'infirmière doivent travailler de concert pour assurer le succès du sevrage. Pour préserver les forces de la personne, pour utiliser efficacement les ressources et pour maximiser les chances de réussite, il est essentiel que chaque membre de l'équipe comprenne le rôle des deux autres.

Critères de sevrage

Il est essentiel d'évaluer attentivement la personne pour déterminer si elle est prête à être sevrée du respirateur. Après avoir établi que son état est stationnaire, que ses symptômes se sont améliorés et que l'affection qui a imposé le recours à la ventilation assistée est maîtrisée, on vérifie si les éléments suivants répondent aux critères indiqués:

- *Capacité vitale* Quantité d'air expiré après une inspiration maximale. Cette donnée permet d'évaluer la capacité de la personne à prendre des inspirations profondes. La capacité vitale devrait être comprise entre 10 et 15 mL/kg.
- *Pression inspiratoire maximale*, également appelée *pression inspiratoire négative* Elle permet d'évaluer la force des muscles respiratoires et devrait être d'au moins –20 cm H_2O.
- *Volume courant* Volume d'air inhalé ou expiré lors d'une respiration sans effort. Il est habituellement compris entre 7 et 9 mL/kg.
- *Ventilation-minute* Fréquence respiratoire multipliée par le volume courant. La valeur normale est de 6 L/min.

RECHERCHE EN SCIENCES INFIRMIÈRES 27-2

Retrait précoce ou tardif de la canule trachéale

E. Clini, M. Vitacca, L. Bianchi, R. Porta et N. Ambrosino (1999). Long-term tracheostomy in severe COPD patients weaned from mechanical ventilation. *Respiratory Care, 44*(4), 241-244.

OBJECTIF

Les personnes atteintes de BPCO et placées sous ventilation assistée en raison d'une insuffisance respiratoire sont exposées au risque de rechute. On ignore s'il est bénéfique, pour les personnes capables de respirer spontanément, de conserver la canule trachéale une fois qu'elles ont quitté l'unité de soins intensifs. Le but de cette étude était de mesurer les effets, après la sortie de l'unité de soins intensifs, du maintien de la canule trachéale chez les personnes qui respirent spontanément.

DISPOSITIF ET ÉCHANTILLON

Les chercheurs ont évalué 20 personnes atteintes de BPCO grave, en voie de sevrage du respirateur. Cette étude prospective, comparative et à répartition aléatoire visait à jauger l'utilisation de la canule trachéale dans deux groupes: dans le premier groupe (10 personnes), on a retiré la canule trachéale, et dans le second (10 personnes), on l'a laissée en place. On a étudié le mode de respiration, le volume inspiratoire maximal, la force des muscles respiratoires et les gaz du sang artériel au moment de la sortie de l'hôpital, puis 1, 3 et 6 mois plus tard. Les chercheurs ont évalué le mode de respiration et mesuré le volume inspiratoire maximal à l'aide d'un inspiromètre d'incitation, ainsi que la force des muscles respiratoires par la pression inspiratoire maximale. Ils ont aussi noté le nombre de jours d'hospitalisation, le taux de mortalité et le nombre de nouvelles exacerbations rendant nécessaire le recours aux antibiotiques.

RÉSULTATS

On n'a noté aucune différence significative entre les deux groupes en matière de mode de respiration, de volume inspiratoire maximal et de gaz du sang artériel. Dans les deux groupes, 2 des 10 personnes (20 %) sont décédées à cause d'une atteinte respiratoire. Au cours de la période de suivi, les exacerbations ont été plus importantes chez les personnes porteuses d'une canule que chez celles qui n'en avaient plus ($p < 0,005$).

IMPLICATIONS POUR LA PRATIQUE INFIRMIÈRE

Les résultats de cette étude donnent à penser que le maintien prolongé d'une canule trachéale après le sevrage de la ventilation assistée chez les personnes atteintes de BPCO est associé à une fréquence accrue d'effets indésirables, incluant des exacerbations rendant nécessaire le recours aux antibiotiques. Les résultats relatifs au mode de respiration, au volume inspiratoire, à la force des muscles respiratoires ou aux gaz du sang artériel n'ont pas été marquants, en raison du petit nombre de sujets. D'autres études devraient donc être menées à cet égard. Cependant, d'après les résultats de cette étude, il faudrait retirer rapidement la canule trachéale chez les personnes atteintes de BPCO qui ont été sevrées du respirateur.

- *Indice de respiration superficielle et rapide* Cet indice permet d'évaluer le mode respiratoire. On le calcule en divisant la fréquence respiratoire par le volume courant. Les chances de succès du sevrage sont plus grandes chez les personnes présentant un indice inférieur à 100 respirations/min/L.

Pour savoir si la personne est prête à être sevrée, on mesure aussi la PaO_2, qui doit être supérieure à 60 mm Hg, et la FiO_2, qui doit être inférieure à 40 %. La stabilité des signes vitaux et des gaz du sang artériel contribue également au succès du sevrage. Lorsque l'infirmière a établi que l'état de la personne est propice au sevrage, elle prend en note les mesures initiales des paramètres de sevrage afin de pouvoir suivre les progrès (Cull et Inwood, 1999).

Préparation

Afin d'accroître les chances de succès, l'infirmière doit tenir compte de l'état global de la personne et des facteurs qui entravent la livraison de l'oxygène et l'élimination du dioxyde de carbone, ainsi que des facteurs qui engendrent des besoins accrus en oxygène (septicémie, convulsions, troubles thyroïdiens) ou un affaiblissement général (alimentation, affection neuromusculaire). La personne doit être bien préparée sur le plan psychologique avant et pendant le sevrage. Elle doit savoir comment se déroulera l'intervention et ce qu'on attend d'elle. Si elle a peur d'être incapable de respirer spontanément, comme c'est souvent le cas, il faut la rassurer en lui disant que son état s'améliore et qu'elle se porte assez bien pour respirer sans aide. L'infirmière doit insister sur le fait qu'il y aura toujours quelqu'un à ses côtés ou tout près. Elle doit aussi la laisser poser des questions et lui donner des réponses simples et concises. Le sevrage est souvent plus rapide quand la personne est bien préparée.

Méthodes de sevrage

Malgré les nombreuses recherches menées dans ce domaine, il n'existe pas de méthode de sevrage «idéale» (Tasota et Dobbin, 2000). Le succès du sevrage dépend en fait de la combinaison des facteurs suivants: une préparation appropriée de la personne, le matériel disponible et le recours à une démarche pluridisciplinaire pour résoudre les problèmes (encadré 27-15 ■). Les deux méthodes de sevrage les plus utilisées aujourd'hui sont décrites ci-dessous.

On peut recourir à la ventilation assistée/contrôlée à titre de mode de mise au repos pendant qu'on essaie de sevrer la personne. Cette méthode offre une pleine assistance ventilatoire, tout en assurant un volume courant et une fréquence respiratoire préréglés; si la personne prend une respiration, l'appareil lui fournit le volume courant déterminé d'avance. Le cycle ne s'adapte pas aux efforts spontanés de la personne. L'infirmière doit être à l'affût des signes de détresse suivants: respirations rapides et superficielles, utilisation des muscles respiratoires accessoires, perte de conscience, élévation des concentrations de dioxyde de carbone, diminution de la sphygmooxymétrie et tachycardie.

La ventilation obligatoire intermittente peut accroître la fréquence respiratoire, mais chaque respiration spontanée n'entraîne que le volume courant engendré par la personne. Les respirations assistées surviennent à des intervalles réglés d'avance et à un volume courant prédéterminé, indépendamment des efforts de la personne. Ce mode de respiration mécanique permet à celle-ci d'utiliser ses propres muscles respiratoires, ce qui prévient l'atrophie musculaire. Il réduit la pression moyenne dans les voies respiratoires et aide ainsi à prévenir le barotraumatisme.

La ventilation obligatoire intermittente synchronisée fournit un volume courant et déclenche un nombre de respirations préétablis par minute. Entre les respirations déclenchées par le respirateur, la personne peut respirer spontanément sans l'aide de la machine. Au fur et à mesure que la capacité de respiration spontanée augmente, on diminue le nombre de respirations déclenchées par le respirateur, ce qui accroît le travail respiratoire de la personne. La ventilation obligatoire intermittente synchronisée est indiquée chez la personne qui répond à tous les critères de sevrage, mais qui ne peut respirer spontanément pendant de longues périodes.

La ventilation obligatoire intermittente et la ventilation obligatoire intermittente synchronisée peuvent être utilisées pour fournir un soutien respiratoire partiel ou total. Dans les deux cas, l'infirmière doit évaluer les progrès réalisés en mesurant la fréquence respiratoire, le volume-minute, le volume courant généré de façon spontanée ou par l'appareil, la FiO_2 et les gaz dans le sang artériel.

La **ventilation en pression assistée** facilite la ventilation obligatoire intermittente synchronisée en appliquant un plateau de pression aux voies respiratoires tout au long de l'inspiration déclenchée par la personne de façon à réduire la résistance imposée par la canule trachéale et la tubulure du respirateur. Au fur et à mesure que la personne reprend des forces, on diminue graduellement ce type de ventilation. On peut établir une fréquence de secours par la ventilation obligatoire intermittente synchronisée pour mieux soutenir la personne. L'infirmière doit observer de près la fréquence respiratoire et le volume courant au moment où elle amorce la ventilation en pression assistée. Il peut être nécessaire d'ajuster la pression pour prévenir la tachypnée ou des volumes courants importants.

Lorsqu'on utilise la ventilation assistée proportionnelle, le respirateur génère une pression proportionnelle aux efforts respiratoires de la personne, c'est-à-dire qu'à chaque respiration le respirateur se met en phase avec les efforts respiratoires de la personne (Giannouli *et al.*, 1999). L'infirmière doit suivre de près la fréquence respiratoire de la personne, la concentration des gaz du sang artériel, le volume courant, la ventilation-minute et le mode de respiration.

La ventilation spontanée en pression positive continue permet à la personne de respirer spontanément pendant que la machine applique une pression positive tout au long du cycle respiratoire, ce qui maintient les alvéoles ouvertes et améliore l'oxygénation. L'appareil de ventilation spontanée en pression positive continue est muni d'un système d'alarme. On peut donc réduire l'anxiété de la personne en lui expliquant que l'appareil signale que la personne respire. Ce type de ventilation permet de maintenir le volume des poumons et d'améliorer l'oxygénation. On utilise souvent la ventilation spontanée en pression positive continue en association avec la ventilation spontanée avec pression assistée. L'infirmière doit rester à

ENCADRÉ 27-15

RECOMMANDATIONS

Prise en charge de la personne sevrée du respirateur

INTERVENTIONS INFIRMIÈRES	JUSTIFICATIONS SCIENTIFIQUES
1. Vérifier si la personne remplit les critères de sevrage. ■ Capacité vitale: de 10 à 15 mL/kg. ■ Pression inspiratoire maximale: au moins –20 cm H_2O. ■ Volume courant: de 7 à 9 mL/kg. ■ Ventilation-minute: 6 L/min. ■ Indice de respiration rapide et superficielle < 100 respirations/minute/L. ■ PaO_2 > 60 mm Hg et FiO_2 < 40 %.	1. Évaluer attentivement ces paramètres aide à déterminer si on peut commencer le sevrage. Les chances de succès sont accrues lorsque la personne répond aux critères.
2. Déterminer le degré d'activité, mesurer l'apport alimentaire et interpréter les résultats des épreuves de laboratoire permettant d'évaluer l'état nutritionnel.	2. Le rétablissement d'une respiration spontanée en autonomie peut être difficile physiquement. Il est essentiel que la personne dispose d'assez d'énergie pour réussir. En s'assurant qu'elle se repose à intervalles réguliers et que son apport nutritionnel est adéquat, on augmente les chances de succès du sevrage.
3. Vérifier que la personne et sa famille comprennent le processus de sevrage et les rassurer sur les chances de succès. Expliquer que la personne peut au début avoir l'impression d'être essoufflée. L'encourager si besoin est. Rassurer la personne en lui disant qu'elle sera suivie de près et que, si les tentatives de sevrage échouent, il sera possible de les reprendre plus tard.	3. Le processus de sevrage peut être épuisant psychologiquement; le soutien affectif peut donner à la personne le sentiment qu'elle est en sécurité. Si l'infirmière affirme qu'il sera possible de refaire une tentative de sevrage plus tard, elle atténuera le sentiment d'échec entraîné par la non-réussite des premières tentatives.
4. Mettre en œuvre la méthode de sevrage prescrite: ventilation assistée/contrôlée, ventilation obligatoire intermittente, ventilation obligatoire intermittente synchronisée, ventilation spontanée en pression positive continue (CPAP), ventilation spontanée avec pression assistée ou ventilation avec un tube en T.	4. La méthode de sevrage prescrite doit correspondre aux paramètres particuliers de la personne et à ses antécédents de sevrage. En ayant le choix entre plusieurs méthodes, le médecin peut prescrire celle qui convient le mieux.
5. Suivre de près les signes vitaux, les résultats de la sphygmooxymétrie, l'ECG et le mode de respiration pendant les 20 à 30 premières minutes, puis toutes les 5 minutes jusqu'au sevrage complet.	5. Surveiller de près la personne permet de déterminer si le sevrage a réussi ou échoué.
6. Maintenir la perméabilité des voies respiratoires; surveiller la concentration des gaz du sang artériel et les résultats des épreuves d'exploration de la fonction respiratoire. Aspirer les voies respiratoires selon les besoins.	6. On peut comparer ces valeurs aux valeurs initiales. L'aspiration réduit le risque d'obstruction des voies respiratoires et maintient leur perméabilité.
7. Selon les recommandations du médecin, interrompre la tentative de sevrage en cas de réactions indésirables, telles qu'une accélération de la fréquence cardiaque de 20 battements/minute, une élévation de la pression artérielle systolique de 20 mm Hg, une sphygmooxymétrie inférieure à 90 %, une fréquence respiratoire inférieure à 8 ou supérieure à 20 respirations par minute, des arythmies ventriculaires, la fatigue, une crise de panique, la cyanose, une respiration irrégulière ou laborieuse, des mouvements thoraciques paradoxaux.	7. Ces signes et symptômes traduisent un état instable pouvant provoquer de l'hypoxie et des arythmies ventriculaires. Le sevrage, s'il est poursuivi, pourrait provoquer un arrêt cardiorespiratoire.
8. Si le sevrage peut se poursuivre, mesurer le volume courant et la ventilation-minute toutes les 20 à 30 minutes; comparer les résultats aux valeurs souhaitables établies de concert avec le médecin.	8. Ces valeurs aident à déterminer que le sevrage se déroule normalement et peut être poursuivi.
9. Évaluer la dépendance psychologique, si les paramètres physiologiques indiquent que le sevrage est possible, mais qu'il y a résistance de la part de la personne.	9. La dépendance psychologique est courante chez les personnes qui ont eu recours à la ventilation assistée. Les causes possibles sont notamment la peur de mourir et la dépression associée à une affection chronique. Il faut remédier à ces problèmes avant de faire une nouvelle tentative de sevrage.

l'affût des signes de tachypnée et de tachycardie, ainsi que d'une baisse du volume courant et de la sphygmooxymétrie, ou d'une élévation des concentrations de dioxyde de carbone.

Les tentatives de sevrage à l'aide d'un tube en T ou d'une collerette de trachéostomie (figure 27-2) se font habituellement alors que la personne n'est plus reliée à un respirateur, qu'elle ne reçoit plus que de l'oxygène humidifié et qu'elle accomplit toute seule le travail respiratoire. Les personnes qui ne luttent pas contre le respirateur pourraient trouver cette méthode d'assistance respiratoire plus commode; elles pourraient aussi devenir anxieuses du fait qu'elles respirent sans l'aide d'un respirateur. Lors des tentatives de sevrage avec un tube en T, l'infirmière doit surveiller étroitement la personne et l'encourager. On utilise cette méthode lorsque la personne est éveillée, alerte, stable sur le plan hémodynamique, capable de respirer sans difficulté, et qu'elle a de bons réflexes nauséeux et tussigène. Au cours du processus de sevrage, la personne doit recevoir de l'oxygène humidifié, à une concentration égale ou supérieure à celle qu'elle recevait pendant qu'elle était sous respirateur. Quand la personne respire à l'aide d'un tube en T, l'infirmière doit rester à l'affût des signes et symptômes d'hypoxie, ainsi que des signes de fatigue des muscles respiratoires ou de fatigue généralisée accrue, notamment l'agitation, une fréquence respiratoire supérieure à 35 respirations par minute, l'utilisation des muscles accessoires, la tachycardie accompagnée de contractions ventriculaires prématurées et des mouvements thoraciques paradoxaux (respiration asynchronisée, contraction du thorax pendant l'inspiration et expansion pendant l'expiration). La fatigue ou l'épuisement se manifeste d'abord par une accélération de la fréquence respiratoire associée à une baisse graduelle du volume courant. Plus tard, la fréquence respiratoire ralentit.

Si la personne semble tolérer la respiration avec le tube en T, on obtient une mesure des gaz du sang artériel 20 minutes après qu'elle a commencé à respirer spontanément à une FiO_2 constante. (L'équilibre alvéoloartériel est atteint en l'espace de 15 à 20 minutes.)

Mais il faut reprendre l'assistance ventilatoire si la personne présente des signes d'épuisement et d'hypoxie, et si la mesure des gaz du sang artériel indique une détérioration. On doit remettre la personne sous respirateur chaque fois qu'elle présente des signes de fatigue ou de détérioration.

Habituellement, on procède à l'extubation deux ou trois heures après le début du sevrage, si l'état de la personne est stable sur le plan clinique; elle peut alors respirer spontanément avec un masque à oxygène humidifié. Toutefois, si la personne a été sous respirateur pendant une longue période, le sevrage devra être plus graduel et s'échelonner sur plusieurs jours, voire sur plusieurs semaines. Dans ce cas, on enlève le respirateur pendant le jour et on le remet la nuit pour permettre à la personne de se reposer.

Chaque personne réagissant différemment aux diverses méthodes de sevrage, il n'y a pas de méthode idéale. Quelle que soit la méthode utilisée, il faut évaluer constamment la fonction respiratoire pour déterminer les progrès réalisés (Woodruff, 1999).

Lorsque la personne est sevrée du respirateur, il faut lui administrer des soins respiratoires intensifs. Les interventions suivantes doivent être poursuivies:

- Oxygénothérapie
- Mesures des gaz du sang artériel
- Sphygmooxymétrie
- Administration de bronchodilatateurs
- Physiothérapie respiratoire
- Alimentation, hydratation et humidification appropriées
- Inspirométrie d'incitation

Ces personnes présentent une fonction respiratoire fragile et ont besoin d'un traitement de soutien vigoureux avant que leur fonction respiratoire revienne à un niveau leur permettant de mener à bien leurs activités quotidiennes.

Sevrage du tube endotrachéal ou de la canule trachéale

On peut envisager de retirer le tube endotrachéal ou la canule trachéale lorsque la personne peut respirer spontanément, éliminer ses sécrétions en toussant, avaler et remuer la mâchoire. Si on doit fréquemment recourir à l'aspiration pour évacuer les sécrétions, l'extubation pourrait échouer (Ecklund, 1999). Il faut suivre de près l'évacuation des sécrétions et les risques associés à l'inhalation de matières étrangères pour déterminer si les réflexes pharyngiens et laryngiens sont intacts.

Lorsque la personne peut évacuer les sécrétions adéquatement, on doit faire un essai de respiration par la bouche ou par le nez avant de retirer la canule trachéale. Pour effectuer ce test, on peut utiliser plusieurs méthodes. La première méthode consiste à remplacer la canule par une canule de plus petit calibre de façon à accroître la résistance au passage de l'air, tout en bouchant simultanément la canule trachéale (en dégonflant le ballonnet). On remplace parfois la canule de plus petit calibre par une canule sans ballonnet, ce qui permet de prolonger les intervalles pendant lesquels la personne n'est pas sous respirateur et d'évaluer ses progrès. La deuxième méthode consiste à remplacer la canule par une canule fenestrée (avec ouverture ou fenêtre dans le coude) qui laisse l'air s'écouler autour du tube et à travers lui, jusque dans les voies respiratoires supérieures, et qui permet à la personne de parler. La troisième méthode consiste à remplacer la canule par un tube de Montgomery. Il s'agit d'une petite canule trachéale en plastique de 2,5 cm de long environ, qui aide à maintenir la trachée ouverte après le retrait de la canule de plus gros calibre. Enfin, lorsque la personne est en mesure de respirer sans l'aide de la canule trachéale, on peut tout simplement la retirer. On applique un pansement occlusif sur la stomie; cette dernière cicatrise habituellement au bout de quelques jours ou de quelques semaines (Ecklund, 1999).

Sevrage de l'oxygène

Une fois que la personne a été sevrée du respirateur, du ballonnet et de la canule et que sa fonction respiratoire est rétablie, elle est sevrée de l'oxygène. Il faut réduire graduellement la FiO_2 jusqu'à ce que la PaO_2 se situe entre 70 et 100 mm Hg quand la personne respire l'air ambiant. Si la PaO_2 à l'air ambiant est inférieure à 70 mm Hg, il est recommandé d'administrer une oxygénothérapie complémentaire.

Alimentation

Pour que le sevrage d'une ventilation assistée prolongée soit couronné de succès, il faut s'assurer, dès le début, que l'apport nutritionnel est soutenu et adéquat. Il suffit de quelques jours de ventilation assistée pour que la musculature respiratoire (le diaphragme et plus particulièrement les muscles intercostaux) s'affaisse et s'atrophie, surtout si l'apport nutritionnel est insuffisant. L'énergie (kilojoules) fournie par les lipides produit moins de dioxyde de carbone que celle qui provient des glucides. Par conséquent, une alimentation riche en graisses peut convenir aux personnes atteintes d'insuffisance respiratoire en voie de sevrage. Des recherches sont actuellement menées sur le rôle des acides gras en cas d'affection pulmonaire (Schwartz, 2000). Une alimentation riche en graisses peut fournir jusqu'à la moitié de l'énergie quotidienne totale. Pour accroître la force des muscles respiratoires, l'apport en protéines doit être approprié: il devrait représenter environ le quart de l'énergie, soit de 1,2 à 1,5 g/kg/jour. Les glucides ne devraient pas constituer plus du quart de l'apport énergétique, soit 2 g/kg/jour, chez les personnes qu'on est en train de sevrer, en raison de la production et de la rétention accrues de dioxyde de carbone. D'autre part, il faut veiller à ne pas suralimenter la personne, car un apport excessif pourrait accroître la demande en oxygène et la production de dioxyde de carbone. En conséquence, on doit suivre de près l'apport énergétique quotidien total (Lutz et Przytulski, 2001).

Peu après l'admission de la personne, il faudrait prendre rendez-vous avec la diététicienne ou avec l'équipe de consultation en alimentation afin de déterminer la meilleure forme de complémentation. Une alimentation appropriée peut aider à raccourcir la durée d'utilisation du respirateur et à prévenir d'autres complications, en particulier la septicémie. La septicémie peut survenir lorsqu'une bactérie pénètre dans la circulation sanguine et libère des toxines qui provoquent vasodilatation et hypotension, fièvre, tachycardie, accélération de la fréquence respiratoire et coma. Il est essentiel de traiter vigoureusement la septicémie parce qu'elle met la vie de la personne en danger, ainsi que pour accélérer le sevrage lorsque l'état de la personne s'améliore. Donner à la personne l'apport nutritionnel optimal fait partie intégrante du traitement de la septicémie.

Personne subissant une intervention chirurgicale au thorax

L'évaluation et le traitement ont une importance toute particulière chez les personnes qui subissent une intervention chirurgicale thoracique. On effectue fréquemment ce type d'intervention chez les personnes atteintes d'une affection pulmonaire obstructive accompagnée de problèmes respiratoires. Pour améliorer le pronostic de ces personnes, il est essentiel d'effectuer une préparation préopératoire soigneuse et de les prendre en charge avec une grande attention après la chirurgie. En effet, ces personnes disposent d'une marge de manœuvre très restreinte en ce qui concerne leur capacité d'accomplir certaines activités. Si cette limite est dépassée, il peut s'ensuivre une détresse respiratoire. On effectue diverses interventions thoraciques pour traiter les abcès du poumon, les cancers du poumon, les kystes et les tumeurs bénignes (encadré 27-16 ■). La **thoracotomie** exploratoire (création par voie chirurgicale d'une ouverture dans la cavité thoracique) aide à poser un diagnostic d'affection pulmonaire ou thoracique. Lors de cette intervention, on peut aussi prélever un échantillon de tissu pulmonaire (biopsie) à des fins d'analyse. L'incision est ensuite refermée.

L'objectif des soins préopératoires est d'évaluer la réserve fonctionnelle de la personne afin de déterminer ses chances de survie et de la préparer le mieux possible à l'intervention.

PRISE EN CHARGE PRÉOPÉRATOIRE

Ausculter les poumons permet d'évaluer les bruits pulmonaires dans les différents champs (chapitre 23). Il faut notamment déterminer si ces bruits sont normaux, c'est-à-dire si l'air circule librement. (Chez la personne souffrant d'emphysème, les bruits pulmonaires peuvent être très atténués ou même inaudibles.) L'infirmière doit rechercher les bruits surajoutés tels que les crépitants fins ou rudes, les ronchi ou les sibilants. Des bruits pulmonaires atténués d'un seul côté, de même que des ronchi, peuvent indiquer la présence d'une obstruction bronchique par des bouchons de mucus. L'infirmière demande à la personne de tousser pendant l'auscultation pour déceler la rétention des sécrétions.

La collecte des données et l'anamnèse doivent fournir des réponses aux questions suivantes:

- Quels sont les signes et symptômes présents (toux, expectorations [quantité et couleur], hémoptysie, douleurs thoraciques, dyspnée)?
- La personne a-t-elle déjà fumé? Si oui, pendant combien de temps? Fume-t-elle encore? Combien de cigarettes ou de paquets par jour?
- Quelle est sa tolérance cardiorespiratoire au repos, quand elle mange, quand elle se lave, quand elle marche?
- Quel est son mode de respiration? Après quel degré d'effort souffre-t-elle de dyspnée?
- Doit-elle dormir en position assise ou soutenue par plus de deux oreillers?
- Quelles sont ses caractéristiques physiologiques (aspect général, état mental, comportement, état nutritionnel)?
- Souffre-t-elle d'un autre problème médical (allergies, cardiopathie, diabète)?

Pour établir l'état préopératoire de la personne et pour évaluer ses forces et ses limites physiques, on pratique un certain nombre d'examens. De nombreux tests sont effectués en clinique externe. La décision de procéder à une résection pulmonaire dépend de l'état cardiovasculaire et de la réserve respiratoire de la personne. Pour déterminer si la résection envisagée laissera à la personne suffisamment de tissu pulmonaire fonctionnel, on doit effectuer des tests d'exploration de la fonction respiratoire (surtout la mesure des volumes respiratoires et de la capacité vitale). Il faut également réaliser un dosage des gaz du sang artériel pour avoir un tableau plus global de la capacité fonctionnelle des poumons. Quant aux

ENCADRÉ 27-16

Interventions chirurgicales thoraciques

PNEUMONECTOMIE

On effectue le plus souvent la résection du poumon entier (pneumonectomie) en cas de cancer, lorsque les tissus atteints ne peuvent être retirés par une intervention moins mutilante. On recourt aussi à la pneumonectomie en cas d'abcès du poumon, de bronchiectasie ou de tuberculose unilatérale étendue. L'exérèse du poumon droit est plus dangereuse que l'exérèse du poumon gauche. En effet, l'excision du poumon droit impose une charge physiologique accrue, car il possède un lit vasculaire plus important.

La pneumonectomie est réalisée par thoracotomie postérolatérale ou antérolatérale, s'accompagnant dans certains cas de la résection d'une côte. On ligature et on sectionne l'artère pulmonaire et les veines pulmonaires. Puis on sectionne la bronche souche et on enlève le poumon. Enfin, on suture le moignon bronchique. Habituellement, on n'utilise pas de drain parce que l'accumulation de liquide dans l'hémithorax vide prévient le déplacement du médiastin.

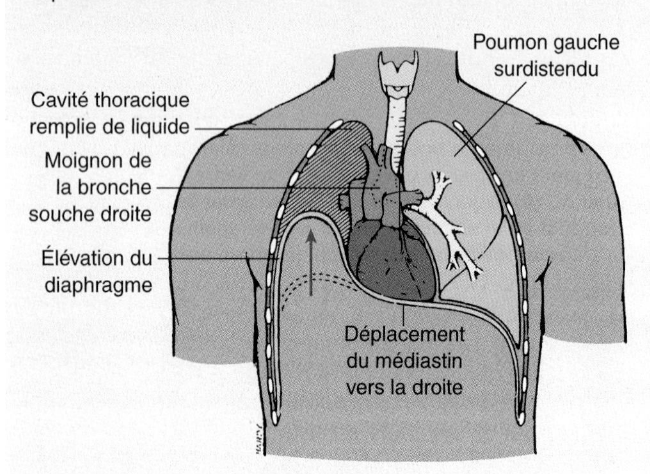

Pneumonectomie

LOBECTOMIE

Quand seule une partie du poumon est atteinte, on pratique une lobectomie pulmonaire (exérèse d'un des lobes). Plus courante que la pneumonectomie, la lobectomie est pratiquée en cas de carcinome *in situ* du poumon, de bulles géantes d'emphysème, de tumeurs bénignes, de tumeurs malignes métastatiques, de bronchectasie et de mycoses.

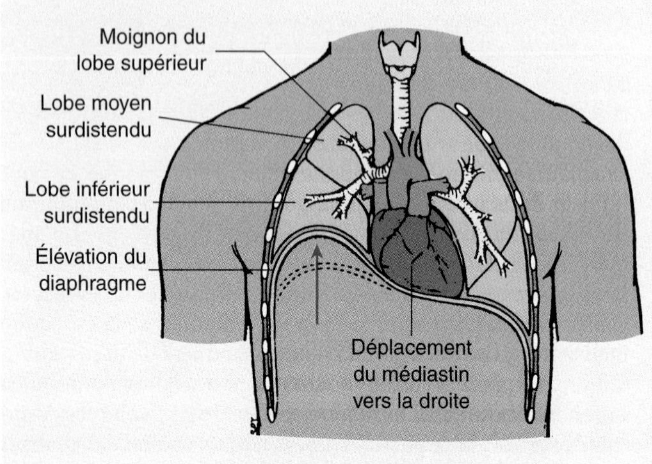

Lobectomie (lobe supérieur droit)

La lobectomie est également réalisée par thoracotomie. Le chirurgien fait une incision au niveau du lobe à réséquer. Lorsqu'il atteint la plèvre, le poumon en question s'affaisse, et le chirurgien peut alors ligaturer et sectionner la bronche et les vaisseaux du lobe et les bronches. Une fois le lobe atteint retiré, les lobes restants sont redilatés. Habituellement, le chirurgien installe deux drains thoraciques pour permettre l'écoulement de l'air et des liquides. Le drain supérieur sert à évacuer l'air, et le drain inférieur à drainer les liquides. Parfois, un seul drain est suffisant. Le drain thoracique reste branché à un appareil de drainage pendant plusieurs jours.

SEGMENTECTOMIE (RÉSECTION D'UN SEGMENT BRONCHOPULMONAIRE)

Il arrive qu'une lésion ne touche qu'un segment du poumon. Les segments sont des subdivisions du poumon qui fonctionnent comme des unités individuelles. Ils sont reliés entre eux par un fin tissu conjonctif. Un seul segment pulmonaire peut être atteint. Le but de la segmentectomie est de préserver le maximum de tissu sain et fonctionnel, surtout si la réserve cardiorespiratoire est limitée. Il est toujours possible de n'enlever que le segment atteint, sauf s'il s'agit d'un segment du lobe moyen droit. En effet, comme ce lobe a seulement deux petits segments, on l'enlève toujours en entier. Sur le côté gauche, vis-à-vis du lobe moyen, se trouve la lingula du lobe supérieur. On peut exciser la lingula par segmentectomie ou par lingulectomie. La lingula est souvent atteinte chez les personnes souffrant de bronchiectasie.

RÉSECTION CUNÉIFORME PÉRIPHÉRIQUE

On peut pratiquer une résection cunéiforme pour enlever une petite lésion bien circonscrite, sans tenir compte des plans entre les segments. Il faut généralement drainer la cavité pleurale, car des fuites de sang ou d'air sont possibles. On pratique la résection cunéiforme pour obtenir des biopsies pulmonaires et pour enlever des petits ganglions périphériques.

RÉSECTION BRONCHOPLASTIQUE

La résection bronchoplastique consiste à exciser une bronche lobaire, de même qu'une partie de la bronche gauche ou droite. Il faut ensuite créer une nouvelle anastomose entre la bronche distale et la bronche proximale ou la trachée.

RÉDUCTION DU VOLUME DU POUMON

La réduction du volume du poumon consiste à exciser de 20 à 30 % du poumon par une incision effectuée dans le mésosternum ou par thorascopie sous assistance vidéo. On délimite le tissu pulmonaire atteint à l'aide d'une scintigraphie pulmonaire de perfusion. Bien que certaines des personnes atteintes de BPCO aient signalé une amélioration de leur qualité de vie pendant six mois à un an après cette intervention, les résultats sont généralement décevants. On mène actuellement des recherches pour évaluer les bienfaits de la réduction du volume du poumon à l'aide de la thorascopie sous assistance vidéo (Baker et Flynn, 1999; National Institutes of Health, 2001).

THORACOSCOPIE SOUS ASSISTANCE VIDÉO

La thoracoscopie sous assistance vidéo est une endoscopie qui permet au chirurgien de voir l'intérieur du thorax sans devoir pratiquer une incision importante. On y recourt pour prélever des tissus en vue d'une biopsie, pour traiter le pneumothorax spontané récurrent, pour diagnostiquer un épanchement pleural ou pour déceler des masses pleurales. La thoracoscopie est aussi une option thérapeutique et diagnostique efficace dans le traitement des affections médiastinales (Cirino *et al.*, 2000). Les avantages de la thoracoscopie sous assistance vidéo sont notamment les suivants: possibilité de diagnostic et de traitement précoces de certaines affections, diminution des complications postopératoires et hospitalisation de plus courte durée (chapitre 23).

épreuves d'effort, elles permettent de déterminer si le candidat à une pneumonectomie peut tolérer l'exérèse totale d'un poumon.

Les examens préopératoires permettent d'obtenir des valeurs initiales qui serviront aux comparaisons qu'on effectuera durant la période postopératoire, ainsi que de déceler des anomalies passées inaperçues. Il peut notamment s'agir des examens suivants: bronchoscopie (examen des bronches à l'aide d'un bronchoscope muni d'une lumière qu'on introduit dans les voies respiratoires), radiographie pulmonaire, électrocardiographie (pour dépister une cardiopathie artérioscléreuse ou un trouble de conduction), évaluation de l'état nutritionnel, dosages sanguins de l'urée et de la créatinine sérique (qui renseignent sur la fonction rénale), épreuve de tolérance au glucose ou mesure de la glycémie (pour déceler un diabète), dosage des électrolytes sériques et des protéines, mesure de la masse sanguine (volume sanguin total) et numération globulaire avec formule leucocytaire (hémogramme).

SOINS ET TRAITEMENTS INFIRMIERS PRÉOPÉRATOIRES

Rétablir la perméabilité des voies aériennes

L'affection pulmonaire sous-jacente est souvent associée à une quantité accrue de sécrétions respiratoires. Avant l'intervention, il faut éliminer les sécrétions des voies respiratoires pour réduire le risque d'atélectasie ou d'infection après l'opération. Les facteurs de risque d'atélectasie et de pneumonie postopératoires sont indiqués dans l'encadré 27-17 ▪. Afin de réduire le risque d'atélectasie et d'infection, on peut prendre les mesures suivantes: humidification, drainage postural et percussion thoracique après administration de bronchodilatateurs, si le médecin les a prescrits. Si la personne évacue une grande quantité d'expectorations, l'infirmière devra en noter le volume, ce qui permettra de déterminer si cette quantité diminue, et si oui, à quel moment. On administre des antibiotiques, selon l'ordonnance, pour combattre l'infection qui pourrait être à l'origine de la quantité excessive d'expectorations.

Enseignement

De plus en plus souvent, les personnes sont admises au centre hospitalier le jour même de l'opération, ce qui ne laisse pas à l'infirmière chargée des soins de courte durée assez de temps pour établir un contact thérapeutique avec elles. Quel que soit le milieu de soins, l'infirmière joue un rôle actif dans l'enseignement fourni à la personne et dans le soulagement de son anxiété. L'infirmière explique à la personne qui subira une intervention chirurgicale à quoi elle doit s'attendre pendant la période postopératoire, de l'administration de l'anesthésie jusqu'à la thoracotomie et à l'installation probable de drains thoraciques et d'un système de drainage. Elle lui explique aussi qu'on lui administrera probablement de l'oxygène après l'opération pour faciliter la respiration et qu'elle sera peut-être reliée à un respirateur. Par ailleurs, il est essentiel de lui expliquer qu'il est important de changer souvent de position pour favoriser l'évacuation des sécrétions pulmonaires. On commence à enseigner l'inspirométrie d'incitation avant l'intervention afin que la personne sache effectuer les exercices correctement. L'infirmière enseigne les techniques de respiration diaphragmatique et de respiration avec les lèvres pincées; la personne doit se familiariser avec ces techniques (encadrés 27-3 et 27-4).

Après l'opération, la personne devra faire des exercices de toux selon un horaire fixe afin de favoriser le dégagement de ses voies respiratoires et l'évacuation des sécrétions. L'infirmière lui enseigne donc les exercices de toux et la prévient que ces exercices sont parfois pénibles. Elle lui conseille de soutenir l'incision avec les mains, un oreiller ou une serviette roulée (encadré 27-5).

Les exercices d'expiration prolongée peuvent être utiles à la personne dont les débits expiratoires sont réduits ou à celle qui refuse de tousser en raison de douleurs intenses. Il s'agit d'un mode d'expiration forcée à glotte ouverte qui favorise l'expansion des poumons et la dilatation des alvéoles. L'infirmière donne les consignes suivantes à la personne qui doit faire ce type d'exercice:

- Prendre une respiration diaphragmatique profonde et expirer vigoureusement dans la main appuyée sur la bouche, par des halètements rapides et distincts.
- Commencer par plusieurs petits halètements, puis en diminuer le nombre jusqu'à un seul halètement vigoureux à l'expiration.

ENCADRÉ 27-17

FACTEURS DE RISQUE

Atélectasie et pneumonie consécutives à la chirurgie

FACTEURS DE RISQUE PRÉOPÉRATOIRES
- Âge avancé
- Obésité
- Piètre état nutritionnel
- Antécédents d'usage du tabac
- Résultats anormaux aux tests d'exploration de la fonction respiratoire
- Affection pulmonaire préexistante
- Chirurgie d'urgence
- Antécédents d'inhalation de matières étrangères
- Affections intercurrentes
- Incapacité fonctionnelle préexistante

FACTEURS DE RISQUE PEROPÉRATOIRES
- Incision thoracique
- Anesthésie prolongée

FACTEURS DE RISQUE POSTOPÉRATOIRES
- Immobilisation
- Décubitus dorsal
- Diminution de l'état de conscience
- Analgésie inappropriée
- Intubation/ventilation assistée prolongée
- Sonde nasogastrique
- Enseignement préopératoire inadéquat

Avant l'intervention, on doit informer la personne qu'il faudra peut-être lui faire une transfusion de sang ou lui administrer des liquides et de l'oxygène. La personne doit également savoir qu'on prendra ses signes vitaux à intervalles fréquents pendant plusieurs heures après l'opération. Si un drain thoracique doit être installé, l'infirmière explique à la personne qu'il sert à évacuer l'air et les liquides qui s'accumulent habituellement après une chirurgie thoracique. Par ailleurs, elle informe la personne et ses proches que celle-ci devra peut-être rester à l'unité de soins intensifs pendant 1 ou 2 jours après la chirurgie, que l'incision pourrait engendrer de la douleur et que des médicaments pourront lui être administrés pour soulager la douleur ou la gêne (Finkelmeier, 2000).

Soulager l'anxiété

L'infirmière doit rester à l'écoute de la personne pour savoir ce que celle-ci ressent face à son état et à l'intervention proposée. Elle doit aussi déterminer jusqu'à quel point elle est déterminée à recouvrer un fonctionnement normal. La personne peut se montrer très inquiète et avoir peur d'avoir une hémorragie, parce que ses expectorations sont striées de sang, de souffrir de toux chronique et de douleurs thoraciques, de devenir dépendante du respirateur ou de mourir à cause de la dyspnée ou à la suite de l'affection sous-jacente (par exemple le cancer).

L'infirmière doit aider la personne à surmonter ses peurs et à réduire l'angoisse que lui inspire l'intervention chirurgicale. Elle doit donc s'assurer que ses explications sont bien comprises, appuyer la personne dans sa décision de subir l'opération, la rassurer sur le fait que l'incision sera solidement suturée et, enfin, répondre avec franchise à ses questions sur la douleur et les moyens de la soulager. Les mesures de soulagement de la douleur sont prises avant même l'intervention chirurgicale, lorsque l'infirmière explique à la personne qu'on peut prévenir un grand nombre de complications postopératoires grâce aux exercices de toux et de respiration profonde, aux changements de position et à la marche. Si on a recours à l'analgésie à la demande ou à l'analgésie péridurale durant la période postopératoire, l'infirmière doit en expliquer le fontionnement à la personne.

Soins et traitements infirmiers postopératoires

Après l'intervention, l'infirmière prend les signes vitaux de la personne à intervalles fréquents. L'oxygène est administré à l'aide d'un respirateur, d'une canule nasale ou d'un masque, aussi longtemps que nécessaire. La diminution de la capacité respiratoire entraîne une période d'adaptation physiologique. Il est donc possible qu'on doive administrer les liquides à un faible débit horaire afin de prévenir la surcharge liquidienne et l'œdème pulmonaire. Lorsque la personne est consciente et que ses signes vitaux sont stables, on peut surélever la tête de lit selon un angle de 30 à 45 degrés. Il est important que la personne soit installée dans une bonne position. Après une pneumonectomie, on tourne habituellement la personne toutes les heures, du dos sur le côté opéré, mais jamais complètement sur le côté intact, afin que les liquides présents dans la cavité thoracique puissent se stabiliser et que le poumon restant et le cœur ne se déploient pas vers le côté opéré (déploiement du médiastin). La personne qui a subi une lobectomie peut être tournée d'un côté ou de l'autre, alors que la personne qui a subi une segmentectomie ne doit pas être tournée sur le côté opéré, à moins que le chirurgien le recommande (Finkelmeier, 2000).

On administre des analgésiques pendant plusieurs jours après l'intervention. Puisque la toux peut être douloureuse, l'infirmière recommande à la personne de soutenir son thorax. Il faut reprendre les exercices aussi rapidement que possible après l'opération pour favoriser la ventilation des poumons. L'infirmière doit rester à l'affût des signes de complications, tels que la cyanose, la dyspnée et les douleurs thoraciques aiguës. Ces signes peuvent indiquer la présence d'atélectasie et doivent être signalés immédiatement. Une élévation de la température ou du nombre de leucocytes peut être un signe d'infection, alors que la pâleur et un pouls accéléré peuvent être des signes d'hémorragie interne. L'infirmière doit examiner les pansements pour déceler toute trace de saignements récents.

Ventilation assistée

Selon la nature de l'intervention, l'affection sous-jacente, le déroulement de l'intervention et l'importance de l'anesthésie, il peut être nécessaire d'effectuer une ventilation assistée postopératoire. S'il appartient au médecin d'établir les paramètres de réglage du respirateur et le mode de ventilation, ainsi que la méthode de sevrage et sa durée, c'est en étroite collaboration avec l'infirmière et l'inhalothérapeute qu'il doit évaluer la tolérance de la personne et le déroulement du sevrage. L'arrêt rapide de la ventilation assistée peut permettre un retrait plus précoce des cathéters intraartériels (Zevola et Maier, 1999).

Drainage thoracique

Le drainage thoracique améliore grandement les échanges gazeux et la respiration. Après l'intervention, on installe des drains thoraciques reliés à un système de drainage en circuit fermé dans le but d'assurer la réexpansion du poumon opéré et d'évacuer l'air, les liquides et le sang en excès. On utilise également les **systèmes de drainage thoracique** pour traiter le pneumothorax spontané et les traumatismes entraînant un pneumothorax. Dans le tableau 27-3 ■, on décrit les différents systèmes de drainage thoracique et on compare leurs principales caractéristiques. L'entretien des systèmes de drainage est expliqué dans l'encadré 27-18 ■; la prévention des complications cardiorespiratoires à la suite d'une chirurgie thoracique est présentée dans l'encadré 27-19 ■.

La respiration normale fonctionne sur le principe de la pression négative: normalement, la pression à l'intérieur du thorax est plus basse que la pression de l'atmosphère; l'air peut donc entrer dans les poumons pendant l'inspiration. Or, quand on ouvre le thorax, pour quelque raison que ce soit, la pression négative chute, ce qui peut provoquer l'affaissement des poumons. L'accumulation d'air, de liquide ou d'autres substances dans le thorax peut compromettre la fonction cardiorespiratoire et même provoquer l'affaissement du poumon. Différentes substances peuvent s'accumuler dans la cavité pleurale:

Comparaison des divers systèmes de drainage

TABLEAU 27-3

Système de drainage	Description	Commentaires
DRAINAGE À DÉPRESSION D'EAU		
Aussi appelé système de drainage scellé sous l'eau	Doté de trois chambres: une chambre de collecte, une chambre de scellé sous l'eau (chambre du milieu) et une chambre d'aspiration	■ Il faut remplir de liquide stérile la chambre de scellé sous l'eau et la chambre d'aspiration. ■ Ce système est muni de deux valves: l'une pour la pression positive, l'autre pour la pression négative. ■ Le bouillonnement intermittent indique que le système fonctionne adéquatement. ■ On peut accroître l'aspiration en branchant le système à un appareil d'aspiration mural.
SYSTÈME DE DRAINAGE À SOUPAPE D'ÉTANCHÉITÉ		
	Doté de trois chambres: une chambre de collecte, une chambre de scellé sous l'eau (chambre du milieu) et une chambre d'aspiration	■ On doit remplir de liquide stérile la chambre de scellé sous l'eau jusqu'à la ligne des 2 cm. ■ Il n'est pas nécessaire de remplir de liquide la chambre d'aspiration. ■ La pression d'aspiration est préréglée. ■ Ce système est doté de deux valves: l'une pour la pression positive, l'autre pour la pression négative. ■ Un indicateur permet de s'assurer que la pression d'aspiration est adéquate. ■ Ce système est moins bruyant que les systèmes de drainage à dépression d'eau traditionnels.
SYSTÈME ÉTANCHE		
Aussi appelé système à valve unidirectionnelle	Doté d'une valve de non-retour qui permet à l'air de sortir de la poitrine, mais l'empêche d'y retourner	■ Il n'est pas nécessaire de remplir de liquide la chambre d'aspiration; ce système peut donc être installé rapidement en cas d'urgence. ■ Il fonctionne même s'il tombe; il est donc idéal pour les personnes qui peuvent marcher.

fibrine ou caillots de sang, liquides (sérosités, sang, pus, chyle) et gaz (air provenant des poumons, de l'arbre trachéobronchique ou de l'œsophage).

On installe des drains thoraciques pour évacuer les liquides ou l'air présents dans l'un ou l'autre des trois compartiments du thorax (cavités pleurales gauche et droite, médiastin). La cavité pleurale, située entre le feuillet viscéral et le feuillet pariétal de la plèvre, renferme habituellement 20 mL ou moins d'un liquide qui aide à lubrifier les deux plèvres. L'incision chirurgicale du thorax entraîne presque toujours un certain degré de pneumothorax (air accumulé dans la cavité pleurale) ou d'hémothorax (sérosités ou sang accumulés dans la cavité pleurale). L'air et le liquide qui s'accumulent dans la cavité pleurale empêchent le poumon de se distendre et entravent les échanges gazeux. Le drain thoracique installé dans la cavité pleurale permet de rétablir la pression intrathoracique négative nécessaire à la réexpansion des poumons après une chirurgie ou un traumatisme.

Le médiastin est un espace extrapleural qui se situe entre les cavités thoraciques droite et gauche. Les drains thoraciques introduits dans le médiastin favorisent l'évacuation du sang et des autres liquides présents autour du cœur (Finkelmeier, 2000). Le cœur peut cesser de battre si le liquide qui s'accumule dans cette région n'est pas évacué. On peut installer le drain dans le médiastin dans une position antérieure ou postérieure par rapport au cœur pour évacuer le sang après une intervention chirurgicale ou un traumatisme. Sans drain, le cœur pourrait être comprimé, ce qui provoquerait le décès de la personne (Carroll, 2000).

Il existe deux types de drains thoraciques: les cathéters de petits et de gros calibres. Les cathéters de petits calibres (de 7 à 12 Ch [Charrières]; 1 Ch égale un tiers de millimètre) sont munis d'une valve unidirectionnelle qui empêche le reflux de l'air vers la cavité thoracique. On peut les introduire par une petite incision pratiquée dans la peau. Les cathéters de gros calibres (jusqu'à 40 Ch) sont habituellement reliés à un système de drainage qui recueillera tout type de liquide pleural et permettra de déceler les fuites d'air (Scanlan, Wilkins et Stoller, 1999). Lorsque le drain est installé dans la bonne position, on le suture à la peau, puis on le branche à un appareil de drainage qui évacuera l'air et le liquide de la cavité pleurale ou du médiastin. Ce drainage permet la réexpansion des tissus pulmonaires restants.

Systèmes de drainage thoracique

Les systèmes de drainage thoracique comportent une source d'aspiration, une chambre de collecte du drainage pleural et un mécanisme empêchant l'air de retourner dans le thorax lors de l'inspiration. Il existe divers types de systèmes de drainage qui permettent l'évacuation de l'air et des liquides accumulés dans la cavité pleurale et la réexpansion des poumons.

ENCADRÉ 27-18

RECOMMANDATIONS

Surveillance des systèmes de drainage

INTERVENTIONS INFIRMIÈRES	JUSTIFICATIONS SCIENTIFIQUES
1. Dans le cas d'un système de drainage à dépression d'eau, remplir la chambre de scellé sous l'eau d'eau stérile jusqu'au niveau indiqué par le fabricant.	■ Le drainage scellé sous l'eau permet d'évacuer l'air et le liquide qui se trouvent dans la cavité pleurale. L'eau joue le rôle d'un joint hydraulique qui empêche l'air de retourner dans la cavité pleurale.
2. Dans le cas d'un système de drainage à dépression d'eau, pour effectuer une aspiration, remplir d'eau stérile la chambre d'aspiration jusqu'à la ligne correspondant à 20 cm ou jusqu'au niveau demandé par le médecin. Dans le cas d'un système sans chambre de scellé sous l'eau, régler le cadran du régulateur au niveau d'aspiration approprié.	■ Le réglage du régulateur détermine la force d'aspiration.
3. Raccorder le drain qui sort de la cavité thoracique à la tubulure de la chambre de collecte. Le fixer solidement avec du ruban adhésif.	■ Les systèmes d'aspiration fonctionnent en circuit fermé. Ils ne sont raccordés qu'au drain.
4. Dans le cas d'un appareil d'aspiration, raccorder la tubulure de la chambre de collecte à l'appareil d'aspiration. Dans le cas d'un système de drainage à dépression d'eau, mettre l'appareil d'aspiration en marche et augmenter la pression jusqu'à ce qu'on observe un bouillonnement continu dans la chambre d'aspiration. Dans le cas d'un appareil de drainage étanche, régler le régulateur à 20 cm H_2O.	■ Dans le cas d'un appareil à dépression d'eau, la force d'aspiration dépend de la quantité d'eau présente dans la chambre de régulation de l'aspiration, et non de la force du bouillonnement ou du réglage du manomètre de pression de l'appareil d'aspiration. ■ Dans un système de drainage étanche, le régulateur joue le même rôle que l'eau.

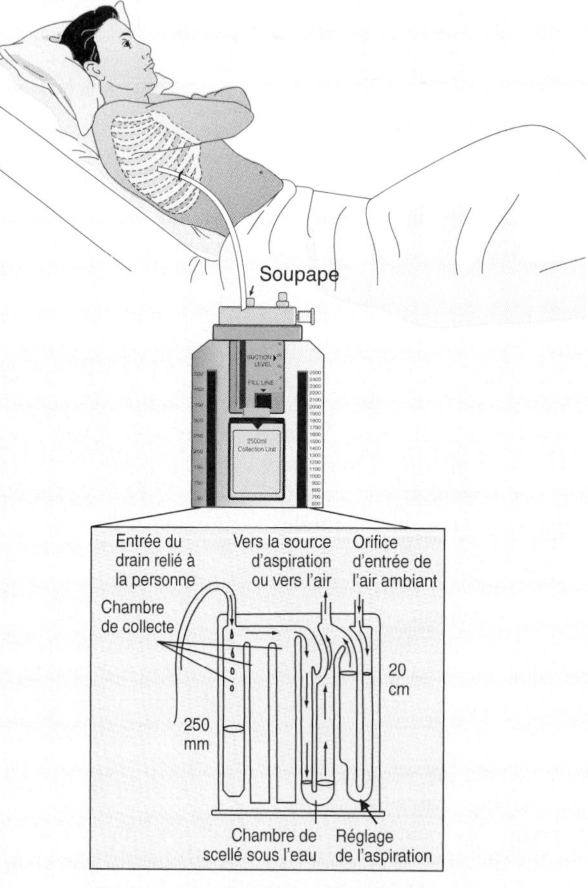

Exemple d'un système de drainage jetable

INTERVENTIONS INFIRMIÈRES	JUSTIFICATIONS SCIENTIFIQUES
5. À l'aide de ruban adhésif, marquer le niveau initial du liquide sur l'extérieur du système de drainage. Marquer ensuite l'augmentation du niveau toutes les heures et tous les jours (noter la date et l'heure).	▪ On peut ainsi évaluer la perte de liquide et la vitesse à laquelle le liquide s'écoule dans la chambre de collecte. Si le liquide évacué est du sang, les marques renseignent sur la quantité de sang à transfuser. Immédiatement après l'intervention, le liquide recueilli contiendra du sang; il devrait ensuite devenir graduellement plus séreux. Si le volume de sang atteint 100 mL par 15 minutes, vérifier le drainage à intervalles de quelques minutes. Dans ce cas, il faut parfois opérer de nouveau la personne ou procéder à une autotransfusion. Il faut transfuser le sang recueilli dans la chambre de drainage dans les 4 à 6 heures. Habituellement, l'écoulement diminue graduellement au cours des 24 premières heures.
6. S'assurer que la tubulure n'est ni coudée ni entortillée et qu'elle n'entrave pas les mouvements de la personne.	▪ Si la tubulure est coudée ou bloquée, il y a risque de reflux; le liquide recueilli sera alors refoulé vers la cavité pleurale ou le drainage sera entravé.
7. S'assurer que la personne est installée dans une position confortable, qui respecte l'alignement corporel. Si elle est en décubitus latéral, veiller à ce que le poids de son corps ne comprime pas la tubulure. La changer de position toutes les 90 à 120 minutes. Administrer des analgésiques selon les besoins.	▪ Les fréquents changements de position favorisent le drainage. Le maintien d'un bon alignement corporel prévient les déformations posturales et les contractures. La respiration et les échanges gazeux s'améliorent quand la personne est installée dans une position correcte. Il est parfois nécessaire d'administrer des analgésiques pour accroître le bien-être de la personne.
8. Plusieurs fois par jour, faire pratiquer des exercices d'amplitude des mouvements du bras et de l'épaule du côté atteint. Administrer des analgésiques selon les besoins.	▪ Les exercices préviennent l'ankylose de l'épaule et aident à atténuer les douleurs et la gêne postopératoires. Il peut être nécessaire d'administrer des analgésiques pour soulager la douleur.
9. Au besoin, presser doucement le drain en faisant glisser les doigts en direction du flacon collecteur.	▪ On prévient ainsi l'obstruction du drain par des caillots ou de la fibrine. Le drain doit être perméable pour assurer la réexpansion rapide des poumons et prévenir les complications.
10. S'assurer que le niveau d'eau fluctue dans la chambre de scellé sous l'eau (système de drainage à dépression d'eau) ou vérifier l'indicateur de fuite d'air (dans les systèmes étanches munis d'une valve unidirectionnelle). *Remarque*: les fluctuations du liquide dans la chambre de scellé sous l'eau ou dans l'indicateur cessent: ▪ Quand les poumons se sont dilatés. ▪ Quand la tubulure est entortillée ou obstruée par des caillots de sang ou de la fibrine. ▪ Quand une boucle s'est formée à la base de la tubulure. ▪ Quand l'appareil d'aspiration fonctionne mal.	▪ Les fluctuations du niveau d'eau prouvent que la cavité pleurale est correctement reliée au système de drainage et que celui-ci est perméable. Elle permet aussi de connaître la pression intrapleurale lorsqu'on utilise un système scellé sous l'eau (étanche et à l'eau, mais non un système muni d'une valve unidirectionnelle). ▪ L'indicateur de fuite d'air montre les changements de pression intrathoracique lorsqu'on recourt à un système étanche muni d'une valve unidirectionnelle. La présence de bulles indique une fuite. L'indicateur de fuite d'air donne les mêmes renseignements que les fluctuations du liquide dans la chambre de scellé sous l'eau.
11. Si on utilise un système étanche, un indicateur de vide (soufflet ou flotteur) est visible lorsqu'on règle le régulateur au niveau d'aspiration souhaité.	▪ L'indicateur montre que le vide est suffisant pour maintenir le niveau d'aspiration souhaité.
12. Vérifier s'il y a des fuites d'air dans le système de drainage (bouillonnement constant dans la chambre de scellé sous l'eau, ou indicateur de fuite d'air visible dans les systèmes étanches munis d'une valve unidirectionnelle). Vérifier également si le drain présente dans sa partie externe des fuites pouvant être corrigées. Prévenir le médecin immédiatement en cas de bouillonnement excessif dans la chambre de scellé sous l'eau sans fuites dans la partie externe du drain thoracique.	▪ Les fuites et la rétention d'air dans la cavité pleurale peuvent entraîner un pneumothorax suffocant.
13. Lorsqu'on arrête l'aspiration dans un système étanche, appuyer sur la valve de haute négativité et vérifier le niveau de l'eau dans la chambre de scellé sous l'eau.	▪ Une élévation du niveau d'eau dans la chambre de scellé sous l'eau indique une pression négative élevée dans le système; celle-ci pourrait accroître la pression intrathoracique.
14. Rechercher et signaler immédiatement les signes et symptômes suivants: respiration rapide et superficielle; cyanose; oppression thoracique; emphysème sous-cutané; signes évoquant une hémorragie; changements importants dans les signes vitaux.	▪ Ces signes et symptômes peuvent être dus à différentes complications, notamment: pneumothorax, déplacement du médiastin, hémorragie, douleurs intenses à l'emplacement de l'incision, embolie pulmonaire et tamponnade cardiaque. Une intervention chirurgicale peut être nécessaire.

Surveillance des systèmes de drainage (*suite*)

15. Inciter la personne à faire des exercices de respiration profonde et de toux à intervalles fréquents. Administrer des analgésiques selon les besoins. Se procurer une ordonnance pour un dispositif d'analgésie à la demande, s'il y a lieu. Enseigner à la personne le mode d'emploi de l'inspiromètre d'incitation.

■ La toux et la respiration profonde contribuent à augmenter la pression intrapleurale, ce qui favorise l'évacuation des liquides qui s'accumulent dans la cavité pleurale et des sécrétions de l'arbre trachéobronchique. On accélère ainsi la réexpansion des poumons et on prévient l'atélectasie (affaissement des alvéoles).

16. Lorsque la personne est installée sur une civière et qu'il faut la transporter dans une autre pièce, placer le système de drainage sous le niveau du thorax. Si le drain se détache, couper les bouts contaminés du drain thoracique et de la tubulure, placer un raccord stérile entre le drain et la tubulure, et le rattacher au système de drainage. *Ne pas* clamper le drain pendant le transport.

■ Le système de drainage doit demeurer sous le niveau du thorax pour prévenir le reflux de liquide dans la cavité pleurale. Le clampage peut entraîner un pneumothorax suffocant.

17. Lors du retrait du drain thoracique, demander à la personne d'effectuer lentement une manœuvre de Valsalva ou de respirer calmement. Puis clamper et retirer rapidement le drain thoracique. Appliquer en même temps un petit pansement qu'on rend étanche en l'enduisant de vaseline et qu'on recouvre d'une compresse de 10 cm × 10 cm. Recouvrir entièrement celle-ci et la sceller avec du ruban adhésif non poreux.

■ On retire le drain thoracique quand le poumon est à nouveau dilaté (ce qui prend généralement de 24 heures à quelques jours), selon la cause du pneumothorax. Pendant le retrait du drain, il faut empêcher l'air de pénétrer dans la cavité pleurale et prévenir l'infection.

ENCADRÉ 27-19

Prévention des complications cardiopulmonaires après une chirurgie thoracique

PRISE EN CHARGE DE LA PERSONNE

- Ausculter les bruits pulmonaires; évaluer la fréquence, le rythme et l'amplitude des respirations.
- Suivre de près l'oxygénation à l'aide de la sphygmooxymétrie.
- Suivre de près l'ECG pour déceler les changements de fréquence et de rythme cardiaques.
- Observer le remplissage capillaire, la couleur de la peau et l'état du pansement chirurgical.
- Encourager et aider la personne à se tourner, à tousser et à prendre des respirations profondes.

FONCTIONNEMENT DU SYSTÈME DE DRAINAGE

- S'assurer que tous les raccords sont perméables et bien branchés.
- S'assurer que le joint hydraulique est fonctionnel (système par dépression d'eau) ou que le régulateur est bien réglé (système étanche).
- Observer les caractéristiques des écoulements, notamment la couleur, la quantité et la consistance. Noter toute augmentation ou diminution de la quantité de liquide évacué.
- Surveiller les fluctuations dans la chambre de scellé sous l'eau (système par dépression d'eau) ou l'indicateur de fuite d'air (système étanche).
- Maintenir l'appareil au-dessous du niveau du thorax de la personne.
- S'assurer qu'un bouillonnement est présent dans la chambre d'aspiration (système par dépression d'eau).
- Maintenir l'aspiration au niveau prescrit par le médecin.
- Maintenir la quantité de liquide appropriée dans les systèmes par dépression d'eau.
- Garder la soupape d'aération ouverte.

Les systèmes de drainage sont dotés d'un régulateur d'aspiration qui soit est étanche, soit fonctionne par dépression d'eau. Dans les systèmes par dépression d'eau, la quantité aspirée est déterminée par la quantité d'eau instillée dans la chambre d'aspiration. La force du bouillonnement dans la chambre d'aspiration indique la force de l'aspiration. Les systèmes par dépression d'eau sont munis d'un joint hydraulique qui empêche l'air de retourner dans le thorax lors de l'inspiration. Dans les systèmes étanches, la valve unidirectionnelle et le régulateur d'aspiration jouent le même rôle. Dans les deux cas, le drainage peut se faire par gravité, sans source d'aspiration.

Systèmes de drainage par dépression d'eau Le système traditionnel de drainage par dépression d'eau comporte trois chambres : une chambre de collecte, une chambre de scellé sous l'eau et une chambre d'aspiration. La chambre de collecte est le réservoir qui recueille les liquides évacués par le drain ; elle est graduée, ce qui permet de mesurer la quantité de liquide évacuée. On peut ajouter un dispositif d'aspiration pour créer une pression négative qui favorise l'évacuation des liquides et de l'air. La chambre de régulation de l'aspiration régit la pression négative appliquée au thorax. La force de l'aspiration est déterminée par le niveau d'eau, qu'on règle généralement à 20 cm. Plus on ajoute de liquide, plus le volume aspiré est important. Lorsqu'on commence l'aspiration, un bouillonnement apparaît dans la chambre d'aspiration. Au-dessus de la chambre d'aspiration se trouve une valve de pression positive qui s'ouvre automatiquement quand la pression positive augmente dans le système. Si la tubulure d'aspiration est clampée ou coudée par inadvertance, l'air sera automatiquement libéré par une valve d'échappement.

La chambre de scellé sous l'eau est dotée d'une valve unidirectionnelle qui empêche l'air de retourner dans le thorax lors de l'inspiration. Le niveau de l'eau augmente à l'inspiration et revient à son niveau initial pendant l'expiration ;

c'est un mouvement d'oscillation. Il est normal de voir un bouillonnement intermittent dans la chambre de scellé sous l'eau. Toutefois, s'il est continu, il peut indiquer une fuite d'air. Le bouillonnement et le mouvement d'oscillation ne se produisent pas lorsque le drain est installé dans le médiastin; toutefois, le liquide peut osciller en harmonie avec les battements du cœur. Si le drain thoracique est seulement relié à un système fonctionnant par gravité, on n'a pas recours à l'aspiration. La pression dans le réseau doit être égale à celle de la chambre de scellé sous l'eau. On utilise les systèmes de drainage à deux chambres (chambre de scellé sous l'eau et chambre de collecte) chez les personnes qui ont seulement besoin d'un drainage par gravité.

La quantité d'eau dans la chambre de scellé sous l'eau indique la pression négative présente dans la cavité intrathoracique. Une élévation du niveau d'eau traduit une pression négative dans la cavité pleurale ou le médiastin. Une trop forte pression négative peut entraîner des lésions des tissus (Bar-El *et al.*, 2001). La plupart des systèmes de drainage sont munis d'un mécanisme automatique qui empêche la pression négative d'augmenter excessivement. Pour prévenir une élévation excessive de la pression négative et les lésions tissulaires qui peuvent en découler, on doit presser et maintenir dans cette position une valve manuelle de haute pression négative (habituellement située en haut du système de drainage) jusqu'à ce que le niveau de l'eau dans la chambre de scellé sous l'eau revienne à la ligne de 2 cm.

! ALERTE CLINIQUE *Lorsque l'aspirateur mural est éteint, il faut ouvrir le système de drainage pour laisser entrer l'air ambiant et permettre à l'air de la cavité pleurale de s'échapper du système. Pour ce faire, on détache le drain de l'orifice d'aspiration pour créer une sortie d'air.*

! ALERTE CLINIQUE *Si le drain se détache du système de drainage, l'air peut pénétrer dans la cavité pleurale et provoquer un pneumothorax. Pour le prévenir, on peut créer un joint d'étanchéité provisoire en immergeant l'extrémité ouverte du drain thoracique dans un flacon d'eau stérile.*

Systèmes de drainage étanches scellés sous l'eau Les systèmes de drainage étanches scellés sous l'eau comportent trois chambres: une chambre de collecte, une chambre de scellé sous l'eau et une chambre étanche de régulation de l'aspiration. On remplit la chambre de scellé sous l'eau de 2 cm d'eau. La présence de bouillonnement dans cette chambre peut traduire une fuite d'air. La chambre étanche de régulation de l'aspiration est munie d'un régulateur qui règle le vide dans le drain thoracique. Dans ce type de système, l'eau n'est pas nécessaire à l'aspiration. Ce type d'appareil est moins bruyant, car il n'y a pas de bouillonnement dans la chambre d'aspiration.

Lorsque le drain est branché à la source d'aspiration, on règle le régulateur à la force d'aspiration souhaitée. Ce régulateur donne les mêmes renseignements que le bouillonnement dans un système de drainage traditionnel, c'est-à-dire qu'il indique que le vide est suffisant pour maintenir le niveau d'aspiration souhaité. Certains systèmes de drainage sont munis d'un soufflet (un dispositif qui peut se contracter et se dilater) ou d'un flotteur de couleur orange qui indique que le régulateur d'aspiration est réglé.

La pression intrathoracique augmente lorsque le niveau d'eau dans la chambre de scellé sous l'eau dépasse 2 cm. Les systèmes étanches sont munis d'une valve manuelle de haute pression négative située en haut du drain. La pression intrathoracique diminue lorsqu'on appuie sur cette valve jusqu'à ce que l'indicateur apparaisse (un flotteur ou un soufflet) et que le niveau d'eau dans la chambre de scellé sous l'eau retourne au niveau souhaité.

! ALERTE CLINIQUE *On ne devrait pas utiliser la valve manuelle pour abaisser le niveau de l'eau dans la chambre de scellé sous l'eau lorsque le système de drainage fonctionne par gravité (sans aspiration) parce que la pression intrathoracique est égale à la pression de cette chambre.*

Système étanche muni d'une valve unidirectionnelle Le système étanche muni d'une valve unidirectionnelle est un troisième type de système de drainage thoracique. Ce système est composé d'une chambre de collecte, d'une valve unidirectionnelle et d'une chambre d'aspiration étanche. La valve fait office de chambre de scellé sous l'eau et permet à l'air de s'échapper du thorax tout en l'empêchant d'y retourner. Ce système présente l'avantage de fonctionner sans eau (il ne comporte pas de chambre de scellé sous l'eau). Par conséquent, on peut l'installer rapidement dans des situations d'urgence et il continuera de fonctionner même s'il est renversé, contrairement à un système par dépression d'eau, qui peut ne plus être étanche s'il est renversé. Le système étanche est plus pratique lorsque la personne se déplace ou lorsqu'elle doit être transportée. Toutefois, faute de chambre de scellé sous l'eau, il est impossible de savoir si la pression intrathoracique a changé. Le système est muni d'un indicateur de fuite d'air, ce qui permet de déceler ce genre de fuites. Le cas échéant, on injecte 30 mL d'eau dans l'indicateur de fuite d'air. En cas de fuite d'air, des bulles se formeront (Carroll, 2000).

DÉMARCHE SYSTÉMATIQUE dans la pratique infirmière

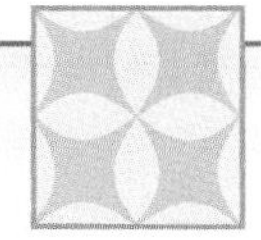

Personne ayant subi une chirurgie thoracique

EXAMENS POSTOPÉRATOIRES

L'infirmière détermine la fréquence et le rythme cardiaques par auscultation et par électrocardiographie, car il est fréquent que des arythmies graves surviennent après une opération thoracique ou cardiaque. Au cours de la période suivant immédiatement l'intervention, on peut installer un cathéter artériel pour faciliter les prélèvements fréquents de sang qui servent aux dosages des gaz du sang artériel et des électrolytes sériques, à la mesure des concentrations d'hémoglobine et de l'hématocrite, ainsi qu'à la mesure de la pression artérielle. On doit aussi prendre régulièrement la pression veineuse centrale pour déceler rapidement les modifications du volume liquidien. On utilise les appareils de mesure de la pression veineuse centrale moins souvent qu'auparavant et, lorsqu'on les utilise, c'est seulement pendant une brève durée. Le sevrage précoce du respirateur peut permettre de retirer plus rapidement le cathéter artériel (Zevola et Maier, 1999). Pendant la période postopératoire, il faut aussi examiner la réserve respiratoire préopératoire, mesurée lors de l'épreuve fonctionnelle pulmonaire. Un VEMS de plus de 2 L ou de plus de 70 % de la valeur prévue indique une bonne réserve respiratoire. Les risques de morbidité et de mortalité sont plus élevés chez les personnes qui présentent un VEMS postopératoire de moins de 40 % de la valeur prévue (Scanlan, Wilkins et Stoller, 1999). Un tel VEMS entraîne une baisse du volume courant, ce qui expose la personne au risque d'insuffisance respiratoire.

Analyse et interprétation

Diagnostics infirmiers

En se fondant sur les données recueillies, l'infirmière peut poser les diagnostics infirmiers suivants:

- Échanges gazeux perturbés, reliés à l'affection pulmonaire et à l'intervention chirurgicale
- Dégagement inefficace des voies respiratoires, relié à l'affection pulmonaire, à l'anesthésie et à la douleur
- Douleur aiguë, reliée à l'incision, aux drains thoraciques et à l'intervention chirurgicale
- Mobilité physique réduite, reliée à l'intervention chirurgicale
- Risque de déficit de volume liquidien, relié à l'intervention chirurgicale
- Alimentation déficiente, reliée à la dyspnée et à l'anorexie
- Connaissances insuffisantes sur les soins à domicile

Problèmes traités en collaboration et complications possibles

En se fondant sur les données recueillies, l'infirmière peut déterminer les complications susceptibles de survenir, notamment:

- Détresse respiratoire
- Arythmies
- Atélectasie, pneumothorax et fistule bronchopleurale
- Perte de sang et hémorragie
- Œdème pulmonaire

Planification

Les principaux objectifs sont les suivants: améliorer les échanges gazeux et la respiration; dégager les voies respiratoires; soulager la douleur; accroître la mobilité des bras et des épaules; maintenir un volume liquidien et un état nutritionnel adéquats; favoriser l'apprentissage des autosoins; prévenir les complications.

Interventions infirmières

Améliorer les échanges gazeux et la respiration

L'oxygénation et la ventilation renseignent sur les échanges gazeux. Dans l'heure ou dans les 2 heures qui suivent l'intervention chirurgicale, l'infirmière doit donc mesurer la pression artérielle, le pouls et la fréquence respiratoire toutes les 15 minutes, puis à des intervalles moins fréquents, une fois que l'état de la personne s'est stabilisé.

La sphygmooxymétrie permet une surveillance constante de l'oxygénation. Dès le début de la période postopératoire, il faut prélever du sang en vue de mesurer les gaz du sang artériel, afin d'établir des valeurs initiales permettant d'évaluer la qualité de l'oxygénation et de la ventilation et de déceler une rétention possible de CO_2. La fréquence de ces mesures dépend de l'état de la personne. Si elle est sous respirateur ou si elle présente des signes de détresse respiratoire, des mesures plus fréquentes aideront à déterminer plus rapidement le traitement approprié. On installe fréquemment un cathéter artériel permettant de faire des prélèvements de sang servant à la gazométrie du sang artériel et de suivre de près la pression artérielle. La surveillance hémodynamique, quant à elle, permet de déceler une éventuelle instabilité hémodynamique.

Toutes les 2 heures, la personne doit faire les exercices de respiration que l'infirmière lui a enseignés avant l'intervention (respiration diaphragmatique et respiration avec les lèvres pincées) pour favoriser la dilatation des alvéoles et prévenir l'atélectasie. En vue d'améliorer sa ventilation, la personne devrait aussi faire des exercices d'inspiration maximale soutenue ou d'inspirométrie d'incitation. Cette dernière favorise la distension des poumons, améliore le mécanisme de la toux et permet de déceler rapidement des changements respiratoires aigus (encadrés 27-3 et 27-4.)

La position qu'adopte la personne peut aussi améliorer sa respiration. Peu après l'intervention, dès que la personne est lucide et que sa pression artérielle est stable, l'infirmière surélève la tête du lit de 30 à 40 degrés. Cette position facilite la ventilation et l'écoulement des sécrétions du drain inférieur et favorise la montée de l'air résiduel dans la partie supérieure de la cavité pleurale, d'où il peut être évacué par le drain supérieur.

L'infirmière doit consulter le chirurgien sur les positions que la personne peut adopter. On ne s'entend pas sur la question de savoir s'il convient de privilégier le décubitus latéral. En général, on doit changer fréquemment la personne de position: en passant au départ du décubitus dorsal au décubitus latéral, puis, dès que possible, de la position horizontale à la position mi-assise. Le plus souvent, on couche la personne sur le côté opéré. Toutefois, si la personne souffre d'une affection pulmonaire unilatérale, cette position sera inconfortable à cause des douleurs. De plus, une position dans laquelle le «poumon sain» (non opéré) reste en position déclive assure une meilleure concordance entre la ventilation et la perfusion et, par conséquent, pourrait améliorer l'oxygénation. Il faut tourner souvent la personne et l'installer dès que possible en position mi-assise, car les fréquents changements de position préviennent l'accumulation de sécrétions dans la partie déclive des poumons. Après une pneumonectomie, le côté opéré doit se trouver en position déclive afin que le liquide de la cavité pleurale reste au-dessous du moignon bronchique et que le côté indemne puisse se dilater pleinement.

Voici la méthode à utiliser pour tourner la personne:

- Lui demander de fléchir les genoux et de pousser contre le matelas avec ses pieds.
- Lui demander d'amener ses hanches et ses épaules de l'autre côté du lit tout en poussant avec ses pieds.
- Ramener son bras sur sa poitrine, la main en direction du côté vers lequel on la tourne, et lui demander de s'agripper à une ridelle avec cette main.
- Tourner la personne en bloc, ce qui évite de provoquer une torsion des hanches et d'étirer douloureusement l'incision.

Dégager les voies respiratoires

L'accumulation de sécrétions représente un danger pour la personne qui vient de subir une thoracotomie. Les facteurs suivants contribuent à l'accumulation de sécrétions: traumatisme de l'arbre trachéobronchique pendant l'opération, diminution de la ventilation pulmonaire et affaiblissement du réflexe tussigène. Si on n'intervient pas, les sécrétions finissent par obstruer les voies respiratoires; l'air contenu dans les alvéoles situées en aval de l'obstruction est alors absorbé et le poumon s'affaisse, exposant la personne au risque d'atélectasie, de pneumonie ou d'insuffisance respiratoire.

On utilise plusieurs méthodes pour maintenir la perméabilité des voies respiratoires. Tout d'abord, pendant que le tube endotrachéal est en place, on évacue par aspiration les sécrétions de l'arbre trachéobronchique; on continue l'aspiration des sécrétions jusqu'à ce que la personne puisse les éliminer en toussant. Il faut parfois recourir à l'aspiration nasotrachéale pour déclencher une toux profonde et évacuer les sécrétions que la personne est incapable d'expectorer en toussant. Cependant, il ne faut utiliser cette méthode que si les autres méthodes se révèlent inefficaces (encadré 27-20 ■).

On peut également maintenir la perméabilité des voies respiratoires grâce aux exercices de toux. Il faut encourager la personne à tousser efficacement, car la toux inefficace ne mène qu'à l'épuisement et à la rétention des sécrétions (encadré 27-5). La toux efficace est profonde, contrôlée et grave. Comme il est difficile de tousser en décubitus dorsal, l'infirmière doit aider la personne à s'asseoir sur le bord du lit, les pieds posés sur une chaise. La personne doit tousser au moins toutes les heures, durant les 24 premières heures, puis selon les besoins. Si l'infirmière décèle des ronchi à l'auscultation, elle doit parfois ajouter la percussion thoracique aux exercices de toux, jusqu'à ce que les poumons soient dégagés. Une aérosolthérapie aide à humidifier et à dégager les sécrétions, ce qui permet à la personne de les expectorer plus facilement en toussant. Pour atténuer la douleur au siège de l'incision pendant la toux, l'infirmière soutient fermement la plaie ou encourage la personne à le faire (figure 27-9 ■).

Après avoir aidé la personne à tousser, l'infirmière doit ausculter les deux poumons, sur les faces antérieures et postérieures, afin de déterminer si les bruits pulmonaires ont changé. Des bruits atténués peuvent indiquer que les alvéoles se sont affaissées ou qu'elles sont hypoventilées.

Enfin, on peut maintenir les voies respiratoires dégagées par des exercices de physiothérapie respiratoire. Si la personne présente un risque élevé de complications pulmonaires postopératoires, il faut commencer la physiothérapie respiratoire immédiatement après l'opération (et peut-être même avant qu'elle ait lieu). Les techniques de drainage postural, de vibration et de percussion contribuent à déloger et à mobiliser les sécrétions, qui peuvent ensuite être expectorées ou aspirées.

ENCADRÉ 27-20

Aspiration nasotrachéale

UTILISER UNE TECHNIQUE ASEPTIQUE

1. Expliquer l'intervention à la personne.
2. Lui administrer un analgésique, au besoin.
3. Installer la personne en position assise ou semi-Fowler. S'assurer que sa tête n'est pas penchée vers l'avant. Enlever des oreillers, si nécessaire.
4. Oxygéner la personne pendant plusieurs minutes avant de commencer l'aspiration. Garder une source d'oxygène à portée de la main.
5. Enfiler des gants stériles.
6. Lubrifier la sonde avec un gel hydrosoluble.
7. Introduire doucement la sonde dans une des narines et la faire avancer jusqu'au pharynx. En cas de difficulté, et si on pense qu'il sera nécessaire de faire des aspirations à répétition, on peut placer une trompette nasale en caoutchouc souple dans le nasopharynx pour faciliter le passage de la sonde. Pour vérifier la position de l'extrémité de la sonde, demander à la personne d'ouvrir la bouche et vérifier si la sonde se trouve dans le pharynx inférieur.
8. Demander à la personne de prendre une respiration profonde, ou de tirer la langue, pour ouvrir l'épiglotte et faciliter la descente de la sonde.
9. Descendre la sonde dans la trachée uniquement lors de l'inspiration. Vérifier si la toux s'est déclenchée ou si l'air passe dans la sonde.
10. Brancher la sonde à l'appareil d'aspiration. Effectuer une aspiration intermittente en retirant délicatement la sonde. La force de succion ne doit pas dépasser 120 mm Hg.
11. L'aspiration ne devrait pas durer plus de 10 à 15 secondes, car des arythmies ou un arrêt cardiaque peuvent survenir chez la personne dont l'oxygénation est à peine suffisante.
12. Si une autre aspiration est nécessaire, retirer complètement la sonde, rassurer la personne et l'oxygéner pendant quelques minutes avant de recommencer l'aspiration.

Soulager la douleur et la gêne

Après une thoracotomie, la douleur est parfois importante. Son intensité dépend du type d'incision ainsi que de la réaction et de la tolérance de la personne à la douleur. Après une thoracotomie, les inspirations profondes sont très douloureuses. La douleur peut même entraîner des complications postopératoires si elle empêche la personne de respirer profondément et de tousser, et si elle restreint les mouvements thoraciques au point de réduire l'efficacité de la ventilation.

Immédiatement après l'intervention chirurgicale et avant la fermeture de l'incision, le chirurgien peut pratiquer un bloc nerveux au moyen d'un anesthésique local à action prolongée comme la bupivacaïne (Marcaine, Sensorcaine). On titre l'anesthésique local de façon à soulager la douleur postopératoire tout en permettant à la personne de prendre des respirations profondes, de tousser et de bouger. Toutefois, on doit éviter de déprimer l'appareil respiratoire par une dose trop forte d'analgésique: l'effet sédatif ne doit pas empêcher la personne de tousser.

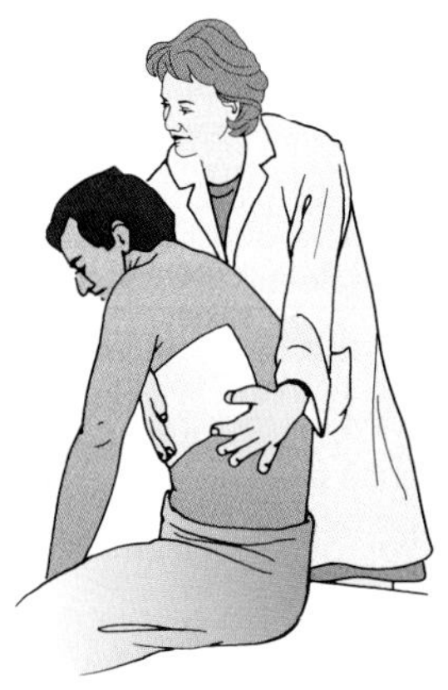

A L'infirmière place les mains en avant et en arrière de l'incision. Elle demande à la personne de prendre plusieurs respirations profondes, d'inhaler et de tousser vigoureusement.

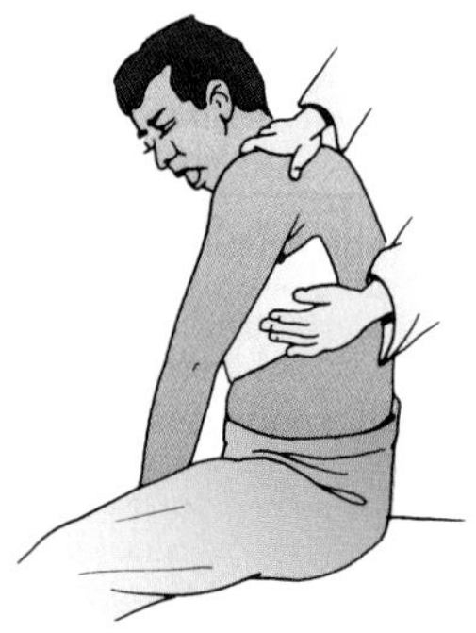

B L'infirmière place une main sur le sommet de l'épaule du côté opéré et exerce une pression vers le bas, tout en soutenant fermement le dessous de l'incision avec l'autre main. Elle demande à la personne de prendre plusieurs respirations profondes, d'inhaler et de tousser vigoureusement.

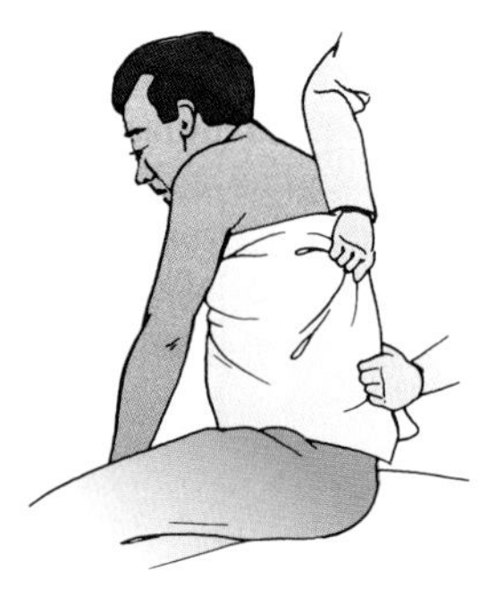

C L'infirmière peut également envelopper le thorax de la personne d'un drap ou d'une serviette dont elle réunit les deux bords. Elle tire doucement sur les bords quand la personne tousse et les relâche quand elle prend des respirations profondes.

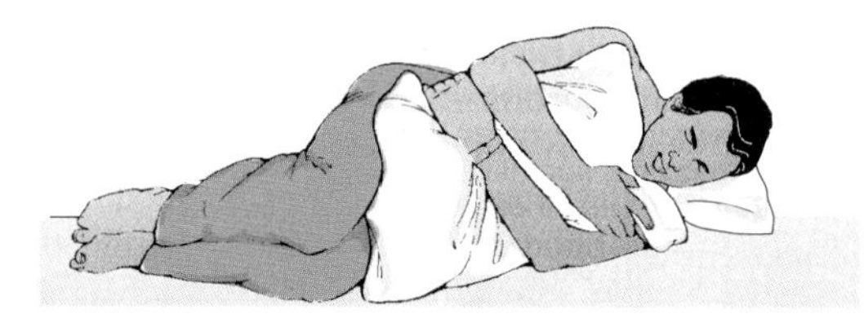

D La personne peut apprendre à serrer un oreiller contre la région incisée quand elle tousse. Elle peut utiliser cette méthode lorsqu'elle est couchée ou assise, avec le dos droit.

FIGURE 27-9 ■ Techniques de soutien de la région incisée pendant la toux chez une personne ayant subi une intervention thoracique.

ALERTE CLINIQUE *Il est très important de ne pas confondre l'agitation causée par l'hypoxie avec l'agitation causée par la douleur. L'agitation, la dyspnée, l'accélération de la fréquence respiratoire, une hausse de la pression artérielle et la tachycardie sont les signes d'une insuffisance respiratoire imminente. On recourt à la sphygmooxymétrie pour surveiller l'oxygénation et établir les causes de l'agitation.*

La lidocaïne et la prilocaïne sont des anesthésiants locaux utilisés pour traiter la douleur au point d'insertion du drain thoracique. On les administre par voie transdermique, et elles pénètrent donc dans la peau. Leur utilisation concomitante s'est révélée efficace. La crème EMLA, un mélange des deux agents, s'est montrée efficace dans le soulagement de la douleur causée par le retrait du drain. Une étude a même montré que la crème EMLA est plus efficace que la morphine administrée par voie intraveineuse (Valenzuela et Rosen, 1999).

Comme il faut améliorer autant que possible le bien-être de la personne sans toutefois inhiber la pulsion respiratoire, on recourt souvent aux nouvelles méthodes d'analgésie contrôlée par la personne (ACP). On utilise communément des analgésiques opioïdes tels que la morphine. Les dispositifs d'ACP avec pompe intraveineuse ou cathéter épidural permettent à la personne de régler la fréquence et la quantité totale des doses qu'elle s'administre. La pompe est munie d'un système de sécurité qui limite les doses, ce qui prévient le surdosage. Lorsque la personne a reçu des directives claires, elle tolère bien ces méthodes, peut se déplacer plus tôt et se montre plus encline à participer au traitement. (Pour plus de détails sur l'ACP et le soulagement de la douleur, voir le chapitre 13.)

Encourager la mobilité et les exercices des épaules

De grandes bandes musculaires sont sectionnées lors d'une thoracotomie. Il faut donc que la personne mobilise le bras et l'épaule par des exercices d'amplitude de l'épaule. Dès que c'est possible sur le plan physiologique, habituellement entre 8 et 12 heures après l'intervention, on aide la personne à sortir du lit. Ces mouvements sont douloureux au départ, mais plus vite la personne se lèvera, plus vite la douleur disparaîtra. Non seulement la personne doit se lever, mais elle doit aussi commencer à faire des exercices du bras et de l'épaule pour retrouver une pleine amplitude de mouvement et pour prévenir le raidissement douloureux du bras et de l'épaule du côté opéré (encadré 27-21 ■).

ENCADRÉ 27-21

ENSEIGNEMENT

Exercices du bras et de l'épaule

Après une intervention thoracique, la personne doit faire des exercices des bras et des épaules afin de rétablir la capacité de mouvement, de prévenir un raidissement douloureux de l'épaule et d'augmenter la force musculaire.

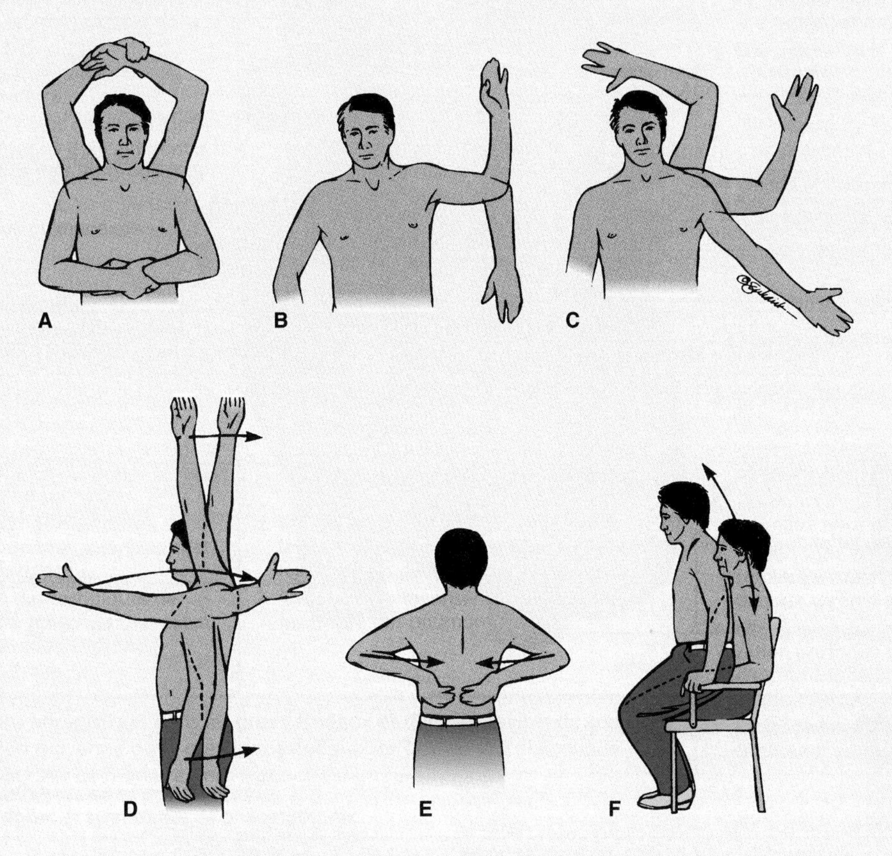

(A) Tenir la main du côté atteint avec l'autre main, les paumes vers l'intérieur. Lever les bras vers l'avant et vers le haut, puis au-dessus de la tête en prenant une inspiration profonde. Expirer pendant qu'on abaisse les bras. Effectuer 5 fois. **(B)** Lever le bras sur le côté, puis monter et descendre l'avant-bras, comme pour saluer. **(C)** Allonger le bras sur le côté. Le lever vers le côté, vers le haut, puis au-dessus de la tête. Effectuer 5 fois. On peut aussi faire ces exercices en position couchée. **(D)** Allonger le bras vers le haut et vers l'arrière, puis vers le côté et vers l'arrière. **(E)** Placer les mains dans le creux du dos. Pousser les coudes aussi loin que possible vers l'arrière. **(F)** S'asseoir le dos droit dans une chaise munie d'accoudoirs, placer les mains sur les accoudoirs. Pousser sur les mains en rentrant l'abdomen et en s'étirant à partir de la taille. Inspirer en se soulevant jusqu'à ce que les coudes soient en extension totale. Conserver cette position pendant un moment, puis commencer à expirer pendant qu'on retrouve lentement la position initiale.

Préserver le volume liquidien et encourager une alimentation appropriée

Traitement intraveineux

Pendant l'intervention chirurgicale ou tout de suite après, la personne reçoit parfois une transfusion sanguine, puis une perfusion intraveineuse continue. Il faut prévoir une période d'adaptation physiologique, car il est fréquent que la capacité pulmonaire soit réduite après une chirurgie thoracique. On doit administrer les liquides à un débit horaire lent et les titrer, selon l'ordonnance, de façon à prévenir la surcharge de l'appareil vasculaire et l'œdème pulmonaire. L'infirmière évalue attentivement les fonctions respiratoire et cardiovasculaire, de même que les ingesta et les excreta, les signes vitaux et la distension de la veine jugulaire. Elle doit aussi examiner le point de perfusion pour déceler tout signe d'infiltration, comme l'œdème, la sensibilité et la rougeur.

Alimentation

Il est fréquent que l'état nutritionnel de la personne soit inadéquat avant même la thoracotomie, à cause de la dyspnée, des expectorations et de la perte d'appétit. Il est donc extrêmement important d'assurer un bon soutien nutritionnel aussitôt que possible après l'intervention chirurgicale. Dès qu'elle décèle des gargouillements, l'infirmière peut servir une diète liquide. Il faut rétablir une alimentation normale le plus tôt possible. De petits repas fréquents, bien équilibrés, sont généralement mieux tolérés. Une bonne alimentation est essentielle au rétablissement et au maintien de la fonction pulmonaire.

Surveiller et traiter les complications

Des complications sont toujours possibles après une chirurgie thoracique; il faut les déceler et les traiter rapidement. L'infirmière doit aussi observer la personne à intervalles réguliers à la recherche de signes de détresse ou d'insuffisance respiratoires, d'arythmies, de fistule bronchopleurale, d'hémorragie et de choc, d'atélectasie et d'infection pulmonaire.

Pour traiter la détresse respiratoire, il faut en déterminer la cause et l'éliminer, et amorcer une oxygénothérapie. Si l'état de la personne se détériore jusqu'à l'insuffisance respiratoire, il faut l'intuber, recourir à la ventilation assistée, et la sevrer par la suite du respirateur.

Les arythmies sont souvent reliées aux effets de l'hypoxie ou dues à l'intervention chirurgicale. On y remédie par des antiarythmiques et un traitement de soutien (chapitre 29). Pendant les quelques jours qui suivent l'intervention, il y a un risque d'infection ou d'épanchement pulmonaire, souvent précédé par l'atélectasie.

Il y a un risque de pneumothorax après une intervention thoracique en cas de fuite d'air du champ opératoire vers la cavité pleurale ou de la cavité pleurale vers l'air extérieur. Si le système de drainage ne fonctionne pas correctement, la pression négative ne sera pas rétablie dans la cavité pleurale, ce qui entraînera un pneumothorax. Chez la personne opérée, le pneumothorax s'accompagne souvent d'un hémothorax. L'infirmière doit assurer le bon fonctionnement du système de drainage et rester à l'affût des signes et symptômes de pneumothorax: essoufflements accrus, tachycardie, accélération de la fréquence respiratoire et détresse respiratoire accrue.

La fistule bronchopleurale est une complication grave, mais rare, qui empêche le rétablissement d'une pression négative dans le thorax et la réexpansion des poumons. Selon sa gravité, on la traite par drainage thoracique fermé, par ventilation assistée et, parfois, par une intervention sclérosante au talc (chapitre 25).

Pour traiter l'hémorragie et le choc, il faut éliminer la cause sous-jacente, soit en réopérant la personne, soit en lui administrant des produits sanguins ou des liquides. L'œdème pulmonaire causé par la perfusion excessive de liquides intraveineux représente un danger important. Les premiers symptômes sont la dyspnée, les crépitations, des gargouillements dans la poitrine, la tachycardie et des expectorations roses et écumeuses. Il s'agit d'une situation d'urgence, qui doit être immédiatement signalée et faire l'objet d'un traitement.

Favoriser les soins à domicile et dans la communauté

Enseigner les autosoins

L'infirmière enseigne à la personne et aux membres de sa famille les soins postopératoires qu'il faudra poursuivre à domicile. Elle leur explique les signes et symptômes à signaler au médecin, notamment:

- Modification de la respiration: essoufflements accrus, fièvre, agitation accrue ou autre changement de l'état mental ou des fonctions cognitives, changement dans la quantité ou dans la couleur des expectorations
- Saignements ou autres écoulements de la plaie chirurgicale ou du point d'insertion du drain thoracique
- Douleurs thoraciques accrues

De plus, il faut parfois poursuivre à la maison les soins respiratoires et d'autres traitements tels que l'oxygénothérapie, l'inspirométrie d'incitation, la physiothérapie respiratoire, l'administration de médicaments par voie orale, par inhalation ou par voie intraveineuse. Par conséquent, l'infirmière doit enseigner à la personne et aux membres de sa famille comment utiliser les divers appareils de façon appropriée et en toute sécurité.

L'infirmière doit aussi insister sur le fait qu'il est important d'accroître graduellement le niveau d'activité. Elle recommande à la personne de marcher selon ses capacités et lui explique que ses forces reviendront très graduellement. Enfin, elle doit absolument enseigner les exercices des épaules et recommander à la personne de les faire cinq fois par jour. D'autres éléments de l'enseignement sont présentés dans l'encadré 27-22 ■.

Assurer le suivi

Selon l'état physique de la personne et l'aide à domicile dont elle dispose, il peut être indiqué de recourir aux services d'un organisme de soins à domicile. L'infirmière à domicile suit le rétablissement de la personne après l'intervention chirurgicale en portant une attention particulière aux points suivants: fonction respiratoire, plaie chirurgicale, drain thoracique, prise en charge de la douleur, exercices et marche, et état nutritionnel. Elle doit s'assurer que la personne utilise correctement et sans danger les techniques respiratoires et qu'elle se conforme au plan thérapeutique postopératoire, et déceler les complications postopératoires aiguës ou tardives.

La convalescence pouvant être plus longue que prévue, l'infirmière à domicile doit apporter un soutien constant à la personne. En raison du départ de plus en plus précoce, il est essentiel de respecter les rendez-vous de suivi. L'infirmière incite donc la personne à se présenter à ses rendez-vous et à se soumettre aux épreuves de laboratoire prescrites afin que le médecin puisse s'assurer que la convalescence se déroule normalement. L'infirmière à domicile doit par ailleurs encourager continuellement la personne et les membres de sa famille, et leur donner l'enseignement nécessaire. Tout au long de la convalescence, elle leur rappellera la nécessité de poursuivre les activités de promotion de la santé et de dépistage systématique.

ÉVALUATION

Résultats escomptés

Les principaux résultats escomptés sont les suivants:

1. La personne présente une amélioration des échanges gazeux, confirmée par les résultats de l'analyse des gaz du sang artériel, les exercices de respiration et l'inspirométrie d'incitation.

2. Ses voies aériennes sont plus perméables, comme le confirment une toux profonde et contrôlée, des murmures vésiculaires audibles ou la diminution des bruits surajoutés.
3. La personne ressent moins de douleur et de malaise lorsqu'elle soutient son incision quand elle tousse ou s'engage dans des activités de plus en plus intenses.
4. La personne peut mobiliser plus facilement le bras et l'épaule. Elle fait ses exercices du bras et de l'épaule afin d'en conserver la souplesse.
5. La personne s'assure un apport liquidien et une alimentation adéquates, qui favorisent le rétablissement.
6. La personne affirme qu'elle atténue son anxiété en utilisant des stratégies d'adaptation efficaces et comprend les principes de fonctionnement des appareils utilisés pour les soins.
7. La personne suit son traitement et les conseils relatifs aux soins à domicile.
8. La personne ne présente pas de complications, comme en témoignent une température et des signes vitaux normaux, l'amélioration des résultats de l'analyse des gaz du sang artériel, des murmures vésiculaires audibles et une fonction respiratoire satisfaisante.

Les soins et traitements infirmiers donnés à la personne ayant subi une thoracotomie sont présentés en détail, à la page suivante, dans le plan thérapeutique infirmier.

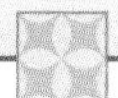

ENCADRÉ 27-22

GRILLE DE SUIVI DES SOINS À DOMICILE

Personne ayant subi une thoracotomie

Après avoir reçu l'enseignement sur les soins à domicile, la personne ou le proche aidant peut:	Personne	Proche aidant
■ Appliquer localement de la chaleur et recourir aux analgésiques oraux pour soulager la douleur intercostale.	✔	✔
■ Faire alterner la marche et d'autres activités avec de fréquentes périodes de repos, tout en étant conscient qu'il est normal que la personne ressente de la faiblesse et de la fatigue au cours des 3 premières semaines.	✔	✔
■ Effectuer les exercices de respiration plusieurs fois par jour pendant les premières semaines.	✔	
■ Ne pas soulever de poids supérieur à 9 kg jusqu'à ce que la cicatrisation soit complète; pendant les 3 à 6 mois suivant l'intervention, les muscles thoraciques sont affaiblis et la plaie risque de cicatriser lentement.	✔	
■ Marcher à un rythme modéré, en augmentant graduellement et constamment la durée de la marche et la distance parcourue.	✔	
■ Arrêter immédiatement toute activité qui entraîne une fatigue excessive ou qui accroît l'essoufflement ou les douleurs thoraciques.	✔	
■ Éviter les substances qui irritent les bronches (fumée, vapeurs, pollution atmosphérique, aérosols).	✔	✔
■ Éviter tout contact avec les personnes souffrant de rhume ou d'une infection pulmonaire.	✔	✔
■ Se faire vacciner contre la grippe tous les ans et se renseigner auprès de son médecin sur la nécessité de se faire vacciner contre la pneumonie à pneumocoque.		
■ Respecter les rendez-vous de suivi chez le chirurgien ou à la clinique, selon les besoins.	✔	✔
■ Cesser de fumer, le cas échéant.	✔	✔

PLAN THÉRAPEUTIQUE INFIRMIER

Personne ayant subi une thoracotomie

INTERVENTIONS INFIRMIÈRES	JUSTIFICATIONS SCIENTIFIQUES	RÉSULTATS ESCOMPTÉS
Diagnostic infirmier: échanges gazeux perturbés, reliés à l'affection pulmonaire et à l'intervention chirurgicale **Objectif:** améliorer les échanges gazeux et la respiration		
1. Suivre de près le fonctionnement des poumons, selon les consignes ou selon les besoins: a) Ausculter les bruits pulmonaires. b) Mesurer la fréquence et l'amplitude respiratoires; observer le mode de respiration. c) Déceler les signes d'hypoxémie ou de rétention de CO_2 d'après les résultats du dosage des gaz du sang artériel. d) Rester à l'affût des signes de cyanose.	1. Les changements de la fonction pulmonaire peuvent indiquer soit une amélioration, soit l'apparition de complications.	▪ L'auscultation révèle des poumons dégagés. ▪ La fréquence respiratoire se situe dans les limites de la normale et la personne ne souffre pas de dyspnée. ▪ Les signes vitaux sont stables. ▪ Les arythmies sont absentes ou ont été maîtrisées. ▪ La personne prend des respirations profondes, contrôlées et efficaces qui permettent une expansion maximale des poumons. ▪ La personne fait la démonstration des techniques de toux efficace et profonde. ▪ Les poumons se dilatent pleinement (ce qui est confirmé par radiographie).
2. Prendre et noter la pression artérielle, le pouls apexien et la température, toutes les 2 à 4 heures, et la pression veineuse centrale (s'il y a lieu) toutes les 2 heures.	2. Ces mesures aident à évaluer les effets de l'intervention chirurgicale sur le cœur. La personne utilise l'inspiromètre d'incitation toutes les 2 heures en période d'éveil.	
3. Observer le tracé ECG pour déceler les arythmies.	3. Les arythmies (surtout la fibrillation auriculaire et le flutter auriculaire) sont fréquentes après une intervention thoracique. La personne ayant subi une pneumonectomie totale y est tout particulièrement exposée.	
4. Surélever la tête du lit de 30 à 40 degrés, dès que la personne est lucide et que son état hémodynamique est stable.	4. L'excursion du diaphragme est maximale quand la personne est assise, le dos le plus droit possible.	
5. Inciter la personne à faire des exercices de respiration profonde (voir «Rééducation respiratoire») et à utiliser adéquatement l'inspiromètre d'incitation (inspiration maximale soutenue).	5. Ces méthodes aident la personne à dilater pleinement ses poumons et à dégager les voies respiratoires obstruées.	
6. Inciter la personne à faire ses exercices de toux toutes les heures ou toutes les 2 heures pendant les 24 premières heures.	6. La personne doit tousser pour évacuer les sécrétions de ses voies respiratoires.	
7. Vérifier et surveiller le système de drainage*: a) S'assurer qu'il n'y a ni fuites ni obstruction. b) Toutes les 2 heures, noter le volume et les caractéristiques du liquide évacué. Prévenir le médecin si le volume de liquide est de 150 mL/h ou plus. c) Voir dans l'encadré 27-18 les responsabilités de l'infirmière lors de l'utilisation d'un système de drainage.	7. On utilise le système de drainage pour évacuer l'air ou le liquide de la cavité pleurale après la thoracotomie.	
Diagnostic infirmier: dégagement inefficace des voies respiratoires, relié à l'affection pulmonaire, à l'anesthésie et à la douleur **Objectif:** améliorer la perméabilité des voies aériennes et leur pleine désobstruction		
1. Garder les voies respiratoires dégagées.	1. On assure ainsi une ventilation et des échanges gazeux adéquats.	▪ Les voies respiratoires sont perméables. ▪ La personne tousse de façon efficace. ▪ La personne soutient l'incision quand elle tousse. ▪ Les expectorations sont claires ou incolores. ▪ L'auscultation révèle des poumons sans bruits surajoutés.
2. Effectuer des aspirations endotrachéales jusqu'à ce que la personne soit capable d'évacuer ses sécrétions toute seule.	2. Chez les personnes qui viennent de subir une thoracotomie, les sécrétions endotrachéales sont très abondantes en raison du traumatisme subi par l'arbre trachéobronchique pendant l'opération, de la diminution de la ventilation et de l'inhibition du réflexe tussigène.	
3. Évaluer la douleur et administrer des analgésiques au besoin. Inciter la personne à faire des exercices de respiration profonde et de toux. L'aider à soutenir l'incision quand elle tousse.	3. Ces mesures permettent de dilater les poumons au maximum et d'ouvrir les voies aériennes obstruées. Comme la toux est douloureuse, il faut soutenir l'incision.	

* Chez les personnes ayant subi une pneumonectomie, on n'a généralement pas recours au drainage scellé sous l'eau, parce qu'il est souhaitable que la cavité pleurale se remplisse de liquide. Certains chirurgiens utilisent un système scellé sous l'eau modifié.

INTERVENTIONS INFIRMIÈRES	JUSTIFICATIONS SCIENTIFIQUES	RÉSULTATS ESCOMPTÉS
4. Noter le volume, la viscosité, la couleur et l'odeur des expectorations. Prévenir le médecin en cas d'expectorations très abondantes ou contenant du sang rouge vif.	4. Les changements dans les caractéristiques des expectorations peuvent indiquer la présence d'une infection ou une modification de la fonction respiratoire. Les expectorations sont normalement incolores. Si elles sont opaques ou teintées, il y risque de déshydratation ou d'infection.	
5. Humidifier les voies respiratoires et administrer le traitement au mininébuliseur, selon les recommandations du médecin.	5. Il faut humidifier et éclaircir les sécrétions pour aider la personne à les expectorer en faisant le moins d'effort possible.	
6. Effectuer des drainages posturaux, des percussions et des vibrations, selon les consignes du médecin. Ne pas faire de percussions ou de vibrations directement sur la région opérée.	6. Ces techniques favorisent l'évacuation des sécrétions par la force de la gravité.	
7. Ausculter les deux côtés du thorax pour déceler des changements au niveau des bruits pulmonaires.	7. L'auscultation du thorax permet de déterminer si une aspiration trachéale est indiquée.	
Diagnostic infirmier: douleur aiguë, reliée à l'incision, aux drains thoraciques et à l'intervention chirurgicale **Objectif:** soulager la douleur et la gêne postopératoires		
1. Évaluer la douleur: siège, caractéristiques, nature et intensité. Administrer des analgésiques selon l'ordonnance et les besoins. Surveiller l'effet des opioïdes. La personne est-elle trop somnolente pour tousser? La respiration est-elle inhibée?	1. La douleur restreint les mouvements thoraciques, ce qui entrave la ventilation.	■ La personne demande des analgésiques, mais sait qu'elle ressentira quand même une certaine gêne pendant les exercices de respiration profonde et de toux. ■ La personne dit qu'elle se sent bien et qu'elle ne souffre pas trop. ■ La plaie n'est pas infectée.
2. S'assurer que la personne thoracotomisée est installée dans une position correcte pendant toute la période postopératoire: a) La placer en position semi-Fowler. b) Si la personne a une réserve respiratoire réduite, elle pourrait être incapable de se tourner du côté opéré. c) Aider la personne à changer de position ou à se tourner toutes les 2 heures.	2. Si la personne ne ressent pas de douleur, elle sera moins portée à contracter les muscles du thorax pendant qu'elle respire. Quand la personne est en position semi-Fowler, l'air résiduel peut monter dans le haut de la cavité pleurale et être évacué par le drain thoracique supérieur.	
3. Examiner la région de l'incision toutes les 8 heures à la recherche des signes d'infection suivants: rougeurs, chaleur, induration, œdème, séparation des lèvres de la plaie ou écoulement.	3. Ces signes peuvent indiquer une infection.	
4. Demander au médecin de prescrire l'utilisation d'un dispositif d'autoanalgésie, si besoin est.	4. Quand la personne peut décider de la fréquence d'administration et des doses des analgésiques, elle se sent mieux et observe plus volontiers le plan thérapeutique.	
Diagnostic infirmier: anxiété, reliée au résultat de l'intervention chirurgicale, à la douleur et à l'utilisation de divers appareils **Objectif:** réduire l'anxiété		
1. Expliquer à la personne toutes les interventions en employant des termes simples.	1. Lorsqu'on lui explique simplement à quoi elle doit s'attendre, la personne est moins anxieuse et collabore davantage à ses soins.	■ La personne dit que son degré d'anxiété est supportable. ■ La personne collabore avec l'équipe de soins à la mise en œuvre du plan thérapeutique. ■ La personne adopte des stratégies d'adaptation appropriées (elle exprime ses sentiments, prend des mesures pour soulager la douleur, s'appuie sur son réseau de soutien, comme les proches et les membres du clergé). ■ La personne montre qu'elle comprend les principes de fonctionnement des appareils utilisés pour les soins.
2. Évaluer la douleur et administrer des analgésiques, surtout avant une intervention qui risque d'être douloureuse.	2. Si on administre des analgésiques avant une intervention ou une activité douloureuse, la personne se sentira mieux et ne s'inquiétera pas inutilement.	
3. Mettre hors circuit les sonneries et les clignotants *non essentiels* des différents appareils (appareils de monitorage, respirateurs).	3. Les sonneries et les clignotants *non essentiels* risquent de provoquer une surcharge sensorielle et d'accroître l'anxiété de la personne.	
4. Encourager et soutenir la personne lorsqu'elle commence à augmenter son niveau d'activité.	4. Le renforcement positif aide la personne à se motiver et à devenir plus autonome.	
5. Faire appel à toutes les personnes (proches, membre du clergé, travailleur social) susceptibles d'aider la personne à s'adapter aux conséquences de l'opération (diagnostic, changement dans les capacités fonctionnelles).	5. La démarche pluridisciplinaire aide la personne à utiliser ses forces et ses stratégies d'adaptation.	

Personne ayant subi une thoracotomie (*suite*)

INTERVENTIONS INFIRMIÈRES	JUSTIFICATIONS SCIENTIFIQUES	RÉSULTATS ESCOMPTÉS
Diagnostic infirmier: mobilité des membres supérieurs réduite, reliée à l'intervention chirurgicale **Objectif:** accroître la mobilité de l'épaule et du bras touchés		
1. Aider la personne à recouvrer l'amplitude de mouvement et le fonctionnement de l'épaule et du tronc du côté opéré. a) Enseigner les exercices de respiration qui favorisent les mouvements du thorax. b) Inciter la personne à faire des exercices favorisant l'abduction et les mouvements de l'épaule (encadré 27-21). c) Aider la personne à se lever et à s'asseoir sur une chaise dès que les fonctions respiratoires et circulatoires sont stables (habituellement, le soir même de l'opération).	1. On aide ainsi la personne à retrouver la mobilité du bras et de l'épaule, on accélère son rétablissement et on réduit la douleur.	■ La personne fait une démonstration des exercices du bras et de l'épaule et dit qu'elle continuera de les exécuter après son départ de l'établissement. ■ La personne retrouve l'amplitude initiale de l'épaule et du bras.
2. Inciter la personne à augmenter graduellement son niveau d'activité, sans toutefois se fatiguer.	2. On accroît ainsi l'utilisation de l'épaule et du bras touchés.	
Diagnostic infirmier: risque de déficit de volume liquidien, relié à l'intervention chirurgicale **Objectif:** maintenir un volume hydrique approprié		
1. Mesurer et noter les ingesta et les excreta toutes les heures. Le débit urinaire après l'intervention devrait être d'au moins 30 mL/h.	1. Les besoins en liquides peuvent se modifier avant, pendant et après l'opération; il faut donc évaluer les besoins liquidiens de la personne et sa réaction à la thérapie liquidienne.	■ La personne est suffisamment hydratée, comme le prouvent: • un débit urinaire > 30 mL/h; • des signes vitaux stables, une fréquence cardiaque et une pression veineuse centrale proches de la normale; • un œdème périphérique peu marqué.
2. Administrer les composants sanguins, les diurétiques ou les liquides par voie parentérale, selon l'ordonnance, pour rétablir et pour maintenir le volume liquidien.	2. Il y a toujours un risque d'œdème pulmonaire dû à la transfusion ou à une surcharge liquidienne; après une pneumonectomie, le système vasculaire pulmonaire est considérablement réduit.	
Diagnostic infirmier: connaissances insuffisantes sur les soins à domicile **Objectif:** accroître sa capacité de poursuivre les soins à domicile		
1. Inciter la personne à faire à la maison ses exercices du bras et de l'épaule, 5 fois par jour.	1. Les exercices aident la personne à recouvrer plus rapidement sa fonction musculaire et à éviter que les douleurs et la gêne postopératoires ne se prolongent indûment.	■ La personne effectue les exercices recommandés pour le bras et l'épaule. ■ Elle explique pourquoi il est important d'essayer de se tenir droite. ■ Elle explique pourquoi il est important de soulager la douleur, d'entrecouper les périodes de marche de périodes de repos, de faire les exercices de respiration, de ne pas soulever d'objets lourds, de ne pas trop se fatiguer, d'éviter les substances irritantes pour les bronches, de prévenir les rhumes ou les infections respiratoires, de se faire vacciner contre la grippe, de respecter ses rendez-vous de suivi et de cesser de fumer.
2. Recommander à la personne de s'exercer à se tenir droite devant un grand miroir.	2. La personne retrouvera ainsi plus rapidement une posture normale.	
3. Enseigner à la personne les mesures de soins à domicile suivantes:	3. Le rétablissement de la personne sera accéléré si elle sait à quoi s'attendre.	
a) Soulager la douleur intercostale à l'aide de compresses chaudes ou d'analgésiques oraux.	a) La région opérée peut rester endolorie pendant quelques semaines.	
b) Alterner périodes d'activité et fréquentes périodes de repos.	b) La faiblesse et la fatigue sont courantes au cours des 3 premières semaines.	
c) Poursuivre les exercices de respiration à la maison.	c) La personne doit respirer efficacement pour éviter une contracture réflexe douloureuse du côté atteint, laquelle peut entraîner une atélectasie.	
d) Attendre que la plaie soit complètement guérie avant de soulever des poids lourds.	d) Les muscles thoraciques peuvent être affaiblis et la région opérée peut rester sensible pendant 3 à 6 mois.	
e) Éviter de trop se fatiguer, de s'essouffler et de faire des activités qui provoquent des douleurs thoraciques.	e) Un excès de stress peut prolonger inutilement la convalescence.	
f) Éviter les substances qui irritent les bronches.	f) Les poumons de la personne sont plus sensibles aux substances irritantes.	
g) Prévenir les rhumes ou les infections pulmonaires.	g) Le risque d'infection pulmonaire est accru pendant la convalescence.	
h) Se faire vacciner tous les ans contre la grippe.	h) La vaccination aide à prévenir la grippe.	
i) Respecter les rendez-vous de suivi médical.	i) Le suivi est effectué aux moments opportuns.	
j) Cesser de fumer.	j) Le tabagisme ralentit le processus de guérison, car il diminue l'apport en oxygène aux tissus et prédispose les poumons aux infections et à d'autres complications.	

EXERCICES D'INTÉGRATION

1. Une oxygénothérapie a été prescrite aux personnes suivantes: une personne âgée de 45 ans ayant subi l'ablation du lobe supérieur droit (le chirurgien lui a recommandé une oxygénothérapie de courte durée à faible débit); une personne âgée de 62 ans atteinte de BPCO grave, qui a été hospitalisée pour la quatrième fois cette année; et une personne âgée de 74 ans souffrant de dyspnée en raison d'un cancer du poumon au stade avancé. Quelles explications donnerez-vous à chacune de ces personnes et aux membres de leur famille, et quelles précautions doivent-ils prendre?
2. La personne dont vous assurez les soins vient de sortir de la salle d'opération après une intervention thoracique au cours de laquelle on lui a installé un tube endotrachéal, un drain thoracique et deux intraveineuses. Cette personne est également sous surveillance ECG. Quelles sont les évaluations et les interventions prioritaires chez cette personne?
3. La personne dont vous assurez les soins a subi une thoracotomie, il y a moins de 24 heures. Elle porte un drain thoracique du côté droit. Dans chacune des circonstances suivantes, quelles sont les interventions indiquées, et pour quelles raisons?
   a) Au cours des 8 dernières heures, plus de 500 mL d'écoulements séreux se sont accumulés dans le récipient de drainage.
   b) On observe un bouillonnement continu dans la chambre de scellé sous l'eau.
   c) La personne signale qu'elle a mal et qu'elle souffre de dyspnée; on ne décèle pas de bruits pulmonaires du côté droit du thorax.
4. Le médecin recommande à une personne qui quitte le centre hospitalier une oxygénothérapie à domicile (à raison de 2 L/min par canule nasale). C'est la première fois que cette personne est soumise à une oxygénothérapie. Rédigez le plan d'enseignement de l'oxygénothérapie à domicile que vous devrez lui présenter avant qu'elle rentre chez elle.
5. Une personne qui porte un drain thoracique depuis 8 heures et qui est en état de confusion mentale retire le drain du système de drainage. Quelles interventions immédiates s'imposent? Une fois que vous aurez pris les mesures immédiates, quelles sont les évaluations et les interventions nécessaires?

RÉFÉRENCES BIBLIOGRAPHIQUES

en anglais • en français

L'astérisque indique un compte rendu de recherche en soins infirmiers.

Abraham, I., Bottrell, M., Fulmer, T., & Mezey, M. (1999). *Geriatric nursing protocols for best practice.* New York: Springer.

Association nationale pour le traitement à domicile de l'insuffisance respiratoire chronique (France). *Guide du trachéotomisé* (page consultée le 9 septembre 2005), [en ligne], http://www.antadir.com/internet/guides/guidetra/indx_tra.htm.

Baker, S., & Flynn, M.B. (1999). New hope for patients with emphysema: Lung volume reduction surgery. *Heart and Lung, 28*(6), 455–458.

Bar-El, Y., Ross, A., Kablawi, A., & Egenburg, S. (2001). Potentially dangerous negative intrapleural pressures generated by ordinary pleural drainage systems. *Chest, 119*(2), 511–514.

Belleau, R., Bérubé, C., Fournier, M.C., Bellavance, J.C., et Leclère, H. (1999). *Apprendre à vivre avec la bronchite chronique ou l'emphysème pulmonaire.* Québec: Presses de l'Université Laval.

Bliss, P., McCoy, R., & Adams, A. (1999). A bench study of comparison of demand oxygen delivery systems and continuous flow oxygen. *Respiratory Care, 44*(8), 925–929.

Boutaut, D., et Morin, G. (1997). *Le contrôle de qualité en ventilation assistée* (page consultée le 9 septembre 2005), [en ligne], http://www.utc.fr/~farges/spibh/1997/Projets/CQVA/CQVA.htm.

Cairo, J., & Pilbeam, S. (1999). *Respiratory care equipment.* St. Louis: Mosby.

Carroll, P. (2000). Exploring chest drain options. *RN, 63*(10), 50–58.

Cirino, L., Campos, J., Fernandez, A., Samano, M., Fernandez, P., Filomeno, L., & Jatene, F. (2000). Diagnosis and treatment of mediastinal tumors by thoracoscopy. *Chest, 117*(6), 1787–1792.

Coutant, G. (2004). *La ventilation artificielle* (page consultée le 9 septembre 2005), [en ligne], http://www.infirmiers.com/etud/cours/urgrea/respirateur.php.

Cull, C., & Inwood, H. (1999). Extubation in ICU: Enhancing the nursing role. *Professional Nurse, 14*(9), 535–538.

Ecklund, M. (1999). Successful outcomes for the ventilator-dependent patient. *Critical Care Nursing Clinics of North America, 11*(2), 249–260.

Eliopoulos, C. (2001). *Gerontological nursing.* Philadelphia: Lippincott Williams & Wilkins.

Finkelmeier, B. (2000). *Cardiothoracic-surgical nursing.* Philadelphia: Lippincott Williams & Wilkins.

Giannouli, E., Webster, K., Roberts, D., & Younes, M. (1999). Response of ventilator-dependent patients to different levels of pressure support and proportional assist. *American Journal of Respiratory and Critical Care Medicine, 159*(6), 1716–1725.

Godard, P. (2002). *Soins infirmiers aux personnes atteintes d'affections respiratoires* (3e éd.). Paris: Masson.

Happ, M. B. (2000). Preventing treatment interference:The nurse's role in maintaining technologic devices. *Heart & Lung, 29*(1), 60–69.

*Kinloch, D. (1999). Instillation of normal saline during endotracheal suctioning: Effects on mixed venous oxygen saturation. *American Journal of Critical Care, 8*(4), 231–240.

LeFever, J., & Hayes, E. (2000). *Pharmacology: A nursing process approach.* Philadelphia: W.B. Saunders.

Lutz, C., & Przytulski, K. (2001). *Nutrition and diet therapy.* Philadelphia: F.A. Davis.

Mallay, D. (dir.; 1999). *Pneumologie.* Paris: Estem.

McConnell, E.A. (2000). Do's and don'ts. Suctioning a tracheostomy. *Nursing, 30*(1), 79–80.

McKenry, L., & Salerno, E. (2001). *Pharmacology in nursing.* St. Louis: Mosby.

National Institutes of Health (2001). *National emphysema treatment trial (NETT): Evaluation of lung volume reduction surgery for emphysema.* June 20, 2001. http://www.nhlbi.nih.gov/health/prof/lung/nett/lvrsweb.htm.

Perkins, L., & Shortall, S.P. (2000). Ventilation without intubation. *RN, 63*(1), 34–39.

Scanlan, C., Wilkins, R., & Stoller, J. (1999). *Fundamentals of respiratory care.* St. Louis: Mosby.

Schwartz, J. (2000). Role of polyunsaturated fatty acids in lung disease. *American Journal of Clinical Nutrition, 71*(1), 393–396.

Similowski, T., Muir, J.F., et Derenne, J.P. (1999). *Les bronchopneumopathies chroniques obstructives.* Paris: John Libbey Eurotext.

Smith, T., & Matti, A.M. (1999). Respiratory care. Air apparent long-term oxygen therapy. *Nursing Times, 95*(41), 34–38.

St. John, R.E. (1999b). Protocols for practice: applying research at the bedside. Airway management. *Critical Care Nurse, 19*(4), 79–83.

Tasota, F.J., & Dobbin, K. (2000). Weaning your patient from mechanical ventilation. *Nursing, 30*(10), 41–47.

Takezawa, J. (2000). Hyperbaric oxygen therapy. *Critical Care Alert, 8*(8), 88–93.

Télion, C., Incagnoli, P., et Carli, P. (2002). *Prise en charge de la détresse respiratoire traumatique en préhospitalier: quand et comment drainer* (page consultée le 9 septembre 2005), [en ligne], http://www.sfar.org/sfar_actu/mu02/html/mu02_02/urg02_02.htm.

Valenzuela, R., & Rosen, D. (1999). Topical lidocaine-prilocaine cream (EMLA) for thoracostomy tube removal. *Anesthesia and Analgesia, 88*(1), 1107–1108.

Wikipédia. L'encyclopédie libre (2005). Ventilation mécanique (page consultée le 9 septembre 2005), [en ligne], http://fr.wikipedia.org/wiki/Ventilation_m%C3%A9canique.

Woodrow, P., & Roe, J. (2000). *Intensive care nursing: A framework for practice.* New York: Routledge.

Woodruff, D.W. (1999). How to ward off complications of mechanical ventilation. *Nursing, 29*(11), 34–39.

Zang, S., & Allender, J. (1999). *Home care of the elderly.* Philadelphia: Lippincott Williams & Wilkins.

Zevola, D.R., & Maier, B. (1999). Improving the care of cardiothoracic surgery patients through advanced nursing skills. *Critical Care Nurse, 19*(1), 34–36.

En complément de ce chapitre, vous trouverez sur le Compagnon Web :

- une bibliographie exhaustive ;
- des ressources Internet.

PARTIE 6

Fonctions cardiovasculaire et hématologique

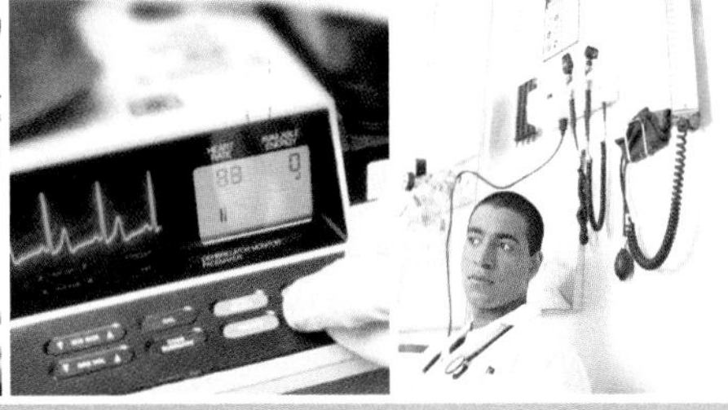

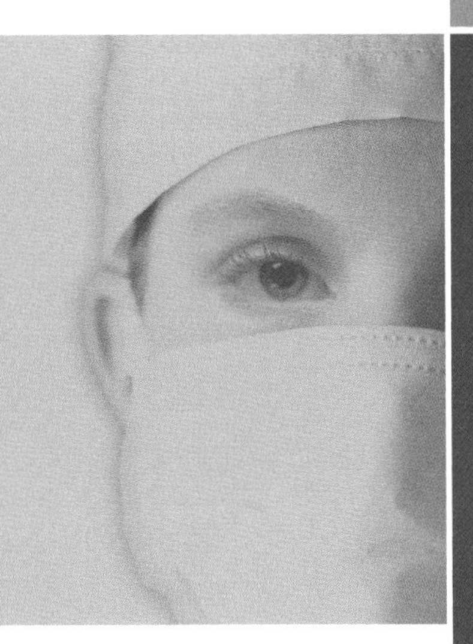

Adaptation française
Lyne Cloutier, inf., M.Sc.
Professeure, Département des sciences infirmières – Université du Québec à Trois-Rivières

CHAPITRE 28

Évaluation de la fonction cardiovasculaire

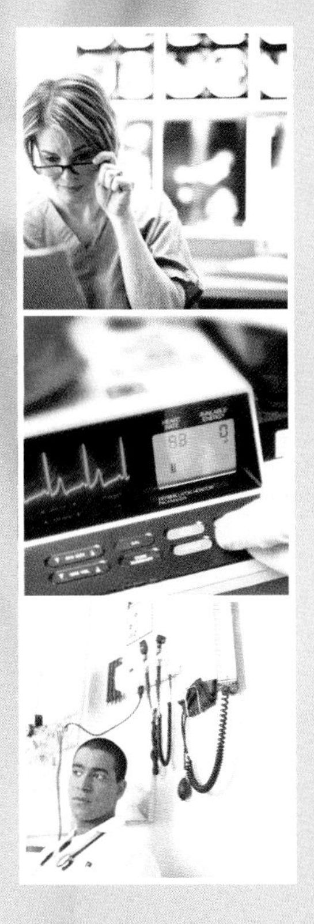

Objectifs d'apprentissage

Après avoir étudié ce chapitre, vous pourrez :

1. Expliquer la physiologie cardiaque en fonction de l'anatomie et du système de conduction cardiaques.
2. Intégrer l'évaluation de la capacité fonctionnelle et des facteurs de risque de maladie cardiovasculaire dans l'anamnèse et dans l'examen physique de la personne.
3. Expliquer le rôle des divers examens paracliniques dans l'établissement du bilan de la fonction cardiovasculaire et déterminer les interventions infirmières liées à ces examens.
4. Exposer l'utilité clinique, ainsi que les complications possibles, du monitorage de la pression veineuse centrale, de la pression artérielle pulmonaire et de la pression artérielle systémique, et décrire le rôle de l'infirmière dans ces interventions.

Tout au long du continuum des soins, les personnes atteintes d'une maladie cardiovasculaire (MCV), soit d'une affection touchant le cœur et les principaux vaisseaux, doivent faire l'objet des mêmes évaluations, qu'elles soient soignées à domicile, dans un établissement hospitalier ou dans un centre de réadaptation. L'examen clinique de la fonction cardiovasculaire comporte principalement l'anamnèse, l'examen physique et l'interprétation des résultats d'un certain nombre d'examens paracliniques. Une évaluation précise de la fonction cardiovasculaire, effectuée au moment opportun, fournit toutes les données nécessaires à l'établissement d'un plan de soins et de traitements infirmiers. Elle permet aussi de mesurer la réponse de la personne aux soins qu'elle a reçus. Pour acquérir les compétences nécessaires à une telle évaluation, l'infirmière doit connaître la structure et le fonctionnement d'un cœur sain et d'un cœur malade.

Anatomie et physiologie

Le cœur est un muscle creux, situé au centre de la cage thoracique, dans le médiastin (entre les deux poumons), et reposant sur le diaphragme. Le cœur pèse 300 g environ, mais son poids ainsi que sa taille varient selon l'âge, le sexe, la masse corporelle, l'intensité de l'activité physique et la présence d'une MCV. Le cœur pompe le sang qui irrigue les tissus et leur fournit l'oxygène et les autres éléments nutritifs.

VOCABULAIRE

Barorécepteurs: terminaisons nerveuses situées dans l'arc aortique et dans les artères carotides, qui assurent la régulation réflexe de la pression artérielle.

Bruits cardiaques normaux: phénomènes sonores produits par la fermeture des valvules cardiaques. Les bruits normaux sont le B1 (fermeture des valvules auriculoventriculaires) et le B2 (fermeture des valvules sigmoïdes).

Cathétérisme cardiaque: intervention effractive qui permet de mesurer la pression dans les cavités du cœur et de vérifier la perméabilité des artères coronaires.

Choc de pointe (aussi appelé choc apexien): pulsation entraînée par la contraction du ventricule gauche et perçue habituellement au niveau du cinquième espace intercostal, à gauche de la ligne médioclaviculaire.

Contractilité: capacité du muscle cardiaque à se raccourcir en réaction à une impulsion électrique.

Débit cardiaque: quantité de sang pompé par chaque ventricule, exprimée en litres par minute. Le débit cardiaque normal moyen d'un cœur adulte au repos est de 5 L par minute.

Dépolarisation: activation du potentiel électrique d'une cellule, générée par le courant d'entrée des ions sodium et le courant de sortie des ions potassium.

Diastole: phase de relâchement du ventricule, pendant laquelle il se remplit de sang.

Épreuve d'effort: technique d'exploration cardiaque qui permet d'évaluer le fonctionnement du cœur au cours d'une période de forte demande en oxygène.

Fraction d'éjection: pourcentage du volume de sang en fin de diastole expulsé par le ventricule à chaque contraction.

Hypertension: pression artérielle supérieure à 140/90 mm Hg.

Hypotension: chute de la pression artérielle au-dessous de 100/60 mm Hg.

Hypotension orthostatique (posturale): chute importante de la pression artérielle (habituellement de l'ordre de 15 mm Hg ou plus), provoquée par le passage de la position couchée à la position debout.

Ischémie myocardique: atteinte des cellules du myocarde due à un apport insuffisant de sang oxygéné.

Monitorage hémodynamique: mesure de la fonction cardiaque à l'aide de divers appareils de surveillance.

Myocarde: tissu musculaire spécialisé, dont la fonction est de pomper le sang.

Nœud sinusal: stimulateur naturel du cœur, situé dans l'oreillette droite.

Postcharge: résistance qui s'oppose à l'éjection du sang des ventricules.

Précharge: degré d'étirement des fibres musculaires du cœur en fin de diastole.

Radio-isotopes: atomes instables émettant de faibles quantités d'énergie sous forme de rayons gamma; on les utilise dans les examens de médecine nucléaire.

Rapport international normalisé (RIN): système de standardisation du temps de prothrombine, visant à éliminer les écarts existant entre les résultats des examens réalisés dans divers laboratoires.

Repolarisation: phase correspondant au retour de la cellule à son potentiel de repos; elle se produit au moment où les ions potassium rentrent dans la cellule et où les ions sodium en sortent.

Souffle: bruit anormal, provoqué par une turbulence du courant sanguin qui traverse le cœur ou un vaisseau.

Système de conduction cardiaque: système formé par des cellules spécialisées, situées à des points stratégiques du muscle cardiaque, dont le rôle est de générer et de coordonner les impulsions électriques transmises aux cellules du myocarde.

Systole: phase de la contraction ventriculaire entraînant l'éjection du sang des ventricules dans l'artère pulmonaire et l'aorte.

Télémétrie: méthode de monitorage électrocardiographique en continu par des ondes radioélectriques transmises à partir d'un émetteur à piles que la personne porte sur elle ou d'un moniteur situé à distance.

Vasodilatateur: médicament qui entraîne la dilatation des veines.

Volume d'éjection systolique: quantité de sang expulsé d'un ventricule pendant la systole; le volume normal est de 70 mL, lorsque le cœur est au repos.

Le pompage du sang s'effectue par des contractions et des relâchements rythmiques du muscle de la paroi du cœur. Au cours de la **systole** (contraction du muscle), les cavités du cœur sont comprimées, ce qui leur permet d'éjecter le sang. Au cours de la **diastole** (relâchement du muscle), les cavités se remplissent de sang en prévision de l'éjection suivante. Chez l'adulte normal au repos, le cœur bat de 60 à 80 fois par minute. Chaque ventricule éjecte environ 70 mL de sang par battement, avec un débit moyen de 5 L par minute environ.

Anatomie du cœur

Le cœur est formé de trois tuniques (figure 28-1 ■). La tunique interne, l'endocarde, est formée de tissu endothélial et tapisse l'intérieur du cœur et les valvules. La tunique du milieu, le myocarde, est constituée de fibres musculaires et c'est elle qui assure le pompage du sang. La tunique externe, l'épicarde, est formée de tissus conjonctifs auxquels la face externe du cœur doit sa texture lisse.

Le cœur est enveloppé d'une membrane, appelée *péricarde*, formée de deux couches : le péricarde viscéral et le péricarde pariétal. Le péricarde viscéral adhère à l'épicarde ; il est entouré du péricarde pariétal, tissu fibreux résistant qui s'attache aux gros vaisseaux, au diaphragme, au sternum et à la colonne vertébrale. Le péricarde pariétal ancre le cœur dans le médiastin. L'espace compris entre ces deux couches (cavité péricardique) contient environ 30 mL d'un liquide qui lubrifie la surface du cœur et réduit la friction au cours de la systole.

Cavités du cœur

Les quatre cavités du cœur forment les systèmes de pompage droit et gauche. Le sang veineux (désoxygéné) est acheminé par l'artère pulmonaire aux poumons où il sera oxygéné (circulation pulmonaire) ; il traverse le côté droit du cœur, qui est constitué d'une oreillette et d'un ventricule. L'oreillette droite reçoit le sang de la veine cave supérieure (tête, cou et membres supérieurs), de la veine cave inférieure (tronc et membres inférieurs) et du sinus coronaire (circulation

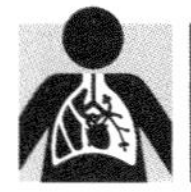

PHYSIOLOGIE/PHYSIOPATHOLOGIE

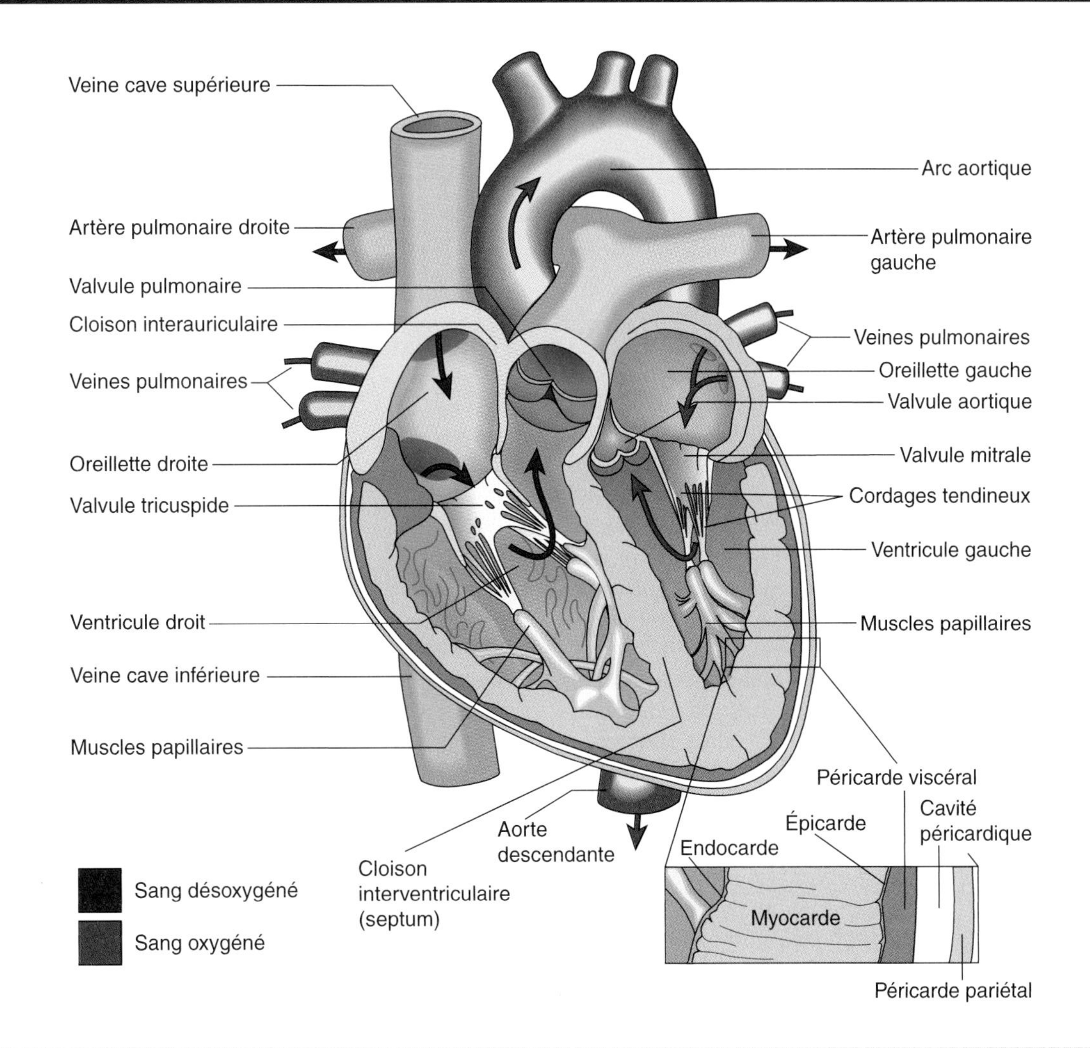

FIGURE 28-1 ■ Structure du cœur. Les flèches indiquent le sens de la circulation du sang à travers les cavités cardiaques.

coronaire). Le côté gauche du cœur est composé, lui aussi, d'une oreillette et d'un ventricule. Le ventricule gauche assure l'acheminement du sang oxygéné vers le reste de l'organisme par l'aorte (circulation systémique). L'oreillette gauche reçoit le sang oxygéné de la circulation pulmonaire par les quatre veines pulmonaires. Le lien entre les quatre cavités du cœur est illustré à la figure 28-1.

L'épaisseur des parois des cavités du cœur est fonction de la charge de travail dévolue à chaque cavité. Les oreillettes ont une paroi plus mince que les ventricules parce que la pression qu'elles doivent exercer pour retenir le sang et le diriger vers les ventricules est faible. Les parois ventriculaires sont plus épaisses parce que la pression qui s'exerce durant la systole est plus forte. La paroi du ventricule gauche, qui doit surmonter la forte pression artérielle systémique pour éjecter le sang, est deux fois et demie plus épaisse que celle du ventricule droit.

En raison de la position désaxée du cœur dans la cavité thoracique, le ventricule droit se trouve à l'avant (juste en dessous du sternum) et le ventricule gauche à l'arrière. La contraction du ventricule gauche entraîne le **choc de pointe** (choc apexien), une pulsation normalement perçue au niveau du cinquième espace intercostal, à gauche de la ligne médioclaviculaire gauche.

Valvules cardiaques

Les quatre valvules cardiaques servent à empêcher le reflux du sang. Composées de minces feuillets de tissu fibreux, elles s'ouvrent et se ferment en fonction des changements de pression dans les cavités du cœur et du sens de la circulation. Les valvules cardiaques sont de deux types : auriculoventriculaires et sigmoïdes (semi-lunaires).

Valvules auriculoventriculaires

Les valvules auriculoventriculaires séparent les oreillettes des ventricules. La valvule tricuspide, ainsi appelée parce qu'elle est composée de trois feuillets, sépare l'oreillette droite du ventricule droit. La valvule mitrale ou bicuspide (composée de deux feuillets) sépare l'oreillette gauche du ventricule gauche (figure 28-1).

Normalement, quand le ventricule se contracte, la pression ventriculaire s'élève, et les feuillets des valvules auriculoventriculaires se ferment. Deux structures complémentaires, les muscles papillaires et les cordages tendineux, assurent l'ouverture et la fermeture des valvules. Les muscles papillaires, situés sur les côtés des parois ventriculaires, sont reliés aux valvules par de minces cordelettes fibreuses, appelées cordages tendineux. Pendant la systole, la contraction des muscles papillaires resserre les cordages tendineux, ce qui permet aux feuillets valvulaires de rester bien fermés.

Valvules sigmoïdes

Les deux valvules sigmoïdes sont composées de trois goussets semi-lunaires. La valvule pulmonaire sépare le ventricule droit de l'artère pulmonaire, et la valvule aortique sépare le ventricule gauche de l'aorte.

Artères coronaires

Les artères coronaires gauche et droite et leurs branches (figure 28-2 ■) alimentent le cœur en sang artériel. Les artères coronaires prennent naissance dans l'aorte, juste au-dessus de la valvule aortique. Le cœur a des besoins métaboliques considérables puisqu'il assure l'extraction d'approximativement 70 à 80 % de l'oxygène fourni au corps (contre 25 % en moyenne pour les autres organes). Contrairement aux autres artères, les artères coronaires sont irriguées pendant la diastole. Une élévation de la fréquence cardiaque raccourcit la diastole et peut ainsi diminuer l'irrigation du myocarde, d'où un risque d'**ischémie myocardique** (apport insuffisant en oxygène) lorsque la fréquence cardiaque s'accélère, particulièrement chez les personnes atteintes de coronaropathie.

L'artère coronaire gauche se divise en deux branches principales. La partie située entre le point d'origine et la jonction porte le nom de tronc commun de l'artère coronaire gauche. Ce tronc se divise à son tour en deux branches : l'artère interventriculaire antérieure, qui suit la paroi antérieure du cœur, et l'artère circonflexe, qui contourne la paroi latérale du côté gauche du cœur.

Le côté droit du cœur est alimenté par l'artère coronaire droite, qui suit la bordure inférieure de la paroi cardiaque. La paroi postérieure du cœur est alimentée en sang par une autre branche de l'artère coronaire droite, appelée artère interventriculaire postérieure.

Les veines coronaires chevauchent les artères coronaires. Le sang veineux qu'elles transportent retourne au cœur principalement par le sinus coronaire, situé derrière l'oreillette droite.

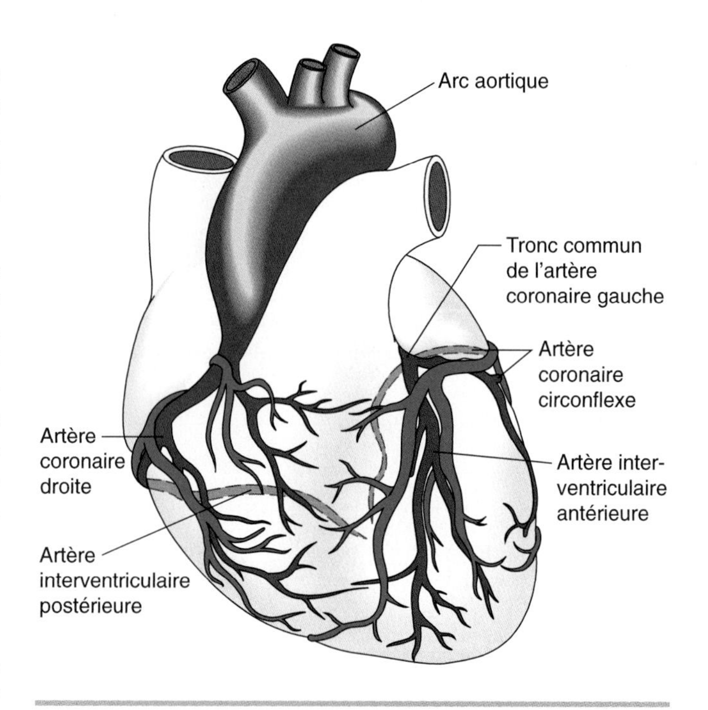

FIGURE 28-2 ■ Artères coronaires (*en rouge*), qui partent de l'aorte et entourent le cœur. Veines coronaires (*en bleu*).

Muscle cardiaque

Le **myocarde** est formé d'un tissu musculaire spécialisé. Vu au microscope, ce tissu a l'aspect d'un muscle strié (muscle squelettique, dont la contractilité est volontaire). Mais la contractilité du myocarde est totalement involontaire et il ressemble, sur le plan fonctionnel, à un muscle lisse. Les fibres du myocarde sont groupées en faisceaux et forment un syncytium, ce qui leur permet de se contracter et de se relâcher de façon coordonnée. Ces séquences de contractions et de relâchements coordonnés des fibres musculaires individuelles assurent le fonctionnement rythmique du myocarde dans sa globalité et le pompage efficace du sang.

FONCTION CARDIAQUE ET SYSTÈME DE CONDUCTION

Le rôle des cellules spécialisées du **système de conduction cardiaque** est de générer et de coordonner de façon méthodique les impulsions électriques transmises aux cellules du myocarde. Il en résulte des contractions auriculoventriculaires séquentielles, qui assurent l'écoulement sanguin le plus efficace, optimisant ainsi le débit cardiaque. Cette coordination est possible parce que les cellules chargées de la conduction cardiaque présentent les trois caractéristiques physiologiques suivantes:

- *Automaticité* Capacité de générer une impulsion électrique
- *Excitabilité* Capacité de réagir à une impulsion électrique
- *Conductivité* Capacité de transmettre une impulsion électrique d'une cellule à l'autre

Le **nœud sinusal**, aussi appelé nœud sinoauriculaire ou nœud de Keith et Flack, est le principal pacemaker (centre rythmogène) du cœur; il est situé au point de jonction de la veine cave supérieure et de l'oreillette droite (figure 28-3 ■). Dans un cœur normal au repos, le nœud sinusal génère de 60 à 100 impulsions par minute, mais cette fréquence peut changer en fonction des besoins métaboliques de l'organisme.

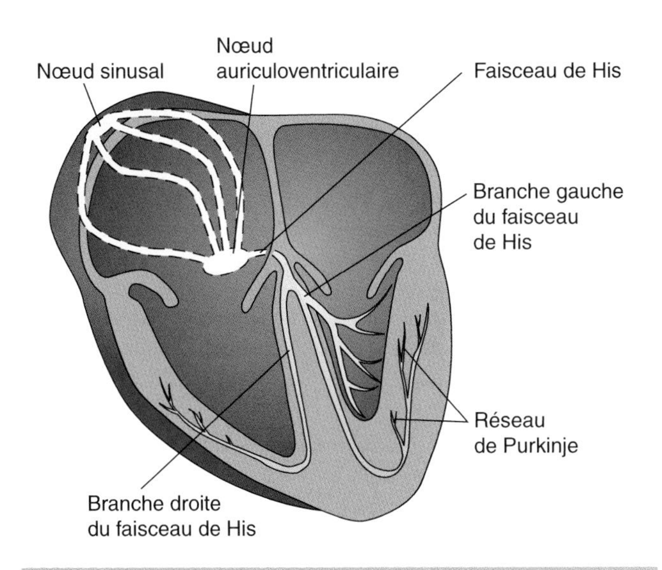

FIGURE 28-3 ■ Système de conduction cardiaque.

Les impulsions électriques générées par le nœud sinusal sont transmises d'une cellule du myocarde à l'autre par des voies spécialisées, appelées voies internodales. Ces impulsions stimulent les cellules des oreillettes, entraînant ainsi leur contraction. Elles sont ensuite transmises vers le nœud auriculoventriculaire (nœud AV), ou nœud d'Ashoff-Tawara, qui se situe dans la paroi de l'oreillette droite, près de la valvule tricuspide. Le nœud AV est formé d'un autre groupe de cellules musculaires spécialisées, similaires à celles qui forment le nœud sinusal. Le nœud AV coordonne les impulsions électriques générées par les oreillettes et, après un léger retard (qui donne à l'oreillette le temps de se contracter et au ventricule le temps de se remplir), les transmet aux ventricules. Ces impulsions empruntent ensuite un faisceau de cellules de conduction spécialisées (faisceau de His), qui traverse la paroi séparant les oreillettes des ventricules. Le faisceau de His se divise en deux branches: la branche droite (qui transmet les impulsions au ventricule droit) et la branche gauche (qui transmet les impulsions au ventricule gauche). Pour transmettre les impulsions à la cavité la plus grande du cœur, la branche gauche du faisceau de His se divise en deux autres branches: la branche antérieure gauche et la branche postérieure gauche. Les impulsions traversent les branches du faisceau de His et arrivent au point terminal du système de conduction, appelé réseau de Purkinje. C'est là que les cellules du myocarde sont stimulées, entraînant la contraction ventriculaire.

La fréquence cardiaque est déterminée par les cellules myocardiques ayant la fréquence intrinsèque la plus rapide. Dans des circonstances normales, c'est le nœud sinusal qui a la fréquence intrinsèque la plus rapide (de 60 à 100 impulsions par minute), suivi par le nœud AV (de 40 à 60 impulsions par minute) et par le pacemaker ventriculaire, qui a la fréquence intrinsèque la plus faible (de 30 à 40 impulsions par minute). En cas de dysfonctionnement du nœud sinusal, le nœud AV prend généralement la relève. Si une défaillance des deux nœuds survient, un site rythmogène du ventricule prend la relève pour générer des impulsions à une fréquence de 30 à 40 battements par minute.

Physiologie de la conduction cardiaque

L'activité électrique du cœur est générée par le mouvement des ions (particules chargées, telles que le sodium, le potassium et le calcium) à travers la membrane cellulaire. Les variations du courant électrique enregistrées à l'intérieur d'une cellule donnée déterminent le potentiel d'action cardiaque (figure 28-4 ■).

Au repos, les cellules du muscle cardiaque sont polarisées, ce qui signifie qu'il y a une différence de potentiel électrique entre l'intérieur de la membrane, où la charge est négative, et l'extérieur, où la charge est positive.

Dès qu'une impulsion électrique est déclenchée, la perméabilité de la membrane change: le sodium pénètre rapidement dans la cellule, alors que le potassium en sort. Cet échange d'ions amorce la phase de **dépolarisation** (activation électrique de la cellule), au cours de laquelle la charge à l'intérieur de la cellule devient positive (figure 28-4). À la suite de la dépolarisation, le myocarde se contracte. L'interaction entre les changements qui affectent le voltage de la membrane et la

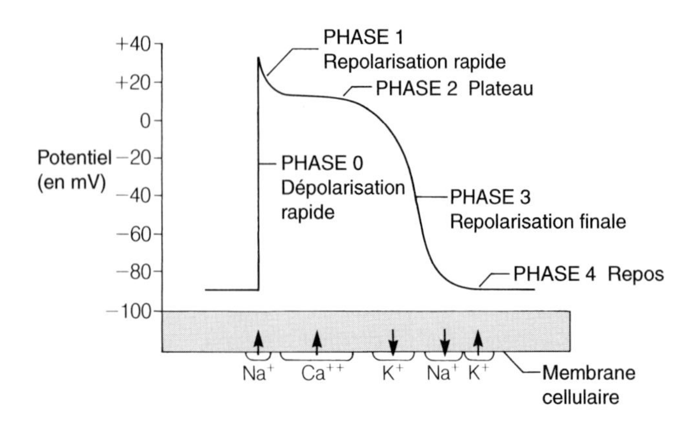

FIGURE 28-4 ■ Potentiel d'action du cœur. Les flèches indiquent la durée approximative et la direction du mouvement de chacun des ions qui modifie le potentiel électrique de la membrane. Sans qu'on en ait la certitude, on pense que les ions Ca^{++} sortent de la cellule au cours de la phase 4.

contraction du muscle porte le nom de couplage excitation-contraction. Lorsqu'une cellule du muscle cardiaque est dépolarisée, elle stimule la cellule voisine qui se dépolarise également. La dépolarisation d'une seule cellule spécialisée du système de conduction entraîne la dépolarisation et la contraction du myocarde entier. La **repolarisation** (retour de la cellule à la phase de repos) se produit au moment où la cellule revient à son état initial; cette phase correspond au relâchement du myocarde.

La membrane cellulaire devient plus perméable au calcium après l'afflux rapide de sodium dans la cellule, qui a lieu au cours de la dépolarisation. Le calcium pénètre dans la cellule et constitue les réserves intracellulaires d'où il sera libéré par la suite. L'afflux de calcium se produit au cours de la phase de plateau de la repolarisation; l'afflux de calcium est bien plus lent et dure plus longtemps que l'afflux de sodium.

Contrairement aux muscles squelettiques et aux muscles lisses, le muscle cardiaque connaît une période réfractaire prolongée pendant laquelle il ne peut pas se contracter. La période réfractaire se déroule en deux phases: la période réfractaire absolue et la période réfractaire relative. La période réfractaire absolue correspond à la dépolarisation et au début de la repolarisation: le cœur ne peut alors pas se contracter, quelle que soit la force du stimulus électrique qu'il reçoit. Cependant, vers la fin de la repolarisation, si le stimulus électrique est plus fort qu'un stimulus normal, le myocarde peut se contracter: ce court laps de temps porte le nom de période réfractaire relative.

La période réfractaire protège le cœur contre les contractions soutenues (tétanie), qui provoqueraient une mort cardiaque subite. Le couplage excitation-contraction et la contraction du muscle cardiaque dépendent de la composition du liquide interstitiel qui entoure les cellules musculaires. La composition de ce liquide dépend, quant à elle, de la composition du sang. Par conséquent, un changement de la concentration de calcium dans le sang peut perturber la contraction des fibres musculaires du cœur. Le potassium et le sodium influant sur le potentiel électrique de la cellule cardiaque, les changements dans la concentration de potassium ou de sodium dans le sang ont également leur importance.

Hémodynamique du cœur

La circulation du sang dans l'appareil cardiovasculaire est en grande partie régie par le principe selon lequel les liquides coulent d'une région où la pression est plus forte vers une région où la pression est plus faible. Les pressions qui déterminent le débit sanguin lorsque la circulation est normale sont générées pendant la systole et la diastole. La figure 28-5 ■ illustre les différences de pression dans les gros vaisseaux et les quatre cavités du cœur au cours de la systole et de la diastole.

Cycle cardiaque

Au moment de la systole, la pression ventriculaire s'élève rapidement, entraînant la fermeture des valvules auriculoventriculaires. Le sang ne peut plus ainsi passer des oreillettes vers les ventricules. L'élévation rapide de la pression dans les ventricules droit et gauche provoque l'ouverture des valvules pulmonaire et aortique: le sang est alors poussé d'une part vers l'artère pulmonaire, d'autre part vers l'aorte. Au début, le sang est chassé rapidement. Puis le débit sanguin ralentit graduellement, à mesure que les pressions s'équilibrent dans chacun des ventricules et dans l'artère correspondante. À la fin de la systole, la pression diminue rapidement dans les ventricules droit et gauche. De ce fait, la pression chute dans l'artère pulmonaire et dans l'aorte, ce qui entraîne la fermeture des valvules sigmoïdes et marque le début de la diastole.

Au cours de la diastole, lorsque les ventricules sont relâchés et les valvules auriculoventriculaires ouvertes, le sang qui provient des veines s'écoule dans les oreillettes, puis dans les ventricules. Vers la fin de la diastole, les muscles des oreillettes se contractent en réponse à un signal électrique déclenché par le nœud sinusal (systole auriculaire, ou *kick* auriculaire). La contraction qui en résulte élève la pression dans les oreillettes, chassant le sang dans les ventricules. La systole auriculaire accroît le volume de sang ventriculaire de 15 à 25 %. La systole ventriculaire s'amorce alors, en réponse à la propagation du signal électrique déclenché par le nœud sinusal quelques millisecondes plus tôt. Les pressions générées au cours de la systole et de la diastole sont décrites dans les sections suivantes.

Pressions dans les cavités du cœur Du côté droit du cœur, la pression générée au cours de la systole ventriculaire (de 15 à 25 mm Hg) est supérieure à la pression diastolique enregistrée dans l'artère pulmonaire (de 8 à 15 mm Hg), et le sang est propulsé dans la circulation pulmonaire. Au cours de la diastole, le sang veineux se déverse dans l'oreillette: la pression est en effet plus importante dans les veines caves supérieure et inférieure (de 8 à 10 mm Hg) que dans l'oreillette. Le sang traverse la valvule tricuspide ouverte et pénètre dans le ventricule droit jusqu'au moment où la pression devient identique dans les deux cavités droites (de 0 à 8 mm Hg).

On assiste aux mêmes phénomènes du côté gauche du cœur, mais les pressions sont plus élevées. À mesure qu'elle s'élève dans le ventricule gauche au cours de la systole (de 110 à 130 mm Hg), la pression dépasse la pression aortique au repos (80 mm Hg) et le sang est propulsé dans l'aorte. Pendant que le sang est expulsé du ventricule gauche, la

PHYSIOLOGIE/PHYSIOPATHOLOGIE

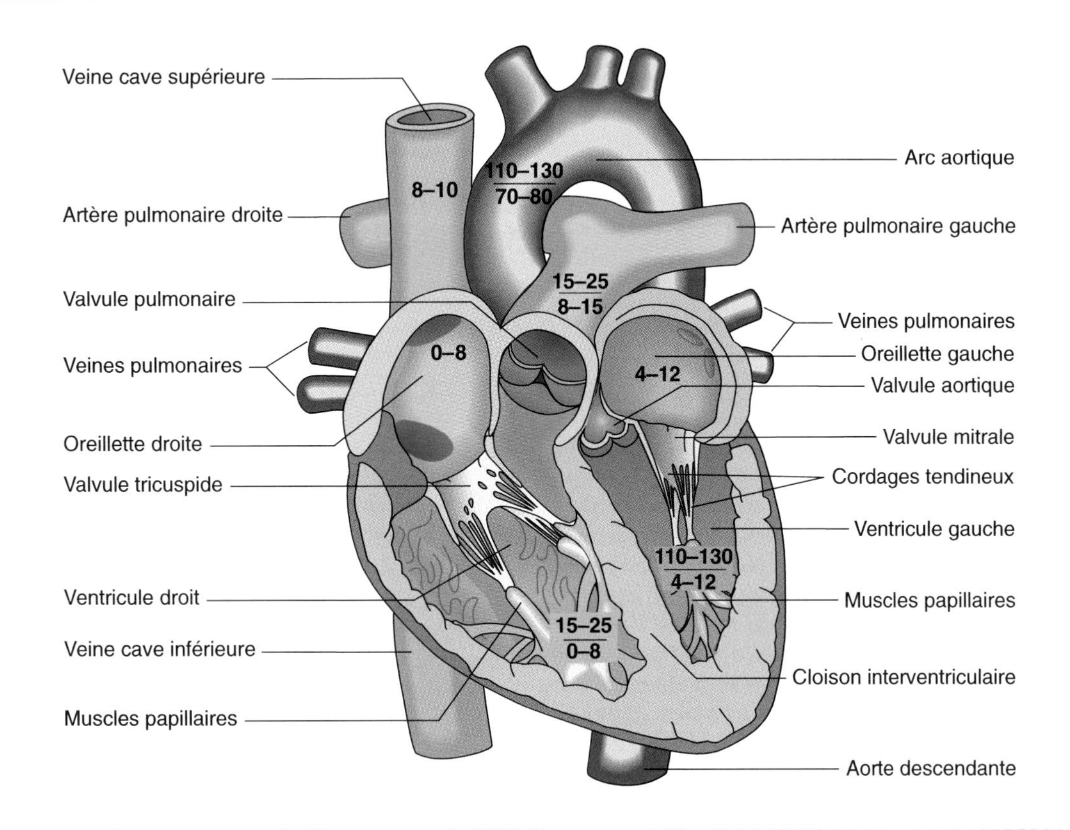

FIGURE 28-5 ■ Pressions enregistrées dans les gros vaisseaux et dans les cavités du cœur. Les pressions – la pression moyenne ou la pression systolique sur la pression diastolique – sont exprimées en millimètres de mercure (mm Hg).

pression aortique qui en résulte (de 110 à 130 mm Hg) fait graduellement passer le sang dans les artères. Le courant sanguin qui traverse l'aorte s'arrête lorsque le ventricule se relâche et que la pression chute. Au cours de la diastole, le sang oxygéné provenant de la circulation pulmonaire, qui est transporté par les quatre veines pulmonaires, s'écoule dans l'oreillette où la pression reste basse. Le sang s'écoule librement vers le ventricule gauche, car la pression ventriculaire est également basse. À la fin de la diastole, les pressions auriculaire et ventriculaire s'équilibrent (de 4 à 12 mm Hg). La figure 28-5 illustre les pressions systolique et diastolique enregistrées dans les quatre cavités du cœur.

Mesures de la pression On mesure la pression dans les cavités du cœur à l'aide de divers cathéters et d'un matériel de monitorage. Cette technique porte le nom de surveillance hémodynamique. Les infirmières qui soignent des personnes en phase critique doivent bien connaître les pressions normales enregistrées dans les cavités du cœur et les modifications hémodynamiques qui peuvent survenir au cours d'une maladie grave. Les données obtenues grâce à la surveillance hémodynamique aident à poser le diagnostic et à traiter les personnes dont l'état hémodynamique est instable. La surveillance hémodynamique est abordée plus en détail à la fin de ce chapitre.

Débit cardiaque

Le **débit cardiaque** est la quantité de sang expulsé par chaque ventricule pendant une période donnée. Chez l'adulte au repos, le débit cardiaque est de 5 L par minute environ, mais il peut varier considérablement selon les besoins métaboliques de l'organisme. On calcule le débit cardiaque en multipliant le volume d'éjection systolique par la fréquence cardiaque. Le **volume d'éjection systolique** est la quantité de sang expulsé lors de chaque battement du cœur. En moyenne, le volume d'éjection systolique au repos est de 70 mL par contraction ventriculaire, et la fréquence cardiaque de 60 à 80 battements par minute. Le débit cardiaque peut varier lorsque le volume d'éjection systolique ou la fréquence cardiaque change.

Régulation de la fréquence cardiaque

Le débit cardiaque doit s'adapter aux changements qui interviennent dans les besoins métaboliques des tissus. Par exemple, pendant un effort, le débit cardiaque total peut quadrupler pour atteindre 20 L par minute. Cette augmentation double normalement la fréquence cardiaque et le volume d'éjection systolique. Les modifications de la fréquence cardiaque dépendent des mécanismes de régulation régis par le système nerveux autonome, aussi bien sympathique que parasympathique. Les impulsions qui proviennent du système parasympathique, transmises au cœur par le nerf vague, peuvent ralentir la fréquence cardiaque, alors que celles provenant du système sympathique peuvent l'accélérer. Les modifications de la fréquence cardiaque entraînent, selon le cas, l'augmentation ou la diminution de la fréquence intrinsèque du nœud sinusal. La fréquence cardiaque est normalement déterminée par l'équilibre entre ces deux systèmes de régulation. Elle peut aussi être stimulée par l'élévation du taux de catécholamines en circulation (hormones sécrétées par les surrénales; adrénaline, noradrénaline) ou par un excès d'hormone thyroïdienne qui entraîne un effet semblable à celui des catécholamines.

La fréquence cardiaque dépend également du système nerveux central et de l'activité des barorécepteurs. Les **barorécepteurs** sont des cellules nerveuses spécialisées, situées dans l'arc aortique et dans les deux artères carotides internes (gauche et droite), au point de bifurcation de l'artère carotide commune. Les barorécepteurs réagissent aux changements de la pression artérielle. Lorsque la pression artérielle s'élève (**hypertension**), les barorécepteurs accélèrent la vitesse à laquelle ils envoient des impulsions électriques au cerveau, ce qui déclenche l'activité du système nerveux parasympathique et inhibe la réponse du système nerveux sympathique, abaissant ainsi la fréquence cardiaque et la pression artérielle. Le phénomène inverse se produit en cas d'**hypotension**. Les barorécepteurs sont alors moins stimulés, ce qui entraîne un ralentissement de l'activité parasympathique inhibitrice dans le nœud sinusal, d'où une intensification de l'activité sympathique. La vasoconstriction et la fréquence cardiaque accrue qui en résultent élèvent la pression artérielle.

Régulation du volume d'éjection systolique

Le volume d'éjection systolique est principalement déterminé par trois facteurs: la précharge, la postcharge et la contractilité.

La **précharge** est le degré d'étirement des fibres musculaires du cœur en fin de diastole. À la fin de la diastole, le volume de remplissage ventriculaire est à son pic et les fibres musculaires sont étirées au maximum. Le volume du sang qui se trouve dans le ventricule en fin de diastole est le facteur déterminant de la précharge. Cette dernière a un effet direct sur le volume systolique. À mesure que le volume du sang qui retourne au cœur augmente, les fibres musculaires s'étirent toujours davantage (précharge accrue), entraînant des contractions plus fortes et un volume systolique plus élevé. La loi de Starling rend compte de la relation existant entre le volume systolique et le volume ventriculaire en fin de diastole. Selon cette loi, cette relation se maintient jusqu'à ce que la limite physiologique du muscle soit atteinte.

La loi de Starling repose sur le fait que, dans ces limites, plus l'étirement initial des cellules du muscle cardiaque (sarcomères) est grand, plus le raccourcissement qui s'ensuit est important. Ce phénomène est dû à une interaction accrue entre les filaments minces et les filaments épais des sarcomères. La précharge diminue lorsque le volume du sang qui retourne dans les ventricules décroît, ainsi que sous l'effet de la diurèse, des **vasodilatateurs** (par exemple, des dérivés nitrés) ou d'une perte de sang ou de liquides physiologiques due à la diaphorèse, à une diarrhée ou à des vomissements importants. Inversement, la précharge augmente lorsque le volume du sang qui retourne dans les ventricules s'accroît ou lorsque des mesures sont prises pour contenir les pertes de sang et autres liquides physiologiques et les remplacer (par des transfusions sanguines ou des solutions administrées par voie intraveineuse).

Le volume systolique est également déterminé par la **postcharge**. La postcharge est la résistance qui s'oppose à l'éjection du sang des ventricules. La *résistance vasculaire systémique* est la résistance que la pression artérielle systémique oppose à l'éjection du sang par le ventricule gauche. La *résistance vasculaire pulmonaire* est la résistance que la pression artérielle pulmonaire oppose à l'éjection du sang par le ventricule droit. La postcharge et le volume d'éjection systolique sont inversement proportionnels. La constriction des artères augmente la postcharge, ce qui entraîne une diminution du volume d'éjection systolique. Le phénomène inverse se produit lorsque les artères se dilatent: la postcharge diminue à cause d'une moindre résistance à l'éjection du sang, et le volume d'éjection systolique augmente.

La **contractilité** est la force que peut générer le myocarde contracté dans une situation donnée. Les catécholamines circulantes, l'activité du système nerveux sympathique et certains médicaments (par exemple, la digoxine ou la dopamine à dosage élevé et la dobutamine, administrées par voie intraveineuse) augmentent la contractilité. Une contractilité accrue entraîne une élévation du volume d'éjection systolique. L'hypoxémie, l'acidose et certains médicaments (notamment les bêtabloquants, comme l'aténolol [Tenormin]) réduisent la contractilité.

Le volume d'éjection systolique peut augmenter considérablement, à l'effort par exemple, lorsqu'il y a une augmentation de la précharge (due à un retour veineux accru), une augmentation de la contractilité (due à une décharge provenant du système nerveux sympathique) ou une diminution de la postcharge (due à une vasodilatation périphérique accompagnée d'une diminution de la pression aortique).

On appelle **fraction d'éjection (FE)** le pourcentage du volume de sang en fin de diastole expulsé à chaque contraction. Un cœur d'adulte expulse environ 50 à 60 % du volume sanguin en fin de diastole. On peut utiliser la FE comme un indice de contractilité du myocarde, car elle diminue lorsque la contractilité est moins importante.

Particularités reliées à la personne âgée

Avec le vieillissement, le cœur subit des modifications anatomiques et fonctionnelles manifestes. Pour comprendre les modifications directement reliées au vieillissement, il faut savoir les distinguer de celles qui sont reliées à une MCV. Les modifications anatomiques et fonctionnelles du cœur de la personne âgée sont indiquées dans le tableau 28-1 ■.

Les études révèlent que, chez la personne âgée en bonne santé, le débit cardiaque est suffisant dans des circonstances normales, mais qu'il pourrait ne plus suffire aux besoins de l'organisme en cas de stress physique ou émotionnel. Le ventricule gauche peut s'atrophier chez la personne âgée qui réduit ses activités physiques ou qui a un mode de vie

Modifications de la fonction cardiovasculaire reliées à l'âge

TABLEAU 28-1

Fonction cardiovasculaire	Modifications anatomiques	Modifications fonctionnelles	Signes et symptômes
Oreillettes	■ Diminution de la taille de l'oreillette gauche ■ Hypertrophie de l'endocarde	■ Augmentation de l'irritabilité auriculaire	■ Rythme cardiaque irrégulier dû à des arythmies
Ventricule gauche	■ Fibrose de l'endocarde ■ Hypertrophie du myocarde ■ Infiltration de tissus adipeux dans le myocarde	■ Rigidité et perte de compliance du ventricule gauche ■ Chute graduelle du débit cardiaque ■ Risque accru d'arythmie ventriculaire ■ Prolongation de la systole	■ Fatigue ■ Baisse de la tolérance à l'effort ■ Signes et symptômes d'insuffisance cardiaque ou arythmies ventriculaires ■ Choc de pointe perçu plus à gauche de la ligne médioclaviculaire ■ Baisse de l'intensité du B1 et du B2; dédoublement exagéré du B2 ■ Présence possible du B4
Valvules	■ Épaississement et rigidité des valvules auriculoventriculaires ■ Calcification de la valvule aortique	■ Flot sanguin inadéquat à travers les valvules pendant le cycle cardiaque	■ Présence possible d'un souffle ■ Possibilité, en cas de souffle important, de percevoir un frémissement à la palpation
Système de conduction	■ Accumulation de tissu conjonctif dans les nœuds sinusal et auriculoventriculaire et dans les branches du faisceau de His ■ Baisse du nombre de cellules du nœud sinusal ■ Baisse du nombre de cellules du nœud auriculoventriculaire, du faisceau de His et de ses branches droite et gauche	■ Ralentissement de la fréquence de décharge des impulsions générées par le nœud sinusal ■ Ralentissement de la conduction dans le nœud auriculoventriculaire et dans les ventricules	■ Bradycardie ■ Bloc cardiaque ■ Modifications de l'ECG traduisant le ralentissement de la conduction (augmentation de l'intervalle PR, élargissement du complexe QRS)
Système nerveux sympathique	■ Baisse de la réponse à une stimulation bêta-adrénergique	■ Baisse de la réponse adaptative à l'effort: réaction plus lente de la contractilité et de la fréquence cardiaque à la demande accrue ■ Retour retardé à la fréquence cardiaque de base	■ Fatigue ■ Diminution de la tolérance à l'effort ■ Baisse de la capacité de répondre au stress
Aorte et artères	■ Augmentation de la rigidité des vaisseaux ■ Diminution de l'élasticité et dilatation de l'aorte ■ Allongement de l'aorte, repoussant vers le haut le tronc artériel brachiocéphalique	■ Hypertrophie ventriculaire gauche	■ Élévation graduelle de la PA systolique; légère élévation de la PA diastolique ■ Écart plus grand entre la PA systolique et la PA diastolique
Réponse des barorécepteurs	■ Diminution de la sensibilité des barorécepteurs situés dans les artères carotides et dans l'aorte aux épisodes passagers d'hypertension et d'hypotension	■ Incapacité des barorécepteurs à réguler la fréquence cardiaque et le tonus vasculaire, ralentissant la réponse de l'organisme aux modifications posturales (hypotension orthostatique)	■ Modification de la pression artérielle lors des changements de position, s'accompagnant d'étourdissements et d'évanouissement lors du passage de la position couchée à la position assise ou debout (hypotension orthostatique)

ECG: électrocardiogramme; PA: pression artérielle.

sédentaire. Le vieillissement provoque également la dilatation de l'aorte et une diminution de son élasticité, l'épaississement et la rigidité des valvules cardiaques, ainsi qu'une formation accrue de tissu conjonctif dans les nœuds sinusal et auriculoventriculaire et dans les branches du faisceau de His.

Ces modifications entraînent une diminution de la contractilité myocardique, une prolongation du temps d'éjection du ventricule gauche (systole prolongée) et un retard de conduction. Par conséquent, tout stress physique ou émotionnel, particulièrement s'il est soudain, peut avoir des effets nocifs chez la personne âgée. La réponse du cœur est en effet ralentie: l'accélération de la fréquence cardiaque est insuffisante et le cœur met plus de temps à retrouver sa fréquence normale, même après une accélération minime. Chez certaines personnes, un stress supplémentaire peut même déclencher une décompensation cardiaque.

PARTICULARITÉS ANATOMIQUES ET FONCTIONNELLES DU CŒUR RELIÉES AU SEXE

Le cœur de la femme est habituellement plus petit que le cœur de l'homme, il pèse moins lourd et ses artères coronaires sont plus minces. Ces différences de structure ont des conséquences importantes. Étant donné que la lumière de ses artères coronaires est moins large, la femme est davantage prédisposée à l'athérosclérose. De ce fait, des interventions telles que le cathétérisme cardiaque et l'angioplastie sont techniquement plus difficiles à réaliser chez la femme. L'incidence des complications qui peuvent s'ensuivre est également plus élevée chez elle. De plus, la fréquence cardiaque au repos, le volume d'éjection systolique et la fraction d'éjection sont plus élevés chez la femme que chez l'homme. En revanche, le temps de conduction d'une impulsion électrique déclenchée dans le nœud sinusal est plus court chez la femme.

Une autre différence importante entre les deux sexes tient aux effets des œstrogènes sur la fonction cardiovasculaire. Ceux-ci protégeraient les femmes contre l'athérosclérose par deux actions fondamentales : la régulation du tonus vasomoteur et la réponse aux lésions vasculaires. Ils pourraient également agir favorablement sur le foie, ce qui améliorerait les taux lipidiques. Cependant, les œstrogènes ont des effets moins bénéfiques, notamment l'élévation des taux de protéines coagulantes et la diminution des taux de protéines fibrinolytiques, ce qui accroît le risque de formation de thrombus. La progestérone a, elle aussi, des effets sur la fonction cardiovasculaire, mais son rôle dans l'apparition des MCV n'a pas encore été élucidé. Les effets bénéfiques des œstrogènes disparaissent après la ménopause, ce qui se traduit par une fréquence accrue de MCV chez les femmes ménopausées. Toutefois, compte tenu des risques associés à l'hormonothérapie substitutive, la Société des obstétriciens et gynécologues du Canada et la Société canadienne du cancer ne recommandent pas d'utiliser les œstrogènes en prévention primaire ou secondaire des MCV (Lea, 2004).

Examen clinique

Selon les besoins de surveillance clinique établis par l'infirmière, l'examen clinique de la fonction cardiovasculaire sera plus ou moins poussé et plus ou moins fréquent. Il ne sera

RECHERCHE EN SCIENCES INFIRMIÈRES

Infarctus du myocarde : rôle des différences sexuelles dans les stratégies d'adaptation et le soutien social

M.-L. Kristofferzon, R. Löfmark et M. Carlsson (2003). Myocardial infarction : gender differences in coping and social support. *Journal of Advanced Nursing, 44*(4), 360-374.

OBJECTIF

Cette recherche vise à résumer l'état des connaissances relatives aux différences sexuelles dans la façon de percevoir l'adaptation et le soutien social chez les personnes qui ont subi un infarctus du myocarde.

JUSTIFICATION

Les femmes souffrant d'une coronaropathie sont désavantagées sur les plans physique, social et médical par rapport aux hommes, ce qui peut modifier la perception qu'elles ont de leur rétablissement à la suite d'un accident cardiaque. On ne connaît pas d'étude axée sur les différences sexuelles dans les stratégies d'adaptation et le soutien social des personnes ayant subi un infarctus du myocarde.

DISPOSITIF ET ÉCHANTILLON

Une recherche dans des bases de données informatisées a été entreprise à partir des mots-clés suivants : « infarctus du myocarde », « adaptation », « différences sexuelles » et « soutien social ». Quarante et un articles, publiés entre 1990 et octobre 2002, ont été analysés minutieusement.

RÉSULTATS

Deux études ont révélé que les femmes utilisent plus de stratégies d'adaptation que les hommes. Selon plusieurs études qualitatives, les femmes recourent à des stratégies variées. Elles minimisent les conséquences de la maladie, tendent à reporter le moment de consulter un médecin et ne veulent pas ennuyer les autres avec leurs problèmes de santé. Les travaux ménagers comptent beaucoup pour elles et les aident à se rétablir. Les hommes ont plus tendance à s'appuyer sur leur conjointe pour se rétablir ; à leurs yeux, il est important également de reprendre le travail et de garder la forme. Les femmes remarquent que, durant la première année suivant leur infarctus du myocarde, elles ont reçu moins de soutien social que les hommes. On leur donne moins d'informations sur la maladie et la réadaptation, et elles ont l'impression que leurs problèmes cardiaques ne sont pas pris au sérieux par les soignants. En outre, elles reçoivent moins d'aide pour les travaux ménagers de la part des proches aidants.
Les hommes affirment en général recevoir de leur conjointe plus d'aide que les femmes n'en reçoivent de leur conjoint.

IMPLICATIONS POUR LA PRATIQUE INFIRMIÈRE

Les rôles assignés traditionnellement à chacun des sexes peuvent influer sur le rétablissement des personnes ayant subi un infarctus du myocarde. Il est possible que les soignants aient à se sensibiliser aux besoins propres à chaque sexe en ce qui concerne les profils des personnes à risque, les rôles sociaux et l'identification de la personne au rôle masculin ou féminin. Pour de nombreuses femmes, en particulier pour les femmes âgées, le rétablissement passe par les travaux ménagers et les responsabilités familiales.

pas le même chez une personne atteinte d'une MCV dont l'état hémodynamique est menacé à court terme, par exemple par un infarctus du myocarde (IM) aigu, et chez une personne atteinte d'une affection cardiaque chronique ou dont l'état est stable. Par exemple, dans un service des urgences l'infirmière qui donne des soins à une personne souffrant d'un IM doit effectuer un examen très rapide et très ciblé. En effet, elle doit rester à l'affût des complications associées à l'IM, vérifier si l'une des techniques de reperfusion coronaire, comme la thrombolyse ou l'angioplastie coronaire transluminale (APCT), est contre-indiquée et évaluer la réponse de la personne aux interventions thérapeutiques. Elle devra simultanément recueillir des données sur les antécédents médicaux et chirurgicaux de cette personne, effectuer un examen physique ciblé et accomplir des tâches très importantes, comme le monitorage cardiaque ou l'administration de médicaments par voie intraveineuse.

Anamnèse et manifestations cliniques

Auprès de la personne qui vient de subir un IM aigu, l'infirmière effectue une anamnèse succincte. Elle pose des questions précises pour connaître le moment où sont apparues les douleurs thoraciques et avoir une description de celles-ci: durée, qualité, quantité. L'infirmière s'informe également de la présence de signes et symptômes connexes, des médicaments que la personne prend et de ses allergies. Simultanément, elle observe son apparence générale et évalue son état hémodynamique (pouls, pression artérielle). Elle peut recueillir des données plus détaillées une fois que l'état de la personne s'est stabilisé.

Avec les personnes dont l'état est stabilisé, l'infirmière peut effectuer une anamnèse complète lors du contact initial. Souvent, il est très utile que le conjoint ou la conjointe, ou l'un des proches, participe à l'entretien. Pour commencer, l'infirmière doit recueillir des données démographiques: âge, sexe et origine ethnique. Elle doit aussi évaluer les caractéristiques génétiques associées aux maladies cardiovasculaires (encadré «La génétique dans la pratique infirmière» ■ sur le Compagnon Web). L'infirmière doit également noter la taille et le poids de la personne, ainsi que son poids habituel (pour voir si elle a gagné ou perdu du poids en peu de temps).

Les données de l'anamnèse permettent de déterminer les éléments les plus pertinents en relation avec l'affection de la personne. Elles permettent également de définir les besoins de la personne en formation et en autosoins. À partir de ces données, l'infirmière peut commencer à élaborer le plan thérapeutique. Lors des entretiens suivants, l'infirmière devra effectuer une collecte des données plus poussée pour déterminer si les objectifs ont été atteints, si le plan doit être modifié et si de nouveaux problèmes s'ajoutent au tableau clinique.

Signes et symptômes

Les personnes atteintes de maladies cardiovasculaires présentent habituellement un ou plusieurs signes et symptômes (tableau 28-2 ■).

Toutes les douleurs thoraciques ne sont pas provoquées par l'ischémie du myocarde. Lorsqu'une personne se plaint d'une douleur thoracique, l'infirmière doit lui poser des questions visant à distinguer une maladie grave, qui met la vie en danger, comme l'IM, d'une maladie moins grave, (tableau 28-3 ■).

Lorsqu'on évalue la personne qui présente des symptômes d'origine cardiaque, on doit se souvenir des faits suivants:

- Les symptômes atypiques d'IM sont plus courants chez les femmes que chez les hommes.
- Il existe peu de liens entre l'intensité de la douleur thoracique et la gravité de sa cause. Si elles sont affectées d'une neuropathie, les personnes âgées ou diabétiques pourraient ne pas ressentir les douleurs provoquées par l'angine ou l'IM. Chez ces personnes, la fatigue et la dyspnée pourraient être les symptômes prédominants.
- Le lien entre le siège de la douleur et sa source est faible.
- La personne peut être atteinte de plusieurs maladies simultanément.
- Chez la personne ayant des antécédents de coronaropathie, on doit présumer, jusqu'à preuve du contraire, que la douleur thoracique est due à une ischémie myocardique.

TABLEAU 28-2 Signes et symptômes à explorer chez une personne atteinte de MCV

Signes et symptômes	Origine cardiaque
Douleur thoracique	■ Angine de poitrine ■ Infarctus du myocarde ■ Cardiopathie valvulaire
Essoufflement ou dyspnée	■ Infarctus du myocarde ■ Insuffisance cardiaque gauche ■ Insuffisance cardiaque globale
Œdème ou surcharge pulmonaire	■ Insuffisance cardiaque globale ou insuffisance cardiaque gauche
Œdème des membres inférieurs	■ Insuffisance cardiaque globale ou insuffisance cardiaque droite
Gain pondéral	■ Insuffisance cardiaque globale ou insuffisance cardiaque droite
Palpitations	■ Arythmies dues à l'ischémie du myocarde ■ Fibrillation auriculaire ■ Cardiopathie valvulaire ■ Stress ■ Déséquilibre électrolytique
Fatigue	■ Symptôme précoce de plusieurs maladies cardiovasculaires
Étourdissements et syncope ou perte de connaissance	■ Hypotension orthostatique ■ Arythmies ■ Choc vagal ■ Accident vasculaire cérébral ■ Ischémie cérébrale transitoire

Évaluation de la douleur thoracique

TABLEAU 28-3

	Caractéristiques, siège et irradiation	Durée	Facteurs déclenchants	Mesures à prendre pour soulager la douleur
Angine de poitrine 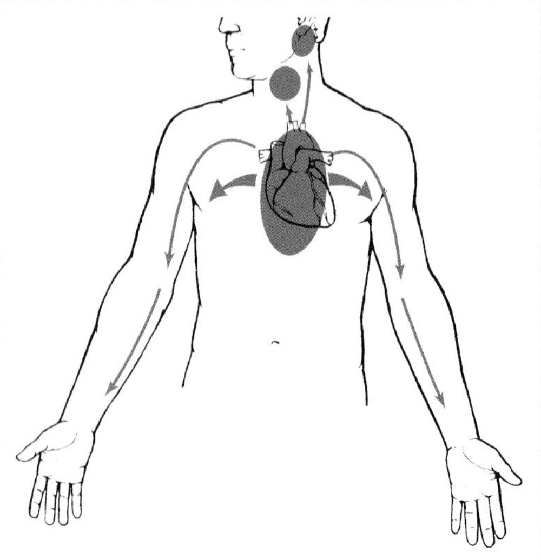	Douleurs rétrosternales se propageant dans la cage thoracique et pouvant irradier dans le bras gauche (quelquefois dans le bras droit), vers le cou ou la mâchoire	De 5 à 15 min, mais pouvant durer jusqu'à 30 min	■ Habituellement, l'effort, les émotions, la consommation d'aliments, le froid, l'alcool, le stress, la défécation	■ Repos ■ Administration de nitroglycérine et d'oxygène
Infarctus du myocarde 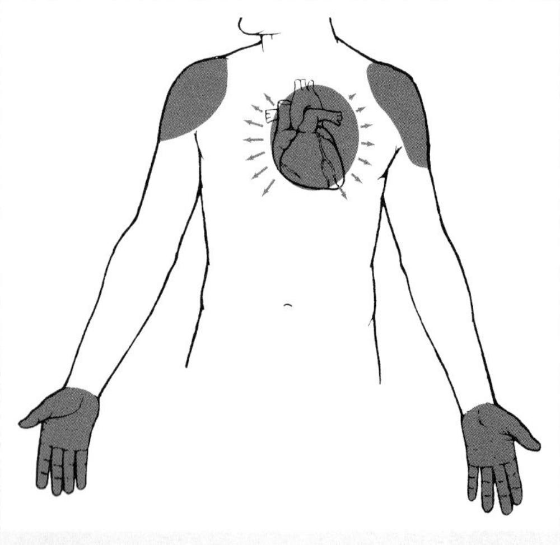	Douleurs rétrosternales pouvant se propager dans toute la cage thoracique; parfois, une douleur aux épaules et dans les mains peut également être présente	Plus de 15 min	■ Survenue spontanée ■ Facteurs déclenchants pouvant être identiques à ceux de l'angine	■ Administration de sulfate de morphine ■ Reperfusion de l'artère coronaire bloquée
Péricardite 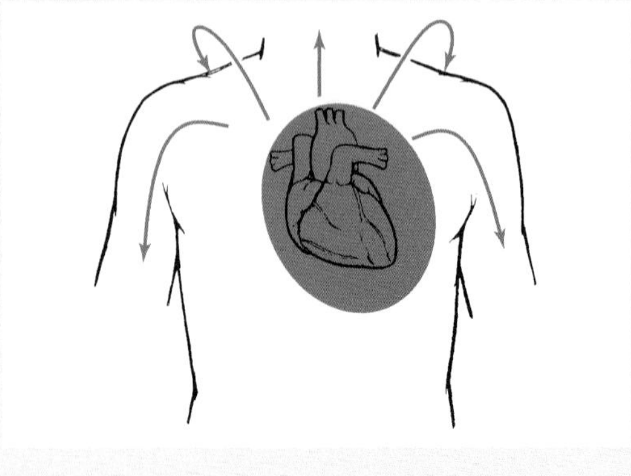	Douleurs rétrosternales aiguës et intenses ou douleurs se manifestant à gauche du sternum, pouvant être ressenties au niveau de l'épigastre et pouvant se propager dans le cou, les bras ou le dos	Intermittente	■ Survenue brusque; douleur s'accroissant lorsque la personne inspire, déglutit, tousse ou fait une rotation du tronc	■ Position assise ■ Respiration superficielle ■ Administration d'analgésiques ou d'anti-inflammatoires

	Caractéristiques, siège et irradiation	Durée	Facteurs déclenchants	Mesures à prendre pour soulager la douleur
Épanchement pleural	Douleur prenant naissance dans la partie inférieure de la plèvre et pouvant irradier au rebord costal ou dans le haut de l'abdomen; la personne est parfois capable de déterminer avec précision le siège de la douleur	30 min ou plus	■ Survenue souvent spontanée; douleur provoquée ou intensifiée par l'inspiration	■ Repos, effet du temps ■ Traitement de la cause sous-jacente
Douleur à l'œsophage (hernie hiatale, œsophagite par reflux ou spasme)	Douleurs rétrosternales pouvant se propager dans la cage thoracique ou vers les épaules	De 5 à 60 min	■ Position couchée ■ Liquides froids ■ Effort	■ Prise d'aliments ou d'antiacides ■ Position debout
Anxiété	Douleur thoracique d'intensité variable, mais n'irradiant pas; sensation de picotement ou d'engourdissement au niveau des mains et de la bouche	De 2 à 3 min	■ Stress ■ Tachypnée suscitée par une émotion	■ Suppression du stimulus ■ Relaxation

! ALERTE CLINIQUE *Les personnes souffrant d'une ischémie du myocarde peuvent présenter plusieurs symptômes. Le symptôme typique est l'angine, qui prend la forme d'une sensation d'oppression ou de lourdeur, d'une douleur constrictive ou d'une gêne ressentie au centre de la cage thoracique. Cette douleur peut irradier vers les épaules, le cou, les mâchoires ou les bras. L'angine peut également se manifester sous la forme de symptômes atypiques ou peu communs, qu'on appelle symptômes pseudoangineux: essoufflement, dyspnée, fatigue, faiblesse ou douleurs ressenties ailleurs dans le haut du corps, notamment dans le cou, les épaules, les mâchoires, le dos ou l'estomac. L'apparition d'une crise d'angine est habituellement prévisible (par exemple, à l'effort). Le repos et l'administration de nitroglycérine par voie sous-linguale permettent de soulager les symptômes en quelques minutes. La personne qui est en train de subir un IM peut toutefois manifester en même temps des symptômes angineux ou pseudoangineux qui durent plus de 15 minutes. Les signes et symptômes associés à l'IM comprennent notamment une sensation de tête légère, l'évanouissement, la diaphorèse, une anxiété inexplicable, des nausées et la dyspnée. Ni le repos ni la nitroglycérine ne soulagent ces symptômes.*

Perceptions reliées à l'état de santé et autosoins

Afin de déterminer la façon dont la personne perçoit son état de santé, l'infirmière peut lui poser les questions suivantes:

- Avez-vous des problèmes de santé? À quoi sont-ils dus, à votre avis? Vous empêchent-ils de vaquer à vos activités quotidiennes?
- Comment vous sentiez-vous dernièrement? Avez-vous noté des changements dans votre état de santé depuis l'année dernière? Votre état de santé a-t-il changé par rapport à ce qu'il était il y a cinq ans?
- Consultez-vous régulièrement un cardiologue ou un omnipraticien? À quelle fréquence faites-vous un bilan de santé?
- Fumez-vous? Consommez-vous de l'alcool?
- Connaissez-vous vos facteurs de risque de maladie cardiovasculaire? Que faites-vous pour rester en bonne santé et pour éviter les problèmes?
- Quels médicaments prescrits ou en vente libre prenez-vous? Prenez-vous des vitamines ou des suppléments à base de plantes médicinales?

Certaines personnes ignorent qu'elles souffrent d'une MCV. D'autres ne sont pas conscientes que leur IM a été provoqué par une coronaropathie. Les personnes qui ne comprennent pas que leur comportement ou leur diagnostic pourraient constituer une menace pour leur santé seront probablement moins disposées à modifier leur mode de vie ou à se soigner adéquatement. En revanche, celles qui se rendent compte que leurs facteurs de risque cardiovasculaires modifiables ont miné leur santé sont plus susceptibles de changer de comportements (encadré 28-1 ■).

ENCADRÉ 28-1

FACTEURS DE RISQUE

MCV

FACTEURS NON MODIFIABLES

- Antécédents familiaux de coronaropathie prématurée
- Vieillissement
- Sexe (hommes, femmes ménopausées)
- Ethnie (risque plus élevé chez les autochtones que chez les sujets de race blanche)

FACTEURS MODIFIABLES

- Hyperlipidémie
- Hypertension
- Tabagisme
- Hyperglycémie (diabète)
- Obésité
- Sédentarité
- Caractéristiques de la personnalité de type A, particulièrement l'hostilité
- Usage de contraceptifs oraux

Pour que les autosoins soient efficaces, il est essentiel que la personne soit capable de reconnaître les symptômes d'atteinte cardiaque et sache quelles mesures prendre lorsqu'ils se manifestent. Il arrive trop souvent que la personne soit incapable de reconnaître un nouveau symptôme ou un symptôme révélateur de l'évolution du dysfonctionnement du cœur. Les principales raisons pour lesquelles une personne pourrait hésiter à aller consulter rapidement un médecin sont notamment les suivantes: méconnaissance des symptômes possibles de MCV, croyance que les symptômes sont bénins, facteurs psychologiques, tels que le refus d'admettre la signification réelle des symptômes, et facteurs sociaux, en particulier la gêne associée à ces symptômes (Zerwic, 1999).

La collecte des données doit permettre à l'infirmière de déterminer comment la personne utilise les médicaments (encadré 28-2 ■). L'aspirine est un médicament en vente libre, et il est couramment recommandé aux personnes ayant subi un IM d'en prendre un comprimé par jour pour améliorer leur état de santé. Si elle n'est pas consciente des bienfaits de ce médicament, la personne pourrait arrêter de le prendre, en pensant qu'il s'agit d'un remède insignifiant. Une collecte des données méticuleuse permettra souvent de découvrir les erreurs de médication courantes et les causes de la non-observance du traitement.

Les caractéristiques et les modes de présentation les plus communs des douleurs d'origine cardiaque et non cardiaque sont présentés dans le tableau 28-3. Le tableau 28-4 ■ donne les questions les plus courantes que les infirmières posent pour évaluer les signes et symptômes d'une MCV et la capacité de la personne de les reconnaître et de les prendre en charge. Compte tenu des réponses qu'elle obtient, il arrive que l'infirmière soit amenée à poser davantage de questions et à assurer un suivi plus poussé.

Alimentation et métabolisme

L'hyperlipidémie, l'hypertension artérielle (le diabète) sont trois des principaux facteurs de risque cardiovasculaire. Leur prise en charge passe par des stratégies importantes telles que la modification du régime alimentaire, l'exercice, la perte de poids et une surveillance attentive. Les personnes exposées à ces risques se voient souvent recommander un régime alimentaire hypocalorique, pauvre en sel, en matières grasses et en cholestérol. L'infirmière doit obtenir les informations suivantes:

- Le poids et la taille de la personne (pour calculer son indice de masse corporelle), son tour de taille, sa pression artérielle.
- La glycémie, l'hémoglobine glyquée, la cholestérolémie totale, les taux des lipoprotéines de basse (LDL) et de haute densité (HDL) et les taux de triglycérides (pour déceler l'hyperlipidémie).
- La fréquence des mesures à domicile de la pression artérielle, de la glycémie et du poids, compte tenu du diagnostic.
- Les valeurs cibles que la personne vise pour chaque facteur de risque (si elle est atteinte de diabète, sa pression artérielle doit être maintenue en deçà de 130/80 mm Hg;

ENCADRÉ 28-2

Questions à poser concernant la prise des médicaments

- Quels médicaments prenez-vous?
- Quelle en est la posologie?
- Quelles en sont les voies d'administration?
- Quel est l'horaire de votre médication?
- Pouvez-vous prendre vos médicaments seul?
- Respectez-vous les recommandations du médecin?
- Comprenez-vous l'importance de votre pharmacothérapie?
- Vous arrive-t-il de sauter des doses ou d'oublier de prendre vos médicaments?
- Avez-vous, de votre propre initiative, cessé de prendre l'un des médicaments qui vous ont été prescrits?

sinon, la valeur cible maximale est de 140/90 mm Hg) et les problèmes que l'atteinte et le maintien de ces valeurs cibles lui posent.

- Les boissons et les aliments normalement consommés pendant la journée et les préférences alimentaires de la personne (y compris les préférences liées à sa culture et à ses origines ethniques).
- Les habitudes de la personne liées au mode de consommation des aliments (aliments en conserve ou prêts à manger plutôt qu'aliments frais, fréquentation d'établissements de restauration rapide), ce qui permet de déterminer sa consommation d'aliments à haute teneur en sodium et en matières grasses.

Élimination

L'infirmière doit également déterminer les habitudes d'élimination de la personne (selles et urine). La nycturie (besoin d'uriner la nuit) est courante chez les personnes souffrant d'insuffisance cardiaque: les liquides qui s'accumulent dans les membres pendant la journée sont réabsorbés dans la circulation sanguine pendant que la personne est au repos durant la nuit et que ses besoins métaboliques ont diminué. Le volume accru de liquides dans la circulation est excrété par les reins, d'où une production accrue d'urine. Les personnes, et particulièrement celles qui souffrent d'insuffisance cardiaque, doivent savoir reconnaître leur réponse aux diurétiques et être conscientes des modifications que ces derniers entraînent sur les mictions. L'infirmière peut leur expliquer comment modifier (adapter) les doses de diurétiques en fonction des mictions, du poids quotidien et de la présence de dyspnée.

Pour diminuer les efforts à la défécation, les personnes prédisposées à la constipation doivent établir un programme régulier d'élimination intestinale. À l'effort de défécation, la personne a tendance à fermer l'épiglotte et à se pencher vers l'avant (manœuvre de Valsalva), mouvement qui accroît passagèrement la pression qui s'exerce sur les barorécepteurs des carotides et qui déclenche une réponse vagale (stimulation du système nerveux parasympathique exagérée) provoquant le ralentissement de la fréquence cardiaque, une hypotension et une syncope chez certaines personnes. Pour les mêmes raisons, il faut éviter les efforts à la miction. Comme de nombreux médicaments administrés pour traiter les affections cardiaques peuvent entraîner des effets gastro-intestinaux ou des saignements, l'infirmière doit demander à la personne si elle souffre de ballonnements, de diarrhée, de constipation, de maux d'estomac, de brûlures d'estomac, de nausées ou de vomissements ou encore si elle n'a pas d'appétit. Elle doit rechercher la présence de sang dans les selles et dans les urines de toutes les personnes qui prennent des médicaments antiplaquettaires, comme l'aspirine ou le clopidogrel (Plavix), des inhibiteurs intraveineux de l'agrégation plaquettaire GP IIb/IIIa, comme l'abciximab (ReoPro), l'eptifibatide (Integrilin) et le tirofiban (Aggrastat), des anticoagulants, comme les héparines de faible poids moléculaire (par exemple, la daltéparine [Fragmin]), l'énoxaparine (Lovenox), l'héparine non fractionnée ou la warfarine (Coumadin).

Activité physique et tolérance à l'effort

Lorsqu'elle évalue les antécédents d'activité physique de la personne et sa tolérance à l'effort, l'infirmière doit se souvenir que, d'ordinaire, la tolérance à l'effort diminue graduellement, sans que la personne s'en rende toujours compte. Par conséquent, l'infirmière doit déterminer si les activités de la personne se sont modifiées au cours des 6 à 12 derniers mois. La réponse subjective à l'effort est un paramètre essentiel de l'évaluation. L'apparition de nouveaux symptômes ou la modification des symptômes angineux ou pseudoangineux habituels, à l'effort, est une donnée importante. La fatigue, qu'elle soit due à une faible fraction d'éjection ou induite par certains médicaments (par exemple, les bêtabloquants), peut diminuer la tolérance à l'effort. Il peut être utile de modifier les doses de médicament pour les personnes qui se plaignent de fatigue, ainsi que de leur apprendre des moyens de faire de l'exercice tout en conservant le maximum d'énergie. Aller marcher dans un gymnase plutôt qu'à l'extérieur lors des températures extrêmes d'hiver ou d'été en est un exemple.

L'infirmière doit également s'enquérir des difficultés que la personne peut rencontrer en raison de la configuration de son habitation (par exemple, des escaliers) et de son activité physique. Si la personne fait de l'exercice, l'infirmière lui posera également les questions suivantes: Quelle est l'intensité des exercices que vous pratiquez? leur durée? leur fréquence? Avez-vous déjà participé à un programme de réadaptation cardiaque? On sait que le niveau fonctionnel s'améliore chez presque toutes les personnes qui participent à un programme de réadaptation cardiaque; c'est pour cette raison qu'un tel programme est fortement recommandé (Smith *et al.*, 2001). Les personnes atteintes d'une incapacité fonctionnelle devraient bénéficier d'un programme sur mesure.

Sommeil et repos

Certains événements reliés aux habitudes de sommeil peuvent être des indices d'aggravation de la MCV, et particulièrement de l'insuffisance cardiaque. L'infirmière doit déterminer à quel endroit la personne dort et se repose. Des changements récents intervenus dans les habitudes de cette personne – par exemple, dormir assise sur une chaise plutôt que dans un

Questions permettant d'évaluer les problèmes cardiaques

TABLEAU 28-4

Symptômes	Questions d'évaluation	Évaluation de la capacité d'autosoins
Douleurs thoraciques, gêne thoracique, douleurs liées à l'angine	■ La douleur est-elle déclenchée par quelque chose en particulier? (effort, stress) ■ Que faites-vous pour soulager la douleur? (nitroglycérine, repos) ■ Pouvez-vous décrire la douleur que vous ressentez? (oppression, sensation de lourdeur, brûlure) ■ Sur une échelle de 0 à 10, quelle est l'intensité de la douleur? ■ Où avez-vous mal? (demander à la personne de situer le siège de la douleur) ■ La douleur se propage-t-elle dans vos bras, votre cou, vos mâchoires, vos épaules ou votre dos? ■ Avez-vous d'autres symptômes? (essoufflement, palpitations, étourdissements, sueurs) ■ Combien de temps la douleur dure-t-elle?	*Reconnaissance des symptômes* ■ Que ressentez-vous habituellement lorsque vous avez une crise d'angine? ■ En quoi les symptômes que vous ressentez lors d'une crise d'angine diffèrent-ils de ceux qui sont provoqués par un autre problème? (indigestion, affection gastro-intestinale) ■ Quelle serait, d'après vous, la différence entre les symptômes d'une crise d'angine et ceux d'une crise cardiaque? ■ Que faisiez-vous lorsque la douleur est survenue? *Prise en charge des symptômes* ■ Qu'avez-vous fait lorsque la douleur a débuté? ■ Combien de temps avez-vous attendu avant de consulter un médecin (de lui téléphoner, de vous rendre aux urgences, d'appeler une ambulance)? *Usage de nitroglycérine* ■ Avez-vous une ordonnance prescrivant de la nitroglycérine en comprimés ou en aérosol? ■ Lorsque vous avez ressenti des douleurs dans la poitrine, avez-vous pris de la nitroglycérine? ■ Combien de vaporisations ou de comprimés avez-vous utilisés, et à quelle fréquence? ■ Si vous aviez de la nitroglycérine, mais que vous n'en avez pas pris lors de cette crise d'angine, quelle en est la raison? ■ À quel moment avez-vous ouvert pour la première fois votre contenant de nitroglycérine? Connaissez-vous sa date de péremption? Où le conservez-vous?
Essoufflement, œdème, gain de poids	■ Depuis quand vous sentez-vous essoufflé? ■ Toussez-vous? Si oui, produisez-vous des expectorations? ■ Dans quelles circonstances vous sentez-vous essoufflé? Dans quelles circonstances respirez-vous plus facilement ou plus difficilement? ■ Quelles activités avez-vous dû abandonner à cause de l'essoufflement? ■ Vous arrive-t-il de vous réveiller au milieu de la nuit à cause de l'essoufflement? ■ Quel est votre poids normal? ■ Avez-vous récemment pris du poids? ■ Devez-vous vous lever la nuit pour uriner? Avez-vous noté une augmentation ou une diminution du volume de vos urines? ■ Avez-vous remarqué un gain de poids ou une enflure au niveau des pieds, des chevilles ou de l'abdomen (au niveau du sacrum, si la personne est alitée)? Vos souliers vous semblent-ils trop serrés, vos vêtements vous serrent-ils à la taille? ■ Combien d'oreillers utilisez-vous pour dormir? Avez-vous récemment augmenté ou diminué le nombre d'oreillers que vous utilisez? ■ Dormez-vous étendu dans votre lit ou assis sur une chaise parce que vous respirez mieux dans cette position?	■ Vous a-t-on dit que vous souffrez d'insuffisance cardiaque? Savez-vous ce que cela veut dire? ■ Vous arrive-t-il d'oublier de prendre vos diurétiques ou vos autres médicaments pour le cœur, ou de décider de ne pas les prendre? Si oui, pour quelle raison? ■ Que mangez-vous, que buvez-vous d'habitude? Qui fait les courses et prépare les repas chez vous? ■ Devez-vous suivre un régime pauvre en sel ou réduire votre consommation de liquides? Suivez-vous scrupuleusement votre régime alimentaire? ■ Avez-vous un pèse-personne? À quelle fréquence vous pesez-vous? ■ Quels sont les signes et symptômes importants que vous signalez à votre médecin ou à l'infirmière?
Palpitations	■ Avez-vous l'impression que votre cœur s'emballe ou cogne, ou encore que ses battements sont irréguliers? ■ Vous sentez-vous parfois étourdi ou avez-vous la sensation que votre tête est légère? ■ Avez-vous en même temps d'autres malaises? (nausées, vomissements, étourdissements)	■ Qu'avez-vous fait lorsque ces symptômes sont apparus pour la première fois? ■ En avez-vous informé votre médecin traitant? ■ Prenez-vous des médicaments lorsque ces symptômes se manifestent? Les prenez-vous selon les consignes qu'on vous a données?

Symptômes	Questions d'évaluation	Évaluation de la capacité d'autosoins
Palpitations (*suite*)	▪ Combien de cafés, de boissons ou d'aliments contenant de la caféine prenez-vous par jour? ▪ Fumez-vous (cigarettes, cigares)? Utilisez-vous du tabac à chiquer? ▪ Prenez-vous d'autres stimulants? Utilisez-vous des drogues récréatives? ▪ Prenez-vous des suppléments vitaminiques, des produits à base de plantes? ▪ Êtes-vous plus stressé dernièrement? Des événements particuliers sont-ils survenus dans votre vie?	
Fatigue	▪ Êtes-vous une personne active? ▪ Quel est votre niveau actuel d'activité? ▪ Que pouviez-vous faire il y a un mois? il y a six mois? ▪ Quelles activités ne pouvez-vous plus mener à bien à cause de la fatigue? ▪ Le matin, en vous réveillant, vous sentez-vous reposé? ▪ Pouvez-vous vous reposer au cours de la journée? ▪ Combien de fois vous réveillez-vous la nuit, et pour quelle raison?	▪ Avez-vous dit à votre médecin traitant que vous avez dû réduire votre niveau d'activité? ▪ Vous a-t-on enseigné une technique de relaxation? Si oui, vous en servez-vous?
Étourdissements, syncope (perte de connaissance)	▪ Vous sentez-vous parfois étourdi ou avez-vous la sensation que votre tête est légère? ▪ Vous arrive-t-il de vous évanouir ou de perdre connaissance? ▪ Cela vous arrive-t-il lorsque vous vous asseyez ou vous mettez debout après avoir été couché? ▪ Faites-vous des efforts lorsque vous déféquez ou urinez? ▪ Urinez-vous plus souvent? Éliminez-vous plus d'urine que d'habitude? ▪ Avez-vous diminué la quantité de liquides que vous consommez habituellement? ▪ Souffrez-vous de maux de tête?	▪ Vous a-t-on dit que vous faites de l'hypertension ou de l'hypotension orthostatique? Avez-vous fait mesurer récemment votre pression artérielle? ▪ Prenez-vous des antihypertenseurs? ▪ Avant de vous mettre debout, après avoir été couché, restez-vous assis pendant quelques minutes? Si oui, vous sentez-vous ainsi moins étourdi? ▪ Que faites-vous pour prévenir la constipation?

lit, augmenter le nombre d'oreillers qu'elle utilise, se réveiller la nuit à cause de l'essoufflement (dyspnée paroxystique nocturne) ou de douleurs angineuses (angine nocturne) – sont autant d'indices d'aggravation de l'insuffisance cardiaque.

Facultés cognitives et perception

Évaluer les facultés cognitives de la personne permet à l'infirmière de déterminer si celle-ci a la capacité mentale de prendre soin d'elle-même efficacement et en toute sécurité. Voici des questions qui aideront l'infirmière à effectuer cette évaluation: La mémoire à court terme de la personne est-elle altérée? A-t-elle des antécédents familiaux de démence? Présente-t-elle des signes de dépression ou d'anxiété? Sait-elle lire? Peut-elle lire en français? À quel niveau de lecture se situe-t-elle? Quel mode d'apprentissage privilégie-t-elle? Quelles sont les informations qui lui semblent importantes?

Des informations écrites peuvent certainement constituer un outil didactique utile, mais seulement si la personne peut les lire et les comprendre. Sa vision et son audition doivent également être évaluées. Si la personne souffrant d'insuffisance cardiaque présente un problème de vision, il lui sera peut-être impossible de se peser toute seule ou de prendre en note son poids, sa pression artérielle ou tout autre paramètre nécessaire au traitement de ses symptômes.

Perception de soi et concept de soi

Certains traits de personnalité peuvent prédisposer à la coronaropathie et peuvent aussi déterminer la vitesse à laquelle la personne se rétablit. On les retrouve le plus souvent chez les «personnalités de type A», qui se caractérisent par un esprit de concurrence, de l'ambition et le sentiment que le temps presse. Bien qu'un tel comportement ne soit pas un facteur indépendant de risque de coronaropathie, la colère et l'hostilité, expressions fréquentes de ce type de personnalité, ont des effets délétères sur le cœur. Chez les personnes qui ont de telles dispositions, la réponse à une frustration se traduit par l'élévation de la pression artérielle et de la fréquence cardiaque, et par une activité accrue des systèmes nerveux et endocrinien. On pense que cette activation physiologique, appelée réactivité cardiaque, déclenche des épisodes cardiovasculaires aigus (Woods *et al.*, 1999).

Pendant qu'elle réalise l'anamnèse de la personne, l'infirmière peut déterminer l'idée que celle-ci se fait d'elle-même en lui posant les questions suivantes: Comment vous décririez-vous? Votre perception de vous-même a-t-elle changé depuis votre crise cardiaque ou depuis votre chirurgie? Diriez-vous que vous vous mettez facilement en colère ou que vous ressentez facilement de l'hostilité envers certaines personnes? Comment vous sentez-vous en ce moment ? Comment arrivez-vous à surmonter ces émotions ? Pour mieux évaluer ces modes de pensée, il faudra parfois consulter une infirmière spécialisée en santé mentale, un psychologue ou un psychiatre.

Réseau et soutien social

Compte tenu des contraintes qui pèsent actuellement sur le système de santé, il est vital de déterminer le réseau de soutien sur lequel la personne peut s'appuyer, d'autant que les personnes atteintes de MCV sont hospitalisées pendant un laps de temps plus court. De nombreuses interventions diagnostiques, comme le cathétérisme cardiaque et l'angioplastie transluminale percutanée, sont effectuées en consultation externe. On recommande souvent aux personnes qui sortent de l'hôpital de restreindre leurs activités (par exemple, de ne pas conduire). La lourdeur des soins et les grands besoins en apprentissage modifient tout autant le style de vie des personnes qui étaient auparavant autonomes que de celles qui ne l'étaient pas.

Pour déterminer le réseau de soutien dont bénéficie la personne, l'infirmière peut lui poser les questions suivantes : Quel est votre principal proche aidant ? Qui vit avec vous ? Bénéficiez-vous de services vous mettant à l'abri du danger chez vous ? L'infirmière doit également déterminer si la MCV dont souffre la personne modifie fortement le rôle qu'elle joue au sein de sa famille. Par ailleurs, il faut lui poser des questions au sujet de sa situation financière et de ses assurances. Les réponses à ces questions permettront à l'infirmière d'élaborer un plan thérapeutique infirmier à domicile qui réponde aux besoins de la personne.

Sexualité et procréation

Bien que la personne qui se rétablit d'une maladie ou d'une intervention cardiaque puisse avoir des préoccupations à propos de sa vie sexuelle, il est peu probable qu'elle pose des questions sur le retour à une sexualité normale à l'infirmière ou aux autres membres de l'équipe soignante. Le manque d'informations pertinentes et la peur peuvent amener la personne à réduire la fréquence de ses rapports sexuels et à en tirer une satisfaction moindre. Il appartient donc à l'infirmière d'aborder la question sans attendre que la personne en prenne l'initiative. Tout d'abord, elle doit lui expliquer que la plupart des personnes atteintes de MCV ont les mêmes préoccupations. Puis, elle lui demandera d'exprimer les siennes en particulier.

Les personnes modifient leur comportement sexuel généralement pour les raisons suivantes : elles ont peur d'avoir une autre crise cardiaque ou de mourir subitement ; elles redoutent l'apparition de symptômes importuns, comme les douleurs angineuses, la dyspnée et les palpitations, l'impuissance ou la dépression. Certains médicaments tels que les bêtabloquants peuvent entraîner l'impuissance chez les hommes, ce qui peut inciter ces derniers à ne plus les prendre pour éviter cet effet secondaire. Puisqu'on peut remplacer ces médicaments par d'autres, il faut inciter les hommes à parler de dysfonctionnement érectile à leur médecin. Souvent, la personne et sa ou son partenaire manquent d'informations sur la dépense d'énergie liée aux rapports sexuels et sur les façons dont on peut la modifier. Les demandes physiologiques de l'organisme s'accroissent au cours de l'orgasme, atteignant 5 ou 6 mets (équivalents métaboliques). Une telle dépense d'énergie équivaut à celle qu'exige une heure de marche sur un tapis roulant à une vitesse de 5 à 6,5 km à l'heure. Avant et après l'orgasme, la dépense d'énergie est bien moindre, soit 3,7 mets (Steinke, 2000). Donner de tels renseignements à la personne et à sa ou son partenaire permet de les rassurer au sujet de la reprise de l'activité sexuelle.

L'infirmière doit se renseigner sur l'histoire génésique des femmes en âge de procréer, particulièrement si leur fonction cardiaque est fortement altérée. Le médecin peut recommander à ces femmes d'éviter toute grossesse. L'histoire génésique porte notamment sur les grossesses antérieures, sur les projets concernant une autre grossesse, sur l'usage de contraceptifs oraux (en particulier chez les femmes de plus de 35 ans qui fument) et sur le recours à l'hormonothérapie substitutive.

Stratégies d'adaptation et tolérance au stress

L'infirmière doit déterminer si certains facteurs psychosociaux influent sur la santé du cœur de la personne. L'anxiété, la dépression et le stress peuvent à la fois contribuer à l'apparition de la coronaropathie et jouer un rôle dans le rétablissement. Une forte anxiété est associée à une incidence accrue de coronaropathie, tout comme à un taux accru de complications après un IM, pendant le séjour à l'hôpital. Le risque de décès à la suite d'une MCV ou d'un IM est plus élevé chez les personnes qui souffrent de dépression. Le lien entre la dépression et la mortalité s'explique par l'hypothèse selon laquelle les personnes déprimées sont plus facilement désespérées et moins disposées à modifier leur mode de vie et à suivre les plans de traitement (Buselli et Stuart, 1999).

Le stress déclenche diverses réponses physiologiques, dont une élévation du taux de catécholamines et de cortisol dans la circulation, et il a été fortement associé aux complications cardiovasculaires. C'est pourquoi l'infirmière doit déterminer les émotions positives et négatives de la personne, et les sources de son stress. Pour ce faire, elle l'interroge sur ses agents de stress récents ou actuels, sur les stratégies d'adaptation qu'elle a utilisées par le passé et sur leur efficacité, sur l'idée qu'elle se fait de son humeur et sur ses capacités d'adaptation. Pour évaluer adéquatement ces paramètres, il peut être nécessaire de consulter une infirmière spécialisée en santé mentale, un psychologue ou un psychiatre.

Stratégies de prévention et de promotion de la santé

Pendant la collecte des données, l'infirmière doit également déterminer les facteurs de risque de la personne et les mesures que prend celle-ci pour prévenir la maladie. Les questions de l'infirmière doivent porter sur les pratiques de promotion de la santé. Les études épidémiologiques révèlent que certaines maladies ou comportements (facteurs de risque) sont associés à une incidence accrue de coronaropathies, de maladies vasculaires périphériques et de maladies vasculaires cérébrales. On classe les facteurs de risque selon le degré auquel il est possible de les modifier par des changements de mode de vie ou de comportement.

Une fois qu'elle a défini les facteurs de risque de la personne, l'infirmière doit déterminer si celle-ci projette d'effectuer les changements comportementaux nécessaires et si elle a besoin d'aide pour renforcer les nouvelles habitudes. Par exemple, l'usage de tabac est la cause modifiable la plus courante de coronaropathie. La première étape de la prise en charge de ce risque consiste à déterminer si la personne utilise encore des produits du tabac ou si elle vient d'en arrêter la consommation. Puisque 70 % des fumeurs fréquentent annuellement un établissement de santé, les infirmières ont amplement l'occasion d'évaluer l'usage que ces personnes font du tabac. Il est impératif de demander aux fumeurs s'ils sont prêts à arrêter de fumer. Pour les y aider et pour les motiver, on peut leur donner des conseils et les renseigner sur les stratégies de prévention des rechutes décrites dans le rapport de la Communauté canadienne pour la lutte contre le tabagisme publié en 2003 (*La Stratégie nationale: Aller vers l'avant – Rapport d'étape 2003 sur la lutte contre le tabagisme*). Quant aux personnes souffrant d'obésité, d'hyperlipidémie, d'hypertension et de diabète, l'infirmière doit déceler les problèmes qui les empêchent de suivre le plan de traitement prescrit (alimentation, exercice, médication). Il peut s'avérer nécessaire d'aider la personne à prendre conscience de ses responsabilités à l'égard de sa santé, à trouver des ressources supplémentaires ou à élaborer des stratégies visant à modifier les facteurs de risque.

Des stratégies globales de prévention secondaire, telles qu'un diagnostic précoce ou une intervention rapide, permettent de réduire les facteurs de risque cardiovasculaire. Ces stratégies peuvent améliorer les chances de survie et la qualité de vie de la personne, et réduire le recours aux interventions de revascularisation (pontage et angioplastie transluminale percutanée), ce qui réduit ainsi également l'incidence des IM ultérieurs. Des mesures générales de prévention secondaire peuvent également être bénéfiques pour d'autres groupes de personnes, qu'elles soient atteintes d'athérosclérose, notamment si elles ont subi une ischémie cérébrale transitoire (ICT) ou un accident vasculaire cérébral (AVC), ou d'une maladie vasculaire périphérique (la principale cause d'invalidité et de décès chez ces personnes étant la coronaropathie). En dépit de ce fait, seulement un tiers des personnes concernées observent à long terme les mesures visant à réduire les facteurs de risque. L'observance s'accroît sensiblement lorsque l'approche est multidisciplinaire et comporte un suivi à long terme, effectué grâce à des rendez-vous au cabinet médical ou à la clinique ainsi qu'à des entretiens téléphoniques (Smith *et al.*, 2001).

EXAMEN PHYSIQUE

L'examen physique vise à confirmer les résultats obtenus lors de l'anamnèse. Il porte non seulement sur l'apparence générale de la personne, mais aussi sur la fonction cardiovasculaire. En examinant la fonction cardiovasculaire, on doit évaluer les éléments suivants:

- *Efficacité de la contractilité du myocarde* La diminution de la pression différentielle, l'hypertrophie du muscle cardiaque et la présence de souffles et de bruits de galop traduisent une contractilité insuffisante.
- *Volumes et pressions de remplissage* La distension des veines jugulaires de même que la congestion pulmonaire, l'œdème périphérique et l'hypotension orthostatique dénotent une altération du volume et de la pression de remplissage des oreillettes et des ventricules.
- *Débit cardiaque* Les capacités cognitives, la fréquence cardiaque, la pression artérielle différentielle, la couleur et la texture de la peau de même que le débit urinaire renseignent sur le débit cardiaque.
- *Mécanismes de compensation* Des volumes de remplissage accrus et une fréquence cardiaque élevée aident l'organisme à maintenir le débit cardiaque. Il convient de noter que les données obtenues lors de l'examen physique doivent être interprétées en fonction des examens paracliniques, comme le monitorage hémodynamique, qui sera abordé plus loin dans ce chapitre.

Une infirmière expérimentée peut réaliser l'examen physique en 10 minutes. Elle procède selon un ordre logique, de la tête aux pieds:

1. L'inspection de l'apparence générale
2. L'évaluation des facultés cognitives
3. L'inspection de la peau
4. La mesure de la pression artérielle
5. La prise des pouls artériels
6. La mesure de l'oscillation et de la pression de la veine jugulaire
7. L'auscultation du cœur
8. L'examen des mains et des pieds
9. L'auscultation des poumons
10. L'examen de l'abdomen

Apparence générale et fonction cognitive

L'infirmière doit observer le niveau de détresse de la personne, son état de conscience et la cohérence de son discours, autant d'indicateurs de la capacité du cœur à oxygéner le cerveau. Elle doit aussi déceler le degré d'anxiété de la personne, ainsi que les effets possibles des facteurs émotionnels sur son état cardiovasculaire. Si la personne est anxieuse, l'infirmière doit s'efforcer de la rassurer tout au long de l'examen.

Inspection de la peau

L'infirmière commence à observer la peau au cours de l'évaluation de l'apparence générale et cet examen se poursuit tout au long de l'examen physique. L'inspection doit porter sur toute la surface de la peau, de la tête aux pieds. L'infirmière doit noter la couleur, la température et la texture de la peau. Voici les principaux indices de maladie cardiovasculaire:

- *Pâleur* Cette décoloration de la peau est due à un déficit en oxyhémoglobine, résultant de l'anémie ou d'une irrigation artérielle insuffisante. La pâleur est plus visible au niveau des ongles, des lèvres et de la muqueuse buccale. Chez les personnes dont la peau est foncée, elle est plus facile à déceler au niveau des paumes de la main ou de la plante des pieds.

- *Cyanose périphérique* La teinte bleutée que prennent le plus souvent les ongles ainsi que la peau du nez, des lèvres, des lobes des oreilles, des mains et des pieds témoigne du ralentissement du débit sanguin dans ces régions. En raison de ce ralentissement, l'hémoglobine a davantage de temps pour libérer son oxygène et se transforme ainsi en désoxyhémoglobine.
- *Cyanose centrale* La teinte bleutée que prennent la langue et la muqueuse buccale peut révéler une MCV grave (œdème aigu du poumon et cardiopathie congénitale). Dans le cas d'une cardiopathie congénitale, le sang veineux passe dans la circulation pulmonaire sans s'oxygéner. Dans le cas de l'œdème aigu du poumon ou de l'insuffisance cardiaque, c'est la baisse généralisée d'oxygène liée à l'hémoglobine (appelée hypoxémie) qui est en cause.
- *Xanthélasma* Les papules jaunâtres, légèrement protubérantes, qui se forment sur une des paupières ou sur les deux à la fois (près du nez), peuvent être un indice d'hypercholestérolémie (taux élevés de cholestérol).
- *Faible élasticité de la peau* C'est un signe de déshydratation et de vieillissement.
- *Température et humidité* Ces facteurs sont régis par le système nerveux autonome. Normalement la peau est chaude et sèche. Sous l'effet d'un stress (décharge adrénergique), les mains peuvent devenir froides et moites. En cas de choc cardiogénique, la stimulation du système nerveux provoque une vasoconstriction et la peau devient froide et moite. Pendant un IM aigu, la diaphorèse est courante.
- *Ecchymoses (hématomes)* Ces taches d'un bleu violacé virant au vert, au jaune ou au brun avec le temps sont dues à une extravasation du sang vasculaire, habituellement provoquée par un traumatisme. Chez les personnes sous anticoagulothérapie, il faut rester à l'affût des ecchymoses dont l'origine ne peut s'expliquer, car la formation excessive d'ecchymoses peut indiquer que les temps de coagulation (temps de prothrombine, temps de céphaline) sont prolongés à cause d'une dose trop élevée d'anticoagulant.
- *Plaies, cicatrices, modification de l'état de la peau qui entoure les prothèses* L'infirmière doit vérifier si les plaies cicatrisent normalement; elle doit aussi évaluer l'état des cicatrices laissées par les interventions chirurgicales antérieures. L'amincissement de la peau qui entoure un pacemaker ou un défibrillateur à demeure peut indiquer une érosion de la peau par l'appareil en question.

Pression artérielle

La pression artérielle systémique traduit la pression qui s'exerce sur la paroi des artères au cours de la systole et de la diastole. Elle est modifiée par des facteurs tels que le débit cardiaque, la capacité de distension des artères, la vitesse de la circulation sanguine, ainsi que le volume et la viscosité du sang. On exprime habituellement la pression artérielle par le rapport de la pression systolique sur la pression diastolique, ces valeurs se situant chez l'adulte en bonne santé entre 100/60 et 140/90 mm Hg. La pression artérielle idéale est de 120/80 mm Hg. On parle d'hypertension lorsque la pression artérielle dépasse la limite normale supérieure (chapitre 34), et d'hypotension lorsque la pression artérielle chute au-dessous de la limite normale inférieure.

Mesure de la pression artérielle

On mesure la pression artérielle en utilisant un système de monitorage artériel effractif (voir la section «Monitorage hémodynamique», p. 268) ou des appareils permettant de déterminer les valeurs de la tension sans effraction: un sphygmomanomètre et un stéthoscope, ou un sphygmomanomètre semi-automatique. On se référera au mode d'emploi des tensiomètres semi-automatiques pour savoir comment utiliser ces appareils de façon appropriée. Certains détails ne doivent pas être négligés si on veut mesurer la pression artérielle avec précision (encadré 28-3 ■ et chapitre 34).

Pression différentielle

La pression différentielle est la différence entre la pression systolique et la pression diastolique. Elle reflète le volume d'éjection systolique, la vitesse d'éjection et la résistance

ENCADRÉ 28-3

Comment mesurer avec précision la pression artérielle

- La taille du brassard doit être appropriée: la largeur de la chambre pneumatique doit correspondre à au moins 40 % de la hauteur entre le coude et l'épaule, alors que sa longueur doit couvrir au moins 80 % de la circonférence du bras. Le brassard normalement utilisé chez l'adulte a une largeur de 12 cm et une longueur de 23 cm. Un brassard trop petit risque de surestimer la pression artérielle, tandis qu'un brassard trop grand peut la sous-estimer.
- Il faut étalonner le sphygmomanomètre régulièrement (au moins une fois par année) afin d'obtenir des mesures précises.
- On doit enrouler le brassard solidement autour du bras, en plaçant le centre de la chambre pneumatique sur l'artère brachiale.
- Le bras de la personne doit être soutenu, et l'artère brachiale doit se trouver au niveau du cœur (4e espace intercostal).
- La première mesure doit se prendre sur les deux bras, et les mesures suivantes sur le bras où la pression est la plus élevée. Normalement, en l'absence de maladie vasculaire, la différence de pression entre les deux bras ne dépasse pas 5 mm Hg.
- Il faut noter la position que la personne avait adoptée (elle devrait normalement être assise, le dos appuyé et les pieds à plat sur le sol).
- Il faut noter sur quel bras on a mesuré la pression artérielle (par exemple, BD pour le bras droit).
- Il est plus facile de déceler un trou auscultatoire si on prend la pression systolique par palpation, avant de la prendre par auscultation.
- L'infirmière doit rester silencieuse et elle doit également demander à la personne de ne pas parler pendant la mesure, car le fait de parler élève la pression artérielle.

vasculaire systémique. La pression différentielle est normalement comprise entre 30 et 40 mm Hg. C'est un bon indicateur de la capacité de la personne à maintenir le débit cardiaque. La pression différentielle s'élève quand le volume systolique s'accroît (en cas d'anxiété, de bradycardie ou d'effort) ou quand la résistance vasculaire systémique diminue (en cas de fièvre) ou encore quand les artères n'ont plus une élasticité suffisante (en cas d'athérosclérose ou d'hypertension, ou chez la personne âgée). Une pression différentielle basse témoigne d'un volume systolique et d'une vitesse d'éjection réduits (en cas de choc, d'insuffisance cardiaque, d'hypovolémie ou de régurgitation mitrale) ou d'une obstruction qui entrave l'écoulement du sang au cours de la systole (sténose aortique ou mitrale). Une pression différentielle inférieure à 30 mm Hg indique un débit cardiaque fortement réduit, ce qui rend nécessaires des examens plus poussés de la fonction cardiovasculaire.

Modification de la pression artérielle lors des changements de position

L'**hypotension orthostatique** (ou **posturale**) est une baisse anormale de la pression artérielle qui se produit lorsque la personne passe de la position couchée à la position debout. Elle se manifeste généralement par des étourdissements, une sensation de tête légère ou une syncope.

Chez les personnes atteintes d'une MCV, les trois causes les plus courantes d'hypotension orthostatique sont l'hypovolémie (faible volume de liquide intravasculaire, déshydratation), la défaillance des mécanismes qui régulent la vasoconstriction et un système nerveux autonome ne pouvant déclencher une vasoconstriction suffisante. Pour déterminer la cause de l'hypotension orthostatique, le médecin se fonde sur les circonstances dans lesquelles elle se manifeste et sur les données issues de l'anamnèse. Pour dépister l'hypotension orthostatique, on doit procéder comme suit:

- Placer la personne en décubitus dorsal, complètement à plat, si son état le permet. Attendre 10 minutes, puis mesurer sa pression artérielle et sa fréquence cardiaque.
- Prendre les mesures en décubitus dorsal avant de les prendre en position assise.
- Ne pas retirer le brassard entre les deux mesures, mais vérifier s'il est correctement placé.
- Faire asseoir la personne sur le bord du lit, les pieds pendants, puis la placer en position debout, près du lit. Mesurer la pression artérielle dans les deux positions et noter les modifications entraînées par le changement de position.
- Après chaque changement de position, mesurer la pression artérielle et la fréquence cardiaque, puis attendre deux minutes avant de les mesurer de nouveau.
- Surveiller tout signe ou symptôme de malaise. Si cela est nécessaire, réinstaller la personne dans son lit même si toutes les mesures n'ont pas été prises.
- Noter la fréquence cardiaque et la pression artérielle en indiquant dans quelle position était la personne lorsqu'on les a prises (couchée, assise ou debout) et tous les signes et symptômes qui accompagnent les changements de position.

Les réactions normales aux divers changements de position sont: (1) une accélération de la fréquence cardiaque de l'ordre de 15 à 20 battements par minute, qui compense la diminution du volume systolique et maintient le débit cardiaque; (2) une pression systolique inchangée ou en légère baisse, d'environ 10 mm Hg, au maximum; et (3) une légère élévation de la pression diastolique, d'environ 5 mm Hg.

Lorsqu'on observe une accélération de la fréquence cardiaque et une baisse de la pression systolique ou diastolique supérieure à 15 mm Hg chez une personne qui a suivi un traitement aux diurétiques ou qui a subi une hémorragie, il y a tout lieu de croire qu'elle souffre d'hypovolémie. Les signes vitaux seuls ne permettent pas de déterminer si l'hypotension orthostatique a pour cause la diminution du volume intravasculaire ou la constriction inadéquate des vaisseaux. Dans le cas d'une perte de volume intravasculaire, les réflexes qui maintiennent le débit cardiaque (accélération de la fréquence cardiaque et vasoconstriction périphérique) sont normaux; la fréquence cardiaque s'élève et les vaisseaux périphériques se contractent; la pression artérielle diminue en raison de la diminution du volume. Lorsque les mécanismes qui régissent la vasoconstriction sont défaillants, la fréquence cardiaque est appropriée, mais la pression artérielle chute à cause d'une vasoconstriction périphérique insuffisante. Voici un exemple de variation des valeurs de la pression artérielle entraînée par un changement de position, découlant de la perte de volume intravasculaire ou de la défaillance des mécanismes régissant la vasoconstriction:

Position couchée: pression artérielle 120/70
fréquence cardiaque 70
Position assise: pression artérielle 100/55
fréquence cardiaque 90
Position debout: pression artérielle 98/52
fréquence cardiaque 94

Si l'hypotension orthostatique est due à une atteinte du système nerveux autonome, la fréquence cardiaque ne peut s'accélérer suffisamment pour compenser les effets de la gravité qui s'exercent lorsqu'on se trouve en position debout. La vasoconstriction périphérique peut alors être réduite ou même inexistante. La défaillance du système nerveux autonome peut parfois aller de pair avec la réduction du volume intravasculaire. Voici un exemple de modification de la pression orthostatique due à une réponse insuffisante du système nerveux autonome:

Position couchée: pression artérielle 150/90
fréquence cardiaque 60
Position assise: pression artérielle 100/60
fréquence cardiaque 60

Pouls

Quand on prend le pouls, on doit déterminer sa fréquence, son rythme, son amplitude, sa morphologie; on doit aussi vérifier l'état des artères.

Fréquence

La fréquence normale du pouls peut varier de 60 battements par minute chez un jeune adulte athlétique en bonne santé à plus de 100 battements à l'effort ou dans les périodes d'agitation. Au cours de l'examen physique, l'anxiété provoque souvent une élévation de la fréquence du pouls. Dans ce cas, il convient de reprendre le pouls à la fin de l'examen, quand la personne est plus calme.

Rythme

Il importe également de noter la régularité du rythme du pouls. Des variations mineures sont normales. Chez les jeunes, particulièrement, le pouls s'accélère durant l'inspiration et ralentit durant l'expiration. Ce phénomène porte le nom d'arythmie sinusale.

Lors de l'examen physique initial, si le pouls est irrégulier, il faut prendre la fréquence cardiaque, en auscultant pendant une minute le pouls apical tout en palpant simultanément le pouls radial.

Si le nombre de contractions cardiaques (pouls apical) est différent de la fréquence du pouls radial, l'infirmière doit le noter. Les arythmies (dysrythmies) provoquent souvent un pouls déficitaire, soit une différence entre le pouls apexien (pouls entendu à la pointe du cœur) et le pouls périphérique. Un pouls déficitaire peut indiquer une fibrillation auriculaire, un flutter auriculaire, des contractions ventriculaires prématurées ou un bloc cardiaque plus ou moins important. Dans ces conditions, la pression systolique générée est souvent insuffisante pour que le pouls soit perceptible à l'artère radiale. Ces arythmies sont traitées plus en détail dans le chapitre 29.

Pour comprendre la complexité des arythmies qu'elle peut observer durant l'examen physique, l'infirmière doit avoir une connaissance approfondie de l'électrophysiologie du cœur.

Amplitude

On peut qualifier l'amplitude du pouls de normale, de faible, d'imperceptible ou de bondissante. Le pouls doit être pris des deux côtés. Pour en évaluer la force, on peut se servir de diverses échelles. Voici un exemple d'échelle de 0 à 3:

- 0 pouls imperceptible
- +1 pouls très faible, filant, presque imperceptible, qui s'oblitère à la pression
- +2 pouls perceptible, normal, impossible à oblitérer
- +3 pouls bondissant, très fort

Comme cette classification est assez subjective, il est préférable de préciser les variations à l'intérieur de l'échelle (par exemple, pouls radial gauche +2/+3).

Morphologie

La morphologie du pouls est souvent très révélatrice. Chez les personnes atteintes de sténose aortique, la lumière de la valvule aortique est rétrécie, ce qui réduit la quantité de sang éjecté dans l'aorte. La pression différentielle est réduite (inférieure à 30 mm Hg) et le pouls a une faible amplitude. En cas d'insuffisance aortique, la valvule aortique ne se ferme pas complètement et le sang reflue de l'aorte vers le ventricule gauche durant la diastole. L'élévation du pouls est abrupte et forte, et sa descente, rapide, phénomène qui porte le nom de pouls bondissant de Corrigan. Pour évaluer plus précisément la forme du pouls, il est préférable de palper l'artère carotide plutôt que l'artère radiale: les caractéristiques les plus apparentes des ondes pulsatiles peuvent en effet être altérées dans les petits vaisseaux.

État des artères

Puisque l'état des artères influe sur le pouls, il est important de vérifier celles-ci, surtout chez les personnes âgées. Après avoir mesuré la fréquence et le rythme du pouls, l'infirmière évalue l'état des artères en palpant l'artère radiale le long de l'avant-bras et en la comparant avec un vaisseau normal. La paroi vasculaire semble-t-elle épaissie? L'artère est-elle tortueuse?

Pour évaluer la circulation périphérique, l'infirmière doit prendre tous les pouls artériels aux endroits où les artères sont près de la surface de la peau et faciles à oblitérer contre les os et les muscles. Le pouls est perceptible au niveau des artères temporale, carotide, brachiale, radiale, fémorale, poplitée, dorsale du pied (pouls pédieux) et tibiale postérieure. Pour mesurer avec précision le pouls dans les membres inférieurs, on doit bien repérer l'artère et palper soigneusement toute la région. La palpation doit être légère, car une pression trop forte peut facilement oblitérer le pouls de l'artère dorsale du pied et de l'artère tibiale postérieure, ce qui peut induire en erreur la personne qui effectue l'examen. Chez environ 10 % des personnes, il est impossible de repérer le pouls pédieux. Cette situation se produit lorsque l'irrigation de cette partie du pied est plutôt assurée par les artères tibiales postérieures; dans ce cas, les deux pouls pédieux sont absents. Afin de mieux comparer les pouls, on palpe simultanément les artères des deux membres.

! ALERTE CLINIQUE *On ne doit pas oblitérer simultanément les artères carotides, car cela risquerait de réduire le débit du sang qui irrigue le cerveau.*

Pressions de la veine jugulaire

Inspecter l'oscillation de la veine jugulaire interne droite permet d'évaluer sommairement le fonctionnement du cœur droit, ainsi que la pression veineuse centrale. Cette dernière correspond à la pression télédiastolique de l'oreillette et du ventricule droits (la pression qui s'exerce tout juste avant la contraction du ventricule droit).

La hauteur de l'oscillation de la veine jugulaire interne doit être notée lorsque la personne est en position semi-assise, à 45 degrés. On note la hauteur en utilisant l'angle manubriosternal comme point de repère. Lorsque la pression veineuse centrale est normale, cette oscillation est souvent non visible.

Quand la tête est surélevée de 45 degrés, une distension apparente de la jugulaire d'une hauteur (mesurée à partir de l'angle manubriosternal) supérieure à 4,5 cm indique une hypervolémie. Cette dernière peut être un signe d'insuffisance cardiaque droite et, moins souvent, d'obstruction de la veine cave supérieure ou de tamponnade.

Inspection et palpation du cœur

On peut examiner le cœur indirectement par inspection, palpation, percussion et auscultation de la cage thoracique. On doit effectuer un examen complet méthodiquement, en passant par les six foyers anatomiques suivants (figure 28-6 ■):

1. *Foyer aortique* Deuxième espace intercostal droit, près du sternum. Pour bien repérer les espaces intercostaux, on doit tout d'abord rechercher l'angle manubriosternal (ou angle de Louis), qui se trouve au niveau de la crête osseuse située près de la partie supérieure du sternum, à la jonction du corps du sternum et du manubrium. Ensuite, à partir de cet angle, on glisse un doigt vers la gauche ou vers la droite du sternum. À partir de ce point de référence (la deuxième côte), on repère les autres espaces intercostaux par palpation le long de la cage thoracique. Le premier espace intercostal se situe au-dessus de la deuxième côte, alors que le deuxième espace intercostal (utilisé pour les foyers aortique et pulmonaire) se situe sous la deuxième côte.
2. *Foyer pulmonaire* Deuxième espace intercostal, à gauche du sternum.
3. *Point d'Erb* Troisième espace intercostal, à mi-chemin entre le sternum et la ligne médioclaviculaire.
4. *Foyer ventriculaire droit ou tricuspidien* Quatrième espace intercostal, à gauche du sternum.
5. *Foyer mitral ou apexien* C'est le choc de pointe, endroit de la paroi thoracique où on peut percevoir par palpation les contractions du cœur (la systole).
6. *Foyer épigastrique* Sous la pointe du sternum.

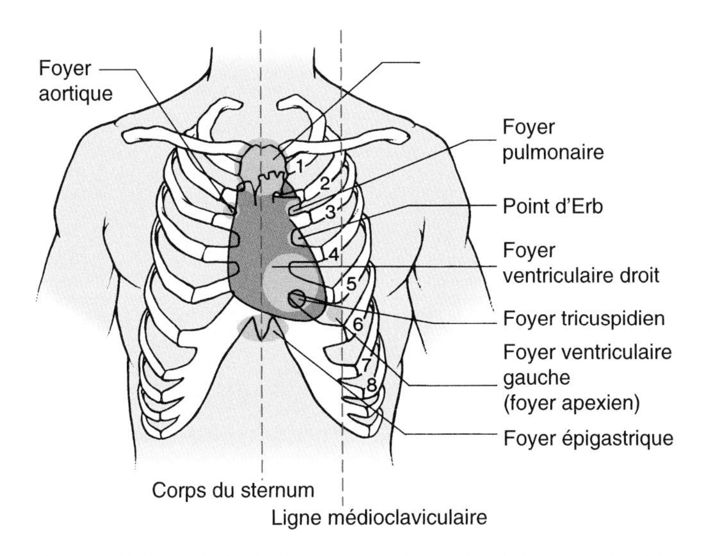

FIGURE 28-6 ■ Foyers d'auscultation de la région précordiale. (Les chiffres correspondent aux côtes.) Le foyer épigastrique n'est pas un foyer d'auscultation.

Pendant la majeure partie de l'examen, la personne doit être couchée sur le dos, la tête légèrement surélevée. L'infirmière droitière se place à la droite de la personne; l'infirmière gauchère, à sa gauche.

Elle doit inspecter puis palper chaque foyer de la région précordiale. On utilise un éclairage oblique afin de mieux repérer les pulsations peu visibles. La pulsation qu'on peut normalement observer au-dessus de l'apex porte le nom de choc apexien (aussi appelé choc de pointe). Elle est apparente chez les jeunes et chez les personnes âgées maigres. Elle se situe au niveau du cinquième espace intercostal, près de la ligne médioclaviculaire (figure 28-7 ■).

Souvent, le choc apexien est palpable. Il s'agit d'une légère pulsation de un à deux centimètres de diamètre. Il débute tout de suite après le premier bruit du cœur et prend fin après les deux tiers de la systole. On repère d'abord le choc de pointe avec la paume de la main, puis on se sert du bout des doigts pour en évaluer la dimension et l'intensité.

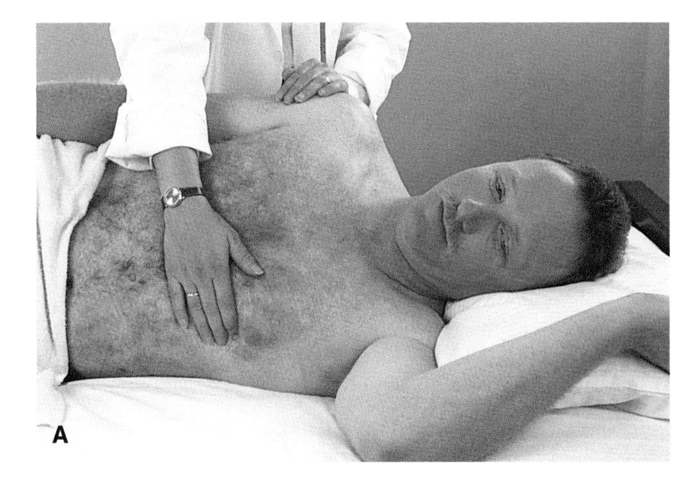

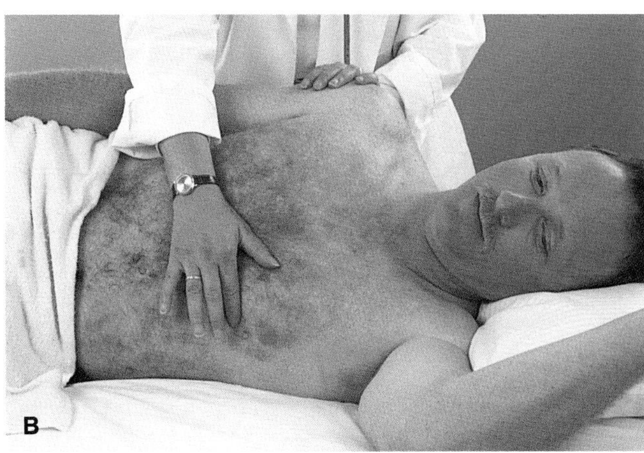

FIGURE 28-7 ■ Méthode permettant de repérer **(A)** et de palper **(B)** le choc apexien (ou choc de pointe). Celui-ci se situe normalement au niveau du cinquième espace intercostal, à gauche du sternum et de la ligne médioclaviculaire. L'infirmière repère la pulsation avec la paume de la main, puis se sert du bout des doigts pour la palper. SOURCE: B. Proud, dans J.W. Weber et J. Kelley (2003). *Health assessment in nursing* (2e éd.). Philadelphie: Lippincort Williams & Wilkins.

Un choc apexien perçu au-dessous du cinquième espace intercostal ou latéralement par rapport à la ligne médioclaviculaire indique habituellement une hypertrophie du ventricule gauche causée par l'insuffisance cardiaque gauche. Normalement, on ne peut déceler le choc apexien qu'au niveau d'un seul espace intercostal (diamètre de 2,5 à 3 cm environ). S'il est perçu au niveau de deux ou de plusieurs espaces adjacents, une hypertrophie ventriculaire gauche est présente. S'il est repéré lors de la palpation de deux régions nettement séparées, et si les pulsations sont paradoxales (et non simultanées), on doit soupçonner un anévrisme ventriculaire.

Effectuer une palpation avec la paume de la main permet de déceler un frémissement (*thrill*) qui traduit la turbulence du sang à l'intérieur du cœur. Ce phénomène va de pair avec un souffle intense. Il indique toujours une cardiopathie importante. On peut aussi percevoir des frémissements lorsqu'on palpe des vaisseaux fortement obstrués par l'athérome ou dans les cas de sténose aortique.

Percussion

On utilise la technique de la percussion pour déterminer la taille du cœur. On percute la face antérieure du thorax afin de situer l'aire de matité du cœur. Normalement, on ne peut repérer par percussion que le bord gauche du cœur. Il s'étend du sternum à la ligne médioclaviculaire, du troisième au cinquième espace intercostal. Le bord droit du cœur se situe sous le rebord costal droit, mais celui-ci empêche de le repérer. Si le cœur droit ou le cœur gauche est hypertrophié, on peut généralement le déceler. Chez les personnes qui sont obèses ou atteintes de BPCO (dont le thorax est en tonneau), le cœur peut se situer si loin de la surface du thorax qu'on ne peut repérer son bord gauche, à moins qu'il soit hypertrophié. Dans ce cas, l'infirmière ne procède à la percussion que si elle décèle un déplacement du choc apexien ou si elle soupçonne une cardiomégalie.

Auscultation

On doit ausculter le foyer aortique, le foyer pulmonaire, le point d'Erb, le foyer tricuspidien et le foyer apexien (figure 28-6). Les bruits provoqués par la fermeture des valvules sont audibles à des endroits précis de la paroi thoracique. Ces endroits ne correspondent pas à l'emplacement réel des valvules, mais à la direction de la propagation du bruit dans la paroi thoracique. Les bruits provenant des vaisseaux traversés par le sang circulant se propagent dans la même direction que le flux sanguin. Ainsi, ceux qui correspondent à la fermeture de la valvule mitrale sont habituellement bien entendus au niveau du cinquième espace intercostal, sur la ligne médioclaviculaire. Cette région s'appelle le foyer mitral. On entend mieux les bruits des valvules aortiques plus haut dans le thorax (deuxième espace intercostal), puisque le flux sanguin se dirige d'abord vers le haut (arc aortique).

Bruits cardiaques

Les **bruits cardiaques normaux**, B_1 et B_2, sont produits principalement par la fermeture simultanée des valvules cardiaques. L'intervalle entre B_1 et B_2 correspond à la systole (figure 28-8 ■). Il est généralement plus court que l'intervalle entre B_2 et B_1, qui correspond à la diastole. Une accélération de la fréquence cardiaque entraîne le raccourcissement de la diastole et de la systole.

Si le cœur fonctionne normalement, on n'entend aucun bruit au cours de la systole et de la diastole. En revanche, en cas d'atteinte ventriculaire, on peut percevoir des bruits transitoires. Ces bruits portent le nom de bruits de galop, de clics ou de claquements. Une ouverture ou une fermeture insuffisante des valvules produit des souffles.

B_1 : premier bruit cardiaque Le premier bruit (B_1) résulte de la fermeture des valvules mitrale et tricuspide. On le perçoit dans toute la région précordiale, mais c'est au niveau du foyer apexien (à la pointe du cœur) qu'on l'entend le mieux. Il est facile à déceler et permet de déterminer les différents temps du cycle cardiaque. Son intensité s'accroît en cas de cardite consécutive au rhumatisme articulaire aigu (RAA), à cause de la calcification des feuillets valvulaires, et dans tous les cas où le ventricule se contracte pendant que la valvule est ouverte (par exemple, lorsque le cycle cardiaque normal est interrompu par une contraction ventriculaire prématurée).

B_2 : deuxième bruit cardiaque Le deuxième bruit (B_2) résulte de la fermeture des valvules aortique et pulmonaire. La valvule pulmonaire se fermant généralement un peu après la valvule aortique, le deuxième bruit est parfois dédoublé. Le dédoublement est habituellement plus accentué à l'inspiration et disparaît à l'expiration : la quantité de sang éjectée du ventricule droit durant l'inspiration est en effet supérieure à celle qui est éjectée durant l'expiration.

Le B_2 est plus fort à la base du cœur. Sa composante aortique est entendue clairement au niveau des foyers aortique et pulmonaire, mais moins clairement à la pointe du cœur. Sa composante pulmonaire, si elle est présente, n'est audible qu'au niveau du foyer pulmonaire. On peut donc déceler simultanément un bruit unique au niveau du foyer aortique et un bruit dédoublé au niveau du foyer pulmonaire.

Bruits de galop Une résistance au remplissage du ventricule au cours de la diastole, trait caractéristique de certaines maladies, peut engendrer des vibrations transitoires qui ressemblent beaucoup aux B_1 et aux B_2, mais qui sont

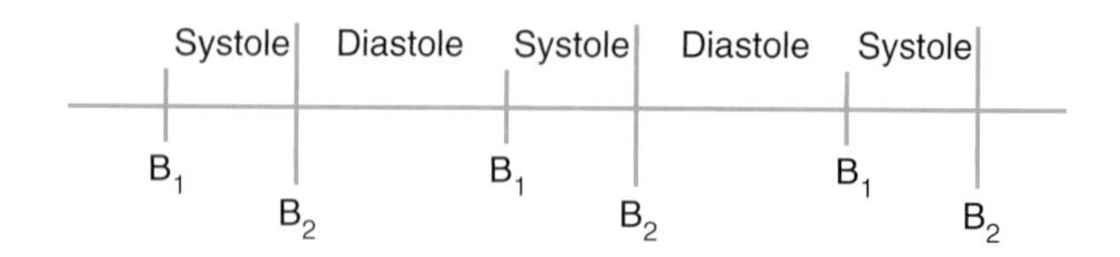

FIGURE 28-8 ■ Bruits cardiaques normaux. Le premier bruit (B_1) résulte de la fermeture des valvules mitrale et tricuspide; il est plus fort à la pointe du cœur (foyer apexien ou foyer ventriculaire gauche). Le deuxième bruit (B_2) résulte de la fermeture des valvules aortique et pulmonaire; il est plus fort à la base du cœur (deuxième espace intercostal). L'intervalle entre B_1 et B_2 correspond à la systole. L'intervalle entre B_2 et B_1 correspond à la diastole.

généralement moins intenses. Dans ce cas, on entend trois bruits, qui rappellent le galop du cheval, d'où leur nom: bruits de galop. Ils se produisent en début de diastole, pendant la phase de remplissage rapide du cycle cardiaque, ou plus tard, au moment de la contraction de l'oreillette (*kick* auriculaire).

Le bruit qui se produit au cours du remplissage rapide du ventricule porte le nom de troisième bruit du cœur (B_3). Il est normal chez les enfants et les jeunes adultes (figure 28-9A ■). Cependant, on peut aussi le déceler chez les personnes atteintes de myocardiopathie ou d'insuffisance cardiaque, dont les ventricules ne peuvent pas éjecter tout le sang pendant la systole. Les bruits de galop sont plus faciles à percevoir si la personne est couchée sur le côté gauche.

Le quatrième bruit (B_4) est le bruit de galop qu'on perçoit lors de la contraction des oreillettes (figure 28-9B ■). Il est surtout audible en cas d'hypertrophie ventriculaire, le ventricule ne pouvant pas se remplir correctement. L'hypertrophie ventriculaire est parfois associée à une coronaropathie, à l'hypertension ou à la sténose aortique.

Les bruits de galop sont de très faible intensité et ne sont audibles que si la cupule du stéthoscope est très légèrement posée sur la poitrine. C'est généralement au niveau du foyer apexien qu'on les entend le mieux.

Claquements et clics La sténose de la valvule mitrale, consécutive à la cardite rencontrée dans le rhumatisme articulaire aigu (RAA), produit en tout début de diastole un bruit très aigu, audible surtout le long du bord gauche du sternum. Ce bruit, provoqué par une pression élevée dans l'oreillette gauche, avec déplacement brusque d'une valvule mitrale rigide, porte le nom de claquement d'ouverture. On ne peut le confondre ni avec un B_2 dédoublé parce qu'il apparaît trop longtemps après le deuxième bruit du cœur, ni avec les bruits de galop parce qu'il survient trop tôt au cours de la diastole. Il est presque toujours associé à un souffle de sténose mitrale, et c'est le signe caractéristique de cette affection.

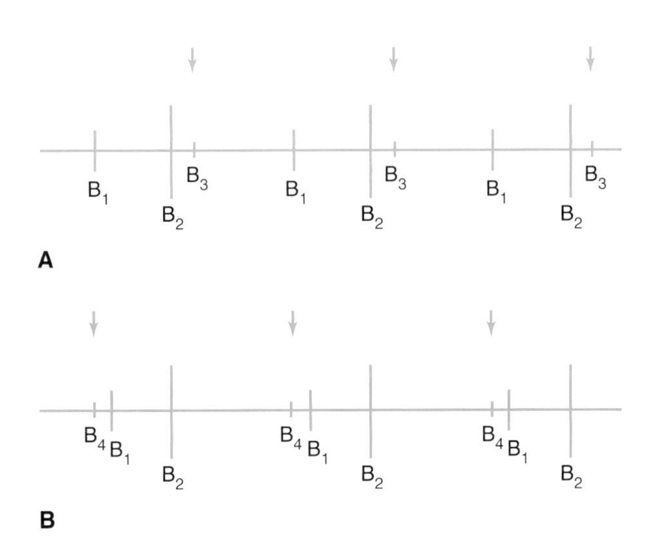

FIGURE 28-9 ■ Bruits de galop. **(A)** Le B_3 est audible immédiatement après le B_2, en raison d'un remplissage ventriculaire insuffisant au cours de la diastole, ce qui entraîne des vibrations passagères. C'est une succession de trois bruits, qui rappelle le galop du cheval. Il est caractéristique d'un cœur défaillant (infarctus aigu du myocarde) et de l'insuffisance cardiaque. **(B)** Le quatrième bruit (B_4) se produit au cours de la contraction des oreillettes et il est souvent audible en présence d'une hypertrophie ventriculaire, provoquée par une coronaropathie, l'hypertension artérielle ou la sténose de la valvule aortique.

Par ailleurs, la sténose de la valvule aortique provoque un son bref et aigu, qui suit immédiatement le premier bruit. Ce bruit, qui porte le nom de clic d'éjection, résulte d'une forte pression ventriculaire avec déplacement d'une valvule aortique rigide et calcifiée.

Souffles Les **souffles** sont causés par une turbulence du courant sanguin. Cette turbulence peut notamment être due à un rétrécissement très prononcé d'une valvule, au mauvais fonctionnement d'une valvule entraînant un flux rétrograde, à une malformation congénitale de la paroi ventriculaire, à une malformation de la paroi qui sépare l'aorte de l'artère pulmonaire ou à un volume sanguin accru (hypervolémie) qui traverse une structure normale (par exemple, en présence de fièvre, de grossesse ou d'hyperthyroïdie). Les caractéristiques des souffles sont décrites dans l'encadré 28-4 ■.

Frottement péricardique Le frottement péricardique est un bruit aigu et râpeux, qu'on entend pendant la systole et la diastole chez les personnes atteintes de péricardite. Il est dû au glissement des deux membranes péricardiques au cours du cycle cardiaque. On peut facilement le confondre avec un souffle cardiaque, qui peut lui aussi être audible tant au cours de la systole que de la diastole. On entend plus facilement le frottement péricardique lorsqu'on utilise le diaphragme du stéthoscope et lorsque la personne est en position assise, le tronc penché vers l'avant.

Auscultation: conduite à tenir

Pendant l'auscultation, la personne doit rester en position couchée et la pièce doit être aussi silencieuse que possible. Pour ausculter convenablement le cœur, l'infirmière doit se servir d'un stéthoscope muni d'un diaphragme et d'une cupule.

Elle place le diaphragme du stéthoscope au niveau du foyer apexien, puis le déplace vers le haut du bord gauche du sternum, jusqu'aux foyers pulmonaire et aortique. Elle peut aussi décider de commencer l'auscultation par les foyers aortique et pulmonaire, puis de la poursuivre vers le bas, jusqu'au foyer apexien. L'infirmière doit d'abord repérer le B_1, en évaluer l'intensité et déterminer s'il y a un dédoublement. Elle doit ensuite chercher à déceler le B_2, en évaluer l'intensité et déterminer s'il est dédoublé. Elle se concentre enfin sur les autres bruits qui peuvent se produire pendant la systole, puis pendant la diastole.

Il peut être utile de se poser les questions suivantes: Est-ce que j'entends des claquements ou des clics? Est-ce que le bruit se produit au cours de la systole, au cours de la diastole ou au cours des deux? L'infirmière doit alors déplacer le stéthoscope d'un foyer de la région précordiale à l'autre, tout en surveillant la présence de ces bruits anormaux. Enfin, elle tourne la personne sur le côté gauche et place le stéthoscope sur le foyer apexien, où elle peut déceler plus facilement un troisième et un quatrième bruit ou un souffle mitral.

ENCADRÉ 28-4

Caractéristiques des souffles du cœur

Pour décrire les souffles du cœur, on s'attache aux caractéristiques suivantes: localisation sur la paroi thoracique, chronologie, intensité, tonalité, qualité et direction de propagation. Ces données renseignent sur le siège et sur la nature de l'anomalie cardiaque.

LOCALISATION

La localisation du souffle sur la paroi thoracique est une donnée essentielle. Selon le type de valvulopathie, le souffle peut être audible seulement à la pointe du cœur ou plus largement sur la paroi thoracique, ou encore le long du bord gauche du sternum, entre le troisième et le quatrième espace intercostal.

CHRONOLOGIE

Il est également essentiel d'établir à quel moment du cycle cardiaque le souffle survient. Il faut d'abord déterminer s'il se produit au cours de la systole ou au cours de la diastole. On doit ensuite noter s'il apparaît en même temps qu'un bruit normal du cœur ou s'il apparaît avec un décalage par rapport à ce dernier. Il faut aussi préciser s'il coïncide avec le deuxième bruit, s'il le précède ou s'il le chevauche. On doit, par ailleurs, noter s'il est continu (holodiastolique) ou s'il disparaît vers le milieu ou vers la fin de la diastole.

INTENSITÉ

On évalue l'intensité des souffles en utilisant une échelle de 1 à 6 degrés: 1, très faible; 2, faible; 3, modéré; 4, fort; 5, très fort; 6, audible même lorsque le stéthoscope est éloigné du thorax. Les souffles de premier degré sont difficiles à percevoir. Selon la position adoptée par la personne, ils pourraient même être inaudibles. Toutefois, une infirmière expérimentée pourra déceler facilement les souffles de deuxième degré. À partir du quatrième degré, les souffles s'accompagnent habituellement d'un frémissement qu'on peut déceler par palpation de la surface thoracique. Un souffle de sixième degré est audible même lorsque le stéthoscope est éloigné du thorax. Le souffle peut varier en intensité tout au long de son émission; cette variation d'intensité est caractéristique de certaines valvulopathies.

TONALITÉ

La tonalité est une autre caractéristique importante des souffles. Un souffle de tonalité grave ne peut souvent être décelé que si la cupule du stéthoscope repose légèrement sur la paroi thoracique, alors qu'un souffle de tonalité très aiguë est mieux perçu au moyen du diaphragme du stéthoscope.

QUALITÉ

Outre l'intensité et la tonalité du souffle, il faut en déterminer la qualité. Les souffles peuvent être en roulement, sifflants, râpeux, rudes ou musicaux.

DIRECTION DE LA TRANSMISSION

La dernière caractéristique du souffle est la direction dans laquelle il se propage. Par exemple, il peut irradier vers les aisselles, les artères carotides du cou, l'épaule gauche ou le dos.

Lorsqu'elle décèle un bruit anormal, l'infirmière doit réexaminer toute la surface thoracique de la personne pour déterminer l'emplacement exact du bruit et la direction dans laquelle il se propage. En même temps, elle doit rassurer la personne qui pourrait s'inquiéter du fait que l'examen se prolonge. L'infirmière note les observations découlant de l'auscultation, particulièrement si elle a décelé des souffles, en précisant les caractéristiques de tout bruit anormal: localisation, chronologie, intensité, tonalité, qualité et direction de la transmission.

Interprétation des bruits cardiaques

Pour interpréter correctement les bruits cardiaques, l'infirmière doit avoir une connaissance approfondie de la physiologie et de la physiopathologie du cœur. Toutefois, la compétence dont elle doit faire preuve en ce domaine dépend de la nature de son travail. L'infirmière qui effectue des examens en milieu scolaire ou dans une clinique de soins courants doit savoir distinguer les bruits anormaux, soit un troisième bruit, un souffle systolique ou diastolique, un frottement péricardique et un deuxième bruit fortement dédoublé. Elle doit ensuite effectuer l'examen physique et l'anamnèse de la personne en conséquence, puis faire part de ses observations au médecin, qui prendra les décisions qui s'imposent. À ce titre, elle joue un rôle important en matière de dépistage.

L'infirmière qui travaille dans une unité de cardiologie ou dans une clinique externe destinée aux personnes atteintes de MCV doit être capable de reconnaître le tableau clinique, de faire le lien entre ses observations tout comme entre les différents bruits qu'elle décèle et de comprendre la signification clinique de chacun d'entre eux.

L'infirmière qui travaille dans un service des urgences ou de soins intensifs, par exemple, doit savoir interpréter les bruits qu'elle entend. Elle doit pouvoir distinguer les divers types d'arythmies et agir en conséquence. Elle doit savoir déceler l'apparition et la disparition des bruits de galop au cours du traitement d'une personne qui a subi un IM ou qui est atteinte d'insuffisance cardiaque. Cette infirmière est spécialisée en soins coronariens ou en soins cardiovasculaires avancés; elle fait partie d'une équipe de professionnels très compétents à qui il incombe d'évaluer la fonction cardiovasculaire et d'en assurer la surveillance clinique.

Inspection des membres supérieurs et inférieurs

L'infirmière doit observer les mains, les bras, les jambes et les pieds de la personne pour déceler toutes les modifications de la peau et des vaisseaux. Les modifications les plus importantes sont notamment les suivantes:

- Un temps de *remplissage capillaire* plus court indique un débit artériel périphérique ralenti en raison d'une irrigation insuffisante. On l'observe souvent chez les personnes souffrant d'hypotension ou d'insuffisance cardiaque. Le temps de remplissage capillaire sert de base à l'évaluation du débit de la circulation périphérique.

Pour évaluer la qualité du remplissage capillaire, l'infirmière comprime brièvement le lit unguéal pour obstruer le flot sanguin, ce qui a pour effet de blanchir la peau, après quoi elle relâche la pression. Normalement, le retour de coloration se produit en moins de trois secondes, signe que l'irrigation s'est rétablie.

- Une *circulation artérielle périphérique inefficace* peut entraîner, entre autres, une diminution de l'amplitude du pouls, et même la disparition du pouls. On peut noter chez la personne une lourdeur ou des douleurs, une paresthésie (sensation de douleur en l'absence de stimulus ou en réponse à un stimulus anodin comme un frôlement), des engourdissements, une baisse de température, de la pâleur et une diminution de la mobilité. L'infirmière doit rechercher les modifications vasculaires (encadré 28-5 ■) qui peuvent se produire durant les heures qui suivent une intervention cardiaque effractive (comme le cathétérisme cardiaque). Pour ce faire, elle observe à intervalles fréquents les membres affectés.
- Les *hématomes* (accumulations circonscrites de sang coagulé dans un tissu) sont fréquents chez les personnes ayant subi une intervention cardiaque effractive, telle qu'un cathétérisme cardiaque, une angioplastie transluminale percutanée ou un monitorage électrophysiologique du cœur. Le cathéter utilisé lors de ces interventions est introduit dans l'un des principaux vaisseaux des bras ou des jambes. Comme il est nécessaire d'administrer des anticoagulants à la personne pendant ces interventions, de petits hématomes peuvent se former au point de ponction du cathéter intraveineux. En revanche, les gros hématomes constituent une complication grave puisqu'ils peuvent affecter le volume du sang circulant et le débit cardiaque. Ils peuvent même rendre nécessaire le recours à des transfusions. L'infirmière doit observer à intervalles rapprochés les points de ponction, chez toutes les personnes soumises à ces interventions, jusqu'au terme de l'hémostase.
- L'*œdème périphérique* est l'accumulation de liquides dans les régions déclives du corps (pieds et jambes, région du sacrum pour les personnes alitées). L'infirmière doit être à l'affût d'un œdème qui prend le godet (qui garde l'empreinte des doigts). Pour le reconnaître, elle appuie fermement avec son pouce sur la peau au-dessus du tibia et en arrière de la malléole interne. On évalue ce type d'œdème en utilisant une échelle de grandeur allant de 1 à 4 (tableau 28-5 ■). L'œdème périphérique peut être observé chez les personnes atteintes d'insuffisance cardiaque ou d'une maladie vasculaire périphérique, comme la thrombose veineuse profonde ou l'insuffisance veineuse chronique.
- La *déformation des doigts et des orteils* (hippocratisme digital) indique que la personne souffre d'une désaturation chronique de l'hémoglobine, comme dans les cas d'insuffisance cardiaque globale.
- Les personnes atteintes d'insuffisance artérielle ou veineuse peuvent avoir des *ulcères aux jambes*. Les caractéristiques des ulcères sont décrites en détail dans le chapitre 33.

ENCADRÉ 28-5

Modifications entraînées par une circulation artérielle périphérique inefficace

- Diminution ou disparition du pouls
- Sensation de lourdeur ou douleur
- Paresthésie
- Engourdissements
- Peau pâle et froide
- Diminution de la mobilité

TABLEAU 28-5 Évaluation du godet

Observation	Profondeur du godet	Temps du retour à la normale
Trace (1+)	De 0 à 0,5 cm	Rapide, moins de 10 s
Léger (2+)	De 0,5 à 1,5 cm	De 10 à 15 s
Modéré (3+)	De 1,5 à 2,5 cm	De 1 à 2 min
Grave (4+)	Plus de 2,5 cm	Supérieur à 2 min

Autres organes ou fonctions à évaluer

Fonction respiratoire

L'évaluation de la fonction respiratoire est décrite en détail dans le chapitre 23. Chez la personne atteinte d'une MCV, on peut observer les problèmes suivants :

- *Tachypnée* Accélération de la fréquence respiratoire observée chez les personnes atteintes d'insuffisance cardiaque ; elle peut aussi avoir pour cause la douleur ou une grande anxiété.
- *Respiration de Cheyne-Stokes* Dans ce cas, mode de respiration caractérisé par des cycles qui comprennent d'abord une période d'apnée plus ou moins longue, suivie d'une série de respirations dont la fréquence et l'amplitude vont en augmentant, puis en diminuant. On peut rencontrer ce type de respiration en cas de grave insuffisance cardiaque gauche. Il est important de noter la durée de l'apnée.
- *Hémoptysie* Expectorations rosées et mousseuses, signe d'œdème pulmonaire aigu.
- *Toux* Toux sèche ou toussotements souvent provoqués par l'irritation des voies respiratoires inférieures chez les personnes atteintes d'une surcharge, ou congestion, pulmonaire consécutive à une insuffisance cardiaque.
- *Crépitants* Bruits fins pouvant être causés par une insuffisance cardiaque ou une atélectasie due à l'immobilité. En général, les crépitants se situent d'abord à la base des poumons (à cause de la pesanteur du liquide

accumulé et de la faible ventilation du tissu basilaire), mais ils peuvent se répandre dans tous les champs pulmonaires. On les entend principalement à la fin de l'inspiration, mais quelquefois également durant toute l'inspiration et l'expiration lorsque l'état de la personne se détériore. L'infirmière doit noter l'endroit où elle les perçoit ainsi que la phase respiratoire correspondante.

- *Sibilants* Sons continus pouvant être causés par un spasme des bronchioles consécutif à une surcharge pulmonaire interstitielle. Les bêtabloquants, comme le propranolol (Inderal), peuvent aussi créer un bronchospasme, surtout chez les personnes atteintes d'une affection respiratoire sous-jacente telle que l'asthme.

Abdomen

Lorsqu'elle examine l'abdomen de la personne atteinte d'une MCV, l'infirmière doit surtout prêter attention au reflux hépatojugulaire et à la distension de la vessie.

- *Reflux hépatojugulaire* Dans les cas d'insuffisance cardiaque, le ventricule droit est souvent incapable de recevoir l'ensemble du retour veineux, particulièrement en situation d'effort. La congestion qui en découle entraîne alors un engorgement du foie. Dans ce cas, le foie est hypertrophié, ferme, insensible et lisse. On dit qu'il y a reflux hépatojugulaire si une pression ferme exercée sur le quadrant supérieur droit de l'abdomen pendant 30 à 60 secondes donne lieu à une élévation de 4 cm suivie d'une chute brusque de l'oscillation de la veine jugulaire. Cette élévation indique l'incapacité du cœur droit à s'adapter à un volume accru.
- *Distension de la vessie* Le débit urinaire, et en particulier un débit urinaire réduit, est un indicateur important du fonctionnement du cœur. En effet, un débit urinaire réduit peut être un indice d'irrigation rénale insuffisante ou d'un problème moins grave, comme la rétention urinaire. En cas de réduction du débit urinaire, l'infirmière doit demander à la personne si elle a des difficultés de miction et vérifier que sa vessie n'est pas distendue. L'examen de la vessie peut être effectué par échographie ou par palpation de la région sus-pubienne. Grâce à la palpation, l'infirmière pourra déceler la présence d'une masse de forme ovale. Elle devra ensuite vérifier par percussion s'il y présence de matité.

Particularités reliées à la personne âgée

Lorsqu'on effectue un examen cardiovasculaire chez une personne âgée, on peut noter certaines différences: par exemple, il est plus facile de prendre le pouls périphérique d'une personne âgée par palpation parce que ses artères sont plus rigides et que le tissu conjonctif qui les entoure est aminci. La palpation de la région précordiale sera, en revanche, plus difficile à cause des changements qui interviennent dans la forme de la cage thoracique. Ainsi, chez une personne âgée atteinte de bronchopneumopathie chronique obstructive, il est souvent impossible de percevoir les pulsations cardiaques à cause de l'augmentation du diamètre antéropostérieur de la poitrine (thorax en tonneau). L'apex du cœur peut aussi être déplacé vers le bas à cause d'une cyphose (déviation de la colonne vertébrale fréquente chez la personne âgée), ce qui peut dissimuler le choc apexien.

Même si la pression systolique s'élève avec l'âge, la pression diastolique reste généralement stable après l'âge de 50 ans. Il est recommandé d'administrer des antihypertenseurs aux personnes dont la pression systolique se situe de façon constante à 140 mm Hg ou plus, ou à celles dont la pression diastolique est de 90 mm Hg ou plus. Mais, avant d'amorcer un traitement chez une personne âgée, il faut prendre en considération certains facteurs comme les affections concomitantes et la présence d'hypotension orthostatique, cette dernière pouvant être le signe d'une perte de sensibilité des réflexes posturaux.

Un quatrième bruit cardiaque (B_4) est audible chez environ 90 % des personnes âgées, à cause d'une diminution de la compliance ventriculaire gauche, et le deuxième bruit (B_2) est généralement dédoublé. Au moins 60 % des patients âgés ont un souffle au cœur, le plus souvent un souffle d'éjection systolique, dû à la sclérose des feuillets de la valvule aortique (tableau 28-1, p. 235).

Examens paracliniques

La surveillance paraclinique comprend toute une panoplie d'examens qui servent à confirmer les résultats tirés de l'anamnèse et de l'examen physique. Si certains examens sont faciles à interpréter, d'autres ne peuvent l'être que par des spécialistes. La personne doit recevoir des explications à propos de tous les examens auxquels elle sera soumise. Certains examens supposent une préparation particulière, ainsi qu'une surveillance clinique spécifique une fois qu'ils ont été réalisés.

Examens sanguins

On peut effectuer des examens sanguins pour les raisons suivantes:

- Contribuer au diagnostic d'un infarctus aigu du myocarde.
- Dépister certaines particularités du sang qui peuvent modifier le pronostic de la personne atteinte d'une affection cardiaque (anémie).
- Évaluer la gravité d'une réaction inflammatoire.
- Dépister les facteurs de risque d'une coronaropathie consécutive à l'athérosclérose.
- Établir les valeurs de base avant un traitement.
- Mesurer les concentrations sanguines de certains médicaments.
- Déterminer les effets de certains traitements médicamenteux (par exemple, les effets des diurétiques sur les concentrations sériques de potassium).
- Dépister toute déviation des valeurs normales.

Puisque les laboratoires n'utilisent pas tous les mêmes appareils ni les mêmes méthodes de mesure, les valeurs normales dépendent du laboratoire et de l'établissement où les examens sont réalisés.

Dosage des enzymes cardiaques

Le diagnostic de l'infarctus aigu du myocarde repose sur l'anamnèse de la personne, ses symptômes, son tracé électrocardiographique (ECG), ainsi que sur les concentrations sériques des enzymes cardiaques et de certaines protéines, et tout particulièrement :

- CK
- CK-MB
- LDH
- Myoglobine
- Troponine I

Les enzymes sont libérées des cellules lorsqu'une lésion en rompt la membrane. La plupart ne sont pas spécifiques à l'organe atteint. Cependant, certaines ne sont libérées que si les cellules du myocarde ont subi une altération, comme en cas d'hypoxie prolongée, entraînée par un infarctus ou un traumatisme. Les enzymes traversent la membrane cellulaire pour pénétrer dans l'espace interstitiel du myocarde, d'où elles sont acheminées vers la circulation générale par le système lymphatique et les veines coronaires. Il en résulte une élévation de leurs concentrations sériques.

Après un IM, toutes les enzymes ne pénètrent pas dans la circulation sanguine à la même vitesse. On doit donc mesurer les différentes concentrations en tenant compte du moment où la douleur thoracique ou d'autres symptômes sont apparus. La créatine kinase (CK) et son isoenzyme, la CK-MB, sont les enzymes les plus spécifiques ; elles sont libérées par les cellules myocardiques lésées à la suite d'un infarctus, et ce sont les premières dont les concentrations s'élèvent. Chez les personnes qui ne se sont pas rendues immédiatement à l'urgence, on doit également mesurer les concentrations de la lacticodéshydrogénase (LDH) et de ses isoenzymes, car celles-ci n'atteignent un pic qu'après deux ou trois jours, donc bien plus tard que les concentrations de la CK (voir les délais de l'élévation des concentrations des enzymes cardiaques au chapitre 30, p. 335).

La *myoglobine*, un marqueur dont le dosage permet de poser rapidement le diagnostic d'IM, est une protéine ferrique de faible poids moléculaire. Elle est donc rapidement libérée des tissus myocardiques lésés, d'où l'élévation rapide de ses concentrations sanguines (de une à trois heures après la survenue d'un infarctus aigu du myocarde). Les concentrations maximales de myoglobine sont atteintes en l'espace de 4 à 12 heures, et elles reviennent à la normale en 24 heures. À elle seule, la myoglobine ne permet pas de diagnostiquer un IM, puisque ses concentrations peuvent également s'élever en cas d'atteinte rénale ou musculosquelettique. Cependant, lorsque le dosage de myoglobine donne des résultats négatifs, on peut écarter un diagnostic d'IM.

Le dosage de la *troponine I* donne des renseignements qui sont à plusieurs égards plus utiles que les dosages des enzymes habituelles. La troponine I est une protéine qu'on ne trouve que dans le muscle cardiaque. Les concentrations de cette enzyme augmentent dans les 3 à 4 heures qui suivent la lésion du myocarde ; elles atteignent un pic dans les 4 à 24 heures et restent élevées pendant 1 à 3 semaines. Le dosage de la troponine I permet donc de faire aussi bien un diagnostic rapide de l'IM en phase aiguë qu'un diagnostic tardif, si la personne n'a pas consulté immédiatement un médecin.

Examens biochimiques

Lipides

La mesure des concentrations de cholestérol, de lipoprotéines et de triglycérides sert à évaluer le risque d'athérosclérose, surtout chez les personnes ayant des antécédents familiaux de cardiopathie prématurée, ou à diagnostiquer une anomalie particulière au niveau des lipoprotéines. Le cholestérol et les triglycérides sont transportés dans le sang sous forme de lipoprotéines (après liaison avec des protéines, d'où leur nom). On distingue les lipoprotéines de basse densité (LDL) et les lipoprotéines de haute densité (HDL). Le risque de coronaropathie augmente lorsque le taux de C-LDL ou le rapport cholestérol total (C-LDL + C-HDL) et C-HDL s'accroît.

Bien que les taux de cholestérol restent relativement stables au cours d'une période de 24 heures, on prélève les échantillons de sang destinés à un bilan lipidique après un jeûne de 12 heures. Selon les dernières recommandations canadiennes concernant le traitement des dyslipidémies, on doit analyser les risques que courent les personnes en tenant compte non seulement des seuils des taux sériques, mais aussi du syndrome métabolique. Ce syndrome touche les personnes qui souffrent d'obésité (tout particulièrement abdominale) accompagnée d'hypertension et de diabète, et dont le taux de triglycérides est élevé alors que le taux de C-HDL est bas (Genest *et al.*, 2003). Les facteurs de risque du syndrome métabolique sont présentés au chapitre 30.

Le cholestérol est un lipide servant à la synthèse des hormones et à la formation de la membrane cellulaire. Il est présent en grandes quantités dans le cerveau et les tissus nerveux. Ses deux principales sources sont les aliments (d'origine animale) et le foie (qui le synthétise). Des taux élevés de cholestérol accroissent le risque de coronaropathie. Les taux de cholestérol varient notamment en fonction de l'âge, du sexe, de l'alimentation, de l'activité physique, des gènes, de la ménopause, de l'usage du tabac et du stress.

Les LDL sont les principaux transporteurs de cholestérol et de triglycérides destinés aux cellules. Les LDL se déposent facilement sur les parois des artères, contribuant ainsi à la formation de plaques d'athérome. Un taux élevé de C-LDL est donc associé à une incidence accrue de coronaropathie.

Les HDL ont des effets protecteurs : elles transportent le cholestérol qui a pu adhérer aux parois des artères vers le foie, d'où il sera excrété. Il existe donc une relation inverse entre les taux de C-HDL et le risque de coronaropathie. Parmi les facteurs qui réduisent les taux de C-HDL, on trouve notamment l'usage du tabac, le diabète, l'obésité et la sédentarité. Chez les personnes atteintes de coronaropathie, la deuxième cible de la prise en charge des taux lipidiques est l'élévation des taux de C-HDL.

Les triglycérides (dont les concentrations plasmatiques devraient idéalement être inférieures à 1,7 mmol/L) sont des composés d'acides gras libres et de glycérol, stockés dans les tissus adipeux ; ils constituent une source d'énergie. Les taux des triglycérides augmentent après les repas et peuvent se modifier en situation de stress. L'élévation de ces taux peut également être liée au diabète, à la consommation d'alcool et à l'obésité, particulièrement à l'obésité de type abdominal. Il y a une corrélation positive entre le taux de tryglycérides et le taux de C-LDL, et une corrélation négative avec le taux de C-HDL.

Le groupe de travail sur l'hypercholestérolémie et les autres dyslipidémies (Genest *et al.*, 2003) cible deux objectifs thérapeutiques: le taux de C-LDL; le rapport entre le taux de cholestérol total (C-HDL + C-LDL) et le taux de lipoprotéines de haute densité (C-HDL). Il distingue également trois catégories de risque: le risque élevé; le risque modéré; le risque faible (tableau 28-6 ■). Dans la catégorie *risque élevé,* on classe notamment les personnes atteintes d'une coronaropathie, d'une affection vasculaire cérébrale ou d'une artériopathie périphérique avérée ainsi que les personnes affectées d'une néphropathie chronique, les adultes atteints de diabète et les personnes asymptomatiques chez qui le risque de mourir des suites d'une affection coronarienne ou de subir un infarctus du myocarde non mortel est supérieur à 20 % sur 10 ans.

Pour calculer le risque de coronaropathie sur 10 ans chez les sujets qui *ne présentent pas de diabète ni de maladie cardiovasculaire symptomatique*, on se fonde sur le modèle de Framingham (tableau 28-7 ■), en vertu duquel on attribue un certain nombre de points à des facteurs comme l'âge, le taux de cholestérol total, le tabagisme, le taux de lipoprotéine de haute densité (HDL) et la pression artérielle systolique. Si le total des points qu'elle a obtenus dépasse 15 (pour un homme) ou 23 (pour une femme), la personne présente un risque supérieur à 20 % et on la classe dans la catégorie *risque élevé.* Dans la catégorie *risque modéré,* on regroupe les personnes qui ont obtenu entre 12 et 14 points (pour un homme) ou 20 et 22 points (pour une femme); leur risque est compris entre 10 et 20 %. Enfin, dans la catégorie *risque faible,* on trouve les personnes qui obtiennent moins de 11 points (pour un homme) ou moins de 19 points (pour une femme); ces personnes présentent un risque inférieur à 10 % (Genest *et al.*, 2003).

TABLEAU 28-6

Catégories de risque et cibles lipidiques

Catégories de risque	Cibles lipidiques		
	C-LDL (mmol/L)		Ratio CT/C-HDL (mmol/L)
ÉLEVÉ*			
> 20 % du risque sur 10 ans ou Diabète** ou Maladies cardiovasculaires	< 2,5	et	< 4,0
MODÉRÉ			
10 % à < 20 % du risque sur 10 ans	< 3,5	et	< 5,0
FAIBLE* **			
< 10 % du risque sur 10 ans	< 4,5	et	< 6,0

* L'Apo B peut être utilisée en guise de critère de remplacement, particulièrement pour le suivi des patients traités au moyen d'une statine. Un taux optimal d'Apo B est < 0,9 g/L chez un patient exposé à un risque élevé, de 1,05 g/L chez un patient exposé à un risque modéré et < 1,2 mmol/L chez un patient exposé à un risque faible.
** Comprend les patients souffrant d'une néphropathie chronique et dialysés régulièrement.
*** À noter que dans la strate de risque «très faible», le traitement peut être différé si l'estimation du risque de cardiopathie ischémique sur 10 ans est < 5 % et que le taux de C-LDL est < 5,0 mmol/L.

SOURCE: http://www.nhlbi.nih.gov/guidelines/cholesterol/atp3XSUM.pdf, dans *Le bulletin de l'Alliance québécoise pour la santé du cœur* – Encart spécial – Hiver 2003, p. 4.

Électrolytes

Les ions de sodium, de potassium et de calcium jouent un rôle vital dans la dépolarisation et la repolarisation cellulaires. De plus, les concentrations sériques de sodium sont le reflet de l'homéostasie hydrique de l'organisme. Habituellement, l'hyponatrémie (faible concentration de sodium) indique un excès de liquides, et l'hypernatrémie (concentration élevée de sodium) un déficit en liquides.

Les changements de la fonction rénale peuvent modifier les concentrations sériques de potassium. Une hypokaliémie peut survenir en réaction à l'administration des diurétiques souvent prescrits dans le traitement de l'insuffisance cardiaque. Une hypokaliémie entraîne une hyperréactivité cardiaque et peut potentialiser les effets toxiques de la digoxine (Lanoxin), notamment les arythmies. L'hyperkaliémie entraîne, quant à elle, la dépression du myocarde et une hyperréactivité ventriculaire. L'hypokaliémie et l'hyperkaliémie peuvent toutes deux provoquer une fibrillation ventriculaire ou un arrêt cardiaque. Le calcium est essentiel à la coagulation du sang et à l'activité neuromusculaire. L'hypocalcémie et l'hypercalcémie peuvent provoquer des arythmies.

Le magnésium favorise l'absorption du calcium et aide à maintenir les réserves potassiques de l'organisme. Il est également nécessaire au métabolisme de l'adénosine triphosphate (ATP) et joue un grand rôle dans la synthèse des protéines et dans le métabolisme des glucides. Il favorise aussi la contraction des muscles. Les premiers symptômes de l'hypermagnésémie sont la léthargie et une activité neuromusculaire diminuée. L'hypomagnésémie, qui se traduit par un allongement de l'intervalle QT sur le tracé électrocardiographique, prédispose à des arythmies mortelles.

Urée

L'urée (azote uréique), métabolite final du métabolisme des protéines, est excrétée par les reins. Chez la personne atteinte de cardiopathie, l'élévation des taux d'urée peut traduire une irrigation rénale insuffisante (à cause d'un débit cardiaque réduit) ou une hypovolémie (en raison d'un traitement diurétique ou de la déshydratation). Les concentrations de créatinine sérique permettent de déterminer la cause de l'élévation des taux d'urée: un taux élevé d'urée combiné à une créatinine élevée est un signe d'insuffisance rénale, alors qu'un taux élevé d'urée s'accompagnant d'un taux normal de créatinine est souvent un signe d'hypovolémie.

TABLEAU 28-7 Modèle de calcul du risque de coronaropathie sur 10 ans chez les sujets sans diabète ou sans maladie cardiovasculaire symptomatique à l'aide des données de Framingham*

HOMMES

Âge	Points
20-34	−9
35-39	−4
40-44	0
45-49	3
50-54	6
55-59	8
60-64	10
65-69	11
70-74	12
75-79	13

CHOLESTÉROL TOTAL (points)

			Âge		
(mmol/L)	20-39	40-49	50-59	60-69	70-79
<4,14	0	0	0	0	0
4,15 - 5,19	4	3	2	1	0
5,20 - 6,19	7	5	3	1	0
6,20 - 7,2	9	6	4	2	1
>7,21	11	8	5	3	1

TABAGISME (points)

			Âge		
	20-39	40-49	50-59	60-69	70-79
Non-fumeur	0	0	0	0	0
Fumeur	8	5	3	1	1

CHOLESTÉROL C-HDL (points)

(mmol/L)	
>1,55	−1
1,30 - 1,54	0
1,04 - 1,29	1
<1,04	2

TENSION ARTÉRIELLE SYSTOLIQUE (points)

(mm Hg)	Non traitée	Traitée
<120	0	0
120 - 129	0	1
130 - 139	1	2
140 - 159	1	2
>160	2	3

TOTAL DE POINTS DE RISQUE	RISQUE
0	1
1	1
2	1
3	1
4	1
5	2
6	2
7	3
8	4
9	5
10	6
11	8
12	10
13	12
14	16
15	20
16	25
17	>30

RISQUE SUR 10 ANS ________%

FEMMES

Âge	Points
20-34	−7
35-39	−3
40-44	0
45-49	3
50-54	6
55-59	8
60-64	10
65-69	12
70-74	14
75-79	16

CHOLESTÉROL TOTAL (points)

			Âge		
(mmol/L)	20-39	40-49	50-59	60-69	70-79
<4,14	0	0	0	0	0
4,15 - 5,19	4	3	2	1	1
5,20 - 6,19	8	6	4	2	1
6,20 - 7,2	11	8	5	3	2
>7,21	13	10	7	4	2

TABAGISME (points)

			Âge		
	20-39	40-49	50-59	60-69	70-79
Non-fumeur	0	0	0	0	0
Fumeur	9	7	4	2	1

CHOLESTÉROL C-HDL (points)

(mmol/L)	
>1,55	−1
1,30 - 1,54	0
1,04 - 1,29	1
<1,04	2

TENSION ARTÉRIELLE SYSTOLIQUE (points)

(mm Hg)	Non traitée	Traitée
<120	0	0
120 - 129	1	3
130 - 139	2	4
140 - 159	3	5
>160	4	6

TOTAL DE POINTS DE RISQUE	RISQUE
<9	1
9	1
10	1
11	1
12	1
13	2
14	2
15	3
16	4
17	5
18	6
19	8
20	11
21	14
22	17
23	22
24	27
>25	>30

RISQUE SUR 10 ANS ________%

* SOURCE : http://www.nhlbi.nih.gov/guidelines/cholesterol/atp3XSUM.pdf, dans *Le bulletin de L'Alliance québécoise pour la santé du cœur*, encart spécial – hiver 2003.

Glucose

Il est très important de surveiller la glycémie, car de nombreuses personnes atteintes de MCV sont aussi affectées de diabète. De plus, la glycémie peut augmenter légèrement en situation de stress, lorsque la libération de l'adrénaline endogène entraîne la transformation du glycogène hépatique en glucose. La glycémie doit être mesurée lorsque la personne est à jeun. Le taux de glycémie à jeun utilisé pour le diagnostic du diabète est de 7 mmol/L. Le dosage de l'hémoglobine glycosylée ($A1_c$) est également très important chez les personnes atteintes de diabète, car cet examen traduit les variations de la glycémie sur une période de deux à trois mois et non à un seul moment. Lors de la prise en charge du diabète, l'objectif est de maintenir l'hémoglobine $A1_c$ au-dessous de 7 % (la cible idéale se situant en dessous de 6 %), ce qui est l'indicateur du maintien d'une glycémie presque normale. Il s'agit d'une mesure particulièrement importante en prévention primaire et secondaire des maladies cardiovasculaires, selon les *Lignes directrices de pratique clinique 2003 de l'Association canadienne du diabète pour la prévention et le traitement du diabète au Canada.*

Examens de la coagulation sanguine

La formation d'un thrombus est le résultat de la lésion des parois ou des tissus vasculaires. Les lésions déclenchent des réactions en cascade de la coagulation sanguine. Il s'agit d'une série d'interactions complexes entre les phospholipides, le calcium et divers facteurs de coagulation qui transforment la prothrombine en thrombine. Les réactions en cascade de la coagulation sanguine sont déclenchées par deux voies: la voie intrinsèque et la voie extrinsèque. On effectue systématiquement des examens de la coagulation sanguine avant des interventions effractives telles que le cathétérisme cardiaque ou les chirurgies cardiaques ou coronariennes.

Le temps de céphaline et le temps de céphaline activée permettent de mesurer l'activité de la voie intrinsèque. On les utilise pour évaluer les effets d'un traitement à l'héparine. Chez la personne qui reçoit de l'héparine, les temps de céphaline et de céphaline activée ne doivent pas dépasser de plus de 1,5 à 2,5 fois leur valeur de base (temps de référence de 25 à 38 secondes). Le temps de prothrombine, quant à lui, permet de mesurer l'activité de la voie extrinsèque et sert à déterminer les effets d'une anticoagulothérapie à la warfarine (Coumadin). Le temps de prothrombine sert également à mesurer le **rapport international normalisé (RIN)**. Le RIN est un système de standardisation des temps de prothrombine qui permet d'éliminer les variations des résultats pouvant exister d'un laboratoire à l'autre. Pour surveiller les personnes qui suivent un traitement à la warfarine, on utilise le RIN plutôt que le temps de prothrombine seul: le RIN souhaitable se situe entre 2,0 et 3,0 chez les personnes atteintes de thrombose veineuse profonde, d'embolie pulmonaire, de valvulopathie ou de fibrillation auriculaire, et entre 2,5 et 3,5 chez les personnes portant des prothèses valvulaires mécaniques.

Examens hématologiques

La formule sanguine complète (FSC) ou hémogramme donne le nombre total d'érythrocytes (globules rouges), de leucocytes (globules blancs) et de plaquettes, et permet de mesurer l'hématocrite et les concentrations d'hémoglobine. Chez les personnes atteintes d'une maladie cardiovasculaire, l'hémogramme est une analyse de première importance. Le décompte des leucocytes doit être suivi de près chez les personnes immunodéprimées, notamment chez celles qui ont subi une transplantation cardiaque, et chaque fois que le risque d'infection est accru (par exemple, après une intervention effractive ou une chirurgie). Les érythrocytes contiennent l'hémoglobine, protéine régulant le transport de l'oxygène et pigment qui donne au sang total sa couleur rouge. L'hématocrite donne la proportion relative de globules rouges et de plasma. Un hématocrite abaissé et une concentration d'hémoglobine réduite peuvent avoir des conséquences graves chez les personnes atteintes de coronaropathie, car ils les prédisposent, en raison de la baisse de la quantité d'oxygène disponible, à des crises d'angine plus fréquentes. Les plaquettes, quant à elles, constituent la première ligne de protection contre les saignements. Une fois activées à la suite d'une lésion de la paroi vasculaire ou de la rupture d'une plaque athéroscléreuse, les plaquettes subissent des modifications chimiques qui mènent à la formation d'un thrombus. L'activation plaquettaire peut être inhibée par des médicaments comme l'aspirine, le clopidogrel (Plavix) ou les inhibiteurs des GP IIb/IIIa par voie intraveineuse (abciximab [ReoPro], eptifibatide [Integrilin], tirofiban [Aggrastat]). Il faut donc rester à l'affût d'une thrombocytopénie (numération plaquettaire basse).

On trouvera au chapitre 35 une explication détaillée de ces examens paracliniques et la liste des valeurs normales.

EXAMENS RADIOLOGIQUES

La *radiographie* permet généralement de déterminer la dimension, le contour et la position du cœur. Elle peut aussi révéler la présence de calcifications cardiaques et péricardiques, ainsi que les altérations physiologiques de la circulation pulmonaire. Bien qu'elle ne permette pas de diagnostiquer un infarctus aigu du myocarde, elle aide à déceler certaines de ses complications (par exemple, l'œdème aigu du poumon). La radiographie thoracique permet, par ailleurs, de confirmer la position des cathéters ou d'un stimulateur cardiaque.

La *fluoroscopie* est une méthode d'observation du cœur par radiographie. Le radiologiste utilise des substances de contraste qui permettent de voir les pulsations cardiaques et vasculaires et de visualiser les anomalies du contour du cœur sur un moniteur. On se sert également de la fluoroscopie lorsqu'on met en place des électrodes de stimulation cardiaque et lorsqu'on introduit les sondes-guides utilisées lors d'un cathétérisme cardiaque.

ÉLECTROCARDIOGRAPHIE

L'électrocardiogramme (ECG) est un outil diagnostique qui permet d'évaluer le fonctionnement du cœur. C'est la représentation visuelle de l'activité électrique du cœur sous différents angles, qui peut être enregistrée en 12, 15 ou 18 dérivations. On l'obtient en plaçant des électrodes à usage unique sur la peau de la cage thoracique, des bras et des jambes, à des points bien précis. Les impulsions électriques du cœur s'inscrivent sous forme de tracé sur un papier graphique spécialement gradué.

L'ECG standard à 12 dérivations est l'outil le plus souvent utilisé pour déceler les arythmies, les anomalies de conduction, l'hypertrophie des cavités cardiaques, l'ischémie ou l'infarctus du myocarde, l'hypocalcémie ou l'hypercalcémie, l'hypokaliémie ou l'hyperkaliémie, ainsi que les effets de certains médicaments. L'ECG à 15 dérivations, réalisé en plaçant trois électrodes supplémentaires sur la partie droite de la région précordiale, est d'une grande utilité pour poser un diagnostic précoce de l'infarctus ventriculaire droit et postérieur gauche. L'ECG à 18 dérivations, réalisé en utilisant trois électrodes de plus que pour l'ECG à 15 dérivations, est très utile pour le dépistage précoce de l'ischémie ou de la lésion du myocarde (Wung et Drew, 1999). L'ECG est expliqué en détail dans le chapitre 29.

Procédé

Procéder à un monitorage en continu de l'ECG chez les personnes exposées à un risque élevé d'arythmies est une pratique courante. On peut réaliser l'ECG de deux façons: ou bien grâce à un système câblé, méthode privilégiée dans les unités de soins intensifs et de soins intermédiaires spécialisés, ou bien par télémétrie, monitorage à distance utilisé dans les unités de soins intermédiaires spécialisés et dans les unités de soins généraux. L'infirmière doit expliquer à la personne sous monitorage pourquoi on utilise cette forme de surveillance. Il est important que le patient comprenne que l'ECG reflète le fonctionnement électrique du cœur, mais ne donne pas d'informations sur les symptômes qu'il ressent. On doit donc lui demander de signaler à l'infirmière toute modification de son état (douleur, malaise, essoufflement).

Monitorage par câble

Grâce à un oscilloscope, on peut observer l'ECG en continu pour dépister les arythmies ou les anomalies de conduction. L'oscilloscope se compose de trois à cinq électrodes (placées sur la cage thoracique de la personne), d'un câble et d'un moniteur installé à son chevet ou plus loin, selon la configuration de l'unité de soins. Les systèmes de monitorage câblés peuvent être plus ou moins perfectionnés, mais ils permettent tous d'effectuer les opérations suivantes:

- Surveiller l'activité électrique du cœur, enregistrée en plusieurs dérivations simultanément.
- Mesurer les segments ST (le segment ST s'abaisse en cas d'ischémie du myocarde et s'élève lors d'un infarctus aigu du myocarde).
- Émettre des signaux d'alarme visuels et auditifs (par ordre de priorités, l'asystolie sera la toute première).
- Numériser et entreposer les données concernant la fréquence et le rythme cardiaque (l'ordinateur interprète les arythmies et les garde en mémoire).
- Imprimer le tracé du rythme cardiaque.
- Enregistrer un ECG à 12 dérivations.

Pour le monitorage en continu (figure 28-10 ■), on utilise couramment les dérivations D II et V_1, ou V_1 modifiée (MCL_1). La dérivation D II donne l'image la plus précise de l'onde P (qui renseigne sur la dépolarisation de l'oreillette), alors que les dérivations V_1 et MCL_1 permettent de déterminer de quel ventricule proviennent les extrasystoles.

Télémétrie

Le monitorage en continu peut également se faire par **télémétrie**. Dans ce cas, la transmission à un poste central de moniteurs se fait par ondes radioélectriques, à partir d'un émetteur à piles que la personne porte sur elle. Ce type de monitorage, qui ne comporte pas de câbles, permet au patient de se déplacer au cours de l'enregistrement. Pour obtenir une bonne conduction et une image nette du tracé électrique, il faut respecter les règles suivantes:

- Avant de mettre les électrodes en place, laver la peau avec de l'eau et du savon, et bien la sécher (ou suivre les consignes du fabricant). Raser la peau ou couper les poils au pourtour du site choisi, si la personne a une forte pilosité.
- Changer les électrodes toutes les 24 à 48 heures, et vérifier si la peau est irritée. Ne pas placer les nouvelles électrodes exactement à l'endroit où se trouvaient les précédentes.
- Si la personne est allergique aux électrodes, utiliser des électrodes hypoallergiques.

Électrocardiographie par sommation

On peut effectuer un ECG par moyenne de potentiels chez certaines personnes exposées à un risque élevé d'arrêt cardiaque consécutif à des arythmies ventriculaires létales. Cet ECG à haute résolution aide à déceler les arythmies pouvant mettre en danger la vie de la personne et à déterminer s'il est nécessaire d'effectuer une intervention diagnostique effractive. Ce type de monitorage permet d'obtenir une moyenne de 150 à 300 complexes QRS (les complexes QRS sont la représentation de la dépolarisation ventriculaire). On analyse la moyenne obtenue afin de détecter les caractéristiques susceptibles d'entraîner des arythmies ventriculaires mortelles. L'enregistrement se fait au chevet de la personne et dure environ 15 minutes.

Monitorage continu ambulatoire

Le monitorage peut se faire en milieu hospitalier, mais il l'est plus souvent à domicile, au moyen d'un moniteur Holter. Il s'agit d'un petit appareil qui enregistre en continu (pendant 10 à 24 heures) l'activité électrique du cœur. L'appareil peut se porter en bandoulière ou attaché à la taille, jour et nuit. Il décèle les arythmies ou l'ischémie du myocarde qui risquent de se produire au cours des activités de la vie quotidienne. Pendant toute la durée de l'enregistrement, on demande à la personne de tenir un journal dans lequel elle inscrit l'heure à laquelle les symptômes apparaissent, de même que les expériences ou les activités inhabituelles. L'enregistrement magnétique est ensuite décodé à l'aide d'un lecteur spécial, puis analysé et interprété. Certains lecteurs sont automatisés, ce qui permet de déterminer facilement les passages les plus intéressants de l'enregistrement. La personne est invitée à inscrire sur un carnet les événements particuliers survenus au cours de sa journée (ses activités, ses symptômes). Les données obtenues permettent de relever les arythmies et l'ischémie du myocarde, d'évaluer l'efficacité de médicaments tels que les agents antiarythmiques ou antiangineux, ou de s'assurer que le stimulateur cardiaque fonctionne adéquatement.

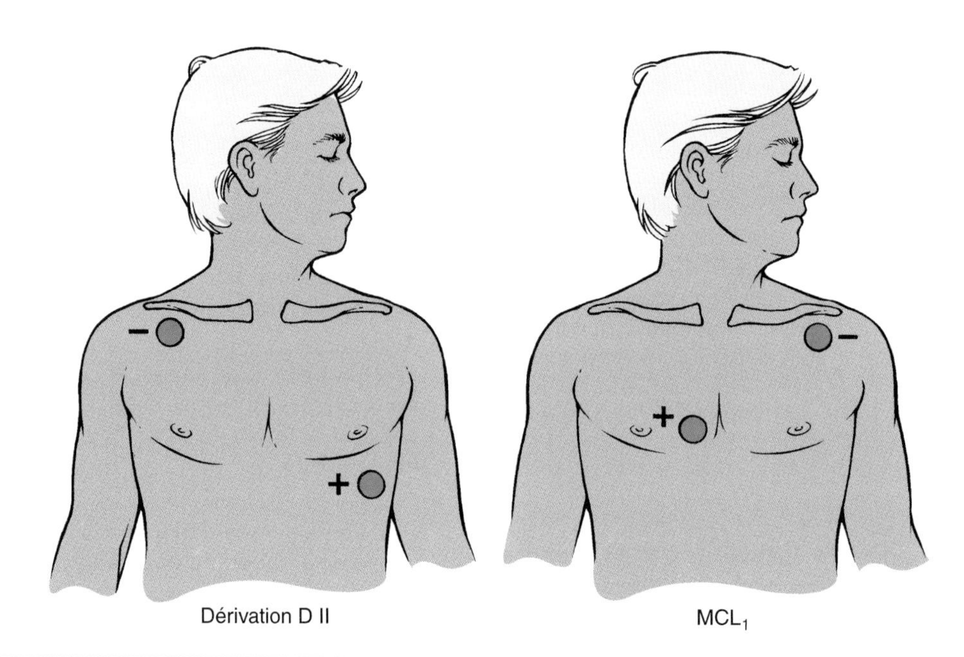

FIGURE 28-10 ■ On utilise en général deux dérivations pour le monitorage en continu du cœur. Si on utilise D II, on place l'électrode négative sur la partie supérieure droite de la poitrine et l'électrode positive sur la partie inférieure gauche de la poitrine. Si on utilise MCL$_1$, on place l'électrode négative sur la partie supérieure gauche de la poitrine et l'électrode positive en position V$_1$. Si on utilise une troisième électrode, qui est l'électrode de mise à la terre, on peut la placer n'importe où sur la poitrine.

Monitorage transtéléphonique

Cette méthode permet d'enregistrer et d'évaluer à distance l'ECG de la personne. Le monitorage transtéléphonique est réalisé à l'aide d'une boîte de transmission placée sur l'embouchure du téléphone. On l'utilise pour assurer la surveillance cardiaque.

ÉPREUVES D'EFFORT

Dans des conditions normales, les artères coronaires peuvent se dilater pour atteindre jusqu'à quatre fois leur diamètre habituel en réponse à une demande accrue d'oxygène et d'éléments nutritifs. En cas d'athérosclérose, cependant, ces artères ne peuvent pas se dilater autant, ce qui entrave l'irrigation sanguine du myocarde et en provoque l'ischémie. De ce fait, les anomalies de fonctionnement du cœur peuvent être plus facilement dépistées au moment où la demande est accrue, donc à l'effort. Les **épreuves d'effort** – épreuves d'effort physique, épreuves de provocation pharmacologique et, plus récemment, épreuves de stress mental ou émotionnel – permettent d'évaluer par des moyens non effractifs la réponse de la fonction cardiovasculaire au stress (tableau 28-8 ■ et encadré 28-6 ■).

Les épreuves d'effort sont contre-indiquées notamment dans les cas suivants: sténose aortique grave, péricardite ou myocardite aiguë, hypertension grave, suspicion d'atteinte du tronc commun coronaire gauche, insuffisance cardiaque et angine instable. Les complications des épreuves d'effort (IM, arrêt cardiaque, insuffisance cardiaque et arythmies graves) peuvent être importantes et, dans certains cas, mettre en danger la vie de la personne. On doit donc disposer du personnel et du matériel nécessaires à la prestation de soins avancés en réanimation cardiorespiratoire.

À cause de leur mauvais état de santé ou de leur incapacité physique, certaines personnes ne sont pas en mesure de réaliser l'épreuve d'effort physique sur un tapis roulant ou sur un vélo d'exercice. Dans leur cas, on peut recourir à l'épreuve de provocation pharmacologique pour dilater au maximum leurs artères coronaires. On peut alors leur administrer par voie intraveineuse du dipyridamole (Persantin) ou de l'adénosine (Adenocard), souvent en conjonction avec une scintigraphie. Parce que les effets de ces deux agents sont inhibés par la théophylline et les autres xanthines, telles que la caféine, la personne ne doit pas en consommer avant l'examen. Outre les deux autres médicaments, on peut également administrer de la dobutamine (Dobutrex) aux personnes incapables de se soumettre à une épreuve d'effort physique. Ce sympathomimétique augmente la fréquence cardiaque, la contractilité du myocarde et la pression artérielle, élevant ainsi les besoins métaboliques du cœur. C'est l'agent de choix en conjonction avec l'électrocardiographie en raison de ses effets sur la cinétique de la paroi du myocarde (résultant d'une contractilité accrue). On l'utilise également chez les personnes atteintes de bronchospasme ou d'une maladie pulmonaire, pour qui il est contre-indiqué d'arrêter la prise de théophylline.

Les épreuves de stress mental visent à déterminer, à l'aide d'un test de calcul mental ou d'allocution fictive, s'il y a bien une réponse du myocarde en ischémie, et si cette réponse est similaire à celle qu'entraînerait une épreuve d'effort standard sur tapis roulant. L'utilité diagnostique de cet examen chez les personnes atteintes de coronaropathie n'est pas encore avérée. Mais, selon les données préliminaires résultant des expérimentations, les mesures hémodynamiques ainsi que les mesures des modifications de nature ischémique que ces tests permettent d'obtenir peuvent se révéler

Épreuves d'effort: interventions infirmières

TABLEAU 28-8

Épreuve d'effort physique	Épreuve de provocation pharmacologique
PRÉPARATION	
■ Ne rien manger et ne rien boire pendant les quatre heures qui précèdent l'épreuve. ■ Ne pas fumer et s'abstenir de consommer des stimulants tels que la caféine. ■ Prendre les médicaments prescrits avec de l'eau; à la demande du médecin, s'abstenir de prendre certains médicaments tels que les bêtabloquants. ■ Porter un survêtement, des souliers de marche à semelle antidérapante et, pour les femmes, un soutien-gorge approprié.	■ Ne rien manger et ne rien boire pendant les quatre heures qui précèdent l'épreuve; ne pas prendre non plus de médicaments contenant de la caféine, comme Anacin ou Fiorinal). ■ Si l'état de la personne le permet, cesser de prendre certains médicaments, tels que l'aminophylline ou la théophylline, de 24 à 48 heures avant l'épreuve; cesser de prendre du dipyridamole (en combinaison avec de l'AAS dans Aggrenox) par voie orale.
DÉROULEMENT DE L'ÉPREUVE	
■ Marcher sur un tapis roulant (méthode la plus courante), pédaler sur un vélo d'exercice ou travailler sur un exerciseur pour les bras. ■ Accroître l'intensité de l'effort graduellement selon des protocoles établis; pour les épreuves d'effort sur tapis roulant, augmenter la vitesse et l'inclinaison toutes les trois minutes, conformément au protocole de Bruce. ■ Atteindre progressivement la fréquence cardiaque cible, soit 80 à 90 % de la fréquence maximale prévisible (en fonction de l'âge et du sexe). ■ Reprendre ses activités habituelles, une fois que l'état est stabilisé.	■ Rester calme durant l'épreuve, qui dure environ une heure, mais qui peut se prolonger jusqu'à trois heures si on l'accompagne d'un examen d'imagerie nucléaire.
ENSEIGNEMENT	
■ Décrire à la personne le matériel utilisé et les sensations qu'elle pourrait éprouver. ■ Décrire les exercices à effectuer et inciter la personne à aller jusqu'à la limite de ses capacités. ■ Décrire le matériel de monitorage utilisé et expliquer pour quelle raison on doit installer un accès veineux. ■ Décrire à la personne les symptômes qu'elle devra signaler. ■ Si on recourt à une échocardiographie ou à une scintigraphie, expliquer en quoi consistent ces méthodes.	■ Informer la personne qu'elle pourrait éprouver certaines sensations pendant la perfusion de l'agent vasodilatateur (par exemple, bouffées de chaleur ou nausées) et lui expliquer que celles-ci disparaissent rapidement. ■ Demander à la personne de signaler tout autre symptôme au cardiologue ou à l'infirmière. ■ Si on recourt à une échocardiographie ou à une scintigraphie, expliquer en quoi consistent ces méthodes.
INTERVENTIONS INFIRMIÈRES	
■ Surveiller le tracé de l'ECG pour déterminer la fréquence et le rythme cardiaques et les modifications de nature ischémique. ■ Noter la pression artérielle et la température de la personne. ■ Inspecter l'apparence générale de la personne, noter le niveau d'effort perceptible, ainsi que les symptômes qui se manifestent (douleurs thoraciques, dyspnée, étourdissements, crampes dans les jambes, fatigue). ■ Mettre fin à l'épreuve une fois que la fréquence cardiaque cible est atteinte ou qu'apparaissent des douleurs thoraciques, une fatigue extrême, une diminution de la pression artérielle ou de la fréquence cardiaque, des arythmies graves ou des modifications du segment ST sur le tracé ECG ou d'autres complications. ■ À la fin de l'examen, surveiller la personne pendant 10 à 15 minutes afin de s'assurer que son état se stabilise. ■ Demander des examens paracliniques plus poussés si les résultats de l'épreuve sont positifs, autrement dit si des anomalies électrocardiographiques graves sont survenues (dépression des segments ST).	■ Avant toute épreuve à l'adénosine ou au dipyridamole, s'assurer que la personne n'a pas ingéré de caféine; si c'est le cas, remettre l'examen à une date ultérieure. ■ Administrer l'agent vasodilatateur par voie intraveineuse (dipyridamole [Persantin], adénosine [Adenocard] ou dobutamine [Dobutrex]) afin de dilater au maximum les artères coronaires. ■ Surveiller l'état de la personne, en tenant compte de la durée des effets de l'agent administré (de 15 à 30 minutes environ pour le dipyridamole; moins de 10 secondes pour l'adénosine). ■ Surveiller les effets secondaires possibles de l'agent administré: par exemple, sensation de gêne thoracique, étourdissements, maux de tête, bouffées de chaleur ou nausées. ■ Noter que les effets secondaires graves de l'adénosine disparaissent rapidement en raison de sa demi-vie extrêmement courte. ■ À la fin de l'épreuve, surveiller la personne pendant 60 minutes afin de s'assurer que son état se stabilise. ■ Demander des examens paracliniques plus poussés si les résultats de l'épreuve sont positifs.

ENCADRÉ 28-6

Indications pour les épreuves d'effort

On utilise les épreuves d'effort pour les raisons suivantes:
1. Dépister une coronaropathie.
2. Déterminer les causes d'une douleur thoracique.
3. Évaluer la capacité fonctionnelle du cœur après un IM ou une chirurgie cardiaque.
4. Vérifier l'efficacité des agents antiarythmiques ou antiangineux.
5. Déceler les arythmies qui surviennent à l'effort.
6. Aider à l'établissement d'un programme de conditionnement physique.

utiles pour évaluer le pronostic des personnes chez qui l'épreuve d'effort physique a donné des résultats positifs (Krantz *et al.*, 1999).

On combine souvent les épreuves de stress à une échocardiographie ou à une scintigraphie, qui sont réalisées au repos ou immédiatement après l'effort.

ÉCHOCARDIOGRAPHIE

L'échocardiographie est une méthode non effractive permettant de déterminer, à l'aide d'ultrasons, la taille et la dimension du cœur, ainsi que la cinétique de ses structures. C'est un outil particulièrement utile pour diagnostiquer les épanchements péricardiques, déterminer l'étiologie des souffles cardiaques, évaluer le fonctionnement des prothèses valvulaires, mesurer la dimension des cavités du cœur et observer la cinétique des parois ventriculaires. L'échocardiographie consiste à transmettre des ondes sonores à haute fréquence vers le cœur, à travers la paroi thoracique, et à enregistrer les échos renvoyés par les différentes structures. Les ultrasons sont émis par un transducteur (dispositif qui convertit une forme d'énergie en une autre) portatif appliqué sur la cage thoracique. Le transducteur recueille les échos, les transforme en impulsions électriques et les transmet à l'appareil d'échographie. Ces impulsions peuvent ainsi être visualisées sur un oscilloscope. On effectue un ECG en même temps que l'échocardiographie afin de pouvoir interpréter l'échocardiogramme avec plus de précision.

L'échocardiographie en mode M est la première méthode à avoir été mise au point; elle est unidimensionnelle et renseigne sur les structures cardiaques et sur leur cinétique. L'échocardiographie bidimensionnelle ou transversale (figure 28-11 ■) constitue un perfectionnement de l'échographie en mode M; elle donne une image du cœur plus nette, orientée dans l'espace. D'autres méthodes, telles que le Doppler ou l'imagerie couleur, permettent de déterminer la direction et la vélocité du sang qui traverse le cœur.

Comme nous l'avons indiqué, on peut combiner l'échocardiographie à une épreuve d'effort physique ou à une épreuve de provocation pharmacologique. Dans ce cas, on prend des images au repos et durant l'effort. L'ischémie du myocarde causée par l'effort entraîne des anomalies de la cinétique des parois ventriculaires, qui sont facilement décelables par échocardiographie. On considère que les résultats d'une épreuve d'effort combinée à une électrocardiographie sont positifs si on décèle des anomalies dans la cinétique des parois. De tels résultats sont très évocateurs de coronaropathie et doivent inciter le médecin à demander des évaluations plus poussées, comme le cathétérisme cardiaque.

Échocardiographie transœsophagienne

L'un des principaux inconvénients de l'échocardiographie traditionnelle est la faible qualité des images qu'elle permet d'obtenir. En effet, les ultrasons se brouillent lorsqu'ils traversent les tissus, les poumons ou les os. Pour obtenir des images de meilleure qualité, on peut essayer de les capter à l'aide d'un petit transducteur qu'on introduit dans l'œsophage en le faisant passer par la bouche. Cette technique porte le nom d'échographie transœsophagienne. Elle donne des images plus claires du fait que les ultrasons traversent moins de tissus. On peut aussi l'utiliser en parallèle avec l'épreuve de provocation à la dobutamine (Dobutrex). Grâce aux images de haute qualité qu'elle permet d'obtenir, l'échocardiographie transœsophagienne constitue un ajout précieux à l'arsenal des techniques de dépistage des coronaropathies et d'évaluation de leur gravité. Les complications qui peuvent découler de cet examen tiennent à la sédation et aux problèmes de déglutition induits pas l'anesthésique local qu'on utilise (dépression respiratoire et aspiration pulmonaire), ainsi qu'à l'introduction et à la manipulation du transducteur dans l'œsophage et dans l'estomac (choc vagal et perforation de l'œsophage). Avant de soumettre la personne à cet examen, on doit lui demander si elle a des antécédents de dysphagie ou de radiothérapie thoracique, qui pourraient augmenter le risque de complications.

Interventions infirmières

Avant une échocardiographie traditionnelle, l'infirmière explique à la personne comment se déroule cet examen, tout en lui précisant qu'il est indolore. À certains intervalles, elle lui demande de se tourner sur le côté gauche et de retenir sa respiration, ce qui permet de mieux visualiser la paroi

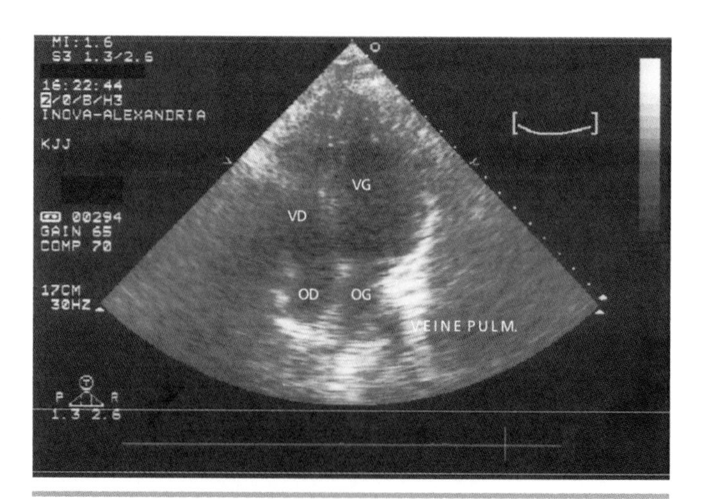

FIGURE 28-11 ■ Vue échocardiographique bidimensionnelle des quatre cavités d'un cœur normal. Les ventricules et les oreillettes sont représentés par les zones noires, entourées de blanc. OG, oreillette gauche; VG, ventricule gauche; OD, oreillette droite; VD, ventricule droit. SOURCE: V. Bowles, RCS, CCT, Inova Alexandria Hospital, Alexandria, Virginie.

gauche du cœur. L'examen dure de 30 à 45 minutes. Si la personne doit se soumettre en même temps à une épreuve d'effort physique ou à une épreuve de provocation pharmacologique, l'infirmière lui donne également tous les renseignements à ce sujet.

Avant que soit effectuée une échocardiographie transœsophagienne, l'infirmière doit informer la personne des points suivants:

- Elle doit être à jeun pendant les six heures qui précèdent l'examen.
- On lui installera un cathéter intraveineux afin de lui administrer un sédatif et, le cas échéant, le médicament utilisé pour l'épreuve de provocation pharmacologique.
- On procédera à une anesthésie locale de la gorge avant d'introduire la sonde.
- Tout au long de l'examen, on prendra la pression artérielle et on surveillera l'ECG.
- On lui administrera un sédatif léger, mais suffisant pour que l'examen soit indolore. Cependant, on ne peut l'endormir, car elle doit être assez éveillée pour pouvoir suivre les consignes et signaler des symptômes éventuels tels que des douleurs thoraciques.

Une fois l'échocardiographie terminée, le monitorage se poursuit pendant 30 à 60 minutes. La personne ne doit rien manger ni boire pendant les 4 heures qui suivent, et elle peut avoir mal à la gorge pendant 24 heures.

Imagerie nucléaire

L'imagerie nucléaire recouvre différents types d'examens qui permettent d'évaluer la qualité de l'irrigation des artères coronaires, de dépister une ischémie ou un infarctus du myocarde et de vérifier le fonctionnement du ventricule gauche, de façon non effractive, à l'aide de radio-isotopes. Il s'agit notamment de la *scintigraphie de perfusion myocardique*, de la *scintigraphie séquentielle synchronisée*, de la *tomographie axiale assistée par ordinateur* et de la *tomographie par émission de positrons* (tableau 28-9 ■).

Les **radio-isotopes** le plus souvent utilisés en cardiologie nucléaire sont le thallium 201 (Tl^{201}) et le technétium 99m (Tc^{99m}). En se décomposant, ces isotopes émettent une faible quantité d'énergie sous forme de rayons gamma. On procède aux examens en injectant le radio-isotope par voie sanguine. L'énergie qu'il émet est captée par une caméra à scintillation, placée au-dessus de la personne. Deux techniques d'imagerie peuvent être utilisées:

- L'imagerie en mode planaire repose sur l'utilisation de radio-isotopes. Elle permet d'obtenir une image unidimensionnelle du cœur sous trois angles différents.
- La tomographie d'émission monophotonique (ou SPECT, d'après *single photon emission computed tomography*, en anglais) est une technique relativement nouvelle. Elle permet d'obtenir des images en trois dimensions. La personne doit être installée en décubitus dorsal, les bras placés au-dessus de la tête. La caméra tourne autour de sa poitrine, en décrivant un arc de 180 à 360 degrés, ce qui permet de dépister avec beaucoup plus de précision les régions où la perfusion du myocarde est diminuée.

! ALERTE CLINIQUE *Aucun objet métallique ne doit se trouver dans la salle d'examen. Attirés par l'aimant, ces objets pourraient se déplacer et blesser quelqu'un. Il faut notamment bannir de la salle les presse-papiers, les trombones, les bonbonnes d'oxygène et les moniteurs.*

Cathétérisme cardiaque

Le **cathétérisme cardiaque** est une méthode diagnostique effractive: on introduit des cathéters artériels et veineux radio-opaques dans certains vaisseaux sanguins situés du côté gauche et du côté droit du cœur. L'avancée des cathéters est guidée par fluoroscopie. Le cathétérisme cardiaque permet de mesurer les pressions des quatre cavités du cœur et la saturation en oxygène. Il est utilisé pour diagnostiquer les coronaropathies, vérifier la perméabilité et évaluer l'étendue de l'athérosclérose des artères coronaires. Compte tenu des résultats obtenus, on peut déterminer si une opération de revascularisation, telle que l'angioplastie transluminale percutanée ou le pontage aortocoronarien, est indiquée (chapitre 30 ⊂⊃).

Pendant l'intervention, on installe un cathéter intraveineux qui sert à administrer les sédatifs, les liquides, les anticoagulants et d'autres médicaments. L'intervention présente des risques d'arythmies et d'instabilité hémodynamique. On doit donc utiliser une méthode de monitorage hémodynamique non effractive, comportant des prises de la pression artérielle et offrant un tracé électrocardiographique continu, pour assurer une observation constante de la personne. En cas d'ischémie du myocarde, des arythmies peuvent en effet survenir pendant qu'on place les cathéters dans les artères coronaires ou pendant qu'on injecte les agents de contraste. On doit disposer d'un matériel de réanimation cardiorespiratoire tout au long de l'intervention, et le personnel soignant doit être capable de donner des soins cardiaques spécialisés.

Pour visualiser les artères coronaires, on doit administrer des agents de contraste radio-opaques, dont certains contiennent de l'iode. Avant l'intervention, il faut donc déterminer si la personne a déjà réagi à des agents de contraste et si elle est allergique à des produits contenant de l'iode. En cas d'allergie soupçonnée ou connue à l'iode, on peut administrer, avant l'intervention, des antihistaminiques ou des corticostéroïdes (prednisone ou méthylprednisolone ([Solu-Medrol]), ou les deux. Par ailleurs, pour prévenir les complications qui pourraient retarder la guérison, on doit effectuer les analyses sanguines suivantes: dosage de l'urée et de la créatinine, mesure du RIN, du temps de prothrombine ou du temps de céphaline activée, mesure de l'hématocrite et des concentrations d'hémoglobine, numération plaquettaire et mesure des concentrations d'électrolytes.

Les cathétérismes cardiaques à visée diagnostique sont effectués habituellement en consultation externe, mais la personne doit rester alitée pendant les deux à six heures qui suivent l'intervention. Dans la majorité des cas, la durée de l'alitement n'a pas d'effet sur la gravité des complications reliées à l'hémorragie de l'aine (Logemann *et al.*, 1999). Le moment où la personne pourra remarcher dépend davantage d'autres paramètres, tels que la taille des cathéters utilisés,

TABLEAU 28-9

Imagerie nucléaire: examens et interventions infirmières

Examen: description et but	Interventions infirmières
SCINTIGRAPHIE DE PERFUSION MYOCARDIQUE	
Pour cet examen d'imagerie, on utilise le thallium 201 (Tl^{201}), un radio-isotope qui se comporte de façon analogue au potassium et qui traverse facilement les cellules saines du myocarde. Cependant, le Tl^{201} est capté plus lentement et en plus petites quantités par les cellules ischémiques, à cause d'un débit sanguin réduit, et il ne s'accumule pas du tout dans les tissus nécrosés à la suite d'un infarctus. On injecte souvent le Tl^{201} pendant une épreuve d'effort pour évaluer les changements qui interviennent dans la perfusion du myocarde immédiatement après l'effort physique (ou après l'injection de l'un des agents utilisés lors de l'épreuve de provocation pharmacologique) et au repos. Deux minutes avant la fin de l'épreuve d'effort, on injecte une dose de Tl^{201} dans une tubulure intraveineuse afin qu'il se répartisse dans le myocarde. On prend des clichés aussitôt. Les régions où le Tl^{201} ne s'accumule pas sont appelées zones lacunaires; elles indiquent une ischémie du myocarde provoquée par l'effort ou un infarcissement (nécrose). On prend des clichés au repos, trois heures plus tard, qui permettent de distinguer l'infarctus de l'ischémie. Le Tl^{201} ne peut pas s'accumuler dans les tissus infarcis: la zone lacunaire ne change donc pas de dimension, quel que soit le moment où le cliché est pris. On est alors en présence d'une zone lacunaire fixe, qui indique que cette région du myocarde n'est plus perfusée. En revanche, la partie du myocarde en ischémie est reperfusée en l'espace de quelques heures. Une fois que la perfusion se rétablit, le Tl^{201} pénètre dans les cellules myocardiques. La zone lacunaire sur le cliché pris au repos est plus petite ou a complètement disparu. On dit alors que les résultats de l'épreuve sont positifs et on recommande habituellement un cathétérisme cardiaque, qui permettra de déterminer si une angioplastie ou un pontage s'impose. On utilise aussi un autre radio-isotope, le technétium (Tc^{99m}), qu'on peut combiner à divers composés chimiques afin de lui conférer une affinité pour divers types de cellules. Par exemple, le Tc^{99m} sestamibi (Cardiolite) se répartit dans le myocarde proportionnellement au degré de perfusion des cellules et donne ainsi une excellente image de l'irrigation cardiaque. La méthode qui associe l'injection de Tc^{99m} sestamibi et l'épreuve d'effort ressemble à celle qui repose sur l'injection de Tl^{201}, à deux différences près: (1) le Tc^{99m} sestamibi permet de recueillir des images au repos avant ou après les images à l'effort grâce au fait qu'il a une courte demi-vie (il doit toutefois, pour cette raison, être injecté juste avant la scintigraphie); (2) le Tc^{99m} permet d'obtenir des clichés d'une qualité remarquable.	On doit expliquer à la personne la nature de l'examen auquel elle sera soumise (effort physique ou provocation pharmacologique), ainsi que le type de technique qui sera utilisé (planaire ou SPECT). Il faut également lui préciser que la substance radioactive qu'on lui injectera n'est pas dangereuse et que la quantité de radiations à laquelle elle sera exposée est identique à celle d'une radiographie thoracique. Il n'est pas nécessaire de prendre des précautions particulières quant aux radiations après l'intervention. L'infirmière doit prévenir la personne qui sera soumise à une SPECT qu'il lui faudra rester les bras tendus au-dessus de la tête pendant 20 à 30 minutes environ. Si la personne est physiquement incapable d'adopter cette position, on optera pour la méthode planaire au Tl^{201}.
SCINTIGRAPHIE SÉQUENTIELLE SYNCHRONISÉE	
La scintigraphie séquentielle synchronisée de la masse sanguine est une autre méthode d'imagerie couramment utilisée. Une caméra à scintillation standard est reliée à un ordinateur qui prend des clichés du cœur au cours de plusieurs centaines de battements. L'ordinateur traite ces données et affiche des images séquentielles du fonctionnement du cœur. L'analyse de ces images permet d'évaluer le fonctionnement du ventricule gauche, la cinétique de la paroi ventriculaire et la fraction d'éjection. Cette technique est également utile pour évaluer les différences dans le fonctionnement du ventricule gauche au repos et à l'effort.	Il faut préciser à la personne qu'elle n'est exposée à aucun danger d'irradiation connu et lui demander de rester immobile pendant l'examen.
TOMOGRAPHIE AXIALE ASSISTÉE PAR ORDINATEUR	
La tomographie axiale assistée par ordinateur (TACO), également appelée tomodensitométrie axiale, permet d'obtenir des images séquentielles transversales du cœur et des gros vaisseaux, grâce auxquelles on peut diagnostiquer une masse médiasténale et les anomalies structurales de l'aorte et du péricarde. La tomographie axiale assistée par ordinateur est une technique de balayage par rayons X en accéléré qui fournit rapidement des images à haute résolution (Woods *et al.*, 1999). On l'utilise pour évaluer la perméabilité du greffon en cas de pontage, les lésions cardiaques congénitales, la masse musculaire des ventricules droit et gauche, les volumes des cavités, le débit cardiaque et la fraction d'éjection. Chez les personnes n'ayant pas subi d'IM, d'angioplastie coronarienne transluminale percutanée ni de pontage aortocoronarien par le passé, la tomographie axiale assistée par ordinateur permet de déterminer le degré de calcification des artères et de diagnostiquer une athérosclérose sous-jacente. Grâce à ce type d'examen, on peut établir un score et prédire alors l'incidence des complications cardiaques, comme l'infarctus du myocarde, ou la probabilité de devoir recourir dans les années qui viennent à une technique de revascularisation.	L'infirmière joue un rôle important dans la préparation à la tomodensitométrie axiale. Elle doit expliquer à la personne le déroulement de l'examen, au demeurant non effractif et indolore: celle-ci sera installée sur une table et l'appareil tournera autour d'elle; elle devra demeurer immobile pendant le balayage afin que les images soient de bonne qualité. L'infirmière informe également la personne qu'on devra lui installer un cathéter intraveineux si une substance de contraste est nécessaire.
TOMOGRAPHIE PAR ÉMISSION DE POSITRONS	
La tomographie par émission de positrons (TEP) est une technique non effractive qui, dans le passé, était surtout utilisée dans les cas d'affections neurologiques. Actuellement, on y recourt de plus en plus pour diagnostiquer des affections cardiaques. La TEP fournit des informations plus précises que l'échographie transœsophagienne ou la scintigraphie	Les infirmières qui participent aux études de TEP ou aux autres études d'imagerie devraient prévenir la personne qu'elle ne doit ni fumer ni prendre de boissons ou

Examen: description et but	Interventions infirmières
de perfusion coronarienne. La TEP facilite l'élaboration d'un plan de traitement (à savoir le recours à une angioplastie ou à un pontage aortocoronarien) pour les personnes atteintes de MCV, plus particulièrement pour celles qui ne manifestent pas de symptômes. Elle permet également de vérifier la perméabilité des vaisseaux naturels ou soumis à un pontage, ainsi que la circulation collatérale. Pendant l'examen, on injecte deux radio-isotopes; l'un permet d'évaluer le débit cardiaque dans le myocarde, et l'autre l'augmentation du métabolisme glucidique pendant l'ischémie. Une caméra donne des images en trois dimensions de la répartition des radio-isotopes. Pour évaluer la viabilité du myocarde, on compare l'augmentation du métabolisme du glucose dans le myocarde au débit cardiaque. Par exemple, dans les tissus ischémiés viables, le débit cardiaque sera diminué, mais le métabolisme accru. Dans ce cas, on pourrait améliorer la fonction cardiaque en effectuant une revascularisation grâce à une chirurgie ou à une angioplastie. Les restrictions imposées quant à la consommation de nourriture varient d'un établissement à l'autre mais, la TEP aidant à évaluer le métabolisme du glucose, la glycémie de la personne doit être maintenue dans les limites normales.	d'aliments à base de caféine pendant les quatre heures qui précèdent l'examen. Elles doivent également l'informer qu'elle n'est exposée à aucun risque d'irradiation, la dose de radiations étant similaire à celle qui est émise lors des autres examens radiologiques.
IMAGERIE PAR RÉSONANCE MAGNÉTIQUE	
L'imagerie par résonance magnétique (IRM) est une technique indolore et non effractive, utilisée pour examiner les propriétés tant physiologiques qu'anatomiques du cœur. L'IRM permet de visualiser le cœur et les vaisseaux principaux grâce à un champ magnétique puissant et à des clichés générés par ordinateur. L'IRM joue un rôle de premier ordre dans le diagnostic des atteintes de l'aorte, du muscle cardiaque et du péricarde, ainsi que des lésions cardiaques congénitales. Des recherches sont actuellement menées dans le but d'utiliser cette technique d'imagerie pour évaluer l'anatomie des artères coronaires, le débit cardiaque et la viabilité du myocarde, en association avec l'épreuve de provocation pharmacologique.	En raison du puissant champ magnétique utilisé durant l'IRM, on exige un dépistage méticuleux des contre-indications éventuelles dans les établissements où l'on effectue ce genre d'examen. On se sert couramment de questionnaires standardisés pour déterminer si la personne porte un stimulateur cardiaque, des plaques métalliques, des prothèses articulaires ou d'autres implants métalliques qui risqueraient d'être déplacés au cours de la séance d'imagerie. Pendant l'examen, la personne est placée en décubitus dorsal sur une table, laquelle glisse dans un imageur blindé qui contient le champ magnétique. Si la personne est claustrophobe, on lui administre un sédatif léger avant l'examen. Pendant le déroulement de l'examen, elle pourrait être incommodée par les bruits sourds émis par l'appareil. C'est la raison pour laquelle on peut lui proposer des bouchons d'oreilles ou des écouteurs lui permettant d'écouter de la musique. La personne peut communiquer grâce à un microphone. On doit cependant la prévenir qu'elle doit rester immobile pendant toute la durée de l'examen.

la coagulation sanguine, la méthode employée pour arrêter les saignements au point de ponction artérielle après l'intervention, les règlements de l'établissement et d'autres variables (par exemple, personne âgée ou obèse, présence d'un trouble hémostatique). Lors d'un cathétérisme cardiaque à visée diagnostique, il est courant d'utiliser des cathéters plus petits (de calibre 4 à 6), car ceux-ci favorisent un rétablissement plus rapide. Pour arrêter les saignements au point de ponction de l'artère après le retrait du cathéter, on utilise notamment les méthodes suivantes: pression manuelle, dispositifs mécaniques de compression, comme FemoStop (qu'on applique sur le point de ponction pendant 30 minutes) et dispositifs hémostatiques percutanés. Si on utilise cette dernière méthode, on place le dispositif sur le point de ponction fémorale à la fin de l'intervention. Les dispositifs hémostatiques percutanés agissent par colmatage au collagène (VasoSeal), par suture du point de ponction (Perclose, Techstar), ou encore par une combinaison des deux (AngioSeal). Ils sont sûrs, ils arrêtent les saignements instantanément et ils permettent d'écourter l'alitement sans augmenter considérablement le risque d'hémorragie ou d'autres complications (Baim *et al.*, 2000). Divers facteurs déterminent la méthode à utiliser pour arrêter les saignements: les préférences du médecin, l'état de la personne, le coût de l'intervention et le matériel dont dispose l'établissement de santé.

Il peut être nécessaire d'effectuer un cathétérisme cardiaque chez des personnes hospitalisées pour une angine ou un infarctus du myocarde. Dans ce cas, ces personnes regagnent leur chambre après l'intervention. Dans certains laboratoires de cathétérisme cardiaque, on peut procéder à une angioplastie, immédiatement après le cathétérisme, si cette intervention est indiquée.

Angiographie

Le cathétérisme cardiaque est habituellement effectué par angiographie. Cette technique de visualisation du cœur et des vaisseaux sanguins consiste à injecter un agent de contraste dans le réseau vasculaire. Lorsqu'on ne cherche à examiner qu'une seule cavité ou un seul vaisseau, le procédé utilisé porte le nom d'angiographie sélective. La cinéangiographie, quant à elle, permet de visualiser un vaisseau grâce à une série de clichés rapides défilant sur un écran fluoroscopique et montrant le passage de la substance de contraste dans le vaisseau en question. Les données ainsi enregistrées serviront à des comparaisons futures. L'angiographie sélective est le plus souvent choisie pour visualiser l'aorte, les artères coronaires, ainsi que le cœur gauche et le cœur droit.

Aortographie

L'aortographie est une forme d'angioplastie qui permet de visualiser la lumière de l'aorte et des principales artères qui en émergent. L'aortographie thoracique permet d'explorer, à l'aide d'une substance de contraste, l'arc aortique et ses principales ramifications. On introduit le cathéter dans l'aorte par une approche translombaire ou par voie rétrograde à travers l'artère brachiale ou fémorale.

Artériographie coronaire

L'artériographie coronaire consiste à introduire le cathéter dans l'artère brachiale ou fémorale droite ou gauche. On le fait ensuite passer par l'aorte ascendante, puis on l'introduit dans l'artère coronaire qu'on souhaite visualiser. L'artériographie coronaire permet d'évaluer l'étendue de l'athérosclérose et de déterminer le type de traitement à administrer. On l'utilise également pour étudier des anomalies congénitales des artères coronaires.

Cathétérisme du cœur droit

On effectue habituellement le cathétérisme du cœur droit avant celui du cœur gauche. On fait passer le cathéter par une veine fémorale ou cubitale antérieure vers l'oreillette droite, le ventricule droit, l'artère pulmonaire ou les artérioles pulmonaires, selon les besoins. On mesure la pression et la saturation en oxygène à chacun de ces endroits et on enregistre les données.

Bien qu'elle comporte relativement peu de dangers, cette intervention peut avoir des complications telles que des arythmies cardiaques, une infection au point de ponction et la perforation d'un vaisseau ou du muscle cardiaque.

Cathétérisme du cœur gauche

Cette intervention permet d'évaluer la perméabilité des artères coronaires, le fonctionnement du ventricule gauche et des valvules mitrale et aortique. Des complications peuvent survenir: arythmies, IM, perforation du cœur et des gros vaisseaux et accident vasculaire cérébral, par exemple. On réalise cette intervention par cathétérisme rétrograde du ventricule gauche. Le médecin introduit habituellement le cathéter dans l'artère brachiale ou fémorale droite, puis le fait avancer jusqu'à l'aorte et, de là, dans le ventricule gauche.

À la fin de l'intervention, on retire soigneusement le cathéter, on arrête les saignements artériels par pression manuelle ou en utilisant une des méthodes décrites plus haut. Si le médecin a effectué une dénudation artérielle ou veineuse, il en suture le siège et un pansement stérile est appliqué.

Interventions infirmières

Avant un cathétérisme cardiaque, l'infirmière doit notamment accomplir les tâches suivantes:

- Prévenir la personne qu'elle doit être à jeun pendant les 8 à 12 heures qui précèdent l'intervention. Si le cathétérisme est effectué en consultation externe, la prévenir qu'elle devra se faire raccompagner chez elle par un ami ou un membre de sa famille.
- Informer la personne de la durée prévue de l'intervention; la prévenir qu'elle devra rester couchée sur une surface dure pendant deux heures au maximum.
- Expliquer à la personne qu'on lui administrera un sédatif par voie intraveineuse.
- Informer la personne des sensations qu'elle pourra éprouver durant l'intervention de façon à l'aider à mieux supporter l'examen. Lui expliquer qu'elle aura presque inévitablement des palpitations, en particulier lorsque le bout du cathéter touchera le myocarde. On pourra aussi lui demander de tousser ou de respirer profondément, en particulier pendant qu'on lui injectera la substance de contraste. La toux peut aider à supprimer les arythmies et permet d'éliminer la substance de contraste des artères. Le fait d'inspirer profondément et de retenir sa respiration abaisse le diaphragme: les structures du cœur peuvent ainsi être mieux visualisées. L'injection de la substance de contraste du côté gauche ou droit du cœur peut entraîner une sensation de chaleur à travers tout le corps et l'envie d'uriner. Ces symptômes disparaissent en une minute au maximum.
- Encourager la personne à exprimer sa peur et son anxiété; lui fournir toutes les informations susceptibles de la rassurer et de réduire son anxiété.

Après un cathétérisme cardiaque, l'infirmière doit notamment accomplir les tâches suivantes:

1. Surveiller le point de ponction afin de déceler des saignements ou la formation d'un hématome; mesurer les pouls périphériques du membre dans lequel le cathéter a été introduit (pouls pédieux et tibial postérieur, dans le cas des membres inférieurs, pouls radial, dans le cas des membres supérieurs), toutes les 15 minutes pendant une heure, puis toutes les heures ou deux jusqu'à la stabilisation.
2. Prendre la température, observer la coloration de la peau du membre en question, rester à l'affût des sensations que la personne pourrait signaler (douleur, engourdissement ou picotements) et des signes d'insuffisance artérielle. Informer rapidement le médecin des changements.
3. Suivre de près les arythmies en observant les moniteurs cardiaques ou en prenant les pouls apexien et périphériques afin de déceler des changements de fréquence et de rythme. Une réaction vasovagale (bradycardie, hypotension et nausées) peut être déclenchée par une vessie trop pleine ou par la gêne ressentie au moment du retrait du cathéter, particulièrement si l'artère fémorale a été choisie comme voie d'accès. Dans ce cas, il est capital d'intervenir rapidement, notamment en élevant les pieds et les bras de la personne au-dessus du niveau

de sa tête et en lui administrant des liquides et de l'atropine par voie intraveineuse.

4. Prévenir la personne qu'elle devra rester alitée pendant une période allant de deux à six heures, la jambe atteinte étendue et la tête surélevée de 30 degrés, si le cathétérisme a été effectué par voie percutanée en passant par l'artère fémorale, sans utilisation de dispositifs hémostatiques comme VasoSel, Perclose ou AngioSeal (Logemann *et al.*, 1999). Si son bien-être l'exige, on peut la tourner d'un côté à l'autre, la jambe atteinte devant toujours rester étendue. Si le cardiologue utilise un dispositif hémostatique, prendre connaissance des normes de soins et traitements infirmiers en vigueur, tout en sachant qu'il ne sera probablement pas nécessaire de surélever la tête du lit et que la personne sera autorisée à se lever et à marcher deux heures ou moins après l'intervention (Baim *et al.*, 2000). Administrer des analgésiques pour soulager la douleur, selon les recommandations du médecin.
5. Demander à la personne de signaler sans tarder douleurs thoraciques, saignements, gêne aux points de ponction ou tout autre symptôme.
6. Encourager la personne à boire des liquides pour accroître son débit urinaire et mieux éliminer la substance de contraste.
7. Pour accroître la sécurité de la personne, lui recommander de demander de l'aide lorsqu'elle sortira pour la première fois du lit après l'intervention; il existe en effet un risque d'hypotension, qui peut provoquer une sensation de tête légère et des étourdissements.

D'autres consignes doivent être données aux personnes qui quittent l'établissement de santé le jour même de l'intervention (encadré 28-7 ■).

EXAMEN ÉLECTROPHYSIOLOGIQUE

L'examen électrophysiologique est une intervention effractive qui joue un rôle important dans le diagnostic et le traitement des arythmies graves. On y recourt pour: (1) distinguer une tachycardie auriculaire d'une tachycardie ventriculaire lorsqu'il est impossible de le faire par un ECG à 12 dérivations; (2) déterminer s'il y a un risque imminent d'arythmies mettant en danger la vie de la personne (par exemple, tachycardie ventriculaire ou fibrillation ventriculaire); (3) évaluer le fonctionnement du nœud AV; (4) vérifier si les antiarythmiques administrés réduisent bien les arythmies; et (5) déterminer s'il est nécessaire d'effectuer d'autres interventions, comme l'installation d'un stimulateur cardiaque ou d'un défibrillateur à synchronisation automatique (chapitre 29 (CD)). L'examen électrophysiologique est indiqué chez les personnes ayant subi une syncope et chez celles qui ont survécu à un arrêt cardiaque à la suite d'une fibrillation ventriculaire.

L'examen initial peut durer quatre heures. La personne reçoit une sédation modérée. On introduit des cathéters de stimulation dans le cœur, par les veines fémorale et sous-clavière droites, afin d'enregistrer l'activité électrique des oreillettes droite et gauche, du faisceau de His et du ventricule droit. On met en place ces cathéters en utilisant la fluoroscopie. On commence par enregistrer l'ECG de base en surface et à l'intérieur du cœur, puis on essaie de déclencher une arythmie en stimulant l'oreillette ou le ventricule par des ondes électriques programmées. Si une arythmie a pu être déclenchée, on administre à la personne divers antiarythmiques par voie intraveineuse. On répète l'examen après l'administration de chacun de ces médicaments afin de déterminer celui qui permet de maîtriser le plus efficacement les arythmies, en monothérapie ou en association.

Après l'examen, on administre à la personne par voie orale une dose équivalente de l'antiarythmique retenu; pour évaluer l'efficacité de celui-ci, on peut avoir à effectuer des examens supplémentaires. Selon les résultats, il peut également être nécessaire d'effectuer d'autres interventions thérapeutiques, comme l'installation d'un stimulateur cardiaque ou d'un défibrillateur à synchronisation automatique.

Pendant l'examen électrophysiologique, la personne est exposée à un risque d'arythmies mortelles. On doit par conséquent effectuer cet examen dans un milieu protégé et équipé d'un matériel de réanimation (par exemple, un défibrillateur). L'intervention peut entraîner les complications suivantes: saignements ou formation d'un hématome au point de ponction, pneumothorax (pénétration d'air dans la cavité pleurale provoquant l'affaissement d'une partie du poumon), thrombose veineuse profonde, accident vasculaire cérébral ou mort subite.

Interventions infirmières

La personne ne doit ni manger ni boire pendant les huit heures qui précèdent l'examen. Elle ne doit pas prendre d'antiarythmiques pendant au moins 24 heures avant l'examen

ENCADRÉ 28-7

ENSEIGNEMENT

Autosoins après un cathétérisme cardiaque

Lorsque la personne quitte le centre hospitalier le jour même du cathétérisme cardiaque, on doit lui donner les consignes suivantes:

- Pendant les 24 heures qui suivent l'intervention, ne pas se plier à la hauteur de la taille (pour saisir un objet), ne pas faire d'effort, ne pas soulever d'objets lourds.
- Ne pas prendre de bains, mais des douches.
- S'informer auprès de son médecin de la date à laquelle celui-ci autorise le retour au travail et la reprise de la conduite automobile et des activités physiques intenses.
- Prévenir le médecin en cas de saignement, d'œdème, d'hématome, de douleur au point de ponction ou de fièvre s'élevant à 38,6 °C ou plus.
- Si l'examen a révélé une coronaropathie, discuter des traitements possibles avec son médecin et se renseigner sur les programmes de réadaptation cardiaque existants dans sa localité.
- Discuter avec son médecin ou avec une infirmière des modifications à apporter à son mode de vie afin de réduire le risque d'aggraver l'affection cardiaque et d'avoir d'autres problèmes cardiaques: par exemple, cesser de fumer, réduire ses taux de cholestérol, modifier son alimentation, s'inscrire à un programme d'exercices ou perdre du poids.

initial. Durant ce laps de temps, on mesure la fréquence et le rythme cardiaques à intervalles fréquents afin de déceler les arythmies. La personne peut prendre ses autres médicaments avec quelques gorgées d'eau.

Avant l'examen, il est important de préparer la personne de façon aussi complète que possible afin d'apaiser son anxiété. Il faut s'assurer qu'elle comprend pourquoi elle doit se soumettre à cette intervention et qu'elle sait quelles sensations courantes elle pourra ressentir pendant et après l'examen. Dans les laboratoires où on pratique les examens électrophysiologiques, on trouve souvent du matériel aidant à la relaxation, comme des casques pour écouter de la musique. Il faut que la personne sache que les infirmières travaillant dans ce laboratoire surveilleront tout signe de gêne et qu'elles l'aideront à apaiser son anxiété et à soulager la douleur en lui administrant des médicaments par voie intraveineuse. On doit donc rappeler à la personne qu'elle peut demander ces médicaments dès qu'elle en ressent le besoin. Après l'examen, l'infirmière doit exercer une surveillance clinique étroite. Elle mesure les paramètres fondamentaux, prend le pouls apical, examine les tracés de l'ECG et ausculte les régions cordiale et précordiale à la recherche d'un éventuel frottement péricardique (qui indiquerait une hémorragie du péricarde). Elle inspecte également les points de ponction pour déceler des saignements ou des hématomes.

De plus, elle s'assure que la personne reste alitée pendant quatre à six heures, la jambe atteinte étendue et la tête du lit surélevée de 30 degrés. La fréquence des évaluations et la durée de l'alitement varient selon les protocoles en vigueur dans les établissements de santé.

MONITORAGE HÉMODYNAMIQUE

La fonction cardiovasculaire des personnes dont l'état est critique doit faire l'objet d'une surveillance constante: c'est impératif pour le diagnostic et la prise en charge de leurs maladies complexes. Pour ce faire, on se sert le plus souvent d'équipements de surveillance effractive, qui portent le nom de systèmes de **monitorage hémodynamique.** Le monitorage hémodynamique permet de mesurer, entre autres, la pression veineuse centrale (PVC), la pression de l'artère pulmonaire (PAP) et la pression artérielle (PA). Les personnes sous monitorage hémodynamique sont suivies dans les unités de soins intensifs. On admet dans certaines unités de soins intensifs intermédiaires des personnes qui portent un cathéter servant à mesurer la pression artérielle ou la pression veineuse centrale, si leur état est stable. Dans certains établissements, on utilise des systèmes de monitorage hémodynamique non effractifs.

Pour effectuer un monitorage hémodynamique, on doit disposer du matériel suivant:

- Un cathéter de surveillance de la PVC, de la pression de l'artère pulmonaire ou de la pression artérielle, qu'on introduit dans le vaisseau ou la cavité du cœur faisant l'objet de l'examen.
- Un nécessaire de rinçage composé d'un soluté intraveineux (qui peut renfermer un anticoagulant), d'une tubulure, de robinets et d'un dispositif de rinçage qui peut fonctionner en continu ou par intermittence.
- Un manomètre, placé en amont du nécessaire de rinçage, maintenu à une pression de 300 mm Hg, qui assure un débit du soluté de 3 à 5 mL par heure au moyen du cathéter, prévenant ainsi la coagulation du sang ou son refoulement vers le système de monitorage.
- Un transducteur, qui convertit en signaux électriques l'onde de pression de l'artère ou de la cavité du cœur.
- Un amplificateur, qui augmente les signaux électriques qui seront enregistrés sur un oscilloscope.

Monitorage de la pression veineuse centrale

La PVC peut être mesurée dans la veine cave supérieure et dans l'oreillette droite. Elle permet d'évaluer la fonction ventriculaire droite et le retour veineux vers le cœur droit. On peut mesurer la PVC en continu en raccordant au système de monitorage de la pression un cathéter placé dans la veine cave supérieure. On peut également mesurer la PVC en raccordant au système de surveillance la voie proximale d'un cathéter artériel pulmonaire. On se sert du cathéter artériel pulmonaire (décrit en détail plus loin) chez les personnes gravement atteintes. Chez les patients hospitalisés dans les unités de soins médicochirurgicaux généraux et qui doivent être gardés sous monitorage de la PVC, on peut utiliser un cathéter à une ou plusieurs voies d'accès qui sera introduit dans la veine cave supérieure; on peut ainsi obtenir des mesures intermittentes de la PVC en utilisant un manomètre à eau.

Puisque les pressions de l'oreillette droite et du ventricule droit sont égales en fin de diastole (de 0 à 8 mm Hg), la PVC permet aussi de mesurer, indirectement, la pression ventriculaire droite (précharge). De ce fait, la PVC est un paramètre hémodynamique qui permet de suivre l'état volémique de la personne gravement atteinte. Le monitorage de la PVC prend toute sa valeur lorsque les pressions doivent être mesurées dans le temps et reliées à l'état clinique du patient. L'élévation de la pression peut être due à l'hypervolémie ou à une affection, telle que l'insuffisance cardiaque, qui diminue la contractilité du myocarde. Une baisse de la PVC est un indice de précharge réduite dans le ventricule droit, le plus souvent provoquée par une hypovolémie. Ce diagnostic est confirmé lorsqu'une perfusion intraveineuse rapide élève la PVC (sur le plan clinique, le monitorage de la PVC n'est pas utile chez les personnes dont l'insuffisance cardiaque gauche précède l'insuffisance cardiaque droite: une PVC élevée est alors un signe très tardif d'insuffisance cardiaque).

Avant d'introduire un cathéter de mesure de la PVC, on prépare le point de ponction en rasant la peau, si c'est nécessaire, et en la nettoyant avec une solution antiseptique. On peut aussi utiliser un anesthésique local. Le médecin fait passer un cathéter à une ou plusieurs lumières par la veine jugulaire externe, cubitale antérieure ou fémorale, jusqu'à la veine cave, en l'arrêtant juste au-dessus de la cavité auriculaire droite ou en l'introduisant dans la cavité même.

Interventions infirmières

Après que le cathéter a été introduit dans la veine, on l'immobilise et on applique un pansement stérile sur le point de ponction. On effectue une radiographie thoracique pour confirmer la position du cathéter et on inspecte quotidiennement le point d'insertion pour déceler tout signe d'infection. Le pansement et le système de monitorage de la pression ou le manomètre à eau sont changés conformément aux protocoles en vigueur. Le pansement doit rester sec et imperméable à l'air. Pour le changer, on recourt à une technique stérile. Les cathéters servant à mesurer la pression veineuse centrale peuvent également servir à la perfusion de liquides intraveineux, à l'administration de médicaments par voie intraveineuse et au prélèvement d'échantillons de sang.

Pour mesurer la PVC, on doit régler le transducteur (lorsqu'on utilise un système de monitorage de la pression artérielle pulmonaire) ou le zéro du manomètre par rapport à une ligne de référence standard appelée axe phlébostatique, située sur la poitrine de la personne (figure 28-12 ■). Après avoir repéré cette ligne, l'infirmière la marque à l'encre. Lorsqu'on utilise l'axe phlébostatique comme repère, on peut mesurer correctement la PVC lorsque la personne est en position couchée, quelle que soit l'inclinaison de son tronc, pourvu qu'elle ne dépasse pas 45 degrés. La PVC normale est comprise entre 0 et 8 mm Hg, si on utilise un système de monitorage, ou entre 3 et 8 cm H_2O, si on utilise un manomètre à eau. Les complications les plus fréquentes du monitorage de la PVC sont les infections et l'embolie gazeuse.

Monitorage de la pression artérielle pulmonaire

Le monitorage de la pression artérielle pulmonaire est un outil important utilisé dans les unités de soins intensifs pour évaluer la fonction ventriculaire gauche, pour établir l'étiologie possible d'un choc et pour vérifier la réponse de la personne à une intervention (comme l'administration de liquides ou de médicaments vasopresseurs). Le monitorage de la pression artérielle pulmonaire est réalisé à l'aide d'un cathéter et d'un système de monitorage (figure 28-13 ■).

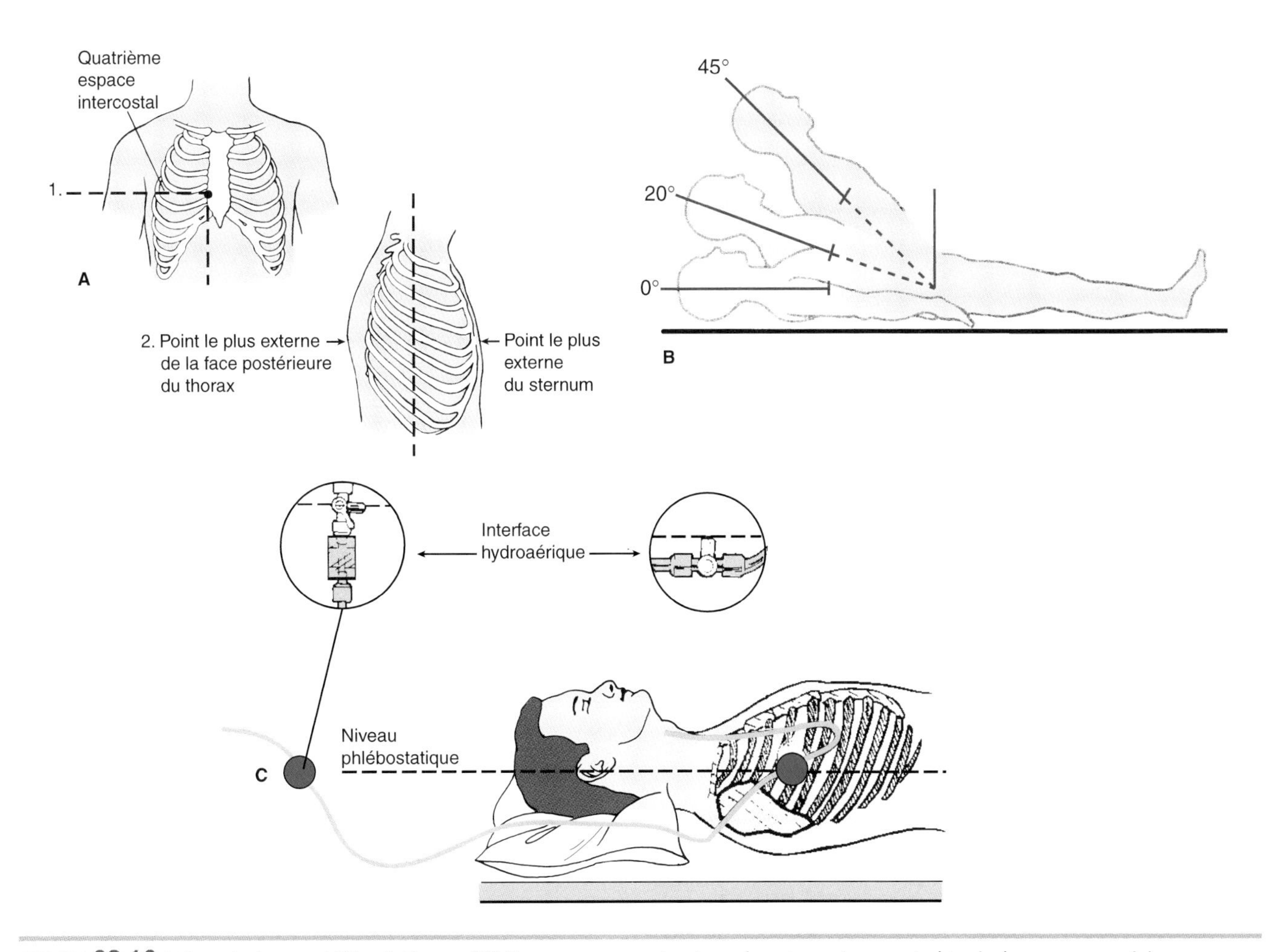

FIGURE 28-12 ■ Axe et niveau phlébostatiques. **(A)** L'axe phlébostatique se trouve à l'intersection de deux lignes de référence: (1) une ligne droite partant du quatrième espace intercostal, au bord latéral du sternum, et allant vers le bras, sous l'aisselle; (2) une ligne se situant à mi-chemin entre la surface antérieure et la surface postérieure du thorax. **(B)** Le niveau phlébostatique est une ligne horizontale qui traverse l'axe phlébostatique. L'interface hydroaérique du robinet du transducteur ou le zéro du manomètre doit se trouver à la hauteur de cet axe si on veut obtenir des mesures précises. Lorsque la personne, qui était en position couchée, adopte la position assise, son thorax n'est plus au même endroit, d'où un déplacement du niveau phlébostatique. Cependant, ce niveau traverse toujours à l'horizontale le même point de référence. **(C)** On peut régler le système de monitorage par rapport à l'axe phlébostatique en plaçant le robinet de deux façons: ou bien au niveau de l'interface hydroaérique, ou bien au-dessus du transducteur, qui est au niveau phlébostatique.

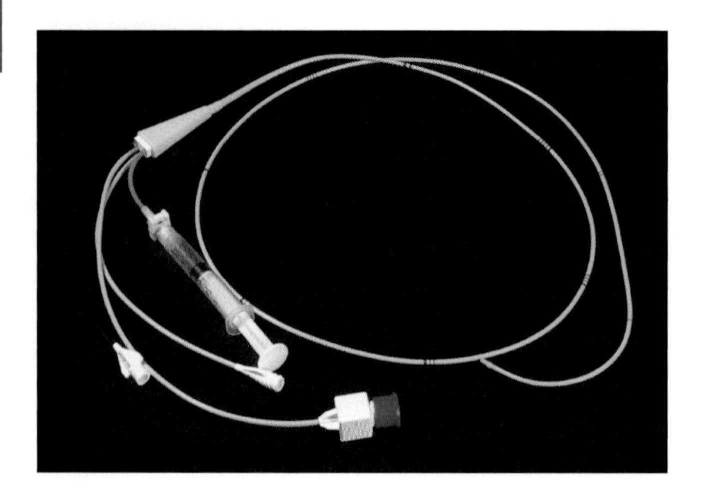

FIGURE 28-13 ■ Cathéter cardiaque : le cathéter présenté ici possède deux voies d'accès. Le ballonnet a été gonflé afin que son emplacement soit bien visible.

Les cathéters se distinguent par le nombre de voies d'accès, par le type de mesures qu'ils permettent d'effectuer (par exemple, débit cardiaque ou saturation en oxygène) ou par le genre de stimulation qu'ils produisent. Ils sont munis d'une voie sur laquelle se trouve un ballonnet et d'un embout qui peut être porté par le courant sanguin. On introduit le cathéter par une veine de grand calibre (habituellement la veine sous-clavière, jugulaire ou fémorale) jusqu'à la veine cave et à l'oreillette droite (figure 28-14 ■). Une fois que le ballonnet a atteint l'oreillette droite, on le gonfle, et le cathéter est porté rapidement par le courant sanguin à travers la valvule tricuspide dans le ventricule droit, puis à travers la valvule pulmonaire dans l'une des ramifications de l'artère pulmonaire. Lorsque le cathéter atteint une petite artère pulmonaire, on le dégonfle et on le fixe à la peau par des points de suture. On peut utiliser un appareil de fluoroscopie pour suivre l'acheminement du cathéter dans les cavités du cœur jusqu'à l'artère pulmonaire. L'insertion du cathéter peut s'effectuer au bloc opératoire, dans un laboratoire de cathétérisme cardiaque ou au chevet de la personne, à l'unité de soins intensifs. Pendant qu'il introduit la sonde, le médecin observe avec l'infirmière, sur l'écran du moniteur, les modifications électrocardiographiques qui surviennent tandis que le cathéter passe par les cavités du cœur droit et par l'artère pulmonaire.

Lorsque le cathéter a atteint sa position définitive, on peut obtenir plusieurs mesures (tableau 28-9 ■). Si on utilise un cathéter de thermodilution, on peut calculer le débit cardiaque, la résistance vasculaire systémique et la résistance vasculaire pulmonaire. Le débit cardiaque variant en fonction de la surface corporelle, le débit cardiaque indexé (calcul du débit cardiaque par mètres carrés de la surface corporelle) sera un meilleur indicateur de la fonction cardiaque.

La pression artérielle pulmonaire normale est de 25/9 mm Hg, la pression normale moyenne se situant autour de 15 mm Hg (pour l'écart normal, se reporter à la figure 28-5, p. 233). Lorsque le ballonnet est gonflé, habituellement avec 1 mL d'air, le cathéter avance en flottant jusqu'à ce qu'il s'arrête dans une artère capillaire pulmonaire. Le courant sanguin est ainsi entravé dans ce segment de l'artère. On mesure la pression capillaire pulmonaire bloquée (PCPB, ou *wedge*) dans les secondes qui suivent la pénétration du cathéter dans ces capillaires, après quoi on dégonfle immédiatement le ballonnet pour rétablir le courant sanguin. L'infirmière qui mesure la pression capillaire bloquée doit s'assurer que le cathéter a repris sa position normale en évaluant la représentation oscillographique de la pression dans l'artère pulmonaire. La pression

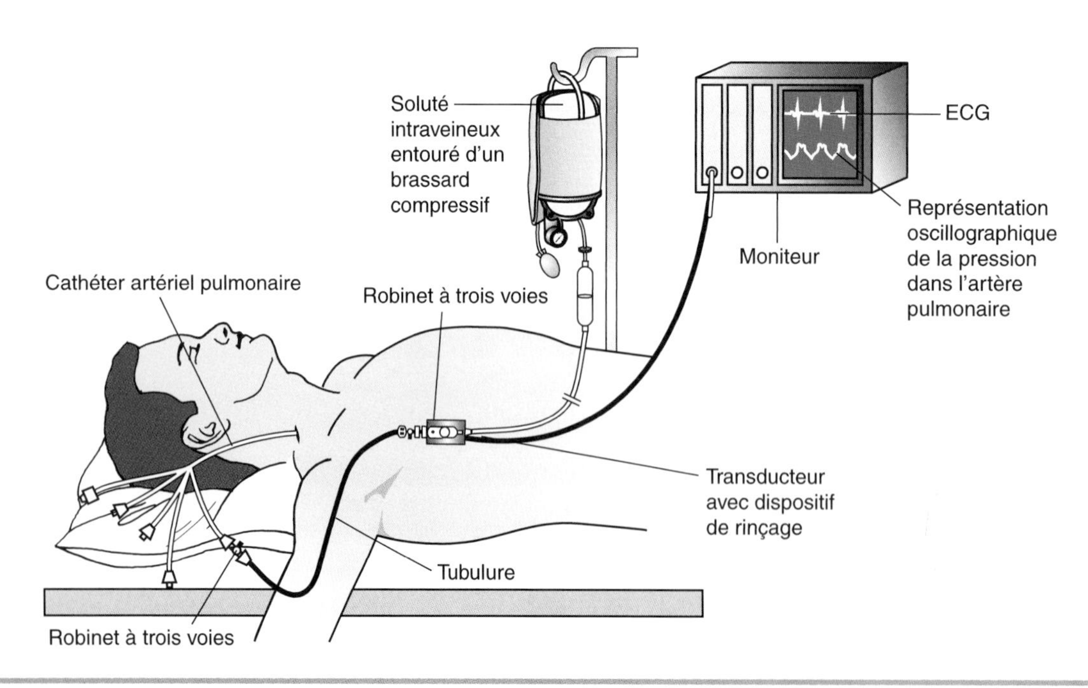

FIGURE 28-14 ■ Exemple de système de monitorage de la pression de l'artère pulmonaire (PAP). Le cathéter artériel pulmonaire est introduit par la veine jugulaire et acheminé vers l'artère pulmonaire.

Pressions mesurées à l'aide d'un cathéter artériel pulmonaire TABLEAU 28-9

Mesure	Abréviation courante	Valeur normale
Pression veineuse centrale	PVC	0 à 8 mm Hg
Pression artérielle pulmonaire systolique	PAPS	15 à 25 mm Hg
Pression artérielle pulmonaire diastolique	PAPD	8 à 15 mm Hg
Pression capillaire pulmonaire bloquée, ou *wedge*	PCPB	4,5 à 13 mm Hg
Débit cardiaque	DC	5 L/min
Débit cardiaque indexé	DCI	2,8 à 4,2 L/min/m²

artérielle pulmonaire diastolique et la pression capillaire pulmonaire bloquée traduisent la pression ventriculaire télédiastolique. Ces mesures sont très importantes lorsque la personne est dans un état critique, puisqu'elles permettent d'estimer la pression de remplissage ventriculaire gauche (précharge). En fin de diastole, lorsque la valvule mitrale est ouverte, la pression capillaire pulmonaire bloquée est la même que celle de l'oreillette et du ventricule gauches, sauf en cas d'atteinte de la valvule mitrale ou d'hypertension pulmonaire. La pression capillaire pulmonaire bloquée est une pression moyenne, qui se situe normalement entre 4,5 et 13 mm Hg. Chez les personnes dont l'état est grave, on doit s'assurer que la pression de remplissage du ventricule gauche reste élevée afin d'optimiser le débit cardiaque. Chez ces personnes, la pression capillaire pulmonaire devrait se maintenir autour de 18 mm Hg.

Interventions infirmières

Les soins à apporter au point de ponction sont similaires à ceux qu'on donne dans le cas des cathéters mesurant la PVC. Tout comme dans le cas de la mesure de la PVC, on doit placer le transducteur au niveau de l'axe phlébostatique pour s'assurer qu'on prend des mesures précises (figure 28-12). Les complications du monitorage de la pression artérielle pulmonaire sont l'infection, la rupture de l'artère pulmonaire, l'embolie pulmonaire, l'infarcissement pulmonaire, l'enroulement du cathéter sur lui-même (ce qui fausse les mesures), les arythmies et l'embolie gazeuse.

Monitorage de la pression artérielle

Le monitorage de la pression artérielle permet d'obtenir des mesures directes et continues chez les personnes qui souffrent d'hypertension ou d'hypotension (figure 28-15 ■). Les cathéters artériels sont également utiles lorsqu'on doit mesurer fréquemment les gaz artériels ou qu'on doit faire des prélèvements répétés d'échantillons de sang.

Une fois qu'on a choisi l'artère par laquelle on introduira le cathéter (radiale, brachiale, fémorale ou pédieuse), on doit vérifier s'il y a une circulation collatérale dans cette région. Il s'agit d'une mesure de précaution. En effet, en l'absence de circulation collatérale, une occlusion de l'artère cathétérisée pourrait provoquer une ischémie et un infarcissement de la région qui se trouve en aval. Pour vérifier la circulation collatérale, on utilise le test d'Allen, pour les artères radiale et cubitale, ou un test échographique Doppler, pour les autres artères. Pour effectuer le test d'Allen, l'infirmière comprime simultanément les artères radiale et cubitale, et demande à la personne de serrer le poing jusqu'à ce que sa main pâlisse (figure 28-16A ■). Puis, elle lui demande d'ouvrir la main, pendant qu'elle relâche la pression sur l'artère radiale, tout en la maintenant sur l'artère cubitale (figure 28-16B ■). Si l'artère cubitale est perméable, la main de la personne reprendra sa coloration rosée.

Interventions infirmières

La préparation du point de ponction du cathéter artériel et les soins qui suivent sa mise en place sont les mêmes que dans le cas du cathéter de mesure de la PVC. La solution de rinçage est habituellement du NaCl 0,9 % (normal salin) auquel a été ajouté un anticoagulant. On obtient les pressions en millimètres de mercure (mm Hg) à l'aide d'un transducteur. Les complications du cathétérisme artériel sont notamment l'obstruction locale avec ischémie digitale, l'hémorragie externe, les ecchymoses massives, la rupture artérielle, l'embolie gazeuse, la douleur, les spasmes artériels périphériques et les infections.

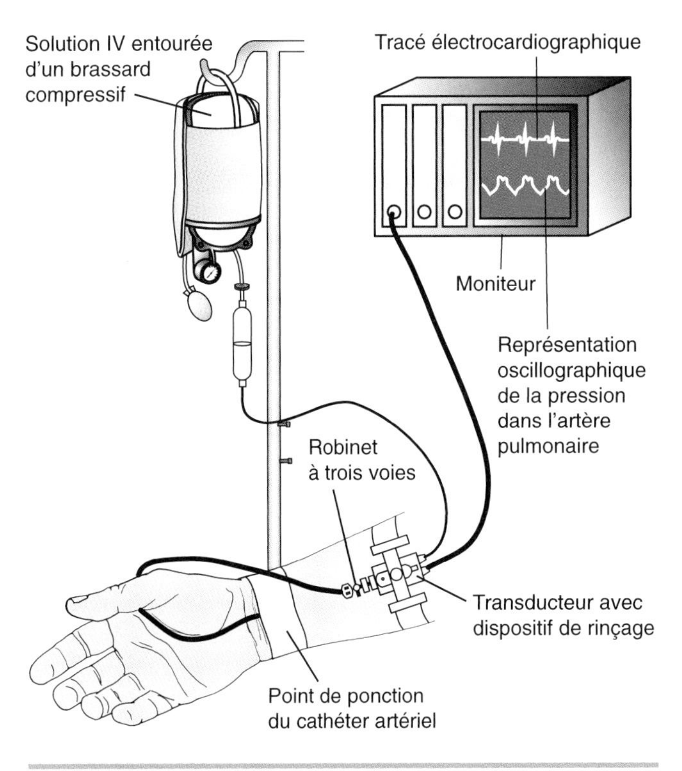

FIGURE 28-15 ■ Exemple de système de monitorage de la pression artérielle. Le cathéter artériel est introduit dans l'artère radiale. On utilise un robinet à trois voies pour prélever des échantillons de sang artériel.

Au Québec, à la suite de l'entrée en vigueur des modifications touchant la *Loi sur les infirmières et les infirmiers*, il est maintenant possible pour l'infirmière qui détient les compétences nécessaires de procéder à une ponction artérielle et à l'installation d'une canule artérielle. L'infirmière qui souhaite réaliser ces interventions doit répondre à certaines exigences professionnelles et suivre une formation spécialisée, donnée par un formateur reconnu par la Direction des soins infirmiers de l'établissement. Des lignes directrices ont été élaborées par l'Ordre des infirmières et infirmiers du Québec dans le but de guider les infirmières et les établissements dans l'intégration de ces activités à l'exercice infirmier et d'assurer la sécurité des personnes soignées (OIIQ, 2005).

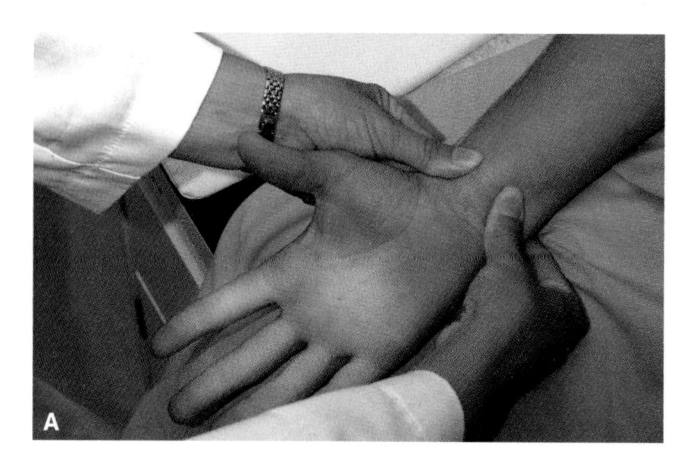

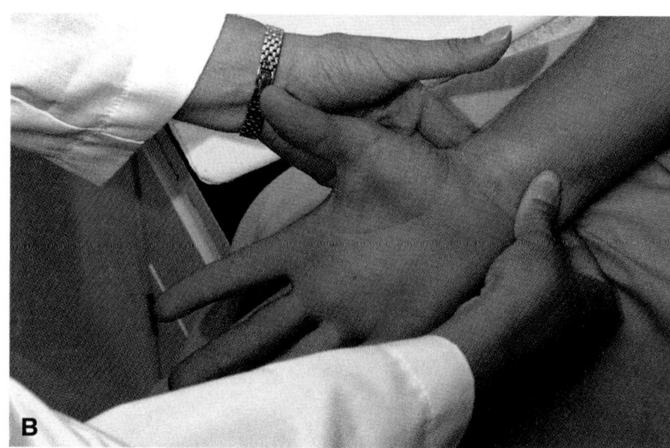

FIGURE 28-16 ■ **(A)** L'infirmière bloque simultanément les artères radiale et cubitale. **(B)** Elle relâche la pression exercée sur l'artère radiale. SOURCE : Université du Québec à Trois-Rivières, Service de soutien pédagogique et technologique, Claude Demers.

EXERCICES D'INTÉGRATION

1. Vous vous occupez d'une personne âgée, hospitalisée à trois reprises au cours des six derniers mois en raison de complications liées à son insuffisance. Pour planifier son départ du centre hospitalier, vous devez bien comprendre ce qui a causé ces épisodes récurrents. Pour ce faire, de quels éléments de l'anamnèse, de l'examen physique et des examens paracliniques devez-vous disposer ? Quelles données devez-vous recueillir afin d'élaborer un plan de congé ? Quels membres de l'équipe soignante devriez-vous consulter ?
2. Vous travaillez aux soins courants dans un CSSS et vous notez qu'un grand nombre de personnes font usage de cigarettes. À quels risques de maladie l'usage du tabac les expose-t-il ? Cette clinique n'a pas établi de protocole d'abandon du tabac. Vous aimeriez aider toutes ces personnes à arrêter de fumer mais, par manque d'expérience, vous ne savez pas quels conseils leur donner. De quels renseignements et de quelles ressources auriez-vous besoin pour élaborer et mettre en place un protocole d'abandon du tabac ?
3. Vous rendez visite à domicile à une femme âgée de 54 ans ; elle fume, souffre d'hypertension et de diabète. Elle vous dit qu'elle se sent extrêmement fatiguée et qu'elle éprouve depuis 10 heures des douleurs qui partent de l'épaule gauche vers le bras. Vous examinez rapidement son apparence générale. Décrivez les étapes de l'examen, ainsi que le plan thérapeutique que vous prévoyez. Pourquoi, selon vous, n'a-t-elle pas consulté immédiatement un médecin, alors qu'elle présente manifestement des symptômes d'IM aigu ? Quels sont les symptômes propres à un IM aigu et les facteurs qui pourraient inciter une personne à ne pas recourir rapidement à des soins ?

RÉFÉRENCES BIBLIOGRAPHIQUES

en anglais • en français

L'astérisque indique un compte rendu de recherche en soins infirmiers.

*Baim, D., Knopf, W., Hinohara, T., Schwarten, D.E., Schatz, R.A., Pinkerton, C.A., et al. (2000). Suture-mediated closure of the femoral access site after cardiac catheterization: Results of the suture to ambulate and discharge (STAND I and STAND II) trials. *American Journal of Cardiology, 85*(7), 864–869.

Buselli, E.F., & Stuart, E.M. (1999). Influence of psychosocial factors and biopsychosocial interventions on outcomes after myocardial infarction. *J Cardiovasc Nurs, 13*(3), 60–72.

Communauté canadienne pour la lutte contre le tabagisme (2003). *La stratégie nationale : Aller vers l'avant. Rapport d'étape pour la lutte contre le tabagisme. Santé Canada.*

Genest, Frohlich, Fodor et McPherson (2003). Cité dans *Le bulletin de l'Alliance québécoise pour la santé du cœur* – Encart spécial, hiver 2003, 3-4.

Jan, F. (2000). *Les pathologies cardiovasculaires.* Paris : Masson.

Juillard, A. (1991). *Cardiologie et soins et traitements infirmiers – module n° 2.* Paris : Lamarre.

*Krantz, D., Santiago, H., & Kop, W. (1999). Prognostic value of mental stress testing in coronary artery disease. *American Journal of Cardiology, 84*(11), 1292–1297.

Lea, R., Bannister, E., Case, A., Lévesque, P., Miller, D., Provencher, D., et Rosolovich, V. (2004). Recours à l'hormonothérapie substitutive après un traitement contre le cancer du sein. *Journal of obstetrics and gynaecology of Canada, 26*(1), 55-60.

*Logemann, T., Luetmer, P., Kaliebe, J., Olson, K., & Murdock, D.K. (1999). Two versus six hours of bed rest following left-sided cardiac catheterization and a meta-analysis of early ambulation trials. *American Journal of Cardiology, 84*(4), 486–488.

OIIQ (2005). *Lignes directrices*. «Application de techniques invasives par les infirmières et les infirmiers. Prélèvement par ponction artérielle et installation d'une canule artérielle». Montréal: OIIQ.

Pagana, K.D., et Pagana, T.J. (2000). *L'infirmière et les examens paracliniques*, Saint-Hyacinthe: Édisem-Maloine.

Smith, S.C. Jr., Blair, S.N., Bonow, R.O., Brass, L.M., Cerqueira, M.D., Dracup, K., et al. (2001). AHA/ACC guidelines for preventing heart attack and death in patients with atherosclerotic cardiovascular disease. *Circulation, 104*(13), 1577–1579.

Steinke, E. (2000). Sexual counseling: After myocardial infarction. *American Journal of Nursing, 100*(12), 38–44.

Timmis, A.D., et Sullivan, I.D. (2001). *Cardiologie en bref*. Bruxelles: DeBoeck.

Woods, S. L., Froelicher, E.S.S., & Motzer, S.U. (1999). *Cardiac nursing* (4th ed.). Philadelphia: Lippincott Williams & Wilkins.

*Wung, S., & Drew, B. (1999). Comparison of 18-lead ECG and selected body surface potential mapping leads in determining maximally deviated ST lead and efficacy in detecting acute myocardial ischemia during coronary occlusion. *Journal of Electrophysiology, 32,* (Suppl.) 30–37.

Zerwic, J. (1999). Patient delay in seeking treatment for acute myocardial infarction symptoms. *Journal of Cardiovascular Nursing, 13*(3), 21–31.

En complément de ce chapitre, vous trouverez sur le Compagnon Web:

- une bibliographie exhaustive;
- des ressources Internet;
- une rubrique «La génétique dans la pratique infirmière»: *Maladies cardiovasculaires*.

Adaptation française
Josée Grégoire, inf., M.Sc., CSIC(C), CSU(C)
Enseignante de soins infirmiers – Cégep régional de Lanaudière à Joliette

CHAPITRE 29

Arythmies et troubles de conduction

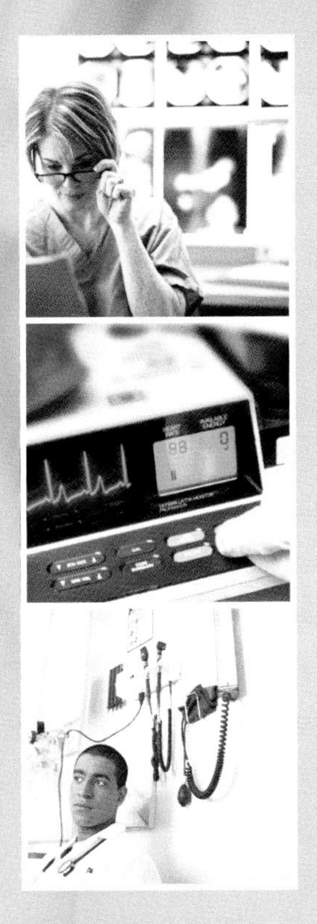

Objectifs d'apprentissage

Après avoir étudié ce chapitre, vous pourrez:

1. Établir des corrélations entre les données de l'électrocardiogramme (ECG) et les manifestations physiologiques du cœur.
2. Définir l'ECG comme une forme d'onde qui représente l'activité électrique du cœur liée à la dérivation décrite (position des électrodes).
3. Interpréter un tracé ECG: fréquence et rythme au niveau auriculaire et ventriculaire, forme et durée du complexe QRS, forme de l'onde P, intervalle P-R, intervalle Q-T et ratio P:QRS.
4. Expliquer les éléments significatifs de l'ECG, les causes et la gestion de différents types d'arythmie.
5. Appliquer la démarche systématique aux personnes présentant des arythmies.
6. Comparer les différents types de stimulateurs cardiaques: leur utilisation, les complications possibles et les interventions infirmières qui s'y rapportent.
7. Appliquer la démarche systématique aux personnes portant un stimulateur cardiaque.
8. Décrire les points clés dans l'utilisation d'un défibrillateur.
9. Décrire la raison d'être d'un défibrillateur interne à synchronisation automatique (DISA), les catégories offertes et les interventions infirmières.
10. Décrire les méthodes effractives utilisées pour diagnostiquer et traiter l'arythmie récurrente, et exposer les implications infirmières.

Faute d'une fréquence et d'un rythme réguliers, il se peut que le cœur ne fonctionne pas efficacement en tant que pompe propulsant le sang oxygéné et les autres nutriments vitaux dans tous les organes (y compris le cœur lui-même) et les tissus du corps. Lorsqu'il bat de façon irrégulière ou anarchique, on considère que le cœur est arythmique. Dans certaines situations, ce signe risque d'entraîner une affection dangereuse.

Arythmies

Les **arythmies** sont soit des troubles de la formation de l'impulsion électrique, soit des troubles de sa conduction intracardiaque, ou ces deux types de troubles à la fois. Elles peuvent affecter la fréquence autant que le rythme cardiaque. Au départ, l'arythmie peut se manifester à travers son effet hémodynamique ; un changement dans la conduction peut ainsi modifier l'action de pompage du cœur et entraîner une diminution de la pression artérielle. On dépiste les arythmies au moyen de l'électrocardiogramme (ECG) et on les désigne d'après l'origine de l'impulsion et le mécanisme de formation ou de conduction en cause (encadré 29-1 ■). Par exemple, l'arythmie provenant d'un ralentissement de l'activité du nœud sinusal s'appelle la bradycardie sinusale.

VOIE DE CONDUCTION NORMALE

La circulation cardiovasculaire exige une bonne coordination des différentes cavités cardiaques. L'activité de pompage du sang à travers l'organisme en dépend. Le tissu nodal, qui est composé de fibres cardiaques spécialisées, transmet

VOCABULAIRE

Ablation: destruction volontaire des fibres musculaires du cœur, généralement dans le but d'éliminer des problèmes d'arythmie.

Antiarythmique: médicament destiné à supprimer ou à empêcher l'arythmie.

Arythmie: perturbation de la formation de l'impulsion électrique, de sa conduction intracardiaque ou des deux à la fois, pouvant altérer la fréquence autant que le rythme cardiaques et compromettre le débit sanguin.

Automaticité: capacité intrinsèque des fibres myocardiques de produire une impulsion électrique.

Cardioversion: décharge électrique administrée en synchronie avec le complexe QRS décelable chez la personne dans le but d'arrêter un épisode d'arythmie.

Complexe QRS: partie d'un ECG correspondant au temps que met l'impulsion électrique pour se propager à travers les ventricules; c'est la dépolarisation ventriculaire.

Déclenché: mode particulier de fonctionnement du stimulateur cardiaque qui émet une impulsion électrique après avoir détecté l'absence d'activité cardiaque intrinsèque ou de synchronisme dans la fréquence entre les oreillettes et les ventricules.

Défibrillateur interne à synchronisation automatique: appareil implanté sous la peau de la région thoracique dans un espace sous-cutané préparé pour le recevoir appelé la loge sous-cutanée; l'appareil surveille en continu l'activité électrique du cœur; il détecte et interrompt automatiquement les tachyarythmies par la défibrillation.

Défibrillation: décharge électrique administrée sans synchronisme avec le complexe QRS, qui est non décelable ou non fonctionnel, dans le but de rétablir un rythme cardiaque normal.

Dépolarisation: transmission de l'impulsion électrique par la modification de la polarité des fibres musculaires du cœur, qui passent d'un état intracellulaire de charge négative à un état intracellulaire de charge positive; état d'activation.

Inhibé: mode particulier de fonctionnement du stimulateur cardiaque, qui retient le déclenchement d'une impulsion électrique lorsque l'appareil détecte une activité cardiaque intrinsèque.

Intervalle P-P: partie de l'ECG correspondant à la période de temps entre 2 dépolarisations auriculaires.

Intervalle P-R: partie de l'ECG correspondant au temps que met l'impulsion électrique pour se propager du nœud sinusal à travers les oreillettes, le nœud AV, le faisceau de His, ses branches, le réseau de Purkinje jusqu'au début de la stimulation ventriculaire.

Intervalle Q-T: partie de l'ECG correspondant au temps que met le ventricule pour se dépolariser et se repolariser.

Intervalle T-P: partie de l'ECG correspondant à la période entre la fin d'un cycle cardiaque et le début du prochain.

Onde P: partie de l'ECG correspondant au temps que mettent les deux oreillettes pour être stimulées à partir du nœud sinusal; c'est la dépolarisation auriculaire.

Onde T: partie de l'ECG correspondant à la repolarisation ventriculaire.

Onde U: partie de l'ECG pouvant correspondre à la repolarisation des muscles papillaires ou des fibres de Purkinje; la signification exacte de l'onde U fait l'objet de plusieurs hypothèses; on observe généralement l'onde U chez les personnes dont le taux de potassium est bas.

Paroxystique: définit un état pathologique, tel qu'une arythmie, de durée généralement brève et caractérisé par un début et une fin brusque.

Proarythmique: agent, notamment certains médicaments, qui cause des arythmies ou aggrave une arythmie préexistante.

Repolarisation: phase au cours de laquelle les fibres musculaires du cœur retournent à un état intracellulaire plus négativement chargé; leur état de repos.

Rythme sinusal: activité électrique du cœur engendrée par le nœud sinusal.

Segment S-T: partie de l'ECG correspondant au temps compris entre la fin de la dépolarisation ventriculaire (fin du complexe QRS) et la repolarisation ventriculaire (fin de l'onde T).

Tachycardie supraventriculaire: rythme accéléré dont le foyer d'origine est le système de conduction en amont des ventricules.

Tachycardie ventriculaire: rythme accéléré dont le foyer d'origine se situe dans les ventricules.

ENCADRÉ 29-1

Origine des arythmies cardiaques

POINT D'ORIGINE

- Nœud sinusal
- Oreillettes
- Jonction AV
- Ventricules

MÉCANISMES DE CONDUCTION

- Rythme sinusal
- Bradycardie
- Tachycardie
- Arythmie
- Flutter
- Fibrillation
- Extrasystoles
- Blocs

normalement la stimulation électrique à l'intérieur du cœur. La stimulation électrique de ces fibres musculaires s'appelle **dépolarisation**. Chaque fibre musculaire qui transmet l'impulsion électrique se dépolarise. Au départ, les impulsions électriques qui stimulent et règlent le muscle cardiaque sont émises par le nœud sinusal (aussi appelé nœud sino-auriculaire ou nœud de Keith et Flack), zone située près de l'orifice de la veine cave supérieure dans l'oreillette droite. Chez l'adulte, ces impulsions électriques se produisent généralement à un rythme variant entre 60 et 100 battements par minute. Elles voyagent rapidement du nœud sinusal vers l'oreillette jusqu'à la jonction auriculoventriculaire (AV), composée du nœud auriculoventriculaire (AV) (aussi appelé nœud d'Aschoff-Tawara) et du tronc du faisceau de His jusqu'à la bifurcation de ses banches (figure 29-1 ■). La stimulation électrique entraîne une contraction des fibres musculaires de l'oreillette. La structure du nœud AV ralentit l'impulsion électrique, ce qui laisse le temps à l'oreillette de se contracter et de remplir les ventricules de sang, avant que l'influx ne traverse très rapidement le tronc du faisceau de His, puis chacune de ses branches droite et gauche, et n'atteigne le réseau des fibres de Purkinje, dont les fines ramifications s'étendent aux deux ventricules. La stimulation électrique des fibres musculaires des ventricules provoque, à son tour, la contraction mécanique des ventricules; c'est ce qu'on appelle la systole. Immédiatement après, les fibres musculaires se repolarisent, c'est-à-dire qu'elles se placent dans un état de repos en attente de la prochaine stimulation électrique. On observe alors un relâchement des ventricules: la diastole. Cette séquence d'événements, qui débute par l'impulsion électrique du nœud sinusal et se termine par la repolarisation des ventricules, constitue le circuit électromécanique, lequel se répète de façon cyclique. Pour des explications plus complètes sur les fonctions cardiaques, voir le chapitre 28.

Influences neurovégétatives sur le système cardiaque

La fréquence cardiaque est commandée par le système nerveux autonome, qui se compose des systèmes nerveux sympathique et parasympathique. Les fibres nerveuses composant le système sympathique, aussi appelées fibres adrénergiques, sont étroitement reliées au cœur et aux artères ainsi qu'à d'autres parties du corps. L'activation du système nerveux sympathique provoque une accélération de la fréquence cardiaque (*effet chronotrope positif*) et de la conduction AV (*effet dromotrope positif*), et une augmentation de la contractilité du myocarde (*effet inotrope positif*). L'activation du système nerveux sympathique entraîne également une contraction des vaisseaux sanguins et donc une augmentation de la pression artérielle. Le système nerveux parasympathique est également étroitement relié au cœur et aux artères. Lorsqu'il est activé, il ralentit la fréquence cardiaque (*effet chronotrope négatif*) et la conduction AV (*effet dromotrope négatif*), et réduit la contractilité du myocarde auriculaire (*effet inotrope négatif*). Comme l'activité du système parasympathique s'oppose à la stimulation du système sympathique, la diminution de l'effet adrénergique entraîne une relaxation des artères et donc une baisse de la pression artérielle.

Les fluctuations touchant le système nerveux autonome peuvent accroître ou réduire l'incidence des arythmies. Une augmentation de la stimulation du système sympathique, causée, par exemple, par l'exercice, l'anxiété, la fièvre ou l'administration de catécholamines comme la dopamine (Intropin) et la dobutamine (Dobutrex), peut augmenter le risque d'arythmies. Inversement, une diminution de la stimulation du système sympathique, causée par exemple par le repos, la diminution de l'anxiété, des méthodes telles que la communication thérapeutique, la prière ou encore l'administration de bêtabloquants, peut réduire l'incidence des arythmies.

Interprétation de l'électrocardiogramme

L'électrocardiographie est une technique qui permet de visualiser l'impulsion électrique voyageant à travers le cœur; sa représentation graphique est l'ECG. Chaque phase du cycle cardiaque correspond à des formes d'ondes précises sur l'écran du moniteur cardiaque ou sur un tracé ECG enregistré sur papier graphique.

Pour effectuer un ECG, on place les électrodes à des endroits précis sur le corps, après avoir frotté légèrement la peau avec un tampon de gaze propre et sec. Les électrodes ont différentes formes et tailles, mais toutes sont dotées de deux éléments: (1) une substance adhésive qui colle à la peau, ce qui maintient l'électrode en place, et (2) une substance gélatineuse qui réduit l'impédance électrique de la peau et facilite la détection du courant électrique.

Le nombre d'électrodes utilisées et les emplacements choisis pour les poser dépendent du type d'ECG requis. La plupart des moniteurs qui fonctionnent en continu nécessitent de 2 à 5 électrodes, généralement posées sur les bras, les jambes et la poitrine. Ces électrodes créent une ligne imaginaire, appelée dérivation, qui sert de point de référence pour enregistrer l'activité électrique selon un certain angle d'observation. Une dérivation ressemble au viseur d'une caméra: son champ de vision périphérique est étroit, et il permet à la caméra d'observer uniquement l'image qui se situe directement devant elle. De façon comparable, les ondes de l'ECG enregistrées sur le papier ou le moniteur cardiaque représentent le courant électrique associé à un seul angle de vision, la dérivation choisie (figure 29-1). Une modification dans

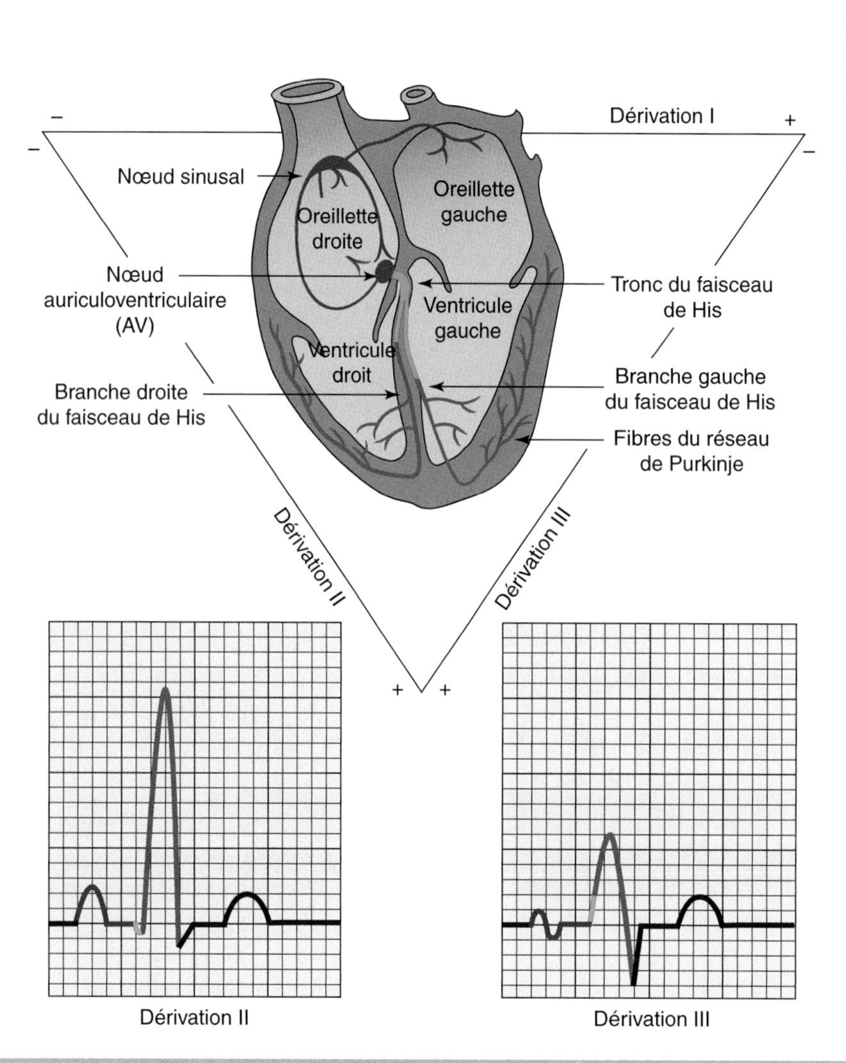

FIGURE 29-1 ■ Relation entre l'ECG, le système de dérivation et l'impulsion électrique. Le cœur produit une activité électrique que l'ECG traduit en un tracé d'ondulations plus ou moins fortes selon l'intensité détectée. Les configurations de l'activité électrique affichée sur l'ECG varient selon la dérivation de l'ECG et selon le rythme du cœur. Par conséquent, la configuration d'un rythme normal en dérivation I différera de la configuration de ce même rythme en dérivation II, et la dérivation II différera de la dérivation III, et ainsi de suite. C'est également vrai pour les rythmes anormaux et les perturbations cardiaques. Afin d'effectuer une évaluation précise de l'activité électrique du cœur, ou pour déterminer la nature et la provenance des anomalies ou le moment où elles se produisent, il faut évaluer chacune des dérivations, et non se contenter de la dérivation II. Ici, on a distingué les différentes phases de l'activité électrique en utilisant une couleur différente.

l'aspect de l'onde peut être causée par une variation du courant électrique attribuable, entre autres, à une conduction cardiaque perturbée ou à un déplacement du site déclencheur d'impulsion, mais aussi à un changement de la dérivation.

Exécution d'un électrocardiogramme

Les électrodes sont rattachées à des câbles branchés à l'un des appareils suivants:

- Un appareil portatif, placé à côté de la personne, qui permet d'effectuer un enregistrement immédiat et de produire un tracé ECG à 12 dérivations standard.
- Un moniteur cardiaque placé à côté du lit de la personne qui permet d'effectuer une lecture du tracé cardiaque en continu et en temps réel. Comme ce genre de monitorage permet une surveillance cardiaque rapprochée, il est associé aux milieux de soins critiques.
- Un petit boîtier émetteur, appelé biotélémétrie, que la personne transporte avec elle. Cet appareil transmet continuellement les données sur l'ECG, sous forme d'ondes radioélectriques, à un moniteur central situé ailleurs.
- Un petit boîtier enregistreur de longue durée, appelé moniteur Holter, que la personne porte sur elle. L'appareil enregistre continuellement l'ECG sur une cassette; l'ECG sera ultérieurement visualisé et balayé au moyen d'un analyseur.

Les emplacements choisis pour poser des électrodes en vue d'un monitorage continu, d'une biotélémétrie ou d'un monitorage Holter varient selon la technologie requise et disponible, le but du monitorage et les normes de l'établissement. Pour effectuer un ECG à 12 dérivations, on utilise 10 électrodes : 6 sur la poitrine et 4 sur les membres (figure 29-2 ■). Afin d'éviter les interférences provenant de l'activité électrique des muscles squelettiques, les 4 électrodes sont posées sur les membres au repos et généralement sur une région éloignée des proéminences osseuses. Ces électrodes attachées aux membres fournissent les 6 premières dérivations, soit les dérivations I, II, III, aVR, aVL et aVF. Les 6 électrodes thoraciques sont rattachées à la poitrine à des endroits précis. Les électrodes du thorax fournissent les dérivations précordiales V_1 à V_6. Afin de localiser le quatrième espace intercostal où on pose V_1, on doit trouver la fourchette sternale puis la base de l'angle sternal, qui se situe de 2 à 5 cm au-dessous. Lorsqu'on déplace les doigts vers la droite immédiate du sternum de la personne, on peut palper la seconde côte. Le deuxième espace intercostal est le renfoncement qu'on sent juste au-dessous de la deuxième côte. Il suffit ensuite de descendre jusqu'au quatrième espace intercostal.

Dérivations précordiales droites supplémentaires

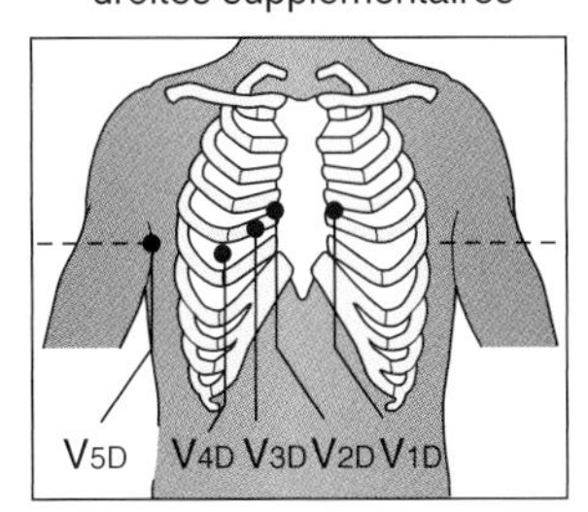

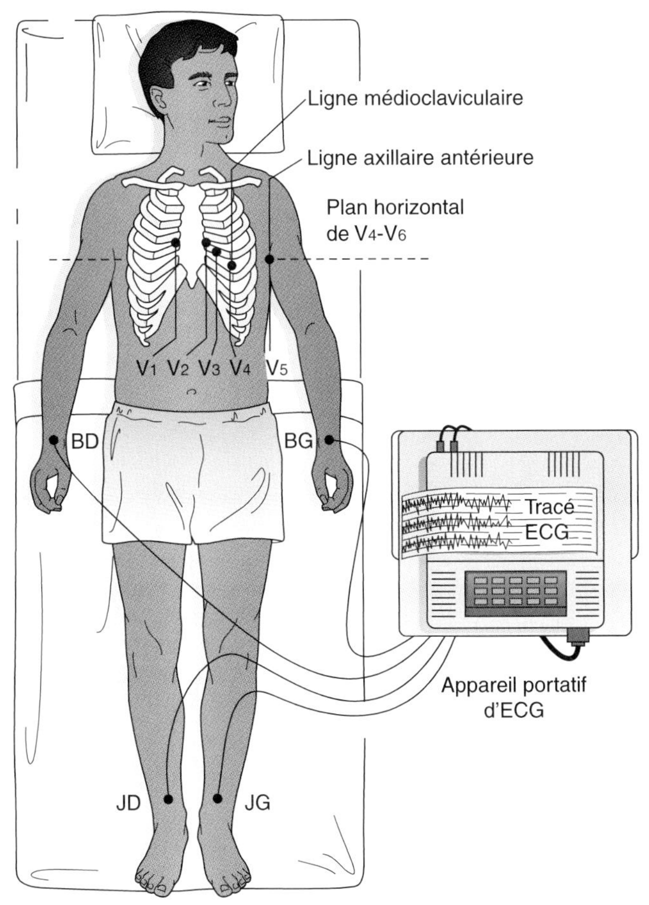

FIGURE 29-2 ■ Pose des électrodes pour ECG. Les dérivations précordiales gauches standard sont les suivantes : V_1 – quatrième espace intercostal, sur le bord droit du sternum ; V_2 – quatrième espace intercostal, sur le bord gauche du sternum ; V_3 – à mi-chemin entre V_2 et V_4 ; V_4 – cinquième espace intercostal, ligne médioclaviculaire gauche ; V_5 – à la même hauteur que V_4, à la ligne axillaire antérieure gauche ; V_6 (non représentée dans cette figure) – à la même hauteur que V_4 et V_5, à la ligne médioaxillaire gauche. Les dérivations précordiales droites, placées du côté droit de la poitrine, sont en position miroir des dérivations gauches. SOURCE : J.B. Hosley et E. Molle-Mathews. *Lippincott's pocket guide to medical assisting*. Philadelphie : Lippincott Williams & Wilkins.

Il est essentiel de localiser l'espace intercostal de façon précise afin de poser l'électrode au bon endroit sur la poitrine. Si les électrodes sont mal placées, il peut en résulter des erreurs de diagnostic. Parfois, lorsque la personne est hospitalisée et qu'on a besoin d'observer de près les changements qui surviennent dans l'ECG, on laisse les électrodes de la poitrine en place, ce qui permet d'effectuer des ECG de suivi et d'être sûr que les électrodes sont placées au même endroit.

Un ECG à 12 dérivations standard reflète principalement l'activité électrique du ventricule gauche. Dans certaines occasions, il se peut qu'on ait besoin de poser d'autres électrodes pour obtenir des dérivations supplémentaires et des informations complémentaires. Par exemple, lorsqu'on suspecte un dommage du côté droit du cœur, on utilise les dérivations précordiales droites afin d'évaluer le ventricule droit (figure 29-2).

Caractéristiques de l'électrocardiogramme

L'onde de l'ECG représente le fonctionnement du système de conduction cardiaque qui déclenche et transmet l'activité électrique à travers le cœur dans la dérivation choisie. L'analyse détaillée de l'ECG permet d'obtenir d'importantes informations sur l'activité électrique du cœur. Le tracé des ondes est d'abord imprimé sur du papier graphique divisé en lignes verticales et horizontales, qui sont claires et foncées à intervalles réguliers (figure 29-3 ■). On mesure le temps et la fréquence sur l'axe horizontal du graphique, et l'amplitude ou le voltage sur l'axe vertical. Une forme d'onde de l'ECG qui pointe vers le haut du papier est une déflexion positive, et une forme d'onde qui pointe vers le bas, une déflexion négative. L'analyse d'un ECG exige d'observer minutieusement chaque forme d'onde et de comparer les ondes entre elles.

Ondes, complexe et intervalles

L'ECG se compose de formes d'ondes telles que l'onde P, le complexe QRS, l'onde T et parfois l'onde U, et de segments ou d'intervalles, principalement l'intervalle P-R, le segment S-T et l'intervalle Q-T (figure 29-3).

L'**onde P** correspond à l'impulsion électrique qui commence dans le nœud sinusal et envahit les deux oreillettes. Par conséquent, l'onde P correspond à la dépolarisation auriculaire. Elle mesure normalement 2,5 mm ou moins de haut et dure moins de 0,12 seconde.

Le **complexe QRS** correspond à la dépolarisation ventriculaire. Les complexes QRS ne présentent pas toujours la même configuration avec un ensemble de trois ondes. Cependant, la première déflexion négative après l'onde P est l'onde Q, qui dure normalement moins de 0,04 seconde et dont l'amplitude est inférieure à 25 % de l'onde suivante, l'onde R. La première déflexion positive après l'onde P est l'onde R, et l'onde S est la première déflexion négative qui suit l'onde R. Lorsqu'une des ondes du complexe QRS mesure moins de 5 mm de haut, on la désigne en utilisant des lettres minuscules (q, r, s) pour illustrer son faible voltage; lorsqu'elle mesure plus de 5 mm, on utilise alors des lettres majuscules (Q, R, S), pour illustrer un voltage plus élevé. Le complexe QRS dure normalement de 0,04 à 0,10 seconde.

L'**onde T** correspond au retrait de l'excitation des ventricules. Les fibres retrouvent leur état de repos; c'est la phase de repolarisation ventriculaire. L'onde T suit le complexe QRS et prend généralement le même sens de déflexion que celui-ci.

On pense que l'**onde U** correspond à la repolarisation des muscles papillaires ou des fibres de conduction cardiaque, mais on la remarque parfois chez les personnes souffrant d'hypokaliémie (faible taux de potassium), d'hypertension ou de cardiopathie. Lorsqu'elle est présente, l'onde U est caractérisée par une déflexion positive de faible amplitude qui suit l'onde T. Elle est généralement plus petite que l'onde P. Si elle a une plus grande amplitude, on peut la confondre avec une onde P supplémentaire. On observe une onde U négative dans diverses cardiopathies gauches et sous l'effet de facteurs pharmacologiques. Elle pourrait aussi signifier une ischémie myocardique.

On mesure l'**intervalle P-R** du début de l'onde P jusqu'au début du complexe QRS. L'intervalle P-R correspond au temps que mettent le nœud sinusal pour être stimulé, les oreillettes pour être dépolarisées et l'impulsion électrique pour traverser le nœud AV, franchir le faisceau de His et ses branches et se propager dans le réseau de Purkinje. Cet intervalle s'arrête juste avant que ne survienne la dépolarisation ventriculaire. Chez les adultes, l'intervalle P-R dure de 0,12 à 0,20 seconde.

Le **segment S-T** correspond au début de la repolarisation ventriculaire; il va de la fin l'onde S au début de l'onde T. On reconnaît le début du segment S-T au changement d'angle sur le tracé de la partie finale du complexe QRS. L'endroit exact, sur le tracé, de la transition entre la fin du complexe QRS et le début du segment S-T se nomme le point J. Il peut être difficile de détecter la fin du segment S-T puisqu'il fusionne avec l'onde T. Le segment S-T est habituellement isoélectrique (voir, ci-dessous, les explications sur l'intervalle T-P). On l'analyse pour déterminer s'il se situe au-dessus ou au-dessous de la ligne isoélectrique, ce qui peut indiquer, entre autres, un signe d'ischémie coronarienne (chapitre 30).

L'**intervalle Q-T** correspond au temps total que mettent les ventricules à se polariser et à se dépolariser; on le mesure du début du complexe QRS à la fin de l'onde T. L'intervalle Q-T varie selon la fréquence cardiaque, le sexe et l'âge. Avant d'interpréter l'intervalle Q-T, on doit le corriger pour tenir compte de ces variables. Plusieurs ouvrages d'interprétation d'ECG contiennent des tables de conversion du QT en valeur corrigée (QTc). L'intervalle Q-T dure habituellement de 0,32 à 0,40 seconde si la fréquence cardiaque est de 65 à 95 battements par minute. En cas d'intervalle Q-T prolongé, la personne est exposée à un risque accru d'arythmie ventriculaire potentiellement mortelle appelée *torsade de pointes*.

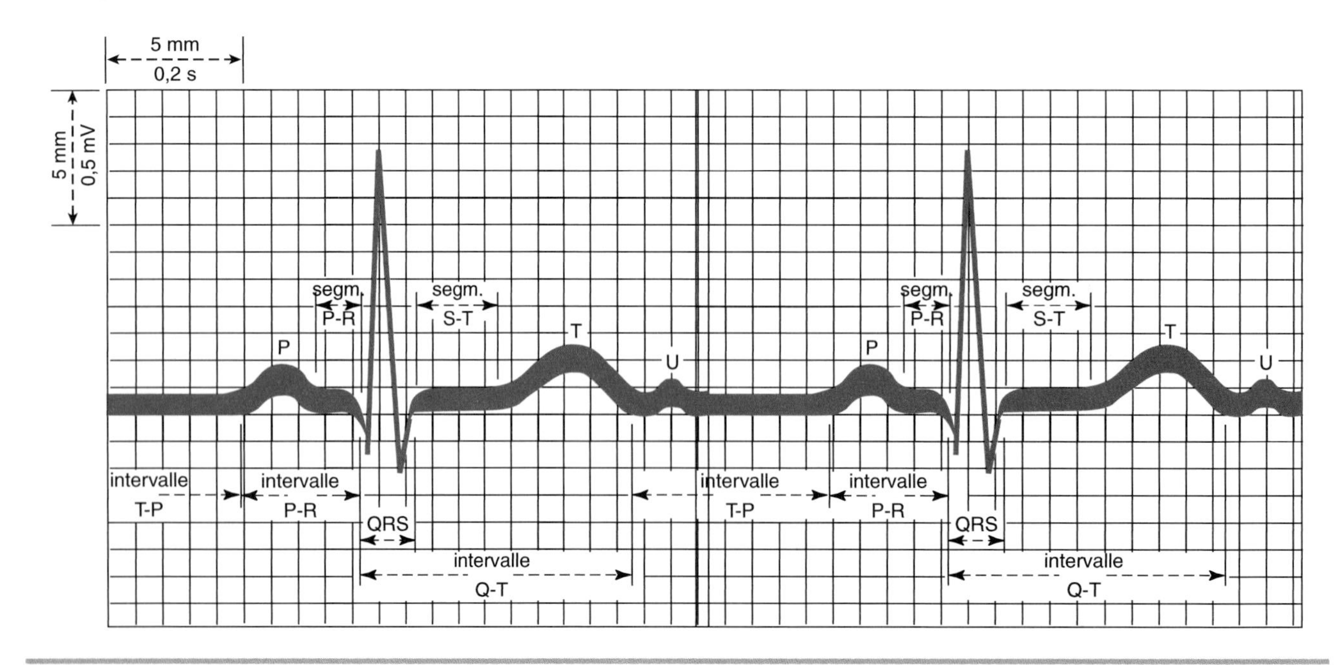

FIGURE 29-3 ■ ECG: graphique et éléments couramment mesurés. Chaque petit carré correspond à 0,04 seconde sur l'axe horizontal et à 1 mm ou 0,1 millivolt sur l'axe vertical. On mesure l'intervalle P-R du début de l'onde P jusqu'au début du complexe QRS; le complexe QRS, du début de l'onde Q à la fin de l'onde S; l'intervalle Q-T, du début de l'onde Q à la fin de l'onde T; et l'intervalle T-P, de la fin de l'onde T au début de l'onde P suivante.

L'**intervalle T-P** est une période électriquement neutre entre deux cycles cardiaques qui se mesure de la fin de l'onde T au début de l'onde P suivante (figure 29-3). Lorsqu'on ne détecte aucune activité électrique, le tracé du graphique demeure plat; on parle alors de ligne isoélectrique. La ligne isoélectrique de l'intervalle T-P sert de point de référence pour déceler la présence d'un écart lors de l'analyse du segment S-T.

On mesure l'**intervalle P-P** du début de l'onde P au début de l'onde P suivante. On utilise l'intervalle P-P pour déterminer le rythme et la fréquence auriculaires. On mesure aussi l'intervalle R-R d'un complexe QRS au complexe QRS suivant. On utilise l'intervalle R-R pour déterminer le rythme et la fréquence ventriculaires (figure 29-4 ■).

Détermination de la fréquence ventriculaire à partir de l'électrocardiogramme

À partir du papier graphique sur lequel on enregistre le tracé ECG, on peut obtenir la fréquence cardiaque de plusieurs façons. Une bande de papier graphique correspondant à 1 minute se compose de 300 grands carrés et de 1500 petits carrés. Pour déterminer la fréquence cardiaque avec un rythme régulier, il existe une méthode facile et précise, qui consiste à compter le nombre de petits carrés compris à l'intérieur d'un intervalle R-R, et à diviser 1 500 par le nombre ainsi obtenu. Par exemple, s'il y a 10 petits carrés entre deux ondes R, la fréquence cardiaque est de 1 500 ÷ 10, soit 150; s'il y a 25 petits carrés, la fréquence cardiaque est de 1 500 ÷ 25, soit 60 (figure 29-4A).

Une autre méthode permet d'estimer la fréquence cardiaque, mais elle est moins précise. On l'utilise habituellement lorsque le rythme est régulier. Elle consiste à compter le nombre d'intervalles R-R survenant en 6 secondes, puis à multiplier ce nombre par 10. La partie supérieure de la bande de papier graphique sur laquelle s'imprime l'ECG est généralement marquée à intervalles de 3 secondes, ce qui correspond à 15 grands carrés horizontaux (figure 29-4B). On compte alors les intervalles R-R et non les complexes QRS. Dans le cas contraire, il se pourrait que la fréquence obtenue soit faussement élevée.

On peut appliquer les mêmes méthodes pour calculer la fréquence auriculaire. On utilise alors l'intervalle P-P au lieu de l'intervalle R-R.

Détermination du rythme cardiaque à partir de l'électrocardiogramme

On établit souvent le rythme en même temps qu'on détermine la fréquence cardiaque. On se sert de l'intervalle R-R pour déterminer le rythme ventriculaire, et de l'intervalle P-P pour déterminer le rythme auriculaire. Si les intervalles respectent les mêmes écarts tout le long du tracé, on parle de rythme régulier. En revanche, si les intervalles varient, on parle de rythme irrégulier.

ANALYSE DE L'ÉLECTROCARDIOGRAMME

On doit analyser l'ECG de façon systématique pour déterminer le rythme et la fréquence cardiaques de la personne, détecter des arythmies, révéler des troubles du système de conduction ou déceler des signes d'ischémie, de lésion et de nécrose du myocarde. Un exemple de méthode permettant d'analyser le rythme cardiaque d'une personne est présenté dans l'encadré 29-2 ■.

Une fois le tracé cardiaque analysé, on doit scruter les résultats obtenus afin de faire ressortir les anomalies caractéristiques pouvant révéler des arythmies. Il est important que l'infirmière procède à l'examen clinique de la personne afin de déterminer les effets physiologiques que l'arythmie a sur elle et d'en établir les causes possibles. Le traitement des arythmies est fondé sur leurs causes et leurs effets, et pas uniquement sur leur présence.

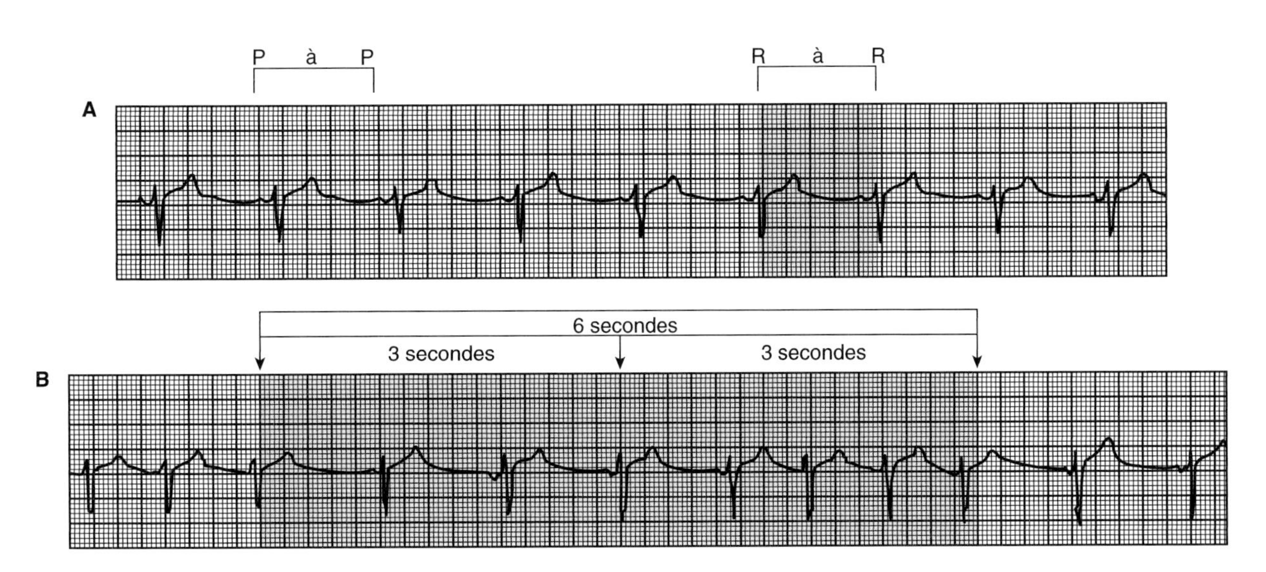

FIGURE 29-4 ■ **(A)** Détermination de la fréquence cardiaque pour un rythme régulier: on obtient la fréquence cardiaque ventriculaire en divisant 1 500 par le nombre de petits carrés (25 dans cet exemple) compris entre deux ondes R. La fréquence cardiaque est ici de 60. **(B)** Détermination de la fréquence cardiaque pour un rythme irrégulier. On compte environ 7 intervalles R-R en 6 secondes. La fréquence cardiaque est donc de 7 × 10, soit 70 battements par minute.

Rythme sinusal

Le **rythme sinusal** est **normal** lorsque l'impulsion électrique induit une fréquence et un rythme réguliers à partir du nœud sinusal et emprunte le chemin de conduction normal.

Caractéristiques de l'ECG (figure 29-5 ■)

- *Fréquences auriculaire et ventriculaire* De 60 à 100 chez l'adulte.
- *Rythmes auriculaire et ventriculaire* Réguliers.
- *Forme et durée du complexe QRS* Habituellement normales, mais peuvent être régulièrement anormales.
- *Onde P* Durée et forme normales et régulières ; l'onde P précède toujours le complexe QRS.
- *Intervalle P-R* Écart normal entre 0,12 et 0,20 seconde ; la mesure de l'intervalle est de récurrence constante.
- *Ratio P:QRS* 1:1.

Types d'arythmies

Il existe différents types d'arythmies, notamment : les arythmies sinusales, les arythmies auriculaires, les arythmies nodales ou jonctionnelles, ainsi que les arythmies ventriculaires et leurs diverses sous-catégories.

Arythmies sinusales

Bradycardie sinusale La bradycardie sinusale se produit lorsque le nœud sinusal envoie une impulsion à une fréquence plus lente que la normale. Elle peut avoir plusieurs causes : besoins métaboliques plus bas (par exemple sommeil, forme athlétique, hypothermie, hypothyroïdie), hypertonie vagale (par exemple vomissement, aspiration des sécrétions, douleur et émotions intenses), prise de certains médicaments (bloquants des canaux calciques, amiodarone, bêtabloquants), hypertension intracrânienne et infarctus du myocarde.

Caractéristiques de l'ECG (figure 29-6 ■)

- *Fréquences auriculaire et ventriculaire* Moins de 60 chez l'adulte.
- *Rythmes auriculaire et ventriculaire* Réguliers.
- *Forme et durée du complexe QRS* Habituellement normales, mais peuvent être régulièrement anormales.
- *Onde P* Durée et forme normales et régulières ; l'onde P précède toujours le complexe QRS.
- *Intervalle P-R* Écart normal entre 0,12 et 0,20 seconde ; la mesure de l'intervalle est de récurrence constante.
- *Ratio P:QRS* 1:1.

Signification

Hormis le ralentissement de la fréquence, ces caractéristiques correspondent à celles du rythme sinusal. On effectue un

ENCADRÉ 29-2

Interprétation des arythmies : analyse systématique de l'ECG

En examinant le tracé ECG pour en savoir davantage sur la personne souffrant d'arythmie, l'infirmière doit effectuer les analyses suivantes :

1. Déterminer la fréquence ventriculaire.
2. Déterminer le rythme ventriculaire.
3. Déterminer la durée du complexe QRS.
4. Déterminer si la durée du complexe QRS se maintient tout le long du tracé. Dans le cas contraire, établir toutes les autres durées.
5. Déterminer la forme du complexe QRS et vérifier s'il y a conformité avec les autres complexes. Si elle varie ou n'est pas de forme régulière, en déterminer toutes les formes.
6. Repérer les ondes P. Est-ce qu'une onde P précède chaque complexe QRS ?
7. Déterminer la forme de l'onde P et vérifier s'il y a conformité avec les autres ondes P. Si elle varie ou n'est pas de forme régulière, en déterminer toutes les formes.
8. Déterminer la fréquence auriculaire.
9. Déterminer le rythme auriculaire.
10. Mesurer chaque intervalle P-R.
11. Déterminer si les intervalles P-R sont réguliers, irréguliers de façon caractéristique, ou simplement irréguliers.
12. Déterminer combien il y a d'ondes P pour chaque complexe QRS (ratio P:QRS).

Dans certaines situations, il pourrait être approprié d'utiliser une grille de suivi et de noter les observations directement à côté du critère de l'ECG à observer.

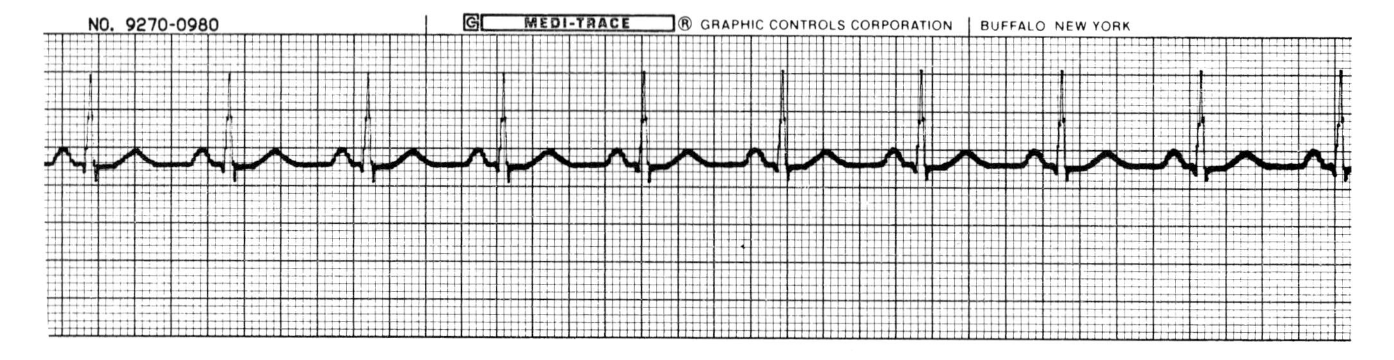

FIGURE 29-5 ■ Rythme sinusal régulier dans la dérivation II.

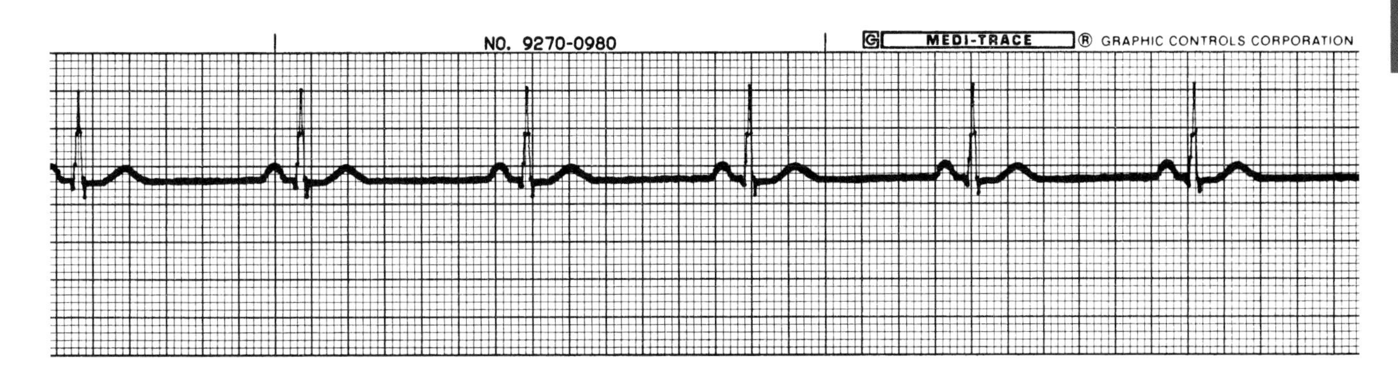

FIGURE **29-6** ■ Bradycardie sinusale dans la dérivation II.

examen clinique de la personne pour déterminer l'effet hémodynamique et les causes possibles de l'arythmie. Si le ralentissement de la fréquence cardiaque provient de l'activation du nerf vague, qui est stimulé durant la défécation ou les vomissements, le traitement consiste à prévenir ou à contrôler l'hypertonie vagale. Si la bradycardie est causée par des médicaments (par exemple bêtabloquants), on doit revoir et modifier la médication immédiatement afin d'éliminer ces effets secondaires.

Traitement

En présence d'importants changements hémodynamiques entraînant de la dyspnée, des syncopes, de l'angine, de l'hypotension, des décalages dans le segment S-T ou des extrasystoles ventriculaires, le traitement doit viser l'augmentation de la fréquence cardiaque.

Le médicament le plus couramment utilisé pour traiter la bradycardie sinusale symptomatique est l'atropine 0,5 à 1,0 mg injectée rapidement par bolus intraveineux. L'atropine agit comme un agent parasympatholytique qui inhibe l'hypertonie vagale, ce qui rétablit la fréquence normale. On utilise aussi, mais plus rarement, les catécholamines ou le stimulateur cardiaque transthoracique.

Tachycardie sinusale La tachycardie sinusale se produit lorsque le nœud sinusal envoie une impulsion à une fréquence plus rapide que la normale. Elle peut avoir de nombreuses causes: hémorragie, anémie, choc, hypervolémie, hypovolémie, insuffisance cardiaque congestive, douleur, trouble provoquant une accélération du métabolisme, fièvre, exercice, anxiété ou prise de médicaments sympathomimétiques.

Caractéristiques de l'ECG (figure 29-7 ■)

- *Fréquences auriculaire et ventriculaire* Supérieures à 100 chez l'adulte.
- *Rythmes auriculaire et ventriculaire* Réguliers.
- *Forme et durée du complexe QRS* Habituellement normales, mais peuvent être régulièrement anormales.
- *Onde P* Durée et forme normales et régulières; l'onde P précède toujours le complexe QRS. L'intervalle T-P est court et pourrait même être absent lorsque l'onde P chevauche l'onde T précédente. Dans ce cas, la morphologie de l'onde P peut différer de sa forme et présenter une forme combinée de l'onde P et de l'onde T.
- *Intervalle P-R* Écart normal entre 0,12 et 0,20 seconde; la mesure de l'intervalle est de récurrence constante.
- *Ratio P:QRS* 1:1.

Signification

Hormis l'accélération de la fréquence, ces caractéristiques correspondent à celles du rythme sinusal. L'accélération de la fréquence cardiaque provoque la diminution du temps de remplissage des ventricules et, par conséquent, du débit cardiaque, ce qui entraîne des syncopes et une baisse de la pression artérielle. Un œdème aigu du poumon peut survenir si cette accélération se prolonge et si le cœur est incapable de compenser la diminution du remplissage ventriculaire.

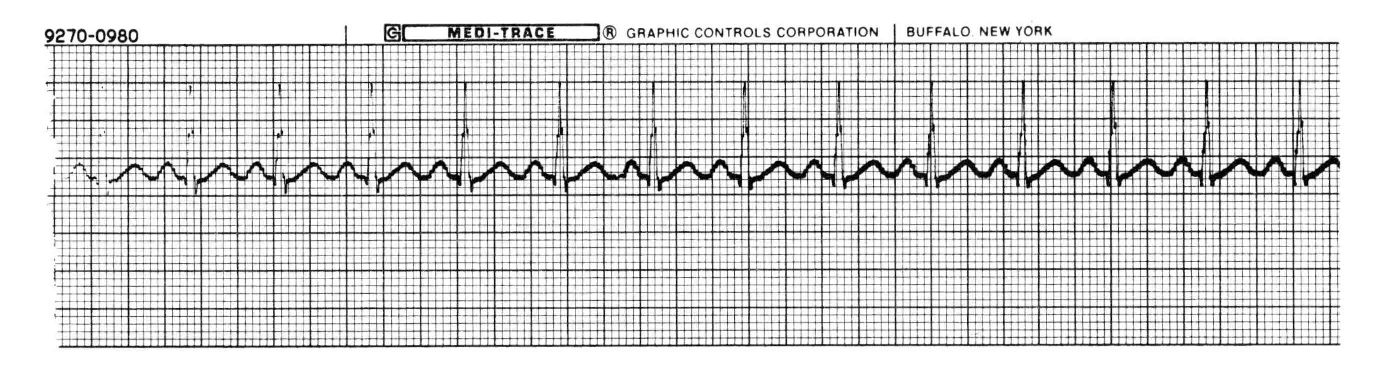

FIGURE **29-7** ■ Tachycardie sinusale dans la dérivation II.

Traitement

Le traitement de la tachycardie sinusale vise essentiellement à en éliminer la cause. S'il est nécessaire de faire baisser la fréquence cardiaque rapidement, on peut administrer des bloquants des canaux calciques et des bêtabloquants (tableau 29-1 ■).

Arythmie sinusale L'arythmie sinusale se produit lorsque le nœud sinusal émet une impulsion à un rythme irrégulier, la fréquence augmentant généralement à l'inspiration et diminuant à l'expiration. Même si l'arythmie sinusale a généralement des causes respiratoires, certaines cardiopathies et valvulopathies peuvent, dans certains cas, la déclencher.

Caractéristiques de l'ECG (figure 29-8 ■)

- *Fréquences auriculaire et ventriculaire* De 60 à 100 chez l'adulte.
- *Rythmes auriculaire et ventriculaire* Irréguliers, suivent la respiration.
- *Forme et durée du complexe QRS* Habituellement normales, mais peuvent être régulièrement anormales.
- *Onde P* Durée et forme normales et régulières; l'onde P précède toujours le complexe QRS.
- *Intervalle P-R* Écart normal entre 0,12 et 0,20 seconde; la mesure de l'intervalle est de récurrence constante.
- *Ratio P:QRS* 1:1.

Signification

L'arythmie sinusale ne provoque pas d'effet hémodynamique important, ce qui signifie qu'elle ne se manifeste par aucun signe ou symptôme clinique.

Traitement

Le traitement nécessite rarement un encadrement thérapeutique.

Arythmies auriculaires

Extrasystole auriculaire L'extrasystole auriculaire (ESA) est le déclenchement d'une impulsion électrique isolée dans l'oreillette droite ou gauche (foyer ectopique auriculaire) avant l'impulsion régulière suivante du nœud sinusal. Elle peut entraîner un cycle cardiaque complet prématurément. La forme de l'onde P est modifiée. On l'appelle P^1 parce qu'elle ne provient pas du nœud sinusal. Les ESA peuvent être causées par des facteurs tels que la caféine, l'alcool, la nicotine, l'anxiété, l'hypokaliémie, les troubles provoquant l'accélération du métabolisme, mais elles peuvent aussi indiquer l'irritabilité auriculaire en présence de dilatation myocardique ou de syndrome coronarien aigu. Il est fréquent d'observer des ESA en présence de tachycardie sinusale.

Caractéristiques de l'ECG (figure 29-9 ■)

- *Fréquences auriculaire et ventriculaire* Dépendent du rythme sous-jacent dans lequel s'insère l'ESA (par exemple tachycardie sinusale).
- *Rythmes auriculaire et ventriculaire* Irréguliers à cause des ondes P^1 prématurées, créant un intervalle P-P^1 plus court que les autres, souvent suivi d'un intervalle P^1-P plus long que la normale, mais inférieur à deux fois le temps de l'intervalle P-P normal. On appelle ce type d'écart «pause non compensatoire».
- *Forme et durée du complexe QRS* Le complexe QRS qui suit l'onde P^1 prématurée est habituellement normal, mais il peut aussi être anormal (ESA avec conduction aberrante) ou absent (ESA bloquée).
- *Onde P* L'onde P^1 prématurée apparaît sous une forme légèrement différente; P^1 peut être masquée par l'onde T précédente. Les autres ondes P du tracé sont normales et régulières.
- *Intervalle P-R* L'onde P^1 prématurée a un intervalle P^1-R inférieur aux autres, mais qui reste compris entre 0,12 et 0,20 seconde. Les autres intervalles P-R du tracé sont normaux, et la mesure de l'intervalle est de récurrence constante entre eux.
- *Ratio P ou P^1:QRS* Habituellement 1:1

Signification

Les ESA sont fréquentes chez les personnes en bonne santé. Ces personnes diront parfois qu'elles ressentent des «palpitations». Dans certains cas, on note une différence entre le pouls apical et le pouls radial.

Traitement

Les ESA isolées sont habituellement peu significatives, on ne les traite généralement pas. Toutefois, il faut intervenir s'il y

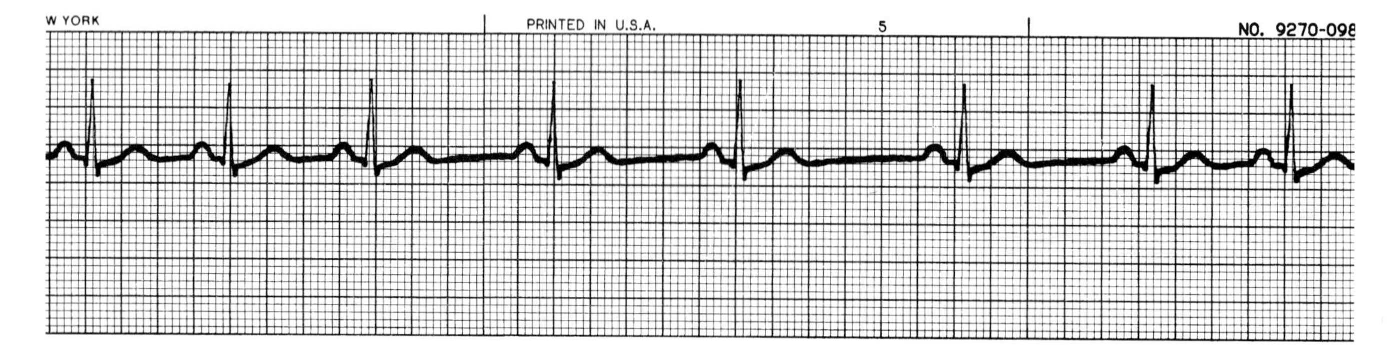

FIGURE 29-8 ■ Arythmie sinusale dans la dérivation II.

Médicaments antiarythmiques*

TABLEAU 29-1

Classes	Mécanismes d'action	Noms génériques (noms commerciaux)	Effets secondaires	Interventions infirmières
1A	■ Dépression modérée de la conduction; prolonge la repolarisation. ■ Traite et prévient les arythmies auriculaires et ventriculaires.	■ Quinidine (Quinidex, Biquin Durules) ■ Procaïnamide (Pronestyl) ■ Disopyramide (Rythmodan)	■ Contractilité réduite ■ QRS et Q-T prolongés ■ Proarythmique ■ Hypotension en cas d'administration IV ■ Syndrome de type lupus (procaïnamide) ■ Effets anticholinergiques (disopyramide): bouche sèche, rétention urinaire, constipation	■ Surveiller les signes d'IC. ■ Surveiller la PA lors de l'administration IV. ■ Surveiller une augmentation de plus de 50 % de la durée du QRS initial. ■ Surveiller l'allongement du QT. ■ Surveiller les valeurs de laboratoire de N-acétyl procaïnamide (NAPA) durant le traitement au procaïnamide.
1B	■ Dépression minimale de la conduction; raccourcit la repolarisation. ■ Traite les arythmies ventriculaires.	■ Lidocaïne (Xylocaïne) ■ Mexilétine (Mexitil) ■ Phénytoïne (Dilantin)	■ Altérations au niveau du SNC (confusion, léthargie)	■ Discuter avec le médecin de l'ajustement à la baisse de la dose chez les personnes âgées, les personnes souffrant d'insuffisance cardiaque et hépatique.
1C	■ Ralentissement prononcé de la conduction; a peu d'effet sur la repolarisation. ■ Traite les arythmies auriculaires et ventriculaires.	■ Flécaïnide (Tambocor) ■ Propafénone (Rythmol)	■ Proarythmique ■ IC ■ Bradycardie (propafénone) ■ Blocs AV (propafénone)	■ Compte tenu de l'effet inotrope négatif important de cette médication et de ses effets secondaires aggravants, discuter de la fonction ventriculaire gauche préexistante de la personne avec le médecin.
II	■ Diminue l'automaticité et la conduction; bloque la stimulation adrénergique. ■ Traite les arythmies auriculaires et ventriculaires.	■ Acébutolol (Sectral, Monitan) ■ Aténolol (Tenormin) ■ Bisoprolol (Monocor) ■ Carvédilol (Coreg) ■ Esmolol (Brevibloc) ■ Labétalol (Trandate) ■ Métoprolol (Lopressor, Betaloc) ■ Nadolol (Corgard) ■ Propanolol (Indéral) ■ Sotalol (Sotacor qui utilise aussi le mécanisme d'action de la classe III) ■ Timolol (Blocadren)	■ Bradycardie ■ Bloc AV ■ Contractilité réduite ■ Bronchospasme ■ Hypotension en cas d'administration IV ■ Masque les signes d'hypoglycémie et de thyréotoxicose ■ Altérations du SNC	■ Surveiller la fréquence cardiaque et l'intervalle P-R régulièrement. ■ Dépister les signes et symptômes de l'IC et de la détresse respiratoire. ■ Surveiller les taux de glycémie chez les personnes souffrant de diabète. ■ Reconnaître les signes de l'accélération du métabolisme, la présence d'exophtalmie et d'hypertrophie de la glande thyroïde.
III	■ Prolonge la repolarisation; ralentit la conduction des nœuds sinusal et AV. ■ Surtout utilisé pour traiter et prévenir les arythmies ventriculaires; peut aussi être utilisé pour traiter les arythmies auriculaires.	■ Amiodarone (Cordarone) ■ Dofétilide (Tikosyn) ■ Ibutilide (Corvert) ■ Brétylium ■ Sotalol (Sotacor qui utilise aussi le mécanisme d'action de la classe II)	■ Toxicité pulmonaire (amiodarone) ■ Troubles thyroïdiens (amiodarone) ■ Microdépôts cornéens (amiodarone) ■ Photosensibilité (amiodarone) ■ Hypotension en cas d'administration IV ■ Arythmie ventriculaire polymorphe ■ Nausée et vomissements ■ Bradycardie (amiodarone et sotalol) ■ Bloc AV (amiodarone et sotalol)	■ Veiller à ce que la personne subisse une radiographie pulmonaire et des tests d'exploration de la fonction pulmonaire avant de commencer le traitement (amiodarone). ■ Observer l'apparition des signes de toxicité pulmonaire et de détresse respiratoire (amiodarone). ■ Surveiller de près l'ECG. ■ Surveiller les signes de dysfonctionnement de la thyroïde (amiodarone). ■ Surveiller l'apparition de photophobie – halos autour des lumières et réduction de l'acuité visuelle (amiodarone).

➡

Médicaments antiarythmiques* (*suite*)

TABLEAU 29-1

Classes	Mécanismes d'action	Noms génériques (noms commerciaux)	Effets secondaires	Interventions infirmières
				■ Informer la personne de l'apparition possible mais réversible d'une coloration bleutée du visage, du cou et des bras à la suite de la prise de l'amiodarone.
IV	■ Bloque les canaux calciques; ralentit la conduction des nœuds sinusal et AV ■ Traite les arythmies auriculaires.	■ Vérapamil (Isoptin, Verelan) ■ Diltiazem (Cardizem, Tiazac)	■ Bradycardie ■ Blocs AV ■ Hypotension en cas d'administration IV ■ IC ■ Œdème périphérique	■ Surveiller la fréquence cardiaque et l'intervalle P-R. ■ Surveiller la pression artérielle de près en cas d'administration IV. ■ Surveiller les signes et symptômes d'IC.

*D'après la classification de Vaughan-Williams.
PA: pression artérielle; SNC: système nerveux central; IC: insuffisance cardiaque; IV: intraveineuse.

a plus de 6 ESA par minute, puisqu'il existe alors un risque d'arythmies plus sérieuses, dont la fibrillation auriculaire. Le traitement vise dans ce cas à éliminer la cause.

Flutter auriculaire Le flutter auriculaire est un rythme à haute fréquence provenant des oreillettes et variant de 250 à 400 par minute. Comme la fréquence auriculaire est plus rapide que ce que le nœud AV peut transmettre, certaines impulsions auriculaires ne sont pas acheminées aux ventricules, ce qui entraîne un bloc physiologique. Il s'agit d'une caractéristique importante de ce type d'arythmie, qui permet de protéger les ventricules: en effet, si toutes les impulsions étaient transmises, la fréquence ventriculaire pourrait elle aussi monter pour atteindre 250 à 400, et entraîner une fibrillation ventriculaire pouvant être fatale. Le nœud AV bloque naturellement entre 2 à 4 stimulations en moyenne pour un QRS.

Caractéristiques de l'ECG (figure 29-10 ■)

- *Fréquences auriculaire et ventriculaire* Fréquence auriculaire de 250 à 400 battements par minute; fréquence ventriculaire habituellement de 75 à 150 battements par minute, mais pouvant atteindre 200 battements par minute.
- *Rythmes auriculaire et ventriculaire* Rythme auriculaire régulier; rythme ventriculaire régulier et, parfois, régulièrement irrégulier lorsque le degré de conduction du nœud AV varie.

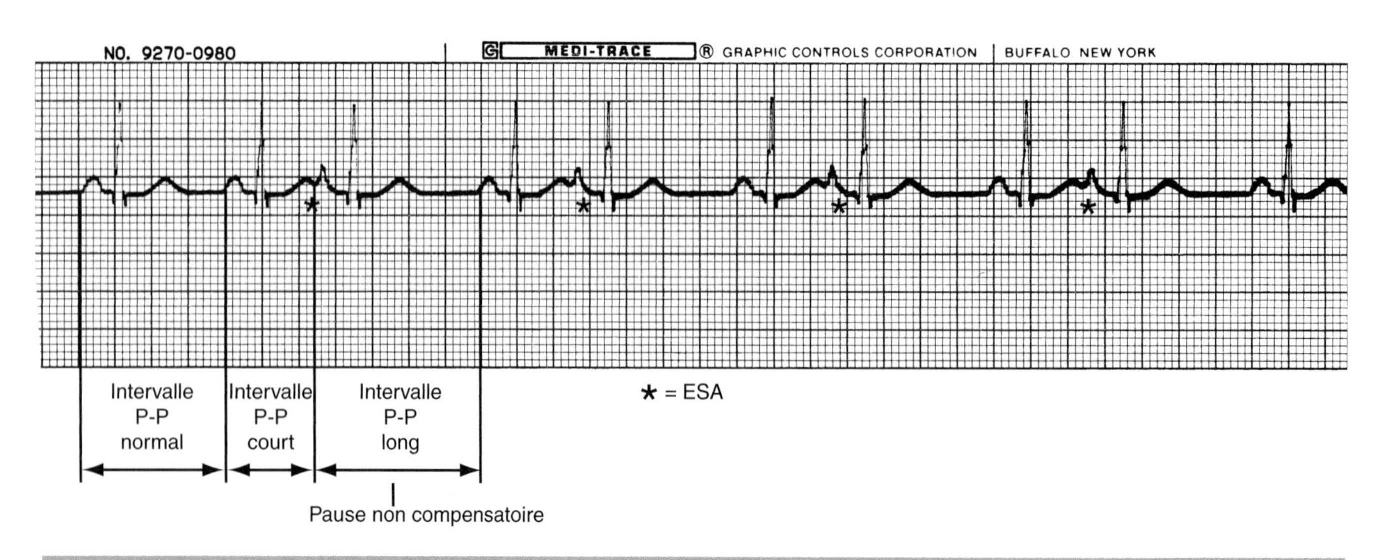

FIGURE 29-9 ■ ESA dans la dérivation II. Noter que la pause qui suit l'ESA est prolongée mais mesure moins de deux fois l'intervalle P-P normal; c'est la pause non compensatoire.

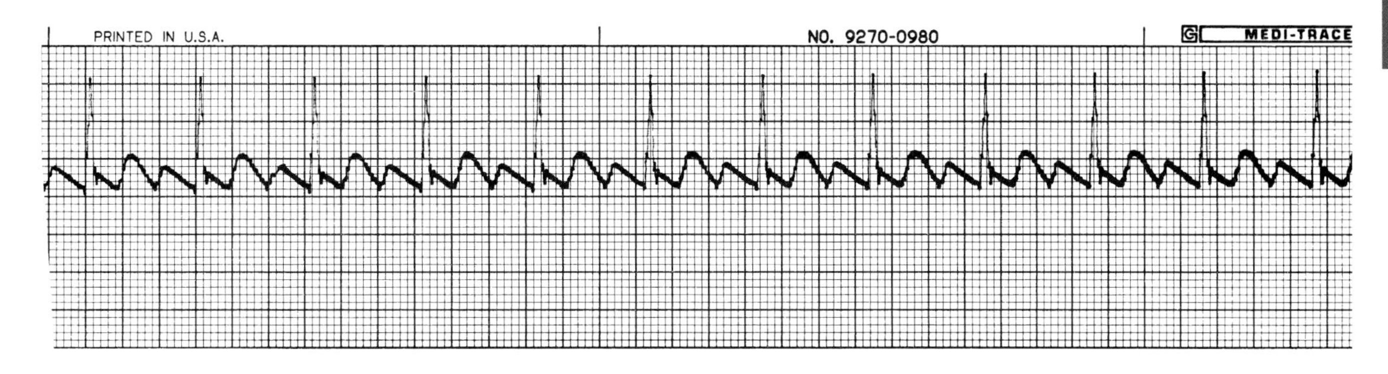

FIGURE 29-10 ■ Flutter auriculaire dans la dérivation II.

- *Forme et durée du complexe QRS* Habituellement normales, mais parfois anormales (conduction aberrante), ou complexe QRS absent (bloqué).
- *Onde P* Absente, mais le tracé a un aspect typique en dents de scie ; on appelle « ondes F » les ondes en dents de scie.
- *Intervalle P-R* En l'absence d'onde P, il n'y a pas d'intervalle P-R.
- *Ratio F:QRS* 2:1, 3:1 ou 4:1.

Signification

Le flutter auriculaire peut entraîner de graves signes et symptômes tels que la douleur thoracique, la dyspnée et une chute de la pression artérielle.

Traitement

Si l'état de la personne est instable, on recourt habituellement à la **cardioversion** électrique (voir p. 305). Si l'état de la personne est stable, on peut ralentir la fréquence ventriculaire en administrant des bloquants des canaux calciques (par exemple du diltiazem et du vérapamil) par voie intraveineuse, des bêtabloquants ou un glucoside cardiotonique (par exemple de la digoxine). Ces médicaments ont pour effet de ralentir la conduction du nœud AV. Afin de convertir chimiquement le flutter en rythme sinusal, on peut aussi administrer du flecaïnide, de l'ibutilide, du dofétilide, de la quinidine, du disopyramide ou de l'amiodarone. Si le traitement ne donne pas les résultats escomptés, on peut avoir recours à la cardioversion électrique. Après une cardioversion réussie, on peut administrer de la quinidine, du disopyramide, du flecaïnide, de la propafénone, de l'amiodarone ou du sotalol afin de maintenir le rythme sinusal (tableau 29-1).

Fibrillation auriculaire La fibrillation auriculaire (FA) est une trémulation rapide, chaotique, irrégulière du muscle auriculaire. C'est la forme d'arythmie qui pousse le plus souvent les personnes à consulter. La FA peut être aiguë, **paroxystique** ou chronique. Elle est habituellement associée à l'âge, aux valvulopathies, aux coronaropathies ischémiques, à l'hypertension, aux cardiomyopathies dilatées, à l'hyperthyroïdie, aux pneumopathies, au sevrage qui suit une consommation excessive et occasionnelle d'alcool (« FA du lundi matin ») ou aux suites d'une chirurgie cardiaque. On l'observe parfois chez les gens qui ne présentent aucune physiopathologie sous-jacente (FA idiopathique).

Caractéristiques de l'ECG (figure 29-11 ■)

- *Fréquences auriculaire et ventriculaire* Fréquence auriculaire de 300 à 600 battements par minute ; la réponse ventriculaire physiologiquement ralentie par le nœud AV peut néanmoins atteindre de 120 à 200 battements par minute en cas de FA non traitée.
- *Rythmes auriculaire et ventriculaire* Irréguliers.
- *Forme et durée du complexe QRS* Habituellement normales, mais parfois anormales.

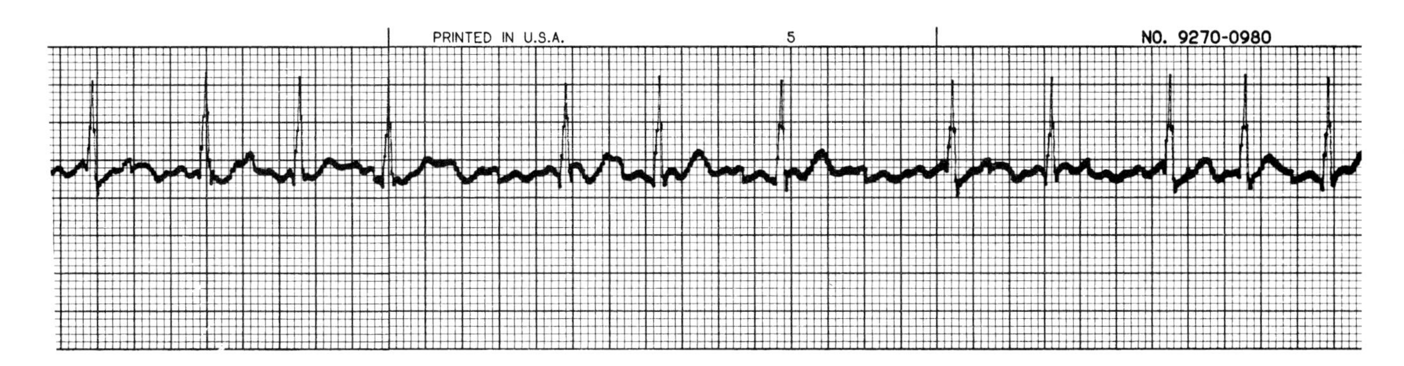

FIGURE 29-11 ■ FA dans la dérivation II.

- *Onde P* Absente ; présence d'ondulations irrégulières appelées ondes de fibrillation ou ondes f, variables dans leur amplitude et leur morphologie.
- *Intervalle P-R* Ne peut pas être mesuré en l'absence d'onde P.
- *Ratio P:QRS* Pas d'onde P mais plusieurs ondes f pour un QRS.

Signification

Une réponse ventriculaire rapide réduit le temps de remplissage ventriculaire, son volume d'éjection et, par conséquent, le débit cardiaque. L'absence de contraction efficace des oreillettes empêche les ventricules de profiter d'un volume supplémentaire nécessaire pour compléter leur remplissage. Cette perte de volume représente entre 25 et 30 % du débit cardiaque. Cette baisse de l'hémodynamique entraîne des symptômes de palpitations irrégulières, de fatigue, de lipothymie et parfois même de syncope. À l'examen clinique, on observe habituellement un pouls déficitaire, soit une différence entre le pouls apical et le pouls radial. Le temps plus court de la diastole réduit le temps de perfusion des artères, dont les artères coronariennes, ce qui prédispose la personne à une ischémie myocardique. L'activité auriculaire chaotique est incapable de propulser efficacement le sang vers les ventricules ; il en résulte une stase sanguine et la possibilité d'un thrombus dans l'oreillette, ce qui augmente le risque d'embolie systémique. Le risque de migration d'un caillot vers le cerveau pouvant causer un accident vasculaire cérébral (AVC) est de deux à cinq fois plus élevé.

Traitement

Le traitement de la FA dépend de sa cause et de sa durée, des symptômes que présente la personne, de son âge et des facteurs de comorbidité présents. Chez de nombreuses personnes, la FA se convertit en rythme sinusal dans les 24 heures, sans traitement. On traite les FA stable et instable de courte durée de la même façon que les flutters auriculaires stable et instable. Si la FA est présente depuis moins de 48 heures, affection qu'on appelle FA aiguë, on peut recourir à la cardioversion pour la traiter. En revanche, si l'arythmie dure depuis plus de 48 heures et à moins que la personne n'ait reçu des anticoagulants, il faut éviter d'utiliser la cardioversion à cause du risque élevé de migration systémique d'un thrombus auriculaire.

Dans les cas de FA aiguës, on peut administrer de la quinidine, de l'ibutilide, du flecaïnide, du dofétilide, de la propafénone, du procaïnamide, du disopyramide ou de l'amiodarone (tableau 29-1) afin de rétablir chimiquement le rythme sinusal (McNamara *et al.*, 2001). On administre aussi de l'adénosine (Adenocard) par voie intraveineuse à la fois pour rétablir le rythme sinusal et pour faciliter le diagnostic. Pour prévenir la récidive et maintenir le rythme sinusal, on utilise de la quinidine, du disopyramide, du flecaïnide, de la propafénone, du sotalol ou de l'amiodarone. Les bloquants des canaux calciques et les bêtabloquants (tableau 29-1) permettent de contrôler efficacement la fréquence ventriculaire en présence de FA, surtout à l'effort (McNamara *et al.*, 2001). On recommande l'utilisation de glucosides cardiotoniques comme la digoxine pour contrôler la fréquence ventriculaire chez les personnes qui présentent une fonction cardiaque diminuée dont la fraction d'éjection est de moins de 40 % (Hauptman et Kelly, 1999). En outre, la warfarine est indiquée en cas de risque élevé d'AVC, par exemple chez les personnes âgées de plus de 65 ans et chez celles présentant de l'hypertension, du diabète, une maladie coronarienne, une insuffisance cardiaque, des antécédents d'AVC ou d'ischémie cérébrale transitoire (ICT) ou des valvulopathies. On peut substituer l'aspirine à la warfarine chez les personnes qui ont des contre-indications, chez celles qui sont exposées à un risque plus faible d'AVC et chez les personnes de moins de 65 ans sans facteurs de risque d'AVC. L'échographie transœsophagienne permet de déterminer la présence d'un caillot intracardiaque et peut ainsi aider à choisir le traitement antithrombotique. Il est parfois indiqué d'implanter un stimulateur cardiaque ou de recourir à la chirurgie dans le cas où la personne ne réagit pas efficacement aux médicaments.

Arythmies nodales

Extrasystoles jonctionnelles Une extrasystole jonctionnelle (ESJ) est une impulsion qui part de la jonction AV avant que l'impulsion sinusale n'atteigne le nœud AV. Les ESJ sont moins courantes que les ESA. Elles peuvent avoir plusieurs causes : intoxication digitalique, insuffisance cardiaque congestive et maladie coronarienne.

Caractéristiques de l'ECG

Les caractéristiques des ESJ au tracé ECG sont les mêmes que celles des ESA, sauf pour ce qui est de l'onde P et de l'intervalle P-R. La forme de l'onde P est modifiée. On l'appelle donc P^1 parce qu'elle ne provient pas du nœud sinusal. Elle peut être absente, suivre le complexe QRS ou le devancer avec un intervalle P^1-R inférieur à 0,12 seconde.

Signification

Les ESJ se manifestent rarement par des symptômes importants.

Traitement

Aucun traitement n'est habituellement nécessaire pour des ESJ isolées. On traite les ESJ fréquentes de la même façon que les ESA fréquentes.

Rythme jonctionnel Le rythme jonctionnel est un rythme d'échappement qui se produit lorsque la jonction AV prend le relais du nœud sinusal et devient le principal stimulateur cardiaque. Lorsque le nœud sinusal ralentit en dessous de son rythme normal (moins de 60 battements par minute), par exemple à la suite d'une hypertonie vagale, ou lorsqu'un bloc (problème de conduction) empêche de transmettre l'impulsion vers le nœud AV, une des régions de la jonction AV (le nœud AV, le faisceau de His jusqu'à la bifurcation de ses branches) prend automatiquement la relève en l'absence de signal et émet une impulsion.

Caractéristiques de l'ECG (figure 29-12 ■)

- *Fréquences auriculaire et ventriculaire* Fréquence ventriculaire de 40 à 60 battements par minute ; fréquence auriculaire également de 40 à 60 battements par minute si les ondes P^1 sont visibles.

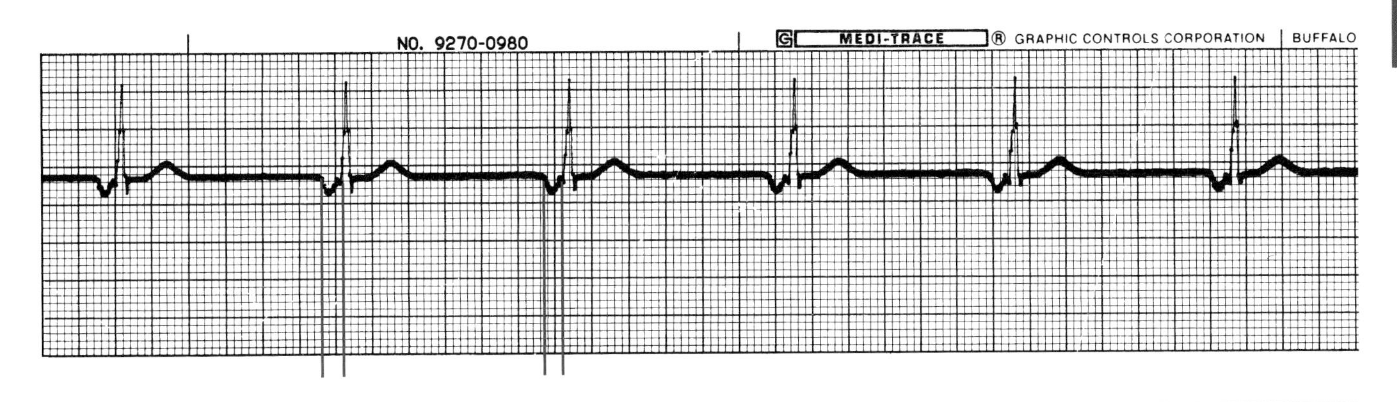

FIGURE 29-12 ■ Rythme jonctionnel dans la dérivation II; remarquer les courts intervalles P^1-R.

- *Rythmes auriculaire et ventriculaire* Réguliers.
- *Forme et durée du complexe QRS* Habituellement normales, mais peuvent être anormales.
- *Onde P* Absente. Les ondes P^1 sont modifiées dans leur forme; elles suivent le complexe QRS ou le précèdent; l'onde P^1 peut être inversée, surtout dans la dérivation II.
- *Intervalle P^1-R* Si l'onde P^1 précède le complexe QRS, l'intervalle P^1-R est inférieur à 0,12 seconde.
- *Ratio P^1*:QRS 1:1 ou 0:1.

Signification

Le rythme jonctionnel peut présenter les signes et symptômes d'une diminution du débit cardiaque.

Traitement

Lorsque le rythme jonctionnel occasionne des manifestations cliniques d'une diminution du débit cardiaque, on le traite de la même façon que la bradycardie sinusale. Une stimulation cardiaque transthoracique d'urgence peut être nécessaire.

Tachycardie par réentrée nodale La tachycardie par réentrée nodale se produit lorsqu'une impulsion est conduite dans une zone du nœud AV qui pousse l'impulsion à revenir continuellement et très rapidement à son point de départ. Chaque fois que l'impulsion passe dans cette boucle, elle initie une stimulation vers les ventricules, déclenchant ainsi une fréquence ventriculaire très rapide. On appelle tachycardie auriculaire paroxystique (TAP) la tachycardie par réentrée nodale caractérisée par un début et une fin brusques, avec un complexe QRS de durée normale. Les facteurs déclencheurs d'une tachycardie par réentrée nodale sont la caféine, la nicotine, l'hypoxémie et le stress. Les affections sous-jacentes prédisposantes sont notamment les coronaropathies et les cardiomyopathies.

Caractéristiques de l'ECG (figure 29-13 ■)

- *Fréquences auriculaire et ventriculaire* Fréquence auriculaire habituellement de 150 à 250 battements par minute; fréquence ventriculaire habituellement de 75 à 250 battements par minute.
- *Rythmes auriculaire et ventriculaire* Tachycardie régulière avec début et fin brusques.
- *Forme et durée du complexe QRS* Habituellement normales, mais peuvent être anormales.
- *Onde P* Absente et P^1 habituellement très difficile à détecter.
- *Intervalle P^1-R* Si l'onde P^1 précède le complexe QRS, l'intervalle P^1-R sera inférieur à 0,12 seconde.
- *Ratio P^1:QRS* 1:1, 2:1.

Signification

Les symptômes cliniques varient selon la fréquence et la durée de la tachycardie et la condition sous-jacente. Lorsque la tachycardie est de courte durée, elle ne provoque

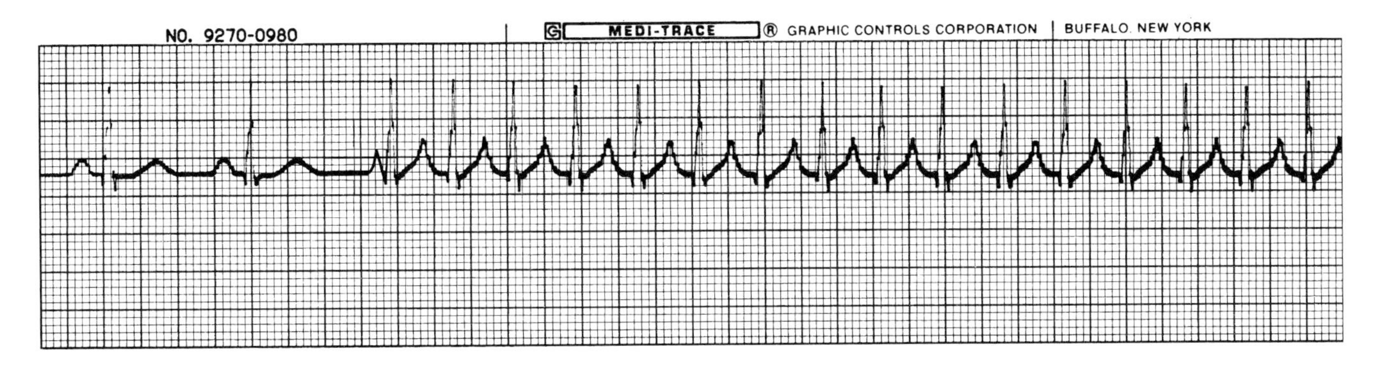

FIGURE 29-13 ■ Tachycardie par réentrée nodale dans la dérivation II.

généralement qu'une sensation de palpitations. Une fréquence rapide peut diminuer le débit cardiaque et entraîner des signes et symptômes significatifs d'agitation, de douleur thoracique, de dyspnée, de pâleur, d'hypotension et de syncope.

Traitement

Le traitement vise à rompre la boucle et à faire cesser la réentrée de l'impulsion. Ainsi, des manipulations vagales, telles que la manœuvre de Valsalva, le fait de retenir sa respiration et l'immersion du visage dans de l'eau froide peuvent être utilisées. Le médecin peut également procéder à un massage carotidien (figure 29-14 ■), ce qui permet d'augmenter la stimulation parasympathique. Il en résulte un ralentissement de la conduction (effet dromotrope négatif) dans le nœud AV qui bloque la réentrée de l'impulsion dans un des faisceaux de la boucle. Certaines personnes ont appris à utiliser l'une de ces méthodes pour mettre fin d'elles-mêmes à leur épisode de tachycardie. Le massage du sinus carotidien comporte un risque élevé d'embolie cérébrale ; il est donc contre-indiqué chez les personnes qui ont des souffles carotidiens. Si les manipulations vagales ne donnent pas les résultats escomptés, on peut administrer un traitement pharmacologique par bolus d'adénosine, de vérapamil ou de diltiazem. Finalement la cardioversion demeure le traitement optimal lorsque l'état de la personne est instable ou ne répond pas aux médicaments.

Si on ne peut discerner les ondes P^1, on parle de **tachycardie supraventriculaire (TSV)**, ce qui indique seulement qu'il ne s'agit pas d'une **tachycardie ventriculaire (TV)** et que le foyer ectopique ou déclencheur d'impulsion se situe avant les ventricules. La TSV peut notamment être une FA, un flutter auriculaire ou une tachycardie par réentrée nodale. Pour ralentir la conduction au niveau du nœud AV et identifier la provenance des ondes P^1, on recourt à des manipulations vagales et à l'administration d'adénosine.

Arythmies ventriculaires

Extrasystoles ventriculaires Les extrasystoles ventriculaires (ESV) sont provoquées par une impulsion commençant dans un ventricule et conduite ensuite dans les deux ventricules avant l'impulsion sinusale normale suivante. Les ESV peuvent se produire chez les personnes en bonne santé, surtout si elles prennent de la caféine, de la nicotine ou de l'alcool. Elles sont souvent associées aux coronaropathies ischémiques, à l'augmentation du travail cardiaque (exercice, fièvre, hypervolémie, insuffisance cardiaque et tachycardie), à l'intoxication digitalique, à l'hypoxie, à l'acidose ou au déséquilibre des électrolytes (surtout l'hypokaliémie).

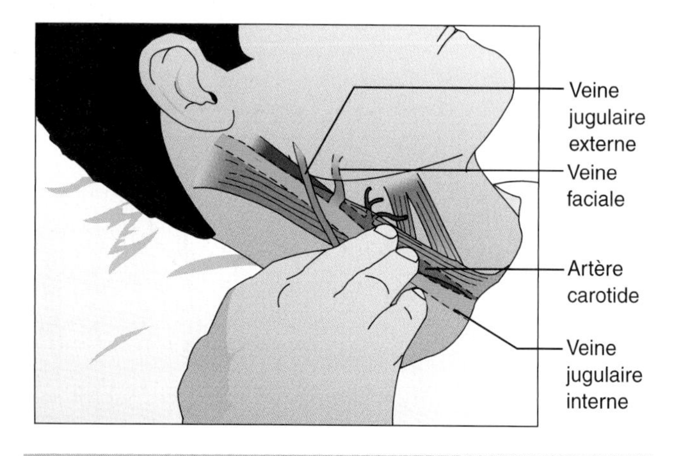

FIGURE 29-14 ■ Massage du sinus carotidien.

En l'absence de maladies, les ESV ne sont pas graves en soi. Elles témoignent cependant d'une irritabilité myocardique et ne peuvent être tolérées dans des situations cliniques instables. Le traitement des ESV, par exemple chez une personne ayant un infarctus aigu du myocarde, doit être optimal car les ESV peuvent déclencher une TV. Quoiqu'elles témoignent toujours d'une hyperexcitabilité du myocarde ventriculaire, les ESV ne sont désormais plus associées à des signes précurseurs de la TV dans les cas suivants : (1) ESV survenant plus de 6 fois par minute ; (2) ESV polymorphes (plusieurs formes différentes) ou multifocales (provenant de plusieurs foyers ectopiques) ; (3) ESV survenant en salves de deux ; et (4) ESV survenant durant la période de vulnérabilité du cycle cardiaque qui correspond à l'onde T (Cardiac Arrhythmia Suppression Trial Investigators, 1989).

On parle de rythme en bigéminisme lorsque chaque deuxième battement est une ESV, de trigéminisme si les ESV surviennent tous les trois battements, et de quadrigéminisme si elles surviennent tous les quatre battements.

Caractéristiques de l'ECG (figure 29-15 ■)

- *Fréquences auriculaire et ventriculaire* Dépendent du rythme sous-jacent dans lequel s'insère l'ESV (par exemple rythme sinusal).
- *Rythmes auriculaire et ventriculaire* Irréguliers, car la prématurité du complexe QRS crée un intervalle R-R plus court que les autres. L'intervalle P-P peut être régulier, ce qui indique que l'ESV n'a pas dépolarisé le nœud sinusal.
- *Forme et durée du complexe QRS* Complexe QRS large et déformé durant 0,12 seconde ou plus.
- *Onde P* Absente, car l'impulsion provient des ventricules. Il est possible d'observer une onde P inversée après le QRS dans les cas de stimulation tardive du nœud sinusal par conduction rétrograde.
- *Intervalle P-R* Absent devant la majorité des QRS prématurés. Si une onde P du rythme sous-jacent précède par hasard un complexe QRS prématuré, l'intervalle P-R est inférieur à 0,12 seconde.
- *Ratio P:QRS* 0:1

Signification

L'ESV peut être asymptomatique ou ressentie par la personne comme des palpitations ou un battement cardiaque manquant. Plus les ESV sont fréquentes, plus il est probable que la personne les ressente. L'effet de l'ESV dépend du moment où elle survient dans le cycle cardiaque, de la quantité de sang qu'il y avait dans les ventricules au moment où ils se sont contractés et du déficit hémodynamique qu'elle occasionne.

Traitement

Le traitement de base des ESV vise à éliminer la cause, si possible. La lidocaïne (Xylocaïne) est le médicament le plus couramment utilisé dans le traitement de courte durée

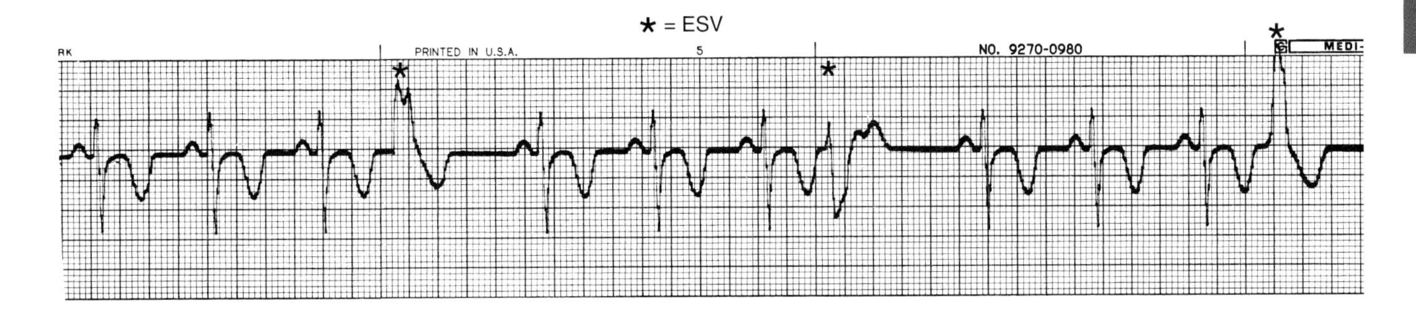

FIGURE 29-15 ■ ESV multifocales en quadrigéminisme dans la dérivation V_1.
Noter les intervalles P-P réguliers.

(tableau 29-1). Il n'est pas indiqué de recourir à la pharmacothérapie à long terme pour traiter seulement les ESV.

Tachycardie ventriculaire On parle de tachycardie ventriculaire (TV) lorsque trois ESV ou plus surviennent en salve entraînant une fréquence de plus de 100 battements par minute. Les causes de la TV sont semblables à celles des ESV. La TV est généralement associée à une coronaropathie et peut précéder la fibrillation ventriculaire (FV). Elle est considérée comme une urgence nécessitant une intervention immédiate à cause de la chute de l'hémodynamique; la plupart des personnes ressentent immédiatement l'accélération de l'activité cardiaque et la décrivent comme de la dyspnée, des palpitations, un malaise lipothymique et une sensation imminente de danger. La personne perd généralement conscience, et le pouls s'atténue, passant d'imperceptible à absent.

Caractéristiques de l'ECG (figure 29-16 ■)

- *Fréquences auriculaire et ventriculaire* Fréquence ventriculaire de 100 à 200 battements par minute. On différencie la TV non soutenue (< 30 secondes) de la TV soutenue (> 30 secondes). La fréquence auriculaire est plus lente que celle des ventricules. Elle est habituellement celle du rythme précédant l'accès de TV.
- *Rythmes auriculaire et ventriculaire* Rythme ventriculaire habituellement régulier; le rythme auriculaire peut aussi être régulier, mais il est totalement indépendant et dissocié du rythme ventriculaire.
- *Forme et durée du complexe QRS* Complexe QRS large et déformé durant 0,12 seconde ou plus.
- *Onde P* Très difficile à détecter; il peut donc être impossible de déterminer la fréquence et le rythme auriculaires. Les ondes P émises indépendamment de l'arythmie ventriculaire sont rarement visibles car elles sont généralement masquées par le complexe QRS anormal ou l'onde T géante.
- *Intervalle P-R* Très irrégulier, si les ondes P sont visibles, et non significatif, car il n'y a pas de relation entre les ondes P et les complexes QRS.
- *Ratio P:QRS* Difficile à déterminer; mais si les ondes P sont visibles, il y a généralement plus de complexes QRS que d'ondes P.

Signification

La façon dont la personne tolère ce rythme rapide dépend de la fréquence ventriculaire et de la condition sous-jacente. Si les circonstances cliniques le permettent, il est impératif d'obtenir un ECG à 12 dérivations, un bilan électrolytique comprenant la mesure du potassium et du magnésium, d'effectuer un examen clinique rapide afin de détecter la présence possible d'un syndrome coronarien aigu et de réviser la pharmacothérapie en cours.

Traitement

Lorsque des manœuvres de réanimation immédiate s'imposent chez une personne instable, on doit rapidement envisager la

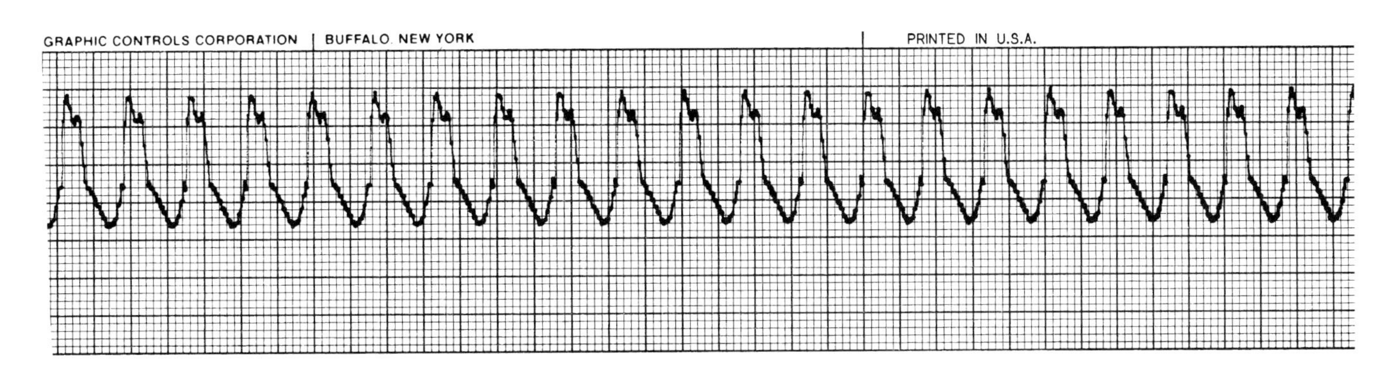

FIGURE 29-16 ■ TV dans la dérivation V_1.

cardioversion. En présence de TV, la pharmacothérapie à privilégier dépend notamment du caractère monomorphe (forme et fréquence uniformes des complexes QRS) ou polymorphe (forme et fréquence variées des complexes QRS) du rythme, de la présence d'un intervalle Q-T prolongé avant le début de la TV et de l'état de la fonction cardiaque (normale ou diminuée). Chez la personne qui est inconsciente et dont le pouls est absent, on traite la TV de la même manière que la FV : par **défibrillation** immédiate.

Fibrillation ventriculaire La fibrillation ventriculaire (FV) se caractérise par un rythme rapide mais anarchique des ventricules, qui provoque des trémulations inefficaces de ceux-ci. On ne voit aucune trace d'activité auriculaire sur l'ECG. Si ses causes sont généralement semblables à celles de la TV, la FV survient également à la suite d'une TV non traitée ou non résolue, dont la fréquence s'accélère généralement avant de dégénérer en FV. Les autres causes possibles de FV sont notamment l'électrotraumatisme et le syndrome de Brugada, décrit comme le syndrome de mort subite nocturne inexpliquée (Nadamanee, Veerakul, Nimmannit *et al.*, 1997). Le syndrome de Brugada est une cause importante de mortalité chez les hommes d'origine asiatique dans la quarantaine et présentant un cœur normalement structuré, peu ou pas de facteurs de risque de coronaropathie, mais des antécédents familiaux de mort subite. Une évolution spontanée et grave d'anomalies ventriculaires serait à l'origine de la FV.

Caractéristiques de l'ECG (figure 29-17 ■)

- *Fréquence ventriculaire* Supérieure à 300 battements par minute.
- *Rythme ventriculaire* Extrêmement irrégulier, sans référence particulière.
- *Forme et durée du complexe QRS* Oscillations irrégulières, d'amplitude complètement inégale et sans complexes QRS reconnaissables. On caractérise habituellement la FV selon l'aspect de son tracé. Une activité électrique tonique, où l'oscillation à grande amplitude est dite à « larges mailles », assure un meilleur pronostic à la personne qui répond habituellement bien à la défibrillation. Avec le temps et faute d'oxygène, l'activité électrique devient moins tonique, et l'amplitude plus serrée des ondes est dite à « petites mailles ». Cette situation laisse présager un pronostic plus sombre.

Signification

Cette arythmie se caractérise toujours par de l'apnée, une absence de battements cardiaques et de pouls. Comme l'activité cardiaque est désorganisée et inefficace, l'arrêt cardiaque et la mort sont imminents en l'absence de rétablissement d'un rythme fonctionnel.

Traitement

Le traitement de la FV est la défibrillation électrique dans les plus brefs délais. En l'absence de défibrillateur, des mesures d'urgence doivent être entreprises, dont la réanimation cardiorespiratoire, la ventilation artificielle et l'établissement d'un accès intraveineux pour l'administration d'une pharmacothérapie palliative, jusqu'à ce que la défibrillation puisse être effectuée. Après la défibrillation, les traitements consistent à enrayer les causes et à administrer des agents adrénergiques et **antiarythmiques**, en alternance avec la défibrillation électrique, pour essayer de convertir l'arythmie en rythme fonctionnel.

Rythme idioventriculaire On parle de rythme idioventriculaire, ou rythme d'échappement ventriculaire, lorsque l'impulsion entraînant l'activité cardiaque provient du système de conduction sous la bifurcation du faisceau de His. Les fibres du réseau de Purkinje peuvent émettre automatiquement une impulsion électrique en l'absence de stimulation des niveaux supérieurs de conduction. Un foyer ectopique ventriculaire issu de ce réseau prend la relève du système de conduction en amont qui est incapable de produire ou d'acheminer une impulsion. Plusieurs causes peuvent être à l'origine de ce mode de stimulation. Par exemple, l'impulsion automatique du nœud sinusal peut (1) ne pas être déclenchée, (2) être inhibée par une hypertonie vagale, ou encore (3) l'impulsion sinusale déclenchée peut ne pas être conduite au nœud AV ou être empêchée par un bloc AV complet.

Caractéristiques de l'ECG (figure 29-18 ■)

- *Fréquence ventriculaire* Entre 20 et 40 ; si la fréquence dépasse 40, on parle de rythme idioventriculaire accéléré (RIVA).
- *Rythme ventriculaire* Régulier.
- *Forme et durée du complexe QRS* Complexe QRS large et déformé durant 0,12 seconde ou plus avec une onde T géante.

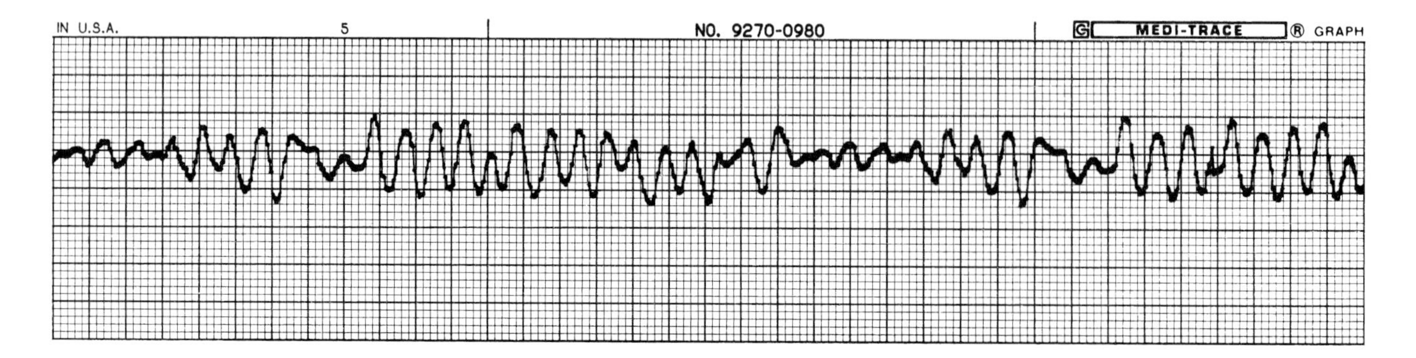

FIGURE 29-17 ■ FV dans la dérivation II.

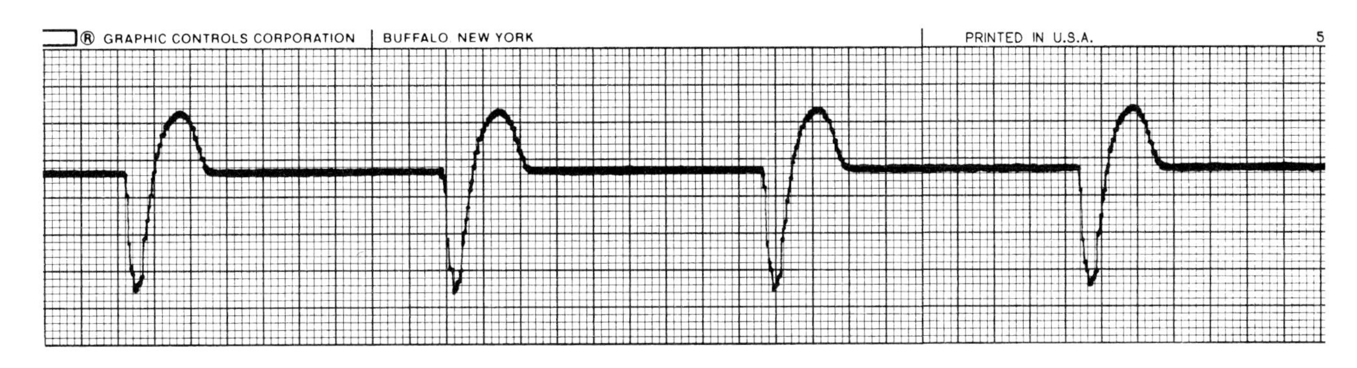

FIGURE **29-18** ■ Rythme idioventriculaire dans la dérivation V_1.

Signification

Le rythme idioventriculaire entraîne souvent une perte de conscience, ainsi que d'autres signes et symptômes indiquant une baisse du débit cardiaque. Par ailleurs, dans certains cas, il n'entraîne aucun symptôme de diminution du débit cardiaque.

Traitement

Lorsqu'il y a des manifestations cliniques d'une baisse du débit cardiaque, le traitement consiste soit à suivre les mêmes algorithmes de réanimation et d'intervention qu'en présence d'une arythmie sans signes circulatoires présents ni pouls, si la personne est en arrêt cardiaque, soit à appliquer les interventions nécessaires lors d'une bradycardie, si la personne n'est pas en arrêt cardiaque. Les interventions peuvent notamment consister à déterminer la cause sous-jacente, à administrer de l'atropine par voie intraveineuse et des médicaments vasopresseurs, ainsi qu'à effectuer une stimulation cardiaque transthoracique en cas d'urgence. En l'absence de manifestations cliniques, on prescrit à la personne le repos afin de ne pas augmenter la charge de travail cardiaque.

Asystolie ventriculaire L'asystolie ventriculaire est l'absence totale d'activation électrique ventriculaire. D'une part, les fibres ventriculaires ne sont pas activées par l'impulsion électrique supraventriculaire et, d'autre part, les centres automatiques de relève (rythme idioventriculaire) sont supprimés.

Caractéristiques de l'ECG (figure 29-19 ■)

L'asystolie ventriculaire se manifeste par l'absence de complexe QRS, même si les ondes P peuvent être encore visibles pendant une courte période dans deux dérivations différentes.

Signification

Dans l'asystolie ventriculaire, il y a absence de battements cardiaques, de pouls et de respiration. Sans intervention immédiate, l'asystolie ventriculaire est fatale.

Traitement

On doit utiliser la réanimation cardiorespiratoire et faire appel aux services d'urgence rapidement pour maintenir la personne en vie. Selon les dernières directives sur les soins avancés en réanimation cardiaque (American Heart Association, 2000), la clé d'un traitement efficace consiste à effectuer un examen clinique rapide afin de déterminer une cause possible à l'asystolie, qui peut être l'hypoxie, l'acidose, un déséquilibre électrolytique grave, une surdose de drogue ou l'hypothermie. L'intubation endotrachéale et l'installation d'un accès intraveineux sont les premières actions recommandées. On doit dès que possible mettre en place une stimulation cardiaque transthoracique. L'administration d'un bolus intraveineux d'épinéphrine, qu'on répète toutes les 3 à 5 minutes, suivi d'un bolus intraveineux de 1 mg d'atropine, qu'on répète également toutes les 3 à 5 minutes, complètent l'algorithme d'interventions habituelles en présence d'asystolie. Le pronostic associé à l'asystolie est mauvais. Si la personne ne répond pas aux traitements et aux autres interventions qui visent à corriger les causes sous-jacentes, on met généralement fin aux manœuvres de réanimation à moins que

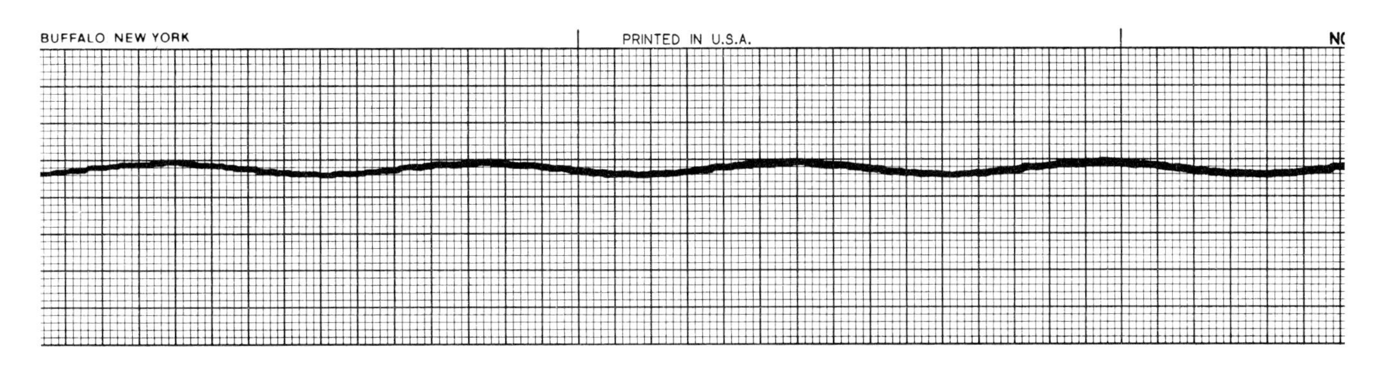

FIGURE **29-19** ■ Asystolie. (Toujours confirmer l'absence de rythme dans deux dérivations différentes.)

des facteurs de protection cérébrale préalables à l'arrêt cardiaque ne justifient de les poursuivre, comme dans les cas d'hypothermie.

Arythmies de conduction

Lorsqu'elle évalue le rythme du tracé ECG, l'infirmière veille d'abord à déterminer le rythme intrinsèque (par exemple rythme sinusal, arythmie sinusale). Ensuite, elle évalue l'intervalle P-R afin de déterminer l'éventualité d'un bloc AV. Le bloc AV s'installe lorsque la conduction de l'impulsion qui passe par la jonction AV est ralentie ou arrêtée. Ces blocs peuvent être causés par des médicaments à effet dromotrope négatif, comme les glucosides cardiotoniques, les bloquants des canaux calciques et les bêtabloquants, par l'ischémie et l'infarctus du myocarde, par les valvulopathies ou encore par la myocardite. S'il est dû à l'augmentation d'une hypertonie vagale (par exemple aspiration des sécrétions, compression des globes oculaires ou des gros vaisseaux sanguins, stimulation anale), le bloc AV est souvent accompagné de bradycardie sinusale.

Bloc AV du premier degré Le bloc cardiaque du premier degré s'installe lorsque toutes les impulsions auriculaires se propagent à travers la jonction AV jusqu'aux ventricules à une vitesse plus lente que la normale.

Caractéristiques de l'ECG (figure 29-20 ■)

- *Fréquences auriculaire et ventriculaire* Dépendent du rythme sous-jacent.
- *Rythmes auriculaire et ventriculaire* Dépendent du rythme sous-jacent.
- *Forme et durée du complexe QRS* Habituellement normales, mais peuvent être anormales.
- *Onde P* Durée et forme normales et régulières; l'onde P précède le complexe QRS.
- *Intervalle P-R* Écart prolongé qui dure plus de 0,20 seconde; la mesure de l'intervalle allongé est de récurrence constante.
- *Ratio P:QRS* 1:1.

Bloc AV du deuxième degré de type Mobitz I Le bloc cardiaque du deuxième degré de type Mobitz I, aussi appelé rythme de Wenckebach, se traduit par un allongement progressif de l'intervalle P-R sur quelques battements jusqu'à ce qu'une onde P soit bloquée. Chaque impulsion auriculaire met plus de temps que la précédente à traverser la jonction AV, jusqu'à ce qu'une impulsion soit incapable de la franchir et d'entraîner les ventricules. Comme la jonction AV n'est pas dépolarisée par l'impulsion auriculaire bloquée, elle a le temps de se repolariser complètement, de sorte que l'impulsion auriculaire suivante peut être conduite en moins de temps. Dans ce bloc AV, le problème de conduction se situe habituellement dans la région du nœud AV.

Caractéristiques de l'ECG (figure 29-21 ■)

- *Fréquences auriculaire et ventriculaire* Dépendent du rythme sous-jacent.
- *Rythmes auriculaire et ventriculaire* Irréguliers mais séquentiels. L'intervalle P-P est régulier si la personne a un rythme sinusal intrinsèque. L'intervalle R-R reflète un changement caractéristique: au début, il est plus long, puis il se raccourcit graduellement jusqu'à l'intervalle R-R long marquant le début de la séquence suivante.
- *Forme et durée du complexe QRS* Habituellement normales, mais peuvent être anormales.
- *Onde P* Sa forme dépend du rythme sous-jacent; elle précède habituellement le complexe QRS. Cependant, une fois par séquence, elle n'est pas suivie d'un complexe QRS.
- *Intervalle P-R* L'intervalle P-R s'allonge progressivement à chaque cycle cardiaque jusqu'à ce qu'une onde P ne soit pas suivie d'un complexe QRS. Les changements dans l'intervalle P-R se répètent entre chaque pause ventriculaire, créant une séquence dans les mesures irrégulières de l'intervalle P-R.
- *Ratio P:QRS* 2:1, 3:2, 4:3, 5:4, et ainsi de suite.

Bloc AV du deuxième degré de type Mobitz II Le bloc cardiaque du deuxième degré de type Mobitz II se manifeste par une onde P bloquée sans allongement préalable de

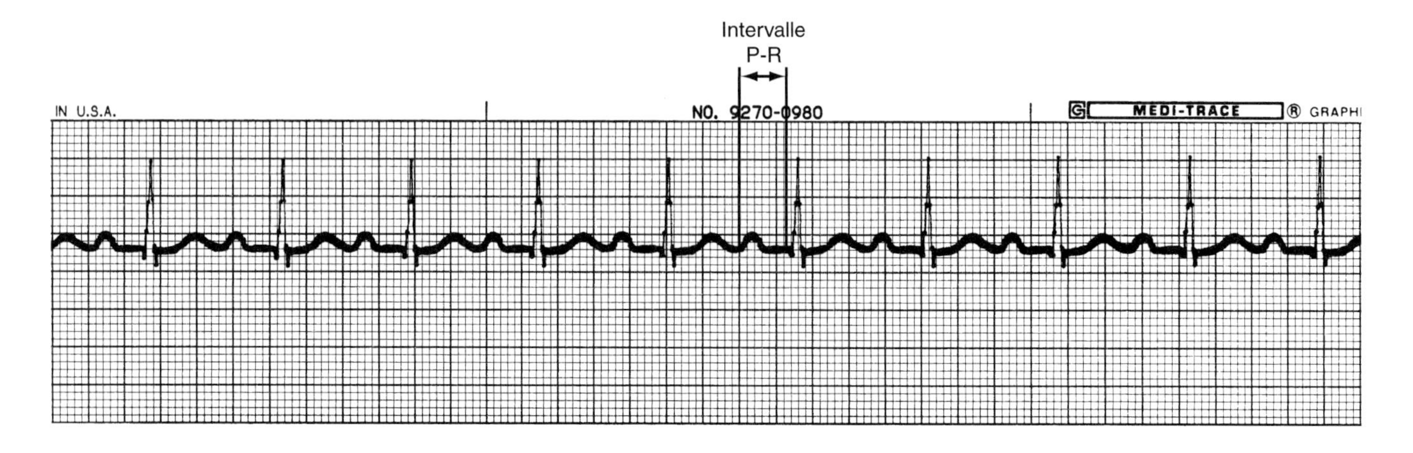

FIGURE 29-20 ■ Rythme sinusal avec bloc AV du premier degré dans la dérivation II.

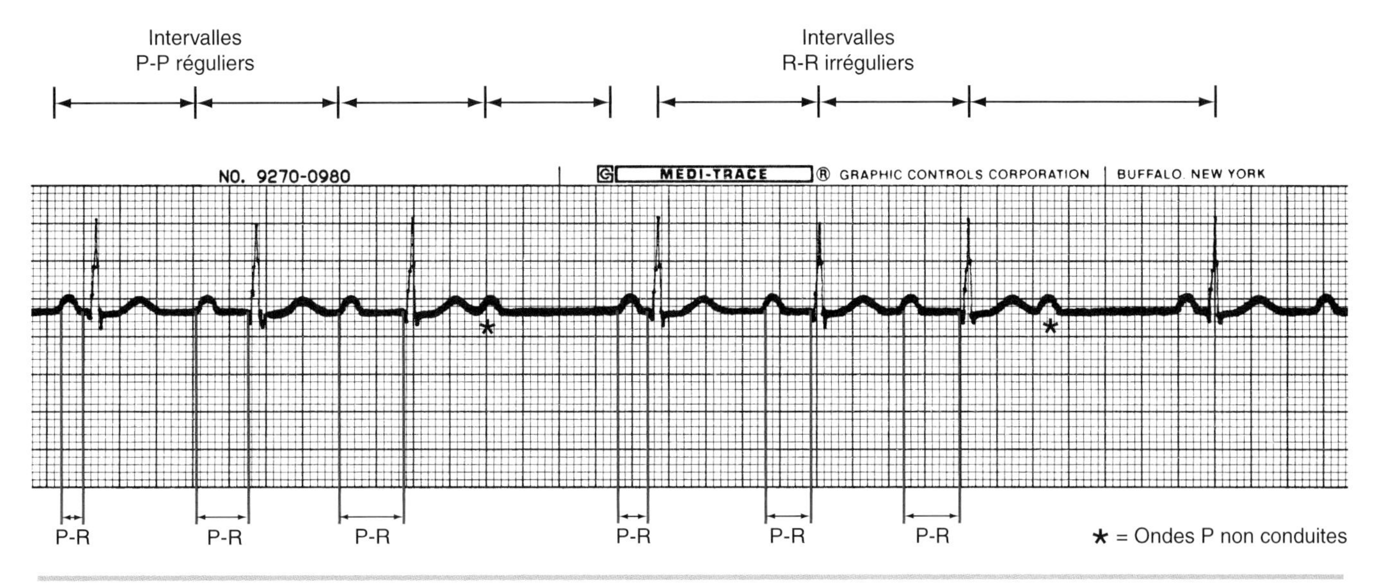

FIGURE 29-21 ■ Rythme sinusal avec bloc AV du deuxième degré de type Mobitz I (Wenckebach) dans la dérivation II. Remarquer les intervalles P-R qui s'allongent progressivement jusqu'à l'onde P non conduite.

l'intervalle P-R. La distinction électrocardiographique entre les blocs du deuxième degré des types Mobitz I et II réside dans l'arrêt impromptu de l'onde P. Le bloc AV du deuxième degré de type Mobitz II est un trouble de conduction intermittente désignant une atteinte plus grave. Il est localisé surtout au niveau du tronc ou des branches du faisceau de His.

Caractéristiques de l'ECG (figure 29-22 ■)

- *Fréquences auriculaire et ventriculaire* Dépendent du rythme sous-jacent.
- *Rythmes auriculaire et ventriculaire* Irréguliers dans l'ensemble. L'intervalle P-P est régulier si la personne a un rythme sinusal intrinsèque. L'intervalle R-R est habituellement régulier, sauf lors des pauses ventriculaires.
- *Forme et durée du complexe QRS* Complexe habituellement large et déformé, mais peut être normal.
- *Onde P* Sa forme dépend du rythme sous-jacent; elle précède le complexe QRS quand il y en a un.
- *Intervalle P-R* L'intervalle P-R est constant pour les ondes P qui précèdent les complexes QRS.
- *Ratio P:QRS* 2:1, 3:1, 4:1, 5:1, et ainsi de suite.

Bloc AV du troisième degré Le bloc cardiaque du troisième degré est un bloc AV complet. Lorsque aucune des impulsions sinusales ou auriculaires n'est conduite à travers la jonction AV, les ventricules sont isolés. Dans un bloc AV du troisième degré, l'interruption complète de la conduction AV précipite l'émission de deux impulsions parallèles et indépendantes. En aval du bloc AV complet, un rythme d'échappement jonctionnel ou ventriculaire prend la relève pour produire la systole ventriculaire. En amont du bloc AV complet, le nœud sinusal, ou tout autre foyer ectopique

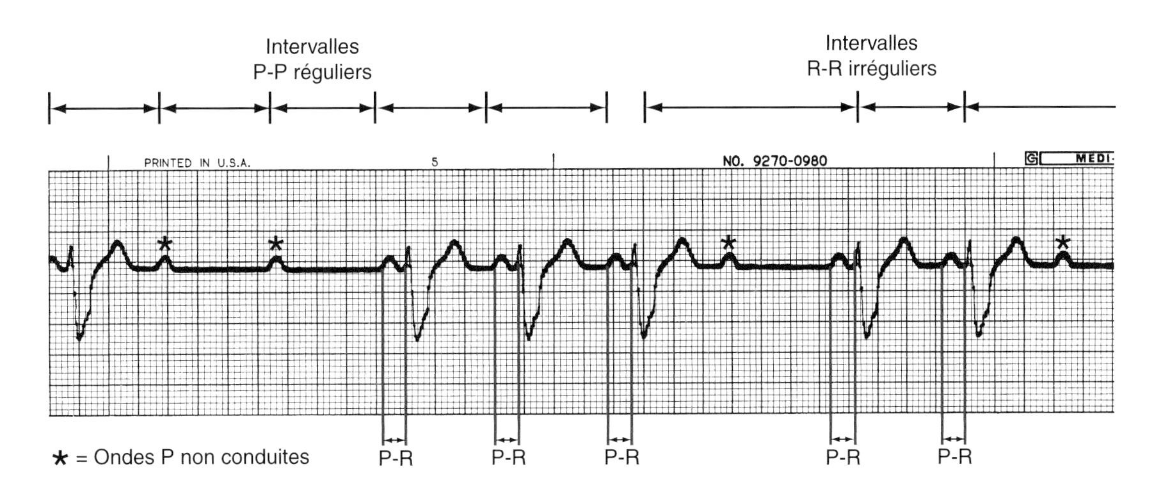

FIGURE 29-22 ■ Rythme sinusal avec bloc AV du deuxième degré de type Mobitz II dans la dérivation V_1. Remarquer la constance de l'intervalle P-R.

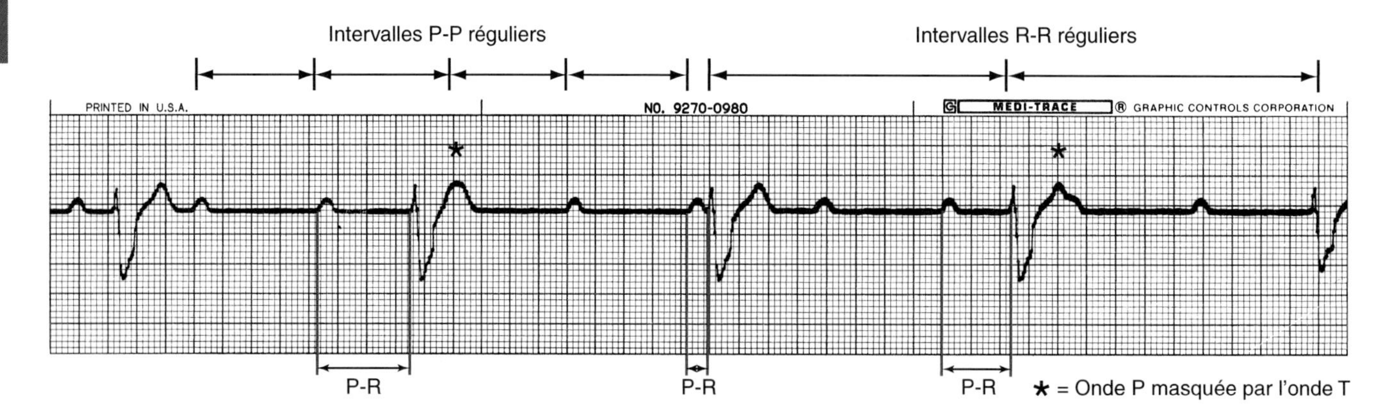

FIGURE 29-23 ■ Rythme sinusal avec bloc AV du troisième degré et rythme idioventriculaire dans la dérivation V_1. Remarquer les intervalles P-R irréguliers.

provenant des oreillettes, déclenche normalement ses impulsions sans pouvoir transmettre la stimulation aux ventricules. Sur le tracé ECG, on peut voir des ondes P, P[1] ou f, mais l'activité électrique des oreillettes est indépendante de celle des ventricules (laquelle est à l'origine du complexe QRS). On appelle ce phénomène la « dissociation auriculoventriculaire ».

Caractéristiques de l'ECG (figure 29-23 ■)

- *Fréquences auriculaire et ventriculaire* Dépendent du rythme d'échappement jonctionnel ou ventriculaire pour les ventricules et du rythme sinusal ou auriculaire sous-jacent pour les oreillettes.
- *Rythmes auriculaire et ventriculaire* L'intervalle P-P et l'intervalle R-R sont réguliers ; cependant, l'intervalle P-P n'est pas égal à l'intervalle R-R.
- *Forme et durée du complexe QRS* Dépendent du rythme d'échappement. La forme et la durée du complexe QRS sont habituellement normales dans le rythme d'échappement qui provient de la jonction, alors que le complexe QRS est habituellement élargi et déformé dans le rythme d'échappement qui provient du ventricule.
- *Onde P* Dépend du rythme sous-jacent, mais elle est sans relation avec le complexe QRS.
- *Intervalle P-R* La mesure de l'intervalle est inconstante, variable et non significative. L'activité auriculaire est dissociée de celle des ventricules.
- *Ratio P:QRS* Il y a plus d'ondes P que de complexes QRS.

Signification

Les signes cliniques et les symptômes d'un bloc AV varient selon la fréquence ventriculaire obtenue et la gravité des affections sous-jacentes. Alors que le bloc AV du premier degré provoque rarement des effets hémodynamiques, les autres blocs AV peuvent entraîner une diminution de la fréquence cardiaque et une baisse de l'irrigation des organes vitaux comme le cerveau, le cœur, les reins, les poumons et la peau. L'état d'une personne atteinte d'un bloc AV du troisième degré consécutif à une intoxication digitalique peut demeurer stable, tandis qu'une autre personne dont le même bloc AV du troisième degré est causé par un infarctus aigu du myocarde peut être instable. Les professionnels de la santé doivent toujours avoir à l'esprit qu'il importe de traiter la personne, non le rythme. Le traitement se fonde d'abord sur les symptômes cliniques et la réaction hémodynamique de la personne occasionnés par le rythme cardiaque.

Traitement

Le traitement vise à augmenter la fréquence ventriculaire afin de maintenir un débit cardiaque fonctionnel ; il varie selon la cause du bloc AV et l'état de la personne. Si ce dernier est stable et asymptomatique, le traitement se limite à diminuer ou à enrayer la cause (par exemple réduire ou supprimer un médicament ou un traitement à effet dromotrope négatif). En présence de dyspnée, de douleurs thoraciques, de lipothymie ou d'hypotension artérielle, le traitement de choix consiste à administrer un bolus d'atropine par voie intraveineuse. Si la personne ne répond pas à l'atropine ou si elle souffre d'un infarctus aigu du myocarde, on doit envisager sans délai une stimulation cardiaque transthoracique. Si le bloc persiste, il peut être nécessaire de recourir à un stimulateur cardiaque permanent.

DÉMARCHE SYSTÉMATIQUE dans la pratique infirmière

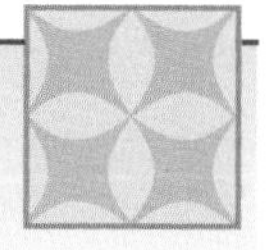

Personne présentant de l'arythmie

Collecte des données

Un but important de la collecte des données est de déterminer les causes possibles de l'arythmie et ses effets sur le débit cardiaque. Une réduction du débit cardiaque entraîne une diminution de l'oxygénation des tissus et des organes vitaux. Cette diminution d'oxygénation produit les signes et symptômes qui sont associés aux arythmies. Si ces signes et symptômes se manifestent fréquemment, la qualité de vie de la personne peut s'en trouver considérablement diminuée.

L'examen clinique de la personne permet de mettre au jour les signes et symptômes associés à une réduction du débit cardiaque: syncope, lipothymie, étourdissements, fatigue, douleur thoracique et palpitations. Il permet de noter les affections coexistantes (par exemple cardiopathie ou bronchopneumopathie chronique obstructive) qui pourraient provoquer ou entretenir l'arythmie. Tous les médicaments pris par la personne doivent être passés en revue, qu'ils soient prescrits sous ordonnance ou en vente libre, sans oublier les produits naturels et les suppléments alimentaires. La prise de certains médicaments, comme la digoxine, peut provoquer des arythmies. Il est important de procéder, lors de l'examen clinique, à une évaluation psychosociale approfondie pour déceler toutes les répercussions de l'arythmie sur les activités de la personne et pour savoir si l'anxiété est un facteur important contribuant à déclencher ce trouble.

Pour confirmer et quantifier les données recueillies, il est indispensable d'effectuer un examen physique. Il permet d'observer si la personne présente des signes de diminution du débit cardiaque durant l'épisode arythmique, et de constater s'il y a des changements de l'état de conscience. L'infirmière procède toujours à l'examen physique en partant de la tête et en allant jusqu'aux pieds. Après avoir observé l'aspect général et l'état de conscience de la personne, elle examine la peau, qui peut être pâle et froide. Elle recherche les signes cliniques de rétention liquidienne, tels qu'une distension des veines du cou. L'auscultation pulmonaire permet de déceler des bruits surajoutés, comme les crépitants ou les sibilants. Au niveau cardiaque, l'infirmière évalue la fréquence et le rythme des pouls apical et périphériques en notant s'il y a présence de pouls déficitaire. Elle effectue une auscultation cardiaque à la recherche de bruits anormaux, comme B_3 et B_4, et de souffles cardiaques. Elle mesure la pression artérielle et la pression différentielle, car une baisse de la pression artérielle avec un pincement de la pression différentielle est un signe alarmant de réduction du débit cardiaque. Effectuer un seul examen physique ne permet pas nécessairement de noter les changements significatifs dans le débit cardiaque. L'infirmière doit donc faire plusieurs examens de façon à pouvoir comparer les données entre elles, en particulier les données recueillies lors d'un épisode d'arythmie, mais aussi celles qui ne sont pas associées à un tel épisode.

Analyse et interprétation

Diagnostics infirmiers

En se fondant sur les données recueillies, l'infirmière peut poser les diagnostics infirmiers suivants:

- Débit cardiaque diminué, relié à l'arythmie
- Anxiété, reliée à l'inquiétude et à l'incertitude
- Connaissances insuffisantes sur l'arythmie et son traitement

Problèmes traités en collaboration et complications possibles

En se fondant sur les données recueillies, l'infirmière peut déterminer les complications susceptibles de survenir, notamment l'arrêt cardiaque, l'insuffisance cardiaque et l'événement thromboembolique. Si l'arythmie exige une pharmacothérapie, il faut évaluer les effets bénéfiques et préjudiciables de cette dernière.

Planification

Les principaux objectifs sont les suivants: éliminer ou réduire l'incidence de l'arythmie (déclencheurs) en limitant les facteurs afin de maintenir le débit cardiaque; réduire l'anxiété; et acquérir des connaissances sur l'arythmie et son traitement.

Interventions infirmières

Surveiller et traiter l'arythmie

L'infirmière évalue régulièrement la pression artérielle, la fréquence, le rythme et la qualité du pouls, la fréquence, la profondeur des respirations et les bruits respiratoires, de façon à déterminer l'effet hémodynamique de l'arythmie. Dans le cadre de l'évaluation continue, l'infirmière demande également à la personne si elle présente des signes associés à un bas débit cardiaque: lipothymie, étourdissements ou évanouissements. Si la personne atteinte d'arythmie est hospitalisée, l'infirmière peut procéder à un ECG à 12 dérivations ou prendre une bande de tracé de la personne sous monitorage continu et analyser le rythme des tracés pour déceler tout signe d'arythmie.

L'incidence et les effets de l'arythmie sont contrôlés, entre autres, par l'administration de médicaments antiarythmiques. L'infirmière vérifie l'efficacité thérapeutique auprès de la personne et surveille l'apparition d'effets secondaires et de réactions indésirables. Elle administre les médicaments avec vigilance en veillant à ce que le taux sérique se maintienne dans la zone thérapeutique.

L'infirmière évalue également les facteurs de risque contribuant à provoquer l'arythmie (caféine, stress, non-observance thérapeutique). Elle assiste la personne dans l'élaboration d'un plan d'action visant à apporter des changements à son mode de vie et à contrôler davantage l'incidence de ces facteurs sur l'arythmie.

Soulager l'anxiété

Lorsqu'une personne a un épisode d'arythmie, l'infirmière doit se montrer calme et rassurante de façon à établir un climat de confiance qui favorise la réduction de l'anxiété. Elle doit lui faire part de toute amélioration, si minime soit-elle, afin de l'aider à gagner un sentiment de quiétude malgré sa maladie. Par exemple, si la personne a un épisode d'arythmie et si on lui administre un médicament qui a pour effet de diminuer l'incidence de l'affection, l'infirmière l'en informe. Elle lui donne ainsi la possibilité d'acquérir un sentiment de contrôle sur la situation et la rassure en réduisant l'incertitude qui entoure les traitements.

Favoriser les soins à domicile et dans la communauté

Enseigner les autosoins

L'infirmière doit transmettre à la personne les informations concernant son problème de santé, en termes simples et rassurants, sans l'inquiéter indûment. Elle doit par exemple lui expliquer qu'il est important qu'elle prenne quotidiennement ses médicaments afin de maintenir, entre autres, des taux sériques de médicaments antiarythmiques stables et thérapeutiques. En outre, elle doit lui expliquer le lien existant entre l'arythmie et le débit cardiaque pour qu'elle saisisse bien la justification et les implications du plan de traitement.

Si la personne est atteinte d'une arythmie potentiellement mortelle, il est important d'établir avec elle et sa famille un plan d'action en cas d'urgence. La personne et sa famille seront préparées à toute éventualité; elles développeront un sentiment de contrôle et réagiront avec davantage d'efficacité.

Il n'est pas nécessaire de demander les services de soins à domicile pour la personne atteinte d'arythmie, à moins qu'elle éprouve des symptômes caractéristiques d'un bas débit cardiaque. Les soins à domicile sont recommandés si la personne présente des facteurs de comorbidité limitatifs, si elle a des problèmes socioéconomiques importants ou si sa capacité de s'occuper d'elle-même est réduite; de tels facteurs sont en effet susceptibles d'augmenter le risque de non-observance du plan de traitement.

ÉVALUATION

Résultats escomptés

Les principaux résultats escomptés sont les suivants:

1. La personne maintient un débit cardiaque optimal.
   a) La fréquence cardiaque, la pression artérielle, la fréquence respiratoire et le niveau de conscience sont dans les limites de la normale et ne présentent pas d'importantes fluctuations.
   b) Les épisodes d'arythmie ne se manifestent pas, ne se détériorent pas ou n'augmentent pas.
2. La personne est moins anxieuse.
   a) Elle se donne des stratégies d'adaptation à l'égard de sa maladie.
   b) Elle se sent capable de réagir adéquatement en cas d'urgence.
3. La personne comprend les notions liées à sa maladie et à son traitement.
   a) Elle peut expliquer en quoi consistent la maladie et ses effets.
   b) Elle peut indiquer quand, comment et pourquoi elle doit prendre des médicaments.
   c) Elle sait pourquoi elle doit maintenir des taux sériques stables et thérapeutiques de ses médicaments.
   d) Elle établit un plan d'action visant à éliminer ou à réduire les facteurs de risque qui contribuent à déclencher de l'arythmie.
   e) Elle nomme les mesures à prendre en cas d'urgence.

Dispositifs d'appoint et traitements complémentaires

Le traitement de l'arythmie est fonction du type d'affection, aiguë ou chronique, de la cause de l'arythmie et de ses effets hémodynamiques potentiels ou réels.

On peut traiter l'arythmie aiguë en recourant à des médicaments ou à un traitement électrique externe. On peut utiliser de nombreux médicaments antiarythmiques pour traiter les tachyarythmies auriculaires et ventriculaires (tableau 29-1). Le choix du médicament dépend du type d'arythmie, de la présence sous-jacente d'une insuffisance cardiaque et d'autres facteurs de comorbidité, et de la façon dont la personne a réagi au traitement précédent. L'infirmière doit surveiller la personne, noter sa réaction au médicament et vérifier les connaissances et sa compétence en matière d'autoadministration des médicaments.

Si la pharmacothérapie seule ne permet pas d'éliminer ou de maîtriser l'arythmie, on peut recourir à des traitements mécaniques complémentaires. Les plus courants sont les stimulateurs cardiaques (bradycardie et tachycardie), la cardioversion élective et la défibrillation (tachyarythmie aiguë) et les dispositifs implantables (tachyarythmie chronique). Quoique les traitements chirurgicaux soient moins courants, on peut également y recourir dans certains cas.

STIMULATEUR CARDIAQUE

Les stimulateurs cardiaques sont des appareils électroniques qui envoient des stimuli électriques au muscle cardiaque. On les utilise généralement lorsque la stimulation cardiaque intrinsèque est plus lente que la normale ou lorsque la personne présente un trouble de la conduction symptomatique. On peut aussi les utiliser pour traiter les tachycardies qui ne répondent pas aux médicaments. La stimulation biventriculaire (des deux ventricules) est aussi une option thérapeutique en cas d'insuffisance cardiaque avancée ne répondant pas aux médicaments.

Les stimulateurs cardiaques peuvent être permanents ou temporaires. On utilise les stimulateurs cardiaques permanents surtout dans les cas de bloc complet irréversible. Quant aux stimulateurs cardiaques temporaires, ils servent de traitement d'appoint chez la personne aux prises avec un problème important de conduction, par exemple à la suite d'un infarctus du myocarde ou d'une chirurgie cardiaque, et ce, jusqu'à ce que le problème soit résolu ou qu'un stimulateur permanent soit implanté.

Composantes du stimulateur cardiaque

Les stimulateurs cardiaques se composent de deux éléments. Le premier, le boîtier, contient un circuit électronique et une pile qui produisent la fréquence (mesurée en battements par minute) et la force (mesurée en milliampères [mA]) de l'impulsion électrique transmise au cœur. Le deuxième élément comprend les sondes endocardiques qui sont des fils conducteurs recouverts d'un isolant dont l'extrémité est constituée des électrodes du stimulateur cardiaque. Ces électrodes détectent l'activité électrique du cœur et transmettent l'information par sondes jusqu'au boîtier; la réponse électrique du boîtier est ensuite retransmise par chemin inverse jusqu'au cœur.

Les électrodes peuvent être soit introduites dans le cœur par voie intraveineuse jusque dans le ventricule droit (électrodes endocardiques), soit légèrement suturées directement sur le muscle cardiaque (électrodes épicardiques) et amenées à la peau à travers la paroi thoracique au cours de la chirurgie cardiaque. Les électrodes épicardiques sont toujours temporaires; quelques jours après la chirurgie, on les enlève d'un mouvement prudent en l'absence de résistance. Les électrodes endocardiques peuvent aussi être placées de façon temporaire par voie endoveineuse au moyen d'un cathéter introduit dans la veine fémorale, cubitale, humérale ou jugulaire; leur mise en place est habituellement guidée par fluoroscopie. Les électrodes endocardiques et épicardiques sont raccordées à un stimulateur cardiaque temporaire. Des piles ordinaires constituent la source d'énergie des stimulateurs cardiaques temporaires; il appartient à l'infirmière de s'assurer du bon fonctionnement de l'appareil et des piles. La pose d'un stimulateur cardiaque temporaire nécessite une hospitalisation.

Les électrodes endocardiques peuvent également être introduites de façon permanente, habituellement par la veine jugulaire externe, et raccordées à un stimulateur cardiaque permanent qu'on implante généralement sous la peau de la région pectorale ou subclavière (figure 29-24 ■), et parfois dans la région abdominale. On effectue généralement cette intervention en laboratoire d'hémodynamie au moyen d'un cathéter et sous anesthésie locale. Le boîtier protège le circuit électronique de l'humidité et de la chaleur du corps. Le stimulateur cardiaque peut être alimenté par des piles au mercure-zinc (qui durent de 3 à 4 ans), des piles au lithium (qui durent jusqu'à 10 ans) ou des piles à l'énergie nucléaire comme le plutonium 238 (qui durent jusqu'à 20 ans). Certaines piles sont rechargeables. Si elles ne sont pas rechargeables et si elles se détériorent, on enlève tout le boîtier et on raccorde un nouveau boîtier aux sondes toujours en place dans le petit espace laissé par le stimulateur cardiaque, la loge sous-cutanée. Cette intervention se fait sous anesthésie locale. La personne doit savoir qu'elle devra subir une nouvelle intervention chirurgicale quand les piles seront épuisées ou défaillantes. Les piles non rechargeables s'épuisent généralement lentement. Un examen clinique régulier permet de déterminer en toute sécurité le moment où il faut changer l'appareil.

En cas d'apparition soudaine de bradycardie, une stimulation électrique d'urgence s'impose. On a alors recours à la stimulation cardiaque transthoracique. La plupart des défibrillateurs sont maintenant conçus pour effectuer ce type de stimulation, mais les défibrillateurs externes automatiques (DEA) ne le sont pas (voir p. 305). On place de grandes électrodes de stimulation cardiaque sur le thorax avant et arrière de la personne. Il s'agit parfois des mêmes électrodes thoraciques que celles utilisées dans la défibrillation ou la cardioversion. On branche les électrodes au défibrillateur, qui fait office de stimulateur cardiaque transthoracique (figure 29-25 ■). Le traitement peut occasionner des douleurs importantes car la décharge doit passer à travers la peau et les tissus de la personne avant d'atteindre le cœur. On ne l'utilise donc qu'en cas d'urgence et de façon temporaire. On doit envisager rapidement l'administration d'un sédatif ou d'un analgésique. Ce type de stimulation nécessite l'hospitalisation de la personne.

Fonctionnement du stimulateur cardiaque

À cause de la complexité des stimulateurs cardiaques et de leur utilisation répandue, on a adopté un code international qui permet de les désigner en indiquant clairement leur fonctionnement. Ce code s'appelle code NASPE-BPEG, car il est approuvé par la North American Society of Pacing and Electrophysiology et le British Pacing and Electrophysiology Group. Le code complet se compose de cinq lettres, dont les trois premières seulement servent dans la pratique courante.

La première lettre désigne toujours la ou les cavités cardiaques stimulées, autrement dit l'endroit où est placée l'électrode de stimulation: *A* pour oreillette, *V* pour ventricule, *D* pour double (*A* et *V*) et *O* pour aucune stimulation.

La deuxième lettre désigne le site de détection, autrement dit la cavité d'où provient l'information sur l'activité cardiaque qui est acheminée au boîtier pour programmer une réponse: *A* pour oreillette, *V* pour ventricule, *D* pour double (*A* et *V*) et *O* pour aucune détection.

La troisième lettre désigne le mode de fonctionnement du stimulateur cardiaque en réponse à la détection: *I* pour **inhibé**, *T* pour **déclenché**, *D* pour double (inhibé et déclenché) et *O* pour aucune réponse. Le terme «inhibé» signifie que la réponse du stimulateur cardiaque est commandée par l'activité cardiaque intrinsèque: le stimulateur ne fonctionne pas quand le cœur bat normalement, mais fonctionne si aucun battement n'est détecté. En revanche, une réponse «déclenchée» est une réponse fixe fondée sur l'activité intrinsèque du cœur.

Les quatrième et cinquième lettres ne sont utilisées que dans le cas des stimulateurs cardiaques permanents. La quatrième lettre du code indique la capacité du stimulateur cardiaque à être programmé ou réinitialisé: *O* pour aucune programmation, *P* pour programmation simple, *M* pour multiprogrammation (au moins trois paramètres peuvent être réglés, soit le seuil de stimulation, la fréquence de la stimulation et la quantité d'énergie transmise), *C* pour capacité de transmission de données (on peut lire des informations ou interroger le stimulateur cardiaque au moyen d'un programmateur placé au-dessus du thorax) et *R* pour capacité d'asservir le stimulateur cardiaque à des paramètres physiologiques, de sorte qu'il s'adapte aux besoins métaboliques de la personne. Dans

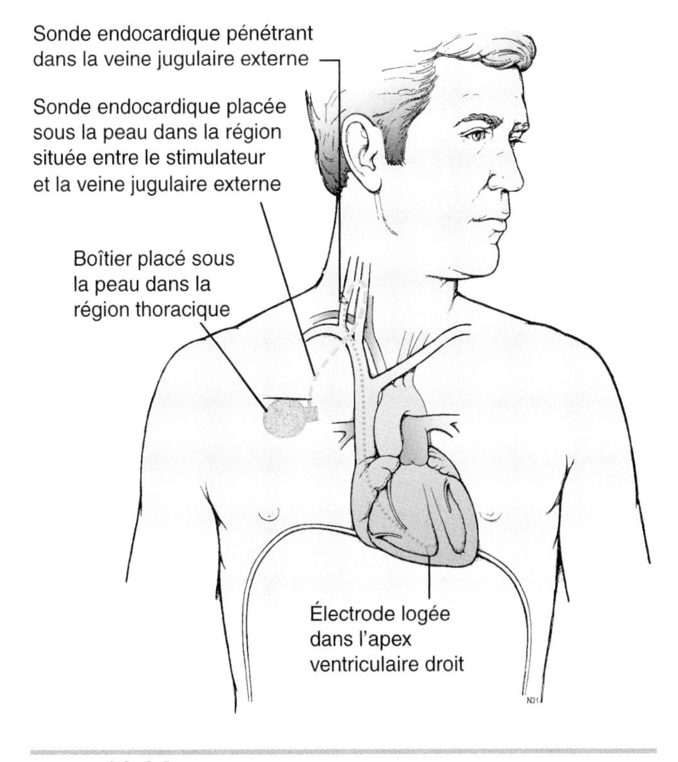

FIGURE 29-24 ■ Positionnement endoveineux d'une sonde endocardique et du boîtier du stimulateur cardiaque.

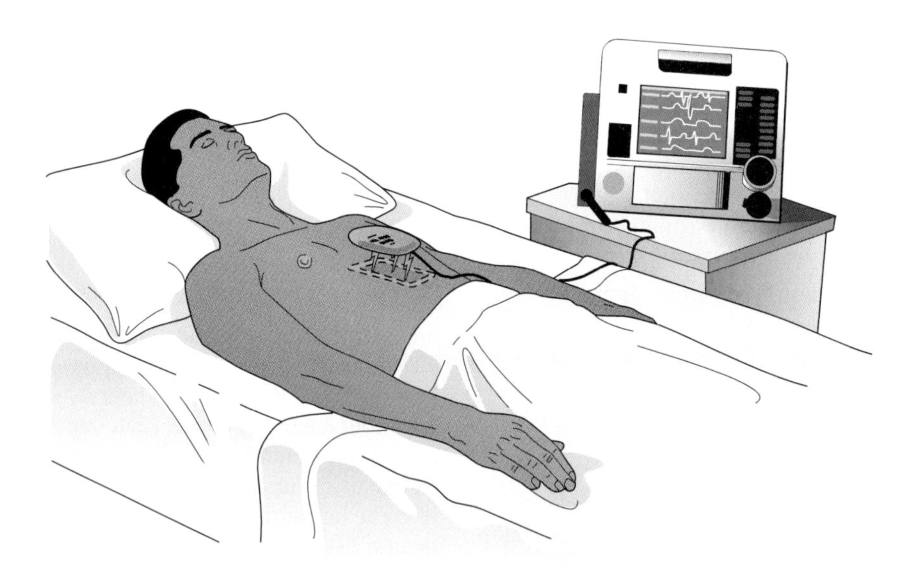

FIGURE 29-25 ■ Stimulateur cardiaque transthoracique.

ce dernier cas, la fréquence du stimulateur cardiaque s'ajustera selon des signaux biologiques comme les variations de l'équilibre acidobasique, la température, la fréquence et la profondeur des respirations et la saturation en oxygène. Un stimulateur cardiaque doté de cette capacité de réponse de la fréquence pourra donc maintenir un débit cardiaque optimal et recréer, notamment, une adaptation presque physiologique de la fréquence cardiaque à l'effort.

La cinquième lettre indique si le stimulateur cardiaque permanent a une fonctionnalité antitachycardique ou de défibrillation permettant de restaurer le rythme sinusal de la personne : *P* pour stimulation antitachycardique, *S* pour défibrillation, *D* pour double capacité (stimulation antitachycardique et défibrillation) et *O* pour aucune fonctionnalité antitachycardique et aucune fonctionnalité de défibrillation. La stimulation antitachycardique sert à mettre fin à un épisode de tachycardie provoqué par une perturbation du système de conduction appelée réentrée (boucle répétitive d'une même impulsion dans le cœur). Le stimulateur cardiaque transmet une impulsion ou une série d'impulsions à un rythme rapide afin de perturber le rythme en cours, d'interrompre la boucle et de mettre ainsi fin à l'épisode de tachyarythmie.

Voici par exemple ce que signifie DVI selon la codification NASPE-BPEG :

D : il y a deux électrodes de stimulation en place, une dans l'oreillette et une dans le ventricule.

V : le stimulateur cardiaque détecte seulement l'activité du ventricule.

I : le stimulateur cardiaque ne crée pas d'impulsion lorsque le ventricule est en activité intrinsèque ; il stimule l'oreillette puis le ventricule quand il ne détecte aucune activité dans le ventricule après un certain temps (le temps est programmé dans le stimulateur en fonction de chaque personne).

Le type de stimulateur cardiaque choisi et les programmations sélectionnées dépendent de la nature de l'arythmie, de la fonction cardiaque sous-jacente et de l'âge de la personne. Lorsqu'une impulsion est émise par le stimulateur cardiaque, une ligne verticale droite apparaît sur le tracé ECG. Cette ligne est appelée « spicule ». Le tracé cardiaque est adéquat si les ondes de dépolarisation appropriées suivent le spicule, ce qui indique que l'impulsion a entraîné une activité cardiaque : une onde P doit donc suivre le spicule auriculaire, et un complexe QRS, le spicule ventriculaire. Comme l'impulsion est émise d'une région différente d'où provient le rythme normal de la personne, le complexe QRS ou l'onde P qui répond à la stimulation a une allure différente de celle du tracé cardiaque habituel. On utilise le terme *complexe de capture* pour mettre en évidence le contrôle de l'impulsion électrique sur le tracé ECG et indiquer que le complexe correspondant suit le spicule sans autre rythme sous-jacent.

On programme généralement le stimulateur cardiaque pour qu'il détecte l'activité intrinsèque du cœur et y réponde ; on parle alors de stimulateur cardiaque « à la demande » ou « sentinelle » (figure 29-26 ■). Si le stimulateur cardiaque est réglé pour la stimulation, mais non pour la détection, on parle de stimulateur « à fréquence fixe » ou « asynchrone » (figure 29-27 ■) ; la codification NASPE-BPEG correspondante est AOO ou VOO. Le stimulateur cardiaque à fréquence fixe envoie des stimulations à une fréquence constante, indépendamment du rythme intrinsèque du cœur de la personne. La stimulation AOO touche uniquement les oreillettes ; elle est réservée aux personnes qui ont subi une intervention chirurgicale au cœur et qui présentent une bradycardie sinusale. La stimulation AOO assure le synchronisme entre la stimulation auriculaire et la stimulation ventriculaire et, par conséquent, la contraction, tant qu'il n'y a pas de perturbations de conduction dans le nœud AV. La stimulation VOO est rare car le stimulateur risque d'émettre une impulsion durant la phase vulnérable de la repolarisation et de provoquer une TV.

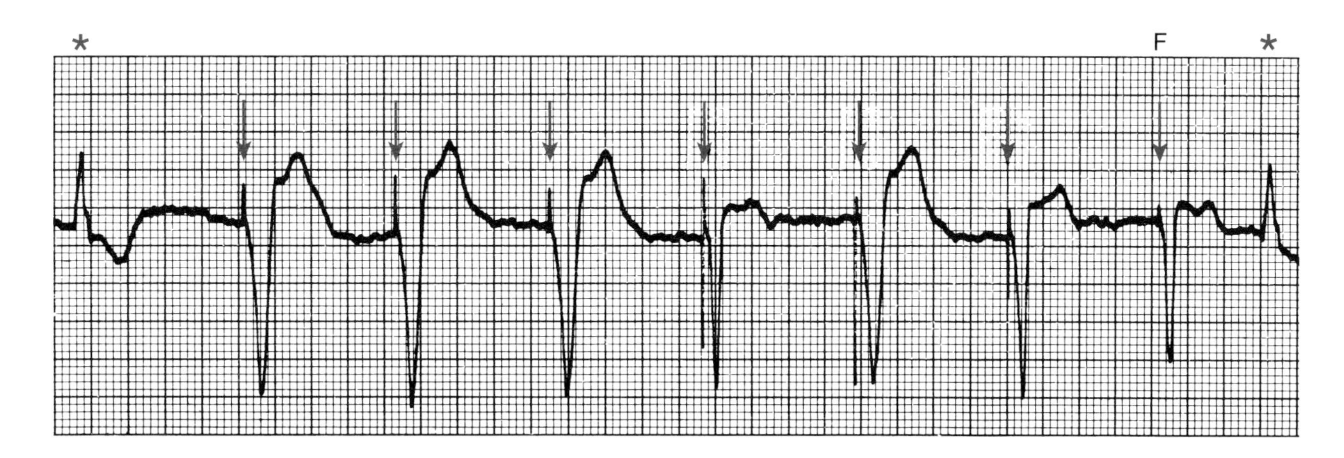

FIGURE 29-26 ■ Stimulation cardiaque à la demande dans la dérivation V_1. Les flèches indiquent les spicules. Les astérisques indiquent les battements intrinsèques de la personne et signifient par conséquent qu'il n'y a pas de stimulation cardiaque. La lettre F indique une onde de fusion, combinaison d'un battement intrinsèque et d'un battement stimulé.

Complications associées aux stimulateurs cardiaques

Les complications associées aux stimulateurs cardiaques sont liées à leur présence même dans le corps et aux problèmes de fonctionnement. La présence d'un stimulateur cardiaque dans le corps peut entraîner les conséquences suivantes:

- Une infection localisée au site d'insertion des sondes du stimulateur cardiaque temporaire ou dans la région sous-cutanée du site d'implantation du stimulateur cardiaque permanent.
- Des saignements et la formation d'un hématome au site d'insertion des sondes du stimulateur cardiaque temporaire ou dans la région sous-cutanée du site d'implantation du stimulateur cardiaque permanent.
- Une phlébite, une embolie gazeuse, un pneumothorax ou un hémothorax causés par la ponction de la veine subclavière ou de l'artère mammaire interne.
- Des ESV et de la TV causées par l'irritation de la paroi ventriculaire lors du positionnement de l'électrode endocardique.
- Une perforation du myocarde occasionnée par un mouvement ou un mauvais positionnement de l'électrode endocardique.
- Une stimulation du nerf phrénique, du diaphragme (le hoquet peut être un signe) ou du muscle squelettique si l'électrode est mal placée ou si l'énergie émise (mA) est élevée.
- Dans de rares cas, une tamponnade cardiaque causée par l'épanchement occasionné soit par le retrait des électrodes épicardiques utilisées pour la stimulation temporaire, soit par une perforation du myocarde.

Dans les heures qui suivent la pose d'un stimulateur cardiaque temporaire ou permanent, la complication la plus fréquente est le déplacement de l'électrode de stimulation. Limiter les activités de la personne contribue à prévenir cette complication. Si l'électrode a été insérée par voie endoveineuse, l'infirmière doit immobiliser le membre affecté. Lorsqu'elle porte un stimulateur cardiaque permanent, la personne doit restreindre ses activités du côté où le stimulateur est implanté.

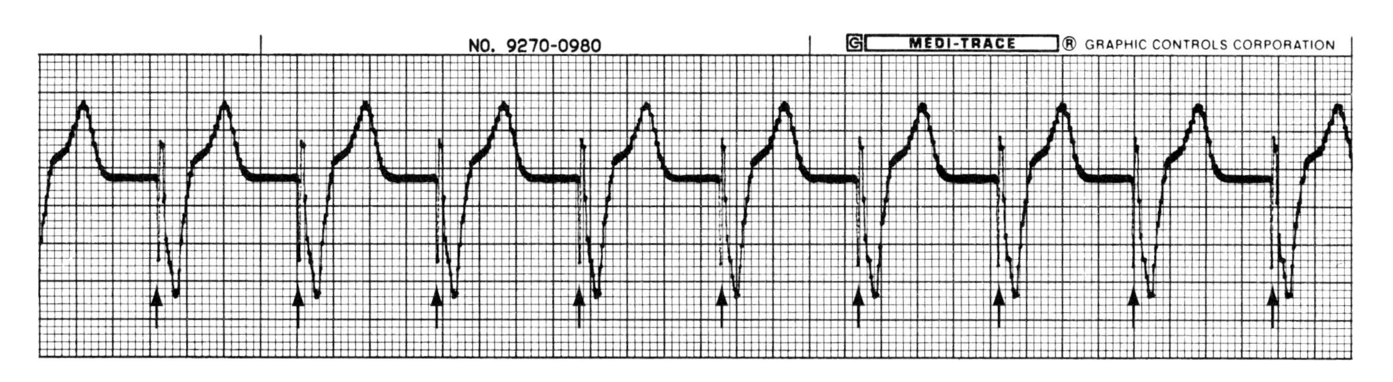

FIGURE 29-27 ■ Stimulation cardiaque à fréquence fixe ou problème de détection insuffisante avec stimulation asynchrone dans la dérivation V_1. Les flèches indiquent les spicules.

L'infirmière surveille l'ECG très attentivement afin de détecter tout mauvais fonctionnement du stimulateur cardiaque. Ce mauvais fonctionnement peut être dû à la défaillance d'une ou de plusieurs composantes du système de stimulation. Les signes indiquant ce mauvais fonctionnement sont décrits dans le tableau 29-2 ■. On doit noter les points suivants dans le dossier de chaque personne: modèle du stimulateur cardiaque, type de piles, date et heure de l'implantation, emplacement du stimulateur cardiaque, valeurs des différents paramètres du circuit électronique, dont la fréquence, le seuil de stimulation, l'intensité du courant (mA) et la durée entre les impulsions auriculaires et ventriculaires (délai auriculo-ventriculaire). Il est important de disposer de ces informations pour s'assurer du bon fonctionnement du stimulateur et pour diagnostiquer tout mauvais fonctionnement.

La personne dont le stimulateur cardiaque fonctionne mal peut ressentir les signes et symptômes d'une baisse de débit cardiaque, plus ou moins marquée selon l'importance de la défaillance, son degré de dépendance à l'égard du stimulateur et sa condition sous-jacente. On diagnostique ces défaillances au moyen de l'ECG. Il est parfois nécessaire de replacer les électrodes, de changer les paramètres du circuit électronique, de remplacer le boîtier ou les sondes (ou les deux).

L'exposition à un champ magnétique important (interférences électromagnétiques) peut entraîner le mauvais fonctionnement des stimulateurs cardiaques permanents. Grâce à certaines innovations technologiques, les personnes portant un stimulateur cardiaque peuvent cependant utiliser en toute sécurité la plupart des appareils électroménagers électroniques et beaucoup d'instruments tels que les fours à microondes ou les outils électriques, à condition de les tenir éloignés du stimulateur. Avant de travailler sur les moteurs à essence, la personne doit les arrêter. Les objets qui contiennent des aimants comme le combiné d'un poste téléphonique standard, les gros haut-parleurs stéréo, les produits de thérapie

TABLEAU 29-2

Signes indiquant un mauvais fonctionnement du stimulateur cardiaque

Problèmes	Causes possibles	Interventions
Perte de capture: le complexe ne suit *pas* le spicule.	■ Impulsion inadéquate ■ Mauvais positionnement de l'électrode ■ Épuisement des piles ■ Bris de l'isolant électrique	■ S'assurer que toutes les connexions sont bien branchées; augmenter l'ampérage (mA). ■ Repositionner l'extrémité de la sonde en tournant la personne du côté gauche. ■ Changer les piles. ■ Changer le boîtier.
Détection insuffisante: le spicule se produit à un intervalle régulier, indépendamment du rythme intrinsèque de la personne.	■ Réglage de la sensibilité trop élevé ■ Interférence électromagnétique (par exemple à cause d'un aimant) ■ Stimulateur cardiaque défectueux	■ Diminuer le réglage de la sensibilité. ■ Éliminer la source de l'interférence ou s'en éloigner. ■ Remplacer le stimulateur cardiaque.
Détection excessive: artéfact causé par la perte de la stimulation; la stimulation ne se produit *pas* à intervalles réguliers malgré l'absence de rythme intrinsèque.	■ Réglage de la sensibilité trop faible ■ Interférence électromagnétique ■ Épuisement des piles	■ Augmenter le réglage de la sensibilité. ■ Éliminer la source de l'interférence ou s'en éloigner. ■ Changer les piles.
Perte de la stimulation: absence totale de spicules.	■ Épuisement des piles ■ Connexions lâches ou fils débranchés ■ Perforation du muscle cardiaque	■ Changer les piles. ■ Vérifier toutes les connexions. ■ Faire passer un ECG et une radiographie pulmonaire. ■ Ausculter la région cardiaque à la recherche de bruits anormaux. ■ Appeler le médecin.
Modification dans la forme des complexes QRS capturés.	■ Perforation septale	■ Faire passer un ECG et une radiographie pulmonaire. ■ Ausculter la région cardiaque à la recherche de bruits anormaux. ■ Appeler le médecin.
Soubresaut rythmique du diaphragme, spasme musculaire de la paroi thoracique ou hoquet.	■ Courant de sortie (mA) trop élevé ■ Perforation du muscle cardiaque	■ Diminuer l'ampérage (mA). ■ Fermer le stimulateur cardiaque. ■ Appeler immédiatement le médecin. ■ Surveiller de près l'apparition de signes ou symptômes de diminution du débit cardiaque.

aimantée (matelas, bijouterie et enveloppements) ne doivent pas être situés près du stimulateur cardiaque pendant plus de quelques secondes. Il est conseillé d'utiliser son téléphone cellulaire numérique du côté opposé à celui où se trouve le boîtier. Les champs magnétiques importants, comme ceux produits par l'imagerie par résonance magnétique (IRM), les tours et les lignes de télécommunication, les tours et les lignes à haute tension de transport d'énergie (ces dernières sont différentes des lignes du réseau de distribution qui amènent l'électricité aux maisons) et les postes électriques peuvent causer des interférences électromagnétiques. Il est donc recommandé aux personnes portant un stimulateur cardiaque d'éviter l'exposition aux champs magnétiques ou de simplement s'éloigner de leur source si elles se sentent étourdies ou ressentent des battements rapides du cœur, des stimulations irrégulières ou des malaises. Le soudage à l'arc et l'utilisation d'une scie à chaîne ne sont pas recommandés. Si la personne doit utiliser ces outils, il est préférable de prendre des précautions et notamment d'employer un courant de soudage entre 60 et 130 ampères ou de se servir des scies à chaîne fonctionnant à l'électricité et non à l'essence.

Le métal qui entre dans la fabrication du boîtier peut déclencher de fausses alertes aux portiques antivol et de détection d'arme. Ces portiques n'entraînent généralement pas de mauvais fonctionnement du stimulateur cardiaque, contrairement aux palettes de détection du métal qu'on trouve dans les aéroports, auxquelles il est recommandé de ne pas s'exposer: la personne doit demander une fouille manuelle et porter une carte, un médaillon ou un bracelet d'alerte médicale indiquant qu'elle a un stimulateur cardiaque.

Suivi de la personne portant un stimulateur cardiaque

Le suivi des personnes qui ont un stimulateur cardiaque est effectué dans des cliniques spécialisées. On y vérifie le fonctionnement du dispositif afin de détecter toute défaillance des piles ou du circuit électronique. Selon le type de stimulateur cardiaque et l'équipement disponible, on évalue aussi d'autres facteurs, tels que le bris de la sonde, l'inhibition musculaire et la rupture de l'isolant. S'il y a lieu, on ferme le stimulateur cardiaque pendant quelques secondes, à l'aide d'un aimant ou d'un programmateur, pendant qu'on enregistre un ECG afin d'évaluer le rythme cardiaque intrinsèque de la personne.

On peut aussi étudier le fonctionnement d'un stimulateur cardiaque à distance grâce à la transmission transtéléphonique. Un équipement spécialisé permet de transmettre par téléphone des données sur le stimulateur cardiaque de la personne à un système de réception d'une clinique spécialisée dans les stimulateurs cardiaques. Les données sont converties en signaux puis traduites sur tracé ECG, ce qui permet à un cardiologue d'obtenir et d'évaluer la fréquence du stimulateur, ainsi que d'autres données importantes concernant son fonctionnement. Cette méthode facilite le diagnostic des défaillances des stimulateurs cardiaques, rassure la personne et a l'avantage de pouvoir être utilisée pour suivre des personnes qui sont éloignées des centres spécialisés.

DÉMARCHE SYSTÉMATIQUE dans la pratique infirmière

Personne portant un stimulateur cardiaque

COLLECTE DES DONNÉES

Après la pose d'un stimulateur cardiaque temporaire ou permanent, on doit surveiller la fréquence et le rythme cardiaques de la personne sur ECG. Afin d'évaluer la fonction du stimulateur cardiaque, l'infirmière note les paramètres de ce dernier et les compare à ceux qu'enregistre l'ECG. On peut détecter tout mauvais fonctionnement en examinant le spicule du stimulateur cardiaque et sa relation avec les éléments du tracé ECG qui apparaissent après lui (figure 29-28 ■). En outre, l'infirmière évalue la stabilité hémodynamique et le débit cardiaque afin d'établir la réponse de la personne à la stimulation et l'adéquation de cette réponse. Elle surveille toute apparition nouvelle, résurgente ou plus fréquente d'arythmies et en informe le médecin.

Elle observe régulièrement la région où a été implanté le boîtier (stimulateur permanent) ou le site d'insertion des sondes endoveineuses (stimulateur temporaire) afin de déceler saignements, hématome ou signes d'infection. Les principaux signes d'infection sont les suivants: tuméfaction, sensibilité excessive, écoulement suspect et chaleur. Certaines personnes se plaignent aussi d'élancements persistants et de douleur. On doit informer le médecin de ces symptômes.

On évalue également la personne qui porte un stimulateur cardiaque temporaire afin de détecter toute interférence électromagnétique et en particulier toute manifestation d'électrotraumatismes par microchocs. L'infirmière évalue les sources potentielles d'interférences électriques dans l'environnement de la personne. Tout le matériel utilisé doit être mis à la terre afin d'offrir une sécurité parfaite et d'éviter les fuites de courant qui pourraient provoquer une FV pour le porteur de stimulateur cardiaque temporaire. Pour la même raison, on doit s'assurer que tous les fils électriques sont isolés avec une matière non conductrice. Il est recommandé, en cas de doute sur la sécurité de l'environnement de la personne, de faire appel à un ingénieur biomédical ou à un électricien.

On doit être à l'affût de tout signe d'anxiété, surtout si la personne porte un stimulateur cardiaque permanent. Il faut également évaluer chez la personne et sa famille le degré de connaissances, les besoins d'apprentissage, ainsi que les antécédents sur le plan de l'observance thérapeutique.

ANALYSE ET INTERPRÉTATION

Diagnostics infirmiers

En se fondant sur les données recueillies, l'infirmière peut poser les diagnostics infirmiers suivants:

- Risque d'infection, relié à l'insertion d'une sonde ou d'un boîtier de stimulateur cardiaque
- Anxiété, reliée à l'utilisation de stratégies d'adaptation inefficaces
- Connaissances insuffisantes sur les exigences des autosoins

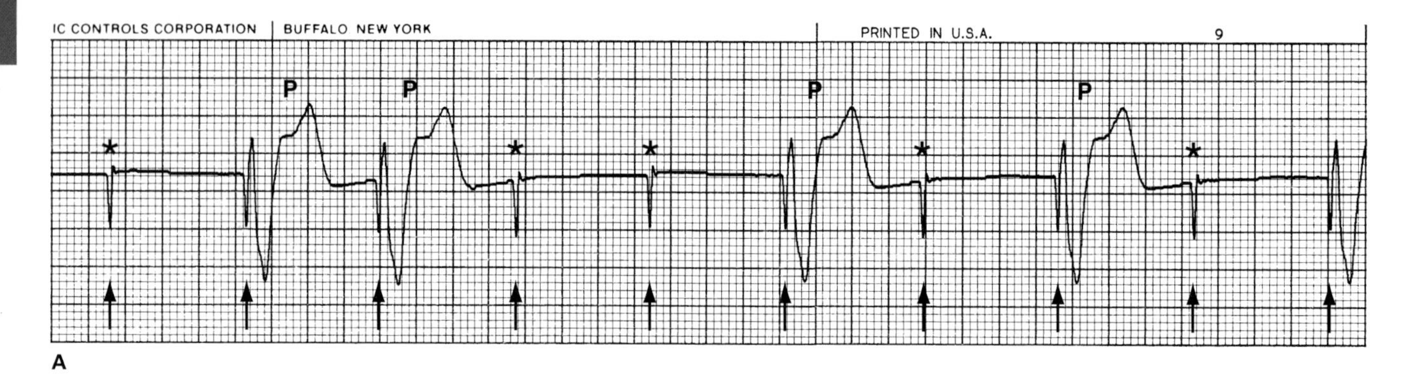

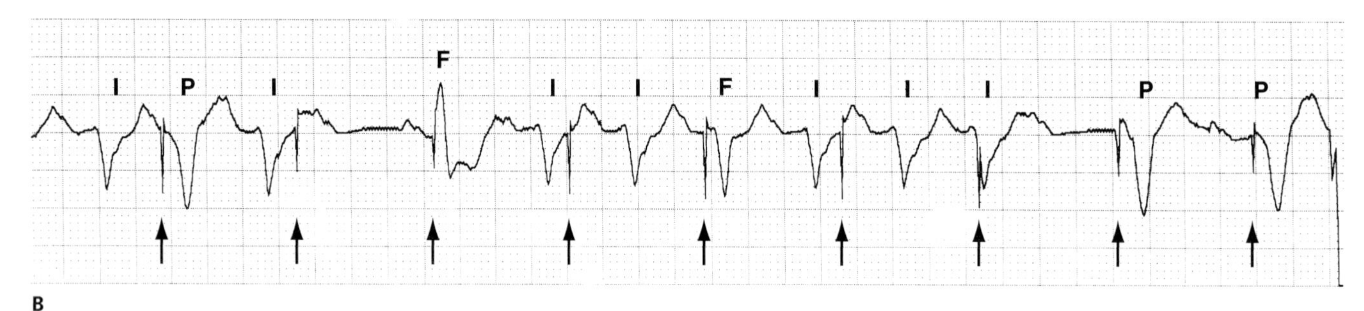

FIGURE 29-28 ■ **(A)** Stimulation ventriculaire avec perte intermittente de capture quand le spicule de stimulation n'est pas suivi d'un complexe QRS. **(B)** Stimulation ventriculaire avec une détection insuffisante : le spicule se produit au mauvais moment. Légende : ↑ = spicule ; * = perte de capture ; P = complexe QRS déclenché par le stimulateur ; I = complexe QRS intrinsèque de la personne ; F = complexe de fusion (un complexe QRS formé par la combinaison du complexe QRS intrinsèque de la personne et du complexe QRS déclenché par le stimulateur cardiaque). Les deux tracés ECG sont observés dans la dérivation V_1.

Problèmes traités en collaboration et complications possibles

En se fondant sur les données recueillies, l'infirmière peut déterminer les complications susceptibles de survenir, notamment une diminution du débit cardiaque associée à un mauvais fonctionnement du stimulateur cardiaque. Certaines complications sont davantage associées à l'implantation de l'appareillage nécessaire pour la stimulation. Ce sont notamment le risque d'infection, de saignements, d'hématome, de phlébite, d'embolie gazeuse, de pneumothorax ou d'hémothorax. Le positionnement de l'électrode peut occasionner des arythmies, une stimulation anormale des structures anatomiques avoisinantes, une perforation du muscle cardiaque, voire, dans de rares cas, une tamponnade.

PLANIFICATION

Les principaux objectifs sont les suivants : prévenir les infections ; favoriser les stratégies d'adaptation efficaces afin d'être en mesure d'observer le plan de traitement ; et maintenir le bon fonctionnement du stimulateur cardiaque.

INTERVENTIONS INFIRMIÈRES

Prévenir les infections

L'infirmière change le pansement régulièrement et examine la plaie chirurgicale ou le site d'insertion afin de déceler rougeur, œdème, douleur ou écoulement suspect. Si la température de la personne monte, l'infirmière doit en informer le médecin et lui faire part de toute modification de l'aspect de la plaie.

Favoriser des stratégies d'adaptation efficaces

La personne qui porte un stimulateur cardiaque est aux prises avec des changements physiques et émotionnels qui perturbent toutes ses habitudes de vie. À différents moments durant la convalescence, elle peut éprouver de la colère, du découragement, de la peur, de l'anxiété ou une combinaison de ces émotions. Bien que chaque personne utilise ses propres stratégies d'adaptation (par exemple humour, prière, discussion avec un ami) pour gérer sa détresse émotionnelle, certaines stratégies peuvent donner de meilleurs résultats que d'autres. Certains signes peuvent indiquer que la personne s'adapte mal à sa condition, notamment la tendance à s'isoler des autres, l'irritabilité accrue ou prolongée, la dépression et les difficultés dans les relations interpersonnelles.

Afin de favoriser des stratégies d'adaptation efficaces, l'infirmière doit constater l'état émotionnel de la personne et l'aider à exprimer ses émotions. Elle peut l'aider à prendre conscience des changements survenus (par exemple la perte de la capacité de pratiquer des sports de contact), et l'aider à reconnaître la réponse émotionnelle au changement (par exemple la colère) et la façon dont elle réagit à cette émotion (par exemple en se mettant facilement en colère lorsqu'elle en parle avec son conjoint). Le rôle de l'infirmière est de rassurer la personne et de lui faire comprendre que ses réactions sont normales, tout en l'aidant à se fixer des objectifs réalistes (par exemple s'intéresser à une autre activité) et à préparer un plan pour atteindre ces objectifs. L'infirmière peut également enseigner à la personne des techniques de réduction de stress faciles à utiliser, qui l'aideront à s'adapter à son nouvel état. L'enseignement donné à la personne peut l'aider à s'adapter aux changements associés au stimulateur cardiaque (encadré 29-3 ■).

Favoriser les soins à domicile et dans la communauté

Enseigner les autosoins

Après la pose d'un stimulateur cardiaque, le séjour à l'hôpital de la personne peut durer moins de 24 à 48 heures. Il est courant que le suivi soit effectué en clinique spécialisée ou au cabinet du médecin. L'anxiété et le sentiment de vulnérabilité qu'éprouve la personne peuvent l'empêcher d'assimiler les informations qu'on lui communique. C'est pourquoi les infirmières travaillent en partenariat avec un proche du réseau naturel de soutien. Les infirmières enseignent alors en tenant compte des besoins déterminés par la personne et sa famille ou le proche. Dans cet enseignement, on doit notamment insister sur le fait qu'il est important de surveiller périodiquement le stimulateur cardiaque, de favoriser la sécurité, d'éviter l'infection et les sources d'interférence électromagnétique (encadré 29-3).

ÉVALUATION

Résultats escomptés

Les principaux résultats escomptés sont les suivants:

1. La personne ne présente pas d'infection.
   a) La température corporelle demeure dans les limites de la normale.
   b) La numération leucocytaire est dans les limites de la normale (5 000 à 10 000/mm^3).
   c) Il n'y a ni rougeur ni tuméfaction dans la zone d'insertion du stimulateur cardiaque.
2. La personne connaît ses autosoins.
   a) Elle nomme les signes et symptômes d'infection.
   b) Elle sait dans quels cas consulter le médecin, la clinique spécialisée ou le service des urgences.
   c) Elle se conforme à son programme de surveillance et de suivi.
   d) Elle sait comment éviter les interférences électromagnétiques.
3. La personne veille au bon fonctionnement de son stimulateur cardiaque.
   a) Elle prend son pouls à intervalles réguliers et note les résultats obtenus.
   b) La fréquence et le rythme du pouls de la personne ne présentent pas de fluctuations brusques.

CARDIOVERSION ET DÉFIBRILLATION

On recourt à la cardioversion et à la défibrillation pour traiter les tachyarythmies. La technique consiste à envoyer une décharge électrique afin de dépolariser une masse critique de cellules myocardiques. Lorsque les cellules se repolarisent, le nœud sinusal est généralement en mesure de reprendre son rôle de stimulateur cardiaque naturel. La précision du moment où est envoyé le courant électrique est la principale différence entre la cardioversion et la défibrillation. Une autre différence importante tient aux situations dans lesquelles on utilise ces techniques: on recourt généralement à la défibrillation en situation d'urgence, alors qu'on planifie habituellement (mais pas toujours) la cardioversion.

On peut envoyer la décharge électrique au moyen de palettes de défibrillation ou de grandes électrodes thoraciques. Les deux palettes de défibrillation peuvent être placées au niveau du thorax selon la technique standard (figure 29-29 ■). On peut également appliquer une seule palette de défibrillation au niveau du thorax et raccorder l'autre à un adaptateur muni d'une longue poignée qu'on place sur le dos de la personne. Pour cette seconde technique, on utilise le positionnement antéropostérieur (figure 29-30 ■).

! ALERTE CLINIQUE *Lorsqu'on utilise des palettes de défibrillation, on doit appliquer l'agent conducteur approprié entre les palettes et la peau de la personne. On ne doit jamais utiliser un autre type de conducteur, comme du gel à ultrasons.*

Au lieu d'utiliser des palettes de défibrillation, on peut se servir d'un défibrillateur multiparamétrique à grandes électrodes thoraciques (figure 29-31 ■). Ces électrodes, qui contiennent un agent conducteur, sont appliquées au même endroit que les palettes de défibrillation. Comme elles sont branchées sur le défibrillateur, on peut effectuer la défibrillation sans manipulation. Cette méthode permet de réduire les risques d'électrotraumatisme présents lorsque l'on touche la personne durant l'intervention. C'est de cette façon que les DEA envoient le courant électrique.

Qu'elle utilise des palettes de défibrillation ou les grandes électrodes thoraciques, l'infirmière doit observer deux mesures de sécurité essentielles. La première consiste à maintenir un bon contact entre les palettes de défibrillation ou les grandes électrodes thoraciques et la peau de la personne au moyen d'un agent conducteur adéquat. On évite ainsi les fuites de courant électrique dans l'air et les risques de brûlures électriques lorsqu'on déclenche le défibrillateur. La deuxième consiste à s'assurer que nul ne touche, directement ou indirectement, le lit ou la personne au moment de la décharge électrique: on réduit ainsi les risques que quelqu'un d'autre que la personne reçoive la décharge électrique.

Lorsqu'elle effectue la défibrillation ou la cardioversion, l'infirmière doit se rappeler les points importants suivants:

- Lorsqu'on utilise des grandes électrodes thoraciques ou des palettes de défibrillation, on doit appliquer un agent conducteur approprié entre les émetteurs de courant et la peau. L'agent conducteur est offert en feuille, en gel ou en pâte.
- On doit appliquer les grandes électrodes thoraciques ou les palettes de défibrillation en veillant, d'une part, à ce qu'elles ne touchent pas les vêtements ou la literie de la

ENCADRÉ 29-3

GRILLE DE SUIVI DES SOINS À DOMICILE

Personne portant un stimulateur cardiaque

Après avoir reçu l'enseignement sur les soins à domicile, la personne ou le proche aidant peut:	Personne	Proche aidant
SURVEILLER LE BON FONCTIONNEMENT DU STIMULATEUR		
■ Expliquer pourquoi il est important, tout particulièrement dans le mois qui suit l'implantation, de respecter les rendez-vous à intervalles réguliers fixés par le médecin ou la clinique spécialisée afin de vérifier la fréquence de stimulation du stimulateur cardiaque et son fonctionnement.	✔	
■ Respecter le programme d'autosoins et de surveillance tel qu'il a été indiqué après l'implantation.	✔	
■ Prendre son pouls quotidiennement. La personne sait qu'elle doit appeler *immédiatement* son médecin, la clinique spécialisée ou le service des urgences en cas de ralentissement ou d'accélération brusques de la fréquence, ce qui pourrait indiquer un mauvais fonctionnement du stimulateur cardiaque.	✔	✔
■ Accepter de se prêter à des examens de surveillance plus fréquents lorsqu'elle anticipe l'épuisement des piles. (Le moment de la réimplantation dépend du type de piles utilisé.)	✔	
■ Comprendre que le remplacement du stimulateur, quand les piles sont épuisées ou quand une composante du stimulateur cardiaque doit être remplacée, nécessite une hospitalisation.	✔	✔
FAVORISER LA SÉCURITÉ ET PRÉVENIR L'INFECTION		
■ Porter des vêtements amples sur la région où est implanté le boîtier.	✔	
■ Savoir pourquoi il y a un léger gonflement de la peau dans la région de l'implantation.	✔	✔
■ Connaître la marche à suivre si cette région devient rouge ou douloureuse: aviser son médecin ou la clinique spécialisée.	✔	✔
■ Protéger cette région contre les traumatismes.	✔	
■ Étudier les instructions du fabricant et se familiariser avec le fonctionnement du stimulateur cardiaque.	✔	✔
■ Poursuivre ses activités physiques, mais éviter les sports de contact.	✔	
■ Porter une carte ou un bracelet mentionnant le nom de son médecin, le type et le numéro du modèle du stimulateur cardiaque, le nom du fabricant, la fréquence du stimulateur et le nom du centre hospitalier où l'implantation a été faite.	✔	
ÉVITER L'EXPOSITION AUX CHAMPS MAGNÉTIQUES		
■ Comprendre qu'elle doit s'éloigner des champs magnétiques importants comme ceux provenant de l'IRM, des gros moteurs, des soudeuses à arc électrique ou des postes électriques, car ils risquent de désactiver le stimulateur.	✔	
■ Comprendre que certains petits dispositifs (à moteur ou électriques) et les téléphones cellulaires risquent de perturber le fonctionnement du stimulateur s'ils se trouvent très près du boîtier: elle évite de se pencher directement au-dessus de ces appareils ou s'assure que le contact est bref; elle utilise le téléphone cellulaire du côté opposé à celui du boîtier.	✔	✔
■ Expliquer que des appareils ménagers comme les fours à microondes ne devraient causer aucun problème.	✔	✔
■ Exiger une détection manuelle aux portiques de sécurité des aéroports et des édifices gouvernementaux, en montrant une pièce justificative indiquant qu'elle porte un stimulateur cardiaque.	✔	✔

personne, et d'autre part, à ce qu'elles ne soient pas proches des timbres transdermiques médicamenteux ou du débit d'oxygène.

- Dans le cas de la cardioversion, il faut s'assurer que les électrodes du moniteur cardiaque sont bien raccordées à la personne et que le défibrillateur est en mode synchrone. Dans le cas de la défibrillation, il faut s'assurer que le défibrillateur n'est pas en mode synchrone, car la plupart des machines sont par défaut en mode asynchrone.
- On ne doit pas mettre la machine sous tension avant d'être prêt à l'utiliser. On doit éviter d'actionner le

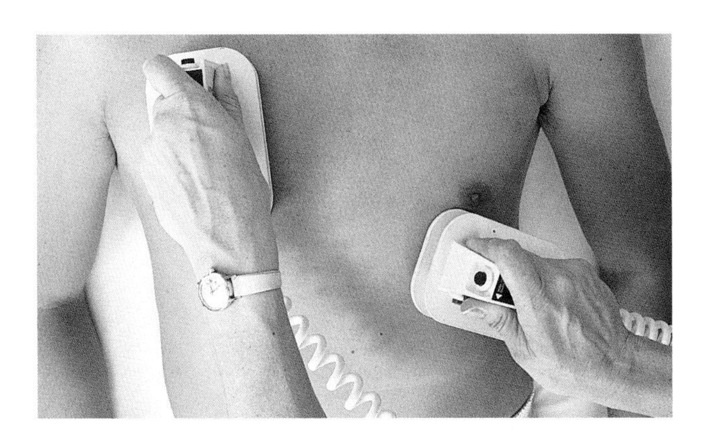

FIGURE 29-29 ■ Technique standard de positionnement des palettes de défibrillation.

mécanisme de décharge en éloignant prudemment les doigts des boutons de mise en fonction jusqu'à ce que les palettes de défibrillation soient en position et qu'on soit prêt à envoyer la décharge électrique. Dans le cas des grandes électrodes thoraciques, il est impératif de les fixer parfaitement et avec vigilance avant d'actionner le mécanisme de décharge.

- On doit exercer une pression de 10 kg environ sur chacune des palettes de défibrillation afin d'assurer un bon contact avec la peau.
- Avant d'appuyer sur le bouton de décharge, on doit avertir les intervenants qu'ils doivent dégager la zone en les avisant trois fois de « Reculer ». La première fois, l'avertissement permet à la personne qui procède à l'intervention de vérifier si elle libère elle-même la zone dangereuse, c'est-à-dire qu'elle ne touche ni à la personne, ni au lit, ni à l'équipement ; la deuxième fois, on s'assure que l'équipe de réanimation ne touche pas la personne, le lit, l'équipement ou le tube endotrachéal ; la troisième fois, avant d'effectuer la décharge, on vérifie visuellement que tout le monde s'est éloigné de la personne et que rien ni personne ne la touche.
- Pour chacune des décharges électriques envoyées, l'infirmière doit noter le courant utilisé et les résultats obtenus (rythme et fréquence cardiaques).
- Une fois l'intervention achevée, on inspecte la peau sous les palettes de défibrillation ou les grandes électrodes thoraciques à la recherche de brûlures éventuelles ; s'il y en a, on doit prévenir le médecin ou une infirmière spécialisée en soins de plaies pour déterminer le traitement approprié.

Cardioversion

La cardioversion consiste à envoyer un courant électrique « synchronisé » pour faire cesser un épisode de tachyarythmie. Lorsqu'on l'utilise pour effectuer une cardioversion, le défibrillateur comprend un synchronisateur dont l'action est réglée en fonction du tracé ECG apparaissant sur le moniteur cardiaque : l'impulsion électrique coïncide ainsi avec la dépolarisation ventriculaire (complexe QRS). Comme il peut s'écouler un bref délai avant que le défibrillateur reconnaisse le complexe QRS, on doit maintenir les boutons de décharge des palettes de défibrillation enfoncés jusqu'à ce que le courant ait passé. Un défibrillateur non synchronisé pourrait émettre les impulsions au cours de la période vulnérable de repolarisation (onde T) et provoquer une TV ou une FV. Lorsque le synchronisateur est sous tension, aucun courant électrique n'est envoyé tant que l'appareil ne discerne pas de complexe QRS. Parfois, il faut changer la dérivation et les électrodes pour que le moniteur puisse reconnaître le complexe QRS de la personne.

Si la cardioversion est élective, il peut être indiqué d'amorcer l'anticoagulation quelques semaines auparavant. Généralement, la personne doit aussi cesser de prendre de la digoxine 48 heures avant l'intervention de façon à assurer la reprise du rythme sinusal avec conduction normale. On demande à la personne de rester à jeun au moins 8 heures avant l'intervention. Lorsqu'on effectue une cardioversion, on applique les palettes de défibrillation recouvertes de gel ou les grandes électrodes thoraciques en suivant la technique du positionnement antéropostérieur. Avant la cardioversion, la personne reçoit une médication sédative et un analgésique ou un anesthésique. La respiration est ensuite assurée grâce à de l'oxygène d'appoint administré par ballon réanimateur manuel. Bien que les personnes aient rarement besoin d'être intubées, on doit garder à portée de main l'équipement nécessaire à une intubation d'urgence. On utilise une décharge de 25 à 360 joules, selon la technologie du défibrillateur et le type d'arythmie. Si une FV se produit après la cardioversion, on doit recharger immédiatement le défibrillateur, le positionner en mode asynchrone et effectuer une défibrillation.

Une cardioversion réussie se manifeste par le rétablissement du rythme sinusal, des pouls périphériques palpables et une pression artérielle dans les limites de la normale. Comme la personne est sous sédation, on doit assurer la perméabilité de ses voies respiratoires et évaluer son niveau de conscience. On doit évaluer et consigner à intervalles réguliers les signes vitaux et la saturation en oxygène de la personne jusqu'à ce que son état se soit stabilisé et qu'elle soit éveillée et remise de la sédation et des effets des analgésiques ou de l'anesthésie. Il est essentiel d'effectuer un monitorage au moyen d'un ECG durant et après la cardioversion, d'analyser les résultats et de les consigner dans le dossier.

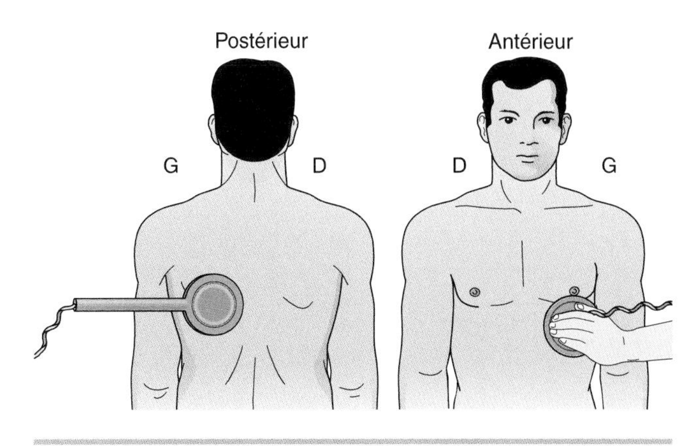

FIGURE 29-30 ■ Technique antéropostérieure de positionnement des palettes de défibrillation.

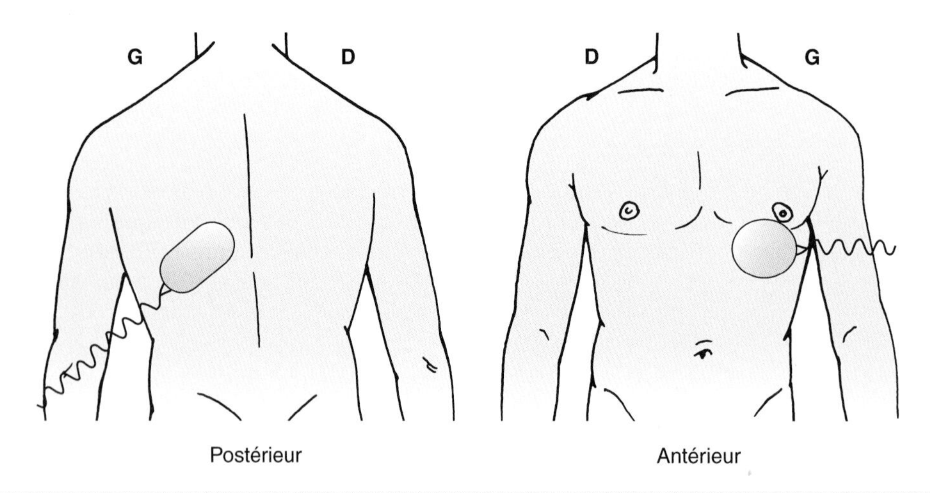

FIGURE 29-31 ■ Grandes électrodes thoraciques en position antéropostérieure pour la défibrillation.

Défibrillation

On recourt à la défibrillation dans les situations d'urgence pour traiter la TV sans pouls ou la FV. La défibrillation provoque une dépolarisation de toutes les cellules myocardiques simultanément, ce qui permet au nœud sinusal de reprendre son rôle de stimulateur cardiaque naturel. Le courant nécessaire pour convertir ce type d'arythmie est beaucoup plus élevé que dans la cardioversion. Si la défibrillation a échoué après trois tentatives effectuées à des courants croissants, on doit amorcer la réanimation cardiorespiratoire et commencer à prodiguer des soins avancés en réanimation.

On peut administrer de l'épinéphrine ou de la vasopressine pour permettre la constriction des vaisseaux sanguins et élever la pression artérielle. Ces médicaments peuvent également augmenter le débit sanguin des artères coronaires et cérébrales. Après avoir administré le médicament et pratiqué 1 minute de réanimation cardiorespiratoire, on effectue de nouveau une défibrillation. Si l'arythmie ventriculaire persiste, on administre des médicaments antiarythmiques comme l'amiodarone (Cordarone), la lidocaïne (Xylocaïne), le magnésium ou le procaïnamide (Pronestyl) (tableau 29-1). On poursuit ce traitement jusqu'à ce qu'un rythme fonctionnel soit rétabli ou jusqu'à ce qu'il soit établi que la personne ne peut pas être réanimée.

Défibrillateur interne à synchronisation automatique

On utilise le **défibrillateur interne à synchronisation automatique (DISA)** pour détecter et interrompre les épisodes de TV ou de FV mettant en danger la vie des personnes à risque élevé. Les catégories de personnes susceptibles de profiter ainsi de la défibrillation automatique sont bien définies: il s'agit des personnes qui ont survécu à un arrêt cardiaque, généralement causé par la FV, ou à un épisode syncopal de TV soutenue. On utilise également un DISA chez les personnes qui ont fait un infarctus du myocarde et qui présentent un risque élevé d'arrêt cardiaque.

Le DISA comprend un boîtier composé d'un circuit électronique, d'une pile, d'un accumulateur et d'au moins une sonde avec électrode permettant la détection de l'activité cardiaque intrinsèque et la transmission d'une impulsion électrique. On implante généralement l'appareil de manière similaire au stimulateur cardiaque (figure 29-32 ■). Les DISA sont conçus pour répondre à la fois aux fréquences rapides qui excèdent une certaine limite préétablie et aux variations de la ligne isoélectrique. Le DISA détecte les tachyarythmies en 5 à 10 secondes puis, après quelques secondes, le temps nécessaire pour charger le dispositif, envoie la décharge programmée au cœur par les électrodes de détection. La durée des piles est d'environ 5 ans, mais elle varie selon la façon dont le DISA est utilisé. On vérifie les piles durant les visites de suivi.

On administre généralement un antiarythmique aux personnes portant un DISA afin de réduire l'occurrence des épisodes de tachyarythmie et le recours au DISA.

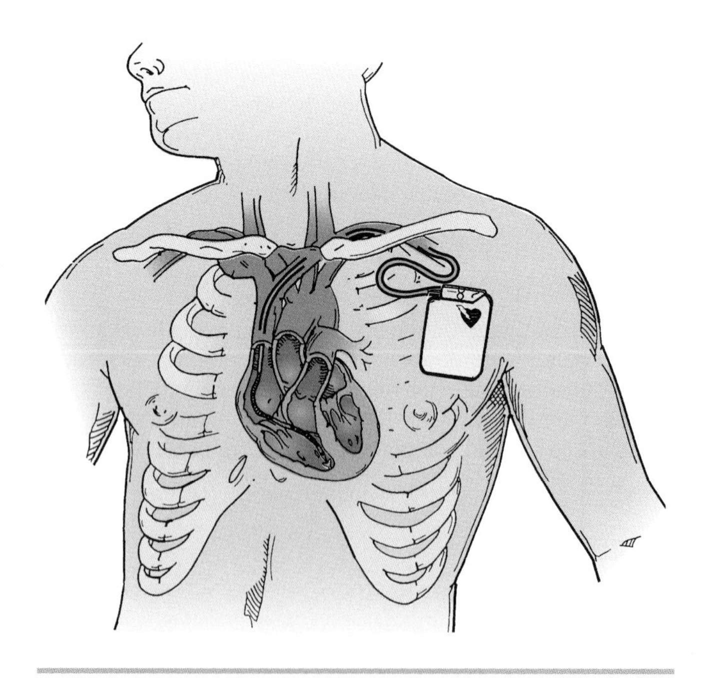

FIGURE 29-32 ■ Le défibrillateur interne à synchronisation automatique (DISA) est un dispositif composé d'un circuit électronique programmable, d'une pile, d'un accumulateur et d'au moins une sonde avec électrode de détection, de stimulation et de défibrillation.

Le premier défibrillateur, qui a été implanté en 1980 à la Johns Hopkins University, ne faisait que défibriller le cœur. Aujourd'hui, il existe plusieurs appareils programmables permettant d'effectuer de multiples traitements (Atlee et Bernstein, 2001). Chaque type d'appareil offre une séquence d'opérations particulière, mais tous peuvent envoyer une décharge à haut courant pour traiter un épisode de tachyarythmie auriculaire ou ventriculaire. L'appareil peut envoyer jusqu'à 6 décharges s'il le faut. Certains DISA peuvent aussi gérer plusieurs algorithmes antitachycardiques : l'appareil peut stimuler le cœur à une fréquence rapide afin de faire céder l'épisode de tachyarythmie ; il peut procéder par cardioversion à faible courant ; il peut intervenir par défibrillation ; ou, encore, il peut utiliser une combinaison des trois à la fois (Atlee et Bernstein, 2001). Certains DISA peuvent jouer le rôle de stimulateur cardiaque. Habituellement réservé aux personnes aux prises avec des tachyarythmies, le DISA prend aussi la relève d'un rythme lent qui se produit parfois après qu'une tachycardie a été traitée (syndrome de bradytachycardie). Dans ce cas, le mode généralement programmé est le VVI : V, stimulation du ventricule ; V, détection de l'activité ventriculaire ; I, stimulation, produite seulement si les ventricules ne se dépolarisent pas (Atlee et Bernstein, 2001). Certains DISA offrent aussi une fonctionnalité de cardioversion à faible voltage et certains traitent également la FA (Bubien et Sanchez, 2001 ; Daoud *et al.*, 2000). Le type d'appareil à utiliser et la façon de le programmer dépendent du type d'arythmie dont la personne est atteinte.

Les complications associées à l'implantation d'un DISA sont similaires à celles associées à l'implantation d'un stimulateur cardiaque. Les principales complications sont les infections chirurgicales et les complications d'ordre technique, comme l'usure prématurée des piles ou le bris d'électrodes, qui peuvent également se déplacer. Toutefois, les spécialistes s'entendent pour dire que les bienfaits de ce traitement l'emportent sur ses risques.

Les soins et traitements infirmiers à prodiguer à la personne subissant l'implantation d'un DISA s'étendent sur toute la période périopératoire. Au cours de la phase préopératoire, il se peut que l'infirmière doive non seulement préparer la personne et ses proches en leur donnant un enseignement sur la mise en place du DISA, mais également gérer une situation de soins critiques d'arythmies malignes. Dès l'implantation du DISA, l'infirmière doit observer de près la personne et évaluer sa réaction tant physique que psychologique à l'appareil. Elle réévalue, complète et renforce l'enseignement donné à la personne, à sa famille et aux proches selon les besoins répertoriés et en prévision du retour au domicile (White, 2000) (encadré 29-4 ■). L'infirmière guide et soutient la personne et son entourage dans les changements de mode de vie rendus nécessaires par l'arythmie et l'implantation du DISA (Dougherty, Benoliel et Bellin, 2000).

Études électrophysiologiques

Une étude électrophysiologique (EEP) sert à évaluer et à traiter les différentes arythmies qui ont déclenché un arrêt cardiaque ou des symptômes importants. Elle est également indiquée pour les personnes qui présentent des symptômes laissant soupçonner une arythmie qu'on n'a pas pu détecter ou diagnostiquer par d'autres méthodes. L'EEP permet d'effectuer les actions suivantes :

- Détecter la formation et la propagation d'impulsions à travers le système de conduction électrique du cœur.
- Évaluer le fonctionnement ou le dysfonctionnement de la conductibilité du nœud sinusal et du nœud AV.
- Repérer par la cartographie électrocardiaque des zones arythmogènes et leur fonctionnement.
- Évaluer l'efficacité des médicaments antiarythmiques et des appareils utilisés par les personnes souffrant d'arythmie.
- Traiter certaines arythmies en détruisant les cellules responsables (**ablation**).

Une EEP est un examen mené par cathétérisme cardiaque dans le but d'effectuer des investigations électrocardiographiques en salle d'électrophysiologie. La personne est mise sous sédation consciente. En général, on insère un cathéter muni de multiples électrodes par la veine fémorale. On le dirige ensuite vers la veine cave inférieure et on le guide vers le cœur. Les électrodes sont placées dans le cœur à des endroits précis : par exemple dans l'oreillette droite près du nœud sinusal, dans le sinus coronaire, près de la valvule tricuspide, et à l'apex du ventricule droit. Le nombre et la position des électrodes dépendent du type d'étude qu'on entreprend. Grâce à ces électrodes, on peut enregistrer l'activité électrique de l'intérieur du cœur (intracardiogramme).

Le médecin utilise également les électrodes pour déclencher une impulsion dans la région intracardiaque à des intervalles et à des fréquences rigoureusement réglés et provoquer de ce fait la région visée (stimulation programmée). On peut stimuler une région du cœur au-delà de sa fréquence naturelle d'**automaticité**, qui correspond à la fréquence à laquelle les impulsions se forment spontanément selon la région particulière du tissu nodal (par exemple entre 60 et 100 battements cardiaques dans le nœud sinusal). Ce type de stimulation à haute fréquence (*overdriving*) force les électrodes à devenir momentanément le centre d'automaticité principal mais artificiel et à commander la fréquence cardiaque en dominant tous les rythmes intrinsèques à fréquence inférieure. Ensuite, on arrête brusquement le générateur d'impulsions et on évalue le temps que le nœud sinusal met pour rétablir le rythme cardiaque. Une durée prolongée indique un dérèglement du nœud sinusal.

Le principal objectif de la stimulation programmée est d'évaluer la capacité de la zone entourant l'électrode de déclencher une arythmie par réentrée. On envoie une ou plusieurs séries d'impulsions visant à exciter le muscle cardiaque dans une région et à déclencher une tachyarythmie. Comme on ne connaît ni la zone gâchette de l'arythmie, ni la stimulation nécessaire pour la déclencher, l'électrophysiologiste utilise différentes techniques pour provoquer l'arythmie durant l'étude. Si l'arythmie peut être reproduite par stimulation programmée, on la qualifie d'« inductible ». Une fois qu'une arythmie est induite, l'électrophysiologiste établit et amorce un traitement. Si, plus tard, on ne peut pas reproduire la tachyarythmie au cours de l'EEP de suivi, le traitement est jugé efficace. Afin de contrôler de façon optimale la suppression de l'arythmie, il est possible de combiner plusieurs médicaments aux dispositifs électroniques.

ENCADRÉ 29-4

GRILLE DE SUIVI DES SOINS À DOMICILE

Personne portant un défibrillateur interne à synchronisation automatique

Après avoir reçu l'enseignement sur les soins à domicile, la personne ou le proche aidant peut:	Personne	Proche aidant
PRÉVENIR L'INFECTION DE L'INCISION CHIRURGICALE ■ Observer l'incision tous les jours afin de déceler toute rougeur, tuméfaction ou chaleur.	✔	✔
■ Prendre la température corporelle et signaler toute fébrilité.	✔	✔
■ Éviter le port de vêtements trop serrés qui pourraient entraîner une friction sur la plaie.	✔	✔
RESTREINDRE LES ACTIVITÉS ■ Comprendre qu'elle doit restreindre ses mouvements jusqu'à la guérison complète de la région de l'incision, si le DISA a été implanté dans la région pectorale.	✔	
■ Éviter de porter des objets lourds.	✔	
■ Évaluer si on peut reprendre en toute sécurité ses activités quotidiennes, notamment la conduite automobile, en collaboration avec le médecin.	✔	✔
■ Éviter les sports de contact.	✔	
ÉVITER L'EXPOSITION AUX CHAMPS MAGNÉTIQUES ■ S'éloigner des champs magnétiques importants comme ceux provenant de l'IRM, des gros moteurs, des soudeuses à arc électrique ou des postes électriques. Les champs magnétiques peuvent désactiver le DISA, annulant tout effet sur l'arythmie.	✔	
■ Exiger une détection manuelle aux portiques de sécurité des aéroports et des édifices gouvernementaux, en montrant une pièce justificative indiquant qu'on porte un DISA.	✔	
■ Comprendre que certains petits dispositifs (à moteur ou électriques) et les téléphones cellulaires risquent de perturber le fonctionnement du DISA s'ils se trouvent très près: elle évite de se pencher directement au-dessus de ces appareils ou s'assure que le contact est bref; elle utilise le téléphone cellulaire du côté opposé à celui du DISA.	✔	
■ Expliquer que des appareils ménagers comme les fours à microondes ne devraient causer aucun problème.	✔	✔
FAVORISER LA SÉCURITÉ ■ Savoir quoi faire en cas de symptômes particuliers et informer le médecin de toute décharge inhabituelle.	✔	✔
■ Noter dans un carnet les moments où le DISA s'est déclenché et les circonstances entourant la décharge. Ces informations peuvent fournir au médecin d'importants renseignements quand viendra le moment de rectifier le traitement.	✔	✔
■ Accepter de se prêter à des examens de surveillance plus fréquents lorsqu'on anticipe l'épuisement des piles.	✔	✔
■ Conseiller fortement aux proches et aux membres de la famille de suivre des cours de RCR.		✔
■ Appeler le 911 en cas d'étourdissement.	✔	✔
■ Avoir sur soi une carte, un bracelet ou un médaillon d'alerte médicale sur lequel se trouvent les informations médicales indiquant qu'on porte un DISA, le type et le numéro du modèle de l'appareil, le nom du fabricant, le nom de son médecin et le nom du centre hospitalier où l'implantation a été faite.	✔	
■ Aviser les membres de la famille et les proches qu'ils peuvent ressentir la décharge électrique émise par l'appareil lorsqu'ils touchent la personne, mais que cela est sans danger pour eux. Il est donc particulièrement important que les partenaires sexuels soient avertis de cette possibilité.	✔	✔
■ Discuter avec le médecin de la réaction psychologique à l'implantation du DISA, par exemple changement de l'image corporelle, dépression causée par la perte de liberté dans les déplacements associée aux restrictions de conduite, peur des décharges électriques, anxiété accrue, préoccupations concernant les rapports sexuels qui peuvent déclencher le DISA et changements dans les relations avec le partenaire.	✔	✔

Personne portant un défibrillateur interne à synchronisation automatique (*suite*)

Après avoir reçu l'enseignement sur les soins à domicile, la personne ou le proche aidant peut:	Personne	Proche aidant
OBSERVER LES SOINS DE SUIVI ■ Se présenter aux rendez-vous fixés pour évaluer le fonctionnement du DISA. Ne pas oublier d'apporter le carnet dans lequel sont notées les décharges à examiner avec le médecin.	✔	✔
■ Adhérer à un groupe de soutien aux porteurs de DISA situé dans la région.	✔	

Les complications possibles au cours d'une EEP sont similaires à celles qui surviennent durant un cathétérisme cardiaque. Comme le cathéter n'est pas toujours introduit par voie artérielle, le risque de complications vasculaires est plus faible qu'avec les autres interventions par cathétérisme. Durant l'EEP, il peut se produire un arrêt cardiaque, mais le risque est faible (moins de 1%).

Les personnes qui vont subir une EEP peuvent se sentir angoissées par cette intervention et ses résultats. On doit leur donner, à elles et à leurs proches, les informations et l'enseignement qui les aideront à gérer l'anxiété suscitée par l'examen. L'électrophysiologiste doit s'assurer que la personne est en mesure de donner un consentement éclairé. Avant l'intervention, on doit lui expliquer en quoi consiste l'étude et lui indiquer sa durée, l'environnement dans lequel on l'effectue et à quoi elle doit s'attendre. Bien qu'elle soit indolore, l'EEP peut occasionner un certain désagrément et de la fatigue. Elle peut aussi faire resurgir des émotions vécues au cours des épisodes d'arythmie. On doit également expliquer aux personnes ce qu'on attend d'elles, notamment: demeurer étendues sans bouger durant l'intervention, et signaler les symptômes ou les malaises qu'elles ressentent.

Les personnes doivent être conscientes du fait qu'une arythmie peut survenir, mais dans des conditions hautement surveillées, et qu'elle prend généralement fin d'elle-même. Si l'arythmie persiste, on administre rapidement un traitement pour rétablir le rythme régulier de la personne. Au cours de l'étude, on doit adopter une approche calme et rassurante afin d'aider la personne à se détendre.

Une fois l'EEP effectuée, les soins et traitements infirmiers consistent notamment à restreindre les activités de la personne afin de favoriser l'hémostase au point d'insertion du cathéter. Dans le but de détecter toute complication et d'assurer une surveillance sécuritaire de la personne durant la convalescence immédiate, on évalue fréquemment les signes vitaux et le site d'insertion.

Traitements chirurgicaux des troubles du rythme cardiaque

Les tachycardies auriculaires et ventriculaires qui ne répondent pas aux médicaments et pour lesquelles on ne peut recourir à la stimulation antitachycardique peuvent être traitées par d'autres méthodes que les médicaments et les appareils. Ces méthodes sont notamment l'isolement endocardique, la résection endocardique et l'ablation, qui sont généralement guidés par une cartographie électrocardiaque per-procédure. Il est également possible d'associer l'implantation d'un DISA à ces techniques chirurgicales afin de mieux contrôler les tachyarythmies.

Isolement endocardique

L'isolement endocardique est une technique chirurgicale de segmentation qui consiste à effectuer un ensemble de lésions stratégiques autour du tissu qui est la cause fondamentale de la tachyarythmie. Ce tissu est communément appelé «substrat arythmogène». L'intervention consiste à séparer la zone d'où provient l'arythmie de l'endocarde environnant. Les bords de l'incision sont ensuite suturés ensemble. L'incision et le tissu cicatriciel qui en résulte isolent électriquement l'arythmie, l'empêchant ainsi d'affecter l'ensemble du cœur.

Résection endocardique

Dans le cas de la résection endocardique, on connaît l'origine de l'arythmie et on procède à une excision du substrat arythmogène. La lésion superficielle créée n'exige habituellement pas de reconstruction ou de réparation.

Ablation par cathéter

L'ablation percutanée par cathéter consiste à détruire les cellules et le tissu responsables des mécanismes de la tachyarythmie. On effectue cette ablation soit dans le cadre d'une EEP, soit après cette étude. On recourt habituellement à l'ablation dans les cas de tachycardies par réentrée nodale, de FA ou de TV qui ne répondent pas à un traitement antérieur ou lorsque celui-ci entraîne d'importants effets secondaires.

L'ablation est également indiquée lorsqu'on doit éliminer des faisceaux auriculoventriculaires antérograde, rétrograde ou de préexcitation attribuables à une conduction accessoire, comme dans le cas du syndrome de Wolff-Parkinson-White (WPW). Au cours du développement embryonnaire, toutes les connexions existantes entre les oreillettes et les ventricules disparaissent, à l'exception de celle qui relie le nœud AV au faisceau de His. Chez certaines personnes, les connexions embryonnaires du muscle cardiaque entre les oreillettes et les ventricules demeurent, ce qui laisse une voie accessoire ou un trajet par lequel l'impulsion électrique peut passer pour court-circuiter le nœud AV. On peut localiser ces voies accessoires à plusieurs endroits. Si la personne qui souffre de cette anomalie connaît un épisode de FA, les multiples impulsions auriculaires peuvent être conduites aux ventricules à une fréquence de plus de 300 fois par minute, ce qui peut mener à une FV et à une mort cardiaque subite. On détecte les syndromes de préexcitation au moyen de signes particuliers apparaissant sur l'ECG de base. Par exemple, en cas de syndrome de WPW, l'intervalle P-R est court (moins de 0,12 seconde), la durée du complexe QRS est prolongée (plus de 0,12 seconde) et il y a un empâtement de la déflexion initiale du complexe QRS, formant ce qu'on appelle une onde delta. (figure 29-33 ■).

On peut effectuer l'ablation de trois façons différentes : ablation percutanée par radiofréquence (ARF), cryoablation et ablation électrique. L'ARF est la méthode le plus souvent utilisée : elle consiste à positionner une sonde spéciale dans la région du substrat arythmogène, et à envoyer des ondes radioélectriques à travers celle-ci. La thermocautérisation produite cause une destruction cellulaire ciblée de la région et amorce un processus de cicatrisation de la lésion. Cette technique circonscrit précisément la zone à éliminer, causant moins de dommages au tissu avoisinant que dans le cas de la cryoablation ou de l'ablation électrique.

La cryoablation consiste à insérer pendant 2 minutes une sonde spéciale, refroidie à une température de – 60 °C, dans l'endocarde sur la zone responsable de l'arythmie. Le tissu arythmogène visé gèle, ses cellules subissent des dommages irréversibles et meurent. La lésion est progressivement remplacée par du tissu cicatriciel éliminant la source de l'arythmie.

L'ablation électrique, aussi appelée électrofulguration, consiste à positionner une sonde dans la région du substrat arythmogène et à administrer entre 1 et 4 décharges de 100 à 300 joules par la sonde directement à l'endocarde et au tissu environnant. Le tissu cardiaque ainsi brûlé cicatrise, ce qui élimine la source de l'arythmie.

En prévision de l'ablation percutanée, on met en place de grandes électrodes thoraciques pour surveiller le rythme de la personne, mais aussi pour la défibriller en cas d'urgence. Une surveillance automatisée de la pression artérielle et de la saturation en oxygène est effectuée ; une sonde urinaire est installée. La personne est mise sous sédation consciente. On effectue ensuite une EEP et on tente une stimulation programmée. On place la sonde utilisée pour l'ablation dans la zone de l'arythmie grâce à un repérage par cartographie électrocardiaque, et on pratique l'ablation. Plusieurs ablations peuvent être nécessaires. On considère que l'ablation est réussie lorsqu'on ne peut plus déclencher d'arythmie. On surveille la personne pendant 30 à 60 minutes et on la met à l'épreuve de nouveau pour s'assurer que l'arythmie ne resurgira pas.

Les soins et traitements infirmiers donnés à la personne ayant subi une ablation percutanée sont similaires à ceux qu'on donne après une EEP. On surveille régulièrement l'état respiratoire et le niveau de conscience de la personne, le temps qu'elle se remette en toute sécurité de la sédation.

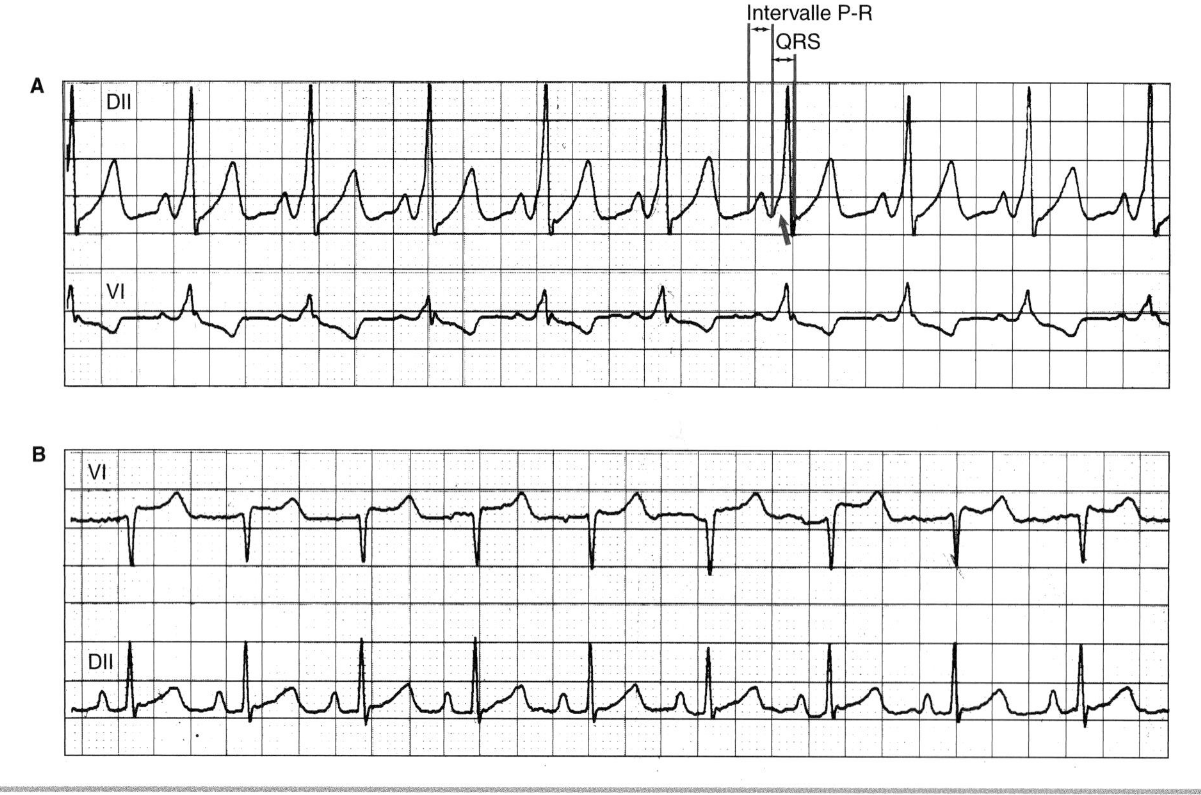

FIGURE 29-33 ■ Syndrome de Wolff-Parkinson-White.
(A) Rythme sinusal. Remarquer l'intervalle P-R court, la courbe ascendante initiale empâtée du complexe QRS (onde delta indiquée par la flèche) et la durée prolongée du complexe QRS. **(B)** Le rythme du tracé de la même personne après l'ablation.
SOURCE : Linda Ardini et Catherine Berkmeyer, Inova Fairfax Hospital, Falls Church, VA.

EXERCICES D'INTÉGRATION

1. Vous vous occupez d'un homme, un médecin, âgé de 40 ans, qui a subi un arrêt cardiaque à la maison devant son fils et sa fille, respectivement âgés de 9 et 15 ans. Après l'implantation du DISA, il semble maussade et renfermé. Lorsque vous lui demandez comment il se sent, il vous répond: «Je ne sais pas si cet appareil est une bénédiction ou une punition!» Que lui répondez-vous? Quels sont les autres facteurs importants à évaluer? En quoi ses enfants peuvent-ils modifier la perception qu'il a de son appareil? Sachant que cet homme est médecin, comment adapteriez-vous le plan thérapeutique infirmier? Comment les modifieriez-vous s'il se montrait non pas maussade et renfermé, mais irritable et agressif?

2. La personne que vous soignez, une femme active âgée de 80 ans, souffre d'insuffisance cardiaque et de FA chronique. Elle prend un inhibiteur de l'enzyme de conversion de l'angiotensine, un bêtabloquant, un diurétique et un glucoside cardiotonique. Durant l'examen clinique, elle vous dit qu'elle s'est sentie très étourdie ce matin. Sur quoi concentrerez-vous votre examen clinique, et pourquoi? Indiquez des éléments pertinents à vérifier durant l'examen clinique. Quelles sont les interventions infirmières nécessaires? Comment modifieriez-vous votre examen clinique et vos interventions si la personne souffrait de bronchopneumopathie chronique obstructive et d'insuffisance rénale?

RÉFÉRENCES BIBLIOGRAPHIQUES

en anglais • en français

American Heart Association, in collaboration with the International Liaison Committee on Resuscitation (2000). Guidelines 2000 for cardiopulmonary resuscitation and emergency cardiovascular care: An international consensus on science. *Circulation, 102*(8 Suppl.), I1–I384.

Atlee, J.L., & Bernstein, A.D. (2001). Cardiac rhythm management devices. Part I: Indications, device selection, and function. *Anesthesiology, 95*(5), 1265–1280.

Beaumont, J. (1998). *L'apprentissage des arythmies cardiaques: un guide clinique et thérapeutique* (4e éd.). Boucherville: Gaëtan Morin Éditeur.

Brûlé, M., Cloutier, L., et Doyon, O. (2002). *L'examen clinique dans la pratique infirmière.* Saint-Laurent: Éditions du Renouveau Pédagogique Inc.

Bubien, R.S., & Sanchez, J.E. (2001). Atrial fibrillation: Treatment rationale and clinical utility of nonpharmacologic therapies. *AACN Clinical Issues: Advanced Practice Acute Critical Care, 12*(1), 140–155.

Deglin, J.H., et Vallerand, A.H. (2003). *Guide des médicaments* (2e éd.). Saint-Laurent: Éditions du Renouveau Pédagogique Inc

Dougherty, C.M., Benoliel, J.Q., & Bellin, C. (2000). Domains of nursing intervention after sudden cardiac arrest and automatic internal cardioverter defibrillator implantation. *Heart & Lung, 29*(2), 79–86.

Dubeau, R., et Laguë, M. (1988). Un choc au cœur: Nouvelle technologie. *Nursing Québec, 8*(2), 37-40.

Hauptman, P.J., & Kelly, R.A. (1999). Digitalis. *Circulation, 99*(9), 1265–1270.

Implantation d'un stimulateur cardiaque (1999). Québec: Institut Universitaire de Cardiologie et de Pneumologie de l'Université Laval – Hôpital Laval.

Labonté, N. (2003). Les arythmies au cœur du travail de l'infirmière. *Info-Urgence, 17*(2), 10-15.

McNamara, R.L., Bass, E.B., Miller, M.R., Kim, N.L., Robinson, K.A., & Powe, N.R. (2001). *Management of new onset atrial fibrillation.* Evidence Report/Technology Assessment No. 12 (prepared by the Johns Hopkins University Evidence-Based Practice Center in Baltimore, MD, under Contract No. 290-97-0006). AHRQ Publication Number 01-E026. Rockville, MD: Agency for Healthcare Research and Quality.

Nadamanee K., Veerakul G., Nimmannit S., et al. (1997). Arrhythmogenic marker for the sudden unexplained death syndrome in Thai men. *Circulation, 96*, 2595-2600.

Tortora, G.J., et Reynolds Grabowski, S. (2001). *Principes d'anatomie et de physiologie.* Saint-Laurent: Éditions du Renouveau Pédagogique Inc.

Roberge, F. (1990). Le stimulateur cardiaque. *Nursing Québec, 10*(2), 16-22.

White, E. (2000). Patients with implantable cardioverter defibrillators: Transition to home. *Journal of Cardiovascular Nursing, 14*(3), 42–52.

En complément de ce chapitre, vous trouverez sur le Compagnon Web:

- une bibliographie exhaustive;
- des ressources Internet.

Adaptation française
Julie Houle, inf., M.Sc.
Professeure, Département des sciences infirmières – Université du Québec à Trois-Rivières

CHAPITRE 30

Coronaropathies

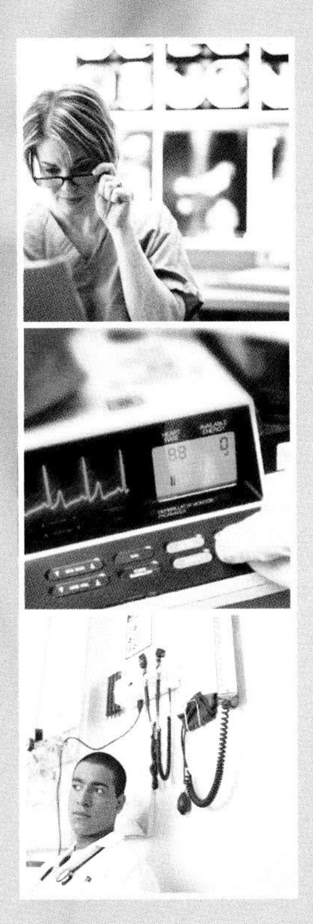

Objectifs d'apprentissage

Après avoir étudié ce chapitre, vous pourrez:

1. Décrire la physiopathologie, les manifestations cliniques et le traitement de l'athérosclérose coronarienne.
2. Décrire la physiopathologie, les manifestations cliniques et le traitement de l'angine de poitrine.
3. Appliquer la démarche systématique aux personnes souffrant d'angine de poitrine.
4. Décrire la physiopathologie, les manifestations cliniques et le traitement de l'infarctus du myocarde.
5. Appliquer la démarche systématique aux personnes qui ont subi un syndrome coronarien aigu (infarctus aigu du myocarde ou angine instable).
6. Décrire les soins prodigués aux personnes qui, atteintes de coronaropathie, ont subi une intervention chirurgicale effractive dans les artères coronaires.
7. Décrire les interventions de revascularisation des artères coronaires.
8. Décrire les soins prodigués aux personnes qui ont subi une chirurgie cardiaque.

Par le passé, les efforts visant à diagnostiquer et à traiter les maladies cardiovasculaires ont porté surtout sur les hommes de race blanche et d'un certain âge. Cependant, des études plus récentes ont montré que les personnes appartenant à d'autres groupes de la population souffraient elles aussi d'affections cardiaques graves. Les maladies cardiovasculaires sont parmi les premières causes de mortalité au Canada, chez les hommes comme chez les femmes, tous groupes raciaux et ethniques confondus; ces affections représentent également la principale cause d'hospitalisation à court terme (Fondation des maladies du cœur, 2003).

Coronaropathies

Les coronaropathies ischémiques représentent le type de maladies cardiovasculaires le plus répandu. C'est pour cette raison que les infirmières doivent se familiariser avec les divers types de maladies des artères coronaires, de même qu'avec les méthodes médicales et chirurgicales utilisées pour évaluer, prévenir et traiter ces affections.

ATHÉROSCLÉROSE CORONARIENNE

Au Canada, la maladie cardiaque la plus courante est la coronaropathie ischémique reliée à l'**athérosclérose**. Elle se caractérise par une accumulation anormale de lipides – autrement dit de graisse – et de tissu fibreux sur les parois des artères; cette accumulation provoque des obstructions et des rétrécissements qui entraînent une diminution du débit

VOCABULAIRE

Angine de poitrine: douleur thoracique qui survient à la suite d'une ischémie myocardique.

Angioplastie coronarienne transluminale percutanée: type d'intervention coronarienne percutanée; on insère un ballonnet à l'intérieur de l'artère coronaire et on le gonfle dans le but d'écraser l'athérome et d'élargir la lumière de l'artère, améliorant ainsi la circulation sanguine dans l'artère coronaire.

Athérome: plaque fibreuse, composée de cellules musculaires lisses, qui se forme sur les dépôts lipidiques à l'intérieur des vaisseaux artériels et qui fait saillie dans la lumière du vaisseau, le rétrécissant et obstruant la circulation sanguine.

Athérosclérose: accumulation anormale de dépôts lipidiques et de tissu fibreux sur les parois des artères, d'où rétrécissement de la lumière de ces dernières.

Circulation collatérale: réseau de petits vaisseaux qui approvisionnent en sang les tissus lorsque le vaisseau principal est partiellement ou totalement obstrué.

Contractilité: capacité du muscle cardiaque de se rétrécir en réaction à une impulsion électrique.

Créatine kinase (CK): enzyme qui se trouve dans les tissus humains; l'un des trois types de CK est propre au cœur et peut servir à indiquer la présence d'une lésion au muscle cardiaque.

Endoprothèse: treillis tissé qui fournit un soutien structurel à une artère coronaire de manière à l'empêcher de se refermer.

Hormonothérapie substitutive (HTS): traitement à base d'œstrogènes, de progestérone, ou des deux hormones, qu'on prescrit aux femmes ménopausées ou qui ont subi une ovariectomie.

IECA: abréviation désignant les médicaments qui inhibent l'enzyme de conversion de l'angiotensine.

Infarctus du myocarde: nécrose du tissu cardiaque causée par l'insuffisance d'oxygène dans la circulation sanguine; si la nécrose est en train de s'installer, on désigne ce phénomène par le terme d'infarctus aigu du myocarde.

Intervention coronarienne percutanée: intervention effractive qui consiste à introduire un cathéter dans l'artère coronaire. C'est l'une des méthodes utilisées pour faire céder ou réduire une obstruction dans une artère ou en atténuer la gravité.

Ischémie: diminution du débit sanguin dans un tissu ou un organe.

Lipoprotéine de faible densité (LDL): complexes formés de lipides, de phospholipides et de protéines, qui transportent le cholestérol dans les tissus et le distribuent dans le corps; comportent une plus faible proportion de protéines que les lipoprotéines de haute densité; endommagent la paroi des artères.

Lipoprotéines de haute densité (HDL): complexes formés de lipides, de phospholipides et de protéines, qui acheminent le cholestérol vers le foie, où il est éliminé dans la bile; comprennent une plus forte proportion de protéines que les lipoprotéines de faible densité; ont un effet bénéfique sur la paroi des artères.

Mort subite: arrêt immédiat de l'activité cardiaque efficace.

Pontage coronarien: intervention chirurgicale au cours de laquelle on prélève un vaisseau sanguin sur une autre partie du corps pour le greffer sur l'artère coronaire obstruée, de telle sorte que le sang contourne la région bloquée.

Prévention primaire: mesures prises afin d'empêcher l'apparition de coronaropathies.

Prévention secondaire: mesures prises afin de retarder l'évolution de la coronaropathie existante.

Streptokinase: agent thrombolytique.

Syndrome coronarien aigu: ensemble de signes et symptômes qui indiquent la présence d'une angine instable ou d'un infarctus aigu du myocarde.

Thrombolytique: médicament ou processus qui permet de dissoudre les caillots sanguins.

Troponine: protéine du myocarde; en la mesurant, on sait s'il y a des lésions au muscle cardiaque.

Vasoconstricteur: agent (habituellement un médicament) qui rétrécit la lumière des vaisseaux sanguins.

Vasodilatateur: agent (habituellement un médicament) qui élargit la lumière des vaisseaux sanguins.

sanguin dans le myocarde (**ischémie**). D'après certaines études (Mehta *et al.*, 1998), l'athérosclérose constitue une réaction inflammatoire récurrente aux lésions de la paroi de l'artère de même qu'aux modifications des propriétés biophysiques et biochimiques de ces parois. L'augmentation du taux de protéine C-réactive dans le sang peut constituer un marqueur de cette réaction inflammatoire. Cependant, il ne s'agit pas d'un marqueur spécifique du phénomène de l'athérosclérose. Les spécialistes divergent d'opinion quant à l'origine des lésions athéroscléreuses, mais ils s'entendent pour dire qu'il s'agit d'une maladie évolutive dont le cours peut être retardé, et parfois même inversé.

Physiopathologie

L'athérosclérose se manifeste d'abord par des stries graisseuses, ou stries lipidiques, qui se forment dans la paroi interne des artères. Bien qu'elles soient à l'origine de l'affection, estime-t-on, on trouve fréquemment des stries lipidiques, même chez les enfants. De plus, toutes ces stries ne se transforment pas en lésions plus graves. On ne sait pas pourquoi elles continuent à évoluer dans certains cas, même si on songe à des facteurs environnementaux tout autant qu'à des facteurs génétiques. L'évolution de l'athérosclérose suscite une réaction inflammatoire des lymphocytes T et des monocytes (macrophages), qui s'infiltrent dans la zone atteinte, ingèrent les lipides et meurent, ce qui pousse les cellules musculaires lisses qui se trouvent dans la média de l'artère à proliférer et à former une plaque fibreuse. Ces dépôts, qu'on appelle **athéromes** ou plaques, font saillie dans la lumière du vaisseau, le rétrécissant et obstruant la circulation sanguine (figure 30-1 ■). Si la plaque fibreuse est épaisse et que le dépôt lipidique reste relativement stable, il peut résister au débit sanguin et au mouvement de l'artère. Si la plaque fibreuse est mince, le noyau lipidique risque de prendre de l'ampleur et de causer sa rupture, ce qui peut entraîner une hémorragie à l'intérieur de la plaque, puis la formation d'un thrombus. Celui-ci peut obstruer la circulation sanguine et mener à un **infarctus du myocarde**, autrement dit à la nécrose des tissus cardiaques.

PHYSIOLOGIE/PHYSIOPATHOLOGIE

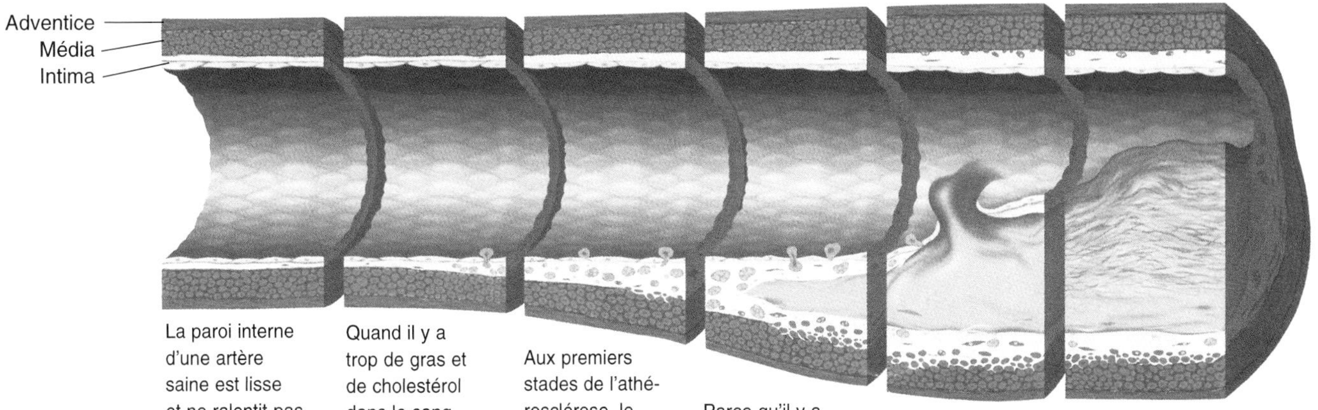

FIGURE 30-1 ■ Formation de l'athérosclérose. SOURCE: Pfizer (2002). *À cœur d'y voir clair.*

Les artères coronaires, en raison de leur structure, sont particulièrement sujettes à l'athérosclérose (figure 30-2 ■). Elles comportent en effet de nombreux angles et recoins propices au dépôt d'athéromes. Bien que les cardiopathies soient souvent causées par l'athérosclérose des artères coronaires, d'autres phénomènes peuvent entraîner une diminution du débit sanguin vers le cœur, notamment les vasospasmes (contractions ou rétrécissements soudains) d'une artère coronaire, les traumas du myocarde d'origine interne ou externe, les maladies structurelles (la valvulopathie, par exemple), les anomalies congénitales, la diminution de l'apport d'oxygène (pertes sanguines aiguës, anémie ou pression artérielle trop basse), et la hausse des besoins en oxygène (fréquence cardiaque trop rapide, thyréotoxicose ou consommation de cocaïne).

Manifestations cliniques

Les symptômes et les complications qu'entraîne l'athérosclérose coronarienne dépendent, entre autres, du territoire atteint et du degré de souffrance myocardique. Celle-ci comprend trois phases: l'ischémie, la lésion et la nécrose. Le passage d'une phase à l'autre dépend de plusieurs facteurs, dont le degré d'obstruction de l'artère coronaire (obstruction partielle ou totale) et les besoins du myocarde en oxygène. Le degré d'obstruction de l'artère coronaire influe sur l'apport en oxygène que reçoit le myocarde. Lorsqu'il y a un thrombus dans une artère, l'obstruction est totale et l'apport en oxygène est nul dans le territoire irrigué par l'artère obstruée. Plus l'écart entre l'apport et les besoins en oxygène est important, plus l'évolution d'une phase à l'autre est rapide. Les phases d'ischémie et de lésion sont réversibles, tandis que la phase de nécrose est irréversible.

D'habitude, le blocage de la circulation sanguine coronarienne s'effectue progressivement; la quantité de sang approvisionnant les cellules musculaires se restreint peu à peu, ce qui réduit l'apport en oxygène dont elles ont besoin pour bien fonctionner. Ce phénomène s'appelle ischémie. Quant au terme d'**angine de poitrine**, il désigne la douleur thoracique causée par l'ischémie myocardique. L'angine de poitrine provient généralement d'une importante athérosclérose coronarienne. Si l'apport en sang diminue de manière notable, si cette réduction dure suffisamment longtemps, ou si ces deux phénomènes se produisent simultanément, il peut arriver que les cellules myocardiques subissent des *lésions*. Selon l'importance des lésions, on donne à cette phase le nom d'*infarctus aigu du myocarde* ou d'*angine instable*. Si l'obstruction de l'artère coronaire est totale et que ce phénomène a une durée suffisamment longue, les cellules en souffrance évolueront vers la phase de *nécrose;* celle-ci se caractérise par l'irréversibilité des lésions et on l'appelle infarctus du myocarde. Avec le temps, les parties irréversiblement endommagées du myocarde subissent des modifications et elles sont remplacées par du tissu cicatriciel, occasionnant un dysfonctionnement plus ou moins sérieux du muscle cardiaque.

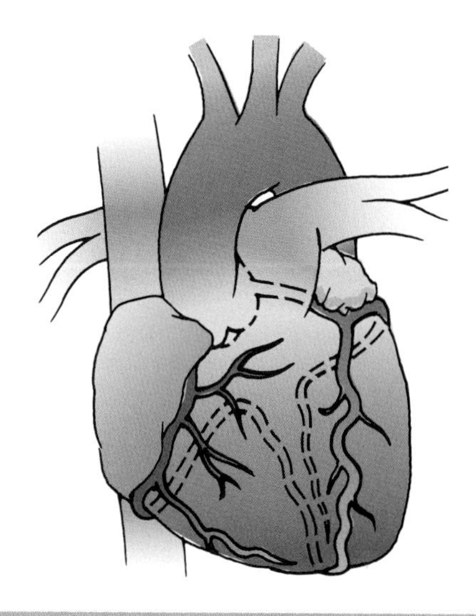

FIGURE 30-2 ■ Angles formés par les artères coronaires. En raison de leurs nombreuses inflexions et courbures, les artères coronaires sont sujettes à la formation de plaques athéromateuses. Les pointillés illustrent le tracé des artères qui approvisionnent la paroi postérieure du cœur.

Si les dommages myocardiques ont une certaine importance, il se peut que le débit cardiaque soit inadéquat, ce qui signifie que le cœur n'est plus en état de remplir ses fonctions de manière satisfaisante, situation qu'on appelle insuffisance cardiaque (IC). La diminution de l'apport en sang peut provoquer des arythmies causant un arrêt subit du cœur, événement que l'on nomme **mort subite**.

La manifestation la plus courante de l'ischémie myocardique est une douleur thoracique aiguë et récurrente. Cependant, une étude épidémiologique portant sur des patients de Framingham, au Massachusetts (États-Unis), a montré que près de 15 % des hommes et des femmes qui avaient eu un infarctus du myocarde n'avaient ressenti aucun symptôme (Kannel, 1986). Selon une autre étude, 33 % des personnes chez qui on avait diagnostiqué un infarctus du myocarde ne s'étaient pas présentées à l'urgence en se plaignant de douleur thoracique (Canto *et al.*, 2000; Ishihara *et al.*, 2000). Les personnes qui n'avaient ressenti aucune douleur thoracique étaient d'habitude plus âgées, il s'agissait plutôt de femmes, de personnes souffrant de diabète ou ayant des antécédents d'insuffisance cardiaque. On a découvert que les femmes avaient plus de symptômes atypiques d'ischémie du myocarde (dyspnée, nausée, fatigue inhabituelle, par exemple) que les hommes (Meischke *et al*, 1999). En outre, on a montré que la fréquence de l'angine prodromique (autrement dit d'une angine qui survient quelques heures ou quelques jours avant l'infarctus aigu du myocarde) était beaucoup moins élevée chez les personnes âgées de plus de 70 ans (Ishihara *et al.*, 2000). Mentionnons d'autres manifestations cliniques de la coronaropathie: anomalies détectées par les changements dans l'électrocardiogramme (ECG), concentrations élevées d'enzymes et de protéines myocardiques, arythmies et mort subite.

Facteurs de risque

Les études épidémiologiques ont attiré l'attention sur un certain nombre de facteurs prédisposant aux cardiopathies, entre autres le tabagisme, l'hypertension artérielle, les dyslipidémies, les antécédents familiaux de cardiomyopathie prématurée (parent au premier degré ayant souffert d'une maladie cardiovasculaire à 55 ans ou moins chez les hommes, et à 65 ans ou moins chez les femmes) et l'âge (> 45 ans chez les hommes; > 55 ans chez les femmes). Les lignes directrices pour la prise en charge des dyslipidémies et la prévention des maladies cardiovasculaires (Genest, Frolich, Fodor et McPherson, 2003) fournissent les indications les plus récentes concernant les méthodes utilisées dans le diagnostic, l'évaluation et le traitement des personnes qui ont un taux de cholestérol trop élevé; il est question de **prévention primaire** (visant à empêcher l'apparition des symptômes de coronaropathies) et de **prévention secondaire** (visant à freiner la progression de la maladie).

Les **lipoprotéines de faible densité (LDL)** constituent aujourd'hui encore les principales cibles du traitement visant à abaisser les taux de cholestérol trop élevés. Le rapport entre le cholestérol total (CT) et le taux de **lipoprotéines de haute densité (HDL)** constitue également une cible thérapeutique importante, car il s'agit d'un indicateur du risque de maladie cardiovasculaire valable et précis (Genest *et al.*, 2003). L'encadré 30-1 ■ présente les affections qui comportent un risque élevé de coronaropathie. Les cibles thérapeutiques des LDL sont déterminées à partir du niveau de risque que présente la personne (chapitre 28, tableaux 28-6 et 28-7).

Le *syndrome métabolique,* qui englobe des variables lipidiques et des variables non lipidiques d'origine métabolique, représente lui aussi un facteur de risque associé aux coronaropathies. Ce syndrome comprend l'obésité abdominale, un taux de triglycérides trop élevé, un taux de HDL peu élevé, une pression artérielle systolique trop élevée ainsi que des anomalies dans le fonctionnement de l'insuline (insulinorésistance) qui se manifestent par un taux de glycémie à jeun plus élevé que la normale. Selon Genest et ses collaborateurs (2003), on dit qu'une personne souffre du syndrome métabolique lorsqu'elle présente au moins trois de ces facteurs (tableau 30-1 ■).

On a également découvert (Homocysteine Studies Collaboration, 2002) que des taux relativement bas d'homocystéine, qui est un acide aminé, étaient associés à une faible réduction du risque de cardiopathie ischémique ou d'AVC. Les résultats de ces études rétrospectives donnent à penser que l'homocystéine favoriserait l'athérosclérose. En effectuant une méta-analyse des études de cohorte, on a établi un lien important entre les taux d'homocystéine et les cardiopathies ischémiques, de même qu'entre l'homocystéine et les AVC (Wald, Law et Morris, 2002). Les auteurs de cette étude recommandent de prendre tous les jours environ 0,8 mg d'acide folique pour abaisser les taux d'homocystéine dans le sang et réduire ainsi le risque de cardiopathie ischémique et d'AVC. Une étude plus récente a démontré qu'un supplément d'acide folique ou de vitamine B_6 ne diminuait pas le risque de maladie cardiovasculaire et que l'association des deux pouvait au contraire l'augmenter (Bonaa, 2005). Cependant, l'American Heart Association a déclaré que, jusqu'à ce qu'on ait obtenu les résultats d'essais aléatoires, il n'est pas indiqué de mesurer les concentrations d'homocystéine à titre de test de routine (Malinow, Bostom et Krauss, 1999).

On ne conseille pas d'évaluer systématiquement les autres facteurs de risque qui pourraient se manifester, par exemple l'augmentation des lipoprotéines(a) [Lp(a)], des taux de fibrinogène et des taux d'homocystéine; tous ces examens paracliniques sont effectués de manière optionnelle (Expert Panel, 2001).

Prévention

On a cerné quatre grands facteurs de risque modifiables – dyslipidémie, tabagisme, hypertension artérielle et diabète – qui prédisposent aux coronaropathies et aux complications associées. L'obésité abdominale est également un facteur crucial dans la formation du syndrome métabolique qui est à l'origine de l'athérosclérose. C'est pourquoi on accorde aujourd'hui plus d'importance aux programmes de prévention (encadré 30-2 ■).

Maîtriser les dyslipidémies

L'existence de rapports entre dyslipidémie et cardiopathie a été démontrée et est bien connue. Il est important de comprendre le rôle du métabolisme des lipides dans l'apparition des cardiopathies.

Comme les lipides sont insolubles dans l'eau, ils ne peuvent pas circuler librement dans le plasma qui est composé principalement d'eau. Ils se lient alors à des protéines et à des

TABLEAU 30-1

Facteurs de risque du syndrome métabolique*

Facteur de risque	Seuil critique
Obésité abdominale	Circonférence de la taille
■ Hommes	> 102 cm
■ Femmes	> 88 cm
Triglycérides	> 1,7 mmol/L
Cholestérol-HDL	
■ Hommes	< 1,0 mmol/L
■ Femmes	< 1,3 mmol/L
Tension artérielle	> 130/85 mm Hg
Glycémie à jeun	> 6,2 mmol/L

* Critère: au moins trois facteurs de risque
SOURCE: Fondation des maladies du cœur du Québec (2003). Dyslipidémies: lignes directrices 2003. Encart inséré dans *Les Actualités du cœur, 8*(3), 4.

ENCADRÉ 30-1

Affections comportant un risque élevé de coronaropathies

Les personnes les plus susceptibles d'être atteintes d'une affection cardiovasculaire sont celles qui présentent une coronaropathie ou l'une des affections suivantes:

- Diabète
- Artériopathie périphérique
- Anévrisme de l'aorte abdominale
- Maladie vasculaire cérébrale
- Néphropathie chronique

SOURCE: J. Genest, J. Frohlich, G. Fodor et R. McPherson (The Working Group on Hypercholesterolemia and Other Dyslipidemias; 2003). Recommandations for the management of dyslipidemia and the prevention of cardiovascular disease: summary of the 2003 update. *Canadian Medical Association Journal, 169* (9), 921-924.

ENCADRÉ 30-2

FACTEURS DE RISQUE

Coronaropathie

Les facteurs de risque modifiables sont des facteurs sur lesquels on peut influer, notamment en effectuant des changements dans ses habitudes de vie ou en prenant des médicaments. Les facteurs de risque non modifiables représentent des facteurs sur lesquels on ne peut influer, par exemple l'âge ou l'hérédité. Ces facteurs peuvent agir de façon isolée ou en association. Plus il y en a, plus la probabilité de coronaropathie augmente. On conseille aux personnes à risque de se soumettre régulièrement à des examens médicaux et d'adopter des habitudes de vie favorables au maintien de la santé cardiaque (en adoptant des comportements susceptibles de réduire, à long terme, les risques de coronaropathie).

FACTEURS DE RISQUE NON MODIFIABLES

- Antécédents familiaux de coronaropathies
- Âge
- Sexe (les cardiopathies sont plus fréquentes chez les hommes que chez les femmes préménopausées)

FACTEURS DE RISQUE MODIFIABLES

- Hypercholestérolémie et autres dyslipidémies
- Tabagisme
- Hypertension artérielle
- Diabète et insulinorésistance
- Baisse du taux d'œstrogènes chez les femmes
- Sédentarité
- Excès de poids

phospolipides pour former des lipoprotéines solubles dans l'eau. Les quatre principaux facteurs (cholestérol total, LDL, HDL et triglycérides) qui contribuent à l'apparition des cardiopathies relèvent du métabolisme des graisses (figure 30-3 ▪). Le cholestérol et les lipoprotéines sont synthétisés par le foie ou ingérés dans les aliments. Tous les adultes âgés de 20 ans ou plus devraient avoir un bilan lipidique à jeun (cholestérol total, LDL, HDL et triglycérides) au moins tous les 5 ans, ou plus souvent si leur bilan est anormal. Les personnes qui ont eu un infarctus aigu du myocarde, une intervention coronarienne percutanée ou un pontage coronarien doivent faire mesurer leur taux de LDL environ 60 à 365 jours après l'événement cardiaque (les taux de LDL peuvent être faibles immédiatement après l'événement). Par la suite, il faut évaluer les lipides toutes les six semaines jusqu'à ce qu'on ait atteint le taux désiré, puis tous les quatre à six mois par la suite (Expert Panel on Detection, Evaluation, and Treatment of High Blood Cholesterol in Adults, 2001 ; Genest *et al.*, 2003).

Les LDL ont un effet néfaste sur les parois artérielles et accélèrent l'athérosclérose. Par contre, les HDL favorisent le transport du cholestérol en l'acheminant jusqu'au foie, où il est biodégradé pour être ensuite excrété. On souhaite obtenir des taux de LDL relativement bas et des taux de HDL relativement élevés. Les taux de LDL visés varient selon les personnes :

- Moins de 4,5 mmol/L chez les personnes à risque faible
- Moins de 3,5 mmol/L chez les personnes à risque modéré
- Moins de 2,5 mmol/L chez les personnes à risque élevé, ou qui sont atteintes de coronaropathies ou de diabète. Selon les données les plus récentes, il y a des bénéfices à viser un taux inférieur à 2 mmol/L chez ces personnes.

On maîtrise habituellement les taux de cholestérol sérique et de LDL à l'aide d'un régime alimentaire approprié et d'activités physiques. Des médicaments peuvent également être prescrits selon le taux de LDL de la personne et le risque de coronaropathies.

Le taux de HDL doit se situer à plus de 1,04 mmol/L, et de préférence dépasser les 1,55 mmol/L. Un taux élevé de HDL aide à réduire le risque de coronaropathie, puisqu'il fait office d'agent protecteur.

Les triglycérides, autre substance lipidique, se composent d'acides gras, transportés dans le sang par une lipoprotéine. Un taux élevé de triglycérides (>2,3 mmol/L) peut être d'origine génétique ; il peut également être causé par l'excès de poids, la sédentarité, la prise d'alcool, les régimes alimentaires à haute teneur en glucides, le diabète, les maladies du rein et certains médicaments comme les contraceptifs oraux, les corticostéroïdes, et les bêtabloquants à forte dose. On intervient auprès des personnes dont le taux de triglycérides est élevé en leur suggérant de perdre du poids et d'accroître leur activité physique. En présence d'hypertriglycéridémie grave, on peut employer certains médicaments comme l'acide nicotinique et les acides fibriques (fénofibrate [Lipidil], gemfibrozil [Lopid], bezafibrate [Bezalip]), surtout si le taux de triglycérides dépasse 6 mmol/L, une fois que la personne a modifié ses habitudes de vie (Genest *et al.*, 2003).

Les lipoprotéines(a), ou Lp(a), représentent une composante des LDL et sont rattachées à une protéine spéciale appelée apo(a). Le taux de Lp(a) est d'abord déterminé par la génétique ; il a été associé à un risque plus élevé de coronaropathies lorsqu'il est élevé. Cependant, les essais cliniques n'ont pas permis de mettre au jour des procédés susceptibles de le faire baisser et on n'a pas non plus prouvé que cela peut réduire les risques de cardiopathie ; de plus, les taux de Lp(a) ne sont habituellement pas maîtrisés (Danesh *et al*, 2000 ; Gibbons *et al.*, 1999).

Recommandations quant au régime alimentaire On trouvera au tableau 30-2 ▪ les recommandations proposées dans le cadre des modifications thérapeutiques aux habitudes de vie (Expert Panel on Detection, Evaluation, and Treatment of High Blood Cholesterol in Adults, 2001). Cependant, il peut être nécessaire d'adapter ces recommandations aux besoins nutritionnels précis de la personne qui consulte, d'une femme enceinte ou d'un diabétique, par exemple, qu'on doit alors diriger vers une nutritionniste. On conseille également de perdre du poids, de cesser de fumer et d'accroître les activités physiques.

Les fibres alimentaires solubles peuvent également contribuer à faire baisser le taux de cholestérol LDL. Les fibres alimentaires que l'on trouve dans les fruits frais, les céréales à grains entiers et les légumineuses favorisent l'augmentation de l'excrétion du cholestérol métabolisé. L'efficacité des fibres en matière de réduction du cholestérol fait encore l'objet

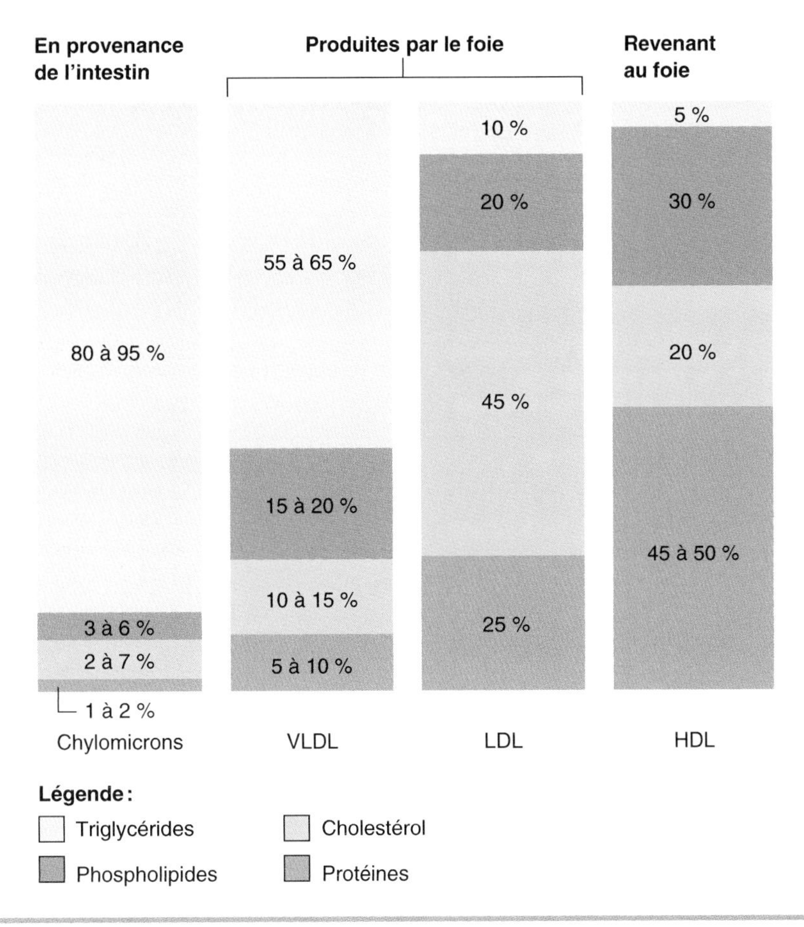

FIGURE 30-3 ■ Composition approximative des lipoprotéines qui transportent les lipides dans les liquides de l'organisme. VLDL : lipoprotéines de très basse densité ; LDL : lipoprotéines de basse densité ; HDL : lipoprotéines de haute densité.
SOURCE : E.N. Marieb (2004). *Human Anatomy of Physiology* (6e éd.). San Francisco : Pearson Education, Inc. Traduction française : © ERPI, 2005, p. 1004.

d'études. On recommande de consommer chaque jour de 20 à 30 grammes de fibres (Expert Panel on Detection, Evaluation, and Treatment of High Blood Cholesterol in Adults, 2001).

De nombreuses ressources sont mises à la disposition des personnes qui tentent de maîtriser leur taux de cholestérol. L'Association médicale canadienne, la Fondation des maladies du cœur du Canada et l'Association canadienne du diabète, de même que les groupes de soutien aux personnes atteintes de coronaropathies et les sources fiables dans Internet (site de Passportsante.net, par exemple) ne représentent que quelques-unes des ressources offertes.

Les livres de cuisine et les recettes dans lesquels figurent la composition nutritionnelle des aliments constituent également des ressources auxquelles les personnes peuvent se reporter. Il est dorénavant plus facile de surveiller ce que l'on mange, car ceux qui fabriquent des produits alimentaires sont tenus d'indiquer sur les étiquettes la liste des informations d'ordre nutritionnel. Les personnes désireuses d'avoir une alimentation qui leur permette de garder leur cœur en santé doivent prêter tout particulièrement attention aux informations suivantes :

- Taille de la portion, exprimée en mesures usuelles
- Quantité de gras par portion
- Quantité de cholestérol par portion
- Quantité de fibres par portion

Activités physiques Le fait de s'adonner régulièrement à des activités physiques d'intensité modérée fait monter les taux de HDL et baisser les taux de triglycérides et de LDL. En général, on conseille d'effectuer de 30 à 60 minutes d'exercice d'intensité modérée, trois à cinq fois par semaine. L'infirmière peut aider la personne à se fixer des objectifs réalistes. Une personne inactive devrait augmenter ses activités physiques quotidiennes de façon progressive et régulière. Par exemple, l'infirmière peut suggérer à la personne de garer sa voiture à un endroit assez éloigné de sa destination et de finir le trajet à pied, ou de prendre l'escalier plutôt que l'ascenseur. Dans le cas où la personne désire entreprendre un programme d'exercices aérobiques, les séances devraient débuter par cinq minutes d'échauffement pour étirer les muscles et préparer le corps et elles devraient se terminer par cinq minutes de récupération, période au cours de laquelle on réduit graduellement l'intensité de l'activité pour éviter que survienne une chute de la pression artérielle. On recommande aux personnes de choisir une ou plusieurs activités qui les intéressent de façon à rester motivées. De plus, l'exercice ne doit pas être intense au point de rendre la conversation impossible ; s'il en est ainsi, on devra ralentir le rythme ou opter pour une activité moins intense. Par temps chaud et humide, il est recommandé de faire de l'exercice physique tôt le matin et de porter des vêtements amples. Par temps froid, on conseille de porter des vêtements en couches superposées et de se couvrir la tête afin

TABLEAU 30-2 Contenu nutritionnel du régime alimentaire proposé dans le cadre des modifications thérapeutiques des habitudes de vie

Éléments nutritifs	Apport recommandé
Total des kilojoules (kJ)*	Équilibre de l'apport et de la dépense énergétiques afin de conserver le poids désiré
Total des lipides	De 25 % à 35 % du total des kilojoules
▪ Acides gras saturés[†]	▪ < 7 % du total des kilojoules
▪ Acides gras polyinsaturés	▪ Plus de 10 % du total des kilojoules
▪ Acide gras monoinsaturés	▪ Plus de 20 % des kilojoules
Glucides[‡]	De 50 % à 60 % du total des kilojoules
Fibres	De 20 à 30 mg/jour
Protéines	Environ 15 % du total des kilojoules
Cholestérol	< 200 mg/jour

* La dépense énergétique quotidienne doit comprendre des activités physiques modérées (à raison d'environ 840 kJ par jour).

† Les acides gras trans proviennent des huiles végétales qui, une fois traitées (transformation, hydrogénation), se présentent sous une forme plus solide. Leurs effets sont similaires à ceux des acides gras saturés (ils font monter les lipoprotéines de basse densité et baisser celles de haute densité) et peuvent même être plus grave. Il faut s'en tenir à un faible pourcentage d'acides gras trans.

‡ Les glucides doivent surtout provenir d'aliments riches en sucres complexes: par exemple des céréales (surtout des céréales entières) de même que des fruits et des légumes.

SOURCE: Expert Panel on Detection, Evaluation, and Treatment of High Blood Cholesterol in Adults (2001).

de ne pas perdre trop de chaleur. De plus, s'il y a du vent, il vaut mieux se couvrir le nez et la bouche avec un foulard. Lors d'intempéries, la personne peut marcher à l'intérieur dans un centre commercial, par exemple. L'infirmière peut également lui suggérer de participer à des programmes communautaires ou à des clubs de marche; elle bénéficiera ainsi du soutien des autres participants. Les personnes devraient mettre fin à l'activité si elles ressentent une douleur au thorax, une dyspnée inhabituelle, des étourdissements, une sensation de faiblesse ou des nausées.

Médicaments Dans certains cas, des médicaments (tableau 30-3 ▪) sont prescrits afin de maîtriser les taux de cholestérol. Si la modification des habitudes alimentaires ne suffit pas à elle seule à normaliser les taux de cholestérol sérique, on peut y ajouter certains médicaments. Les hypolipidémiants peuvent faire baisser la mortalité associée aux coronaropathies ischémiques tant chez les personnes qui présentent des taux lipidiques trop élevés que chez celles qui ont des taux lipidiques normaux. Les hypolipidémiants qui agissent sur les diverses formes de dyslipidémies appartiennent généralement aux cinq types suivants:

- Les inhibiteurs du 3-hydroxy-3-méthylglutaryl-coenzyme A (HMG-CoA) réductase, ou statines (atorvastatine [Lipitor], rosuvastatine [Crestor], lovastatine [Mévacor], pravastatine [Provachol], simvastatine [Zocor]), bloquent la synthèse du cholestérol, abaissent les taux de LDL et de triglycérides et haussent les taux de HDL (tableau 30-3). Ces médicaments servent souvent de traitement de base lorsque les taux de cholestérol LDL sont élevés. Étant donné l'effet qu'ils peuvent avoir sur le foie, il est important de surveiller les enzymes hépatiques.
- L'acide nicotinique, ou niacine (Niaspan et autres, et en association avec la lovastatine dans Advicor), entrave la synthèse des lipoprotéines et a un effet bénéfique sur tous les lipides. Il fait baisser les taux de LDL et de triglycérides et fait monter les taux de HDL. On doit débuter par une faible dose et ajuster celle-ci graduellement pour limiter les effets indésirables. La niacine est le médicament qui a permis d'obtenir les meilleurs résultats quant à l'élévation du taux de HDL. Elle sert d'adjuvant à la statine lorsque l'on n'arrive pas à atteindre l'objectif lipidique escompté et que les HDL sont trop bas. On peut aussi l'utiliser chez les personnes qui ne tolèrent pas les statines. Ses effets indésirables – dérangements gastro-intestinaux, hyperuricémie et goutte, bouffées congestives, céphalées, prurit et hyperglycémie – limitent toutefois son utilisation. Comme elle a des effets hépatotoxiques, il est nécessaire de surveiller la fonction hépatique.
- L'acide fibrique, ou fibrates (bézafibrate [Bezalip SR], fénofibrate [Lipidil], gemfibrozil [Lopid]), entrave la synthèse du cholestérol, réduit les taux de triglycérides et augmente les taux de HDL. Comme ils font peu diminuer les LDL (le gemfibrozil peut même les faire augmenter), les fibrates sont à privilégier chez les personnes qui présentent des taux de triglycérides dépassant 6 mmol/L. Ils doivent cependant être administrés avec prudence chez les personnes qui prennent également une statine en raison des risques de myopathie et d'insuffisance rénale aiguë qu'ils peuvent entraîner.
- Les chélateurs des acides biliaires, ou résines (cholestyramine [Questran], colestipol [Colestid]), fixent les acides biliaires dans les intestins, ce qui cause leur élimination par les selles. Le foie doit donc utiliser du cholestérol pour produire de nouveaux acides biliaires, ce qui fait baisser les taux de LDL tout en ayant peu d'effet sur les HDL et aucun effet sur les triglycérides (ou n'entraînant qu'une légère hausse). Ces médicaments sont utilisés comme adjuvants lorsque la statine à elle seule ne suffit pas à maîtriser les taux lipidiques et que les taux de triglycérides sont inférieurs à 2,3 mmol/L. Les principaux effets indésirables associés à ces médicaments sont la distension gastrique et la constipation.
- L'ézétimibe (Ezetrol) est le premier représentant des inhibiteurs de l'absorption du cholestérol. Il permet de diminuer les LDL d'environ 20 % en entravant l'absorption intestinale du cholestérol. Il a peu d'effet sur les HDL et les triglycérides. En association avec les statines, il permet de diminuer les LDL d'encore 20 % (Patel, 2004).

Ces médicaments sont utilisés chez les personnes atteintes et à risque de maladies cardiovasculaires; ils ne remplacent pas les modifications au régime alimentaire. Il a été démontré qu'ils contribuent tous (à l'exception de l'ézétimibe, pour lequel nous n'avons pas encore de données) à la diminution

TABLEAU 30-3

Médicaments ayant des effets sur le métabolisme des lipoprotéines

Médicaments et doses quotidiennes	Effets sur les lipides et les lipoprotéines	Principaux effets secondaires	Contre-indications
INHIBITEURS DE L'HMG-CoA RÉDUCTASE (STATINES)			
▪ Lovastatine (Mevacor) 20-80 mg ▪ Pravastatine (Pravachol) 10-40 mg ▪ Simvastatine (Zocor) 10-80 mg ▪ Fluvastatine (Lescol) 20-80 mg ▪ Atorvastatine (Lipitor) 10-80 mg ▪ Rosuvastatine (Crestor) 5-40 mg	▪ LDL ↓ 18-55 % ▪ HDL ↑ 5-15 % ▪ TG ↓ 7-30 %	Myopathie, accroissement des taux d'enzymes hépatiques	▪ Absolues: maladie évolutive ou chronique du foie ▪ Relatives: utilisation en association avec certains médicaments*
ACIDE NICOTINIQUE			
▪ Niacine (Niaspan et autres) ▪ Acide nicotinique à libération immédiate 1,5-3 g ▪ Acide nicotinique à libération prolongée 1-2 g	▪ LDL ↓ 5-25 % ▪ HDL ↑ 15-35 % ▪ TG ↓ 20-50 %	Bouffées congestives, hyperglycémie, hyperuricémie (ou goutte), douleurs gastro-intestinales hautes, hépatotoxicité	▪ Absolues: maladie chronique du foie, grave cas de goutte ▪ Relatives: diabète, hyperuricémie, ulcère gastroduodénal
FIBRATES			
▪ Fénofibrate (Lipidil) ▪ Gemfibrozil (Lopid) 600-1 200 mg ▪ Bézafibrate (Bezalip SR) 400 mg	▪ LDL ↓ 5-20 % (peut augmenter chez les patients qui ont des TG élevés) ▪ HDL ↑ 10-20 % ▪ TG ↓ 20-50 %	Dyspepsie, calculs biliaires, myopathie	▪ Absolues: néphropathie grave, grave maladie du foie
CHÉLATEURS DES ACIDES BILIAIRES			
▪ Cholestyramine (Questran) 4-16 g ▪ Colestipol (Colestid) 5-20 g	▪ LDL ↓ 15-30 % ▪ HDL ↑ 3-5 % ▪ TG: pas de changement ou augmentation	Douleurs gastro-intestinales, constipation, baisse de l'absorption des autres médicaments	▪ Absolues: dysbêtalipoprotéinémie, TG > 400 mg/dL ▪ Relatives: TG > 2,3 mmol/L

HMG-CoA: 3-hydroxy-3-methylglutaryl-coenzyme A; LDL: lipoprotéine de faible densité; HDL: lipoprotéine de haute densité; TG: triglycérides; ↓: diminution, ↑: augmentation

* Cyclosporine (Néoral, Sandimmune); antibiotiques macrolides (azithromycine [Zithromax], clarithromycine [Biaxin]; érythromycine); divers agents antifongiques et inhibiteurs du cytochrome P-4503A4; fibrates et niacine; (à administrer avec prudence).

SOURCE: Expert Panel on Detection, Evaluation, and Treatment of High Blood Cholesterol in Adults (2001).

des maladies coronariennes (Expert Panel on Detection, Evaluation, and Treatment of High Blood Cholesterol in Adults, 2001). Les personnes atteintes ou à risque de maladies cardiovasculaires et ayant des niveaux de cholestérol normaux bénéficient aussi d'une réduction supplémentaire des LDL avec une statine (HPS, 2002; Severs *et al.*, 2003; Ray *et al.*, 2005). On peut combiner certains d'entre eux pour obtenir des effets synergiques. Par exemple, on réussit mieux à abaisser le cholestérol LDL en ajoutant une faible dose de résine ou de l'ézétimibe à une statine, plutôt qu'en administrant une forte dose d'un seul médicament. De plus, en présence d'une dyslipidémie combinée, autrement dit d'un taux élevé de LDL associé à un faible taux de HDL, une combinaison de statine et de fibrate ou de niacine peut être utilisée.

On doit s'assurer que les personnes qui présentent des taux de cholestérol trop élevés respectent le traitement médicamenteux. De plus, on doit vérifier si les résultats visés par la thérapie médicamenteuse ont été atteints et si des effets indésirables associés à la prise de ces médicaments sont apparus. Tous les trois mois, on évalue le bilan lipidique, on suggère des changements à apporter au régime alimentaire, s'il y a lieu, et on modifie le traitement médicamenteux jusqu'à ce que les cibles lipidiques soient atteintes; par la suite, on effectuera des vérifications tous les 6 à 12 mois.

Encourager la personne à abandonner le tabac

Le tabagisme contribue de trois façons à l'apparition et à l'aggravation des coronaropathies. Premièrement, l'inhalation de la fumée augmente le taux de monoxyde de carbone dans le sang et réduit l'apport d'oxygène vers le cœur, car l'hémoglobine, qui sert au transport de l'oxygène dans le sang, a beaucoup plus d'affinité pour le monoxyde de carbone que pour l'oxygène. La diminution de l'oxygène disponible peut entraver la capacité contractile du cœur.

Deuxièmement, la nicotine contenue dans le tabac déclenche la libération des catécholamines, ce qui accroît les besoins du cœur en oxygène. En effet, ces hormones accélèrent la fréquence cardiaque et augmentent la pression artérielle. De plus, elles favorisent la vasoconstriction des artères coronaires; la circulation sanguine s'en trouve gênée et l'oxygénation réduite. L'augmentation des besoins et la réduction de l'apport en oxygène engendrent ainsi une ischémie myocardique. Les fumeurs courent également dix fois plus de risques de mourir d'un arrêt cardiaque subit que les non-fumeurs. L'augmentation du taux de catécholamines joue un rôle dans la hausse de la fréquence des morts subites par arrêt cardiaque.

Troisièmement, le tabagisme déclenche un dysfonctionnement endothélial et entraîne l'augmentation de l'adhérence plaquettaire, ce qui accroît la probabilité de formation d'un thrombus. On doit donc recommander aux personnes prédisposées aux coronaropathies de cesser de fumer et d'utiliser tous les moyens possibles pour atteindre cet objectif: counselling, intervention motivationnelle et messages de renforcement positif, groupes de soutien et médicaments. Certaines personnes ont découvert que des thérapies complémentaires comme l'acupuncture, l'imagerie mentale et l'hypnose leur étaient utiles. Un an après avoir cessé de fumer, le risque de cardiopathie diminue d'environ 30 % à 50 %; il continue de baisser par la suite, si les personnes ne recommencent pas à fumer.

Le fait d'être exposé à la fumée des autres engendre des cardiopathies chez les non-fumeurs. Il est déconseillé aux femmes qui fument de prendre des contraceptifs oraux, car ces médicaments augmentent de façon importante le risque de cardiopathie et d'arrêt cardiaque subit, surtout chez les femmes de plus de 35 ans.

On doit donc encourager les personnes à abandonner le tabac, car cela se traduit par une diminution du nombre de maladies cardiovasculaires. L'infirmière peut intervenir de plusieurs manières: en recommandant aux personnes intéressées à s'inscrire à des cours, de se joindre à des groupes de soutien ou à des programmes visant à changer les comportements. Des médicaments comme les substituts de la nicotine sous forme de timbres transdermiques (Nicotrol, Nicoderm), de gommes à mâcher ou d'inhalateurs (Nicorette), ou le bupropion (Zyban) peuvent les aider à cesser de fumer. Cependant, les substituts de la nicotine ont les mêmes effets systémiques que le tabac sur la libération des catécholamines (hausse de la fréquence cardiaque et de la pression artérielle) et la hausse de l'adhérence plaquettaire. Ils devraient donc être utilisés le moins longtemps possible et aux doses les plus faibles possible.

Traiter l'hypertension artérielle

On dit qu'il y a hypertension artérielle lorsque les mesures de la pression artérielle dépassent fréquemment 140/90 mm Hg. Une pression artérielle qui reste élevée pendant longtemps peut se traduire par un durcissement accru des parois artérielles, ce qui entraîne des lésions des vaisseaux et une réaction inflammatoire. De plus, l'hypertension artérielle impose une surcharge de travail au ventricule gauche qui doit pomper avec plus de force pour éjecter le sang. À la longue, la surcharge de travail accroît le volume du cœur qui devient plus épais (hypertrophie), ce qui peut engendrer une insuffisance cardiaque diastolique.

La détection précoce, l'observance du traitement médicamenteux et de saines habitudes de vie peuvent prévenir les graves complications associées à l'hypertension non traitée. Pour de plus amples renseignements, se reporter au chapitre 34.

Maîtriser le diabète

Il existe un lien bien établi entre le diabète (chapitre 43) et les coronaropathies. C'est une maladie cardiovasculaire qui cause le décès, dans 65 à 75 % des cas de diabète (Braunwald *et al.*, 2001; Grundy *et al.*, 1999).

L'hyperglycémie favorise en effet la dyslipidémie, augmente l'agrégation plaquettaire et modifie le rôle des globules rouges, ce qui peut entraîner la formation d'un thrombus. On croit que ces modifications métaboliques causeraient des lésions aux cellules endothéliales, qui normalement envoient les signaux indiquant aux muscles lisses des vaisseaux de se dilater.

Maladies cardiovasculaires et population féminine

Comme on a longtemps estimé que les cardiopathies touchaient surtout les hommes, on a tardé à les déceler et à les traiter chez les femmes. Au Canada, les maladies cardiovasculaires causent plus de décès chez ces dernières que toute autre maladie. En 1999, 39 000 Canadiennes ont succombé à une maladie cardiovasculaire, ce qui représente environ 37 % des décès survenus chez les femmes (Fondation des maladies du cœur, 2003). En général, celles-ci ne détectent pas les symptômes aussi rapidement que les hommes et elles attendent plus longtemps avant de consulter un médecin (Meischke *et al.*, 1999; Penque *et al.*, 1998). Auparavant, il arrivait moins fréquemment qu'on fasse passer aux femmes des examens paracliniques, qu'on leur prescrive des médicaments (par exemple des médicaments **thrombolytiques** afin de dissoudre les caillots sanguins qui causent l'infarctus aigu du myocarde, ou encore de la nitroglycérine) ou qu'on les traite au moyen de chirurgies effractives comme l'angioplastie (Sheifer *et al.*, 2000). À l'avenir, on s'attend à ce que, grâce à une meilleure éducation de la population en général et des professionnels de la santé en particulier, les différences de sexe influent moins sur le diagnostic, le traitement et la fréquence des complications associées aux cardiopathies.

Les femmes de moins de 55 ans ont un taux de coronaropathies moins élevé que les hommes, alors qu'à 55 ans ou plus la fréquence de ces maladies est à peu près égale chez les représentants des deux sexes; cet écart lié à l'âge serait attribuable à la présence des œstrogènes. Bien qu'on ait encouragé les femmes ménauposées à recourir à l'**hormonothérapie substitutive (HTS)**, les études n'ont pas démontré l'efficacité de ce traitement dans la prévention des coronaropathies (Hulley *et al.*, 1998; Mosca, 2000). L'hormonothérapie substitutive atténue les symptômes de la ménopause et diminue le risque de fracture des os lié à l'ostéoporose, mais elle est également associée à l'augmentation des risques de cardiopathies, de cancer du sein, de thrombose veineuse profonde, d'accidents vasculaires cérébraux (AVC), d'ischémie cérébrale transitoire (ICT) et d'embolie pulmonaire. L'étude intitulée *Women's Health Initiative* a montré qu'à long terme l'hormonothérapie substitutive comportait plus de risques que de bienfaits et qu'on ne doit pas l'amorcer ou la poursuivre en vue de prévenir les cardiopathies (Gebbie, 2002).

Types de comportements

La plupart des cliniciens pensent que le stress ainsi que certains comportements contribuent à la pathogénèse des cardiopathies et de l'accident cardiovasculaire, surtout chez les femmes. Des études psychologiques et épidémiologiques ont permis de cerner les comportements qui caractérisent les personnes prédisposées aux cardiopathies: esprit de compétition très développé, sentiment de vivre dans l'urgence ou impatience, agressivité et hostilité (Dembroski *et al.*, 1989; Friedman et Rosenman, 1959; Krantz *et al.*, 2000). Les personnes qui se comportent ainsi ont une personnalité dite de type A.

On n'accorde plus aujourd'hui autant d'importance que par le passé à cette façon de caractériser les personnes prédisposées aux coronaropathies, car les études récentes ne permettent pas de tirer des conclusions claires (Rozanski *et al.*, 1999). Toutefois, ces personnes devraient par prudence modifier leurs comportements de même que leurs réactions face aux éléments déclencheurs et atténuer les autres facteurs de risque. L'infirmière peut les aider en leur apprenant des techniques de restructuration cognitive et de relaxation. Comme les conséquences sont plus graves chez les personnes dépressives, celles-ci doivent être évaluées pour détecter les signes ou symptômes de dépression et, le cas échéant, elles doivent être traitées de façon appropriée.

ANGINE DE POITRINE

L'angine de poitrine est un syndrome clinique qui se caractérise habituellement par des poussées, ou paroxysmes, de douleur et d'oppression précordiale. En général, elle est causée par une réduction du débit sanguin dans les artères coronaires, ce qui entraîne une insuffisance de l'oxygénation du myocarde lors d'un effort physique ou d'un stress émotionnel; autrement dit elle se produit quand les besoins du myocarde en oxygène dépassent la capacité d'approvisionnement en sang oxygéné dans les artères. La gravité de l'angine dépend de l'activité qui la déclenche et des répercussions qu'elle peut avoir sur les activités quotidiennes (tableau 30-4 ■). Il existe différents types d'angine classés selon la physiopathologie sous-jacente ou les manifestations cliniques (encadré 30-3 ■).

Physiopathologie

L'angine de poitrine est généralement une conséquence de l'athérosclérose; elle est associée le plus souvent à une obstruction significative d'une artère coronaire importante. Pour poser un diagnostic d'angine, il faut procéder à un bilan de santé complet. Tout traitement efficace commence par la réduction des besoins du myocarde en oxygène. De plus, il faut bien renseigner la personne sur son état. De nombreux facteurs peuvent être à l'origine de l'angine de poitrine:

- L'effort physique, car il accroît les besoins du myocarde en oxygène.
- L'exposition au froid, car elle engendre de la vasoconstriction et fait monter la pression artérielle, ce qui accroît les besoins du myocarde en oxygène.
- Les repas lourds, car ils entraînent une augmentation du débit sanguin dans la région mésentérique, et par conséquent une réduction de l'apport sanguin dans le muscle cardiaque. (Dans un cœur gravement atteint, la dérivation du sang lors de la digestion peut suffire à déclencher l'angine.)
- Le stress ou les émotions fortes, car ils entraînent une libération d'adrénaline qui fait monter la pression artérielle, accélère la fréquence cardiaque et augmente le travail du myocarde.

L'angine atypique n'est associée à aucun des facteurs mentionnés plus haut et peut survenir au repos.

Classification de l'angine selon la Société canadienne de cardiologie — TABLEAU 30-4

Stade	Description des activités
I	Les activités physiques dites ordinaires (par exemple: marcher, monter l'escalier) n'occasionnent pas d'angine. L'angine survient lors des efforts physiques violents (par exemple lors des efforts physiques effectués rapidement ou de façon prolongée, au travail ou au cours des activités de loisir).
II	Légère restriction des activités physiques dites ordinaires. L'angine survient lorsqu'on marche rapidement ou sur un terrain accidenté, après un repas ou par temps froid ou venteux, sous l'effet d'un stress émotionnel ou en montant rapidement un escalier.
III	Restriction modérée des activités dites ordinaires. L'angine survient lorsqu'on monte à allure normale une volée d'escaliers; lorsqu'on parcourt un ou deux pâtés de maisons en terrain plat.
IV	Restrictions marquées à l'égard du plus léger effort physique. L'angine survient lorsqu'on fait quelques pas; qu'on effectue les mouvements nécessaires à la toilette personnelle; l'angine se manifeste au repos.

SOURCE: L. Campeau (1976). Grading of angina pectoris. *Circulation, 54*, 522-523.

ENCADRÉ 30-3

Types d'angine

- **Angine stable**: crises prévisibles et régulières, déclenchées par l'effort et disparaissant au repos.
- **Angine instable** (aussi appelée angine préinfarctus ou angine accélérée): crises de plus en plus rapprochées, intenses et prolongées. La douleur est plus intense et peut se manifester au repos.
- **Angine réfractaire**: angine grave et invalidante.
- **Angine de Prinzmetal**: crises spontanées caractérisées par une douleur au repos et un susdécalage du segment ST à l'ECG; elle serait causée par un spasme d'une artère coronaire.
- **Ischémie silencieuse**: absence de symptômes même en présence de signes cliniques d'ischémie (changements électriques décelés sur l'électrocardiogramme à l'épreuve d'effort, par exemple).

Manifestations cliniques

C'est l'ischémie du muscle cardiaque qui déclenche la douleur ou les autres symptômes, qui vont de la sensation d'avoir une indigestion à la sensation d'étouffer ou d'éprouver une lourdeur dans la partie supérieure et centrale du thorax. La douleur est parfois vague et peu inquiétante, ou au contraire intolérable et accompagnée d'une sérieuse appréhension et du sentiment que la mort est imminente; la personne la ressent presque toujours dans la région rétrosternale. La douleur typique est localisée, mais elle peut irradier dans le cou, les mâchoires, les épaules et la face interne du bras gauche, mais parfois aussi du bras droit. La plupart du temps, les personnes disent éprouver une sensation d'oppression ou d'étranglement en étau. Chez les personnes qui souffrent de diabète, la crise d'angine ne s'accompagne pas nécessairement d'une douleur caractéristique, car la neuropathie associée au diabète interfère avec les neurotransmetteurs et la perception de la douleur s'en trouve émoussée.

La douleur peut s'accompagner d'une faiblesse et d'un engourdissement dans les bras, les poignets et les mains, d'essoufflement, de pâleur, de diaphorèse, d'étourdissement ou d'une sensation de faiblesse, de nausées et de vomissements. Ces symptômes peuvent apparaître seuls et constituer en soi un signe d'ischémie myocardique. Lorsqu'ils apparaissent seuls, on les qualifie de symptômes apparentés à l'angine. L'angine peut s'accompagner d'anxiété. Une de ses caractéristiques importantes est qu'elle s'atténue ou cède au repos, ou lorsque la personne prend de la nitroglycérine.

Particularités reliées à la personne âgée

Puisqu'il y a des modifications de l'action des neurotransmetteurs chez les personnes âgées, la crise d'angine ne s'accompagne pas nécessairement d'une douleur caractéristique, mais se manifeste souvent par de la fatigue et de la dyspnée. La douleur, s'il y en a, est peu typique, et elle irradie dans les deux bras plutôt que dans le bras gauche seulement. Parfois, la crise ne donne lieu à aucune douleur (angine silencieuse), ce qui la rend difficile à détecter. On doit donc recommander aux personnes âgées qui souffrent d'angine d'apprendre à reconnaître les symptômes qui accompagnent habituellement la douleur thoracique (fatigue, essoufflement, par exemple) et à voir en eux des signaux les incitant à se reposer et à prendre leurs médicaments. Il se peut que l'épreuve d'effort non effractive utilisée ne permette pas de diagnostiquer une cardiopathie, parce les personnes âgées souffrent d'autres affections, entre autres de maladies vasculaires périphériques, d'arthrite, de discopathie dégénérative, d'incapacités physiques, de problèmes de pieds, qui empêchent la personne de faire de l'exercice.

Examen clinique et examens paracliniques

Le diagnostic de l'angine de poitrine repose souvent sur l'évaluation des manifestations cliniques d'ischémie et sur l'anamnèse fournie par la personne atteinte. Pour l'établir, on peut faire passer à la personne un électrocardiogramme à 12 dérivations et évaluer les résultats des épreuves de sérologie (les marqueurs biochimiques, par exemple). On peut également soumettre la personne à une épreuve d'effort (physique ou pharmacologique) au cours de laquelle on observe la réaction du cœur au moyen d'un électrocardiogramme, d'un échocardiogramme, ou des deux techniques. On peut également avoir recours à l'échocardiographie, à la scintigraphie, ou faire subir à la personne certaines interventions effractives (cathétérisme cardiaque et angiographie des artères coronaires).

L'inflammation de l'endothélium artériel est une des causes des coronaropathies. Bien que la protéine C-réactive (CRP) ne soit pas un marqueur spécifique de l'inflammation de l'endothélium vasculaire, on a observé que les taux sériques élevés de CRP sont associés à l'augmentation de la calcification des artères coronaires et au risque d'accident cardiovasculaire aigu, notamment d'infarctus du myocarde, chez des personnes apparemment en bonne santé (Ridker *et al.*, 2002; Wang *et al.* 2002). Même si on s'intéresse aux taux de CRP et qu'on songe à ajouter ce marqueur aux autres facteurs de risque de cardiopathie à des fins cliniques et de recherche, la valeur clinique de ce paramètre n'a toutefois pas encore été parfaitement démontrée. Avant d'utiliser systématiquement les CRP comme outil d'évaluation, il faut établir qu'ils peuvent contribuer à la détection des cardiopathies en association avec les autres facteurs de risque, déterminer comment ces taux peuvent guider les interventions auprès des personnes et vérifier s'il en résulte une amélioration de leur état de santé (Mosca, 2002).

On a également avancé l'idée qu'un taux sérique élevé d'un acide aminé, l'homocystéine, serait par ailleurs un facteur de risque de cardiopathie. Cependant, les études effectuées jusqu'à présent n'ont pas établi de corrélation entre l'athérosclérose et l'augmentation légère ou modérée des taux d'homocystéine (Homocystein Studies Collaboration, 2002). Aucune étude n'a encore démontré qu'une réduction des taux d'homocystéine réduisait le risque de coronaropathie.

Traitement médical

Le traitement de l'angine vise à rétablir l'équilibre entre les besoins du myocarde en oxygène et la quantité de celui-ci qu'il reçoit. Sur le plan médical, on atteint cet objectif en administrant des médicaments et en réduisant les facteurs de risque. On peut également avoir recours à une intervention effractive de revascularisation, dont les plus courantes sont les suivantes: les **interventions coronariennes percutanées** (**angioplastie coronarienne transluminale percutanée**, endoprothèse coronarienne et athérectomie) et les opérations chirurgicales (pontage aortocoronarien [PAC], pontage mammarocoronarien [PMC]). Ces interventions et les soins et traitements infirmiers qu'elles requièrent sont abordés plus loin dans le chapitre.

Pharmacothérapie

Parmi les médicaments utilisés pour traiter l'angine, citons la nitroglycérine, les bêtabloquants et les bloquants des canaux calciques. On administre des agents antiplaquettaires aux personnes affectées d'angine pour diminuer leur risque d'événements coronariens aigus.

Nitroglycérine Les dérivés nitrés sont toujours des médicaments très utilisés pour traiter l'angine de poitrine. La nitroglycérine (Imdur, Isordil, Nitrospray, Nitrostat, Transderm-Nitro, Nitro-Dur, Nitrol, Tridil), médicament vasoactif, est administrée dans le but de réduire la consommation d'oxygène du myocarde et, par conséquent, de réduire l'ischémie et de soulager la douleur. C'est un vasodilatateur qui agit sur les veines et, en doses plus élevées, sur les artères. Il aide à accroître le débit des coronaires en prévenant l'angiospasme et en améliorant l'irrigation des vaisseaux collatéraux.

Ce vasodilatateur agit sur les veines comme sur les artères et il a, par le fait même, des effets sur la circulation périphérique en diminuant la quantité de sang qui retourne au cœur, ce qui abaisse la pression de remplissage (précharge). Chez les personnes hypovolémiques (dont le volume sanguin est inférieur à la normale), la diminution de la pression de remplissage peut entraîner une baisse importante du débit cardiaque et de la pression artérielle.

Prescrits à fortes doses, les dérivés nitrés abaissent aussi la pression artérielle en engendrant un relâchement du lit des artérioles (réduction de la postcharge). Ils peuvent également augmenter le débit sanguin des artères coronaires malades et des artères coronaires collatérales. Ces effets permettent de réduire les besoins du myocarde en oxygène tout en augmentant l'apport qu'il reçoit. On aboutit ainsi à un équilibre plus favorable entre les besoins du cœur en oxygène et la quantité acheminée vers le myocarde.

La nitroglycérine peut être administrée par voie sublinguale (comprimés ou vaporisateur), par voie transdermique (timbres cutanés), par voie orale (comprimés) ou par voie intraveineuse. Placé sous la langue (voie sublinguale) ou dans la joue (poche jugale), le médicament fait effet en une à trois minutes. Cette voie convient aux personnes qui s'administrent le médicament pour soulager rapidement une douleur angineuse (encadré 30-4 ■).

On peut donner une perfusion intraveineuse continue ou intermittente à la personne hospitalisée si elle présente des signes et symptômes récurrents d'ischémie ou si elle a subi une revascularisation chirurgicale. On déterminera la dose de nitroglycérine à administrer à la personne selon les symptômes qu'elle présente, tout en s'efforçant d'éviter les effets indésirables, entre autres l'hypotension. On ne donne généralement pas de nitroglycérine intraveineuse lorsque la pression artérielle systolique est de 90 mm Hg ou moins. Généralement, lorsque la personne ne présente plus de symptômes depuis 24 heures, on peut remplacer la nitroglycérine intraveineuse par un nitrate à longue action (timbre cutané ou comprimé à libération prolongée).

Bêtabloquants Les bêtabloquants, comme le propanolol (Indéral), le métoprolol (Lopressor), le nadolol (Corgard), l'acébutolol (Sectral, Monitan), le bisoprolol (Monocor) et l'aténolol (Tenormin), semblent réduire la consommation d'oxygène du myocarde en inhibant la stimulation sympathique qui s'exerce sur les récepteurs bêta-adrénergiques du cœur. Ils font ainsi baisser la fréquence cardiaque, ralentissent la conduction de l'impulsion électrique dans le cœur, diminuent la pression artérielle de même que la **contractilité** (force de la contraction) myocardique; ils atténuent par conséquent le déséquilibre entre les besoins du cœur en oxygène et ce qui est acheminé vers le myocarde. Ce médicament aide à maîtriser la douleur thoracique et l'ischémie durant le travail ou l'exercice. Les bêtabloquants réduisent la fréquence de l'angine récurrente, de l'infarctus et de la mortalité cardiaque. On ajuste la dose de façon à obtenir une fréquence cardiaque au repos de 50 à 60 battements par minute.

Les effets indésirables possibles sont, entre autres, l'hypotension, la bradycardie, le bloc auriculoventriculaire et l'insuffisance cardiaque décompensée. Si on administre des bêtabloquants par voie intraveineuse pour un événement cardiaque aigu, on doit surveiller de près l'ECG, la pression artérielle et la fréquence cardiaque après l'injection. Étant donné qu'ils agissent aussi sur les récepteurs bêta-adrénergiques des bronchioles, entraînant une bronchoconstriction, les bêtabloquants sont contre-indiqués chez les personnes qui présentent des pneumopathies constrictives comme l'asthme. Ils engendrent aussi parfois une aggravation de l'hyperlipidémie, ou encore de la dépression, de la fatigue, une diminution de la libido, et ils peuvent masquer les symptômes d'hypoglycémie.

En raison du risque d'aggravation de l'angine ou du risque d'infarctus du myocarde, on ne doit jamais cesser brusquement de prendre les bêtabloquants. Il faut se sevrer graduellement, sur une période de plusieurs jours. Les diabétiques qui ont recours à ce médicament doivent évaluer leur taux de glycémie plus souvent et observer les signes et symptômes d'hypoglycémie.

Bloquants des canaux calciques Les bloquants des canaux calciques ont des effets divers. Les non-dihydropyridiniques (vérapamil [Isoptin, Verelan, Chronovera] et le diltiazem [Cardizem, Tiazac]) réduisent l'automaticité du nœud sino-auriculaire et la conduction du nœud auriculoventriculaire, d'où un ralentissement de la fréquence cardiaque. De plus, ils diminuent la force de contraction du muscle cardiaque (effet inotrope négatif); ainsi, le travail du cœur est moins important. Ils relâchent aussi les vaisseaux sanguins, d'où une baisse de la pression artérielle et une amélioration de l'irrigation des artères coronaires. Ils augmentent l'apport d'oxygène vers le myocarde en dilatant les muscles lisses de la paroi des artérioles coronaires et diminuent les besoins du cœur en oxygène en réduisant la pression artérielle systémique et, par conséquent, le travail du ventricule gauche.

ENCADRÉ 30-4

PHARMACOLOGIE

Autoadministration de nitroglycérine

La plupart des personnes qui souffrent d'angine de poitrine doivent s'administrer la nitroglycérine, au besoin. Dans ce cas, une des tâches de l'infirmière consiste à leur enseigner ce qu'est ce médicament, quand il convient de le prendre et comment il faut procéder. La nitroglycérine sublinguale se présente sous forme de comprimés ou de vaporisateur.

DONNER DE L'ENSEIGNEMENT SUR LA NITROGLYCÉRINE SUBLINGUALE

- La personne qui prend un comprimé de nitroglycérine doit s'humidifier la bouche, ne pas bouger la langue ni avaler sa salive avant que le comprimé se soit dissous. Si la douleur est intense, elle peut croquer le comprimé avant de le placer sous la langue.
- Les pulvérisateurs, ou pompes, de nitroglycérine doivent être amorcés avant la première utilisation. Il faut appuyer plusieurs fois sur la valve jusqu'à ce que trois pulvérisations soient libérées.
- Si le pulvérisateur n'est pas utilisé pendant plus de deux semaines, il faut le réamorcer en appuyant sur la valve pour obtenir une pulvérisation.
- Le pulvérisateur ne doit pas être agité. Il faut pulvériser le liquide sur ou sous la langue et veiller à ne pas l'inhaler.
- Par mesure de précaution, la personne doit toujours avoir sur elle des comprimés ou une pompe de nitroglycérine. Avant d'utiliser celle-ci, elle doit s'asseoir pour atténuer les étourdissements dus à la baisse de pression engendrée par la nitroglycérine sublinguale.
- La nitroglycérine en comprimés est volatile; la chaleur, l'humidité, l'air, la lumière et le temps lui font perdre ses propriétés. Autrefois, on recommandait de renouveler les comprimés tous les six mois, mais les formulations actuelles sont plus stables. Si les comprimés sont conservés dans leur contenant d'origine – en verre de couleur sombre – et que celui-ci est bien refermé après chaque utilisation, les comprimés garderont leur efficacité jusqu'à la date de péremption. Les comprimés peuvent être transférés dans un plus petit contenant, spécialement conçu pour les comprimés de nitroglycérine, afin de faciliter leur transport; dans ces contenants, la stabilité des comprimés est de trois mois.
- À titre préventif, la personne peut prendre de la nitroglycérine 5 à 10 minutes avant toute activité susceptible de provoquer de la douleur (faire de l'exercice, monter un escalier, avoir des relations sexuelles), car la nitroglycérine augmente la tolérance à l'exercice et au stress lorsqu'elle est prise de façon prophylactique.
- Il faut noter en combien de temps la nitroglycérine soulage la douleur. Si celle-ci persiste après la prise de trois doses à 5 minutes d'intervalle, il convient d'appeler les services d'urgence.
- La personne qui prend le médicament doit connaître les effets indésirables possibles de la nitroglycérine: bouffées congestives, mal de tête lancinant, hypotension et tachycardie.

DONNER DE L'ENSEIGNEMENT SUR LA NITROGLYCÉRINE À USAGE TRANSDERMIQUE

Des timbres cutanés (voie transdermique) peuvent être employés pour l'administration de la nitroglycérine. Il faut donner des informations supplémentaires aux personnes qui utilisent la nitroglycérine transdermique.

- Comme les instructions qui accompagnent le produit varient selon la préparation, il est important de les lire. On doit et éviter d'appliquer le timbre cutané toujours au même endroit afin de prévenir les irritations cutanées.
- Il faut appliquer le dispositif transdermique sur une zone bien irriguée pour favoriser l'absorption. Par conséquent, on ne doit pas appliquer le médicament sur des zones à forte pilosité ou présentant du tissu cicatriciel.
- Pour que la personne n'acquière pas de tolérance à l'égard du médicament (que son corps ne réagisse plus aussi bien au remède, pourtant administré à la même dose), on évite en général d'utiliser la nitroglycéride de façon continue. La pharmacothérapie doit être entrecoupée de pauses. La plupart des médecins recommandent d'appliquer le timbre transdermique chaque matin et de l'enlever au coucher. Ce dosage libère le nitrate de façon graduelle pendant plusieurs heures, et permet un répit suffisamment long pendant la nuit de sorte que le corps n'acquiert pas de tolérance à l'égard du médicament.

Administrés par voie intraveineuse, ils risquent plus de provoquer de l'hypotension. De plus, ils produisent d'autres effets indésirables, notamment des blocs auriculoventriculaires, de la bradycardie, de la constipation et des troubles gastriques. Les bloquants des canaux calciques dihydropyridiniques (amlodipine [Norvasc], nifédipine [Adalat] et félodipine [Plendil, Renedil]) n'ont pas d'effets sur les nœuds sinusal et auriculoventriculaire ni sur la contractilité (sauf la nifédipine qui a un faible effet inotrope négatif), mais ils possèdent un effet plus puissant sur les artères coronariennes et périphériques. Ils ont donc un effet plus marqué sur la pression artérielle et une très bonne activité antiangineuse. Leurs principaux effets indésirables sont l'œdème des membres inférieurs, les céphalées et les étourdissements.

Comme pour les nitrates et les bêtabloquants, les bloquants des canaux calciques peuvent être utilisés en monothérapie ou en association avec les autres antiangineux. Ils préviennent également le vasospasme qui se manifeste souvent à la suite d'une intervention effractive ou en présence de l'angine de Prinzmetal. On a découvert que la nifédipine (Adalat, Procardia) à action brève était mal tolérée et augmentait le risque d'infarctus du myocarde chez les personnes souffrant d'hypertension, de même que le risque de décès chez les personnes souffrant du **syndrome coronarien aigu** (Braunwald *et al.*, 2000; Furberg *et al.* 1996; Ryan *et al.*, 1999). La nifédipine à libération prolongée (Adalat PA et Adalat XL) ne présente toutefois pas ce risque.

On doit éviter d'utiliser les bloquants des canaux calciques non dihydropyridiniques et la nifédipine chez les personnes affectées d'insuffisance cardiaque systolique parce qu'ils réduisent la contractilité du myocarde. Les bloquants des canaux calciques sécuritaires chez ces dernières sont l'amlodipine et la félodipine.

Anticoagulants et antiplaquettaires Les médicaments antiplaquettaires servent à prévenir l'agrégation des plaquettes qui gêne la circulation sanguine.

Aspirine L'aspirine prévient l'agrégation plaquettaire et réduit la fréquence des infarctus du myocarde chez les personnes atteintes de cardiopathie. Dès que le diagnostic a été posé (par exemple au service des urgences ou dans le cabinet du médecin), on doit administrer de 160 à 325 mg d'aspirine à la personne affectée d'angine ou d'un syndrome coronarien aigu et continuer par la suite, à raison de 80 à 325 mg par jour. Bien qu'il s'agisse de l'un des plus importants médicaments utilisés dans le traitement des cardiopathies, on ne pense pas toujours à l'aspirine parce que son coût est peu élevé et qu'elle est d'usage courant. On doit conseiller à la personne de continuer à prendre de l'aspirine, même s'il lui faut aussi des médicaments anti-inflammatoires non stéroïdiens ou d'autres analgésiques. L'aspirine étant susceptible d'occasionner des malaises gastriques et des saignements, il faut penser à traiter les infections à *Helicobacter pylori* et prescrire des antagonistes des récepteurs H_2 de l'histamine (comme la famotidine [Pepcid] et la ramitidine [Zantac]) ou des inhibiteurs de la pompe à protons (comme l'oméprazole [Losec] et le pantoprazole [Pantoloc]) au besoin.

Clopidogrel et ticlopidine On donne du clopidogrel (Plavix) ou de la ticlopidine (Ticlid) aux personnes allergiques à l'aspirine, qui ont une contre-indication ou une intolérance à l'aspirine, ou en complément à l'aspirine chez les personnes ayant un syndrome cororien aigu – angine instable ou infarctus avec ou sans onde Q (pour cette indication, on administre du clopidogrel seulement) – ou qui se font installer une endoprothèse coronarienne (CAPRIE, 1996; Mehta *et al.*, 2001; Yusuf *et al.*, 2001; Chen *et al.*, 2005; Sabatine *et al.*, 2005). Contrairement à ce qui se passe dans le cas de l'aspirine, les effets antiplaquettaires de ces médicaments ne se font sentir qu'au bout de quelques jours. Ils occasionnent également des malaises gastro-intestinaux, notamment des nausées, des vomissements ou de la diarrhée. La ticlopidine pouvant abaisser le taux de neutrophiles et de plaquettes, elle n'est presque plus utilisée.

Héparine L'héparine non fractionnée prévient la formation de nouveaux caillots sanguins. L'utilisation de cette substance à elle seule pour traiter les patients qui souffrent d'angine instable réduit la fréquence des infarctus du myocarde. Si la personne présente des signes et symptômes indiquant un risque élevé d'accident cardiovasculaire, le médecin l'hospitalise; on lui donne un bolus d'héparine par voie intraveineuse et on installe une perfusion continue, ou bien on lui administre un bolus intraveineux toutes les six à huit heures. La dose d'héparine varie en fonction des résultats du temps de céphaline activée (TCa). La thérapie à l'héparine est considérée comme thérapeutique lorsque le temps de céphaline activée représente de 1,5 à 2,5 fois le TCa normal.

On peut administrer des injections sous-cutanées d'une héparine de faible poids moléculaire (HFPM) – par exemple de l'énoxaparine (Lovenox) ou de la daltéparine (Fragmin) – plutôt qu'une thérapie intraveineuse d'héparine non fractionnée aux personnes qui présentent un syndrome coronarien aigu. Les HFPM permettent d'obtenir une anticoagulation plus prévisible et plus stable et éliminent la nécessité de surveiller les résultats du temps de céphaline (Cohen, 2001).

À cause des risques d'hémorragie associés à l'administration de l'héparine non fractionnée et des HFPM, on surveille la personne et on observe les signes et symptômes d'hémorragie interne, entre autres l'hypotension, l'accélération de la fréquence cardiaque, la diminution de l'hémoglobine sérique et des valeurs de l'hématocrite. Voici les précautions à prendre pour prévenir l'hémorragie chez une personne qui reçoit de l'héparine:

- Appliquer plus lontemps que d'habitude une pression sur la région où un cathéter intraveineux a été inséré.
- Réduire la fréquence des injections intramusculaires.
- Éviter les traumatismes et s'abstenir d'utiliser de façon ininterrompue des instruments constrictifs comme le brassard, car ceux-ci peuvent occasionner des lésions tissulaires et des contusions.

La diminution du nombre de plaquettes dans le sang ou la présence de lésions cutanées aux points d'injection du médicament peuvent indiquer une thrombocytopénie induite par l'héparine (TIH); il s'agit d'une réaction allergique de type II qui peut entraîner une thrombose (Hirsh *et al.*, 2001). Les personnes à qui on administre de l'héparine non fractionnée ou une HFPM pendant plus de cinq à sept jours, ou qui ont reçu de l'héparine au cours des trois derniers mois risquent plus d'être affectées de TIH.

Agents GPIIb/IIIa Les agents intraveineux GPIIb/IIIa, comme l'abciximab (ReoPro), le tirofiban (Aggrastat), l'eptifibatide (Integrilin), sont indiqués chez les personnes hospitalisées qui présentent de l'angine instable ou un infarctus sans élévation du segment ST (sans onde Q), ou comme traitement adjuvant à une intervention coronarienne percutanée. Ces agents antiagrégants plaquettaires inhibent les récepteurs GPIIb/IIIa sur les plaquettes; ils contrecarrent l'adhérence du fibrinogène et des autres facteurs qui lient les plaquettes les unes aux autres et ils empêchent les thrombus (caillots) de se former. Comme dans le cas de l'héparine, l'hémorragie en représente le principal effet secondaire. Il faut donc prendre des mesures pour éviter que ce phénomène se produise.

Oxygénothérapie On a généralement recours à l'oxygénothérapie lors d'une crise d'angine de poitrine afin d'accroître l'approvisionnement du myocarde en oxygène et d'atténuer la douleur. L'oxygène inhalé augmente directement la quantité d'oxygène dans le sang. Il est possible d'en déterminer l'efficacité thérapeutique en observant, entre autres, la fréquence et le rythme des respirations. Quant à la saturation du sang en oxygène, on la surveille à l'aide de la sphygmooxymétrie (saturométrie); la saturation normale est supérieure à 93 %. Des études sont actuellement en cours pour évaluer les effets de l'oxygène chez les personnes qui ne sont pas en détresse respiratoire et sur l'évolution de l'état de santé.

Médecines parallèles

Des chercheurs ont fait état d'améliorations significatives en ce qui concerne l'endurance au cours de l'exercice chez les personnes souffrant d'angine, qui ont reçu des traitements d'acupuncture et à qui on a donné en perfusion intraveineuse un mélange de ginseng (*Panax quinquefolium*), d'astragale (*Astragalus membranaceus*) et d'angélique (*Angelica sinensis*; Ballegaard *et al.*, 1991; Reichter *et al.*, 1991).

On a prôné l'utilisation de la coenzyme Q10 dans la prévention de l'insuffisance cardiaque; elle l'empêcherait d'apparaître ou de s'aggraver (Khatta *et al.*, 2000). Cependant, nous ne disposons pas d'études de grande envergure, d'essais cliniques aléatoires et comportant des groupes témoins dont les participants recevaient des placebos, qui montreraient que ces thérapies ont des effets bénéfiques directs.

DÉMARCHE SYSTÉMATIQUE dans la pratique infirmière

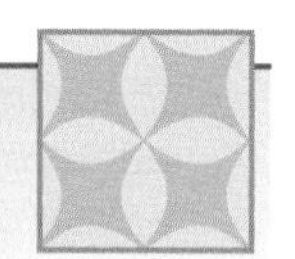

Personne atteinte d'angine de poitrine

COLLECTE DES DONNÉES

L'infirmière doit noter les activités et les symptômes de la personne atteinte d'angine de poitrine. Elle accordera une attention particulière aux activités qui précèdent ou déclenchent les crises. Les questions appropriées correspondent à l'acronyme PQRST; elles figurent au tableau 30-5 ■. D'autres questions peuvent être posées, dont les suivantes: Pendant combien de temps ressentez-vous les douleurs dues à l'angine? La nitroglycérine soulage-t-elle les douleurs dues à l'angine? Si oui, combien faut-il de comprimés ou de vaporisations pour les soulager? Combien de temps après avoir pris de la nitroglycérine éprouvez-vous du soulagement?

Les réponses à ces questions servent de référence pour l'élaboration d'un plan de traitement et de prévention approprié. Outre l'angine de poitrine ou son équivalent, l'infirmière évalue les facteurs de risque cardiovasculaire, la réaction de la personne face à l'angine, le degré de compréhension dont font preuve la personne et ses proches en regard du diagnostic et de la nécessité d'observer les modalités du traitement.

ANALYSE ET INTERPRÉTATION

Diagnostics infirmiers

En se fondant sur les données recueillies, l'infirmière peut poser les diagnostics infirmiers suivants:

- Irrigation tissulaire inefficace (tissu myocardique), reliée à une coronaropathie caractérisée par une douleur thoracique ou par des symptômes équivalents
- Anxiété, reliée à la peur de mourir
- Anxiété, reliée à un sentiment d'impuissance
- Connaissances insuffisantes sur la nature de la maladie sous-jacente et sur les moyens de prévenir les complications
- Non-observance du programme thérapeutique et prise en charge inefficace, reliées au refus d'accepter de modifier ses habitudes de vie
- Non-observance du programme thérapeutique, reliée au sentiment d'avoir peu d'emprise sur celui-ci

TABLEAU 30-5 Examen clinique des personnes atteintes d'angine

Acronyme	Facteurs à évaluer	Exemples de questions d'évaluation
P	■ Provoquer (facteurs déclenchants) ■ Pallier (soulagement)	■ Que faisiez-vous lorsque vous avez commencé à ressentir la douleur? ■ Les mouvements des bras ou du cou ont-ils des effets sur la douleur? ■ Qu'avez-vous fait pour soulager la douleur? Avez-vous ressenti du soulagement? ■ La douleur a-t-elle été atténuée par les médicaments (nitroglycérine, antiacides)? par de la nourriture?
Q	■ Qualité ■ Quantité	■ Pouvez-vous décrire ce que vous ressentez? ■ La douleur est-elle toujours la même ou varie-t-elle? ■ Pouvez-vous évaluer l'intensité de la douleur sur une échelle de 0 à 10 (10 étant la douleur la plus intense que vous ayez ressentie)?
R	■ Région ■ Irradiation	■ Montrez l'endroit où la douleur est la plus intense. ■ Indiquez les endroits où irradie la douleur.
S	■ Signes ■ Symptômes	■ Avez-vous ressenti autre chose en même temps que la douleur, ou avant ou après celle-ci? ■ Avez-vous eu des étourdissements? des nausées? des vomissements? l'impression de perdre connaissance? ■ Avez-vous ressenti une fatigue inhabituelle? des faiblesses?
T	■ Temps (moment d'apparition, durée de la douleur)	■ Avez-vous remarqué à quelle heure votre douleur a débuté ou depuis combien de temps elle dure? ■ La douleur est-elle apparue graduellement ou soudainement?

SOURCE: Adapté de M. Brûlé, L. Cloutier et O. Doyon (2002). *L'examen clinique dans la pratique infirmière*. Saint-Laurent (Québec): Éditions du Renouveau Pédagogique, (p. 45 et 305).

Problèmes traités en collaboration et complications possibles

Voici un certain nombre de complications possibles ; elles seront traitées dans les chapitres suivants :

- Œdème aigu du poumon (chapitre 32)
- Insuffisance cardiaque congestive (chapitre 32)
- Choc cardiogénique (chapitres 15 et 32)
- Arythmie et arrêt cardiaque (chapitres 29 et 32)
- Infarctus du myocarde (décrit plus loin dans le présent chapitre)
- Rupture myocardique (chapitres 29 et 32)
- Épanchement péricardique et tamponnade cardiaque (chapitre 32)

PLANIFICATION

Les principaux objectifs sont les suivants : traiter l'angine immédiatement et de manière appropriée ; prévenir l'angine ; atténuer l'anxiété ; aider la personne et sa famille à comprendre la nature de la maladie ainsi que les soins à prodiguer ; aider la personne à observer le programme d'autosoins ; et prévenir les complications.

INTERVENTIONS INFIRMIÈRES

Traiter l'angine

Si la personne ressent de l'angine (qui peut se manifester par de la douleur ou par son équivalent), l'infirmière doit intervenir immédiatement. Quand elle sent qu'une crise d'angine est imminente, la personne doit cesser toute activité et s'asseoir ou se mettre en position semi-Fowler sur le lit pour réduire le plus possible les besoins en oxygène du myocarde. L'infirmière évalue l'angine, pose des questions à l'aide de l'acronyme PQRST pour déterminer si la douleur ou le malaise ressenti est le même que celui que la personne éprouve habituellement en présence d'angine. Les différences peuvent indiquer qu'il y a une aggravation de la maladie ou que le symptôme renvoie à une autre étiologie. L'infirmière continue ensuite d'évaluer l'état de la personne en mesurant les signes vitaux et la saturation du sang en oxygène, ainsi qu'en observant tout signe de détresse respiratoire. Si la personne est à l'hôpital pour des examens, on peut effectuer un ECG à 12 dérivations en se concentrant sur les modifications du segment S-T et de l'onde T. Si on a soumis la personne au monitorage cardiaque avec surveillance continue de l'électrocardiogramme, on évalue tout changement au niveau du segment S-T.

On administre de la nitroglycérine par voie sublinguale et on évalue la réaction de la personne au médicament (soulagement de la douleur thoracique et effets sur la pression artérielle et la fréquence cardiaque). Si la douleur persiste, ou si elle diminue tout en demeurant présente, on donne de nouveau de la nitroglycérine, jusqu'à trois doses en tout à cinq minutes d'intervalle.

Il faut chaque fois évaluer la pression artérielle, la fréquence cardiaque et le segment S-T. Lorsque la fréquence respiratoire diminue ou que la saturation artérielle en oxygène baisse ($SaO_2 < 95$ %), l'infirmière administre de l'oxygène. Bien qu'il n'existe aucune documentation concernant les effets de cette pratique sur l'évolution de l'état de santé, on administre généralement 2 ou 3 L/min d'oxygène par canule nasale, même si la personne ne présente aucun signe de détresse respiratoire. Si la douleur et les autres signes d'angine sont intenses et qu'ils persistent après ces interventions, on transfère généralement la personne à l'unité coronarienne.

Atténuer l'anxiété

La personne qui souffre d'angine craint souvent de perdre son rôle au sein de la société et de la famille ; elle peut également avoir très peur qu'une crise d'angine ne la conduise à un infarctus du myocarde ou à la mort. De plus, les membres de la famille, particulièrement la conjointe ou le conjoint, manifestent de l'anxiété pouvant être liée au sentiment d'impuissance qu'ils ressentent face à la situation en général. Pour atténuer cette peur, il importe d'examiner avec la personne et avec ses proches les conséquences du diagnostic, telles qu'ils les perçoivent, et de leur fournir des renseignements sur la maladie et sur le traitement selon leur niveau de connaissances et leurs besoins. De plus, l'infirmière peut leur indiquer les mesures à prendre pour éviter que la maladie ne s'aggrave. Elle doit explorer avec la personne diverses méthodes servant à réduire le stress. On a montré que la musicothérapie, qui consiste à écouter de la musique sélectionnée grâce à des écouteurs pendant une durée déterminée, atténuait l'anxiété chez les personnes hospitalisées dans une unité coronarienne et servait d'adjuvant à la relation d'aide (Chlan et Tracy, 1999 ; Evans, 2002). On peut aussi apaiser l'anxiété et les craintes ressenties par la personne et par sa famille en voyant à leurs besoins spirituels.

Prévenir la douleur

L'infirmière doit évaluer les données recueillies, déterminer l'intensité des activités qui déclenchent la douleur et établir avec la personne un programme d'activités pertinentes. Si la personne se plaint fréquemment de douleurs ou si la douleur se déclenche à la suite d'une activité minimale, l'infirmière recommande d'alterner les périodes d'activité et les périodes de repos. L'équilibre entre activité et repos est un aspect important du plan d'enseignement pour le patient et la famille.

Favoriser les soins à domicile et dans la communauté

Enseigner les autosoins

Il est essentiel de connaître les facteurs de risque susceptibles d'être modifiés qui contribuent à l'évolution de l'athérosclérose et donnent lieu à l'angine. Le fait d'établir avec la personne et ses proches ce qui est prioritaire pour eux dans le traitement de la maladie et d'élaborer un programme à partir de ces notions peut faciliter l'observance du programme thérapeutique. Il importe d'explorer avec la personne les méthodes visant à atténuer, à modifier ou à adapter les facteurs qui déclenchent les crises d'angine. Le programme d'enseignement destiné à la personne qui souffre d'angine doit être conçu de manière à ce que tant la personne que ses proches comprennent la nature de la maladie, reconnaissent les signes et symptômes de l'ischémie myocardique, sachent comment réagir si ceux-ci se manifestent et quelles mesures prendre pour prévenir la douleur et freiner l'évolution de la coronaropathie. Le programme d'enseignement a pour but de réduire la fréquence et la gravité des crises d'angine, de retarder la progression de la maladie sous-jacente et, si possible, de prévenir les complications. L'encadré 30-5 ■ présente les objectifs

ENCADRÉ 30-5

GRILLE DE SUIVI DES SOINS À DOMICILE

Personne atteinte d'angine de poitrine

Après avoir reçu l'enseignement sur les soins à domicile, la personne ou le proche aidant peut:	Personne	Proche aidant
■ Réduire le risque de crise d'angine en équilibrant activité et repos:		
• En suivant un programme quotidien d'activités qui n'entraîne pas de douleurs thoraciques, d'essoufflement, de fatigue indue, ni tout autre signe d'angine.	✔	
• En s'abstenant de faire des exercices qui exigent une dépense brusque d'énergie et en évitant les exercices isométriques.	✔	
• En sachant que les températures extrêmes (les températures froides surtout) sont susceptibles de déclencher une crise d'angine et qu'il faut éviter de faire des exercices lorsque les températures sont extrêmes.	✔	
• En faisant suivre toute période d'activité d'une période de repos.	✔	
• En faisant appel à des personnes ressources, par exemple à un thérapeute, à une infirmière, à un membre du clergé ou à un médecin lors des périodes de stress émotionnel.	✔	✔
■ S'abstenir de prendre des médicaments en vente libre qui accélèrent la fréquence cardiaque et font monter la pression artérielle, par exemple plusieurs sortes de produits amaigrissants ou des décongestionnants, sans en avoir parlé au préalable avec un professionnel de la santé.	✔	✔
■ Éviter de consommer des aliments riches en acides gras saturés ou trans; privilégier un régime riche en fibres, en fruits et légumes, et un régime peu énergétique si elle souhaite perdre du poids.	✔	✔
■ Cesser de fumer et éviter la fumée secondaire (car fumer augmente la fréquence cardiaque, la pression artérielle et les taux de monoxyde de carbone dans le sang).	✔	✔
■ Atteindre et conserver une pression artérielle normale.	✔	
■ Atteindre et conserver un taux de glycémie normal.	✔	
■ Prendre ses médicaments selon l'ordonnance.	✔	
■ Avoir toujours sur elle de la nitroglycérine, savoir quand et comment la prendre et en connaître les effets secondaires.	✔	✔

visés par les interventions infirmières auprès de la personne et de ses proches (ou d'un proche aidant).

Le programme d'autosoins est préparé en collaboration avec la personne et avec sa famille ou avec les personnes qui jouent un rôle clé dans sa vie. Les activités doivent être planifiées de façon à réduire la fréquence des crises. Il importe que la personne sache qu'elle doit se présenter au service des urgences le plus proche si elle éprouve une douleur qui ne disparaît pas dans les 15 minutes suivant l'application des méthodes habituelles (encadré 30-4); elle peut composer le 911 pour recevoir de l'aide.

ÉVALUATION

Résultats escomptés

Les principaux résultats escomptés sont les suivants:

1. La personne sait comment soulager la crise d'angine.
   a) Elle en décèle les signes et symptômes.
   b) Elle prend immédiatement les mesures appropriées.
   c) Elle sait qu'elle doit consulter un service d'urgence si la douleur persiste ou devient plus intense.
2. La personne éprouve moins d'anxiété.
   a) Elle affirme accepter sa maladie.
   b) Elle comprend les modalités du programme thérapeutique.
   c) Elle dit avoir le sentiment d'exercer une certaine emprise sur le traitement.
   d) Elle ne présente pas de signes ou symptômes indiquant que son anxiété augmente.
3. La personne sait comment prévenir les complications et elle n'en présente pas.
   a) Elle décrit le processus de la maladie.
   b) Elle est en mesure d'expliquer pourquoi elle doit appliquer des mesures de prévention.
   c) Son ECG et ses taux d'enzymes cardiaques sont normaux.
   d) Elle ne présente ni signes ni symptômes d'infarctus aigu du myocarde.
4. La personne se conforme au programme d'autosoins.
   a) Elle respecte les modalités du traitement médicamenteux.
   b) Elle se présente aux consultations de suivi.
   c) Elle observe le plan visant à réduire les facteurs de risque.

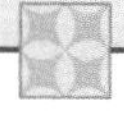

INFARCTUS DU MYOCARDE

Physiopathologie

On nomme infarctus du myocarde la nécrose ischémique du muscle cardiaque, causée habituellement par une réduction brutale de l'irrigation sanguine dans une partie du cœur. Comme l'angine instable, la baisse de l'irrigation peut résulter d'un rétrécissement important de la lumière d'une artère coronaire; cette baisse est engendrée par l'athérosclérose et l'obstruction complète d'une artère par un embole ou un thrombus. Puisqu'on estime que l'angine instable et l'infarctus du myocarde font partie du même continuum, mais qu'ils en représentent des stades différents, on utilise le terme générique de syndrome coronarien aigu pour désigner ces maladies. Les autres causes possibles de l'infarctus du myocarde sont le vasospasme (constriction subite ou rétrécissement) d'une artère coronaire, la diminution de l'apport d'oxygène (par exemple à la suite d'une hémorragie, d'anémie ou d'une diminution de la pression artérielle), l'augmentation des besoins en oxygène (attribuable par exemple à une fréquence cardiaque plus rapide, à la thyréotoxicose ou à l'ingestion de cocaïne). Dans tous les cas, on observe un déséquilibre entre les besoins du cœur en oxygène et l'apport de celui-ci.

Obstruction coronarienne, crise cardiaque et infarctus du myocarde sont synonymes, mais le terme couramment utilisé est infarctus du myocarde. La nécrose prend un certain temps à se mettre en place. Au fur et à mesure que les cellules se trouvent privées d'oxygène, l'ischémie fait sentir ses effets, occasionnant des lésions aux cellules. Avec le temps le manque d'oxygène déclenche un infarctus ou une nécrose. On entend parfois «Le temps, c'est du muscle», ce qui indique à quel point il est urgent d'appliquer le traitement approprié pour améliorer l'état de santé de la personne. Au Canada, on estime qu'il y a plus de 70 000 cas d'infactus du myocarde chaque année. En 2001, 19 000 Canadiens ont succombé à une crise cardiaque. La moitié des décès se produisent moins de deux heures après l'apparition des premiers symptômes ou avant que la victime ne parvienne à l'hôpital (Fondation des maladies du cœur, 2001).

Les différents termes employés pour décrire l'infarctus du myocarde permettent de cerner plus précisément la région atteinte et le stade du processus en évolution. D'abord, en ce qui concerne la région atteinte, on utilise les termes antérieur, inférieur, postérieur, latéral ou septal; dans certains cas, on parle également d'infarctus du cœur droit. Ensuite, on indique le stade du processus en utilisant les termes aigu, récent ou ancien.

L'ECG permet habituellement de délimiter le territoire touché. On se sert également de l'ECG et de l'anamnèse pour savoir à quel moment l'infarctus s'est produit. Quel que soit l'endroit où celui-ci s'est déclaré dans le muscle cardiaque, le traitement médical vise à freiner ou à restreindre l'étendue de la nécrose du tissu cardiaque et à prévenir les complications. La physiopathologie des coronaropathies et les facteurs de risque qui y sont associés ont été décrits au début de ce chapitre.

Manifestations cliniques

Chez la plupart des gens, le premier symptôme de l'infarctus du myocarde est une douleur thoracique d'apparition soudaine qui persiste et ne peut être soulagée ni par le repos ni par les médicaments (encadré 30-6 ■). Une étude a montré que 2 % des personnes chez qui on finissait par poser un diagnostic d'infarctus aigu du myocarde avaient été renvoyées à la maison après s'être présentées au service des urgences (Pope *et al.*, 2000). La plupart de ces personnes présentaient des symptômes atypiques, par exemple de l'essoufflement; souvent, il s'agissait de femmes de moins de 55 ans, appartenant à une minorité

ENCADRÉ 30-6

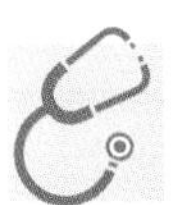

EXAMEN CLINIQUE

Signes et symptômes de l'infarctus aigu du myocarde ou du syndrome coronarien aigu

CARDIOVASCULAIRES

Douleur thoracique ou malaise, palpitations. Les bruits du cœur peuvent comprendre B_3 et B_4, ainsi que le début d'un souffle. La distension accrue de la veine jugulaire montre que l'infarctus du myocarde a engendré de l'insuffisance cardiaque. La pression artérielle est parfois plus élevée en raison de la stimulation sympathique ou elle peut être basse en raison de la diminution de la contractilité, de l'imminence du choc cardiogénique ou encore de l'effet des médicaments. Le pouls faible ou irrégulier peut être un signe de fibrillation auriculaire. En plus des changements au niveau du segment S-T et de l'onde T, l'ECG peut indiquer la présence d'une tachycardie, d'une bradycardie et d'une arythmie.

RESPIRATOIRES

Essoufflement, dyspnée, tachypnée et crépitants à l'auscultation si l'infarctus du myocarde a entraîné de la congestion pulmonaire. Un œdème pulmonaire peut être présent.

GASTRO-INTESTINAUX

Nausées et vomissements

GÉNITO-URINAIRES

Une diminution du débit urinaire peut indiquer un choc cardiogénique.

CUTANÉS

Une peau moite et froide, diaphorétique et pâle, causée par la stimulation sympathique faisant suite à la perte de contractilité, peut indiquer un choc cardiogénique. La réduction du débit cardiaque peut également entraîner la formation d'un œdème déclive.

NEUROLOGIQUES

Anxiété, agitation et sensation de faiblesse peuvent indiquer une augmentation de la stimulation sympathique ou une diminution du débit cardiaque et de l'oxygénation cérébrale. Maux de tête, troubles visuels, anomalie du discours, de la fonction motrice, ainsi que d'autres changements dans le niveau de conscience peuvent être le signe d'une hémorragie cérébrale si le patient reçoit des agents thrombolytiques.

PSYCHOLOGIQUES

Peur accompagnée du sentiment que la mort est imminente, ou encore déni de la réalité.

visible, et qui présentaient des ECG normaux. L'étude de Framingham a révélé que 50 % des hommes et 63 % des femmes qui mouraient subitement d'une cardiopathie ne présentaient aucun symptôme avant-coureur (Kannel, 1986). Ces personnes peuvent par ailleurs se sentir anxieuses et agitées. Elles ont parfois la peau froide, pâle et moite. Leur fréquence cardiaque et leur fréquence respiratoire peuvent être plus rapides que la normale. Ces signes et symptômes, provoqués par la stimulation du système nerveux sympathique, peuvent se manifester pendant une courte période, être absents ou ne se manifester qu'en partie. Dans bien des cas, il n'est pas possible de faire la différence entre les signes et symptômes de l'infarctus du myocarde et ceux de l'angine instable.

Examen clinique et examens paracliniques

Pour diagnostiquer l'infarctus du myocarde, on se base généralement sur les symptômes de la maladie actuelle, sur le tracé électrocardiographique et sur les résultats des examens paracliniques, les concentrations sériques d'enzymes cardiaques par exemple. Le pronostic repose sur la gravité de l'obstruction de l'artère coronaire et sur l'étendue des lésions myocardiques. Quoique indispensable, l'examen physique ne permet pas à lui seul de confirmer le diagnostic.

Anamnèse

L'anamnèse de la personne atteinte comporte deux volets: (1) la description des symptômes qu'elle présente (la douleur, par exemple); (2) ses antécédents personnels et familiaux, particulièrement en ce qui a trait aux maladies cardiaques. L'ensemble de ces antécédents peut fournir des renseignements précieux concernant les facteurs de risque propres à la personne.

Électrocardiogramme

L'ECG fournit d'importants renseignements qui aident à poser le diagnostic d'infarctus aigu du myocarde. On devrait l'obtenir rapidement après le déclenchement de la douleur ou tout au plus dix minutes après l'arrivée de la personne au service des urgences. L'ECG permet de déceler les signes électrophysiologiques de souffrance myocardique, de déterminer le siège et l'étendue des lésions et de suivre l'évolution de l'infarctus.

Les changements dans l'ECG qui se produisent lors d'un infarctus du myocarde sont visibles sur les dérivations qui exposent la zone touchée dans le cœur. Les changements classiques dans l'ECG sont l'inversion de l'onde T, l'élévation du segment S-T et l'apparition d'une onde Q anormale (figure 30-4 ■). Puisque l'infarctus évolue avec le temps, l'ECG se modifie également. Les premiers signes se manifestent sur l'ECG à la suite de l'ischémie myocardique et des lésions. L'ischémie se traduit par des changements dans l'onde T, qui devient plus marquée et davantage symétrique. Au fur et à mesure que la zone de l'ischémie s'amplifie, la repolarisation du myocarde se modifie et tarde, d'où l'inversion de l'onde T. La région ischémique peut rester dépolarisée, tandis que des zones adjacentes du myocarde retournent à leur potentiel de repos. Les lésions myocardiques entraînent également des changements dans le segment S-T. Les cellules

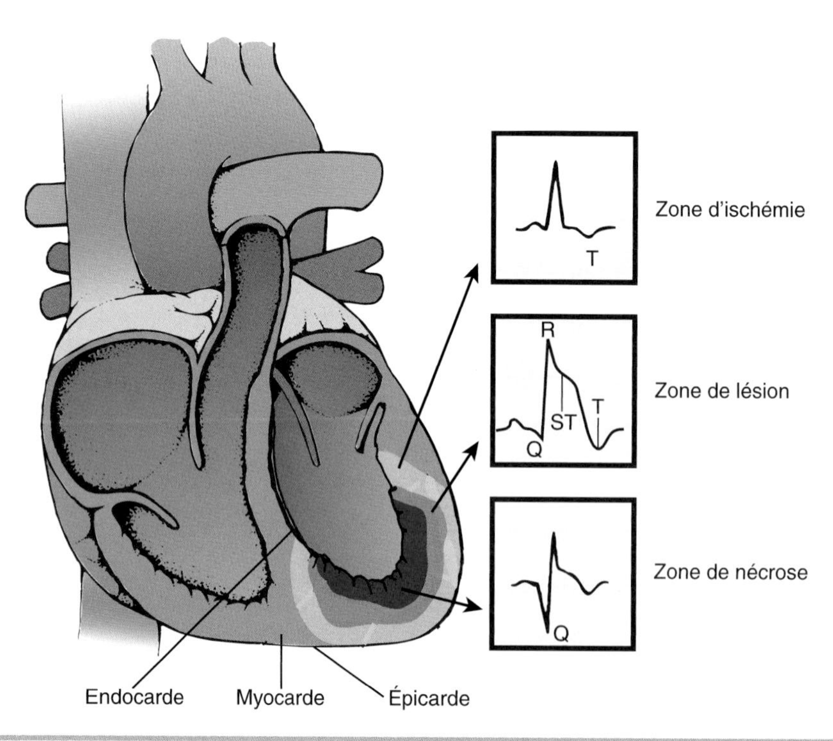

FIGURE 30-4 ■ Les effets de l'ischémie, de la lésion et de la nécrose sur le tracé de l'ECG. L'ischémie modifie la repolarisation du myocarde, ce qui se traduit par l'inversion de l'onde T sur l'ECG. Les lésions au myocarde entraînent l'élévation du segment S-T et de grandes ondes T symétriques. Lors d'un infarctus du myocarde complet, on note la formation d'ondes Q ou QS en raison de l'absence de courant de dépolarisation dans les zones de tissu nécrosé et de l'enregistrement de courants provenant des parties du cœur opposées à la partie touchée.

lésées se dépolarisent normalement, mais se repolarisent différemment des cellules normales, ce qui provoque un sus-décalage du segment S-T d'au moins 1 mm au-dessus de la ligne isoélectrique (ligne verticale située juste avant le début du complexe QRS ou entre l'onde T et l'onde P suivante) lorsqu'on mesure le segment S-T 0,08 seconde après la fin du complexe QRS. Si les lésions myocardiques se trouvent seulement à la surface de l'endocarde, le segment S-T est sous-décalé de 1 mm ou plus pendant au moins 0,08 seconde. Le sous-décalage du segment S-T est généralement horizontal ou en pente descendante (Wagner, 2001).

La présence ou l'absence d'onde Q anormale sert à classer l'infarctus du myocarde; le tissu nécrosé empêchant la conduction du courant de dépolarisation, l'onde Q anormale apparaît (Wagner 2001). Une onde Q est qualifiée d'anormale si sa durée est de 0,04 seconde ou plus, ou si sa profondeur équivaut à 25 % de l'onde R (pourvu que l'onde R ait une profondeur de plus de 5 mm) et si elle est présente dans au moins deux dérivations contiguës sur le même tracé d'ECG (Wagner, 2001). Les infarctus aigus du myocarde entraînent une diminution importante de la hauteur de l'onde R. Durant l'infarctus aigu, on observe également des signes électrocardiographiques de lésions et d'ischémie. Si une onde Q anormale est présente sans entraîner de changements du segment S-T et de l'onde T, c'est le signe d'un infarctus du myocarde ancien et non d'un infarctus aigu. Les personnes qui font un «infarctus sans onde Q» ne présentent pas d'onde Q anormale sur l'ECG après les changements dans le segment S-T et dans l'onde T. Chez ces personnes, ce sont les symptômes et l'analyse des enzymes cardiaques qui confirment le diagnostic d'infarctus du myocarde.

Durant la période où la personne se rétablit après avoir subi un infarctus du myocarde, le segment S-T et l'onde T redeviennent souvent normales après un certain temps (au bout de 1 à 6 semaines). Par contre, les modifications de l'onde Q sont généralement permanentes. Un infarctus du myocarde ancien est indiqué habituellement par une onde Q anormale ou par une diminution de l'amplitude de l'onde R, sans qu'on observe de changements dans le segment S-T ou dans l'onde T.

Échocardiogramme

L'échocardiogramme permet d'évaluer la fonction ventriculaire. Il peut servir à établir un diagnostic d'infarctus du myocarde, surtout lorsque l'ECG n'est pas concluant. L'échocardiogramme peut détecter les mouvements hypokinétiques et akinétiques de la paroi et déterminer la fraction d'éjection (chapitre 28 ⊜).

Examens paracliniques

Auparavant, les examens paracliniques utilisés pour diagnostiquer l'infarctus du myocarde comprenaient notamment la mesure de la **créatine kinase (CK)**, accompagnée d'une évaluation des valeurs de ses isoenzymes (CK-MB) et des concentrations de lacticodéshydrogénase (LDH). À présent, on obtient rapidement les résultats grâce aux nouveaux examens paracliniques, entre autres à l'analyse de la myoglobine et de la troponine; on peut donc plus rapidement poser le diagnostic. Ces épreuves se concentrent sur l'analyse de la libération des contenus cellulaires dans la circulation, libération entraînée par la nécrose des cellules myocardiques. Le tableau 30-6 ■ illustre les étapes de la hausse du taux des marqueurs sériques. On recourt aux épreuves de LDH moins souvent qu'auparavant, car elles ne sont pas spécifiques et elles ne permettent pas de détecter rapidement les accidents cardiaques (Braunwald *et al.*, 2000).

Créatine kinase et isoenzymes La créatine kinase provient de trois sources: le muscle squelettique (isoenzyme MM), le myocarde (isoenzyme MB) et le cerveau (isoenzyme BB). La CK-MB ne se trouve que dans les cellules cardiaques et son taux sérique ne s'élève donc que si ces cellules sont atteintes (en cas de nécrose, par exemple). Un taux élevé de CK-MB constitue donc un signe biochimique très important d'infarctus aigu du myocarde (Braunwald *et al.*, 2001). Le taux commence à monter en quelques heures et atteint son maximum dans les 24 heures suivant l'infarctus. Si le territoire est reperfusé (à la suite d'un traitement thrombolytique ou d'une angioplastie coronarienne transluminale percutanée, par exemple), le taux monte plus rapidement.

TABLEAU 30-6

Marqueurs sériques de l'infarctus aigu du myocarde

Test sérique	Début de l'élévation (en heures)	Durée du test (en minutes)	Pointe (en heures)	Retour à la normale
CK (concentration totale)	■ 3-6	■ 30-60	■ 24-36	3 jours
CK-MB:				
■ isoenzyme	■ 4-8	■ 30-60	■ 12-24	3-4 jours
■ test en masse	■ 2-3	■ 30-60	■ 10-18	3-4 jours
Myoglobine	■ 1-3	■ 30-60	■ 4-12	12 h
Troponine T ou I	■ 3-4	■ 30-60	■ 4-24	1-3 sem.

Données fournies par June Price, chef de laboratoire, Kaiser Permanente.

Myoglobine La myoglobine est une protéine à hème qui aide à transporter l'oxygène. Elle est présente dans le muscle cardiaque et dans le muscle squelettique. Sa concentration commence à monter environ 1 à 3 heures après l'apparition des symptômes et elle atteint son maximum au bout de 12 heures.

Le test s'effectue en quelques minutes à peine. L'augmentation de la myoglobine n'est pas spécifique de l'infarctus aigu du myocarde et ne permet pas de poser le diagnostic; cependant, les résultats négatifs constituent un excellent paramètre invitant à l'écarter. Si les premiers résultats des épreuves de myoglobine sont négatifs, on refait l'examen trois heures plus tard. Le second résultat négatif confirme que le patient n'a pas subi d'infarctus aigu du myocarde.

Troponine La **troponine** est une protéine qui se trouve dans le myocarde et qui participe à la régulation de la contractilité. Il existe trois isomères de troponine (C, I et T). Étant donné la taille relativement petite de cette protéine et la plus forte spécificité des troponines I et T dans le myocarde, les épreuves qui établissent leur présence sont plus fréquemment utilisées pour détecter les lésions myocardiques consécutives à l'angine instable et à l'infarctus aigu du myocarde. La concentration de troponine dans le sang commence à augmenter et atteint son maximum à peu près en même temps que la CK-MB. Cependant, elle reste élevée pendant une plus longue période, souvent jusqu'à trois semaines, et ne peut donc pas être employée pour détecter les récidives ou l'expansion des zones de lésion ou de nécrose après la période aiguë.

Traitement médical

Le traitement médical de l'infarctus du myocarde a pour but de limiter les lésions myocardiques, de préserver la fonction du myocarde et de prévenir les complications. On atteint ces objectifs en reperfusant la zone en souffrance grâce à l'administration d'urgence d'agents thrombolytiques ou en pratiquant une angioplastie coronarienne transluminale percutanée. On limite également les lésions en réduisant les besoins du cœur en oxygène et en augmentant son apport. Pour ce faire, on administre des médicaments ainsi que de l'oxygène et on favorise le repos. La disparition progressive de la douleur et les changements dans l'ECG sont les principaux signes qui indiquent qu'on a atteint l'équilibre entre les besoins du cœur en oxygène et ce qu'il reçoit. Ils peuvent aussi être le signe d'une reperfusion, laquelle peut être confirmée par une coronarographie, examen permettant de vérifier si la circulation sanguine est rétablie dans le vaisseau touché.

Pharmacothérapie

La personne atteinte d'un infarctus aigu du myocarde peut recevoir les mêmes médicaments qu'une personne affectée d'angine instable, avec l'ajout possible d'agents thrombolytiques, d'analgésiques et d'inhibiteurs de l'enzyme de conversion de l'angiotensine. On peut également prescrire des bêtabloquants au début du traitement. La personne doit continuer à les prendre après avoir quitté l'hôpital; dans ce cas, on lui donne une ordonnance médicale.

Agents thrombolytiques Les agents thrombolytiques sont des médicaments administrés généralement par voie intraveineuse, même si certains d'entre eux peuvent être injectés directement dans l'artère coronaire lors d'un cathétérisme cardiaque effectué au laboratoire d'hémodynamie (encadré 30-7 ■). Ces médicaments permettent de dissoudre et de lyser le thrombus (thrombolyse) qui se trouve dans l'artère coronaire touchée. Le sang circulera à nouveau dans ce vaisseau (reperfusion), réduisant ainsi l'étendue de la nécrose et préservant la fonction ventriculaire. Si la thrombolyse détruit le thrombus, elle n'a cependant aucun effet sur la lésion athéroscléreuse sous-jacente. On peut diriger la personne vers des services spécialisés afin qu'elle subisse, au besoin, un cathétérisme cardiaque ou une autre intervention effractive.

ENCADRÉ 30-7

Administration des agents thrombolytiques

INDICATIONS

- Douleur thoracique qui dure depuis plus de 20 minutes et ne cède pas après la prise de nitroglycérine.
- Élévation du segment S-T dans au moins deux dérivations faisant face à la même zone cardiaque.
- Moins de 6 heures se sont écoulées depuis l'apparition de la douleur.

CONTRE-INDICATIONS ABSOLUES

- Saignement actif
- Trouble de la coagulation connu
- Antécédent d'accident vasculaire cérébral hémorragique
- Antécédent de malformation d'un vaisseau intracrânien
- Importante chirurgie ou trauma récents
- Hypertension grave non maîtrisée
- Grossesse

CONSIDÉRATIONS INFIRMIÈRES

- Limiter le nombre de ponctions dans la peau du patient.
- Éviter d'administrer des injections intramusculaires.
- Effectuer un prélèvement sanguin pour les épreuves de laboratoire au moment d'installer le cathéter IV.
- Mettre en place les cathéters IV avant d'administrer le traitement thrombolytique; réserver un raccord aux prises de sang.
- Éviter d'utiliser le brassard pneumatique pour mesurer la pression artérielle.
- Être à l'affût des signes d'arythmie aiguë, d'hypotension et de réaction allergique.
- Être à l'affût des signes de reperfusion: disparition de la douleur thoracique ou changements prononcés dans le segment S-T.
- Surveiller les signes et symptômes d'hémorragie: diminution de l'hématocrite et des concentrations d'hémoglobine, baisse de la pression artérielle, augmentation de la fréquence cardiaque, suintement ou bombement aux sites des interventions effractives, douleur dorsale, faiblesse musculaire, modifications dans le niveau de conscience, maux de tête.
- Traiter les hémorragies importantes en mettant fin au traitement thrombolytique et à l'administration de tout anticoagulant; appliquer une pression directe et informer le médecin immédiatement.
- Traiter les hémorragies mineures en appliquant une pression directe si elle est accessible et si l'intervention est appropriée; continuer à surveiller l'état de la personne.

Les thrombolytiques détruisent tous les caillots, pas uniquement ceux qui se trouvent dans les artères coronaires. C'est pourquoi ils ne doivent pas être utilisés si on pense que la personne peut avoir également un caillot protecteur, comme c'est le cas après une chirurgie importante ou un accident vasculaire cérébral. De plus, ils réduisent la capacité de former un caillot stabilisateur, d'où un risque accru d'hémorragie chez certaines personnes (voir les contre-indications à l'encadré 30-7). Cela signifie également qu'il faut limiter le nombre de ponctions veineuses, éviter les injections intramusculaires, prévenir le trauma tissulaire et appliquer une pression plus longtemps que la normale après une ponction.

Pour être efficaces, les agents thrombolytiques doivent être administrés aussi rapidement que possible après l'apparition de la douleur indiquant un infarctus aigu du myocarde. Cependant, on ne les donne pas aux personnes qui souffrent d'angine instable. Dans les hôpitaux, on veille à les administrer moins de 30 minutes après l'arrivée de la personne au service des urgences (Ryan *et al.*, 1999). Les trois médicaments les plus souvent utilisés sont la **streptokinase** (Streptase), l'alteplase ou rt-PA (Activase) et la tenecteplase (TNKase).

La streptokinase augmente la concentration de l'activateur du plasminogène, lequel à son tour augmente la concentration de la plasmine circulante et celle qui est liée au caillot. La streptokinase étant fabriquée à partir d'une bactérie, le fait de l'utiliser entraîne également un risque de réaction allergique. Une vasculite peut se déclarer environ neuf jours après l'administration. On s'abstient d'employer la streptokinase si la personne a été exposée récemment à une infection à streptocoques ou a reçu de la streptokinase au cours des six à douze derniers mois.

L'alteplase est une sorte d'activateur tissulaire du plasminogène (t-PA). Contrairement à la streptokinase, il active le plasminogène contenu dans le caillot plutôt que le plasminogène circulant. Puisqu'il ne diminue pas l'action des facteurs de coagulation autant que ne le fait la streptokinase, on utilise de l'héparine non fractionnée ou de faible poids moléculaire en combinaison avec l'alteplase pour réduire la possibilité qu'un autre caillot se forme à l'endroit de la lésion. Le t-PA étant une enzyme que l'on retrouve normalement dans l'organisme, il provoque peu de réactions allergiques, mais il est plus coûteux que la streptokinase.

La tenecteplase est une forme modifiée de l'activateur tissulaire du plasminogène qui se donne en bolus intraveineux de 5 secondes. Elle est beaucoup plus facile à administrer que l'alteplase, qui se donne en perfusion intraveineuse de 90 minutes, et son efficacité est comparable (ASSENT-2).

Analgésiques La morphine, administrée en bolus intraveineux, est l'analgésique à privilégier lors d'un infarctus aigu du myocarde. La morphine atténue la douleur et l'anxiété. De plus, elle diminue la précharge, ce qui réduit le travail du cœur, et elle relâche les bronchioles afin d'accroître l'oxygénation. On surveille de près la réaction cardiovasculaire à la morphine, surtout les effets sur la pression artérielle, qui peut baisser, et la fréquence respiratoire, qui peut ralentir. Puisque la morphine diminue la sensation de douleur, la surveillance du segment S-T constitue un meilleur indicateur de la souffrance myocardiaque que l'évaluation de la douleur. Le fentanyl intraveineux peut être utilisé lorsque l'on veut éviter les effets hypotenseurs de la morphine intraveineuse.

Inhibiteurs de l'enzyme de conversion de l'angiotensine (IECA) En réponse à la diminution du débit sanguin rénal, qui peut être causé entre autres par une diminution du débit cardiaque, les reins libèrent de la rénine, qui transforme l'angiotensinogène en angiotensine I. Celle-ci est convertie en angiotensine II par l'enzyme de conversion de l'angiotensine, substance qui est libérée dans la lumière de tous les vaisseaux sanguins, surtout dans le système vasculaire pulmonaire. Sous l'effet de l'angiotensine II, il se produit une constriction des vaisseaux et une sécrétion d'aldostérone. L'aldostérone agit au niveau des reins pour retenir le sodium et l'eau tout en excrétant du potassium. La quantité de liquide en circulation augmente, la pression monte et le cœur doit pomper davantage, ce qui accroît sa charge de travail. Les **IECA** (inhibiteurs de l'enzyme de conversion de l'angiotensine) empêchent l'angiotensine I de se convertir en angiotensine II. Faute d'angiotensine II, la pression artérielle baisse et les reins excrètent le sodium et les liquides (diurèse), réduisant ainsi les besoins du cœur en oxygène. L'utilisation des IECA chez les personnes qui ont subi un infarctus du myocarde abaisse le taux de mortalité et prévient le développement et la progression de l'insuffisance cardiaque. Avant de les administrer, il importe de s'assurer que la personne ne souffre pas d'hypotension, d'hyponatrémie, d'hypovolémie ou d'hyperkaliémie. On doit surveiller de près la pression artérielle et la diurèse, de même que les taux de sodium, de potassium et de créatinine dans le sang.

Intervention coronarienne percutanée en urgence

La personne chez qui on craint de voir se déclencher un infarctus aigu du myocarde peut subir immédiatement une intervention coronarienne percutanée. Au cours de ce type d'intervention, on ouvre l'artère coronaire obstruée et on favorise ainsi la reperfusion de la zone qui a été privée d'oxygène dans le cœur. En outre, l'intervention coronarienne percutanée permet de traiter la lésion athéroscléreuse sous-jacente. Comme la durée pendant laquelle la région est privée d'oxygène influe directement sur le nombre de cellules qui meurent, le laps de temps qui s'écoule entre le moment où la personne arrive au service des urgences et le moment où on pratique l'intervention doit être inférieur à 60 minutes si la thrombolyse n'est pas utilisée par la reperfusion (*le temps, c'est du muscle*). Cette intervention coronarienne percutanée d'urgence ne peut se pratiquer en un si court laps de temps qu'à deux conditions: avoir à sa disposition une salle d'hémodynamie et pouvoir mobiliser une équipe de chirurgie cardiovasculaire à brève échéance. Cette intervention et les soins et traitements infirmiers qui s'y rapportent sont expliqués plus loin dans ce chapitre.

Réadaptation cardiaque

On recommande fortement aux personnes qui se rétablissent d'un infarctus du myocarde, et qui ne présentent plus de symptômes, de participer à un programme de réadaptation. Ce dernier a entre autres pour objectif de réduire les facteurs de risque grâce à l'enseignement, au soutien individuel ou en groupe, de même qu'à la pratique d'activités physiques. Certaines assurances couvrent des coûts liés à la participation à un programme de réadaptation cardiaque. Cependant, des études indiquent que seulement 8 à 39 % des personnes qui seraient susceptibles d'en bénéficier participent à ces programmes (Wenger *et al.*, 1995; Williams *et al.*, 2002).

La réadaptation des personnes qui se rétablissent d'un infarctus aigu du myocarde a pour objectif de prolonger la vie et d'en améliorer la qualité. À court terme, elle vise à limiter la progression de l'athérosclérose ainsi que ses effets, à permettre à la personne de reprendre ses activités quotidiennes et son travail, à accroître l'estime de soi et à prévenir tout autre accident cardiovasculaire. Le programme comporte des activités physiques, de l'enseignement aux personnes atteintes et à leurs proches, des interventions de counselling et des interventions destinées à modifier le comportement.

Durant toutes les phases de la réadaptation, les personnes s'adonnent graduellement aux exercices de mise en forme afin d'améliorer leur capacité fonctionnelle. Ce but est atteint lorsque la personne travaille et vaque à ses activités quotidiennes en conservant une fréquence cardiaque moins élevée et une pression artérielle plus basse, ce qui réduit par conséquent les besoins du myocarde en oxygène de même que les efforts du cœur.

La personne améliore graduellement sa condition physique. Il n'est pas rare qu'elle veuille «en faire trop» afin atteindre ses objectifs très rapidement. Si elle manifeste l'un ou l'autre des symptômes suivants – douleur thoracique, dyspnée, faiblesse, fatigue inhabituelle ou palpitations –, elle doit interrompre momentanément l'exercice. Dans un programme supervisé, on surveille l'évolution clinique de la personne afin de s'assurer que la fréquence cardiaque ne dépasse pas la fréquence cardiaque cible, que la pression artérielle systolique ou diastolique évolue normalement, que des signes de bas débit cardiaque ne se manifestent pas et que l'apparition ou l'aggravation de l'arythmie ou encore les changements dans le segment S-T figurant sur l'ECG soient décelés et traités.

Dans la phase I, on veille à ce que, durant l'exercice, la fréquence cardiaque augmente de moins de 10 % par rapport à celle qui a été mesurée au repos ou que le nombre de battements ne dépasse pas 120 par minute. Dans la phase II, on détermine la fréquence cardiaque cible en se fondant sur les résultats obtenus à l'épreuve d'effort (généralement, elle représente de 60 % à 85 % du niveau auquel les symptômes se manifestent), sur les médicaments prescrits et sur l'état général de la personne. On évalue aussi la saturation en oxygène pour s'assurer qu'elle reste supérieure à 93 %. Si des signes et symptômes se manifestent, on recommande à la personne de ralentir le rythme de l'exercice ou d'y mettre fin. Si elle fait de l'exercice dans le cadre d'un programme non supervisé, elle doit mettre fin immédiatement à toute activité physique si des signes et symptômes d'ischémie ou d'intolérance à l'effort se manifestent. Si ces malaises persistent malgré l'arrêt de l'exercice, il lui faut se rendre à une clinique d'urgence. Le tableau 30-7 ■ énumère les contre-indications d'un programme d'exercice à domicile et non supervisé.

Les personnes qui peuvent marcher à une vitesse de 4 à 6 kilomètres à l'heure sont habituellement en état d'avoir des relations sexuelles. L'infirmière leur recommandera de s'y adonner lorsque les conditions suivantes sont remplies: elles se sentent vraiment reposées; elles se trouvent dans un environnement familier; elles ont attendu au moins une heure après avoir mangé ou bu de l'alcool; et elles choisissent une position confortable. Il faut faire des mises en garde concernant les rapports anaux. Enfin, on recommande à la personne de faire part au professionnel de la santé de tout dysfonctionnement sexuel ou de tout symptôme cardiaque.

Phases de la réadaptation cardiaque

La réadaptation cardiaque est un processus qui débute dès l'annonce de la maladie et qui dure toute la vie. Ce processus se divise habituellement en trois phases. La phase I commence par le diagnostic de la maladie cardiaque, qu'on établit lorsque la personne entre à l'hôpital, souffrant d'un syndrome coronarien aigu (angine instable ou infarctus aigu du myocarde). Elle comporte des activités physiques pratiquées à un rythme modéré et de l'enseignement à la personne et à ses proches. Comme le séjour à l'hôpital est de courte durée, on se mobilise rapidement et, en donnant l'enseignement, on met davantage l'accent sur les notions essentielles du programme d'autosoins plutôt que sur les modifications à apporter aux comportements en vue de réduire les facteurs de risque. Au cours du séjour à l'hôpital, on insiste

TABLEAU 30-7 Contre-indications d'un programme d'exercice

■ Risque élevé d'angine instable (coronaropathie grave)	■ PA systolique au repos > 200 mm Hg
■ Sténose aortique grave et symptomatique	■ Myocardiopathie hypertrophique
■ Arythmie symptomatique non maîtrisée	■ Diabète non maîtrisé (glycémie: 22 mmol/L)
■ Myocardite, péricardite en évolution	■ Maladie générale évolutive ou fièvre
■ Embolie pulmonaire aiguë ou infarctus	■ Problèmes orthopédiques graves
■ Bloc auriculoventriculaire à degré élevé	■ Diminution de la PA orthostatique de 20 mm Hg, accompagnée de symptômes
■ Anévrisme disséquant aigu	■ IC symptomatique non compensée
■ PA diastolique au repos > 110 mm Hg	

PA, pression artérielle; IC, insuffisance cardiaque.
SOURCE: American College of Cardiology Foundation et American Heart Association (2002). *ACC/AHA 2002 Guideline Update for Exercise Testing: A report of the American College of Cardiology Foundation/American Heart Association Task Force on Practice Guidelines (Committee on Exercise Testing)*, [en ligne], http://www.acc.org/clinical/guidelines/exercise/exercise_clean.pdf.

sur les signes et symptômes pour lesquels il est recommandé de composer le 911 (et de faire appel aux services d'urgence), on se concentre sur le traitement médicamenteux, sur l'équilibre entre activité et repos ainsi que sur les consultations de suivi avec le médecin. L'infirmière doit rassurer la personne en lui expliquant que, même si les coronaropathies sont des maladies chroniques qu'on doit continuer à traiter, la plupart des gens qui ont subi un infarctus du myocarde reprennent une vie normale par la suite. Cette approche positive contribue à motiver la personne durant son séjour à l'hôpital et à lui faire prendre conscience du fait qu'il est important de suivre les consignes et, une fois rentrée chez elle, d'apporter à ses habitudes de vie les modifications nécessaires. Le degré d'activité recommandée varie en fonction de l'âge, de l'état de santé avant l'accident cardiovasculaire, de la gravité de la maladie, de la durée du séjour à l'hôpital et des complications, s'il y en a.

La phase II s'amorce lorsque la personne sort de l'hôpital; elle dure généralement de quatre à six semaines, mais peut s'étendre sur six mois. Le programme, qui s'effectue à l'extérieur de l'hôpital, comprend notamment des exercices destinés à améliorer la capacité fonctionnelle de façon progressive. Dans certains cas, la personne peut bénéficier d'un programme structuré de réadaptation cardiaque (par exemple au Pavillon de prévention des maladies cardiaques (PPMC) de l'Hôpital Laval ou au centre ÉPIC de l'Institut de cardiologie de Montréal) et d'une supervision clinique lors de l'exercice. Le niveau d'activité physique recommandé se fonde sur les résultats de l'épreuve d'effort. Cette phase comprend également du soutien et des recommandations concernant le traitement, de même qu'un enseignement et des conseils quant aux modifications des habitudes de vie contribuant à réduire les facteurs de risque. On détermine les objectifs à court et à long terme en fonction des besoins de la personne. Dans le cadre d'un programme de réadaptation structuré, les infirmières évaluent à chaque rencontre l'efficacité et l'observance du traitement médical en cours. Pour prévenir les complications et éviter d'hospitaliser de nouveau la personne, l'équipe de réadaptation cardiaque prévient le médecin des problèmes qui ont pu se présenter lors de l'exercice. Les programmes de réadaptation cardiaque sont conçus de façon à encourager la personne et ses proches à se soutenir mutuellement. De nombreux programmes offrent au conjoint et aux proches des séances de soutien données par des cardiologues, des kinésiologues, des diététistes, des infirmières et d'autres professionnels de la santé. Ces séances peuvent se dérouler en dehors des salles de cours traditionnelles. Ainsi, une diététiste peut emmener un groupe de personnes accompagnées de leur famille dans une épicerie pour examiner les étiquettes et les viandes proposées, ou dans un restaurant pour discuter de la composition des menus qui constituent un régime alimentaire «bon pour le cœur».

La phase III met l'accent sur le maintien de la stabilité cardiovasculaire et sur l'adoption de saines habitudes de vie, la pratique régulière de l'activité physique par exemple. D'habitude, la personne est alors autonome, elle n'a plus besoin d'un programme structuré, même s'il lui est offert. Les objectifs de chacune des phases de la réadaptation sont fixés en fonction de ce que la personne a pu accomplir à l'étape précédente.

DÉMARCHE SYSTÉMATIQUE dans la pratique infirmière

Personne ayant subi un infarctus du myocarde

COLLECTE DES DONNÉES

La collecte des données représente l'un des aspects les plus importants de la démarche de soins infirmiers effectuée auprès d'une personne qui a subi un infarctus du myocarde. Elle sert à établir les critères de référence sur lesquels on se fonde pour dépister les variations et pour cerner, de manière systématique, les besoins de la personne; elle contribue de plus à déterminer les priorités en fonction de ces besoins. Cette étape comprend l'anamnèse complète, particulièrement en ce qui a trait aux symptômes suivants: douleur thoracique ou malaise, difficulté à respirer (dyspnée), palpitations, fatigue excessive, évanouissement (syncope) ou transpiration profuse (diaphorèse). On doit noter à quel moment apparaît chacun des symptômes, sa durée, quels sont les facteurs qui l'engendrent ou l'apaisent afin de se livrer à des comparaisons avec les informations dont on dispose. La collecte des données comporte également un examen physique minutieux et complet visant à dépister les complications et les changements dans l'état de la personne. L'encadré 30-6 énumère les principaux éléments de l'examen clinique et les résultats auxquels il peut donner lieu.

Les sites des injections intraveineuses sont examinés fréquemment. On installe un ou même deux cathéters intraveineux chez la personne souffrant d'un syndrome coronarien aigu afin de pouvoir donner rapidement les médicaments requis en situation d'urgence. Administrés par voie intraveineuse, les médicaments agissent plus vite et il est possible de modifier le traitement au besoin. On évite de donner les médicaments par voie intramusculaire, car leur absorption est imprévisible, leur effet est retardé et l'injection elle-même peut provoquer une élévation des taux d'enzymes sériques en causant des lésions aux cellules musculaires, ce qui peut fausser les résultats de certaines analyses biochimiques utilisées pour diagnostiquer le syndrome coronarien aigu. Dès que l'état de la personne est stabilisé, on peut remplacer le soluté par un bouchon à injection intermittente pour conserver l'accès intraveineux.

ANALYSE ET INTERPRÉTATION

Diagnostics infirmiers

En se fondant sur les données recueillies, l'infirmière peut poser les diagnostics infirmiers suivants:

- Irrigation tissulaire inefficace (tissu cardiopulmonaire), reliée à la diminution du débit coronarien provoquée par la présence d'un thrombus coronarien et d'une plaque athéroscléreuse
- Échanges gazeux perturbés, reliés à une surcharge liquidienne pulmonaire provenant d'un dysfonctionnement ventriculaire gauche
- Irrigation tissulaire périphérique inefficace, reliée à une diminution du débit cardiaque provenant d'un dysfonctionnement ventriculaire gauche

- Anxiété, reliée à la peur de mourir
- Connaissances insuffisantes sur le programme d'autosoins après l'infarctus

Problèmes traités en collaboration et complications possibles

En se fondant sur les données recueillies, l'infirmière peut déterminer les complications susceptibles de survenir, notamment:

- Œdème aigu du poumon (chapitre 32)
- Insuffisance cardiaque (chapitre 32)
- Choc cardiogénique (chapitres 15 et 32)
- Arythmie et arrêt cardiaque (chapitres 29 et 32)
- Épanchement péricardique et tamponnade cardiaque (chapitre 32)
- Rupture myocardique (chapitre 32)

PLANIFICATION

Les principaux objectifs sont les suivants: soulager la douleur et faire disparaître les signes et symptômes de souffrance myocardique (changements dans le segment S-T, par exemple); prévenir l'apparition de nouvelles zones d'ischémie, de lésions et de nécrose myocardiques; prévenir les troubles respiratoires; rétablir ou préserver une irrigation tissulaire adéquate en réduisant les efforts du cœur; atténuer l'anxiété; s'assurer de l'observance du programme d'autosoins; et prévenir ou détecter rapidement les complications. On trouvera le résumé des soins aux personnes qui ont subi un infarctus du myocarde, mais n'ont pas subi de complications aux pages 342 à 344.

INTERVENTIONS INFIRMIÈRES

Soulager la douleur et faire disparaître les autres signes et symptômes de souffrance myocardique

L'une des priorités quand on s'occupe d'une personne qui a subi un infarctus du myocarde est d'établir un équilibre entre les besoins du myocarde en oxygène et l'apport de ce dernier; le soulagement de la douleur indique que cet objectif a été atteint. Bien que l'on doive faire appel au traitement médicamenteux, les interventions infirmières ont également leur importance. Il faut donc que la personne, l'infirmière et le médecin collaborent en vue d'évaluer les effets du traitement et de modifier les interventions en conséquence.

Pour soulager les symptômes associés à l'infarctus du myocarde, on recourt à la revascularisation au moyen d'agents thrombolytiques ou à l'angioplastie coronarienne transluminale percutanée chez les personnes qui se présentent au service des urgences dès l'apparition des manifestations cliniques et qui n'ont pas de contre-indications sérieuses. Ces traitements sont essentiels car, outre le fait qu'ils soulagent les symptômes, ils contribuent à atténuer la gravité des lésions permanentes au myocarde, ou à prévenir leur apparition. Avec ou sans revascularisation, il est indiqué d'administrer de l'aspirine avec ou sans clopidogrel, des bêtabloquants par intraveineuse et de la nitroglycérine s'il n'y a pas de contre-indication. On peut également employer des agents GPIIb/IIIa et de l'héparine. L'infirmière administre de la morphine pour soulager la douleur et les autres symptômes, pour atténuer l'anxiété et diminuer la précharge.

Le traitement médicamenteux s'accompagne d'oxygénothérapie afin d'aider à soulager les symptômes. Même administrée à faibles doses, l'oxygénothérapie augmente le taux d'oxygène circulant, réduisant ainsi la douleur associée à l'insuffisance de la quantité d'oxygène alimentant le myocarde. On note par quelle méthode l'oxygénothérapie est administrée, habituellement par une canule nasale, ainsi que le débit ou le pourcentage d'oxygène. Un débit de 2 à 4 L/min par canule nasale suffit habituellement pour assurer des taux de saturation d'oxygène de 96 à 100 % si aucune autre affection n'est présente.

On doit prendre fréquemment les signes vitaux jusqu'à ce que la douleur et les autres signes ou symptômes de souffrance myocardique aient disparu. Le repos au lit en position Fowler ou semi-Fowler contribue à faire cesser la douleur thoracique et la dyspnée. En surélevant la tête du lit, on favorise:

- l'augmentation du volume courant en réduisant la pression du contenu abdominal sur le diaphragme, ce qui améliore les échanges gazeux
- le drainage des lobes pulmonaires supérieurs
- la diminution du retour veineux au cœur (précharge), ce qui réduit le travail du cœur

Améliorer la fonction respiratoire

L'évaluation de la fonction respiratoire effectuée à intervalles réguliers permet de dépister rapidement les complications pulmonaires. Il importe également de mesurer régulièrement le volume liquidien afin d'éviter de surcharger le cœur, et par conséquent les poumons. Il faut de plus inciter la personne à prendre souvent de grandes respirations et à changer fréquemment de position pour prévenir l'accumulation de liquide à la base des poumons.

Favoriser une irrigation tissulaire adéquate

Par le repos au lit ou dans un fauteuil, on fait baisser considérablement la consommation d'oxygène du myocarde (mVO_2). La personne doit accepter de limiter ses activités jusqu'à ce que la douleur ait été soulagée et que les paramètres hémodynamiques se soient stabilisés. Il faut toutefois s'assurer que l'irrigation tissulaire est adéquate en vérifiant fréquemment la température cutanée et les pouls périphériques. Si nécessaire, on peut avoir recours à l'oxygénothérapie pour accroître le taux d'oxygène circulant.

Atténuer l'anxiété

Parmi les tâches qui incombent à l'infirmière, l'une des plus importantes est d'atténuer l'anxiété et les craintes de la personne afin d'amoindrir la réaction de stress. Faire baisser la stimulation sympathique entraîne une diminution du travail du cœur, ce qui peut faire disparaître la douleur et les autres symptômes d'ischémie.

Pour atténuer l'anxiété chez la personne qui souffre d'une affection cardiaque, il importe d'établir avec elle une relation de confiance et de lui offrir souvent l'occasion d'exprimer ses inquiétudes et ses craintes. L'infirmière a pour rôle de donner à la personne qu'elle soigne et à sa famille l'information qu'ils sont en droit de recevoir, et cela de façon honnête et rassurante; cette attitude invite la personne à participer aux soins et elle contribue grandement à établir de bons rapports avec elle. Veiller à ce que l'environnement reste calme, éviter d'interrompre le sommeil, faire preuve de sensibilité, enseigner les bienfaits de la relaxation, utiliser l'humour et aider la personne à rire, l'encourager à prier si cela correspond à ses croyances religieuses, toutes ces interventions permettent d'atténuer l'anxiété. Il faut également offrir à la personne des occasions de faire part de ses inquiétudes et de ses craintes à ses proches. Plus la personne se sent acceptée, plus les sentiments qu'elle éprouve lui semblent légitimes et normaux. On a découvert que la musicothérapie, qui consiste à écouter de la musique sélectionnée pendant une durée déterminée et à un moment défini, constitue une méthode efficace pour atténuer l'anxiété et gérer le stress (Chlan et Tracy, 1999; Evans, 2002).

Surveiller et traiter les complications

Les lésions du myocarde ou du système cardionecteur (cellules assurant la production et la conduction des courants électriques dans le cœur), engendrées par l'amenuisement du débit sanguin dans les artères coronaires, peuvent donner lieu à des complications, parfois mortelles. Pour cette raison, il est crucial de surveiller de près la personne afin de détecter rapidement les signes et symptômes avant-coureurs (Plan thérapeutique infirmier ■, p. 342).

L'infirmière observe la personne qu'elle soigne et se tient à l'affût de tout changement inquiétant qui pourrait se manifester dans la fréquence et le rythme cardiaques, les bruits cardiaques, la pression artérielle, la douleur thoracique, l'état respiratoire, le débit urinaire, la coloration et la température de la peau, l'ECG et les résultats des examens paracliniques.

Il faut prévenir immédiatement le médecin de toute modification de l'état de la personne et, si nécessaire, recourir à des mesures d'urgence.

Favoriser les soins à domicile et dans la communauté

Enseigner les autosoins

En cherchant à savoir quelles sont ses priorités, en lui prodiguant un enseignement adéquat concernant les habitudes de vie qui favorisent la santé du cœur et en l'encourageant à participer à un programme de réadaptation cardiaque, l'infirmière aidera la personne à mettre en oeuvre son programme d'autosoins après avoir quitté l'hôpital. Le fait de collaborer avec la personne afin de mettre au point un plan qui réponde à ses besoins spécifiques renforce l'efficacité du traitement.

ÉVALUATION

Résultats escomptés

Les principaux résultats escomptés sont les suivants:

1. La douleur a disparu.
2. La personne ne présente pas de signes de problèmes respiratoires.
3. L'irrigation tissulaire est adéquate.
4. La personne éprouve moins d'anxiété.
5. Elle se conforme à son programme d'autosoins.
6. Elle ne présente pas de complications.

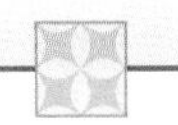

Interventions effractives dans les artères coronaires

INTERVENTIONS CORONARIENNES PERCUTANÉES

L'angine de poitrine peut, pendant de nombreuses années, se présenter sous une forme stable et ne provoquer que des crises brèves. Il s'agit néanmoins d'une affection grave. Dans sa forme instable, elle peut s'amplifier et mener à un infarctus aigu du myocarde ou à une mort subite. Les interventions effractives employées pour traiter l'angine et les coronaropathies sont l'angioplastie coronarienne transluminale percutanée, accompagnée ou non de l'implantation intracoronarienne d'une endoprothèse ou de curiethérapie. D'autres interventions ont également été utilisées à titre expérimental: l'athérectomie et la revascularisation intramyocardique au laser. Toutes ces interventions sont regroupées sous le nom d'interventions coronariennes percutanées.

Angioplastie coronarienne transluminale percutanée

On emploie l'angioplastie coronarienne transluminale percutanée dans le cas des personnes: (1) qui n'ont pas de douleur d'angine, mais courent un risque élevé d'accident cardiaque, comme l'indique l'angiographie; (2) qui présentent une douleur thoracique récurrente et rebelle à tout traitement médical; (3) qui ne sont pas candidates à la chirurgie, bien que leur atteinte coronarienne soit importante et risque de toucher une grande partie du myocarde; ou (4) qui, ayant subi un infarctus aigu du myocarde, se voient proposer l'intervention comme solution de remplacement de la thrombolyse, ou en ajout à celle-ci (Smith *et al.*, 2001). Le cardiologue a recours à cette intervention lorsqu'il pense qu'elle peut améliorer le débit sanguin dans le myocarde. Toutefois, il ne la pratique pas chez la personne qui présente des occlusions de l'artère coronaire principale gauche (tronc commun) et qui n'a pas de **circulation collatérale** au niveau de l'artère interventriculaire antérieure (IVA) et de l'artère circonflexe. L'angioplastie coronarienne transluminale percutanée a pour but d'améliorer la circulation sanguine dans l'artère coronaire en «écrasant» l'athérome.

Cette intervention effractive s'effectue dans une salle de cathétérisme cardiaque. On examine d'abord les artères par angiographie pour préciser le diagnostic, on vérifie l'emplacement des occlusions, l'importance de l'athérome et son degré de calcification. L'intervention consiste à introduire un cathéter muni d'une lumière, appelée gaine, dans l'artère fémorale ou brachiale. Après avoir situé la plaque d'athérome, on passe une sonde munie d'un ballonnet à travers la gaine

(suite p. 345)

PLAN THÉRAPEUTIQUE INFIRMIER

Personne ayant subi un infarctus du myocarde exempt de complications

INTERVENTIONS INFIRMIÈRES	JUSTIFICATIONS SCIENTIFIQUES	RÉSULTATS ESCOMPTÉS
Diagnostic infirmier: irrigation tissulaire inadéquate du tissu cardiaque, reliée à la diminution du débit coronarien **Objectif:** soulager la douleur et les malaises thoraciques		
1. Recueillir les données suivantes, les noter au dossier et les communiquer au médecin:	1. Ces données aident à établir les causes et les effets de la douleur thoracique et servent de critères de référence avec lesquels on pourra comparer les symptômes de la personne une fois qu'elle aura été traitée.	▪ La personne signale que la douleur thoracique et les symptômes se sont atténués. ▪ Elle semble à l'aise. ▪ Elle se sent reposée. ▪ Le rythme respiratoire, la fréquence cardiaque et la pression artérielle sont dans les limites de la normale. ▪ La peau est sèche et de température normale. ▪ Le débit cardiaque est adéquat, comme l'indiquent: • la fréquence et le rythme cardiaques • la pression artérielle • le niveau de conscience • le débit urinaire • les taux sériques d'urée et de créatinine • la coloration, la température et le degré d'humidité de la peau. ▪ La personne ne ressent plus de douleur ni n'éprouve de symptômes.
a) Description que donne la personne de la douleur qu'elle ressent, notamment les informations concernant les facteurs qui atténuent ou aggravent la douleur (P), la quantité et la qualité (Q), la région et l'irradiation (R), les signes et les symptômes associés (S), la durée (T). Mentionner également les autres symptômes, comme la nausée, la diaphorèse, la fatigue inhabituelle.	a) La douleur thoracique peut être associée à de nombreuses affections. Celle causée par l'ischémie présente des caractéristiques cliniques connues.	
b) Signes d'arythmie et de faible débit cardiaque: système cardiovasculaire (changements dans la fréquence, l'amplitude et la régularité du pouls, dans la pression artérielle, dans les bruits cardiaques); cerveau (changements au niveau de l'état de conscience); reins (diminution du débit urinaire); peau (coloration et température).	b) L'infarctus du myocarde amoindrit la contractilité myocardique de même que la compliance ventriculaire et il peut provoquer des arythmies. Il réduit également le débit cardiaque et abaisse, par conséquent, la pression artérielle et l'irrigation de divers organes. La fréquence cardiaque peut s'accélérer pour compenser la diminution du débit cardiaque.	
2. Obtenir un tracé électrocardiographique à 12 dérivations au moment où la douleur se manifeste, pour déterminer l'importance de l'infarctus.	2. Le tracé électrocardiographique obtenu quand la personne éprouve de la douleur aide à déceler les signes de souffrance myocardique (ischémie, lésion, nécrose), et à délimiter le territoire atteint (infarctus septal, antérieur, latéral, postérieur, inférieur) et son étendue.	
3. Administrer l'oxygénothérapie selon l'ordonnance.	3. L'oxygénothérapie peut augmenter l'apport d'oxygène au myocarde si la saturation en oxygène au moment de la douleur est inférieure à la normale.	
4. Administrer le traitement médicamenteux selon l'ordonnance et observer continuellement la réaction de la personne.	4. Le traitement médicamenteux est la première mesure à prendre pour préserver le tissu myocardique. Elle comporte parfois des effets indésirables qu'on décèlera en observant la personne de près.	
5. Veiller à ce que la personne se repose: l'installer en position semi-Fowler; l'aider à utiliser la chaise d'aisances; l'alimenter selon sa tolérance, lui administrer un laxatif, au besoin, pour lui éviter les efforts de défécation. Restreindre les visites en fonction de son état. Veiller à lui procurer une ambiance calme, à atténuer ses craintes et son anxiété en ayant une attitude professionnelle et qui inspire confiance.	5. Le repos réduit la consommation d'oxygène du myocarde. La peur et l'anxiété précipitent une réaction physiologique de stress, résultant en une augmentation du niveau de catécholamines, laquelle augmente les besoins du cœur en oxygène.	
Diagnostic infirmier: échanges gazeux perturbés, reliés à une surcharge liquidienne dans les poumons **Objectif:** prévenir les problèmes respiratoires		
1. Au moment de l'arrivée de la personne et toutes les quatre heures par la suite ou quand elle éprouve une douleur thoracique, procéder à un examen physique, noter les observations au dossier et faire part au médecin de tout bruit cardiaque qui serait anormal (galops B_3 et B_4 ou souffle systolique, mauvais fonctionnement des muscles papillaires du ventricule gauche, tout particulièrement), de tout bruit	1. Ces données permettent de diagnostiquer l'insuffisance ventriculaire gauche. Les bruits de remplissage diastolique (galops B_3 et B_4) sont produits par une baisse de la compliance ventriculaire associée à l'infarctus du myocarde. Le mauvais fonctionnement des muscles papillaires (résultant d'une lésion ou d'une nécrose) peut provoquer une régurgitation mitrale et une baisse du débit systolique, ce qui entraîne une insuffisance	▪ La personne ne se plaint pas d'essoufflement, de dyspnée d'effort, d'orthopnée ni de dyspnée nocturne paroxystique. ▪ Sa fréquence respiratoire est inférieure à 20 respirations par minute au cours de l'activité physique légère et à 16 respirations par minute au repos.

INTERVENTIONS INFIRMIÈRES	JUSTIFICATIONS SCIENTIFIQUES	RÉSULTATS ESCOMPTÉS
respiratoire anormal (crépitants, particulièrement) et du fait que la personne ne peut effectuer certaines activités.	ventriculaire gauche. La présence de crépitants (surtout à la base des poumons) peut indiquer une surcharge pulmonaire causée par l'augmentation des pressions dans le ventricule gauche. Quand l'infirmière connaît bien les symptômes de la personne associés à l'effort, elle peut mieux planifier les activités physiques et l'enseignement.	■ Sa peau a une coloration normale. ■ Sa pO_2 et sa pCO_2 sont normales. ■ Sa fréquence cardiaque est inférieure à 100 battements par minute et supérieure à 60 battements par minute; sa pression artérielle est dans les limites de la normale. ■ Ses radiographies thoraciques sont normales. ■ Elle affirme ne plus ressentir de douleur thoracique. • Elle semble à l'aise. • Elle se repose paisiblement. • Sa fréquence respiratoire, sa fréquence cardiaque et sa pression artérielle sont revenues à la normale. Sa peau est sèche et de température normale.
2. Apprendre à la personne: a) à suivre le régime prescrit (par exemple, lui expliquer en quoi consiste un régime à faible teneur en sel ou à faible teneur énergétique);	2. a) Un régime à faible teneur en sel réduit le volume extracellulaire et, par conséquent, la précharge et la postcharge, ce qui provoque une baisse de la consommation d'oxygène par le myocarde. Chez les personnes obèses, la perte de poids diminue le travail du cœur et améliore le volume d'éjection systolique.	
b) à se conformer à son programme d'activités physiques.	b) Le programme d'activités est établi pour chacune des personnes qu'on soigne de façon à maintenir la fréquence cardiaque et la pression artérielle dans des limites acceptables.	
Diagnostic infirmier: irrigation tissulaire périphérique inefficace, reliée à la diminution du débit cardiaque **Objectif:** obtenir une irrigation tissulaire adéquate et la préserver		
Au moment de l'arrivée de la personne et toutes les quatre heures par la suite ou quand elle éprouve une douleur thoracique, procéder à un examen physique, noter au dossier les observations et faire part au médecin des anomalies suivantes: a) Hypotension b) Tachycardie et autres arythmies c) Intolérance à l'effort d) Modification de l'état mental (s'informer auprès de la famille) e) Réduction du débit urinaire (moins de 200 mL par 8 heures) f) Baisse de température, moiteur et cyanose des extrémités	Ces données servent à déterminer s'il y a diminution du débit cardiaque. Un tracé électrocardiographique obtenu quand la personne éprouve de la douleur peut être utile pour diagnostiquer l'importance de l'ischémie myocardique, des lésions ou des nécroses, ou de toute forme d'angine.	■ La pression artérielle est dans les limites de la normale. ■ Le rythme sinusal est normal, sans arythmie, et reste compris entre 60 et 100 battements par minute. ■ La personne ne se plaint pas de fatigue en accomplissant les activités prescrites. ■ Elle est consciente, orientée dans les trois sphères (temps, personne, environnement) et ne présente pas de changements de personnalité. ■ Elle semble à l'aise. ■ Elle se repose. ■ Sa fréquence respiratoire, sa fréquence cardiaque et sa pression artérielle sont revenues à la normale. ■ Sa peau est sèche et de température normale. ■ Son débit urinaire est supérieur à 30 mL/h. ■ Elle ne présente pas de baisse de température, de moiteur ou de cyanose des extrémités.
Diagnostic infirmier: anxiété, reliée à la peur de la mort, au changement de l'état de santé **Objectif:** atténuer l'anxiété		
1. Évaluer et noter le degré d'anxiété de la personne et de sa famille, de même que leurs mécanismes d'adaptation. Transmettre ces données au médecin.	1. Ces données renseignent sur l'état psychologique de la personne et serviront de critères de référence à partir desquels on pourra comparer les symptômes une fois qu'elle aura été traitée. Les causes de l'anxiété varient, mais en voici les plus courantes: maladie aiguë, hospitalisation, douleur, interruption des activités quotidiennes à la maison et au travail, perturbation du rôle social et de l'image de soi causée par une maladie chronique, problèmes financiers. L'infirmière doit aussi tenter de rassurer les membres de la famille, car ils peuvent transmettre leur anxiété.	■ La personne dit qu'elle se sent moins anxieuse. ■ La personne et ses proches parlent ouvertement de leurs craintes et de leur peur de la mort. ■ La personne et ses proches paraissent moins anxieux. ■ La personne semble paisible; sa fréquence respiratoire est normale; sa fréquence cardiaque est inférieure à 100/min sans extrasystole; sa pression artérielle est dans les limites de la normale; sa peau est sèche et de température normale. ■ Elle participe activement à un programme de réadaptation graduelle. ■ Elle applique des techniques de réduction du stress.
2. Demander à la personne si elle souhaite rencontrer un conseiller spirituel et organiser une rencontre, le cas échéant.	2. Si la personne trouve du réconfort dans la religion, un conseiller spirituel peut l'aider à soulager son anxiété et ses craintes.	
3. Permettre à la personne et à sa famille d'exprimer leur anxiété et leurs craintes: a) en leur témoignant un intérêt sincère;	3. La réaction de stress que provoque l'anxiété augmente la consommation d'oxygène par le myocarde.	

Personne ayant subi un infarctus du myocarde exempt de complications (*suite*)

INTERVENTIONS INFIRMIÈRES	JUSTIFICATIONS SCIENTIFIQUES	RÉSULTATS ESCOMPTÉS
b) en facilitant la communication (grâce aux méthodes d'écoute active, de clarification et de counselling); c) en répondant à leurs questions.		
4. Si les heures de visite sont souples, laisser les membres de la famille venir voir la personne aussi souvent qu'ils le souhaitent, tout en respectant des périodes de repos, pour la soutenir et la rassurer.	4. La présence d'un proche peut soulager l'anxiété de la personne.	
5. Inviter la personne à s'inscrire à un programme de réadaptation cardiaque.	5. La réadaptation cardiaque contribue à faire disparaître la peur de la mort, atténue l'anxiété et accroît le bien-être.	
6. Enseigner à la personne des méthodes servant à diminuer le stress.	6 La réduction du stress contribue à diminuer la consommation d'oxygène par le myocarde et accroît le bien-être.	

Diagnostic infirmier: connaissances insuffisantes sur les autosoins prodigués à la suite de l'infarctus
Objectif: observance du programme d'autosoins après le retour à domicile; la personne choisit des habitudes de vie qui se conforment aux principes à respecter pour avoir un cœur en santé

Voir l'encadré 30-8 ■.

ENCADRÉ 30-8

Programme d'autosoins destiné aux personnes ayant subi un syndrome coronarien aigu (angine instable ou infactus aigu du myocarde)

Si elle veut prolonger sa vie et en améliorer la qualité, la personne qui a subi un infarctus du myocarde doit apprendre à adapter ses habitudes de vie aux principes à respecter pour avoir un cœur en santé. En gardant cette prémisse en tête, l'infirmière établit un programme de concert avec la personne qu'elle soigne afin de l'aider à atteindre les résultats escomptés.

MODIFIER LES HABITUDES DE VIE DURANT LA CONVALESCENCE ET LA GUÉRISON

Certaines habitudes de vie doivent être modifiées lorsqu'on a subi un syndrome coronarien aigu. Il s'agit d'une adaptation qui se fait de façon graduelle. La liste des recommandations comprend, entre autres, les éléments suivants.

- Éviter de s'adonner à des activités qui provoquent une douleur thoracique, une dyspnée extrême ou une fatigue excessive.
- Prendre certaines précautions lorsque l'on sort par temps très chaud ou très froid, ou par grand vent.
- Perdre du poids si nécessaire.
- Cesser de fumer, s'il y a lieu, et éviter la fumée des autres.
- Utiliser ses ressources personnelles pour compenser ses limites.
- Modifier ses habitudes alimentaires, s'il y a lieu; éviter les repas copieux et manger lentement.
- Modifier la composition de ses repas de façon à ce qu'elle corresponde aux recommandations.
- Se conformer au traitement médical et respecter la posologie de la pharmacothérapie.
- Suivre les recommandations fournies, pour que la pression artérielle et la glycémie soient dans les limites de la normale.
- S'adonner à des activités qui détendent.

ADOPTER UN PROGRAMME D'ACTIVITÉS

Accroître graduellement ses activités physiques et professionnelles selon son programme de réadaptation.

- Suivre un programme progressif de conditionnement physique et augmenter graduellement la fréquence, la durée, puis l'intensité des activités.
- Marcher tous les jours, en augmentant la durée de ses promenades et la distance parcourue, conformément au programme.
- Évaluer sa «perception de l'intensité de l'effort» selon l'échelle de Borg modifiée (tableau 30-8 ■) au cours de la séance d'exercice pour s'assurer que son degré d'effort est adéquat (entre 3 et 5 sur l'échelle).
- Éviter de s'adonner à des exercices qui provoquent une tension musculaire (exercices isométriques), de même qu'à des activités qui exigent une dépense soudaine d'énergie.
- Éviter de s'adonner à l'exercice physique immédiatement après les repas.
- Faire suivre ses périodes d'activité d'une période de repos et savoir qu'il est normal de ressentir une certaine fatigue au cours de la convalescence.
- Savoir que son programme d'exercice quotidien représente un engagement pour la vie.

TRAITER LES SYMPTÔMES

Savoir quelles sont les mesures à prendre si des symptômes se manifestent.

- Composer le 911 si la personne ressent une pression ou une douleur thoracique (ou son équivalent angineux) qui ne disparaît pas après qu'elle a pris 3 doses de nitroglycérine à 5 minutes d'intervalle.
- Contacter une clinique d'urgence si elle présente des problèmes respiratoires, des évanouissements, un ralentissement ou une accélération de la fréquence cardiaque, un œdème des pieds ou des chevilles.

Perception de l'intensité de l'effort selon l'échelle de Borg modifiée

TABLEAU 30-8

0	Aucun effort	
0,5	Extrêmement facile	
1	Très facile	Pour une personne en santé, ce niveau d'intensité correspond à une marche lente (à son propre rythme) de quelques minutes.
2	Facile	
3	Modéré	La personne se sent bien et elle poursuit l'exercice sans problème.
4		
5	Difficile	La personne commence à se sentir fatiguée, mais elle n'a pas de difficulté à continuer.
6		
7	Très difficile	La personne en santé est en mesure de continuer, mais elle doit pour cela faire des efforts. Elle se sent très fatiguée.
8		
9		
10	Extrêmement difficile	Il s'agit du niveau d'exercice le plus difficile que la personne connaisse.

SOURCE: G. Borg (1998). *Perceived exertion and pain scales.* Human Kinetics.

gaine et on la place au niveau de la lésion. Le médecin détermine la position du cathéter en repérant les marqueurs du ballonnet que l'on peut voir grâce à la fluoroscopie. Lorsque le cathéter est bien en place, le ballonnet est gonflé à l'aide d'un produit de contraste radioopaque; on le gonfle à une certaine pression pendant quelques secondes, puis on le dégonfle. La pression «écrase» et comprime la plaque arthéroscléreuse (figure 30-5 ■). On étire également la média et l'adventice de l'artère coronaire.

Il peut être nécessaire de procéder à plusieurs gonflements et d'utiliser plusieurs tailles de ballonnets pour atteindre l'objectif visé, décrit en général comme l'amélioration de la circulation sanguine et une sténose résiduelle de moins de 20 %. Les autres indicateurs de la réussite de l'angioplastie coronarienne transluminale percutanée sont les suivants: élargissement de la lumière de l'artère; écart de pression artérielle inférieur à 20 mm Hg entre les deux côtés de la lésion; et absence de manifestation clinique de trauma artériel.

Puisque l'apport sanguin vers l'artère coronaire diminue pendant que le ballonnet est gonflé, la personne peut ressentir une douleur thoracique et l'ECG peut montrer d'importants changements dans le segment S-T (Jeremias *et al.*, 1998).

Complications

Les complications qui peuvent survenir durant une angioplastie coronarienne transluminale percutanée sont les suivantes: dissection, perforation, fermeture abrupte ou vasospasme de l'artère coronaire, infarctus du myocarde, arythmie (tachycardie ventriculaire, par exemple) et arrêt cardiaque. Certaines de ces complications requièrent un traitement chirurgical d'urgence. Les complications possibles après l'intervention sont la fermeture abrupte de l'artère coronaire, des complications vasculaires comme une hémorragie au point d'insertion, une hémorragie rétropéritonéale, un hématome, un pseudoanévrisme, une fistule artérioveineuse ou une thrombose artérielle et une embolisation distale (tableau 30-9 ■).

Soins prodigués après l'intervention

Les soins prodigués après l'intervention sont similaires à ceux qu'on donne lors d'un cathétérisme cardiaque (chapitre 28). De nombreuses personnes entrent à l'hôpital le jour même de l'angioplastie coronarienne transluminale percutanée. Durant l'intervention, la personne reçoit une dose d'héparine et on la surveille étroitement pour détecter les signes d'hémorragie. Après l'intervention, dans la plupart des cas, elle reçoit également de la nitroglycérine en intraveineuse pendant un certain temps de façon à prévenir les spasmes artériels.

Généralement, l'hémostase est effectuée et les cathéters sont retirés dès que l'intervention est terminée, au moyen d'un dispositif de fermeture vasculaire (Angio-Seal, VasoSeal, Duett, Syvek Patch, par exemple) ou d'un dispositif de suture artérielle (Prostar, Perclose). On peut aussi déclencher les mécanismes de l'hémostase après le retrait du cathéter en appliquant une pression manuelle directe, ou encore au moyen d'un dispositif mécanique de compression (pince en forme de C) ou d'un dispositif de compression artérielle pneumatique (FemStop, par exemple).

Même si le cathéter à accès périphérique vasculaire est en place, la personne peut retourner à l'unité de soins. Parfois, le cathéter n'est retiré qu'au moment où les analyses sanguines indiquent que le temps de coagulation se situe dans des limites acceptables; il faut en général compter quelques heures, selon la dose d'héparine administrée durant l'intervention. Lorsque le cathéter a été inséré par voie fémorale, la personne doit demeurer allongée et s'abstenir de plier la jambe tant qu'on n'a pas retiré les cathéters. La jambe doit ensuite être laissée dans cette position pendant quelques heures pour maintenir l'hémostase. Comme l'immobilisation et la position strictement horizontale constituent pour la personne une source d'inconfort, on lui donne des analgésiques et des sédatifs.

La méthode employée pour arriver à l'hémostase est déterminée par le temps qu'il faudra pour l'atteindre, la durée du repos au lit et le risque de complications (Brachmann *et al.*, 1998; Lehmann *et al.*, 1999; Walker *et al.*, 2001). Le retrait du cathéter et l'application d'une pression au siège de l'intervention peuvent entraîner un ralentissement de la fréquence cardiaque et une baisse de la pression artérielle (réponse vasovagale). Pour traiter ces effets indésirables, on administre généralement un bolus d'atropine par voie intraveineuse si l'effet perdure et que la personne devient instable.

Certaines personnes qui présentent des lésions instables ainsi qu'un risque élevé de fermeture abrupte du vaisseau sont traitées à l'héparine après le retrait du cathéter ou reçoivent une perfusion intraveineuse d'inhibiteur GPIIb/IIIa. Ces personnes sont surveillées plus étroitement et leurs progrès sont plus lents.

Une fois que l'hémostase est atteinte, la personne peut généralement se passer des médicaments intraveineux, poursuivre les autosoins et marcher sans aide environ une à douze

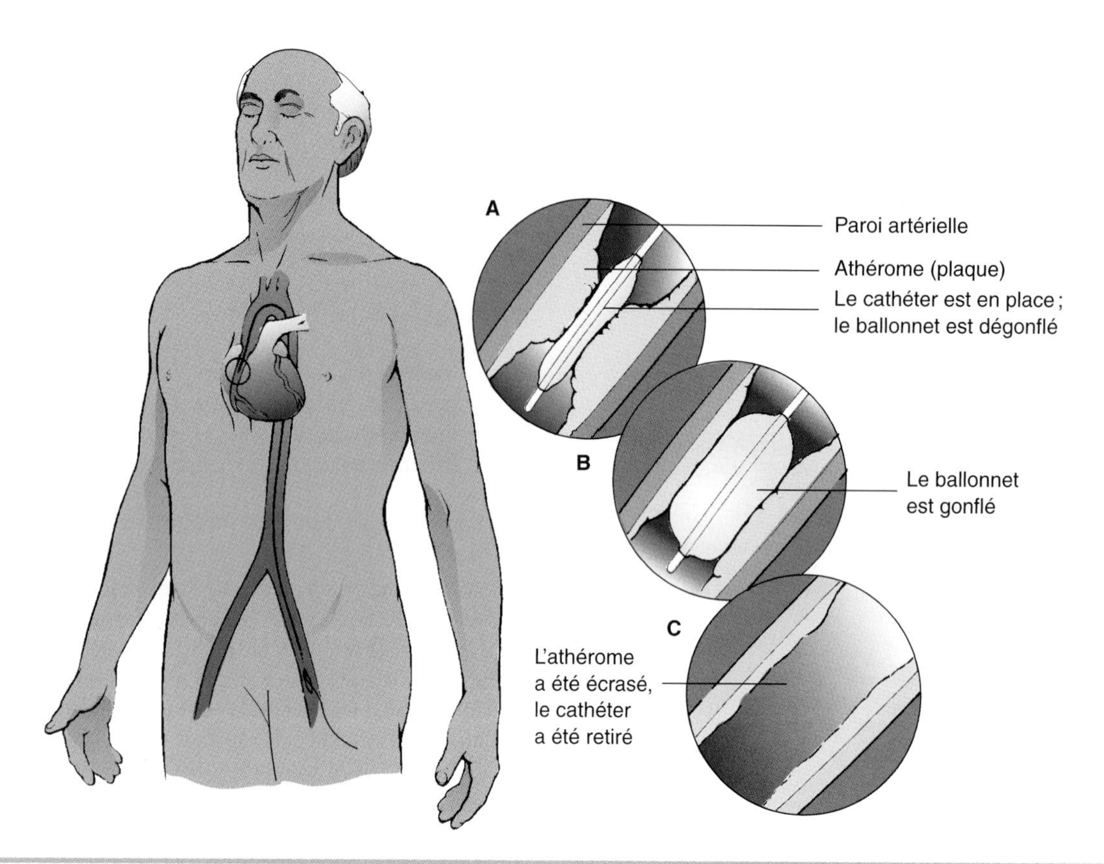

FIGURE 30-5 ■ Angioplastie coronarienne transluminale percutanée. **(A)** On insère un cathéter muni d'un ballonnet dans l'artère coronaire touchée et on le glisse jusqu'à l'athérome (plaque). **(B)** En régulant la pression du ballonnet, on le gonfle durant une période déterminée, puis on le dégonfle. **(C)** Après avoir écrasé l'athérome, on retire le cathéter, ce qui permet au sang de circuler librement dans l'artère.

heures après l'intervention. La durée de l'immobilisation dépend du calibre du cathéter inséré, de la dose d'anticoagulant administrée, de la méthode d'hémostase utilisée, de l'état de santé de la personne et de l'ordonnance du médecin. L'infirmière apprend à la personne à rechercher les signes d'hémorragie au point d'insertion du cathéter ou encore une bosse dure et plus grosse qu'une noix qui aurait pu se former. La plupart des gens peuvent reprendre leurs activités habituelles.

Endoprothèse coronarienne

Après une angioplastie coronarienne transluminale percutanée, la portion de la plaque qui n'a pas été enlevée obstrue parfois l'artère coronaire; celle-ci peut se contracter et le tissu se remodeler, ce qui aggrave le risque de resténose (Apple et Lindsay, 2000). Pour contourner ce risque, on installe une endoprothèse (*stent*) dans l'artère. L'**endoprothèse** est une sorte de treillis métallique qui soutient le vaisseau de l'intérieur et l'empêche de s'affaisser de nouveau. On installe l'endoprothèse sur le ballonnet d'angioplastie. Lorsqu'on gonfle celui-ci, l'endoprothèse s'accole à la paroi artérielle, maintenant l'artère ouverte. On retire ensuite le ballonnet; l'endoprothèse est laissée en permanence à l'intérieur de l'artère (figure 30-6 ■). À la longue, l'endothélium recouvre le dispositif qui s'intègre à la paroi artérielle. Parce qu'un thrombus peut se former dans l'endoprothèse, la personne reçoit des médicaments antiplaquettaires: aspirine à vie et clopidogrel [Plavix] pendant au moins un mois et jusqu'à un an (Mehta *et al.*, 2001; Steinhubl *et al.*, 2002). Certaines endoprothèses contiennent des médicaments qui peuvent réduire le risque qu'il y ait formation de thrombus ou de tissu cicatriciel excessif. On estime que de 50 % à 80 % des angioplasties coronariennes transluminales percutanées comportent l'implantation d'au moins une endoprothèse (Braunwald *et al.*, 2001; Smith *et al.*, 2001).

Athérectomie

L'athérectomie est une intervention effractive au cours de laquelle on enlève l'athérome, ou plaque, de l'artère coronaire (Smith *et al.*, 2001). L'athérectomie coronaire directionnelle et l'extraction coronarienne transluminale exigent l'utilisation d'un cathéter pour retirer la lésion et ses fragments. Quant à l'athérectomie rotative mécanique, c'est une technique qui utilise un cathéter muni d'un embout diamanté, tournant à une vitesse variant de 130 000 à 180 000 tours par minute, et qui pulvérise la lésion (Braunwald *et al.*, 2001). Cette technique peut être utilisée conjointement avec l'angioplastie lorsque la lumière de l'artère à dilater est trop petite pour qu'on puisse insérer le cathéter muni d'un ballonnet. Après l'intervention, on prodigue à la personne qui a subi une athérectomie des soins similaires à ceux qu'on donne à la suite d'une angioplastie coronarienne transluminale percutanée.

Complications survenant à la suite d'une angioplastie coronarienne transluminale percutanée

TABLEAU 30-9

Complications	Signes et symptômes	Causes possibles	Interventions infirmières
Saignement ou hématome	■ Bosse dure ou de teinte bleuâtre au point d'insertion du cathéter	Toux, vomissements, flexion de la jambe ou du tronc, obésité, distension de la vessie, hypertension	■ Placer la tête du lit à l'horizontale. Appliquer une pression manuelle au point d'insertion du cathéter. ■ Insérer une sonde urinaire à demeure, si la vessie est distendue. ■ Tracer le contour de l'hématome avec un marqueur. ■ Si le saignement persiste, en informer le médecin ou l'infirmière praticienne s'il y a lieu.
Perte du pouls distal ou pouls distal faible dans le membre où le cathéter a été inséré	■ Main ou pied froid, cyanosé, pâle ou douloureux	Thrombus artériel ou embole	■ En informer le médecin ou l'infirmière praticienne, s'il y a lieu. ■ Préparer la personne pour une éventuelle intervention chirurgicale et pour le traitement anticoagulant ou thrombolytique.
Pseudoanévrisme et fistule artérioveineuse	■ Masse pulsatile ou bruit audible près du point d'insertion du cathéter	Trauma au vaisseau durant l'intervention	■ En informer le médecin ou l'infirmière praticienne, s'il y a lieu. ■ Préparer la personne pour une intervention visant à fermer la fistule.
Hémorragie rétropéritonéale	■ Douleur dorsale ou lombaire ■ Hypotension ■ Tachycardie ■ Inquiétude et agitation ■ Baisse du taux d'hémoglobine et de l'hématocrite	Déchirure artérielle entraînant une hémorragie dans la région lombaire	■ Prévenir immédiatement le médecin ou l'infirmière praticienne s'il y a lieu. ■ Cesser de donner tout médicament anticoagulant. ■ Être prête à administrer des liquides intraveineux et/ou une transfusion.

SOURCE : Washington Adventist Hospital. Care of the interventional cardiology patient nursing protocol.
Ces renseignements ont été fournis par Amy Dukovic, infirmière praticienne en intervention cardiaque.

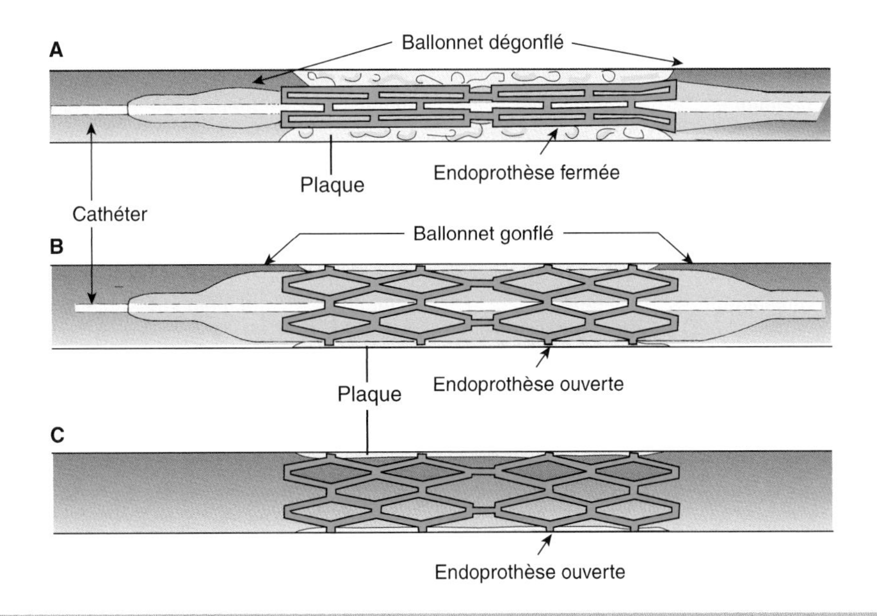

FIGURE 30-6 ■ Endoprothèse coronarienne. **(A)** Endoprothèse fermée avant le gonflement du ballonnet. **(B)** Ouverture de l'endoprothèse au fur et à mesure que le ballonnet gonfle; l'endoprothèse restera ouverte une fois le ballonnet dégonflé et retiré. **(C)** L'endoprothèse est ouverte, le ballonnet a été retiré.

Curiethérapie

L'angioplastie coronarienne transluminale percutanée entraîne dans l'artère coronaire une réaction qui favorise la prolifération des cellules de la tunique interne de l'artère, ce qui accroît également le risque d'obstruction. La curiethérapie fait baisser la récurrence de cette dernière, elle prévient la resténose en inhibant la prolifération des fibres musculaires lisses (Leon *et al.*, 2001). La curiethérapie consiste à diffuser des rayons gamma ou bêta en plaçant un radio-isotope près de la lésion (Teirstein et Kuntz, 2001). Le radio-isotope peut être inséré par cathéter ou implanté en même temps que l'endoprothèse. Il faudra mener des études à long terme pour savoir si les effets bénéfiques continuent à se faire sentir et pour déterminer la dose optimale et le type d'isotope à utiliser.

INTERVENTIONS CHIRURGICALES

Revascularisation des artères coronaires

Les progrès en matière de diagnostic, de traitement médical, de techniques chirurgicales et anesthésiques, de circulation extracorporelle (CEC), de même que les soins prodigués dans les unités chirurgicales et de soins intensifs, les soins à domicile et les programmes de réadaptation, tous ces éléments ont contribué à faire de la chirurgie une option envisageable pour les personnes atteintes de maladies cardiovasculaires. Depuis 1960, on traite les cardiopathies en recourant à diverses formes de revascularisation myocardique, la technique la plus courante étant le **pontage coronarien** que l'on pratique depuis environ 35 ans. Les types de pontages les plus fréquemment utilisés sont le pontage aortocoronarien (PAC) et le pontage mammarocoronarien (PMC). Au cours de cette intervention, on greffe sur l'artère coronaire obstruée un vaisseau sanguin provenant d'une autre partie du corps (veine saphène ou artère mammaire, par exemple) de façon à créer une nouvelle voie de circulation sanguine.

Les candidats au pontage coronarien sont généralement des personnes dont l'état de santé présente les problèmes suivants (Eagle *et al.*, 1999):

- Angine que l'on ne peut pas maîtriser à l'aide de médicaments
- Angine instable
- Résultat positif à l'épreuve d'effort et lésions ou blocage que l'on ne peut pas traiter par angioplastie coronarienne transluminale percutanée
- Lésion, ou obstruction à plus de 60 %, du tronc commun
- Obstruction de deux ou trois artères coronaires, dont l'artère interventriculaire antérieure (IVA) à sa partie proximale
- Dysfonctionnement ventriculaire gauche, accompagné du blocage de plusieurs artères coronaires
- Complications à la suite d'une angioplastie coronarienne transluminale percutanée qui n'a pas donné les résultats escomptés

Pour qu'une personne soit considérée comme candidate à un pontage coronarien, l'artère coronaire à revasculariser doit être obstruée à au moins 70 % (à 60 % s'il s'agit du tronc commun). Si la lésion touche moins de 70 % de l'artère, on n'intervient pas car la circulation y est suffisante pour empêcher que le sang n'emprunte le vaisseau ponté. Le pontage formerait alors un caillot, et l'intervention aurait été inutile.

Le vaisseau qu'on emploie le plus souvent lors d'un pontage aortocoronarien (PAC) est la grande veine saphène, suivie de la petite veine saphène (figure 30-7 ■). On se sert également de la veine céphalique ou de la veine basilique. On prélève la veine de la jambe (ou du bras), puis on en greffe une extrémité sur l'aorte ascendante et l'autre extrémité sur l'artère coronaire, après la plaque d'athérome. Les veines saphènes sont utilisées dans les pontages aortocoronariens effectués en urgence; elles peuvent en effet être prélevées par une équipe chirurgicale, tandis qu'une autre équipe pratique la chirurgie thoracique. L'un des effets indésirables de l'utilisation d'une grande veine saphène est l'œdème qui peut se former dans la jambe où la veine a été prélevée. L'importance de l'œdème varie mais elle diminue au fil du temps. Environ 5 à 10 ans après l'intervention, de l'athérosclérose peut se former dans les veines saphènes qui ont servi au pontage. Lorsqu'il s'agit des veines des bras, les mêmes changements peuvent apparaître environ 3 à 6 ans après l'opération.

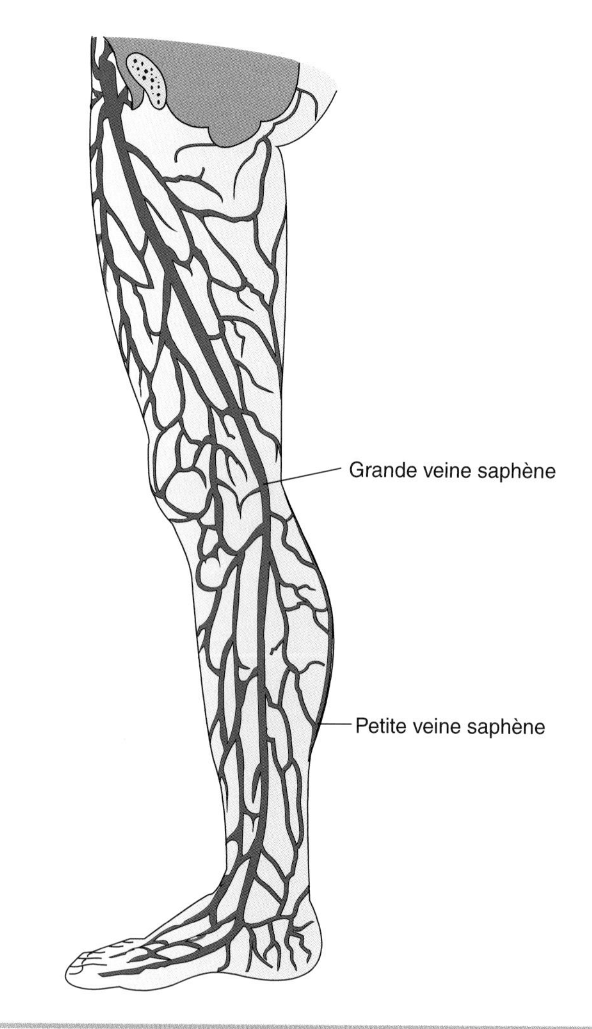

FIGURE 30-7 ■ Les grandes et les petites veines saphènes sont les veines les plus souvent utilisées au cours des pontages coronariens par greffe.

Lors d'un pontage mammarocoronarien, on se sert des artères mammaires internes gauche et droite. Les artères radiales peuvent également être utilisées dans des cas particuliers. On préfère les greffes artérielles aux greffes veineuses parce qu'elles n'occasionnent pas de changements athéroscléreux aussi précoces et qu'elles demeurent perméables plus longtemps. En général, le chirurgien préserve l'intégrité de l'extrémité proximale de l'artère mammaire et il détache son extrémité distale de la paroi thoracique. Il greffe ensuite cette extrémité distale sur l'artère coronaire obstruée, en aval de la plaque d'athérome. L'inconvénient de ce choix vient de ce que les artères mammaires internes ne sont pas toujours assez longues ni assez larges pour le pontage et du fait qu'on risque d'endommager le nerf cubital.

On peut également utiliser l'artère gastroépiploïque (située le long de la grande courbe de l'estomac), même si elle ne réagit pas aussi bien lorsqu'on l'utilise comme greffon. La circulation sanguine qui alimente la paroi de cette artère (*vaso vasorum*) est plus importante que celle des artères mammaires internes, ce qui rend difficile la dissection à partir de l'estomac et accroît le risque de lésion et d'ischémie du greffon. Le chirurgien qui décide de se servir de l'artère gastro-épiploïque est forcé d'étendre l'incision thoracique jusqu'à l'abdomen, exposant par conséquent la personne à des risques supplémentaires : incision abdominale et infection à l'endroit de l'intervention, engendrée par la contamination à partir du tube digestif.

Pontage coronarien selon la technique classique

Lorsque l'on effectue un pontage coronarien selon la technique classique, on soumet la personne à l'anesthésie générale. Habituellement, le chirurgien pratique une sternotomie médiane et utilise la circulation extracorporelle (CEC). Ensuite, il prélève un vaisseau sur une autre partie du corps de la personne (la veine saphène ou l'artère mammaire interne, gauche ou droite) pour le greffer en aval de la lésion de l'artère coronaire, contournant ainsi l'obstruction (figure 30-8 ■). Lorsque le pontage est terminé, on met fin à la circulation extracorporelle et on referme l'incision. La personne est ensuite transportée à l'unité des soins intensifs.

Circulation extracorporelle (CEC) La circulation extracorporelle rend possibles de nombreuses interventions chirurgicales. Grâce à cette technique, on fait circuler le sang et l'oxygène tout en contournant le cœur et les poumons. La circulation extracorporelle est en quelque sorte un cœur-poumon artificiel qui permet d'assurer la perfusion des autres organes et des tissus du corps durant l'opération. Ainsi le chirurgien peut travailler même si le cœur ne joue plus son rôle de pompe.

La circulation extracorporelle, technique courante mais complexe, consiste à placer une canule dans l'oreillette droite ou dans les veines caves supérieure et inférieure pour retirer le sang du corps. La canule est reliée à un tube rempli d'une solution isotonique cristalloïde. Le sang veineux retiré par la canule est filtré, oxygéné, refroidi ou réchauffé avant d'être réinjecté dans le corps. On insère généralement la canule utilisée pour réinjecter le sang oxygéné dans l'aorte ascendante (figure 30-9 ■).

La personne reçoit de l'héparine, médicament anticoagulant, pour prévenir la formation d'un thrombus et l'embolisation qui peut se produire lorsque le sang entre en contact avec les surfaces étrangères du circuit de circulation extracorporelle et lorsqu'il est réintroduit dans le corps par une pompe mécanique. Après avoir mis fin à la circulation extracorporelle, on administre du sulfate de protamine pour neutraliser les effets de l'héparine.

Durant l'intervention, on maintient le corps en état d'hypothermie, généralement à une température comprise entre 28 et 32 degrés Celsius. Le sang est refroidi en suivant le cours de la circulation extracorporelle, puis réinjecté dans le corps ; le métabolisme basal s'en trouve ralenti, ce qui réduit ainsi les besoins en oxygène. Le sang refroidi est généralement plus visqueux, mais la solution cristalloïde utilisée pour « faire le vide d'air » dans les tubulures de la CEC le dilue. Lorsque l'intervention chirurgicale est terminée, on réchauffe le sang au fur et à mesure qu'il passe dans le circuit de circulation extracorporelle. On surveille le débit urinaire, la pression artérielle, les valeurs des gaz artériels, les électrolytes, les résultats des examens de coagulation et le tracé électrocardiographique pour évaluer l'état du patient durant la circulation extracorporelle.

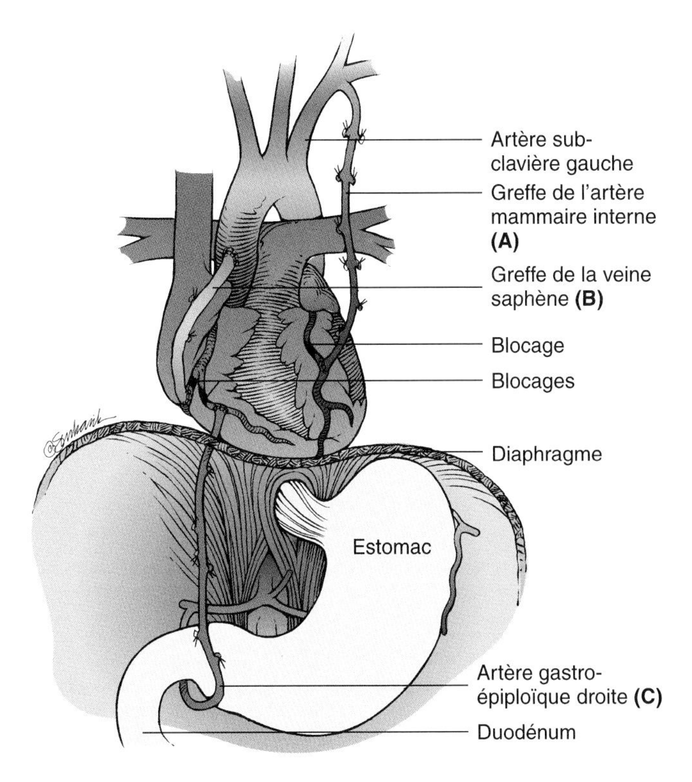

FIGURE 30-8 ■ Trois pontages coronariens par greffe. En utilisant plus d'une artère ou veine, on peut intervenir en plusieurs endroits à la fois. **(A)** L'artère mammaire interne gauche, très utilisée à cause de sa longévité fonctionnelle. **(B)** La veine saphène, dont on se sert le plus souvent. **(C)** L'artère gastro-épiploïque droite, rarement utilisée, car une importante circulation sanguine en alimente la paroi, ce qui accroît le risque d'hémorragie et de nécrose de l'artère, ainsi que le risque de contamination par le tube digestif, contamination résultant de lésions abdominales et médiastinales.

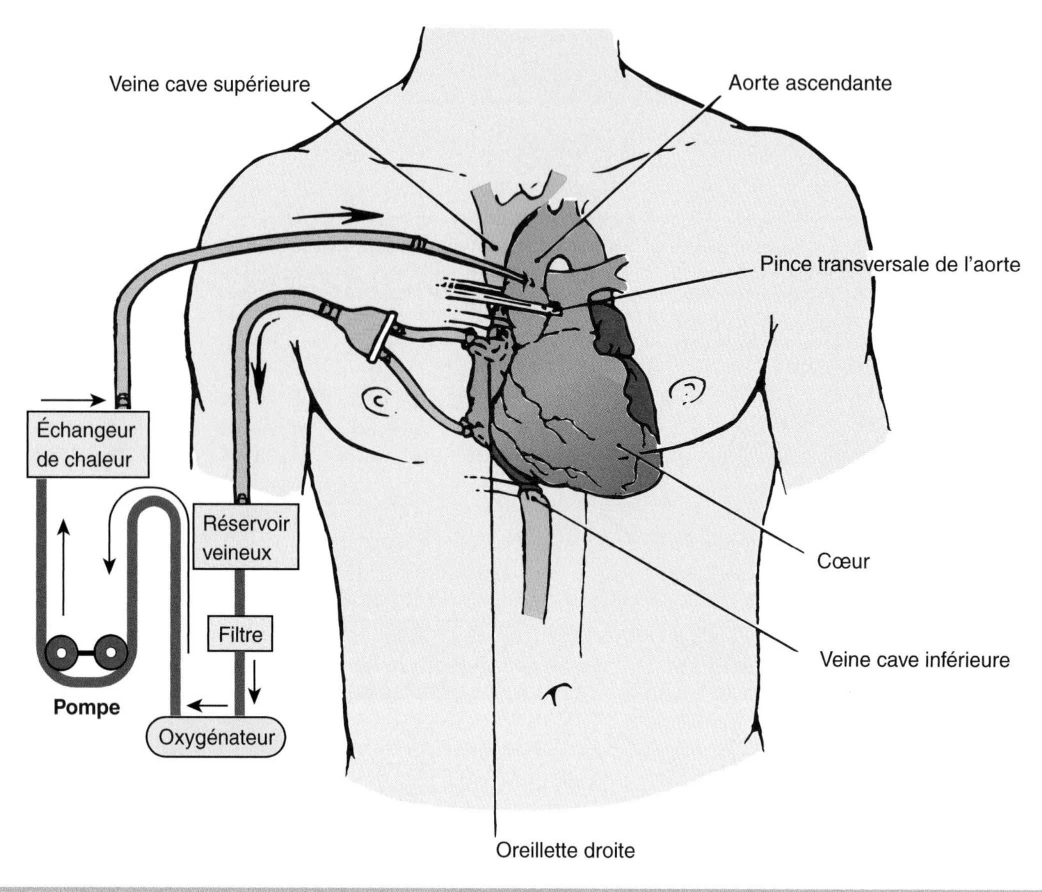

FIGURE 30-9 ■ Système de circulation extracorporelle. En passant par l'oreillette droite, les canules sont placées dans les veines caves supérieure et inférieure pour dériver le sang du corps et l'injecter dans le système de circulation extracorporelle. Le système de pompe aspire le sang et le dirige vers le réservoir veineux. Le filtre débarrasse le sang des bulles d'air, des caillots et des particules et l'achemine ensuite dans l'oxygénateur. Cet appareil retire du dioxyde de carbone et ajoute de l'oxygène. Ensuite, le sang est pompé vers l'échangeur de chaleur, où sa température est régulée. Enfin, le sang retourne dans le corps par l'aorte ascendante.

Pontage coronarien à cœur battant

Pour certaines catégories de personnes, par exemple pour les personnes dont une seule artère est obstruée et qui ne peuvent être traitées au moyen de l'angioplastie coronarienne transluminale percutanée, ou bien chez qui la circulation extracorporelle serait contre-indiquée, on peut avoir recours au pontage coronarien à cœur battant. Cette intervention s'effectue sous anesthésie générale. Le chirurgien réalise une sternotomie, comme dans le pontage classique, ou il pratique des incisions de 5 à 10 cm dans la paroi thoracique afin de procéder à une thoracotomie antérieure du côté droit ou du côté gauche, ou encore à une laparotomie supérieure de la ligne médiane ou sternale. On prépare le vaisseau qui sera utilisé pour le pontage (voir plus haut comment on décide du type de greffon). Le chirurgien détermine l'endroit sur la coronaire où il effectuera le pontage et il met en place un appareil appelé stabilisateur myocardique. Grâce à ce dispositif, la partie du myocarde où aura lieu le pontage reste immobile, ce qui permet au chirurgien de travailler pendant que le cœur continue de battre. Pour atténuer les mouvements attribuables aux battements cardiaques, on peut également provoquer un affaissement temporaire du poumon du côté où la chirurgie est pratiquée, faire baisser la fréquence respiratoire et le volume des respirations, de même que donner des médicaments engendrant de la bradycardie ou ménageant jusqu'à 20 secondes d'asystole.

Les personnes qui subissent un pontage coronarien à cœur battant se remettent de l'anesthésie dans la salle de réveil ou aux soins intensifs postopératoires, pour être ensuite traitées dans une unité de télémétrie pendant une période allant de un à trois jours. Les interventions infirmières se concentrent surtout sur les soins pulmonaires prodigués à la suite d'une intervention de cette nature (surtout si on a provoqué l'affaissement d'un poumon durant le pontage coronarien à cœur battant) et sur le soulagement de la douleur consécutive à l'incision (surtout si on a pratiqué une incision pour effectuer la thoracotomie ou la sternotomie).

Angioplastie coronarienne transluminale percutanée accompagnée d'un pontage coronarien à cœur battant

Les personnes dont l'artère interventriculaire antérieure (IVA) et au moins une autre artère coronaire sont obstruées, qui ne sont pas candidates au pontage coronarien classique ou qui préfèrent avoir recours à des interventions moins effractives, peuvent être traitées au moyen de l'angioplastie coronarienne transluminale percutanée accompagnée d'un pontage coronarien à cœur battant. Il faut toutefois réfléchir à la séquence des interventions et déterminer le moment le plus indiqué pour les pratiquer en tenant compte de deux éléments : le sang doit pouvoir bien coaguler après un pontage coronarien et des anticoagulants doivent être administrés après une angioplastie coronarienne transluminale percutanée.

Complications

Les complications possibles à la suite d'un pontage coronarien sont, entre autres, l'infarctus aigu du myocarde, les arythmies, l'hémorragie (tableau 30-10). On traite de ces complications d'une manière plus approfondie au chapitre 29, ainsi qu'aux chapitres 18 et 22. L'état de santé sous-jacent à la maladie cardiaque ne s'étant pas modifié, les symptômes présents avant le pontage coronarien peuvent se manifester de nouveau, par exemple l'intolérance à l'effort ou l'angine si la revascularisation est incomplète. On devra peut-être, dans certains cas, continuer à administrer des médicaments qui étaient utilisés avant l'intervention chirurgicale. Il est essentiel d'adopter et de conserver de saines habitudes de vie pour prévenir les récidives et pour assurer la viabilité des greffons nouvellement implantés (Plan thérapeutique infirmier ■, p. 356).

DÉMARCHE SYSTÉMATIQUE dans la pratique infirmière

Personne en attente d'une chirurgie cardiaque

Les besoins de la personne en attente d'une chirurgie cardiaque ainsi que les soins qu'on lui prodigue sont pour une bonne part les mêmes que dans le cas d'une personne en attente de toute autre intervention effractive (chapitres 20 et 21). Les personnes et leurs proches traversent une crise majeure ; leurs besoins émotionnels et psychologiques sont importants, car ce qui touche le cœur est une affaire de vie ou de mort. En outre, l'opération a souvent lieu le jour même de leur entrée à l'hôpital. L'infirmière doit organiser ses activités avec soin et établir des priorités en fonction des besoins, selon le temps qui lui est imparti.

Avant l'intervention chirurgicale, l'infirmière procède à un examen de l'état physique et psychologique de la personne afin d'établir des points de référence qu'elle pourra consulter par la suite. L'infirmière évalue si la personne comprend en quoi consiste l'intervention chirurgicale, si elle est en état de fournir un consentement libre et éclairé et d'observer le traitement. Il lui incombe d'aider la personne à s'adapter à la situation, à en comprendre les modalités et les objectifs et à conserver sa dignité.

La phase préopératoire de la chirurgie cardiaque s'amorce avant l'hospitalisation. L'infirmière évalue les autres affections dont la personne souffre – diabète, hypertension, maladies respiratoires, gastro-intestinales et hématologiques – et note au dossier les traitements prescrits.

L'infirmière explique en quoi le traitement pharmacologique sera modifié avant la chirurgie. Ces changements relèvent du médecin ; ils peuvent comprendre une réduction progressive des corticostéroïdes et de la digoxine, une diminution ou une interruption de la prise d'anticoagulants et le maintien des médicaments destinés à traiter la pression artérielle, l'angine, le diabète et l'arythmie. L'infirmière explique également qu'il est important que la personne continue à faire de l'exercice, qu'elle mange sainement, dorme bien et cesse de fumer afin d'atténuer les risques liés à l'intervention chirurgicale.

COLLECTE DES DONNÉES

Les personnes qui souffrent de maladie cardiaque peuvent entrer à l'hôpital le jour même de l'intervention, ou la veille lorsqu'il s'agit d'une opération non urgente. Pour l'essentiel, l'évaluation avant l'opération s'effectue avant l'hospitalisation. Lors des rencontres préparatoires, on remet de la documention à la personne et à ses proches.

L'infirmière et le personnel médical prennent note de l'anamnèse de la personne et ils procèdent à son examen physique. On peut également lui faire subir un certain nombre d'examens, notamment une radiographie thoracique, un ECG, des analyses sanguines, entre autres des analyses visant à déterminer le groupe sanguin et la compatibilité croisée ; on peut aussi recueillir au préalable des dons de sang autologues (sang provenant de la personne elle-même). L'examen clinique se concentre sur l'obtention des données de bases, sur les plans physiologique, psychologique et social. On précise les besoins de la personne et de ses proches en matière d'enseignement et on leur dispense ce dernier si nécessaire. Il est particulièrement important d'évaluer la capacité fonctionnelle de la personne, ses mécanismes d'adaptation et son réseau de soutien. Ces renseignements ont de l'importance, car le soutien de la famille ou des personnes clés influe sur la conduite à tenir après l'opération et au moment de la réadaptation. Les exigences propres au mode de vie à domicile et l'environnement physique du domicile jouent un rôle dans la planification de la sortie de l'hôpital.

Anamnèse

Avant l'opération, on doit effectuer une anamnèse et un examen physique approfondis et les noter au dossier, car ils fournissent les points de repère avec lesquels on pourra comparer les données par la suite. On évalue systématiquement tous les systèmes, en prêtant une attention particulière à la fonction cardiovasculaire.

On détermine la capacité fonctionnelle du système cardiovasculaire en passant en revue les symptômes de la personne, notamment les manifestations antérieures et actuelles de douleur thoracique, d'hypertension, de palpitations, de cyanose, de difficultés respiratoires (dyspnée), de douleur à la jambe accompagnant la marche (claudication intermittente), d'orthopnée, de dyspnée nocturne paroxystique et d'œdème périphérique. Puisque les anomalies du débit cardiaque peuvent affecter les fonctions rénale, respiratoire, gastro-intestinale, tégumentaire, hématologique et neurologique, on recueille des données sur ces systèmes. On obtient également l'anamnèse de toutes les maladies importantes, des interventions chirurgicales subies dans le passé, des traitements médicamenteux et de l'usage de drogue, d'alcool et de tabac.

Examen physique

On effectue un examen physique en accordant une attention toute particulière aux points suivants :

- Apparence générale et comportement
- Signes vitaux
- État nutritionnel et liquidien, poids et taille
- Inspection et palpation du cœur, en notant le point maximal d'impulsion, les pulsations anormales et les frémissements
- Auscultation du cœur, en notant la fréquence, le rythme, la qualité du pouls; B_3 et B_4, les claquements, les souffles et les frottements
- Pression de la veine jugulaire
- Pouls périphériques
- Œdème périphérique

Évaluation psychosociale

L'évaluation psychosociale et l'évaluation des besoins de la personne et de ses proches en matière d'enseignement ont autant d'importance que l'examen physique. La chirurgie cardiaque à venir représente pour eux une grande source de stress; anxieux et craintifs, ils se posent souvent des questions auxquelles il est difficile de répondre. Leur anxiété augmente généralement au moment de l'entrée de la personne à l'hôpital et à l'approche de l'intervention. C'est pourquoi il faut évaluer le degré d'anxiété qu'ils ressentent. La quasi-absence d'anxiété peut être signe de déni; un degré d'anxiété extrêmement élevé risque fort d'affaiblir la capacité de la personne et de sa famille à utiliser des mécanismes d'adaptation efficaces et de les empêcher de mettre en pratique l'enseignement donné avant l'opération. L'infirmière doit alors poser les questions qui lui permettront d'obtenir les informations concernant :

- Le sens que peut avoir l'intervention chirurgicale pour la personne et ses proches
- Les mécanismes d'adaptation qu'ils emploient
- Les mesures utilisées dans le passé pour s'adapter au stress
- Les modifications aux habitudes de vie envisagées
- Les réseaux de soutien dont ils disposent
- Les craintes regardant le présent et l'avenir
- Ce que la personne et ses proches savent de l'intervention chirurgicale, des techniques utilisées, des suites de l'opération et de la réadaptation à long terme

L'infirmière doit laisser à la personne et à ses proches le temps d'exprimer leurs craintes, dont les plus courantes sont la peur de l'inconnu, la peur de la douleur, la peur du changement de l'image corporelle et la peur de la mort. Durant l'examen clinique, l'infirmière détermine ce que la personne et ses proches savent de l'intervention à venir et des suites de l'opération. Elle les invite à poser des questions et à lui indiquer ce qu'ils aimeraient savoir. Certains préfèrent ne pas trop avoir une trop grande quantité d'information, alors que d'autres veulent en obtenir le plus possible. L'infirmière aborde la personne en respectant son individualité, en gardant à l'esprit qu'elle a des caractères propres, en matière de connaissances à acquérir, de capacité d'apprentissage et de niveau de compréhension. Lorsqu'elle est admise en urgence, la personne subit parfois un cathétérisme et une chirurgie cardiaques dans les heures qui suivent son entrée à l'hôpital. L'infirmière n'aura guère le temps d'évaluer ses besoins émotionnels ainsi que ses lacunes dans le domaine des connaissances; elle ne pourra donc y pourvoir avant l'intervention. Il faudra plutôt l'aider à s'adapter à la situation après l'intervention.

Analyse et interprétation

Diagnostics infirmiers

Les diagnostics infirmiers des personnes en attente d'une chirurgie cardiaque varient selon les affections et les symptômes cardiaques; pour la plupart, il s'agit d'un diagnostic infirmier en rapport avec la diminution du débit cardiaque (voir la section « Insuffisance cardiaque », au chapitre 32). Avant l'opération, l'infirmière peut poser les diagnostics infirmiers suivants :

- Peur, reliée à l'intervention chirurgicale, à l'incertitude des résultats et au sentiment que le bien-être est menacé
- Connaissances insuffisantes sur l'intervention chirurgicale et les suites de l'opération

Problèmes traités en collaboration et complications possibles

Le stress occasionné par l'imminence de la chirurgie et l'évolution de l'état de la personne sont susceptibles d'entraîner des complications qui doivent être traitées en collaboration avec le médecin. En se fondant sur les données recueillies, l'infirmière peut déterminer les complications susceptibles de survenir, notamment :

- Angine (douleur ou autre manifestation clinique liée à l'angine)
- Infarctus aigu du myocarde
- Arythmie grave ou arrêt cardiaque
- Anxiété grave exigeant l'administration d'un médicament anxiolytique (qui atténue l'anxiété)

Planification

Les principaux objectifs sont les suivants : atténuer les craintes; fournir des explications sur l'intervention chirurgicale et sur les suites de l'opération; et prévenir les complications.

Interventions infirmières

Au cours de la phase qui précède la chirurgie cardiaque, l'infirmière élabore un plan thérapeutique dans lequel figurent le soutien émotionnel de même que l'enseignement donné à la personne et à ses proches. Pour les préparer émotionnellement à la chirurgie et aux suites de l'opération, l'infirmière établit de bons rapports avec eux, elle répond à leurs questions, elle les laisse exprimer leurs craintes et leur anxiété, elle dissipe les idées fausses et leur fournit des informations.

Atténuer l'anxiété

L'infirmière donne à la personne et à ses proches l'occasion d'exprimer leurs craintes, en prenant le temps qu'il faut pour cela. Si la personne a peur de l'inconnu, elle peut comparer l'intervention à venir avec les autres opérations chirurgicales auxquelles elle s'est soumise dans le passé. Cette tactique présente une certaine utilité pour décrire les sensations qu'elle pourrait expérimenter. Si elle a subi un cathétérisme cardiaque précédemment, l'infirmière peut comparer les deux interventions, expliquer en quoi elles se ressemblent et en quoi elles diffèrent. L'infirmière encourage la personne à exprimer les inquiétudes associées aux expériences vécues.

L'infirmière discute avec la personne des craintes qu'elle éprouve au sujet de la douleur. Elle décrit la douleur à laquelle la personne peut s'attendre en la comparant à celle qu'elle a ressentie au cours du cathétérisme cardiaque ou d'autres interventions pénibles. De l'information lui est fournie concernant les médicaments qui peuvent être administrés avant l'opération, par exemple un sédatif, un anesthésique et des médicaments contre la douleur. L'infirmière rassure la personne en lui expliquant qu'il est normal d'avoir peur de la douleur, qu'elle en ressentira un peu, mais qu'elle recevra des médicaments pour la soulager et qu'elle sera observée de très près. L'infirmière invite la personne à prendre un médicament contre la douleur avant que celle-ci ne soit trop vive. Elle lui explique que le fait de se placer dans une position confortable et se détendre constitue une méthode qui rend le mal plus tolérable. Elle invite les personnes qui craignent que la chirurgie laisse des cicatrices à exprimer leurs inquiétudes et elle corrige leurs idées fausses. Il peut être utile d'indiquer que les membres de l'équipe de soins l'informeront sur le processus de cicatrisation.

On encourage la personne et ses proches à exprimer leurs craintes que la personne meure. L'infirmière se doit de les rassurer en leur indiquant qu'il est normal d'avoir peur. Dans le cas de ceux qui font à peine allusion à cette crainte, en dépit des efforts déployés pour les inviter à l'exprimer, l'infirmière peut avoir recours à des techniques d'accompagnement en leur posant des questions comme celle-ci: « Avez-vous peur de ne pas survivre à la chirurgie ? La plupart des gens qui se soumettent à une chirurgie cardiaque pensent au moins une fois à la mort. » Lorsqu'ils ont exprimé leurs craintes, l'infirmière peut aider la personne et ses proches à explorer leurs émotions.

En atténuant l'anxiété et les craintes et en préparant la personne à la chirurgie sur le plan émotionnel, on diminue le risque que des difficultés surviennent avant l'opération, on favorise une anesthésie induite en douceur et on facilite la participation de la personne aux soins et à la guérison après la chirurgie. Préparer les membres de la famille aux événements à venir les aide à s'adapter à la situation, à soutenir la personne, à participer aux soins postopératoires et de réadaptation ou, le cas échéant, à envisager le pire (encadré 30-9 ■).

Surveiller et traiter les complications

L'angine peut se manifester à la suite d'une augmentation du stress et de l'anxiété reliée à la chirurgie à venir. La personne est généralement soulagée par un traitement contre l'angine, le plus souvent à la nitroglycérine. Chez certaines personnes, on a recours à l'oxygénothérapie et à la nitroglycérine en perfusion intraveineuse (voir p. 327).

On peut avoir recours à des médicaments pour les personnes qui ressentent énormément d'anxiété ou de crainte ainsi que pour celles qu'on n'arrive pas à soutenir sur le plan émotionnel et à calmer par des explications. Les médicaments anxiolytiques les plus souvent utilisés avant une chirurgie cardiaque sont les benzodiazépines comme le lorazépam (Ativan) et le diazépam (Valium).

Si un arrêt cardiaque survient avant l'opération, on effectue des manœuvres de réanimation cardiorespiratoire avancées (chapitre 29 CD).

Favoriser les soins à domicile et dans la communauté

Enseigner les autosoins

L'enseignement qu'on procure à la personne et à ses proches se fonde sur l'évaluation des besoins. On leur donne généralement de l'information sur l'hospitalisation, sur la chirurgie (soins prodigués avant et après l'opération, durée de l'intervention, douleur ou malaise

ENCADRÉ 30-9

ÉTHIQUE ET CONSIDÉRATIONS PARTICULIÈRES

Quand doit-on discuter du maintien ou non des dispositifs de préservation des fonctions vitales ?

SITUATION

Pour préserver artificiellement les fonctions vitales, on peut utiliser les moyens suivants: ballonnet de contrepulsion intra-aortique, dispositif d'assistance ventriculaire, respirateur, perfusions vasoactives, manœuvres de réanimation cardio-respiratoire et antibiotiques. On prodigue surtout ces traitements aux personnes qui souffrent d'affections chroniques, dont l'état est instable ou qui sont en phase terminale. Les personnes dont la survie dépend de la préservation artificielle des fonctions vitales sont parfois incapables de prendre des décisions au sujet des soins qu'on leur donne. Il est donc possible que l'on demande l'avis de la famille quant au maintien ou non des dispositifs qui préservent les fonctions vitales.

DILEMME

Une personne qui se trouve à l'unité des soins intensifs ne réagit plus; elle reste en vie grâce à un dispositif de préservation artificielle des fonctions vitales. Le cardiologue qui la suit a rédigé une note d'évolution indiquant que la personne est en phase terminale et qu'il serait vain de poursuivre le traitement. La personne n'a pas fait de testament biologique ou n'a pas fourni de procuration à cet effet. L'aîné des enfants déclare qu'il ne veut pas que son père souffre, mais dit aussi que, s'il reste de l'espoir, il faut tout tenter. L'autre fils affirme que son père ne voudrait pas vivre dans ces conditions.

La déclaration du cadet s'appuie-t-elle sur le principe d'autonomie ? La déclaration de l'aîné a-t-elle préséance en vertu du caractère sacré de la vie, de la nécessité d'agir de manière à assurer le bien, ou plutôt de manière à prévenir le mal ? Si vous avez établi que la déclaration du cadet se fonde sur le principe d'autonomie, devriez-vous tenir compte dans la prise de décision du caractère sacré de la vie, de l'obligation d'agir de manière à assurer le bien, ou plutôt de manière à prévenir le mal ?

DISCUSSION

- Quels arguments proposeriez-vous pour démontrer que la discussion concernant le prolongement de la vie au moyen de la préservation artificielle des fonctions vitales doit avoir lieu avant qu'il ne se produise un événement qui menace la vie d'un individu ?
- Quels arguments proposeriez-vous pour démontrer que cette discussion ne doit avoir lieu que si les circonstances l'exigent ?

à envisager, horaire des visites), sur la phase de rétablissement (durée de l'hospitalisation, services offerts dans le cadre des soins à domicile et du programme de réadaptation, reprise des activités normales, par exemple de l'entretien ménager, du magasinage et du travail), ainsi que sur les habitudes de vie. Tout changement apporté au traitement médical et à ce qui avait été prévu avant l'opération doit faire l'objet d'explications réitérées.

On explique à la personne qu'elle doit se préparer physiquement à l'intervention en prenant un certain nombre de douches ou en se lavant au moyen d'une solution antiseptique. Un sédatif peut être prescrit la nuit précédant la chirurgie et le matin même de l'intervention. La plupart des chirurgiens utilisent un traitement prophylactique aux antibiotiques et administrent ceux-ci avant la chirurgie.

Si aucun enseignement n'a été dispensé avant l'entrée à l'hôpital et que la période d'hospitalisation précédant l'opération est brève, le plus efficace est de donner des explications à la famille en même temps qu'à la personne elle-même. L'anxiété augmente souvent au cours du processus d'entrée à l'hôpital ainsi qu'à l'approche de la chirurgie. En s'adressant à la personne en même temps qu'à sa famille, on met à profit les liens de soutien qui les unissent. Au cours de cette phase, on répond surtout aux questions posées. Par ailleurs, donner trop de détails ne peut qu'exacerber l'anxiété.

On peut offrir à la personne de visiter l'unité des soins intensifs, la salle de réveil ou les deux endroits. (Dans certains hôpitaux, la personne est conduite directement à l'unité des soins intensifs, qui sert également de salle de réveil.) Lorsqu'elle se réveillera après l'anesthésie, la personne reconnaîtra les lieux et se sentira rassurée. On explique à la personne et à ses proches à quoi servent l'équipement, les drains et les solutés qui l'entoureront après la chirurgie. Il leur faut s'attendre à voir des moniteurs, plusieurs cathéters et solutés, des drains médiastinaux et une sonde urinaire. Le fait d'expliquer la fonction des dispositifs et la durée approximative pendant laquelle ils resteront en place rassure la personne. La plupart d'entre elles demeurent intubées et sous ventilation artificielle de 2 à 24 heures après la chirurgie. Elles doivent savoir que ces dispositifs les empêcheront de parler, mais que le personnel les aidera à utiliser d'autres moyens de communication.

L'infirmière veille à répondre aux questions portant sur les soins et les techniques utilisées après l'opération. Avant l'intervention, l'infirmière explique à la personne comment effectuer des exercices de respiration profonde et d'expiration maximale (toux), comment utiliser l'inspiromètre et comment faire des exercices des membres inférieurs; elle les lui fait répéter. Au cours de cette phase, les questions que pose la famille ont trait surtout à la durée de l'opération. Les proches veulent savoir notamment où se rendre pour attendre la fin de l'intervention, à qui s'adresser pour en connaître les résultats, comment s'y prendre pour visiter la personne qui se trouve à l'unité des soins intensifs, comment la soutenir avant la chirurgie et lorsqu'elle se trouve à l'unité des soins intensifs.

ÉVALUATION

Résultats escomptés

Les principaux résultats escomptés sont les suivants:

1. La personne éprouve moins d'anxiété.
   a) Elle exprime ses peurs.
   b) Elle discute de ses craintes avec sa famille.
   c) Elle se sert de ses expériences passées comme point de comparaison.
   d) Elle manifeste une attitude positive quant aux résultats de la chirurgie.
   e) Elle exprime sa confiance dans les mesures adoptées pour soulager la douleur.
2. La personne se renseigne sur l'intervention chirurgicale et sur les suites de l'opération.
   a) Elle expose les raisons de la préparation avant l'opération.
   b) Elle visite les soins intensifs, si elle le souhaite.
   c) Elle montre qu'elle connaît les limites de la chirurgie.
   d) Elle discute de l'environnement immédiat après l'opération (drains, machines, surveillance infirmière, par exemple).
   e) Elle montre qu'elle sait effectuer les activités qu'on attend d'elle après la chirurgie (respiration profonde, expiration maximale [toux], exercices des pieds, par exemple).
3. La personne ne présente aucun signe de complications.
   a) Elle dit que les médicaments et le repos soulagent la douleur angineuse.
   b) Elle prend ses médicaments, selon l'ordonnance.

INTERVENTIONS INFIRMIÈRES DURANT LA PÉRIODE PEROPÉRATOIRE

L'infirmière en chirurgie effectue un examen clinique, prépare la personne pour la salle d'opération, puis pour la salle de réveil. Elle note tout changement dans son état et elle propose des modifications au traitement, s'il y a lieu. L'infirmière explique ses interventions au fur et à mesure à la personne, qu'il s'agisse de l'application d'électrodes ou de l'utilisation de monitorage continu, de l'installation d'une sonde à demeure ou de la surveillance de la SpO_2. On installe des cathéters pour administrer les solutés, les médicaments et les produits sanguins. À la salle d'opération, la personne reçoit une anesthésie générale, elle est intubée et mise sous ventilation artificielle. L'infirmière chargée des soins peropératoires veille plus particulièrement sur le bien-être et la sécurité de la personne. C'est à elle qu'il incombe de l'installer, et de s'occuper des soins cutanés et des soins de la plaie. Elle assure aussi le soutien à la personne et à ses proches.

Avant de fermer l'incision, on installe les drains thoraciques afin d'évacuer l'air et on effectue le drainage du médiastin et du thorax. On pose des électrodes épicardiques de stimulateur cardiaque sur l'oreillette droite et le ventricule droit. Ces électrodes épicardiques servent à stimuler le cœur si certains types d'arythmie se manifestent.

Les complications peropératoires qui peuvent survenir sont les suivantes: arythmie, hémorragie, infarctus du myocarde, AVC (attaque cérébrale), défaillance d'un organe liée à la réduction du débit cardiaque, à une embolie ou aux effets indésirables provoqués par les médicaments. Pour prévenir ces complications et en détecter les symptômes ou pour entreprendre immédiatement un traitement, il est essentiel d'effectuer au cours de cette phase une surveillance clinique continue de la personne.

DÉMARCHE SYSTÉMATIQUE dans la pratique infirmière

Personne ayant subi une chirurgie cardiaque

Prodiguées en salle de réveil ou à l'unité des soins intensifs, les interventions infirmières mises en œuvre à la suite de l'opération ont d'abord pour objet de permettre à la personne de retrouver la stabilité hémodynamique, de la conserver, et de se rétablir de l'anesthésie. Lorsqu'on a atteint ces objectifs, la personne est transférée dans une unité chirurgicale équipée d'appareils de télémétrie. On se concentre alors sur les soins de la plaie, la reprise graduelle des activités et la nutrition. On s'attarde à l'enseignement portant sur les médicaments et sur les facteurs de risque modifiables (Plan thérapeutique infirmier). Les personnes qui ont subi un pontage coronarien quittent habituellement l'hôpital au bout de trois à cinq jours. Elles peuvent s'attendre à ressentir moins de symptômes de coronaropathie et à jouir d'une meilleure qualité de vie. On a montré que le pontage coronarien augmentait la durée de la vie des personnes à risque élevé, c'est-à-dire celles qui présentent une obstruction du tronc commun, un dysfonctionnement ventriculaire gauche associé à de nombreuses obstructions des artères coronaires et une atteinte à trois vaisseaux, dont l'artère interventriculaire antérieure (Eagle *et al.*, 1999).

La période qui suit immédiatement l'intervention cardiaque présente de nombreuses difficultés pour l'équipe de professionnels de la santé. On s'efforce, autant que faire se peut, de faciliter la transition de la salle d'opération à l'unité des soins intensifs ou à la salle de réveil en réduisant le plus possible les risques. L'équipe de chirurgie transmet à l'infirmière des soins intensifs des informations précises concernant l'opération et les éléments importants à prendre en compte dans le traitement de la personne; l'infirmière des soins intensifs assume ensuite la responsabilité des soins. La figure 30-10 ■ présente une synthèse des principaux soins postopératoires qui seront prodigués à la personne ayant subi une chirurgie cardiaque.

COLLECTE DES DONNÉES

Lorsqu'une personne arrive à l'unité des soins intensifs ou à la salle de réveil, on effectue un examen clinique de tous les systèmes pour déterminer son état général après l'opération et on en compare les résultats avec les données de l'examen clinique effectué avant l'opération de manière à détecter tout changement qui se serait produit depuis la chirurgie. On évalue les paramètres suivants:

- *Fonction neurologique* Niveau de conscience, dimension des pupilles et réaction de celles-ci à la lumière, réflexes, symétrie faciale, motricité des membres supérieurs et des membres inférieurs et force de préhension des mains
- *Fonction cardiaque* Fréquence et rythme cardiaques, bruits du cœur, pression artérielle, pression veineuse centrale, pression capillaire pulmonaire bloquée, morphologie des courbes de pression (à partir de la canule artérielle), débit ou index cardiaque, résistances vasculaires systémique et pulmonaire, saturation artérielle plumonaire en oxygène ($S\bar{v}O_2$) si possible, drainage des tubes médiastinaux, ainsi que état et fonctionnement du stimulateur cardiaque
- *Fonction respiratoire* Mouvement thoracique, bruits respiratoires, paramètres du respirateur (par exemple fréquence, volume courant, concentration d'oxygène, mode de programmation tel que ventilation obligatoire intermittente synchronisée (SIMV), pression positive en fin d'expiration (PEEP), aide inspiratoire (AI), fréquence respiratoire, pression de ventilation, saturation artérielle en oxygène (SaO_2), saturation percutanée en oxygène (SpO_2), CO_2 expiré, drainage du tube pleural, gaz artériels
- *Fonction vasculaire périphérique* Pouls périphériques, coloration de la peau, du lit des ongles, des muqueuses, des lèvres, du lobe des oreilles; température de la peau; œdème; sites d'insertion des cathéters intraveineux ou intra-artériels et pansements
- *Fonction rénale* Débit urinaire, densité de l'urine et osmolalité
- *État hydroélectrolytique* Ingesta et excreta, tous les paramètres de débit cardiaque et données suivantes indiquant un déséquilibre électrolytique:
  - *Hypokaliémie* Toxicité digitalique, arythmie, changements dans le tracé électrocardiographique (onde U, bloc auriculoventriculaire, aplatissement ou inversion de l'onde T)
  - *Hyperkaliémie* Confusion mentale, agitation, nausées, faiblesse, paresthésie des mains et des pieds, arythmies, changements dans le tracé électrocardiographique (onde T grande et pointue, augmentation de l'amplitude, élargissement du complexe QRS, prolongement de l'intervalle Q-T)
  - *Hypomagnésémie* Paresthésie, spasme carpopédieux, crampes musculaires, tétanie, irritabilité, tremblements, surexcitabilité, surréflectivité, arythmie cardiaque, changements dans le tracé électrocardiographique (prolongement des intervalles P-R et Q-T, ondes T aplaties et larges), désorientation, dépression, hypotension, épilepsie
  - *Hypermagnésémie* Vasodilatation, hypotension, diminution des réflexes, faible motilité gastro-intestinale (bruits intestinaux hypoactifs), léthargie, dépression respiratoire, coma, apnée, arrêt cardiaque
  - *Hyponatrémie* Faiblesse, fatigue, confusion, épilepsie, coma
  - *Hypocalcémie* Paresthésie, spasme carpopédieux, crampes musculaires, tétanie
  - *Hypercalcémie* Toxicité digitalique, asystolie
  - *Douleur* Nature, type, siège, intensité, durée (voir l'acronyme PQRST, au tableau 30-5; il faut différencier la douleur occasionnée par l'incision de la douleur angineuse); appréhension, réaction aux analgésiques

Les personnes qui ont subi un pontage mammarocoronarien (PMC), comportant une incision de l'artère mammaire interne peuvent souffrir par la suite d'une paresthésie du nerf cubital, temporaire ou permanente, du côté de la greffe. Celles qui ont subi un pontage coronarien à partir de l'artère gastroépiploïque peuvent souffrir d'une réduction de la motilité intestinale pendant une plus longue période après la chirurgie et ressentir une douleur abdominale au siège de l'incision ainsi qu'une douleur au siège de l'incision thoracique.

L'infirmière veille au bon fonctionnement de l'ensemble de l'équipement et des tubes: le tube endotrachéal, le respirateur, le capnomètre téloexploratoire, le moniteur de la saturation artérielle en oxygène, le cathéter de Swan-Ganz, les cathéters intraveineux et artériels, les dispositifs et les tubulures de perfusion intraveineuse, le moniteur cardiaque, le stimulateur cardiaque, les drains thoraciques et la sonde urinaire.

PLAN THÉRAPEUTIQUE INFIRMIER

Personne ayant subi une chirurgie cardiaque

INTERVENTIONS INFIRMIÈRES	JUSTIFICATIONS SCIENTIFIQUES	RÉSULTATS ESCOMPTÉS
Diagnostic infirmier: débit cardiaque diminué, relié à la perte sanguine et à la baisse d'efficacité du myocarde **Objectif:** rétablir le débit cardiaque pour préserver ou retrouver le mode de vie souhaité		
1. Surveiller l'état cardiovasculaire. Obtenir une série de mesures (pression artérielle [PA], pression de l'artère pulmonaire [PAP], pression capillaire pulmonaire bloquée [PCPb], pression veineuse centrale [PVC], mesure du débit et de l'index cardiaques, des résistances vasculaires pulmonaire et systémique, ainsi que de la fréquence et du rythme cardiaques), les noter au dossier et établir des corrélations entre les données obtenues et l'état de santé de la personne.	1. La surveillance hémodynamique sert à déterminer l'efficacité du débit cardiaque.	Les paramètres suivants sont dans les limites de la normale: ▪ Pression artérielle ▪ Pression capillaire pulmonaire bloquée (PCPb) ▪ Pression de l'artère pulmonaire (PAP) ▪ Pression veineuse centrale (PVC) ▪ Bruits cardiaques ▪ Résistances vasculaires systémique et pulmonaire ▪ Débit et index cardiaques ▪ Pouls périphériques ▪ Fréquence et rythme cardiaques ▪ Enzymes cardiaques ▪ Diurèse ▪ Coloration des muqueuses et de la peau ▪ Température de la peau ▪ Drainage des tubes thoraciques inférieur à 200 mL/h durant les 4 à 6 premières heures ▪ Signes vitaux stables ▪ Volume du drainage des tubes thoraciques conforme à ce qu'on escomptait ▪ Pression veineuse centrale ▪ Diurèse ▪ Coloration de la peau ▪ Respiration non laborieuse, bruits respiratoires nets ▪ Douleur limitée au siège d'incision ▪ Aucun signe d'ischémie sur l'ECG; les marqueurs biochimiques de souffrance myocardique sont négatifs.
a) Évaluer la pression artérielle de la personne toutes les 15 minutes jusqu'à ce qu'elle soit stable; toutes les 1 à 4 heures pendant 24 heures; toutes les 8 à 12 heures jusqu'à la sortie de l'hôpital; puis au cours de chaque visite.	a) La pression artérielle est l'un des plus importants paramètres physiologiques; il peut être difficile de déceler la pression artérielle à l'auscultation à l'aide d'un sphygmomanomètre et d'un stétoscope, en cas de vasoconstriction consécutive à la circulation extracorporelle.	
b) Ausculter la personne pour déceler les bruits cardiaques anormaux et pour déterminer le rythme cardiaque.	b) L'auscultation confirme la tamponnade cardiaque (bruits du cœur distants et assourdis), la péricardite (frottement péricardique) ou l'arythmie.	
c) Évaluer les pouls périphériques (pédieux, tibial, radial, carotidien) de la personne.	c) La présence ou l'absence de pulsations et leur qualité fournissent des données sur le débit cardiaque de même que sur les lésions obstructives.	
d) Mesurer la pression de l'artère pulmonaire (particulièrement la pression diastolique) et la pression capillaire pulmonaire bloquée pour évaluer la précharge du ventricule gauche et le débit cardiaque.	d) La hausse des pressions peut indiquer une insuffisance cardiaque congestive ou un œdème pulmonaire.	
e) Surveiller la pression capillaire pulmonaire bloquée (PCPb), la pression de l'artère pulmonaire (PAP) et la pression veineuse centrale (PVC) de manière à évaluer le volume sanguin, le tonus vasculaire et l'efficacité de pompage du cœur. *Rappelez-vous: les tendances sont plus importantes que les relevés isolés.* La ventilation artificielle peut entraîner une hausse de la pression veineuse centrale.	e) La hausse de la pression capillaire pulmonaire bloquée, de la pression de l'artère pulmonaire ou de la pression veineuse centrale peut être un signe d'hypervolémie, d'insuffisance cardiaque, ou de tamponnade cardiaque. Si la chute de la pression est attribuable à une diminution du volume sanguin, la pression capillaire pulmonaire bloquée et la pression veineuse centrale présenteront une baisse correspondante.	
f) Surveiller le tracé électrocardiographique à la recherche d'arythmie (pour de plus amples détails sur l'arythmie, voir le chapitre 29).	f) L'arythmie peut être déclenchée par une ischémie coronarienne, une hypoxie, un œdème, une hémorragie, des perturbations acidobasiques, des déséquilibres électrolytiques (anomalies sériques des taux de potassium, par exemple), une toxicité digitalique, ou de l'insuffisance cardiaque. Des changements dans le segment S-T peuvent indiquer une ischémie ou une lésion myocardique pouvant être reliée à un spasme d'une artère coronaire. Un stimulateur cardiaque externe et des médicaments antiarythmiques sont utilisés pour réguler la fréquence et le rythme cardiaques, ce qui permet de stabiliser le débit cardiaque, et par le fait même les pressions artérielles.	
g) Surveiller les taux des enzymes cardiaques lorsqu'ils sont disponibles.	g) Des hausses peuvent indiquer un infarctus aigu du myocarde.	
h) Surveiller la diurèse, d'abord à 30 minutes ou 1 heure d'intervalle, puis la mesurer en même temps que les signes vitaux.	h) Une diurèse inférieure à 25 mL/h indique une diminution de la perfusion rénale et peut refléter une diminution du débit cardiaque.	

INTERVENTIONS INFIRMIÈRES	JUSTIFICATIONS SCIENTIFIQUES	RÉSULTATS ESCOMPTÉS
i) Observer les muqueuses buccales, le lit des ongles, les lèvres, le lobe des oreilles ainsi que les mains et les pieds à la recherche de cyanose.	i) Un teint pâle ou de la cyanose peuvent indiquer une diminution du débit cardiaque.	
j) Évaluer la peau de la personne; noter sa température et sa coloration.	j) Une peau moite et froide indique une vasoconstriction et une diminution du débit cardiaque.	
2. Être à l'affût des signes de saignements persistants: drainage sanguin continu et régulier; hypotension; faible pression veineuse centrale; tachycardie. Se préparer à administrer des produits sanguins et des solutions par voie intraveineuse.	2. L'hémorragie peut résulter de l'incision cardiaque, de la fragilité tissulaire, d'un traumatisme tissulaire, d'une coagulation insuffisante.	
3. Être à l'affût des signes de tamponnade cardiaque: hypotension; hausse de la pression capillaire pulmonaire bloquée (PCPb), de la pression de l'artère pulmonaire ou de la pression veineuse centrale; bruits cardiaques assourdis; pouls faible, filant; distension de la veine jugulaire; diminution de la diurèse. Vérifier le système de drainage thoracique et voir s'il y a une diminution du volume sanguin drainé. Se préparer à effectuer une péricardiocentèse. Vérifier la présence d'un pouls paradoxal.	3. La tamponnade cardiaque résulte d'une hémorragie ou de l'accumulation de liquide dans le sac péricardique, qui exerce alors une compression sur le cœur et empêche les ventricules de se remplir adéquatement. La diminution de l'efficacité du drainage thoracique peut indiquer une accumulation de liquide dans le sac péricardique.	
4. Surveiller les signes de défaillance cardiaque: hypotension, hausse de la pression capillaire pulmonaire bloquée (PCPb), de la pression de l'artère pulmonaire, de la pression veineuse centrale, tachycardie, agitation, cyanose, distension veineuse jugulaire, dyspnée, crépitants fins, ascites. Se préparer à administrer des diurétiques et des amines.	4. L'insuffisance cardiaque est attribuable à une diminution de l'action de pompage du cœur et peut entraîner une déficience de l'irrigation sanguine des organes vitaux.	
5. Surveiller les signes d'infarctus aigu du myocarde: élévation du segment S-T, changements dans l'onde T, diminution du débit cardiaque, alors que le volume circulant et les pressions de remplissage sont normaux. Obtenir des ECG en série et vérifier les marqueurs biochimiques de souffrance myocardique (CK-MB, troponine, par exemple). Différencier la douleur myocardique de la douleur causée par l'incision.	5. Les symptômes peuvent être masqués par le niveau de conscience de la personne et par les médicaments contre la douleur.	
Diagnostic infirmier: Échanges gazeux perturbés, reliés au trauma de l'intervention chirurgicale au thorax **Objectif:** obtenir des échanges gazeux adéquats		
1. Maintenir la ventilation artificielle jusqu'à ce que la personne soit en état de respirer sans appareil.	1. La ventilation assistée sert à diminuer les efforts du cœur, à assurer une oxygénation efficace et à assurer le dégagement des voies respiratoires, dans l'éventualité d'un arrêt cardiaque.	■ Les voies respiratoires sont perméables. ■ Les gaz artériels sont dans les limites de la normale. ■ Le tube endotrachéal est correctement placé, comme l'indiquent les radiographies du thorax.
2. Surveiller les valeurs des gaz artériels et les paramètres du respirateur, dont le volume courant et la pression inspiratoire maximale.	2. La mesure des gaz artériels et celle du volume courant indiquent le degré d'efficacité de la ventilation et les changements à apporter pour améliorer les échanges gazeux.	■ Les bruits respiratoires sont normaux. ■ Le respirateur est synchronisé avec les respirations de la personne.
3. Ausculter le thorax pour déceler les bruits respiratoires.	3. La présence de crépitants est un signe de congestion pulmonaire; la diminution ou l'absence de murmures vésiculaires fait penser à un pneumothorax ou à un hémothorax.	■ Les bruits respiratoires sont normaux après l'aspiration des sécrétions ou la toux.
4. Donner à la personne des sédatifs, de manière adéquate et selon l'ordonnance du médecin, surveiller la fréquence et la profondeur des respirations.	4. La sédation aide la personne à tolérer le tube endotrachéal et à s'adapter aux sensations liées à la présence du respirateur; les sédatifs peuvent entraîner une dépression de la fréquence et de la profondeur respiratoires.	■ Le lit des ongles et les muqueuses sont roses. ■ L'acuité mentale de la personne est en rapport avec la dose de sédatifs et d'analgésiques reçus.
5. Inciter la personne à respirer profondément, à utiliser une technique favorisant l'expiration maximale (toux) et la changer de position. Lui conseiller d'employer l'inspiromètre et de faire les exercices respiratoires. Lui expliquer que le fait d'appuyer un coussin sur son thorax quand elle tousse	5. Ces interventions aident à assurer la perméabilité des voies respiratoires, à prévenir l'atélectasie ainsi qu'à faciliter l'expansion pulmonaire.	■ La personne sait s'orienter dans les trois sphères, elle est en état de répondre par oui ou par non, de façon appropriée.

Personne qui a subi une chirurgie cardiaque (*suite*)

INTERVENTIONS INFIRMIÈRES	JUSTIFICATIONS SCIENTIFIQUES	RÉSULTATS ESCOMPTÉS
ou qu'elle change de position peut atténuer la douleur ressentie durant la respiration profonde et l'expiration maximale (toux).		
6. Aspirer les sécrétions endotrachéales au besoin, à l'aide d'une technique aseptique rigoureuse.	6. La rétention des sécrétions mène à l'hypoxie et peut-être à un arrêt cardiaque; elle favorise l'infection.	
7. Aider la personne lors du sevrage du respirateur et du retrait du tube endotrachéal.	7. Le sevrage du respirateur et le retrait du tube endotrachéal abaissent le risque d'infection pulmonaire et augmentent la capacité de la personne à communiquer sans tube endotrachéal.	
Diagnostic infirmier: risque de déséquilibre hydroélectrolytique, relié aux anomalies du volume sanguin **Objectif:** obtenir l'équilibre hydroélectrolytique		
1. Maintenir l'équilibre hydroélectrolytique.	1. Il est nécessaire d'avoir un volume sanguin adéquat afin que le métabolisme cellulaire soit optimal; l'acidose métabolique et le déséquilibre des électrolytes peuvent se manifester à la suite du recours à la circulation extracorporelle (CEC).	■ Les ingesta et les excreta sont équilibrés. ■ Les paramètres hémodynamiques n'indiquent pas de surcharge liquidienne ni de déshydratation. ■ La pression artérielle est normale, selon les changements de position. ■ Il n'y pas d'arythmie. ■ Le poids est stable. ■ Informer le médecin si la personne prend 1 kg ou plus en une journée, ou 2 kg ou plus en une semaine. ■ Le pH sanguin se situe entre 7,35 et 7,45. ■ Le taux sérique de potassium se situe entre 3,5 et 5,0 mmol/L. ■ Le taux sérique de magnésium se situe entre 0,75 à 1,25 mmol/L. ■ Le taux sérique de sodium se situe entre 135 à 145 mmol/L. ■ Le taux sérique de calcium se situe entre 8,8 et 10,3 mg/100 mL (de 2,20 à 2,58 mmol/L).
a) Noter les ingesta et les excreta; inscrire la diurèse toutes les 30 minutes à 4 heures lorsque la personne se trouve aux soins intensifs; puis toutes les 8 à 12 heures durant le reste du séjour à l'hôpital.	a) La mesure des ingesta et des excreta permet de savoir s'il y a trop ou pas assez de liquides et quels sont les besoins en liquides.	
b) Évaluer les paramètres suivants: pressions de l'artère pulmonaire, pression artérielle, pression veineuse centrale, pression capillaire pulmonaire bloquée, pression de la veine jugulaire, dosage des électrolytes, hématocrite, élasticité des tissus, taille du foie, bruits respiratoires, débit urinaire et drainage de la sonde nasogastrique.	b) Ces paramètres fournissent des renseignements sur le degré d'hydratation.	
c) Mesurer le drainage thoracique après l'opération (il ne devrait pas dépasser 200 mL/h au cours des 4 à 6 premières heures); l'arrêt du drainage peut indiquer un nœud ou le blocage d'un drain thoracique. Assurer la perméabilité et l'intégrité du système de drainage. Entretenir le système d'autotransfusion lorsqu'il est utilisé.	c) La perte excessive de sang provenant de la cavité thoracique peut entraîner de l'hypovolémie.	
d) Peser quotidiennement la personne dès qu'elle peut marcher.	d) Le poids est un indicateur de l'équilibre des liquides.	
2. Être particulièrement attentive aux changements dans les taux sériques des électrolytes.	2. Une concentration bien précise d'électrolytes dans les liquides intracellulaires et extracellulaires est indispensable au maintien de la vie.	
a) Hypokaliémie (carence en potassium) • *Effets*: arythmie, intoxication digitalique, alcalose métabolique, faiblesse du myocarde, arrêt cardiaque. • Être à l'affût des changements dans l'ECG. Administrer un supplément de potassium par voie intraveineuse, selon l'ordonnance.	a) *Causes*: L'hypokaliémie peut résulter de l'administration d'une importante quantité de diurétiques, être provoquée par les vomissements, par un drainage nasogastrique excessif, par le stress dû à la chirurgie.	
b) Hyperkaliémie (excès de potassium) • *Effets*: confusion mentale, agitation, nausées, faiblesse, paresthésie des mains et des pieds. • Se préparer à administrer une résine servant aux échanges cationiques (sulfonate de polystyrène sodique [Kayexalate]), du bicarbonate de sodium par voie intraveineuse, ou de l'insuline et du glucose par voie intraveineuse.	b) *Causes*: L'hyperkaliémie peut être causée par une augmentation de l'apport en potassium, par une hémolyse provoquée par la circulation extracorporelle (CEC) ou par des dispositifs d'assistance ventriculaire externe, par une acidose, une insuffisance rénale, une nécrose tissulaire, ou une insuffisance corticosurrénalienne. • La résine lie le potassium et en facilite l'excrétion intestinale. • Le bicarbonate de sodium administré par voie intraveineuse aide le potassium contenu dans le liquide	

INTERVENTIONS INFIRMIÈRES	JUSTIFICATIONS SCIENTIFIQUES	RÉSULTATS ESCOMPTÉS
	extracellulaire à pénétrer dans les cellules. • L'insuline aide les cellules à absorber le glucose. Le glucose fournit l'énergie nécessaire pour activer les pompes à Na^+-K^+ qui permettent au potassium de pénétrer dans les cellules tout en aspirant le sodium vers l'extérieur.	
c) Hypomagnésémie (carence en magnésium) • *Effets*: paresthésie, spasme carpopédieux, crampes musculaires, tétanie, irritabilité, tremblements, surexcitabilité, surréflectivité, désorientation, dépression, épilepsie, hypotension, arythmie, prolongement des intervalles P-R et Q-T, aplatissement et élargissement de l'onde T. Se préparer à traiter la cause. • L'infirmière peut donner des suppléments de magnésium (de préférence par voie orale, perfuser lentement ou faire preuve d'une extrême prudence si on les administre par voie intraveineuse).	c) *Causes*: L'hypomagnésémie peut être causée par une diminution de l'apport en magnésium (alcoolisme chronique, malnutrition, inanition), par une malabsorption (syndrome de malabsorption, apport excessif de calcium) ou par une diminution normale de l'excrétion au cours des 24 heures qui suivent une intervention chirurgicale importante. L'hypomagnésémie peut également être causée par une cétose diabétique, un aldostéronisme endogène, un hyperparathyroïdisme endogène.	
d) Hypermagnésémie (excès de magnésium) • *Effets*: vasodilatation, bouffées congestives, sensation de chaleur, hypotension, perte des réflexes, ralentissement de la fonction intestinale, somnolence, dépression respiratoire, coma, apnée, arrêt cardiaque. • Se préparer à traiter la cause; dialyse et administration de gluconate de calcium.	d) *Causes:* Insuffisance rénale, apport excessif de médicaments à base de magnésium (antiacide, purgatif).	
e) Hyponatrémie (carence en sodium) • *Effets*: faiblesse, fatigue, confusion, épilepsie, coma. • Administrer du sodium ou des diurétiques, selon l'ordonnance.	e) *Causes*: L'hyponatrémie peut être causée par une diminution du sodium total dans le corps ou par une augmentation de l'apport d'eau, entraînant la dilution du sodium.	
f) Hypocalcémie (carence en calcium) • *Effets*: engourdissement et fourmillements au bout des doigts, des orteils, des oreilles et du nez; spasme carpopédieux, crampes musculaires; tétanie. • Administrer un traitement substitutif, selon l'ordonnance.	f) *Causes*: L'hypocalcémie peut être causée par une alcalose, par de multiples transfusions sanguines effectuées à partir de produits sanguins citratés.	
g) Hypercalcémie (excès de calcium) • *Effets*: arythmie, intoxication digitalique, asystole. • Entreprendre un traitement, selon l'ordonnance.	g) *Cause*: L'hypercalcémie peut résulter d'une immobilité prolongée.	
Diagnostic infirmier: trouble de la perception sensorielle, relié à une stimulation excessive provenant de l'environnement, au manque de sommeil et au déséquilibre des électrolytes **Objectif:** atténuer les symptômes associés à un déséquilibre des perceptions sensorielles; prévenir la «psychose des soins intensifs»		
1. Utiliser les mesures suivantes pour prévenir la «psychose des soins intensifs»: a) Expliquer toutes les interventions à la personne et lui faire comprendre que sa collaboration est indispensable. b) Planifier les soins infirmiers de façon à lui ménager des périodes de sommeil ininterrompues au cours de la journée et durant la nuit. c) Diminuer le plus possible les stimuli provenant de l'environnement afin de favoriser le sommeil. d) Favoriser la continuité des soins d'une infirmière à l'autre. e) Fournir régulièrement à la personne des données pour l'aider à s'orienter	1. La «psychose des soins intensifs» peut être causée par l'anxiété, le manque de sommeil, l'augmentation des stimuli sensoriels, la confusion entre le jour et la nuit. Normalement, les cycles de sommeil durent au moins 50 minutes. Le premier cycle peut durer de 90 à 120 minutes et se raccourcir durant les cycles successifs. Le manque de sommeil se produit lorsque les cycles de sommeil sont interrompus ou qu'il n'y en a pas assez.	■ La personne collabore aux interventions. ■ Elle dort sans interruption durant de longs moments. ■ Elle n'a pas de distorsions perceptuelles, d'hallucinations, de désorientation ou de délires.

Personne qui a subi une chirurgie cardiaque (*suite*)

INTERVENTIONS INFIRMIÈRES	JUSTIFICATIONS SCIENTIFIQUES	RÉSULTATS ESCOMPTÉS
en fonction du moment et du lieu. Encourager la famille à lui rendre visite selon un horaire régulier. f) Évaluer les médicaments afin d'établir quels sont ceux qui peuvent contribuer au délire chez la personne. g) Enseigner des techniques de relaxation et de diversion. h) Encourager la personne à pratiquer les autosoins en fonction de ses capacités pour lui donner le sentiment d'avoir une certaine maîtrise de la situation. Évaluer les systèmes de soutien et les mécanismes d'adaptation. 2. Observer les signes de distorsions perceptuelles, d'hallucinations, de désorientation ou de délire paranoïde.		
Diagnostic infirmier: douleur aiguë, reliée au traumatisme chirurgical et à l'irritation pleurale provoquée par les drains thoraciques ou par la dissection d'une artère mammaire **Objectif:** soulager la douleur		
1. Noter la nature, le type, la localisation, l'intensité et la durée de la douleur. 2. Aider la personne à différencier la douleur chirurgicale de la douleur angineuse. 3. Encourager la personne à prendre ses médicaments contre la douleur au cours des 24 à 72 premières heures, selon l'ordonnance, et observer les signes d'effets indésirables: léthargie, hypotension, tachycardie, dépression respiratoire.	1. La douleur et l'anxiété accroissent la fréquence des pulsations, la consommation d'oxygène et les efforts du cœur. 2. La douleur angineuse doit être traitée immédiatement. 3. La prise d'analgésiques favorise le repos, diminue la consommation d'oxygène provoquée par la douleur et aide la personne à faire des exercices de respiration profonde et d'expiration maximale (toux); les médicaments contre la douleur sont plus efficaces lorsque la personne les reçoit avant que la douleur soit trop vive.	■ La personne indique que l'intensité de la douleur a diminué. ■ Elle dit ne plus avoir mal. ■ Son agitation diminue. ■ Les signes vitaux sont stables. ■ Elle fait des exercices de respiration profonde et d'expiration maximale (toux). ■ Elle change de position seule; elle participe aux soins. ■ Ses activités sont plus nombreuses.
Diagnostic infirmier: irrigation tissulaire rénale inefficace, reliée à la diminution du débit cardiaque, à l'hémolyse ou aux médicaments vasopresseurs **Objectif:** assurer une irrigation rénale adéquate		
1. Évaluer la fonction rénale: a) Mesurer la diurèse selon des intervalles allant de 30 minutes à 4 heures lorsque la personne est à l'unité des soins intensifs, puis toutes les 8 à 12 heures durant le reste de son séjour à l'hôpital. b) Être à l'affût des résultats des examens paracliniques et les noter au dossier: notamment, le dosage de l'urée et de la créatinine sériques, et le dosage des électrolytes dans le sang et dans l'urine. 2. Se préparer à administrer des médicaments inotropes positifs (dopamine, dobutamine, par exemple). 3. Préparer la personne pour la dialyse ou le traitement substitutif rénal continu, s'il y a lieu.	1. Les lésions rénales peuvent être causées par une irrigation insuffisante, par l'hémolyse, par un débit cardiaque trop faible ou par l'utilisation de médicaments vasopresseurs administrés pour hausser la pression artérielle. a) Une diurèse inférieure à 25 mL/h indique un affaiblissement de la fonction rénale. b) Les examens paracliniques indiquent la capacité des reins à excréter les déchets. 2. Les médicaments inotropes positifs favorisent la fonction rénale en augmentant le débit cardiaque ainsi que le débit sanguin dans les reins. 3. Les personnes sont en droit de savoir quels sont les soins prescrits: leur donner l'occasion de poser des questions et de se préparer aux interventions.	■ La diurèse correspond à l'apport liquidien; elle est supérieure à 25 mL/h. ■ Les taux d'urée et de créatinine dans le sang, ainsi que ceux des électrolytes, sont dans les limites de la normale.

INTERVENTIONS INFIRMIÈRES	JUSTIFICATIONS SCIENTIFIQUES	RÉSULTATS ESCOMPTÉS
Diagnostic infirmier: thermorégulation inefficace, reliée à une infection ou au syndrome de la cardiotomie **Objectif:** maintenir une température corporelle normale		
1. Prendre la température de la personne toutes les heures.	1. La fièvre peut être le signe d'une infection ou de syndrome de la cardiotomie	■ La température du corps est normale. ■ Les incisions sont exemptes d'infection et guérissent bien. ■ La personne ne présente pas de symptômes du syndrome de la cardiotomie.
2. Utiliser des techniques aseptiques au moment de changer les pansements, d'effectuer l'aspiration endotrachéale; s'assurer que toutes les perfusions intraveineuses et intraartérielles restent en circuit fermé, de même que la sonde urinaire à demeure.	2. L'emploi de techniques aseptiques diminue le risque d'infection.	
3. Être à l'affût des symptômes du syndrome de la cardiotomie: fièvre, malaises, épanchement péricardique, frottement péricardique, arthralgie.	3. Le syndrome de la cardiotomie apparaît chez 10 à 40 % des personnes qui ont subi une chirurgie cardiaque.	
4. Administrer des agents anti-inflammatoires, selon l'ordonnance	4. Ces agents soulagent les symptômes inflammatoires (chaleur, rougeur, tuméfaction, douleur et incapacité fonctionnelle).	
Diagnostic infirmier: connaissances insuffisantes sur les autosoins **Objectif:** permettre à la personne d'améliorer ses capacités d'autosoins		
1. Élaborer un plan d'enseignement destiné à la personne et à ses proches. Fournir des indications précises concernant les points suivants: • Régime alimentaire • Augmentation progressive de l'activité physique • Programme d'exercice • Exercices de respiration profonde, d'expiration maximale (toux) et d'expansion des poumons • Vérification de la température corporelle • Traitements médicaux • Prise du pouls • Technique de RCR, si la famille ne la connaît pas • Accès au système médical d'urgence • Nécessité de porter un bracelet MedicAlert, au besoin	1. Il faut offrir à chacun l'information dont il a besoin.	■ La personne et les membres de la famille sont en mesure d'expliquer le traitement médical et ils s'y conforment. ■ La personne et les membres de la famille définissent les modifications requises dans les habitudes de vie. ■ À sa sortie de l'hôpital, la personne reçoit la liste des directives à suivre (rédigées dans sa langue maternelle). ■ Elle effectue ses appels de suivi téléphonique. ■ Elle se rend à ses consultations de suivi.
2. Transmettre les instructions verbalement et par écrit; donner plusieurs séances d'information pour consolider les connaissances et répondre aux questions.	2. La répétition favorise l'apprentissage en clarifiant ce qui est flou. Après une intervention cardiaque, la personne éprouve des difficultés en matière de mémoire à court terme; il est essentiel que les notions soient rédigées dans sa langue maternelle, car ces notions lui serviront de référence une fois qu'elle aura quitté l'hôpital. Plus les informations à retenir seront nombreuses et moins elles seront familières à la personne et à ses proches, plus il leur faudra du temps pour les assimiler.	
3. Inviter la famille à assister à toutes les séances d'enseignement proposées.	3. Le proche aidant chargé de prodiguer les soins à domicile éprouve généralement de l'anxiété à cet égard; il doit disposer de tout le temps nécessaire pour assimiler les notions.	
4. Remettre à la personne des informations concernant les suivis téléphoniques auprès du chirurgien, du cardiologue, du médecin traitant ou de l'infirmière de liaison, ainsi que les visites de suivi auprès du chirurgien.	4. Lorsque l'infirmière remet à la personne les coordonnées du personnel soignant, ce geste aide à atténuer ses craintes.	
5. Fournir à la personne les informations pertinentes concernant les services de soins à domicile, les programmes de réadaptation cardiaque disponibles dans sa région, les groupes de soutien présents dans la communauté.	5. L'enseignement à la personne et les modifications apportées à ses habitudes de vie sont toujours à l'ordre du jour après le départ de l'hôpital.	

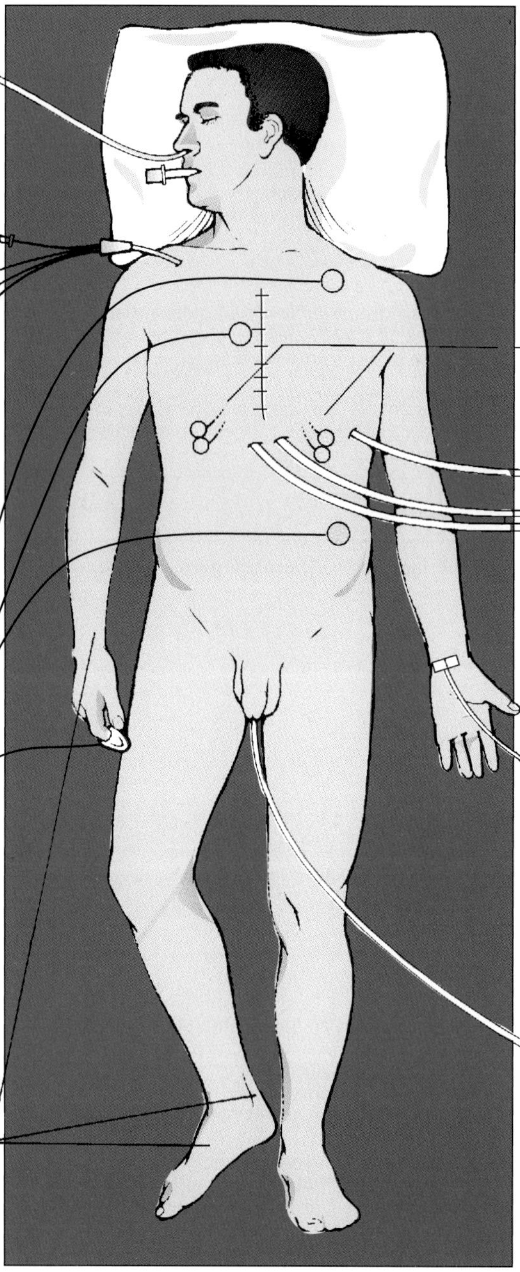

La sonde nasogastrique sert à décompresser l'estomac.
Le tube endotrachéal sert à la ventilation artificielle, à l'aspiration des sécrétions et à l'emploi du capnomètre.

Le cathéter de Swan-Ganz permet de surveiller la pression veineuse centrale (PVC), la pression capillaire pulmonaire bloquée (PCPb), la pression de l'artère pulmonaire (PAP), la température et la $S\bar{v}O_2$. Il peut être utilisé pour évaluer le débit cardiaque et les résistances pulmonaire et périphérique ; il permet de prélever du sang de l'oreillette droite et des artères pulmonaires, de même que d'administrer des médicaments.
La ligne veineuse (voie proximale) sert à administrer des solutés. Le cathéter de Swan-Ganz permet de surveiller l'apport liquidien.

Les électrodes de l'ECG servent à surveiller la fréquence et le rythme cardiaques.

Le moniteur SpO_2 sert à mesurer la saturation artérielle en oxygène.

Évaluer les pouls périphériques : radial, tibial postérieur, pédieux.

Examen neurologique :
- Niveau de conscience
- Force de préhension des mains
- Pupilles
- Douleur
- Mouvement

Évaluer la coloration et la température de la peau, la coloration des lèvres ainsi que la coloration et le remplissage capillaire du lit des ongles.

Les électrodes de stimulation épicardique servent à activer temporairement le cœur, au besoin.

Les drains thoraciques pleuraux et médiastinaux sont sous succion ; on surveille le drainage et la guérison des lésions.

La ligne artérielle radiale sert à surveiller la pression artérielle et à effectuer des prélèvements sanguins.

La sonde à demeure sert à obtenir une mesure précise du débit urinaire ; une sonde thermique peut être intégrée à la sonde à demeure.

FIGURE 30-10 ■ Lorsqu'elle prodigue les soins postopératoires à la personne qui a subi une chirurgie cardiaque, l'infirmière doit faire preuve de compétence quand elle interprète les paramètres hémodynamiques, établit des corrélations entre les examens cliniques et les examens paracliniques, effectue les interventions de façon systématique et évalue les progrès réalisés.

Au fur et à mesure que la personne reprend conscience et se remet de l'opération, l'infirmière doit tenir compte des paramètres psychologiques et émotionnels. Il arrive que la personne manifeste une attitude qui reflète du déni ou un état dépressif, ou bien elle peut vivre une « psychose des soins intensifs ». Celle-ci se caractérise par des illusions perceptives transitoires, des hallucinations visuelles et auditives, de la désorientation et du délire paranoïde.

Il faut également évaluer les besoins de la famille. L'infirmière vérifie comment les proches s'adaptent à la situation ; elle détermine leurs besoins psychologiques, émotionnels et spirituels, et s'assure qu'on leur communique des renseignements adéquats sur l'état de la personne.

Évaluer les complications

On évalue la personne en permanence afin de détecter les complications qui pourraient survenir (tableau 30-10 ■). L'infirmière et le chirurgien travaillent en collaboration pour détecter les premiers signes et symptômes de complications et pour instaurer des mesures destinées à inverser le processus.

Diminution du débit cardiaque

Toute diminution du débit cardiaque représente une menace pour la personne qui a subi une opération au cœur. Elle peut avoir de nombreuses causes, notamment :

(suite p. 368)

TABLEAU 30-10

Complications possibles de la chirurgie cardiaque

Complication	Description	Examen clinique et traitement
COMPLICATIONS CARDIAQUES La personne peut présenter plus d'une complication à la fois, exigeant plus d'une intervention. Il est donc essentiel que les infirmières, les médecins, les pharmaciens, les inhalothérapeutes et les diététistes collaborent pour obtenir les résultats escomptés.		
DIMINUTION DU DÉBIT CARDIAQUE **Anomalies de la précharge** (celle-ci est l'étirement du myocarde en fin de diastole.)		
Hypovolémie (cause la plus courante de diminution du débit cardiaque à la suite d'une chirurgie)	■ Perte de sang (même si une partie du sang peut être remplacée pour fournir l'hémoglobine nécessaire au transport de l'oxygène vers les tissus). ■ Hypothermie chirurgicale (au fur et à mesure que la température abaissée du corps remonte après la chirurgie, les vaisseaux sanguins se dilatent et un volume plus important est nécessaire pour remplir les vaisseaux). ■ Le liquide intraveineux s'échappe dans les tissus, car la circulation extracorporelle (CEC) rend les lits capillaires plus perméables. ■ L'hypotension est associée à une faible pression capillaire plumonaire bloquée dans les poumons (PCPb), à une faible pression veineuse centrale (PVC), ainsi qu'à une accélération de la fréquence cardiaque.	■ On peut prescrire des liquides substitutifs, entre autres des solutions de type colloïdal (albumine ou pentastarch [Pentaspan]), des dérivés sanguins, dont des culots de sang, des solutions de type cristalloïde (solution saline normale, solution de lactate Ringer).
Saignement persistant	■ La circulation extracorporelle peut entraîner un mauvais fonctionnement des plaquettes (caillots sanguins anormaux), ainsi que de l'hypothermie, ce qui dérègle les mécanismes de coagulation. ■ Le trauma chirurgical provoque un suintement sanguin lors du drainage des tissus et des vaisseaux. ■ Traitement anticoagulant (héparine)	■ Il est essentiel de mesurer de façon précise le saignement de la plaie et le drainage des tubes thoraciques. Le drainage sanguin ne devrait pas dépasser 200 mL/h dans les 4 à 6 premières heures. Le drainage devrait diminuer et cesser en quelques jours, le liquide passant de sanguin à sérosanguin, puis à séreux. ■ Pour neutraliser l'héparine non fractionnée, on peut administrer du sulfate de protamine; les déficiences hématologiques peuvent également être traitées à l'aide de la vitamine K et des produits sanguins. ■ Si le saignement persiste, il est possible que l'on renvoie la personne dans la salle d'opération pour y subir une chirurgie corrective.
Tamponnade cardiaque (peut diminuer la précharge en empêchant le sang d'entrer dans le cœur)	■ Du liquide s'accumule dans le sac péricardique, qui compresse le cœur, empêchant le sang de remplir les ventricules. ■ Les signes et symptômes de la tamponnade cardiaque sont les suivants: hypotension artérielle, tachycardie, bruits assourdis, diminution de la diurèse et égalisation de la pression capillaire pulmonaire bloquée, de la pression veineuse centrale et de la pression de l'artère pulmonaire en diastole. Ajoutons ceux-ci: tracé des ondes de la pression artérielle systémique et pulmonaire indiquant un pouls paradoxal (diminution de plus de 10 mm Hg durant l'inspiration) et diminution du drainage thoracique (donnant à penser qu'il y a une obstruction dans la tubulure ou qu'il s'est formé un caillot dans le médiastin).	■ On vérifie l'équipement pour éliminer tout nœud ou obstruction dans la tubulure. ■ On peut rétablir la perméabilité du système de drainage en faisant des mouvements de traite sur la tubulure (en prenant soin de ne pas créer de pression négative excessive à l'intérieur du thorax, ce qui pourrait abîmer la réparation chirurgicale ou déclencher une arythmie). ■ Les radiographies du thorax peuvent révéler un élargissement du médiastin. ■ Un traitement médical d'urgence est nécessaire; ce traitement peut comporter une péricardiocentèse ou nécessiter un retour en chirurgie.
Surcharge liquidienne	■ La hausse de la pression capillaire pulmonaire bloquée, de la pression	■ On prescrit généralement des diurétiques et on réduit le débit des solutés intraveineux.

Complications possibles de la chirurgie cardiaque (*suite*)

TABLEAU 30-10

Complication	Description	Examen clinique et traitement
	veineuse centrale et de la pression de l'artère pulmonaire en diastole, de même que la présence de crépitants indiquent une surcharge liquidienne.	■ La restriction des liquides est parfois prescrite. Les autres traitements comprennent un traitement substitutif rénal, de la dialyse et une phlébotomie (rare).
Anomalies de la postcharge (celle-ci est la force que le ventricule doit surmonter pour éjecter le sang du ventricule. Pour évaluer la postcharge et les effets du traitement vasoactif, on calcule la résistance vasculaire. Une anomalie dans la température du patient est la cause la plus commune d'anomalie de la postcharge après une chirurgie cardiaque.)		
Hypothermie	■ Constriction des vaisseaux sanguins, ce qui augmente la postcharge (cependant, la dilatation des vaisseaux sanguins provoquée par la fièvre ou par une autre affection hyperthermique diminue la postcharge).	■ On réchauffe la personne graduellement, bien que des vasodilateurs puissent être requis si la résistance est trop grande pour attendre le réchauffement. En cas de fièvre ou de vasodilatation grave, il faut parfois recourir à des solutés ou à des vasopresseurs afin d'augmenter les résistances périphériques.
Hypertension	■ Causes diverses. Certaines personnes ont des antécédents d'hypertension et l'infirmière peut prévoir le recours à un traitement après l'opération. Pour les autres, il s'agit d'un phénomène transitoire.	■ Pour traiter l'hypertension, on peut avoir recours à des vasodilatateurs (nitroglycérine [Tridil], nitroprusside [Nipride]). Si la personne souffrait d'hypertension avant la chirurgie, il faut reprendre le traitement préopératoire dès que possible.
Anomalies de la fréquence cardiaque		
Tachyarythmie	■ Accélération de la fréquence cardiaque; peut résulter ou non de l'anomalie de la précharge ou de la postcharge.	■ On recherche les causes possibles (anomalies de la précharge et de la postcharge) et on y remédie. ■ Si la tachycardie est un symptôme primaire, on définit la nature de l'arythmie et on prescrit des médicaments antiarythmiques adaptés à la condition en cours (chapitre 29 (lien)). Pour réduire le risque de tachycardie postopératoire, on peut prescrire des antiarythmiques avant le pontage coronarien. ■ Le médecin peut effectuer un massage carotidien pour aider à diagnostiquer l'arythmie ou pour la traiter. ■ Pour les tachycardies symptomatiques, on peut également avoir recours à la cardioversion ou à la défibrillation.
Bradycardie	■ Ralentissement de la fréquence cardiaque	■ Pour stimuler le cœur et l'amener à battre plus vite, on pose souvent des électrodes de stimulation rattachées à un générateur de pulsions (stimulateur cardiaque externe). Exceptionnellement, on peut avoir recours à l'atropine, à l'épinéphrine ou à l'isoprotérénol (Isuprel).
Arythmies (peuvent ou non influer sur le débit cardiaque.)	■ Fréquence et rythme cardiaques anormaux	■ Le traitement peut comprendre des médicaments (tableau 29-1), des stimulateurs (antibradycardiques, antitachycardiques), un massage carotidien, la cardioversion ou la défibrillation; il vise à ramener le cœur à un rythme sinusal normal. ■ Lorsque les personnes n'atteignent pas un rythme sinusal normal, on s'efforce plutôt d'obtenir un rythme stable de manière à produire un débit cardiaque suffisant.

Complication	Description	Examen clinique et traitement
Anomalies de la contractilité		
Insuffisance cardiaque	■ Possible lorsque le cœur ne joue pas son rôle de pompe et que les ventricules ne se vident pas adéquatement.	■ L'infirmière observe et note tout signe de chute de la pression artérielle moyenne: hausse de la pression capillaire pulmonaire bloquée, de la pression de l'artère pulmonaire en diastole et de la pression veineuse centrale; augmentation de la tachycardie; inquiétude et agitation; cyanose périphérique; distension des veines jugulaires; respiration difficile et œdème. ■ Le traitement médical comporte des diurétiques et des agents inotropes positifs.
Infarctus aigu du myocarde (peut se produire au cours de l'opération, ou après.)	■ Une partie du muscle cardiaque meurt, entraînant par conséquent une diminution de la contractilité. Tant que la région nécrosée n'est pas œdématiée, la paroi ventriculaire affaiblie peut se comporter de façon paradoxale durant les contractions, ce qui amenuise encore davantage le débit cardiaque. Les symptômes peuvent être masqués par les malaises qui font suite à la chirurgie ou par le traitement anesthésique et analgésique.	■ On effectue un examen clinique attentif afin de déterminer le type de douleur que la personne éprouve; on pense à un infarctus du myocarde si la pression artérielle moyenne est basse et la précharge normale. La résistance vasculaire systémique (postcharge) et la fréquence cardiaque peuvent être élevées afin de compenser la faible contractilité du cœur. ■ Les ECG en série et les enzymes cardiaques aident à établir le diagnostic (cependant, certaines anomalies peuvent être causées par l'intervention chirurgicale). On prescrit des analgésiques opioïdes tout en en surveillant les effets sur la pression artérielle et la fréquence cardiaque (puisque la vasodilatation occasionnée par les opioïdes peut provoquer l'hypotension ou l'aggraver). ■ Les activités reprennent peu à peu, selon la tolérance à l'effort.
COMPLICATIONS PULMONAIRES		
Perturbation des échanges gazeux	■ Pour respirer, la personne doit recevoir de la ventilation artificielle durant et après l'anesthésie. ■ Il y a un risque d'atélectasie en période postopératoire. ■ Le tube endotrachéal stimule la production de mucus. La douleur engendrée par l'incision thoracique peut réduire l'efficacité de la technique d'expiration maximale (toux).	■ On détecte souvent les complications pulmonaires durant l'évaluation des bruits respiratoires, des taux de saturation en oxygène et des taux de CO_2 expiré, et lorsque l'on surveille les paramètres du respirateur. On note également les gaz artériels et les saturations veineuses combinées lorsqu'elles sont disponibles. ■ La ventilation artificielle est souvent nécessaire pendant qu'on traite les complications et jusqu'à ce qu'elles aient disparu (ce qui augmente la durée d'intubation et de ventilation artificielle). ■ Chez les patients qui présentent de l'hypoxie, on peut calculer l'index de travail du ventricule, ce qui aide à évaluer la force de contractilité.
COMPLICATIONS LIÉES AU VOLUME LIQUIDIEN		
Hémorragie	■ Hémorragie malencontreuse et excessive, susceptible de mettre en danger la vie de la personne	■ Les hémorragies exigent généralement une intervention chirurgicale et l'administration de produits sanguins. ■ Une autre façon de traiter l'hémorragie est de comprimer le vaisseau en cause. On peut utiliser les poumons pour comprimer l'hémorragie des vaisseaux sanguins du médiastin; pour ce faire, on accroît le volume et la pression des poumons en augmentant la pression positive en fin d'expiration (PEEP) sur le respirateur d'une personne intubée. Les poumons ralentissent l'hémorragie, ou y mettent fin, en exerçant une poussée sur le médiastin, créant ainsi une pression sur les vaisseaux du péricarde, sur les artères coronaires et sur les vaisseaux pontés.

Complications possibles de la chirurgie cardiaque (*suite*)

TABLEAU 30-10

Complication	Description	Examen clinique et traitement
COMPLICATIONS NEUROLOGIQUES		
Accident vasculaire cérébral (attaque cérébrale)	■ Incapacité de suivre une directive simple, six heures après que la personne s'est remise de l'anesthésie; les deux côtés du corps présentent des capacités différentes.	■ Sur le plan neurologique, les effets de l'anesthésie commencent en général à se dissiper dans la salle d'opération. ■ Les personnes âgées ou celles qui souffrent d'une insuffisance rénale ou hépatique peuvent mettre plus de temps à reprendre conscience. ■ On doit évaluer la personne pour détecter tout signe d'accident vasculaire cérébral (attaque cérébrale) ou d'embolie gazeuse.
DOULEUR (Chapitre 13)		
INSUFFISANCE RÉNALE ET DÉSÉQUILIBRE ÉLECTROLYTIQUE		
Insuffisance rénale	■ L'insuffisance rénale est généralement aiguë et se résout en moins de trois mois, mais elle peut devenir chronique et exiger de la dialyse à long terme.	■ La personne qui souffre d'insuffisance rénale peut réagir aux diurétiques ou avoir besoin de dialyse.
Nécrose tubulaire aiguë	■ La nécrose aiguë des tubules résulte souvent d'une hypoperfusion rénale ou d'une lésion aux tubules rénaux provoquée par les médicaments passant dans le filtrat ou de l'exacerbation d'une maladie préexistante.	■ On vérifie fréquemment les excreta (dont la diurèse), les électrolytes et le débit urinaire.
Hypokaliémie (taux de potassium trop bas; le taux normal se situe entre 3,5 et 5,0 mmol/L.)	■ L'hypokaliémie peut être causée par l'insuffisance de l'apport en potassium, par la prise de diurétiques, par des vomissements, de la diarrhée, un drainage excessif de la sonde nasogastrique sans apport de potassium de substitution ou par le stress provoqué par la chirurgie (l'augmentation de l'aldostérone provoque une diminution du potassium et une augmentation de la rétention de sodium). ■ Signes et symptômes de l'hypokaliémie: toxicité digitalique, arythmies, alcalose métabolique, affaiblissement du myocarde et arrêt cardiaque. ■ Une modification de l'onde U (déflection positive après l'onde T) mesurant plus de 1 mm d'amplitude sur l'ECG fait penser tout particulièrement à l'hypokaliémie, tout comme les blocs auriculoventriculaires, des ondes T plates ou inversées et un voltage faible.	■ L'hypokaliémie doit être détectée et traitée immédiatement. ■ Lorsque le potassium sérique s'éloigne des valeurs normales, on doit surveiller la personne de près. ■ Pour éviter les arythmies dans la période postopératoire, certains chirurgiens s'efforcent de maintenir le taux de potassium à 4,0 mmol/L, ou plus. ■ Au besoin, on prescrit du potassium substitutif par voie intraveineuse.
Hyperkaliémie (taux de potassium trop élevé)	■ L'hyperkaliémie peut être causée par une augmentation de l'apport en potassium, par une hémolyse des globules rouges survenant à la suite de la circulation extracorporelle ou du recours à des appareils d'assistance ventriculaire, d'une acidose, d'une insuffisance rénale, d'une nécrose tissulaire ou d'une insuffisance corticosurrénalienne. ■ Signes et symptômes de l'hyperkaliémie: confusion mentale, agitation, nausées, faiblesse, paresthésie des mains et des pieds. ■ Les changements dans l'ECG propres à l'hyperkaliémie sont les suivants: ondes T pointues et de grande amplitude, augmentation de l'amplitude et de l'élargissement du complexe QRS et intervalle Q-T allongé.	■ On peut prescrire une résine servant aux échanges cationiques, par exemple du sulfonate de polystyrène sodique (Kayexalate) pour lier le potassium dans le tractus gastro-intestinal et faire baisser le potassium sérique. ■ Les autres traitements sont le bicarbonate de sodium en intraveineuse, l'insuline en intraveineuse et le glucose, qui obligent temporairement le potassium à réintégrer les cellules à partir du liquide extracellulaire. ■ On peut avoir recours à l'hémodialyse ou à la dialyse péritonéale pour abaisser le taux de potassium.

Complication	Description	Examen clinique et traitement
Hypomagnésémie (faible taux de magnésium, < 0,75 mmol/L, même si les symptômes se manifestent généralement à < 0,5 mmol/L. Le taux normal de magnésium se situe entre 0,75 et 1,25 mmol/L.)	▪ L'hypomagnésémie peut être causée par une diminution de l'apport en magnésium, par une mauvaise absorption ou par une augmentation de l'excrétion; il peut s'agir des suites de la chirurgie puisque les reins excrètent une plus grande quantité de magnésium pendant 24 heures. Les autres causes peuvent être une diminution de l'apport en magnésium provoquée par l'alcoolisme chronique, la malnutrition ou la privation de nourriture. La malabsorption peut être reliée à des syndromes de malabsorption comme la stéatorrhée ou une résection de l'intestin, ou encore à un apport de calcium trop important. L'augmentation de l'excrétion peut résulter de l'utilisation de diurétiques, d'une perte de liquides intestinaux (surtout due à des fistules), d'une acidocétose diabétique, d'un aldostéronisme primaire ou d'un hyperparathyroïdisme. Le magnésium joue un rôle important dans le fonctionnement du système neuromusculaire; c'est pourquoi on note souvent des signes et symptômes neuromusculaires. ▪ Signes et symptômes: paresthésie, spasme carpopédieux, crampes musculaires, tétanie, irritabilité, tremblements, surexcitabilité, surréflectivité, désorientation, dépression et épilepsie. On note également de l'hypotension, des arythmies (auriculaires et ventriculaires), des intervalles P-R et Q-T allongés et des ondes T larges et plates.	▪ Le traitement vise à remédier à la cause. Si nécessaire, on donne des suppléments de magnésium. On préfère la voie orale à la voie intraveineuse, qui comporte un risque important de dépression respiratoire et d'hypotension si le magnésium est administré rapidement. Si on choisit la voie intraveineuse pour administrer les suppléments de magnésium, la perfusion doit se faire sur plusieurs heures et l'infirmière doit évaluer la fréquence respiratoire, qui doit être d'au moins 16 respirations/min, l'hypotension, les bouffées congestives et la diaphorèse. Une perte du réflexe patellaire peut survenir. Si des symptômes apparaissent, l'infirmière doit ralentir le rythme de la perfusion, ou l'interrompre, et en informer le médecin.
Hypermagnésémie (taux sérique de magnésium élevé, généralement > 1,5 mmol/L.)	▪ L'hypermagnésémie peut être causée par de l'insuffisance rénale ou par une grande consommation de médicaments à base de magnésium, comme les antiacides ou les purgatifs. ▪ Signes et symptômes: vasodilatation se traduisant par des bouffées congestives, une sensation de chaleur et de l'hypotension. Au fur et à mesure que le taux monte, cette affection peut entraîner la perte des réflexes, un ralentissement de la fonction intestinale, de la somnolence, une dépression respiratoire, un coma, de l'apnée ou un arrêt cardiaque.	▪ Pour faire baisser le taux de magnésium, on peut utiliser la dialyse, mais cela ne suffit habituellement pas. On peut administrer du gluconate de calcium comme traitement jusqu'à ce qu'on ait trouvé la cause du problème et qu'on y ait remédié.
Hypernatrémie (taux de sodium élevé) et hyponatrémie (faible taux de sodium. Le taux normal se situe entre 135 et 145 mmol/L.)	▪ L'hyponatrémie et l'hypernatrémie peuvent apparaître après la chirurgie cardiaque, mais l'hyponatrémie est plus courante. ▪ L'hyponatrémie peut être causée par une diminution du sodium total dans le corps ou par une augmentation de l'apport en eau, ce qui provoque une dilution du sodium. ▪ Signes et symptômes: faiblesse, fatigue, confusion, convulsions et coma.	▪ On doit surveiller les valeurs du sodium qui s'écartent de la normale. ▪ Lorsqu'il y a perte véritable de sodium, on a recours à du sodium de substitution. ▪ Lorsque l'hyponatrémie est causée par une augmentation de l'apport en eau, on prescrit des diurétiques.
Hypocalcémie (faible taux de calcium). Le taux normal se situe entre 2,20 et 2,58 mmol/L.	▪ L'hypocalcémie peut être causée par l'alcalose, qui réduit le taux de calcium dans le liquide extracellulaire, ou par des transfusions en grande quantité de produits sanguins citratés: concentré de globules rouges ou sang total. Le citrate se lie au calcium et en réduit la quantité sous forme ionisée dans la circulation. Lorsqu'on a administré 5 ou 6 unités de produits sanguins ou de sang total provenant d'une banque de sang, la fixation du calcium peut devenir une source d'inquiétude.	▪ On surveille le taux de calcium pour déterminer s'il est dans les limites de la normale. ▪ On signale rapidement tout symptôme d'hypocalcémie afin de pouvoir administrer immédiatement du calcium de substitution.

Complications possibles de la chirurgie cardiaque (*suite*)

TABLEAU 30-10

Complication	Description	Examen clinique et traitement
	■ Signes et symptômes: engourdissement et fourmillements au bout des doigts, des orteils, des oreilles et du nez; spasme carpopédieux; crampes musculaires et tétanie.	
Hypercalcémie (taux de calcium élevé)	■ Signes et symptômes de l'hypercalcémie: arythmies qui imitent celles qui sont causées par une toxicité digitalique (le calcium peut potentialiser la digoxine, c'est-à-dire augmenter son action).	■ L'infirmière évalue la personne pour détecter les signes de toxicité digitalique; s'ils existent, elle en informe immédiatement le médecin afin que ce dernier puisse entreprendre un traitement et prévenir l'asystole et la mort.
AUTRES COMPLICATIONS		
Insuffisance hépatique	■ L'insuffisance hépatique est plus courante chez les personnes atteintes de cirrhose, d'hépatite ou d'insuffisance cardiaque droite.	■ On doit limiter l'utilisation des médicaments métabolisés par le foie. Si l'insuffisance hépatique est irréversible, la mort est inévitable. ■ On surveille les taux de bilirubine, d'albumine et d'amylase et on fournit un soutien nutritionnel.
Coagulopathies	■ Les coagulopathies sont occasionnées par l'hypothermie, par une déplétion des composants sanguins, par un traitement aux anticoagulants ou un dysfonctionnement du foie	■ Les personnes doivent être soigneusement évaluées pour déterminer la cause de la coagulopathie. On doit prescrire un traitement approprié.
Infection	■ La circulation extracorporelle et l'anesthésie affaiblissent le système immunitaire de la personne. Les nombreux dispositifs effractifs utilisés pour surveiller son état et favoriser son rétablissement peuvent être source d'infection.	■ Pour détecter tout signe d'infection, on doit surveiller les éléments suivants: température du corps, hémogramme et formules leucocytaires du sang, sites des incisions et des ponctions, débit cardiaque et résistance vasculaire systémique, urine (clarté, couleur et odeur), bruits respiratoires bilatéraux, crachats (couleur, odeur, quantité) de même que sécrétions nasogastriques. ■ L'antibiothérapie peut être prolongée ou modifiée, au besoin. ■ On doit cesser d'utiliser les dispositifs effractifs dès qu'ils ne sont plus requis. Pour réduire le risque d'infection, on doit suivre les règles en vigueur dans l'établissement quant au maintien et au remplacement des tubulures et des dispositifs effractifs.

- *Anomalies de la précharge* Quantité de sang retournant au cœur insuffisante ou excessive, en raison d'une hypovolémie, d'une hémorragie persistante, d'une tamponnade cardiaque ou d'une surcharge liquidienne
- *Anomalies de la postcharge* Vasoconstriction ou vasodilatation excessive des artérioles en raison des anomalies de la température corporelle ou de l'utilisation de **vasoconstricteurs** et de **vasodilatateurs**
- *Anomalies de la fréquence cardiaque* Trop rapide, trop lente ou comportant des arythmies
- *Anomalies de la contractilité* Insuffisance cardiaque, infarctus du myocarde, déséquilibres électrolytiques, hypoxie

Déséquilibre hydroélectrolytique

Après la chirurgie cardiaque, il peut y avoir un risque de déséquilibre hydroélectrolytique. Pour déceler les complications, l'infirmière vérifie les ingesta et les excreta, le poids, la pression capillaire pulmonaire bloquée (PCPb) et la pression veineuse centrale (PVC), l'hématocrite, la distension des veines jugulaires, l'œdème, la taille du foie, les bruits respiratoires (crépitants, respiration sifflante) et les taux d'électrolytes. L'infirmière signale rapidement les changements dans les électrolytes sériques de manière à pouvoir entreprendre un traitement. Il est particulièrement important de surveiller les taux dangereusement élevés ou dangereusement bas de potassium, de magnésium, de sodium et de calcium.

Perturbation des échanges gazeux

Les perturbations des échanges gazeux représentent une autre complication possible de l'intervention chirurgicale. Pour subsister et avoir un bon fonctionnement, tous les tissus du corps exigent un apport d'oxygène et de nutriments adéquat. C'est pourquoi on a recours, après la chirurgie, à un tube endotrachéal et à la ventilation artificielle pendant 24 heures ou davantage, autrement dit jusqu'à ce que la mesure des gaz du sang artériel soit acceptable et que la personne montre qu'elle peut respirer sans aide. Chez les personnes dont l'état est stable après l'intervention, le tube endotrachéal peut être retiré très tôt, soit 2 à 4 heures après l'opération, ce qui atténue leur anxiété quant à leur capacité de communiquer.

La personne fait l'objet d'une évaluation constante pour détecter les signes d'une anomalie des échanges gazeux: agitation, anxiété, cyanose des muqueuses et des tissus périphériques, tachycardie et résistance à la présence du respirateur. On évalue fréquemment les bruits respiratoires pour détecter la présence de liquide dans les poumons et vérifier l'expansion pulmonaire, et on surveille les gaz du sang artériel. On vérifie la saturation artérielle en O_2 et les données du capnomètre pour détecter toute diminution de l'oxygène et toute augmentation du dioxide de carbone.

Anomalies de la circulation cérébrale

Pour fonctionner, le cerveau doit être continuellement approvisionné en sang oxygéné. Le cerveau n'a pas la capacité d'emmagasiner l'oxygène et doit donc compter sur une irrigation ininterrompue et adéquate provenant du système cardiovasculaire. Il importe d'observer la personne et de détecter tout symptôme laissant présager une hypoxie: agitation, maux de tête, confusion, dyspnée, hypotension ou cyanose. L'évaluation de l'état neurologique de la personne porte sur le niveau de conscience, sur la réponse aux directives fournies oralement et sur la réaction aux stimuli douloureux, sur la taille des pupilles et la réaction à la lumière, sur la symétrie faciale, le mouvement des membres supérieurs et inférieurs, la force de préhension des mains, la présence des pouls pédieux et poplités, de même que la température et la coloration des extrémités. On consigne au dossier tout changement dans l'état clinique de la personne et on fait part au chirurgien de toute anomalie, car ces changements peuvent indiquer le début d'une complication. L'hypoperfusion ou les microembolies peuvent entraîner des lésions au système nerveux central après la chirurgie cardiaque.

ANALYSE ET INTERPRÉTATION

Diagnostics infirmiers

En se fondant sur les données recueillies et sur le type d'intervention chirurgicale utilisé, l'infirmière peut poser les diagnostics infirmiers suivants:

- Débit cardiaque diminué, relié à la perte de sang, à la fonction myocardique compromise et aux arythmies
- Échanges gazeux perturbés, reliés au traumatisme engendré par la chirurgie thoracique
- Déficit de volume liquidien (et déséquilibre électrolytique), relié aux perturbations du volume sanguin circulant
- Trouble de la perception sensorielle (visuelle et auditive), relié aux nombreux stimuli de l'environnement (environnement des soins intensifs, expérience chirurgicale), au manque de sommeil, au stress psychologique, aux anomalies de la perception sensorielle et aux déséquilibres électrolytiques.
- Douleur aiguë, reliée au traumatisme chirurgical et à l'irritation pleurale provoquée par les drains thoraciques
- Irrigation tissulaire inefficace (rénale, cérébrale, cardiopulmonaire, gastro-intestinale, périphérique), reliée à l'amenuisement du débit cardiaque, à l'hémolyse, au traitement médicamenteux vasopresseur, à la stase veineuse, à l'embolisation, à la maladie athéroscléreuse sous-jacente, aux effets des vasopresseurs ou à des problèmes de coagulation
- Thermorégulation inefficace, reliée à l'infection ou au syndrome de la cardiotomie
- Connaissances insuffisantes sur les activités d'autosoins

Problèmes traités en collaboration et complications possibles

En se fondant sur les données recueillies, l'infirmière peut déterminer les complications susceptibles de survenir, notamment:

- Complications cardiaques: insuffisance cardiaque, infarctus du myocarde, myocarde sidéré, arythmies, tamponnade, arrêt cardiaque
- Complications pulmonaires: œdème pulmonaire, embolie pulmonaire, épanchements pleuraux, pneumothorax ou hémothorax, insuffisance respiratoire, syndrome de détresse respiratoire aiguë
- Hémorragie
- Complications neurologiques: accident vasculaire cérébral (attaque cérébrale), embolie gazeuse
- Insuffisance rénale, aiguë ou chronique
- Déséquilibre électrolytique
- Insuffisance hépatique
- Coagulopathies
- Infection, septicémie

PLANIFICATION

Les principaux objectifs sont les suivants: rétablir le débit cardiaque; favoriser les échanges gazeux; préserver l'équilibre hydroélectrolytique; atténuer les symptômes d'anomalies des perceptions sensorielles; soulager la douleur; assurer une irrigation tissulaire adéquate; rétablir la température corporelle normale; enseigner les autosoins; et prévenir les complications.

INTERVENTIONS INFIRMIÈRES

Rétablir le débit cardiaque

L'infirmière observe continuellement l'état cardiaque de la personne et fait part au chirurgien de tout changement indiquant une diminution du débit cardiaque. L'infirmière et le chirurgien travaillent alors en collaboration afin de remédier au problème.

Lorsque l'infirmière évalue l'état cardiaque de la personne, elle détermine d'abord l'efficacité du débit cardiaque au moyen d'observations cliniques et de mesures systématiques: relevés en série des données hémodynamiques telles que la fréquence cardiaque, la pression veineuse centrale, la pression artérielle, la pression capillaire pulmonaire bloquée et la pression de l'artère pulmonaire.

Puisque la pression sanguine détermine la filtration glomérulaire, la fonction rénale est reliée au débit cardiaque; par conséquent, on mesure le débit urinaire et on en prend note. Un débit urinaire inférieur à 25 mL/h peut indiquer une diminution du débit cardiaque. On peut également évaluer la densité de l'urine (densité normale: de 1,005 à 1,025) ainsi que son osmolalité. Un volume liquidien inadéquat se manifeste par un débit urinaire faible et une densité de l'urine élevée, tandis qu'une hyperhydratation se manifeste par un débit urinaire élevé et une densité de l'urine peu élevée.

Les cellules du corps dépendent pour leur croissance et leur fonctionnement d'un débit cardiaque adéquat, leur fournissant suffisamment de sang oxygéné et répondant aux changements dans les exigences des organes et des systèmes. Comme la muqueuse buccale, le lit des ongles, les lèvres et le lobe des oreilles sont des régions dotées de lits capillaires importants, il faut les observer pour détecter la cyanose qui peut indiquer une diminution du rendement cardiaque. La peau moite et la peau sèche font penser respectivement à de la vasodilatation ou de la vasoconstriction. La distension des veines du cou peut indiquer un changement dans les exigences du cœur ou une diminution du débit cardiaque. Lorsque ce dernier chute, la peau devient froide, moite et cyanosée ou marbrée.

Les arythmies, qui peuvent se déclencher lorsque le cœur est mal irrigué, servent également d'indicateurs importants de la fonction cardiaque. Les types d'arythmies qui se manifestent le plus couramment au cours de la période postopératoire sont la fibrillation auriculaire, la bradycardie, la tachycardie et les extrasystoles. Les soins et le traitement prodigués à la personne reposent donc sur l'observation continue du moniteur cardiaque afin de détecter les divers types d'arythmies.

L'infirmière fait immédiatement part au médecin de tout signe de diminution du débit cardiaque. Le médecin se sert des données recueillies et des résultats des examens paracliniques pour établir la cause du problème. Une fois que le diagnostic a été posé, le médecin et l'infirmière travaillent en collaboration pour rétablir le débit cardiaque et prévenir d'autres complications. Le cas échéant, le médecin prescrit des composants sanguins, des liquides, et des médicaments antiarythmiques, diurétiques, vasodilatateurs ou vasopresseurs. Lorsqu'une autre chirurgie est jugée nécessaire, on prépare la personne et ses proches à l'intervention.

Favoriser les échanges gazeux

Pour s'assurer que les échanges gazeux sont adéquats, l'infirmière évalue la perméabilité du tube endotrachéal et veille à ce qu'elle soit préservée. Elle aspire les sécrétions lorsqu'il y a des crépitants ou des ronchi. Avant d'effectuer l'aspiration à l'aide d'un cathéter à succion, l'infirmière et l'inhalothérapeute déterminent s'il faut augmenter la fraction d'oxygène inspirée (FiO_2) pour trois ou quatre respirations. Pour réduire le risque d'hypoxie consécutif à l'aspiration, l'infirmière peut donner quelques ventilations comportant 100 % d'oxygène à l'aide d'un ballon autoremplisseur de réanimation (Ambu) avant et après avoir effectué l'intervention. Si l'état respiratoire de la personne présente des changements persistants, l'infirmière compare les valeurs des gaz artériels avec les mesures de référence et elle fait immédiatement part au médecin des changements survenus. On doit cependant attendre au moins 20 à 30 minutes avant d'effectuer une analyse des gaz artériels après avoir pratiqué l'aspiration.

Comme la perméabilité des voies respiratoires est essentielle aux échanges d'oxygène et de gaz carbonique, le tube endotrachéal doit être fixé pour empêcher qu'il ne glisse dans une des bronches souches et qu'il obstrue l'autre bronche. Lorsque l'état de la personne se stabilise, on la change de position toutes les heures ou toutes les deux heures. Les fréquents changements de position fournissent une ventilation pulmonaire et une irrigation optimales en permettant aux poumons de prendre davantage d'expansion. L'infirmière évalue les bruits respiratoires pour détecter les crépitants, les sibilants et la présence de liquide dans les poumons.

En général, on procède au sevrage de la personne et au retrait du tube endotrachéal dans les 24 heures suivant le pontage coronarien. L'examen physique et la mesure des gaz du sang artériel guident le processus. On ne retire le tube endotrachéal que si la personne présente des réflexes de toux et des réflexes laryngés, ainsi que des signes vitaux stables; elle doit être en état de soulever la tête ou de donner une poignée de main ferme; disposer d'une capacité vitale adéquate; avoir une force inspiratoire suffisante et avoir une fréquence respiratoire normale; présenter des valeurs des gaz du sang artériel dans les limites de la normale lorsqu'elle respire de l'oxygène humidifié sans l'aide du respirateur. Le retrait du tube endotrachéal et du respirateur effectué selon ces critères n'entraîne pas d'effets indésirables sur l'état de la personne ou sur le pronostic.

L'infirmière participe au processus de sevrage et au retrait du tube endotrachéal. Elle invite la personne à prendre de profondes respirations et des expirations maximales (toux) ou à tousser durant les heures qui suivent le retrait afin d'ouvrir les sacs alvéolaires et d'accroître l'irrigation. On appelle *expiration maximale* l'expiration rapide qui suit une profonde inspiration, et que l'on pratique en se servant du diaphragme et des muscles abdominaux pour expulser l'air (la glotte s'ouvre subitement, comme dans la toux). La personne peut ressentir moins de douleur lorsqu'elle effectue une expiration maximale que lorsqu'elle tousse, ce qui peut augmenter la fréquence des exercices. Pour atténuer les malaises, l'infirmière doit apprendre à la personne à soutenir la plaie thoracique à l'aide d'un coussin, avant et durant l'expiration maximale ou la toux, et l'aider à le faire.

Préserver l'équilibre hydroélectrolytique

Pour préserver l'équilibre hydroélectrolytique, l'infirmière doit évaluer soigneusement les ingesta et les excreta et inscrire les résultats sur une feuille réservée au bilan hydrique. Elle note les ingesta, notamment les liquides intraveineux, ceux qui sont administrés par le tube nasogastrique et les liquides absorbés par voie orale. Elle note les excreta, notamment l'urine, le drainage nasogastrique et le drainage thoracique.

Elle établit des corrélations entre les paramètres hémodynamiques (pression artérielle, pression capillaire pulmonaire bloquée, pression de l'artère pulmonaire et pression veineuse centrale, par exemple), les ingesta et les excreta pour déterminer si l'hydratation et le débit cardiaque sont adéquats. Elle surveille les électrolytes sériques et elle observe la personne pour détecter tout signe de déséquilibre des taux de potassium, de magnésium, de sodium ou de calcium (hypokaliémie, hyperkaliémie, hypomagnésémie, hyponatrémie ou hypocalcémie, par exemple).

Elle fait immédiatement part au médecin de tout signe de déshydratation, de surcharge liquidienne ou de déséquilibre des électrolytes; elle travaille en collaboration avec lui pour rétablir l'équilibre hydroélectrolytique, et elle surveille la réaction de la personne.

Atténuer les anomalies des perceptions sensorielles

Un grand nombre de personnes présentent des comportements anormaux qui varient en intensité et en durée. Dans les premières années de la chirurgie cardiaque, ce phénomène se produisait plus fréquemment qu'aujourd'hui. À cette époque, on l'attribuait à une irrigation cérébrale inadéquate durant la chirurgie, à des microembolies et à la durée de la circulation extracorporelle. Heureusement, les progrès des techniques chirurgicales ont entraîné une baisse significative de l'importance de ces facteurs. Lorsque ce phénomène se produit, on l'attribue aujourd'hui à l'anxiété, au manque de sommeil, à l'augmentation des stimuli et à la confusion entre le jour et la nuit lorsque la personne perd la notion du temps (Arrowsmith *et al.*, 1999; Braunwald *et al.*, 2001; Fuster *et al.*, 2001). Les personnes incapables de dormir après l'opération ont davantage tendance à souffrir de psychose au cours de la période postopératoire. La psychose peut se manifester de deux à cinq jours après une période de lucidité.

Des mesures de bien-être de base associées aux analgésiques prescrits potentialisent les effets des analgésiques et favorisent le repos. L'infirmière aide la personne à changer de position selon des intervalles de 1 ou 2 heures et elle l'installe de façon à ne pas comprimer les incisions ou les drains thoraciques. Les soins infirmiers sont programmés de façon à permettre suffisamment de périodes de repos ininterrompues. Au fur et à mesure que l'état de la personne se stabilise, qu'on la dérange moins fréquemment pour effectuer des vérifications ou pour lui prodiguer des soins, elle bénéficie de plus longues périodes de repos. On lui offre autant de périodes de sommeil ininterrompu que possible, surtout pendant les heures normales de sommeil.

L'infirmière observe la personne pour détecter tout signe de déni et lui donne l'occasion d'exprimer ses émotions durant la période postopératoire. Elle a plus de chances de rester lucide et éveillée si on lui fournit des explications détaillées sur toutes les interventions et si on lui expose pourquoi sa collaboration est indispensable. La continuité des soins est souhaitable; un visage familier et une infirmière qui se montre rassurante contribuent à la qualité des soins infirmiers. Un plan thérapeutique infirmier bien conçu et individualisé aide les membres de l'équipe de soins infirmiers à coordonner leurs efforts de manière à favoriser le bien-être émotionnel de la personne.

Soulager la douleur

Il se peut que la douleur provenant des tissus profonds ne se manifeste pas à l'endroit précis de la lésion, mais qu'elle irradie dans une zone plus large et plus diffuse. La personne qui a subi une chirurgie cardiaque ressent de la douleur le long de l'incision parce que les nerfs intercostaux ont été sectionnés et parce que la plèvre est irritée par la présence des cathéters thoraciques. La douleur peut également être ressentie dans la région où le greffon a été prélevé, veine périphérique ou artère, selon le type d'intervention.

Il est essentiel d'observer la personne et d'être à l'écoute des signes verbaux et non verbaux indicateurs de douleur. L'infirmière note avec précision les caractéristiques de la douleur, notamment ce qui la provoque et la soulage (P), sa qualité et quantité (Q), sa région ou son irradiation (R), les signes et symptômes associés (S) et sa durée (T); il faut différencier la douleur causée par l'incision thoracique de la douleur angineuse. L'infirmière invite la personne à utiliser l'analgésie à la demande ou à prendre les médicaments selon l'ordonnance. Le fait de soutenir physiquement l'incision durant les respirations profondes et les expirations maximales (ou la toux) contribue également à réduire l'intensité de la douleur. La personne doit être ensuite capable d'effectuer des exercices respiratoires et d'accroître graduellement ses activités d'autosoins.

La douleur provoque de la tension qui peut inciter le système nerveux central à faire libérer de l'adrénaline, phénomène qui se traduit par la constriction des artérioles et l'accélération de la fréquence cardiaque. Ce processus peut provoquer une augmentation de la postcharge et une diminution du débit cardiaque. Les opioïdes atténuent l'anxiété et la douleur et induisent le sommeil, ce qui entraîne un ralentissement du métabolisme et une réduction des besoins en oxygène. Après en avoir administré, l'infirmière note au dossier de la personne toute observation indiquant le soulagement de l'appréhension et de la douleur. Elle observe la personne pour s'assurer que les analgésiques ne provoquent pas de dépression respiratoire. Lorsque cela se produit, on peut avoir recours à un antagoniste de l'opioïde (naloxone [Narcan], par exemple) pour en contrecarrer les effets.

Assurer une irrigation tissulaire adéquate

Les pouls périphériques (pédieux, tibial, poplité, fémoral, radial, brachial) sont régulièrement palpés pour évaluer les obstructions artérielles. L'absence de pouls à l'une ou l'autre extrémité peut être attribuable à un cathétérisme effectué antérieurement dans l'artère qui l'irrigue. L'infirmière prévient immédiatement le médecin de l'absence de pouls nouvellement détectée.

Une embolie peut être causée par une lésion de la tunique interne des vaisseaux sanguins, par le délogement d'un caillot provenant d'une valvule cardiaque endommagée, par le relâchement d'un thrombus mural ou par des problèmes de coagulation. Une embolie gazeuse peut survenir à la suite du pontage coronarien ou de l'introduction d'une canule veineuse centrale. Les symptômes varient selon l'endroit où l'embolie se déclare. Les sièges habituels sont les poumons, les artères coronaires, le mésentère, la rate, les mains et les pieds, les reins et le cerveau. On se tient à l'affût des symptômes suivants:

- Douleur thoracique et détresse respiratoire, accompagnées de signes d'embolie pulmonaire ou d'infarctus du myocarde
- Douleur au milieu du dos ou au milieu de l'abdomen
- Douleur, arrêt des pulsations, perte de coloration, engourdissement, refroidissement d'une extrémité
- Diminution du débit urinaire
- Faiblesse d'un côté du corps et changements pupillaires, comme lors d'une AVC (attaque cérébrale)

On informe immédiatement le médecin de la présence de ces symptômes. Après l'intervention chirurgicale, on prend les mesures suivantes pour prévenir la stase veineuse, laquelle peut entraîner la formation d'un thrombus et une embolie:

- Utiliser des bas compressifs, appliquer un bandage élastique ou installer des jambières à compressions séquentielles.
- Conseiller à la personne de ne pas se croiser les jambes.
- Ne pas installer d'oreillers dans la région poplitée ni utiliser une position qui peut entraver la circulation.
- Faire des exercices passifs suivis d'exercices actifs pour favoriser la circulation et prévenir la perte de tonus musculaire (la personne doit marcher dès que possible).

L'irrigation rénale inadéquate constitue une complication possible de l'opération au cœur. La cause peut en être le faible débit cardiaque. Un traumatisme aux cellules sanguines causé par le recours à la circulation extracorporelle durant la chirurgie peut provoquer l'hémolyse des globules rouges, qui obstruent ensuite les glomérules rénaux. L'utilisation de médicaments vasopresseurs pour faire monter la pression artérielle peut provoquer la constriction des artérioles rénales et réduire le débit sanguin dans les reins.

L'infirmière doit mesurer le débit urinaire de manière précise. Un débit urinaire inférieur à 25 mL/h peut indiquer de l'hypovolémie. On surveille la densité de l'urine pour évaluer la capacité des reins à concentrer celle-ci dans les tubules rénaux. Pour augmenter le débit cardiaque et le débit sanguin dans les reins, on peut prescrire des médicaments inotropes (dopamine [Intropin] à faible dose ou dobutamine [Dobutrex], par exemple). L'infirmière doit connaître le taux d'urée et de créatinine sériques, ainsi que les taux d'électrolytes dans le sang et l'urine. Elle signale immédiatement toute anomalie de ces taux, car il peut être nécessaire de modifier l'apport liquidien ainsi que les doses ou le type de médicament administré. Si les efforts déployés pour assurer l'irrigation rénale ne donnent pas les résultats escomptés, il faudra peut-être recourir à la dialyse ou à une dialyse péritonéale (chapitre 46).

Rétablir la température corporelle normale

Lorsque la personne entre à l'unité des soins intensifs à la suite de l'intervention cardiaque, elle est généralement en hypothermie. L'infirmière doit la réchauffer progressivement jusqu'à ce que le corps ait atteint une température normale. Le métabolisme basal contribue pour une bonne part au rétablissement de la température corporelle normale ; l'infirmière peut y ajouter un ventilateur à air chaud, de chaudes couvertures de coton ou des lampes chauffantes. Lorsque la personne est en hypothermie, le processus de coagulation est moins efficace, le cœur a tendance à faire de l'arythmie et l'hémoglobine transfère moins facilement l'oxygène aux tissus. Comme l'anesthésie et l'hypothermie ralentissent le métabolisme basal, l'apport en oxygène répond généralement à la demande cellulaire.

Après une chirurgie cardiaque, la température de la personne risque de s'élever en réaction à une infection ou au syndrome de la cardiotomie. Les tissus ont davantage besoin d'oxygène et les efforts du cœur augmentent. On prend des mesures pour prévenir cet enchaînement ou pour y mettre fin dès qu'on le détecte.

L'infection peut s'installer dans les poumons, les voies urinaires, les incisions ou les cathéters intravasculaires. Pour prévenir la contamination des points d'insertion des cathéters et des drains, on fait preuve d'un soin méticuleux. On utilise des techniques d'asepsie au moment de changer les pansements et lorsque l'on touche au tube et au cathéter endotrachéaux. Les poumons sont dégagés de leurs sécrétions grâce à de fréquents changements de position, à l'aspiration endotrachéale, et à l'utilisation de la physiothérapie respiratoire ; de plus, on invite la personne à respirer profondément et à faire des expirations maximales. Pour préserver toutes les perfusions intraveineuses et artérielles, on se sert de systèmes fermés. On cesse d'utiliser l'équipement effractif aussitôt que possible après l'opération.

Le syndrome de la cardiotomie survient chez approximativement 10 % des personnes qui subissent une chirurgie cardiaque. Bien qu'on n'ait pu établir de cause précise, le facteur habituel semble être le traumatisme et la présence de sang résiduel dans le sac péricardique après l'intervention. Le syndrome se caractérise par de la fièvre, une douleur péricardique, une douleur pleurale, de la dyspnée, un épanchement péricardique, un frottement péricardique ou une arthralgie. Il peut y avoir une combinaison de ces signes et symptômes.

Une leucocytose peut survenir, accompagnée d'une hausse de la vitesse de sédimentation des hématies. Ces symptômes apparaissent souvent après que la personne a quitté l'hôpital.

Il faut différencier ce syndrome des autres complications postopératoires (infection, douleur attribuable à l'incision, infarctus du myocarde, embolie pulmonaire, endocardite bactérienne, pneumonie, atélectasie, par exemple). Le traitement dépend de la gravité des symptômes. Le repos au lit et la prise d'anti-inflammatoires non stéroïdiens ou de corticostéroïdes donnent d'excellents résultats.

Favoriser les soins à domicile et dans la communauté

Enseigner les autosoins

Selon le type de chirurgie et l'évolution de son état après l'intervention, la personne peut quitter l'hôpital rapidement, soit après quelques jours. Bien qu'ils soient impatients, la personne et ses proches éprouvent généralement une certaine appréhension à l'idée du retour à la maison. Les membres de la famille disent souvent craindre d'être incapables de s'occuper de la personne à domicile. Ils ont peur que des complications surviennent et qu'ils ne soient pas prêts à y faire face.

L'infirmière aide la personne et la famille à se fixer des objectifs réalistes, susceptibles d'être atteints. Elle élabore un plan d'enseignement en tenant compte des besoins propres à la personne et à sa famille. Ce plan, elle le prépare avant l'entrée de la personne à l'hôpital et elle le revoit au cours de l'hospitalisation. En principe, c'est l'infirmière de chirurgie qui s'assure du suivi avec les infirmières du CSSS ou du programme de réadaptation s'il y a lieu. Elle leur transmet des instructions précises sur les soins de la plaie, les signes et symptômes d'infection, le régime alimentaire, la reprise progressive des activités et des exercices, les exercices respiratoires (respiration profonde, expiration maximale [ou toux], inspirométrie) et l'arrêt du tabagisme, de même que sur la surveillance du poids et de la température, et le traitement médicamenteux ; elle les renseigne également sur les consultations auprès du chirurgien, du cardiologue ou de l'interniste.

Après la chirurgie cardiaque, certaines personnes ont du mal à saisir et à retenir l'information qu'on leur donne. Des études ont montré que beaucoup de gens connaissent des difficultés cognitives à la suite d'une telle intervention, difficultés qu'on n'observe pas après d'autres types de chirurgies importantes (Arrowsmith *et al.*, 1999 ; Roach *et al.*, 1996). La personne peut éprouver des problèmes de concentration et de mémoire à court terme ; elle peut avoir des lacunes concernant les mathématiques simples et l'écriture, ou encore souffrir de troubles visuels.

RECHERCHE EN SCIENCES INFIRMIÈRES 30-1

Transition de l'hôpital au domicile des personnes ayant subi une chirurgie cardiaque

L. A. Weaver et K. A. Doran (2001). Telephone follow-up after cardiac surgery. *American Journal of Nursing, 101*(5), 24OO-24WW.

OBJECTIF

Le séjour à l'hôpital des personnes qui subissent une chirurgie cardiaque peut avoir une durée de trois ou quatre jours. Au cours de cette période, on présente souvent des programmes d'enseignement conçus pour la personne et ses proches, qui leur fournissent des explications sur la façon de soigner la personne à domicile. Des chercheurs ont observé qu'aucun professionnel de la santé n'avait vu ou contacté les personnes pendant les deux à quatre premières semaines qui suivaient leur sortie de l'hôpital. Ils ont alors mis en œuvre un programme de suivi téléphonique auprès des personnes qui avaient subi une chirurgie cardiaque; l'étude avait pour objet d'évaluer ce programme.

DISPOSITIF ET ÉCHANTILLON

On a sélectionné un échantillon de commodité formé de personnes ayant subi une chirurgie cardiaque: 46 d'entre elles recevaient les soins habituels (groupe témoin) et 44 recevaient les soins habituels et bénéficiaient en outre du suivi téléphonique (groupe expérimental). Une infirmière de l'unité de cardiologie contactait les personnes du groupe expérimental deux jours après leur départ de l'hôpital et ensuite à raison d'une fois par semaine pendant un mois. Au terme de cette période, chaque participant recevait par la poste un questionnaire à remplir afin qu'on puisse mesurer son degré de satisfaction, et voir s'il avait souffert de dépression, de récidives et de complications. On évaluait le taux de satisfaction au moyen d'un sondage qui était une adaptation du *Picker Institute Survey*; il comprenait quatre questions portant sur le suivi et les divers aspects de la transition. On mesurait le taux de dépression à l'aide d'un questionnaire modifié de 15 questions, le *Geriatric Depression Scale*, ou échelle de dépression gériatrique. Le taux de récidive était mesuré au nombre de visites enregistrées au service des urgences ou au nombre de retours à l'hôpital au cours des 30 premiers jours après la sortie de l'hôpital à la suite d'une chirurgie cardiaque. Les participants rendaient compte eux-mêmes des complications de leur état.

RÉSULTATS

La satisfaction des personnes qui appartenaient au groupe expérimental était d'au moins 10 % plus élevée que celle du groupe témoin en ce qui concernait trois ou quatre variables, mais les résultats n'étaient pas significatifs sur le plan statistique. Vingt-deux pour cent des personnes appartenant au groupe témoin et 18 % de celles du groupe expérimental se sont de nouveau présentées à l'hôpital ou se sont rendues à l'urgence (récidive) durant les 30 premiers jours qui suivaient leur premier congé; cet écart n'était pas significatif sur le plan statistique. On n'a constaté aucune écart dans les taux de dépression ou de complications entre les deux groupes. Les infirmières qui géraient le programme de suivi téléphonique ont indiqué qu'elles offraient du soutien et rassuraient leurs interlocuteurs au cours de chaque communication. Elles clarifiaient et consolidaient les notions enseignées après l'opération; les conversations avaient trait à l'œdème des membres inférieurs (31 %), aux médicaments contre la douleur (23 %), à la prise de poids, aux indications justifiant d'appeler un professionnel de la santé (16 %) et aux médicaments (100 %). Les infirmières dirigeaient également leurs interlocuteurs vers d'autres personnes ressources (médecins, responsables des programmes de réadaptation, diététistes, responsables des programmes d'intervention antitabac [7 %]) et les invitaient à poser des questions à leur médecin (12 %).

IMPLICATIONS POUR LA PRATIQUE INFIRMIÈRE

Lorsque les personnes qui ont subi une chirurgie cardiaque reçoivent des appels des infirmières de l'unité de cardiologie après avoir quitté l'hôpital, leur taux de satisfaction est plus élevé (même si les résultats ne sont pas significatifs sur le plan statistique); ces appels offrent à l'infirmière l'occasion de les rassurer et de consolider l'enseignement. Les grilles de conversation (algorithmes, arbres de décision types) peuvent être utiles à l'infirmière qui effectue les appels, car ils aident à transmettre des informations uniformes. L'étude suggère de mettre au point des dialogues qui portent sur les soins de la plaie, l'œdème des membres inférieurs, la fièvre, les mesures pondérales, les indications justifiant d'appeler un professionnel de la santé, le traitement de la douleur, les médicaments (surtout la warfarine [Coumadin]), l'arythmie, l'état liquidien, la constipation, la nutrition, le sommeil et la dépression.

Lorsqu'elle est dans cette situation, elle se sent souvent frustrée lorsqu'elle tente de reprendre ses activités normales et d'apprendre à effectuer ses autosoins à la maison. On rassure la personne et ses proches en leur disant qu'il s'agit de difficultés temporaires, qui se résorberont, généralement en six à huit semaines. Dans l'intervalle, on transmet les instructions à la personne à un rythme plus lent que la normale et on confie à un membre de la famille la responsabilité de s'assurer que la personne observe le traitement prescrit. Toutes les informations devraient être transmises par écrit dans la langue maternelle de la personne.

Assurer le suivi

On prend des arrangements pour qu'une infirmière vienne prodiguer des soins à domicile, selon les besoins. Comme l'hospitalisation est relativement brève, il est particulièrement important que l'infirmière évalue la capacité de la personne et de la famille à s'acquitter des soins à domicile. L'infirmière chargée des soins à domicile assure le suivi du plan d'enseignement amorcé au centre hospitalier. Elle surveille les signes vitaux et les plaies, évalue les signes et symptômes de complications et apporte du soutien à la personne et à ses proches. Mentionnons d'autres interventions effectuées au besoin: changements de pansements, administration d'antibiotiques par voie intraveineuse, conseils sur le régime alimentaire et stratégies d'abandon du tabagisme.

La personne et ses proches doivent savoir que la chirurgie cardiaque ne guérit pas la maladie athéroscléreuse sous-jacente. La personne doit donc apporter des modifications à ses habitudes de vie de manière à réduire le risque; on peut lui prescrire après l'opération les médicaments qu'elle prenait avant l'opération pour atténuer les facteurs de risque.

L'enseignement ne prend pas fin au moment où la personne rentre chez elle. On l'encourage à se présenter à ses consultations de suivi avec le chirurgien et on l'invite à communiquer avec des infirmières qui peuvent assurer un suivi dans le cadre d'un programme de réadaptation cardiaque. La personne et ses proches sauront ainsi où s'adresser pour qu'on réponde à leurs questions et qu'on les aide à résoudre les problèmes susceptibles de se poser. Dans certains programmes de réadaptation cardiaque, les membres de la famille se voient offrir des séances de soutien qui les aident à gérer le stress lié au retour à domicile de leur proche.

La réadaptation cardiaque (divers organismes, telle la Fondation des maladies du cœur, offrent des programmes) comprend des séances d'exercice, sous la surveillance de moniteurs dans certains cas ; des conseils sur la façon de s'alimenter sainement et de réduire le stress ; de l'information sur la reprise des activités, du travail, de la conduite automobile et des relations sexuelles ; de l'aide pour cesser de fumer ; et des groupes de soutien destinés aux personnes et aux familles.

ÉVALUATION

Résultats escomptés

Les principaux résultats escomptés sont les suivants :

1. Le débit cardiaque de la personne reste adéquat.
2. Les échanges gazeux restent adéquats.
3. La personne conserve un bon équilibre hydroélectrolytique.
4. Les symptômes d'anomalies de la perception sensorielle diminuent.
5. La douleur est soulagée.
6. L'irrigation tissulaire reste adéquate.
7. La température corporelle reste normale.
8. La personne s'occupe de ses autosoins.

Les résultats escomptés font l'objet d'une présentation plus détaillée dans le plan thérapeutique infirmier destiné aux personnes ayant subi une chirurgie cardiaque (p. 356).

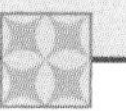

EXERCICES D'INTÉGRATION

1. Vous vous occupez d'une personne qui a subi une angioplastie coronarienne transluminale percutanée, accompagnée de l'insertion d'une endoprothèse coronarienne ; cette personne présente subitement un malaise thoracique. Outre les caractéristiques du malaise thoracique, quels sont les facteurs clés à évaluer ? Décrivez les interventions que vous comptez faire et exposez-en les raisons.
2. Vous soignez une personne qui a subi un pontage coronarien il y a deux jours et dont l'état évolue favorablement. Après avoir fait quelques pas dans le couloir en compagnie de sa fille, elle revient dans sa chambre et remarque que son vêtement porte une tache de sang rouge clair à la hauteur de la veine saphène. Sa fille est visiblement inquiète. Quelle serait votre première intervention ; pourquoi ? Si vos premières interventions ne donnent pas les résultats escomptés, que feriez-vous ensuite ? Comment expliqueriez-vous la situation à la fille de cette personne afin de l'aider à comprendre la raison du saignement ?
3. Vous vous occupez de deux personnes qui ont été hospitalisées après avoir subi un infarctus du myocarde. L'une vit chez elle entourée de ses proches qui la soutiennent, l'autre personne est sans domicile fixe et vit dans la rue. En quoi votre plan thérapeutique infirmier et votre enseignement différeraient-ils dans ces deux cas ?

RÉFÉRENCES BIBLIOGRAPHIQUES

en anglais • en français

L'astérisque indique un compte rendu de recherche en soins infirmiers.

Apple, S., & Lindsay, J. (2000). *Principles and practices of interventional cardiology*. Philadelphia: Lippincott Williams & Wilkins.

Arrowsmith, J.E., Grocott, H.P., & Newman, M.F. (1999). Neurologic risk assessment, monitoring and outcome in cardiac surgery. *Journal of Cardiothoracic Vascular Anesthesia, 13*(6), 736–743.

ASSENT-2 investigators (1999). Single-bolus tenecteplase compared with front-loaded alteplase in acute myocardial infarction: the ASSENT-2 double-blind randomised trial. *Lancet., 354*(9180):716-22.

Ballegaard, S., Meyer, C.N., & Trojaborg, W. (1991). Acupuncture in angina pectoris: Does acupuncture have a specific effect? *Journal of Internal Medicine, 229*(4), 357–362.

Bonaa, K.H. (2005). NORVIT: Randomised trial of homocysteine lowering with B vitamins for secondary prevention of cardiovascular disease after acute myocardial infarction. *European Society of Cardiology*, Abstract 1334.

Brachmann, J., Ansah, M., Kosinski, E.J., & Schuler, G.C. (1998). Improved clinical effectiveness with a collagen vascular hemostasis device for shortened immobilization time following diagnostic angiography and percutaneous transluminal coronary angioplasty. *American Journal of Cardiology, 81*(12), 1502–1505.

Braunwald, E., Zipes, D.P., & Libby, P. (Eds.). (2001). *Heart disease: A textbook of cardiovascular medicine* (6th ed.). Philadelphia: W.B. Saunders.

Braunwald, E., Antman, E.M., Beasley, J.W., Califf, R., Cheitlin, M.D., Hochman, J.S., Jones, R. H, Kereiakes, D., Kupersmith, J., Levin, T.N., Pepine, C.J., Schaeffer, J.W., Smith, E.E., 3rd, Steward, D.E., Theroux, P., Alpert, J.S., Eagle, K.A., Faxon, D.P., Fuster, V., Gardner, T.J., Gregoratos, G., Russell, R.O., & Smith, S.C., Jr. (2000). ACC/AHA guidelines for the management of patients with unstable angina and non-ST-segment elevation MI: Executive summary and recommendations. A report of the American College of Cardiology/American Heart Association Task Force on Practice Guidelines (Committee on the Management of Patients with Unstable Angina). *Circulation, 102*(10), 1193–1209.

Brûlé, M., Cloutier L., et Doyon O. (2002). *L'examen clinique dans la pratique infirmière*. Saint-Laurent (Québec) : Éditions du Renouveau Pédagogique.

Campeau, L. (1976). Grading of angina pectoris. *Circulation*, 54, 522-523.

Canto, J.G., Shlipak, M.G., Rogers, W.J., Malmgren, J.A., Fraterick, P.D., Lambrew, C.T., Ornato, J.P., Barron, H.V., & Kiefe, C.I. (2000). Prevalence, clinical characteristics, and mortality among patients with myocardial infarction presenting without chest pain. *Journal of the American Medical Association, 283*(24), 3223–3229.

CAPRIE Steering Committee (1996). A randomised, blinded, trial of clopidogrel versus aspirin in patients at risk of ischaemic events (CAPRIE). *Lancet, 348*(9038):1329-39.

Chlan, L., & Tracy, M.F. (1999). Music therapy in critical care: Indications and guidelines for intervention. *Critical Care Nurse, 19*(3), 35–41.

Chen, Z.M., Jiang, L.X., Chen, Y.P., *et al.* (2005) Addition of clopidogrel to aspirin in 45,852 patients with acute myocardial infarction: randomised placebo-controlled trial. *Lancet, 366*(9497): 1607-21.

Cohen, M. (2001). The role of low-molecular-weight heparin in the management of acute coronary syndromes. *Current Opinion in Cardiology, 16*(6), 384–389.

Danesh, J., Collins, R., & Peto, R. (2000). Lipoprotein(a) and coronary heart disease: Meta-analysis of prospective studies. *Circulation, 102*(10), 1082–1085.

Dembroski, T.M., MacDougall, J.M., Costa, P.T., & Grandits, G.A. (1989). Components of hostility as predictors of sudden death and myocardial infarction in the Multiple Risk Factor Intervention Trial. *Psychosomatic Medicine, 51*(5), 514–522.

Eagle, K.A., Guyton, R.A., Davidoff, R., Ewy, G.A., Fonger, J., Gardner, T.J., Gott, J.P., Herrmann, H.C., Marlow, R.A., Nugent, W.C., O'Connor, G.T., Orszulak, T.A., Rieselbach, R.E., Winters, W.L., Yusuf, S., Gibbons, R.J., Alpert, J.S., Eagle, K.A., Garson, A., Jr., Gregoratos, G., Russell, R.O., Smith, S.C., Jr. (1999). ACC/AHA guidelines for coronary artery bypass surgery: A report of the American College of Cardiology/ American Heart Association Task Force on Practice Guidelines (Committee to Revise the 1991 Guidelines for Coronary Artery Bypass Graft Surgery). *Journal of the American College of Cardiology, 34*(4), 1262–1347.

Evans, D. (2002). The effectiveness of music as an intervention for hospital patients: A systematic review. *Journal of Advanced Nursing, 37*(1), 8–18.

Expert Panel on Detection, Evaluation, and Treatment of High Blood Cholesterol in Adults. (2001). Executive summary of the third report of the National Cholesterol Education Program (NCEP) Expert Panel on Detection, Evaluation, and Treatment of High Blood Cholesterol in Adults (Adult Treatment Panel III). *Journal of the American Medical Association, 285*(19), 2486–2497; http://www.nhlbi.nih.gov/guidelines/cholesterol/atp3_rpt.htm. Accessed June 30, 2002.

Fondation des maladies du cœur du Québec (2003). Dyslipidémies : lignes directrices 2003. Prise en charge des dyslipidémies et prévention des maladies cardiovasculaires. Encart inséré dans *Les actualités du cœur, 8*(3).

Fondation des maladies du cœur du Canada (2001). Bulletin annuel sur la santé des Canadiens.

Fondation des maladies du cœur du Canada (2003). *Le fardeau croissant des maladies cardiovasculaires et des accidents vasculaires cérébraux au Canada*. Ottawa.

Friedman, M., & Rosenman, R.H. (1959). Association of specific overt behavior patterns with blood and cardiovascular findings: Blood cholesterol level, blood clotting time, incidence of arcus senilis and clinical coronary artery disease. *Journal of the American Medical Association, 169*, 1286–1297.

Furberg, C.D., Psaty, B.M., & Meyer, J.V. (1996). Nifedipine: Dose-related increase in mortality in patients with coronary heart disease. *Circulation, 92*(5), 1326–1331.

Fuster, V., Alexander, R.W., O'Rourke, R.A., Roberts, R., King, S.B., III, & Wellens, H.J.J. (Eds.). (2001). *Hurst's the heart* (10th ed.). New York: McGraw-Hill.

Gebbie, A. (2002). Risks and benefits of estrogen plus progestin in healthy postmenopausal women: Principal results from the Women's Health Initiative Randomized Controlled Trial. Writing Group for the Women's Health Initiative Number 10 Investigators. *Journal of the American Medical Association, 288*(3), 321–333.

Gendreau, R. (2003). Le traitement pharmacologique de l'angine stable. *Médecin du Québec, 38*(5), 63-69.

Genest J., Frohlich J., Fodor G., McPherson R. (The Working Group on Hypercholesterolemia and Other Dyslipidemias; 2003). Recommendations for the management of dyslipidemia and the prevention of cardiovascular disease: summary of the 2003 update.*Canadian Medical Association Journal, 169*, 921-924.

Gibbons, R.J., Chatterjee, K., Daley, J., Douglas, J.S., Fihn, S.D., Gardin, J.M., Grunwald, M.A., Levy, D., Lytle, B.W., O'Rourke, R.A., Schafer, W.P., Williams, S.V., Ritchie, J.L., Cheitlin, M.D., Eagle, K.A., Gardner, T.J., Garson, A., Jr., Russell, R.O., Ryan, T.J., & Smith, S.C., Jr. (1999). ACC/AHA/ACP-ASIM guidelines for the management of patients with chronic stable angina: A report of the American College of Cardiology/ American Heart Association Task Force on Practice Guidelines (Committee on Management of Patients with Chronic Stable Angina). *Journal of the American College of Cardiology, 33*(7), 2092–2197.

Grundy, S.M., Benjamin, I.J., Burke, G.L., Chait, A., Eckel, R.H., Howard, B.V., Mitch, W., Smith, S.C., Jr., & Sowers, J.R. (1999). Diabetes and cardiovascular disease: A statement for healthcare professionals from the American Heart Association. *Circulation, 100*(10), 1134–1146.

Heart Protection Study Collaborative Group (2002). MRC/BHF Heart Protection Study (HPS) of cholesterol lowering with simvastatin in 20,536 high-risk individuals: a randomised placebo-controlled trial. *Lancet, 360*(9326): 7-22.

Hirsh, J., Anand, S.S., Halperin, J.L., & Fuster, V. (2001). Guide to anticoagulant therapy: Heparin. A statement for healthcare professionals from the American Heart Association. *Circulation, 103*(24), 2994–3018.

Houle, J., Turbide, G., et Poirier, P. (2004). Le défi de l'activité physique après une maladie coronarienne. *Perspective infirmière, 2*(2), 39-44.

Homocysteine Studies Collaboration. (2002). Homocysteine and risk of ischemic heart disease and stroke: A meta-analysis. *Journal of the American Medical Association, 288*(16), 2015–2022.

Hulley, S., Grady, D., Bush, T., Furberg, C., Herrington, D., Riggs, B., & Vittinghoff, E. (1998). Randomized trial of estrogen plus progestin for secondary prevention of coronary heart disease in postmenopausal women. *Journal of the American Medical Association, 280*(7), 605–613.

Ishihara, M., Sato, H., Tateishi, H., Kawagoe, T., Shimatani, Y., Ueda, K., Noma, K., Yumoto, A., & Nishioka, K. (2000). Beneficial effect of prodromal angina pectoris is lost in elderly patients with acute myocardial infarction. *American Heart Journal, 139*(5), 881–888.

Jeremias, A., Kutscher, S., Haude, M., Heinen, D., Holtmann, G., Senf, W., & Erbel, R. (1998). Nonischemic chest pain induced by coronary intervention: A prospective study comparing coronary angioplasty and stent implantation. *Circulation, 98*(24), 2656–2658.

Kannel, W.B. (1986). Silent myocardial ischemia and infarction: Insights from the Framingham study. *Cardiology Clinics, 4*(4), 583–591.

Khatta, M., Alexander, B.S., Krichten, C.M., Fisher, M.L., Freudenberger, R., Robinson, S.W., & Gottlieb, S.S. (2000). The effect of coenzyme Q10 in patients with congestive heart failure. *Annals of Internal Medicine, 132*(8), 636–640.

Krantz, D.S., Sheps, D.S., Carney, R.M., & Natelson, B.H. (2000): Effects of mental stress in patients with coronary artery disease. *Journal of the American Medical Association, 283*(14), 1800–1802.

Lehmann, K.G., Heath-Lange, S.J., & Ferris, S.T. (1999). Randomized comparison of hemostasis techniques after invasive cardiovascular procedures. *American Heart Journal, 138*, (6 Part 1), 1118–1125.

Leon, M.B., Teirstein, P.S., Moses, J.W., Tripuraneni, P., Lansky, A.J., Jani, S., Wong, S.C., Fish, D., Ellis, S., Holmes, D.R., Kerieakes, D., & Kuntz, R.E. (2001). Localized intracoronary gamma-radiation therapy to inhibit the recurrence of restenosis after stenting. *New England Journal of Medicine, 344*(4), 250–256.

Letac, B. (2002). *Pathologie cardio-vasculaire : connaissances de base pour la pratique quotidienne*. Paris : Ellipses.

Malinow, M.R., Bostom, A.G., & Krauss, R.M. (1999). Homocyste(e)ine, diet, and cardiovascular diseases: A statement for healthcare professionals from the Nutrition Committee, American Heart Association. *Circulation, 99*(1), 178–182.

Manus, J.M. (2001). Angor instable, infarctus et angioplastie. *Revue de l'infirmière, 69*, 38-39.

Marieb, E.N. (2005). *Anatomie et physiologie humaines* (adapt. franç. de R. Lachaîne, 3e éd.). Saint-Laurent (Québec) : Éditions du Renouveau Pédagogique.

Mehta, J.L., Saldeen, T.G., & Rand, K. (1998). Interactive role of infection, inflammation and traditional risk factors in atherosclerosis and coronary artery disease. *Journal of the American College of Cardiology, 31*(6), 1217–1225.

Mehta, S.R., Yusuf, S., Peters, R.J., *et al.* (2001). Effects of pretreatment with clopidogrel and aspirin followed by long-term therapy in patients undergoing percutaneous coronary intervention: the PCI-CURE study. *Lancet, 358*(9281): 527-33.

*Meischke, H., Yasui, Y., Kuniyuki, A., Bowen, D.J., Andersen, R.F., Urban, N. (1999). How women label and respond to symptoms of acute myocardial infarction: Responses to hypothetical symptom scenarios. *Heart & Lung, 28*(4), 261–269.

Mosca, L. (2002). C-reactive protein: To screen or not to screen? *New England Journal of Medicine, 347*(20), 1615–1617.

Mosca, L. (2000). The role of hormone replacement therapy in the prevention of postmenopausal heart disease. *Archive of Internal Medicine, 160*(15), 2263–2272.

Patel, S.B. Ezetimibe (2004). A Novel Cholesterol-lowering Agent that Highlights Novel Physiologic Pathways. *Curr Cardiol Rep., 6*(6): 439–442.

*Penque, S., Halm, M., Smith, M., Deutsch, J., Van Roekel, M., McLaughline, L., Dzubay, S., Doll, N., & Beahrs, M. (1998). Women and coronary disease: relationship between descriptors of signs and symptoms and diagnostic and treatment course. *American Journal of Critical Care, 7*(3), 175–182.

Pfizer (2002). *À cœur d'y voir clair* (dépliant).

Poirier, D. (2002). Le diagnostic des douleurs thoraciques à l'urgence : pas si simple. *Médecin du Québec, 37*(8), 33-38.

Pope, J.H., Aufderheide, T.P., Ruthazer, R., Woolard, R.H., Feldman, J.A., & Beshansky, J.R., et al. (2000). Missed diagnoses of acute cardiac ischemia in the emergency department. *New England Journal of Medicine, 342*(16), 1163–1170.

Ray, K.K., Cannon, C.P., McCabe, C.H., *et al.* (2005). Early and late benefits of high-dose atorvastatin in patients with acute coronary syndromes: results from the PROVE IT-TIMI 22 trial. *J Am Coll Cardiol., 46*(8): 1405-10.

Reichter, A., Herlitz, J., & Hjalmarson, A. (1991). Effect of acupuncture in patients with angina pectoris. *European Heart Journal, 2*(2), 175–178.

Ridker, P.M., Rifai, N., Rose, L., Burning, J.E., Cook, N.R. (2002). Comparison of C-reactive protein and low-density lipoprotein cholesterol levels in the prediction of first cardiovascular events. *New England Journal of Medicine, 347*(20), 1557–1565.

Roach, G.W., Kanchuger, M., Mangano, C.M., Newman, M., Nussmeier, N., Wolman, R., Aggarwal, A., Marschall, K., Graham, S.H., & Ley, C. (1996). Adverse cerebral outcomes after coronary bypass surgery: Multicenter study of Perioperative Ischemia Research Group and the Ischemia Research and Education Foundation investigators. *New England Journal of Medicine, 335*(25), 1857–1863.

Rozanski, A., Blumenthal, J.A., & Kaplan, J. (1999). Impact of psychological factors on the pathogenesis of cardiovascular disease and implications for therapy. *Circulation, 99*(16), 2192–2217.

Ryan, T.J., Antman, E.M., Brooks, N.H., Califf, R.M., Hillis, L.D., Hiratzka, L.F., Rapaport, E., Riegel, B., Russell, R.O., Smith, E.E., 3rd, Weaver, W.D., Gibbons, R.J., Alpert, J.S., Eagle, K.A., Gardner, T.J., Garson, A., Jr., Gregoratos, G., Ryan, T.J., & Smith, S.C., Jr. (1999). 1999 Update: ACC/AHA guidelines for the management of patients with acute myocardial infarction. A report of the American College of Cardiology/American Heart Association Task Force on Practice Guidelines (Committee on Management of Acute Myocardial Infarction). *Journal of the American College of Cardiology, 34*(3), 890–911.

Sabatine, M.S, Cannon C.P., Gibson, C.M., *et al.* (2005). Effect of clopidogrel pretreatment before percutaneous coronary intervention in patients with ST-elevation myocardial infarction treated with fibrinolytics: the PCI-CLARITY study. *JAMA, 294*(10): 1224-32.

Severs, P.S., Dahlof, B., Poulter, N.R. (2003). Prevention of coronary and stroke events with atorvastatin in hypertensive patients who have average or lower-than-average cholesterol concentrations, in the Anglo-Scandinavian Cardiac Outcomes Trial–Lipid Lowering Arm (ASCOT-LLA): a multicentre randomised controlled trial. *Lancet, 361*(9364): 1149-58.

Sheifer, S.E., Escarce, J.J., & Schulman, K.A. (2000). Race and sex differences in the management of coronary artery disease. *American Heart Journal, 139*(5), 848–857.

Smith, S.C., Dove, J.T., Jacobs, A.K., Kennedy, J.W., Kereiakes, D., Kern, M.J., Kuntz, R.E., Popma, J.J., Schaff, H.V., Williams, D.O., Gibbons, R.J., Alpert, J.P., Eagle, K.A., Faxon, D.P., Fuster, V., Gardner, T.J., Gregoratos, G., Russell, R.O., Smith, S.C., Jr., American College of Cardiology, American Heart Association Task Force on Practice Guidelines, Committee to Revise the 1993 Guidelines for Percutaneous Transluminal Coronary Angioplasty. (2001). ACC/AHA Guidelines for percutaneous coronary intervention (revision of the 1993 PTCA Guidelines): Executive summary. A report of the American College of Cardiology/American Heart Association Task Force on Practice Guidelines (Committee to Revise the 1993 Guidelines for Percutaneous Transluminal Coronary Angioplasty). *Journal of the American College of Cardiology, 37*(8), 2215–2238.

Steinhubl, S.R., Berger, P.B., Man, J.T., *et al.* (2002). Early and sustained dual oral antiplatelet therapy following percutaneous coronary intervention: a randomized controlled trial. *JAMA, 288*(19): 2411-20.

Teirstein, P.S., & Kuntz, R.E. (2001). New frontiers in interventional cardiology: intravascular radiation to prevent restenosis. *Circulation, 104*(21), 2620–2626.

Timmis, A.S., Nathan, A.W., Sullivan, I.D. (2003) Cardiologie (adapt. franç. de R. Krémer ; 3e éd.). Paris : DeBroeck.

Vadeboncoeur, A. (2002). Le traitement du syndrome coronarien aigu à l'urgence : les normes actuelles. *Médecin du Québec, 37*(8), 41-52.

Wald, D.S., Law, M., & Morris, J.K. (2002). Homocysteine and cardiovascular disease: Evidence on causality from a meta-analysis. *British Medical Journal, 325*(7374), 1202–1206.

*Walker, S.B., Cleary, S., & Higgins, M. (2001). Comparison of the FemoStop device and manual pressure in reducing groin puncture site complications following coronary angioplasty and coronary stent placement. *International Journal of Nursing Practice, 7*(6), 366–375.

Wagner, G.S. (2001). *Marriott's practical electrocardiography* (10th ed.). Philadelphia: Lippincott Williams & Wilkins.

Wang, T.J., Larson, M.G., Levy, D., Benjamin, E.J., Kupka, M.J., Manning, W.J., Clouse, M.E., D'Agostino, R.B., Wilson, P.W., & O'Donnell, C.J. (2002). C-reactive protein is associated with subclinical epicardial coronary calcification in men and women: The Framingham Heart Study. *Circulation, 106*(10), 1189–1191.

Wenger, N.K., Froelicher, E.S., Smith, L.K., Ades, P.A., Berra, K., Blumenthal, J.A., et al. (1995). *Cardiac rehabilitation.* Clinical Practice Guideline Number 17. AHCPR Publication No. 96-0672. Rockville, MD: Public Health Service, Agency for Health Care Policy and Research and the National Heart, Lung, and Blood Institute.

Williams, M.A., Fleg, J.L., Ades, P.A., Chaitman, B.R., Miller, N.H., Mohiuddin, S.M., Ockene, I.S., Taylor, C.B., Wenger, N.K., & American Heart Association Council on Clinical Cardiology Subcommittee on Exercise, Cardiac Rehabilitation, and Prevention. (2002). Secondary prevention of coronary heart disease in the elderly (with emphasis on patients ≥75 years of age): An American Heart Association scientific statement from the Council on Clinical Cardiology Subcommittee on Exercise, Cardiac Rehabilitation, and Prevention. *Circulation, 105*(14), 1735–1743.

Yusuf, S., Zhao, F., Mehta, S.R., *et al.* (2001). Effects of clopidogrel in addition to aspirin in patients with acute coronary syndromes without ST-segment elevation. *N Engl J Med., 16;345*(7):494-502.

En complément de ce chapitre, vous trouverez sur le Compagnon Web :

- une bibliographie exhaustive ;
- des ressources Internet.

Adaptation française
Nancy Chénard, inf., B.Sc.,
DESS sciences infirmières
Coordonnatrice en clinique
de transplantation cardiaque –
Institut de cardiologie de Montréal

CHAPITRE 31

Affections cardiaques structurales, infectieuses et inflammatoires

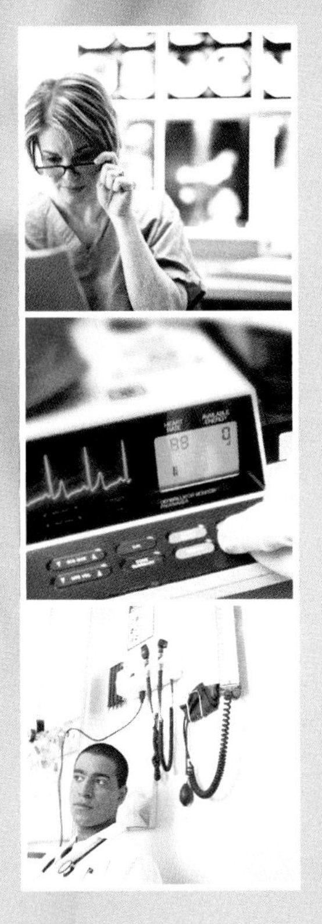

Objectifs d'apprentissage

Après avoir étudié ce chapitre, vous pourrez:

1. Définir les problèmes valvulaires cardiaques et décrire la physiopathologie, les manifestations cliniques ainsi que les soins et traitements prodigués aux personnes qui présentent des problèmes aortiques et mitraux.
2. Décrire les types de techniques de réparation et de remplacement de valvule cardiaque utilisées pour traiter les problèmes valvulaires de même que les soins prodigués aux personnes ayant subi ces actes médicaux.
3. Décrire la physiopathologie, les manifestations cliniques ainsi que les soins et traitements prodigués aux personnes atteintes de cardiomyopathie.
4. Décrire la physiopathologie, les manifestations cliniques ainsi que les soins et traitements prodigués aux personnes atteintes de cardite.
5. Décrire la justification scientifique de l'antibiothérapie préventive administrée aux personnes atteintes de prolapsus valvulaire mitral, de valvulopathie, d'endocardite rhumatismale, d'endocardite infectieuse et de myocardite.

Tout comme les troubles de conduction et les coronaropathies traités dans les chapitres 29 et 30, les problèmes de structure cardiaque placent la personne, la famille et l'équipe de soins face à de nombreux défis. Les problèmes de valvules, de trous dans le septum intracardiaque, de cardiomyopathie et de maladie infectieuse du muscle cardiaque nuisent au débit cardiaque. On peut traiter ces affections de façon non effractive, par exemple en administrant un traitement médicamenteux avec modification de l'activité ou du régime alimentaire. On peut également recourir à des interventions effractives telles que la réparation ou le remplacement d'une valvule, la réparation septale, la mise en place de dispositifs d'assistance ventriculaire, la greffe d'un cœur artificiel total ou la transplantation cardiaque. Les infirmières jouent un rôle complet dans les soins à prodiguer aux personnes qui ont des problèmes cardiaques structuraux, infectieux et inflammatoires.

Valvulopathies acquises

Les valvules cardiaques régulent le débit sanguin qui passe du cœur à l'artère pulmonaire et à l'aorte, en s'ouvrant et en se fermant selon les changements de la pression artérielle résultant de la contraction et du relâchement du cœur au cours du cycle cardiaque.

Les valvules auriculoventriculaires séparent les oreillettes des ventricules. La **valvule triscupide** sépare l'oreillette droite du ventricule droit et la **valvule mitrale** sépare l'oreillette gauche du ventricule gauche. La valvule triscupide possède trois feuillets, et la valvule mitrale, deux. Les deux valvules sont munies de cordages tendineux qui ancrent les feuillets de la valvule aux muscles papillaires et à la paroi ventriculaire.

Les valvule semilunaires sont situées entre les ventricules et les artères correspondantes. La **valvule pulmonaire** se situe entre le ventricule droit et l'artère pulmonaire, et la **valvule aortique,** entre le ventricule gauche et l'aorte. La figure 31-1 ■ montre les valvules en position fermée.

Les anomalies des valvules cardiaques entraînent des modifications du débit cardiaque à l'intérieur des cavités. L'insuffisance valvulaire provoque une régurgitation du sang en amont et elle est causée par la fermeture inadéquate des feuillets de la valvule. La sténose valvulaire est causée par la réduction de l'orifice de la valvule par sténose des feuillets ou par calcification ; elle provoque une obstruction à l'éjection du sang.

VOCABULAIRE

Allogreffe : remplacement d'une valvule par une valvule cardiaque humaine (synonyme : homogreffe).

Annuloplastie : réparation d'un anneau de valvule cardiaque.

Autogreffe : remplacement d'une valvule cardiaque par la propre valvule cardiaque de la personne : la valvule pulmonaire est excisée et sert de valvule aortique.

Cardiomyopathie : maladie du myocarde.

Chordoplastie : réparation des cordages tendineux qui relient les bords libres des feuillets de la valvule auriculoventriculaire aux muscles papillaires.

Cœur artificiel total : dispositif mécanique utilisé pour aider un cœur défaillant, notamment les ventricules droit et gauche.

Commissurotomie : division ou séparation des feuillets de la valvule cardiaque.

Dispositif d'assistance ventriculaire : dispositif mécanique utilisé lorsque le ventricule droit ou gauche est défaillant.

Hétérogreffe : remplacement de la valvule cardiaque effectué à partir de tissus provenant de la valvule cardiaque d'un animal (synonyme : xénogreffe).

Homogreffe : remplacement d'une valvule par une valvule cardiaque humaine (synonyme : allogreffe).

Prolapsus (d'une valvule) : étirement d'un feuillet d'une valvule auriculoventriculaire cardiaque dans l'oreillette durant la systole.

Régurgitation : reflux du sang dans une cavité cardiaque.

Remplacement de valvule : insertion, dans la région de la valvule cardiaque défectueuse, d'un appareil destiné à rétablir le débit sanguin dans les cavités cardiaques.

Réparation de feuillet : réparation d'un des « clapets » (feuillets) amovibles d'une valvule cardiaque.

Sténose : rétrécissement ou obstruction d'un orifice de valvule cardiaque.

Transplantation hétérotopique : le cœur du receveur demeure en place, tandis que le cœur du donneur est greffé du côté droit et antérieur du cœur du receveur ; la personne a deux cœurs.

Transplantation orthotopique : le cœur du receveur est enlevé et remplacé par le cœur du donneur, qui est implanté au même endroit ; la personne a un cœur.

Valvule aortique : valvule semi-lunaire située entre le ventricule gauche et l'aorte.

Valvule mitrale : valvule auriculoventriculaire située entre l'oreillette gauche et le ventricule gauche.

Valvule pulmonaire : valvule semi-lunaire située entre le ventricule droit et l'artère pulmonaire.

Valvule triscupide : valvule auriculoventriculaire située entre l'oreillette droite et le ventricule droit.

Valvuloplastie : réparation d'une valvule cardiaque régurgitante ou sténosée par commissurotomie, annuloplastie, réparation de feuillet ou chordoplastie (ou une combinaison de ces techniques).

Xénogreffe : remplacement de la valvule cardiaque effectué à partir de tissus provenant de la valvule cardiaque d'un animal (synonyme : hétérogreffe).

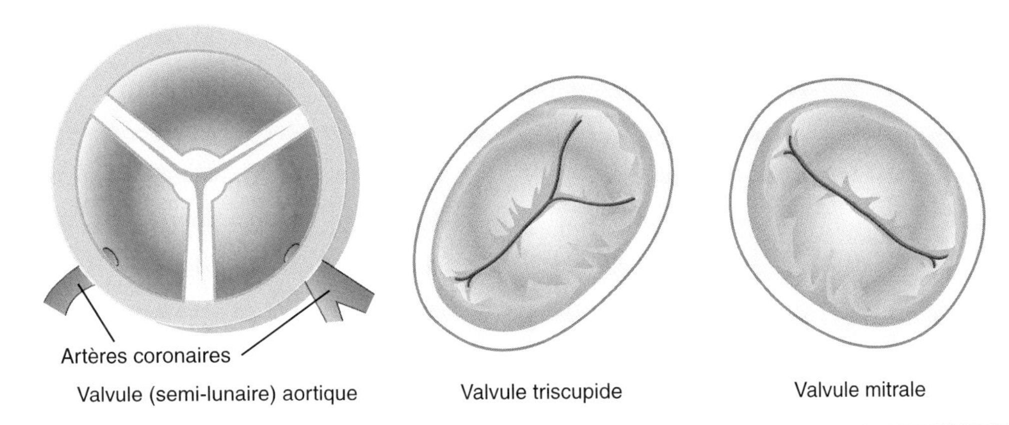

FIGURE 31-1 ■ Valvules cardiaques (aortique ou semi-lunaire, triscupide et mitrale) en position fermée.

Les anomalies de la valvule mitrale entrent dans les catégories suivantes: **prolapsus** valvulaire mitral (étirement du feuillet de la valvule dans l'oreillette durant la systole), régurgitation mitrale et sténose mitrale. Les anomalies de la valvule aortique sont connues sous le nom de régurgitation aortique et de sténose aortique. Selon la gravité des divers symptômes provoqués par ces problèmes valvulaires, il peut être nécessaire de procéder à une réparation chirurgicale ou à un remplacement de la valvule afin de corriger le problème (figure 31-2 ■). Des anomalies des valvules pulmonaire et triscupide peuvent également survenir; elles s'accompagnent généralement de symptômes et de complications moins nombreux. La régurgitation et la sténose peuvent toucher parallèlement les mêmes valvules ou des valvules différentes.

PROLAPSUS VALVULAIRE MITRAL

Le prolapsus valvulaire mitral, autrefois appelé syndrome du prolapsus de la valvule mitrale, est une malformation la plupart du temps asymptomatique. Il est rare qu'elle évolue et aboutisse à une mort subite. Le prolapsus valvulaire mitral affecte plus fréquemment les femmes que les hommes. Si on a pu diagnostiquer plus fréquemment cette affection ces dernières années, c'est sans doute en raison de l'amélioration des méthodes de diagnostic.

Physiopathologie

Un prolapsus valvulaire mitral se produit lorsqu'une partie du feuillet de la valvule mitrale ballonne dans l'oreillette durant la systole. Le ballonnement s'étire rarement au point d'empêcher la valvule de se fermer durant la systole (c'est-à-dire pendant la contraction ventriculaire). Le sang reflue ensuite à partir du ventricule gauche dans l'oreillette gauche (Braunwald *et al.*, 2001).

Manifestations cliniques

De nombreuses personnes ont des feuillets ballonnés tout en étant asymptomatiques. D'autres personnes présentent de l'asthénie, de l'essouflement, des sensations ébrieuses, des étourdissements, des syncopes, des palpitations, des douleurs thoraciques ou de l'anxiété (Braunwald *et al.*, 2001; Freed *et al.*, 1999; Fuster *et al.*, 2001).

La sensation de fatigue peut être indépendante du degré d'activité et de la quantité de repos et de sommeil. L'essoufflement n'est pas corrélé avec le degré d'activité ni avec la fonction pulmonaire. Les arythmies auriculaires ou ventriculaires peuvent provoquer des palpitations, mais on a noté des cas où des palpitations survenaient alors que le cœur battait normalement. Un autre symptôme déconcertant est la douleur thoracique, qui dure parfois plusieurs jours.

L'anxiété peut être une réponse aux symptômes ressentis par la personne; cependant, l'anxiété est parfois le seul symptôme qui se manifeste. Selon certains cliniciens, la dysautonomie, maladie du système nerveux autonome, pourrait être à l'origine des symptômes; il n'existe toutefois pas de consensus sur la cause des symptômes que ressentent certaines personnes atteintes de prolapsus valvulaire mitral.

Examen clinique et examens paracliniques

Souvent, le premier et unique signe de prolapsus valvulaire mitral est détecté lorsqu'on effectue un examen physique du cœur et qu'on y découvre un nouveau bruit, appelé clic mitral. Le clic systolique est le premier signe de ballonnement du feuillet d'une valvule dans l'oreillette gauche. S'il se produit un étirement du feuillet de la valvule et une régurgitation, tous deux progressifs, on entend un souffle de régurgitation mitrale en plus du clic mitral. Lorsqu'il y a régurgitation mitrale, un petit nombre de personnes présentent des signes et des symptômes d'insuffisance cardiaque.

Traitement médical

Le traitement médical du prolapsus valvulaire mitral vise à atténuer les symptômes. Si la personne souffre d'arythmies qui entraînent des symptômes, on lui conseille d'éliminer la caféine et l'alçool de son régime et d'arrêter de fumer; on peut également lui prescrire des médicaments antiarythmiques.

Lorsque la douleur thoracique ne répond pas aux dérivés nitrés, on peut utiliser des inhibiteurs calciques ou des bêtabloquants. On traite l'insuffisance cardiaque de la façon habituelle (chapitre 32 ⊂⊃). Dans les cas graves, une réparation ou un remplacement de la valvule mitrale peut être nécessaire.

PHYSIOLOGIE/PHYSIOPATHOLOGIE

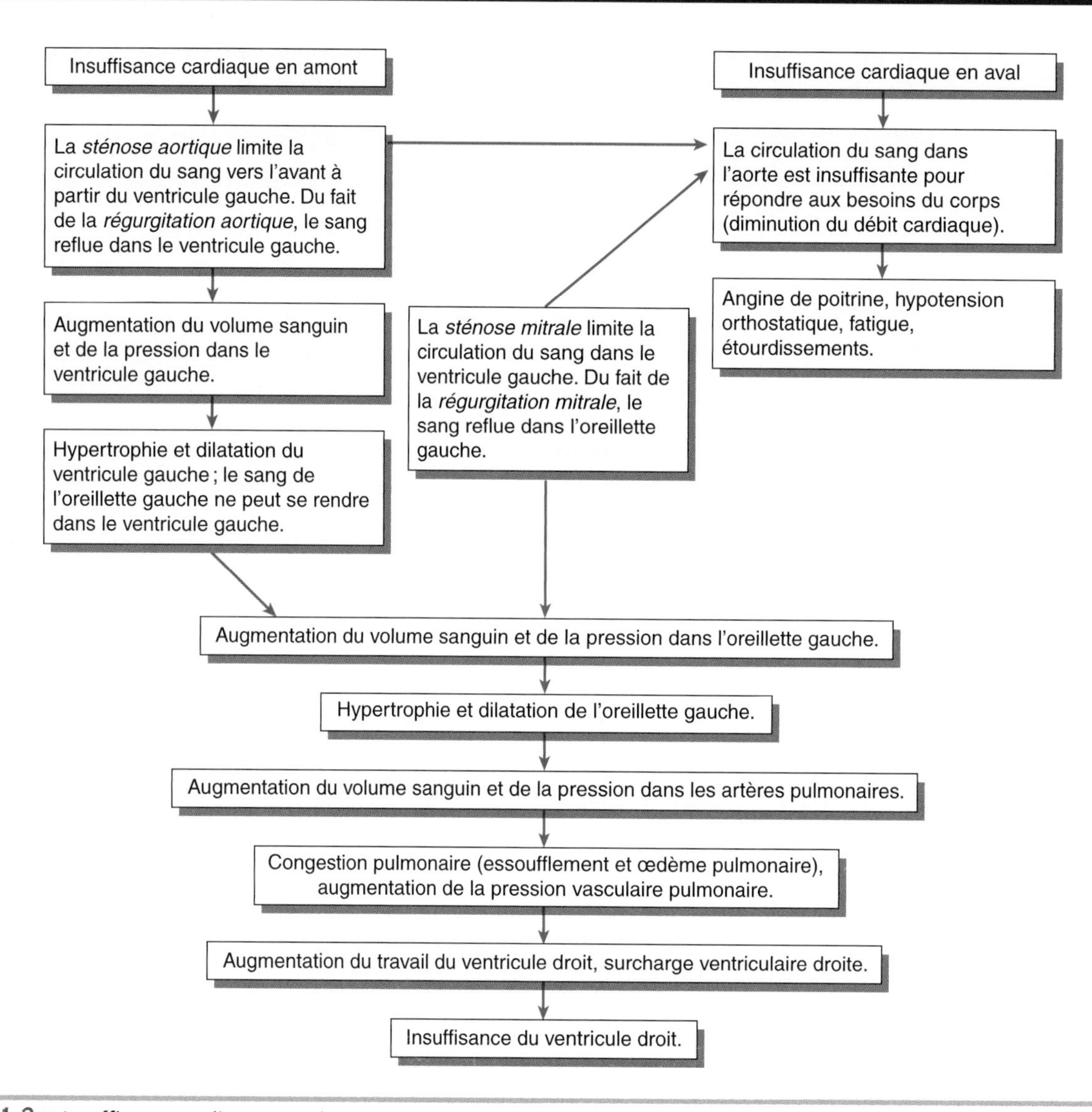

FIGURE 31-2 ■ Insuffisance cardiaque gauche consécutive à une cardiopathie des valvules mitrale et aortique et à l'apparition d'une insuffisance du ventricule droit.

Soins et traitements infirmiers

L'infirmière informe la personne du diagnostic et lui indique que sa maladie peut être héréditaire. La plupart des personnes atteintes de prolapsus valvulaire mitral sont asymptomatiques. L'infirmière leur explique donc qu'elles doivent signaler tout symptôme au professionnel de la santé qui les suit. Elle leur explique également qu'il leur faut recourir à l'antibiothérapie préventive avant toute intervention susceptible de faire pénétrer des agents infectieux dans l'organisme (par exemple soins dentaires, interventions touchant les voies génito-urinaires ou gastro-intestinales). Ce traitement est prescrit aux personnes symptomatiques et asymptomatiques qui ont à la fois un clic systolique et un souffle ou une régurgitation mitrale. En cas de doute à propos des facteurs de risque et de la nécessité de recourir aux antibiotiques, la personne doit consulter son médecin.

L'infirmière informe la personne qu'elle doit s'abstenir de consommer de la caféine et de l'alcool afin de réduire les symptômes. Elle invite la personne à lire les étiquettes des produits, en particulier celles des médicaments en vente libre comme ceux qui servent à lutter contre la toux : ces produits peuvent en effet contenir de l'alcool, de la caféine, de l'éphédrine et de la pseudoéphédrine, autant de substances qui peuvent déclencher des arythmies et d'autres symptômes. L'arythmie, la douleur thoracique, l'insuffisance cardiaque, ainsi que les autres complications entraînées par le prolapsus valvulaire mitral sont abordées dans le chapitre 30 . L'infirmière peut également étudier avec la personne les facteurs liés à son mode de vie qui seraient susceptibles d'être en corrélation avec ses symptômes (par exemple régime alimentaire, activité et sommeil).

RÉGURGITATION MITRALE

La régurgitation mitrale consiste en un flux rétrograde du ventricule gauche vers l'oreillette gauche durant la systole. Souvent, les bords de la valvule mitrale ne peuvent se refermer complètement durant la systole.

Physiopathologie

La régurgitation mitrale peut être causée par des perturbations d'un ou de plusieurs feuillets, des cordages tendineux, de l'anneau ou des muscles papillaires. Le feuillet de la valvule mitrale peut se raccourcir, s'étirer ou se rompre. L'anneau peut s'étirer à la suite de la dilatation cardiaque ou se déformer par calcification. Le muscle papillaire peut se rompre, s'étirer ou être délogé de sa position par les changements touchant la paroi ventriculaire: cicatrice due à un infarctus du myocarde ou à une dilatation ventriculaire, par exemple. Le muscle papillaire peut ne pas être en mesure de se contracter à cause de l'ischémie. Dans tous ces cas, le sang reflue dans l'oreillette durant la systole.

À chaque battement du ventricule gauche, un peu de sang reflue dans l'oreillette gauche. Ce sang s'ajoute à celui qui provient des poumons, ce qui entraîne une augmentation du volume de sang contenu dans l'oreillette. Il en résulte une hypertrophie et une dilatation de l'oreillette gauche. Le flux rétrograde de sang qui provient du ventricule altère la circulation sanguine pulmonaire et provoque une accumulation de sang dans les poumons. La congestion pulmonaire ainsi créée a pour effet d'accroître le travail du ventricule droit. Par conséquent, une régurgitation mitrale, même faible, affecte toujours les poumons et le ventricule droit.

Manifestations cliniques

La régurgitation mitrale chronique est souvent asymptomatique, mais la régurgitation mitrale aiguë (par exemple à la suite d'un infarctus du myocarde) se manifeste généralement par une insuffisance cardiaque congestive grave. Les symptômes les plus courants sont la dyspnée, la fatigue et la faiblesse. À ces symptômes s'ajoutent des palpitations, de la dyspnée à l'effort et une toux causée par la congestion pulmonaire.

Examen clinique et examens paracliniques

Le souffle systolique est perçu comme un signal aigu, un son de souffle à l'apex. Le pouls peut être régulier et de bon volume, mais il peut aussi être irrégulier en raison de la présence d'extrasystoles ou d'une fibrillation auriculaire. On recourt à l'échocardiographie pour diagnostiquer et surveiller l'évolution de la régurgitation mitrale.

Traitement médical

On traite la régurgitation mitrale de la même façon que l'insuffisance cardiaque congestive. L'intervention chirurgicale consiste à remplacer la valvule mitrale ou à pratiquer une valvuloplastie (réparation chirurgicale de la valvule cardiaque).

STÉNOSE MITRALE

La sténose mitrale est une obstruction de la circulation sanguine de l'oreillette gauche vers le ventricule gauche. Généralement, cette obstruction est causée par une endocardite rhumatismale, qui entraîne un épaississement progressif des

RECHERCHE EN SCIENCES INFIRMIÈRES

Qualité de vie et chirurgie valvulaire cardiaque

M.C.Taillefer, G. Dupuis, J.F. Hardy et S. LeMay (2005). «La qualité de vie avant et après une chirurgie valvulaire cardiaque est influencée par le sexe et le genre de valve». *Quality of Life Research*, 14, 769-778.

OBJECTIF

Cette étude d'observation visait à mesurer de façon prospective la qualité de vie de personnes ayant subi une chirurgie valvulaire et à comparer cette qualité de vie selon le genre de valve utilisée et le sexe des personnes.

DISPOSITIF ET ÉCHANTILLON

Le groupe à l'étude se composait de 99 personnes (57 hommes et 42 femmes). Les instruments de mesure utilisés comprenaient le Quality of Life Systemic Inventory (QLSI), lequel comporte 28 questions réparties en 9 catégories distinctes: santé physique, fonction cognitive, famille/société, couple, loisirs, travail, maison, affection et spiritualité, ainsi que The Medical Outcome Study Short-Form 36 (SF-36), qui comporte 36 questions touchant divers aspects de la santé: fonction physique, rôle physique, douleur, état de santé général, vitalité, fonction sociale, rôles affectifs et santé mentale.

RÉSULTATS

Les personnes qui subissent une chirurgie valvulaire voient leur qualité de vie améliorée de façon définitive. L'utilisation d'une prothèse métallique l'améliore légèrement plus que l'utilisation d'une bioprothèse. De plus, les personnes ayant subi une réparation ou plastie valvulaire en retirent presque autant de bénéfices que celles ayant subi un remplacement valvulaire. Enfin, la qualité de vie est légèrement plus améliorée chez les femmes que chez les hommes. Ces différences sont intéressantes d'un point de vue clinique, mais de nouvelles recherches reposant sur un échantillon plus grand devront être menées pour déterminer plus précisément en quoi le sexe de la personne et le genre de valve cardiaque jouent sur la qualité de vie après l'opération.

feuillets de la valvule mitrale et des cordages tendineux. Il est fréquent que les feuillets fusionnent. L'orifice de la valvule mitrale finit par se rétrécir et par obstruer progressivement la circulation sanguine dans le ventricule.

Physiopathologie

Un orifice mitral normal laisse passer trois doigts, tandis qu'un orifice gravement rétréci laisse seulement passer un crayon. Le rétrécissement fait obstacle au flux de l'oreillette gauche vers le ventricule gauche, ce qui provoque une dilatation (étirement) et une hypertrophie (épaississement) de cette oreillette. Comme aucune valvule ne protège les veines pulmonaires du flux rétrograde, il en résulte une congestion de la circulation pulmonaire. Le ventricule droit doit alors s'opposer à une pression artérielle pulmonaire anormalement forte et il subit une charge excessive, ce qui peut entraîner une insuffisance ventriculaire droite.

Manifestations cliniques

Le premier symptôme de sténose mitrale consiste souvent en des difficultés respiratoires à l'effort (comme la dyspnée) qui résultent de l'hypertension veineuse pulmonaire. Chez les personnes atteintes de sténose mitrale, on peut constater une fatigue progressive causée par la diminution du débit cardiaque. Ces personnes peuvent expectorer du sang (hémoptysie), tousser et présenter des infections respiratoires à répétition.

Examen clinique et examens paracliniques

Le pouls est faible et souvent irrégulier à cause de la fibrillation auriculaire (provoquée par la surcharge qui s'exerce sur l'oreillette). On entend un roulement, un borborygme diastolique à l'apex. Lorsque le volume sanguin et la pression augmentent, l'oreillette se dilate, s'hypertrophie et devient électriquement instable, et la personne ressent des arythmies auriculaires. On utilise l'échocardiographie pour poser un diagnostic de sténose mitrale. L'électrocardiographie et le cathétérisme cardiaque avec angiographie permettent de déterminer l'importance de la sténose mitrale.

Traitement médical

On recourt à l'antibiothérapie préventive pour prévenir la récurrence des infections. Le traitement de l'insuffisance cardiaque congestive est identique à la description qui en est donnée dans le chapitre 32 . On peut administrer des anticoagulants aux personnes atteintes de sténose mitrale dans le but de diminuer le risque d'apparition d'un thrombus auriculaire. Il se peut qu'on doive également leur administrer un traitement contre l'anémie.

Pour corriger la sténose mitrale, on effectue une valvuloplastie, généralement une commissurotomie consistant à ouvrir ou rompre les commissures fusionnées de la valvule mitrale. On peut également pratiquer une valvuloplastie transluminale percutanée ou remplacer la valvule mitrale.

RÉGURGITATION AORTIQUE

La régurgitation aortique est le flux rétrograde de l'aorte vers le ventricule gauche survenant durant la diastole. Cette régurgitation peut résulter de lésions inflammatoires qui déforment les feuillets de la valvule aortique, les empêchant de refermer complètement la valvule aortique. Ce défaut valvulaire peut également résulter d'une endocardite, d'anomalies congénitales, de maladies comme la syphilis, d'un anévrisme disséquant provoquant une dilatation ou une rupture de la branche ascendante de l'aorte, ou encore de la détérioration d'une valvule aortique remplacée.

Physiopathologie

Au cours d'une régurgitation aortique, le ventricule gauche reçoit durant la diastole le volume de sang régurgité en plus du sang normalement acheminé par l'oreillette gauche. Le ventricule gauche se dilate pour recevoir le volume de sang supplémentaire et s'hypertrophie pour l'expulser avec une force supérieure à la normale, ce qui provoque une augmentation de la pression systolique. Il s'ensuit une vasodilatation réflexe des artères et une diminution de la résistance périphérique entraînant une importante baisse de la pression diastolique. La pression différentielle augmente donc.

Manifestations cliniques

Chez la plupart des personnes, la régurgitation aortique peut rester silencieuse pendant des années. Certaines personnes notent une augmentation de la force des battements cardiaques. On observe parfois dans la région précordiale et dans le cou des pulsations artérielles visibles à l'œil nu ou palpables, dues à l'augmentation du volume de sang dans le ventricule gauche hypertrophié et à la force nécessaire pour éjecter ce volume supplémentaire. Par la suite, une dyspnée d'effort et de la fatigabilité se manifestent. Les signes et symptômes d'insuffisance ventriculaire gauche sont notamment des difficultés respiratoires (par exemple orthopnée, dyspnée nocturne paroxystique).

Examen clinique et examens paracliniques

Le souffle diastolique est perçu comme un son aigu, un souffle au troisième ou quatrième espace intercostal au bord gauche sternal. Chez les personnes atteintes de régurgitation aortique, la pression différentielle (la différence entre les pressions systolique et diastolique) est beaucoup plus grande. Le pouls en coup de bélier est un signe caractéristique de la maladie : le pouls monte et descend rapidement, pour ensuite disparaître subitement. Les principaux outils permettant de diagnostiquer la régurgitation aortique sont l'échocardiogramme, l'imagerie radionucléide, l'électrocardiogramme, la résonance magnétique et le cathétérisme cardiaque.

Traitement médical

Avant que la personne subisse des interventions effractives ou dentaires, on doit lui administrer une antibiothérapie préventive afin de prévenir l'endocardite. L'insuffisance cardiaque et les arythmies sont abordées dans les chapitres 29 et 32 .

La valvuloplastie aortique ou le remplacement de la valvule aortique est le traitement privilégié; on l'effectue idéalement avant l'apparition de l'insuffisance ventriculaire gauche. L'intervention chirurgicale est recommandée chez toute personne dont le ventricule gauche est hypertrophié, qu'elle présente ou non des symptômes.

Sténose aortique

La sténose aortique est le rétrécissement de l'orifice de la valvule aortique qui se trouve entre le ventricule gauche et l'aorte. Chez l'adulte, cette sténose peut provenir d'anomalies congénitales du feuillet ou d'un nombre anormal de feuillets (un ou deux feuillets au lieu de trois), ou bien résulter d'une endocardite rhumatismale ou d'une calcification de la valvule cuspide d'origine inconnue. Les feuillets de la valvule aortique peuvent fusionner.

Physiopathologie

L'orifice de la valvule rétrécit progressivement, sur une période allant habituellement de quelques années à quelques décennies. Ce rétrécissement provoque une obstruction de la circulation sanguine que le ventricule gauche compense en se contractant plus lentement mais avec plus de force, obligeant ainsi le sang à passer par le très petit orifice. La paroi du ventricule gauche s'épaissit à cause du travail supplémentaire imposé par le rétrécissement aortique, et le myocarde augmente de volume en réaction à l'obstruction. Lorsque ces mécanismes de compensation commencent à être défaillants, les signes et symptômes cliniques apparaissent.

Manifestations cliniques

Nombre de personnes souffrant de sténose aortique sont asymptomatiques. Après l'apparition des symptômes, ces personnes commencent généralement par présenter une dyspnée d'effort, causée par l'insuffisance ventriculaire gauche. On observe aussi des étourdissements et des évanouissements, dus à une mauvaise irrigation du cerveau. Autre symptôme fréquent, les crises d'angine de poitrine sont causées par l'augmentation des besoins en oxygène créée par le travail supplémentaire imposé au ventricule gauche hypertrophié, par la diminution du temps de la diastole nécessaire à la perfusion du myocarde et, par conséquent, à la diminution de la circulation sanguine dans les artères coronaires. La pression artérielle est généralement normale, mais elle est parfois abaissée. La pression différentielle est souvent à 30 mm Hg, ou moins, à cause de la diminution du débit sanguin.

Examen clinique et examens paracliniques

L'auscultation peut révéler la présence d'un souffle systolique grave, rauque et vibrant dans la région aortique. Il s'agit d'un son crescendo-decrescendo, qui peut irradier dans les artères carotides et l'apex du ventricule gauche. Quand on pose la main à la base du cœur, on sent une vibration causée par la turbulence du flux sanguin qui traverse la valvule aortique rétrécie. On constate l'hypertrophie du ventricule gauche en recourant à un ECG à 12 dérivations ou à un échocardiogramme.

On utilise l'échocardiographie pour diagnostiquer la sténose aortique et en surveiller l'évolution. Lorsque la sténose évolue au point qu'une intervention chirurgicale est envisagée, on doit recourir au cathétérisme cardiaque du cœur gauche pour déterminer avec précision la gravité du rétrécissement aortique et évaluer l'état des artères coronaires. On prend des tracés de la pression à partir du ventricule gauche et à la base de l'aorte. Durant la systole, la pression systolique du ventricule gauche est nettement plus élevée que celle de l'aorte.

Traitement médical

Pour prévenir l'endocardite, il est essentiel d'administrer une antibiothérapie préventive à toute personne atteinte de sténose aortique. On prescrit des médicaments après l'apparition de l'insuffisance du ventricule gauche ou de l'arythmie. Le seul traitement efficace de la régurgitation aortique est le remplacement chirurgical de la valvule aortique défectueuse. Les personnes qui sont asymptomatiques et ne sont pas candidates au traitement chirurgical peuvent bénéficier d'une ou de deux valvuloplasties transluminales percutanées.

Anomalies valvulaires cardiaques : soins et traitements infirmiers

L'infirmière apprend à la personne souffrant de cardiopathie valvulaire à se familiariser avec le diagnostic, la nature progressive de la maladie cardiaque valvulaire et le plan de traitement. Elle lui apprend à signaler tout nouveau symptôme ou tout changement de symptôme au professionnel de la santé qui s'occupe d'elle. L'infirmière insiste sur la nécessité de suivre une antibiothérapie avant toute intervention effractive susceptible de faire pénétrer des agents infectieux dans la circulation sanguine (par exemple soins dentaires, intervention touchant les voies génito-urinaires ou gastro-intestinales). L'infirmière explique à la personne que l'agent infectieux, généralement une bactérie, peut adhérer à la valvule cardiaque malade plus facilement qu'à une valvule normale. Une fois ancré à la valvule, l'agent infectieux se multiplie, provoquant une endocardite qui endommage encore davantage la valvule.

On mesure la fréquence cardiaque, la pression artérielle et la fréquence respiratoire, puis on compare les résultats avec les premières données afin de détecter tout changement. On ausculte les bruits cardiaques et pulmonaires et on palpe les pouls périphériques. L'infirmière surveille tout signe ou symptôme d'insuffisance cardiaque chez la personne atteinte de cardiopathie valvulaire: fatigue, dyspnée d'effort, augmentation de la toux, hémoptysie, infections respiratoires multiples, orthopnée ou dyspnée paroxystique nocturne (chapitre 32 ⊂⊃). Elle palpe le pouls afin de déceler les arythmies et d'en mesurer la force et le rythme (irrégulier ou irrégulier); elle demande à la personne si elle a ressenti antérieurement des palpitations ou des battements cardiaques puissants (chapitre 29 ⊂⊃). L'infirmière surveille également les signes d'étourdissements, d'évanouissements, de faiblesse accrue ou d'angine de poitrine (chapitre 30 ⊂⊃).

L'infirmière élabore avec la personne un profil pharmacologique et lui indique le nom, la posologie, l'action des médicaments, leurs effets indésirables et toute interaction entre les médicaments ou entre la nourriture et les médicaments prescrits pour traiter l'insuffisance cardiaque, les arythmies, l'angine de poitrine ou d'autres symptômes. L'infirmière recommande à la personne de se peser quotidiennement et de prévenir le professionnel de la santé qui la suit si elle prend 1 kg en une journée ou 2,5 kg en une semaine. L'infirmière peut aider la personne à élaborer un plan d'activités et de périodes de repos afin d'avoir un mode de vie acceptable. Si une intervention chirurgicale est prévue pour remplacer la valvule, l'infirmière explique à la personne le déroulement de l'intervention et le rétablissement auquel elle doit s'attendre.

Remplacement et réparation de valvule

VALVULOPLASTIE

La **valvuloplastie** consiste à réparer une valvule cardiaque, et non à la remplacer. Le type de valvuloplastie pratiquée dépend de la cause et du type de dysfonctionnement de la valvule. On parle de **commissurotomie** lorsque la valvuloplastie porte sur les commissures entre les feuillets. La réparation de l'anneau de la valvule s'appelle l'annuloplastie, et celle des feuillets ou des cordages, la chordoplastie.

La plupart des vavuloplasties se font sous anesthésie générale, et il est souvent nécessaire de recourir à une dérivation cardiopulmonaire. Certaines interventions, cependant, peuvent être effectuées par cathétérisme cardiaque; dans ce cas, l'anesthésie générale et la dérivation cardiopulmonaire ne sont pas toujours nécessaires.

La personne est généralement traitée dans une unité de soins intensifs pendant les 24 à 72 premières heures suivant la chirurgie. Les soins portent essentiellement sur la stabilisation hémodynamique et le réveil. Les signes vitaux sont évalués toutes les 5 à 15 minutes, puis au besoin, jusqu'à ce que la personne se soit rétablie de l'anesthésie ou de la sédation, puis toutes 2 à 4 heures ou selon les besoins. On administre des médicaments intraveineux dans le but de hausser ou d'abaisser la pression artérielle et de traiter les arythmies ou les fréquences cardiaques altérées; on en surveille les effets et on diminue graduellement les doses jusqu'à ce qu'ils ne soient plus indispensables ou que la personne prenne les médicaments nécessaires par une autre voie (par exemple orale ou topique). On évalue la personne toutes les 1 à 4 heures et au besoin, en prêtant une attention particulière aux évaluations neurologique, respiratoire et cardiovasculaire.

Une fois que la personne est remise de l'anesthésie et de la sédation, que son hémodynamie est stable sans médicaments intraveineux et que les évaluations sont constantes, on la transfère généralement dans une unité de télémétrie ou une unité chirurgicale où elle continue à recevoir des soins postchirurgicaux. L'infirmière soigne la plaie de la personne et lui prodigue un enseignement portant sur le régime alimentaire, l'activité, les médicaments et les autosoins. Les personnes quittent l'hôpital de 1 à 7 jours après l'intervention. En général, les valvules qui ont fait l'objet d'une valvuloplastie fonctionnent plus longtemps que les valvules remplacées, et les personnes n'ont plus besoin d'anticoagulation continue.

Commissurotomie

La commissurotomie est la forme la plus courante de valvuloplastie. Chaque valvule comporte des feuillets et l'endroit où les feuillets se rejoignent s'appelle la *commissure*. Les feuillets peuvent adhérer l'un à l'autre et fermer la commissure (sténose). Il arrive également, moins fréquemment, que les feuillets fusionnent de telle façon que, en plus de la sténose, les feuillets ne peuvent pas se fermer complètement, ce qui entraîne un flux sanguin rétrograde (régurgitation). La commissurotomie consiste à séparer les feuillets fusionnés.

Commissurotomie fermée

La dérivation cardiopulmonaire n'est pas indispensable dans les commissurotomies fermées. On ne visualise pas directement la valvule. On administre une anesthésie générale à la personne, puis on pratique une incision au milieu du sternum, on fait un petit trou dans le cœur et le chirurgien utilise son doigt ou un dilatateur pour ouvrir la commissure. On réserve ce type de commissurotomie aux maladies des valvules mitrale, aortique, triscupide et pulmonaire.

Valvuloplastie percutanée La valvuloplastie percutanée (figure 31-3 ■) est une forme de commissurotomie fermée utile lorsqu'on a à faire à des personnes jeunes atteintes de sténose de la valvule mitrale, à des personnes âgées souffrant de sténose de la valvule aortique ou à des personnes que des tableaux cliniques complexes exposent à un risque élevé de complications en cas d'interventions chirurgicales plus étendues. Bien qu'elle soit plus couramment utilisée dans les cas de sténose de la valvule aortique et de la valvule mitrale, la valvuloplastie percutanée est également pratiquée dans les cas de sténose de la valvule pulmonaire ou de la valvule triscupide. L'intervention est effectuée sous anesthésie locale dans un laboratoire de cathétérisme cardiaque; la personne quitte l'hôpital de 24 à 48 heures après l'intervention.

La valvuloplastie mitrale est contre-indiquée chez les personnes qui présentent un thrombus ventriculaire ou un thrombus dans l'oreillette gauche, une dilatation grave de la racine aortique, une régurgitation importante de la valvule mitrale, une scoliose thoracolombaire, une inversion des grands vaisseaux et d'autres affections cardiaques exigeant une opération à cœur ouvert.

La valvuloplastie percutanée mitrale consiste à insérer un ou deux cathéters dans l'oreillette droite, à travers le septum auriculaire jusque dans l'oreillette gauche, à travers la valvule mitrale jusque dans l'aorte. Un fil-guide est placé dans chaque cathéter et le cathéter original est retiré. On place ensuite un gros cathéter à ballonnet sur le fil-guide et on installe le ballonnet, que l'on gonfle au moyen d'une solution angiographique, sur la valvule mitrale. Lorsqu'on utilise deux ballonnets, on les gonfle simultanément. Le recours à deux ballonnets s'accompagne de communications interauriculaires (CIA) plus petites, car la taille de chacun de ceux-ci est inférieure à celle du ballonnet unique. À mesure

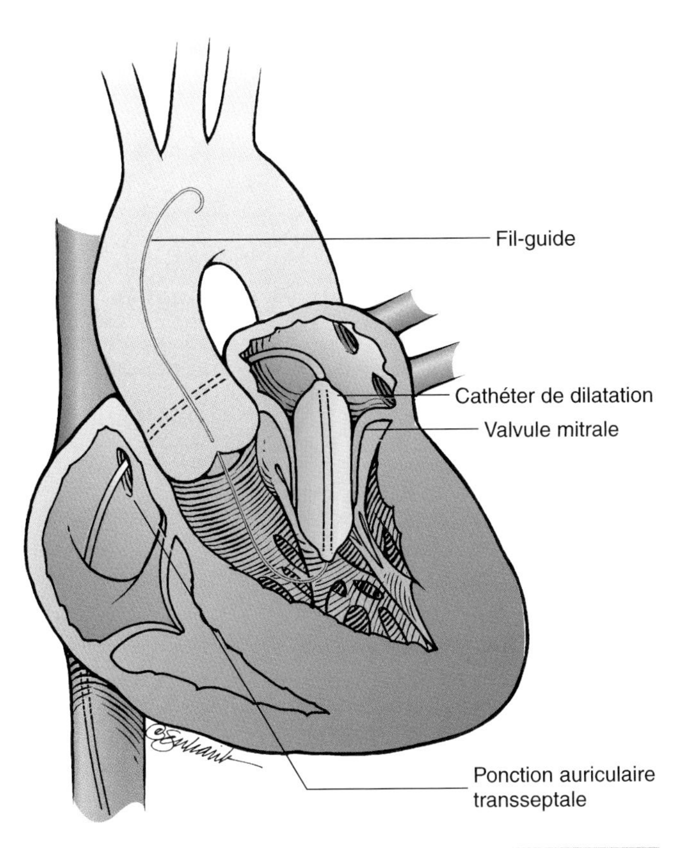

FIGURE 31-3 ■ Valvuloplastie percutanée : coupe transversale du cœur montrant le fil-guide et le cathéter à dilatation qui traverse la paroi du septum interauriculaire pour atteindre la valvule mitrale. Le fil-guide est inséré au-delà de la valvule aortique, dans la portion ascendante de l'aorte, et il sert de support au cathéter.

qu'ils sont gonflés, les ballonnets n'occluent généralement pas complètement la valvule mitrale, ce qui permet au sang de circuler vers l'avant durant la période de gonflement.

Après l'intervention, toutes les personnes présentent de la régurgitation mitrale à un degré quelconque. Les autres complications possibles sont notamment les suivantes : hémorragies aux points d'insertion des cathéters, embolie résultant de complications comme des accidents vasculaires cérébraux et, rarement, des shunts auriculaires de gauche à droite dus à une communication interauriculaire causée par l'intervention.

On peut également effectuer une valvuloplastie aortique percutanée en insérant un ou plusieurs ballonnets à travers le septum auriculaire, mais plus couramment en introduisant un cathéter dans l'aorte, à travers la valvule aortique, jusqu'au ventricule gauche. On utilise la technique à un ou à deux ballonnets pour traiter les sténoses aortiques. L'intervention portant sur la valvule aortique n'est pas aussi efficace que celle qui porte sur la valvule mitrale : la fréquence de resténose atteint près de 50 % dans les 12 à 15 premiers mois suivant l'intervention (Braunwald *et al.*, 2001). Les complications possibles sont notamment les suivantes : régurgitation aortique, embolie, perforation ventriculaire, rupture de l'anneau de la valvule aortique, arythmies ventriculaires, dommages à la valvule mitrale et hémorragie aux points d'insertion des cathéters.

Commissurotomie ouverte

On réalise les commissurotomies ouvertes en visualisant directement la valvule. La personne est sous anesthésie générale. On effectue une incision sternotomique médiane ou thoracique gauche. On amorce la dérivation cardiopulmonaire et on pratique une incision dans le cœur. Pour ouvrir les commissures, on se sert d'un doigt, d'un scalpel, d'un ballonnet ou d'un dilatateur. La visualisation directe de la valvule permet aussi de localiser le thrombus et de le retirer, de voir les calcifications et, si la valvule a des cordages ou des muscles papillaires, de les réparer chirurgicalement (voir, ci-dessous, « Chordoplastie »).

Annuloplastie

L'**annuloplastie** consiste à réparer l'anneau de la valvule (en joignant les feuillets de la valvule et de la paroi du myocarde). L'anesthésie générale et la dérivation cardiopulmonaire sont indispensables dans toutes les annuloplasties. L'intervention vise à rétrécir le diamètre de l'orifice de la valvule et à traiter les régurgitations valvulaires.

Il existe deux techniques d'annuloplastie. Dans la première, on suture les feuillets de la valvule à un anneau d'annuloplastie (figure 31-4 ■), ce qui permet de donner la taille désirée à l'anneau de la valvule. Lorsque l'anneau d'annuloplastie est en place, la pression créée par la circulation sanguine et la contraction du cœur s'exerce sur cet anneau plutôt que sur la valvule ou sur une ligne de suture : la réparation empêche la régurgitation progressive de se produire. La seconde technique consiste à agrafer les feuillets de la valvule à l'oreillette au moyen de points de suture ou à effectuer des plis pour resserrer l'anneau de la valvule. Comme les feuillets de la valvule et les lignes de suture sont soumis directement aux pressions exercées par la circulation sanguine et les battements cardiaques, la réparation peut être endommagée plus rapidement qu'avec la première technique.

Réparation de feuillet

L'étirement, le raccourcissement ou la rupture des feuillets de la valvule cardiaque peuvent endommager ceux-ci. La **réparation de feuillet**, à la suite d'une élongation, d'un ballonnement ou d'un autre type d'excédent tissulaire, consiste à enlever le tissu excédentaire. Le tissu étiré peut être replié sur lui-même (rentré) et suturé (plicature du feuillet). On peut couper un coin du tissu à partir du milieu du feuillet et suturer l'ensemble des parties ainsi formées (résection du feuillet), comme on le voit à la figure 31-5 ■. Pour réparer les feuillets courts, on procède souvent à une chordoplastie. Une fois que les cordages courts ont été libérés, les feuillets se déploient et peuvent reprendre leur fonction normale de fermeture de la valvule durant la systole. Pour allonger le feuillet, on peut également suturer un morceau du péricarde. Pour réparer les trous dans les feuillets, on peut se servir d'une pièce péricardique.

Chordoplastie

La **chordoplastie** consiste à réparer les cordages tendineux. On utilise la chordoplastie pour la valvule mitrale (car elle est munie de cordages tendineux), et rarement pour la

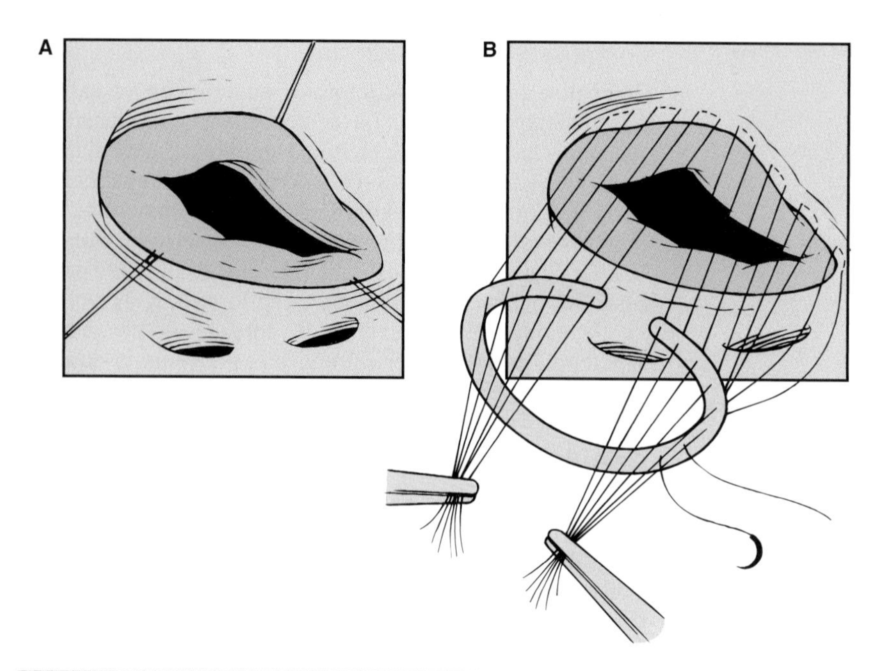

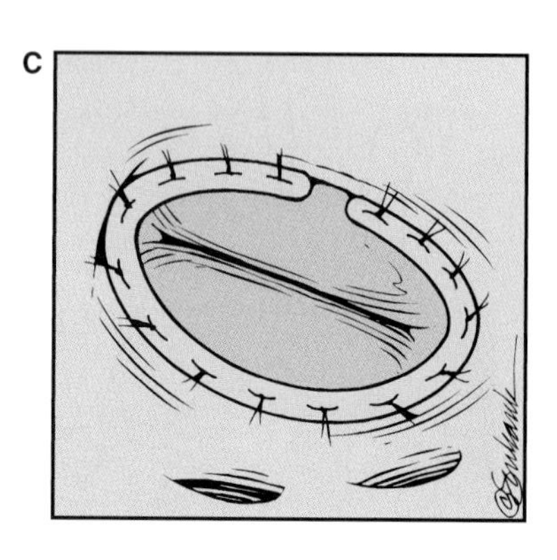

FIGURE 31-4 ■ Insertion d'un anneau d'annuloplastie. **(A)** Régurgitation de la valvule mitrale ; les feuillets ne se ferment pas complètement. **(B)** Insertion d'un anneau d'annuloplastie. **(C)** Valvuloplastie terminée ; les feuillets se ferment.

valvule triscupide. La régurgitation peut être causée par l'étirement, la rupture ou le raccourcissement des cordages tendineux. On peut raccourcir les cordages tendineux étirés, rattacher au feuillet ceux qui sont déchirés et allonger ceux qui sont trop courts. La régurgitation peut également être causée par des muscles papillaires étirés, qui peuvent être raccourcis.

Remplacement de valvule

On a commencé à effectuer cette intervention dans les années 1960. Lorsque la valvuloplastie ou la réparation de la valvule n'est pas une solution viable, par exemple quand l'anneau ou les feuillets de la valvule sont immobilisés par des calcifications, on remplace la valvule par une prothèse valvulaire. Toutes les prothèses valvulaires sont installées sous anesthésie générale et au moyen d'une dérivation cardio-pulmonaire. Même si on peut accéder à la valvule mitrale en pratiquant une incision thoracotomique droite, on effectue la plupart des interventions par sternotomie médiane (en pratiquant une incision dans le sternum).

Après avoir visualisé la valvule, on enlève les feuillets et les autres structures, telles que les cordages et les muscles papillaires. Certains chirurgiens laissent en place le feuillet de la valvule mitrale postérieure, ses cordages et les muscles papillaires : l'objectif est d'aider le ventricule gauche à conserver sa forme et sa fonction une fois la valvule mitrale remplacée. Les sutures sont installées autour de l'anneau, puis dans la prothèse valvulaire. On fait glisser la prothèse valvulaire sous les sutures, puis on la maintient en place (figure 31-6 ■). On ferme l'incision. Le chirurgien évalue

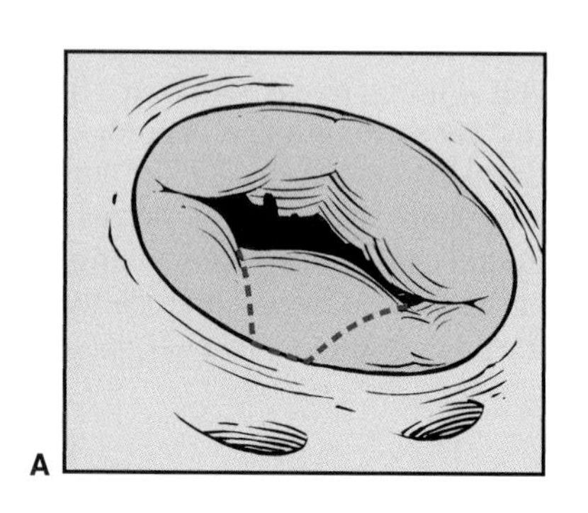

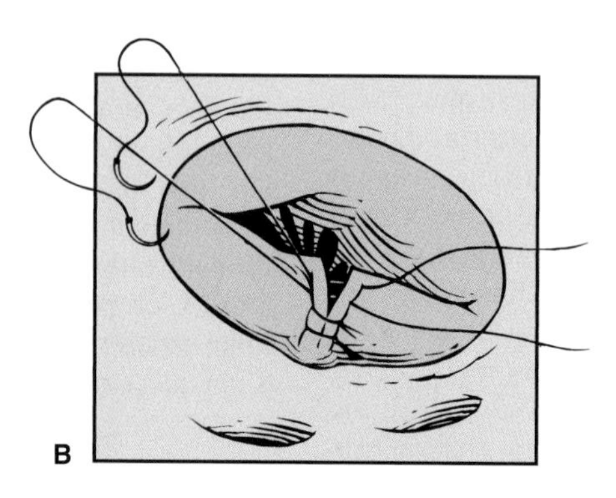

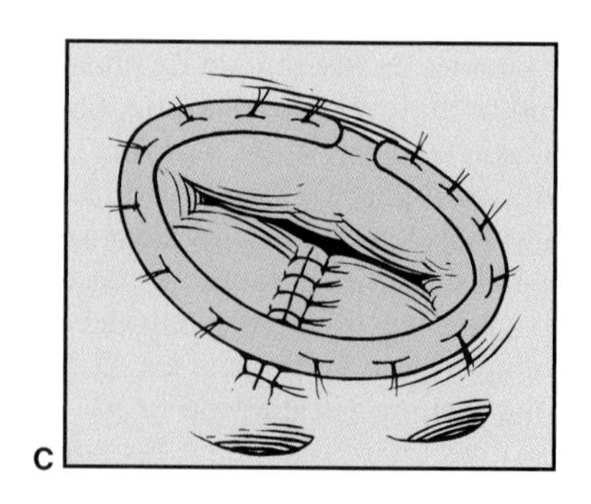

FIGURE 31-5 ■ Résection du feuillet de la valvule et réparation au moyen d'un anneau d'annuloplastie. **(A)** Régurgitation de la valvule mitrale ; la section indiquée par des pointillés est excisée. **(B)** Affrontement des bords et suture. **(C)** La valvuloplastie est terminée, le feuillet est réparé et l'anneau d'annuloplastie est installé.

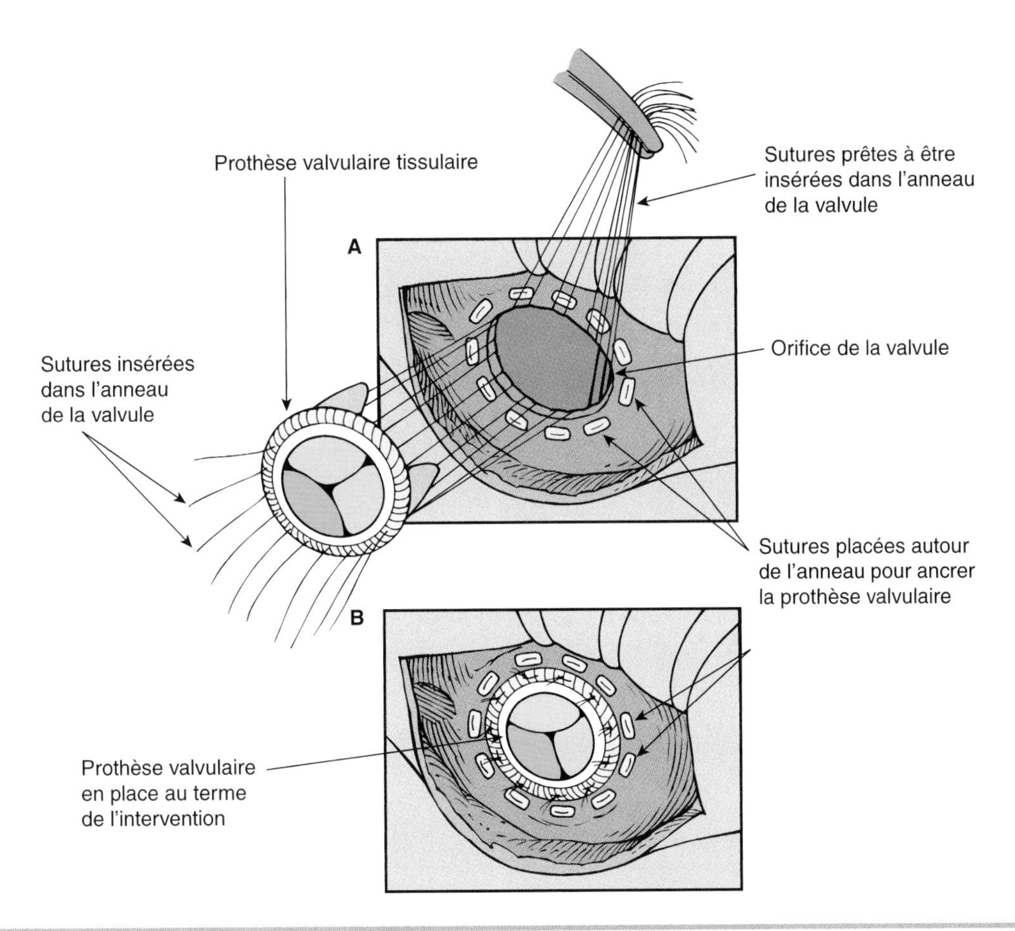

FIGURE 31-6 ■ Remplacement de la valvule. **(A)** La valvule d'origine est excisée et la prothèse valvulaire est suturée à sa place. **(B)** Lorsque toutes les sutures sont placées autour de l'anneau, le chirurgien glisse la prothèse valvulaire sous les sutures dans l'orifice naturel. Les sutures sont ensuite attachées et coupées.

ensuite la fonction du cœur et la qualité de la réparation prothétique. On sèvre la personne de la dérivation cardiopulmonaire et on termine l'intervention.

Avant l'intervention, le cœur s'était graduellement adapté à la pathologie, et c'est de façon abrupte que la circulation sanguine dans le cœur est «corrigée» grâce à l'intervention. Les complications propres à l'implantation d'une prothèse valvulaire sont donc reliées aux changements subits de pressions artérielles intracardiaques. Tous les remplacements de valvule par des prothèses valvulaires entraînent une sténose lorsque ces dernières sont implantées dans le cœur. Généralement, la sténose est bénigne et n'influe pas sur la fonction cardiaque. Si le remplacement de la valvule est destiné à corriger la sténose, il y a souvent une amélioration de la circulation sanguine dans le cœur; les signes et symptômes d'insuffisance cardiaque se résorbent quelques heures ou quelques jours après l'opération. Si le remplacement de la valvule est destiné à mettre fin à une régurgitation valvulaire, il se peut que la chambre dans laquelle le sang refluait mette des mois à retrouver sa fonction optimale; les signes et symptômes d'insuffisance cardiaque se résorbent graduellement, à mesure que la fonction cardiaque s'améliore. Après l'opération, la personne court un risque élevé de nombreuses complications: par exemple hémorragie, thromboembolie, infection, insuffisance cardiaque congestive, hypertension, arythmies, hémolyse ou obstruction mécanique de la valvule.

Types de prothèses valvulaires

On peut utiliser deux types de prothèses valvulaires: les valvules tissulaires (c'est-à-dire biologiques) ou les valvules mécaniques (figure 31-7 ■).

Valvules mécaniques

Les valvules mécaniques ressemblent à une cage à billes ou à un disque. On pense que les valvules mécaniques durent plus longtemps que les prothèses valvulaires tissulaires. Elles sont souvent utilisées pour les personnes plus jeunes. On recourt à des valvules mécaniques lorsqu'une personne atteinte d'insuffisance rénale, d'hypercalcémie, d'endocardite ou de septicémie a besoin d'un remplacement de valvule. Les valvules mécaniques ne se détériorent pas et ne s'infectent pas aussi facilement que les valvules tissulaires utilisées chez les personnes atteintes de ces affections. La thromboembolie est une complication importante associée aux valvules mécaniques; dans ce cas, il est nécessaire d'administrer une anticoagulothérapie à long terme à base de warfarine (Coumadin).

Valvules tissulaires, ou biologiques

Les valvules tissulaires (ou biologiques) sont de trois types: xénogreffes, homogreffes et autogreffes. Les valvules tissulaires sont moins susceptibles que les valvules mécaniques

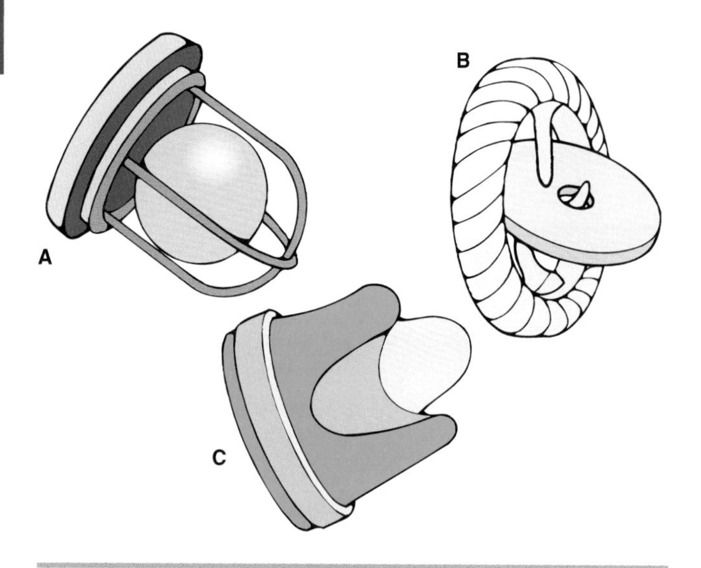

FIGURE 31-7 ■ Valvules tissulaires et mécaniques courantes. **(A)** Valvule (mécanique) du type cage à billes (Starr-Edwards). **(B)** Valvule (mécanique) du type disque à inclinaison (Medtronic-Hall). **(C)** Valvule (tissulaire) hétérogreffe porcine (Carpenter-Edwards).

d'engendrer une thromboembolie : une anticoagulothérapie à long terme n'est donc pas nécessaire. Les valvules tissulaires ne durent pas aussi longtemps que les valvules mécaniques et elles doivent être remplacées plus souvent.

Xénogreffes Les **xénogreffes** sont des valvules tissulaires (par exemple bioprothèses ou **hétérogreffes**) ; la plupart sont fabriquées à partir de cochons (xénogreffes porcines), mais on peut également se servir de valvules de vaches. Les xénogreffes durent de 7 à 10 ans, n'engendrent pas de thrombus, ce qui dispense de recourir à de l'anticoagulation à long terme. On utilise les xénogreffes chez les femmes en âge de procréer, car ces valvules tissulaires ne présentent pas de risques de complications de l'anticoagulation à long terme reliées aux menstruations, au transfert placentaire au fœtus et à l'accouchement. On les utilise également chez les personnes âgées de plus de 70 ans, chez les personnes qui ont des antécédents d'ulcère gastroduodénal et chez celles qui ne peuvent tolérer l'anticoagulation à long terme. On utilise les xénogreffes dans tous les remplacements de valvules triscupides.

Homogreffes Les **homogreffes** ou allogreffes (valvules humaines) sont obtenues à partir de dons tissulaires provenant de cadavres. La valvule aortique et une partie de l'aorte sont prélevées et conservées grâce à des techniques de cryogénisation. On ne dispose pas toujours d'homogreffes, et elles coûtent très cher. Elles durent de 10 à 15 ans environ, soit un peu plus longtemps que les xénogreffes. Les homogreffes ne sont pas thrombogènes et résistent à l'endocardite. On les utilise pour remplacer les valvules aortiques et pulmonaires.

Autogreffes On obtient les autogreffes (valvules autologues) en excisant la valvule pulmonaire et une partie de l'artère pulmonaire, qu'on utilise ensuite comme valvule aortique. Il n'est pas nécessaire de recourir à l'anticoagulation : la valvule provient du tissu de la personne et n'est pas thrombogène. L'autogreffe est réservée aux enfants (elle grandit à mesure que l'enfant grandit), aux femmes en âge de procréer, aux jeunes adultes, aux personnes qui ont souffert d'un ulcère gastroduodénal et à celles qui ne peuvent pas tolérer l'anticoagulation. Les autogreffes aortiques durent plus de 20 ans.

Dans la plupart des cas, lorsqu'on effectue une autogreffe aortique, on effectue également une homogreffe pour remplacer la valvule pulmonaire (double chirurgie valvulaire). Lorsque les pressions vasculaires pulmonaires de la personne sont normales, certains chirurgiens décident de ne pas remplacer la valvule pulmonaire. La personne peut en effet se rétablir sans avoir de valvule entre le ventricule droit et l'artère pulmonaire.

Soins et traitements infirmiers

Les personnes qui ont subi une valvuloplastie ou le remplacement d'une valvule sont admises aux soins intensifs où l'on se concentre sur le rétablissement des suites de l'anesthésie et sur la stabilité hémodynamique. On évalue les signes vitaux toutes les 5 à 15 minutes, ou au besoin jusqu'à ce que la personne se rétablisse de l'anesthésie, puis toutes les 2 à 4 heures, ou au besoin. On administre des médicaments intraveineux dans le but de hausser ou d'abaisser la pression artérielle et de traiter les arythmies ou les fréquences cardiaques altérées ; on en surveille les effets et on diminue graduellement les doses, jusqu'à ce qu'ils ne soient plus indispensables ou que la personne prenne les médicaments nécessaires par une autre voie (par exemple orale ou topique). On effectue un examen clinique toutes les 1 à 4 heures, en portant une attention particulière aux systèmes neurologique, respiratoire et cardiovasculaire (chapitre 32 ⊂⊃, Plan thérapeutique infirmier 32-2).

Une fois que la personne s'est rétablie de l'anesthésie, que son hémodynamie est stable sans médicaments intraveineux et que les valeurs de l'examen clinique sont constantes, on la transfère généralement dans une unité de télémétrie dans les 24 à 72 heures suivant l'intervention. Les soins et traitements infirmiers se poursuivent pour toutes les personnes en phase postopératoire ; on effectue les soins de la plaie, le parage notamment, et on fournit de l'enseignement à propos du régime alimentaire, de l'activité, des médicaments et des autosoins.

L'infirmière explique à la personne en quoi consiste l'anticoagulothérapie à long terme, en soulignant que celle-ci comprend des rendez-vous de suivi et des examens sériques fréquents ; elle lui donne également un enseignement sur les médicaments qui lui sont prescrits : nom du médicament, posologie, effets, horaire, effets indésirables possibles et toute interaction avec d'autres médicaments ou aliments. On doit également apprendre aux personnes porteuses d'une prothèse valvulaire mécanique que l'antibiothérapie préventive, prescrite avant toute intervention dentaire ou chirurgicale, est indispensable afin de prévenir l'endocardite bactérienne. Les personnes quittent l'hôpital de 3 à 7 jours après l'intervention. Durant les 4 à 8 premières semaines suivant l'intervention, l'infirmière à domicile ou l'infirmière clinicienne consolide avec la personne et sa famille toute nouvelle information et toute instruction portant sur les autosoins.

Réparation septale

Le septum auriculaire et le septum ventriculaire peuvent avoir une ouverture anormale entre les côtés droit et gauche du cœur (communications interauriculaire, ou CIA, et interventriculaire, ou CIV). Bien que la plupart de ces communications soient d'origine congénitale et soient réparées durant la petite enfance et l'enfance, il arrive que ces défauts n'aient pas été corrigés ou que des défauts septaux apparaissent chez l'adulte, à la suite d'un infarctus du myocarde ou d'interventions diagnostiques et de traitements.

La réparation des communications septales se fait sous anesthésie générale et dérivation cardiopulmonaire. On ouvre le cœur et on ferme l'ouverture du septum à l'aide d'une pièce péricardique ou synthétique (généralement en polyester ou en dacron). Le taux de morbidité et de mortalité associé aux réparations de défaut septal auriculaire est bas. L'intervention est plus compliquée lorsque la valvule mitrale ou la valvule triscupide est en cause: il peut en effet être nécessaire de réparer ou de remplacer la valvule, et l'insuffisance cardiaque peut être plus grave. En général, les réparations ventriculaires septales ne sont pas compliquées, mais elles peuvent être plus complexes si le défaut septal est situé à proximité du système de conduction intraventriculaire et des valvules (chapitre 32, Plan thérapeutique infirmier 32-2).

Cardiomyopathies

La **cardiomyopathie** est une maladie qui affecte la structure et le fonctionnement du muscle cardiaque. On classe les cardiomyopathies selon les anomalies structurales et fonctionnelles du myocarde: cardiomyopathie dilatée (CMP), cardiomyopathie hypertrophique (CMH), cardiomyopathie restrictive ou constrictive, cardiomyopathie arythmogénique du ventricule droit et cardiomyopathies non classées (Richardson *et al.*, 1996). On utilise souvent l'expression *cardiomyopathie ischémique* pour désigner l'hypertrophie ou la dilatation du cœur causée par une coronaropathie, qui s'accompagne généralement d'insuffisance cardiaque (chapitre 32). Quelle que soit la catégorie à laquelle elle appartient et quelle qu'en soit la cause, la cardiomyopathie peut mener à une insuffisance cardiaque grave, à des arythmies létales et à la mort. La cardiomyopathie entraîne la mort de 27 000 personnes chaque année en Amérique du Nord (American Heart Association, 2001). Le taux de mortalité est plus élevé chez les Noirs et les personnes âgées (American Heart Association, 2001).

Physiopathologie

La physiopathologie de toutes les cardiomyopathies consiste en une série d'événements progressifs qui aboutissent à l'altération du débit cardiaque. La diminution du débit systolique stimule le système nerveux sympathique et la réponse du système rénine-angiotensine-aldostérone, provoquant une augmentation de la résistance vasculaire systémique et une augmentation de la rétention sodique et liquidienne, ce qui accroît la charge de travail du cœur. Ces altérations peuvent mener à une insuffisance cardiaque (chapitre 32).

Cardiomyopathie dilatée

La cardiomyopathie dilatée est la forme la plus fréquente de cardiomyopathie: son incidence est de 5 à 8 cas pour 100 000 individus par année et elle est en augmentation (Braunwald *et al.*, 2001). La cardiomyopathie dilatée touche plus souvent les hommes et les Noirs, chez qui on constate également un taux de mortalité plus élevé (Braunwald *et al.*, 2001). Elle se caractérise par une dilatation importante des ventricules (figure 31-8 ■), sans hypertrophie concomitante (sans augmentation de l'épaisseur de la paroi musculaire) notable ni dysfonction systolique. Une personne peut être atteinte de cardiomyopathie dilatée, autrefois appelée *cardiomyopathie congestive*, sans présenter de signes ou de symptômes de congestion.

L'examen microscopique du tissu myocardique révèle une diminution de la fibre contractile et une nécrose diffuse des cellules myocardiques, d'où une mauvaise fonction systolique. Ces changements structuraux entraînent une diminution du volume sanguin éjecté par le ventricule durant la systole, ce qui accroît le volume sanguin résiduel après la contraction. Moins de sang peut donc entrer dans le ventricule durant la diastole, ce qui fait augmenter la pression télédiastolique (en fin de diastole) et entraîne un accroissement des pressions pulmonaires. La dysfonction valvulaire peut provenir d'un étirement du ventricule, qui se traduit généralement par de la régurgitation. Des événements emboliques causés par des thrombi ventriculaires et auriculaires résultant de la mauvaise circulation sanguine dans le ventricule peuvent également se produire. Plus de 75 états et maladies peuvent entraîner de la cardiomyopathie dilatée, notamment la grossesse, l'alcoolisme

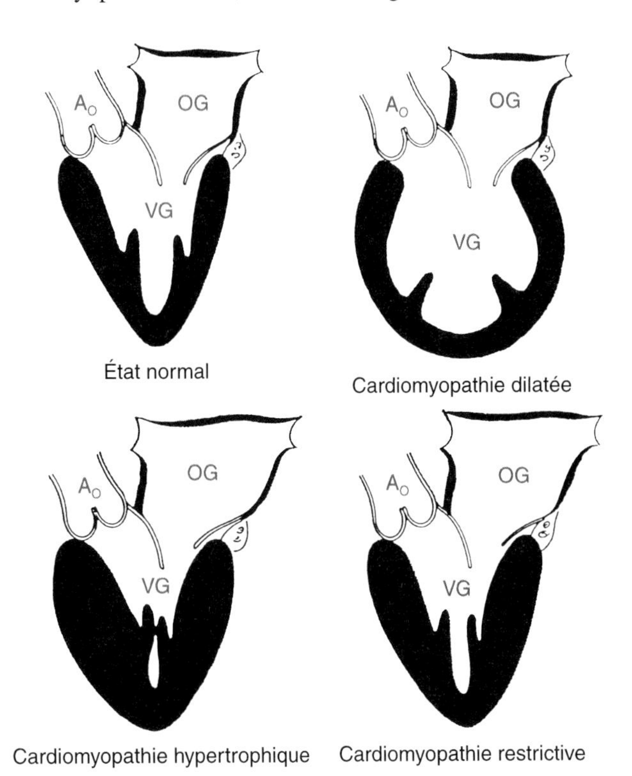

FIGURE 31-8 ■ Cardiomyopathies menant à une insuffisance cardiaque congestive. Ao, aorte; OG, oreillette gauche; VG, ventricule gauche. SOURCE: E. Braunwald *et al.* (dir.) (2001). *Heart Disease: A Textbook of cardiovascular medicine* (6e éd.). Philadephie: W.B. Saunders.

et une infection virale (par exemple la grippe). Lorsqu'on ne peut pas déterminer le facteur causal, on parle de cardiomyopathie dilatée *idiopathique*. Les cardiomyopathies dilatées *idiopathiques* représentent environ 25 % de tous les cas d'insuffisance cardiaque (Braunwald *et al.*, 2001). Un diagnostic et un traitement précoces aident à prévenir ou à freiner l'apparition des symptômes marqués ou la mort subite par suite d'une cardiomyopathie dilatée. L'échocardiographie et l'ECG sont utilisés pour diagnostiquer la cardiomyopathie dilatée et doivent être effectués chez tous les parents au premier degré des personnes atteintes (Braunwald *et al.*, 2001).

Cardiomyopathie hypertrophique

La cardiomyopathie hypertrophique provoque une augmentation du poids et de la taille du muscle cardiaque, en particulier au niveau du septum interventriculaire (figure 31-8 ■). L'augmentation de l'épaisseur du myocarde réduisant la taille des cavités du ventricule, les ventricules mettent plus de temps à se relâcher et il leur est plus difficile de se remplir de sang durant la première partie de la diastole, ce qui les rend plus tributaires de la contraction auriculaire de remplissage. L'augmentation de la taille du septum peut désaligner les muscles papillaires, de sorte que le septum et la valvule mitrale obstruent la circulation sanguine du ventricule gauche dans l'aorte durant la contraction ventriculaire. La cardiomyopathie hypertrophique peut donc être obstructive ou non obstructive. En raison des changements structuraux qui l'accompagnent, la cardiomyopathie hypertrophique a également été appelée cardiomyopathie obstructive hypertrophique ou hypertrophie septale asymétrique. Les changements structuraux peuvent également se traduire par une cavité ventriculaire plus petite que la normale et une vélocité plus élevée de la circulation sanguine hors du ventricule gauche dans l'aorte, qu'on peut détecter par échocardiographie (Braunwald *et al.*, 2001). La cardiomyopathie hypertrophique peut entraîner une importante dysfonction diastolique, mais la fonction systolique peut être normale ou élevée, ce qui se traduit par une fraction d'éjection plus grande que la normale.

Comme la cardiomyopathie hypertrophique est une maladie génétique, on doit observer de près les membres de la famille afin de détecter tout signe ou symptôme indiquant l'apparition de la maladie (Fuster *et al.*, 2001). La cardiomyopathie hypertrophique est rare; elle touche tout autant les hommes que les femmes et les enfants, chez qui elle est souvent détectée à la puberté (Oakley, 1997); on estime que son taux de prévalence est compris entre 0,05 et 0,2 % (Berul et Zevitz, 2002). Elle peut aussi être idiopathique (sans cause connue).

Cardiomyopathie restrictive

La cardiomyopathie restrictive se caractérise par une dysfonction diastolique causée par la rigidité des parois du ventricule; celle-ci nuit à l'étirement ventriculaire et gêne le remplissage diastolique (figure 31-8). La fonction systolique est généralement normale. La cardiomyopathie restrictive représente environ 5 % des cardiomyopathies pédiatriques. C'est la cardiomyopathie le moins commune et celle dont la pathogenèse est le moins bien comprise (Shaddy, 2001). La cardiomyopathie restrictive peut être associée à l'amylose (affection dans laquelle l'amylose, une substance protéinique, se dépose dans les cellules) et à d'autres maladies infiltrantes similaires. Cependant, dans la plupart des cas, la cardiomyopathie restrictive est idiopathique (sans cause connue).

Cardiomyopathie arythmogénique du ventricule droit

La cardiomyopathie arythmogénique du ventricule droit s'installe lorsque le myocarde du ventricule droit est progressivement infiltré et remplacé par du tissu cicatriciel et adipeux. Au début, seules des régions restreintes du ventricule droit sont touchées mais, à mesure que la maladie progresse, elle s'attaque à toute la région du cœur. Le ventricule droit se dilate, la contractilité s'affaiblit et des anomalies apparaissent dans la paroi du ventricule droit, ainsi que de l'arythmie. On ne sait pas quelle est la prévalence de la cardiomyopathie arythmogénique du ventricule droit, car de nombreux cas ne sont pas détectés. On doit penser à une cardiomyopathie arythmogénique du ventricule droit chez les personnes atteintes de tachycardie ventriculaire provenant du ventricule droit (une configuration de bloc du faisceau gauche sur l'ECG) ou dans les cas de mort subite, surtout chez les athlètes auparavant asymptomatiques (McRae *et al.*, 2001). La maladie peut être génétique, c'est-à-dire autosomique dominante (Richardson *et al.*, 1996). On doit surveiller les membres de la famille afin de détecter tout signe ou symptôme de la maladie au moyen d'un ECG à 12 dérivations, d'un moniteur Holter et d'une échocardiographie.

Cardiomyopathies non classées

Les cardiomyopathies non classées diffèrent des cardiomyopathies décrites précédemment ou présentent des caractéristiques de plus d'une de ces cardiomyopathies. Voici quelques exemples de cardiomyopathies non classées: fibroélastose, myocarde non compacté, dysfonction systolique avec dilatation minimale et atteinte mitochondriale (Richardson *et al.*, 1996).

Manifestations cliniques

La personne peut souffrir de cardiomyopathie tout en demeurant stable et asymptomatique pendant des années. Les symptômes évoluent à mesure que la maladie progresse. Souvent, lorsque la personne présente des signes et symptômes d'insuffisance cardiaque (par exemple dyspnée d'effort, fatigabilité), on diagnostique d'abord une cardiomyopathie dilatée et restrictive. Les personnes atteintes de cardiomyopathie peuvent également se plaindre de dyspnée nocturne paroxystique (surtout à l'effort) et d'orthopnée, symptômes qui peuvent amener à diagnostiquer à tort une bronchite ou une pneumonie. Les autres symptômes sont notamment les suivants: rétention liquidienne, œdème périphérique et nausées causées par une mauvaise irrigation du système gastro-intestinal. La personne peut ressentir une douleur thoracique, des palpitations, des étourdissements, des nausées et des évanouissements à l'effort. Cependant, dans les cas de cardiomyopathie hypertrophique, l'arrêt cardiaque (mort subite) peut être la première manifestation de l'affection chez les personnes jeunes, notamment chez les athlètes (Spirito *et al.*, 2000).

Examen clinique et examens paracliniques

Au premier stade de la maladie, l'examen physique peut révéler une tachycardie et des bruits cardiaques anormaux. À mesure que la maladie progresse, l'examen révèle également des signes et symptômes d'insuffisance cardiaque (par exemple craquements à l'auscultation pulmonaire, distension de la veine jugulaire, œdème qui prend le godet dans les parties déclives du corps, hépatomégalie).

On établit généralement le diagnostic en se fondant sur les données de l'anamnèse et en écartant les autres causes d'insuffisance cardiaque telles que l'infarctus du myocarde. L'un des outils diagnostiques les plus utiles est l'échocardiogramme : il permet en effet d'observer facilement la structure et la fonction des ventricules. L'ECG permet de constater les arythmies et les changements compatibles avec l'hypertrophie du ventricule gauche. Les radiographies thoraciques indiquent une augmentation du volume du cœur et, éventuellement, une congestion pulmonaire. On recourt parfois au cathétérisme cardiaque afin de s'assurer que le facteur causal n'est pas une coronaropathie. On peut effectuer une biopsie endomyocardique pour analyser les cellules tissulaires du myocarde.

Traitement médical

Les objectifs du traitement médical sont les suivants : déterminer et traiter les causes sous-jacentes possibles ou précipitantes ; corriger l'insuffisance cardiaque grâce à l'administration de médicaments, à un régime pauvre en sodium et à un programme alliant périodes d'exercice et de repos (chapitre 32); et maîtriser les arythmies à l'aide de médicaments antiarythmiques et, éventuellement, d'un dispositif électronique tel qu'un défibrillateur interne (chapitre 29). Si la personne présente des signes et symptômes de congestion, on peut limiter la prise de liquide à 2 L par jour. L'activité physique de toute personne souffrant de cardiomyopathie hypertrophique doit aussi être limitée de manière à éviter des arythmies qui mettraient sa vie en danger. On peut implanter un stimulateur cardiaque pour modifier la stimulation électrique du muscle et prévenir les contractions hyperdynamiques forcées qui se produisent en présence de cardiomyopathie hypertrophique.

Traitement chirurgical

On envisage une intervention chirurgicale, notamment une transplantation cardiaque, lorsque l'insuffisance cardiaque progresse et que le traitement médical ne suffit plus. Cependant, en raison du nombre limité de dons d'organes, nombre de personnes en attente d'une transplantation meurent sans avoir été opérées. Dans certains cas, on implante à la personne un dispositif d'assistance ventriculaire gauche afin de soutenir le cœur défaillant jusqu'à ce qu'on ait trouvé un donneur compatible (voir, ci-dessous, la section « Dispositifs d'assistance mécanique et cœurs artificiels totaux »).

Chirurgie de la chambre de chasse du ventricule gauche Cette intervention est envisagée lorsqu'une personne atteinte de cardiomyopathie hypertrophique présente des symptômes en dépit du traitement médical et qu'on note une différence de pression de 50 mm Hg ou plus entre le ventricule gauche et l'aorte. L'intervention la plus courante est la myectomie (parfois appelée myotomie-myectomie), qui consiste à exciser une portion du tissu cardiaque. On retire du septum hypertrophié une portion de tissu d'environ 1 cm sur 1 cm, sous la valvule aortique. La longueur de tissu réséquée dépend du degré d'obstruction causée par le muscle hypertrophié.

Au lieu de pratiquer une myectomie, le chirurgien peut aussi ouvrir la chambre de chasse du ventricule gauche jusqu'à la valvule aortique en enlevant la valvule mitrale, les cordages et les muscles papillaires. Il remplace ensuite la valvule mitrale par une valvule à disque à profil bas. La prothèse valvulaire occupe un espace considérablement plus petit que celui qu'occupaient la valvule mitrale, les cordages et les muscles papillaires, ce qui permet au sang de circuler autour du septum élargi jusqu'à la valvule aortique dans la région que la valvule mitrale occupait auparavant. L'arythmie est la première complication de ces deux types d'interventions. D'autres complications postchirurgicales peuvent survenir : douleur, inefficacité de la clairance des voies respiratoires, thrombose veineuse profonde, risque d'infection et rétablissement postchirurgical différé.

Transplantation cardiaque La première transplantation cardiaque d'humain à humain a eu lieu en 1967. Depuis, on a continué à améliorer les interventions de transplantation, ainsi que l'équipement et les médicaments utilisés. Depuis 1983, année où la cyclosporine a été introduite sur le marché, la transplantation cardiaque est devenue une option thérapeutique pour les personnes souffrant de cardiopathie en phase terminale. La cyclosporine (Néoral, Sandimmune) est un immunodépresseur qui diminue nettement le rejet par le corps des protéines étrangères (par exemple organes transplantés). Malheureusement, la cyclosporine diminue également la capacité de résistance aux infections. On doit donc trouver un équilibre satisfaisant entre ces deux objectifs : empêcher le rejet et prévenir les infections.

Les affections les plus communes pour lesquelles une transplantation est indiquée sont les cardiomyopathies, les cardiopathies ischémiques, les valvulopathies, le rejet d'un cœur transplanté auparavant et les cardiopathies congénitales (Becker et Petlin, 1999 ; Rourke *et al.*, 1999). Le candidat type à la transplantation présente des symptômes graves et sur lesquels les médicaments n'ont plus d'effets, il ne peut bénéficier d'aucune autre option chirurgicale et a, selon le pronostic, une espérance de vie de moins de 12 mois. Avant de recommander la transplantation, une équipe multidisciplinaire passe au crible le candidat en tenant compte de l'âge de la personne, de son état pulmonaire, de ses problèmes chroniques de santé, de son profil psychosocial, de son soutien familial, de ses infections, des autres transplantations reçues, de sa compatibilité et de son état de santé général.

Lorsqu'on trouve un donneur, un ordinateur produit la liste des receveurs potentiels en se fondant sur la compatibilité des groupes sanguins (système ABO), sur la taille du donneur et du receveur potentiel et sur la localisation du donneur et du receveur potentiel. La distance est une variable dont on doit tenir compte : pour qu'il fonctionne après l'intervention, le cœur doit être implanté dans les 6 heures suivant son prélèvement sur le donneur. Certaines personnes sont candidates à la transplantation de plus d'un organe : cœur-poumons, cœur-pancréas, cœur-reins, cœur-foie.

Techniques de transplantation La **transplantation orthotopique** est la forme de transplantation cardiaque la plus courante (figure 31-9 ■). On enlève le cœur du receveur, puis on implante celui du donneur au niveau de la veine cave et des veines pulmonaires. Certains chirurgiens préfèrent retirer le cœur du receveur tout en laissant en place une partie de l'oreillette ainsi que la veine cave et les veines pulmonaires. Le cœur du donneur est généralement préservé dans la glace. Avant de l'implanter, on le prépare en coupant une petite section de l'oreillette correspondant aux sections du cœur du receveur demeurées en place. On implante le cœur du donneur en suturant l'oreillette du donneur au tissu auriculaire résiduel du cœur du receveur. Quelle que soit la technique utilisée, on branche ensuite l'artère pulmonaire et l'aorte du cœur du receveur à celles du cœur du donneur.

La **transplantation hétérotopique** est moins fréquente (figure 31-10 ■). Le cœur du donneur est placé à la droite du cœur du receveur, dans une position légèrement antérieure à ce dernier; le cœur du receveur n'est pas enlevé. À l'origine, on pensait que le cœur du receveur protégerait la personne dans l'éventualité où le cœur transplanté serait rejeté. Bien que cet effet protecteur n'ait pas été démontré, on a trouvé d'autres raisons de ne pas enlever le cœur du receveur : le donneur est de petite taille ou le receveur présente une hypertension pulmonaire (Becker et Petlin, 1999 ; Kadner *et al.*, 2000).

Aucune connexion nerveuse ne relie le cœur transplanté au receveur (le cœur est dénervé), et les nerfs sympathiques et vagues n'affectent pas le cœur transplanté. La fréquence au repos du cœur transplanté est de 70 à 90 battements environ par minute, mais elle s'accélère graduellement s'il y a des catécholamines dans la circulation. Les personnes doivent augmenter ou diminuer graduellement l'intensité de l'exercice (périodes plus longues de réchauffement et de récupération) : de 20 à 30 minutes peuvent en effet être nécessaires pour atteindre la fréquence cardiaque désirée. L'atropine ne fait pas augmenter la fréquence cardiaque de ces personnes.

Évolution postopératoire Les personnes ayant subi une transplantation cardiaque doivent constamment préserver l'équilibre entre le risque de rejet et le risque d'infection. Elles doivent se soumettre à un régime alimentaire complexe, prendre des médicaments, se conformer à un programme d'activités, passer des examens paracliniques de suivi, subir des biopsies (destinées à diagnostiquer un rejet) et respecter les rendez-vous qui leur sont fixés. Afin de réduire le risque de rejet, on leur prescrit le plus souvent de la cyclosporine ou du tacrolimus (Prograf), de l'azathioprine (Imuran) ou du mofétil mycophénolate (CellCept) et des corticostéroïdes (par exemple prednisone).

Outre le rejet et l'infection, les complications possibles comprennent l'athérosclérose accélérée des artères coronaires (vasculopathie allogreffe cardiaque ou athérosclérose accélérée du greffon). Bien que la cause de cette maladie soit inconnue, on croit qu'elle est à médiation immunologique (Augustine, 2000; Rourke *et al.*, 1999). Les personnes qui prennent de la cyclosporine ou du tacrolimus peuvent faire de l'hypertension, mais on en ignore la cause. L'ostéoporose est un autre effet indésirable fréquent des médicaments antirejet, de l'insuffisance diététique ainsi que des médicaments administrés avant la transplantation. Les maladies qui se manifestent le plus couramment après la transplantation sont le syndrome lymphoprolifératif post-transplantation et le cancer de la peau et des lèvres, probablement à cause de l'immunosuppression. Les corticostéroïdes et les autres immunosuppresseurs peuvent entraîner un gain de poids, de

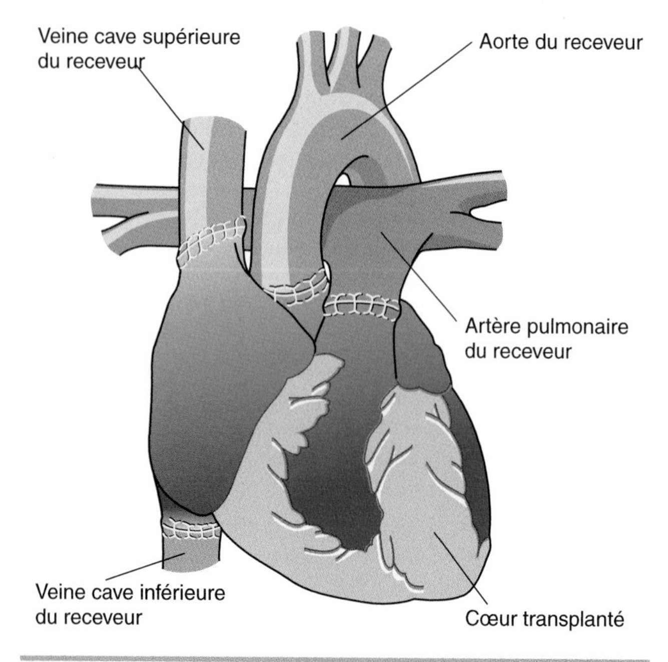

FIGURE 31-9 ■ Méthode orthotopique de transplantation cardiaque.

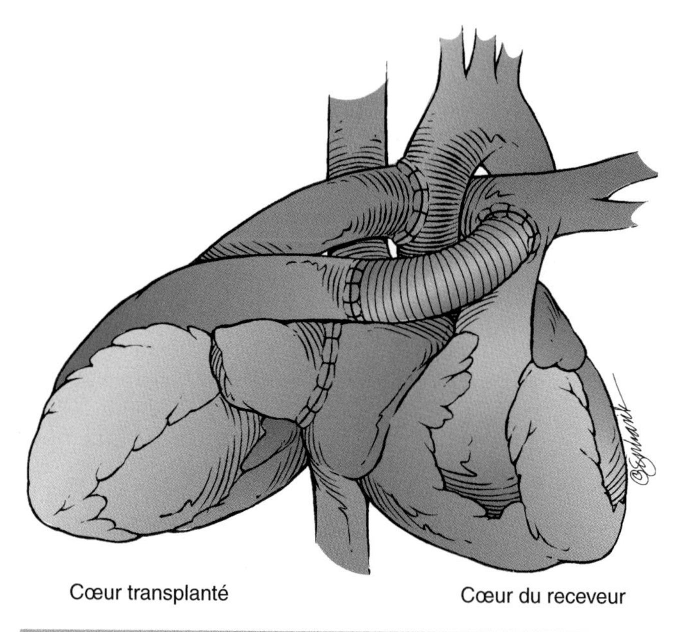

FIGURE 31-10 ■ Méthode hétérotopique de transplantation cardiaque.

l'obésité, du diabète, de la dyslipidémie (par exemple de l'hypercholestérolémie), de l'hypotension, de l'insuffisance rénale et des perturbations du système nerveux central, du système respiratoire et du système gastro-intestinal. Les autres complications possibles sont des toxicités associées aux médicaments immunodépresseurs et une réaction au stress psychosocial entraîné par la transplantation d'organe. Les personnes peuvent se sentir coupables à l'idée que quelqu'un soit mort pour qu'elles puissent vivre, éprouver de l'anxiété à propos de leur nouveau cœur, être dépressives ou effrayées lorsqu'on découvre le rejet ou avoir des difficultés à composer avec les changements de rôle familial qui surviennent avant et après la transplantation (Augustine, 2000; Becker et Petlin, 1999; Braunwald *et al.*, 2001; Fuster *et al.*, 2001; Rourke *et al.*, 1999).

Les personnes qui ont subi une transplantation cardiaque ont un taux de survie de 80 à 90 % après un an et de 60 à 70 % après cinq ans (Augustine, 2000; Becker et Petlin, 1999; Braunwald *et al.*, 2001; Fuster *et al.*, 2001; Rourke *et al.*, 1999).

Dispositifs d'assistance mécanique et cœurs artificiels totaux Le recours aux dispositifs d'assistance mécanique s'impose de plus en plus, en raison de l'utilisation de la dérivation cardiopulmonaire lors des chirurgies cardiovasculaires et de la possibilité d'effectuer des transplantations cardiaques dans les cas de cardiopathie en phase terminale. Les personnes qu'on ne peut sevrer de la dérivation cardiopulmonaire ou les personnes ayant subi un choc cardiogénique peuvent également bénéficier d'un dispositif d'assistance mécanique. Le dispositif le plus couramment utilisé est la ballonnet intra-aortique (chapitre 32). Ce ballonnet diminue le travail du cœur durant la contraction, mais n'effectue pas vraiment le travail de cet organe.

Dispositifs d'assistance ventriculaire On recourt également à des dispositifs plus complexes qui effectuent réellement certaines ou toutes les fonctions de pompage du cœur. Ces **dispositifs d'assistance ventriculaire** (figure 31-11 ■) plus sophistiqués permettent de faire circuler autant de sang par minute que le cœur, sinon plus. Chaque dispositif d'assistance ventriculaire sert à soutenir un ventricule. Certains dispositifs d'assistance ventriculaire peuvent être combinés à un oxygénateur, combinaison qu'on appelle membrane d'oxygénation extracorporelle. On utilise le dispositif d'assistance ventriculaire-oxygénateur pour les personnes dont le cœur ne peut pas pomper adéquatement le sang dans les poumons ou le corps.

Il existe trois types de dispositifs de base: centrifuge, pneumatique et électrique ou électromagnétique. Les dispositifs d'assistance ventriculaire centrifuges sont externes, non pulsatiles, en forme de cône et dotés de mécanismes internes qui tournent rapidement, créant un vortex (similaire à l'action d'une tornade) qui aspire le sang d'une grosse veine dans la pompe, puis le repousse dans une grosse veine. Les dispositifs d'assistance ventriculaire pneumatiques sont des dispositifs externes ou des dispositifs pulsatiles implantés; ils sont dotés d'un réservoir souple contenu dans un extérieur rigide. Le réservoir se remplit généralement de sang drainé à partir de l'oreillette ou du ventricule. Le dispositif oblige ensuite l'air pressurisé à entrer dans le tuyau rigide, ce qui comprime le réservoir et ramène le sang dans la circulation, généralement dans l'aorte. Les dispositifs d'assistance ventriculaire électriques ou électromagnétiques sont similaires aux dispositifs d'assistance ventriculaire pneumatiques mais, au lieu de pressuriser l'air, ils sont dotés d'une ou de plusieurs assiettes de métal plates qui sont poussées contre le réservoir, ce qui ramène le sang dans la circulation.

Cœurs artificiels totaux Les cœurs artificiels totaux sont conçus pour remplacer les deux ventricules. Certains cœurs artificiels totaux ne peuvent être implantés que si le cœur de la personne a été enlevé au préalable, mais d'autres peuvent être implantés sans que ce soit le cas. Tous ces dispositifs sont expérimentaux. Bien qu'on ait noté certaines réussites à court terme, les résultats à long terme se sont révélés décevants. Les chercheurs espèrent mettre au point un dispositif qui puisse être implanté de façon permanente et qui dispense de recourir à la transplantation d'un cœur humain pour traiter les cardiopathies en phase terminale (Braunwald *et al.*, 2001; Chillcott *et al.*, 1998; Fuster *et al.*, 2001; Rose *et al.*, 1999; Schakenbach, 2001).

La plupart des dispositifs d'assistance ventriculaire et des cœurs artificiels totaux constituent des traitements temporaires auxquels on recourt tant que le cœur de la personne ne s'est pas rétabli ou qu'on n'a pas trouvé de donneur pour la transplantation (ils servent de «pont à la transplantation»). On étudie la possibilité de créer des dispositifs qu'on pourrait utiliser de façon permanente. Les complications des dispositifs d'assistance ventriculaire et des cœurs artificiels totaux sont notamment les suivantes: troubles hémostatiques, hémorragies, thrombus, embolie, hémolyse, infection, insuffisance rénale, insuffisance cardiaque droite, insuffisance multisystémique et insuffisance mécanique (Braunwald *et al.*, 2001; Duke et Perna, 1999; Schakenbach, 2001; Scherr *et al.*,

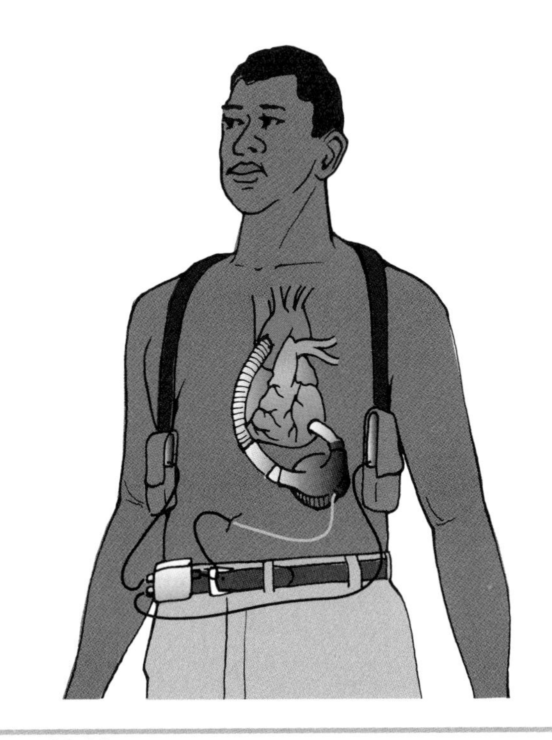

FIGURE 31-11 ■ Dispositif d'assistance ventriculaire gauche.

1999). Les soins et traitements infirmiers donnés à ces personnes sont centrés sur l'évaluation et la réduction des complications; ils consistent notamment à apporter du soutien émotionnel aux personnes et à leur donner un enseignement sur le dispositif d'assistance mécanique.

DÉMARCHE SYSTÉMATIQUE dans la pratique infirmière

Personne atteinte de cardiomyopathie

COLLECTE DES DONNÉES

La collecte des données auprès de la personne atteinte de cardiomyopathie commence par une anamnèse détaillée des signes et symptômes présents. L'infirmière détermine les facteurs étiologiques possibles comme l'alcoolisme, les maladies ou les grossesses récentes et les antécédents médicaux des membres de la famille. Si la personne se plaint de douleur thoracique, l'infirmière doit effectuer un examen approfondi, portant notamment sur les facteurs précipitants de la douleur. Durant l'examen des systèmes, elle doit vérifier si la personne souffre d'orthopnée, de dyspnée paroxystique nocturne, d'évanouissements ou de dyspnée d'effort. Elle doit également évaluer le nombre d'oreillers dont la personne a besoin pour dormir, son poids habituel et ses variations de poids, ainsi que les limites à apporter à ses activités de la vie quotidienne. Le degré d'insuffisance cardiaque est déterminé selon la classification établie par la New York Heart Association. On évalue le régime alimentaire habituel de la personne afin de déterminer s'il est nécessaire de le modifier pour réduire l'apport sodique.

En raison du caractère chronique de la cardiopathie, l'infirmière doit établir un historique psychosocial de la personne afin d'évaluer les répercussions de la maladie sur son rôle au sein de sa famille et de la communauté. Déterminer les agents que la personne considère comme stressants aide cette dernière et les soignants à élaborer un programme d'activités destiné à soulager l'anxiété reliée aux changements de l'état de santé. Très tôt, on détermine les réseaux de soutien de la personne et on fait participer les membres de ces réseaux aux soins et aux traitements. La collecte des données vise à évaluer les répercussions que le diagnostic a eues sur la personne et sur les membres de sa famille, ainsi que l'état émotionnel de la personne. La dépression n'est pas rare chez les personnes atteintes de cardiopathie et qui souffrent d'insuffisance cardiaque.

En effectuant l'examen physique, on se concentre sur les signes et symptômes d'insuffisance cardiaque congestive. Les critères de référence incluent les composantes clés suivantes:

- Signes vitaux
- Calcul de la pression du pouls et détermination du pouls paradoxal
- Poids actuel: constat d'un gain ou d'une perte de poids
- Détection par palpation du point de l'impulsion maximale, souvent décalé vers la gauche
- Auscultation cardiaque, dans le but de déceler un souffle systolique et un troisième ou un quatrième bruit cardiaque
- Auscultation pulmonaire, dans le but de déceler des craquements
- Mesure de la distension de la veine jugulaire
- Détection d'un œdème et évaluation de sa gravité

ANALYSE ET INTERPRÉTATION

Diagnostics infirmiers

En se fondant sur les données recueillies, l'infirmière peut poser les diagnostics infirmiers suivants:

- Débit cardiaque diminué, relié aux perturbations structurales causées par la cardiomyopathie ou à l'arythmie causée par l'évolution de la maladie et les traitements médicamenteux
- Irrigation tissulaire cardiopulmonaire, cérébrale, périphérique et rénale inefficace, reliée à la diminution de la circulation sanguine périphérique (résultant de la diminution du débit cardiaque)
- Échanges gazeux perturbés, reliés à la congestion pulmonaire causée par l'insuffisance myocardique (diminution du débit cardiaque)
- Intolérance à l'activité, reliée à la diminution du débit cardiaque, à une surcharge liquidienne, ou aux deux
- Anxiété, reliée au changement dans l'état de santé et dans l'exercice du rôle
- Sentiment d'impuissance, relié à l'évolution de la maladie
- Non-observance des traitements médicamenteux et du régime alimentaire

Problèmes traités en collaboration et complications possibles

En se fondant sur les données recueillies, l'infirmière peut déterminer les complications susceptibles de survenir, notamment:

- Insuffisance cardiaque congestive
- Arythmies ventriculaires
- Arythmies auriculaires
- Anomalies de conduction cardiaque
- Embolie pulmonaire ou cérébrale
- Dysfonction valvulaire

Ces complications sont abordées plus haut dans le chapitre, ainsi que dans les chapitres 29 et 32.

PLANIFICATION

Les principaux objectifs sont les suivants: améliorer ou maintenir le débit cardiaque; augmenter la tolérance à l'activité; réduire l'anxiété; observer le programme d'autosoins; augmenter le sentiment d'emprise sur sa vie; et prévenir les complications.

INTERVENTIONS INFIRMIÈRES

Améliorer le débit cardiaque

Durant un épisode symptomatique, le repos est indiqué. Nombre de personnes souffrant de cardiomyopathie dilatée se sentent plus à l'aise assises les jambes posées sur le sol qu'allongées sur un lit. Cette position facilite l'accumulation du sang veineux a la périphérie et aide à réduire la précharge. Il est utile d'évaluer la saturation en oxygène au repos et au cours d'une activité afin de déterminer les besoins de base en oxygène. On administre généralement l'oxygène par une canule nasale, selon l'ordonnance.

Afin de maintenir un débit cardiaque adéquat, il est important de s'assurer que la personne prend les médicaments conformément à l'ordonnance. Il faut s'assurer que les personnes atteintes de cardiomyopathie hypertrophique évitent les diurétiques et que celles qui souffrent de cardiomyopathie dilatée évitent le vérapamil (Isoptin, Verelan) et le diltiazem (Cardizem, Tiazac) afin de maintenir la contractilité. L'infirmière peut aider la personne à élaborer un horaire de prise de médicaments et à trouver des méthodes qui l'aident à le suivre: associer la prise d'un médicament à une activité telle que prendre un repas ou se brosser les dents. On doit également veiller à ce que la personne reçoive et choisisse des aliments conformes aux principes d'un régime pauvre en sodium. Relever le poids de la personne chaque jour, en notant tout changement important, et déterminer si le degré d'activité qui provoque de l'essoufflement est plus ou moins élevé qu'avant le traitement donne de bonnes indications sur les effets de celui-ci. Les personnes qui ont un faible débit cardiaque peuvent avoir besoin d'aide pour se garder au chaud et changer de position afin de stimuler la circulation et de réduire le risque d'altération de la peau.

Augmenter la tolérance à l'activité

L'infirmière planifie les activités de la personne de façon qu'elles suivent des cycles où alternent périodes d'activité et périodes de repos. Ce plan a des effets bénéfiques sur l'état physiologique de la personne et l'aide à comprendre la nécessité de planifier des cycles de repos et d'activité. Par exemple, après avoir pris un bain ou une douche, la personne devrait s'asseoir et lire le journal. Afin d'aider la personne à trouver un équilibre entre activité et repos, on peut aussi lui suggérer de s'asseoir pendant qu'elle coupe des légumes, se sèche les cheveux ou se rase. L'infirmière s'assure également que la personne décèle les symptômes indiquant la nécessité de se reposer et connaît les mesures à prendre lorsqu'ils apparaissent. Les personnes atteintes de cardiomyopathie hypertrophique doivent éviter les activités intenses et les sports.

Réduire l'anxiété

Il peut être indiqué pour la personne, la famille et les proches de recourir à un soutien spirituel, psychologique et émotionnel. Les interventions visent à éliminer ou à réduire les agents perçus comme stressants. On donne à la personne toutes les informations appropriées sur la cardiomyopathie et les activités d'autosoins. On lui procure un climat dans lequel elle se sent libre de verbaliser ses inquiétudes, tout en l'assurant que celles-ci sont légitimes. Si la personne fait face à la mort ou est en attente d'une transplantation, il faut prévoir du temps pour discuter de ces questions. Donner à la personne des espoirs réalistes aide à atténuer son anxiété pendant qu'elle attend un cœur. L'infirmière aide la personne, la famille et les proches à se préparer au deuil. Si la personne atteint un but, si minime soit-il, cela favorise son bien-être.

Diminuer le sentiment d'impuissance

Il est essentiel que la personne reconnaisse qu'elle entre dans un processus de deuil lorsqu'on diagnostique chez elle une cardiomyopathie. L'infirmière l'aide à déterminer ce qu'elle a perdu: par exemple capacité de manger des aliments riches en sodium; mode de vie actif; pratique d'un sport; capacité de porter ses petits-enfants. Elle l'aide également à exprimer ses réactions émotionnelles: par exemple colère, dépression. Elle l'aide ensuite à déterminer le degré d'emprise qu'elle a sur sa vie: par exemple faire des choix alimentaires, gérer la prise des médicaments ou travailler avec l'équipe de soins pour obtenir les meilleurs résultats possible. Il peut être utile d'établir des recoupements entre les attitudes de la personne et les symptômes qui en résultent: on peut par exemple inviter la personne à consigner ses choix alimentaires et son poids au jour le jour afin de l'aider à comprendre le lien qui existe entre prise de sodium et gain de poids. Certaines personnes sont capables de gérer leur traitement en titrant elles-mêmes la dose de diurétique en fonction de leurs symptômes.

Favoriser les soins à domicile et dans la communauté

Enseigner les autosoins

Donner un enseignement approprié sur le traitement médicamenteux, les symptômes à surveiller et le traitement des symptômes constitue une dimension essentielle du plan thérapeutique infirmier. L'infirmière joue un rôle clé dans le processus d'apprentissage qui amène la personne à trouver un équilibre entre son mode de vie et son travail, tout en effectuant les activités thérapeutiques. En aidant la personne à composer avec sa maladie, l'infirmière l'aide à adapter son mode de vie et à mettre en œuvre un programme d'autosoins à domicile.

Assurer le suivi

L'infirmière consolide l'enseignement donné auparavant et effectue le suivi continu des symptômes et des progrès de la personne. Elle aide la personne et sa famille à s'adapter aux modifications du mode de vie. Il est utile de lui apprendre à lire les informations nutritionnelles figurant sur les étiquettes des produits qu'elle consomme, à noter son poids et ses symptômes tous les jours et à organiser ses activités quotidiennes de manière à augmenter sa tolérance à l'activité. On évalue les réactions de la personne au régime alimentaire, aux restrictions liquidiennes et aux médicaments, tout en mettant l'accent sur les symptômes qu'elle doit surveiller et signaler au médecin. Comme la personne est exposée à un risque d'arythmie, on doit enseigner à sa famille des techniques de réanimation cardiorespiratoire. On conseille souvent aux femmes d'éviter de devenir enceintes, chaque cas étant étudié individuellement. L'infirmière évalue de façon suivie les besoins psychosociaux de la personne et de ses proches. La personne peut éprouver des inquiétudes et des craintes liées au pronostic, aux modifications à apporter à son mode de vie, aux effets des médicaments et à la possibilité que d'autres membres de sa famille souffrent de la même maladie. De tels sentiments augmentent son anxiété et rendent les stratégies d'adaptation inefficaces. Il est donc primordial d'établir un lien de confiance avec les personnes qui sont malades de façon chronique et la famille, surtout lorsque l'infirmière doit s'entretenir avec les proches des décisions à prendre en fin de vie. Il peut être nécessaire d'orienter vers des programmes de soins à domicile les personnes qui présentent des symptômes d'insuffisance cardiaque ou d'autres complications de la cardiopathie.

Évaluation

Résultats escomptés

Les principaux résultats escomptés sont les suivants:

1. La personne maintient ou améliore son débit cardiaque.
   a) Ses fréquences cardiaque et respiratoire sont dans les limites de la normale.
   b) Elle note une diminution de la dyspnée et une augmentation du bien-être; elle maintient ou améliore les échanges gazeux.
   c) Elle ne note aucun gain de poids.
   d) Elle maintient ou améliore sa circulation périphérique.
2. La personne maintient ou augmente sa tolérance à l'activité.
   a) Elle est capable d'effectuer ses activités quotidiennes (par exemple se brosser les dents, se nourrir).
   b) Elle note une augmentation de sa tolérance à l'activité.
3. L' anxiété de la personne diminue.
   a) Elle parle facilement du pronostic.
   b) Elle verbalise ses craintes et ses inquiétudes.
   c) Elle participe aux rencontres de groupes de soutien, le cas échéant.
4. Le sentiment d'impuissance de la personne diminue.
   a) Elle décèle sa réaction émotionnelle au diagnostic.
   b) Elle parle de la maîtrise qu'elle a sur sa vie.
5. La personne observe son programme d'autosoins.
   a) Elle prend ses médicaments conformément à l'horaire prescrit.
   b) Elle modifie son régime alimentaire en fonction des restrictions sodiques et liquidiennes.
   c) Elle modifie son mode de vie et alterne périodes d'activités recommandées et repos.
   d) Elle connaît les signes et symptômes à signaler au professionnel de la santé.

Tumeur cardiaque et trauma chirurgical

Excision de tumeur

Les tumeurs cardiaques sont rares et pour la plupart (75 à 88 %) bénignes (Braunwald *et al.*, 2001; Kamiya *et al.*, 2001). Les tumeurs primaires touchent moins de 1 % de la population, et les tumeurs secondaires de 1,5 à 35 % des personnes en oncologie (Braunwald *et al.*, 2001; Reynan, 1996; Shapiro, 2001). Les tumeurs peuvent être le siège de la formation de thrombus et créer, par conséquent, un risque d'embolie. Des arythmies peuvent se déclencher à mesure que le myocarde ou le système de conduction se détériore.

On effectue l'excision chirurgicale de la tumeur dans le but de prévenir l'obstruction d'une chambre ou d'une valvule. L'intervention est pratiquée sous dérivation cardiopulmonaire, sauf dans le cas des tumeurs épicardiaques, qu'on peut exciser sans entrer dans le cœur et sans arrêter les battements cardiaques. Selon la région où se trouve la tumeur, il peut être nécessaire d'effectuer un remplacement de valvule, un rapiéçage du myocarde ou une implantation de stimulateur cardiaque. Les soins et traitements infirmiers sont les mêmes que ceux qu'on prodigue aux personnes ayant subi d'autres formes de chirurgie cardiaque (chapitre 30 ⊂⊃).

Réparation de trauma

Souvent, les personnes qui ont subi des lésions non pénétrantes (contusions de l'abdomen) ou pénétrantes (par exemple plaie par arme à feu, par poignard) entraînant un trauma cardiaque ne survivent pas au traitement (Flynn et Bonini, 1999; Thourani *et al.*, 1999). Celles qui survivent ont souvent besoin d'une intervention chirurgicale (Thourani *et al.*, 1999; Wall *et al.*, 1997). Les réparations portent habituellement sur les valvules et le septum, dans le cas des lésions de type contusions, et sur les parois ventriculaires et auriculaires, dans le cas des lésions pénétrantes. Lorsque c'est possible, la plaie est débridée et fermée chirurgicalement, mais il peut être nécessaire d'effectuer des réparations et de remplacer une valvule, ou de greffer une pièce au septum ou aux parois ventriculaires et auriculaires. La chirurgie est généralement une intervention d'urgence, et le risque de complications associées à la lésion et à la chirurgie est élevé. Les soins et traitements infirmiers sont les mêmes que ceux qu'on prodigue aux personnes qui subissent d'autres formes de chirurgie cardiaque (chapitre 32 ⊂⊃).

Cardites

L'endocardite, la myocardite et la péricardite font partie des cardites les plus courantes. Le traitement idéal est la prévention.

Endocardite rhumatismale

La fièvre rhumatismale aiguë, qui survient le plus souvent chez les enfants d'âge scolaire, est associée dans 0,3 à 3 % des cas au groupe A des pharyngites streptococciques bêta-hémolytiques (Chin, 2001). En traitant rapidement l'angine streptococcique au moyen d'antibiotiques, on peut prévenir l'apparition de la fièvre rhumatismale (encadré 31-1 ■). Le *Streptococcus* se répand par contact direct avec les sécrétions orales ou respiratoires. Bien que la bactérie soit l'agent causal, certains facteurs tels que la malnutrition, la surpopulation ou la pauvreté peuvent prédisposer les individus à contracter la fièvre rhumatismale (Beers *et al.*, 1999). On estime que l'incidence de la fièvre rhumatismale en Amérique du Nord et dans les autres pays développés diminue de façon constante, mais l'incidence exacte est difficile à déterminer dans la mesure où l'infection peut ne pas être détectée et où les personnes peuvent ne pas consulter pour être traitées (Braunwald *et al.*, 2001; Beers *et al.*, 1999). Pas moins de 39 % des personnes atteintes de fièvre rhumatismale présentent, à différents degrés, une cardiopathie rhumatismale associée à l'insuffisance valvulaire, à l'insuffisance cardiaque, et pouvant entraîner la mort (Chin, 2001). La maladie s'attaque également aux articulations osseuses, entraînant de la polyarthrite.

ENCADRÉ 31-1

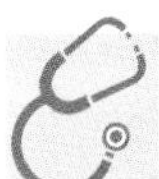

EXAMEN CLINIQUE

Prévention et détection de la fièvre rhumatismale

La fièvre rhumatismale est une maladie qu'on peut prévenir. Si on l'éradiquait, on éliminerait du même coup la cardiopathie rhumatismale. On peut prévenir toutes les attaques primaires de fièvre rhumatismale en traitant à la pénicilline les personnes qui ont une infection à streptocoque. La seule méthode permettant d'établir un diagnostic précis consiste à effectuer une culture de gorge.

Les signes et symptômes de l'angine streptococcique sont les suivants:

- Fièvre (39 à 40 °C)
- Frissons
- Mal de gorge d'apparition soudaine
- Rougeur diffuse de la gorge et présence d'exsudat sur l'oropharynx (qui n'apparaît pas nécessairement le premier jour)
- Adénite
- Douleur abdominale (plus fréquente chez les enfants)
- Sinusite aiguë et otite moyenne aiguë qui peuvent être causées par le streptocoque responsable de l'angine

Il est difficile de déterminer la prévalence des cardiopathies rhumatismales, faute de critères de diagnostic clinique uniformes et d'autopsies systématiques. Abstraction faite de rares cas d'épidémies, la prévalence des cardiopathies rhumatismales en Amérique du Nord serait de moins de 0,05 cas pour 1 000 individus (Chin, 2001). Le nombre de personnes qui meurent de cardiopathie rhumatismale est passé de 15 000 en 1950 à environ 4 000 en 2001 (AHA, 2001).

Physiopathologie

L'endocardite rhumatismale provoque des lésions articulaires et des lésions cardiaques qui ne sont pas directement causées par l'agent infectieux, un streptocoque hémolytique. Les lésions sont dues à une réaction inflammatoire de défense contre l'agent en question: les leucocytes s'accumulent dans les tissus touchés et forment des nodules qui sont à plus ou moins brève échéance remplacés par du tissu cicatriciel. Cette réaction inflammatoire affecte le myocarde, en déclenchant une myocardite qui réduit temporairement la contractilité. Le péricarde est également touché, et une péricardite rhumatismale survient pendant la phase aiguë de la maladie. Ces complications (myocardite et péricardite) n'ont généralement pas de séquelles graves, contrairement à l'endocardite rhumatismale qui a des séquelles permanentes et souvent invalidantes.

Manifestations cliniques

Du point de vue anatomopathologique, l'endocardite rhumatismale se manifeste par de minuscules végétations translucides qui ont l'aspect de perles de la dimension de la tête d'une épingle disposées en rangée le long de la partie libre des feuillets des valvules. Ces végétations semblent inoffensives et disparaissent parfois sans endommager les feuillets des valvules, mais il arrive plus souvent qu'elles aient des conséquences graves. Elles sont le point de départ d'un processus d'épaississement et de raccourcissement graduel des feuillets, qui les empêche de se fermer complètement et entraîne une *régurgitation valvulaire*. C'est la valvule mitrale qui est le plus souvent touchée par la régurgitation valvulaire. Chez certaines personnes, les feuillets deviennent adhérents, ce qui provoque une sténose valvulaire, un rétrécissement ou une sténose valvulaire de l'orifice. Régurgitation et sténose peuvent toucher la même valvule.

Un faible pourcentage des personnes atteintes de fièvre rhumatismale souffrent de complications extrêmement graves telles qu'une insuffisance cardiaque réfractaire, des arythmies létales ou une pneumonie. Ces personnes sont traitées dans une unité de soins intensifs et la plupart guérissent rapidement. Toutefois, même en l'absence de symptômes, la maladie laisse parfois certaines séquelles qui entraînent souvent à terme une déformation des valvules. Les examens physiques effectués au cours de la phase aiguë de la maladie ne permettent pas toujours d'estimer la gravité des lésions cardiaques, ni même parfois de les déceler. À plus ou moins brève échéance, toutefois, on perçoit à l'auscultation des souffles caractéristiques de sténose valvulaire ou de régurgitation, ou les deux signes. Chez certaines personnes, ces souffles peuvent prendre la forme de frémissements perceptibles à la palpation. Tant que le myocarde compense la perte d'efficacité des valvules, la personne semble en bonne santé. Mais, lorsque le myocarde ne suffit plus à la tâche, en raison des altérations subies par les valvules (figure 31-2 ■), la personne présente des signes et symptômes d'insuffisance cardiaque (chapitre 32 ⊂⊃).

Examen clinique et examens paracliniques

Durant l'examen clinique, l'infirmière doit garder à l'esprit que la nature des symptômes dépend du côté du cœur qui est touché. Si la valvule mitrale est touchée, comme c'est le plus souvent le cas, on observe les symptômes pulmonaires d'une insuffisance cardiaque gauche: essoufflement, craquements et sifflements dans les poumons (voir la distinction entre insuffisance cardiaque droite et insuffisance cardiaque gauche, dans le chapitre 32 ⊂⊃). La gravité des symptômes dépend de l'étendue et du siège de la lésion. Les symptômes systémiques décelés sont proportionnels à la virulence de l'infection. L'apparition d'un nouveau souffle chez une personne atteinte d'une infection généralisée est un signe fréquent d'endocardite infectieuse. La personne est également exposée au risque d'embolie pulmonaire (par exemple pneumonie récurrente, abcès pulmonaires), rénale (par exemple hématurie, insuffisance rénale), splénique (par exemple douleur au quadrant supérieur gauche), cardiaque (par exemple infarctus du myocarde), cérébrale (par exemple accident vasculaire cérébral) ou vasculaire périphérique.

Prévention

Pour prévenir l'endocardite rhumatismale, on doit traiter rapidement et adéquatement les infections streptococciques, et employer les mesures nécessaires pour éviter que ces infections ne se propagent dans la population. Toutes les infirmières devraient connaître les signes et symptômes de l'angine streptococcique: forte fièvre (39 à 40 °C), frissons, mal de gorge, rougeur de la gorge avec exsudat, adénite, douleur abdominale et rhinite aiguë.

! ALERTE CLINIQUE *La seule méthode permettant de diagnostiquer de façon précise une angine streptococcique consiste à effectuer une culture de gorge.*

Traitement médical

Le traitement médical vise à éliminer l'organisme causal et à prévenir les complications telles que la thromboembolie. Le traitement recommandé est l'antiobiothérapie prolongée, et l'antibiotique le plus souvent utilisé est la pénicilline administrée par voie parentérale.

Ce traitement peut suffire pour les personnes atteintes d'endocardite rhumatismale avec altération bénigne de la fonction valvulaire. Elles sont néanmoins exposées à des risques de récidive de cardiopathie rhumatismale aiguë, d'endocardite infectieuse, d'embolisation des végétations dans d'autres organes vitaux, de formation de thrombi muraux et d'insuffisance cardiaque.

Soins et traitements infirmiers

Dans les cas d'endocardite rhumatismale, il incombe à l'infirmière d'expliquer à la personne en quoi consistent la maladie, le traitement et les précautions nécessaires pour prévenir les complications possibles. Une fois que la personne a reçu une antibiothérapie en phase aiguë, l'infirmière lui explique qu'il lui faut suivre une antibioprophylaxie avant toute intervention effractive (voir, plus loin, «Prévention» dans la partie «Endocardite infectieuse»).

Endocardite infectieuse

L'endocardite infectieuse est une infection des valvules et de la surface endothéliale du cœur. Elle apparaît généralement chez les personnes qui présentent des défauts de structure cardiaque (par exemple problèmes valvulaires). L'endocardite infectieuse est plus fréquente chez les personnes âgées, probablement parce que le système immunitaire lutte moins efficacement contre les infections et que le métabolisme s'altère avec l'âge. On retrouve une incidence élevée d'endocardites à staphylocoques chez les toxicomanes qui utilisent des drogues prises par voie intraveineuse; ces derniers présentent le plus souvent des infections des valvules du côté droit du cœur (Bayer *et al.*, 1998; Braunwald, 2001).

Des années 1950 au milieu des années 1980, l'incidence de l'endocardite infectieuse est restée stable, avec environ 4,2 cas pour 100 000 personnes; l'incidence a ensuite augmenté, en partie à cause de l'usage des drogues prises par voie intraveineuse (Braunwald *et al.*, 2001). En 1998, l'endocardite infectieuse était à l'origine de 2212 morts en Amérique du Nord (American Heart Association, 2001). Les interventions effractives, surtout celles qui touchent les muqueuses, peuvent entraîner une bactériémie, laquelle dure rarement plus de 15 minutes (Dajani *et al.*, 1997). Lorsqu'une personne a une malformation cardiaque, la bactériémie peut provoquer une endocardite bactérienne (Dajani *et al.*, 1997). La combinaison d'une intervention effractive, de l'introduction de la bactérie particulière dans la circulation sanguine et d'une malformation cardiaque peut entraîner une endocardite infectieuse.

Physiopathologie

L'endocardite infectieuse est le plus souvent causée par l'invasion de l'endocarde par un microbe, par exemple streptocoque (le plus souvent streptocoque *viridans*, microaérophile et anaérobie), entérocoque, pneumocoque ou staphylocoque, ainsi que par certains champignons ou certaines rickettsies. L'endocardite infectieuse provoque habituellement une déformation des feuillets valvulaires, mais elle peut aussi endommager d'autres structures cardiaques telles que les cordages tendineux. Les personnes les plus exposées au risque d'endocardite infectieuse sont celles qui portent des prothèses valvulaires cardiaques, qui ont des antécédents d'endocardite, qui présentent des malformations congénitales cyanogènes complexes, des shunts pulmonaires ou systémiques ou celles dont certains conduits ont été construits chirurgicalement (par exemple pontages aorto-coronariens ou mammaro-coronariens). Les personnes atteintes de cardite rhumatismale ou de prolapsus valvulaire mitral, ainsi que celles qui portent une prothèse valvulaire, sont exposées à un risque élevé d'endocardite infectieuse (encadré 31-2 ■).

L'endocardite nosocomiale touche le plus souvent les personnes souffrant d'une maladie débilitante, porteuses d'un cathéter à demeure, ou encore qui suivent une antibiothérapie ou un traitement intraveineux prolongé. Les personnes qui prennent des immunosuppresseurs ou des corticostéroïdes peuvent présenter une endocardite fongique.

ENCADRÉ 31-2

FACTEURS DE RISQUE

Endocardite infectieuse

RISQUE ÉLEVÉ

- Présence de prothèses valvulaires cardiaques
- Antécédent, d'endocardite bactérienne (même sans cardite)
- Malformations congénitales cyanogènes complexes
- Shunts ou conduits pulmonaires systémiques construits chirurgicalement

RISQUE MODÉRÉ

- Prolapsus valvulaire mitral avec régurgitation mitrale ou épaississement des feuillets
- Cardiomyopathie hypertrophiée
- Dysfonction valvulaire acquise
- La plupart des malformations cardiaques congénitales (hormis les malformations entraînant un risque élevé mentionnées ci-dessus, les malformations septales auriculaires et ventriculaires qui ont fait l'objet d'une réparation chirurgicale et la persistance du canal artériel)

On diagnostique une endocardite infectieuse aiguë lorsque le début de l'infection et la destruction valvulaire qui s'ensuit sont rapides, et lorsque l'infection s'installe en l'espace de quelques jours à quelques semaines. Il arrive que l'infection s'installe en l'espace de 2 semaines à plusieurs mois : on diagnostique alors une endocardite infectieuse subaiguë (Braunwald *et al.*, 2001).

Manifestations cliniques

L'endocardite infectieuse a généralement un début insidieux. Ses signes et symptômes découlent de l'infection, de l'altération du fonctionnement des valvules et de l'embolisation de végétations. Les personnes atteintes d'endocardite infectieuse valvulaire du côté droit du cœur ne présentent pas d'occurrence d'embolie périphérique (Bayer *et al.*, 1998; Braunwald, 2001). Les personnes présentent des signes et symptômes similaires à ceux de l'endocardite rhumatismale (voir, p. 397, « Manifestations cliniques » dans « Endocardite rhumatismale »).

Examen clinique et examens paracliniques

Les premières manifestations de l'endocardite infectieuse sont notamment les suivantes : malaise, anorexie, perte de poids, toux et douleurs lombaires et articulaires, manifestations qu'on peut confondre avec celles de la grippe. La fièvre est généralement intermittente et peut être absente chez les personnes qui prennent des antibiotiques ou des corticostéroïdes, ainsi que chez les personnes âgées ou chez les personnes atteintes d'une insuffisance cardiaque ou rénale. On note parfois des hémorragies linéaires sous-unguéales (c'est-à-dire des lignes d'un rouge brunâtre et des stries) sous les ongles des doigts et des orteils, des pétéchies sur les conjonctives et les muqueuses, et de petits nodules douloureux (nodules d'Osler) dans les bourrelets des doigts ou des orteils. On observe aussi parfois des hémorragies rétiniennes (en particulier des taches de Roth, lésions arrondies ou ovales avec un centre blanchâtre) causées par des embolies de la fibre nerveuse de l'œil.

Parmi les manifestations cardiaques, on note les souffles, dont certains peuvent être nouveaux. On constate parfois une modification progressive des souffles, qui traduit des lésions valvulaires dues à des végétations ou la perforation d'un feuillet de la valvule ou la rupture d'un cordage tendineux. On peut aussi observer une cardiomégalie ou des signes d'insuffisance cardiaque.

Les signes d'atteinte du système nerveux central sont notamment les suivants : céphalées, ischémie cérébrale transitoire ou temporaire, et accident vasculaire cérébral, autant de symptômes qui peuvent résulter d'une embolie des artères cérébrales. L'embolisation par des végétations peut se produire à n'importe quelle phase de la maladie; elle peut toucher les poumons (pneumonie; abcès récurrents), les reins (hématurie; insuffisance rénale), la rate (douleur dans le quadrant supérieur droit), le cœur (infarctus du myocarde), le cerveau (crises d'ischémie transitoire) ou des vaisseaux périphériques. Une embolie peut également survenir (voir, p. 397, « Examen clinique et examens paracliniques », dans « Endocardite rhumatismale »).

Bien qu'ils puissent indiquer la présence d'une endocardite infectieuse, ces signes et symptômes peuvent également être associés à d'autres maladies. On ne peut poser de diagnostic sûr que lorsqu'on trouve un microorganisme dans deux hémocultures séparées, dans une végétation ou dans un abcès. On doit obtenir trois séries d'hémoculture (chacune comprenant une culture aérobie et une culture anaérobie) avant d'administrer tout agent antimicrobien. Des hémocultures négatives ne permettent pas d'exclure totalement un diagnostic d'endocardite infectieuse. L'établissement du diagnostic peut être facilité grâce à un échocardiogramme montrant une masse en mouvement sur la valvule, la prothèse valvulaire ou les structures de soutien, et révélant des végétations, des abcès, une nouvelle déhiscence sur la prothèse valvulaire ou une nouvelle régurgitation (Braunwald *et al.*, 2001). Un échocardiogramme peut également révéler l'apparition d'une insuffisance cardiaque.

Prévention

Bien qu'elle soit rare, l'endocardite bactérienne peut mettre la vie de la personne en danger. La prévention primaire chez les personnes à risque élevé (atteintes de cardite rhumatismale, de prolapsus valvulaire mitral ou porteuses de prothèses valvulaires cardiaques) est un élément clé de la stratégie de la prévention. Une antibiothérapie prophylactique est recommandée chez les personnes à risque élevé avant, et parfois après, les interventions suivantes :

- Soins dentaires provoquant un saignement des gencives ou des muqueuses, y compris les nettoyages professionnels et l'installation de bagues d'orthodontie (mais pas les verrous)
- Amygdalectomie et adénoïdectomie
- Interventions chirurgicales touchant les muqueuses intestinale et respiratoire
- Bronchoscopie à l'aide d'un bronchoscope rigide
- Sclérothérapie pour les varices œsophagiennes
- Dilatation de l'œsophage
- Cholécystectomie
- Cystoscopie
- Dilatation urétrale
- Pose d'une sonde urétrale s'il y a une infection urinaire
- Intervention chirurgicale touchant les voies urinaires, s'il y a une infection urinaire
- Prostatectomie
- Incision et drainage de tissus infectés
- Hystérectomie vaginale
- Accouchement par voie vaginale

Le type d'antibiotique utilisé à des fins prophylactiques dépend du type d'intervention et du degré de risque. On prescrit généralement 2 g d'amoxicilline (Amoxil) 1 heure avant les chirurgies dentaires, buccales ou touchant les voies respiratoires ou œsophagiennes. Si la personne est allergique à la pénicilline (par exemple amoxicilline [Amoxil], ampicilline, cloxacilline [Orbénin], pénicilline G [Pen-Vee], pivampicilline [Pondocillin]), on peut recourir à la clindamycine (Dalacin), à la céphalexine (Keflex), au céfadroxil (Duricef), à l'azithromycine (Zithromax) ou à la clarithromycine (Biaxin). En cas d'intervention gastro-intestinale ou génito-urinaire, on recommande d'utiliser de l'ampicilline et de la gentamicine (Garamycine) 1 heure avant l'intervention et de l'ampicilline 6 heures après chez les personnes à risque élevé, de l'amoxicilline ou de l'ampicilline chez les personnes à risque modéré et de ne recourir à la vancomycine (Vancocin) que chez les personnes allergiques à l'ampicilline et à l'amoxicilline.

La gravité de l'inflammation orale et de l'infection est un facteur important de l'incidence et de la gravité de la bactériémie. Une mauvaise hygiène dentaire peut être à l'origine d'une bactériémie, en particulier au cours d'une chirurgie dentaire. Afin de réduire le risque de bactériémie, on recommande d'assurer des soins buccaux réguliers, administrés par un professionnel et par la personne, et d'utiliser un rince-bouche antiseptique pendant 30 secondes avant les soins dentaires. Il faut également faire preuve d'une vigilance accrue si les personnes ont des sondes intraveineuses. Afin de réduire le risque d'infection, l'infirmière doit s'assurer qu'une hygiène méticuleuse des mains est respectée, que le site est soigneusement préparé et que les techniques aseptiques sont utilisées durant l'insertion et les interventions d'entretien (Schmid, 2000). Toutes les sondes sont retirées dès qu'elles ne sont plus nécessaires ou ne fonctionnent plus.

Complications

L'endocardite infectieuse peut avoir d'importantes complications, même si l'antibiothérapie a été efficace. Par exemple, une insuffisance cardiaque ou une ischémie cérébrale peuvent survenir avant, pendant ou après le traitement. L'apparition d'une insuffisance cardiaque consécutive à la perforation d'un feuillet de la valvule, à la rupture d'un cordage, à l'obstruction de la circulation sanguine causée par les végétations ou aux shunts intracardiaques attribuables à la déhiscence des prothèses valvulaires, indique que le traitement médical choisi est inapproprié et qu'il existe un risque chirurgical plus élevé (Braunwald *et al.*, 2001). L'endocardite infectieuse provoque parfois une sténose ou une régurgitation valvulaire, une érosion myocardique, un anévrisme mycotique (fongique) et d'autres complications cardiaques. Une embolie septique ou non septique, des réactions immunitaires, un abcès à la rate, un anévrisme mycotique ou des troubles circulatoires peuvent également avoir de nombreux effets néfastes sur les organes vitaux.

Traitement médical

Le traitement a pour but d'éliminer complètement l'agent causal par l'administration d'un antibiotique auquel il est sensible. On peut isoler cet agent causal grâce à des hémocultures répétées.

Pharmacothérapie

On administre généralement un antibiotique par voie parentérale, en perfusion intraveineuse pendant 2 à 6 semaines. On donne le traitement parentéral en doses qui permettent d'obtenir une concentration sérique élevée et pendant une durée appropriée afin d'assurer l'éradication de la bactérie dormante à l'intérieur des végétations denses. Ce traitement est souvent donné au domicile de la personne, sous la surveillance d'une infirmière à domicile. On peut contrôler les taux sériques de certains antibiotiques sélectionnés. Si on constate que les taux sériques ne sont pas suffisants, on prescrit des doses plus élevées d'antibiotiques ou on utilise un autre antibiotique. Bien qu'il existe de nombreux traitements antimicrobiens, l'antibiotique de prédilection dans les cas d'endocardites infectieuses est généralement la pénicilline. On prélève régulièrement des hémocultures pour surveiller l'effet du traitement. Si l'endocardite est d'origine fongique, on recourt généralement à un antifongique tel que l'amphotéricine B (Abelcet, AmBisome, Fungizone). On doit prendre la température de la personne à intervalles réguliers: l'évolution de la fièvre est en effet un indicateur de l'efficacité du traitement. Il faut toutefois se rappeler que l'antibiothérapie peut provoquer une réaction de fièvre. Les bactéries sont généralement détruites rapidement après le début d'une antibiothérapie appropriée. La personne se sent alors beaucoup mieux, elle est moins fatiguée et son appétit revient. Pendant cette période, on doit offrir du soutien psychologique: en effet, la personne se sent bien, mais elle peut avoir du mal à accepter les contraintes liées à la thérapie intraveineuse qui lui est administrée à l'hôpital ou à son domicile.

Traitement chirurgical

Une fois la personne rétablie de l'infection, une intervention chirurgicale peut être nécessaire pour traiter les lésions valvulaires irréversibles provoquées par l'endocardite. Le remplacement chirurgical de valvule permet d'améliorer considérablement le pronostic des personnes dont les valvules sont gravement endommagées. On doit procéder à un débridement et à un remplacement de valvule (mitrale ou aortique) chez les personnes: (1) qui présentent une insuffisance cardiaque congestive non corrigée par les traitements médicaux; (2) qui ont fait plus d'une embolie grave; (3) dont l'infection est non maîtrisée, récurrente ou d'origine fongique. Il arrive qu'une endocardite se constitue sur une prothèse valvulaire (infection de la valvule prothétique), ce qui rend souvent indispensable un second remplacement.

Soins et traitements infirmiers

L'infirmière surveille la température de la personne; celle-ci peut faire de la fièvre pendant des semaines. Elle évalue les bruits cardiaques; un nouveau souffle peut indiquer que les feuillets de la valvule sont touchés. L'infirmière surveille les signes et symptômes d'embolisation systémique ou, pour les personnes atteintes d'endocardite du côté droit du cœur, les signes et symptômes d'infarctus pulmonaire et d'infiltrat. Elle évalue les signes et symptômes de dommages organiques, tels que l'accident vasculaire cérébral ou l'ischémie cérébrale, la méningite, l'insuffisance cardiaque, l'infarctus du myocarde, la glomérulonéphrite et la splénomégalie.

Les soins visent à traiter l'infection. On met la personne sous antibiotiques dès que les hémocultures sont prélevées. On doit évaluer toutes les lignes effractives et les blessures dans le but de déceler rougeurs, endolorissements, chaleur, tuméfaction, drainage ou autres signes d'infection. On indique à la personne et à sa famille les restrictions d'activité qui s'imposent, les médicaments à prendre et les signes et symptômes d'infection à surveiller. L'infirmière doit également informer la personne qu'il lui faut suivre une antibiothérapie préventive avant et parfois après les soins dentaires et les chirurgies touchant les voies respiratoire, gastro-intestinale ou génito-urinaire. Les infirmières à domicile supervisent et surveillent le traitement antibiotique par voie intraveineuse donné à domicile, tout en enseignant à la personne et à sa famille les mesures de prévention et de promotion de la santé. Elle leur apporte du soutien émotionnel et les aide à suivre des stratégies d'adaptation durant toute l'évolution de l'infection et de l'antibiothérapie. Si la personne subit un traitement chirurgical, l'infirmière lui prodigue les soins postopératoires et lui donne les directives appropriées.

MYOCARDITE

La myocardite est une atteinte inflammatoire du myocarde. Elle peut provoquer une dilatation du cœur, des thrombi muraux, une infiltration des cellules sanguines autour des coronaires et entre les fibres musculaires et la dégénérescence des fibres musculaires elles-mêmes. On estime l'incidence de la myocardite à 1 à 10 cas pour 100 000 personnes. Le taux peut être plus élevé, la maladie n'étant pas toujours correctement diagnostiquée en raison de la diversité des manifestations cliniques qu'elle entraîne (Tang, 2001). La mortalité varie selon la gravité des symptômes. La plupart des personnes qui présentent des symptômes légers se rétablissent complètement. Les autres peuvent souffrir à la fois de cardiomyopathie et d'insuffisance cardiaque. Les personnes atteintes d'insuffisance cardiaque symptomatique et ayant une fraction d'éjection inférieure à 45 % avaient un taux de mortalité de 20 % après un an et de 56 % après quatre ans (Tang, 2001).

Physiopathologie

La myocardite est généralement causée par une infection d'origine virale, bactérienne, fongique, parasitaire, protozoaire ou spirochétose. Elle peut aussi être une réaction immunitaire liée au rhumatisme articulaire aigu. Par conséquent, elle peut apparaître chez les personnes atteintes d'une infection aiguë généralisée comme la fièvre rhumatismale, chez celles qui reçoivent des immunosuppresseurs ou qui souffrent d'une endocardite infectieuse. La myocardite peut provenir d'une réaction allergique à des agents pharmacologiques utilisés dans le traitement d'autres maladies. Elle peut prendre naissance dans une région limitée, puis s'étendre à tout le myocarde. L'ampleur de l'atteinte myocardique détermine le degré d'instabilité hémodynamique et les signes et symptômes qui en résultent. On a émis l'hypothèse que la cardiomyopathie serait une manifestation latente de la myocardite.

Manifestations cliniques

La myocardite aiguë se manifeste par des symptômes qui varient selon la nature de l'infection, la gravité des lésions myocardiques et la capacité du myocarde à se rétablir. Il arrive que la personne soit asymptomatique et que l'infection se résorbe d'elle-même. La personne peut avoir des symptômes légers ou modérés et consulter un médecin. Elle peut aussi être victime d'une mort cardiaque subite ou présenter une insuffisance cardiaque congestive. La personne qui souffre de symptômes légers ou modérés se plaint souvent de fatigue, de dyspnée, de palpitations et de douleurs précordiales occasionnelles.

Examen clinique et examens paracliniques

L'examen clinique de la personne peut ne révéler aucune anomalie. La maladie peut alors ne pas être décelée du tout. La personne se plaint parfois de douleur thoracique (alors que les artères coronaires semblent normales à l'issue d'un cathétérisme cardiaque). La personne dont le cœur ne présente aucune structure anormale (du moins au départ) peut soudain souffrir d'arythmies. Si des anomalies structurales apparaissent (par exemple dysfonction systolique), l'examen clinique peut révéler une cardiomégalie, de faibles bruits cardiaques, un bruit de galop et un souffle systolique.

Prévention

Pour réduire la fréquence des myocardites, on doit prévenir les maladies infectieuses (par exemple grippe, hépatite) au moyen de la vaccination et traiter rapidement les infections (Braunwald *et al.*, 2001).

Traitement médical

On doit d'abord traiter la cause sous-jacente de la myocardite si cette cause est connue. Si la myocardite résulte d'une infection à streptocoque hémolytique, on pratiquera ainsi une antibiothérapie à la pénicilline. Le repos au lit est indiqué afin de réduire la charge de travail du cœur. Cette mesure contribue également à diminuer les lésions myocardiques et les complications de la myocardite. Les activités, surtout le sport chez les jeunes, doivent être limitées pendant une période d'au moins 6 mois ou jusqu'à ce que le cœur ait retrouvé sa taille et sa fonction normales. L'activité physique doit reprendre lentement et progressivement, et la personne doit signaler tout symptôme qui apparaît lors de l'augmentation de l'activité, tel un rythme cardiaque rapide. L'utilisation de corticostéroïdes dans le traitement de la myocardite reste controversée (Braunwald *et al.*, 2001). Les anti-inflammatoires non stéroïdiens, tels que l'aspirine et l'ibuprofène (Advil, Motrin), ne doivent pas être utilisés durant la phase aiguë de la maladie ou si une insuffisance cardiaque apparaît chez la personne: ces médicaments peuvent en effet causer davantage de lésions myocardiques. En cas d'insuffisance cardiaque, le traitement est pour l'essentiel identique au traitement qui s'applique à tous les types d'insuffisance cardiaque (chapitre 32).

Soins et traitements infirmiers

L'infirmière prend régulièrement la température de la personne afin de déterminer si la maladie est maîtrisée. L'évaluation cardiovasculaire porte avant tout sur les signes et symptômes d'insuffisance cardiaque et d'arythmie. Si des arythmies se manifestent, la personne doit être placée dans une unité de soins intensifs: on procède à un monitorage cardiaque continu. Il importe que l'équipement et le personnel nécessaires pour traiter les arythmies qui mettent la vie de la personne en danger soient disponibles.

! ALERTE CLINIQUE *Les personnes atteintes de myocardite sont sensibles à la digoxine. L'infirmière doit donc les observer de près afin de détecter les signes de toxicité médicamenteuse, qui se manifestent par des arythmies, de la fatigue, de l'anorexie, des nausées, des vomissements, des céphalées et des malaises (chapitre 32 ⊂⊃).*

En raison du risque de thrombose veineuse et de thrombi muraux, la personne doit porter des bas compressifs et faire des exercices passifs et actifs.

PÉRICARDITE

La péricardite est une inflammation du péricarde, la membrane qui enveloppe le cœur. La péricardite peut être primaire ou apparaître à la suite de diverses perturbations médicales ou chirurgicales. L'incidence de la maladie varie selon la cause de la péricardite. Par exemple, la péricardite survient après une péricardectomie (ouverture du péricarde) chez 5 à 30 % des personnes qui ont subi une chirurgie cardiaque (Beers *et al.*, 1999). La péricardite qui se manifeste dans les 10 jours à 2 mois suivant un infarctus aigu du myocarde (syndrome de Dressler) représente, quant à elle, 1 à 3 % de tous les cas de péricardite (Beers *et al.*, 1999). La péricardite peut être aiguë ou chronique. On classe les péricardites selon les couches du péricarde qui s'attachent les unes aux autres (péricardite adhésive) ou selon que s'accumulent dans le sac péricardique du sérum (péricardite séreuse), du pus (péricardite purulente), des dépôts de calcium (péricardite calcifiante), un caillot de protéines (péricardite fibrineuse) ou du sang (hémopéricarde).

Physiopathologie

Voici quelques-unes des causes sous-jacentes de la péricardite ou reliées à celle-ci :

- Causes idiopathiques ou non spécifiques
- Infection : habituellement virale (par exemple virus coxsackie, grippe), rarement bactérienne (par exemple streptocoque, staphylocoque, méningocoque, gonocoque) et mycotique (fongique)
- Maladie affectant le tissu conjonctif : lupus érythémateux systémique, fièvre rhumatismale, polyarthrite rhumatoïde, polyarthrite
- Réaction de sensibilisation : réactions immunitaires, réactions médicamenteuses, maladie du sérum
- Problèmes de structures adjacentes : infarctus du myocarde, anévrisme disséquant, pleurésie et pneumonie
- Maladie néoplasique : causée par des métastases provenant du cancer du poumon ou du cancer du sein, leucémie et néoplasmes primaires (mésothéliome)
- Radiothérapie
- Trauma chirurgical : lésion thoracique, chirurgie cardiaque, cathétérisme cardiaque, pose d'un stimulateur cardiaque
- Insuffisance rénale, urémie
- Tuberculose

La péricardite peut entraîner une accumulation de liquide dans le sac péricardique (épanchement péricardique) et une augmentation de la pression sur le cœur, conduisant à une tamponnade cardiaque (chapitre 32 ⊂⊃). Des épisodes fréquents ou prolongés de péricardite peuvent aussi provoquer l'épaississement du muscle cardiaque et la diminution de son élasticité, ce qui restreint sa capacité à se remplir adéquatement de sang (péricardite constrictive). Le péricarde peut se calcifier, et l'expansion ventriculaire est alors davantage diminuée durant le remplissage ventriculaire (diastole). Lorsque le remplissage est moindre, les ventricules expulsent moins de sang, d'où une diminution du débit cardiaque et l'apparition de signes et symptômes d'insuffisance cardiaque. Un remplissage diastolique restreint peut se traduire par une augmentation de la pression veineuse systémique, entraînant un œdème périphérique et de l'insuffisance hépatique.

Manifestations cliniques

Le principal symptôme de la péricardite est la douleur thoracique, laquelle peut également irradier sous la clavicule, dans le cou, dans les muscles trapèzes et les épaules. La douleur est généralement constante, mais elle est aggravée par la mobilisation, la toux et la respiration profonde, et lorsque la personne est en position étendue ou se tourne. Elle est soulagée par la position assise ou penchée en avant. Le signe le plus caractéristique de péricardite est le frottement. Les autres signes sont notamment les suivants : légère fièvre, augmentation de la numération des globules blancs et augmentation de la vitesse de sédimentation des hématies (VS). Parfois, l'accumulation de liquide péricardique peut provoquer une dyspnée et d'autres signes et symptômes d'insuffisance cardiaque causée par la péricardite constrictive ou la tamponnade cardiaque.

Examen clinique et examens paracliniques

Le diagnostic est souvent posé sur la foi de l'anamnèse et des signes et symptômes. Il peut être confirmé par un échocardiogramme au moyen duquel on peut détecter une inflammation et une formation de liquide, de même que des signes d'insuffisance cardiaque. Étant donné que le sac péricardique entoure le cœur, un ECG à 12 dérivations permet de détecter les changements S-T dans nombre de dérivations, sinon dans toutes les dérivations.

Traitement médical

Le traitement a pour objectif de déterminer la cause de la péricardite, d'administrer le traitement et de surveiller tout signe de tamponnade cardiaque. Si le débit cardiaque est altéré, le repos complet s'impose jusqu'à ce que la fièvre, la douleur et le frottement aient disparu.

On peut recourir à des analgésiques et à des anti-inflammatoires non stéroïdiens, tels que l'aspirine et l'ibuprofène, pour soulager la douleur au cours de la phase aiguë. Si la péricardite est d'origine rhumatismale, ces médicaments peuvent également accélérer la réabsorption de l'épanchement. Des corticostéroïdes (par exemple la prednisone) peuvent enrayer les symptômes, accélérer la résolution de l'inflammation et prévenir le retour de l'épanchement; ils sont prescrits si la péricardite est grave ou si la personne ne répond pas aux anti-inflammatoires non stéroïdiens. On peut également avoir recours à la colchicine comme médicament de rechange.

La péricardiocentèse (intervention consistant à retirer une partie du liquide du péricarde) permet de déterminer l'agent causal. Elle peut également soulager les symptômes, surtout s'il y a des signes et symptômes d'insuffisance cardiaque. Afin de drainer la cavité thoracique de façon continue, on pratique également une petite ouverture dans le péricarde (ponction péricardique). Pour libérer les deux ventricules de l'inflammation constrictive et restrictive, il peut être nécessaire d'exciser chirurgicalement la partie dure enchâssée dans le péricarde (péricardectomie).

Soins et traitements infirmiers

L'infirmière qui prodigue des soins à une personne atteinte de péricardite doit être à l'affût des signes de tamponnade cardiaque.

On doit traiter la douleur des personnes atteintes de péricardite aiguë en leur administrant des analgésiques, en leur faisant adopter une position appropriée et en leur offrant du soutien psychologique. Les personnes qui éprouvent des douleurs thoraciques ont tout à gagner de l'enseignement qui leur est donné. On doit également les rassurer en leur expliquant que la douleur n'est pas le signe d'un accident vasculaire cérébral. Dans le but de limiter les complications, l'infirmière aide la personne à restreindre ses activités jusqu'à ce que la douleur et la fièvre aient disparu. La personne reprend graduellement ses activités dès que son état s'améliore, mais elle doit revenir au repos complet si la douleur, la fièvre ou le frottement réapparaissent. L'infirmière enseigne à la personne et à sa famille tout ce qu'il faut savoir sur le mode de vie sain qui permettra d'améliorer la résistance du système immunitaire.

! ALERTE CLINIQUE *Il est primordial que l'infirmière ait des compétences en matière d'évaluation afin de prévoir et de détecter les trois symptômes de la tamponnade cardiaque: diminution de la pression artérielle, augmentation de la pression veineuse et bruits cardiaques faibles.*

L'infirmière surveille la personne afin de détecter les signes d'insuffisance cardiaque. Une personne dont l'hémodynamie est instable ou qui présente de la congestion doit être traitée de la même façon qu'une personne atteinte d'insuffisance cardiaque aiguë (chapitre 32 ⊂⊃).

DÉMARCHE SYSTÉMATIQUE dans la pratique infirmière

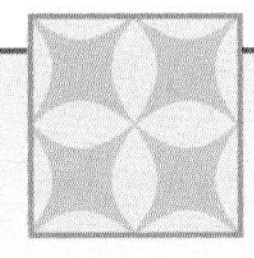

Personne atteinte de péricardite

COLLECTE DES DONNÉES

La douleur est le principal symptôme de la péricardite. Pour évaluer cette douleur, on observe la personne dans diverses positions en tentant de déterminer si les mouvements respiratoires, avec ou sans passage réel d'air, la flexion, l'extension ou la rotation de la colonne et les mouvements du cou, les mouvements des épaules et des bras, de même que la toux ou la déglutition ont un effet sur elle. Connaître les facteurs qui déclenchent ou intensifient la douleur aide à poser le diagnostic et à différencier une douleur provenant d'une péricardite d'une douleur provenant d'un infarctus du myocarde.

Le frottement péricardique survient lorsque la surface du péricarde a perdu ses propriétés lubrifiantes à la suite d'une inflammation. Ce frottement est perçu à l'auscultation et il coïncide avec les battements cardiaques. Cependant, il peut être fuyant et difficile à détecter.

! ALERTE CLINIQUE *La présence d'un frottement péricardique permet de diagnostiquer la péricardite. Pour le percevoir, on appuie fermement le diaphragme du stéthoscope sur le thorax. Le frottement péricardique se situe dans le quatrième espace intercostal au bord gauche du sternum, où le péricarde entre en contact avec la paroi gauche de la cage thoracique. Ce bruit peut ressembler à un grincement ou à un crissement de cuir neuf; il s'accentue à la fin de l'expiration et il est plus facile de le percevoir quand la personne est assise ou penchée en avant.*

Contrairement au frottement pleuropéricardique, le frottement péricardique ne s'interrompt pas avec l'arrêt de la respiration. En cas de doute, on demande à la personne de retenir sa respiration.

On doit prendre fréquemment la température de la personne, car la péricardite peut causer un brusque début de fièvre chez la personne jusqu'alors afébrile.

ANALYSE ET INTERPRÉTATION

Diagnostics infirmiers

En se fondant sur les données recueillies, l'infirmière peut poser le diagnostic infirmier suivant:

- Douleur aiguë, reliée à l'inflammation du péricarde

Problèmes traités en collaboration et complications possibles

En se fondant sur les données recueillies, l'infirmière peut déterminer les complications susceptibles de survenir, notamment :

- Épanchement péricardique
- Tamponnade cardiaque

PLANIFICATION

Les principaux objectifs sont les suivants : soulager la douleur et prévenir les complications.

INTERVENTIONS INFIRMIÈRES

Soulager la douleur

Le repos complet est le meilleur moyen de soulager la douleur. La personne est souvent plus à l'aise en position assise, droite, penchée vers l'avant. Il est donc recommandé à la personne de se reposer assise sur une chaise. Il est important qu'elle réduise ses activités tant que la douleur est présente. Elle peut reprendre graduellement ses activités quotidiennes une fois que la douleur et le frottement péricardique ont disparu. Si elle reçoit des médicaments tels que des analgésiques, des antibiotiques ou des corticostéroïdes dans le cadre du traitement de la péricardite, il faut vérifier ses réactions à ces médicaments et les noter au dossier. Si la douleur thoracique et le frottement péricardique réapparaissent, la personne doit revenir au repos complet.

Surveiller et traiter les complications

Épanchement péricardique

Si la personne ne répond pas au traitement médical, il peut se produire un *épanchement péricardique,* c'est-à-dire une accumulation de liquide entre les feuillets viscéral et pariétal du péricarde (chapitre 32). Cette accumulation de liquide peut provoquer une constriction du myocarde et en réduire la contractilité, ce qui entraîne une diminution du débit cardiaque à chaque contraction. Si ce problème n'est pas détecté et traité, il peut entraîner l'apparition d'une tamponnade cardiaque et mettre la vie de la personne en danger.

Tamponnade cardiaque

Les signes et symptômes de la tamponnade cardiaque se manifestent d'abord par une diminution de la pression artérielle. Généralement, la pression systolique baisse, alors que la pression diastolique reste stable, ce qui engendre une baisse de la pression différentielle. Les bruits du cœur sont faibles et peuvent devenir imperceptibles. On observe aussi des signes d'augmentation de la pression veineuse centrale, comme une distension des veines du cou. Ces perturbations sont dues au fait que le sang qui est ramené au cœur depuis la périphérie ne peut être entièrement retourné dans la circulation, en raison de la pression exercée sur le myocarde par l'accumulation de liquide dans le sac du péricarde.

Si elle observe des signes de tamponnade, l'infirmière doit immédiatement prévenir le médecin et préparer le matériel nécessaire à une péricardiocentèse (chapitre 32). Elle doit rester au chevet de la personne et continuer à noter les signes et symptômes jusqu'à l'arrivée du médecin, tout en s'efforçant de réduire l'anxiété de la personne.

ÉVALUATION

Résultats escomptés

Les principaux résultats escomptés sont les suivants :

1. La personne ne ressent plus de douleur.
   a) Elle peut effectuer ses activités quotidiennes sans éprouver de douleur, de fatigue ni d'essoufflement.
   b) Sa température est revenue à la normale.
   c) Le frottement péricardique a disparu.
2. Il n'y a pas de complications.
   a) La pression artérielle est dans les limites de la normale.
   b) Les bruits cardiaques sont d'intensité normale et peuvent être décelés à l'auscultation.
   c) La distension des veines du cou a disparu.

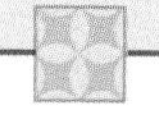

EXERCICES D'INTÉGRATION

1. On a diagnostiqué une régurgitation mitrale chez un de vos voisins. Celui-ci ne comprend pas pourquoi il doit prendre des antibiotiques avant de recevoir des soins dentaires, y compris pour des vérifications de routine. Comment lui expliqueriez-vous la justification scientifique de cette ordonnance ?
2. On élabore un plan de congé de l'hôpital destiné à un jeune homme de 26 ans atteint de cardiomyopathie. Sa femme, âgée de 24 ans, se dit prête à prendre soin de lui à la maison ; elle s'attend à ce qu'il soit incapable d'assumer tous ses autosoins. En vous fondant sur vos connaissances des tâches qui incombent aux personnes âgées de 24 à 26 ans, comment expliqueriez-vous à cette femme en quoi consistent les besoins émotionnels et physiques de son mari, ainsi que les façons de répondre à ses besoins aussi bien qu'aux siens ? Le cardiologue a demandé au mari de prendre rendez-vous avec les services de transplantation : en quoi devriez-vous modifier votre plan thérapeutique infirmier ?
3. Une personne qui est en train de se rétablir d'une transplantation cardiaque a une faible capacité d'attention, une mauvaise mémoire à court terme et elle dort mal. Selon sa famille, elle parle plus rapidement que d'habitude, elle est surexcitée et ses manifestations de joie sont excessives. Le chirurgien estime que cela est probablement dû aux doses élevées de stéroïdes administrées et que les symptômes s'atténueront au fur et à mesure que les doses de stéroïdes seront réduites. Une autre personne qui a subi la même intervention chirurgicale pleure fréquemment et dit qu'elle se sent dépassée par les exigences du traitement (diversité des médicaments à prendre et horaire des prises). La famille n'est pas venue en visite depuis deux jours. Comment expliqueriez-vous les réactions de chacune de ces personnes ? En quoi vos stratégies d'enseignement différeraient-elles ?
4. Vous vous occupez d'un homme atteint de péricardite. Sa pression systolique commence à chuter et les bruits cardiaques sont inaudibles. Quelles mesures prendriez-vous ? Pour quelles raisons ?

RÉFÉRENCES BIBLIOGRAPHIQUES

American Heart Association. (2001). *Heart and stroke statistical update.* Dallas, TX: American Heart Association.

Augustine, S.M. (2000). Heart transplantation. *Critical Care Nursing Clinics of North America, 12*(1), 69–77.

Bayer, A.S., Bolger, A.F., Taubert, K.A., Wilson, W., Stecklberg, J., Karchmer, A.W., et al. (1998). Diagnosis and management of infective endocarditis and its complications. *Circulation, 98*(25), 2936–2948.

Becker, C., & Petlin, A. (1999). Heart transplantation. *American Journal of Nursing, 99* (Suppl. 5), 5–14.

Beers, M.H., Berkow, R., & Burs, M. (1999). *The Merck manual of diagnosis and therapy* (17th ed.). Whitehouse Station, NJ: Merck & Co.

Berul, C., & Zevitz, M.E. (2002). Cardiomyopathy, hypertrophic. *eMedicine Journal, 3*(1). Available at: http://www.emedicine.com/ ped/topic 1102.htm. Accessed February 26, 2002.

Braunwald, E., Zipes, D.P., & Libby, P. (Eds.). (2001). *Heart disease: A textbook of cardiovascular medicine* (6th ed.). Philadelphia: W.B. Saunders.

Chillcott, S.R., Atkins, P.J., & Adamson, R.M. (1998). Left ventricular assist as a viable alternative for cardiac transplantation. *Critical Care Nurse, 20*(4), 64–79.

Chin, T.K. (2001). Rheumatic heart disease. *eMedicine Journal, 2*(9). Available at: http://www.emedicine.com/ped/topic2007.htm. Accessed February 26, 2002.

Dajani, A.S., Taubert, K.A., Wilson, W., Bolger, A.F., Bayer, A., Ferrieri, P., et al. (1997). Prevention of bacterial endocarditis. *Circulation, 96*(1), 358–366.

Duke, T., & Perna, J. (1999). The ventricular assist device as a bridge to cardiac transplantation. *AACN Clinical Issues, 10*(2), 217–228.

Flynn, M.B., & Bonini, S. (1999). Blunt chest trauma: Case report. *Critical Care Nurse, 19*(5), 68–77.

Fuster, V., Alexander, R.W., O'Rourke, R.A., Roberts, R., King, S.B., III, & Wellens, H.J.J. (Eds.). (2001). *Hurst's the heart* (10th ed.). New York: McGraw-Hill.

Freed, L.A., Levy, D., Levine, R.A., Larson, M.G., Evans, J.C., Fuller, D.L., et al. (1999). Prevalence and clinical outcome of mitral-valve prolapse. *New England Journal of Medicine, 34*(1), 1–7.

Kadner, A., Chen, R.H., & Adams, D.H. (2000). Heterotopic heart transplantation: Experiential development and clinical experience. *European Journal of Cardiothoracic Surgery, 7*(4), 474–481.

Kamiya, H., Yasuda, T., Nagamine, H., Sakakibara, N., Nishida, S., Kawasuji, M., et al. (2001). Surgical treatment of primary cardiac tumors: 28 years' experience in Kanazawa University Hospital. *Japan Circulation Journal, 65*(4), 315–319.

McRae, A.I., Chung, M.K., & Asher, C.R. (2001). Arrhythmogenic right ventricular cardiomyopathy: A cause of sudden death in young people. *Cleveland Clinic Journal of Medicine, 68*(5), 459–467.

Oakley, C. (1997). Aetiology, diagnosis, investigation, and management of the cardiomyopathies. *British Medical Journal, 315*(7121), 1520–1524.

Reynan, K. (1996). Frequency of primary tumor of the heart. *American Journal Cardiology, 77*(1), 107.

Richardson, P., McKenna, W., Bristow, M., Maisch, B., Mautner, B., O'Connell, J., et al. (1996). Report of the 1995 World Health Organization/International Society and Federation of Cardiology Task Force on the Definition and Classification of Cardiomyopathies. *Circulation, 93*(5), 841–842.

Rose, E.A., Moskowitz, A.J., Packer, M., Sollano, J.A., Williams, D.L., Tierney, A.R., et al. (1999). The REMATCH trial: Rationale, design, and endpoints. Randomized evaluation of mechanical assistance for the treatment of congestive heart failure. *Annals of Thoracic Surgery, 67*(3), 723–730.

Rourke, T.K., Droogan, M.T., & Ohler, L. (1999). Heart transplantation: State of the art. *AACN Clinical Issues, 10*(2), 185–201.

Schakenbach, L.H. (2001). Care of the patient with a ventricular assist device. In M. Chulay & S. Wingate (eds.), *Care of the cardiovascular patient series.* Aliso Viejo, CA: American Association of Critical-Care Nurses.

Scherr, K., Jensen, L., & Koshal, A. (1999). Mechanical circulatory support as a bridge to cardiac transplantation: Toward the 21st century. *American Journal of Critical Care, 8*(5), 334–339.

Schmid, M.W. (2000). Risks and complications of peripherally and centrally inserted intravenous catheters. *Critical Care Nursing Clinics of North America, 12*(2), 165–174.

Shaddy, R.E. (2001). Cardiomyopathy, restrictive. *eMedicine Journal, 2*(12). Accessed February 26, 2002 from http://www.emedicine. com/ped/topic 2503.htm.

Shapiro, L.M. (2001). Cardiac tumors: Diagnosis and management. *Heart, 85*(2), 218–222.

Spirito, P., Bellone, P., Harris, K., Bernabo, P., Bruzzi, P., & Maron, B. (2000). Magnitude of left ventricular hypertrophy and risk of sudden death in hypertrophic cardiomyopathy. *New England Journal of Medicine, 42*(24), 1778–1785.

Tang, W.H.T., & Young, R.H. (2001). Myocarditis. *eMedicine Journal, 2*(11). Available at: http://www.emedicine.com/med/ topic1569.htm. Accessed February 26, 2002.

Thourani, V.H., Feliciano, D.V., Cooper W.A., Brady, K.M., Adams, A.B., Rozycki, G.S., et al. (1999). Penetrating cardiac trauma in an urban trauma center: A 22-year experience. *American Surgeon, 65*(9), 811–818.

Wall, M.J., Jr., Mattox, K.C., Chen, C.D., & Baldwin, J.C. (1997). Acute management of complex cardiac injuries. *The Journal of Trauma, 42*(5), 905–912.1

En complément de ce chapitre, vous trouverez sur le Compagnon Web :

- une bibliographie exhaustive ;
- des ressources Internet.

Adaptation française
Christian Godbout, inf., M.Sc.
Responsable de la formation en soins critiques/
soins intensifs, chirurgie cardiaque – Hôpital Laval;
Chargé de cours, Département des sciences infirmières
– Université du Québec à Rimouski

Complications des affections cardiaques

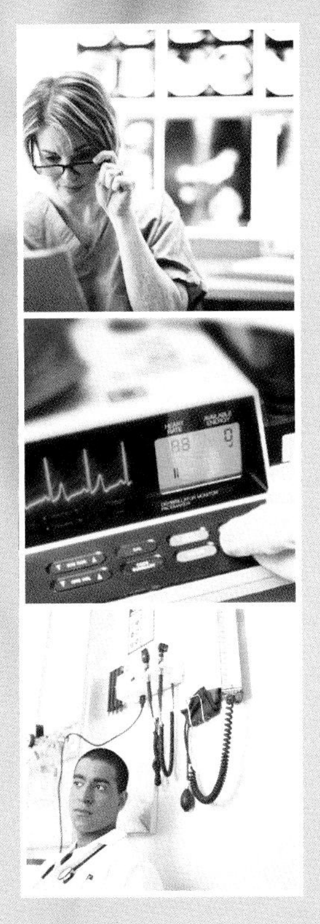

Objectifs d'apprentissage

Après avoir étudié ce chapitre, vous pourrez:

1. Décrire le traitement des personnes en insuffisance cardiaque.
2. Appliquer la démarche systématique aux personnes souffrant d'insuffisance cardiaque.
3. Décrire le traitement des personnes qui présentent une insuffisance cardiaque aiguë.
4. Élaborer un plan thérapeutique infirmier destiné aux personnes atteintes d'insuffisance cardiaque.
5. Décrire le traitement des personnes qui ont subi un choc cardiogénique (cardiogène).
6. Décrire le traitement des personnes qui présentent des épisodes de thromboembolie, d'épanchement péricardique, de tamponnade cardiaque et de rupture du myocarde.
7. Mettre en œuvre les techniques de réanimation cardiorespiratoire.

Aujourd'hui, on peut contribuer à prolonger la vie de la personne qui souffre d'une cardiopathie et lui offrir une meilleure qualité de vie qu'il y a dix ans. Grâce aux percées réalisées dans les examens paracliniques, on peut poser des diagnostics plus rapidement et avec plus de précision et ainsi amorcer le traitement bien avant que des défaillances importantes ne surviennent. Les traitements, les techniques et les pharmacothérapies ont aussi évolué. Cependant, les cardiopathies constituent encore aujourd'hui des maladies chroniques, susceptibles d'entraîner des complications. Ce chapitre présente donc les complications qui résultent le plus souvent des cardiopathies et les traitements qui permettent de les soigner.

Hémodynamique du cœur

Le cœur a pour principale fonction de pomper le sang. On mesure la capacité du cœur à pomper le sang en calculant le **débit cardiaque (DC)**, autrement dit le volume de sang éjecté en 1 minute. On détermine ce débit en mesurant la fréquence cardiaque (FC) et en la multipliant par le **volume d'éjection systolique (VES)**, soit la quantité de sang expulsée du ventricule à chaque contraction. Généralement, on calcule le débit cardiaque à l'aide de l'équation suivante : $DC = FC \times VES$.

Le système nerveux autonome contribue à la régulation de la fréquence cardiaque. Lorsque le volume systolique baisse, la stimulation du système nerveux autonome provoque une accélération de la fréquence cardiaque, ce qui permet de maintenir un débit cardiaque adéquat. Le volume systolique dépend de trois facteurs : la précharge, la postcharge et la contractilité.

La **précharge** correspond au degré d'étirement du myocarde qui existe juste avant le déclenchement de la systole et qui résulte de la pression exercée par le volume de sang dans le

VOCABULAIRE

Activité électrique sans pouls : situation dans laquelle on décèle une certaine activité électrique, mais pas de pouls ni de pression artérielle suffisante ; on l'attribue à la faiblesse des contractions cardiaques ou à la diminution du volume de sang circulant.

Anurie : débit urinaire inférieur à 100 mL par 24 heures.

Compliance : élasticité, ou degré de flexibilité, du ventricule lorsque le sang y pénètre.

Contractilité : force de la contraction ventriculaire liée au nombre et à l'état des cellules myocardiques.

Débit cardiaque (DC) : volume de sang chassé du cœur en 1 minute.

Dyspnée nocturne paroxystique : essoufflement qui se produit subitement durant le sommeil.

Fraction d'éjection : pourcentage du volume du sang présent dans les ventricules à la fin de la diastole qui se trouve chassé durant la systole ; mesure de la contractilité.

Insuffisance cardiaque (IC) : incapacité du cœur à pomper suffisamment de sang pour répondre aux besoins des tissus, tant en oxygène qu'en éléments nutritifs ; elle peut s'accompagner ou non de signes et symptômes de congestion pulmonaire et systémique.

Insuffisance cardiaque congestive (ICC) : surcharge liquidienne (congestion) causée ou non par une insuffisance cardiaque, se présentant souvent de façon aiguë et ayant pour effet d'augmenter la quantité de liquide dans les vaisseaux sanguins.

Insuffisance cardiaque diastolique : impuissance du cœur à pomper une quantité suffisante de sang à cause d'un changement dans la capacité du cœur de se remplir ; terme utilisé couramment pour désigner un certain type d'insuffisance cardiaque.

Insuffisance cardiaque droite (insuffisance ventriculaire droite) : incapacité du ventricule droit à se remplir de sang ou à faire circuler le sang dans les poumons.

Insuffisance cardiaque gauche (insuffisance ventriculaire gauche) : incapacité du ventricule gauche à se remplir de sang ou à éjecter suffisamment de sang pour répondre aux besoins des tissus, tant en oxygène qu'en éléments nutritifs ; terme utilisé traditionnellement pour décrire les symptômes d'IC du patient.

Insuffisance cardiaque systolique : impuissance du cœur à pomper suffisamment de sang à cause d'un changement dans la capacité du cœur de se contracter ; terme utilisé couramment pour décrire un certain type d'IC.

Œdème pulmonaire : accumulation anormale de sérosités, soit dans le compartiment interstitiel, soit dans les alvéoles pulmonaires.

Oligurie : débit urinaire inférieur à 400 mL par 24 heures.

Orthopnée : essoufflement en position couchée.

Péricardiocentèse : technique qui consiste à insérer une aiguille dans la cavité péricardique afin de retirer une partie du liquide qui s'y trouve.

Péricardiotomie : ouverture pratiquée chirurgicalement dans le péricarde.

Postcharge : degré de résistance à l'éjection du sang hors d'un ventricule.

Pouls paradoxal : désigne une situation où la pression artérielle systolique est plus élevée d'au moins 10 mm Hg durant l'expiration que durant d'inspiration ; d'habitude, l'écart est inférieur à 10 mm Hg.

Précharge : degré d'étirement du myocarde présent avant le déclenchement de la systole et causé par la pression qu'exerce le volume de sang dans un ventricule.

Thermodilution : méthode utilisée pour déterminer le débit cardiaque ; elle consiste à injecter du liquide dans le cathéter artériel pulmonaire. Un thermistor mesure la différence entre la température du liquide et la température du sang éjecté du ventricule. Le débit cardiaque est calculé à partir du changement de température.

Volume d'éjection systolique (VES) : quantité de sang chassée du ventricule à chaque contraction.

ventricule. Pour en chasser la plus grande quantité possible, il faut que les fibres du muscle ventriculaire s'étirent sous l'effet de la pression, comme des bandes de caoutchouc. Si l'étirement des fibres musculaires est trop prononcé ou est insuffisant, le volume de sang éjecté n'est pas optimal. Le principal facteur qui détermine la précharge est le retour veineux, autrement dit le volume de sang qui entre dans le ventricule durant la diastole. Il faut aussi tenir compte de la **compliance** ventriculaire, qui est l'élasticité ou le degré de flexibilité du ventricule au moment où le sang y pénètre. Lorsque le muscle s'épaissit, comme dans une myocardiopathie hypertrophique, ou lorsqu'il y a une augmentation du tissu fibreux, l'élasticité diminue (chapitre 31). Le tissu fibreux remplace les cellules nécrosées, comme cela se produit après un infarctus du myocarde (chapitre 30). Le tissu fibreux offre peu de compliance, ce qui rend le ventricule plus rigide. Pour le même volume de sang, un ventricule non compliant engendre une pression ventriculaire plus élevée qu'un ventricule compliant. La hausse de la pression ventriculaire augmente la précharge du cœur, ce qui peut donner lieu à l'**insuffisance cardiaque (IC)**.

La **postcharge** représente la résistance à l'éjection du sang hors des ventricules. Pour éjecter le sang, le ventricule doit surmonter cette résistance. La postcharge est inversement proportionnelle au volume systolique. Les principaux facteurs qui la déterminent sont le diamètre et la capacité de dilatation des vaisseaux, de même que le degré d'ouverture et d'efficacité des valvules semilunaires (valvules pulmonaire et aortique). Plus ces dernières sont ouvertes, moins il y a de résistance. Si la personne présente de la vasoconstriction, une forte hypertension ou une ouverture étroite causée par une sténose aortique, la résistance (postcharge) augmente.

La **contractilité**, qui correspond à la force de la contraction, est reliée au nombre et à l'état des cellules myocardiques. Les catécholamines libérées par le système sympathique, que celui-ci soit stimulé par l'exercice ou par l'administration de médicaments inotropes positifs, font augmenter la contractilité et le volume systolique. L'infarctus du myocarde entraîne la nécrose de certaines cellules myocardiques, concentrant la charge de travail sur les autres cellules. Une importante perte de cellules myocardiques fait diminuer la contractilité et engendre l'insuffisance cardiaque. On doit diminuer la postcharge au moyen de techniques de réduction du stress ou de médicaments, de manière à contrebalancer la diminution de la contractilité.

Examens cliniques non effractifs

On peut s'appuyer sur de nombreux examens cliniques non effractifs pour évaluer l'état hémodynamique du cœur, même si les résultats ne sont pas en corrélation directe avec la précharge, la postcharge ou la contractilité. La précharge ventriculaire droite peut être estimée en mesurant la distension de la veine jugulaire. La pression artérielle moyenne est un indicateur approximatif de la postcharge ventriculaire gauche. La tolérance à l'activité peut servir à évaluer le fonctionnement cardiaque en général. Il sera question de ces examens cliniques plus loin dans le chapitre.

La cardiographie d'impédance représente une méthode non effractive utilisée pour calculer en continu le volume d'éjection systolique, le débit cardiaque, la résistance vasculaire systémique, la contractilité ventriculaire et l'équilibre liquidien (Turner, 2000). On place des électrodes sur le thorax de la personne, puis on les branche sur un appareil qui fait passer une petite quantité de courant électrique alternatif dans le thorax et qui mesure la résistance (Z) au passage (conduction) du courant et le volume du courant sanguin.

Examens cliniques effractifs

Le cathéter artériel pulmonaire représente une technique précieuse pour évaluer les éléments du volume systolique chez une personne dont l'hémodynamique est instable. Ce cathéter permet d'obtenir les données hémodynamiques essentielles pour le diagnostic et le traitement (chapitre 28). Branché à un capteur de pression et relié à un moniteur, le cathéter de l'artère pulmonaire est un conduit rempli de liquide qui sert à détecter les changements de pression dans le cœur. Les changements pulsatiles de pression sont convertis en signaux électriques, qui apparaissent sous forme d'ondes sur le moniteur (figure 32-1 ■; encadré 32-1 ■).

On recourt habituellement à la **thermodilution** pour mesurer le débit cardiaque. L'ouverture de thermistance du cathéter est branchée sur un moniteur qui affiche le débit cardiaque et les autres paramètres. En thermodilution, on injecte dans la voie proximale (oreillette droite) un volume de liquide calculé avec précision et qui est plus froid que le sang de la personne. Le liquide entre dans le ventricule droit pour être ensuite chassé dans l'artère pulmonaire. La thermistance enregistre la température avant et après l'éjection du liquide. Le changement de température est inversement proportionnel au débit cardiaque. Si ce dernier est élevé, le sang et le liquide circulent rapidement et ont moins de temps pour se mélanger. Dans ce cas, le changement de température détecté par la thermistance est moins grand.

On calcule les paramètres cardiaques de la postcharge et de la contractilité en même temps que le débit cardiaque (tableau 32-1 ■). On effectue les mesures des différentes pressions par intervalles. On rectifie le traitement, qui consiste surtout à administrer des médicaments par intraveineuse ; pour ce faire, on se fonde sur l'examen clinique et les examens paracliniques.

On traite généralement la personne qui a un cathéter hémodynamique à l'unité des soins intensifs (encadré 32-1), parce qu'elle doit faire l'objet d'un grand nombre d'examens cliniques et d'interventions infirmières.

Insuffisance cardiaque

L'insuffisance cardiaque, que l'on appelle souvent **insuffisance cardiaque congestive (ICC)**, se définit comme la diminution de la contractilité du myocarde ; le cœur ne peut plus assurer le débit nécessaire pour répondre aux besoins de l'organisme, aussi bien en oxygène et qu'en éléments nutritifs. Cependant, le terme d'insuffisance cardiaque congestive prête à confusion, car il donne à penser que les personnes doivent présenter une congestion pulmonaire ou systémique pour être atteintes d'insuffisance cardiaque et que les personnes qui souffrent de congestion pulmonaire sont atteintes également d'insuffisance cardiaque. Le Réseau canadien des cliniques

(suite p. 413)

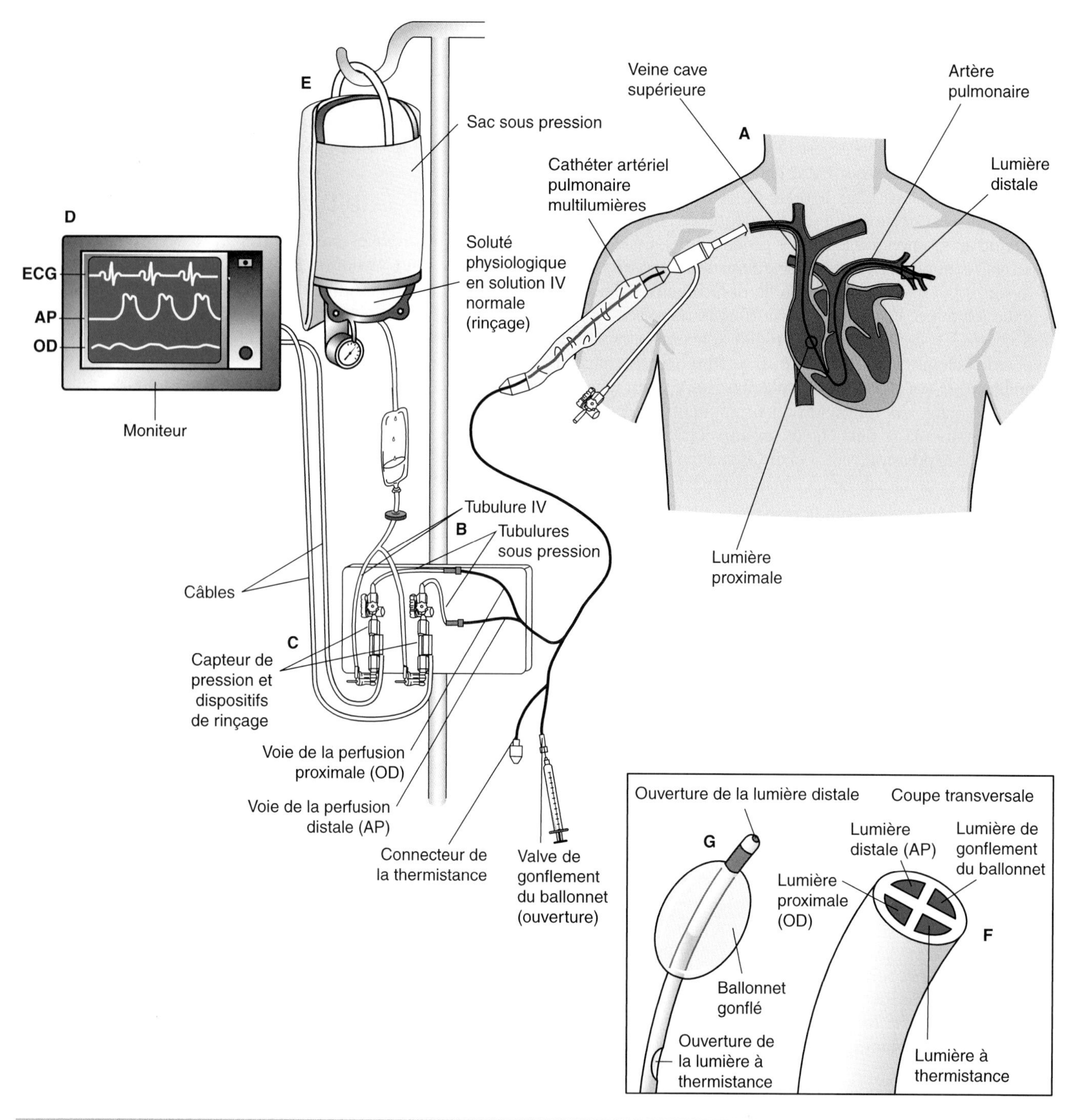

FIGURE 32-1 ■ Le cathéter artériel pulmonaire à plusieurs voies est un conduit rempli de liquide qui sert à détecter les changements de pression dans le cœur. **(A)** On l'insère dans la veine cave supérieure, habituellement par la veine jugulaire interne ou la veine subclavière (aussi appelée « veine sous-clavière »). Le cathéter est rattaché à une tubulure à pression **(B)**, qui est ensuite branchée sur un capteur de pression **(C)**. Le capteur de pression détecte les changements pulsatiles de pression et les convertit en signaux électriques. Ces signaux apparaissent sous forme d'ondes sur un moniteur **(D)**. Le capteur de pression contient également un dispositif qui perfuse automatiquement une petite quantité de liquide de rinçage **(E)** dans le cathéter afin d'en maintenir la perméabilité. Comme le cœur engendre une certaine pression, on applique aussi de la pression sur le liquide de rinçage pour s'assurer qu'il s'écoule dans le cathéter de même que dans la circulation sanguine, et cela afin que le sang ne reflue pas dans l'appareil. Le cathéter artériel pulmonaire contient plusieurs lumières **(F)** munies d'ouvertures en divers endroits; celles-ci permettent de mesurer les pressions hémodynamiques en plusieurs points. L'ouverture proximale se trouve généralement dans l'oreillette droite (OD) et sert à mesurer la pression veineuse centrale (PVC). L'extrémité distale du cathéter repose dans l'artère pulmonaire (AP) et mesure les pressions pulmonaires systolique et diastolique. Lorsque l'on gonfle le ballonnet **(G)**, celui-ci bloque l'artère pulmonaire distale. L'extrémité du cathéter enregistre alors la pression devant elle, appelée pression capillaire pulmonaire. On mesure le débit cardiaque en recourant le plus souvent à la thermodilution au moyen de l'ouverture à thermistance. Le cathéter est relié au moniteur qui affiche le débit cardiaque et les autres paramètres cardiaques.

ENCADRÉ 32-1

RECOMMANDATIONS

Prise en charge du monitorage hémodynamique au moyen d'un cathéter artériel pulmonaire multilumières

INTERVENTIONS INFIRMIÈRES	JUSTIFICATIONS SCIENTIFIQUES
Préparation	
1. Expliquer la technique à la personne et à sa famille ou bien à la personne clé dans sa vie.	1. Le fait d'expliquer à la personne en quoi consiste la technique contribue à atténuer l'anxiété qu'elle ressent et l'incite également à limiter ses mouvements durant l'intervention.
2. Prendre les signes vitaux et mettre en place les électrodes pour l'électrocardiogramme.	2. L'examen préliminaire permet d'obtenir les données qui serviront plus tard de base aux comparaisons.
3. Placer la personne de manière à permettre au médecin d'avoir accès au point d'insertion, d'atténuer les risques de complications et de favoriser son bien-être.	3. On place généralement la personne à l'horizontale ou en position de Trendelenburg pour diminuer le risque d'embolie gazeuse et faciliter l'accès au point d'insertion.
4. Préparer le matériel conformément aux directives du fabricant.	4. Les systèmes de monitorage diffèrent selon les fabricants.
a) Le cathéter artériel pulmonaire doit être accompagné d'une tubulure à pression, d'un capteur de pression, d'un dispositif de rinçage, d'un amplificateur de pression relié à un système de contrôle et d'enregistrement. De plus, une tige à soluté et un support de capteur de pression sont habituellement requis.	a) Il importe donc de bien connaître celui que l'on utilise.
b) Le matériel destiné à prendre les pressions doit être étalonné et nettoyé conformément aux directives du fabricant.	b) Le rinçage du cathéter en assure la perméabilité et élimine les bulles d'air.
c) Il faut gonfler d'air le ballonnet pour en vérifier l'étanchéité (absence de bulles).	c) En procédant à cette vérification, on s'assure que le ballonnet fonctionne correctement.
5. Raser au besoin la zone de l'insertion et nettoyer la peau.	5. En préparant la zone de l'insertion, on réduit les risques d'infection.
Mise en place du cathéter (par le médecin)	
1. On insère le cathéter à travers une gaine placée dans la veine jugulaire interne, la veine subclavière ou une autre veine de gros calibre facilement accessible par ponction percutanée ou phlébotomie. La gaine doit être entourée d'une couverture protectrice afin que le cathéter reste stérile.	1. Le trajet vers le système veineux central est plus court à partir de la veine jugulaire et entraîne peu de complications. L'insertion à partir de la veine subclavière donne à la personne une plus grande liberté de mouvement. Il facilite également la fixation du cathéter.
2. On l'achemine ensuite vers la veine cave supérieure, en se guidant sur les oscillations des ondes de pression pour déterminer l'emplacement de son extrémité. Parfois, on recourt à la radioscopie pour s'assurer que le cathéter artériel pulmonaire est placé au bon endroit.	2. La position de l'extrémité du cathéter est déterminée par les oscillations et les changements de pression.

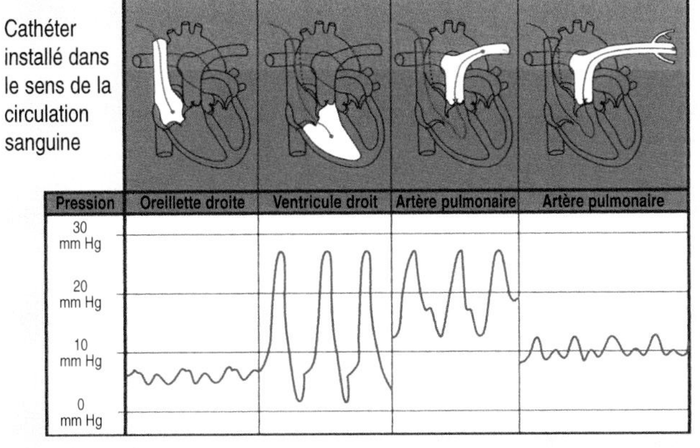

SOURCE : L.D. Urden, K.M. Stacy et M.E. Lough (2004). *Priorities in Critical Care Nursing* (4e éd.). St. Louis : Mosby.

ENCADRÉ 32-1

RECOMMANDATIONS

Prise en charge du monitorage hémodynamique au moyen d'un cathéter artériel pulmonaire multilumières (*suite*)

INTERVENTIONS INFIRMIÈRES	JUSTIFICATIONS SCIENTIFIQUES
3. Quand l'extrémité du cathéter est dans la veine cave supérieure, on gonfle le ballonnet, selon le volume d'air recommandé.	3. La quantité d'air nécessaire est indiquée sur le cathéter.
4. Le ballonnet gonflé est porté par le flux sanguin et il se dirige vers le ventricule droit en passant par l'oreillette droite et la valvule tricuspide. De là, il s'achemine, toujours porté par le flux sanguin, vers le tronc pulmonaire. Les pressions sont enregistrées continuellement sous forme d'ondes durant toute la progression du cathéter dans les cavités du cœur.	4. Observer le moniteur cardiaque à la recherche de signes d'hyperexcitabilité ventriculaire quand le cathéter pénètre dans le ventricule droit. Faire part au médecin de tout signe d'arythmie. Les relevés de pression subséquents s'effectuent à partir de ces données de base.
5. Le ballonnet finit par s'immobiliser dans une artère pulmonaire distale de petit calibre. Il se trouve dans la position dite «bloquée» où on obtient la pression capillaire pulmonaire.	5. Quand le cathéter est en position bloquée, la pression exercée sur le sang par le cœur droit est annulée en aval du ballonnet. La pression capillaire pulmonaire est par conséquent équivalente à la pression auriculaire gauche moyenne.
6. On enregistre la pression alors que le ballonnet est bloqué dans le lit vasculaire pulmonaire. Une pression capillaire pulmonaire moyenne de 8 à 12 mm Hg indique que le ventricule gauche fonctionne bien.	6. La pression capillaire pulmonaire est une mesure précieuse. Les relevés de pression plus bas que la normale font penser à l'hypovolémie, les relevés de pression plus élevés que la normale sont un signe d'hypervolémie ou d'insuffisance ventriculaire gauche.
7. On dégonfle ensuite le ballonnet, ce qui entraîne la réapparition des ondes de l'artère pulmonaire. C'est dans cette position que l'on obtient les mesures continues des pressions systolique, diastolique et moyenne.	7. La pression pulmonaire systolique normale se situe entre 20 et 30 mm Hg et la pression diastolique entre 10 et 15 mm Hg. La pression artérielle pulmonaire moyenne normale (moyenne des pressions relevées dans l'artère pulmonaire au cours du cycle cardiaque complet) se situe entre 10 et 20 mm Hg. Les pressions pulmonaires élevées peuvent être le signe de nombreuses affections: maladie pulmonaire, maladie de la valvule mitrale et insuffisance ventriculaire.
8. On fixe alors la gaine au cathéter. On suture le cathéter et on recouvre la zone de l'insertion d'un pansement transparent et stérile.	8. En procédant de cette façon, on s'assure de la stérilité du cathéter et on peut le repositionner au besoin. Appliquer un pansement stérile.
9. On doit vérifier au moyen d'une radiographie thoracique la position du cathéter après l'avoir inséré.	9. Quand on connaît la position exacte du cathéter, on obtient des relevés précis et on prévient les complications.
Mesure de la pression capillaire pulmonaire	
1. Gonfler lentement le ballonnet jusqu'à ce que l'on obtienne des ondes de pression capillaire pulmonaire. Cesser alors immédiatement de gonfler le ballonnet et effectuer un relevé de la pression au moniteur. (La quantité d'air requise pour provoquer ces changements devrait se situer entre 1,0 et 1,5 mL.) La plupart des moniteurs cardiaques permettent d'arrêter et d'imprimer immédiatement l'onde de la pression capillaire.	1. Ne pas laisser le cathéter en position bloquée. La diminution du débit sanguin dans l'artère pulmonaire qui se produit lorsque le cathéter est laissé en position bloquée peut provoquer un infarctus pulmonaire.
2. Dès qu'on a obtenu la pression capillaire pulmonaire, dégonfler le ballonnet en relâchant la pression sur la seringue. Pour ne pas gonfler la seringue accidentellement, la retirer et pousser le piston jusqu'au fond de manière à ce qu'elle ne contienne plus d'air. Rattacher la seringue au cathéter artériel pulmonaire et la verrouiller. Ou retirer simplement la seringue du cathéter.	2. Ces directives font partie des mesures de sécurité habituelles.
Suivi	
1. Examiner la région de l'insertion t.i.d., à la recherche de signes d'infection. S'assurer aussi de l'absence de tuméfaction et de saignement (hématome).	1. L'examen attentif de la région de l'insertion contribue à prévenir les complications. Le cathéter est un corps étranger, ce qui accroît les risques de septicémie.
2. Changer régulièrement le pansement et la tubulure (en général toutes les 72 heures) et noter au dossier les données	2. Une congestion vasculaire peut entraîner un débit artériel insuffisant et provoquer de l'ischémie.

INTERVENTIONS INFIRMIÈRES	**JUSTIFICATIONS SCIENTIFIQUES**
observées de même que l'heure du changement. Si l'insertion s'est effectuée par la voie d'un vaisseau périphérique, vérifier périodiquement la couleur, la température, le remplissage capillaire et la sensibilité du membre en cause.	
3. Observer la personne à la recherche de signes de complications: pneumothorax, ischémie pulmonaire ou infarctus (causé par le blocage persistant du ballonnet lors du gonflement ou de la migration du cathéter), arythmie, lésions à la valvule tricuspide, présence de nœuds dans le cathéter lorsqu'il se trouve à l'intérieur du cœur ou des vaisseaux sanguins, thrombophlébite, infection, rupture du ballonnet (causée par le gonflage excessif), présence d'un hématome au site de l'insertion et saignement.	3. Ces évaluations font partie des interventions infirmières habituelles.
Retrait du cathéter	
1. Expliquer à la personne comment on procède et s'assurer que le ballonnet est dégonflé.	1. Lorsque la personne est informée, elle a moins peur; le ballonnet dégonflé est moins susceptible d'entraîner des lésions au cœur ou aux vaisseaux sanguins durant le retrait du cathéter.
2. Placer la personne en décubitus dorsal.	2. Le décubitus dorsal diminue le risque d'embolie gazeuse.
3. Mettre fin à toutes les perfusions intraveineuses qui passent par le cathéter artériel pulmonaire et fermer tous les robinets.	3. Cette manière de faire empêche le liquide de s'infiltrer dans les tissus durant le retrait du cathéter; il empêche également l'air d'entrer dans le cathéter.
4. Pendant que la personne retient sa respiration ou expire de l'air, retirer complètement le cathéter en évitant d'exercer une trop grande force; appliquer de la pression et placer ensuite un pansement sec et stérile sur la région de l'insertion.	4. En exerçant une pression intrathoracique positive, on atténue le risque que l'air pénètre dans le thorax et dans le système vasculaire en passant par le cathéter ou en se glissant autour du cathéter. La traction douce et continue atténue le risque que le cathéter se déforme ou s'entortille. Appliquer un pansement stérile atténue le risque d'infection au site de l'insertion.

d'ICC (2004) définit l'insuffisance cardiaque comme un syndrome se caractérisant sur le plan clinique par des signes et symptômes de surcharge liquidienne ou par une irrigation tissulaire inadéquate. Ces signes et symptômes apparaissent lorsque le cœur est incapable d'assurer un débit cardiaque suffisant pour répondre aux besoins du corps. Le Réseau recommande d'utiliser le terme d'*insuffisance cardiaque*, car parmi les personnes atteintes d'insuffisance cardiaque, nombreuses sont celles qui ne souffrent pas de congestion pulmonaire ou systémique. L'insuffisance cardiaque désigne une myocardiopathie qui affecte la contraction du cœur (dysfonctionnement systolique) ou le remplissage du cœur (dysfonctionnement diastolique ou à fonction systolique préservée), et qui est susceptible d'entraîner ou non de la congestion pulmonaire ou systémique. Dans certains cas, l'insuffisance cardiaque est réversible, selon l'étiologie. Cependant, elle est le plus souvent permanente. On la traite en proposant des changements dans les habitudes de vie et en prenant des médicaments dans le but de prévenir les épisodes de congestion aiguë. L'insuffisance cardiaque congestive constitue souvent la forme aiguë de l'insuffisance cardiaque.

INSUFFISANCE CARDIAQUE CHRONIQUE

Les maladies cardiovasculaires constituent la principale cause de décès (36 %) au Canada. En 1998, on estimait que 26,4 millions de consultations médicales, soit 9 % d'entre elles, étaient liées à des maladies cardiovasculaires; on pense de plus que le nombre d'ordonnances délivrées en rapport avec le traitement des maladies cardiovasculaires atteignait 32,5 millions, ce qui équivaut à 12,8 % des 254,2 millions d'ordonnances rédigées au Canada cette année-là (FMCC, 1999). Ces maladies ont d'importantes répercussions sur le plan économique. En 1993, elles représentaient un coût total de 19,7 milliards de dollars, autrement dit 15,3 % du coût entraîné par l'ensemble des maladies (FMCC, 1999).

De 1995 à 1999, le taux moyen de décès par insuffisance cardiaque congestive (ICC) était de 13,9 pour 100 000 habitants. En 1999, le nombre de personnes décédées à la suite d'une affection de ce type était de 4 491, ce qui représente 5,7 % de la mortalité liée à une maladie cardiovasculaire. Le taux de mortalité augmente avec l'âge, passant de 2 % chez les 55-64 ans à 55,6 % chez les 85 ans et plus (figure 32-2 ■).

Les hospitalisations en raison de l'insuffisance cardiaque congestive ont doublé au cours des vingt dernières années (figure 32-3 ■). En 1999, les MCV représentaient 15 % des hospitalisations. À l'examen des taux d'hospitalisation par groupe d'âge, on constate que l'insuffisance cardiaque congestive constitue un sérieux problème de santé à partir de l'âge de 55 ans. Mais ce sont les personnes âgées qui sont le plus touchées, les taux d'hospitalisation étant de beaucoup supérieurs chez celles qui ont plus de 75 ans.

TABLEAU 32-1

Paramètres hémodynamiques

Paramètres	Ventricule droit	Ventricule gauche
PRÉCHARGE		
▪ Valeurs normales	PVC: 0-8 mm Hg	PCP: 4-12 mm Hg
POSTCHARGE		
▪ Valeurs normales ▪ Calcul	RVP: 80-240 dynes/s/cm^{-5} $\frac{(PAPM - PCP)}{DC} \times 80$	RVS: 900-1600 dynes/s/cm^{-5} $\frac{(PAM - PVC)}{DC} \times 80$
CONTRACTILITÉ		
▪ Valeurs normales ▪ Calcul	DC: 4-8 L/min; IC: 2,5-4 L/min/m^2 IC = DC/SC	
▪ Valeurs normales ▪ Calcul	ITVD: 8-11 g/battement/m^2 (PAPM – PVC) × VESI × 0,0136	ITVG: 43-61 g/battement/m^2 (PAM – PCP) × VESI × 0,0136

DC, débit cardiaque; IC, index cardiaque; ITVD, indice de travail du ventricule droit; ITVG, indice de travail du ventricule gauche; PAM, pression artérielle moyenne; PAPM, pression artérielle pulmonaire moyenne; PCP, pression capillaire pulmonaire; PVC, pression veineuse centrale; RVP, résistance vasculaire pulmonaire; RVS, résistance vasculaire systémique; SC, surface corporelle; VESI, volume d'éjection systolique indexé.

Le traitement médical varie selon le type, la gravité et l'étiologie de l'insuffisance cardiaque. Il existe deux sortes d'insuffisance cardiaque, que l'on dépiste en effectuant un examen clinique du fonctionnement du ventricule gauche: l'anomalie du remplissage ventriculaire (**insuffisance cardiaque diastolique**) et l'anomalie de la contraction ventriculaire (**insuffisance cardiaque systolique**). L'évaluation de la **fraction d'éjection** permet de savoir de quel type d'insuffisance cardiaque il s'agit. On calcule la fraction d'éjection en soustrayant du volume ventriculaire télédiastolique le volume ventriculaire télésystolique; cette mesure indique la fraction du volume de sang éjecté et la capacité contractile du ventricule. Dans les cas d'insuffisance cardiaque diastolique, la fraction d'éjection est normale, alors que dans les cas d'insuffisance cardiaque systolique elle est inférieure à 40 %.

On se fonde souvent sur les symptômes de la personne pour classer l'insuffisance cardiaque en fonction de sa gravité. Le tableau 32-2 ▪ présente la classification proposée par la New York Heart Association. On trouvera plus loin dans le chapitre des explications concernant l'étiologie de l'affection.

Physiopathologie

L'insuffisance cardiaque est une conséquence de nombreuses maladies cardiovasculaires; elle est à l'origine d'anomalies cardiaques courantes qui entraînent une réduction de la contraction (systole) ou une diminution du remplissage (diastole), ou les deux. Bien souvent, les dysfonctionnements myocardiques apparaissent avant même que la personne ne ressente les signes et symptômes de l'insuffisance cardiaque.

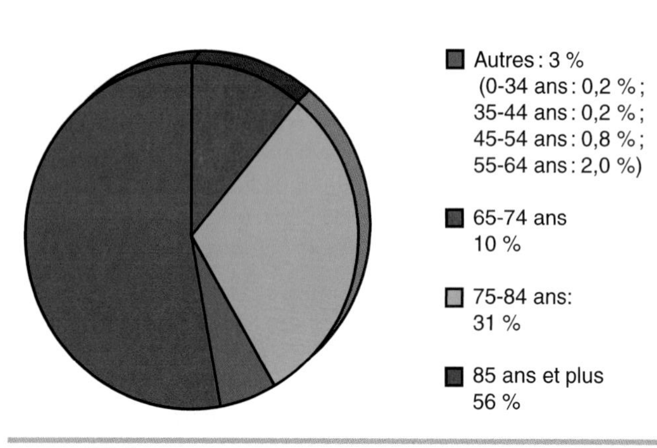

FIGURE 32-2 ▪ Mortalité attribuable à l'insuffisance cardiaque (par groupe d'âge). SOURCE: Santé Canada (1999). *Surveillance des maladies cardiovasculaires en direct* [en ligne]. Reproduit avec l'autorisation du ministre des Travaux publics et Services gouvernementaux du Canada, 2005.

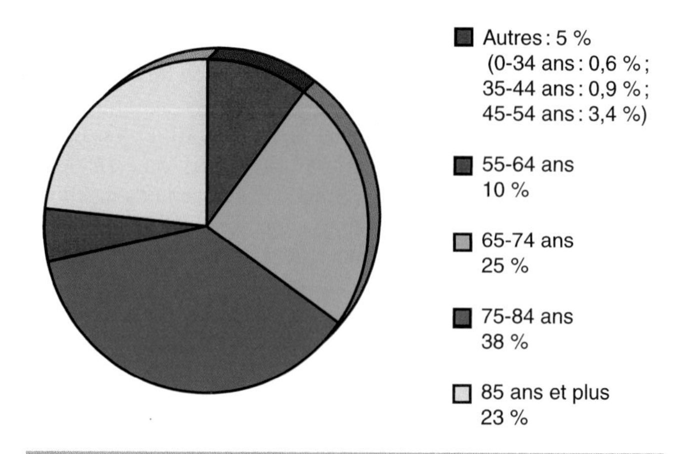

FIGURE 32-3 ▪ Sorties de l'hôpital liées à l'insuffisance cardiaque (par groupe d'âge). SOURCE: Santé Canada (1999). *Surveillance des maladies cardiovasculaires en direct* [en ligne]. Reproduit avec l'autorisation du ministre des Travaux publics et Services gouvernementaux du Canada, 2005.

Classification de l'insuffisance cardiaque selon la New York Heart Association — TABLEAU 32-2

Classification	Symptômes	Pronostic
Stade I	■ La pratique des activités physiques ordinaires ne provoque pas de fatigue excessive, de dyspnée, de palpitation ou de douleurs thoraciques. ■ Absence de congestion pulmonaire ou d'hypotension périphérique. ■ La personne est considérée comme asymptomatique. ■ Généralement, on n'impose pas de restriction des activités quotidiennes.	Bon
Stade II	■ Légère restriction des activités quotidiennes. ■ La personne ne se plaint d'aucun symptôme au repos, mais elle ressent des symptômes lorsqu'elle se livre à des activités physiques plus importantes. ■ On peut détecter des crépitants fins aux bases et un B_3.	Bon
Stade III	■ Restriction marquée des activités quotidiennes. ■ La personne se sent bien au repos, toutefois même les activités légères engendrent des symptômes.	Réservé
Stade IV	■ La personne présente des symptômes d'insuffisance cardiaque au repos.	Sombre

L'insuffisance cardiaque systolique a pour effet d'abaisser le volume de sang chassé du ventricule. Le système nerveux sympathique libère alors de l'adrénaline et de la noradrénaline afin de corriger l'anomalie du myocarde, ce qui entraîne la perte de certains récepteurs bêta-adrénergiques (désensibilisation) et engendre de nouvelles lésions aux cellules musculaires du cœur.

La stimulation du système sympathique et la diminution de l'irrigation rénale causées par la défaillance cardiaque entraînent une libération de rénine par les reins. La rénine favorise la formation d'angiotensine I, substance inactive et bénigne. L'enzyme de conversion de l'angiotensine (ECA) transforme l'angiotensine I en angiotensine II, un puissant vasoconstricteur qui provoque aussi la libération d'aldostérone en stimulant les glandes surrénales. L'aldostérone stimule le centre de la soif, tout en favorisant la rétention du sodium et des liquides. Elle provoque de nouvelles lésions du myocarde et exacerbe la fibrose (Pitt *et al.*, 1999; Weber, 2001). L'angiotensine, l'aldostérone et les autres neurohormones (la vasopressine, l'endothéline et la prostacycline par exemple) provoquent une augmentation de la précharge et de la postcharge, ce qui accroît le stress s'exerçant sur la paroi ventriculaire et augmente le travail du cœur.

Au fur et à mesure que le travail du cœur augmente, la contractilité des myofibrilles diminue, ce qui se traduit par la hausse du volume télédiastolique dans le ventricule, l'étirement du myocarde et l'accroissement de la taille du ventricule. La dilatation ventriculaire augmente encore davantage le stress exercé sur la paroi du cœur. L'un des mécanismes qu'utilise celui-ci pour compenser le surcroît de travail consiste à augmenter l'épaisseur du muscle cardiaque (hypertrophie ventriculaire). Cependant, les capillaires ne se forment pas au même rythme, ce qui entraîne une ischémie myocardique. Le système sympathique provoque une constriction des artères coronaires, une augmentation du stress sur la paroi ventriculaire et une diminution de la production d'énergie mitochondriale, qui toutes trois aboutissent également à l'ischémie myocardique. À la longue, celle-ci entraîne la nécrose des myofibrilles, même chez les personnes qui ne présentent pas de coronaropathies. On donne aux mécanismes compensateurs de l'insuffisance cardiaque le nom de «cercle vicieux de l'insuffisance cardiaque», car le cœur ne distribue plus suffisamment de sang dans le corps, ce qui pousse ce dernier à exiger du cœur qu'il travaille davantage, mais, puisque le cœur est incapable de répondre à la demande, l'insuffisance s'aggrave.

L'insuffisance cardiaque diastolique découle de l'accroissement ininterrompu du travail imposé au cœur, qui réagit en augmentant le nombre et la taille des cellules myocardiques. Il en résulte une hypertrophie ventriculaire et une anomalie du fonctionnement des cellules myocardiques qui entravent le remplissage ventriculaire et provoquent une hausse des pressions de remplissage ventriculaire en dépit d'un volume sanguin normal ou réduit. Lorsqu'il y a moins de sang dans les ventricules, le débit cardiaque diminue. La baisse du débit cardiaque et la hausse des pressions de remplissage ventriculaire entraînent les mêmes réponses hormonales que l'insuffisance cardiaque systolique.

Étiologie

L'insuffisance cardiaque représente le plus souvent une complication des coronaropathies qui réduisent la contractilité, par exemple des myocardiopathies, de l'hypertension artérielle et des valvulopathies. Lorsque l'insuffisance cardiaque ne constitue pas une complication d'une autre maladie, elle est généralement causée par l'athérosclérose des artères coronaires. On a découvert que plus de 60 % des personnes qui souffrent d'insuffisance cardiaque sont atteintes de coronaropathies (Braunwald *et al.*, 2001). L'ischémie entraîne un dysfonctionnement myocardique qui se manifeste par de l'hypoxie et par une acidose (causée par l'accumulation d'acide lactique), provoquant à plus ou moins brève échéance une nécrose du tissu myocardique (infarctus). L'infarctus du myocarde amène la nécrose focale du muscle cardiaque, la nécrose des cellules myocardiques et une réduction de la contractilité. Il y a corrélation entre l'ampleur de l'infarctus et gravité de l'insuffisance cardiaque. La revascularisation de l'artère coronaire au moyen d'une intervention coronarienne percutanée ou d'un pontage coronarien peut remédier au problème sous-jacent et, de ce fait, éliminer l'insuffisance cardiaque.

Les maladies du myocarde se nomment myocardiopathies. Il en existe trois types: myocardiopathie dilatée, myocardiopathie hypertrophique et myocardiopathie restrictive (chapitre 31). La myocardiopathie dilatée, qui représente le type de myocardiopathie qu'on rencontre le plus fréquemment, entraîne la nécrose diffuse des cellules; celle-ci provoque une réduction de la contractilité (insuffisance systolique). La myocardiopathie dilatée peut être idiopathique (autrement dit, on n'en connaît pas la cause) ou elle peut résulter d'un processus inflammatoire; pensons par exemple aux myocardites qui se manifestent durant la grossesse ou qui sont causées par un agent cytotoxique comme l'alcool ou les anthracyclines. La myocardiopathie hypertrophique et la myocardiopathie restrictive ont pour conséquence une diminution de la capacité de dilatation et de remplissage ventriculaire (insuffisance diastolique). En général, l'insuffisance cardiaque causée par une myocardiopathie est chronique. Cependant, la myocardiopathie et l'insuffisance cardiaque peuvent régresser à la fin de la grossesse ou lorsque la personne cesse de consommer de l'alcool.

L'hypertension systémique ou pulmonaire accroît la postcharge, d'où une augmentation du travail du cœur (résistance à l'éjection) et une hypertrophie des fibres myocardiques; il s'agit d'un mécanisme de compensation destiné à améliorer la contractilité. Or, il arrive que le cœur ne puisse se remplir normalement durant la diastole en raison de l'hypertrophie du myocarde.

Les valvulopathies entraînent également une insuffisance cardiaque. Les valvules forcent le sang à circuler dans une seule direction. Dans les cas de valvulopathies, le déplacement du sang devient de plus en plus difficile, ce qui provoque une hausse de la pression dans le cœur ainsi qu'une augmentation du travail du cœur et une insuffisance cardiaque diastolique. Le chapitre 31 expose les effets des valvulopathies.

Certaines maladies systémiques contribuent à l'apparition de l'insuffisance cardiaque et en déterminent la gravité. Par exemple, l'accélération du métabolisme (fièvre ou thyréotoxicose), l'excès de fer (hémochromatose), l'hypoxie et l'anémie (mesurée par un hématocrite sérique inférieur à 25 %) engendrent une augmentation du débit cardiaque afin de satisfaire aux besoins en oxygène de l'ensemble de l'organisme. L'hypoxie et l'anémie peuvent également provoquer une baisse de la quantité d'oxygène acheminée vers le myocarde. L'arythmie cardiaque peut être aussi bien la cause que la conséquence de l'insuffisance cardiaque. Dans un cas comme dans l'autre, l'anomalie de la stimulation électrique affecte la contraction myocardique et réduit l'efficacité de tout le myocarde. D'autres facteurs, notamment l'acidose (respiratoire et métabolique), les déséquilibres électrolytiques et les médicaments ayant des propriétés inotropes négatives (bloquants des canaux calciques non dihydropyridiniques et plusieurs antiarythmiques) peuvent aggraver le dysfonctionnement du myocarde.

Manifestations cliniques

Les manifestations cliniques des divers types d'insuffisance cardiaque (systolique, diastolique, ou des deux) sont similaires (figure 32-4 ■); c'est pourquoi on ne peut s'appuyer uniquement sur elles pour différencier les formes de la maladie. Les signes et symptômes d'insuffisance cardiaque sont le plus souvent décrits en fonction de leurs effets sur les ventricules. L'**insuffisance cardiaque gauche (insuffisance ventriculaire gauche)** se présente différemment de l'**insuffisance cardiaque droite (insuffisance ventriculaire droite)**. Quant à l'insuffisance cardiaque chronique, elle donne lieu à des signes et symptômes d'insuffisance dans les deux ventricules. Bien qu'elles se manifestent fréquemment dans les cas d'insuffisance cardiaque, les arythmies (surtout les tachycardies, les extrasystoles ventriculaires ou auriculaires et les anomalies de conduction ventriculaire) peuvent également être engendrées par les traitements utilisés pour soigner l'insuffisance cardiaque (pensons par exemple aux effets indésirables de la digoxine).

Insuffisance cardiaque gauche

L'insuffisance ventriculaire gauche se manifeste principalement par une accumulation de liquide dans les poumons (congestion); celle-ci s'explique par une augmentation de la pression attribuable au fait que le ventricule défaillant ne peut accueillir le sang provenant des poumons. En fin de diastole, l'augmentation du volume sanguin dans le ventricule gauche entraîne une hausse de la pression ventriculaire gauche, ce qui diminue le débit sanguin de l'oreillette gauche vers le ventricule gauche durant la diastole. Le volume sanguin et la pression augmentent dans l'oreillette gauche, ce qui provoque une diminution du débit sanguin provenant des vaisseaux pulmonaires. Le volume sanguin veineux dans les poumons et la pression s'accroissent, forçant le liquide à passer des capillaires pulmonaires aux tissus pulmonaires et aux alvéoles, ce qui perturbe les échanges gazeux.

On donne aux effets de l'insuffisance ventriculaire gauche le nom d'*insuffisance cardiaque rétrograde*. Les signes de congestion pulmonaire sont notamment les suivants: dyspnée, toux et saturation en oxygène inférieure à la normale. À l'auscultation, on détecte la présence de B_3 et de crépitants pulmonaires.

La dyspnée, ou essoufflement, peut être précipitée par une activité légère ou modérée, mais elle peut survenir au repos. On observe parfois une **orthopnée** (difficulté à respirer en position couchée). La personne qui souffre d'orthopnée doit dormir en position assise, soit au lit et soutenue par des oreillers, soit dans un fauteuil. On appelle **dyspnée nocturne paroxystique** l'orthopnée qui se manifeste soudainement la nuit, lorsque les liquides, accumulés dans les extrémités durant la journée, sont réabsorbés dans la circulation sanguine. Comme le ventricule gauche est défaillant, il ne parvient plus à chasser le surplus de sang. Il en résulte une augmentation de la pression dans la circulation pulmonaire et un refoulement de liquide dans les alvéoles, ce qui perturbe les échanges d'oxygène et de dioxyde de carbone. Ne recevant pas suffisamment d'oxygène, la personne souffre de dyspnée et d'insomnie.

La toux associée à une défaillance du ventricule gauche est d'abord sèche et non productive. Généralement, la personne se plaint d'une toux sèche et quinteuse, susceptible d'être prise pour de l'asthme ou pour une bronchopneumopathie chronique obstructive (BPCO). La toux peut devenir humide; dans certains cas, elle s'accompagne de grandes quantités d'expectorations spumeuses, parfois rosées (teintées de sang), ce qui est souvent le signe d'une congestion pulmonaire grave (œdème pulmonaire aigu).

On peut entendre des bruits respiratoires adventices dans les lobes pulmonaires. Généralement, lorsque la maladie en est à ses débuts, on décèle à la base des deux poumons des

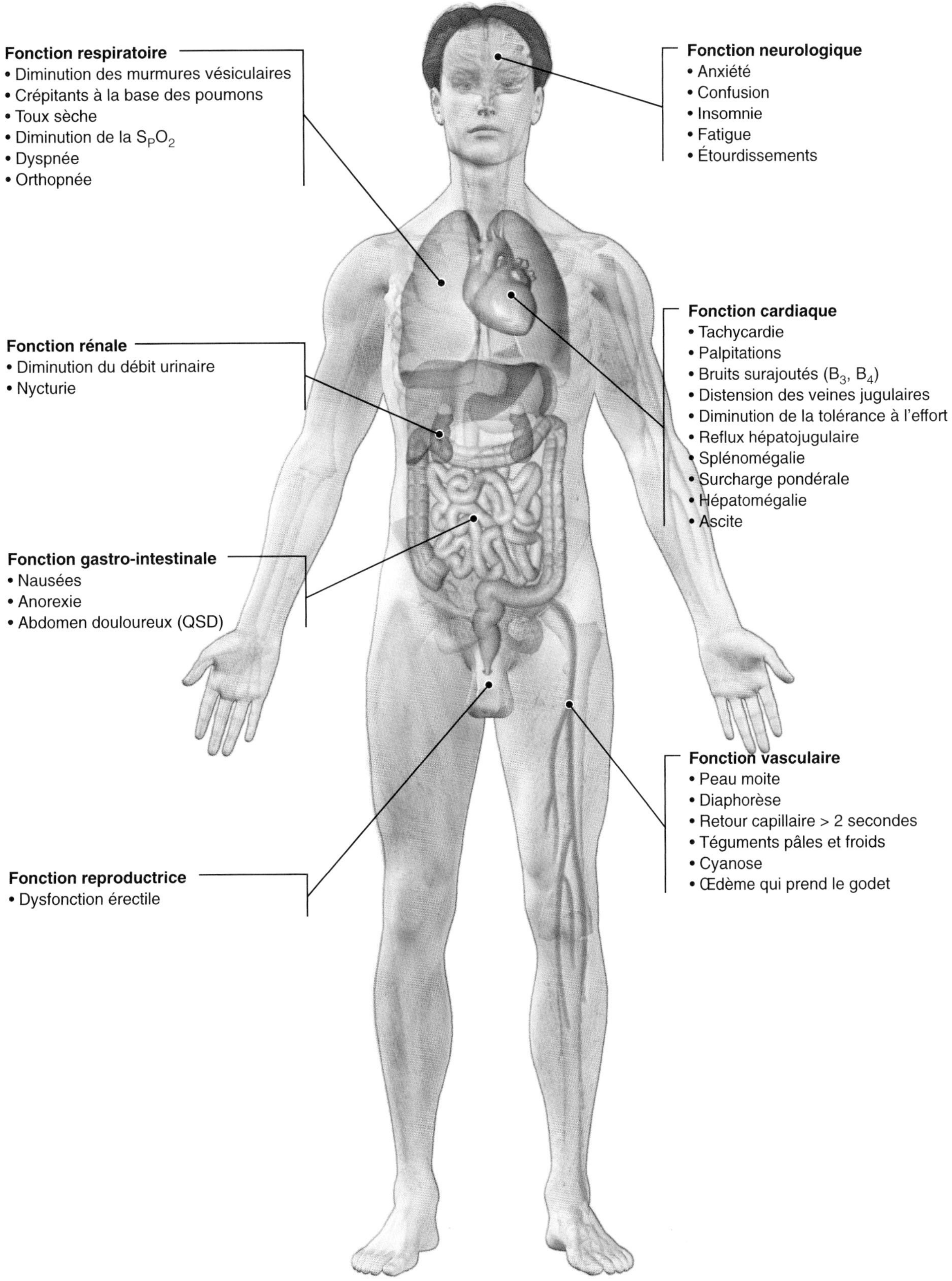

Fonction respiratoire
- Diminution des murmures vésiculaires
- Crépitants à la base des poumons
- Toux sèche
- Diminution de la S_PO_2
- Dyspnée
- Orthopnée

Fonction neurologique
- Anxiété
- Confusion
- Insomnie
- Fatigue
- Étourdissements

Fonction rénale
- Diminution du débit urinaire
- Nycturie

Fonction cardiaque
- Tachycardie
- Palpitations
- Bruits surajoutés (B_3, B_4)
- Distension des veines jugulaires
- Diminution de la tolérance à l'effort
- Reflux hépatojugulaire
- Splénomégalie
- Surcharge pondérale
- Hépatomégalie
- Ascite

Fonction gastro-intestinale
- Nausées
- Anorexie
- Abdomen douloureux (QSD)

Fonction vasculaire
- Peau moite
- Diaphorèse
- Retour capillaire > 2 secondes
- Téguments pâles et froids
- Cyanose
- Œdème qui prend le godet

Fonction reproductrice
- Dysfonction érectile

FIGURE 32-4 ■ Effets multisystémiques de l'insuffisance cardiaque.

SOURCE : © Stéphane Bourrelle.

crépitants fins qui ne disparaissent pas à la toux. Au fur et à mesure que l'insuffisance et la congestion pulmonaire s'aggravent, des crépitants fins peuvent être détectés sur toute la surface des poumons. À cette étape, on observe une diminution de la saturation en oxygène. De plus, il arrive que le volume sanguin éjecté du ventricule gauche diminue, affection que l'on appelle parfois *insuffisance cardiaque antérograde*.

L'insuffisance cardiaque se caractérise surtout par la pauvreté de l'irrigation tissulaire. La diminution du débit cardiaque a d'importantes répercussions, car la quantité de sang qui atteint les tissus et organes (diminution de l'irrigation) ne fournit pas suffisamment d'oxygène à l'organisme. La réduction du volume systolique conduit également à la stimulation du système nerveux sympathique, ce qui entrave davantage l'irrigation des organes.

La quantité de sang acheminée vers les reins diminue, d'où une réduction du débit urinaire (**oligurie**), de même qu'une baisse de la pression de l'irrigation rénale se traduisant par la libération de rénine par les reins. Celle-ci débouche sur une sécrétion d'aldostérone, et donc sur une rétention liquidienne et sodique; il s'ensuit une augmentation accrue du volume intravasculaire. Cependant, quand la personne dort, la charge cardiaque diminue, ce qui favorise l'irrigation rénale et donne lieu à la nycturie (mictions fréquentes la nuit).

Par ailleurs, la réduction du débit cardiaque occasionne d'autres symptômes, notamment une diminution de l'irrigation gastro-intestinale qui gêne la digestion, une diminution de l'irrigation cérébrale qui entraîne des étourdissements, une sensation de faiblesse, de la confusion, de l'agitation et de l'anxiété. Cette dernière engendre un cercle vicieux en aggravant les difficultés respiratoires. La stimulation du système sympathique provoque également la constriction des vaisseaux sanguins périphériques, si bien que la peau paraît pâle ou cireuse, froide et moite au toucher.

La diminution du volume ventriculaire éjecté stimule le système sympathique, qui accélère la fréquence cardiaque (tachycardie); la personne ressent alors des palpitations. Le pouls devient faible et filant. Si le débit cardiaque est insuffisant, le corps ne parvient pas à répondre aux nouvelles exigences énergétiques, si bien que la personne se sent très vite fatiguée et souffre d'intolérance à l'activité. Les difficultés respiratoires, la toux, la nycturie, et l'insomnie qui en résulte, sont également des sources de fatigue.

Insuffisance cardiaque droite

L'insuffisance cardiaque droite se caractérise principalement par une congestion des viscères et un œdème périphérique tous deux attribuables au fait que le ventricule défaillant ne peut accueillir tout le sang provenant de la circulation veineuse. La hausse de la pression veineuse conduit à une distension de la veine jugulaire.

L'insuffisance cardiaque droite se manifeste notamment par un œdème déclive, qui prend habituellement le godet, par une hausse pondérale (causée par la rétention liquidienne), une hépatomégalie (augmentation anormale du volume du foie), une distension des veines du cou, une ascite (accumulation de liquide dans la cavité abdominale), une anorexie, des nausées, une nycturie et de la faiblesse.

L'œdème déclive touche d'abord les pieds et les chevilles, puis les jambes et les cuisses; il peut atteindre les organes génitaux externes et la partie inférieure du tronc. L'enflure prend de l'importance lorsque la personne est debout ou qu'elle a les jambes pendantes et elle diminue lorsque les jambes sont élevées. Il arrive parfois que l'œdème ne soit présent que dans l'abdomen, qui s'accroît en largeur. Chez les personnes alitées, il touche parfois la région sacrée. L'œdème qui prend le godet sous une légère pression des doigts (figure 32-5 ■) apparaît quand la rétention est d'au moins 4,5 kg (4,5 L) de liquide.

L'engorgement des veines du foie provoque une hépatomégalie et une sensibilité dans le quadrant abdominal supérieur droit. L'augmentation de la pression peut empêcher le foie de bien fonctionner (dysfonctionnement secondaire du foie). Il peut s'ensuivre une ascite, qui comprime le diaphragme et les intestins et donne lieu à de sérieuses difficultés au niveau gastro-intestinal. L'hépatomégalie peut elle-même entraîner une compression du diaphragme et des difficultés respiratoires.

L'engorgement veineux et la stase dans les organes abdominaux occasionnent de l'anorexie (perte d'appétit) et des nausées, ou encore des douleurs abdominales. Par ailleurs, la diminution du débit cardiaque, la perturbation de la circulation et l'accumulation dans les tissus de déchets provenant du métabolisme engendrent de la fatigue.

Examen clinique et examens paracliniques

Si la personne ne présente pas de signes et symptômes d'œdème pulmonaire ni d'œdème périphérique (congestion), il arrive que l'insuffisance cardiaque ne soit pas détectée. Cependant, les signes qui font penser à l'insuffisance cardiaque peuvent aussi être causés par d'autres maladies, notamment par l'insuffisance rénale, l'insuffisance hépatique, le cancer et la bronchopneumopathie chronique obstructive (BPCO). Si l'on n'effectue pas tous les examens nécessaires, il est possible que la personne reçoive un traitement inapproprié. Lorsqu'on emploie l'expression *insuffisance cardiaque congestive,* cela signifie que la personne souffre de rétention liquidienne, attribuable ou non à l'insuffisance cardiaque. Lorsqu'on observe un dysfonctionnement ventriculaire (systolique, diastolique, ou les deux), on peut conclure que l'insuffisance cardiaque congestive est vraiment d'origine cardiaque. L'examen clinique de la fonction ventriculaire fait partie intégrante du bilan diagnostique de départ.

L'échocardiogramme auquel on procède généralement sert à confirmer le diagnostic, à dépister la cause sous-jacente et à déterminer la fraction d'éjection du patient; cet examen aide à préciser le type d'insuffisance cardiaque et sa gravité. Ces données peuvent également être obtenues en pratiquant une ventriculographie isotopique non effractive ou un ventriculogramme effractif, technique qui fait partie des cathétérismes cardiaques. Une radiographie du thorax et un électrocardiogramme contribuent à établir le diagnostic et à révéler la cause sous-jacente de l'insuffisance cardiaque. Certains examens paracliniques font également partie du bilan diagnostique de départ. On mesure, entre autres, les électrolytes sériques, l'urée, la créatinine, le peptide natriurétique de type B et l'hormone thyréotrope (TSH); de plus, on procède à un

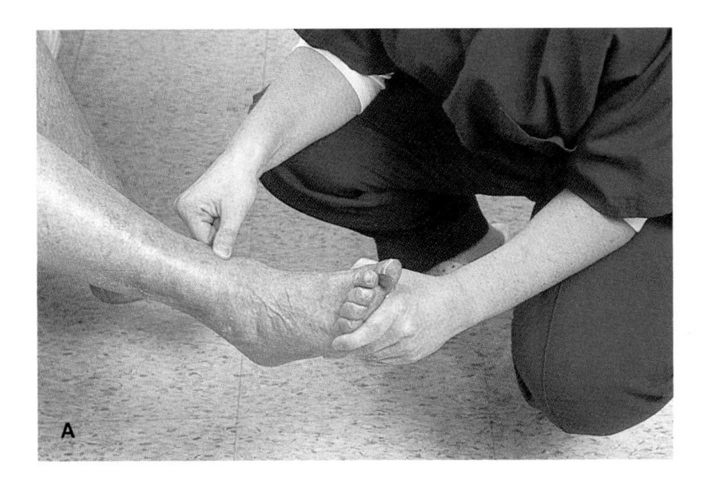

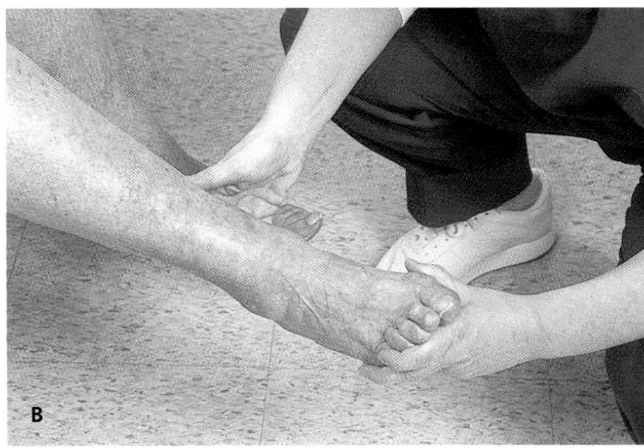

FIGURE 32-5 ■ Œdème qui prend le godet. **(A)** L'infirmière exerce une légère pression des doigts sur une région située près de la cheville. **(B)** Lorsqu'elle relâche la pression, le tissu œdémateux conserve la marque de ses doigts. © Photos de B. Proud.

hémogramme (FSC) et à un examen urinaire de routine. Les résultats de ces examens paracliniques contribuent à déterminer la cause sous-jacente et à établir des points de référence à partir desquels il sera possible d'évaluer les effets du traitement. On peut également effectuer des tests d'effort ou une coronarographie pour savoir si l'insuffisance cardiaque est attribuable à une coronaropathie ou à une ischémie cardiaque.

Avant qu'elles ne quittent l'hôpital, on devrait évaluer la fonction ventriculaire des personnes qui ont subi un infarctus aigu du myocarde (IAM) ou qui risquent de souffrir d'insuffisance cardiaque. Les personnes à faible risque d'insuffisance cardiaque satisfont à l'ensemble des critères suivants: elles en sont à leur premier infarctus; elles n'ont pas d'infarctus inférieur; elles présentent une faible augmentation (moins de deux à quatre fois la normale) des enzymes cardiaques; leur électrocardiogramme ne comporte pas d'ondes Q; et leur évolution clinique ne s'accompagne pas de complications (CCS, 2004). On doit également évaluer la fonction ventriculaire des personnes dont l'insuffisance cardiaque n'était pas considérée d'origine cardiaque au départ, mais qui n'ont pas réagi au traitement.

Traitement médical

Pour traiter l'insuffisance cardiaque, il faut la dépister rapidement et recueillir les données pertinentes. Le traitement médical, surtout la pharmacothérapie, varie selon le type d'insuffisance. Les objectifs de base du traitement sont les suivants:

- Éliminer ou réduire tous les facteurs qui contribuent à l'insuffisance cardiaque, notamment ceux qui sont réversibles comme la fibrillation auriculaire ou l'alcoolisme.
- Réduire le travail du cœur en diminuant la postcharge et la précharge.

On offre du counseling général à la personne atteinte d'insuffisance cardiaque; on lui recommande également de limiter son apport en sel, de noter quotidiennement son poids et d'être à l'affût des autres signes de rétention liquidienne. L'infirmière l'encouragera à faire de l'exercice physique et lui conseillera d'éviter de consommer des liquides en trop grande quantité et de renoncer à l'alcool et au tabac. On prescrit des médicaments selon le type d'insuffisance cardiaque et sa gravité. L'oxygénothérapie est prodiguée en fonction de la gravité de la congestion pulmonaire et de l'hypoxie qui en résulte. Certaines personnes en ont besoin uniquement quand elles se livrent à certaines activités, alors que d'autres devront être hospitalisées pour subir une intubation trachéale. Si la personne souffre d'une coronaropathie sous-jacente, on peut lui proposer une revascularisation des artères au moyen d'une angioplastie coronarienne transluminale percutanée ou d'un pontage coronarien (chapitre 30). Si elle ne réagit pas aux interventions même les plus énergiques, on peut avoir recours à de nouveaux traitements comme les appareils d'assistance mécanique ou la transplantation.

La resynchronisation cardiaque, qui consiste à stimuler le ventricule gauche ou les deux ventricules, vise à traiter l'insuffisance cardiaque causée par des anomalies de conduction. On observe fréquemment un bloc de branche gauche chez les personnes souffrant de dysfonctionnement systolique. Ce bloc s'installe lorsque l'impulsion électrique, qui normalement dépolarise en même temps les branches droite et gauche du faisceau de His, dépolarise la branche droite, mais non la branche gauche. La désynchronisation de la stimulation électrique des ventricules provoque la contraction du ventricule droit avant celle du ventricule gauche, ce qui amène une diminution plus prononcée de la fraction d'éjection (Gerber *et al.*, 2001). L'utilisation d'un appareil de stimulation (Medtronic InSync, par exemple), dont les électrodes sont placées sur la paroi interne de l'oreillette droite et du ventricule droit de même que sur la paroi interne du ventricule gauche (en passant par le sinus coronaire), rétablit la synchronisation de la stimulation électrique dans le cœur. Une étude révèle que 63 % des personnes chez qui un appareil avait été implanté ont vu leur état s'améliorer sur le plan clinique, non seulement en général, mais aussi en ce qui concerne le classement selon les catégories de la NYHA; par contre, on a observé des résultats semblables chez seulement 38 % des personnes qui avaient reçu des placebos (Abraham, 2002).

Pharmacothérapie

Bon nombre de médicaments sont utilisés pour traiter l'insuffisance cardiaque systolique. L'efficacité des médicaments prescrits contre l'insuffisance diastolique, par contre, est liée à l'existence d'affections sous-jacentes comme l'hypertension (chapitre 34) ou le dysfonctionnement valvulaire (chapitre 31). Lorsque la personne souffre d'insuffisance cardiaque systolique légère, on prescrit généralement des inhibiteurs de l'enzyme de conversion de l'angiotensine (IECA). Si elle doit interrompre le traitement en raison d'un effet secondaire comme la toux ou un angio-œdème, on utilisera plutôt des antagonistes des récepteurs de l'angiotensine II (ARA); si elle doit interrompre le traitement en raison d'une anomalie rénale révélée par l'élévation du taux de créatinine sérique, ou par un taux de potassium sérique qui se tient au-dessus de 5,3 mmol/L, on aura recours à une combinaison d'hydralazine (Apresoline) et d'un nitrate. Outre les inhibiteurs de l'enzyme de conversion de l'angiotensine, la personne reçoit des diurétiques pour contrôler la surcharge liquidienne et les symptômes associés. Bien qu'ils aient été autrefois considérés comme contre-indiqués dans les cas d'insuffisance cardiaque, certains bêtabloquants font baisser le taux de mortalité et de morbidité quand on les ajoute aux autres médicaments. Si les symptômes persistent, on peut également administrer de la digoxine (Lanoxin), ajouter au traitement un ARA avec un IECA ainsi que de la spironolactone, qui est un diurétique léger et un antagoniste de l'aldostérone.

Inhibiteurs de l'enzyme de conversion de l'angiotensine (IECA) Dans le traitement de l'insuffisance cardiaque causée par un dysfonctionment systolique, les IECA jouent un rôle pivot. On a découvert qu'ils soulagent les signes et symptômes de l'insuffisance cardiaque et abaissent de façon marquée la mortalité et la morbidité en inhibant l'activation neurohormonale (CONSENSUS Trial Study Group, 1987; SOLVD Investigators, 1992). Les IECA favorisent la vasodilatation artérielle périphérique et la diurèse en diminuant la production d'angiotensine II, ce qui réduit la postcharge et la précharge, et par conséquent le travail du cœur. La vasodilatation réduit la résistance à l'éjection du sang du ventricule gauche, diminue le travail du cœur et améliore la vidange ventriculaire. Les IECA favorisent la diurèse en améliorant la perfusion sanguine rénale grâce au fait qu'ils augmentent le débit cardiaque et diminuent la sécrétion d'aldostérone, hormone qui incite les reins à réabsorber le sodium et l'eau, tout en excrétant le potassium. Ces effets permettent de réduire la pression du remplissage ventriculaire et de diminuer la congestion pulmonaire. Toute personne atteinte d'insuffisance cardiaque devrait recevoir un IECA, à moins d'effet indésirable grave ou de contre-indications comme la sténose bilatérale des artères rénales.

Les études visant à établir la dose précise qui convient pour obtenir les résultats escomptés n'aboutissent pas à des conclusions très claires (Clement *et al.*, 2000; NETWORK Investigators, 1998); cependant, une importante étude met en évidence une diminution marquée de la mortalité et des hospitalisations lorsque le médicament est administré à des doses plus élevées (Packer *et al.*, 1999). On recommande toutefois de donner de faibles doses au début, puis de les augmenter toutes les deux semaines jusqu'à ce que l'on ait atteint la dose idéale et que l'hémodynamique de la personne soit stable. On déterminera la dose régulière en fonction de la pression, du bilan liquidien, du bilan rénal et de la gravité de l'insuffisance cardiaque.

On surveille les personnes qui reçoivent des IECA, surtout si elles prennent également des diurétiques, afin de déceler les signes d'hypotension, d'hyponatrémie et d'anomalie de la fonction rénale. Pour savoir quand et pendant combien de temps il faut observer ces effets, on prendra en considération les caractéristiques du médicament: délai d'action, efficacité maximale et durée d'action. Le tableau 32-3 ■ présente les divers types d'IECA, accompagnés de leurs pharmacocinétiques. L'hypotension est le signe le plus souvent associé aux IECA chez les personnes âgées de plus de 75 ans et chez celles qui ont une pression artérielle systolique de 100 mm Hg ou moins, un taux de sodium sérique inférieur à 135 mmol/L, ou bien qui souffrent d'une insuffisance cardiaque grave. En adaptant la posologie et le type de diurétique à la réaction de la pression artérielle et à la fonction rénale, on peut augmenter graduellement les doses de médicaments.

Comme les IECA peuvent amener une augmentation du potassium, il n'est pas souvent nécessaire de fournir un supplément de potassium à la personne qui reçoit par ailleurs un diurétique. Cependant, les personnes qui prennent des épargneurs de potassium (lesquels n'entraînent pas de perte de potassium au cours de la diurèse) doivent être surveillées attentivement afin de déceler les signes d'hyperkaliémie. Avant d'entreprendre un traitement aux IECA, il faut s'assurer que la personne ne présente pas d'hyperkaliémie ni d'hypovolémie. Si le taux de potassium reste au-dessus de 5,3 mmol/L ou si le taux sérique de créatinine monte, on peut cesser d'administrer ce médicament. Celui-ci comporte d'autres effets indésirables, notamment une toux sèche et persistante que les antitussifs n'arrivent pas à soulager. Cependant, la toux peut également indiquer une aggravation de la fonction ventriculaire ainsi qu'une insuffisance cardiaque. Il est rare que la toux soit un signe d'angio-œdème. Si l'angio-œdème touche la région oropharyngée ou entraîne des difficultés respiratoires, on doit cesser immédiatement de prendre les IECA.

Antagonistes du récepteur de l'angiotensine II (ARA) Bien qu'ils agissent différemment des IECA, les ARA (candésartan [Atacand], valsartan [Diovan], par exemple) ont le même effet hémodynamique qu'eux: baisse de la pression artérielle et baisse de la résistance vasculaire systémique. Alors que les IECA empêchent l'angiotensine I de se convertir en angiotensine II, les ARA bloquent l'action de l'angiotensine II au niveau de son récepteur. Les IECA et les ARA engendrent les mêmes effets indésirables: hyperkaliémie, hypotension et dysfonction rénale. On prescrit généralement des ARA aux personnes qui présentent de la toux ou un angio-œdème associé aux IECA. On peut aussi ajouter un ARA chez une personne dont les symptômes d'insuffisance cardiaque sont insuffisamment contrôlés malgré un traitement comprenant un IECA (Cohn *et al.*, 2001; Mc Murray *et al.*, 2003).

Hydralazine et nitrate Lorsque les personnes ne peuvent pas prendre d'IECA ni d'ARA, il est possible d'avoir recours à une combinaison d'hydralazine (Apresoline) et de nitrate

Inhibiteurs de l'enzyme de conversion de l'angiotensine

TABLEAU 32-3

Inhibiteur de l'enzyme de conversion de l'angiotensine	Pharmacocinétique				Interventions infirmières
	Posologie habituelle (adultes)	Début d'action (en minutes et en heures)	Pic d'action (en heures)	Durée d'action (en heures)	
Bénazépril (Lotensin)	10-40 mg/jour en 1 prise	1 h	2-4	24	■ Surveiller la pression artérielle, le débit urinaire et les taux d'électrolytes. ■ Surveiller la créatinine sérique et la clairance de la créatinine dans l'urine. ■ Être attentive à la présence de toux qui résiste aux antitussifs. ■ Indiquer à la personne de changer de position progressivement et de faire part de tout signe d'étourdissement ou de léthargie. ■ Recommander à la personne de se peser quotidiennement et de signaler toute prise de poids rapide ou tout œdème important aux pieds et aux mains.
Captopril (Capoten)	18,75-150 mg/jour en 3 prises	15-60 min	1-1,5	6-12*	
Cilazapril (Inhibace)	2,5-10 mg/jour en 1 prise	1 h	3-7	24	
Énalapril (Vasotec)	2,5-40 mg/jour en 1 ou 2 prises	1 h	4-6	12-24	
Fosinopril (Monopril)	5-40 mg/jour en 1 prise	Moins de 1 h	2-6	24	
Lisinopril (Prinivil, Zestril)	2,5-80 mg/jour en 1 prise	1 h	2-6	24	
Quinapril (Accupril)	5-40 mg/jour en 1 ou 2 prises	Moins de 1 h	2-4	Jusqu'à 24*	
Ramipril (Altace)	2,5-20 mg/jour en 1 ou 2 prises	1-2 h	4-6	24	
Trandolapril (Mavik)	1-4 mg/jour en 1 prise	30-90 min	2-6	24-72	

*La durée de l'effet varie en fonction de la dose.

(Imdur, Isordil, Nitro-Dur, Minitran). Les nitrates provoquent une dilatation veineuse, laquelle réduit la quantité de sang qui retourne au cœur et diminue la précharge. L'hydralazine diminue la résistance vasculaire systémique et la postcharge du ventricule gauche. Cette combinaison permet de réduire la mortalité associée à l'insuffisance cardiaque, mais de façon moins marquée que les IECA (Cohn *et al.*, 1991).

Bêtabloquants On a découvert que, malgré leur effet inotrope négatif, les bêtabloquants réduisent la mortalité et la morbidité chez les personnes atteintes d'insuffisance cardiaque qui en sont aux stades II à IV de la NYHA, en atténuant les effets cytotoxiques dus à la stimulation constante du système nerveux sympathique sur le myocarde. Les bêtabloquants qui ont présenté de l'efficacité sont le carvédilol (Coreg), le métoprolol (Lopresor) et le bisoprolol (Monocor) (Beta-Blocker Evaluation of Survival Trial [BEST] Investigators, 2001; CIBIS-II Investigators and Committees, 1999; MERIT, 1999; Packer *et al.*, 1996; Packer *et al.*, 2001). Ces médicaments sont également recommandés pour les personnes qui présentent un dysfonctionnement systolique asymptomatique, par exemple quand elles ont subi un infarctus aigu du myocarde ou une revascularisation. Il s'agit alors d'empêcher les symptômes d'insuffisance cardiaque de se manifester. Cependant, les bêtabloquants peuvent aussi occasionner de nombreux effets indésirables, notamment une exacerbation de l'insuffisance cardiaque, le plus souvent dans les premières semaines du traitement. Les effets indésirables les plus fréquents sont des étourdissements, de l'hypotension, de la fatigue et une bradycardie; pour atténuer la gravité de ces effets indésirables, on recommande d'échelonner l'administration des bêtabloquants tout autant que celle des IECA. De plus, on stabilise l'état de la personne et on vérifie son état euvolémique (volume normal) avant d'amorcer le traitement. On augmente la concentration lentement (par intervalles de deux semaines) en surveillant de près la personne chaque fois qu'on modifie la dose. Si la personne présente des symptômes durant la phase d'augmentation de la posologie, on peut décider d'accroître les doses de diurétique, ou de diminuer les doses d'IECA ou de bêtabloquants.

L'infirmière doit informer la personne que les symptômes peuvent s'aggraver au cours de la première phase du traitement et qu'il lui faudra peut-être attendre quelques semaines pour les voir s'améliorer. Il est très important que l'infirmière offre du soutien à la personne qui éprouve des symptômes occasionnés par le traitement. Puisque les bêtabloquants peuvent provoquer une constriction des bronchioles, on recommande de les administrer avec grande prudence chez les personnes atteintes d'un asthme léger ou modéré bien maîtrisé. Dans ce cas, on doit utiliser un bêtabloquant cardiosélectif pour les récepteurs bêta, qui sont situés au niveau du cœur (métoprolol ou bisoprolol dans le traitement de l'insuffisance cardiaque). Cependant, il faut surveiller attentivement ces personnes afin de détecter tout symptôme d'aggravation de l'asthme. Les bêtabloquants sont contre-indiqués chez les personnes atteintes d'asthme grave ou d'asthme non maîtrisé.

Diurétiques Les diurétiques sont des médicaments qui accroissent le débit urinaire et éliminent du corps le surplus de liquide extracellulaire qu'il contient. Les thiazidiques, les diurétiques de l'anse et les diurétiques épargneurs de potassium constituent les types de diurétiques le plus fréquemment prescrits aux personnes qui ont un œdème attribuable à l'insuffisance cardiaque. Ces médicaments sont classés selon la zone rénale où ils agissent et en fonction des effets qu'ils exercent sur l'excrétion et la réabsorption des électrolytes par les reins. Les diurétiques thiazidiques, comme le métolazone (Zaroxolyn), réduisent la réabsorption de sodium et de chlore principalement dans les tubules distaux. Ils augmentent également l'excrétion du potassium et du bicarbonate. Les diurétiques de l'anse, comme le furosémide (Lasix), réduisent la réabsorption du sodium et du chlore principalement dans la partie ascendante de l'anse de Henle. On doit prescrire des diurétiques aux personnes qui ont des signes et symptômes de surcharge liquidienne et ajuster les doses selon la réponse obtenue. Contrairement aux IECA et aux bêtabloquants, les diurétiques requièrent une forte dose au début pour soulager rapidement les symptômes; on diminue ensuite la dose au minimum requis pour contrôler la surcharge. Les diurétiques de l'anse sont les plus utilisés en raison de leur puissance élevée et du maintien de leur efficacité lors d'insuffisance rénale grave. Les thiazidiques sont surtout utilisés en combinaison avec les diurétiques de l'anse lorsque ces derniers ne suffisent pas à contrôler adéquatement la surcharge liquidienne. Si la personne se conforme aux recommandations concernant les activités qu'elle peut accomplir, qu'elle évite de consommer trop de liquide (<2 L/jour) et qu'elle observe un régime hyposodé (<2 g/jour), les doses de diurétiques requises seront plus faibles, voire non nécessaires.

La spironolactone (Aldactone) est un diurétique épargneur de potassium qui réduit la réabsorption du sodium dans le tubule distal. On a découvert qu'elle diminue efficacement la mortalité et la morbidité chez les personnes qui souffrent d'insuffisance cardiaque et qui en sont aux stades III et IV (NYHA); il faut pour cela qu'elle soit associée à un IECA et à un diurétique de l'anse (Pitt *et al.*, 1999). On mesure fréquemment (durant la première semaine et toutes les quatre semaines par la suite, par exemple) les taux de créatinine et de potassium sériques lorsque l'on administre ce médicament à une personne qui ne l'a jamais reçu auparavant.

Les diurétiques comportent les effets indésirables suivants: déséquilibres électrolytiques, symptômes d'hypotension (surtout lors de diurèse excessive), hyperuricémie (causant de la goutte) et ototoxicité (surtout lors d'une administration IV trop rapide). La posologie varie en fonction des indications, de l'âge de la personne, des signes et symptômes cliniques et de l'état de la fonction rénale. On trouvera au tableau 32-4 ▪ la liste des diurétiques le plus souvent utilisés, accompagnés de la posologie habituelle et de leurs propriétés pharmacocinétiques. Il faut surveiller attentivement la personne lorsque l'on modifie la dose pour s'assurer que l'équilibre entre l'efficacité du traitement et ses effets indésirables est conservé. Les diurétiques atténuent considérablement les symptômes de la personne, mais ne prolongent pas sa vie.

Digitaline La digoxine (Lanoxin) est la forme la plus courante de digitaline prescrite aux personnes souffrant d'insuffisance cardiaque. Ce médicament augmente la force de la contraction myocardique et ralentit la conduction dans le nœud auriculoventriculaire. Il améliore la contractilité du myocarde, ce qui augmente le débit ventriculaire; il favorise également la diurèse, ce qui diminue la surcharge liquidienne et soulage l'œdème. L'effet d'une dose donnée de médicament varie selon l'état du myocarde, l'équilibre électrolytique et liquidien et la fonction hépatique. Bien que la digoxine n'abaisse pas le taux de mortalité, elle réduit les symptômes d'insuffisance cardiaque systolique et accroît la capacité de la personne à effectuer ses activités quotidiennes (Digitalis Investigation Group, 1997). On a également démontré que ce médicament fait baisser de façon significative les taux d'hospitalisation et les visites à l'urgence chez les personnes ayant une insuffisance cardiaque de stade II ou III de la NYHA. Il faut toutefois noter que l'arrêt du médicament peut causer une détérioration des symptômes de l'insuffisance cardiaque (Uretsky *et al.*, 1993).

Le traitement à la digoxine fait l'objet de préoccupations constantes en raison de la toxicité du médicament. L'encadré 32-2 ▪ présente les principales caractérisques de la digoxine: l'utilisation, la toxicité, de même que la surveillance infirmière requise lorsqu'elle est administrée. On observe la personne afin de déterminer l'efficacité du traitement à la digoxine d'après les signes suivants: diminution de la dyspnée et de l'orthopnée, diminution des crépitants à l'auscultation, soulagement de l'œdème périphérique, perte de poids et augmentation de la tolérance à l'activité.

Bloquants des canaux calciques En raison de leur effet inotrope négatif, le vérapamil (Isoptin, Verelan, Chronovera), la nifédipine (Adalat) et le diltiazem (Cardizem, Tiazac) sont contre-indiqués chez les personnes atteintes d'un dysfonctionnement systolique, même si on peut les donner aux personnes atteintes d'un dysfonctionnement diastolique. Bien qu'ils n'aient aucun effet sur le taux de mortalité relié à l'IC, l'amlodipine (Norvasc) et la félodipine (Plendil, Renedil) peuvent être utilisés en toute sécurité pour traiter des maladies intercurrentes comme l'hypertension ou l'angine.

Autres médicaments On peut prescrire des anticoagulants, surtout si l'anamnèse de la personne comporte des antécédents d'accidents thrombo-emboliques, de fibrillation auriculaire ou de thrombus mural. Certains médicaments, comme les antiangineux, servent à traiter la cause sous-jacente de l'insuffisance cardiaque. Il faut par contre s'abstenir de prescrire des médicaments anti-inflammatoires non stéroïdiens (AINS) comme l'ibuprophène (Advil, Motrin), car ils augmentent la résistance vasculaire systémique, diminuent l'irrigation rénale et causent une rétention hydrosodée qui accentue la surcharge liquidienne (Page et Henry, 2000). En raison de leur effet vasoconstricteur, il faut éviter d'avoir recours aux décongestionnants oraux. Les hypoglycémiants oraux de la classe des thiazolidinediones (pioglitazone [Actos] et rosiglitazone [Avandia]) doivent être

TABLEAU 32-4

Diurétiques

Diurétiques	Posologie habituelle pour l'insuffisance cardiaque (adultes)	Début d'action (en heures)	Pic d'action (en heures)	Durée d'action (en heures)
THIAZIDIQUES				
Chlorthalidone (Hygroton)	De 12,5 à 50 mg 1 fois par jour ou 1 fois tous les 2 jours	2	2-6	24-72
Hydrochlorothiazide (HydroDiuril)	De 12,5 à 50 mg, en dose unique ou divisée, 1 fois par jour, 1 fois tous les 2 jours	2	4-6	6-12
Métolazone (Zaroxolyn)	De 2,5 à 20 mg, 1 fois par jour ou 1 fois par jour 2 à 5 jours par semaine	1	2	12-24
DIURÉTIQUES DE L'ANSE				
Bumétanide (Burinex)	PO: de 0,5 à 2 mg, 1 ou 2 fois par jour; peut être donné 1 fois tous les 2 jours, ou 1 fois tous les 3 jours	30-60 min	1-2	4-6
	IV: de 0,5 à 1 mg en 2 minutes; répéter toutes les 2 ou 3 heures; une perfusion continue peut être donnée à raison de 1 mg/h	5-10 min	15-30 min	½-1
Acide éthacrynique (Edecrin)	PO: de 50 à 400 mg en dose unique ou divisée	< 30 min	2	6-12
	IV: de 0,5 à 1 mg/kg/dose (max. 100 mg/dose) en quelques minutes; peut être répété toutes les 6 à 12 heures	< 5 min	15-30 min	2
Furosémide (Lasix)	PO: de 20 à 600 mg en 1 ou 2 doses quotidiennes, en dose donnée tous les 2 jours ou 1 fois par jour 2 à 4 jours par semaine	30-60 min	1-2	6-8
	IV: de 20 à 200 mg donnés à raison de 4 mg/min; après avoir obtenu une réaction, 1 à 3 fois par jour; une perfusion continue peut être donnée	5 min	30 min	2
DIURÉTIQUES ÉPARGNEURS DE POTASSIUM				
Amiloride (Midamor)	De 5 à 20 mg, 1 fois par jour en dose unique	2	6-10	24
Spironolactone (Aldactone)	De 12,5 à 100 mg en 1 ou 2 doses	24-48	48-72	48-72
Triamtérène (Dyrenium)	De 25 à 100 mg en dose unique	2-4	4-8	8-16

utilisés avec prudence en présence d'insuffisance cardiaque, car ils peuvent causer de la rétention liquidienne qui risque d'aggraver les symptômes de la maladie.

Régime alimentaire

On recommande généralement de suivre un régime à faible teneur en sel (< 2 à 3 g/jour) et d'éviter de consommer des liquides en trop grande quantité. Agir ainsi réduit la rétention liquidienne et atténue les symptômes de congestion pulmonaire et périphérique, bien que cela ne fasse pas diminuer le taux de mortalité. La limitation de l'apport en sodium a pour but de réduire le volume circulant, ce qui a pour effet de diminuer l'effort que le cœur doit fournir pour pomper le volume excédentaire. Il faut trouver un équilibre entre la capacité de la personne à modifier son régime alimentaire et la quantité de médicaments qu'on lui prescrit. Lorsque l'on change l'alimentation, il faut tenir compte de l'équilibre nutritionnel et des préférences alimentaires et culturelles de la personne.

ALERTE CLINIQUE *Pour éviter les erreurs, on doit indiquer en milligrammes la quantité de sodium permise et non pas se contenter d'indiquer «régime à faible teneur en sel» ou «sans sel», car il existe une différence entre le sel et le sodium. Il est important de savoir que le sel n'est pas constitué entièrement de sodium; en fait, 1 g (1 000 mg) de sel contient 393 mg de sodium.*

ENCADRÉ 32-2

PHARMACOLOGIE

Utilisation de la digoxine dans l'insuffisance cardiaque et toxicité du médicament

La digoxine, qui est un glucoside cardiaque dérivé de la digitaline, sert à traiter les personnes atteintes d'insuffisance cardiaque systolique, de fibrillation auriculaire ou de flutter auriculaire. La digoxine améliore la fonction cardiaque comme suit:

- Elle augmente la force de la contraction du myocarde.
- Elle ralentit la conduction cardiaque dans le nœud auriculoventriculaire et, par conséquent, ralentit la fréquence ventriculaire durant les crises d'arythmie supraventriculaire.
- Elle augmente le débit cardiaque en accroissant la force de la contraction ventriculaire.
- Elle favorise la diurèse en augmentant le débit cardiaque.

Le niveau thérapeutique se situe habituellement entre 0,5 et 2,0 ng/mL. On obtient généralement des prises de sang et on les analyse pour déterminer la concentration de digoxine au moins 6 à 10 heures après avoir administré la dernière dose. La toxicité peut se manifester même quand les taux sériques sont normaux, si bien que la posologie varie énormément.

PRÉPARATIONS

Digoxine (Lanoxin)

- Comprimés: 0,0625; 0,125; 0,25
- Élixir: 0,05 mg/mL (élixir pédiatrique)
- Injectable: 0,25 mg/mL (adultes); 0,05 mg/ml (enfants)

INTOXICATION DIGITALIQUE

L'intoxication digitalique est une complication grave du traitement à la digoxine. Elle est fréquente, car la toxicité peut s'installer même si le taux sérique de digoxine se situe dans les limites normales. Le diagnostic d'intoxication digitalique se fonde entre autres sur les symptômes cliniques suivants:

- Fatigue, dépression, confusion, malaises, anorexie, nausées, vomissements, vision brouillée, halos jaunes ou verts autour des sources lumineuses (premiers effets de l'intoxication digitalique)
- Changements dans le rythme cardiaque: apparition d'un nouveau rythme régulier ou apparition d'un nouveau rythme irrégulier
- Changements dans l'électrocardiogramme indiquant la présence d'un bloc sinoauriculaire ou auriculoventriculaire; apparition d'un nouveau rythme irrégulier indiquant une arythmie ventriculaire; tachycardie auriculaire avec bloc; tachycardie jonctionnelle et tachycardie ventriculaire

TRAITEMENT DE L'INTOXICATION

On traite l'intoxication à la digoxine en suspendant l'administration du médicament, en surveillant les symptômes de la personne et le taux sérique de digoxine. Si l'intoxication est grave, on peut prescrire un antidote (Digibind). On établit le dosage du Digibind à partir du taux de digoxine et de la masse corporelle de la personne. Après l'administration du Digibind, les valeurs sériques de digoxine ne seront pas fiables durant plusieurs jours, puisqu'on ne peut différencier la digoxine liée au Digibind de la digoxine non liée. Comme le Digibind fait rapidement diminuer le taux de digoxine active, il arrive qu'il provoque une augmentation de la fréquence ventriculaire causée par la fibrillation auriculaire et une aggravation des symptômes d'insuffisance cardiaque peu de temps après qu'on l'a administré.

INTERVENTIONS INFIRMIÈRES

1. Vérifier les taux sériques de digoxine une fois par année, ou plus souvent s'il y a eu des changements dans les médicaments, la fonction rénale ou les symptômes.
2. Évaluer la réaction clinique de la personne au traitement à la digoxine: observe-t-on des signes indiquant que le médicament soulage les symptômes, notamment la dyspnée, l'orthopnée, les crépitants, l'hépatomégalie et l'œdème périphérique?
3. Surveiller les taux sériques de potassium, surtout chez les personnes à qui on administre en même temps des diurétiques, car la diurèse peut engendrer de l'hypokaliémie. *Lorsque ce déséquilibre potassique n'est pas détecté et corrigé, l'effet de la digoxine s'intensifie et la personne est sujette à l'intoxication digitalique et aux arythmies.*
4. Être attentive aux symptômes de déplétion électrolytique: lassitude, apathie, confusion mentale, anorexie, diminution du débit urinaire, hyperurémie.
5. Observer la personne afin de détecter les facteurs qui accroissent le risque d'intoxication:
   - Antibiotiques, antithyroïdiens, quinidine, cyclosporine (Neoral, Sandimmune), amiodarone (Cordarone), carvédilol (Coreg), diltiazem (Cardizem, Tiazac), vérapamil (Isoptin, Verelan, Chronovera).
   - Baisse du taux de potassium (hypokaliémie), qui intensifie l'action de la digoxine; cette baisse peut être causée par la malnutrition, la diarrhée, les vomissements, l'émaciation musculaire ou les diurétiques (sauf les épargneurs de potassium).
   - Atteinte à la fonction rénale, surtout chez les personnes âgées de 65 ans et plus, accompagnée d'une diminution de la clairance rénale.
6. Avant d'administrer de la digoxine, on évalue la fréquence cardiaque apicale, intervention qui constitue une pratique infirmière courante. Lorsque le rythme cardiaque de la personne indique la présence de fibrillation auriculaire et que sa fréquence cardiaque est inférieure à 60, ou lorsque la réponse ventriculaire devient régulière, l'infirmière suspend l'administration du médicament et en informe le médecin, car ces signes indiquent l'apparition d'un bloc de conduction auriculoventriculaire. Bien que la suspension de l'administration de digoxine soit une pratique courante, il n'est pas nécessaire d'y recourir lorsque la fréquence cardiaque de la personne est inférieure à 60 et qu'elle présente un rythme sinusal, car la digoxine n'a aucun effet sur l'automacité du nœud sinoauriculaire. Lorsque la personne est soumise au monitorage cardiaque, il est plus important de mesurer l'intervalle P-R que le pouls apical pour déterminer si l'on doit suspendre l'administration de la digoxine.

   Remarque: Si le monitorage indique que la personne a un rythme cardiaque sinusal, l'infirmière surveille l'intervalle P-R plutôt que la fréquence cardiaque. Si la personne présente de la fibrillation auriculaire, elle examine le tracé à la recherche d'intervalles R-R réguliers indiquant la présence d'un bloc auriculoventriculaire.
7. Surveiller les effets indésirables sur la fonction gastro-intestinale: anorexie, nausées, vomissements, douleur et distension abdominales.

8. Surveiller les effets indésirables sur le système nerveux: céphalée, malaises, cauchemars, perte de mémoire, repli social, dépression, agitation, confusion, paranoïa, hallucinations, diminution de l'acuité visuelle, halo jaune ou vert autour des objets (surtout autour des sources lumineuses) ou vision brouillée.
9. Observer la personne afin de détecter et de prévoir les interactions possibles lorsque l'on ajoute des médicaments au traitement. Il s'agit d'une étape importante dans la prévention de l'intoxication. Par exemple, les antibiotiques et plusieurs autres médicaments (voir le point 5) peuvent faire monter le taux de digoxine. Les diurétiques peuvent faire baisser le taux de potassium et augmenter l'effet de la digoxine. De plus, comme la digoxine est éliminée par les reins, on surveille attentivement la fonction rénale (créatinine sérique, clairance de la créatinine dans l'urine).

Soins et traitements infirmiers

C'est à l'infirmière qu'il incombe d'administrer les médicaments et d'évaluer les effets bénéfiques ou indésirables qu'ils peuvent avoir. La recherche de l'équilibre entre ces effets présidera au choix du type et des doses de médicaments. Les interventions infirmières destinées à évaluer l'efficacité thérapeutique sont les suivantes:

- Faire rigoureusement le bilan des ingesta et des excreta pour détecter les déséquilibres négatifs (plus de sorties que d'entrées).
- Peser la personne tous les jours à la même heure sur le même pèse-personne, habituellement le matin après la miction; surveiller tout gain de 1 kg en une journée ou de 2 ou 3 kg en une semaine.
- Ausculter la personne au moins une fois par jour pour détecter une augmentation ou une diminution des crépitants pulmonaires.
- Déterminer le degré de distension de la veine jugulaire.
- Déceler l'œdème déclive et en évaluer la gravité.
- Prendre régulièrement le pouls et la pression artérielle, surveiller l'hypotension posturale et s'assurer que la personne ne souffre pas d'hypotension à cause de la déshydratation.
- Examiner l'élasticité de la peau et les muqueuses afin de détecter les signes de déshydratation.
- Évaluer les symptômes de surcharge liquidienne (orthopnée, dyspnée nocturne paroxystique et dyspnée d'effort) ainsi que les changements dans ces symptômes.

Surveiller et traiter les complications

La diurèse profuse et répétée peut mener à l'hypokaliémie (autrement dit à la déplétion potassique). Les signes d'hypokaliémie sont les suivants: pouls faible, bruits du cœur peu audibles, hypotension, faiblesse musculaire, baisse importante des réflexes ostéotendineux et faiblesse généralisée. L'hypokaliémie pose des problèmes supplémentaires aux personnes atteintes d'insuffisance cardiaque, puisqu'elle peut aussi entraîner une diminution marquée de la contractilité du myocarde. Chez les personnes qui prennent de la digoxine, l'hypokaliémie peut engendrer une intoxication digitalique. L'intoxication digitalique et l'hypokaliémie font augmenter le risque d'arythmie dangereuse (encadré 32-2). Les faibles taux de potassium peuvent également indiquer de faibles taux de magnésium, ce qui ajoute au risque d'arythmie. L'hyperkaliémie peut également apparaître, surtout lorsque la personne reçoit des IECA, des ARA et de la spironolactone.

ALERTE CLINIQUE *Pour réduire les risques d'hypokaliémie chez les personnes qui prennent des diurétiques, on peut administrer des suppléments de potassium (chlorure de potassium). Les abricots séchés, les bananes, les betteraves, les figues, le jus d'orange ou de tomate, les pêches, les pruneaux, les pommes de terre, les raisins, les épinards, la courge et le melon d'eau sont de bonnes sources alimentaires de potassium. Si la personne court le risque de souffrir d'hyperkaliémie, on lui recommande d'éviter de consommer les produits mentionnés ci-dessus, y compris les succédanés du sel, qui contiennent souvent du potassium.*

ALERTE CLINIQUE *Le pamplemousse (frais et en jus) est une bonne source alimentaire de potassium, mais il comporte des risques graves d'interaction avec les médicaments. On conseille aux personnes de consulter leur médecin ou leur pharmacien avant d'intégrer le pamplemousse à leur régime alimentaire.*

Un traitement prolongé aux diurétiques peut également entraîner de l'hyponatrémie (carence en sodium dans le sang), qui se manifeste par de l'appréhension, de la faiblesse, des malaises, des crampes musculaires et des spasmes musculaires, de même que par un pouls rapide et filant.

ALERTE CLINIQUE *L'évaluation périodique des taux électrolytiques de la personne indiquera aux membres de l'équipe de soins s'il y a hypokaliémie, hypomagnésémie ou hyponatrémie. Lorsque la personne entreprend un traitement diurétique, les taux sériques sont évalués fréquemment, puis tous les 3 à 12 mois. Il est important de se rappeler que les taux sériques de potassium ne reflètent pas toujours la quantité totale de potassium dans le corps.*

Les diurétiques peuvent aussi entraîner une hyperuricémie (taux excessif d'acide urique dans le sang), une déplétion du volume liquidien et une hyperglycémie.

Particularités reliées à la personne âgée

Les changements qui se produisent avec l'âge font augmenter la fréquence de l'insuffisance cardiaque diastolique: hausse de la pression systolique, de la pression de la paroi ventriculaire, de la taille de l'oreillette et de la fibrose myocardique. Les personnes âgées présentent parfois des signes et symptômes atypiques: fatigue, faiblesse et somnolence. L'anomalie de la fonction rénale rend ces personnes résistantes aux diurétiques et plus sensibles aux changements de volume sanguin, surtout en cas de dysfonctionnement systolique. Comme les hommes âgés souffrant d'une hypertrophie de la prostate présentent souvent une obstruction urétrale, les diurétiques peuvent provoquer une distension de la vessie et exigent donc une surveillance infirmière lorsqu'on les administre. On peut évaluer la vessie au moyen d'une échographie effectuée grâce à un appareil portatif (Bladder Scan), en palpant la région suspubienne à la recherche d'une masse ovale ou en la percutant à la recherche d'un son sourd, signe de distension.

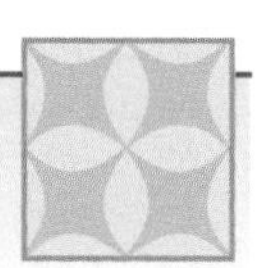

DÉMARCHE SYSTÉMATIQUE dans la pratique infirmière

Personne souffrant d'insuffisance cardiaque

COLLECTE DES DONNÉES

On effectue la collecte des données chez les personnes souffrant d'insuffisance cardiaque en vue de s'assurer que le traitement est efficace et que la personne est en mesure de comprendre et de mettre en pratique les stratégies d'autosoins. L'infirmière note les signes et symptômes d'œdème pulmonaire ou d'œdème généralisé et les signale immédiatement au médecin afin de pouvoir adapter le traitement en conséquence. Elle observe également la réponse émotionnelle de la personne au diagnostic d'insuffisance cardiaque, qui est une maladie chronique.

Anamnèse

L'infirmière évalue les difficultés liées au sommeil, surtout si le sommeil est soudainement interrompu par de l'essoufflement. Elle demande également à la personne combien il lui faut d'oreillers pour dormir (signe d'orthopnée) et quelles sont les activités quotidiennes qui provoquent de l'essoufflement. Elle évalue les connaissances de la personne en matière d'insuffisance cardiaque et d'autosoins; elle juge de son désir de s'y conformer. L'infirmière aide la personne à cerner les pertes liées au diagnostic, elle évalue sa réaction émotionnelle devant ces pertes et les stratégies d'adaptation efficaces utilisées jusque-là pour y faire face. Les proches de la personne et la personne clé dans sa vie prennent souvent part à ces discussions.

Examen physique

On doit ausculter les poumons pour dépister les crépitants et les sibilants. Les crépitants, que l'on entend à la fin de l'inspiration et qui ne disparaissent pas avec la toux, sont produits par l'ouverture subite de petites voies respiratoires qui adhèrent ensemble à cause de l'œdème et de l'exsudat; ils ressemblent aussi parfois à un gargouillement qui peut disparaître avec la toux et la succion. Il faut aussi noter la fréquence et l'amplitude respiratoires.

On ausculte le cœur pour rechercher la présence de B_3, qui peut indiquer un début de défaillance de la pompe cardiaque, avec une augmentation du volume de sang qui reste dans le ventricule après chaque battement. On doit aussi noter la fréquence et le rythme cardiaques. L'accélération de la fréquence indique une réduction du temps de remplissage, ce qui entraîne la stagnation du sang dans l'oreillette et, à plus ou moins brève échéance, dans les poumons.

On vérifie aussi s'il y a une distension de la veine jugulaire; on considère comme anormale toute distension de plus de 4,5 cm de l'angle sternal à 45 degrés. Il faut se rappeler qu'il s'agit d'une mesure approximative.

On évalue le niveau de conscience. L'augmentation du volume intravasculaire provoque une dilution du sang, ce qui entrave le transport de l'oxygène et entraîne une diminution du volume d'éjection systolique. Il en résulte une baisse de l'apport d'oxygène au cerveau, ce qui engendre de la confusion chez la personne.

On procède à l'examen des parties déclives du corps pour y déceler les signes d'œdème. Lorsque le volume systolique diminue de façon marquée, il se produit une diminution de l'irrigation en périphérie, marquée par une peau froide et pâle ou cyanosée. Si la personne est assise, on examine les pieds et les jambes. Si elle est couchée, on recherche des signes d'œdème dans la région sacrée et dans le dos. Les mains et les doigts peuvent aussi être œdémateux, de même que les paupières. Dans les cas d'extrême d'insuffisance cardiaque, celles-ci sont parfois enflées jusqu'à en être fermées.

On doit aussi vérifier s'il y a un reflux hépatojugulaire, qui est un symptôme d'élévation de la pression veineuse. Il se manifeste par une augmentation de plus de 1 cm de la distension de la veine jugulaire quand on comprime le foie avec la main pendant 30 à 60 secondes. La personne doit respirer normalement au cours de cet examen.

La personne qui souffre d'insuffisance cardiaque présente des risques d'**oligurie** (diminution du débit urinaire < 400 mL/24 h) ou d'**anurie** (débit urinaire < 100 mL /24 h). Il importe donc de mesurer fréquemment ce qu'elle excrète. Ces mesures serviront aussi de points de comparaison pour vérifier l'efficacité des diurétiques, le cas échéant. On tient un bilan rigoureux des ingesta et excreta et on pèse la personne sur le même pèse-personne (à l'hôpital ou à la maison), tous les jours à la même heure, et avec le même genre de vêtements. Si elle observe un changement de poids important, soit d'environ 1 kg en une journée, ou de 2 ou 3 kg en une semaine, la personne doit en informer son médecin ou modifier sa médication (augmenter la dose de diurétiques, par exemple).

ANALYSE ET INTERPRÉTATION

Diagnostics infirmiers

En se fondant sur les données recueillies, l'infirmière peut poser les diagnostics infirmiers suivants:

- Intolérance à l'activité (ou risque d'intolérance à l'activité), reliée au déséquilibre entre la demande et l'apport en oxygène consécutif à une diminution du débit cardiaque
- Excès de volume liquidien, relié à la surcharge liquidienne ou sodique et à la rétention liquidienne consécutives à l'insuffisance cardiaque et au traitement médical
- Anxiété, reliée aux difficultés respiratoires et à l'agitation consécutives à une oxygénation inadéquate

- Sentiment d'impuissance, relié à l'incapacité d'assumer ses responsabilités consécutive à la maladie chronique et aux hospitalisations
- Non-observance du programme d'autosoins, reliée à l'insuffisance des connaissances sur l'insuffisance cardiaque

Problèmes traités en collaboration et complications possibles

En se fondant sur les données recueillies, l'infirmière peut déterminer les complications susceptibles de survenir, notamment:

- Choc cardiogénique, ou cardiogène (chapitre 15)
- Arythmies (chapitre 29)
- Thromboembolie (chapitre 33)
- Épanchement péricardique et tamponnade cardiaque (chapitre 31)

PLANIFICATION

Les principaux objectifs sont les suivants: favoriser l'activité et réduire la fatigue; soulager les symptômes de surcharge liquidienne; réduire les effets de l'anxiété et accroître la capacité de la personne à les gérer; enseigner le programme d'autosoins et encourager la persone à verbaliser sa capacité de prendre des décisions et d'influer sur les résultats.

INTERVENTIONS INFIRMIÈRES

Favoriser la tolérance à l'activité

Bien que le repos prolongé au lit et en décubitus favorise la diurèse en améliorant l'irrigation rénale, ces positions engendrent également une diminution de la tolérance à l'activité.

L'immobilité provoque des complications, entre autres des plaies de pression (surtout chez les personnes souffrant d'œdème), une thrombophlébite ou une embolie pulmonaire. Cependant, après un épisode aigu accompagné de symptômes graves ou qui exige l'hospitalisation, le repos au lit est nécessaire. Sinon, on recommande à la personne de se livrer à un total de 30 minutes d'exercice physique, de 3 à 5 fois par semaine (Georgiou *et al.*, 2001). L'infirmière et la personne peuvent travailler en collaboration à la préparation d'un programme qui favorise l'entraînement et la hiérarchisation des activités; ce programme prévoierait de faire alterner les périodes d'activité et les périodes de repos, en évitant de pratiquer successivement, ou le même jour, deux activités exigeant une grande énergie.

Avant d'effectuer une activité physique, la personne doit suivre les directives suivantes:

- Elle commence par se livrer à quelques exercices d'échauffement.
- Elle évite de pratiquer une activité physique à l'extérieur par temps extrêmement chaud ou extrêmement froid.
- Elle s'assure qu'elle est en mesure de parler au cours de l'activité physique; dans le cas contraire, elle diminue l'intensité de l'activité.
- Elle laisse passer deux heures après les repas avant d'entreprendre une activité physique.
- Elle interrompt l'activité si une dyspnée, une douleur ou une sensation d'étourdissement se manifestent.
- Elle termine la séance par des exercices de récupération.

Les personnes dont l'invalidité est très avancée peuvent commencer par faire de l'exercice de trois à cinq minutes à la fois, environ une à quatre fois par semaine. On leur recommande ensuite d'accroître la durée de l'activité, puis sa fréquence, et enfin d'augmenter l'intensité de l'activité (Meyer, 2001).

On définit les limites à respecter dans la pratique d'une activité et on s'entend sur le choix des méthodes qui seront utilisées pour adapter l'activité au rythme de la personne. Par exemple, celle-ci peut déposer dans un panier les objets qu'elle veut transporter à l'étage supérieur afin de les prendre tous en même temps à la fin de la journée. De même, elle peut mettre les vêtements à laver dans un panier ou un sac à dos et les transporter tous ensemble plutôt que de faire des aller-retour. Elle peut couper ou peler ses légumes en s'asseyant à la table de la cuisine plutôt que de rester debout devant le comptoir. Consommer fréquemment des repas légers requiert moins d'énergie pour la digestion tout en offrant une nutrition suffisante. L'infirmière aide la personne à cibler ses pointes et ses chutes d'énergie et à programmer les activités qui exigent davantage d'énergie aux moments où elle en a le plus. Par exemple, la personne peut préparer tous ses repas de la journée le matin. Répartir les activités et les hiérarchiser aide à conserver l'énergie et à participer à des activités physiques régulières (chapitre 30).

L'infirmière doit être attentive à la façon dont la personne réagit aux activités. Si celle-ci est hospitalisée, il faut prendre les signes vitaux et mesurer la saturation en oxygène avant, pendant et immédiatement après une activité pour déterminer s'ils se situent dans les limites souhaitables. La fréquence cardiaque doit revenir à la normale en moins de trois minutes. Si la personne est chez elle, le degré de fatigue qu'elle ressent après l'activité peut servir de critère d'évaluation de la réaction. Si elle tolère l'activité, on peut fixer des objectifs à court et à long terme de manière à augmenter progressivement l'intensité, la durée et la fréquence de celle-ci. Il faut parfois lui conseiller de participer à un programme de réhabilitation destiné aux personnes cardiaques, surtout si elle a subi récemment un infarctus du myocarde, une chirurgie cardiaque ou si son anxiété a augmenté. Les programmes supervisés peuvent bénéficier aux personnes qui ont besoin d'un environnement structuré, de soutien éducatif, d'encouragements constants et de contacts interpersonnels.

Équilibrer le volume liquidien

Les personnes atteintes d'insuffisance cardiaque grave peuvent recevoir des diurétiques intraveineux, mais celles qui présentent des symptômes moins graves reçoivent des diurétiques par voie orale (tableau 32-4). Les diurétiques oraux doivent être administrés tôt le matin pour éviter que la diurèse nuise au sommeil. Quant aux personnes qui souffrent d'urgence mictionnelle ou d'incontinence, les personnes âgées par exemple, il importe de s'entendre avec elles sur l'heure d'administration du médicament. Une seule dose de diurétique peut provoquer une forte excrétion urinaire peu après l'administration.

L'infirmière surveille étroitement l'équilibre liquidien de la personne. Elle ausculte les poumons, elle vérifie le poids tous les jours et aide la personne à se conformer à un régime hyposodé en consultant les étiquettes et en évitant de consommer des aliments riches en sel comme les aliments en conserve, les aliments transformés ou les aliments prêts à servir (encadré 32-3 ■). Si le régime comporte des restrictions liquidiennes, l'infirmière aide la personne à répartir la consommation de liquide au cours de la journée, en tenant compte de ses préférences alimentaires. Si la personne reçoit des liquides intraveineux, on doit surveiller de près la quantité de liquide administré et consulter le médecin ou le pharmacien quant à la possibilité de hausser la quantité de médicaments par rapport à la quantité de liquide intraveineux (par exemple en donnant des doses de médicament qui sont deux fois plus concentrées de manière à diminuer le volume à perfuser).

L'infirmière installe la personne ou lui explique quelle position adopter pour chasser le liquide hors du cœur. Pour réduire le retour veineux, la congestion pulmonaire et la compression du foie sur le diaphragme, on utilise un plus grand nombre d'oreillers, on hausse la tête du lit de 20 à 30 cm ou on installe la personne dans un fauteuil confortable. Pour atténuer la fatigue causée par le poids des bras tirant sur les muscles des épaules, on place les avant-bras sur des oreillers. La personne qui souffre d'orthopnée peut s'asseoir au bord du lit, les pieds reposant sur une chaise, la tête et les mains appuyées sur la table de lit et le dos soutenu par des oreillers. En cas de congestion pulmonaire, on installe la personne dans un fauteuil, car cette position permet au liquide de s'écouler hors des poumons.

Comme la diminution de la circulation dans les régions œdémateuses augmente le risque de lésion cutanée, l'infirmière évalue la personne à la recherche de signes de plaies de pression et met en œuvre des mesures préventives. Les mesures contribuant à prévenir les lésions cutanées sont notamment les suivantes : changer fréquemment de position, se placer de manière à éviter la compression, se livrer à des exercices des jambes et porter des bas compressifs ou anti-embolie.

Atténuer l'anxiété

Les personnes atteintes d'insuffisance cardiaque ont du mal à s'oxygéner adéquatement ; elles souffrent d'une forte dyspnée qui peut provoquer de l'anxiété et de l'agitation, surtout la nuit. La personne très anxieuse ne peut pas se reposer. Le stress émotionnel stimule le système nerveux sympathique, ce qui provoque une vasoconstriction, une hausse de la pression artérielle et une augmentation de la fréquence cardiaque. La réaction du système sympathique accroît le travail du cœur ; par contre, lorsque l'anxiété s'atténue, le travail du cœur diminue par le fait même. Au stade aigu de la congestion, on administre souvent de l'oxygène pour réduire le travail respiratoire et améliorer le bien-être de la personne.

Pour réduire le stress, on doit assurer le bien-être physique et psychologique de la personne et éviter de la placer dans des situations génératrices de stress. Pour certaines personnes, la présence d'un membre de la famille a un effet rassurant. Pour diminuer l'anxiété, l'infirmière s'adresse à la personne d'un ton calme et rassurant et reste en contact avec elle sur le plan visuel. Au besoin, elle donne à la personne des directives précises pour effectuer une activité.

Après avoir atténué l'anxiété de la personne, l'infirmière commence à lui apprendre à gérer son anxiété et à éviter de se trouver dans des situations qui l'engendrent. Elle lui enseigne des techniques de

ENCADRÉ 32-3

Sodium alimentaire : les faits

Bien que le sel constitue habituellement la principale source de sodium dans le régime alimentaire des Canadiens, beaucoup d'autres aliments en fournissent, en plus ou moins grande quantité. Même si on n'ajoute pas de sel à la cuisson et si on évite de consommer des aliments salés, le régime quotidien contient tout de même de 1 000 à 2 000 mg de sodium.

ADDITIFS DANS LES ALIMENTS

Les substances qu'on ajoute aux aliments (additifs) contiennent également du sodium, qu'il s'agisse d'additifs comme l'alginate de sodium, qui améliore la texture des aliments, comme le benzoate de sodium, qui est un agent de conservation, ou comme le phosphate de sodium, qui améliore la valeur culinaire de certains mets. Par conséquent, on doit conseiller aux personnes qui suivent un régime hyposodé d'éviter de consommer des aliments prêts-à-servir ou, du moins, de vérifier sur les étiquettes s'ils contiennent du « sel » ou du « sodium ». Par exemple, si, ayant à choisir entre une portion de croustilles au vinaigre et un petit bol de crème de champignons, on néglige de s'informer sur la teneur en sodium par portion en consultant les étiquettes indiquant la valeur nutritive du produit, nombreux sont ceux qui auraient tendance à penser que la soupe est moins riche en sodium. Pourtant, lorsque l'on consulte les indications du fabricant, il s'avère que ce sont les croustilles qui contiennent le moins de sodium. Bien que les croustilles ne fassent pas partie d'un régime alimentaire hyposodé, cet exemple montre bien à quel point il est important de lire les étiquettes des aliments pour connaître la teneur en sodium par portion.

SOURCES NON ALIMENTAIRES DE SODIUM

La pâte dentifrice et l'eau fournie par les services municipaux contiennent également du sodium. Certains médicaments offerts en vente libre (comme les antiacides, les sirops antitussifs, les laxatifs et les sédatifs) peuvent contenir d'importantes quantités de sodium. Il faut éviter de consommer des substituts de sel à cause de leur forte teneur en potassium. Les personnes qui suivent un régime hyposodé doivent consulter leur médecin avant de prendre un médicament offert en vente libre.

FAVORISER L'OBSERVANCE DU RÉGIME

Les régimes à faible teneur en gras et en sel ne recueillent pas toujours les suffrages, soit parce que les aliments manquent de goût, soit parce que leur goût est modifié par les médicaments. C'est pourquoi il faut éviter d'imposer de sévères restrictions en sodium et adapter la dose de médicaments à la capacité de la personne à se conformer à un régime hyposodé. On peut toutefois rehausser la saveur des aliments par l'emploi d'assaisonnements tels que le jus de citron, le vinaigre et les herbes. Il importe également, dans la mesure du possible, de respecter les préférences alimentaires de la personne. On peut se tourner vers les nutritionnistes et offrir des dépliants éducatifs qui sont adaptés aux préférences individuelles et culturelles. Il importe également de faire participer la famille à l'enseignement diététique.

relaxation et l'aide à cibler les facteurs qui contribuent à déclencher l'anxiété. Le manque de sommeil peut aggraver celle-ci, ce qui empêche la personne de se reposer. D'autres facteurs peuvent aussi engendrer du stress, notamment les informations erronées, l'insuffisance de connaissances sur la maladie et le déséquilibre nutritionnel. Favoriser le bien-être physique, donner des informations précises, enseigner les techniques de relaxation à la personne et lui montrer comment éviter de se trouver dans des situations qui engendrent le stress, sont des moyens d'aider la personne à se détendre.

! ALERTE CLINIQUE *Quand on administre des sédatifs et des somnifères aux personnes qui présentent une insuffisance cardiaque, la prudence est de mise. L'hypoxie cérébrale, accompagnée d'une rétention de gaz carbonique, entraîne parfois de la confusion et de l'agitation. Par ailleurs, ces médicaments peuvent avoir plus d'effets indésirables en raison du ralentissement du métabolisme provoqué par la congestion hépatique.*

Si la personne se montre confuse et agitée, on doit éviter, dans la mesure du possible, d'employer des dispositifs de contention, car la réaction pourrait être violente, ce qui imposerait au cœur une surcharge de travail. On peut installer la personne dans un fauteuil confortable lorsqu'elle insiste pour quitter son lit la nuit. Au fur et à mesure que la circulation cérébrale et systémique s'améliore, l'anxiété diminue et la qualité du sommeil s'améliore également.

Atténuer le sentiment d'impuissance

Les personnes doivent savoir qu'elles ne sont pas impuissantes et qu'elles peuvent influer sur l'orientation de leur vie et sur les résultats du traitement. L'infirmière évalue les facteurs qui contribuent au sentiment d'impuissance et agit en conséquence. Ces facteurs sont notamment l'insuffisance des connaissances et la difficulté d'intervenir dans la prise de décision, surtout si le personnel soignant et les membres de la famille maternent la personne ou se montrent paternalistes envers elle. Lorsqu'il y a une hospitalisation, les règles en vigueur peuvent viser à la normalisation et empêcher la personne de prendre certaines décisions (concernant l'heure des repas, de la prise des médicaments, du coucher, par exemple).

En prenant le temps d'écouter attentivement la personne, l'infirmière l'incite souvent à verbaliser ses inquiétudes et à poser des questions. Elle peut également lui offrir l'occasion de prendre un certain nombre de décisions, par exemple à quelle heure effectuer certaines activités, où ranger les objets; la fréquence et l'importance de ces prises de décision augmenteront au cours du séjour à l'hôpital. Elle peut également lui prodiguer de l'encouragement en mettant en évidence les progrès observés dans son état de santé et l'aider à différencier les facteurs qu'elle peut maîtriser de ceux sur lesquels elle n'a aucune prise. Dans certains cas, l'infirmière analysera les règles en vigueur dans l'hôpital ainsi que les normes qui tendent à renforcer le sentiment d'impuissance et elle fera valoir les droits de la personne auprès de la direction afin que ces règles soient supprimées ou modifiées (en ce qui concerne, par exemple, la limitation des heures de visites, l'interdiction des aliments apportés de la maison, l'obligation de porter la chemise d'hôpital, etc.).

Favoriser les soins à domicile et dans la communauté

Enseigner les autosoins

En dispensant l'enseignement approprié, l'infirmière s'assure que la personne observera son plan thérapeutique. Il semble que les crises d'insuffisance cardiaque et les hospitalisations inutiles diminuent et que l'espérance de vie augmente lorsque la personne estime, ou croit, que l'insuffisance cardiaque peut être traitée grâce aux changements qu'elle apporte à ses habitudes de vie et aux médicaments qu'elle absorbe. On doit expliquer à la personne et à ses proches pourquoi il est important de prendre les médicaments en respectant l'ordonnance, de suivre un régime alimentaire hyposodé, de se peser et de noter son poids quotidiennement, de faire de l'exercice physique avec modération et de savoir déceler les symptômes de la maladie. Bien que l'on ne comprenne pas bien pourquoi certaines personnes ne se conforment pas à leur programme, on doit trouver des moyens qui en favorisent l'observance, en fournissant notamment de l'enseignement et en s'assurant que la personne l'a bien assimilé. L'encadré 32-4 ■ présente les principaux éléments qui font l'objet de l'enseignement dispensé à la personne qui souffre d'insuffisance cardiaque.

On invite la personne et ses proches à poser des questions afin de clarifier les notions et de mieux les comprendre. L'infirmière doit tenir compte des facteurs culturels et adapter son plan d'enseignement en conséquence. La personne et ses proches doivent savoir que les choix en matière de soins de santé et les décisions concernant le plan thérapeutique influent sur l'évolution de la maladie. Il incombe au personnel soignant de les aider à atteindre leurs objectifs de santé. La personne et ses proches doivent prendre des décisions au sujet du plan thérapeutique, mais ils doivent également comprendre quelles peuvent être les conséquences de ces décisions. On élabore ensuite le plan thérapeutique en fonction des volontés de la personne, et non uniquement en fonction de ce que le médecin ou les autres membres de l'équipe soignante jugent nécessaire. Il faut donc expliquer à la personne qu'elle peut empêcher l'insuffisance cardiaque de s'exacerber en restant attentive à ses symptômes, en se pesant quotidiennement, en suivant un régime alimentaire hyposodé, en restreignant les liquides, en prévenant les infections par des immunisations contre la grippe et les infections à pneumocoques, en évitant de consommer certaines substances comme la caféine et le tabac et en participant à un programme d'exercices approprié.

Assurer le suivi

Il faut parfois procurer des services à domicile aux personnes qui ont fait un séjour à l'hôpital, en fonction de leur état physique et de l'aide qu'elles peuvent recevoir de leur famille. Lorsqu'elles ont connu un épisode aigu d'insuffisance cardiaque, les personnes âgées et celles qui souffrent depuis longtemps de cette affection et dont la résistance physique est très amoindrie doivent souvent être aidées pour passer de l'hôpital à leur domicile. L'infirmière qui s'occupe des soins à domicile doit évaluer l'environnement physique du domicile et émettre des suggestions afin de l'adapter aux limites de la personne. S'il y a un escalier gênant, la personne peut planifier ses activités de manière à le monter le moins souvent possible ou encore installer provisoirement une chambre à coucher au rez-de-chaussée. L'infirmière en soins à domicile travaille en collaboration avec la personne et avec sa famille pour tirer le plus d'avantages possible de ces changements.

ENCADRÉ 32-4

GRILLE DE SUIVI DES SOINS À DOMICILE

Personne atteinte d'insuffisance cardiaque

Après avoir reçu l'enseignement sur les soins à domicile, la personne ou le proche aidant peut:	Personne	Proche aidant
■ Considérer l'insuffisance cardiaque comme une maladie chronique que l'on peut traiter en prenant des médicaments et en se conformant à un programme d'autosoins bien défini.	✔	✔
■ Prendre, ou administrer, quotidiennement les médicaments conformément à l'ordonnance du médecin.	✔	✔
■ Être attentif aux effets des médicaments.	✔	✔
■ Déceler les signes et symptômes d'hypotension orthostatique et savoir ce qu'il faut faire pour les prévenir.	✔	✔
■ Se peser tous les jours. – Se peser à la même heure (tous les matins après la miction, par exemple). – Noter son poids et signaler tout gain de 1 à 1,5 kg en une journée ou de 2,5 à 3 kg en une semaine.	✔	
■ Limiter la consommation de sodium à environ 2 à 3 g par jour; lire les étiquettes pour vérifier la teneur en sodium par portion; éviter de consommer des aliments en conserve ou transformés; manger des aliments frais ou surgelés; consulter le régime fourni par écrit de même que la liste des aliments que la personne peut ou ne peut pas consommer; s'abstenir d'utiliser du sel de table et éviter les excès de nourriture et de boissons.	✔	✔
■ Se conformer à son programme d'activités. – Participer à un programme d'exercices quotidien. – S'adonner à la marche et à d'autres activités de façon progressive afin de prévenir la fatigue et la dyspnée. – Conserver son énergie en faisant alterner les périodes d'activité et les périodes de repos. – Éviter la chaleur et le froid extrêmes, qui font travailler davantage le cœur. – Reconnaître que l'air climatisé peut être essentiel si on vit dans un climat chaud et humide.	✔	
■ Adopter des méthodes servant à gérer le stress.	✔	
■ Se présenter aux rendez-vous au cabinet du médecin ou à la clinique externe.	✔	✔
■ Être attentif aux symptômes pouvant indiquer une rechute. – Avoir en tête les symptômes éprouvés au début de la première crise.	✔	✔
■ Signaler au médecin l'un ou l'autre des signes et symptômes suivants: – Prise de poids de 1 à 1,5 kg en une journée ou de 2,5 à 3 kg en une semaine – Perte d'appétit – Dyspnée inhabituelle à l'effort – Œdème aux chevilles, aux pieds ou à l'abdomen – Toux persistante – Sommeil agité; augmentation du nombre d'oreillers nécessaires pour dormir.	✔	✔

L'infirmière à domicile consolide et clarifie les notions portant sur les modifications alimentaires et sur la restriction liquidienne, sur la nécessité d'être attentif aux symptômes, de se peser quotidiennement et d'être suivi par le personnel soignant. On peut également aider la personne à planifier ses rendez-vous et à les respecter, l'encourager à assumer de plus en plus la responsabilité de ses autosoins afin d'atteindre les objectifs du plan thérapeutique.

ÉVALUATION

Résultats escomptés

Les principaux résultats escomptés sont les suivants:

1. La personne montre qu'elle tolère l'activité.
   a) Elle décrit comment elle s'adapte à ses activités habituelles.

b) Elle met fin à l'activité dès que des symptômes d'intolérance se manifestent.

c) Elle s'assure que ses signes vitaux (pouls, pression artérielle, fréquence respiratoire, oxymétrie) restent dans des limites acceptables.

d) Elle sait quels facteurs contribuent à l'intolérance à l'activité et elle adapte son comportement en conséquence.

e) Elle établit des priorités dans ses activités.

f) Elle planifie ses activités de manière à conserver son énergie et à atténuer la fatigue et la dyspnée.

2. La personne conserve son équilibre liquidien.
   a) L'œdème périphérique et sacré diminue.
   b) Elle sait quelles méthodes utiliser pour prévenir l'œdème.
3. La personne éprouve moins d'anxiété.
   a) Elle évite les situations qui lui causent du stress.
   b) Elle dort bien la nuit.
   c) Elle se dit moins stressée et moins anxieuse.
4. La personne décide de ses soins et de son traitement.
   a) Elle sait qu'elle peut influer sur les résultats du traitement.
5. La personne se conforme à son programme d'autosoins.
   a) Elle vérifie quotidiennement son poids et en prend note.
   b) Elle s'assure que son régime alimentaire ne contient pas plus de 2 à 3 g de sodium par jour.
   c) Elle prend ses médicaments conformément à l'ordonnance du médecin.
   d) Elle signale les symptômes ou les effets indésirables inhabituels.

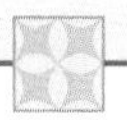

ŒDÈME PULMONAIRE

L'**œdème pulmonaire** (figure 32-6 ■) est une accumulation anormale de sérosités dans les poumons, soit dans les espaces interstitiels, soit dans les alvéoles.

Physiopathologie

L'œdème pulmonaire est la conséquence de l'insuffisance cardiaque. Il peut se produire de façon aiguë, comme dans le cas d'un infarctus du myocarde, ou il peut représenter l'exacerbation d'une insuffisance cardiaque chronique. La cicatrisation du myocarde à la suite d'un infarctus peut réduire la capacité du ventricule à se dilater et le rendre vulnérable face à l'augmentation subite du travail qui lui est imposé. Lorsque la résistance au remplissage du ventricule gauche augmente, le sang est refoulé dans la circulation pulmonaire. La personne présente rapidement un œdème aigu du poumon, parfois appelé œdème du poumon éclair, à cause de la surcharge du volume sanguin. L'œdème aigu du

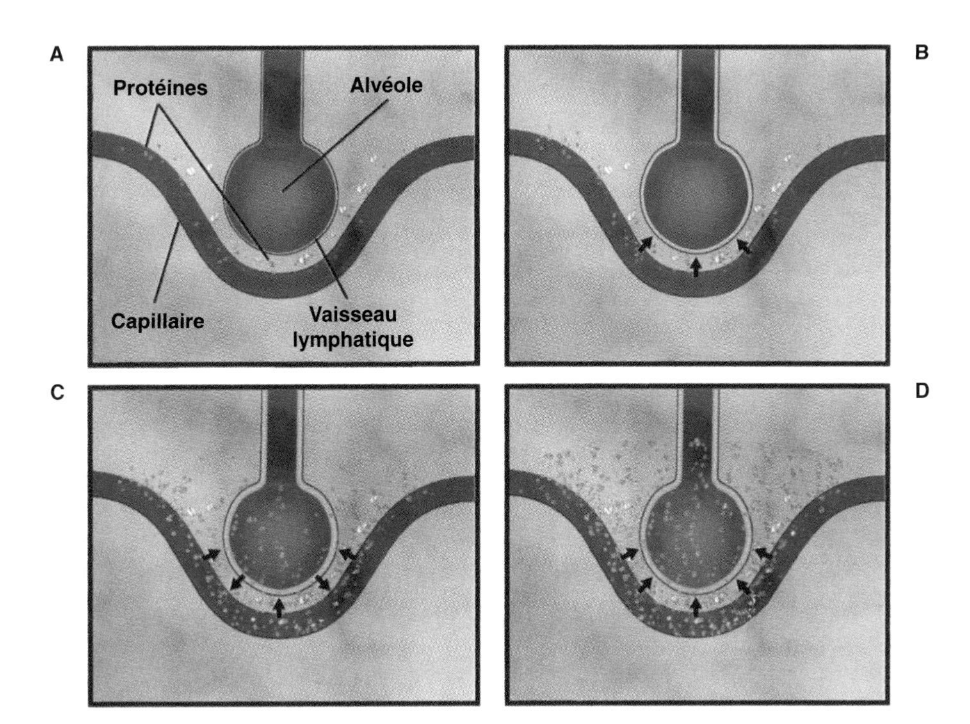

FIGURE 32-6 ■ Œdème pulmonaire. L'aggravation de l'œdème pulmonaire inhibe progressivement les échanges d'oxygène et de dioxyde de carbone au niveau de la membrane alvéo-capillaire. **(A)** Échanges normaux. **(B)** L'augmentation de la pression hydrostatique chasse les liquides capillaires vers le compartiment interstitiel et les alvéoles. **(C)** La circulation lymphatique augmente afin de maintenir les liquides dans les capillaires ou dans les vaisseaux lymphatiques. **(D)** L'insuffisance de la circulation lymphatique et l'aggravation de l'insuffisance cardiaque conduisent à une accumulation de liquide dans le compartiment interstitiel et dans les alvéoles.

SOURCE : M. E. Lough. Cardiovascular alterations. Dans L. D. Urden, K.M. Stacy et M. E. Lough (2004). *Priorities in Critical Care Nursing*, (4e éd.), p. 170. St. Louis: Mosby.

poumon peut être causé par des problèmes non cardiaques, comme l'insuffisance rénale, l'insuffisance hépatique et le cancer, qui engendrent une rétention liquidienne dans l'organisme. Le ventricule gauche ne peut gérer l'hypervolémie qui en résulte, ce qui empêche le sang de passer librement de l'oreillette gauche au ventricule gauche et provoque une augmentation de la pression dans l'oreillette gauche. La montée de la pression dans l'oreillette gauche peut conduire à l'augmentation de la pression veineuse pulmonaire; celle-ci engendre une augmentation de la pression veineuse hydrostatique qui chasse les liquides capillaires vers le compartiment interstitiel et les alvéoles.

L'anomalie du drainage lymphatique contribue également à l'accumulation de sérosités dans les poumons. Ces sérosités pénètrent dans les alvéoles et se mélangent à l'air, créant des «bulles»; elles sont finalement entraînées par les mouvements respiratoires pour être expulsées par le nez et la bouche, produisant des expectorations spumeuses et parfois rosées qui constituent le signe classique de l'œdème aigu du poumon. Elles provoquent une rigidité des poumons, qui ne peuvent plus se dilater pour laisser pénétrer l'air, et il se produit alors une hypoxie grave. L'œdème aigu du poumon est parfois précédé d'une congestion pulmonaire, mais il peut aussi apparaître rapidement chez une personne dont le ventricule ne dispose pas de réserves suffisantes pour répondre à l'augmentation des besoins en oxygène.

Dans l'œdème aigu du poumon comme dans l'insuffisance cardiaque, la précharge, la contractilité et la postcharge peuvent être modifiées, ce qui entraîne par conséquent une diminution du débit cardiaque. Les percées technologiques (la cardiographie d'impédance, par exemple) ont permis d'entreprendre des traitements pharmacologiques de l'œdème aigu du poumon.

Manifestations cliniques

L'œdème aigu du poumon se manifeste par une agitation et une anxiété croissantes (causées par la diminution de l'oxygénation du cerveau); la personne éprouve soudainement des difficultés respiratoires graves, accompagnées de suffocation, d'une toux constante et d'expectorations spumeuses. Les mains deviennent moites et cyanosées, la peau terreuse (grise). Le pouls est faible et rapide et les veines du cou sont distendues. La progression de l'œdème aigu du poumon accroît l'anxiété jusqu'à la panique; celle-ci est suivie de confusion, puis de stupeur. La respiration devient de plus en plus bruyante et embarrassée; la personne se noie littéralement dans ses sécrétions, car les sérosités mêlées de sang se déversent dans les bronches et dans la trachée. Il faut intervenir immédiatement.

Examen clinique et examens paracliniques

Le diagnostic se fonde sur l'évaluation des manifestations cliniques de la congestion pulmonaire. Généralement, on procède à une radiographie thoracique pour confirmer l'engorgement des vaisseaux pulmonaires. L'apparition subite de signes et symptômes d'insuffisance cardiaque gauche (crépitants à l'auscultation des poumons, œdème aigu du poumon éclair, par exemple) sans signes d'insuffisance cardiaque droite (pas de distension de la veine jugulaire, pas d'œdème déclive) peuvent être le signe d'une insuffisance diastolique causée par l'ischémie.

Prévention

Comme la plupart des complications, l'œdème aigu du poumon est plus facile à prévenir qu'à traiter. Pour le dépister rapidement lorsqu'il est encore au stade de la simple congestion, l'infirmière doit procéder tous les jours à l'auscultation des poumons et des bruits du cœur, mesurer la pression veineuse jugulaire et évaluer la gravité de l'œdème périphérique et de la dyspnée. Les signes précurseurs de l'œdème pulmonaire sont nombreux: toux sèche, fatigue, prise de poids, apparition ou aggravation de l'œdème et diminution de la tolérance à l'activité.

Au cours des premiers stades, on peut recourir à des mesures simples pour remédier à la congestion pulmonaire, par exemple en plaçant la personne en position de Fowler élevée, les jambes pendantes, de même qu'en éliminant les sources de fatigue et de stress pour réduire la charge ventriculaire gauche. Les mesures visant la prévention à long terme de l'œdème pumonaire doivent cibler ces facteurs. Il est nécessaire d'examiner de nouveau le traitement, et de s'assurer que la personne le comprend et l'observe.

Traitement médical

Le traitement de l'œdème aigu du poumon causé par l'insuffisance cardiaque vise à améliorer la fonction ventriculaire et les échanges gazeux en administrant de l'oxygène et des médicaments, de même qu'en recourant aux interventions infirmières appropriées.

Oxygénothérapie

Pour soulager l'hypoxie et les difficultés respiratoires, on donne de l'oxygène dans les concentrations appropriées. En général, on utilise d'abord un masque facial ou un masque muni d'un réservoir. Si les signes d'hypoxie persistent, on peut pratiquer une ventilation à pression positive continue ou intermittente. Si l'insuffisance respiratoire est grave ou si elle persiste malgré le traitement, l'intubation trachéale et la ventilation mécanique s'imposent. L'utilisation d'une pression positive en fin d'expiration (PEEP) réduit efficacement le retour veineux et la pression capillaire pulmonaire, ce qui améliore l'oxygénation. On surveille les effets de l'oxygénation au moyen de l'oxymétrie et de la mesure des gaz du sang artériel.

Pharmacothérapie

De nombreux médicaments sont utilisés pour traiter l'œdème aigu du poumon. Nous en présentons quelques-uns ci-dessous, qui sont administrés par voie intraveineuse.

Morphine On administre la morphine à petites doses (2 à 5 mg), par voie intraveineuse, pour réduire la résistance périphérique et diminuer le retour veineux de manière à ce que le sang soit redistribué à partir de la circulation pulmonaire vers les autres parties du corps. Outre qu'elle fait baisser la fréquence respiratoire, la morphine provoque une diminution de la pression capillaire pulmonaire et de la transsudation des sérosités; elle permet également d'atténuer efficacement l'anxiété.

Diurétiques Les diurétiques favorisent l'excrétion de sodium et d'eau par les reins. Pour obtenir rapidement des effets, on administre du furosémide (Lasix) par voie intraveineuse. Outre son action diurétique, et même avant que celle-ci se soit déclenchée, le furosémide provoque une vasodilatation et une accumulation de sang en périphérie, ce qui réduit le retour veineux.

Dobutamine La dobutamine (Dobutrex) est un médicament que l'on donne par voie intraveineuse aux personnes qui présentent un important dysfonctionnement ventriculaire gauche. C'est une catécholamine qui stimule les récepteurs bêta-adrénergiques et dont le principal effet est d'augmenter la contractilité cardiaque. Cependant, lorsqu'il est administré à doses plus élevées, le médicament augmente également la fréquence cardiaque et peut provoquer des extrasystoles et des arythmies. Comme il accroît la conduction auriculoventriculaire, on use de prudence quand on le donne aux personnes qui souffrent d'une fibrillation auriculaire sous-jacente. Avant de commencer le traitement, il peut être indiqué de prescrire un médicament qui protège le nœud auriculoventriculaire, comme la digoxine, afin d'éviter une accélération de la fréquence ventriculaire.

Milrinone La milrinone (Primacor) est un inhibiteur de la phosphodiestérase qui retarde la libération du calcium provenant des réservoirs intracellulaires et empêche les cellules de recapter le calcium extracellulaire. Elle augmente la contractilité cardiaque et favorise la vasodilatation en diminuant la précharge et la postcharge, ce qui réduit le travail du cœur. On administre la milrinone par voie intraveineuse, généralement aux personnes chez qui les autres traitements sont sans effet. Elle est éliminée par voie rectale. On ne l'utilise habituellement donc pas pour traiter les personnes atteintes d'insuffisance rénale. Ses principaux effets indésirables sont l'hypotension (habituellement asymptomatique), le dérèglement gastro-intestinal, l'augmentation des arythmies ventriculaires et, rarement, la diminution de la numération plaquettaire. On surveille de très près la pression artérielle de la personne.

Soins et traitements infirmiers

Installer la personne dans une position favorisant la circulation

Il faut installer la personne dans une position qui permet de diminuer le retour veineux vers le cœur. On l'installe à la verticale, de préférence les jambes pendantes, ce qui a pour effet immédiat de réduire le retour veineux, d'abaisser le débit du ventricule droit et de diminuer la congestion pulmonaire. Si la personne est incapable de s'asseoir les jambes pendantes, on peut l'installer en position assise dans son lit.

Offrir du soutien psychologique

Au fur et à mesure que sa capacité de respirer diminue, la personne éprouve une crainte et une anxiété croissantes, et son état s'aggrave par conséquent. L'infirmière doit donc la rassurer et prévoir ses besoins. Comme la personne a le sentiment que la mort est proche et comme son état est instable, l'infirmière doit planifier les soins de façon à passer le plus de temps possible à son chevet. Elle lui donne souvent des explications simples et concises sur les traitements et sur les résultats qu'on peut en attendre. Elle doit également déceler les facteurs anxiogènes (animal resté seul à la maison, présence non souhaitée d'un membre de la famille à son chevet, portefeuille très garni, par exemple) et trouver des stratégies pour éliminer les facteurs d'inquiétude ou en atténuer les effets.

Surveiller l'effet des médicaments

On observe la personne à qui on administre de la morphine afin de dépister tout signe de dépression respiratoire, d'hypotension ou de vomissements; on peut administrer un antagoniste opioïde, par exemple de la naloxone (Narcan), que l'on garde à portée de la main, si ces effets indésirables se manifestent.

La personne qui reçoit un diurétique de l'anse par voie intraveineuse peut excréter un grand volume d'urine au cours des minutes qui suivent l'administration du médicament. On peut utiliser une chaise d'aisance, car la personne devra utiliser moins d'énergie pour se déplacer et n'aura pas à faire des efforts pour s'installer sur le bassin hygiénique et en sortir. Ces mesures réduisent le travail exigé du cœur. On peut insérer une sonde urétrale à demeure, le cas échéant.

! ALERTE CLINIQUE *À cause de la diurèse qui découle de l'administration des diurétiques, on doit surveiller de près les électrolytes, surtout le potassium et le sodium. Chez certaines personnes, l'équilibre liquidien est très fragile: l'hypovolémie ou l'hypervolémie se présente dès qu'il survient de petits changements dans la quantité de liquide circulant. Les signes d'intolérance aux diurétiques sont les suivants: baisse de la pression artérielle, accélération de la fréquence cardiaque et diminution du débit urinaire. Il faut prendre des mesures pour rétablir l'équilibre liquidien. On surveille la créatinine sérique pour évaluer la fonction rénale. Chez les personnes souffrant d'hyperplasie de la prostate, on doit surveiller les signes de rétention urinaire. L'encadré 32-5 ■ présente d'autres mesures de surveillance.*

Autres complications

CHOC CARDIOGÉNIQUE

Le choc cardiogénique (ou choc cardiogène) se produit lorsque la quantité de sang pompée par le cœur ne fournit plus suffisamment d'oxygène aux tissus. Il est causé par un infarctus important ou par de multiples petits infarctus au cours desquels plus de 40 % du myocarde se nécrose, en raison d'une rupture ventriculaire, d'un dysfonctionnement valvulaire, d'un traumatisme au cœur résultant d'une contusion myocardique ou au cours des derniers stades de l'insuffisance cardiaque. Il peut être également consécutif à une tamponnade cardiaque, à une embolie pulmonaire, à une myocardiopathie ou à des arythmies.

ENCADRÉ 32-5

PHARMACOLOGIE

Comment administrer les diurétiques et en surveiller les effets

Lorsque les soins qu'elle prodigue comprennent l'administration de diurétiques pour traiter des maladies comme l'œdème aigu du poumon ou l'insuffisance cardiaque, l'infirmière doit donner les médicaments et surveiller attentivement la réaction de la personne en respectant les consignes suivantes:

- Administrer le diurétique à un moment approprié aux habitudes de vie de la personne, tôt le matin par exemple, pour éviter la nycturie.
- Remplacer le potassium perdu par des suppléments de potassium en même temps que des thiazidiques et des diurétiques de l'anse, conformément à l'ordonnance du médecin.
- Examiner les résultats des examens paracliniques concernant la déplétion des électrolytes, surtout du potassium, du magnésium et du sodium; être attentive également à l'élévation des électrolytes, principalement du potassium, lorsqu'on donne des médicaments épargneurs de potassium et du calcium de même que des thiazidiques.
- Surveiller le débit urinaire ou peser tous les jours la personne pour déterminer la réaction appropriée: équilibre entre ingesta et excreta, urée et créatinine sériques; communiquer avec le médecin traitant si l'on soupçonne une détérioration rénale.
- Évaluer les bruits pulmonaires, la distension de la veine jugulaire et l'œdème périphérique, abdominal ou sacré, pour déterminer s'il est nécessaire de modifier la dose de diurétiques.
- Surveiller les effets indésirables, comme la nausée et les difficultés gastro-intestinales, les vomissements, la diarrhée, la faiblesse, la céphalée, la fatigue, l'anxiété ou l'agitation, et l'arythmie cardiaque.
- Évaluer les signes de déplétion du volume liquidien, entre autres l'hypotension orthostatique, les étourdissements, la perte du sens de l'équilibre et la diminution de la distension de la veine jugulaire.
- Surveiller l'intolérance au glucose chez les personnes atteintes ou non de diabète et qui reçoivent des diurétiques thiazidiques.
- Surveiller les risques d'ototoxicité chez les personnes qui reçoivent un diurétique de l'anse, surtout chez celles qui souffrent d'insuffisance rénale.
- Conseiller à la personne d'éviter de s'exposer trop longtemps au soleil à cause du risque de photosensibilité.
- Surveiller les taux élevés d'acide urique et l'apparition de la goutte.
- Entreprendre des interventions infirmières visant à favoriser l'action du médicament, par exemple en installant la personne à la verticale et les jambes pendantes.

Physiopathologie

Les signes et symptômes du choc cardiogénique créent le même cercle vicieux que l'insuffisance cardiaque. La gravité du choc dépend de l'importance du dysfonctionnement du ventricule gauche. Le choc cardiogénique se manifeste par une perte de contractilité, qui provoque une baisse marquée du débit cardiaque et donc une irrigation inadéquate des organes vitaux (cœur, cerveau, reins). On observe aussi une baisse de la circulation sanguine dans les artères coronaires et, par le fait même, une réduction de la quantité d'oxygène acheminé vers le myocarde, ce qui aggrave encore l'ischémie et la perte de contractilité. Le remplissage inapproprié du ventricule conduit également à une hausse des pressions pulmonaires, à la congestion pulmonaire et à l'œdème pulmonaire, ce qui exacerbe l'hypoxie et provoque l'ischémie des organes vitaux, lançant ainsi un cercle vicieux (figure 32-7 ▪).

Manifestations cliniques

Le choc cardiogénique se caractérise par une hypoperfusion tissulaire se manifestant par l'hypoxie cérébrale (nervosité, confusion, agitation), l'hypotension, un pouls rapide et faible, une peau froide et moite, une augmentation des crépitants respiratoires, des bruits intestinaux diminués et une réduction du débit urinaire. Au début, l'analyse des gaz artériels peut révéler la présence d'alcalose respiratoire. Les arythmies sont fréquentes et sont causées par l'oxygénation insuffisante du myocarde.

Examen clinique et examens paracliniques

Pour évaluer la gravité du problème et planifier le traitement, il importe de mesurer les pressions ventriculaires et le débit cardiaque au moyen d'un cathéter artériel pulmonaire. Au fur et à mesure que le ventricule gauche perd de sa capacité de pomper, la pression capillaire pulmonaire s'élève et le débit cardiaque diminue. La résistance vasculaire systémique est élevée en raison de la stimulation du système nerveux sympathique qui se produit pour compenser la diminution de la pression artérielle. La diminution du débit sanguin vers les reins engendre une réponse hormonale (autrement dit une augmentation des catécholamines et une activation du système rénine-angiotensine-aldostérone), qui à son tour engendre une rétention liquidienne et augmente la vasoconstriction. Afin de maintenir l'irrigation du cerveau, du cœur et des reins, il se produit une accélération de la fréquence cardiaque, une hausse du volume circulant et de la vasoconstriction, mais cette élévation a un prix: elle impose au cœur davantage de travail.

La diminution de la perfusion systémique entraîne une augmentation de l'extraction de l'oxyhémoglobine. L'augmentation de l'extraction systémique provoque une diminution de la saturation veineuse en oxygène. Lorsque les besoins en oxygène des cellules ne sont pas comblés par le métabolisme aérobie, le corps utilise le métabolisme anaérobie, ce qui produit de l'acidose lactique. L'oxymétrie veineuse en continu et la mesure des taux d'acide lactique dans le sang peuvent contribuer à évaluer la gravité du choc de même que l'efficacité du traitement.

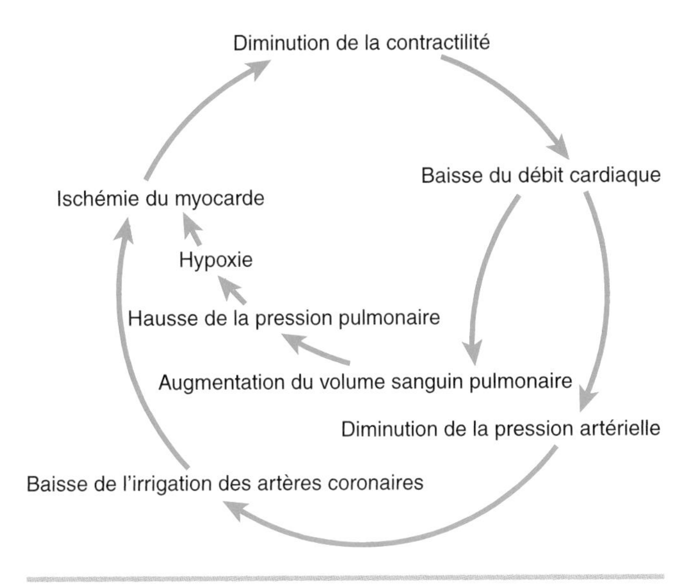

FIGURE 32-7 ■ Choc cardiogénique.

Lorsque l'hypoperfusion cellulaire persiste, elle se traduit à plus ou moins brève échéance par une défaillance organique. La personne ne réagit plus, elle présente une hypotension grave et de la polypnée; sa peau est froide, cyanosée ou marbrée et les bruits intestinaux sont absents. L'analyse des gaz du sang artériel fait état d'une acidose métabolique et tous les résultats des examens paracliniques indiquent un dysfonctionnement organique. Le chapitre 15 traite plus en détail de la physiopathologie et du traitement du choc cardiogénique.

Traitement médical

L'objectif le plus important dans le traitement du choc cardiogénique est de remédier aux problèmes sous-jacents, de soulager le cœur, d'améliorer l'oxygénation et de rétablir l'irrigation tissulaire. Par exemple, si l'insuffisance ventriculaire fait suite à un infarctus aigu du myocarde, on peut avoir recours à la thrombolyse ou à une intervention coronarienne percutanée (Antman *et al.*, 2004). On peut implanter un dispositif d'assistance ventriculaire pour soutenir l'action de pompage du cœur (Mohacsi et Carrel, 2003). Si on observe d'importantes arythmies, il faut y remédier parce qu'elles peuvent être la cause ou l'une des causes du choc. Si la personne présente de l'hypervolémie, on compte sur la diurèse pour régler ce problème. Pour réduire le volume du sang circulant, on a recours aux diurétiques, aux vasodilatateurs et à des dispositifs mécaniques comme l'épuration extra-rénale continue (EERC) et la dialyse. Si les relevés de pression indiquent une baisse du volume intravasculaire (hypovolémie), on doit administrer une solution isotonique (solution saline normale, solution de Ringer) ou hypertonique (albumine, Pentaspan) afin d'augmenter le volume intravasculaire. On met la personne au repos total pour qu'elle conserve son énergie.

Pour vaincre l'hypoxie, on administre de l'oxygène sous pression positive si le débit n'est pas suffisant pour combler les besoins des tissus. L'intubation et la sédation peuvent être nécessaires pour maintenir une oxygénation adéquate. On adapte la ventilation mécanique à l'état d'oxygénation de la personne et à ses besoins en énergie.

Pharmacothérapie

Le traitement médicamenteux se détermine en fonction du débit cardiaque, des autres paramètres cardiaques et de la pression artérielle moyenne. On administre la plupart des médicaments par voie intraveineuse, parce que le système gastro-intestinal est moins irrigué et qu'il est parfois nécessaire de changer rapidement les doses.

Pour faire monter la pression artérielle, on utilise souvent des catécholamines, notamment la norépinéphrine (Levophed) ou la dopamine (Intropin) en dose élevée (>10 μg/kg par minute); ces deux médicaments sont des vasopresseurs, ou agents hypertenseurs. Les catécholamines favorisent l'irrigation du cœur et du cerveau, mais entravent la circulation dans d'autres organes comme les reins. Comme ils peuvent accroître le travail du cœur en augmentant les besoins en oxygène, on ne les administre pas aux premiers stades du choc cardiogénique.

En usant de prudence, on peut administrer des diurétiques et des vasodilatateurs pour réduire le travail du cœur, à condition qu'ils n'occasionnent pas d'aggravation de l'hypoperfusion tissulaire. Les vasodilatateurs, notamment la milrinone (Primacor), le nitroprussiate de sodium (Nipride) et la nitroglycérine, réduisent efficacement la pression artérielle et donc le travail du cœur. Comme leur nom l'indique, ils provoquent une dilatation des veines et des artères, qui peut ainsi aiguiller vers la périphérie une grande partie du volume intravasculaire, d'où une réduction de la précharge et de la postcharge.

On administre des médicaments inotropes positifs pour augmenter la contractilité du myocarde. La dopamine (Intropin, donnée à plus de 2 μg/kg par minute), la dobutamine (Dobutrex) et l'épinéphrine sont des catécholamines qui augmentent la contractilité. Chacun de ces médicaments peut provoquer de l'arythmie, car l'automaticité s'accroît en fonction du dosage. Par conséquent, il est important de surveiller la fréquence cardiaque, car plus celle-ci s'accroît, plus le risque d'arythmie augmente. La milrinone (Primacor) est un inotrope positif dont l'action est indépendante du système sympathique. Elle n'augmente pas la fréquence cardiaque, mais accroît le risque d'arythmies.

Autres traitements

On peut aussi avoir recours à un dispositif d'assistance circulatoire comme le ballon de contrepulsion intra-aortique; il s'agit d'un cathéter à l'extrémité duquel se trouve un ballon gonflable. On insère généralement le cathéter par l'artère fémorale et on place le ballon dans l'aorte thoracique descendante (figure 32-8 ■). Le ballon se gonfle pendant la diastole et se dégonfle pendant la systole selon une fréquence analogue à la fréquence cardiaque normale. L'instrument est relié à une console qui synchronise son action en fonction de l'électrocardiogramme ou de la pression artérielle. Cela a pour effet d'augmenter la perfusion coronarienne, de réduire

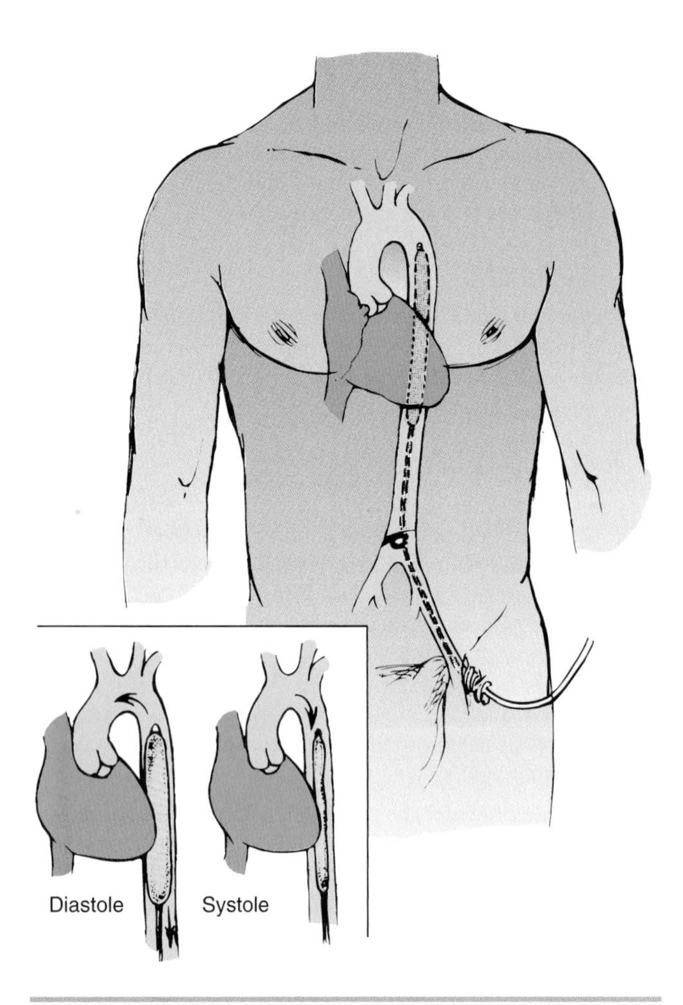

FIGURE 32-8 ■ Le ballon de contrepulsion intra-aortique se gonfle au début de la diastole, ce qui engendre une meilleure irrigation des artères coronaires et du myocarde; il se dégonfle juste avant la systole pour faire diminuer la postcharge (résistance à l'éjection) et le travail du ventricule gauche.

le travail du ventricule gauche en diminuant la postcharge et d'améliorer la perfusion des organes nobles (reins, cerveau). Il est crucial d'assurer un monitorage hémodynamique pour suivre de près l'évolution de la circulation quand on utilise le ballon de contrepulsion intra-aortique. On trouve au chapitre 31 la description d'autres dispositifs d'assistance ventriculaire.

Soins et traitements infirmiers

La personne atteinte d'un choc cardiogénique doit faire l'objet d'un monitorage constant et recevoir des soins intensifs. L'infirmière procède à un examen physique minutieux, mesure le rythme cardiaque et les paramètres hémodynamiques, et note les ingesta et les excreta. Elle évalue soigneusement la personne afin de détecter les signes exigeant une intervention médicale et de déceler l'apparition de complications qui doivent être traitées immédiatement.

C'est à l'unité de soins intensifs qu'on traite le choc cardiogénique, car il nécessite de nombreuses interventions infirmières ainsi que du matériel hautement perfectionné. Les infirmières en soins intensifs se chargent de ces interventions; elles se livrent à de fréquents examens cliniques et, en se fondant sur les données d'évaluation, elles apportent au moment opportun les modifications appropriées, tant aux médicaments qu'au traitement. On se reportera au chapitre 15 pour obtenir d'autres informations concernant la personne souffrant d'un choc cardiogénique.

Thromboembolie

Chez la personne qui souffre de problèmes cardiovasculaires, la diminution de l'activité et le déséquilibre de la circulation contribuent à l'apparition de la thrombose intracardiaque et intravasculaire. La thrombose intracardiaque est particulièrement fréquente chez les personnes qui sont atteintes de fibrillation auriculaire, car l'oreillette ne se contracte pas avec assez de force, ce qui provoque un ralentissement de la circulation sanguine et favorise la formation de thrombus. On détecte les thrombus intracardiaques au moyen d'un échocardiogramme et on les traite à l'aide d'anticoagulants comme l'héparine et la warfarine (Coumadin). Le caillot ou une partie de celui-ci peut se déplacer vers le cerveau, les reins, les intestins ou les poumons. On appelle *embole* le caillot ainsi déplacé et *embolie* l'obstruction d'un vaisseau par ce caillot. L'embolie pulmonaire est la plus fréquente des embolies. Elle se manifeste par une douleur thoracique «en coup de poignard», de la cyanose, de la dyspnée, une accélération de la respiration et une hémoptysie (crachement de sang).

L'embolie pulmonaire peut bloquer la circulation d'une partie du poumon et provoquer un infarctus pulmonaire. En général, on note une diminution marquée de l'oxygénation, mesurée par la gazométrie du sang artériel ou par l'oxymétrie. La douleur est habituellement de nature pleurétique, car elle est intensifiée par les mouvements respiratoires et disparaît quand la personne retient son souffle (contrairement à la douleur cardiaque, qui est constante et n'est pas associée aux mouvements respiratoires). Cependant, il est difficile de la distinguer en se fondant uniquement sur les symptômes. Pour confirmer le diagnostic, on soumet généralement la personne à une scintigraphie de ventilation-perfusion (VA/QC) ou à une artériographie pulmonaire. Le traitement de l'embolie pulmonaire est présenté au chapitre 25.

L'embolie systémique peut provenir d'un caillot qui s'est logé dans l'oreillette gauche; elle se manifeste par un infarctus cérébral, mésentérique ou rénal. Elle peut aussi entraver l'apport sanguin dans un membre, sujet dont nous traitons plus en détail au chapitre 33. L'infirmière doit être en mesure de reconnaître les signes et symptômes de ces complications.

Épanchement péricardique et tamponnade cardiaque

Physiopathologie

L'épanchement péricardique correspond à la présence d'une quantité anormale de liquide dans le sac fibreux péricardique. On le rencontre dans les cas de péricardite (chapitre 31), d'insuffisance cardiaque avancée, de carcinome métastatique, à la suite d'une chirurgie cardiaque, d'un traumatisme ou d'une hémorragie d'origine non traumatique.

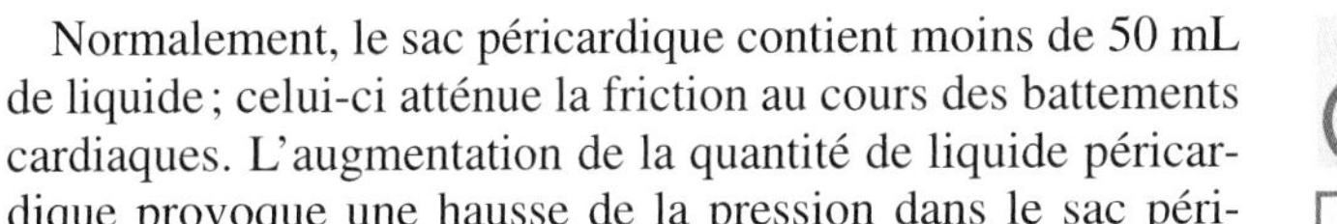

Normalement, le sac péricardique contient moins de 50 mL de liquide ; celui-ci atténue la friction au cours des battements cardiaques. L'augmentation de la quantité de liquide péricardique provoque une hausse de la pression dans le sac péricardique, ce qui comprime le cœur. Ce phénomène engendre les effets suivants :

- Augmentation des pressions ventriculaire, droite et gauche en fin de diastole
- Diminution du retour veineux
- Incapacité du ventricule à se distendre adéquatement et à se remplir

Il arrive que le liquide s'accumule lentement et qu'il n'y ait pas de symptôme. Si, au contraire, l'épanchement évolue rapidement, le péricarde atteint ses dimensions maximales ; en raison de la hausse de pression, on observe une baisse du débit cardiaque et du retour veineux, autrement dit une tamponnade (compression du cœur).

Manifestations cliniques

La personne éprouve parfois une sensation d'oppression dans la poitrine, attribuable à l'étirement du péricarde, ou une douleur rétrosternale, ou encore une douleur mal définie. La hausse de la pression dans le péricarde fait monter la pression veineuse, comme en témoigne la distension des veines du cou ; il peut y avoir de la dyspnée, et une chute ou des fluctuations de la pression artérielle. Le terme **pouls paradoxal** désigne la situation où la pression systolique peut être détectée au moment de l'expiration, mais rester imperceptible au moment de l'inspiration. On détermine le pouls paradoxal en calculant l'écart entre deux mesures : la pression qu'on perçoit durant l'expiration et celle qu'on perçoit durant l'inspiration ; tout pouls paradoxal supérieur à 10 mm Hg est considéré comme anormal. L'épanchement péricardique se manifeste par les signes suivants : baisse de la pression artérielle, diminution de la pression différentielle, augmentation de la pression veineuse (distension accrue de la veine jugulaire) et présence de bruits cardiaques distants ou assourdis (encadré 32-6 ■).

ENCADRÉ 32-6

EXAMEN CLINIQUE

Signes et symptômes de la tamponnade cardiaque

Les signes et symptômes de la tamponnade cardiaque résultant d'un épanchement péricardique comprennent la syncope, la dyspnée, l'anxiété et la douleur engendrée par la diminution du débit cardiaque, la toux due à la compression de la trachée et des bronches par le sac péricardique élargi, la distension des veines du cou attribuable à la hausse de la pression veineuse, le pouls paradoxal et l'assourdissement des bruits du cœur.

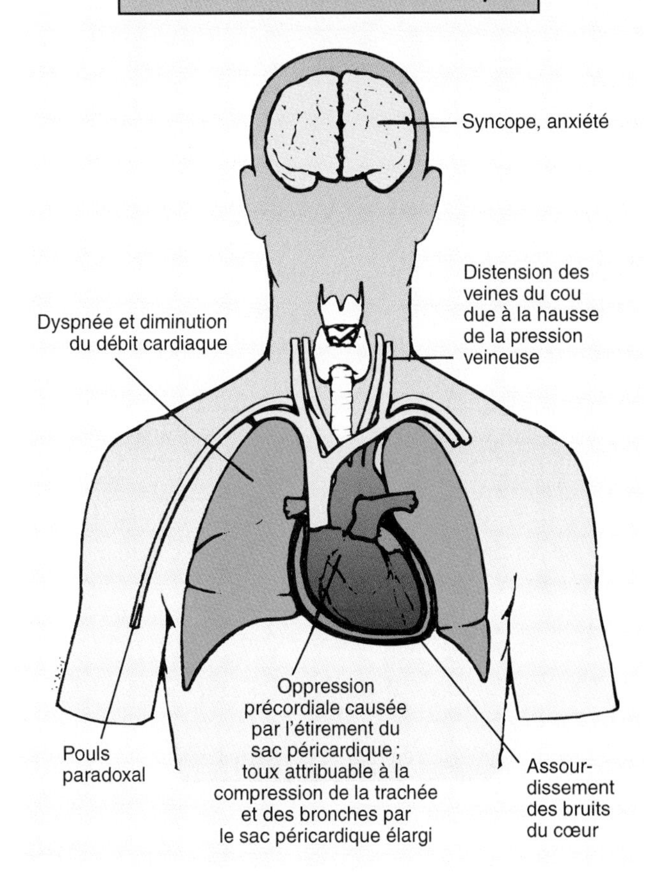

ALERTE CLINIQUE *La tamponnade cardiaque met la vie en danger. Il faut intervenir immédiatement.*

Examen clinique et examens paracliniques

Le signe caractéristique de l'épanchement péricardique est une matité à la percussion, le long de la partie antérieure de la paroi thoracique. Pour poser le diagnostic de cette affection, il suffit en général de se fonder sur les signes et symptômes cliniques, de même que sur une radiographie du thorax. Le médecin peut faire confirmer le diagnostic par un échocardiogramme.

Traitement médical

Péricardiocentèse

Si la fonction cardiaque est gravement atteinte, on procède à une **péricardiocentèse**, ou ponction du péricarde, dans le but d'en évacuer la surabondance de liquide. Il s'agit essentiellement de prévenir la tamponnade cardiaque, qui empêche le cœur d'exercer normalement son action.

Au cours de l'intervention, la personne est soumise au monitorage cardiaque et les valeurs hémodynamiques sont mesurées régulièrement. On doit avoir à portée de la main du matériel de réanimation cardiorespiratoire. La tête du lit doit être relevée entre 45 et 60 degrés. Cette position rapproche le cœur de la paroi thoracique et facilite l'insertion de l'aiguille dans le sac péricardique. Il faut installer une perfusion intraveineuse à faible débit, si elle n'est pas déjà en place, au cas où il serait nécessaire d'administrer d'urgence des médicaments ou des dérivés sanguins.

L'aiguille de ponction péricardique est reliée à une seringue de 50 mL à trois voies. On peut rattacher l'électrode V (électrode précordiale) de l'électrocardiographe à la garde de l'aiguille au moyen de pinces de contact, ce qui permet de déceler une ponction accidentelle du myocarde (élévation du segment ST ou extrasystoles). On peut effectuer la ponction à partir de l'angle costoxiphoïdien ou de l'extrémité du processus xiphoïde. On peut aussi introduire l'aiguille au niveau du cinquième ou du sixième espace intercostal du bord gauche du sternum ou du côté droit du quatrième espace intercostal. On fait avancer l'aiguille lentement, en aspirant continuellement jusqu'à ce que l'on obtienne du liquide. Au cours de la péricardiocentèse, il importe d'examiner le liquide obtenu pour déceler la présence de sang. Le sang provenant du péricarde ne se coagule pas facilement, contrairement au sang qui provient d'une ponction accidentelle du cœur.

La baisse de la pression veineuse centrale associée à la hausse de la pression artérielle montre que la tamponnade s'est dissipée; dans presque tous les cas, la personne ressent immédiatement un soulagement. S'il se trouve encore une importante quantité de liquide dans le péricarde, on peut l'évacuer grâce à un petit cathéter à demeure. On doit faire parvenir le liquide péricardique au laboratoire pour procéder à la recherche de cellules néoplasiques, à des cultures bactériennes, à des analyses biochimiques et sérologiques et pour effectuer une numération globulaire.

Les ponctions de l'artère ventriculaire ou coronaire, les arythmies, les lacérations pleurales, les ponctions gastriques et les traumatismes myocardiques représentent des complications de la péricardiocentèse. Après une péricardiocentèse, on doit mesurer régulièrement la pression artérielle et la pression veineuse, de même qu'écouter les bruits du cœur pour déceler toute récurrence de la tamponnade cardiaque. Quand cela se produit, on doit procéder à une nouvelle ponction. Une péricardiotomie (ouverture du sac péricardique) peut s'avérer nécessaire. La personne qui souffre de tamponnade cardiaque doit autant que possible être soignée à l'unité de soins intensifs.

Péricardiotomie

On peut traiter les épanchements péricardiques récurrents, généralement associés à des maladies néoplasiques, en pratiquant une **péricardiotomie** (fenêtre péricardique). La personne est soumise à une anesthésie générale, mais il est rarement nécessaire de procéder à une dérivation cardiopulmonaire, ou circulation extracorporelle. On excise une partie du péricarde pour permettre au liquide péricardique de s'écouler dans le système lymphatique. Parfois, on installe des cathéters entre le péricarde et la cavité abdominale afin de drainer le liquide péricardique. Les soins infirmiers sont similaires à ceux qu'on prodigue aux personnes qui ont subi une chirurgie cardiaque (chapitre 30 ⊛).

Rupture du myocarde

La rupture du myocarde se produit rarement. Cependant, elle peut survenir à la suite d'un infarctus du myocarde, d'une infection, d'un traumatisme cardiaque, d'un anévrisme ventriculaire (l'élévation persistante du segment ST indique la présence d'un anévrisme ventriculaire), d'une anomalie du péricarde ou pour d'autres raisons. La rupture du myocarde provoque la mort subite de la personne, même si on l'opère d'urgence.

Arrêt cardiaque

L'arrêt cardiaque survient quand le cœur cesse de produire une pulsation et une circulation efficaces. Il peut être causé par un trouble cardiaque d'origine électrique, une fréquence cardiaque trop rapide (tachycardie ventriculaire ou fibrillation ventriculaire), une fréquence trop lente (bradycardie ou bloc auriculo-ventriculaire), ou lorsqu'il y a absence complète d'activité électrique (asystolie).

L'arrêt cardiaque peut survenir à la suite d'un arrêt respiratoire; il peut aussi se produire lorsqu'il y a une certaine activité électrique, mais que les contractions cardiaques ou le volume circulant sont insuffisants. On dira alors qu'il s'agit d'une **activité électrique sans pouls**; situation aussi désignée sous le nom de dissociation électromécanique. L'activité électrique sans pouls peut être causée par l'hypovolémie (à la suite d'un saignement excessif, par exemple), une tamponnade cardiaque, de l'hypothermie, une embolie pulmonaire massive, des surdoses de médicament (antidépresseurs tricycliques, digoxine, bêtabloquants, bloquants des canaux calciques, par exemple), une importante acidose ou un infarctus du myocarde aigu et massif.

Manifestations cliniques

La personne qui subit un arrêt cardiaque perd conscience immédiatement; le pouls et les bruits du cœur sont abolis. On observe une dilatation des pupilles (mydriase) dans les 45 secondes qui suivent et parfois des convulsions.

Il y a un intervalle de quatre minutes environ entre l'arrêt de la circulation et l'apparition de lésions irréversibles au cerveau. Cet intervalle varie selon l'âge de la personne et son état de santé en général. Il faut donc diagnostiquer l'arrêt cardiaque et rétablir la circulation sans délai.

! ALERTE CLINIQUE *L'absence de pouls est le signe le plus sûr de l'arrêt cardiaque. Chez l'adulte et chez l'enfant, on évalue le pouls carotidien; chez le nourrisson, on évalue le pouls brachial. On ne doit pas perdre de temps à ausculter la personne ou à prendre sa pression artérielle, à écouter les battements cardiaques ou à vérifier si les électrodes sont installées convenablement.*

Traitement d'urgence: réanimation cardiorespiratoire

La réanimation cardiorespiratoire (RCR) comporte quatre éléments importants que l'on peut retenir par les lettres ABCD, soit A pour aération (ouverture des voies respiratoires), B pour bouche-à-bouche (respiration artificielle), C pour circulation et D pour défibrillation (FMCC, 2001). Chez l'adulte, une fois que l'on a constaté la perte de conscience, la priorité de la réanimation consiste dans la plupart des cas à alerter l'équipe conformément au code en vigueur, ou à mettre en branle le système médical d'urgence. Dans les cas de noyade et chez les enfants, l'arrêt cardiaque est souvent d'origine respiratoire. On doit d'abord pratiquer la RCR pendant deux minutes avant d'alerter le système médical d'urgence. Puisqu'en pédiatrie on prodigue des soins individualisés, les recommandations suivantes portent uniquement sur les soins prodigués aux adultes victimes d'un arrêt cardiaque. La réanimation s'effectue en quatre étapes:

1. *Aération* Dégager les voies aériennes.
2. *Respiration artificielle* Insuffler de l'air dans les poumons.
3. *Circulation* Amorcer la circulation artificielle en pratiquant un massage cardiaque externe.
4. *Défibrillation* Rétablir les battements cardiaques (chapitre 29 ⊕).

Si la personne est sous monitorage ou si on utilise des palettes multifonctionnelles ou des palettes de visualisation rapide (disponibles sur la plupart des défibrillateurs) et que l'électrocardiogramme indique de la tachycardie ventriculaire ou de la fibrillation ventriculaire, il faut opter pour la défibrillation plutôt que pour la RCR. En résumé, on ne pratique la RCR que si on ne dispose pas sur-le-champ d'un défibrillateur. Le taux de survie diminue de 7 à 10 % par minute quand on tarde à utiliser le défibrillateur (FMCC, 2003). Si on n'a pas soumis la personne à une défibrillation au cours des dix premières minutes, ses chances de survie sont presque nulles. On trouvera au chapitre 29 ⊕ des détails supplémentaires concernant la défibrillation.

Dégager les voies respiratoires et favoriser la respiration

Pour dégager les voies respiratoires, on renverse la tête de la personne vers l'arrière, puis on soulève la mâchoire vers l'avant. On «regarde, écoute et sent» afin de détecter le passage de l'air. On insuffle ensuite lentement deux bouffées d'air en trois ou quatre secondes dans les poumons en utilisant un masque buccal ou un ballon-masque (figure 32-9 ■). Un volume de 500 à 600 mL d'air est suffisant pour soulever le thorax. On pense que les voies respiratoires sont obstruées lorsque l'on ne parvient pas à donner les premières insufflations. On doit alors recourir à des compressions thoraciques pour dégager l'obstruction (AHA, 2005).

Si les premières bouffées pénètrent facilement, on insuffle de l'air à raison de 2 respirations pour 30 compressions lorsque le médecin ou l'anesthésiste pratique une intubation trachéale, on branche le ballon de réanimation directement sur le tube trachéal. On procède ensuite à 8-10 ventilations/minute sans arrêter les compressions thoraciques.

Parce qu'elle peut se faire dans l'œsophage sans qu'on s'en aperçoive ou parce que le tube trachéal peut être délogé, l'intubation trachéale doit être confirmée au moyen de techniques relevant de deux méthodes: la première méthode comporte l'auscultation des bruits respiratoires en trois endroits du thorax ou l'expansion thoracique bilatérale; la deuxième méthode recourt à l'utilisation d'un détecteur œsophagien ou d'un détecteur de CO_2 expiré. Il existe deux types de détecteurs œsophagiens: le type poire et le type seringue. Les détecteurs de CO_2 expiré donnent des résultats qualitatifs (oui/non) ou quantitatifs (mesurables, autrement dit employant la capnométrie). Comme les personnes qui sont en arrêt cardiorespiratoire ont un apport de CO_2 très bas, on conseille d'employer des détecteurs quantitatifs.

On comprime la poire ou on enfonce le piston de la seringue avant de fixer le détecteur œsophagien au tube trachéal. Les deux dispositifs permettent d'exercer une force de succion à l'extrémité du tube trachéal. Si le tube trachéal est engagé dans la trachée, cela permet, par le regonflement de la poire ou la traction du piston de la seringue, d'aspirer l'air des poumons grâce aux parois rigides de la trachée. S'il se trouve dans l'œsophage, la succion provoque l'affaissement des parois de celui-ci et empêche la poire de se regonfler ou la seringue d'aspirer. La radiographie du thorax que l'on effectue souvent après avoir installé un tube endotrachéal contribue à déterminer si celui-ci est placé trop haut ou trop bas ou a pénétré dans une des bronches principales. Cependant, elle ne permet pas de distinguer si le tube a pénétré dans la trachée ou dans l'œsophage. Pour guider l'oxygénothérapie, on procède à la mesure des gaz du sang artériel.

Rétablir la circulation

Après avoir pratiqué la ventilation, on évalue le pouls carotidien. Lorsque ce dernier n'est pas perceptible, on effectue des compressions cardiaques externes. Si le défibrillateur n'est toujours pas disponible, mais qu'on est sur le point de l'obtenir, on procède à des compressions thoraciques. On place la personne sur une surface dure, par exemple sur un plancher, une planche cardiaque ou un plateau en métal. L'intervenant, se tenant à côté de la personne, pose le talon d'une main sur la moitié inférieure du sternum, à une distance de deux largeurs de doigt (4 cm) au-dessus du processus xiphoïde, et il place ensuite l'autre main au-dessus de la première (FMCC, 2001). Les doigts ne doivent pas toucher le thorax (figure 32-10 ■).

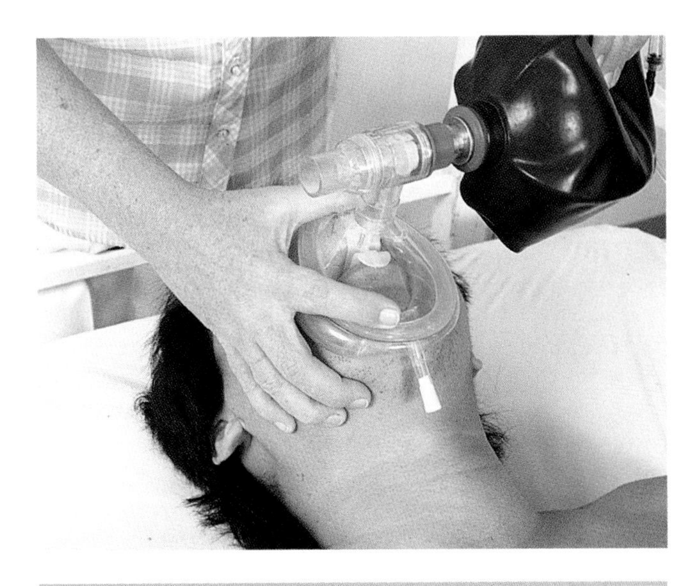

FIGURE 32-9 ■ Réanimation respiratoire. On relève le menton de la personne et on emploie le ballon-masque pour assurer la ventilation.

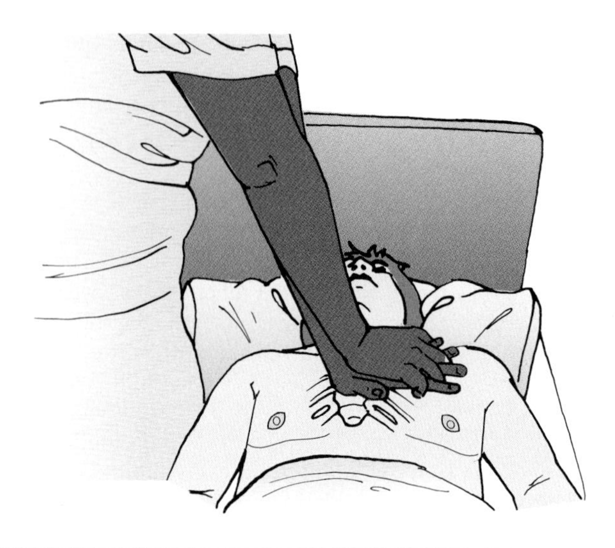

FIGURE 32-10 ■ En réanimation cardiorespiratoire, on effectue des compressions thoraciques en plaçant le talon d'une main sur la moitié inférieure du sternum et l'autre main au-dessus de la première. Les bras restent droits et les coudes bloqués, et on se sert du poids du corps pour appliquer de vigoureuses compressions sur le sternum. La personne réanimée doit être torse nu pour qu'on puisse y placer les mains comme il convient et obtenir des résultats efficaces.

Se servant du poids de son corps tout en gardant les bras droits et les coudes bloqués, le secouriste comprime le sternum à une profondeur d'environ 4 ou 5 cm (AHA, 2005). Le relâchement doit faire suite à la compression et être d'égale durée. Le rythme des compressions est de 100 par minute. La compression et l'insufflation doivent autant que possible se trouver dans un rapport de 30 à 2, autrement dit on aura 2 insufflations lentes et complètes après chaque série de 30 compressions.

À l'arrivée de l'équipe de réanimation ou du personnel médical d'urgence, on évalue rapidement la personne pour déterminer son rythme cardiaque et son état respiratoire de même que les causes possibles de l'arrêt cardiaque. Les interventions de soutien vital subséquentes reposent sur les résultats de l'examen clinique. Par exemple, après avoir relié la personne à un moniteur cardiaque et après avoir détecté la fibrillation ventriculaire, on pratique un choc de 360 J, puis on reprend la RCR. Cependant, si on décèle une asystolie sur le moniteur, on reprend immédiatement la RCR tout en essayant de déterminer les causes sous-jacentes, notamment l'hypovolémie, l'hypothermie ou l'hypoxie. Lorsque la personne est intubée, on ventile 8 à 10 fois/minute sans cesser les compressions. Il est recommandé de changer d'intervenant toutes les deux minutes afin de prévenir la fatigue qui entraînerait une baisse d'efficacité du massage (AHA, 2005). On cesse d'administrer la RCR lorsque la personne réagit et recommence à respirer, lorsque les intervenants sont épuisés ou trop à risque pour continuer la RCR (par exemple, le bâtiment risque de s'effondrer) ou que le décès se manifeste de manière évidente. Si la personne ne réagit pas aux traitements administrés durant l'arrêt cardiaque ou que le médecin décide qu'il est inutile de continuer, on met fin aux manœuvres de réanimation. Cette décision appartient au médecin, qui se fonde sur l'état cardiaque et cérébral, sur l'état de santé et les chances de survie de la personne.

Suivi

Après la réanimation, on transfère la personne à l'unité de soins intensifs. L'infirmière surveille de près la personne qui a subi un arrêt cardiaque parce que les risques de rechute sont grands. On doit poursuivre le monitorage cardiaque et remédier à l'arythmie, s'il y a lieu. Il importe aussi de rétablir et de maintenir l'équilibre électrolytique et acidobasique. Le monitorage hémodynamique est essentiel. On doit toujours avoir à portée de la main les médicaments utilisés au cours de la réanimation (tableau 32-5 ■).

TABLEAU 32-5 Traitement médicamenteux dans les cas d'arrêt cardiaque

Effets des médicaments	Indications	Soins infirmiers
Oxygène: améliore l'oxygénation tissulaire et remédie à l'hypoxie.	Administré à toutes personnes souffrant d'ischémie cardiaque aiguë ou d'une possible hypoxémie, y compris à celles qui souffrent d'une BPCO.	■ Utiliser 100 % d'oxygène durant la réanimation. ■ Savoir que l'oxygène ne provoque pas de lésions pulmonaires s'il est utilisé pendant moins de 24 heures. ■ Surveiller de près la personne en vérifiant le CO_2 expiré et l'oxymétrie.
Épinéphrine: augmente la résistance vasculaire systémique et la pression artérielle; améliore l'irrigation coronaire et cérébrale de même que la contractilité myocardique.	Administrée aux personnes souffrant d'un arrêt cardiaque, surtout s'il est dû à une asystolie ou à une activité électrique sans pouls; peut être donnée s'il est causé par de la tachycardie ventriculaire sans pouls ou de la fibrillation ventriculaire.	■ Administrer en bolus par voie intraveineuse ou par un tube trachéal. ■ Éviter d'ajouter aux lignes intraveineuses qui contiennent une solution alcaline comme le bicarbonate.

Effets des médicaments	Indications	Soins infirmiers
Amiodarone (antiarythmique de classe III): bloque les canaux potassiques responsables de la repolarisation; efficace dans le cas d'arythmies ventriculaires.	Administrée lorsque l'arrêt cardiaque est causé de façon persistante ou récurrente par une tachycardie ventriculaire sans pouls ou par une fibrillation ventriculaire.	■ Administrer en bolus par voie intraveineuse ■ Surveiller la personne afin de dépister tout signe d'hypotension. ■ Surveiller l'allongement possible de l'intervalle QT sur l'ECG.
Atropine: bloque l'action parasympathique; augmente l'automaticité du nœud sinoauriculaire et la conduction auriculoventriculaire.	Administrée aux personnes souffrant de bradycardie symptomatique (dont l'hémodynamie est instable, qui ont des extrasystoles ventriculaires fréquentes et qui présentent des symptômes d'ischémie).	■ Administrer rapidement par voie intraveineuse ou par un tube trachéal. ■ Savoir qu'une quantité inférieure à 0,5 mg administrée chez l'adulte peut causer un ralentissement de la fréquence cardiaque et aggraver la bradycardie. ■ Surveiller la personne afin de dépister tout signe de tachycardie réflexe.
Bicarbonate de sodium ($NaHCO_3$): remédie à l'acidose métabolique.	Administré pour remédier à l'acidose métabolique réfractaire aux interventions de maintien des fonctions vitales (réanimation cardiorespiratoire, intubation et traitement respiratoire).	■ Administrer la première dose de 1 mL/kg par voie intraveineuse, puis administrer la dose suivante en fonction de la mesure des gaz du sang artériel. ■ Savoir que, pour prévenir l'apparition de l'alcalose métabolique de rebond, il n'est pas indiqué de remédier parfaitement à l'acidose.
Lidocaïne (antiarythmique de classe Ib): bloque les canaux sodiques responsables de la dépolarisation; efficace dans les cas d'arythmies ventriculaires.	Administrée lorsque l'arrêt cardiaque est causé de façon persistante ou récurrente par une tachycardie ventriculaire sans pouls ou par une fibrillation ventriculaire.	■ Administrer en bolus par voie intraveineuse ou par un tube trachéal.
Magnésium: favorise le fonctionnement adéquat de la pompe cellulaire à sodium-potassium.	Administré aux personnes présentant des torsades de pointe.	■ Doit être dilué et donné, en 5 minutes, par voie intraveineuse. ■ Surveiller les signes d'hypotension, d'asystolie, de bradycardie et de paralysie respiratoire.
Vasopressine (Pressyn): augmente la résistance vasculaire périphérique.	Médicament pouvant remplacer l'épinéphrine lorsque l'arrêt cardiaque est causé par de la tachycardie ventriculaire sans pouls ou de la fibrillation ventriculaire.	■ Administrer 40 U par voie intraveineuse, une seule fois.

EXERCICES D'INTÉGRATION

1. Vous vous occupez d'un homme âgé de 55 ans. On a diagnostiqué chez lui une insuffisance cardiaque systolique (causée par une coronaropathie), qu'on a stabilisée avec du lisinopril, du furosémide et du métropolol. Cet homme suit un régime hyposodé et fait des écarts de temps en temps. Il se plaint d'une toux quinteuse. Quelles pourraient être les causes de sa toux? Quelles sont les principales données qui contribueraient à cerner la cause de sa toux? Quels seraient selon vous les traitements médicaux et les interventions infirmières appropriés pour chacune de ces causes possibles?

2. Une femme âgée de 77 ans et souffrant d'insuffisance cardiaque vient d'entrer à l'hôpital pour la troisième fois en deux mois. Énumérez les facteurs qui selon vous la conduisent à revenir à l'hôpital. À quelles interventions pourriez-vous recourir pour éviter que la personne doive revenir à l'hôpital? Décrivez les éléments de l'interaction (attitudes, mots et techniques de communication) qui refléteraient le concept de partenariat avec la personne.

RÉFÉRENCES BIBLIOGRAPHIQUES

en anglais • en français

Abraham, W.T. (2002). Multicenter InSync Randomized Clinical Evaluation (MIRACLE) (page consultée le 22 janvier 2002), [en ligne], http://www.acc.org/education/online/trials/acc2001/miracle.html.

AHA – American Heart Association (2005). Adult Basic Life Support. *Circulation, 112*(24), 19-34. (Supplement)

Antman, et al. (2004). *ACC/AHA Guidelines for the Management of Patients With ST-Elevation Myocardial Infarction*. American College of Cardiology Foundation and the American Heart Association.

Beta-Blocker Evaluation of Survival Trial (BEST) Investigators. (2001). A trial of the beta-blocker bucindolol in patients with advanced chronic heart failure. *New England Journal of Medicine, 344*(22), 1659–1667.

Brater, D.C. (1998). Diuretic therapy. *New England Journal of Medicine, 339*(6), 387–395.

Braunwald, E., Zipes, D.P., & Libby, P. (2001). *Heart disease: A textbook of cardiovascular medicine* (6th ed.). Philadelphia: W.B. Saunders.

Brûlé, M., et Cloutier, L. (2002). *L'examen clinique dans la pratique infirmière*. Saint-Laurent (Québec): Éditions du Renouveau Pédagogique.

CCS – Canadian Cardiovascular Society (2004). http://www.ccs.ca.

CIBIS-II Investigators and Committees. (1999). The Cardiac Insufficiency Bisoprolol Study II (CIBIS-II): A randomized trial. *Lancet, 353*(9146), 9–13.

Clement, D.L., De Buyzere, M., Tomas, M., & Vanavermaete, G. (2000). Long-term effects of clinical outcome with low and high dose captopril in the heart insufficient patients study (CHIPS). *Acta Cardiologica, 55*(1), 1–7.

Cohn, J.N. & Tognoni, G. (2001) A randomized trial of the angiotensin-receptor blocker valsartan in chronic heart failure. *N Engl J Med*; 345:1667.

CONSENSUS Trial Study Group. (1987). Effects of enalapril on mortality in severe congestive heart failure: Results of the Cooperative North Scandinavian Enalapril Survival Study (CONSENSUS). *New England Journal of Medicine, 316*(23), 1429–1435.

Digitalis Investigation Group (DIG). (1997). The effect of digoxin on mortality and morbidity in patients with heart failure. *New England Journal of Medicine, 336*(8), 525–533.

FMCC – Fondation des maladies du coeur du Canada (1999). *Le nouveau visage des maladies cardiovasculaires et des accidents vasculaires cérébraux au Canada*. Ottawa.

FMCC – Fondation des maladies du cœur du Canada (2001). *Réanimation cardiorespiratoire: Soins immédiats*, Lignes directrices pour la RCR et les SUC à l'intention des intervenants désignés. Ottawa.

FMCC – Fondation des maladies du cœur du Canada (2003). *DEA Accès public à la défibrillation*. Ottawa.

Georgiou, D., Chen, Y., Appadoo, S., Belardinelli, R., Greene, R., Parides, M., & Glied, S. (2001). Cost-effectiveness analysis of long-term moderate exercise training in chronic heart failure. *American Journal of Cardiology, 87*(8), 984–988.

Gerber, T.C., Nishimura, R.A., Holmes, D.R., Jr., Lloyd, M.A., Zehr, K.J., Tajik, A.J., & Hayes, D.L. (2001). Left ventricular and biventricular pacing in congestive heart failure. *Mayo Clinic Proceedings, 76*(8), 803–812.

Hôpital Laval (1997). *Vivre au quotidien avec l'insuffisance cardiaque*. Laval: Service audiovisuel de l'Hôpital Laval.

Labrecque, A. (2001). *Réanimation cardiorespiratoire avancée*. Centre hospitalier universitaire de Québec.

McMurray, J.J., Ostergren, J., Swedberg, K., *et al.* (2003) Effects of candesartan in patients with chronic heart failure and reduced left-ventricular systolic function taking angiotensin-converting-enzyme inhibitors: the CHARM-Added trial. *Lancet*; 362:767.

MERIT-HF Study Group. (1999). Effect of metoprolol CR/XL in chronic heart failure: Metoprolol CR/XL randomized intervention trial in congestive heart failure (MERIT-HF). *Lancet, 353*, 2001–2007.

Meyer, K. (2001). Exercise training in heart failure: Recommendations based on current research. *Medicine and Science in Sports and Exercise, 33*(4), 525–531.

Ministère de la Santé et des Services sociaux du Québec (2003). *Programme provincial de formation en MPOC et en insuffisance cardiaque, module 10: physiopathologie, manifestations cliniques et évaluation de l'insuffisance cardiaque*.

Ministère de la Santé et des Services sociaux du Québec (2003). *Programme provincial de formation en MPOC et en insuffisance cardiaque, module 11: traitement pharmacologique de l'insuffisance cardiaque.*

Mohacsi, S., et Carrel, T. (2003). L'insuffisance cardiaque réfractaire: modalités de traitement établies et modalités d'avenir. *Forum médical suisse*, 50, 1224-36.

NETWORK Investigators. (1998). Clinical outcome with enalapril in symptomatic chronic heart failure: A dose comparison. *European Heart Journal, 19*(3), 481–489.

Packer, M., Bristow, M.R., Cohn, J.N., Colucci, W.S., Fowler, M.B., Gilbert, E.M., & Shusterman, N.H. (1996). The effect of carvedilol on morbidity and mortality in patients with chronic heart failure. U.S. Carvedilol Heart Failure Study Group. *New England Journal of Medicine, 334*(21), 1349–1355.

Packer, M., Coats, A.J.S., Fowler, M.B., Katus, H.A., Krum, H., Mohacsi, P., Rouleau, J.L., Tendera, M., Castaigne, A., Roecker, E.B., Schultz, M.K., DeMets, D.L., & Carvedilol Prospective Randomized Cumulative Survival Study Group. (2001). Effect of carvedilol on survival in severe chronic heart failure. *New England Journal of Medicine, 344* (22), 1651–1658.

Packer, M., Poole-Wilson, P.A., & Armstrong, P.W. (1999). Comparative effects of low and high doses of the angiotensin-converting enzyme inhibitor, lisinopril, on morbidity and mortality in chronic heart failure. ATLAS Study Group. *Circulation, 100*(23), 2312–2318.

Page, J., & Henry, D. (2000). Consumption of NSAIDs and the development of congestive heart failure in the elderly. *Archives of Internal Medicine, 160*(6), 777–784.

Pitt, B., Zannad, F., Remme, W.J., Cody, R., Castaigre, A., Perez, A., Palensky, J., & Wittes, J. (1999). The effect of spironolactone on morbidity and mortality in patients with severe heart failure. *New England Journal of Medicine, 341*(10), 709–717.

Réseau canadien des cliniques d'insuffisance cardiaque (2004). http://www.cchfcn.org/francais/index.htm.

SOLVD Investigators. (1992). Effect of enalapril on mortality and the development of heart failure in asymptomatic patients with reduced left ventricular ejection fractions. *New England Journal of Medicine, 327*(10), 685–691.

Tortora, G.J., et Grabowski, S.R. (2001). Système cardiovasculaire: le cœur (672-708). Dans *Principes d'anatomie et de physiologie*. Saint-Laurent (Québec): Éditions du Renouveau Pédagogique.

Turner, M.A. (2000). Impedance cardiography: A noninvasive way to monitor hemodynamics. *Dimensions in Critical Care Nursing, 19*(3), 2–12.

Uretsky, B.F., Young, J.B., Shahidi, F.E., Yellen, L.G., Harrison, M.C., & Jolly, M.K. (1993). Randomized study assessing the effect of digoxin withdrawal in patients with mild to moderate chronic congestive heart failure: Results of the PROVED trial. PROVED Investigative Group. *Journal of American College of Cardiology, 22*(4), 955–962.

Von Rueden, K.T., & Turner, M. (1999). Advances in continuous, noninvasive hemodynamic surveillance. *Critical Care Nursing Clinics of North America, 11*(1), 63–75.

Weber, K.T. (2001). Mechanisms of disease: Aldosterone in congestive heart failure. *New England Journal of Medicine, 345*(23), 1689–1697.

En complément de ce chapitre, vous trouverez sur le Compagnon Web:

- une bibliographie exhaustive;
- des ressources Internet.

Adaptation française
Lyne Cloutier, inf., M.Sc.
Professeure, Département des sciences infirmières – Université du Québec à Trois-Rivières

Affections vasculaires

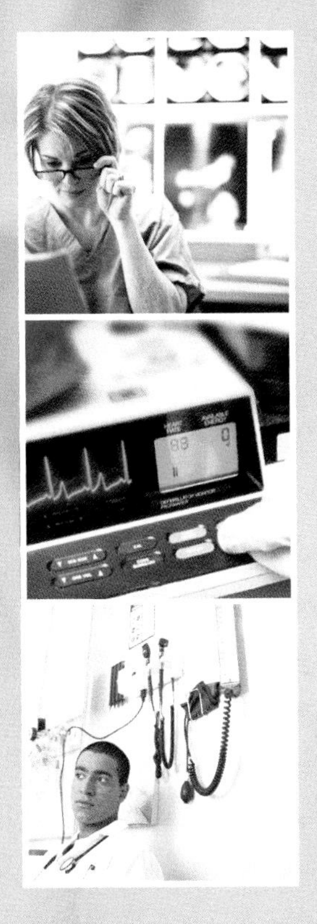

Objectifs d'apprentissage

Après avoir étudié ce chapitre, vous pourrez:

1. Énumérer les facteurs anatomiques et physiologiques qui influent sur le débit sanguin périphérique et sur l'oxygénation des tissus.
2. Utiliser les indicateurs appropriés pour effectuer l'examen clinique de la circulation périphérique.
3. Comparer les diverses artériopathies, du point de vue des causes, des changements pathologiques et physiologiques qu'elles entraînent, des manifestations cliniques, du traitement et de la prévention.
4. Appliquer la démarche systématique aux personnes atteintes d'affections artérielles.
5. Comparer les affections veineuses courantes, du point de vue des causes, des changements pathologiques et physiologiques qu'elles entraînent, des manifestations cliniques, du traitement et de la prévention.
6. Appliquer la démarche systématique aux personnes qui présentent des affections veineuses.
7. Décrire les soins prodigués en cas de cellulite, de lymphangite et de lymphœdème.

Pour oxygéner et nourrir adéquatement les tissus, l'appareil circulatoire doit être en bon état. Afin d'assurer un débit sanguin suffisant, le cœur doit pouvoir pomper efficacement le sang, les vaisseaux sanguins doivent être souples et libres de toute obstruction, et le volume du sang circulant doit être approprié. L'activité du système nerveux, la viscosité du sang et les besoins métaboliques des tissus sont autant de facteurs qui déterminent la force du débit sanguin et l'irrigation adéquate de tous les tissus de l'organisme.

Anatomie et physiologie

Le sang qui traverse le réseau vasculaire suit deux parcours interdépendants: la circulation pulmonaire (ou petite circulation) et la circulation systémique (ou grande circulation). Le côté droit du cœur représente la pompe de la circulation pulmonaire et le côté gauche, celle de la circulation systémique. Les vaisseaux sanguins qui forment ces deux circuits transportent le sang du cœur aux tissus, puis des tissus au cœur (figure 33-1 ■). C'est grâce à la contraction des ventricules que le sang peut être acheminé vers le réseau vasculaire.

Les artères transportent le sang oxygéné, ou sang artériel, du côté gauche du cœur jusqu'aux tissus, alors que les veines transportent le sang désoxygéné, ou sang veineux, des tissus jusqu'au côté droit du cœur. Les capillaires qui irriguent les tissus relient les réseaux artériels et veineux. C'est à leur niveau que l'appareil circulatoire et les tissus échangent les nutriments et les déchets métaboliques. Les artérioles et les veinules adjacentes se joignent aux capillaires pour former la microcirculation.

Le système lymphatique s'ajoute au réseau vasculaire. Les vaisseaux lymphatiques acheminent la lymphe (liquide similaire au plasma) et les liquides physiologiques (renfermant des protéines plus petites, des cellules et des débris cellulaires) du milieu interstitiel vers les veines systémiques.

ANATOMIE DU RÉSEAU VASCULAIRE

Artères et artérioles

Les artères sont des conduits à parois épaisses qui transportent le sang du cœur vers les tissus. De l'aorte, dont le diamètre est d'environ 25 mm, émergent un certain nombre de ramifications qui se divisent ensuite en artères de plus en plus petites. Au moment où elles atteignent les tissus, leur diamètre n'est plus que d'environ 4 mm. Dans les tissus, ces vaisseaux se divisent encore pour former les artérioles, dont le diamètre est d'environ 30 μm.

Les parois des artères et des artérioles sont constituées de trois tuniques: l'intima, tunique interne, composée de cellules endothéliales, la média, tunique moyenne, composée de tissus élastiques lisses, et l'adventice, couche externe composée de tissus conjonctifs. L'intima est une couche très mince, sur

VOCABULAIRE

Anastomose: jonction de deux vaisseaux, créée par voie chirurgicale.

Anévrisme: dilatation se formant au niveau d'un point faible de la paroi d'un vaisseau.

Angioplastie: intervention effractive visant à dilater une région sténosée d'un vaisseau sanguin au moyen d'un cathéter muni d'un ballonnet à son extrémité.

Artériosclérose: processus se caractérisant par l'épaississement des fibres musculaires et de l'endothélium qui tapisse la paroi des petites artères et des artérioles.

Athérosclérose: processus pathologique caractérisé par le rétrécissement progressif des artères de moyen et gros calibre. Le rétrécissement est principalement lié à l'infiltration de lipides, de calcium, de composés sanguins, de glucides et de tissus fibreux dans l'intima des artères.

Claudication intermittente: crampe musculaire douloureuse dans les jambes, se manifestant systématiquement lors d'un certain type d'activité ou d'effort et cédant lorsque l'activité cesse.

Dermatite ocre (dermatite de stase): coloration brunâtre liée à la présence de globules rouges dégradés qui se sont échappés de veines lésées par des ulcères.

Dissection: séparation des éléments élastiques, fibreux et musculaires affaiblis de la média d'une artère.

Douleur au repos: douleur aux pieds ou aux doigts, qui persiste au repos, indiquant une insuffisance artérielle grave.

Érythrose de déclivité: coloration violacée des membres, traduisant des lésions graves des artères périphériques, qui demeurent dilatées faute de pouvoir se contracter.

Indice de pression systolique (IPS): rapport entre la pression systolique, mesurée à la cheville, et la pression systolique, mesurée au bras; mesure objective de l'artériopathie, qui permet de quantifier la gravité de la sténose. Aussi appelé indice tibiobrachial (ITB).

Ischémie: apport insuffisant de sang dans une partie de l'organisme.

Rapport international normalisé (RIN): méthode servant à mesurer le temps de prothrombine de manière uniforme; en éliminant les écarts entre les résultats des examens réalisés dans divers laboratoires, elle permet d'évaluer les effets de certains anticoagulants administrés par voie orale, comme la warfarine (Coumadin).

Souffle: son produit par un écoulement turbulent dans un vaisseau irrégulier, sinueux, sténosé ou dilaté.

Sténose: constriction ou rétrécissement d'un vaisseau.

Ultrasonographie en duplex: méthode d'exploration à l'aide d'un appareil associant l'échographie, qui rend possible la visualisation par contraste de brillance des tissus, des organes et des vaisseaux sanguins, au Doppler, qui permet de mesurer la vitesse du débit sanguin.

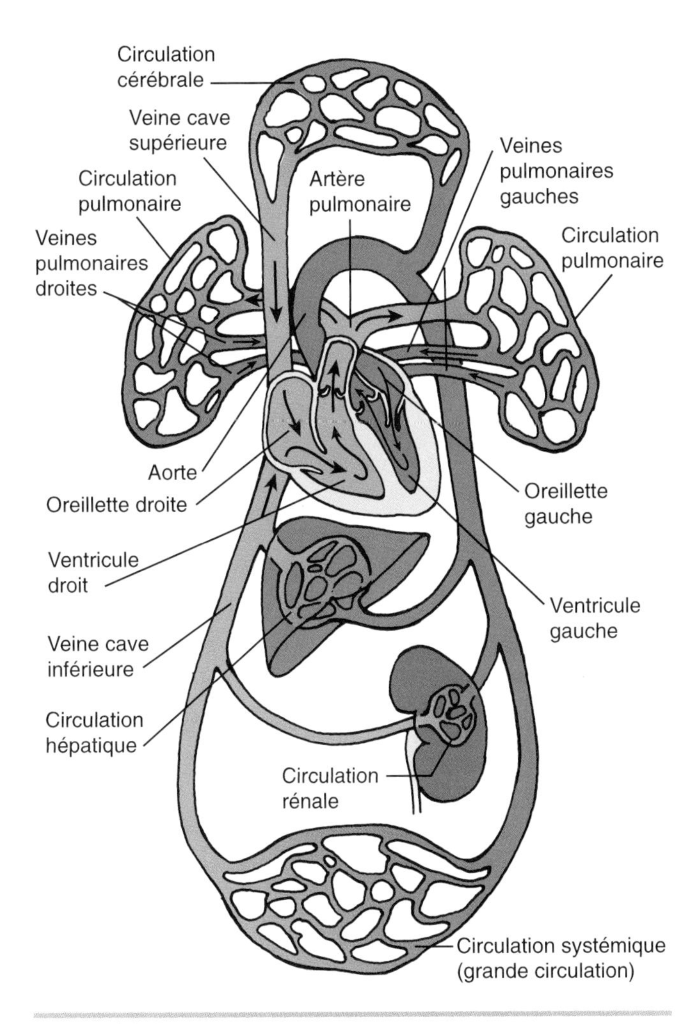

FIGURE 33-1 ■ Circulation générale et circulation pulmonaire. Le sang oxygéné provenant de la circulation pulmonaire est éjecté du cœur gauche, passe dans l'aorte, puis dans les artères systémiques et est acheminé jusqu'aux capillaires où a lieu l'échange de nutriments et de déchets métaboliques. Le sang désoxygéné retourne au cœur droit par les veines systémiques, puis il est propulsé dans la circulation pulmonaire.
SOURCE: *Steadman's Medical Dictionary* (27e éd.) (2000). Philadelphie: Lippincott William & Wilkins.

laquelle le sang glisse facilement. La média représente la partie la plus épaisse de la paroi de l'aorte et des autres artères de gros calibre. Elle se compose principalement de fibres élastiques et de fibres collagènes qui donnent aux vaisseaux une très grande résistance et leur permet de se contracter et de se dilater lorsque le sang est éjecté du cœur ainsi que de maintenir un débit sanguin régulier et constant. L'adventice, composée de tissus conjonctifs, permet aux vaisseaux de s'ancrer aux tissus qui les entourent. Les artères de plus petit calibre et les artérioles ont moins de tissu élastique, et leur média est surtout formée de muscles lisses.

Influencés par divers facteurs chimiques, hormonaux ou nerveux, les muscles lisses agissent sur le diamètre des vaisseaux en se contractant et en se dilatant. Parce qu'elles peuvent modifier leur diamètre, les artérioles offrent une résistance au débit cardiaque. Elles régulent le volume et la pression dans le réseau artériel ainsi que le débit du sang acheminé vers les capillaires. En raison de la grande quantité de muscles qui les composent, les parois artérielles sont relativement épaisses, représentant environ 25 % du diamètre total des artères. Les parois des artérioles représentent environ 67 % de leur diamètre.

L'intima et le tiers interne de la couche de muscles lisses sont en contact si étroit avec le sang que les vaisseaux sanguins reçoivent leurs nutriments par diffusion directe. L'adventice et la couche externe de la média ne bénéficient pas de ce type de contact et elles doivent donc recevoir leur propre approvisionnement en sang pour combler leurs besoins métaboliques.

Capillaires

Les capillaires ont des parois très minces, dépourvues de muscles lisses et d'adventice, et constituées d'une seule couche de cellules endothéliales. Ils assurent le transport rapide et efficace des nutriments vers les cellules ainsi que l'élimination des déchets métaboliques. Étant donné l'étroitesse du diamètre des capillaires (de 5 à 10 μm), les érythrocytes (globules rouges) ne peuvent les traverser qu'en modifiant leur forme. Pour leur part, les capillaires changent de diamètre de manière passive: (1) selon les modifications contractiles s'opérant dans les vaisseaux sanguins qui les irriguent et qui transportent le sang vers le cœur; (2) sous l'action de stimuli chimiques. Dans certains tissus, à la jonction des capillaires et des artérioles, une collerette de muscles lisses appelée sphincter précapillaire régit le débit sanguin des capillaires, de concert avec les artérioles.

Certains lits capillaires, comme ceux qui se trouvent au bout des doigts par exemple, sont dotés d'anastomoses artérioveineuses permettant au sang de passer directement des artères aux veines. On croit que ces vaisseaux régulent l'échange de chaleur entre l'organisme et le milieu externe.

La distribution des capillaires dépend du type de tissu qu'ils irriguent. Par exemple, le tissu squelettique, au métabolisme rapide, est doté d'un réseau capillaire plus dense que le cartilage, au métabolisme plus lent.

Veines et veinules

Les capillaires s'unissent pour former de plus grands vaisseaux, appelés veinules; en s'unissant à leur tour, ces dernières deviennent des veines. La structure du réseau veineux est donc analogue à celle du réseau artériel; les veinules correspondent aux artérioles, les veines aux artères, et les veines caves à l'aorte. Les vaisseaux de type analogue des deux réseaux ont environ le même diamètre (figure 33-1).

Contrairement à celles des artères, les parois des veines sont plus minces et renferment une moins grande quantité de tissu musculaire. La paroi d'une veine de calibre moyen ne représente que 10 % de son diamètre, contrairement à 25 % dans le cas de l'artère. Les parois des veines, à l'instar de celles des artères, sont constituées de trois tuniques.

Puisque leur paroi est plus mince et contient moins de tissu musculaire, les veines peuvent se distendre davantage que les artères. En raison de cette capacité accrue d'expansion et de flexibilité, de plus grandes quantités de sang peuvent s'emmagasiner dans les veines sous une faible pression. Environ 75 % du volume sanguin total se trouve dans les veines. Le système nerveux sympathique, qui assure l'innervation musculaire des veines, peut stimuler leur constriction (phénomène appelé vasoconstriction), réduisant ainsi le volume sanguin veineux et augmentant, par le fait même, le volume du sang dans la circulation générale. La contraction des muscles squelettiques des membres active le principal effet de pompage qui détermine le retour du sang veineux au cœur.

Certaines veines, contrairement aux artères, sont dotées de valvules. En général, les veines qui transportent le sang en s'opposant à la gravité, par exemple les veines des jambes, sont munies de valvules bicuspides à sens unique qui empêchent le sang de refluer et le dirigent vers le cœur. Les valvules sont composées de feuillets endothéliaux, dont l'efficacité dépend de l'intégrité de la paroi veineuse.

Vaisseaux lymphatiques

Les vaisseaux lymphatiques forment un réseau complexe de conduits à parois minces, similaire à celui des capillaires sanguins. Ce réseau recueille le liquide interstitiel émanant des tissus et des organes et le déverse dans la circulation veineuse. Les vaisseaux lymphatiques, qui transportent la lymphe, convergent pour former le canal thoracique et le canal lymphatique droit. Ces conduits se joignent aux veines sous-clavières et jugulaires internes. Le canal lymphatique droit achemine principalement la lymphe provenant du côté droit de la tête, du cou, du thorax et du bras droit. Le canal thoracique, quant à lui, achemine la lymphe provenant des autres parties du corps. Les vaisseaux lymphatiques périphériques s'unissent pour former des vaisseaux lymphatiques de plus gros calibre et traversent les nœuds lymphatiques régionaux avant d'entrer dans la circulation veineuse. Les ganglions (nœuds) lymphatiques jouent un rôle important dans la filtration des corps étrangers.

Les vaisseaux lymphatiques laissent passer de grosses molécules et représentent la seule voie que les protéines interstitielles peuvent emprunter pour retourner à la circulation veineuse. À chaque contraction musculaire, les vaisseaux lymphatiques changent de forme pour créer des espaces entre les cellules endothéliales, donnant ainsi libre accès aux protéines et à diverses autres molécules. La contraction des muscles des parois lymphatiques et des tissus environnants favorise le déversement de la lymphe dans les veines.

RÔLE DES VAISSEAUX

Irrigation tissulaire

La quantité de sang dont les tissus ont besoin change constamment. Le pourcentage de sang nécessaire à chaque organe et tissu est établi par la vitesse du métabolisme de ces tissus, par le rôle qu'ils jouent et par la quantité d'oxygène disponible (tableau 33-1 ■). Lorsque les besoins métaboliques des tissus augmentent, les vaisseaux sanguins se dilatent pour les approvisionner davantage en oxygène et en nutriments. Lorsque les besoins métaboliques diminuent, les vaisseaux se contractent, ce qui entraîne une diminution du débit sanguin vers les tissus en question. Les besoins métaboliques des tissus augmentent proportionnellement à l'intensité des activités physiques ou de l'effort, au contact de la chaleur, ou encore s'il y a de la fièvre ou une infection. Les besoins métaboliques des tissus diminuent au repos ou lorsque l'activité physique est peu intense, au contact du froid ou lorsque le corps se refroidit. Si les vaisseaux sanguins ne se dilatent pas malgré la grande

TABLEAU 33-1 Débit sanguin et consommation d'oxygène dans divers organes

Organe	Poids (kg)	Débit sanguin au repos		Consommation d'oxygène au repos	
		Débit sanguin (mL/min)	Pourcentage du débit cardiaque total	Consommation d'oxygène (mL/min)	Pourcentage de la consommation totale
Cerveau	1,4	750	14	45	18
Cœur	0,3	250	5	25	10
Foie	1,5	1 300	23	75	30
Tube digestif	2,5	1 000			
Reins	0,3	1 200	22	15	6
Muscles	35,0	1 000	18	50	20
Peau	2,0	200	4	5	2
Autres (squelette, moelle osseuse, tissus adipeux, tissus conjonctifs, notamment)	27,0	800	14	35	14
TOTAL	70	6 500	100	250	100

SOURCE : B. Folkow et E. Neil. *Circulation*. New York : Oxford University Press.

demande de sang, il se produit une **ischémie** tissulaire dans la partie de l'organisme qui ne reçoit pas la quantité de sang dont elle a besoin. Les mécanismes qui régissent la constriction et la dilatation des vaisseaux en fonction des changements métaboliques permettent de maintenir une pression artérielle normale.

Le sang qui traverse les capillaires des tissus les alimente en oxygène et les débarrasse du dioxyde de carbone et des métabolites. Tous les tissus n'ont pas besoin de la même quantité d'oxygène. Par exemple, le myocarde soutire 50 % de l'oxygène du sang artériel lors d'un seul passage dans ses lits capillaires, alors que les reins se contentent de soutirer 7 % de l'oxygène du sang qui les traverse. La quantité moyenne d'oxygène extraite par l'ensemble des tissus est d'environ 25 %, ce qui signifie que le sang circulant dans la veine cave renferme environ 25 % de moins d'oxygène que le sang aortique. Ce phénomène porte le nom de *rapport entre la consommation artérielle et la consommation veineuse de l'oxygène*. Il s'accroît lorsque la quantité d'oxygène livré aux tissus est inférieure à leurs besoins métaboliques.

Débit sanguin

Le sang qui traverse le réseau vasculaire emprunte toujours la même direction: du cœur gauche à l'aorte, de l'aorte aux artères, des artères aux artérioles, des artérioles aux capillaires, des capillaires aux veinules, des veinules aux veines, des veines aux veines caves et, de là, au côté droit du cœur. Le caractère unidirectionnel du débit est dû à la différence de pression entre le réseau artériel et le réseau veineux. Parce que la pression est plus élevée dans les artères (environ 100 mm Hg) que dans les veines (environ 4 mm Hg) et que les liquides coulent toujours d'une région où la pression est plus élevée vers une autre où la pression est plus faible, le sang coule du réseau artériel vers le réseau veineux.

La différence de pression entre les deux extrémités des vaisseaux, ou gradient de pression (ΔP), fournit l'impulsion nécessaire à la propulsion du sang vers l'avant. Le débit sanguin doit s'écouler contre une résistance (R). On calcule le débit sanguin en divisant le gradient de pression par la résistance:

$$\text{Débit sanguin} = \Delta P/R$$

Cette équation nous montre clairement que, si la résistance s'élève pour maintenir le débit au même niveau, la pression doit s'élever également. Chaque fois que cette pression s'élève dans l'organisme, la force de contraction du cœur doit s'élever également. Si la résistance artérielle demeure élevée pendant une période prolongée, le myocarde s'hypertrophie (les parois épaississent) pour maintenir une plus grand force contractile.

Dans la plupart des vaisseaux sanguins longs et lisses, l'écoulement est laminaire, autrement dit le sang au centre du vaisseau s'écoule légèrement plus rapidement que le sang près des parois. L'écoulement est turbulent lorsque le débit sanguin s'élève, lorsque la viscosité du sang s'accroît, lorsque la paroi du vaisseau s'hypertrophie ou lorsque la lumière vasculaire est réduite par constriction. L'écoulement turbulent s'accompagne d'un **souffle** que l'on peut déceler par auscultation.

Pression artérielle

Vous trouverez aux chapitres 28 et 34 des données détaillées sur la physiologie du cœur et sur les mesures de la pression artérielle.

Filtration et réabsorption capillaires

L'échange liquidien au travers des parois capillaires est continuel. Le liquide qui circule, appelé liquide interstitiel, se compose des mêmes éléments que le plasma (à l'exception des protéines). L'équilibre entre les forces hydrostatiques et oncotiques du sang et de l'interstice détermine, tout autant que la perméabilité des capillaires, la quantité de liquide dans les capillaires et la direction de son déplacement. La pression hydrostatique est engendrée par la pression artérielle. La pression oncotique, quant à elle, représente la force d'attraction engendrée par les protéines plasmatiques. Habituellement, la pression hydrostatique à l'extrémité artérielle du capillaire est plus élevée que celle de l'extrémité veineuse. En raison de cette pression élevée, le liquide qui se trouve dans le capillaire peut être propulsé vers les tissus. La pression oncotique tend à ramener vers les capillaires le liquide contenu dans les tissus, mais cette pression ne peut surmonter la pression hydrostatique qui prévaut à l'extrémité artérielle du capillaire (le liquide n'y est donc pas réabsorbé). Toutefois, comme la pression oncotique est plus forte que la pression hydrostatique à l'extrémité veineuse du capillaire, le liquide contenu dans les tissus peut y être réabsorbé.

À l'exception d'une très faible quantité, le liquide filtré à l'extrémité artérielle du capillaire est réabsorbé à l'extrémité veineuse. Le liquide filtré en excédent pénètre par diffusion dans la circulation lymphatique, où il prend le nom de lymphe. Ce processus de filtration, de réabsorption et de formation de la lymphe permet de conserver un certain volume de liquide interstitiel et cellulaire, et de débarrasser les tissus des déchets et des débris qu'ils contiennent. Lorsque les conditions sont normales, la perméabilité des capillaires demeure constante.

Dans certaines conditions anormales, il arrive que la quantité de liquide filtrée dépasse considérablement la quantité réabsorbée et transportée par les vaisseaux lymphatiques. Ce déséquilibre peut être provoqué par différents mécanismes, qui entraînent une accumulation de liquides, puis la formation d'un œdème (encadré 33-1 ■).

ENCADRÉ 33-1

Comment se forme l'œdème

- La perméabilité des capillaires s'accroît, en raison des lésions qui affectent leur paroi.
- L'écoulement lymphatique est entravé, à cause de la présence d'une tumeur.
- La pression veineuse s'élève à cause d'une thrombose veineuse profonde.
- La pression oncotique décroît, en raison d'une diminution de la quantité de protéines plasmatiques.

Résistance hémodynamique

Le rayon des vaisseaux est le facteur déterminant de la résistance qu'ils opposent à l'écoulement du sang. De légères modifications de rayon entraînent des changements de résistance importants. Ce sont surtout les artérioles et les sphincters précapillaires qui changent de diamètre ou de calibre. La résistance vasculaire périphérique est celle qui s'oppose à l'écoulement du sang dans les vaisseaux. On calcule la résistance en appliquant la loi de Poiseuille, selon laquelle :

$$R = 8ØL/\pi r^4$$

où R est la résistance ; r, le rayon du vaisseau ; L, la longueur ; Ø, la viscosité du sang ; et $8/\pi$, une constante. Cette équation nous montre que la résistance est proportionnelle à la viscosité du sang et à la longueur du vaisseau, et inversement proportionnelle à la puissance quatre du rayon.

Comme elles ne changent pas beaucoup lorsque les conditions sont normales, la viscosité du sang et la longueur du vaisseau ne modifient pas notablement le débit sanguin en général. Toutefois, une hausse marquée de l'hématocrite peut accroître la viscosité du sang et réduire le débit sanguin dans les capillaires.

Mécanismes de régulation de la circulation périphérique

Puisque les besoins métaboliques des tissus, même au repos, changent constamment, le débit sanguin ne peut répondre aux besoins particuliers de chaque région de l'organisme sans le concours d'un système de régulation intégré et coordonné. Ce système de régulation est évidemment complexe et assujetti au système nerveux central, aux hormones et aux molécules circulantes, tout comme à l'activité intrinsèque de la paroi artérielle.

L'activité du système nerveux sympathique est le principal facteur de régulation du calibre des vaisseaux sanguins périphériques et, par conséquent, du flot sanguin qui les traverse. Tous les vaisseaux, à l'exception des capillaires (et des sphincters précapillaires), sont innervés par les nerfs sympathiques. La stimulation du système nerveux sympathique entraîne une vasoconstriction. La noradrénaline est le neurotransmetteur qui produit la vasoconstriction entraînée par les nerfs sympathiques. L'activation sympathique est due à des agents de stress physiologique et psychologique. La diminution de l'activité sympathique engendrée par des médicaments ou par une sympathectomie entraîne une vasodilatation.

D'autres substances hormonales peuvent également modifier la résistance périphérique. L'adrénaline libérée par la médullosurrénale a le même effet vasoconstricteur que la noradrénaline sur les vaisseaux sanguins périphériques de la plupart des lits tissulaires. Toutefois, à faibles concentrations, l'adrénaline entraîne une vasodilatation dans les muscles squelettiques, le cœur et le cerveau. L'angiotensine II, substance puissante qui se forme dans les poumons à la suite de l'interaction entre la rénine (produite par les reins) et une protéine sérique circulante, provoque la constriction des artères. Même si la quantité d'angiotensine II est habituellement faible dans le sang, son effet vasoconstricteur est particulièrement puissant dans certaines conditions anormales telles que l'insuffisance cardiaque et l'hypovolémie.

Diverses substances circulantes, dotées de propriétés vasoactives, peuvent modifier le débit sanguin dans certaines zones circonscrites. Citons notamment l'histamine, la bradykinine, les prostaglandines et certains métabolites musculaires, qui constituent tous de puissants vasodilatateurs. La réduction de la quantité d'oxygène et de nutriments ainsi que la modification du pH dans une zone donnée peuvent aussi modifier le débit sanguin dans cette région. Quant à la sérotonine, substance libérée par les plaquettes qui s'agglutinent autour d'une lésion située sur les parois vasculaires, elle provoque la constriction des artérioles. L'application de chaleur à la surface du corps donne lieu à une vasodilatation au point de contact, alors que l'application de froid entraîne une vasoconstriction.

Physiopathologie des vaisseaux

Toutes les affections vasculaires périphériques sont provoquées par la réduction du débit sanguin dans les vaisseaux périphériques. Les effets physiologiques de la modification du débit sanguin dépendent de l'écart entre les besoins des tissus et leur approvisionnement en oxygène et en nutriments. Si les besoins des tissus sont élevés, la baisse du débit sanguin, si faible soit-elle, peut ne pas suffire au maintien de l'intégrité tissulaire. Il y a dans ce cas risque d'ischémie (approvisionnement insuffisant en sang), d'apport insuffisant en glucose et en oxygène et, en fin de compte, de nécrose, si le débit sanguin approprié ne peut être rétabli.

Défaillance de la pompe cardiaque

Le débit sanguin périphérique est insuffisant lorsque le cœur ne peut plus assurer sa fonction de pompe musculaire. L'insuffisance du ventricule gauche entraîne une congestion de sang dans les poumons et une réduction du débit cardiaque, ce qui diminue l'irrigation tissulaire. L'insuffisance du ventricule droit entraîne une congestion veineuse systémique et une diminution de la circulation en aval (chapitre 32).

Atteintes des vaisseaux sanguins et lymphatiques

Pour qu'une quantité appropriée d'oxygène soit livrée aux tissus et que les déchets métaboliques soient adéquatement éliminés, les vaisseaux sanguins doivent être intacts, souples et perméables. Une plaque athéroscléreuse, un thrombus ou un embole peut obstruer les artères. Il arrive que les artères soient lésées ou qu'elles s'obstruent en raison d'un traumatisme chimique ou mécanique, d'une infection, d'un processus inflammatoire, d'un trouble angiospastique ou d'une malformation congénitale. Une occlusion artérielle soudaine entraîne une hypoxie tissulaire profonde et rapide ainsi que la nécrose des tissus. Lorsque l'occlusion de l'artère est graduelle, le risque de nécrose tissulaire est moins élevé, car une circulation collatérale a le temps de se former, et l'organisme s'adapte au fil du temps à un débit sanguin réduit.

Le débit sanguin veineux peut être entravé par un thrombus ou décroître parce que les valvules veineuses ne jouent pas leur rôle. La réduction de l'effet de pompe des muscles environnants a également comme conséquence une réduction du débit veineux qui fait augmenter la pression veineuse. Par conséquent, la pression hydrostatique s'élève dans les capillaires, entraînant une fuite de liquide, qui passe ainsi dans le milieu interstitiel, d'où la formation d'œdème. Comme ils ne reçoivent pas suffisamment d'oxygène et de nutriments, les tissus œdémateux risquent de se détériorer davantage, de subir des lésions et de s'infecter. L'obstruction des vaisseaux lymphatiques cause également de l'œdème. Les vaisseaux lymphatiques peuvent être obstrués par une tumeur, ou bien par des lésions dues à un traumatisme mécanique ou à un processus inflammatoire.

Particularités reliées à la personne âgée

Au fil du temps, les parois artérielles subissent des changements qui affectent le transport de l'oxygène et des nutriments vers les tissus. L'intima s'épaissit à cause de la prolifération des cellules et de la fibrose. Les fibres élastiques de la média se calcifient, s'amincissent et se fragmentent; le collagène s'accumule dans l'intima et la média. Ces changements se traduisent par le durcissement des artères, ce qui entraîne l'élévation de la résistance vasculaire périphérique, la réduction du débit sanguin et une augmentation de la charge de travail du ventricule gauche.

Affections vasculaires périphériques

Bien qu'il existe de nombreux types d'affections vasculaires périphériques, la plupart d'entre elles entraînent l'ischémie ou des signes et symptômes similaires: douleur, modifications cutanées, affaiblissement du pouls et, parfois, œdème. La nature des symptômes et leur gravité dépendent en partie du type, du stade et de l'étendue de l'affection, ainsi que de la vitesse à laquelle elle évolue. Le tableau 33-2 ■ présente les caractéristiques de l'insuffisance artérielle et de l'insuffisance veineuse. Les affections vasculaires périphériques se divisent en trois catégories: les affections des artères (artériopathies), les affections des veines et les affections lymphatiques. (Nous les étudierons plus loin dans le chapitre.)

Examen clinique

ANAMNÈSE ET MANIFESTATIONS CLINIQUES

Pour poser un diagnostic d'artériopathie, le médecin se fonde entre autres sur la description de la douleur ressentie par la personne, sur la couleur et la température de la peau de même que sur la mesure des pouls périphériques.

Claudication intermittente

Les personnes atteintes d'insuffisance artérielle périphérique souffrent d'une crampe musculaire douloureuse dans les jambes, qui se manifeste toujours lors des mêmes efforts ou activités et qui disparaît au repos. Ce symptôme porte le nom de **claudication intermittente**. La douleur qu'elle entraîne est attribuable à l'incapacité du système artériel de fournir un débit sanguin suffisant aux tissus lorsque la demande en nutriments s'accroît pendant l'effort. Puisque les tissus doivent mener à bien leurs activités sans recevoir les nutriments et l'oxygène dont ils ont besoin, il y a production de métabolites musculaires et d'acide lactique. La douleur se

TABLEAU 33-2 Caractéristiques de l'insuffisance artérielle et veineuse

Caractéristiques	Insuffisance artérielle	Insuffisance veineuse
Douleur	■ Claudication intermittente, douleur intense et incessante, même au repos; douleur nocturne	■ Gêne, crampes
Pouls	■ Affaiblis ou absents	■ Présents, mais difficiles à percevoir à cause de l'œdème
Peau	■ Érythrose de déclivité; peau pâle, sèche, luisante, fraîche ou carrément froide; chute des poils au niveau des orteils et du cou-de-pied; ongles épaissis et crevassés	■ Pigmentation sombre de la peau recouvrant la malléole interne et externe; épaississement et durcissement de la peau, qui peut prendre une couleur violacée; souvent associés à une dermatite
Ulcérations		
■ Siège	■ Extrémité des orteils, espace interdigital, talons ou autres points de pression, si la personne est alitée	■ Malléole interne; rarement malléole externe ou zone antérieure du tibia
■ Douleur	■ Douleur extrême	■ Douleur légère, si l'ulcération est superficielle, ou douleur intense, si elle est profonde
■ Profondeur	■ Ulcération profonde, touchant souvent les tissus jusqu'à l'articulation	■ Ulcérations superficielles
■ Forme	■ Circulaire, au contour net	■ Au contour irrégulier
■ Base	■ De couleur pâle à noire, avec gangrène sèche	■ Tissu de granulation fibrineux, de rouge sang à jaune, en cas d'ulcération chronique de longue durée
■ Œdème de la jambe	■ Léger, sauf si le membre est constamment maintenu en position déclive pour soulager la douleur	■ De modéré à grave, œdème à godet

manifeste lorsque les métabolites enflamment les terminaisons nerveuses dans les tissus environnants. Habituellement, pour que la claudication intermittente s'installe, il faut qu'environ 50 % de la lumière artérielle soit obstruée. Lorsque la personne est au repos, donc lorsque les besoins métaboliques des muscles diminuent, la douleur disparaît. On peut suivre l'évolution de l'artériopathie en notant l'intensité maximale de l'effort que la personne peut effectuer ou la distance maximale qu'elle peut parcourir avant l'apparition de la douleur. Une douleur persistante dans l'avant-pied, lorsque la personne est au repos, indique que l'insuffisance artérielle est grave et que l'ischémie a atteint un stade avancé. Cette **douleur au repos** est souvent plus intense la nuit et peut nuire au sommeil. Pour améliorer l'irrigation des tissus distaux, la personne doit s'installer en plaçant le membre en position déclive.

On peut savoir à quel endroit se situe l'artériopathie en observant la claudication, car la douleur se manifeste dans le groupe musculaire situé en aval de la région atteinte. En règle générale, la douleur associée à la claudication intermittente siège au-dessous de l'articulation située en aval de la zone où la circulation est entravée. Une douleur au mollet peut être associée à une diminution du débit sanguin dans l'artère fémorale superficielle ou dans l'artère poplitée, alors qu'une douleur à la hanche ou aux fesses peut provenir d'une diminution du débit sanguin dans l'aorte abdominale ou dans l'artère iliaque.

Modification de l'apparence et de la température de la peau

Lorsque l'apport sanguin est approprié, les membres sont tièdes et ont une teinte rosée ; lorsqu'il est insuffisant, les membres sont froids et pâles. Lorsque le débit sanguin diminue fortement, par exemple lorsque le membre est surélevé, la peau blanchit davantage (pâleur). De couleur violacée, l'**érythrose de déclivité** peut être observée environ 20 secondes à 2 minutes après que le membre a été mis en position déclive. Cette coloration traduit des lésions graves des artères périphériques, qui demeurent dilatées en permanence, car elles ne peuvent se contracter. Même si elle est rougeâtre, la peau pâlit lorsqu'on surélève le membre. La cyanose, coloration bleuâtre de la peau, apparaît lorsque la quantité d'hémoglobine oxygénée dans le sang est réduite.

Quand l'approvisionnement en nutriments reste insuffisant pendant une période prolongée, d'autres modifications se manifestent : la chute des poils, les ongles cassants, la sécheresse ou la desquamation de la peau, l'atrophie cutanée et les ulcérations. L'œdème peut être bilatéral ou unilatéral ; il est attribuable au fait que la personne doit garder le membre atteint en position déclive de façon prolongée en raison de l'intensité de la douleur au repos. Après une ischémie grave et prolongée, il y a risque d'apparition de gangrène, qui représente la nécrose des tissus. Chez les personnes âgées sédentaires, la gangrène peut être le premier signe d'artériopathie. Ces personnes ont probablement dû modifier leurs habitudes de vie en fonction des limites imposées par l'affection et, comme elles sont incapables de marcher suffisamment, la claudication intermittente ne s'est pas manifestée. La circulation est réduite, mais ce phénomène passe inaperçu jusqu'à ce qu'un traumatisme survienne. À ce stade, la gangrène s'installe lorsque le débit sanguin, insuffisant au départ, est entravé davantage par l'œdème dû au traumatisme.

Pouls

Lors de l'évaluation de la circulation artérielle périphérique, il est tout aussi important de déterminer si les pouls périphériques sont présents ou absents que d'en estimer la qualité (figure 33-2 ■). Si l'un des pouls est imperceptible, on peut conclure que la **sténose** (rétrécissement ou constriction) se situe à proximité. En cas d'artériopathie obstructive, les pouls au niveau des membres sont pratiquement indécelables ou complètement oblitérés, parce que le débit sanguin se trouve entravé. Il faut chercher à déceler les pouls des deux côtés simultanément et comparer la symétrie de la fréquence, du rythme et de l'amplitude.

Particularités reliées à la personne âgée

Chez les personnes âgées, les symptômes d'affection artérielle périphérique peuvent être davantage prononcés que chez les autres adultes en raison de la durée de l'affection et de la présence d'autres affections chroniques. La claudication intermittente peut survenir après une brève promenade ou après que la personne a gravi une pente. Si une pression prolongée s'exerce sur le pied, les points de pression peuvent s'ulcérer, s'infecter et se nécroser. L'insuffisance artérielle chez la personne âgée mène à la restriction de la mobilité et des activités ainsi qu'à la perte d'autonomie.

Examens paracliniques

Pour déceler et diagnostiquer les diverses anomalies touchant le réseau vasculaire (artères, veines et vaisseaux lymphatiques), on peut effectuer un certain nombre d'examens.

ÉCHOGRAPHIE ULTRASONIQUE DOPPLER

L'index étant le doigt où les pulsations artérielles sont les plus fortes, il ne faut pas l'utiliser seul pour prendre le pouls ; les mêmes restrictions s'appliquent au pouce. Lorsqu'on ne peut mesurer le pouls de façon fiable, l'utilisation d'une sonde Doppler pourrait aider à déceler le débit périphérique et à en évaluer la vélocité. Cet appareil (aussi appelé transducteur), qui ressemble à un microphone et que l'on peut tenir d'une seule main, émet un signal lorsqu'on le passe au-dessus des tissus. Les signaux émis par les cellules du sang circulant sont enregistrés sous forme d'échos. La profondeur jusqu'à laquelle le Doppler peut déceler le débit sanguin est déterminée par sa fréquence en mégahertz (MHz). Plus la fréquence est faible, plus le signal peut pénétrer en profondeur dans les tissus. Pour évaluer les pouls périphériques, on utilise une fréquence de 5 à 10 MHz.

Lorsqu'on veut évaluer les membres inférieurs, il faut installer la personne en position horizontale – la tête du lit étant surélevée de 20 à 30 degrés –, les jambes tournées vers l'extérieur, dans la mesure du possible, pour permettre l'accès

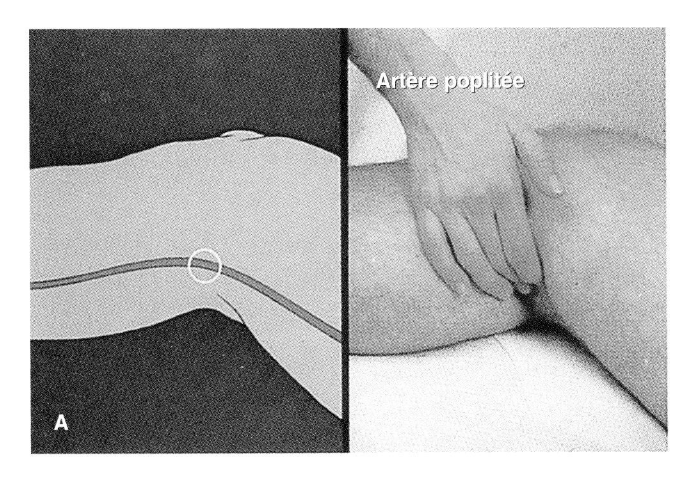

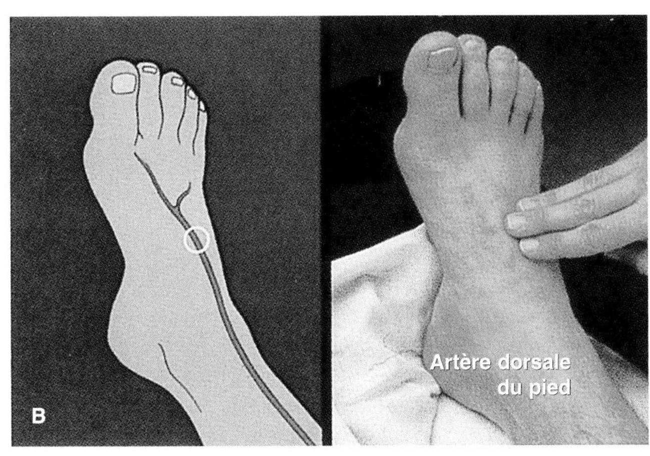

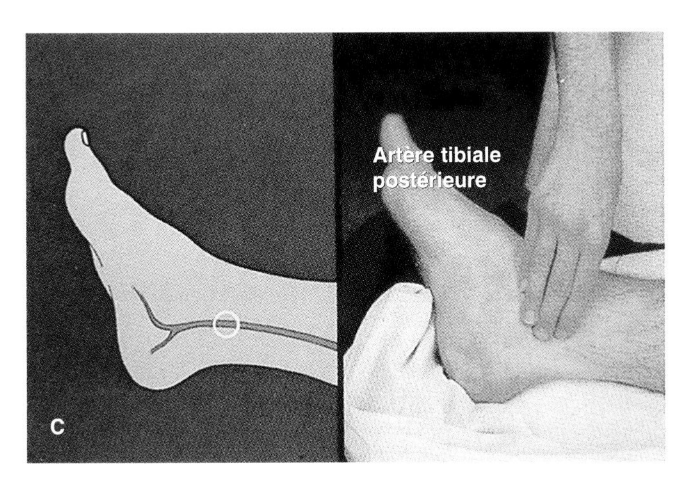

FIGURE 33-2 ■ Évaluation des pouls périphériques: **(A)** pouls poplité; **(B)** pouls pédieux; **(C)** pouls tibial postérieur.

à la malléole interne. On applique ensuite un gel acoustique sur la peau afin d'uniformiser la transmission des ondes ultrasonores (il ne faut pas appliquer le gel utilisé pour les échocardiographies, car il renferme du sodium, substance qui pourrait dissoudre la résine époxyde couvrant l'extrémité de la sonde). On place l'extrémité du Doppler à un angle de 45 à 60 degrés par rapport à l'emplacement présumé de l'atteinte artérielle et on modifie lentement l'angle pour déceler le débit artériel. Il ne faut pas appliquer une trop forte pression, car les artères fortement atteintes peuvent s'oblitérer même lorsque la pression est minime.

Puisque l'appareil peut déceler le débit sanguin même en présence d'une artériopathie grave, particulièrement si une circulation collatérale s'est formée, le signal émis ne fait qu'établir la présence du débit sanguin. Toutefois, si aucun signal ne peut être décelé alors qu'il était présent à l'examen précédent, il faut en informer le médecin, car il s'agit d'une observation cliniquement pertinente.

Le Doppler (figure 33-3 ■) devient un outil clinique encore plus utile lorsqu'on mesure en même temps la pression artérielle au niveau des chevilles, ce qui permet d'établir l'**indice de pression systolique (IPS)**, aussi appelé **indice tibiobrachial (ITB)**. L'IPS est le rapport entre la pression systolique prise à la cheville et la pression systolique prise au bras. C'est un indicateur objectif de l'artériopathie; il permet à l'infirmière de quantifier le degré de sténose. Au fur et à mesure que l'artère se rétrécit, on note une baisse graduelle de la pression systolique distale aux endroits affectés par la maladie.

Pour établir l'IPS, la personne doit rester couchée (et non assise) pendant au moins 5 minutes. L'infirmière installe un brassard de taille appropriée (habituellement de 10 à 12 cm) autour de la cheville de la personne, au-dessus de la malléole. Lorsqu'elle décèle un signal au niveau des artères tibiale postérieure et dorsale du pied, elle mesure la pression systolique aux deux chevilles (emplacement du pouls tibial postérieur). La pression diastolique ne peut être mesurée à l'aide du Doppler. Si l'on ne peut prendre la pression au niveau de ces artères, on peut la mesurer au niveau de l'artère péronière à la hauteur de la cheville (figure 33-4 ■).

On peut aussi mesurer par échographie Doppler la pression au niveau des bras. Il faut la prendre aux deux bras, car la personne pourrait présenter une sténose asymptomatique de l'artère sous-clavière, se traduisant du côté touché par une

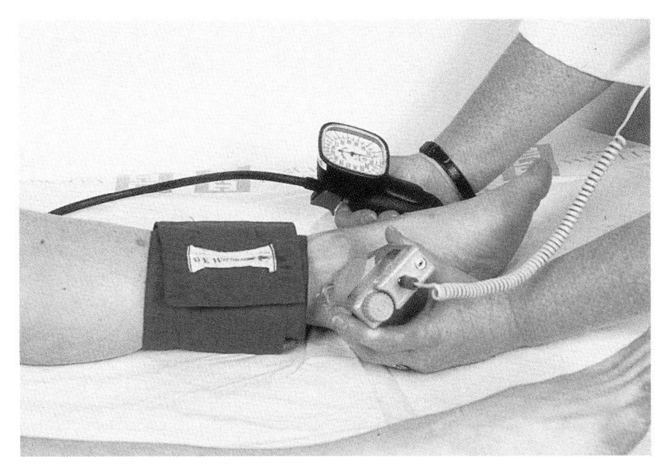

FIGURE 33-3 ■ Le Doppler continu permet de déceler le débit sanguin dans les vaisseaux périphériques; associée à la prise de la pression aux chevilles ou aux bras, cette technique permet de déterminer la gravité de l'affection vasculaire périphérique.
SOURCE: K. Cantwell-Gab (1996). Identifying chronic PAD. *American Journal of Nursing, 96* (1), 40-46.

pression brachiale inférieure à la pression systémique d'au moins 20 mm Hg. Une pression artérielle anormalement basse (< 90 mm Hg) ne devrait pas servir à l'évaluation.

Pour calculer l'IPS, on divise la pression systolique, mesurée à chaque cheville, par la valeur la plus élevée des deux pressions brachiales systoliques.

On trouvera plus d'informations à ce sujet à l'encadré 33-2 ■. On peut calculer l'IPS de la personne dont les pressions systoliques sont les suivantes:

Brachiale droite	160 mm Hg
Brachiale gauche	120 mm Hg
Tibiale postérieure droite	80 mm Hg
Dorsale du pied droit	60 mm Hg
Tibiale postérieure gauche	100 mm Hg
Dorsale du pied gauche	120 mm Hg

La pression systolique la plus élevée prise à chaque cheville (80 mm Hg du côté droit et 120 mm Hg du côté gauche) est divisée par la pression brachiale la plus élevée (160 mm Hg).

Côté droit	80/160 mm Hg = 0,50 (indice de pression systolique)
Côté gauche	120/160 mm Hg = 0,75 (indice de pression systolique)

En général, la pression systolique mesurée à la cheville d'une personne en bonne santé est la même, ou légèrement plus élevée, que la pression systolique brachiale, ce qui donne un indice de pression systolique d'environ 1,0 (insuffisance artérielle absente). Les personnes atteintes de claudication intermittente ont un IPS de 0,95 à 0,50 (insuffisance légère à modérée); les personnes présentant une douleur ischémique au repos ont un IPS de moins de 0,50 et celles qui sont atteintes d'ischémie grave ou de nécrose tissulaire ont un indice de 0,25 ou moins.

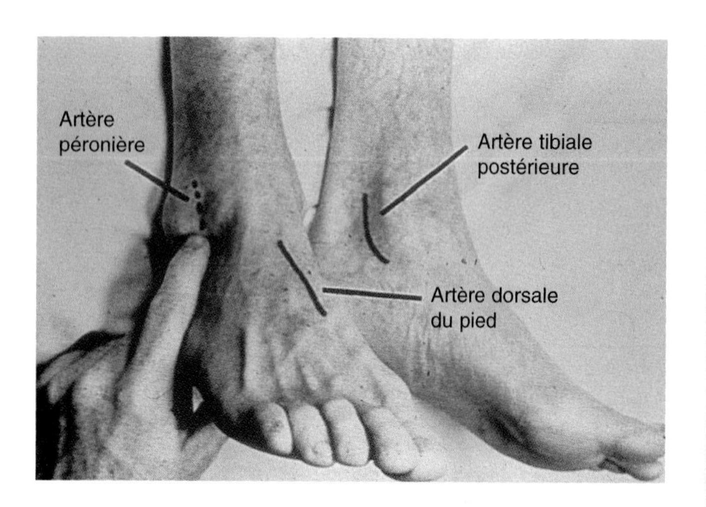

FIGURE 33-4 ■ Emplacement de l'artère péronière; malléole externe. SOURCE: K. Cantwell-Gab (1996). Identifying chronic PAD, *American Journal of Nursing, 96* (1), 40-46.

ÉPREUVE D'EFFORT

L'épreuve d'effort permet d'établir la distance que peut parcourir la personne et de mesurer en même temps sa pression systolique à la cheville. La personne doit marcher sur un tapis roulant à une vitesse de 2,5 kilomètres à l'heure, sur un plan présentant une inclinaison de 10 %, pendant 5 minutes au maximum. La plupart des personnes sont capables de mener l'épreuve à terme, sauf si elles sont atteintes de graves problèmes cardiaques, pulmonaires ou orthopédiques, ou si elles sont handicapées. On considère que le résultat est normal si la pression mesurée à la cheville après l'effort ne s'abaisse que peu, ou pas du tout. Toutefois, si la personne présente une véritable claudication, la pression artérielle

ENCADRÉ 33-2

Comment éviter les erreurs courantes dans le calcul de l'indice de pression systolique

Pour calculer avec précision l'IPS, il faut prendre les précautions suivantes:

- *Utiliser un brassard de taille appropriée.* Pour obtenir une mesure correcte de la pression artérielle, il faut utiliser un brassard dont la chambre pneumatique mesure en largeur au moins 40 % de la circonférence du membre et en longueur au moins 80 %.
- *Inscrire au dossier la taille du brassard utilisé* (par exemple, brassard de 12 cm pour mesurer la tension brachiale, brassard de 10 cm pour mesurer la tension aux chevilles). Le risque d'écart dans les mesures de l'IPS prises par différentes infirmières s'en trouve ainsi diminué.
- *Gonfler suffisamment le brassard.* Pour s'assurer que l'artère est parfaitement oblitérée et que les mesures sont aussi précises que possible, il faut gonfler le brassard de 20 à 30 mm Hg au-delà du point où le dernier signal artériel a été décelé.
- *Ne pas dégonfler le brassard trop rapidement.* Il faut dégonfler le brassard à une vitesse de 2 à 4 mm Hg par seconde chez les personnes ne présentant pas d'arythmie et de 2 mm Hg par seconde ou moins chez les personnes atteintes d'arythmie. Si le brassard est dégonflé plus rapidement, on risque de ne pas repérer la pression artérielle la plus élevée et d'inscrire au dossier une mesure erronée (trop basse).
- *Se méfier d'une pression inférieure à 40 mm Hg.* Cela peut signifier qu'on a confondu les signaux veineux et artériel. Si la pression artérielle, qui est normalement de 120 mm Hg, est inférieure à 40 mm Hg, il faut demander à une collègue de reprendre la mesure avant de l'inscrire au dossier.
- *Penser à une médiacalcose lorsque l'IPS est inférieur à 1,3 ou la pression aux chevilles supérieure à 300 mm Hg.* La médiacalcose est associée au diabète, à l'insuffisance cardiaque chronique et à l'hyperparathyroïdie. Elle entraîne des pressions faussement élevées aux chevilles à cause de la calcification de la média des artères, ce qui rend ces dernières incompressibles.

SOURCE: K. Cantwell-Gab (1996). Identifying chronic PAD. *American Journal of Nursing, 96,* (1), 40-46.

chute. Ces données hémodynamiques, associées à la durée de la marche, permettent au médecin de déterminer si une intervention est nécessaire ou pas.

ULTRASONOGRAPHIE EN DUPLEX

L'**ultrasonographie en duplex** est une méthode d'exploration qui associe l'échographie en mode B – laquelle permet de visualiser par contraste de brillance des tissus, des organes et des vaisseaux sanguins (artériels et veineux) – au Doppler – lequel permet de mesurer la vitesse du débit sanguin (figure 33-5 ▪). Pour écourter l'examen, on peut utiliser une technique d'imagerie recourant à des signaux de couleur qui font voir la direction du flux dans les vaisseaux. Cet examen aide à déterminer la gravité et l'étendue de l'affection, et il est communément employé pour évaluer le système veineux. Grâce à cette technique, on peut visualiser et évaluer le flux sanguin dans les vaisseaux distaux, distinguer une sténose d'une occlusion, et déterminer la morphologie anatomique et la signification hémodynamique de la plaque causant la sténose. Les résultats de l'ultrasonographie en duplex aident à planifier le traitement et à en évaluer les effets. De plus, il s'agit d'un examen non effractif, n'exigeant pas de préparation particulière pour la personne. L'appareil étant portatif, on peut facilement le déplacer. Il est d'une grande utilité lors du premier diagnostic et des examens de suivi.

TOMODENSITOMÉTRIE

La tomodensitométrie, aussi appelée tomographie axiale assistée par ordinateur (TACO), permet d'obtenir des images de coupes transversales des tissus mous et de repérer les zones où il y a des variations de volume dans un membre, ainsi que le compartiment dans lequel ces variations se produisent. Par exemple, un lymphœdème au niveau d'un bras ou d'une jambe donne une image de tissus sous-cutanés en nid d'abeille.

Lors de la tomodensitométrie hélicoïdale, l'appareil tourne autour de la personne pendant le balayage. Les images obtenues se chevauchent et sont reliées les unes aux autres dans une spirale continue (Verta et Verta, 1998). Même si la durée du balayage est courte, la personne est exposée à des rayons X et on doit lui injecter un produit de contraste pour bien visualiser les vaisseaux sanguins. Grâce à un logiciel, les images en coupe reprennent une forme tridimensionnelle, ce qui permet de les faire pivoter et de les observer sous divers angles.

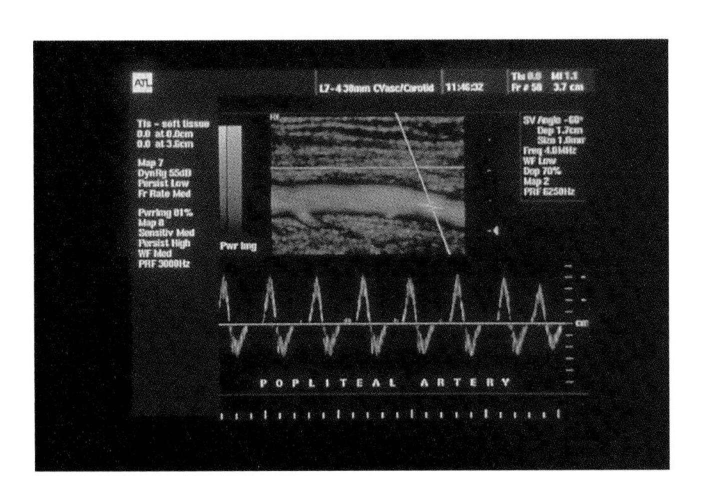

FIGURE 33-5 ▪ Image en duplex par signaux de couleur de l'artère poplitée, obtenue au moyen d'un Doppler triphasique normal.

ANGIOGRAPHIE PAR TOMODENSITOMÉTRIE

Lors d'une angiographie par tomodensitométrie, après perfusion rapide d'un produit de contraste, un tomodensitomètre hélicoïdal permet d'obtenir des images en coupe très mince (1 mm) de la zone ciblée. Ces images sont en trois dimensions et ressemblent beaucoup à celles d'un angiogramme courant (Verta et Verta, 1998). L'examen permet de visualiser l'aorte et les principales artères viscérales mieux que les vaisseaux de plus petit calibre. La durée du balayage est habituellement de 20 à 30 secondes. Parce qu'il est nécessaire d'employer une grande quantité de produit de contraste, ce type d'angiographie est contre-indiqué chez les personnes allergiques aux produits de contraste ou chez celles qui présentent une insuffisance rénale marquée.

ANGIOGRAPHIE PAR RÉSONANCE MAGNÉTIQUE

Pour réaliser une angiographie par résonance magnétique (angio-IRM), on doit recourir à un appareil d'IRM ordinaire, mais doté d'un logiciel de traitement de l'image et programmé de façon à repérer les vaisseaux sanguins. Lorsqu'elles sont reconstruites, les images ressemblent à celles d'un angiogramme ordinaire. Cependant, parce qu'elles sont tridimensionnelles, on peut les faire pivoter et les examiner sous plusieurs angles. Comme il n'est pas nécessaire d'injecter un produit de contraste, cet examen est utile chez les personnes atteintes d'insuffisance rénale ou chez celles qui sont allergiques aux produits de contraste. La durée du balayage est longue et les artefacts dus aux mouvements sont courants, raison pour laquelle cet examen n'est utile que pour la visualisation de segments relativement courts du réseau vasculaire (Verta et Verta, 1998).

ARTÉRIOGRAPHIE DES MEMBRES INFÉRIEURS

L'artériographie des membres inférieurs permet de confirmer le diagnostic d'artériopathie obstructive lorsqu'on envisage d'effectuer une chirurgie ou d'autres interventions. Pour visualiser les vaisseaux, il faut injecter un produit de contraste directement dans le réseau vasculaire et faire immédiatement des radiographies en série. On peut ainsi repérer l'emplacement d'une occlusion vasculaire ou d'un **anévrisme** (dilatation anormale d'un vaisseau sanguin) ainsi que la présence d'une circulation collatérale. Les personnes éprouvent habituellement une sensation de chaleur passagère au moment de l'injection du produit de contraste et peuvent présenter une irritation au point d'injection. Il peut arriver, mais c'est rare, que la personne manifeste une réaction allergique immédiate ou différée due à l'iode qui entre dans la composition du produit de contraste. Ce type de réaction peut se traduire par de la dyspnée, des nausées et des vomissements, de la sudation, de la tachycardie et un engourdissement des membres. N'importe lequel de ces symptômes doit être signalé immédiatement au médecin. Pour traiter cette réaction, on doit administrer l'un ou plusieurs des produits suivants: épinéphrine (adrénaline), antihistaminiques ou corticostéroïdes. Cet examen comporte aussi d'autres risques: lésions des vaisseaux, saignements et complications cardiovasculaires (accident ischémique cérébral, AVC).

Pléthysmographie à air

La pléthysmographie à air est ainsi nommée en raison des chambres à air qui entourent le mollet et qui sont calibrées après avoir été remplies d'une quantité déterminée d'air. La pléthysmographie à air permet de quantifier le retour veineux et la capacité du muscle du mollet d'exercer son rôle de pompe. Les variations de volume sont mesurées alors que la personne adopte diverses positions: (1) les jambes surélevées; (2) couchée; (3) debout; (4) sur la pointe des pieds. La pléthysmographie à air permet d'obtenir des données sur la durée du remplissage des veines, sur le volume veineux fonctionnel, le volume éjecté et le volume résiduel. Elle est utile lorsqu'on soupçonne une insuffisance valvulaire ou une insuffisance veineuse chronique.

Phlébographie de contraste

La phlébographie de contraste, aussi appelée veinographie, peut être réalisée après injection d'un produit de contraste dans une veine dorsale du pied. Si un thrombus s'est formé, l'image radiologique montre un segment vide dans une veine par ailleurs remplie. L'injection du produit de contraste entraîne une inflammation brève, mais douloureuse, de la veine. Cette intervention est habituellement effectuée chez la personne qui recevra un traitement thrombolytique, mais l'ultrasonographie en duplex est maintenant considérée comme la meilleure méthode de diagnostic de la thrombose veineuse.

Lymphographie

La lymphographie permet de déceler dans quelle mesure les ganglions lymphatiques sont atteints en cas de cancer avec métastases, de lymphome ou d'infection touchant des endroits qui ne sont accessibles que par la chirurgie. Pour effectuer cet examen, on injecte un produit de contraste dans un vaisseau lymphatique de chacun des pieds (ou de chacune des mains). Vingt-quatre heures après l'injection et, selon les indications, à intervalles réguliers par la suite, on prend une série de radiographies. L'impossibilité de visualiser l'accumulation lymphatique sous-cutanée du produit de contraste et la présence du produit de contraste dans les tissus pendant plusieurs jours après l'injection aident à confirmer le diagnostic de lymphœdème.

Lymphoscintigraphie

La lymphoscintigraphie représente une solution de rechange fiable à la lymphographie. On injecte un colloïde radiomarqué par voie sous-cutanée dans le deuxième espace interdigital; on fait ensuite mouvoir le membre pour stimuler le captage du colloïde par le système lymphatique. Une série d'images est obtenue à des intervalles prédéterminés. Aucune réaction indésirable n'a été signalée lors de ce type d'examen.

Affections artérielles

Artériosclérose et athérosclérose

L'**artériosclérose**, ou *durcissement des artères,* est le type d'artériopathie le plus courant. C'est un processus diffus, qui se caractérise par l'épaississement des fibres musculaires et du revêtement endothélial tapissant les parois des artères de petit calibre et des artérioles. L'**athérosclérose**, qui constitue un autre type de processus, touche l'intima des artères de gros et de moyen calibre. Elle se manifeste par l'accumulation de lipides, de calcium, de composants du sang, de glucides et de tissus fibreux sur l'intima de l'artère. Ce genre de dépôt se nomme athérome, ou plaque.

Bien que les processus pathologiques de l'artériosclérose et de l'athérosclérose diffèrent, il est rare que ces affections surviennent l'une sans l'autre; ces termes sont souvent utilisés de façon interchangeable. Puisque l'athérosclérose est une artériopathie généralisée, si elle est présente dans les membres, elle l'est habituellement aussi ailleurs dans l'organisme.

Physiopathologie

Les complications les plus courantes de l'athérosclérose sont le rétrécissement de la lumière (sténose) du vaisseau, l'obstruction par un thrombus, l'anévrisme, l'ulcération et la rupture. Parmi les répercussions indirectes, mentionnons l'apport insuffisant en nutriments et en oxygène aux organes irrigués par les artères sclérosées et la fibrose qui en découle. Toutes les cellules tissulaires actives ont besoin d'un apport abondant en nutriments et en oxygène, et elles réagissent à toute carence à cet égard. Si ces carences sont importantes et permanentes, les cellules font l'objet d'une nécrose tissulaire (mort des cellules en raison d'une irrigation insuffisante) et elles sont remplacées par des tissus fibreux qui n'exigent pas d'être irrigués de façon aussi importante.

L'athérosclérose peut se manifester n'importe où dans l'organisme, mais certains vaisseaux sont plus vulnérables, particulièrement aux endroits où ils bifurquent ou forment des ramifications. Dans le tiers inférieur de l'abdomen et dans la partie proximale des membres inférieurs, les vaisseaux les plus vulnérables sont l'aorte abdominale distale, les artères iliaques communes, l'orifice des artères fémorales superficielles et profondes ainsi que l'artère fémorale superficielle. Dans la partie distale du genou, l'athérosclérose peut s'installer n'importe où le long de l'artère poplitée. Dans cette zone, aucun segment – notamment les bifurcations artérielles – n'est plus sujet qu'un autre à l'athérosclérose.

Sur le plan morphologique, il existe deux types de lésions athéroscléreuses, soit les stries lipidiques et les plaques fibreuses. Les stries lipidiques sont jaunes et lisses; elles font légèrement saillie dans la lumière de l'artère. Elles sont composées de lipides et de cellules musculaires lisses et allongées. On a observé ce type de lésions dans les artères de personnes appartenant à tous les groupes d'âge, y compris des nourrissons. Il n'a pas été établi si ces stries lipidiques prédisposent à la formation de plaques fibreuses ou si elles sont réversibles. Habituellement, elles ne se manifestent pas par des symptômes cliniques.

Les plaques fibreuses qui caractérisent l'athérosclérose sont composées de cellules musculaires lisses, de fibres de collagène, de composants plasmatiques et de lipides. Elles sont de couleur blanche ou jaunâtre et elles font plus ou moins saillie dans la lumière artérielle, allant jusqu'à l'obstruer totalement. On les trouve surtout dans l'aorte abdominale, de même que dans les artères coronaires, poplitées et carotides internes (figure 33-6 ■).

Ce type de lésion progresse au fil du temps et les traitements dont nous disposons à l'heure actuelle ne permettent pas de renverser le cours de l'affection (figure 33-7 ■). Le rétrécissement graduel de la lumière artérielle durant l'évolution de l'affection favorise la formation d'une circulation collatérale (figure 33-8 ■). Celle-ci provient de vaisseaux existants qui s'élargissent pour faire dévier le flot sanguin en cas de sténose ou d'occlusion marquée. Le flot collatéral continue d'irriguer

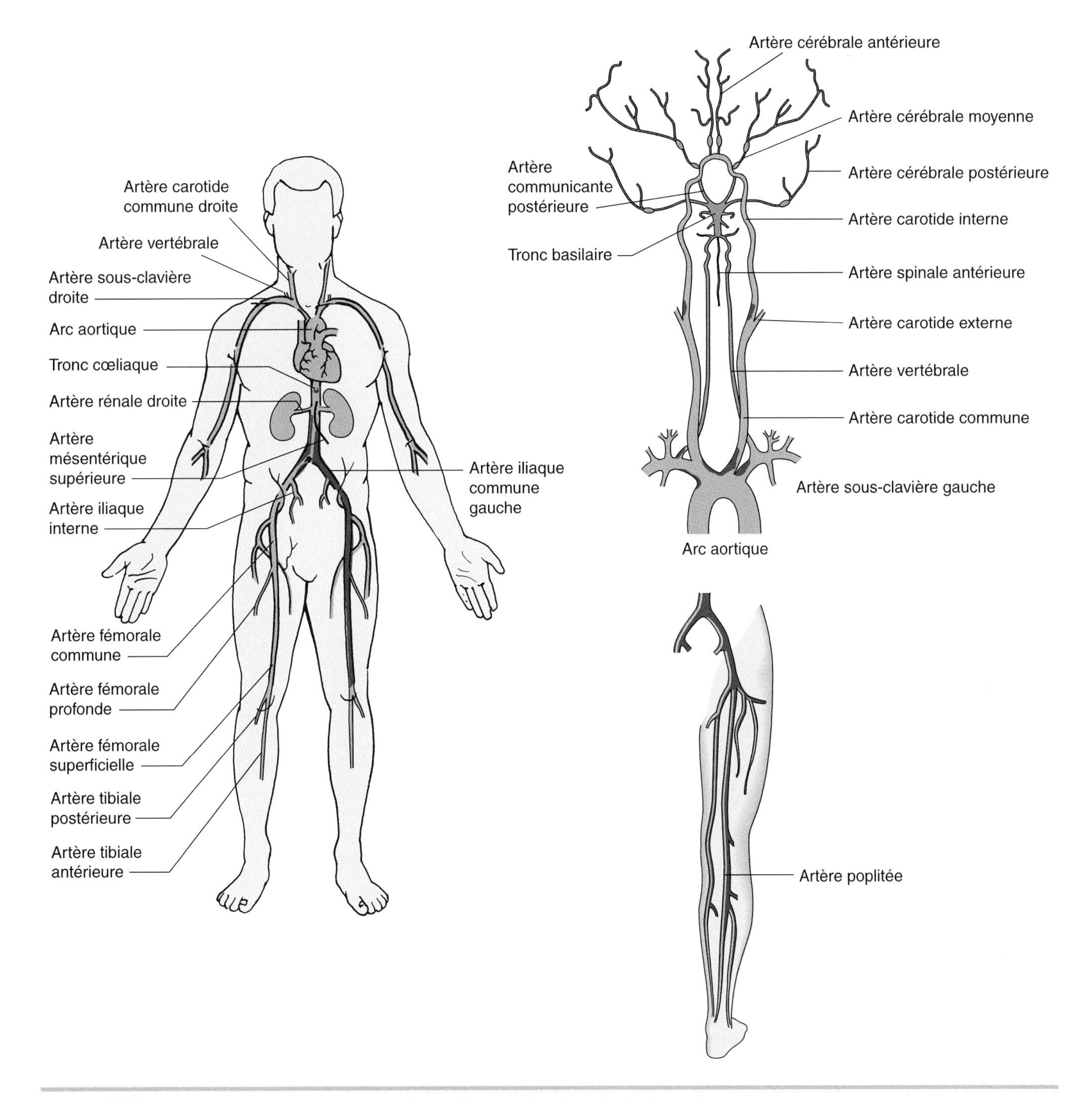

FIGURE 33-6 ■ Sièges habituels des occlusions athéroscléreuses dans les principales artères.

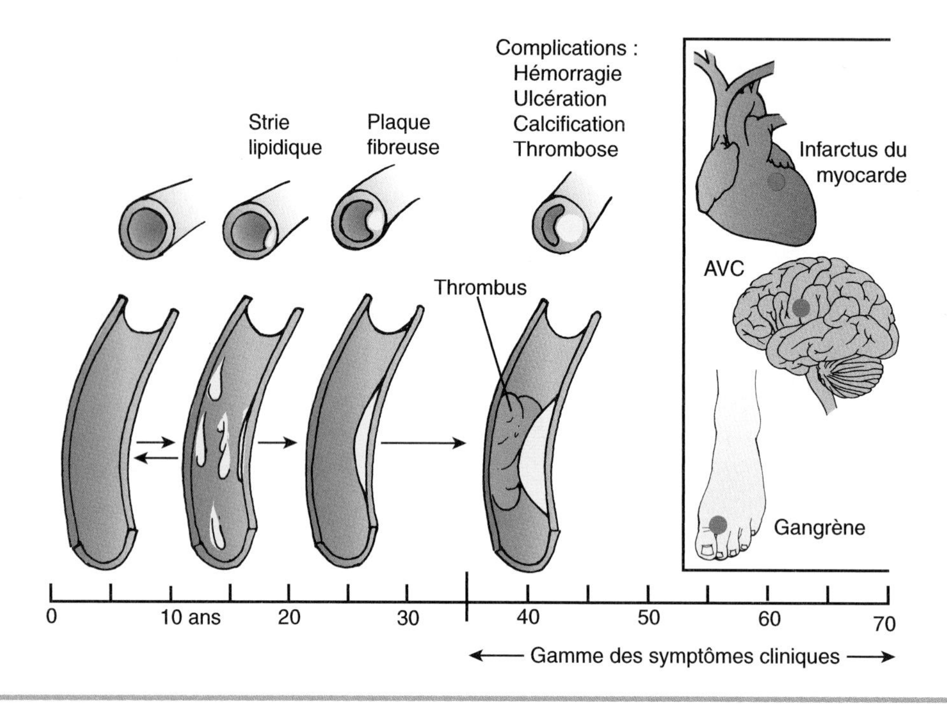

FIGURE 33-7 ■ Illustration schématique de l'évolution de l'athérosclérose. Les stries lipidiques représentent l'une des premières lésions caractéristiques de l'athérosclérose. Bon nombre de stries lipidiques régressent, alors que d'autres évoluent pour devenir des plaques fibreuses et, en fin de compte, une plaque d'athérome. Cette dernière peut être compliquée par des hémorragies, des ulcérations, une calcification ou une thrombose pouvant mener à un infarctus du myocarde, à un AVC ou à la gangrène.

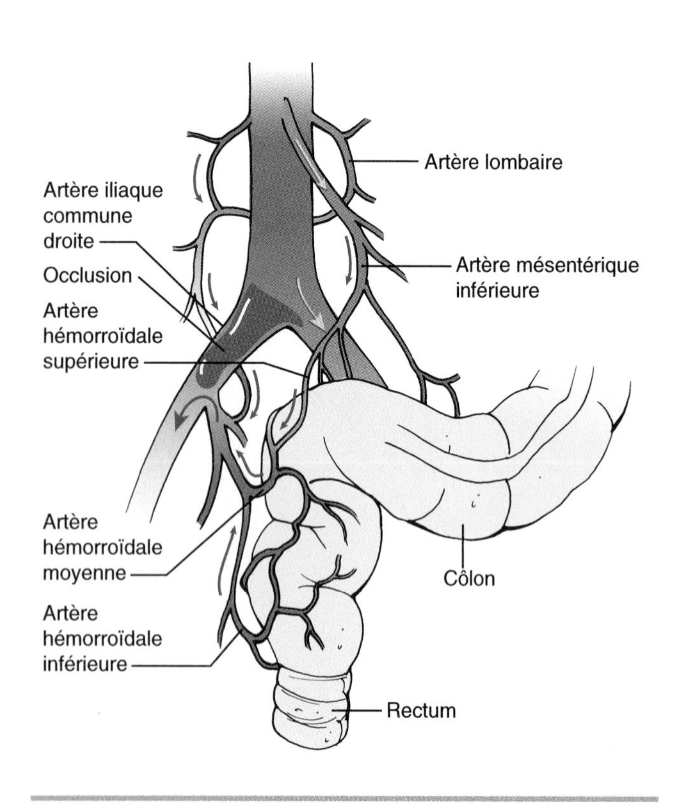

FIGURE 33-8 ■ Mise en place d'un réseau de circulation collatérale afin de compenser l'occlusion présente dans l'artère iliaque commune droite et dans la ramification du dernier segment de l'aorte.

les tissus en aval de l'occlusion, mais ne peut en général pas en combler les besoins métaboliques, ce qui débouche sur l'ischémie de ces tissus.

Facteurs de risque

Un grand nombre de facteurs de risque prédisposent à l'athérosclérose (encadré 33-3 ■). Bien qu'on ne puisse pas affirmer que le fait d'influer sur ces facteurs de risque peut prévenir l'apparition d'une maladie cardiovasculaire, certaines données probantes indiquent que de telles modifications pourraient en ralentir l'évolution. Certains facteurs de risque, tels l'âge ou le sexe, ne peuvent être modifiés.

L'usage du tabac pourrait représenter le plus important facteur de risque en ce qui concerne la formation de lésions athéroscléreuses. La nicotine diminue le débit du sang qui irrigue les membres; elle élève la fréquence cardiaque et la pression artérielle en stimulant le système nerveux sympathique, ce qui entraîne une vasoconstriction. Elle accroît aussi le risque de formation d'un caillot en favorisant l'agrégation plaquettaire. Le monoxyde de carbone, toxine produite par le tabac en combustion, se lie plus facilement à l'hémoglobine que l'oxygène, privant ainsi d'oxygène les tissus. La quantité de tabac consommée est directement reliée à l'aggravation de l'affection. L'abandon du tabac atténue le risque. De nombreux autres facteurs, tels que l'obésité, le stress et la sédentarité, contribuent aussi à l'évolution de l'affection.

Prévention

La claudication intermittente est un signe d'athérosclérose généralisée et pourrait être un indicateur de la présence d'une

ENCADRÉ 33-3

FACTEURS DE RISQUE

Athérosclérose

FACTEURS MODIFIABLES
- Usage de nicotine (cigarettes, tabac à chiquer, par exemple)
- Alimentation (contribuant à l'hyperlipidémie)
- Hypertension
- Diabète (accélérant l'évolution de l'athérosclérose par l'épaississement des membranes basales des vaisseaux de gros et de petit calibre)
- Stress
- Sédentarité

FACTEURS NON MODIFIABLES
- Âge
- Sexe

coronaropathie. Puisqu'on croit qu'une alimentation riche en graisses contribue à l'athérosclérose, il est logique de mesurer les taux de cholestérol sérique et de prendre des mesures préventives. Pour réduire le risque de cardiopathie, la Fondation des maladies du cœur du Canada recommande de restreindre la consommation de graisses en remplaçant les graisses saturées par des graisses non saturées et en limitant l'apport de cholestérol à 300 mg par jour.

Pour réduire les taux sanguins de lipides, on peut ajouter certains médicaments aux modifications de l'alimentation et à un programme d'exercice. De nouvelles données montrent que ces médicaments peuvent ralentir l'évolution de l'affection artérielle périphérique et qu'ils peuvent abaisser le taux de mortalité par maladie cardiovasculaire. On prescrit plusieurs types de médicaments pour prévenir l'athérosclérose, notamment les chélateurs des acides biliaires (cholestyramine [Questran] ou colestipol [Colestid]), l'acide nicotinique (niacine, vitamine B_3), les statines (atorvastatine [Lipitor], fluvastatine [Lescol], lovastatine [Mévacor], pravastatine [Pravachol], rosuvastatine [Crestor], simvastatine [Zocor]) et les fibrates (bézafibrate [Bézalip SR], fénofibrate [Lipidil], gemfibrozil [Lopid]). Les personnes recevant un traitement de longue durée au moyen de ces médicaments doivent être suivies de près. L'hypertension, qui peut accélérer la vitesse à laquelle les lésions athéroscléreuses se forment dans les vaisseaux soumis à une forte pression, peut entraîner un AVC, un ICT, une insuffisance rénale, une artériopathie oblitérante périphérique grave ou une coronaropathie. Les résultats de vastes essais randomisés révèlent une réduction marquée de la fréquence des infarctus du myocarde, des AVC et des décès par atteinte cardiovasculaire lorsque la pression artérielle est abaissée et maintenue à 140/90 mm Hg ou moins (Moser, 1999; McAlister *et al.*, 2001).

Bien qu'on n'ait repéré aucun facteur de risque auquel on puisse attribuer, à lui seul, l'apparition d'une maladie cardiovasculaire athéroscléreuse, il est clair que plus le nombre de facteurs présents est important, plus le risque de maladie est élevé. On recommande fortement d'éliminer tous les facteurs de risque modifiables, et particulièrement de renoncer au tabac.

Manifestations cliniques

Les signes et symptômes cliniques de l'athérosclérose dépendent de l'organe ou du tissu touché. L'athérosclérose coronarienne, l'angine et l'infarctus aigu du myocarde ont été traités au chapitre 30 (CD). Les affections vasculaires cérébrales, notamment les accidents ischémiques et les AVC, font l'objet du chapitre 65 (CD). L'athérosclérose de l'aorte, de même que l'anévrisme et les lésions athéroscléreuses des membres, seront présentées plus loin dans ce chapitre. L'affection rénovasculaire (sténose de l'artère rénale et insuffisance rénale terminale) sera abordée au chapitre 47 (CD).

Traitement médical

On traite généralement l'athérosclérose en modifiant les facteurs de risque, en prescrivant un programme d'exercice supervisé dont l'objectif est d'améliorer la circulation et d'accroître la capacité fonctionnelle, en administrant des médicaments et en effectuant des pontages.

Traitement chirurgical

Les chirurgies vasculaires se divisent en deux groupes: les interventions qui visent à faire passer le sang de l'aorte à l'artère fémorale et celles qui visent à approvisionner en sang les vaisseaux situés en aval de l'artère fémorale. Les interventions du premier type seront présentées en même temps que les affections de l'aorte, tandis que celles du deuxième type seront abordées en même temps que l'insuffisance artérielle périphérique chronique.

Interventions radiologiques

De nombreuses techniques radiologiques s'ajoutent aux interventions chirurgicales et constituent donc d'importants traitements d'appoint. Si l'on décèle une ou plusieurs lésions isolées lors de l'artériographie, on peut pratiquer une **angioplastie**, aussi appelée angioplastie transluminale percutanée. Après l'administration d'un anesthésique local, on fait passer par la région sténosée une sonde munie d'un ballonnet à son extrémité. Le mode d'action exact de l'angioplastie fait l'objet de discussions. D'après certains spécialistes, elle améliorerait le débit sanguin en étirant (et, par le fait même, en dilatant) les fibres élastiques du segment artériel sain, mais la plupart des cliniciens croient que cette intervention permet d'élargir la lumière artérielle en morcelant la plaque et en aplatissant les fragments contre la paroi du vaisseau (chapitre 30 (CD)). L'angioplastie peut entraîner les complications suivantes: formation d'un hématome, embolie, **dissection** (séparation de l'intima) du vaisseau et hémorragie. Pour atténuer le risque de réocclusion, on peut poser un tuteur, aussi appelé endoprothèse vasculaire ou *stent* (petit cylindre fait de mailles tissées de nitinol, de titane ou d'acier inoxydable), pour soutenir les parois des vaisseaux sanguins et pour empêcher qu'ils s'affaissent immédiatement après le gonflement du ballonnet (figure 33-9 ■). On peut utiliser diverses endoprothèses pour corriger la sténose des segments courts.

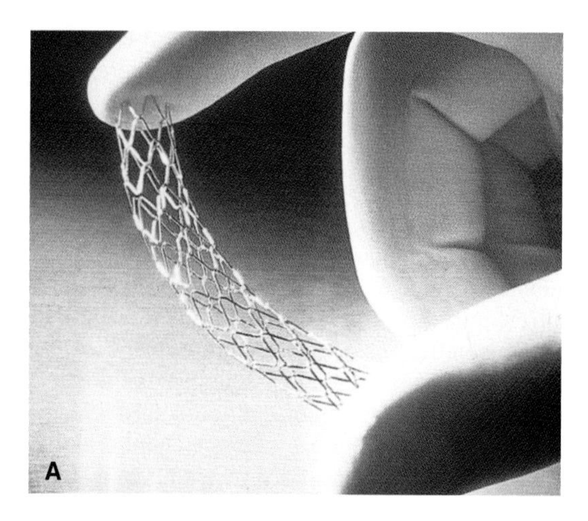

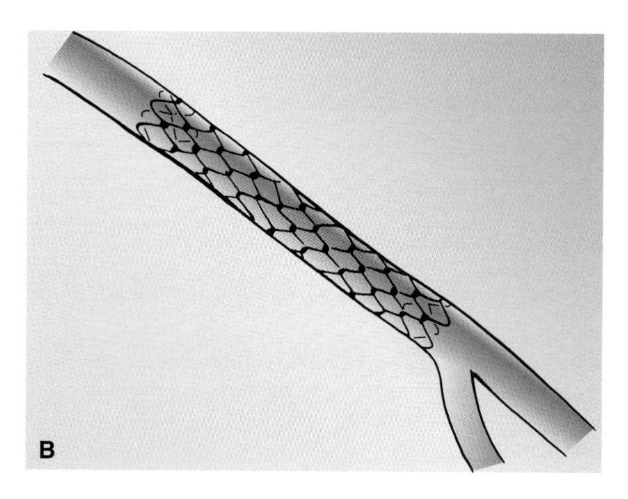

FIGURE 33-9 ■ (A) Tuteur souple. SOURCE : Medtronics, Peripheral Division, Santa Rosa, Californie.
(B) Tuteur introduit dans une artère iliaque commune (Wallstent ; Boston Scientific).

Parmi les complications associées aux tuteurs ou aux endoprothèses, mentionnons la formation d'un embole distal et la lésion de l'intima (dissection). L'avantage de l'angioplastie, des tuteurs et des endoprothèses, c'est qu'ils n'exigent qu'une très courte hospitalisation, bon nombre de ces interventions pouvant même être effectuées en consultation externe.

ARTÉRIOPATHIE OBLITÉRANTE CHRONIQUE

L'artériopathie oblitérante chronique (AOC), ou insuffisance artérielle chronique, se manifeste habituellement chez les personnes qui ont plus de 50 ans, le plus souvent chez les hommes. Bien que les jambes soient davantage affectées, les membres supérieurs peuvent l'être aussi. La gravité de l'affection et l'âge à laquelle elle s'installe dépendent du type et du nombre de facteurs de risque d'athérosclérose (encadré 33-5 ■). L'AOC se caractérise par la présence de lésions oblitérantes, confinées surtout à des segments du réseau artériel se situant entre l'aorte (au-dessous des artères rénales) et l'artère poplitée. Cependant, les personnes atteintes de diabète et les personnes âgées peuvent être affectées d'artériopathie oblitérante distale.

Manifestations cliniques

Le principal signe de l'affection est la claudication intermittente. Elle s'accompagne de douleur constante, de crampes, de fatigue ou de faiblesse musculaire, qui se reproduisent systématiquement au même moment d'un même type d'effort, mais qui cèdent au repos. La douleur survient couramment dans les groupes musculaires situés au niveau d'une articulation en aval du siège de l'occlusion ou de la sténose. Au fur et à mesure que l'affection évolue, le périmètre que la personne est en état de parcourir peut diminuer ou la douleur à la marche s'intensifier. Lorsque l'insuffisance artérielle devient grave, la douleur commence à survenir même au repos. Cette douleur, associée à une ischémie grave du membre distal, est persistante, lancinante ou térébrante ; elle peut devenir tellement aiguë que même les opiacés n'arrivent plus à la soulager. La douleur ischémique au repos s'aggrave habituellement la nuit au point de réveiller souvent la personne. La douleur s'accroît lorsque le membre est surélevé ou placé à l'horizontale, mais diminue s'il est déclive. Afin d'atténuer la douleur, certaines personnes dorment en laissant pendre la jambe hors du lit et d'autres dorment dans un fauteuil inclinable.

Examen clinique et examens paracliniques

La sensation de froid ou d'engourdissement au niveau des jambes, qui peut accompagner la claudication intermittente, est due au défaut d'irrigation du muscle à l'effort. À l'examen, la jambe est froide et pâle lorsqu'elle est surélevée, ou rugueuse et cyanosée lorsqu'elle est déclive. On peut noter divers changements dans les ongles et la peau, des ulcérations, de la

ENCADRÉ 33-5

FACTEURS DE RISQUE

Artériopathie oblitérante chronique

FACTEURS NON MODIFIABLES
- Âge (>50 ans)
- Sexe (masculin)
- Prédisposition familiale

FACTEURS MODIFIABLES
- Usage de nicotine (cigarettes, tabac à chiquer, par exemple)
- Hypertension
- Alimentation (favorisant l'hyperlipidémie)
- Obésité
- Sédentarité
- Stress
- Diabète

gangrène et une atrophie musculaire. On peut aussi déceler au stéthoscope des souffles traduisant la turbulence du flot sanguin qui traverse un vaisseau irrégulier, sinueux et sténosé ou un segment dilaté du vaisseau (anévrisme). Les pouls périphériques peuvent être faibles ou absents.

L'auscultation des pouls périphériques est une partie importante de l'examen visant à déceler l'artériopathie oblitérante. Des pouls de force inégale ou l'absence de pouls normalement palpables constituent un signe d'AOC. Le pouls fémoral et le pouls tibial postérieur sont les pouls les plus faciles à déceler. Le pouls poplité est parfois difficile à détecter; l'emplacement de l'artère dorsale du pied varie et le pouls pédieux est normalement absent chez 7 % des gens.

Pour déterminer la présence, le siège et l'étendue de l'artériopathie oblitérante, il faut noter l'historique des symptômes et procéder à un examen physique. Lors de cet examen, on doit noter la couleur et la température des membres et prendre les pouls. Les ongles peuvent être épaissis et opaques, la peau luisante, atrophiée et sèche, et la pilosité peu fournie. Pendant l'examen, on doit comparer les deux jambes.

Le diagnostic d'AOC peut être posé par le médecin à l'aide d'une exploration par Doppler avec mesure de l'indice de pression systolique, d'une épreuve d'effort sur tapis roulant pour évaluer la gravité de la claudication, d'une ultrasonographie Doppler ou des autres méthodes d'imagerie présentées précédemment.

Traitement médical

En général, si elle suit un programme d'exercice, la personne se sent mieux. Souvent, si ce programme est associé à la perte de poids et à l'abandon du tabac, la tolérance à l'effort peut s'accroître. On ne peut assurer à la personne que ses symptômes disparaîtront si elle arrête de fumer, car la claudication peut persister et elle risque de se démotiver.

Pharmacothérapie

On peut prescrire divers médicaments en vue de traiter les symptômes de l'AOC. Puisqu'elle accroît la souplesse des érythrocytes et réduit la viscosité du sang, la pentoxifylline (Trental) pourrait améliorer l'irrigation des muscles en sang oxygéné. Les antiagrégants plaquettaires, tels que l'aspirine, la ticlodipine (Ticlid) et le clopidogrel (Plavix), améliorent la circulation dans les artères atteintes ou préviennent l'hyperplasie de l'intima menant à la sténose. On prescrit rarement des vasodilatateurs parce que ces derniers agissent

RECHERCHE EN SCIENCES INFIRMIÈRES

L'exercice soulage-t-il la douleur associée à la claudication causée par l'AOC?

C.M. Braun, A.M. Colucci, et R.B. Patterson (1999). Components of an optimal exercise program for the treatment of patients with claudication. *Journal of Vascular Nursing, 17* (2), 32-36.

OBJECTIF

Parce que les personnes atteintes de claudication intermittente causée par l'artériopathie oblitérante chronique réduisent de plus en plus leurs activités en raison de la douleur, leur condition physique se détériore. Les personnes et les membres de leur famille signalent une diminution de la qualité de vie imputable aux limites que leur impose leur maladie. Le traitement traditionnel de la claudication causée par l'artériopathie oblitérante chronique a consisté jusqu'à présent en un pontage artériel. Cependant, on commence à recommander de plus en plus aux personnes atteintes de claudication causée par l'artériopathie oblitérante chronique d'entreprendre des programmes d'exercice. L'efficacité de l'exercice dans le traitement de cette affection a été peu explorée. Cette étude a cherché à évaluer si un programme d'exercice supervisé ainsi qu'un programme d'enseignement pouvaient accroître le périmètre de marche sans douleur et améliorer de manière générale la condition physique des personnes atteintes de claudication causée par l'artériopathie oblitérante chronique.

DISPOSITIF ET ÉCHANTILLON

Cette étude rétrospective portait sur 96 personnes ayant manifesté pendant plus de trois mois des symptômes associés à la claudication causée par l'artériopathie oblitérante chronique. Ces personnes ont participé pendant 12 semaines à un programme d'exercices cardiovasculaires et de musculation s'accompagnant de séances de formation. Dans le cadre de cette étude, 22 personnes ont été suivies pendant deux ans. Les données ont été recueillies au bout d'un an, puis au bout de deux ans après les 12 premières semaines.

RÉSULTATS

À la fin du programme de 12 semaines, la distance parcourue par les participants avait triplé. La distance maximale moyenne parcourue au début du programme était de 190 mètres et, au bout de 12 semaines, elle était passée à 580 mètres. Les 22 personnes, qui furent suivies pendant deux ans, pouvaient parcourir une distance moyenne maximale de 882 mètres et de 731 mètres, respectivement, un et deux ans après la fin du programme de 12 semaines. Les chercheurs sont arrivés à la conclusion que ces personnes étaient en état de faire les mêmes exercices et de les poursuivre après avoir mené à bien le programme de 12 semaines. Les membres de la famille ont signalé une amélioration de la santé générale et du comportement de ces personnes.

IMPLICATIONS POUR LA PRATIQUE INFIRMIÈRE

Les personnes atteintes de claudication intermittente causée par l'artériopathie oblitérante chronique peuvent tirer profit d'un programme d'exercice supervisé associé à un programme d'enseignement. Le programme d'exercice supervisé permet aux personnes atteintes de cette affection d'accroître la distance qu'elles parcourent sans que des symptômes se manifestent, d'améliorer leur qualité de vie, et d'éviter l'intervention chirurgicale ou de la retarder.

surtout sur les vaisseaux sains. Ils risquent donc de détourner le sang des vaisseaux partiellement obstrués, ce qui aggrave la situation.

Traitement chirurgical

Chez la plupart des personnes, lorsque la claudication intermittente devient grave et invalidante ou lorsque la perte tissulaire est telle que le risque d'amputation s'accroît, le pontage vasculaire ou l'endartériectomie représentent le traitement de prédilection. On choisit l'intervention chirurgicale selon la gravité et le siège de l'occlusion ou de la sténose. Il est important également de tenir compte de la santé générale de la personne et de sa capacité de supporter une longue intervention. Il est parfois nécessaire d'envisager une amputation en tant que traitement palliatif, plutôt qu'un pontage artériel. En cas d'endartériectomie, on pratique une incision dans l'artère pour exciser la portion où se trouve l'occlusion athéromateuse. On suture ensuite l'artère pour rétablir l'intégrité du vaisseau (figure 33-10 ■).

Les pontages visent à contourner la sténose ou l'occlusion. Avant de procéder au pontage, le chirurgien doit déterminer où se situera l'**anastomose** distale (endroit où il réunira les vaisseaux lors de la chirurgie). Le vaisseau distal doit être perméable à au moins 50 % pour que le greffon le demeure aussi. Si le vaisseau possède une plus grande perméabilité, la partie pontée pourra être plus courte.

Si l'occlusion athéroscléreuse est située sous le ligament inguinal de l'artère fémorale superficielle, l'intervention privilégiée est le pontage fémoropoplité. Selon l'endroit où se situe l'anastomose distale, ce type de pontage sera pratiqué en aval ou en amont du genou.

Un pontage pourrait aussi s'imposer en cas d'occlusion des vaisseaux du mollet ou de la cheville. Il arrive parfois que l'artère poplitée soit totalement obstruée et que seule une circulation collatérale persiste. L'anastomose distale peut être pratiquée sur n'importe quelle artère tibiale (postérieure, antérieure ou péronière), sur l'artère dorsale du pied ou l'artère plantaire. Le chirurgien détermine le siège de l'anastomose distale selon la facilité d'accès au vaisseau et en choisissant le vaisseau qui pourra assurer le meilleur débit au membre distal. Pour que le vaisseau soit perméable, on utilise souvent pour ce type de pontage une veine autologue (c'est-à-dire une veine de la personne). Selon la longueur de la greffe envisagée, le chirurgien choisira un segment de la grande ou de la petite saphène ou d'une saphène et d'une veine d'un membre supérieur, comme la veine céphalique.

Le laps de temps pendant lequel le greffon reste perméable dépend de bien des facteurs, entre autres de sa longueur, de son emplacement et de l'apparition d'une hyperplasie de l'intima au siège de l'anastomose. Les greffons peuvent être synthétiques ou provenir de veines autologues. Les greffons en matière synthétique sont faits de Dracon tissé ou tricoté, de polytétrafluoroéthylène étiré (Gor-Tex ou Impra, par exemple) ou de matériaux imprégnés de collagène. Les greffons de veines autologues sont, en général, des segments de la veine ombilicale. L'infection peut mettre en péril la survie du greffon et en dicte presque toujours l'excision.

En cas de pontage, il faut prendre un soin extrême en salle d'opération de ne pas endommager la veine prélevée. On la ferme à une extrémité et on la gonfle avec une solution héparinisée pour s'assurer qu'elle est étanche et qu'elle ne fuit pas. On la dépose ensuite dans une solution héparinisée pour éviter qu'elle se dessèche et devienne friable.

Soins et traitements infirmiers

Préserver la circulation

Après l'intervention, le principal objectif est de préserver le débit du sang qui traverse le greffon. Pour cela, l'infirmière doit observer les signes neurovasculaires énumérés dans l'encadré 33-6 ■. On doit comparer les données recueillies avec celles dont on dispose concernant l'autre membre et noter les observations aussi fréquemment que nécessaire (toutes les 15 minutes, par exemple), mais avec des intervalles d'une heure au plus au cours des 8 premières heures. Chez toutes les personnes qui ont subi une chirurgie vasculaire, l'évaluation

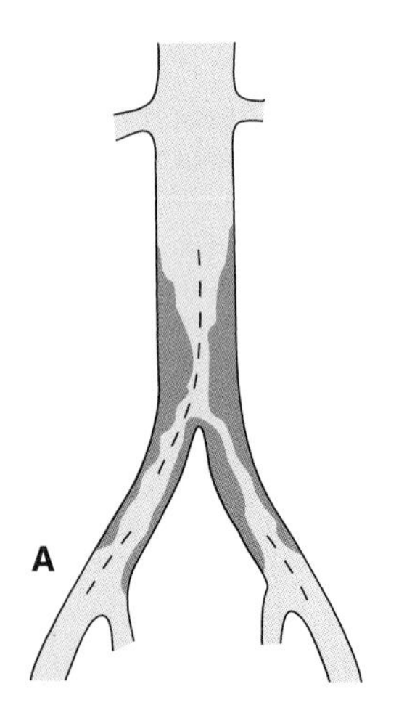

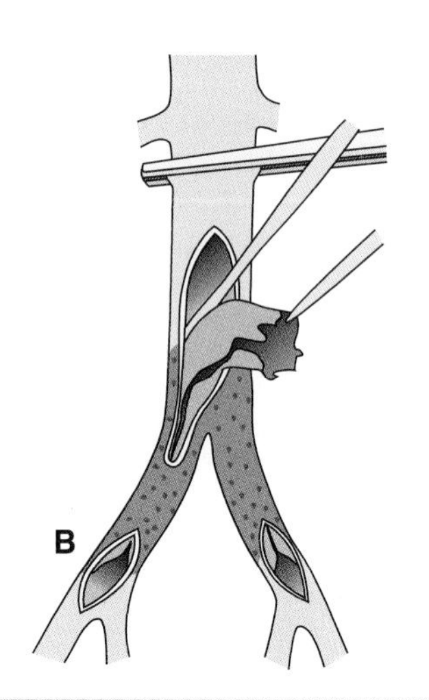

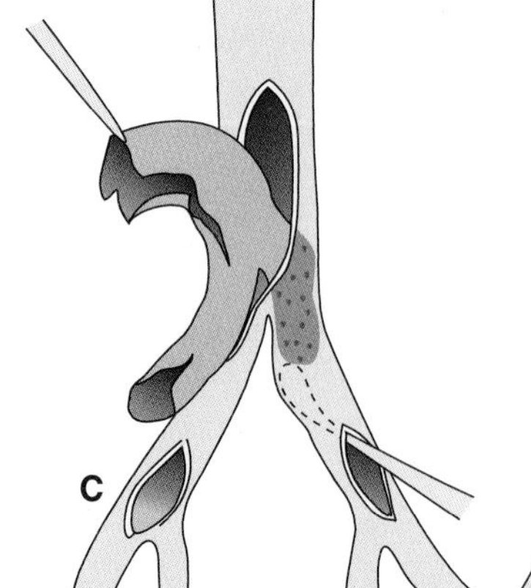

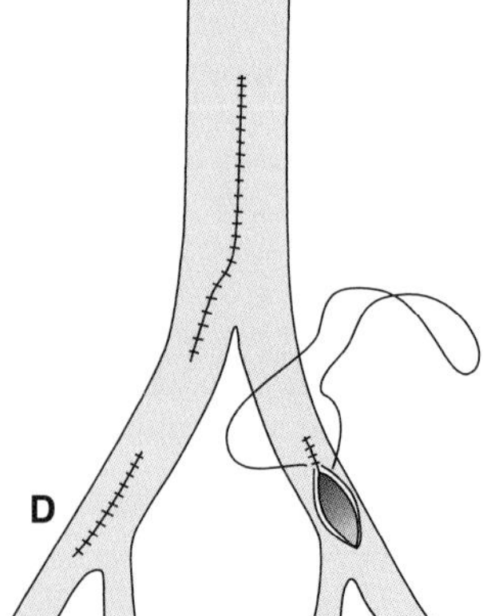

FIGURE 33-10 ■ Pour pratiquer une endartériectomie aorto-iliaque, le chirurgien: **(A)** circonscrit la région touchée; **(B)** installe un clamp pour couper l'approvisionnement en sang; **(C)** retire la plaque; et **(D)** suture le vaisseau, après quoi le débit sanguin est rétabli. SOURCE: R.B. Rutherford (1999). *Vascular surgery* (5e éd.), vol. 1 et 2. Philadelphie: W.B. Saunders.

ENCADRÉ 33-6

Signes neurovasculaires à surveiller

- Pouls périphériques à la palpation
- Pouls périphériques décelés grâce au Doppler
- Coloration de la peau
- Température de la peau
- Temps de remplissage capillaire
- Capacité de la personne à mouvoir le membre atteint
- Sensation tactile et douleur

des vaisseaux qui se trouvent en aval du greffon devrait se faire par Doppler. L'infirmière doit également calculer l'indice de pression systolique au moins toutes les 4 heures pendant les 24 premières heures, puis une fois par jour jusqu'à ce que la personne quitte l'hôpital; on ne se livre généralement pas à ces observations lorsque le pontage touche l'artère dorsale du pied. Il faut s'assurer qu'un volume suffisant de sang traverse le vaisseau et qu'il continuera à le faire. La disparition d'un pouls auparavant palpable pourrait indiquer qu'il y a occlusion du greffon par un thrombus; on doit immédiatement signaler ce fait au chirurgien.

Surveiller et traiter les complications

Le monitorage constant du débit urinaire (plus de 30 mL/heure), de la pression veineuse centrale, de l'état mental ainsi que de la fréquence et de l'amplitude du pouls permettent de déceler et de traiter rapidement tout déséquilibre hydrique. Les saignements peuvent être causés par l'héparine administrée au cours de l'intervention chirurgicale ou par une fuite de l'anastomose. Un hématome peut également se former au siège de la chirurgie.

Pour prévenir la thrombose, l'infirmière doit recommander à la personne de ne pas croiser les jambes ni les laisser en position déclive pendant une période prolongée. L'œdème représente l'effet normal d'une intervention chirurgicale, mais, pour l'atténuer, l'infirmière devrait surélever les jambes de la personne et l'encourager à faire des exercices au lit. Le médecin pourrait prescrire des bas compressifs à certaines personnes, cependant il faut éviter de comprimer le greffon ou les vaisseaux qui se trouvent en aval. L'œdème grave des jambes, la douleur ou la perte de la sensibilité dans les orteils ou dans les doigts pourraient faire penser au syndrome de loge.

Favoriser les soins à domicile et dans la communauté

Lorsqu'elle planifie la sortie de l'hôpital, l'infirmière doit évaluer dans quelle mesure la personne peut conserver son autonomie. Elle doit déterminer si elle a un réseau de proches et d'amis qui peuvent l'aider à mener à bien ses activités quotidiennes. Il lui faut souvent encourager la personne à apporter à son mode de vie les changements dictés par son affection chronique, notamment les interventions visant à soulager la douleur et certaines modifications au chapitre de l'alimentation, des activités, de l'hygiène et des soins de la peau. Par ailleurs, elle devra s'assurer que la personne possède les connaissances et les compétences lui permettant de détecter les complications postopératoires, telles que l'infection, l'occlusion de l'artère ou du greffon et la diminution du débit sanguin périphérique. Elle doit aussi l'aider à trouver des moyens d'arrêter de fumer. On trouvera dans le plan thérapeutique infirmier (p. 463) toutes les indications concernant les soins à prodiguer à la personne atteinte d'AOC.

DÉMARCHE SYSTÉMATIQUE dans la pratique infirmière

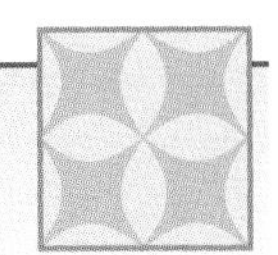

Personne atteinte d'artériopathie oblitérante chronique (AOC)

Collecte des données

La collecte des données comprend l'anamnèse et la détermination des facteurs de risque d'affection artérielle périphérique. Les signes et symptômes recherchés lors de l'examen clinique sont la douleur associée à la claudication intermittente, la douleur au repos, la pâleur, l'érythrose de déclivité ou la cyanose, des pouls périphériques faibles ou inexistants ainsi que des lésions ou une ulcération de la peau.

Diagnostics infirmiers

En se fondant sur les données recueillies, l'infirmière peut poser les diagnostics infirmiers suivants:

- Irrigation tissulaire périphérique inefficace, reliée à une circulation capillaire insuffisante
- Douleur chronique, reliée à l'incapacité des vaisseaux périphériques d'alimenter les tissus en oxygène
- Risque d'atteinte à l'intégrité de la peau, relié à une circulation déficiente
- Connaissances insuffisantes sur les autosoins

Planification

Les principaux objectifs sont les suivants: améliorer l'apport de sang artériel vers les extrémités; favoriser la vasodilatation; prévenir la compression des vaisseaux; soulager la douleur; maintenir ou améliorer l'intégrité de la peau; et respecter le programme d'autosoins.

Les effets positifs et négatifs des mesures prises, par la personne elle-même, par sa famille et par les membres de l'équipe soignante, en vue d'atteindre un seul de ces objectifs doivent être évalués par rapport à la possibilité d'atteindre tous les autres. Le sommaire des soins à administrer à la personne atteinte d'AOC se trouve dans le plan thérapeutique infirmier (p. 463).

INTERVENTIONS INFIRMIÈRES

Améliorer la circulation artérielle périphérique

Pour améliorer le débit sanguin artériel qui irrigue une partie du corps, on veille à placer celle-ci au-dessous du niveau du cœur. Dans le cas des membres inférieurs, il suffit de relever la tête du lit – à 25 degrés, si on est à l'hôpital, ou de 15 cm (à l'aide de pièces de bois placées sous les pieds du lit ou d'oreillers), si on est à la maison –, d'installer la personne dans un fauteuil inclinable ou de la faire asseoir les pieds à plat sur le sol.

L'infirmière peut aider la personne à marcher ou à effectuer les exercices isométriques qui lui auront été prescrits pour améliorer le débit sanguin et pour favoriser la formation d'une circulation collatérale. L'infirmière encouragera la personne à marcher jusqu'à ce que la douleur apparaisse, puis à se reposer jusqu'à ce qu'elle disparaisse et à marcher de nouveau. La tolérance de la personne à l'égard de ce genre d'effort augmentera au fur et à mesure que la circulation collatérale se développera. On peut se guider sur la douleur pour établir la durée et le type d'exercice qui conviennent à une personne en particulier. La douleur survient lorsque les tissus ne reçoivent pas suffisamment d'oxygène ; c'est le moyen que prend l'organisme pour indiquer qu'il faut se reposer avant de poursuivre l'activité. Toutefois, grâce à un programme d'exercice régulier, la personne pourra marcher davantage. Pour disposer d'une valeur de référence, l'infirmière devra déterminer au départ la distance que la personne peut parcourir avant que la douleur ne se manifeste.

On ne conseille pas à toutes les personnes atteintes d'AOC de faire de l'exercice. Avant de recommander un programme d'exercice quel qu'il soit, il faut consulter le médecin traitant. Les affections qui s'aggravent avec l'exercice sont les ulcères de la jambe, la cellulite, la gangrène ou l'insuffisance artérielle aiguë.

Favoriser la vasodilation et prévenir la compression des vaisseaux

Puisqu'elle accroît le débit sanguin vers les extrémités, la dilatation des vaisseaux artériels constitue un objectif souhaitable pour les personnes atteintes d'AOC. Toutefois, si elles sont fortement sclérosées, rigides ou lésées, les artères ne peuvent plus se dilater. Dans ce cas, les interventions favorisant la vasodilatation, telles que la pharmacothérapie ou la chirurgie, seront peu efficaces.

L'infirmière peut cependant appliquer de la chaleur sur le membre atteint pour accroître le débit sanguin vers cette partie du corps et recommander à la personne de ne pas s'exposer au froid, en raison du risque de vasoconstriction. Elle doit également lui conseiller de porter des vêtements bien chauds par temps froid afin de prévenir les frissons. Pour combattre les frissons, la personne pourra prendre une boisson chaude ou un bain chaud.

Lorsqu'on applique de la chaleur directement sur un membre ischémié, la température de la source de chaleur ne doit pas dépasser la température du corps, car il y a risque de brûlure, même à des températures peu élevées. Une chaleur trop intense peut accroître la vitesse du métabolisme dans les extrémités et accroître les besoins en oxygène, besoins que le flot de sang qui traverse l'artère lésée ne peut combler. De plus, si la personne prend un bain chaud, l'infirmière doit la prévenir que la pression artérielle peut chuter si la température de l'eau du bain dépasse la température corporelle.

! ALERTE CLINIQUE *On doit recommander à la personne de vérifier la température de l'eau du bain et de ne pas utiliser de bouillottes ni de coussins chauffants sur les membres. On peut lui conseiller d'appliquer plutôt un coussin chauffant sur l'abdomen. La vasodilatation réflexe qui se produit ainsi dans les membres est moins dangereuse que l'application directe de chaleur sur le membre atteint.*

Comme elle entraîne des vasospasmes, la nicotine peut réduire de façon marquée la circulation dans les membres. La fumée peut aussi entraver le transport de l'oxygène, empêcher qu'il soit utilisé par les cellules et accroître la viscosité du sang. L'infirmière doit mettre en garde les personnes atteintes d'AOC qui font usage de tabac (cigarette, tabac à chiquer, etc.) contre les effets de la nicotine sur la circulation et les encourager à renoncer à cette habitude.

Les vêtements et les accessoires trop justes, tels que les bas, les gaines et les lacets, entravent la circulation vers les membres et favorisent la stase veineuse ; il vaudrait mieux que la personne n'en porte pas. On devrait aussi lui recommander de ne pas croiser les jambes pour éviter de comprimer les vaisseaux.

Les contrariétés stimulent le système nerveux sympathique, ce qui entraîne une vasoconstriction périphérique. Bien que le stress émotionnel soit inévitable, on peut le réduire jusqu'à un certain point, en évitant dans la mesure du possible les situations stressantes et en suivant un programme de gestion du stress. L'enseignement de techniques de relaxation peut également être indiqué.

Soulager la douleur

La douleur associée à l'AOC est souvent chronique et constante. Elle limite les activités de la personne, l'empêche de travailler et d'assumer ses responsabilités, affecte son sommeil et entrave son bien-être. Les personnes peuvent même être déprimées, irritables et incapables de trouver l'énergie qui leur permettrait de suivre les traitements prescrits, ce qui rend d'autant plus inefficace toute tentative visant à soulager la douleur. Les analgésiques peuvent atténuer suffisamment la douleur pour que la personne puisse suivre les traitements qui améliorent la circulation et, en fin de compte, soulager la douleur plus efficacement.

Maintenir l'intégrité tissulaire

Les tissus qui ne reçoivent pas les nutriments et l'oxygène indispensables peuvent s'ulcérer ou s'infecter. Lorsque des lésions se forment, la cicatrisation peut être ralentie ou entravée en raison de la piètre irrigation des tissus. Les ulcérations sur les jambes qui s'infectent et ne guérissent pas peuvent être invalidantes et exiger des traitements prolongés et coûteux. En cas de gangrène, il peut s'avérer nécessaire d'amputer le membre. Les mesures visant à prévenir ces complications sont prioritaires et doivent être rigoureusement appliquées.

Il faut éviter tout traumatisme aux membres. Afin de prévenir les blessures aux pieds et la formation d'ampoules, l'infirmière devrait encourager la personne à porter des chaussures ou des pantoufles de la bonne pointure et qui soutiennent bien le pied. Elle peut aussi lui recommander d'utiliser des savons et des lotions neutres, qui empêchent la peau de se dessécher ou de se fissurer. Le grattage répété et les frottements vigoureux peuvent mener à l'abrasion de l'épiderme et favoriser ainsi l'invasion bactérienne, raison pour laquelle il est conseillé de sécher la peau par tapotements. Les bas doivent être propres et secs. Les ongles doivent être coupés droits; on doit arrondir les coins à la lime, en suivant le contour de l'ongle. Les ongles épais et cassants qu'on ne peut couper sans risque devraient être confiés aux soins d'un podiatre ou d'une infirmière spécialisée en soins des pieds. Les cors et les durillons doivent être excisés par un professionnel des soins des pieds. Pour empêcher la formation de nouveaux cors, il faudra peut-être garnir les chaussures d'une semelle adaptée. Les phlyctènes, les ongles incarnés, les signes d'infection et tous les autres problèmes devraient être signalés à un professionnel de la santé qui se chargera du traitement et du suivi. Les personnes dont la vue est faible pourraient avoir besoin d'aide lors des examens auxquels elles doivent se livrer à intervalles réguliers pour déceler les traumatismes ou l'apparition de lésions.

La bonne alimentation favorise la guérison et empêche la dégradation des tissus. Il faut donc qu'elle fasse partie de tous les programmes de soins destinés aux personnes atteintes d'artériopathie. Les personnes atteintes d'insuffisance artérielle chronique doivent adopter un régime alimentaire équilibré, qui assure un apport approprié en protéines et en vitamines. Les principaux nutriments jouent des rôles précis dans la cicatrisation des plaies: la vitamine C est essentielle à la synthèse du collagène et à la formation des capillaires; la vitamine A favorise la formation de l'épithélium; le zinc est nécessaire à la mitose et à la prolifération cellulaire. L'obésité impose au cœur un fardeau supplémentaire, accroît la congestion veineuse et diminue la circulation; par conséquent, il faudrait proposer aux personnes obèses un programme de perte de poids. Un régime pauvre en lipides peut être indiqué chez les personnes atteintes d'athérosclérose.

Favoriser les soins à domicile et dans la communauté

L'infirmière doit planifier le programme d'autosoins en collaboration avec la personne afin de s'assurer qu'elle accepte de s'engager dans des activités qui améliorent la circulation artérielle et veineuse, soulagent la douleur et préservent l'intégrité des tissus. Il faut aider la personne et les membres de sa famille à comprendre le bien-fondé de chaque intervention inscrite au programme ainsi que les conséquences possibles de son non-respect. Les soins des pieds et des jambes sont essentiels à la prévention des traumatismes, des ulcérations et de la gangrène. On trouvera dans le plan thérapeutique infirmier les soins à prodiguer aux personnes atteintes d'AOC et à l'encadré 33-4 ■ des consignes détaillées concernant le soin des pieds et des jambes que l'infirmière devra transmettre à la personne atteinte.

PLAN THÉRAPEUTIQUE INFIRMIER

Personne atteinte d'artériopathie oblitérante chronique

INTERVENTIONS INFIRMIÈRES	JUSTIFICATIONS SCIENTIFIQUES	RÉSULTATS ESCOMPTÉS
Diagnostic infirmier: irrigation tissulaire périphérique inefficace, reliée à une circulation capillaire insuffisante **Objectif:** accroître l'irrigation sanguine dans les membres		
1. Placer les jambes de la personne au-dessous du niveau du cœur. 2. Inciter la personne à marcher (modérément) ou à entreprendre un programme d'exercice pouvant améliorer graduellement la circulation dans les jambes.	1. La position déclive améliore la circulation dans les jambes. 2. Les exercices musculaires augmentent le débit sanguin et favorisent la formation d'une circulation collatérale.	■ Les jambes de la personne sont tièdes. ■ La couleur de la peau s'est améliorée. ■ La douleur musculaire a diminué grâce aux exercices.
Objectif: diminuer la congestion veineuse		
1. Surélever les jambes de la personne pour les placer au-dessus du niveau du cœur. 2. Inciter la personne à ne pas rester debout ou assise trop longtemps sans bouger. 3. Encourager la personne à marcher.	1. L'élévation des jambes permet de contrecarrer l'attraction gravitationnelle, favorise le retour veineux et prévient la stase veineuse. 2. Le fait de rester longtemps debout ou assis favorise la stase veineuse. 3. La marche stimule le retour veineux en activant la « pompe musculaire ».	■ La personne peut élever les jambes jusqu'au niveau prescrit. ■ L'œdème dans les membres diminue. ■ La personne évite de rester assise ou debout pendant une période prolongée. ■ La personne est capable de parcourir des distances de plus en plus longues.
Objectif: favoriser la vasodilatation et prévenir la compression des vaisseaux		
1. Garder la personne au chaud et prévenir les frissons. 2. Inciter la personne à renoncer à l'usage de la nicotine. 3. Recommander à la personne des méthodes lui permettant d'éviter le stress émotionnel; lui enseigner des techniques de gestion du stress.	1. La chaleur augmente le flot artériel et prévient les effets vasoconstricteurs du refroidissement. 2. La nicotine provoque des vasospasmes qui entravent la circulation périphérique. 3. Le stress émotionnel provoque une vasoconstriction périphérique par activation du système nerveux sympathique.	■ Les jambes de la personne sont protégées contre le froid. ■ La personne renonce à la nicotine. ■ La personne s'engage dans un programme de gestion du stress qui l'aide à éviter les contrariétés.

Personne atteinte d'artériopathie oblitérante chronique (*suite*)

INTERVENTIONS INFIRMIÈRES	JUSTIFICATIONS SCIENTIFIQUES	RÉSULTATS ESCOMPTÉS
4. Recommander à la personne de ne pas porter de vêtements ou d'accessoires trop justes. 5. Recommander à la personne de ne pas croiser les jambes lorsqu'elle est assise. 6. Administrer les vasodilatateurs et les adrénolytiques, selon les recommandations du médecin, en tenant compte des interventions infirmières qui entourent l'administration de ces médicaments.	4. Les vêtements et les accessoires trop justes entravent la circulation et favorisent la stase veineuse. 5. Le fait de s'asseoir en croisant les jambes entraîne la compression des vaisseaux et la stase veineuse. 6. Les vasodilatateurs entraînent la relaxation musculaire; les adrénolytiques bloquent la réponse aux impulsions des nerfs sympathiques ou aux catécholamines circulantes.	■ La personne ne porte plus de vêtements et d'accessoires trop justes. ■ La personne ne s'assoit pas en croisant les jambes. ■ La personne prend ses médicaments, en respectant les recommandations du médecin.
Diagnostic infirmier: douleur chronique, reliée à l'incapacité des vaisseaux périphériques d'alimenter les tissus en oxygène **Objectif:** soulager la douleur		
1. Améliorer la circulation. 2. Administrer des analgésiques, selon les recommandations du médecin, en tenant compte des interventions infirmières qui entourent l'administration de ces médicaments.	1. Un débit périphérique accru permet d'augmenter l'apport d'oxygène aux muscles et réduit l'accumulation des métabolites qui provoquent des spasmes musculaires. 2. Les analgésiques aidant à atténuer la douleur, ils permettent à la personne de s'engager dans des activités et de faire des exercices qui améliorent la circulation.	■ La personne adopte des mesures permettant d'accroître l'irrigation sanguine des membres. ■ La personne prend des analgésiques selon les recommandations du médecin.
Diagnostic infirmier: risque d'atteinte à l'intégrité de la peau, relié à une circulation déficiente **Objectif:** favoriser ou maintenir l'intégrité tissulaire		
1. Enseigner les méthodes permettant de prévenir les traumatismes aux membres. 2. Encourager la personne à porter des chaussures qui couvrent bien tout le pied et qui sont rembourrées aux points de compression. 3. Promouvoir une hygiène méticuleuse (utilisation de savons neutres pour se laver, application de lotions, taille des ongles soignée). 4. Mettre en garde la personne contre les égratignures et lui conseiller d'éviter de se frotter trop vigoureusement. 5. Encourager la personne à bien se nourrir (apport approprié en vitamines A et C, en protéines et en zinc; perte de poids en cas d'obésité).	1. Les tissus insuffisamment irrigués sont sujets aux traumatismes et favorisent la prolifération bactérienne; lorsque l'irrigation est insuffisante, les plaies se cicatrisent plus lentement ou ne se cicatrisent pas du tout. 2. Le port de chaussures qui couvrent bien le pied et qui sont rembourrées aux points de pression permet de prévenir les blessures et la formation de phlyctènes. 3. Les lotions et les savons neutres préviennent le dessèchement et la fissuration de la peau. 4. Le grattage et le frottement risquent d'éroder la peau et de favoriser l'invasion bactérienne. 5. Une bonne alimentation accélère la cicatrisation et prévient la dégradation des tissus.	■ La personne inspecte quotidiennement sa peau pour déceler la présence de lésions ou d'ulcération. ■ La personne se chausse adéquatement. ■ La personne adopte une hygiène méticuleuse. ■ La personne s'alimente sainement et sa nourriture contient une quantité suffisante de protéines et de vitamines A et C.
Diagnostic infirmier: connaissances insuffisantes sur les autosoins **Objectif:** inciter la personne à observer le programme d'autosoins		
1. Faire participer les membres de la famille et le conjoint aux séances d'enseignement. 2. Fournir par écrit des consignes sur les soins des pieds et des jambes de même que sur le programme d'exercice. 3. Aider la personne à se procurer des vêtements, des chaussures et des bas de la taille qui convient. 4. Diriger la personne vers les réseaux d'aide indiqués dans son cas: par exemple, clinique antitabac, clinique de gestion du stress, clinique d'amaigrissement, centre de conditionnement physique.	1. La personne suit plus fidèlement le programme d'autosoins si elle est soutenue par sa famille, par des groupes d'entraide ou par le personnel des diverses cliniques. 2. Les consignes mises par écrit servent de rappel et de renforcement. 3. Les vêtements et accessoires trop justes entravent la circulation et favorisent la stase veineuse. 4. La réduction des facteurs de risque peut diminuer les symptômes ou ralentir l'évolution de l'affection.	■ La personne change de position à la fréquence recommandée. ■ Elle fait les exercices de posture qui lui ont été recommandés. ■ Elle prend ses médicaments en suivant les consignes du médecin. ■ Elle évite de porter tout accessoire qui entraîne de la vasoconstriction. ■ Elle prend des mesures pour prévenir les traumatismes. ■ Elle suit un programme de gestion du stress. ■ Elle accepte l'idée qu'elle est atteinte d'une affection chronique, mais elle est convaincue que les traitements pourront réduire les symptômes.

ENCADRÉ 33-4

GRILLE DE SUIVI DES SOINS À DOMICILE

Soins des pieds et des jambes en cas d'artériopathie oblitérante chronique

Après avoir reçu l'enseignement sur les soins à domicile, la personne ou le proche aidant peut:	Personne	Proche aidant
Faire la démonstration de la façon dont il faut prendre le bain de pieds quotidien: se laver entre les orteils avec un savon doux et de l'eau tiède, puis rincer abondamment et sécher par tapotements, sans frotter.	✔	✔
Déceler les dangers des blessures thermiques: ■ Porter des bas propres, en coton doux, qui ne serrent pas le pied (ils sont confortables, permettent à l'air de circuler et absorbent l'humidité). ■ Par temps froid, enfiler plusieurs paires de bas et porter des chaussures plus grandes. ■ Éviter les coussins chauffants, les bains à remous (spa). ■ Éviter les coups de soleil.	✔	
Détecter les risques: ■ Examiner les pieds tous les jours avec un miroir pour déceler les rougeurs, la sécheresse de la peau, les coupures, les ampoules, etc. ■ En sortant du lit, enfiler immédiatement des chaussures souples ou des pantoufles. ■ Se couper les ongles immédiatement après la douche. Les couper droits. ■ Se faire couper les ongles par un podiatre, si on a la vue faible; lui demander également d'exciser les cors et de traiter les ampoules et les ongles incarnés. ■ Pour prévenir les blessures, enlever tous les obstacles qui encombrent les pièces. ■ Ne pas porter de sandales.	✔	✔
Énumérer les mesures additionnelles visant à améliorer le confort: ■ Porter des chaussures en cuir à bout élargi. (Les chaussures en matière synthétique empêchent l'air de circuler.) ■ Si les pieds deviennent secs et squameux, appliquer de la crème hydratante. Ne jamais appliquer de crème entre les orteils. ■ En cas de sudation du pied, particulièrement entre les orteils, les poudrer tous les jours.	✔	
Énumérer les mesures à prendre pour réduire le risque de compression des vaisseaux sanguins: ■ Éviter toute compression des chevilles ou des genoux (résultant du port de mi-bas ou de chaussettes serrées aux chevilles, par exemple). ■ Ne pas croiser les jambes en position assise. ■ Renoncer à la nicotine, puisqu'elle entraîne de la vasoconstriction et des vasospasmes. ■ Éviter de porter des bandages trop serrés. ■ Marcher régulièrement pour stimuler la circulation.	✔	
Savoir quand consulter un médecin: ■ Prendre rendez-vous avec un professionnel de la santé dès qu'on décèle une lésion de la peau: abrasions, ampoules, pied d'athlète ou douleur. ■ Ne pas appliquer de médicaments sur les pieds ou les jambes, à moins de recommandation d'un professionnel de la santé. ■ Ne pas utiliser d'iode, d'alcool, de produits pour enlever les cors et les verrues, ni de produits adhésifs sans consulter au préalable un professionnel de la santé.	✔	✔

ÉVALUATION

Résultats escomptés

Les principaux résultats escomptés sont les suivants:

1. L'apport en sang artériel aux membres s'est amélioré.
   a) Les membres de la personne sont chauds.
   b) La couleur de la peau s'est améliorée (celle-ci ne présente pas d'érythrose de déclivité ou de cyanose).
   c) La douleur musculaire à l'effort a diminué.
   d) La personne peut marcher plus longtemps et parcourir une plus grande distance.
2. La vasodilatation est favorisée: il y a prévention de la compression vasculaire.
   a) La personne sait comment se protéger les membres contre le froid.
   b) Elle a renoncé à l'usage du tabac.

c) Elle adopte des stratégies d'adaptation efficaces.

d) Elle porte des vêtements qui ne serrent pas.

e) Elle ne s'assoit pas les jambes croisées.

f) Elle prend ses médicaments selon l'ordonnance du médecin.

3. La douleur diminue en gravité et en durée.
4. L'intégrité tissulaire est favorisée ou maintenue.

a) La personne protège sa peau contre les traumatismes et l'irritation.

b) Elle porte des chaussures adaptées aux circonstances.

c) Elle pratique une hygiène méticuleuse.

d) Elle mange sainement, en consommant des aliments qui lui assurent un apport approprié en protéines, en vitamines A et C et en zinc.

e) La personne s'engage dans des activités d'autosoins.

THROMBOANGÉITE OBLITÉRANTE

La thromboangéite oblitérante, ou maladie de Buerger, se caractérise par l'inflammation récurrente des artères et des veines de moyen et de petit calibre des membres inférieurs et, plus rarement, des membres supérieurs. Cette affection peut entraîner la formation de thrombus et l'occlusion des vaisseaux. Elle se distingue des autres affections vasculaires par ce qu'on peut en voir au microscope. Contrairement à l'athérosclérose, la maladie de Buerger semble être une affection auto-immune qui provoque l'occlusion des vaisseaux distaux.

Bien que l'étiologie de la maladie de Buerger soit inconnue, on croit qu'il s'agit d'une vasculite de type auto-immun. Elle survient le plus souvent chez les hommes de 20 à 35 ans, chez des personnes de toute origine et dans bien des régions du monde. On dispose de nombreuses données indiquant que les fumeurs et les personnes qui recourent beaucoup au tabac à chiquer sont davantage prédisposés à cette maladie et risquent d'être victimes de ses formes les plus graves (Frost-Rude *et al.*, 2000). En général, cette affection touche les membres inférieurs, mais on l'a aussi décelée dans les artères des membres supérieurs ou dans les viscères. La maladie de Buerger est habituellement bilatérale et symétrique; elle s'accompagne d'ulcérations douloureuses. Une thrombophlébite superficielle peut également être présente. Contrairement à ce qu'on observe dans l'athérosclérose, les lipides ne s'accumulent pas dans la média du vaisseau des personnes atteintes de la maladie de Buerger.

Particularités reliées à la personne âgée

Bien qu'elle se distingue de l'athérosclérose, la maladie de Buerger peut, chez les personnes âgées, être suivie d'athérosclérose dans les vaisseaux de gros calibre, après son installation dans les petits vaisseaux. Il leur est alors très difficile de marcher. En outre, plus que dans les autres groupes d'âge, les plaies risquent de ne pas se cicatriser en raison d'une circulation déficiente.

Manifestations cliniques

La douleur est le principal symptôme de la maladie de Buerger. La personne signale après l'effort des crampes dans les pieds, surtout au niveau de la voûte plantaire (menant à la claudication). Le repos soulage la douleur. Souvent, cette douleur, semblable à une brûlure, est aggravée par le stress, l'usage du tabac ou l'exposition au froid. La moitié des personnes atteintes signalent une sensation de froid aux mains, ce qui fait penser à la maladie de Raynaud. Les personnes signalent aussi une douleur constante aux doigts, même au repos, et les caractéristiques de cette douleur ne changent pas qu'ils soient actifs ou au repos. Des paresthésies peuvent également apparaître aux extrémités.

Les signes physiques comprennent notamment la rougeur marquée des membres atteints (qui deviennent bleu violacé) et l'absence des pouls pédieux, alors que les pouls fémoraux et poplités restent normaux. Le pouls radial ou le pouls cubital peuvent être absents ou plus faibles, selon la gravité de l'affection. Au fur et à mesure que la maladie évolue, on note une rougeur ou une cyanose marquée de la zone affectée lorsque les membres se trouvent en position déclive. L'atteinte est habituellement bilatérale, mais le changement de coloration n'est parfois notable que dans un seul membre ou dans certains doigts. Des ulcérations susceptibles de dégénérer en gangrène peuvent apparaître progressivement.

Examen clinique et examens paracliniques

Pour déceler les lésions ou occlusions distales, l'infirmière doit mesurer la pression artérielle des segments qui peuvent être atteints. L'ultrasonographie Doppler permet de vérifier la perméabilité des vaisseaux périphériques et d'évaluer l'étendue de la maladie de Buerger. L'angiographie par contraste permet de distinguer toute la région atteinte.

Traitement

Le traitement de la maladie de Buerger est sensiblement le même que celui de l'insuffisance artérielle chronique. Il s'agit principalement d'améliorer la circulation dans les membres, de prévenir l'évolution de la maladie et de protéger les membres contre les traumatismes et les infections. Le traitement des ulcérations et de la gangrène vise à réduire le risque d'infection et à exciser les tissus nécrosés, en conservant tant que possible les tissus sains. Le tabac a des effets très délétères, aussi conseille-t-on fortement aux personnes d'arrêter de fumer. Parfois, si la personne arrête de fumer ou d'utiliser les autres produits du tabac, les symptômes peuvent disparaître.

On prescrit des vasodilatateurs (bloquants des canaux calciques et/ou certaines prostaglandines) dans les cas graves. Il arrive qu'on doive procéder à une sympathectomie ou à une gangliectomie régionales pour déclencher la vasodilatation et accroître le débit sanguin.

Traitement chirurgical des complications

Si la thromboangéite oblitérante de la jambe mène à la gangrène de l'orteil, il est peu probable que l'amputation de l'orteil ou même l'amputation transmétatarsienne soient suffisantes. Habituellement, il est nécessaire d'amputer la jambe au-dessous, et parfois au-dessus, du genou. L'amputation se révèle nécessaire si la gangrène s'aggrave, particulièrement si la région infectée est humide, si la douleur au repos est intense ou si une septicémie se déclare.

Soins et traitements infirmiers des complications

En cas d'amputation, les soins postopératoires immédiats qui favorisent le retour veineux et aident à réduire l'œdème comprennent la surélévation du moignon pendant les 24 premières heures. L'infirmière doit observer étroitement l'incision à la recherche de signes de formation d'un hématome (décollement des bords de la plaie, changement de couleur ou rougeur de la peau le long de la suture, sensibilité au toucher ou suintement de sang de couleur sombre le long de la suture). Un bandage élastique est installé sur le moignon afin que celui-ci garde la forme conique donnée par le chirurgien. Cette forme facilite la mise en place d'une prothèse. Pour s'assurer que le bandage élastique est bien ajusté, l'infirmière peut glisser deux doigts entre les couches du bandage. Elle doit retirer les bandages élastiques, puis les poser de nouveau en respectant les consignes du chirurgien (par exemple, changement toutes les six heures, bandage «en huit»).

La personne qui a été amputée peut traverser un processus de deuil, ou éprouver de la peur ou de l'anxiété à cause de la perte de son membre. L'infirmière doit l'encourager à parler de ses sentiments et, selon les besoins, l'inviter à consulter d'autres membres de l'équipe de soins. Les professionnels de la santé (médecins, physiothérapeutes, ergothérapeutes, diététistes, infirmières, infirmières de liaison, travailleurs sociaux, psychologues) doivent collaborer à la planification du rétablissement et de la réadaptation. La personne pourra décider de porter une prothèse, auquel cas elle devra apprendre à s'en servir. Les membres du personnel des centres de réadaptation, des services de soins à domicile et des cliniques de consultation externe peuvent aider la personne à s'adapter aux changements qu'elle doit apporter à son mode de vie.

Lorsque la sortie de l'hôpital est planifiée, il faut évaluer dans quelle mesure la personne peut conserver son autonomie. L'infirmière doit l'aider à arrêter de fumer et lui enseigner des méthodes de soulagement de la douleur. Elle devra souvent encourager la personne à effectuer les changements à son mode vie dictés par son affection chronique, entre autres les modifications au chapitre de l'alimentation, des activités et de l'hygiène (soins cutanés). Elle doit aussi déterminer si elle a un réseau de proches et d'amis qui peuvent l'aider à mener à bien ses activités quotidiennes et s'assurer qu'elle possède les connaissances et les compétences lui permettant de déceler les complications postopératoires, telles que l'infection et la diminution du débit sanguin. On pourra s'inspirer du plan thérapeutique infirmier (p. 463) qui s'adresse aux personnes atteintes d'insuffisance artérielle chronique; pour traiter les personnes atteintes de la maladie de Buerger.

Anévrisme de l'aorte

L'**anévrisme** est une poche ou une dilatation à la hauteur d'un point faible de la paroi de l'aorte (figure 33-11 ■). On peut distinguer les anévrismes selon leur forme. La plupart d'entre eux sont sacciformes ou fusiformes. L'anévrisme sacciforme se situe d'un côté du vaisseau seulement. Si tout le segment artériel se dilate, l'anévrisme sera fusiforme. Les très petits anévrismes, qui ont pris naissance à la suite d'une infection localisée, portent le nom d'anévrismes mycotiques.

Du point de vue chronologique, les causes des anévrismes abdominaux de l'aorte, les types les plus courants d'anévrismes dégénératifs, sont les changements athéroscléreux subis par ce vaisseau. Les autres causes d'anévrisme sont indiquées à l'encadré 33-7 ■. Les anévrismes exposent la personne à un risque élevé parce qu'ils peuvent se rompre et provoquer une hémorragie mortelle.

Anévrisme de l'aorte thoracique

L'athérosclérose est la cause d'environ 85 % des anévrismes de l'aorte thoracique; ils touchent le plus souvent les hommes de 40 à 70 ans. La région thoracique est l'emplacement le plus courant de l'anévrisme disséquant. Environ un tiers des personnes atteintes décèdent des suites d'une rupture d'anévrisme de l'aorte thoracique (Rutherford, 1999).

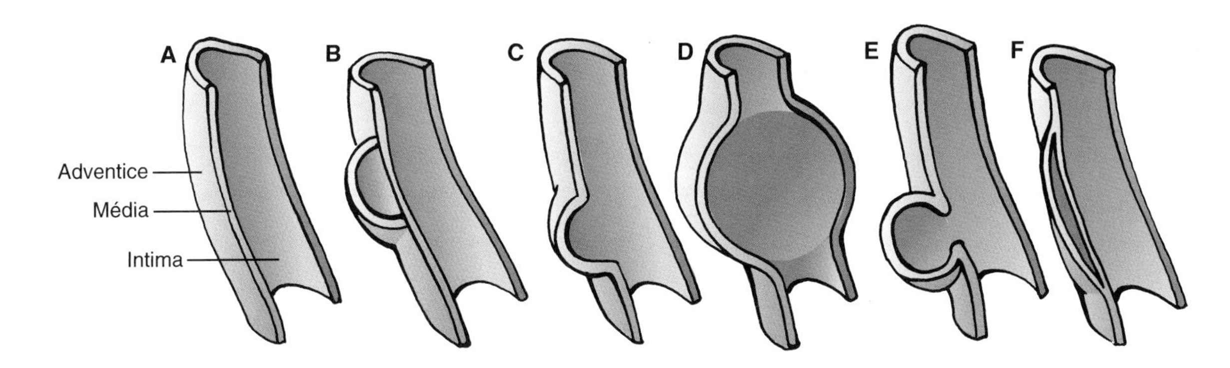

FIGURE 33-11 ■ Caractéristiques d'un anévrisme artériel. **(A)** Artère normale. **(B)** Faux anévrisme: hématome pulsatile. Le caillot et les tissus conjonctifs sont situés à l'extérieur de la paroi artérielle. **(C)** Vrai anévrisme: une, deux ou les trois couches de la paroi artérielle peuvent être touchées. **(D)** Anévrisme fusiforme: protubérance symétrique, en forme de fuseau, qui occupe toute la circonférence du vaisseau atteint. **(E)** Anévrisme sacciforme: protubérance en forme de bulbe qui se forme d'un côté de la paroi artérielle. **(F)** Anévrisme disséquant: il s'agit habituellement d'un hématome qui sépare les couches de la paroi artérielle.

ENCADRÉ 33-7

Étiologie des anévrismes artériels

- **Anévrismes anastomotiques (postartériotomie) et anévrismes entourant un greffon:** anévrismes se formant à la suite d'une infection, d'un défaut de la paroi artérielle, de sutures qui ont cédé ou de l'échec de la greffe
- **Anévrismes congénitaux:** affections primaires du tissu conjonctif (syndrome de Marfan, syndrome d'Ehlers-Danlos) et autres affections (agénésie médiale localisée, sclérose tubéreuse, syndrome de Turner, maladie de Menkes)
- **Anévrismes dégénératifs reliés à la grossesse:** anévrismes non spécifiques, de type inflammatoire
- **Anévrismes infectieux (mycotiques):** anévrismes formés au décours d'une infection bactérienne, fongique ou à spirochète
- **Anévrismes inflammatoires (non infectieux):** anévrismes se formant à cause d'une artérite (maladie de Takayashu, artérite temporale, lupus érythémateux disséminé, syndrome de Behçet, maladie de Kawasaki) et inflammation périartérielle (comme la pancréatite)
- **Anévrismes mécaniques (hémodynamiques):** fistules poststénotiques et artérioveineuses se formant à la suite d'une amputation
- **Anévrismes traumatiques (pseudo-anévrismes):** lésions artérielles faisant suite à une perforation du thorax ou de l'abdomen, traumatismes non pénétrants de la paroi aortique, faux anévrismes

SOURCE: Rutheford, R.B. (1999). *Vascular Surgery* (5e éd.), vol. 1 et 2. Philadelphie: W.B. Saunders.

Manifestations cliniques

Les symptômes varient et dépendent de la rapidité à laquelle l'anévrisme se dilate et de la manière dont la masse pulsatile affecte les structures environnantes de la cage thoracique. Certaines personnes sont asymptomatiques. Dans la plupart des cas, la douleur est le principal symptôme. Elle est habituellement constante et sourde, mais il arrive qu'elle se manifeste seulement lorsque la personne est allongée. Les autres symptômes manifestes sont la dyspnée, résultant de la pression que l'anévrisme exerce sur la trachée, sur une bronche ou sur le poumon lui-même; la toux, souvent paroxystique et rauque; l'enrouement, le stridor, la faiblesse ou l'extinction de la voix (aphonie), causée par la pression qu'exerce l'anévrisme sur le nerf qui innerve les structures de la voix, et la dysphagie (difficulté de déglutition), provoquée par la compression de l'œsophage par l'anévrisme.

Examen clinique et examens paracliniques

Lorsque l'anévrisme comprime les veines thoraciques de gros calibre, les veines superficielles de la poitrine, du cou ou des bras se dilatent. Dans ces cas-là, on peut souvent observer des zones œdémateuses et cyanosées. La pression qui s'exerce sur la chaîne ganglionnaire du sympathique cervical peut donner lieu à une asymétrie pupillaire. On peut poser le diagnostic d'anévrisme de l'aorte thoracique à l'aide d'une radiographie, d'une échographie transœsophagienne ou d'une tomodensitométrie.

Traitement médical

Dans la plupart des cas, une résection de l'anévrisme est nécessaire. Certaines mesures générales, comme la maîtrise de la pression artérielle et l'élimination des facteurs de risque, peuvent s'avérer utiles. Chez les personnes atteintes d'un anévrisme disséquant, la maîtrise de la pression artérielle est d'une grande importance. La pression systolique ne doit pas dépasser 100 à 120 mm Hg; on l'y maintient à l'aide d'antihypertenseurs, notamment du labétalol, qui permettent de réguler la pression et la contractilité cardiaques grâce à leurs effets bêtabloquants et alphabloquants. Pour réduire le débit pulsatile, le médecin peut prescrire des bêtabloquants – aténolol (Tenormin), esmolol (Brevibloc), métoprolol (Lopresor), propanolol (Inderal) – ou des bloquants des canaux calciques non dihydropyridines – diltiazem (Cardizem, Tiazac), vérapamil (Isoptin, Verelan) –, qui diminuent la contractilité cardiaque. L'intervention chirurgicale consiste à réaliser une résection de l'anévrisme et à procéder à une greffe vasculaire (figure 33-12 ■). La personne qui a subi ce type d'intervention doit être suivie de près dans une unité de soins intensifs. La résection des anévrismes thoraciques à l'aide de greffes endovasculaires installées par voie percutanée dans un laboratoire d'hémodynamie (laboratoire où on pratique des cathétérismes cardiaques) peut écourter la période de rétablissement postopératoire et réduire la gravité des complications.

ANÉVRISME DE L'AORTE ABDOMINALE

La cause la plus courante de l'anévrisme de l'aorte abdominale est l'athérosclérose. Ce type d'anévrisme touche quatre fois plus d'hommes que de femmes; il se retrouve souvent chez les personnes âgées (Rutherford, 1999). La plupart de ces anévrismes débutent au-dessous des artères rénales (anévrismes infrarénaux); s'ils ne sont pas traités, ils peuvent se rompre, menant à la mort.

Physiopathologie

Tous les anévrismes se mettent en place à partir d'une lésion de la média, attribuable à une anomalie congénitale, à un traumatisme, ou plus fréquemment à l'athérosclérose. L'anévrisme, une fois qu'il a débuté, a tendance à prendre du volume. Parmi les facteurs de risque, citons une prédisposition génétique, l'usage du tabac et l'hypertension. Plus de la moitié des personnes présentant un anévrisme sont hypertendues.

Manifestations cliniques

Les deux cinquièmes environ des personnes atteintes d'anévrisme de l'aorte abdominale présentent des symptômes, les autres sont asymptomatiques. Certains personnes signalent que, lorsqu'elles sont couchées, elles ont la sensation que leur cœur «palpite dans leur ventre», ou qu'elles perçoivent une masse ou des pulsations dans l'abdomen. Si l'anévrisme de l'aorte abdominale s'accompagne d'un thrombus, un vaisseau majeur peut être obstrué, ou encore des occlusions distales, plus petites, peuvent être provoquées par un embole. Un embole contenant du cholestérol, des plaquettes ou de la fibrine pourrait se loger dans les artères métatarsiennes ou digitales, entraînant la cyanose des orteils.

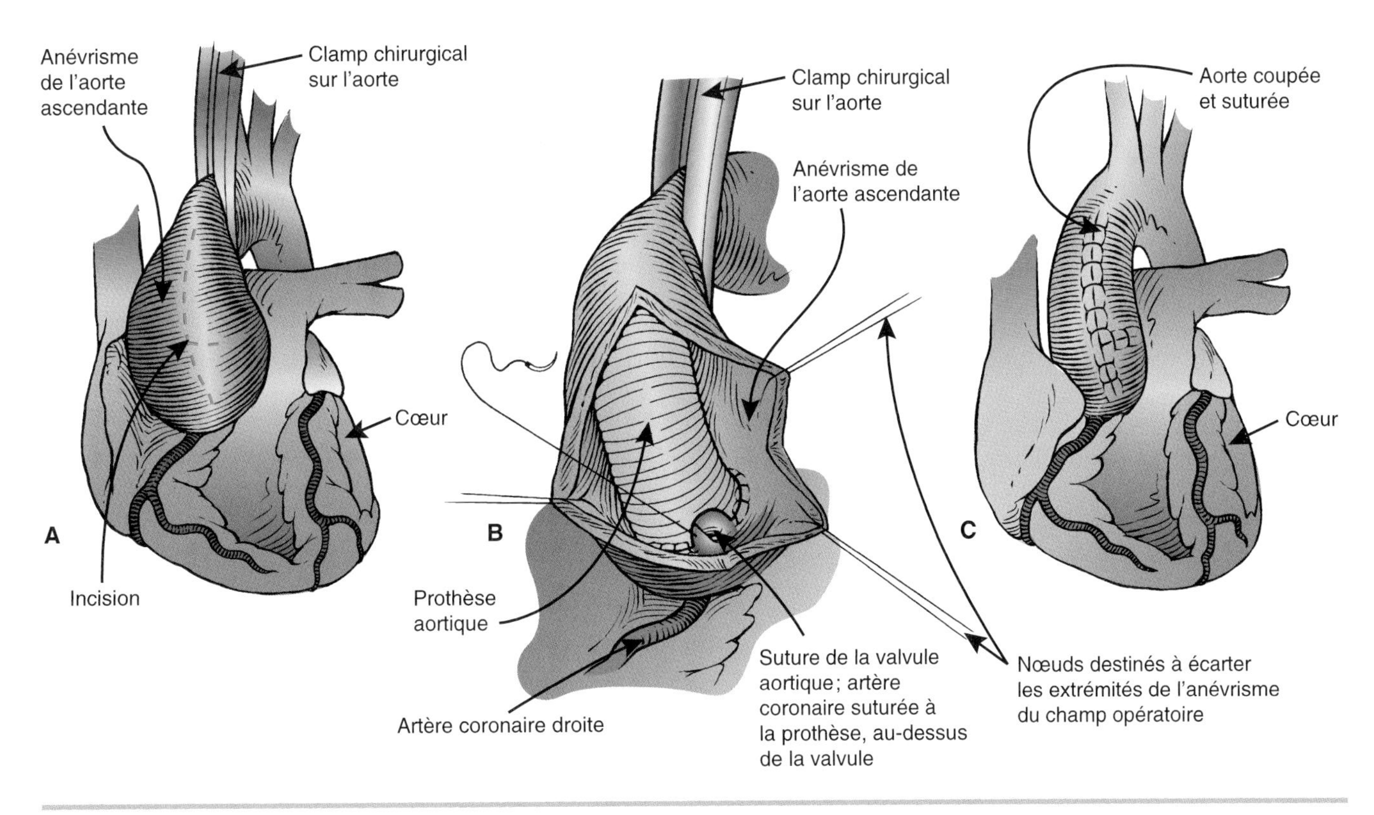

FIGURE 33-12 ■ Résection d'un anévrisme de l'aorte ascendante avec remplacement de la valvule aortique. **(A)** Incision dans l'anévrisme. **(B)** Remplacement de la valvule aortique par une prothèse pour réparer l'anévrisme de l'aorte ascendante. **(C)** Anévrisme réséqué et aorte suturée sur la prothèse.

Examen clinique et examens paracliniques

Le principal indicateur de l'anévrisme de l'aorte abdominale est la présence d'une masse pulsatile dans la région épigastrique ou périombilicale. Dans 80 % des cas, on peut déceler ces anévrismes par palpation. L'auscultation de la masse pulsatile révèle un souffle systolique. On peut établir la taille, la longueur et le siège de l'anévrisme en recourant à l'ultrasonographie Doppler ou à la tomodensitométrie (figure 33-13 ■). Lorsque l'anévrisme est de petite dimension, on effectue une exploration ultrasonographique par Doppler tous les six mois, jusqu'à ce que l'anévrisme atteigne une taille assez grande pour qu'on puisse estimer qu'une intervention visant à prévenir la rupture soit plus bénéfique que les complications susceptibles de découler de l'intervention. Certains anévrismes demeurent stables pendant de nombreuses années.

Particularités reliées à la personne âgée

La plupart des anévrismes de l'aorte surviennent chez les personnes de 60 à 90 ans. Il y a risque de rupture en présence d'hypertension ou si l'anévrisme a une taille supérieure à 6 cm. Dans la plupart des cas, le risque de rupture est plus grand que le risque de décès à la suite d'une intervention réparatrice. Si le risque de complications relié à la chirurgie ou à l'anesthésie est considéré comme raisonnable, on attendra que l'anévrisme atteigne au moins 5 cm pour pratiquer l'intervention.

Traitement médical

Lorsque l'anévrisme abdominal se forme et grossit, le risque de rupture est élevé. La chirurgie est le traitement privilégié dans les cas d'anévrismes abdominaux dont la taille est supérieure à 5 cm ou qui grossissent.

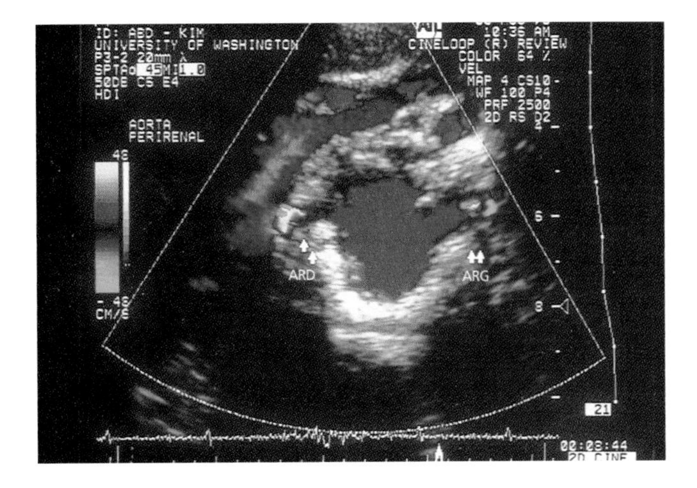

FIGURE 33-13 ■ Image d'un anévrisme de l'aorte abdominale formé autour des reins, obtenue au moyen de l'ultrasonographie Doppler. L'image en coupe montre l'emplacement des artères rénales droite et gauche.

Traitement chirurgical

Le traitement habituel de l'anévrisme de l'aorte abdominale est l'ablation de l'anévrisme, par résection du vaisseau, et son remplacement par une prothèse synthétique. Le taux de mortalité associé à une résection élective d'un anévrisme aortique, qui est une intervention majeure, est de 1 à 4 %. En cas de rupture de l'anévrisme, le pronostic est sombre. Dans ce cas, l'intervention chirurgicale doit être pratiquée de toute urgence (Rutherford, 1999).

L'insertion d'une prothèse endovasculaire est une autre manière de traiter un anévrisme de l'aorte abdominale ayant progressé jusqu'aux reins. Dans ce cas, on insère la prothèse endovasculaire par voie transluminale et on la fixe aux vaisseaux sains (sans la suturer directement à la paroi de l'anévrisme) de façon à ce qu'elle traverse l'anévrisme de part en part (figure 33-14 ■). Cette intervention peut être effectuée sous anesthésie locale. Ses complications peuvent être les suivantes:

- Saignements
- Formation d'un hématome hémorragique
- Infection de la plaie au point d'insertion de la prothèse (région fémorale)
- Ischémie ou embolisation distale
- Dissection ou perforation de l'aorte
- Thrombose ou infection du greffon

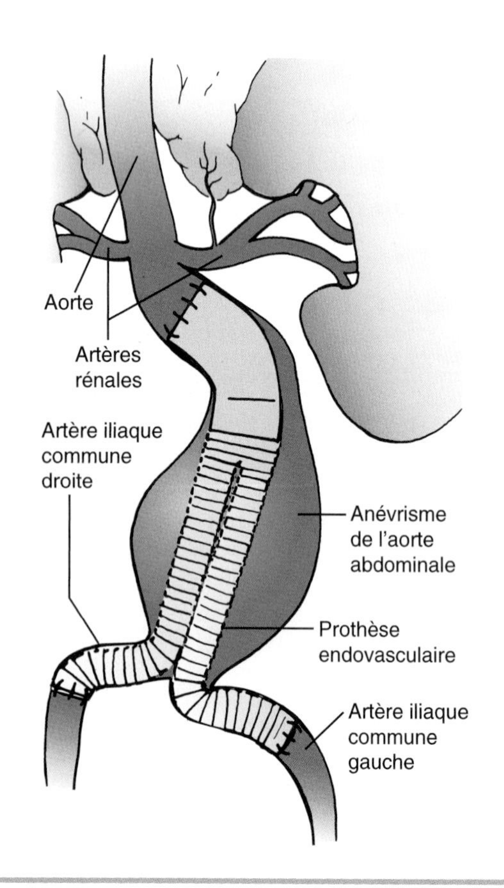

FIGURE 33-14 ■ Réparation chirurgicale d'un anévrisme de l'aorte abdominale au moyen d'une prothèse aortique Ancure.

- Rupture du système de fixation et migration du greffon
- Rupture à retardement de l'anévrisme
- Ischémie intestinale

Soins et traitements infirmiers

En effectuant l'examen clinique avant l'intervention, l'infirmière doit tenir compte du risque de rupture de l'anévrisme et penser à la possibilité d'une atteinte cardiovasculaire, cérébrale, pulmonaire ou rénale attribuable à l'athérosclérose. Elle doit donc évaluer l'homéostasie de ces fonctions physiologiques et amorcer sans tarder les traitements visant à les stabiliser.

Les signes de rupture imminente comprennent des douleurs dorsales et abdominales intenses, constantes ou intermittentes, et qui sont souvent ressenties dans la partie centrale ou inférieure de l'abdomen, à la gauche de la ligne médiane. La personne peut aussi éprouver des douleurs lombaires en raison de la pression que l'anévrisme exerce sur les nerfs lombaires. Il s'agit d'un symptôme grave, puisqu'il indique habituellement que l'anévrisme grossit rapidement et qu'il est sur le point de se rompre. Une rupture de l'anévrisme de l'aorte abdominale se traduit par des douleurs dorsales constantes et intenses, la chute de la pression artérielle et la baisse de l'hématocrite. La rupture d'un anévrisme dans la cavité péritonéale mène rapidement à la mort; lorsqu'elle a lieu dans la région rétropéritonéale, la rupture d'anévrisme peut entraîner la formation d'hématomes dans le scrotum, le périnée, le flanc ou le pénis. Quand ils augmentent rapidement, les signes d'insuffisance cardiaque font penser à une rupture de l'aorte et à un déversement dans la veine cave inférieure. Ce type de rupture se caractérise par l'entrée de sang artériel, à la pression plus élevée, dans le système veineux, où la pression est plus faible, créant ainsi une turbulence sonore. Dans l'ensemble, le taux de mortalité associé à la rupture d'un anévrisme est de 50 à 75 %. Les interventions postopératoires comprennent le monitorage des fonctions cardiovasculaire, rénale et neurologique. L'occlusion artérielle, l'hémorragie, l'infection, l'ischémie intestinale, l'insuffisance rénale et l'impuissance comptent parmi les complications possibles de l'intervention.

Dissection de l'aorte

Parfois, si la paroi de l'aorte est touchée par l'athérosclérose, l'intima se déchire ou la média se détériore, ce qui entraîne la dissection du vaisseau (figure 33-11F).

Physiopathologie

Les dissections aortiques représentent souvent la conséquence d'une hypertension non maîtrisée. Elles sont trois fois plus fréquentes chez les hommes que chez les femmes et elles surviennent surtout chez les personnes de 50 à 70 ans (Rutherford, 1999). La dissection est causée par une rupture de l'intima.

Au fur et à mesure que la dissection progresse, les artères qui prennent naissance dans la région touchée s'effritent et s'obstruent. La déchirure survient le plus souvent dans la crosse aortique, le taux de mortalité le plus élevé étant associé à une dissection de l'aorte ascendante. La dissection peut remonter vers le cœur, obstruant le point d'origine des coronaires, ou encore entraînant un hémopéricarde (effusion de sang dans le sac péricardique) ou une insuffisance aortique. Elle peut aussi s'étendre dans la direction opposée et provoquer l'occlusion des artères qui irriguent le tractus gastro-intestinal, les reins, la moelle épinière et les jambes.

Manifestations cliniques

En général, les symptômes apparaissent soudainement. La personne peut signaler une douleur intense et persistante, qu'elle décrit comme un «déchirement» ou un «arrachement». La douleur est ressentie dans la région précordiale ou dans le dos et elle peut irradier dans les épaules, la région épigastrique ou l'abdomen. Le médecin peut prendre à tort la dissection de l'aorte pour un infarctus du myocarde et, de ce fait, commencer par prescrire un traitement inefficace. Selon l'emplacement et l'extension de la dissection, les symptômes cardiovasculaires, neurologiques et gastro-intestinaux entraînent d'autres manifestations cliniques. La personne peut être pâle, en sueur et présenter une tachycardie. La pression artérielle sera peut-être élevée ou différera d'un bras à l'autre, si la dissection atteint le point d'origine d'une des deux artères sous-clavières. En raison du tableau clinique variable de cette affection, il est habituellement difficile pour le médecin de poser un diagnostic précoce.

Examen clinique et examens paracliniques

L'artériographie, la tomodensitométrie, l'échocardiographie transœsophagienne, l'ultrasonographie en duplex et l'imagerie par résonance magnétique sont autant d'examens qui peuvent aider à poser le diagnostic.

Traitement médical

Le traitement médical ou chirurgical d'un anévrisme disséquant dépend du type de dissection et suit les principes généraux du traitement des anévrismes de l'aorte thoracique, décrits précédemment.

Soins et traitements infirmiers

En cas de dissection de l'aorte, l'infirmière doit prodiguer à la personne les mêmes soins que dans les cas d'anévrisme aortique corrigé par voie chirurgicale (voir plus haut). Les interventions décrites dans le plan thérapeutique infirmier (p. 463) s'appliquent ici également.

Autres anévrismes

Les anévrismes peuvent aussi toucher les vaisseaux périphériques, la plupart du temps à cause de l'athérosclérose; des vaisseaux tels que l'artère sous-clavière, l'artère rénale, l'artère fémorale ou, cas le plus fréquent, l'artère poplitée peuvent s'en trouver affectés. De 50 à 60 % des anévrismes des artères poplitées sont bilatéraux et peuvent accompagner des anévrismes de l'aorte abdominale.

Les anévrismes forment une masse pulsatile et ils entravent la circulation périphérique distale. La douleur et l'œdème qu'ils provoquent traduisent la pression exercée sur les veines et les nerfs adjacents. On pose le diagnostic à l'aide d'une ultrasonographie en duplex et d'une tomodensitométrie qui permettent d'établir la taille, la longueur et l'importance de l'anévrisme. L'artériographie permet d'évaluer la gravité de l'atteinte proximale et distale.

L'intervention chirurgicale consiste à remplacer la partie atteinte du vaisseau par un tuteur à pontage ou par une endoprothèse vasculaire en Dacron ou en PTFE (polytétrafluoroéthylène) dont les structures externes sont faites de divers matériaux (nitinol, titane, acier inoxydable) qui peuvent fournir un soutien additionnel.

Soins et traitements infirmiers

La personne qui a subi une intervention endovasculaire doit rester allongée pendant 6 heures. Après 2 heures, l'infirmière peut soulever la tête du lit jusqu'à 45 degrés. Ces recommandations peuvent toutefois varier d'un établissement à l'autre. Pendant qu'elle est alitée, la personne doit utiliser un bassin ou un urinal, mais l'infirmière peut aussi installer une sonde vésicale. Elle doit évaluer les signes vitaux et mesurer les pouls périphériques à l'aide d'un Doppler aussi fréquemment que le requiert l'état de santé de la personne. Elle peut par exemple réaliser cette évaluation toutes les 15 minutes à 4 reprises, puis toutes les 30 minutes à 4 reprises, et enfin toutes les heures à 4 reprises; par la suite, elle devra se conformer aux consignes du médecin ou aux normes de l'établissement. Lorsqu'elle prend les signes vitaux et les pouls, l'infirmière examine l'endroit où le cathéter est introduit. Elle doit rester à l'affût des saignements, de l'œdème, de la douleur ou de la formation d'un hématome et les signaler au médecin s'ils se produisent, de même que tout changement concernant les signes vitaux ou la qualité des pouls. En raison du risque accru d'hémorragie, elle doit également informer le médecin de la toux persistante, des éternuements, des vomissements ou d'une pression systolique qui serait supérieure à 180 mm Hg. La plupart des personnes peuvent reprendre leur régime alimentaire habituel. On doit les encourager à boire des liquides. La perfusion intraveineuse peut être maintenue jusqu'à ce que la personne puisse boire normalement. L'absorption de liquides permet de maintenir un débit sanguin adéquat là où la résection a été effectuée et elle permet d'éliminer par les reins tant le produit de contraste que les autres médicaments administrés durant l'intervention. Six heures après l'intervention, la personne pourra se tourner dans le lit et se rendre aux toilettes avec l'aide de l'infirmière.

Occlusion artérielle aiguë

Physiopathologie

L'occlusion artérielle aiguë peut être causée par une embolie ou par une thrombose. Celles-ci proviennent parfois d'une lésion iatrogène pouvant survenir pendant l'insertion des cathéters, comme ceux qu'on utilise lors d'une artériographie, d'une angioplastie transluminale percutanée, ou encore lors de la pose d'un tuteur ou d'un ballonnet de contrepulsion intra-aortique. Parmi les autres causes, mentionnons les traumatismes résultant d'une fracture, d'une lésion par écrasement ou d'une plaie perforante dans l'intima de l'artère. Pour amorcer le traitement approprié, il faut établir avec précision si l'occlusion artérielle est embolique ou thrombotique.

L'embolie artérielle se produit le plus souvent à partir de caillots qui se forment dans les cavités du cœur à la suite d'une fibrillation auriculaire, d'un infarctus du myocarde, d'une endocardite infectieuse ou d'une insuffisance cardiaque chronique. Ces caillots, qui se constituent dans le cœur gauche, sont transportés par le réseau artériel et peuvent se loger dans une artère plus petite et l'obstruer. Les emboles peuvent aussi se former en cas d'athérosclérose aortique avancée, parce que les plaques athéromateuses deviennent rugueuses ou s'effritent. La thrombose aiguë survient fréquemment chez les personnes présentant des symptômes ischémiques préexistants. Elle est provoquée par un thrombus qui se forme lentement, habituellement à un endroit où la paroi artérielle est lésée. Il s'agit en général d'une lésion athéroscléreuse.

Manifestations cliniques

Les symptômes accompagnant l'embolie artérielle dépendent surtout de la taille de l'embole, de l'organe atteint et de l'état des vaisseaux collatéraux. L'effet immédiat est l'arrêt du débit sanguin en aval. Le blocage peut s'étendre en aval et en amont de l'occlusion. Des vasospasmes secondaires contribuent parfois à l'ischémie. L'embole peut se fragmenter ou se détacher, ce qui entraîne l'occlusion des vaisseaux distaux ; il se loge habituellement dans les bifurcations des artères et dans des vaisseaux rétrécis par l'athérosclérose. Les artères cérébrales, mésentériques, rénales et coronaires sont souvent touchées, outre les artères de gros calibre des membres.

Les symptômes d'embolie artérielle aiguë des membres insuffisamment irrigués par une circulation collatérale sont des douleurs aiguës et intenses ainsi qu'une perte graduelle des fonctions sensorielles et motrices. Les six signes associés à l'embolie artérielle sont les suivants :

- Douleur
- Pâleur
- Absence de pouls
- Paresthésie
- Poïkilothermie (froideur)
- Paralysie

Après quelque temps, les veines superficielles peuvent s'affaisser à cause de la diminution du débit sanguin dans les membres. En raison de l'ischémie, la partie du membre située en aval de l'occlusion est beaucoup plus froide et pâle que celle qui est située en amont.

La thrombose artérielle peut aussi entraîner l'obstruction aiguë d'une artère. Il arrive que le thrombus se forme dans un anévrisme aortique. Les manifestations associées à l'occlusion artérielle thrombotique aiguë sont similaires à celles de l'occlusion embolique. Toutefois, le thrombus est plus difficile à traiter, parce que l'occlusion s'est produite dans un vaisseau détérioré. De ce fait, la chirurgie réparatrice visant à rétablir le flot sanguin est plus lourde que dans le cas d'une complication embolique.

Examen clinique et examens paracliniques

C'est l'apparition brusque des signes et symptômes le caractérisant qui amène habituellement à détecter la présence d'un embole artériel. L'échocardiographie bidimensionnelle ou l'échocardiographie transœsophagienne, la radiographie et l'électrocardiographie peuvent révéler une maladie cardiaque sous-jacente. L'ultrasonographie en duplex et l'ultrasonographie Doppler, qui sont des examens non effractifs, permettent d'établir la présence et l'étendue de l'athérosclérose sous-jacente. L'artériographie peut également se révéler utile dans ce cas.

Traitement médical

Le traitement de l'occlusion artérielle aiguë dépend de l'étiologie. L'embolie dicte une chirurgie d'urgence, car il s'agit littéralement d'une course contre la montre. Puisque l'occlusion est soudaine, aucune circulation collatérale n'a pu s'établir et les six signes dont il a été question plus haut apparaissent rapidement, menant à la paralysie, qui représente le stade le plus avancé. Il faut amorcer immédiatement un traitement à l'héparine non fractionnée pour prévenir la formation d'un nouvel embole et, s'il y a lieu, ralentir l'évolution du thrombus. En général, on commence par administrer un bolus intraveineux de 5 000 à 10 000 unités, puis 1 000 unités à l'heure en perfusion continue, ajustée selon le temps de céphaline, jusqu'à ce que la personne soit apte à subir une intervention chirurgicale.

Traitement chirurgical

L'embolectomie d'urgence est l'intervention de choix lorsque le membre touché peut être sauvé (figure 33-15 ■). Les emboles artériels sont habituellement retirés à l'aide d'un

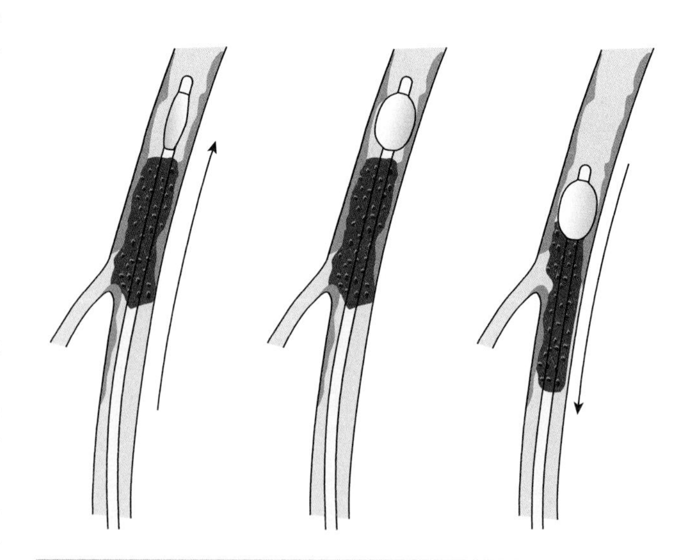

FIGURE 33-15 ■ Extraction d'un embole par un cathéter d'embolectomie muni d'un ballonnet à son extrémité. Le cathéter, dont le ballonnet est dégonflé, a été poussé dans le vaisseau jusqu'en amont de l'embole. Ensuite, on gonfle le ballonnet et le cathéter, que le chirurgien retire délicatement, emportant en même temps l'embole. SOURCE : R.B. Rutherford (1999), *Vascular surgery* (5e éd.), vol. 1 et 2. Philadelphie : W.B. Saunders.

cathéter à embolectomie. Le chirurgien introduit le cathéter par une incision pratiquée à l'aine, puis le fait remonter par l'artère touchée jusqu'en amont de l'occlusion. À ce moment-là, il gonfle le ballonnet avec une solution salée et extrait le caillot en retirant le cathéter.

Pharmacothérapie

Si une circulation collatérale s'est formée, on peut effectuer une anticoagulothérapie par voie intraveineuse avec de l'héparine non fractionnée afin d'empêcher le thrombus de s'étendre et afin de réduire la nécrose musculaire. Les médicaments thrombolytiques, administrés par voie intra-artérielle, aident à dissoudre l'embole.

Pour la thrombolyse artérielle, on peut utiliser l'altéplase (t-PA, Activase), la retéplase (r-PA, Retavase) et le ténectéplase (TNKase). Bien que ces médicaments aient des pharmacocinétiques différentes, on les administre de la même manière: on glisse un cathéter jusqu'au caillot, en suivant son parcours sur une image radiologique, et on perfuse l'agent thrombolytique directement dans l'artère atteinte.

On ne devrait pas administrer de traitement thrombolytique en cas de contre-indication ou lorsqu'on estime que le membre atteint ne pourra tolérer l'ischémie durant le temps nécessaire pour la lyse (désintégration) du caillot. Les contre-indications au traitement thrombolytique comprennent les hémorragies internes actives, les accidents vasculaires cérébraux (AVC, ischémie cérébrale transitoire), une intervention chirurgicale importante subie récemment, une hypertension non maîtrisée et la grossesse.

Soins et traitements infirmiers

Avant la chirurgie, la personne doit être alitée, la jambe reposant à l'horizontale ou en position légèrement déclive (de 15 degrés au maximum). On doit maintenir la région touchée à la température ambiante et la protéger des traumatismes. Les bouillottes et les compresses froides sont contre-indiquées, car les changements de température constituent un traumatisme pour les membres ischémiques. Il faut éviter de poser du ruban adhésif ou des électrodes d'électrocardiogramme sur les membres, car des lésions pourraient se produire en quelques heures. L'infirmière devra protéger le membre atteint contre les traumatismes mécaniques au moyen d'arceaux de lit.

Si la personne reçoit un traitement thrombolytique, l'infirmière doit la peser afin d'établir la dose de médicament nécessaire. La personne est admise à l'unité des soins intensifs où elle restera sous surveillance continue. L'infirmière évaluera les signes vitaux et neurovasculaires toutes les 15 minutes pendant 2 heures, puis toutes les 30 minutes pendant les 6 heures suivantes, et enfin toutes les heures pendant 16 heures. Les saignements représentent l'effet secondaire le plus courant du traitement thrombolytique; c'est pourquoi il faut surveiller étroitement la personne et rester à l'affût de tout signe de saignements. L'infirmière veillera également à réduire le nombre de points de ponction intraveineuse et elle s'abstiendra de toute injection par voie intramusculaire. Elle devra prévenir tout traumatisme tissulaire et exercer une pression sur l'endroit où la ponction a été effectuée pendant une période au moins deux fois plus longue que d'habitude. Si la personne reçoit un traitement au t-PA, on lui administre habituellement de l'héparine en concomitance pour empêcher la formation d'un autre thrombus au siège de la lésion. Le t-PA active le plasminogène du thrombus davantage que le plasminogène circulant, mais il ne réduit pas les facteurs de coagulation aussi efficacement que les autres thrombolytiques. Par conséquent, les personnes traitées au t-PA sont davantage prédisposées à la formation de nouveaux thrombus.

Au cours de la période postopératoire, l'infirmière travaille en collaboration avec le chirurgien pour établir le degré d'activité auquel la personne peut se livrer selon son état. En général, on encourage fortement la personne à mouvoir sa jambe pour stimuler la circulation et pour prévenir la stase. On peut poursuivre l'anticoagulothérapie après l'intervention afin de prévenir une thrombose dans l'artère lésée et de diminuer le risque de formation d'un thrombus au point d'origine. L'infirmière doit être à l'affût des signes d'hémorragie locale et générale, ainsi que des changements dans l'état mental qui peuvent survenir au cours de l'anticoagulothérapie. Elle doit mesurer les pouls, calculer l'indice de pression systolique, vérifier les pouls par Doppler et évaluer les fonctions sensorielles et motrices toutes les heures pendant les 24 premières heures, parce que des changements marqués peuvent indiquer une réocclusion. Les anomalies métaboliques, l'insuffisance rénale et le syndrome de loge représentent quelques-unes des complications de l'occlusion artérielle aiguë.

Maladie de Raynaud

La maladie de Raynaud est une forme de vasoconstriction artériolaire intermittente. Elle entraîne des douleurs au bout des doigts et des orteils, qui deviennent froids et pâles. La cause en est inconnue, bien que nombre de personnes atteintes semblent manifester des troubles immunologiques. Les symptômes peuvent être attribuables à une déficience de la production basale de chaleur, qui finit par réduire la capacité de dilatation des vaisseaux cutanés. Les épisodes peuvent être déclenchés par des facteurs émotionnels ou par une sensibilité exagérée au froid. La maladie de Raynaud est plus courante chez les femmes de 16 à 40 ans et elle survient surtout l'hiver.

Le terme *phénomène de Raynaud* désigne des épisodes intermittents et localisés de vasoconstriction des petites artères des pieds et des mains qui entraînent un changement de couleur et de température. En général, le phénomène est unilatéral et il ne touche qu'un ou deux doigts ou orteils; il accompagne toujours une maladie systémique sous-jacente. Il peut survenir en présence de sclérodermie, de lupus érythémateux disséminé, de polyarthrite rhumatoïde, de maladie artérielle obstructive ou d'un traumatisme.

Le pronostic associé à la maladie de Raynaud varie; l'état de certaines personnes s'améliore lentement, d'autres voient leur état s'aggraver graduellement, alors que l'état d'autres personnes encore reste inchangé. L'ulcération et la gangrène sont rares, mais en passant au stade chronique la maladie peut causer parfois une atrophie de la peau et des muscles. Si la personne bénéficie d'un enseignement approprié et effectue des changements dans son mode de vie, cette affection peut rester bénigne et disparaître spontanément.

Manifestations cliniques

Le tableau clinique classique de la maladie fait état d'une pâleur déclenchée par une vasoconstriction soudaine. La peau devient bleue (cyanosée) à la suite de l'accumulation de sang désoxygéné durant le vasospasme. En raison du reflux exagéré (hyperémie) causé par la vasodilatation, les doigts ou les orteils rougissent lorsque le sang oxygéné les irrigue de nouveau après l'arrêt du vasospasme. La séquence caractéristique du changement de coloration entraîné par la maladie de Raynaud est la suivante: blanc, bleu puis rouge. La personne ressent un engourdissement, des picotements et une douleur brûlante lorsque la coloration change. L'atteinte est habituellement bilatérale et symétrique.

Traitement médical

L'une des principales mesures visant à maîtriser la maladie de Raynaud est d'éviter tout stimulus particulier qui déclenche la vasoconstriction (par exemple le froid, l'usage du tabac). Les bloquants des canaux calciques, particulièrement la nifédipine (Adalat) et l'amlodipine (Norvasc), peuvent soulager efficacement les symptômes. Les études indiquent que la nifédipine est un bloquant des canaux calciques efficace dans le traitement d'un épisode aigu de vasospasme (Kaufman *et al.*, 1996). La sympathectomie (interruption des impulsions des nerfs sympathiques au moyen de l'exérèse des ganglions sympathiques ou de la résection des ramifications nerveuses) peut s'avérer utile chez certaines personnes.

Soins et traitements infirmiers

Des cours de gestion du stress peuvent aider un certain nombre de personnes. L'infirmière insistera particulièrement sur le fait qu'il faut éviter autant que possible d'exposer ses extrémités au froid. Dans les régions qui connaissent des automnes et des hivers froids, la personne devrait porter plusieurs couches de vêtements lorsqu'elle est à l'extérieur, de même qu'un chapeau et des gants. Elle devrait choisir des vêtements fabriqués dans des tissus spécialement conçus pour les basses températures (Thinsulate ou Gor-Tex, par exemple). L'infirmière devra conseiller à la personne de réchauffer sa voiture avant d'y monter afin de ne pas avoir à toucher une poignée de porte ou un volant froid, au risque de déclencher une crise. L'été, la personne doit avoir à portée de la main un chandail à enfiler lorsqu'elle entre dans une pièce climatisée.

Bien que les personnes s'inquiètent souvent du risque de complications graves, comme la gangrène et l'amputation, celles-ci sont rares. L'infirmière devrait recommander à la personne d'éviter l'usage du tabac *sous toutes ses formes*, car la gomme ou les timbres de nicotine, qui peuvent aider à arrêter de fumer, risquent aussi de déclencher des crises.

Il faut conseiller à la personne de recourir à des mesures de sécurité, par exemple de manipuler avec prudence les objets coupants afin d'éviter de se blesser aux doigts. L'infirmière doit lui expliquer que des médicaments comme les bloquants des canaux calciques, utilisés pour traiter la maladie de Raynaud, peuvent provoquer une hypotension orthostatique. Elle doit aussi lui transmettre des consignes de sécurité concernant la consommation d'alcool, l'exercice et les sorties par temps chaud.

Affections veineuses

THROMBOSE VEINEUSE, THROMBOSE VEINEUSE PROFONDE, THROMBOPHLÉBITE

Bien qu'ils ne désignent pas nécessairement des processus pathologiques identiques sur le plan clinique, les termes *thrombose veineuse*, *thrombose veineuse profonde (TVP)* et *thrombophlébite* sont souvent considérés comme interchangeables.

Physiopathologie

Les veines superficielles, telles que les veines saphènes interne et externe, céphalique, basilique et jugulaire externe, sont des structures musculaires à parois épaisses situées juste sous la peau. Les veines profondes ont des parois plus minces et une média moins musclée. Elles sont parallèles aux artères et portent les mêmes noms qu'elles. Les veines superficielles et profondes sont dotées de valvules grâce auxquelles le flot sanguin ne peut s'écouler qu'en direction du cœur. Ces valvules sont situées à la base d'un segment de la veine qui s'élargit pour former un sinus. Ainsi les valvules s'ouvrent-elles sans entrer en contact avec la paroi veineuse et se ferment-elles rapidement lorsque le sang commence à refluer. Les veines perforantes, quant à elles, sont munies de valvules grâce auxquelles le sang s'écoule des veines superficielles aux veines profondes.

Bien que la cause exacte de la thrombose veineuse demeure obscure, on croit que trois facteurs, qui forment la triade de Virchow, jouent un rôle important dans sa manifestation: la stase du sang (stase veineuse), la lésion des parois vasculaires et une coagulation accrue du sang (encadré 33-8 ■). Il semblerait qu'au moins deux de ces facteurs doivent être présents pour qu'une thrombose survienne.

- La stase veineuse se produit lorsqu'il y a réduction du débit sanguin, par exemple en cas d'insuffisance cardiaque ou de choc; lorsque les veines sont dilatées, par exemple sous l'effet de certains médicaments; et lorsque la contraction des muscles squelettiques ne s'effectue pas de façon satisfaisante, par exemple en cas d'immobilité ou de paralysie des membres, ou encore à cause d'une anesthésie. De plus, lorsque la personne reste au lit, l'irrigation des jambes diminue d'au moins 50 %.
- Les lésions de l'intima des vaisseaux sont propices à la formation de caillots. Les traumatismes touchant directement les vaisseaux, par exemple les fractures ou les luxations, les maladies des veines et l'irritation par des agents chimiques comme les solutions ou les médicaments administrés par voie intraveineuse, peuvent léser ces vaisseaux.
- L'hypercoagulabilité est souvent provoquée par une anticoagulothérapie brusquement interrompue. Certains médicaments (contraceptifs oraux, œstrogènes ou progestatifs administrés au cours d'une hormonothérapie de remplacement, tamoxifène) et plusieurs dyscrasies sanguines (anomalies du sang) peuvent aussi provoquer l'hypercoagulabilité.

ENCADRÉ 33-8

FACTEURS DE RISQUE

Thrombose veineuse profonde et embolie pulmonaire

- Lésions endothéliales
  - Traumatisme
  - Chirurgie
  - Électrodes d'un stimulateur cardiaque
  - Cathéter veineux central
  - Cathéter pour hémodialyse
  - Lésion veineuse localisée
  - Lésion due à des mouvements répétitifs
- Stase veineuse
  - Alitement ou immobilisation prolongée
  - Obésité
  - Antécédents de varices
  - Blessure médullaire
  - Âge (65 ans ou plus)
- Coagulopathie
- Cancer
- Grossesse
- Usage de contraceptifs oraux, d'œstrogènes ou de progestatifs administrés au cours d'une hormonothérapie de remplacement, ou de tamoxifène
- Présence des protéines congénitales C et S
- Présence de l'anticorps anticardiolipine
- Carence en antithrombine III
- Polyglobulie
- Septicémie

La thrombophlébite, qui est une inflammation de la paroi veineuse, s'accompagne souvent de la formation d'un thrombus. La thrombose veineuse, quant à elle, désigne la formation d'un thrombus dans une veine, à la suite de la stase du sang ou de l'hypercoagulabilité, mais en l'absence d'inflammation. La thrombose veineuse peut affecter toutes les veines, mais surtout celles des membres inférieurs, qu'elles soient superficielles ou profondes.

La thrombose veineuse des membres supérieurs est plus rare que celle des membres inférieurs. Toutefois, elle est plus courante chez les personnes qui ont un cathéter intraveineux ou chez celles qui sont atteintes d'une affection sous-jacente entraînant l'hypercoagulabilité. Les traumatismes internes des vaisseaux peuvent être provoqués par les électrodes d'un stimulateur cardiaque, les ponctions effectuées pour administrer une chimiothérapie, les canules pour hémodialyse ou les cathéters servant à l'alimentation parentérale. La lumière de la veine peut être rétrécie par un cathéter, ou bien par la pression exercée par une tumeur ou une côte cervicale surnuméraire, par exemple. La thrombose d'effort des membres supérieurs est causée par les mouvements répétitifs, comme ceux que doivent faire les nageurs de compétition, les joueurs de tennis et les ouvriers du bâtiment. Ces mouvements finissent par irriter la paroi du vaisseau, entraînant une inflammation et, par la suite, une thrombose.

Les thrombus veineux sont formés d'un agrégat de plaquettes niché dans la paroi veineuse, doté d'un appendice renfermant de la fibrine, des leucocytes et bon nombre d'érythrocytes. Cet appendice peut s'étendre ou s'allonger dans le sens du débit sanguin, en prenant la forme d'un thrombus composé de plusieurs couches. L'extension de la thrombose veineuse présente des dangers parce que des fragments du thrombus peuvent se détacher et causer une occlusion embolique des vaisseaux sanguins pulmonaires. Le thrombus peut se morceler spontanément lorsqu'il se dissout naturellement, ou lorsque la pression veineuse s'élève, par exemple au moment où on se lève brusquement ou on fait un effort musculaire après une immobilité prolongée. Après un épisode aigu de thrombose veineuse profonde, la veine touchée redevient habituellement perméable; la durée de ce processus influe sur le fonctionnement des valvules des veines et peut déboucher sur l'une des complications de la thrombose veineuse (Meissner *et al.*, 2000). Les autres complications de la thrombose veineuse sont énumérées à l'encadré 33-9 ■.

Manifestations cliniques

Notons qu'il existe un important problème associé au diagnostic de la thrombose veineuse profonde: le peu de spécificité des signes et symptômes. La *phlegmatia cerulea dolens,* ou phlébite bleue (thrombose veineuse iliofémorale massive), fait exception; elle se caractérise par un œdème massif de l'ensemble du membre, qui est tendu, douloureux et froid au toucher. Malgré ces difficultés liées au diagnostic, les symptômes et signes cliniques doivent toujours être explorés.

Veines profondes

L'occlusion des veines profondes entraîne l'œdème du membre en raison du blocage de l'écoulement sanguin.

Pour déterminer la gravité de l'œdème, on doit mesurer, à divers endroits, la circonférence du membre touché à l'aide d'un ruban et comparer ces mesures avec celles du membre sain pour déceler tout écart entre les deux circonférences. Si les deux membres sont œdématiés, la différence peut être difficile à repérer. Le membre touché peut être plus chaud que l'autre, et les veines superficielles peuvent être plus saillantes. Il est toutefois essentiel de noter que l'œdème ne constitue pas une caractéristique déterminante de la thrombose veineuse et que, par conséquent, son absence ne permet pas de conclure à l'absence de la maladie.

ENCADRÉ 33-9

Complications de la thrombose veineuse

- Occlusion veineuse chronique
- Embolie pulmonaire causée par un thrombus en circulation
- Destruction valvulaire
  - Insuffisance veineuse chronique
  - Pression veineuse accrue
  - Varices
  - Ulcères veineux
- Occlusion veineuse
  - Pression distale accrue
  - Stase des liquides
  - Œdème
  - Gangrène veineuse

La douleur, qui survient habituellement plus tard, est due à l'inflammation de la paroi vasculaire et peut être décelée au moyen de la palpation. Le signe de Homans (douleur au mollet provoquée par une flexion dorsale abrupte du pied) n'est pas un signe propre à la thrombose veineuse profonde parce que ce type de douleur peut être occasionné par n'importe quelle atteinte au mollet. Il a été utilisé par le passé pour évaluer la thrombose veineuse profonde, mais on ne doit pas le considérer comme un signe fiable ou valide de cette affection et il n'a donc aucune valeur diagnostique. Dans certains cas, les signes qui traduisent la présence d'un embole pulmonaire (dyspnée, fatigue) représentent les premiers indices de thrombose veineuse profonde.

Veines superficielles

La thrombose des veines superficielles s'accompagne de douleur ou de sensibilité, de rougeur et de chaleur au niveau de la région atteinte. On parle alors de *thrombophlébite superficielle*. Le risque qu'un thrombus présent dans une veine superficielle se détache ou se fragmente pour former des emboles est très faible parce que la plupart de ces caillots se dissolvent spontanément. Ce type de thrombose peut être traité à domicile par le repos, la surélévation de la jambe, des analgésiques et parfois par des anti-inflammatoires.

Examen clinique et examens paracliniques

Seul un examen clinique attentif permet de déceler les signes précoces d'une affection des veines des membres inférieurs. Les personnes ayant des antécédents de varices, d'hypercoagulation, de néoplasie, de maladie cardiovasculaire ou encore de chirurgie majeure ou de blessures profondes récentes connaissent un risque plus élevé. Les personnes obèses, celles qui demeurent immobiles pendant de longues périodes (voyage transatlantique en avion), les personnes âgées et les femmes sous contraceptifs oraux sont également à risque.

Au cours de son examen, l'infirmière doit s'attarder aux signes et symptômes suivants:

- Douleur ou sensation de lourdeur dans le membre atteint
- Hausse unilatérale de la température de la peau
- Atteinte fonctionnelle (incapacité de marcher)
- Œdème de la cheville ou du membre inférieur
- Augmentation unilatérale de la circonférence de la jambe

Elle doit également délimiter les régions sensibles à la pression ou celles qui sont touchées par une thrombose superficielle (par exemple, segment veineux qui prend la forme d'un cordon enduré).

Prévention

Il est possible de prévenir la thrombose veineuse, même chez les personnes à risque élevé. On peut leur recommander des mesures non pharmacologiques, par exemple porter des bas compressifs, utiliser des orthèses de compression pneumatique intermittente et, avant tout, adopter des postures appropriées et faire de l'exercice. (Ces mesures seront présentées à la section intitulée «Soins et traitements infirmiers».) Pour prévenir la thrombose veineuse chez les personnes ayant subi une intervention chirurgicale, on peut administrer par voie sous-cutanée de l'héparine non fractionnée ou une héparine de faible poids moléculaire. On reconnaît de plus en plus la nécessité de prévenir la thrombose veineuse chez les personnes immobilisées. En plus du risque relié à l'immobilisation, ces personnes peuvent présenter plusieurs autres facteurs de risque tels qu'un cancer, une maladie pulmonaire grave, des antécédents de thrombose veineuse, une insuffisance cardiaque mal maîtrisée, un accident vasculaire cérébral. L'administration par voie sous-cutanée d'héparine non fractionnée ou d'une héparine de faible poids moléculaire est également appropriée chez ces personnes.

Traitement médical

Le traitement de la thrombose veineuse profonde vise à prévenir l'extension et la fragmentation du thrombus (risque d'embolie pulmonaire) et la récurrence de la thrombose. L'anticoagulothérapie (administration d'un médicament qui allonge le temps de coagulation du sang, qui prévient la formation d'un thrombus en phase postopératoire ou la croissance d'un thrombus déjà formé) peut aider à atteindre ces objectifs, bien que ce type de médicament ne puisse pas dissoudre un thrombus déjà formé.

Anticoagulothérapie

Héparine non fractionnée On administre de l'héparine non fractionnée par voie sous-cutanée pour prévenir l'apparition d'une thrombose veineuse profonde chez une personne à risque. Lorsqu'un thrombus est présent, on administre l'héparine par perfusion intermittente ou continue, pendant cinq à sept jours, pour prévenir l'extension de la thrombose et la formation de nouveaux thrombus. Le traitement à l'héparine s'accompagne de l'administration d'anticoagulants oraux tels que la warfarine (Coumadin). On établit la posologie de l'héparine non fractionnée selon le temps de céphaline et celle de la warfarine selon le **rapport international normalisé (RIN)**.

Héparine de faible poids moléculaire L'administration sous-cutanée d'une héparine de faible poids moléculaire (HFPM) constitue dans plusieurs cas un traitement efficace et pratique de la thrombose veineuse profonde. Puisque les demi-vies des HFPM sont plus longues que la demi-vie de l'héparine non fractionnée, on peut en administrer une ou deux doses par voie sous-cutanée tous les jours. Les doses sont calculées d'après le poids de la personne. Les HFPM préviennent l'extension de la thrombose de même que la formation de nouveaux thrombus et elles entraînent moins de complications hémorragiques que l'héparine non fractionnée. Puisqu'il en existe plusieurs préparations – daltéparine (Fragmin), énoxaparine (Lovenox), nadroparine (Fraxiparine), tinzaparine (Innohep) –, le médecin doit établir l'horaire des prises selon le produit utilisé et le protocole de l'établissement. Le prix des HFPM est plus élevé que celui de l'héparine non fractionnée. Cependant, comme les personnes peuvent se les administrer à la maison après avoir reçu l'enseignement approprié, cela permet de réduire la durée de l'hospitalisation, de rendre les personnes plus mobiles et de leur donner une meilleure qualité de vie. En outre, les HFPM sont plus sécuritaires chez les femmes enceintes.

Traitement thrombolytique Contrairement au traitement à l'héparine, le traitement thrombolytique (traitement fibrinolytique) entraîne la lyse et la dissolution du thrombus chez la moitié des personnes. On administre des thrombolytiques comme les activateurs tissulaires du plasminogène suivants: altéplase (t-PA, Activase), retéplase (r-PA, Retavase), ténectéplase (TNKase) et streptokinase (Streptase), dans les trois jours qui suivent la thrombose veineuse. Le traitement amorcé plus de cinq jours après l'apparition des symptômes est beaucoup moins efficace (Moore, 2002). Les avantages de la thrombolyse peuvent comprendre un moindre risque de lésions à long terme des valvules veineuses ainsi qu'une diminution de la fréquence du syndrome postphlébitique et de l'insuffisance veineuse chronique. Toutefois, la thrombolyse est associée à une fréquence de saignements trois fois plus élevée que l'héparine. En cas de saignements impossibles à réprimer, on doit cesser d'administrer le médicament thrombolytique.

Traitement chirurgical

En cas de thrombose veineuse profonde, une intervention chirurgicale s'impose lorsque l'anticoagulothérapie ou la thrombolyse sont contre-indiquées (encadré 33-10 ■), lorsque le risque d'embolie pulmonaire est très élevé ou lorsque l'écoulement du sang veineux est à ce point entravé qu'il y a risque d'atteinte permanente du membre. La thrombectomie (excision du thrombus) représente l'intervention de choix. On peut installer un filtre dans la veine cave inférieure pour empêcher les gros emboles de passer et pour prévenir l'embolie pulmonaire (chapitre 25).

Soins et traitements infirmiers

Si la personne reçoit une anticoagulothérapie, l'infirmière doit noter à intervalles fréquents le temps de céphaline, le temps de prothrombine, la concentration d'hémoglobine et l'hématocrite, la numération plaquettaire et les taux de fibrinogène. Elle doit aussi rester à l'affût des saignements et, le cas échéant, les signaler immédiatement au médecin et cesser d'administrer l'anticoagulothérapie.

Administrer l'anticoagulothérapie

Afin de prévenir l'administration accidentelle de grandes quantités d'héparine non fractionnée pouvant déclencher une hémorragie, on privilégie la perfusion intraveineuse continue par une pompe électronique. La dose est calculée selon le poids de la personne. Avant le traitement, on décèle toute prédisposition aux saignements en dressant un profil de coagulation. En cas d'insuffisance rénale, les doses d'héparine doivent être plus faibles. À intervalles réguliers, on effectue des analyses de coagulation et on note l'hématocrite. L'efficacité thérapeutique de l'héparine est déterminée par un temps de céphaline qui est de 1,5 à 2,5 fois la valeur témoin.

L'administration intermittente par voie intraveineuse est une autre méthode possible; dans ce cas, on donne une solution diluée d'héparine toutes les 4 heures au moyen d'un dispositif d'injection intermittente, d'une canule intraveineuse verrouillée à une tubulure souple raccordée au dispositif de perfusion.

L'administration des anticoagulants oraux, comme la warfarine, dépend du temps de prothrombine ou du rapport international normalisé (RIN). Puisqu'ils n'agissent complètement que de 3 à 7 jours après le début du traitement, on administre habituellement ces médicaments en concomitance avec l'héparine non fractionée ou une HFPM jusqu'à ce qu'on obtienne l'effet anticoagulant souhaité (jusqu'à ce que le temps de prothrombine soit de 1,5 à 2 fois supérieur aux valeurs normales, ou que le RIN se situe entre 2,0 et 3,0).

Surveiller et traiter les complications

Saignements Les saignements spontanés et survenant n'importe où dans l'organisme représentent la principale complication de l'anticoagulothérapie. Les saignements au niveau des reins sont décelés par l'examen microscopique de l'urine et constituent souvent le premier signe de toxicité due à une trop forte dose d'anticoagulant. Les ecchymoses et les saignements du nez et des gencives sont aussi des signes qui se manifestent assez tôt. Afin d'inverser rapidement les effets de l'héparine, on peut injecter par voie intraveineuse du sulfate de protamine. Bien qu'il soit plus difficile d'inverser les effets de la warfarine, qui est un dérivé de la coumarine, l'administration de vitamine K tout comme la transfusion de plasma frais peuvent s'avérer des méthodes efficaces.

Thrombocytopénie La thrombocytopénie (baisse de la numération plaquettaire) causée par l'héparine constitue également une complication du traitement. Elle peut se manifester lorsque l'héparine est administrée pendant plus de cinq jours ou réadministrée après une brève interruption. En donnant la warfarine en même temps que l'héparine, on peut souvent

ENCADRÉ 33-10

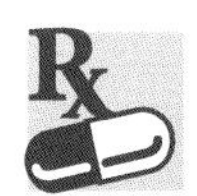

PHARMACOLOGIE

Contre-indications de l'anticoagulothérapie

- Peu de coopération de la part de la personne
- Saignements au niveau des fonctions suivantes:
  - gastro-intestinale
  - rénale
  - respiratoire
  - reproductrice
- Dyscrasie hémorragique
- Anévrisme
- Traumatisme grave
- Alcoolisme
- Chirurgie récente ou imminente
  - de l'œil
  - de la moelle épinière
  - du cerveau
- Affection rénale ou hépatique grave
- Hémorragie vasculaire cérébrale récente
- Infection
- Plaie ulcéreuse ouverte
- Travail associé à un risque élevé de blessure
- Accouchement récent

obtenir un RIN dans l'écart visé à l'intérieur de cinq jours. Les HFPM entraînent moins souvent une thrombocytopénie. On pense que celle-ci est causée par un mécanisme immunologique qui déclenche l'agrégation des plaquettes. Cette complication grave peut mener à des manifestations thromboemboliques, auquel cas le pronostic est extrêmement réservé.

Pour prévenir la thrombocytopénie, il faut effectuer une numération plaquettaire à intervalles réguliers. Les signes annonciateurs de la thrombocytopénie sont les suivants: numération plaquettaire inférieure à 100 000/mL, diminution du nombre de plaquettes de plus de 25 % d'un seul coup, nécessité d'augmenter la dose d'héparine pour maintenir des concentrations thérapeutiques, complications thromboemboliques ou hémorragiques et antécédents de sensibilité à l'héparine (Stevens, 2000). Si une thrombocytopénie survient, il faut effectuer des tests d'agrégation plaquettaire, cesser d'administrer de l'héparine et donner un autre anticoagulant.

Interactions médicamenteuses Parce que les anticoagulants oraux interagissent avec de nombreux médicaments, suppléments nutritionnels ou produits à base d'herbes médicinales, il faut bien surveiller la personne à qui le médecin en a prescrit. Les médicaments et suppléments qui potentialisent les anticoagulants oraux comprennent entre autres les salicylates, les stéroïdes anabolisants, certains antiarythmiques – amiodarone (Cordarone), propafénone (Rythmol), quinidine –, plusieurs antibiotiques – dont la ciprofloxacine (Cipro), le métronidazole (Flagyl) et le trimétoprime-sulfaméthoxazole (Bactrim, Septra) –, le fluconazole (Diflucan), l'allopurinol (Zyloprim), la coenzyme Q10, le dong quai, l'ail, le gingko biloba, le ginseng, et la vitamine E; d'autre part, la phénytoïne (Dilantin), les barbituriques, la carbamazépine (Tegretol), la rifampicine (Rifampin), les œstrogènes et le thé vert produisent l'effet contraire. Les anti-inflammatoires non stéroïdiens et les agents antiplaquettaires augmentent les risques de saignement sans modifier l'effet des anticoagulants. Il est important de déterminer les interactions médicamenteuses chez les personnes qui prennent des anticoagulants oraux. Les contre-indications du traitement anticoagulant sont énumérées à l'encadré 33-10.

Assurer le bien-être

De nombreuses autres mesures complémentaires au traitement médical et chirurgical peuvent être prises, dont le repos au lit, la surélévation du membre atteint, le port de bas compressifs et l'administration d'analgésiques pour soulager la douleur. Toutes ces mesures améliorent la circulation et augmentent le bien-être. Selon le siège et l'importance de la thrombose, la personne devra garder le lit pendant trois à cinq jours, soit approximativement le temps nécessaire pour que le thrombus adhère à la paroi veineuse, prévenant ainsi toute embolisation.

L'application de compresses chaudes et humides sur le membre atteint aide à atténuer les symptômes gênants associés à la thrombose veineuse profonde, tandis que les analgésiques aident à soulager la douleur. Lorsqu'elle recommence à marcher, la personne doit porter des bas compressifs. L'infirmière lui expliquera qu'il est préférable de marcher plutôt que de rester longtemps debout ou assise. Elle doit lui recommander également de faire des exercices au lit, par exemple des exercices de dorsiflexion du pied.

Recommander le port de bas compressifs

On prescrit habituellement des bas compressifs aux personnes atteintes d'insuffisance veineuse. Ces bas exercent une pression uniforme et soutenue sur toute la surface des mollets, réduisant le calibre des veines superficielles des jambes et augmentant le débit sanguin dans les veines plus profondes. Il existe trois types de bas compressifs: les bas qui montent jusqu'au genou, les bas qui s'arrêtent au milieu de la cuisse et ceux qui ressemblent à un bas-culotte. Les bas qui vont jusqu'à mi-cuisse sont difficiles à porter parce qu'ils ont tendance à glisser; ils entravent alors le débit sanguin plutôt que d'exercer une pression uniforme sur la cuisse.

! ALERTE CLINIQUE *Tous les bas, y compris les bas compressifs, peuvent faire office de garrot si on ne les porte pas correctement (par exemple s'ils forment un rouleau en haut de la cuisse). Dans ce cas, les bas provoquent la stase plutôt que de la prévenir. Les personnes qui peuvent marcher doivent enlever les bas le soir et les remettre le lendemain avant de sortir du lit.*

Après avoir enlevé les bas, l'infirmière doit inspecter la peau à la recherche de signes d'irritation et palper délicatement les mollets pour vérifier s'il y a de la sensibilité au toucher ou de l'œdème. Le port des bas est contre-indiqué en cas d'œdème grave qui prend le godet (4+, autrement dit, une pression exercée avec le doigt sur l'œdème crée une déformation dont la profondeur dépasse 2,5 cm et met plus de 2 minutes à reprendre sa forme première, une fois la pression retirée) en raison du risque de fortes infiltrations à la hauteur du genou.

Particularités reliées à la personne âgée

En raison d'une force musculaire et d'une dextérité réduites, les personnes âgées pourraient avoir du mal à placer correctement les bas compressifs. Dans ce cas, l'infirmière devrait montrer à un proche comment remonter les bas pour qu'ils n'exercent pas de pression indue sur quelque partie que ce soit du pied ou de la jambe.

Utiliser des dispositifs de compression pneumatique intermittente

On peut utiliser des dispositifs de compression pneumatique intermittente en même temps que les bas compressifs afin de prévenir la thrombose veineuse profonde. Ils sont munis d'un bouton de commande électrique relié par des tuyaux à air à des orthèses en plastique qui montent à hauteur des genoux ou des cuisses. Ces orthèses sont divisées en compartiments qui se remplissent successivement d'air et exercent ainsi une pression de 35 à 55 mm Hg sur la cheville, le mollet et la cuisse. Ces dispositifs peuvent accroître la vélocité du sang plus que ne le font les bas. L'infirmière doit s'assurer que les pressions ne dépassent pas celles qui ont été prescrites et que le port de ce type d'orthèse ne gêne en rien la personne.

Installer la personne dans la position appropriée et l'encourager à faire de l'exercice

Lorsque la personne est alitée, l'infirmière doit à intervalles réguliers lui surélever les pieds et la partie inférieure des jambes au-dessus du niveau du cœur. Dans cette position, les veines superficielles et tibiales peuvent se vider rapidement et demeurer affaissées. Pour accroître le débit veineux, la personne doit effectuer des exercices actifs des jambes, particulièrement ceux qui stimulent les muscles des mollets, ou quelqu'un d'autre doit lui faire faire des exercices passifs. En se déplaçant assez tôt, on prévient efficacement la stase veineuse. Les exercices de respiration profonde sont bénéfiques, car ils accroissent la pression négative dans le thorax, ce qui favorise l'évacuation du sang présent dans les grosses veines. Une fois que la personne est autorisée à marcher, il faut la prévenir qu'il lui est déconseillé de rester en position assise pendant plus de 2 heures à la fois. L'infirmière devrait l'inciter à marcher pendant au moins 10 minutes, toutes les heures ou toutes les 2 heures. Elle doit aussi lui conseiller de faire des exercices des jambes lorsqu'il lui est impossible de marcher aussi souvent que nécessaire, par exemple durant un long voyage en voiture, en train ou en avion.

Favoriser les soins à domicile et dans la communauté

En plus d'enseigner à la personne comment porter les bas compressifs, l'infirmière doit lui expliquer qu'il est important de surélever les jambes et de faire les exercices appropriés. Elle doit aussi lui donner toutes les informations concernant la pharmacothérapie, ses buts, et l'inciter à suivre la posologie des médicaments prescrits (encadré 33-11 ■). La personne devrait aussi savoir qu'il lui faudra se soumettre à intervalles réguliers à des ponctions veineuses, qui permettront de déterminer s'il faut adapter la thérapie médicamenteuse. Si la personne n'est pas fidèle au traitement, il faut en discuter avec elle. Quant aux personnes qui ne sont pas en mesure de mettre fin à leur consommation d'alcool, elles ne devraient pas recevoir d'anticoagulants parce que le fait de consommer régulièrement de l'alcool diminue l'efficacité de ces médicaments. Chez les personnes présentant une affection hépatique, le risque de saignement peut être exacerbé par l'anticoagulothérapie.

ENCADRÉ 33-11

ENSEIGNEMENT

Prise des anticoagulants

- Prendre l'anticoagulant tous les jours à la même heure, habituellement le soir, avec le souper ou au coucher.
- Porter sur soi en tout temps une pièce d'identité sur laquelle est indiqué le nom de l'anticoagulant et son dosage.
- Respecter les rendez-vous pour les prises de sang.
- Puisque certains médicaments modifient les effets des anticoagulants, ne prendre aucun des médicaments ou suppléments suivants sans avoir consulté au préalable un médecin ou un pharmacien: vitamines, remèdes contre le rhume, antibiotiques, aspirine, huile minérale, anti-inflammatoires comme l'ibuprofène (Motrin) ou autres médicaments similaires, suppléments nutritionnels ou produits à base d'herbes médicinales.
- Éviter de consommer de l'alcool, puisque celui-ci peut modifier la réaction de l'organisme aux anticoagulants.
- Éviter les aliments miracles et les régimes extrêmes; ne pas changer ses habitudes alimentaires de manière soudaine et radicale.
- Prendre de la warfarine (Coumadin) seulement sur recommandation du médecin.
- Une fois que la warfarine (Coumadin) a été prescrite, continuer de la prendre scrupuleusement tant que le médecin ne met pas fin au traitement.
- Informer tout professionnel de la santé (médecin, dentiste, infirmière, chiropraticien, podiatre ou autre) qui doit prodiguer un traitement que l'on est sous anticoagulothérapie.
- Contacter le médecin avant toute intervention dentaire ou chirurgicale non urgente.
- Contacter immédiatement le médecin si l'un des signes suivants se manifeste:
  - Évanouissements, étourdissements ou faiblesse accrue
  - Maux de tête ou douleurs abdominales graves
  - Urine rougeâtre ou brunâtre
  - Tout saignement, par exemple coupure qui n'arrête pas de saigner
  - Ecchymoses qui s'élargissent, saignements de nez ou saignements inhabituels dans n'importe quelle partie du corps
  - Selles rouges ou noires
  - Éruption cutanée
- Éviter les blessures qui pourraient provoquer des saignements.
- Pour les femmes: contacter le médecin si on pense être enceinte. La warfarine ne doit pas être utilisée pendant la grossesse.

INSUFFISANCE VEINEUSE CHRONIQUE

L'insuffisance veineuse est due à l'occlusion des valvules veineuses des jambes ou au reflux du sang à travers les valvules. Elle peut toucher les veines superficielles autant que les veines profondes de la jambe. L'hypertension veineuse qui en découle provient d'une pression veineuse constamment élevée, comme dans les cas de TVP. Puisqu'elles sont minces et élastiques, les parois des veines se distendent facilement lorsque la pression est constamment élevée. Les feuillets des valvules s'étirent et empêchent celles-ci de se refermer complètement, ce qui entraîne un reflux de sang dans les veines. L'ultrasonographie en duplex permet de confirmer la présence d'une occlusion et de déterminer si les valvules remplissent correctement leur rôle.

Manifestations cliniques

Lorsque les valvules des veines profondes ne peuvent plus remplir leur rôle en raison de la formation d'un thrombus, un syndrome post-thrombotique peut se manifester (figure 33-16 ■). Cette affection présente les caractéristiques suivantes:

- Stase veineuse chronique, entraînant de l'œdème
- Douleurs
- Dermatite ocre
- Veines superficielles dilatées
- Peau sèche, gercée
- Prurit
- Ulcères

Les symptômes semblent plus prononcés le soir que le matin. L'écoulement rétrograde du sang par les valvules, l'obstruction des muscles du mollet et une irrigation insuffisante mènent au syndrome post-thrombotique grave, qui s'accompagne généralement d'ulcères veineux (Caps *et al.*, 1999). Le syndrome post-thrombotique grave est une affection de longue durée, difficile à traiter et souvent invalidante.

Les ulcères veineux sont dus à la rupture des petites veines superficielles et aux ulcérations qui en résultent. Lorsque ces vaisseaux se rompent, des érythrocytes s'échappent dans les tissus environnants, où ils se dégradent; les tissus prennent alors une coloration brunâtre appelée **dermatite ocre**, ou dermatite de stase. Cette pigmentation et les ulcérations sont habituellement présentes autour de la malléole interne de la cheville.

Le tissu fibreux qui se forme mène à l'atrophie. Le risque de lésion ou d'infection des membres s'accroît.

Complications

L'ulcération des veines est la plus grave complication de l'insuffisance veineuse chronique, surtout si elle accompagne d'autres maladies touchant la circulation dans les membres inférieurs. La cellulite ou la dermatite peuvent compliquer le tableau de l'insuffisance veineuse chronique et des ulcérations des veines.

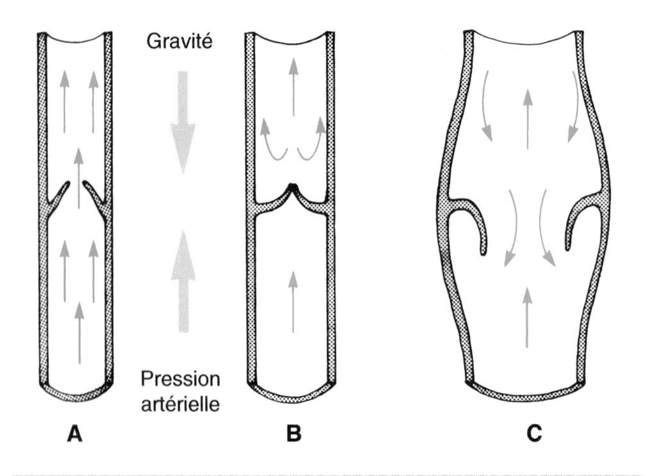

FIGURE 33-16 ■ Direction du flot sanguin lorsque les valvules fonctionnent correctement: valvule ouverte **(A)** ou fermée **(B)**, permettant au sang de s'écouler dans le sens contraire de la gravité. **(C)** Lorsque les valvules sont défectueuses ou qu'elles ne fonctionnent plus, le sang ne peut pas remonter vers le cœur.

Traitement

Le traitement de l'insuffisance veineuse vise à réduire la stase veineuse et à prévenir les ulcérations. Pour accroître le débit sanguin veineux, on peut recourir à des mesures antigravitationnelles, notamment à la surélévation des jambes et à la compression des veines superficielles à l'aide de bas compressifs.

Le fait de surélever les jambes diminue l'œdème, favorise le retour du sang veineux et aide à soulager les symptômes. La personne doit surélever les jambes fréquemment au cours de la journée (au moins 15 à 30 minutes, toutes les 2 heures). La nuit, le pied du lit devrait être surélevé de 15 cm environ. Il est déconseillé de rester assis ou debout pendant une période prolongée; c'est pourquoi il faut encourager la personne à marcher. Celle-ci doit éviter de s'asseoir en croisant les jambes ou de laisser pendre les jambes sur le bord du lit afin de ne pas exercer de pression sur le creux poplité. Elle doit également éviter de porter des vêtements trop justes, par exemple des gaines ou des cuissards.

La compression des jambes par des bas compressifs réduit l'accumulation de sang veineux et favorise le retour du sang veineux au cœur; c'est pourquoi on les recommande aux personnes atteintes d'insuffisance veineuse. Les bas devraient exercer une pression plus grande au niveau du pied et de la cheville; cependant la pression doit diminuer graduellement à la hauteur du genou ou de l'aine. Si le haut du bas est trop serré ou s'il s'entortille, il se produit un effet de garrot qui accroît l'accumulation de sang veineux. Il faut enfiler les bas après avoir gardé les jambes surélevées pendant un certain temps, de préférence avant de se lever le matin, afin que la quantité de sang qui se trouve dans les veines des jambes soit aussi faible que possible.

Les membres atteints doivent être protégés des traumatismes, la peau doit rester propre, douce et sèche. Il faut signaler immédiatement les signes d'ulcération au médecin, qui ordonnera un traitement et en assurera le suivi.

Ulcères de la jambe

L'ulcère de la jambe est la perte de couches tégumentaires par desquamation de tissu nécrotique. Environ 75 % des ulcères de la jambe sont provoqués par une insuffisance veineuse; les lésions dues à l'insuffisance artérielle comptent pour 20 %, et 5 % proviennent de brûlures, de drépanocytose ou d'autres facteurs (Gloviczki et Yao, 2001).

Physiopathologie

L'anomalie métabolique qui sous-tend l'apparition d'un ulcère de la jambe est l'échange inadéquat d'oxygène et d'autres nutriments dans les tissus. Lorsque le métabolisme cellulaire ne peut assurer l'équilibre énergétique, la cellule meurt (se nécrose). Toute modification touchant les vaisseaux, artériels, capillaires ou veineux, peut affecter les processus cellulaires et entraîner la formation d'ulcères.

Manifestations cliniques

L'étiologie des ulcères de la jambe détermine le tableau clinique et les éléments distinctifs; particulièrement chez les personnes âgées, les causes sont multiples. Les symptômes varient selon que l'ulcère est d'origine veineuse ou artérielle (tableau 33-2); leur gravité dépend de l'ampleur du problème d'insuffisance vasculaire et de sa durée. L'ulcère comme tel prend l'apparence d'une lésion ouverte et enflammée, qui peut être suintante ou couverte d'une escarre (à la croûte dure et sombre).

Ulcères artériels

L'artériopathie chronique oblitérante se caractérise par une claudication intermittente qui se manifeste par une douleur déclenchée par l'effort et qui disparaît après une période de repos. La personne signale aussi parfois de la douleur aux orteils ou à l'avant-pied au repos. Généralement, les ulcères artériels sont petits, circulaires et leur pourtour est bien délimité. Les ulcères touchent souvent le plan médian du gros orteil ou le plan latéral du petit orteil; ils peuvent être occasionnés à la fois par l'ischémie et la pression (figure 33-17 ■).

L'insuffisance artérielle peut provoquer la gangrène de l'orteil (gangrène digitale), qui est habituellement due à un traumatisme. Si la personne se frappe l'orteil, un processus inflammatoire se met en branle, puis la nécrose a lieu, et l'orteil devient noir (figure 33-17). Habituellement, la gangrène touche les personnes âgées dont la circulation artérielle est insuffisante en amont pour revasculariser le territoire atteint. Dans ces cas-là, on ne recommande pas de débrider la plaie. L'orteil gangreneux est sec. Il est plus facile de traiter la gangrène sèche que de débrider l'orteil et de créer une lésion ouverte qui ne se cicatriserait pas en raison de la circulation trop pauvre. Il faudrait alors amputer la jambe au-dessous ou au-dessus du genou. Une amputation chez la personne âgée débouche souvent sur la perte d'autonomie. On ne traite habituellement pas la gangrène sèche de l'orteil chez la personne âgée présentant une piètre circulation. L'infirmière doit s'assurer que l'orteil est propre et sec jusqu'au moment où la plaque nécrotique se détache (sans qu'il y ait de plaie ouverte).

Ulcères veineux

L'insuffisance veineuse chronique se manifeste par une douleur sourde ou par une sensation de pesanteur. Le pied et la cheville peuvent être œdémateux. Les ulcérations, situées sur la face médiane ou latérale de la malléole (ulcérations en guêtre), occupent habituellement une bonne surface; elles sont superficielles, très exsudatives et présentent des bords peu délimités. L'hypertension veineuse entraîne l'extravasation de sang, ce qui modifie la coloration de la peau de toute cette région (figure 33-17).

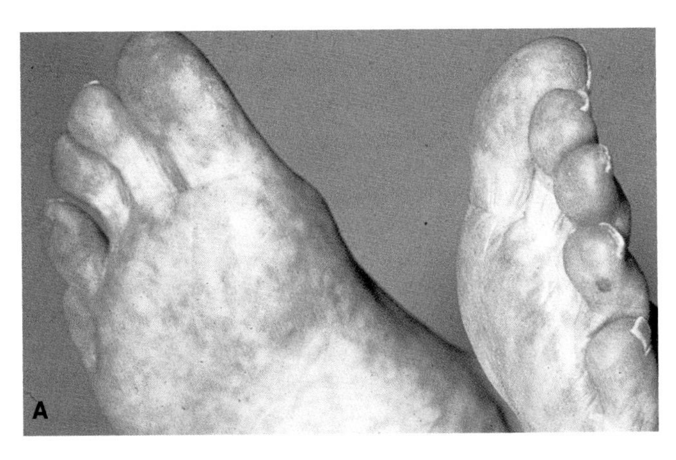

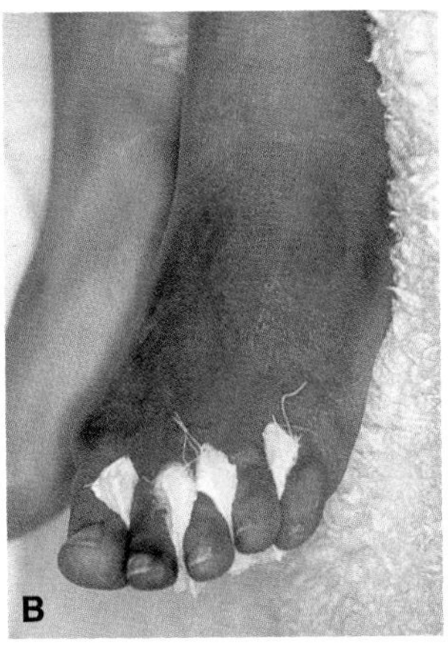

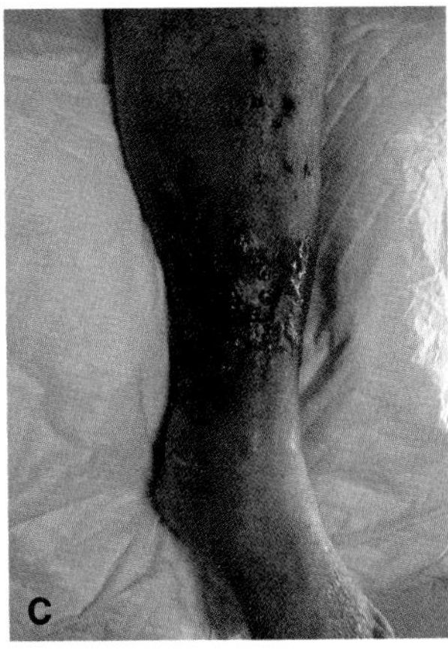

FIGURE 33-17 ■ **(A)** Ulcères qui se sont formés à la suite d'emboles artériels. **(B)** Gangrène des orteils, causée par une ischémie artérielle grave. **(C)** Ulcère provoqué par la stase veineuse.

Examen clinique et examens paracliniques

Puisque l'étiologie des ulcères diffère, on ne peut prescrire le traitement approprié que si on en a décelé la cause exacte. Pour déterminer s'il s'agit d'une insuffisance artérielle ou veineuse, l'infirmière doit connaître les antécédents de l'affection. Elle devra mesurer les pouls des membres inférieurs (poplités, tibiaux postérieurs et pédieux). Pour poser un diagnostic plus concluant, on peut également recourir à une ultrasonographie Doppler, à une ultrasonographie en duplex, à une artériographie ou à une phlébographie. Il peut être nécessaire de mettre en culture un échantillon prélevé sur le lit de la plaie pour voir si l'infection ne constitue pas la principale cause de l'ulcère.

Traitement médical

Pour traiter adéquatement les ulcères, le médecin peut travailler en collaboration avec des infirmières spécialisées en soins des plaies. Tous les ulcères peuvent s'infecter.

Pharmacothérapie

En cas d'infection, le médecin prescrira une antibiothérapie. Le médicament sera choisi en fonction des résultats des cultures et de l'antibiogramme. Il est préférable de prescrire des antibiotiques qui s'administrent par voie orale parce que les préparations topiques ne se sont pas révélées efficaces dans le traitement des ulcères de la jambe.

Débridement

Pour qu'elle puisse se cicatriser, la plaie ne doit pas présenter d'exsudats et de tissus nécrosés. On la nettoie habituellement en l'irriguant avec une solution saline. Si cette méthode échoue, il peut être nécessaire de débrider la plaie, c'est-à-dire de retirer les tissus nécrosés. Cette étape est importante, particulièrement en cas d'infection. Les méthodes de débridement sont nombreuses:

- Le débridement chirurgical est la méthode la plus rapide. Il peut être pratiqué par le médecin travaillant seul ou en collaboration avec une infirmière spécialisée en soins des plaies.
- Le débridement non spécifique consiste à appliquer sur l'ulcère une compresse de gaze, imbibée d'un soluté isotonique. Lorsque la compresse est sèche, on la retire. Les débris qui ont adhéré à la compresse seront retirés du même coup. Habituellement, il faut également traiter la douleur grâce aux analgésiques appropriés.
- Le traitement de l'ulcère peut aussi comporter un débridement par application d'un onguent enzymatique. L'onguent n'est appliqué que sur la lésion, sans que la peau saine environnante soit touchée. On recouvre la plupart des onguents enzymatiques d'une gaze imbibée de solution saline, que l'on a bien essorée. On pose par-dessus une gaze sèche et un bandage peu serré. On cesse d'appliquer l'onguent enzymatique lorsque le tissu nécrosé a été débridé. On recouvre ensuite la plaie d'un pansement approprié.
- On peut employer des pansements d'alginate de calcium pour débrider les ulcères exsudatifs. Ces pansements sont remplacés tous les sept jours ou lorsque l'exsudat commence à suinter. On peut aussi appliquer ces pansements sur des plaies qui saignent, car l'alginate a des effets hémostatiques. Lorsqu'elles absorbent les exsudats, les fibres sèches forment un gel que l'on peut retirer de la plaie sans occasionner de douleur. Les pansements d'alginate de calcium ne devraient pas être utilisés sur les plaies sèches ou non exsudatives.

Traitement topique

Pour accélérer la cicatrisation des ulcères de la jambe, on peut adjoindre au nettoyage et au débridement divers agents topiques. Les objectifs du traitement sont l'élimination des tissus nécrosés et le maintien d'un milieu propre et humide, propice à la cicatrisation. Le traitement ne devrait pas porter atteinte aux nouveaux tissus. Pour qu'ils soient efficaces, les traitements topiques doivent s'accompagner d'une alimentation équilibrée.

Pansement

Lorsque l'examen du réseau vasculaire révèle que la circulation a été suffisamment rétablie pour qu'on puisse envisager la guérison de l'ulcère (indice de pression systolique supérieur à 0,5), l'application de pansements chirurgicaux peut favoriser la création d'un milieu humide, propice à la cicatrisation. La méthode la plus simple consiste à utiliser un matériel qui entre en contact avec la plaie (Tegapore, par exemple), qui est ensuite recouverte de gaze. Ces produits permettent de maintenir l'humidité pendant plusieurs jours et ils n'endommagent pas le lit capillaire lorsqu'on les retire pour évaluer la plaie. Les pansements hydrocolloïdes (par exemple Comfeel, DuoDerm CGF, Restore) représentent une autre option favorisant la formation de tissus de granulation et la réépithélisation. Ils forment aussi une barrière protectrice parce qu'ils adhèrent au lit de la plaie et aux tissus environnants. Toutefois, en cas de plaies profondes ou de plaies infectées, il est souvent préférable de choisir d'autres types de pansements.

L'insuffisance de connaissances, la frustration, la peur et la dépression chez la personne et chez les membres de sa famille peuvent mener au non-respect du traitement. L'enseignement est donc essentiel, avant que le traitement ne commence et pendant qu'il est en cours.

Stimulation de la cicatrisation

Apligraft est un tissu synthétique hautement performant, fabriqué à partir d'une culture de fibroblastes et de kératinocytes dermiques humains, qui exerce une compression thérapeutique. Lorsqu'on l'applique sur la plaie, il semble réagir aux éléments présents: le contact avec les cellules de la personne stimulerait la production de facteurs de croissance. Il n'est pas difficile à appliquer et il n'exige pas de point de suture; l'intervention est indolore.

DÉMARCHE SYSTÉMATIQUE dans la pratique infirmière

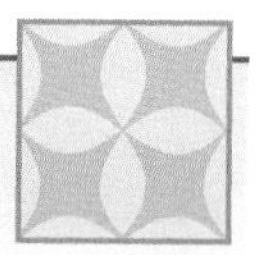

Personne présentant un ulcère de la jambe

Collecte des données

L'infirmière doit relever avec soin l'anamnèse. Elle évalue entre autres l'intensité de la douleur et son type, de même que l'apparence et la température de la peau des deux jambes. Elle doit aussi vérifier la qualité de tous les pouls périphériques et comparer les pouls des deux jambes. Elle doit examiner les jambes à la recherche d'œdème et, le cas échéant, établir l'importance de celui-ci. Par ailleurs, elle doit déterminer dans quelle mesure l'insuffisance vasculaire limite la mobilité ou les activités de la personne. Enfin, elle doit évaluer l'état nutritionnel et noter les antécédents de diabète, de maladie du collagène ou de varices.

Analyse et interprétation

Diagnostics infirmiers

En se fondant sur les données recueillies, l'infirmière peut poser les diagnostics infirmiers suivants:

- Atteinte à l'intégrité de la peau, reliée à l'insuffisance vasculaire
- Mobilité physique réduite, reliée au schéma thérapeutique et à la douleur qui limitent les activités
- Alimentation déficiente, reliée à un besoin accru de nutriments favorisant la cicatrisation

Problèmes traités en collaboration et complications possibles

En se fondant sur les données recueillies, l'infirmière peut déterminer les complications susceptibles de survenir, notamment :

- Infection
- Gangrène

Planification

Les principaux objectifs sont les suivants : rétablir l'intégrité de la peau ; améliorer la mobilité ; fournir un apport nutritionnel approprié ; et prévenir les complications.

Interventions infirmières

Il est difficile de traiter les personnes atteintes d'un ulcère à la jambe, qu'elles soient à l'hôpital, dans un centre de soins prolongés ou à domicile. Le problème physique est souvent de longue date et accable la personne sur les plans physique et psychologique.

Rétablir l'intégrité de la peau

Afin de favoriser la cicatrisation, il faut prendre des mesures pour que la plaie reste propre. L'infirmière doit nettoyer la plaie très délicatement avec un savon doux et de l'eau tiède. La position de la jambe est déterminée par l'étiologie de l'ulcère, soit veineuse ou artérielle. En cas d'insuffisance artérielle, on encourage la personne à poursuivre ses activités afin de permettre l'instauration d'une circulation collatérale. En cas d'insuffisance veineuse, on peut prévenir l'œdème déclive en surélevant les jambes. La diminution de l'œdème facilite l'échange de nutriments et de déchets cellulaires dans la zone ulcérée et favorise par conséquent la cicatrisation.

Pour favoriser le rétablissement de l'intégrité de la peau, il est impératif de protéger les jambes contre les traumatismes. On peut utiliser des bottes de protection ; souples et chaudes, elles permettent d'éviter les blessures aux jambes. Si la personne est alitée, il est important de soulager toute pression qui s'exercerait sur les talons afin de prévenir la formation de plaies de pression. Lorsque la personne garde le lit, l'infirmière peut lui protéger les pieds par des arceaux afin de diminuer la pression exercée par les draps et d'empêcher tout contact d'un quelconque article de literie avec les jambes. Quand la personne commence à marcher, l'infirmière doit retirer tous les obstacles potentiels sur son parcours afin que ses pieds ne heurtent aucun objet. Les coussins chauffants, les bouillottes et les bains chauds sont déconseillés. La chaleur accroît les besoins en oxygène et, par conséquent, en sang qui irrigue les tissus, alors que la circulation est insuffisante. Puisque la personne atteinte de diabète est souvent affectée de neuropathie périphérique avec diminution de la sensibilité, les coussins chauffants pourraient provoquer des brûlures avant qu'elle ne s'en aperçoive.

Améliorer la mobilité

En général, on restreint les activités physiques au début pour accélérer la cicatrisation. Une fois l'infection guérie et la cicatrisation amorcée, la personne peut recommencer graduellement à marcher. L'infirmière doit encourager la personne à faire de l'exercice lorsque la phase aiguë de l'ulcération est passée, car le fait de se mouvoir stimule le débit artériel et le retour veineux. Jusqu'à ce que la personne puisse reprendre ses activités normales, l'infirmière doit l'inciter à se mouvoir dans le lit, à se tourner fréquemment et à faire des exercices avec les bras pour maintenir son tonus et sa force musculaire. Entre-temps, elle doit aussi encourager la personne à s'engager dans des activités qui la divertissent. Si l'on envisage une longue période d'immobilité et de restriction des activités, il peut s'avérer utile de consulter un ergothérapeute.

Si la douleur empêche la personne d'être active, le médecin pourrait lui prescrire des analgésiques. La douleur provoquée par la maladie vasculaire périphérique, qu'elle soit veineuse ou artérielle, a habituellement un caractère chronique. La personne aurait intérêt à prendre un analgésique avant d'entreprendre une activité afin de pouvoir la mener à bien sans éprouver trop de gêne.

Encourager la personne à s'alimenter adéquatement

L'infirmière détermine les besoins nutritionnels d'après les renseignements que donne la personne sur son apport quotidien. On modifiera son alimentation afin de pallier les carences et on lui recommandera de consommer des aliments riches en protéines, en vitamines C et A, en fer et en zinc afin d'accélérer la cicatrisation.

Bon nombre de personnes atteintes de maladie vasculaire périphérique sont des personnes âgées. Il faudra probablement revoir leur apport énergétique en tenant compte du fait que leur métabolisme est plus lent et leurs activités réduites, et prêter une attention particulière à l'apport en fer parce que de nombreuses personnes âgées sont atteintes d'anémie.

Après avoir établi une diétothérapie répondant aux besoins nutritionnels et favorisant la cicatrisation, l'infirmière doit remettre ces consignes à la personne et à sa famille. La personne devra collaborer à la mise au point de cette diétothérapie afin que celle-ci soit adaptée à son mode de vie et à ses goûts.

Favoriser les soins à domicile et dans la communauté

L'infirmière doit préparer le plan d'autosoins en collaboration avec la personne afin d'y intégrer des activités qui améliorent la circulation artérielle et veineuse, qui aident à soulager la douleur et qui favorisent le rétablissement de l'intégrité des tissus. Elle devra expliquer à la personne et aux membres de sa famille la raison d'être de chaque élément du programme. Elle devra préciser les points suivants : les ulcères de la jambe sont souvent chroniques ; ils se cicatrisent difficilement ; ils sont souvent récurrents, même lorsqu'on suit rigoureusement le plan thérapeutique infirmier. Celui-ci comprend essentiellement des soins de longue durée, qui améliorent la cicatrisation et préviennent la récurrence des ulcères. Puisque les ulcères de la jambe prédisposent aux infections et qu'ils peuvent être douloureux et limiter la mobilité, la personne doit effectuer des changements dans son mode de vie. Les membres de la famille et les proches aidants à domicile devront probablement assumer en partie la responsabilité du traitement : changer les pansements, examiner la plaie et réévaluer le plan thérapeutique infirmier. Le médecin traitant doit assurer un suivi à intervalles réguliers.

ÉVALUATION

Résultats escomptés

Les principaux résultats escomptés sont les suivants :

1. L'intégrité de la peau est rétablie.
   a) La peau qui entoure l'ulcère n'est plus enflammée.
   b) La plaie ne suinte plus, les résultats des cultures sont négatifs.
   c) La personne sait comment prévenir les traumatismes à la jambe.
2. La mobilité a augmenté.
   a) Elle reprend graduellement ses activités jusqu'à atteindre un niveau optimal.
   b) Elle indique que la douleur ne l'empêche pas de poursuivre ses activités.
3. La personne s'alimente adéquatement.
   a) Elle consomme des aliments riches en protéines, en vitamines, en fer et en zinc.
   b) Elle discute avec les membres de sa famille des changements à effectuer dans les repas familiaux.
   c) Elle planifie avec les membres de sa famille un régime équilibré sur le plan nutritionnel.

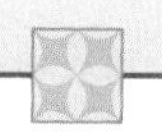

VARICES

Les varices sont des veines superficielles, anormalement dilatées et sinueuses, dont les valvules ont cessé de fonctionner correctement (figure 33-16). La plupart du temps, les varices touchent les membres inférieurs, les veines saphènes ou la partie inférieure du tronc, bien qu'elles puissent aussi se retrouver ailleurs, dans l'œsophage par exemple (voir l'exposé portant sur les varices œsophagiennes, au chapitre 41).

Cette affection est plus courante chez les femmes et chez les personnes qui travaillent debout, par exemple chez les vendeurs, les coiffeurs, les professeurs, les infirmières et les ouvriers du bâtiment. Les faiblesses héréditaires de la paroi des veines peuvent prédisposer aux varices ; on les retrouve souvent chez plusieurs membres de la même famille. Les varices apparaissent rarement avant la puberté, mais elles affectent souvent les femmes enceintes. En effet, durant la grossesse, les veines des jambes se dilatent sous l'effet des hormones qui s'exerce sur la capacité de dilatation de ces vaisseaux, de la pression accrue exercée par l'utérus gravide et du volume sanguin accru, autant d'éléments qui favorisent l'apparition des varices (Johnson, 1997).

Physiopathologie

Les varices sont primaires (sans atteinte des veines profondes) ou secondaires (conséquence de l'occlusion des veines profondes). Le retour du sang dans les veines favorise la stase veineuse. Si seules les veines superficielles sont atteintes, les varices n'occasionnent pas de symptômes, et les personnes ne consultent alors le médecin que pour des raisons esthétiques.

Manifestations cliniques

Parmi les symptômes possibles, citons des douleurs sourdes, des crampes musculaires et une fatigue musculaire accrue dans les mollets. On note aussi l'œdème des chevilles et une sensation de lourdeur. Les crampes nocturnes sont courantes. Lorsque les varices proviennent de l'occlusion des veines profondes, certains signes et symptômes d'insuffisance veineuse chronique peuvent se manifester : œdème, douleur, pigmentation et ulcérations. La prédisposition aux blessures et aux infections s'accroît.

Examen clinique et examens paracliniques

L'ultrasonographie en duplex permet de déterminer le siège anatomique du reflux et de quantifier l'ampleur du reflux valvulaire. La pléthysmographie à air, quant à elle, mesure les changements qui sont intervenus dans le volume de sang veineux. La phlébographie ne fait pas partie des examens systématiques qui permettent d'évaluer le reflux valvulaire ; elle comporte toutefois, lorsqu'on y recourt, l'injection d'un produit de contraste dans les veines de la jambe, grâce auquel on observe l'anatomie de ces vaisseaux alors que la personne effectue divers mouvements de la jambe.

Prévention

La personne doit éviter toute activité susceptible de causer une stase veineuse. Il lui est déconseillé de porter une gaine ou des bas trop justes, de croiser les jambes à la hauteur des cuisses ou de rester assise ou debout trop longtemps. Pour favoriser la circulation, il faut changer souvent de position, garder les jambes surélevées lorsqu'on se sent fatigué, se lever et marcher pendant quelques minutes toutes les heures. On devrait encourager la personne à parcourir environ 1,5 à 3 kilomètres par jour, à moins qu'il n'y ait des contre-indications. Pour favoriser la circulation, on peut lui conseiller d'emprunter les escaliers plutôt que de prendre l'ascenseur ou l'escalier mécanique. La nage représente également un excellent exercice pour les jambes.

Il faudrait aussi recommander le port de bas compressifs, particulièrement de ceux qui s'arrêtent aux genoux et que les personnes préfèrent aux bas-culottes. On devrait encourager ceux et celles dont l'IMC dépasse 27 à suivre un régime amaigrissant.

Traitement médical

Pour que la chirurgie soit couronnée de succès, les veines profondes doivent être perméables et fonctionnelles. L'intervention consiste à ligaturer la veine saphène et à la disséquer. La ligature est effectuée haut dans l'aine, au point de rencontre de la veine saphène et de la veine fémorale. On peut aussi pratiquer l'éveinage du vaisseau atteint. Dans ce cas, après avoir ligaturé et sectionné la veine à ses deux bouts, on effectue une incision à la cheville et on fait remonter un fil de plastique ou de métal sur tout le trajet de la veine, jusqu'au point de ligature. On retire ensuite le fil et on effectue l'exérèse de la veine, ou éveinage (figure 33-18 ■). L'application de pression et la surélévation du membre permettent de réduire les saignements durant la chirurgie.

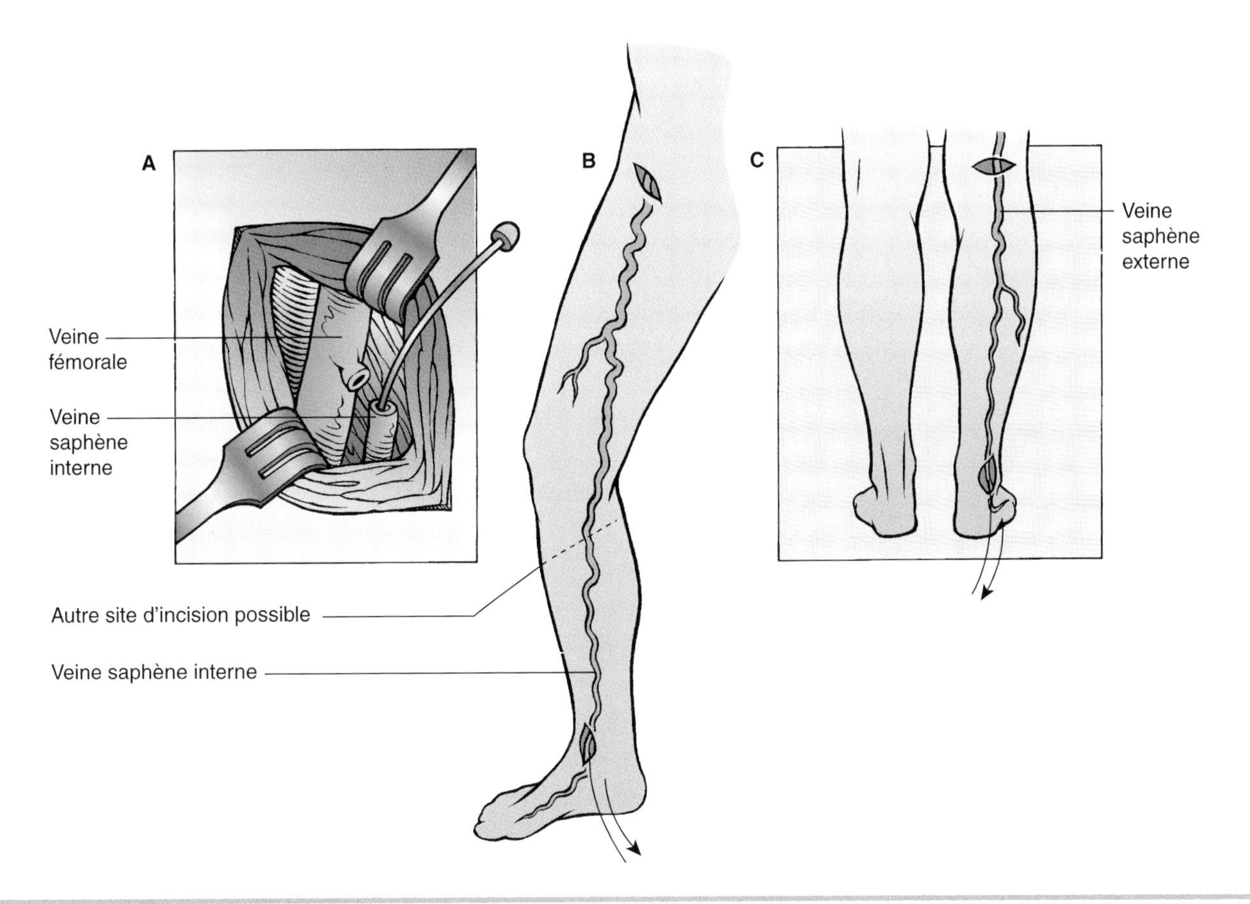

FIGURE 33-18 ■ Ligature et exérèse des veines saphènes externe et interne. **(A)** Les veines tributaires de la veine saphène ont été ligaturées au niveau de la jonction saphénofémorale. **(B)** On a inséré le tire-veine par l'incision de la cheville et on l'a fait remonter jusqu'à l'aine. La veine est retirée de haut en bas. Il peut être nécessaire d'effectuer d'autres incisions pour retirer les autres varices. **(C)** La veine saphène externe est retirée à partir de son point de rencontre avec la veine poplitée et jusqu'à une certaine hauteur de la face postérieure de la malléole externe.

Sclérothérapie

La sclérothérapie consiste à injecter dans les veines un produit chimique qui irrite l'endothélium vasculaire et provoque une thrombose veineuse et une fibrose locales, bloquant ainsi la lumière de la veine. Ce traitement, palliatif plutôt que curatif, peut être administré seul, lorsque les varices sont petites, ou après la ligature ou l'exérèse de la veine. Après l'injection du produit sclérosant, on applique sur la jambe des bandages compressifs que la personne devra porter pendant environ cinq jours. Le médecin qui a pratiqué l'intervention retire les premiers bandages. La personne doit ensuite porter des bas compressifs pendant cinq semaines.

Après la sclérothérapie, la personne doit marcher pour maintenir le débit sanguin dans les jambes. La marche favorise également la dilution du produit sclérosant.

Soins et traitements infirmiers

La chirurgie peut être pratiquée en clinique externe, mais on peut aussi hospitaliser la personne pendant la nuit qui suit l'opération. Les interventions infirmières seront les mêmes dans les deux cas. La personne devra s'aliter pendant 24 heures, après quoi elle marchera de 5 à 10 minutes toutes les 2 heures. Pendant toute la semaine qui suit l'intervention, il lui faudra porter des bas compressifs jour et nuit afin qu'une pression soit sans cesse exercée sur la jambe. L'infirmière devra aider la personne à faire des exercices et à mouvoir ses jambes. Elle lui conseillera également de surélever le pied du lit et d'éviter de rester assise ou debout trop longtemps.

Favoriser le bien-être et soulager les symptômes

La personne recevra des analgésiques pour qu'elle puisse mouvoir le membre atteint sans ressentir trop de douleur. L'infirmière devra examiner attentivement le bandage à la recherche de saignements, particulièrement au niveau de l'aine où le risque est le plus élevé. Les sensations de picotements ou de «piqûres d'aiguilles» attireront son attention. L'hypersensibilité de la jambe au toucher peut indiquer une lésion temporaire ou permanente des nerfs, causée par la chirurgie en raison de la contiguïté des veines saphènes et des nerfs de la jambe.

Habituellement, la personne peut prendre une douche 24 heures après l'intervention. L'infirmière doit lui expliquer qu'il faut bien sécher les incisions avec une serviette propre, en tapotant plutôt qu'en frottant. Afin d'atténuer les risques d'infection, il est contre-indiqué d'appliquer des lotions avant la guérison complète des incisions.

Si elle a reçu des injections sclérosantes, la personne pourrait éprouver une sensation de brûlure dans la jambe pendant un jour ou deux. Pour soulager la douleur, l'infirmière peut encourager la personne à marcher et lui administrer l'analgésique léger qui lui a été prescrit.

Favoriser les soins à domicile et dans la communauté

Puisque la personne devra porter des bas ou des bandages compressifs longtemps après l'intervention, l'infirmière s'assurera qu'elle dispose d'une réserve suffisante. Elle doit l'inciter à faire des exercices des jambes et planifier avec l'équipe de soins un programme d'exercice personnalisé.

Cellulite

Physiopathologie et manifestations cliniques

Parmi toutes les affections qui provoquent de l'œdème dans les membres, la cellulite est la plus fréquente. Elle peut se manifester sous la forme d'un épisode isolé ou d'une série d'épisodes récurrents. Il arrive souvent, dans les cas de cellulite, qu'on pose à tort un diagnostic de thrombophlébite ou d'insuffisance veineuse chronique. On parle de cellulite lorsque les bactéries s'infiltrent dans la peau et libèrent leurs toxines dans les tissus sous-cutanés. L'apparition brusque d'un œdème, d'une rougeur localisée et de douleur s'accompagne souvent de signes systémiques: fièvre, frissons et sudation. La rougeur ne gagne pas nécessairement toute la zone, mais elle apparaît plutôt par plaques. Les nœuds lymphatiques de la région atteinte peuvent être sensibles et hypertrophiés.

Traitement médical

On peut traiter les cas bénins de cellulite au moyen d'une antibiothérapie par voie orale en clinique externe. En cas de cellulite grave, la personne doit être soumise pendant au moins 7 à 14 jours à une antibiothérapie par voie intraveineuse, administrée à l'hôpital ou à domicile (dans le cadre d'un programme d'antibiothérapie intraveineuse à domicile). Afin de prévenir les récurrences, il est essentiel de choisir l'antibiothérapie appropriée pour traiter le premier épisode et de cerner l'orifice cutané par lequel les bactéries pénètrent dans la peau. Il peut s'agir de gerçures ou de fissures dans l'espace interdigital qui sépare les orteils, endroit souvent négligé. Les bactéries peuvent aussi s'infiltrer par les points de ponction veineuse, les contusions, les abrasions, les ulcérations ou les ongles incarnés.

Soins et traitements infirmiers

L'infirmière doit recommander à la personne de placer la région touchée au-dessus du niveau du cœur et d'appliquer des compresses humides et chaudes sur l'œdème toutes les 2 ou 4 heures. Les personnes atteintes de neuropathie périphérique doivent faire preuve de prudence lorsqu'elles appliquent des compresses chaudes, en raison du risque de brûlures. L'infirmière devrait leur conseiller d'utiliser un thermomètre ou de demander au soignant de s'assurer que la compresse est juste tiède. L'enseignement portera surtout sur la prévention des récurrences. Il faudrait enseigner à la personne atteinte d'insuffisance artérielle chronique ou de diabète les méthodes de soins de la peau et des pieds, et lui rappeler régulièrement les consignes de soins.

Affections lymphatiques

LYMPHANGITE ET LYMPHADÉNITE

La lymphangite constitue une inflammation aiguë des vaisseaux lymphatiques, provenant le plus souvent d'un foyer d'infection situé dans un membre. L'agent infectieux est habituellement un streptocoque de type A bêtahémolytique. Les stries rouges caractéristiques, qui courent sur le bras ou sur la jambe et qui émanent d'une plaie infectée, suivent le parcours de l'écoulement de la lymphe par les vaisseaux lymphatiques.

Les nœuds lymphatiques situés le long des vaisseaux lymphatiques s'hypertrophient, deviennent rouges et sensibles (lymphadénite aiguë). Ils se nécrosent et forment un abcès (lymphadénite suppurée). Les ganglions le plus souvent touchés sont ceux des aisselles, de l'aine et de la région cervicale.

Puisque ces infections sont presque toujours causées par des microorganismes qui réagissent aux antibiotiques, il est inhabituel de voir apparaître un abcès. On associe souvent les épisodes récurrents de lymphangite à un lymphœdème évolutif. Après les crises aiguës, la personne doit porter des bas ou des bandages compressifs sur le membre touché pendant plusieurs mois afin de prévenir l'œdème de longue durée.

LYMPHŒDÈME ET ÉLÉPHANTIASIS

Le lymphœdème est soit primaire (malformation congénitale), soit secondaire (occlusion). La tuméfaction des tissus est due à l'accroissement de la quantité de lymphe dans le liquide interstitiel à la suite de l'occlusion des vaisseaux lymphatiques. Ce phénomène est particulièrement apparent lorsque le membre se trouve en position déclive. L'œdème est d'abord mou, il prend le godet et le traitement offre du soulagement. Au fur et à mesure que l'affection évolue, l'œdème devient ferme, ne prend plus le godet et ne répond plus au traitement. Le type le plus courant est le lymphœdème congénital (lymphœdème *praecox*, dû à l'hypoplasie du système lymphatique des jambes). Cette affection se manifeste habituellement chez les femmes âgées de 15 à 25 ans.

L'occlusion peut se produire dans les ganglions et les vaisseaux lymphatiques. On l'observe parfois dans un bras, après l'ablation d'un ganglion (en cas de cancer du sein, par exemple), ou dans une jambe (en cas de varices ou de thrombophlébite chronique). Dans ce type de cas, l'occlusion lymphatique est habituellement causée par une lymphangite chronique. Dans les régions tropicales, l'occlusion lymphatique peut être provoquée par un parasite. Lorsque l'œdème est chronique, de nombreux épisodes d'infection aiguë peuvent survenir. Ils se caractérisent par une forte fièvre ainsi que par des frissons, et par un œdème résiduel accru qui persiste après la disparition de l'inflammation. Il s'ensuit alors une fibrose chronique, avec épaississement des tissus sous-cutanés et hypertrophie de la peau. L'œdème chronique qui cède à peine après surélévation du membre porte le nom d'éléphantiasis.

Traitement médical

L'objectif du traitement est d'éliminer l'œdème et de prévenir l'infection. Les exercices actifs et passifs favorisent l'écoulement du liquide lymphatique vers la circulation veineuse. Les dispositifs externes compressifs favorisent l'écoulement de la lymphe du pied vers la hanche ou de la main vers l'aisselle. La personne qui peut marcher doit porter des bas ou des bandages compressifs sur mesure, qui exercent la plus forte compression (plus de 40 mm Hg). Si c'est la jambe qui est touchée, l'alitement strict avec surélévation de la jambe peut favoriser l'écoulement de la lymphe.

Pharmacothérapie

On prescrit d'abord du furosémide (Lasix), diurétique qui empêche la formation d'une surcharge liquidienne entraînée par la mobilisation du liquide extracellulaire. Des diurétiques peuvent également être prescrits comme traitement palliatif du lymphœdème ; ils accompagneront la surélévation de la jambe et le port de bas ou de bandages compressifs. L'administration d'un diurétique seul entraîne peu de bienfaits puisqu'il sert surtout à limiter la filtration capillaire en diminuant le volume de sang circulant. En cas de lymphangite ou de cellulite, une antibiothérapie sera prescrite. L'infirmière devra alors recommander à la personne d'examiner sa peau à la recherche de signes d'infection.

Traitement chirurgical

On a recours à la chirurgie si l'œdème est grave et impossible à éliminer grâce à un traitement médical, si la mobilité est considérablement restreinte ou si l'infection perdure. L'une des démarches chirurgicales consiste à exciser les tissus sous-cutanés et le fascia atteints, et à recouvrir d'une greffe cutanée la région touchée. On peut aussi repositionner par voie chirurgicale les vaisseaux lymphatiques superficiels, en les enfouissant à l'aide d'un lambeau dermique dans le réseau lymphatique profond ; on crée ainsi un nouveau conduit pour l'écoulement de la lymphe.

Soins et traitements infirmiers

Après la chirurgie, la prise en charge des greffons et lambeaux dermiques est la même qu'en d'autres circonstances. On peut prescrire une antibiothérapie prophylactique de cinq à sept jours. Il est toujours important de surélever le membre et de rester à l'affût des complications : nécrose du lambeau, hématome ou abcès sous le lambeau, ou encore cellulite. L'infirmière doit recommander à la personne ou à un membre de sa famille d'inspecter le pansement quotidiennement. Tout suintement inhabituel ou inflammation du pourtour de la plaie peut témoigner d'une infection ; il faut donc les signaler au médecin sans tarder. L'infirmière devrait prévenir la personne que le greffon peut devenir insensible. Elle doit lui recommander de ne pas appliquer de coussin chauffant sur la région atteinte et de ne pas l'exposer au soleil en raison des risques de brûlure ou de traumatisme.

EXERCICES D'INTÉGRATION

1. Le médecin a diagnostiqué un anévrisme évolutif de l'aorte abdominale chez une personne à qui il propose deux solutions : une chirurgie réparatrice de l'anévrisme par une prothèse endovasculaire, ou une chirurgie réparatrice ouverte. Quels éléments exposerez-vous à cette personne lorsque vous lui parlerez des options chirurgicales, des soins postopératoires, des soins prolongés et des soins à domicile ? Si la personne prend de la warfarine (Coumadin) pour de la fibrillation auriculaire et de l'insuline pour équilibrer son diabète, comment intégrerez-vous cette pharmacothérapie dans le plan thérapeutique infirmier ?
2. Une personne âgée de 96 ans souffre de claudication depuis un an. Ce problème est apparu à la suite d'une sortie au cours de laquelle elle a parcouru une distance équivalant à quatre ou cinq pâtés de maisons. Elle vit seule, à environ six pâtés de maisons des magasins et elle ne conduit plus. Elle ne souhaite pas subir d'intervention pour l'instant ni déménager. Quelles solutions proposerez-vous à cette personne ? Si elle présente en plus une plaie au pied qui ne se cicatrise pas et si elle fume deux paquets de cigarettes par jour depuis 80 ans, dans quel sens modifierez-vous votre plan thérapeutique infirmier ?
3. Le médecin a diagnostiqué une thrombose veineuse profonde au niveau du mollet chez une personne à qui il propose deux solutions : hospitalisation, accompagnée d'administration d'héparine non fractionée par voie intraveineuse, ou traitement à domicile au moyen d'héparine de faible poids moléculaire. Quels éléments exposerez-vous à la personne lorsque vous lui présenterez ces deux options ?
4. Une femme de 70 ans atteinte d'hypertension artérielle et de fibrillation auriculaire se présente au service des urgences. Elle se plaint d'une vive douleur au pied droit, dont la peau est très froide et pâle. Quelles sont les hypothèses qui vous viennent à l'esprit ? Quels éléments de l'anamnèse voudrez-vous recueillir ? Sur quelle partie de l'examen physique vous concentrerez-vous ? Quelles seraient selon vous les interventions à effectuer en priorité ?

RÉFÉRENCES BIBLIOGRAPHIQUES

en anglais • en français

Aerts, A., Nevelsteen, D. et Renard, F. (1998). *Soins des plaies*. Paris: De Boeck-Médecine.

Boiteux, A. (2000). 10 commandements pour mieux prendre en charge l'ulcère de jambe. *Soins, 648*, 26-29.

Caps, M.T., Meissner, M.H., Tullis, M.J., Polissar, N.L., Manzo, R.A., Zierler, B.K., et al. (1999). Venous thrombus stability during acute phase of therapy. *Vascular Medicine, 4*(1), 9–14.

Colignon, A. (1994). *Manuel de diagnostic écho-doppler des thromboses veineuses profondes: veine cave et membres inférieurs*. Paris: Vigot.

Essiambre, R. (2003). Maladie coronarienne et athéromatose périphérique: une seule et même maladie, qu'on se le dise! *Le Médecin du Québec, 38* (5), 77-83.

Frost-Rude, J.A., Nunnelee, J.D., & Spaner, S. (2000). Buerger's disease. *Journal of Vascular Nursing, 18*(4), 128–130.

Gloviczki, P., & Yao, J.T. (2001). *Handbook of venous disorders—Guidelines of the American Venous Forum* (2nd ed.). New York: Oxford University Press.

Johnson, M.T. (1997). Treatment and prevention of varicose veins. *Journal of Vascular Nursing, 15*(3), 97–103.

Kaufman, M.W., & All, A.C. (1996). Raynaud's disease: Patient education as a primary nursing intervention. *Journal of Vascular Nursing, 14*(2), 34–39.

Lemasle, Ph. (1996). *Varices, thromboses, œdèmes*. Paris: Doin.

McAlister, F.A., Levine, M., Zarnke, K.B., Campbell, N., Lewanczuk, R., Leenen, F., et al. (2001). The 2000 Canadian recommendations for the management of hypertension: Part 1. Therapy. *Canadian Journal of Cardiology, 17*(5), 543–559.

Meissner, M.H., Caps, M.T., Zierler, B.F., Bergelin, R.O., Manzo, R.A., Stradnes, D.E., Jr. (2000). Deep venous thrombosis and superficial venous reflux. *Journal of Vascular Surgery, 32*(1), 48–56.

Moore, W.S. (2002). *Vascular surgery: A comprehensive review* (6th ed.). Philadelphia: W.B. Saunders.

Moser, M. (1999). World Health Organization-International Society of Hypertension guidelines for the management of hypertension — Do these differ from the U.S. recommendations? Which guidelines should the practicing physician follow? *Journal of Clinical Hypertension, 1*, 48–54.

Otis, G. (1997). Le suivi du patient sous traitement du Coumadin, *Le Médecin du Québec, 32* (11), 51-55.

Pilon, D. et Lanthier, L. (2003). La maladie vasculaire artérielle périphérique: cette grande oubliée. *Le Clinicien, 18* (3), 81-89.

Rutherford, R.B. (1999). *Vascular surgery* (5th ed., Vols. I and II). Philadelphia: W.B. Saunders.

Stevens, S.L. (2000). Heparin-induced thrombocytopenia. *Journal of Vascular Nursing, 18*(2), 54–58.

Verta, K.F., & Verta, M.J. (1998). Alternative imaging techniques in vascular surgery. *Journal of Vascular Nursing, 16*(4), 78–83.

En complément de ce chapitre, vous trouverez sur le Compagnon Web:

- une bibliographie exhaustive;
- des ressources Internet.

Adaptation française
Lyne Cloutier, inf., M.Sc.
Professeure, Département des sciences infirmières – Université du Québec à Trois-Rivières
Alain Vanasse, M.D., PhD.
Professeur adjoint, Département de médecine familiale, Faculté de médecine et des sciences de la santé – Université de Sherbrooke

CHAPITRE 34

Hypertension

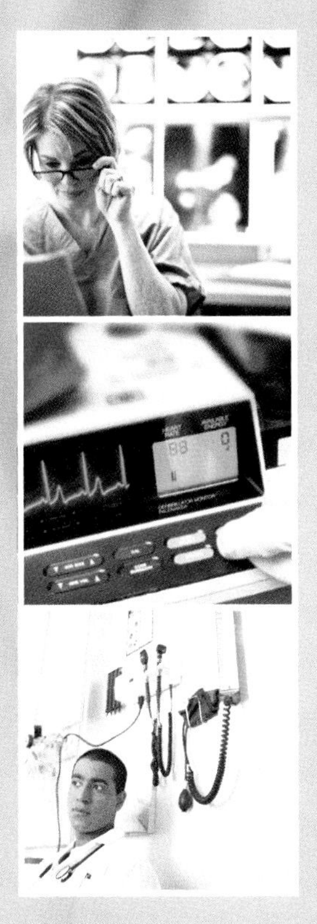

Objectifs d'apprentissage

Après avoir étudié ce chapitre, vous pourrez:

1. Définir la pression artérielle et cerner les facteurs de risque de l'hypertension.
2. Distinguer l'hypertension de la pression artérielle normale et expliquer pourquoi il est important de traiter l'hypertension.
3. Décrire les mesures thérapeutiques appropriées dans les cas d'hypertension, entre autres les modifications aux habitudes de vie ainsi que la pharmacothérapie.
4. Appliquer la démarche systématique aux personnes atteintes d'hypertension.
5. Expliquer pourquoi il est nécessaire d'intervenir sur-le-champ en cas de crise hypertensive.

On calcule la pression artérielle en multipliant le débit cardiaque par la résistance vasculaire périphérique. Pour savoir quel est le débit cardiaque, on multiplie la fréquence cardiaque par le volume d'éjection systolique. Quant à la résistance vasculaire périphérique, elle représente la pression vasculaire résiduelle qui s'oppose à l'écoulement du sang expulsé du ventricule gauche. Lorsque la circulation est normale, le sang exerce une pression sur les parois du cœur et des vaisseaux sanguins qu'il traverse. La pression artérielle élevée, qu'on appelle hypertension, constitue le résultat d'une modification du débit cardiaque, de la résistance périphérique, ou des deux à la fois. Les médicaments destinés au traitement de l'hypertension diminuent la résistance vasculaire périphérique, le volume sanguin, ou encore la force et la fréquence des contractions cardiaques.

Définition de l'hypertension

On parle d'hypertension lorsqu'une pression systolique supérieure à 140 mm Hg et une pression diastolique supérieure à 90 mm Hg se maintiennent pendant une période prolongée. Selon le groupe de travail sur les recommandations canadiennes en matière d'hypertension (Feldman, Drouin et Campbell, 2004), le diagnostic de l'hypertension se fonde sur la moyenne d'au moins deux résultats obtenus à chaque visite, lors de cinq visites (Hemmelgam *et al.*, 2004). La classification de l'hypertension effectuée en 2004 selon les normes internationales et canadiennes (tableau 34-1 ■) permet de constater que le risque de morbidité et de mortalité attribuable à l'hypertension est lié directement aux valeurs des pressions artérielles systolique et diastolique. Plus la pression systolique ou diastolique est élevée, plus le risque est sérieux (figure 34-1 ■).

La nouvelle classification de l'hypertension comprend trois stades de gravité (1, 2 et 3); elle s'inspire du modèle utilisé pour le cancer. On souhaite amener le public et les professionnels de la santé à prendre conscience du fait que les pressions artérielles constamment élevées sont associées à des risques accrus pour la santé. On propose également de diviser les valeurs tensionnelles normales en trois catégories, soit la pression artérielle optimale, la pression artérielle normale et la pression artérielle normale-élevée, afin de refléter que, plus la pression artérielle est basse, plus le risque est faible. Des recommandations ont également été mises au point concernant le traitement et le suivi (voir la section suivante).

Hypertension artérielle essentielle

Au Canada, 21,1 % des adultes (18-74 ans) sont atteints d'hypertension. Dans le groupe des 18 à 34 ans, 6,2 % sont hypertendus, alors que pour le groupe des 65-74 ans, le

TABLEAU 34-1 Classification de l'hypertension artérielle selon l'Organisation mondiale de la santé (OMS) et la Société internationale d'hypertension (SIH)

Catégorie de pression	Systolique (mm Hg)	Diastolique (mm Hg)
Optimale	<120	<80
Normale	<130	<85
Normale-élevée	130-139	85-89
Stade 1	140-159	90-99
Sous-groupe : limite	140-149	90-94
Stade 2	160-179	100-109
Stade 3	≥180	≥110
Hypertension systolique isolée*	≥140	<90
Sous-groupe : limite	140-149	<90

* Dans le cas de l'hypertension systolique isolée, on conservera la même échelle, mais en ne tenant compte que de la PA systolique : par exemple, si la PA est de 166/80 mm Hg, on parlera d'hypertension systolique isolée de stade 2.

SOURCE : J. Chalmers, P. Chusid, J.N. Cohn, L.H. Lindholm, I. Martin, K.H. Rahn, P. Sleight (1999). Report 1999. World Health Organization. International Society of Hypertension Guidelines for the Management of Hypertension. Guidelines Subcommittee. *Journal of Hypertension, 17*(2), 151-185.

VOCABULAIRE

Crise hypertensive : situation d'urgence qui exige que la pression artérielle soit abaissée immédiatement afin de prévenir toute lésion des organes cibles.

Dyslipidémie : concentrations sanguines de lipides anormalement élevées.

Hypertension artérielle essentielle : aussi appelée hypertension primaire; il s'agit d'une pression artérielle élevée et dont on ne connaît pas la cause.

Hypertension artérielle secondaire : pression artérielle élevée dont on connaît précisément la cause (néphropathie, par exemple).

Hypertension de rebond : pression artérielle qui est maîtrisée à l'aide d'un traitement, mais qui redevient anormalement élevée si on cesse d'appliquer le traitement.

Monothérapie : traitement effectué au moyen d'un seul médicament.

Urgence hypertensive : situation d'urgence qui exige que la pression artérielle soit abaissée en l'espace de quelques heures afin de prévenir toute lésion des organes cibles.

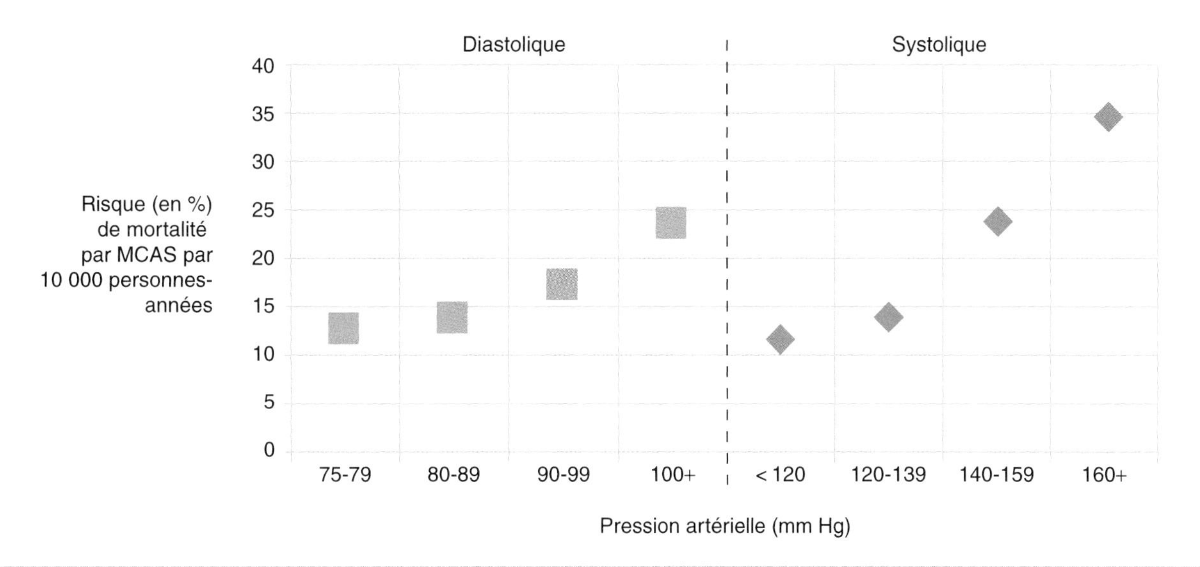

FIGURE 34-1 ■ **Pression artérielle et risque de mortalité par coronaropathie.** SOURCE : J.D. Neaton et D. Wentworth (1992). Serum cholesterol, blood pressure, cigarette smoking, and death from coronary heart disease, Overall findings and differences by age for 316,099 white men, Multiple Risk Factor Intervention Trial Research Group. *Archives of Internal Medicine, 152*(1), 56-64. Dans Programme éducatif canadien sur l'hypertension (2005). http://www.hypertension.ca/recommendations_2005/PECH_2005_Intro.ppt

pourcentage passe à 56,8 % (Joffres *et al.*, 2001). De 90 à 95 % des personnes diagnostiquées présentent une **hypertension artérielle essentielle**, ce qui signifie que la cause de l'augmentation de la pression artérielle est inconnue ou reliée à des facteurs de risque tels que obésité, tabagisme, etc. On appelle **hypertension artérielle secondaire** une pression artérielle élevée dont on connaît précisément la cause. Les personnes atteintes représentent de 5 à 10 % des gens souffrant d'hypertension artérielle. Chez les personnes appartenant à ce groupe, l'hypertension est attribuable à une cause précise : rétrécissement des artères rénales, néphropathie parenchymateuse, hyperaldostéronisme (hypertension due à l'hypersécrétion d'aldostérone), effets indésirables de certains médicaments, grossesse ou sténose de l'aorte (Kaplan, 2002).

On dit parfois que l'hypertension est un « tueur silencieux », car les personnes sont souvent asymptomatiques. Une étude menée par Joffres et ses collaborateurs (2001) indique que plus de 43 % des Canadiens qui souffrent d'hypertension artérielle ignorent qu'ils sont atteints. De plus, seulement 13 % des personnes affectées d'hypertension artérielle sont traitées et ont atteint leurs valeurs-cibles (figure 34-2 ■). Une fois le diagnostic d'hypertension établi, on devrait mesurer la pression artérielle tous les trois à six mois, puisqu'il s'agit d'une affection chronique. Les figures 34-3 ■ et 34-4 ■ présentent les recommandations concernant le suivi.

L'hypertension représente un facteur de risque supplémentaire pour les personnes souffrant de diverses maladies telles que la **dyslipidémie** (concentrations lipidiques anormales dans le sang), mais également de diabète, de maladies vasculaires cérébrales, de coronaropathie, d'insuffisance cardiaque, d'insuffisance rénale, de maladie vasculaire périphérique et de fibrillation auriculaire. Par ailleurs, même si l'habitude de fumer n'entraîne pas d'hypertension, une personne hypertendue qui fume risque davantage de mourir d'une maladie cardiaque ou d'une affection connexe.

On peut aborder l'hypertension sous trois angles, selon qu'on la considère comme un signe, comme un facteur de risque de maladie cardiovasculaire (MCV), ou comme une maladie en tant que telle. Lorsque la pression artérielle est considérée comme un signe, on peut la mesurer pour suivre l'état clinique de la personne. Par exemple, une pression élevée peut découler de la prise d'une dose excessive d'un médicament vasoconstricteur, de la présence d'hypervolémie ou d'autres problèmes de santé. En tant que facteur de risque, l'hypertension accélère le processus par lequel la plaque athéroscléreuse s'accumule dans les parois des artères.

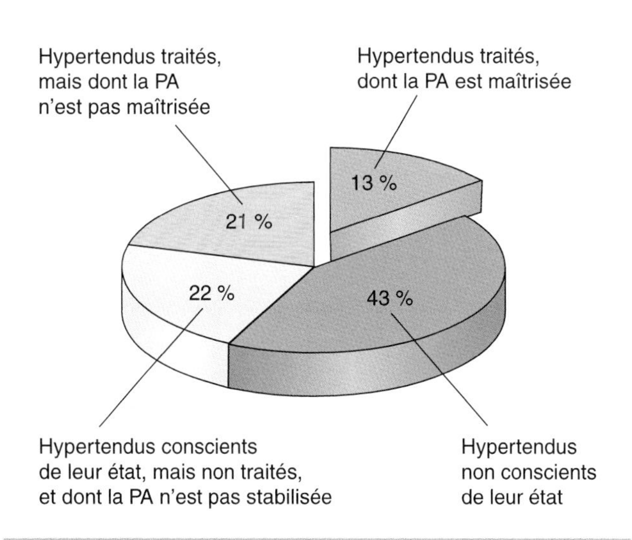

FIGURE 34-2 ■ **L'hypertension artérielle au Canada.** SOURCE : Joffres *et al.* (2001). Distribution of blood pressure and hypertension in Canada and the United States. *American Journal of Hypertension, 14*(11), 1099-1105. Dans Programme éducatif canadien sur l'hypertension (2005). http://www.hypertension.ca/recommendations_2005/PECH_2005_Intro.ppt

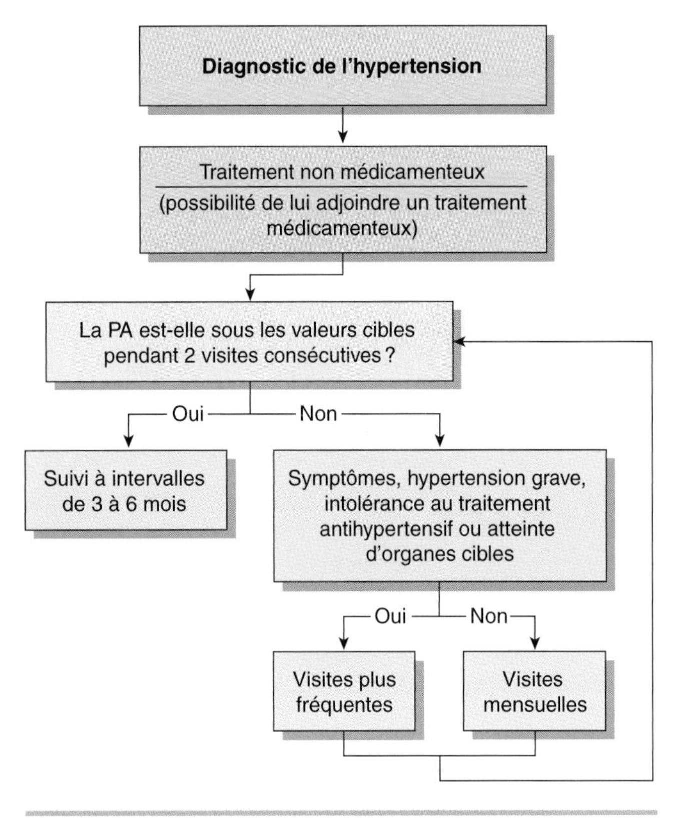

FIGURE 34-3 ■ Recommandations de suivi chez les adultes.
SOURCE : Programme éducatif canadien sur l'hypertension (2005). http://www.hypertension.ca/recommendations_2005/PECH_2005_Diagnostic.ppt

Le fait d'avoir constamment une pression artérielle trop élevée finit par porter atteinte aux artères de l'organisme tout entier, particulièrement à celles qui irriguent des organes cibles tels que le cœur, les reins, le cerveau et les yeux. Les conséquences habituelles de l'hypertension prolongée et non maîtrisée sont l'infarctus du myocarde, l'insuffisance cardiaque, l'insuffisance rénale, l'accident vasculaire cérébral et la rétinopathie. De plus, le ventricule gauche du cœur peut s'épaissir (hypertrophie du ventricule gauche), car il doit travailler davantage pour expulser le sang lorsque la pression est élevée dans les artères.

Physiopathologie

Bien qu'on ne puisse, la plupart du temps, découvrir précisément la cause de l'hypertension, on s'entend pour dire qu'il s'agit d'une affection multifactorielle, autrement dit qu'elle est attribuable à plusieurs facteurs. Pour qu'il y ait hypertension, il faut qu'il se produise un changement touchant un ou plusieurs des facteurs qui influent sur la résistance périphérique ou sur le débit cardiaque (certains de ces facteurs sont répertoriés à la figure 34-5 ■). De plus, il doit exister un trouble des systèmes qui régissent la pression. Bien que quelques rares cas d'hypertension puissent s'expliquer par les mutations d'un seul gène, la plupart des types d'hypertension semblent être polygéniques, les mutations se produisant dans plusieurs gènes (Dominiczak *et al.*, 2000).

Bien des hypothèses émises à propos des bases physiopathologiques de la pression artérielle élevée se fondent sur l'idée

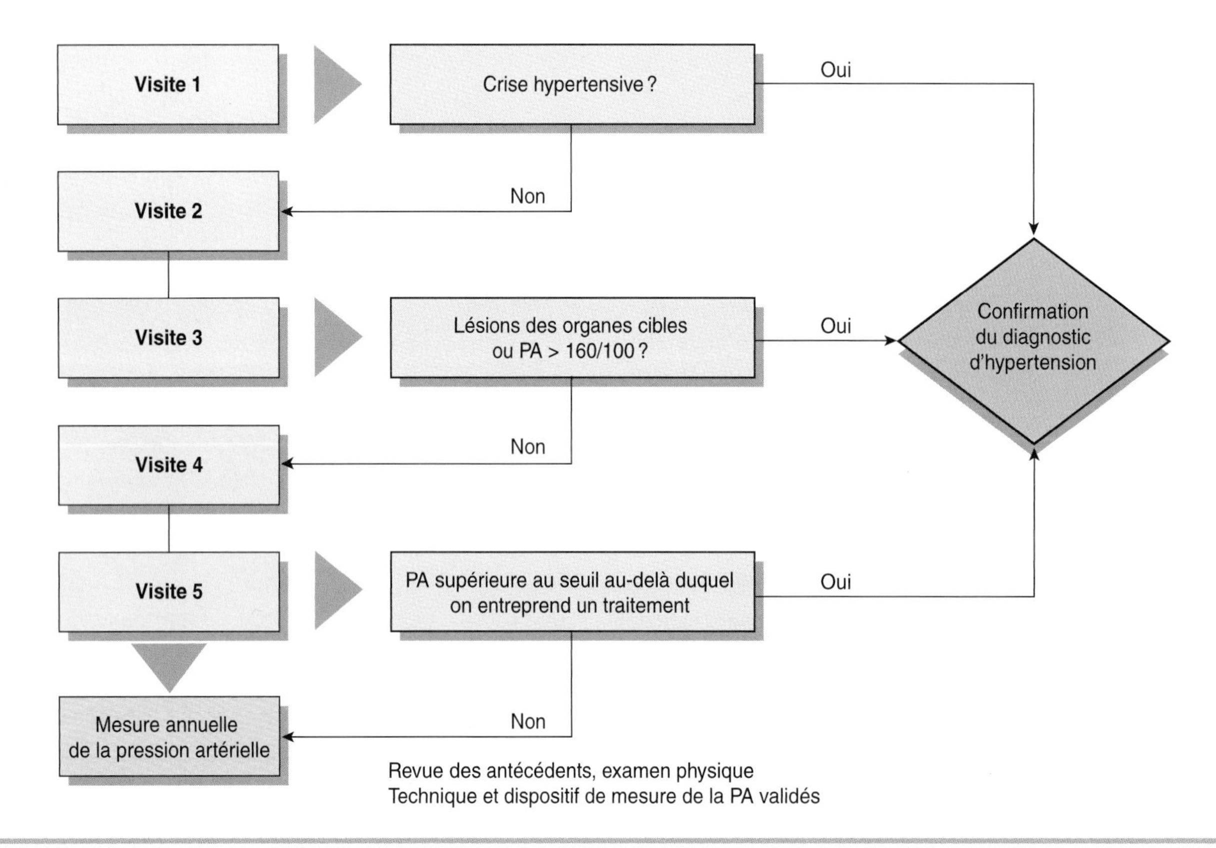

FIGURE 34-4 ■ Démarche diagnostique à adopter lorsque la PA est supérieure à 140/90 mm Hg.
SOURCE : Programme éducatif canadien sur l'hypertension (2004). http://www.hypertension.ca/Documentation/PECH_2004_Diagnostic.ppt

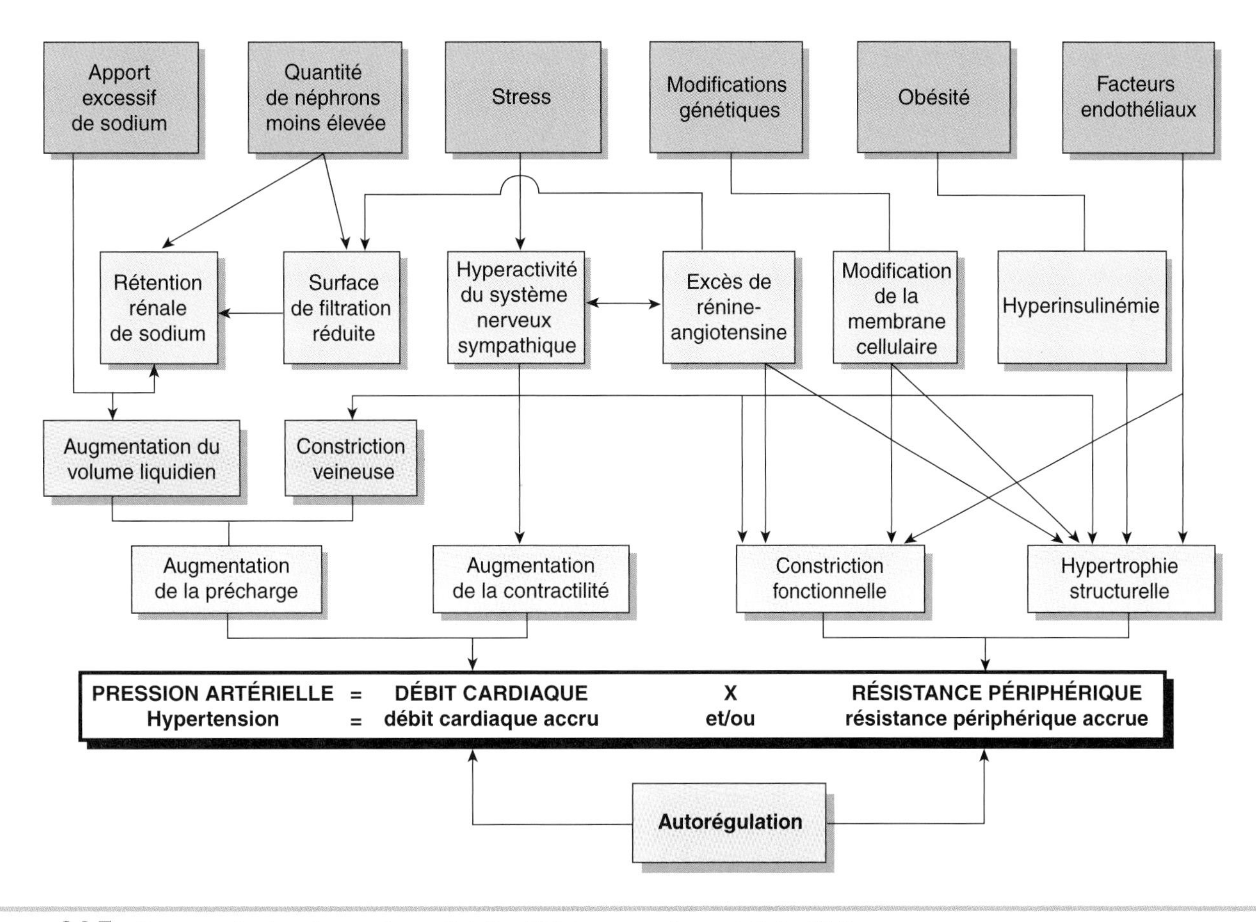

FIGURE 34-5 ■ Facteurs régulant la pression artérielle, définie comme le produit du débit cardiaque multiplié par la résistance périphérique. SOURCE: N.M. Kaplan, E. Lieberman et W. Neal (2002). *Kaplan's clinical hypertension* (8e éd.). Philadelphie: Lippincott Williams & Wilkins.

selon laquelle l'hypertension constitue une affection multifactorielle. De nombreux aspects de ces hypothèses pourront probablement se vérifier un jour, puisque celles-ci se recoupent. L'hypertension peut être attribuable à l'un ou l'autre des facteurs suivants, ou à plusieurs d'entre eux:

- Activité accrue du système nerveux sympathique, liée à un dysfonctionnement du système nerveux autonome
- Réabsorption rénale accrue du sodium, du chlorure et de l'eau, liée à une variation génétique concernant les voies par lesquelles les reins métabolisent le sodium
- Activité accrue du système rénine-angiotensine-aldostérone, entraînant une expansion du volume des liquides extracellulaires et une résistance vasculaire systémique accrue
- Vasodilatation insuffisante des artérioles, associée à un dysfonctionnement de l'endothélium vasculaire
- Résistance à l'insuline, qui peut être le dénominateur commun de l'hypertension, du diabète de type 2, de l'hypertriglycéridémie, de l'obésité et de l'intolérance au glucose

Particularités reliées à la personne âgée

Les modifications anatomiques et fonctionnelles du cœur et des vaisseaux sanguins favorisent la hausse de la pression artérielle, qui caractérise le vieillissement. Parmi ces modifications, citons l'accumulation des plaques athéroscléreuses, la fragmentation des élastines artérielles, une formation accrue de dépôts de collagène et l'affaiblissement des mécanismes de vasodilatation. À cause de ces modifications, l'élasticité des principaux vaisseaux sanguins diminue. Par conséquent, l'aorte et les grosses artères sont moins en état de se dilater en fonction du volume de sang éjecté par le cœur (volume systolique). De ce fait, l'énergie qui aurait normalement été consacrée à l'étirement des vaisseaux entraîne plutôt une hausse de la pression artérielle systolique. De plus, il est à noter que l'hypertension systolique isolée est plus fréquente chez les personnes âgées.

Manifestations cliniques

Il se peut que l'examen physique ne révèle pas d'autre anomalie que l'hypertension. Par ailleurs bien des organes, appelés organes cibles, peuvent être atteints et présenter des manifestations cliniques (tableau 34-2 ■). On note parfois des modifications de la rétine, par exemple des hémorragies, des exsudats (accumulation de liquide), un rétrécissement artériolaire et des taches cotonneuses (un léger infarcissement). En cas d'hypertension grave, on peut observer un œdème papillaire (œdème des papilles optiques). Les personnes atteintes d'hypertension peuvent être asymptomatiques pendant de

TABLEAU 34-2

Organes touchés par l'hypertension artérielle

Organe ou tissu	Conséquences	Manifestations
Yeux	Hémorragies rétiniennes, rétrécissement artériolaire, œdème papillaire	Baisse ou perte de la vision
Cœur	Coronaropathie, insuffisance cardiaque, hypertrophie ventriculaire gauche	Angine ou infarctus du myocarde
Reins	Insuffisance rénale	Hausse des concentrations d'urée et de créatinine dans le sang
Vaisseaux cérébraux	AVC ou ICT	Troubles de la vision, de la coordination, de l'élocution ou hémiplégie
Vaisseaux périphériques	Artériopathie oblitérante chronique	Diminution des sensations, paresthésie, lésions tégumentaires plus fréquentes, claudication intermittente

nombreuses années. Toutefois, lorsque des signes et symptômes spécifiques apparaissent, ils indiquent habituellement la présence de lésions vasculaires, accompagnées de manifestations touchant les organes irrigués par ces vaisseaux. L'hypertension débouche souvent sur une coronaropathie, accompagnée d'angine ou d'un infarctus du myocarde. L'hypertrophie du ventricule gauche représente une réaction à la charge de travail accrue que le ventricule doit supporter lorsqu'il se contracte, tandis que la pression systémique est plus élevée. Lorsque le cœur présente des lésions sur une grande surface, une insuffisance cardiaque s'installe. Les modifications morbides des reins (qu'indique la hausse des concentrations d'urée et de créatinine dans le sang) peuvent prendre la forme de nycturie. Quant aux modifications des vaisseaux cérébraux, elles peuvent mener à un accident vasculaire cérébral (AVC) ou à une ischémie cérébrale transitoire (ICT); ceux-ci se traduisent par des troubles de la vision ou de l'élocution, des étourdissements, de la faiblesse, une chute soudaine ou la paralysie passagère d'un côté du corps (hémiplégie). Les infarctus cérébraux constituent la majorité des AVC et des ICT chez les personnes atteintes d'hypertension.

Examen clinique et examens paracliniques

Il est essentiel d'effectuer une anamnèse complète de la personne atteinte d'hypertension et de procéder à un examen physique. On doit aussi examiner la rétine et recourir à des examens paracliniques permettant de déceler les lésions des organes cibles (encadré 34-1 ■). Ces examens sont habituellement les suivants: analyse des urines et du sang, dosage du sodium, du potassium, de la créatinine, du cholestérol total et du cholestérol lié aux lipoprotéines de haute densité (C-HDL), ainsi que glycémie à jeun. Il faut également faire passer un électrocardiogramme. Une échocardiographie permettra de déceler l'hypertrophie du ventricule gauche. Les lésions rénales peuvent être détectées par des élévations des taux d'urée et de créatinine dans le sang, ou par la présence d'une microprotéinurie ou d'une macroprotéinurie. On peut aussi effectuer d'autres épreuves de laboratoire pour déterminer la clairance de la créatinine, les concentrations de rénine ou le taux d'excrétion des protéines dans les urines de 24 heures.

ENCADRÉ 34-1

Examens paracliniques en cas d'hypertension artérielle

1. Analyse des urines
2. Hémogramme
3. Électrolytes et créatininémie
4. Glycémie à jeun
5. Cholestérol total, cholestérol des lipoprotéines de haute densité (C-HDL), cholestérol des lipoprotéines de basse densité (C-LDL) et triglycérides à jeun
6. Électrocardiogramme à 12 dérivations
7. Protéinurie et microalbuminurie (microprotéinurie)*

* Pour les personnes atteintes de diabète ou d'insuffisance rénale.

SOURCE: Programme éducatif canadien sur l'hypertension (2005). http://www.hypertension.ca/recommendations_2005/PECH_2005_Diagnostic.ppt

Il faut évaluer les facteurs de risque afin d'orienter le traitement des personnes susceptibles d'être atteintes de lésions des organes cibles. Les facteurs de risque (encadré 34-2 ■) sont associés aux mesures de la PA et à l'examen des organes cibles; lorsqu'on connaît la probabilité qu'une personne hypertendue souffre d'une coronaropathie ou meure d'une MCV, on peut sélectionner plus aisément le traitement (tableaux 34-3 ■ et 34-4 ■). On tient compte également des causes exogènes susceptibles de provoquer l'hypertension ou de l'aggraver (encadré 34-3 ■); ainsi la situation pourra-t-elle être modifiée si la chose est possible.

Traitement médical

Le traitement antihypertenseur vise à prévenir toute complication de l'hypertension et, en fin de compte, à diminuer la mortalité qu'elle occasionne; on souhaite arriver à la pression artérielle cible, égale ou inférieure à 140/90 mm Hg, et s'y tenir. Selon le Programme éducatif canadien sur l'hypertension (2004), les personnes atteintes d'autres affections, telles que le diabète ou l'insuffisance rénale, et qui dépassent certains seuils de pression artérielle devraient entreprendre une

ENCADRÉ 34-2

FACTEURS DE RISQUE

Maladie cardiovasculaire chez les personnes hypertendues

- Usage du tabac
- Obésité (IMC ≥ 30)
- Mode de vie sédentaire
- Dyslipidémie
- Diabète
- Microprotéinurie
- Âge (55 ans ou plus, chez les hommes; 65 ans ou plus, chez les femmes)
- Antécédents familiaux de maladie cardiovasculaire précoce

SOURCE: Seventh Report of the Joint National Committee on the Prevention, Detection, Evaluation, and Treatment of High Blood Pressure (2003). National Institute of Health and National Heart, Lung and Blood Institute. United States Department of Health and Human Services.

Évaluation du risque absolu, sur dix ans, de coronaropathie et de mortalité par maladie cardiovasculaire

TABLEAU 34-3

	Pression artérielle (mm Hg)				
Autres facteurs de risque et affections concomitantes	**Normale PAS 120-129 ou PAD 80-84**	**Normale élevée PAS 130-139 ou PAD 85-89**	**Grade 1 PAS 140-159 ou PAD 90-99**	**Grade 2 PAS 160-179 ou PAD 100-109**	**Grade 3 PAS >179 ou PAD >109**
I. Aucun autre facteur de risque	Risque moyen	Risque moyen	Risque légèrement augmenté	Risque moyennement augmenté	Risque élevé
II. 1 – 2 facteurs de risque	Risque légèrement augmenté	Risque légèrement augmenté	Risque moyennement augmenté	Risque moyennement augmenté	Risque très élevé
III. ≥ 3 facteurs de risque, atteinte d'organes cibles ou diabète	Risque moyennement augmenté	Risque élevé	Risque élevé	Risque élevé	Risque très élevé
IV. Pathologies associées	Risque élevé	Risque très élevé	Risque très élevé	Risque très élevé	Risque très élevé

ÉVALUATION DU RISQUE ABSOLU DE MORTALITÉ

Coronaropathie	<15 %	15-20 %	20-30 %	>30 %
Maladie cardiovasculaire	<4 %	4-5 %	5-8 %	>8 %

SOURCE: Programme éducatif canadien sur l'hypertension (2004). http://www.hypertension.ca/Documentation/PECH_2004_Diagnostic.ppt

Niveaux de risque et traitement

TABLEAU 34-4

Stades de la pression artérielle (mm Hg)	**Groupe à risque A (aucun facteur de risque, aucune AOC/MCC)**	**Groupe à risque B (au moins un facteur de risque n'incluant pas le diabète, aucune AOC/MCC)**	**Groupe à risque C (AOC/MCC et/ou diabète, avec ou sans autres facteurs de risque)**
Normale-élevée (130-139/85-89)	■ Modifications aux habitudes de vie	■ Modifications aux habitudes de vie	■ Modifications aux habitudes de vie ■ Pharmacothérapie†
Stade 1 (140-159/90-99)	■ Modifications aux habitudes de vie (jusqu'à 12 mois)	■ Modifications aux habitudes de vie* (jusqu'à 6 mois)	■ Modifications aux habitudes de vie ■ Pharmacothérapie
Stades 2 et 3 (≥160/≥100)	■ Modifications aux habitudes de vie ■ Pharmacothérapie	■ Modifications aux habitudes de vie ■ Pharmacothérapie	■ Modifications aux habitudes de vie ■ Pharmacothérapie

Exemple: Une personne diabétique dont la pression artérielle est de 142/94 mm Hg, qui présente en plus une hypertrophie du ventricule gauche, devrait être classée dans la catégorie d'hypertension de stade 1, avec atteinte des organes cibles (hypertrophie du ventricule gauche) et un autre facteur de risque important (diabète). Elle devra donc être classée dans la catégorie hypertension de stade 1, groupe à risque C. On recommande, dans ce cas, d'amorcer immédiatement la pharmacothérapie. Les modifications aux habitudes de vie devraient constituer un traitement d'appoint chez toutes les personnes qui suivent une pharmacothérapie.

AOC/MCC: atteinte des organes cibles/maladie cardiovasculaire manifeste sur le plan clinique (tableau 34-2).

* Chez les personnes présentant plusieurs facteurs de risque, les médecins devraient envisager d'amorcer le traitement en prescrivant une pharmacothérapie qui s'ajouterait aux modifications aux habitudes de vie.

† Chez les personnes atteintes d'insuffisance cardiaque, d'insuffisance rénale ou de diabète.

SOURCE: Seventh Report of the Joint National Committee on Prevention, Detection, Evaluation, and Treatment of High Blood Pressure (2003).

ENCADRÉ 34-3

Facteurs exogènes pouvant entraîner l'hypertension ou l'aggraver

- Sel
- Prise excessive d'alcool
- Drogues utilisées à des fins non médicales (cocaïne)
- Anti-inflammatoires non stéroïdiens
- Contraceptifs oraux
- Corticostéroïdes
- Stéroïdes anabolisants
- Érythropoïétine
- Inhibiteurs de la calcineurine (cyclosporine, tacrolimus)
- Éphédrine et pseudoéphédrine
- Réglisse
- Apnée du sommeil

SOURCE: Programme éducatif canadien sur l'hypertension (2005). http://www.hypertension.ca/recommendations 2005/PECH 2005 Diagnostic.ppt

pharmacothérapie (tableau 34-5 ■). Par exemple, on conseille aux personnes atteintes de diabète de s'en tenir à une pression artérielle cible de 130/80 mm Hg ou moins. Le traitement optimal doit être simple et peu coûteux; il doit, par ailleurs, perturber le moins possible la vie de la personne hypertendue.

Les options de traitement de l'hypertension sont exposées à la figure 34-6 ■; on y présente des algorithmes liés aux atteintes des organes cibles ou aux facteurs de risque associés. Dans l'encadré 34-4 ■, on énumère les principales recommandations concernant les modifications aux habitudes de vie. Le médecin utilise ces algorithmes, la pression artérielle de la personne ainsi que l'évaluation des facteurs de risque pour décider du traitement; il peut aussi y recourir au besoin, à d'autres occasions. Les résultats des recherches montrent que le fait de perdre du poids, de diminuer sa consommation d'alcool et de sel, et d'adopter un mode de vie active constituent des modifications aux habitudes de vie qui permettent de faire baisser la pression artérielle (Appel *et al.*, 1997; Cushman *et al.*, 1998; Hagberg *et al.*, 2000; Sacks *et al.*, 2001). Le tableau 34-6 ■ présente les effets sur la pression artérielle des modifications aux habitudes de vie. Les études indiquent qu'une alimentation riche en fruits et légumes de même qu'en produits laitiers écrémés peut prévenir l'hypertension et faire baisser une pression artérielle trop élevée. On présente au tableau 34-7 ■ le régime alimentaire DASH (*Dietary Approaches to Stop Hypertension*), qui aide à freiner l'évolution de la maladie.

Pharmacothérapie

Chez les personnes atteintes d'hypertension simple et qui ne prennent pas d'autres médicaments, le traitement de début devrait faire appel à des diurétiques thiazidiques, à des bêtabloquants, à des inhibiteurs de l'enzyme de conversion de l'angiotensine, à un agoniste des récepteurs de l'angiotensine à faible dose. Si la pression artérielle ne peut être ramenée sous la barre des 140/90 mm Hg, on augmente graduellement la dose de médicaments et on ajoute à la pharmacothérapie d'autres médicaments, selon les besoins, pour arriver à maîtriser adéquatement l'hypertension. Le tableau 34-8 ■ présente les divers médicaments utilisés dans le traitement de l'hypertension. Lorsque la pression artérielle se maintient à des valeurs inférieures à 140/90 mm Hg pendant au moins un an, on recommande de réduire graduellement les doses de médicaments et le nombre de médicaments administrés. Pour faciliter l'observance du traitement, les médecins essaient de proposer la posologie la plus simple possible, de préférence un comprimé, une fois par jour.

Particularités reliées à la personne âgée

L'hypertension, particulièrement la pression artérielle systolique trop élevée, augmente la morbidité et la mortalité chez les personnes âgées; le traitement permet d'en atténuer les effets. À l'instar des personnes plus jeunes, les personnes

TABLEAU 34-5

Seuils de pression artérielle utilisés pour prescrire une pharmacothérapie et définir des cibles tensionnelles

Affections	Seuils d'instauration PAS/PAD (mm Hg)	Cibles de pression PAS/PAD (mm Hg)
Hypertension systolo-diastolique	≥140/90	<140/90
Hypertension systolique isolée	≥160	<140
Diabète	≥130/80	<130/80
Néphropathie	≥130/80	<130/80
Protéinurie >1 g/24 h	≥125/75	<125/75

SOURCE: Programme éducatif canadien sur l'hypertension (2005). http://www.hypertension.ca/recommendations 2005/PECH 2005 Diagnostic.ppt

A. Hypertension systolique isolée sans indication formelle d'agents spécifiques

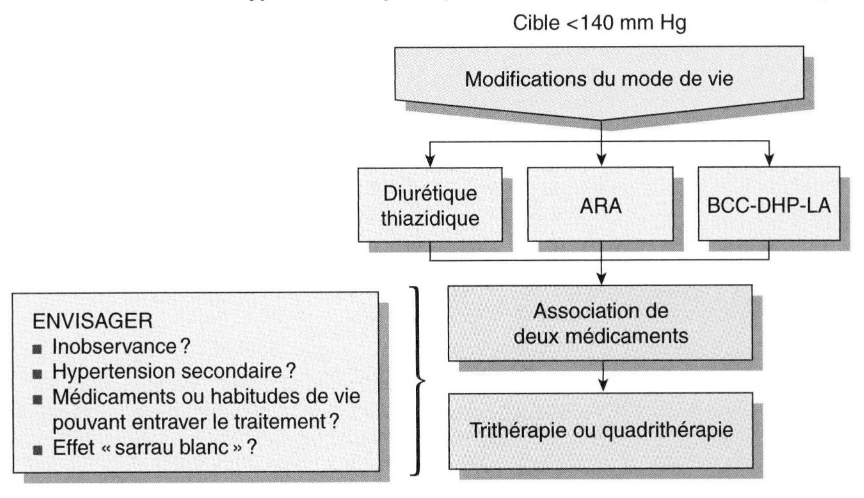

B. Hypertension systolodiastolique sans indication formelle d'agents spécifiques

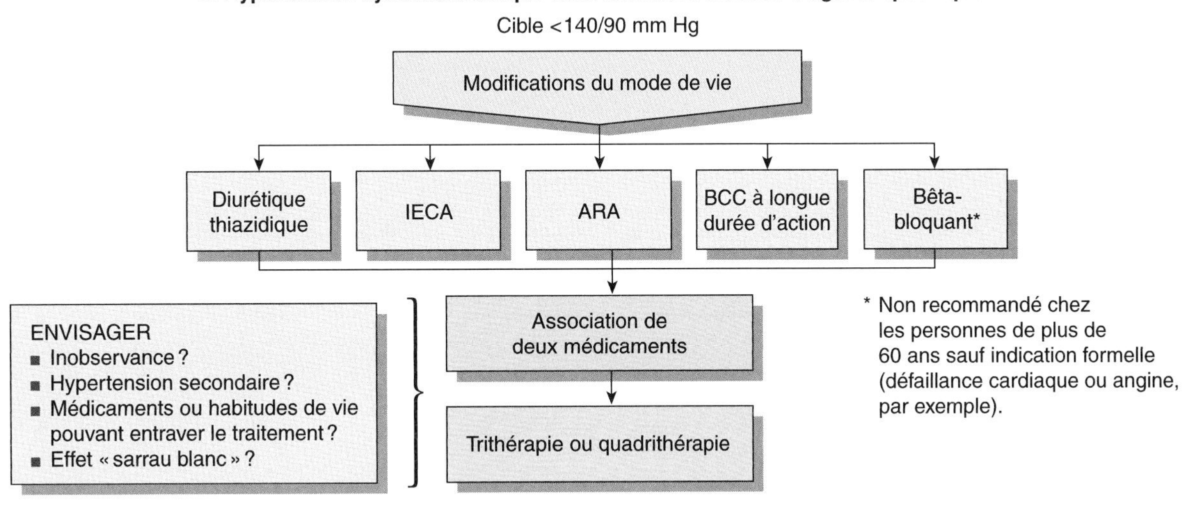

C. Hypertension systolodiastolique sans indication formelle d'agents spécifiques (polythérapie)

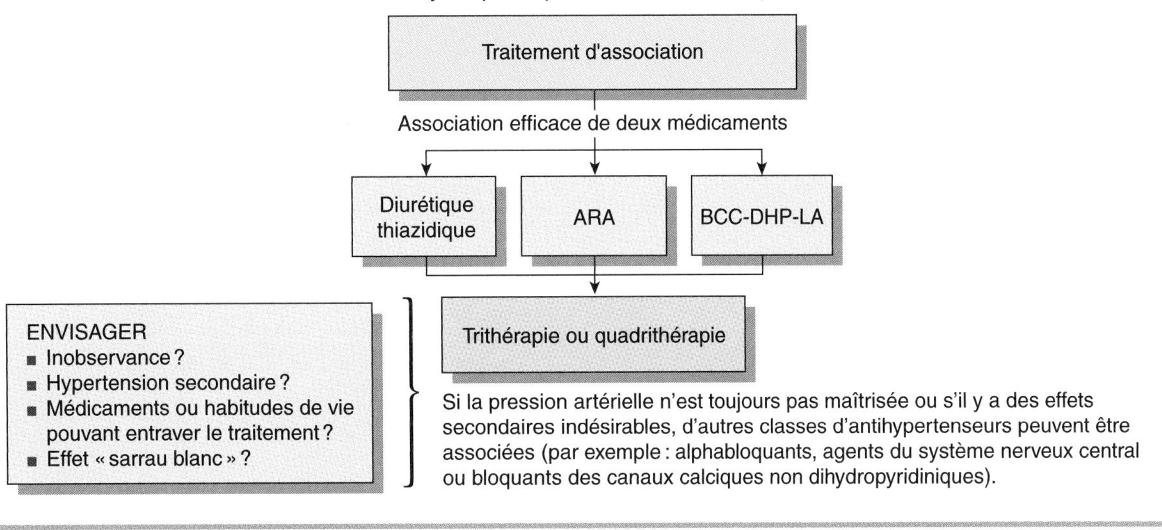

FIGURE **34-6** ■ Algorithmes du traitement de l'hypertension artérielle non accompagnée d'autres affections. ARA : antagoniste des récepteurs de l'angiotensine. BCC-DHP-LA : bloquant des canaux calciques de type dihydropyridine à longue durée d'action. SOURCE : Programme éducatif canadien sur l'hypertension (2005). http://www.hypertension.ca/recommendations_2005/PECH_2005_Traitement.ppt

ENCADRÉ 34-4

RECOMMANDATIONS

Habitudes de vie et traitement de l'hypertension

- **Alimentation saine :** beaucoup de fruits et de légumes frais, des produits laitiers faibles en gras saturés, des aliments faibles en gras saturés et en sodium tel que recommandé dans la diète DASH.
- **Pratique régulière de l'activité physique :** idéalement de 30-60 minutes d'activité cardiorespiratoire d'intensité modérée au moins 4 fois par semaine.
- **Réduction de la consommation d'alcool chez ceux qui en consomment trop (<2 consommations/jour).**
- **Perte de poids ($\geq$ 5 kg) pour ceux qui ont un excès de poids (IMC > 25).**
  Tour de taille
  - < 102 cm pour les hommes
  - < 88 cm pour les femmes
- **Apport sodique inférieur à moins de 100 mmol/jour** chez les individus sensibles au sel : tels que Canadiens de race noire, personnes de plus de 45 ans ou avec insuffisance rénale ou diabète.
- **Environnement sans fumée.**

SOURCE : Programme éducatif canadien sur l'hypertension (2005). http://www.hypertension.ca/recommendations 2005/ PECH 2005 Traitement.ppt

TABLEAU 34-6

Effets sur la pression artérielle des modifications aux habitudes de vie

Description	Objectif	PAS/PAD
Apport sodique	-100 mmol/jour*	-5,8/-2,5
Poids	-4,5 kg	-7,2/-5,9
Consommation d'alcool	-2,7 consommations/jour	-4,6/-2,3
Exercice	3 fois/semaine	-10,3/-7,5
Diète	Régime alimentaire DASH	-11,4/-5,5

* 100 mmol/jour = 1 c. à thé

SOURCE : Programme éducatif canadien sur l'hypertension (2004). http://www.hypertension.ca/recommendations 2005/PECH 2005 Traitement.ppt

TABLEAU 34-7

Régime alimentaire DASH

Groupe d'aliments	Nombre de portions par jour
Céréales et produits céréaliers	7-8
Légumes	4-5
Fruits	4-5
Produits laitiers totalement ou partiellement écrémés	2-3
Viande, poisson et volaille	2 ou moins
Noix, noisettes, graines et haricots secs	4-5 par semaine

* DASH : *Dietary Approaches to Stop Hypertension;* régime alimentaire basé sur un apport quotidien de 8 400 kJ.

SOURCE : http://ww1.fmcoeur.ca/Page.asp?PageID=1260&ArticleID=1008& Src=&From=SubCategory

âgées devraient commencer par modifier leurs habitudes de vie. Si le recours à la pharmacothérapie s'impose pour atteindre la cible souhaitée, soit une pression artérielle inférieure à 140/90 mm Hg, la dose de départ devrait être inférieure de moitié à celle qu'on prescrit aux adultes plus jeunes.

Médicaments antihypertenseurs

TABLEAU 34-8

Médicaments	Principaux effets	Avantages et contre-indications	Effets secondaires et interventions infirmières
DIURÉTIQUES ET MÉDICAMENTS DU MÊME TYPE			
Diurétiques thiazidiques ■ chlorthalidone (Hygroton) ■ hydrochlorothiazide (Hydrodiuril) ■ indapamide (Lozide)	■ Diminution du volume sanguin, du débit sanguin rénal et du débit cardiaque ■ Déplétion du volume des liquides extra-cellulaires ■ Perte sodique (due à la natriurèse), légère hypokaliémie ■ Action directe sur les muscles vasculaires lisses	■ Efficace lorsqu'il est administré par voie orale ■ Efficace lorsqu'il est administré de façon prolongée ■ Légers effets secondaires ■ Potentialisation de l'effet des autres antihypertenseurs ■ Inhibition de l'effet de rétention sodique de certains autres médicaments antihypertenseurs ■ *Contre-indications*: goutte, hypersensibilité connue aux médicaments dérivés des sulfamides et insuffisance rénale grave	■ Effets secondaires: xérostomie (sécheresse excessive de la bouche), soif, faiblesse, somnolence, léthargie, douleurs musculaires, fatigue musculaire, tachycardie, troubles gastro-intestinaux. ■ L'hypotension orthostatique peut être potentialisée par l'alcool, les barbituriques, les opiacés ou la chaleur. ■ Puisque le fait de prendre des diurétiques thiazidiques entraîne une perte de sodium, de potassium et de magnésium, il faut rester à l'affût des signes de déséquilibres électrolytiques. ■ Encourager la consommation d'aliments riches en potassium (par exemple, les fruits). ■ *Particularités reliées à la personne âgée*: le risque d'hypotension orthostatique est important en raison de la déplétion du volume des liquides; il faut mesurer la pression artérielle dans les trois positions; prévenir la personne qu'elle doit éviter de se mettre debout brusquement.
Diurétiques de l'anse ■ furosémide (Lasix) ■ bumétanide (Burinex)	■ Déplétion du volume des liquides ■ Blocage de la réabsorption du sodium, du chlorure et de l'eau au niveau du rein	■ Action rapide ■ Effet puissant ■ Médicament utilisé en cas d'échec du traitement par les diurétiques thiazidiques ou lorsqu'une diurèse rapide s'impose ■ *Contre-indications*: les mêmes que dans le cas des diurétiques thiazidiques	■ Déplétion rapide du volume des liquides: une diurèse importante peut s'ensuivre. ■ Déplétion électrolytique: il faut assurer la rééquilibration hydroélectrolytique. ■ Soif, nausées, vomissements, éruption cutanée et hypotension orthostatique. ■ Goût sucré signalé, sensation de brûlure buccale et épigastrique. ■ *Particularités reliées à la personne âgée*: les risques sont les mêmes que dans le cas des diurétiques thiazidiques.
Diurétiques épargneurs de potassium ■ spironolactone (Aldactone) ■ triamtérène (Dyrenium) ■ amiloride (Midamor)	■ Inhibition de l'aldostérone par compétition au niveau de la liaison (spironolactone) ■ Effet sur le tubule distal, indépendamment de l'effet de l'aldostérone (triamtérène et amiloride)	■ La spironolactone est efficace dans le traitement de l'hypertension accompagnant l'aldostéronisme primaire ■ Ils entraînent tous la rétention du potassium ■ *Contre-indications*: néphropathie, azotémie, maladie hépatique grave, hyperkaliémie	■ En cas de somnolence, de léthargie ou de maux de tête, réduire la dose. ■ Rester à l'affût des signes d'hyperkaliémie en cas d'administration concomitante d'un IECA ou d'un ARA. ■ Diarrhées et autres symptômes gastro-intestinaux: administrer le médicament après les repas. ■ Éruptions cutanées, urticaire. ■ Confusion mentale, ataxie (triamtérène): au besoin, réduire la dose. ■ Gynécomastie (spironolactone).
ADRÉNOLYTIQUES			
Agonistes alpha à action centrale ■ méthyldopa (Aldomet)	■ Inhibition de la dopadécarboxylase; déplacement de la noradrénaline depuis les lieux de stockage	■ Médicament à choisir en cas d'hypertension gravidique ■ Médicament utile chez les personnes atteintes d'insuffisance rénale ■ Pas de diminution du débit cardiaque ni du débit sanguin rénal	■ Somnolence, étourdissements. ■ Xérostomie, congestion nasale (ces effets sont gênants au départ, mais ils finissent par disparaître). ■ Anémie hémolytique (réaction d'hypersensibilisation): résultat positif au test de Coombs.

Médicaments antihypertenseurs (*suite*)

TABLEAU 34-8

Médicaments	Principaux effets	Avantages et contre-indications	Effets secondaires et interventions infirmières
		■ Agent qui ne provoque pas d'oligurie ■ *Contre-indication*: maladie hépatique	■ *Particularités reliées à la personne âgée*: Ce médicament peut entraîner des modifications sur le plan mental ou comportemental.
■ clonidine (Catapres)	■ On ne comprend pas encore exactement comment agit ce médicament, mais on sait qu'il agit par l'entremise du système nerveux central, apparemment par stimulation alpha-adrénergique au niveau du cerveau, entraînant l'abaissement de la pression artérielle	■ Effet orthostatique absent ou faible ■ Médicament de puissance modérée, parfois efficace lorsque d'autres médicaments ne réussissent pas à abaisser la pression artérielle ■ *Contre-indications*: coronaropathie grave, grossesse, administration chez les enfants	■ Effets secondaires les plus courants: xérostomie, somnolence, sédation, maux de tête et fatigue. On a également signalé de l'anorexie, des malaises et des vomissements accompagnés d'un léger dysfonctionnement hépatique. ■ Hypertension de rebond ou de retrait relativement courante; mesurer la pression artérielle à intervalles fréquents lorsque la personne cesse de prendre ce médicament.
Bêtabloquants ■ propranolol (Inderal) ■ métoprolol (Lopressor) ■ nadolol (Corgard) ■ acébutolol (Sectral, Monitan) ■ aténolol (Tenormin) ■ bisoprolol (Monocor)	■ Blocage du système nerveux sympathique (récepteurs bêta-adrénergiques), particulièrement de l'influx sympathique qui s'achemine vers le cœur, entraînant le ralentissement de la fréquence cardiaque et l'abaissement de la pression artérielle	■ Réduction de la fréquence du pouls chez les personnes atteintes de tachycardie et d'hypertension ■ *Contre-indications*: asthme, rhinite allergique, insuffisance du ventricule droit attribuable à une hypertension pulmonaire, insuffisance cardiaque non maîtrisée, dépression, blocs auriculo-ventriculaires, maladie vasculaire périphérique grave, fréquence cardiaque apicale inférieure à 60 battements/min	■ Ne pas arrêter brusquement le traitement. ■ Effets possibles au niveau du système nerveux central: insomnie, lassitude, faiblesse, fatigue et dépression (rare). ■ Nausées, vomissements et douleur épigastriques. ■ Prolongent les hypoglycémies et en diminuent les symptômes. ■ Peuvent causer des problèmes sexuels (exceptionnellement). ■ Mesurer la fréquence cardiaque avant d'administrer le médicament. ■ *Particularités reliées à la personne âgée:* risque accru de toxicité en cas de dysfonctionnement rénal ou hépatique; mesurer la pression artérielle dans les trois positions et rester à l'affût des signes d'hypotension orthostatique.
Alphabloquants ■ prazosine (Minipress) ■ térazosine (Hytrin) ■ doxazosine (Cardura)	■ Vasodilatation périphérique à action directe sur les vaisseaux sanguins	■ Action directe sur les vaisseaux sanguins ■ Ne doivent pas être utilisés en monothérapie pour l'hypertension ■ *Contre-indications*: angine de poitrine et coronaropathie à cause du risque de tachycardie réflexe causée par la vasodilatation	■ Hypotension orthostatique, surtout lors des premières doses. Administrer au coucher pour atténuer cet effet. Dire à la personne de se lever lentement. ■ Étourdissements, céphalées, somnolence, manque d'énergie, faiblesse et mictions plus fréquentes sont possibles.
Association alphabloquant et bêtabloquant ■ labétalol (Trandate)	■ Blocage des récepteurs alpha-adrénergiques et bêta-adrénergiques; dilatation périphérique et diminution de la résistance vasculaire périphérique	■ Action rapide ■ Pas de diminution du débit sanguin rénal ■ Hypertension gravidique ■ *Contre-indications*: asthme, choc cardiogénique, tachycardie grave, bloc cardiaque	■ Hypotension orthostatique, étourdissements, nausées, fatigue, bradycardie et autres effets secondaires des alphabloquants et des bêtabloquants.
VASODILATATEURS			
■ hydralazine (Apresoline)	■ Diminution de la résistance périphérique, mais augmentation simultanée du débit cardiaque	■ Ne pas utiliser en monothérapie pour l'hypertension. ■ Hypertension gravidique en association	■ Risque de maux de tête, de tachycardie, de bouffées vasomotrices et de dyspnée ■ En cas d'œdème périphérique, administrer des diurétiques.

Médicaments	Principaux effets	Avantages et contre-indications	Effets secondaires et interventions infirmières
	▪ Action directe sur les muscles lisses des vaisseaux sanguins	▪ *Contre-indications*: angine, coronaropathie	▪ Risque d'apparition d'un syndrome lupique.
▪ nitroprusside sodique (Nipride) ▪ nitroglycérine (Tridil)	▪ Vasodilatation périphérique par relâchement des muscles lisses	▪ Action rapide ▪ Utilisation indiquée seulement en cas de crise hypertensive ▪ *Contre-indications*: septicémie, azotémie, pression intracrânienne élevée	▪ Étourdissements, céphalées, nausées, œdème, tachycardie, palpitations. ▪ Risque d'intoxication au thiocyanate et au cyanide (nitroprusside seulement).
INHIBITEURS DE L'ENZYME DE CONVERSION DE L'ANGIOTENSINE (IECA)			
▪ bénazépril (Lotensin) ▪ captopril (Capoten) ▪ énalaprilate (Vasotec IV) ▪ énalapril (Vasotec) ▪ lisinopril (Prinivil, Zestril) ▪ ramipril (Altace) ▪ trandolapril (Mavik) ▪ quinapril (Accupril) ▪ fosinopril (Monopril) ▪ cilazapril (Inhibace) ▪ périndopril (Coversyl)	▪ Inhibition de la conversion de l'angiotensine I en angiotensine II ▪ Réduction de la résistance périphérique totale	▪ Effets secondaires cardiovasculaires moins nombreux ▪ Effet synergique avec les diurétiques thiazidiques ▪ L'hypotension peut être inversée par une rééquilibration hydrique ▪ *Contre-indications*: grossesse, maladie rénovasculaire	▪ Peuvent causer une toux sèche non soulagée par les antitussifs. ▪ Rester à l'affût d'une hyperkaliémie. ▪ *Particularités reliées à la personne âgée*: en cas d'insuffisance rénale, réduire les doses.
ANTAGONISTES DES RÉCEPTEURS DE L'ANGIOTENSINE (ARA)			
▪ candésartan (Atacand) ▪ losartan (Cozaar) ▪ valsartan (Diovan) ▪ irbesartan (Avapro) ▪ telmisartan (Micardis) ▪ éprosartan (Teveten)	▪ Blocage des effets de l'angiotensine II au niveau des récepteurs ▪ Réduction de la résistance périphérique	▪ Effets secondaires minimes ▪ Effet synergique avec les diurétiques thiazidiques ▪ *Contre-indications*: grossesse, maladie rénovasculaire	▪ Rester à l'affût d'une hyperkaliémie.
BLOQUANTS DES CANAUX CALCIQUES			
Non dihydropyridines ▪ diltiazem (Cardizem SR, Cardizem CD, Tiazac) ▪ vérapamil (Isoptin SR, Verelan, Chronovera)	▪ Inhibition du courant d'entrée des ions calcium ▪ Réduction de la postcharge ▪ Ralentissement de la vitesse de conduction des impulsions cardiaques	▪ Agents de choix pour l'inhibition des spasmes coronariens ▪ Début d'action rapide à la suite de l'administration par voie IV ▪ Ralentissement de la conduction sino-auriculaire et auriculo-ventriculaire ▪ Efficaces pour les arythmies auriculaires ▪ *Contre-indications*: maladie du nœud sinusal, bloc auriculo-ventriculaire, hypotension, insuffisance cardiaque	▪ Ne pas arrêter brusquement le traitement. ▪ Signaler au médecin les palpitations, les étourdissements, la constipation et l'œdème périphérique. ▪ Enseigner à la personne qu'il faut effectuer régulièrement les soins d'hygiène dentaire, en raison du risque de gingivite. ▪ Chronovera doit être administré au coucher. ▪ Diminuer les doses chez les personnes atteintes d'insuffisance rénale ou hépatique.
Dihydropyridines ▪ nifédipine (Adalat PA, Adalat XL) ▪ amlodipine (Norvasc) ▪ félodipine (Plendil, Renedil)	▪ Inhibition du courant d'entrée des ions calcium à travers les membranes ▪ Effets vasodilatateurs sur les artérioles coronaires et périphériques ▪ Diminution de la charge de travail du cœur et de la consommation d'énergie; amélioration du transport d'oxygène vers le myocarde	▪ Action rapide ▪ Aucune tendance à ralentir l'activité du nœud sinusal ni à prolonger la conduction du nœud auriculo-ventriculaire ▪ Hypertension systolique isolée ▪ Hypertension gravidique (nifédipine) ▪ *Contre-indications*: sténose aortique grave, insuffisance cardiaque (seulement la nifédipine)	▪ En cas de nausées, servir des repas légers à intervalles fréquents. ▪ Les crampes musculaires et la raideur articulaire peuvent disparaître lorsqu'on diminue la dose. ▪ Signaler au médecin les palpitations, la constipation, l'essoufflement et l'œdème périphérique. ▪ Risque d'étourdissements.

DÉMARCHE SYSTÉMATIQUE dans la pratique infirmière

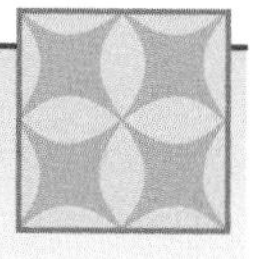

Personne atteinte d'hypertension

COLLECTE DES DONNÉES

Une fois que la pression artérielle élevée a été dépistée, l'infirmière doit prendre la pression artérielle à intervalles fréquents et, après que le diagnostic a été posé, elle doit la prendre aux intervalles prévus. Afin d'obtenir des résultats justes et fiables, on a établi des normes concernant la mesure de la pression artérielle; celles-ci définissent les conditions qui doivent être réunies pour effectuer cette mesure, les caractéristiques du matériel à utiliser et les techniques appropriées (encadré 34-5 ■). Pendant la première phase de tout traitement antihypertenseur, on doit mesurer la pression artérielle pour établir l'efficacité de la pharmacothérapie et pour déceler les modifications des chiffres tensionnels qui pourraient indiquer qu'il est nécessaire d'effectuer des changements dans le traitement.

L'infirmière réalise l'anamnèse complète de la personne pour déceler les symptômes qui indiqueraient des lésions des organes cibles. Il peut s'agir de symptômes comme des douleurs rétrosternales, de la dyspnée à l'effort ou au repos, de la fatigue, des troubles d'élocution ou de vision, des pertes d'équilibre, des saignements de nez, des céphalées, des étourdissements ou de la nycturie.

ENCADRÉ 34-5

Comment mesurer la pression artérielle

RECOMMANDATIONS AUX PERSONNES DONT ON MESURE LA PRESSION ARTÉRIELLE

Avant qu'on prenne sa pression artérielle, la personne doit:

- Éviter d'absorber de la caféine au cours de l'heure qui précède la mesure.
- S'abstenir de fumer 30 minutes avant la mesure.
- Ne pas utiliser de produit contenant des stimulants adrénergiques tels que phényléphrine ou pseudoéphédrine (pouvant se trouver dans des décongestionnants ou dans des gouttes ophtalmiques).
- Avoir vidé sa vessie.
- Éviter de porter des vêtements qui serrent le bras ou l'avant-bras.
- Être assise confortablement depuis au moins cinq minutes, avoir le dos et l'avant-bras bien soutenus et les pieds à plat sur le sol. Ne pas croiser les jambes.

CONSEILS AUX PROFESSIONNELS DE LA SANTÉ CHARGÉS DE MESURER LA PRESSION ARTÉRIELLE

- Effectuer la mesure dans un environnement calme et confortable. Ni l'infirmière ni la personne hypertendue ne doivent parler pendant qu'on prend la pression artérielle.
- Pour les personnes atteintes de diabète, les personnes de plus de 65 ans ou sous traitement antihypertenseur, il est recommandé d'évaluer la présence d'hypotension orthostatique en prenant une mesure alors que la personne est debout (depuis environ 1 à 5 minutes).
- Utiliser un manomètre à mercure, un appareil anéroïde ou électronique récemment étalonné.
- Lors d'une première visite, mesurer la pression artérielle aux deux bras pour voir si on observe une différence. Par la suite, toujours mesurer la pression artérielle à deux reprises du côté où elle est la plus élevée.
- Choisir un brassard de la taille appropriée (voir plus bas).
- Localiser les artères brachiales et radiales.
- Placer le brassard à 3 cm au-dessus du pli du coude (*fossa cubitalis*).
- Placer le milieu de la chambre pneumatique sur l'artère brachiale.
- Placer le milieu du bras à la hauteur du cœur (4e espace intercostal).
- S'assurer que le bras utilisé pour la mesure est bien soutenu.
- Pour exclure un trou auscultatoire, accroître rapidement la pression dans le manchon afin qu'elle atteigne 30 mm Hg de plus que le niveau auquel on ne perçoit plus le pouls radial.
- Placer le diaphragme ou la cupule du stéthoscope au-dessus de l'artère brachiale.
- Placer le manomètre à la hauteur des yeux pour bien le voir.
- Faire chuter la pression de 2 mm Hg par battement cardiaque.
- La pression artérielle systolique correspond au premier bruit clair et bien frappé (phase I de Korotkoff).
- La pression artérielle diastolique se mesure au moment où le son disparaît (phase V de Korotkoff).
- Inscrire le point d'assourdissement si les bruits persistent jusqu'à 0.
- Prendre 2 mesures de la pression artérielle, à au moins 1 minute d'intervalle.

PRISE DE NOTES

- Inscrire les chiffres de pression artérielle à 2 mm Hg près si on utilise un appareil à mercure ou un appareil anéroïde.
- Inscrire la valeur affichée lorsqu'il s'agit d'un appareil oscillométrique.
- Indiquer quel bras a été utilisé pour la mesure et si la personne était couchée, assise ou debout.
- Éviter d'arrondir les valeurs à des chiffres se terminant par 0 ou 5.
- Inscrire la fréquence et le rythme cardiaques.
- Noter la date et l'heure de la mesure.
- Consigner tout élément qui pourrait contribuer à modifier la mesure réalisée (consommation de tabac, d'alcool, événement stressant).

CIRCONFÉRENCE DU BRAS D'UN ADULTE	TAILLE DU BRASSARD
De 18 à 26 cm	9 sur 18 cm (enfant)
De 26 à 33 cm	12 sur 23 cm (adulte normal)
De 33 à 41 cm	15 sur 33 cm (grand)
Plus de 41 cm	18 sur 36 cm (très grand)

SOURCE: L. Cloutier, A. Vanasse et L. Talbot (2005). *La mesure de la pression artérielle*. Université de Sherbrooke.

Au cours de l'examen physique, l'infirmière doit aussi prêter une attention toute particulière à la fréquence, au rythme, à l'amplitude et à la morphologie des pouls apexien et périphérique, à la recherche des effets délétères de l'hypertension sur le cœur et les artères. L'infirmière effectuera également un examen attentif des bruits cardiaques et des bruits vasculaires (auscultation des carotides, de l'aorte, des artères rénales, iliaques et fémorales). La présence de souffles pourrait indiquer que la plaque athéromateuse progresse. Une évaluation poussée peut fournir des données valables sur l'étendue des dégâts causés par l'hypertension et renseigner sur tous les facteurs d'ordre personnel, social ou financier liés à cette maladie.

Analyse et interprétation

Diagnostics infirmiers

En se fondant sur les données recueillies, l'infirmière peut poser les diagnostics infirmiers suivants:

- Connaissances insuffisantes sur le lien entre le traitement et la maîtrise de l'hypertension
- Non-observance du programme de traitement ou de prévention

Problèmes traités en collaboration et complications possibles

En se fondant sur les données recueillies, l'infirmière peut déterminer les complications susceptibles de survenir, notamment:

- Hypertrophie ventriculaire gauche
- Infarctus du myocarde
- Insuffisance cardiaque
- Ischémie cérébrale transitoire (ICT)
- Accident vasculaire cérébral (AVC)
- Insuffisance rénale
- Rétinopathie

Planification

Les principaux objectifs sont les suivants: savoir comment évolue la maladie et comment elle se traite; participer à un programme d'autosoins; et prévenir les complications.

Interventions infirmières

Les soins et traitement infirmiers auprès des personnes hypertendues visent surtout à faire baisser la pression artérielle et à la maîtriser, sans effets indésirables. Pour atteindre cet objectif, l'infirmière doit encourager la personne hypertendue et lui expliquer pourquoi il est important qu'elle reste fidèle à son traitement. Il s'agit pour la personne d'effectuer les indispensables modifications à ses habitudes de vie, de prendre assidûment ses médicaments et de se présenter régulièrement aux rendez-vous de suivi afin que le professionnel de la santé puisse vérifier s'il y a des progrès ou déceler toute complication provoquée par la maladie ou par le traitement.

Accroître les connaissances

Les personnes atteintes d'hypertension doivent connaître le processus morbide en cause et savoir quelles modifications aux habitudes de vie et quels médicaments les aideront à maîtriser leur état. L'infirmière souligne la nécessité de maîtriser l'hypertension, puisque la maladie ne peut pas être enrayée. Elle peut recommander à la personne hypertendue de consulter une diététiste qui l'aidera à choisir un régime amaigrissant (il s'agit, en général, d'un régime pauvre en sel et en matières grasses, et riche en fruits et en légumes) et à adopter un mode de vie active. Si la personne hypertendue sait qu'il faut compter de deux à trois mois pour que les papilles gustatives s'habituent à l'alimentation moins salée, elle acceptera plus facilement de réduire sa consommation de sel. L'infirmière lui fera comprendre également pourquoi il lui faut diminuer sa consommation d'alcool (les recommandations à cet égard se trouvent à l'encadré 34-4) et arrêter de fumer. En effet, bien que le tabagisme ne provoque pas d'hypertension, la personne hypertendue est exposée d'emblée à un risque accru de maladie cardiovasculaire, et ce risque augmente encore si on s'adonne au tabagisme. En plus de la pharmacothérapie, il existe des groupes de soutien qui, tout comme les membres de la famille et les amis, peuvent appuyer la personne dans ses efforts visant à perdre du poids, à arrêter de fumer et à gérer le stress. L'infirmière devrait donc l'encourager à recourir à son réseau de soutien et l'aider également à élaborer un programme d'exercice approprié, car se livrer régulièrement à l'activité physique facilite la perte de poids et favorise l'abaissement de la pression artérielle, même sans perte de poids.

Favoriser les soins à domicile et dans la communauté

Tous les adultes devraient faire prendre régulièrement leur pression artérielle (Programme éducatif canadien sur l'hypertension, 2004), car la majorité des gens souffriront d'hypertension artérielle à l'un moment ou l'autre moment de leur vie. L'infirmière invitée à participer à un programme de dépistage devrait s'assurer qu'elle emploie la technique de mesure appropriée (Vanasse *et al.*, 1997), ainsi qu'on l'explique à l'encadré 34-5 et que des dispositions ont été prises pour assurer le suivi de toute personne chez qui une pression artérielle élevée a été dépistée. Elle devrait également enseigner aux personnes concernées la signification des résultats de la mesure de la pression artérielle et fournir à chacune d'entre elles un relevé de ses mesures de pression artérielle.

Enseigner les autosoins

C'est à la personne atteinte d'hypertension artérielle qu'il incombe de s'occuper de son régime thérapeutique en collaboration avec un professionnel de la santé. L'enseignement concernant l'hypertension et le traitement doit porter sur la pharmacothérapie et sur les modifications aux habitudes de vie qui ont trait à l'alimentation, à la perte de poids et à l'exercice (encadré 34-4). En associant cet enseignement à la définition des valeurs cibles et à des recommandations concernant le recours à un groupe de soutien, l'infirmière peut aider la personne à maîtriser sa pression artérielle. S'ils participent aux programmes d'enseignement, les membres de la famille seront mieux préparés à encourager la personne atteinte d'hypertension à ne pas ménager ses efforts pour ramener sa pression artérielle à la normale. La Fondation des maladies du cœur du Canada fournit du matériel didactique, sous la forme de documentation imprimée ou électronique.

Il est très important de fournir à la personne atteinte d'hypertension des informations écrites concernant les résultats escomptés et les effets secondaires des traitements. Lorsque des effets secondaires se manifestent, la personne doit savoir qu'il est important de les signaler et elle doit savoir à qui s'adresser pour cela. Les personnes hypertendues doivent être au courant du risque d'**hypertension de rebond**, qui peut survenir en cas d'arrêt brusque du traitement. On devrait informer les hommes, tout autant que les femmes, du fait que certains médicaments, tels que les bêtabloquants, peuvent entraîner un dysfonctionnement sexuel; on devrait également leur faire savoir que, s'il survient un problème sur le plan des rapports sexuels ou de la satisfaction qu'on en retire, d'autres médicaments peuvent leur être proposés. Afin d'encourager les personnes atteintes d'hypertension à pratiquer les autosoins, l'infirmière devrait leur montrer comment s'y prendre pour mesurer la pression artérielle à domicile. Elle doit aussi insister sur le fait que, si elles ne respectent pas scrupuleusement la posologie des médicaments, elles s'exposent à un risque mesurable d'augmentation de la pression artérielle. Les personnes hypertendues doivent savoir que la pression artérielle varie constamment au cours d'une semaine, d'une journée ou même d'une heure, et que l'intervalle dans lequel elle fluctue doit être suivi de près. Quand on inscrit le résultat obtenu, il faut noter en même temps avec précision à quel moment de la journée la pression artérielle a été mesurée.

Assurer le suivi

Il est crucial de revoir la personne à intervalles réguliers afin que son hypertension puisse être évaluée ou traitée, selon qu'elle est maîtrisée ou en évolution. À chaque visite, on doit relever les informations médicales pertinentes et effectuer un examen physique. On s'intéressera à toutes les données relatives aux effets du traitement, particulièrement à ceux qu'on pourrait attribuer aux médicaments, l'hypotension orthostatique par exemple (qui se manifeste par des étourdissements, des chutes ou tout simplement une sensation de faiblesse).

La non-observance du programme thérapeutique représente un problème important chez les personnes atteintes d'hypertension ou d'autres affections chroniques exigeant un traitement qui s'étend sur toute la vie. On estime que 50 % des personnes cessent de prendre leurs médicaments au cours de la première année du traitement. On réussit à maîtriser la pression artérielle dans seulement 13 % des cas (Joffre *et al.*, 2001). Toutefois, lorsque les personnes collaborent à leurs propres soins (mesure régulière de la pression artérielle et respect du régime alimentaire prescrit), la fidélité au traitement augmente, probablement en raison d'une rétroaction immédiate et du sentiment d'avoir une meilleure emprise sur la maladie.

Les personnes hypertendues doivent s'astreindre à une discipline de chaque instant aussi bien en ce qui concerne les modifications aux habitudes de vie qu'en ce qui regarde la prise régulière des médicaments prescrits. Les efforts qu'il faut déployer pour suivre le traitement peuvent sembler exagérés à certaines personnes, surtout lorsqu'elles ne manifestent aucun symptôme (même en l'absence de tout traitement), alors que les effets secondaires des médicaments les incommodent. On trouvera à l'encadré 34-4 la liste des modifications aux habitudes de vie recommandées aux personnes souffrant d'hypertension artérielle. Il faut habituellement fournir un enseignement constant et les encourager sans relâche en vue de les aider à élaborer un plan de traitement acceptable, qui leur permette de bien vivre malgré leur maladie et de rester fidèles à leur traitement. L'infirmière peut aider la personne à modifier ses comportements petit à petit, visite après visite, pour la rapprocher de l'objectif visé. Il est tout aussi important de vérifier à chaque visite si la personne a respecté les engagements qu'elle avait pris lors de la visite précédente. En cas de difficultés concernant un aspect particulier du traitement, l'infirmière peut collaborer avec la personne pour trouver une autre solution ou pour adapter le plan afin qu'il soit plus facile d'y adhérer.

Surveiller et traiter les complications

Afin de pouvoir amorcer le traitement qui s'impose, on doit rester à l'affût des symptômes laissant supposer que l'hypertension évolue jusqu'au point où un organe cible est touché. Lorsque la personne se présente pour un examen de suivi, l'infirmière doit réaliser un examen clinique ciblé pour déceler tout signe ou symptôme laissant entrevoir la présence d'une lésion d'un organe cible. Il est particulièrement important d'examiner les yeux de la personne avec un ophtalmoscope, car les lésions des vaisseaux sanguins de la rétine indiquent que des lésions similaires peuvent être présentes ailleurs dans le système vasculaire. Il faudrait demander à la personne si elle a une vision floue ou double, si elle voit des taches ou si son acuité visuelle a diminué. L'infirmière effectuera également un examen attentif des bruits cardiaques et des bruits vasculaires (auscultation des carotides, de l'aorte, des artères rénales, iliaques et fémorales). Elle devra signaler sans délai au médecin toute donnée significative afin de l'aider à déterminer s'il y a lieu de réaliser des examens paracliniques plus poussés. Selon les résultats de l'examen clinique de l'infirmière, le médecin pourra aussi décider s'il faut modifier la pharmacothérapie de la personne pour assurer une meilleure maîtrise de la pression artérielle.

Particularités reliées à la personne âgée

Il est quelquefois plus difficile pour les personnes âgées de respecter leur programme thérapeutique. Elles peuvent avoir du mal à se rappeler la posologie de leurs médicaments et le traitement leur paraîtra peut-être trop coûteux, malgré l'assurance médicaments. La **monothérapie** (administration d'un seul médicament), si elle est appropriée, peut simplifier le traitement médicamenteux et en faire baisser le prix. Il faut s'assurer que les personnes âgées comprennent bien leur traitement et qu'elles peuvent lire les consignes, ouvrir le flacon de médicaments et faire renouveler leur ordonnance. On devrait inviter les membres de la famille de la personne âgée ou ses proches aidants à participer au programme d'enseignement pour bien leur faire comprendre les besoins de la personne atteinte d'hypertension afin qu'ils puissent l'encourager à observer son plan de traitement et qu'ils sachent qui contacter et à quel moment, si un problème survient ou s'ils veulent obtenir des renseignements.

ÉVALUATION

Résultats escomptés

Les principaux résultats escomptés chez les personnes atteintes d'hypertension sont les suivants:

1. L'irrigation tissulaire est adéquate.
   a) La pression artérielle se maintient au-dessous de 140/90 mm Hg (ou au-dessous de 130/80 mm Hg, en cas de diabète ou au dessous de 125/75 mm Hg en cas de protéinurie supérieure à 1 g par 24 heures), grâce aux modifications des habitudes de vie, à la prise des médicaments, ou à ces deux facteurs.

b) On n'observe aucun symptôme d'angine, de palpitations ou de troubles visuels.

c) Les concentrations d'urée et de créatinine dans le sang restent stables.

d) Les pouls périphériques sont palpables.

2. La personne suit son programme d'autosoins.

a) Elle observe la diétothérapie prescrite : régime hypocalorique, à faible teneur en sel et en matières grasses, consommation accrue de fruits et de légumes.

b) Elle est fidèle au programme d'exercice.

! ALERTE CLINIQUE *Il faut prévenir la personne et ses proches aidants que les antihypertenseurs peuvent provoquer de l'hypotension; il faut leur demander de signaler immédiatement les chutes de la pression artérielle ou l'hypotension orthostatique. Comme elles ont des réflexes cardiovasculaires altérés, les personnes âgées sont souvent plus sensibles que les jeunes à la déplétion du volume des liquides extracellulaires provoquée par le traitement aux diurétiques et à l'inhibition sympathique causée par les alphabloquants et les bêtabloquants. L'infirmière explique à la personne âgée qu'elle doit éviter de passer trop rapidement de la position couchée à la position assise; il lui faut également se servir d'un point d'appui lorsqu'elle désire se mettre debout. L'infirmière doit également lui donner des conseils concernant l'utilisation des dispositifs de soutien, tels que les barres d'appui et les ambulateurs, qui peuvent être employés pour prévenir les chutes provoquées par les étourdissements.*

c) Elle suit le traitement médicamenteux prescrit et signale tout effet secondaire.

d) Elle mesure, ou fait mesurer, sa pression artérielle à intervalles réguliers.

e) Elle cesse de fumer et réduit sa consommation d'alcool au besoin.

f) Elle se présente aux rendez-vous de suivi.

3. Il n'y a pas de complication.

a) La vision ne change pas.

b) On ne détecte pas de lésion de la rétine lors de l'examen de la vue.

c) La fréquence et le rythme des pouls ainsi que la fréquence respiratoire restent dans la zone normale.

d) On ne signale ni dyspnée ni œdème.

e) Le débit urinaire est proportionnel aux ingesta.

f) La fonction rénale est normale, comme l'attestent les résultats des tests d'exploration.

g) On n'observe pas de déficience sur le plan de la motricité, de l'élocution et de l'acuité sensorielle.

h) On n'observe pas de maux de tête, d'étourdissements, de faiblesse, de modification dans la démarche ni de chutes.

Situations critiques

Deux types de crises hypertensives exigent une intervention infirmière : la crise hypertensive proprement dite et les urgences hypertensives. Les crises et les urgences hypertensives peuvent se manifester chez les personnes dont l'hypertension a été insuffisamment maîtrisée ou chez celles qui ont cessé brusquement de suivre leur traitement. Une fois que la crise est maîtrisée, il faut effectuer une évaluation complète de l'état de la personne pour réexaminer le traitement qu'elle reçoit et mettre au point des stratégies permettant de réduire le risque d'une nouvelle crise hypertensive.

Crise hypertensive

En cas de **crise hypertensive,** la pression artérielle doit être abaissée immédiatement (pas nécessairement au-dessous de 140/90 mm Hg) pour prévenir les lésions des organes cibles, ou pour les freiner. Les crises hypertensives peuvent être provoquées par un infarctus aigu du myocarde, un anévrisme disséquant de l'aorte ou une hémorragie intracrânienne. Lorsque qu'une crise hypertensive se déclenche, l'augmentation de la pression artérielle est rapide et elle peut mettre en péril la vie de la personne. Par conséquent, il faut administrer sans tarder un traitement dans une unité de soins intensifs, car il y a risque de lésion grave des organes cibles. Les médicaments de premier recours en cas de crise hypertensive sont ceux dont l'effet est immédiat. Les vasodilatateurs intraveineux, tels le nitroprusside sodique (Nipride), la nitroglycérine (Tridil) et l'énalaprilate (Vasotec IV), exercent une action immédiate de courte durée (de quelques minutes à quatre heures), raison pour laquelle on les administre en traitement initial. On trouvera au tableau 34-8 plus de renseignements concernant aussi bien ces médicaments que d'autres qui exercent des effets similaires.

Urgence hypertensive

On parle d'**urgence hypertensive** lorsque la pression artérielle doit être abaissée en quelques heures. L'hypertension périopératoire grave est considérée comme une urgence hypertensive. On traite l'urgence hypertensive en administrant des doses orales de médicaments à action rapide, tels que les diurétiques de l'anse, les bêtabloquants, les inhibiteurs de l'enzyme de conversion de l'angiotensine, les bloquants des canaux calciques ou les agonistes alpha à action centrale (tableau 34-8).

Quand on traite une crise ou une urgence hypertensive, il faut surveiller de très près les paramètres hémodynamiques de la pression artérielle de même que l'état cardiovasculaire. La fréquence exacte des observations dépend du jugement clinique de l'infirmière et de l'état de la personne. L'infirmière peut décider d'évaluer les signes vitaux toutes les 5 minutes, si la pression artérielle fluctue rapidement, ou toutes les 15 ou 30 minutes, si l'état de la personne se stabilise. En cas de chute soudaine de la pression artérielle, il faut agir sur-le-champ pour ramener celle-ci à un niveau acceptable.

EXERCICES D'INTÉGRATION

1. Vous êtes étudiante en soins et traitements infirmiers et vous faites un stage dans une clinique d'hypertension. Un homme de 58 ans se présente en consultation. Il travaille dans un centre d'appels téléphoniques pour une entreprise de vente par correspondance. Au cours de l'examen physique, cet homme, qui mesure 1,68 m et pèse 82 kg, vous demande ce qu'il pourrait faire pour abaisser sa pression artérielle. Que lui répondriez-vous? Quelles données complémentaires devriez-vous avoir en main pour répondre à sa question? Dans quelle mesure votre évaluation et votre plan de traitement changeraient-ils si cet homme souffrait également d'une arthrose dégénérative des genoux?
2. Vous êtes infirmière spécialisée en soins à domicile. Une des personnes que vous soignez est un homme âgé qui vit seul et qui est atteint d'hypertension; il présente également d'autres problèmes de santé, notamment de l'insuffisance cardiaque et de la fibrillation auriculaire. Au cours d'une de vos visites, vous apprenez qu'il a des difficultés à prendre ses médicaments selon les recommandations du médecin. Quelles questions vous viennent à l'esprit lorsque vous analysez la situation? Quelle orientation donneriez-vous à votre évaluation pour cerner les facteurs qui contribuent à ce problème? À l'aide des facteurs que vous avez repérés, élaborez un programme d'enseignement de soins à domicile destiné à cette personne.
3. Vous êtes invité par le pharmacien de votre quartier à venir prendre la pression artérielle des clients pendant deux jours. De quel matériel vous faudra-t-il disposer pour procéder à ces mesures? Quelle est la marche à suivre pour obtenir des mesures valides et fiables? Quelles sont les informations que vous pourrez communiquer aux personnes qui viendront vous rencontrer?

RÉFÉRENCES BIBLIOGRAPHIQUES

en anglais • en français

Appel, L.J., Moore, T.J., Obarzanek, E., Vollmer, W.M., Svetkey, L.P., Sacks, F.M., et al. (1997). A clinical trial of the effects of dietary patterns on blood pressure. *New England Journal of Medicine, 336*(16), 1117–1124.

Chalmers, J., Chusid, P., Cohn, J.N., Lindholm, L.H., Martin, I., Rahn, K-H., Sleight, P. (1999). Report 1999. World Health Organization - International Society of Hypertension. Guidelines for the Management of Hypertension - Guidelines Subcommittee. *Journal of Hypertension, 17*(2), 151-185.

Cushman, W.C., Cutler, J.A., Hanna, E., Bingham, S.F., Follmann, D., Harford, T., et al. (1998). Prevention and treatment of hypertension study (PATHS): Effects of an alcohol treatment program on blood pressure. *Archives of Internal Medicine, 158*(11), 1197–1207.

Dominiczak, A.F., Negrin, D.C., Clark, J.S., Brosnan, M.J., McBride, M.W., & Alexander, M.Y. (2000). Genes and hypertension: From gene mapping in experimental models to vascular gene transfer strategies. *Hypertension, 35* (1, Pt. 2), 164–172.

Drouin, D., Milot, A., et le Groupe de travail sur les recommandations canadiennes sur l'hypertension (2002). Les recommandations canadiennes de 2001 sur l'hypertension. *Le Clinicien* (avril), 125-134.

Feldman, F., Drouin, D., et Campbell, N. (2004). Programme éducatif canadien sur l'hypertension: Recommandations de 2004 pour l'évaluation et le traitement de l'hypertension.

Feldman, R.D., Campbell, N., Larochelle, P., Bolli, P., Burgess, E.D., Carruthers, S.G., Floras, J.S., Haynes, R.B., Honos, G., Leenen, F.H.H., Leiter, L.A., Logan, A.G., Myers, M.G., Spence, J.D., et Zarnke, K.B. (1999). Recommandations de 1999 pour le traitement de l'hypertension artérielle au Canada. *Canadian Medical Association Journal, 161*, 25.

Hagberg, J.M., Park, J.J., & Brown, M.D. (2000). The role of exercise training in the treatment of hypertension: An update. *Sports Medicine, 30*(3), 193–206.

Hemmelgarn, B.R., Zarnke, K.B., Campbell, N.R.C., Feldman, R.D., McKay, D.W., McAlister, F.A., Khan, N., Schiffrin, E.L., Myers, M.G., Bolli, P., Honos, G., Lebel, M., Levine, M., & Padwal, R.P. (2004). The 2004 Canadian hypertension education program recommendations for the management of hypertension: Part 1 – Blood pressure measurement, diagnosis and assessment of risk [Abstract]. *Canadian Journal of Cardiology, 20*, 31-59.

Joffres, M.R., Hamet, P., MacLean, D.R., L'Italien, G.J., & Fodor, G. (2001). Distribution of blood pressure and hypertension in Canada and the United States. *American Journal of Hypertension, 14*(11), 1099-1105.

Kaplan, N. (2002). *Clinical hypertension* (8th ed.). Philadelphia: Lippincott Williams & Wilkins.

Neaton, J.D., & Wentworth, D. (1992). Serum cholesterol, blood pressure, cigarette smoking, and death from coronary heart disease. Overall findings and differences by age for 316,099 white men. Multiple Risk Factor Intervention Trial Research Group (MRFIT). *Archives of internal medicine, 152*(1), 56-64.

Sacks, F.M., Svetkey, L.P., Vollmer, W.M., Appel, L.J., Bray, G.A., Harsha, D., et al. (2001). Effects on blood pressure of reduced dietary sodium and the dietary approaches to stop hypertension (DASH) diet. *New England Journal of Medicine, 344*(1), 3–10.

Société québécoise d'hypertension artérielle (2002). *Hypertension artérielle: guide thérapeutique* (2e éd.). Montréal: Société québécoise d'hypertension artérielle.

Vanasse, A., Laplante, P., Xhignesse, M., Delisle, E., Grant, A., et Bernier, R. (1997). Les omnipraticiens préfèrent arrondir le dernier chiffre de la valeur de la tension artérielle. *Hypertension Canada* (avril), 4 et 5.

En complément de ce chapitre, vous trouverez sur le Compagnon Web:
- une bibliographie exhaustive;
- des ressources Internet.

Adaptation française
Lyne Cloutier, inf., M.Sc.
Professeure, Département des sciences infirmières – Université du Québec à Trois-Rivières

CHAPITRE 35

Affections hématologiques

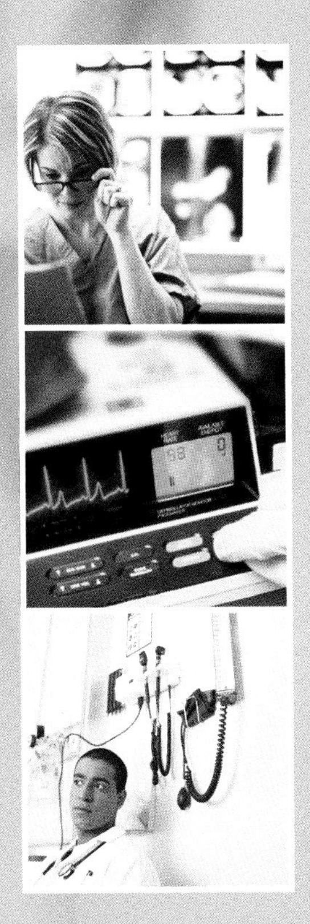

Objectifs d'apprentissage

Après avoir étudié ce chapitre, vous pourrez:

1. Décrire le processus de l'hématopoïèse.
2. Décrire les processus qui assurent l'hémostase.
3. Distinguer l'anémie hypoproliférative de l'anémie hémolytique; comparer les deux affections et en relever les différences quant aux mécanismes physiologiques, aux manifestations cliniques et à la pharmacothérapie, ainsi qu'aux interventions infirmières.
4. Appliquer la démarche systématique aux personnes atteintes d'anémie.
5. Comparer les divers types de leucémies, sur le plan de la fréquence, des modifications physiologiques, des manifestations cliniques, du traitement et du pronostic.
6. Appliquer la démarche systématique aux personnes atteintes d'une leucémie aiguë.
7. Appliquer la démarche systématique aux personnes atteintes d'un lymphome ou d'un myélome multiple.
8. Appliquer la démarche systématique aux personnes atteintes de dérèglements de l'hémostase ou de la coagulation.
9. Énumérer les traitements utilisés dans les dérèglements de l'hémostase et décrire le rôle joué par l'infirmière dans l'administration du sang et des composants sanguins.

Il est parfois difficile de déterminer les soins et traitements infirmiers qui conviennent aux personnes atteintes d'affections hématologiques, car les résultats des analyses sanguines font souvent état d'anomalies importantes, alors que les symptômes peuvent être peu nombreux, voire absents. Par conséquent, les infirmières doivent impérativement connaître la physiopathologie des diverses affections sanguines et être en mesure de se livrer à une évaluation approfondie reposant en grande partie sur l'interprétation des résultats des épreuves de laboratoire. Il importe par ailleurs qu'elles puissent prévoir les besoins de la personne atteinte et choisir les interventions infirmières en conséquence. Pour comprendre la plupart des affections sanguines, il est essentiel de bien connaître le rôle des cellules sanguines et de la moelle osseuse.

Anatomie et physiologie

L'hématologie étudie le sang et son lieu d'origine, notamment la moelle osseuse et le **système réticulo-endothélial** (**SRE**). Le sang est un organe spécialisé qui se distingue des autres par son état liquide. Il se compose de plasma et de divers types de cellules. Le **plasma** est la partie liquide du sang; il est constitué de diverses protéines, telles que l'albumine, la globuline, le **fibrinogène** et d'autres facteurs nécessaires à la coagulation, ainsi que d'électrolytes, de déchets et de nutriments. Le plasma représente environ 55 % du volume sanguin.

Sang

Le sang comprend trois grands types de cellules (tableau 35-1 ■): les **érythrocytes** (ou **globules rouges**), les **leucocytes** (ou **globules blancs**) et les **thrombocytes** (ou **plaquettes**). Ces cellules sanguines représentent habituellement de 40 à 45 % du volume sanguin. Comme la plupart d'entre elles ont une durée de vie relativement courte, l'organisme doit continuellement

VOCABULAIRE

Anémie: affection se caractérisant par la réduction du nombre d'érythrocytes (globules rouges).

Anergie: baisse de la réactivité aux antigènes (de façon passagère ou permanente).

Angiogenèse: création de nouveaux vaisseaux sanguins, lors de la cicatrisation d'une plaie, par exemple, ou de la formation d'une tumeur maligne.

Aplasie: arrêt du développement d'un organe ou d'un tissu (arrêt de la production des cellules dans la moelle osseuse, par exemple).

Apoptose: processus complexe de mort cellulaire programmée.

Cellule blastique: globule blanc primitif.

Cellule de la lignée érythroïde: terme général qui désigne toute cellule qui est un érythrocyte mûr ou qui le deviendra.

Cellule souche: cellule primitive, capable d'autoréplication et de différenciation en cellules souches myéloïdes ou lymphoïdes.

Chéilite commissurale: fissurations aux commissures des lèvres.

Cytokines: hormones produites par les leucocytes, jouant un rôle essentiel dans la régulation de l'hématopoïèse, de l'apoptose et des réactions immunitaires.

D-dimère: épreuve qui mesure la dégradation de la fibrine; on considère qu'elle est plus fiable que le dosage des produits de dégradation de la fibrine lorsqu'il s'agit de poser le diagnostic de la coagulation intravasculaire disséminée (CIVD).

Différenciation: croissance de cellules ayant des fonctions et des caractéristiques différentes de celles des cellules souches.

Dysplasie: anomalie dans le développement (des cellules sanguines, par exemple); la taille, la forme et l'aspect des cellules sont modifiés.

Ecchymose: tache (noire, brune, jaunâtre) produite par l'épanchement du sang dans le tissu sous-cutané.

Érythrocyte: voir Globule rouge.

Érythropoïèse: processus cellulaire menant à la formation d'érythrocytes.

Érythropoïétine: hormone produite principalement par les reins; elle joue un rôle essentiel dans l'érythropoïèse.

Fibrine: protéine filamenteuse; élément de base du thrombus et du caillot sanguin.

Fibrinogène: protéine du plasma qui se transforme en fibrine; élément de base du thrombus et du caillot sanguin.

Globule blanc: leucocyte; cellule sanguine participant à la défense de l'organisme; les sous-types sont les neutrophiles, les éosinophiles, les basophiles, les monocytes et les lymphocytes.

Globule rouge: érythrocyte; cellule sanguine participant au transport de l'oxygène et du dioxyde de carbone.

Globule rouge nucléé: forme immature du globule rouge qui conserve en son sein une portion de noyau; ce type de globule n'est habituellement pas présent dans le sang qui circule.

Granulocyte: leucocyte (globule blanc) formé d'un protoplasme granuleux (neutrophile, éosinophile, basophile); terme parfois utilisé comme synonyme de neutrophile.

Granulocyte non segmenté: neutrophile n'ayant pas tout à fait atteint la maturité.

Hématocrite: portion du volume sanguin total constituée d'érythrocytes et exprimée en pourcentage.

Hématopoïèse: processus complexe de formation et de maturation des cellules sanguines.

Hémoglobine: protéine des érythrocytes renfermant du fer; elle achemine l'oxygène vers les tissus.

Hémolyse: destruction des érythrocytes; elle peut se produire à l'intérieur ou à l'extérieur du réseau vasculaire.

Hémosidérine: pigment protéique renfermant du fer et dérivé de la décomposition de l'hémoglobine.

Hémostase: équilibre entre la formation des caillots et leur dissolution.

Histiocyte: cellule présente dans tous les tissus conjonctifs lâches et capable de phagocytose; élément du système réticulo-endothélial.

renouveler ses réserves cellulaires, grâce à un processus qu'on appelle l'**hématopoïèse**. Le principal siège de l'hématopoïèse est la moelle osseuse. Au cours du développement embryonnaire et dans d'autres circonstances, le foie et la rate peuvent prendre part à ce processus.

Normalement, la moelle osseuse d'un adulte produit tous les jours environ 175 milliards d'érythrocytes, 70 milliards de leucocytes et 175 milliards de thrombocytes. Lorsque l'organisme doit faire appel à un plus grand nombre de cellules sanguines, par exemple quand une infection se déclare (les leucocytes doivent combattre l'agent pathogène) ou au cours d'une hémorragie (les érythrocytes et les thrombocytes sont requis en plus grand nombre), la moelle augmente sa production. C'est ainsi que, dans des conditions normales, la moelle répond à l'accroissement de la demande en libérant dans la circulation les quantités appropriées de cellules.

Le volume de sang chez l'être humain, qui est de 5 à 6 L, représente environ de 7 à 10 % du poids corporel total. Le sang circule dans le réseau vasculaire et sert de lien entre divers organes; il achemine l'oxygène absorbé par les poumons et les nutriments absorbés par le tractus gastro-intestinal vers les cellules, où ils seront soumis au métabolisme cellulaire. Le sang transporte aussi les déchets que produit le métabolisme cellulaire vers les poumons, la peau, le foie et les reins, d'où ils seront éliminés après avoir été transformés. Le sang transporte également les hormones, les anticorps et d'autres substances vers les endroits où ils exerceront leurs effets ou seront utilisés.

Pour bien remplir ses fonctions, le sang doit rester dans son état liquide normal. Comme le sang est liquide, il peut toujours se produire un traumatisme entraînant des pertes de sang depuis le réseau vasculaire. Pour prévenir ces pertes, un mécanisme de coagulation s'active lorsqu'il est nécessaire de colmater les fuites dans un vaisseau sanguin. Cependant, une coagulation excessive présente également un certain danger, car elle peut obstruer le flux sanguin. Pour prévenir l'hypercoagulation, un mécanisme fibrinolytique complexe dissout les caillots (thrombus) qui se sont formés dans les vaisseaux sanguins. On appelle **hémostase** l'équilibre qui s'établit entre ces deux phénomènes que sont la formation d'un caillot (thrombus) et sa dissolution, ou fibrinolyse.

Hyperplasie: prolifération anormale de cellules normales.

Hypochromie: pâleur des hématies, liée à la diminution de la concentration corpusculaire moyenne en hémoglobine.

Leucémie: prolifération excessive et désordonnée de leucocytes souvent jeunes.

Leucocyte: voir Globule blanc.

Leucopénie: nombre anormalement bas de globules blancs.

Lymphocyte: sorte de leucocyte (globule blanc) participant aux fonctions immunitaires.

Lymphoïde: qui se rapporte aux lymphocytes.

Lyse: destruction des cellules.

Macrophage: cellule faisant partie du système réticulo-endothélial et capable de phagocytose.

Microcytose: présence de cellules dont le diamètre est plus petit que celui des érythrocytes normaux.

Monocyte: leucocyte de grande taille, qui se transforme en macrophage lorsqu'il quitte la circulation et pénètre dans les tissus.

Myéloïde: qui se rapporte aux cellules sanguines non lymphoïdes; celles-ci se différencient en érythrocytes, plaquettes, monocytes, macrophages, neutrophiles, éosinophiles, basophiles et mastocytes.

Myélopoïèse: processus de formation et de maturation des cellules dérivées des cellules souches myéloïdes.

Neutropénie: nombre anormalement bas de neutrophiles.

Neutrophile: leucocyte (globule blanc) arrivé à maturité et capable de phagocytose; principale barrière bloquant les infections bactériennes.

Normochrome: couleur normale des érythrocytes, indiquant qu'ils comportent une quantité normale d'hémoglobine.

Normocytaire: dont les hématies ont une taille normale.

Oxyhémoglobine: molécule d'hémoglobine sur laquelle se sont fixées des molécules d'oxygène.

Pancytopénie: nombre anormalement bas de leucocytes, d'érythrocytes et de plaquettes.

Pétéchies: hémorragie des petits capillaires.

Phagocytose: processus cellulaire d'ingestion et de digestion des bactéries.

Plaquette: thrombocyte; élément cellulaire du sang participant à la coagulation.

Plasma: portion liquide du sang.

Plasminogène: protéine qui se transforme en plasmine; celle-ci provoque la lyse du thrombus et la dissolution du caillot.

Polycythémie (polyglobulie): augmentation anormale du nombre d'érythrocytes.

Réticulocyte: érythrocyte jeune; d'habitude, les réticulocytes ne représentent que 1 % du nombre total d'érythrocytes en circulation.

Sérum: partie du sang qui reste liquide après la coagulation; contrairement au plasma, le sérum ne contient pas de fibrinogène.

Système réticulo-endothélial (SRE): système complexe de cellules disséminées dans tout l'organisme et se caractérisant par leur activité phagocytaire.

Taux absolu de neutrophiles (TAN): taux qui se calcule à partir du nombre réel de neutrophiles en circulation, et qui est dérivé du nombre total de leucocytes et du pourcentage de neutrophiles recensés dans un champ microscopique donné; ce taux fournit un premier indice du risque d'infection.

Thrombine: enzyme nécessaire à la transformation du fibrinogène en caillot de fibrine.

Thrombocyte: voir Plaquette.

Thrombocytopénie: nombre anormalement bas de plaquettes.

Thrombocytose: nombre anormalement élevé de plaquettes.

Vitesse de sédimentation (VS): épreuve de laboratoire qui permet de mesurer la vitesse de sédimentation des érythrocytes; l'accroissement de la vitesse indique la présence d'une inflammation.

TABLEAU 35-1 Types de cellules sanguines et principales fonctions

Types de cellules	Fonctions
Leucocytes (globules blancs)	Ils combattent les infections.
■ Neutrophiles	Indispensables pour prévenir ou pour combattre les infections bactériennes par phagocytose, ils ont une durée de vie moyenne de 6 heures à quelques jours.
■ Monocytes	Ils pénètrent dans les tissus sous forme de macrophages; ils sont extrêmement phagocytaires, en particulier contre les champignons; ils participent à la surveillance immunitaire.
■ Éosinophiles	Ils contribuent aux réactions allergiques (neutralisation de l'histamine); ils digèrent les protéines étrangères.
■ Basophiles	Ils contiennent de l'histamine, qui joue un rôle important dans les réactions d'hypersensibilité.
■ Lymphocytes	Ce sont des composants du système immunitaire.
• Lymphocytes T	Ils sont chargés de l'immunité à médiation cellulaire; ils peuvent repérer les substances «étrangères» (système de surveillance).
• Lymphocytes B	Ils sont chargés de l'immunité humorale (qui se rapporte à l'ensemble des liquides de l'organisme); de nombreux lymphocytes se transforment en plasmocytes pour former des anticorps.
■ Plasmocytes	Ils sécrètent l'immunoglobuline (Ig, anticorps); ils constituent la forme la plus mûre des lymphocytes B.
Érythrocytes (globules rouges)	Ils transportent l'hémoglobine qui achemine l'oxygène vers les tissus; leur durée de vie moyenne est de 120 jours.
Thrombocytes (plaquettes)	Ce sont des fragments de mégacaryocytes, donc pas de véritables cellules; ils font partie du mécanisme de base de la coagulation; ils assurent l'hémostase; leur durée de vie moyenne est de 10 jours.

MOELLE OSSEUSE

La moelle osseuse est le siège de l'hématopoïèse, ou formation des cellules sanguines (figure 35-1 ■). Chez l'enfant, tous les os du squelette participent à ce processus. Mais au fur et à mesure du développement, l'activité de la moelle osseuse diminue. À l'âge adulte, le processus de l'hématopoïèse ne touche plus habituellement que la moelle des os du bassin, des côtes, des vertèbres et du sternum.

La moelle est l'un des plus gros organes du corps; elle représente de 4 à 5 % du poids total. Elle est formée d'îlots cellulaires (moelle rouge) séparés par du tissu adipeux (moelle jaune). Au fur et à mesure que l'adulte vieillit, la moelle rouge est graduellement remplacée par du tissu adipeux. Toutefois, chez les personnes en bonne santé, le tissu adipeux peut de nouveau être remplacé par de la moelle rouge lorsque l'organisme réclame une plus grande quantité de cellules sanguines. Chez les adultes atteints d'une maladie entraînant la destruction, la fibrose ou une lésion de la moelle osseuse, le foie et la rate peuvent prendre le relais pour produire des cellules sanguines. On parle alors d'hématopoïèse extramédullaire.

La moelle est fortement vascularisée. Elle renferme des cellules primitives qui portent le nom de **cellules souches**. Celles-ci ont la capacité de s'autorépliquer et assurent ainsi un apport cellulaire continu tout au long du cycle de la vie. Lorsqu'elles sont stimulées, les cellules souches peuvent déclencher un processus de **différenciation** et produire des cellules **myéloïdes**, ou encore des cellules **lymphoïdes**. Ces cellules souches sont destinées à la production de types particuliers de cellules sanguines. Les cellules souches lymphoïdes produisent des **lymphocytes** T ou B. Les cellules souches myéloïdes, quant à elles, produisent les trois principaux types de cellules, soit les érythrocytes, les leucocytes et les thrombocytes. Exception faite des lymphocytes, toutes les cellules du sang proviennent donc des cellules souches myéloïdes. Toute anomalie des cellules souches myéloïdes peut entraîner des dérèglements dans la production non seulement des leucocytes, mais également des érythrocytes et des thrombocytes. Le processus d'hématopoïèse dans son ensemble est extrêmement complexe. Les recherches ont permis de cerner quelques-uns de ses mécanismes, qui se situent souvent à l'échelle moléculaire. La description exhaustive de ces mécanismes ne rentre pas dans les objectifs de ce manuel. Toutefois, dans les sections de ce chapitre traitant d'affections spécifiques, nous décrivons brièvement certains mécanismes visés par des traitements particuliers.

CELLULES SANGUINES

Érythrocytes

L'érythrocyte (globule rouge) normal a la forme d'un disque biconcave; il ressemble à une balle de consistance souple comprimée entre deux doigts (figure 35-2 ■). D'un diamètre d'environ 8 μm, il est d'une telle souplesse qu'il peut facilement s'engager et circuler dans des capillaires dont le diamètre n'est que de 2,8 μm. La membrane de l'érythrocyte est si mince qu'elle laisse passer les gaz, notamment l'oxygène et le dioxyde de carbone. L'érythrocyte ayant une forme discoïde, l'absorption et la libération des molécules d'oxygène peuvent s'effectuer sur une grande surface.

Les érythrocytes arrivés à maturité sont surtout constitués d'**hémoglobine**. L'hémoglobine renferme du fer et représente 95 % de la masse cellulaire. Les érythrocytes n'ont pas de noyau et contiennent beaucoup moins d'enzymes métaboliques que la plupart des autres cellules. La présence d'une grande quantité d'hémoglobine permet à l'érythrocyte de mener à bien sa principale tâche, soit l'acheminement de l'oxygène des poumons jusqu'aux tissus. Parfois, la moelle libère dans la circulation des érythrocytes légèrement immatures, appelés **réticulocytes**. Il s'agit d'une réaction normale à l'accroissement de la demande en érythrocytes, comme lors de saignements ou dans certaines affections.

La molécule d'hémoglobine oxyphorique (qui transporte l'oxygène) est constituée de quatre sous-unités comprenant chacune une partie hème fixée à une chaîne globine. Le fer se trouve dans la partie hème de la molécule. Une des propriétés importantes du hème est celle de se combiner à l'oxygène de

PHYSIOLOGIE/PHYSIOPATHOLOGIE

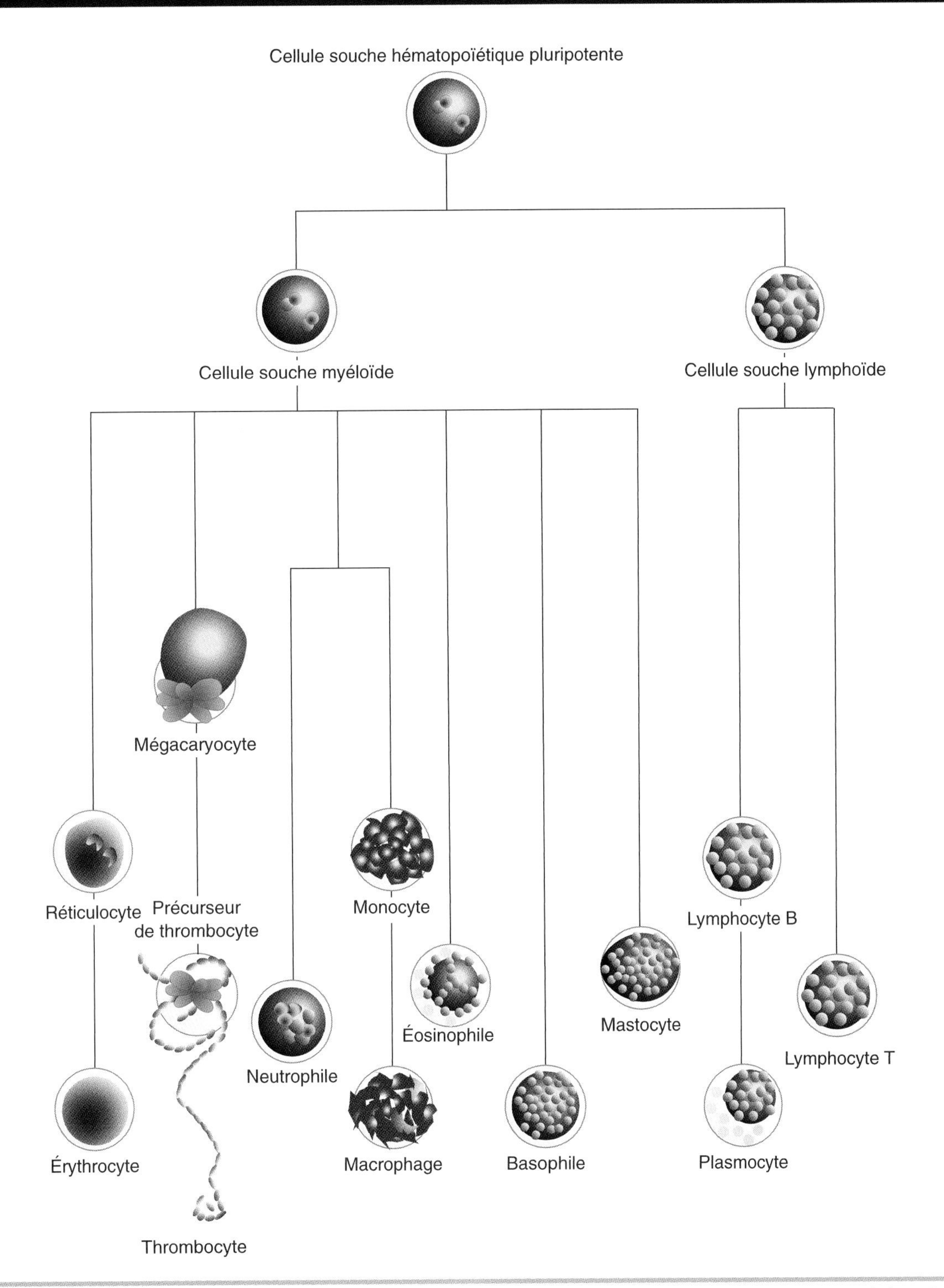

FIGURE 35-1 ■ Hématopoïèse. Les cellules souches indifférenciées (pluripotentes) peuvent devenir des cellules myéloïdes ou lymphoïdes. Pour ce faire, elles doivent subir un processus complexe de différenciation et de maturation les transformant en cellules matures qui seront libérées dans la circulation. Les cellules souches myéloïdes sont chargées non seulement de la production de tous les leucocytes non lymphoïdes, mais également de celle des érythrocytes et des thrombocytes. Chaque étape de la différenciation dépend en partie de la présence de facteurs de croissance propres à chacun des types de cellules. Lorsque les cellules souches sont dysfonctionnelles, elles peuvent réagir à l'accroissement de la demande de façon insuffisante ou excessive, parfois même de façon difficilement maîtrisable, comme dans le cas de la leucémie. SOURCE: Adapté de Amgen Inc., 1995, Thousand Oaks (Californie).

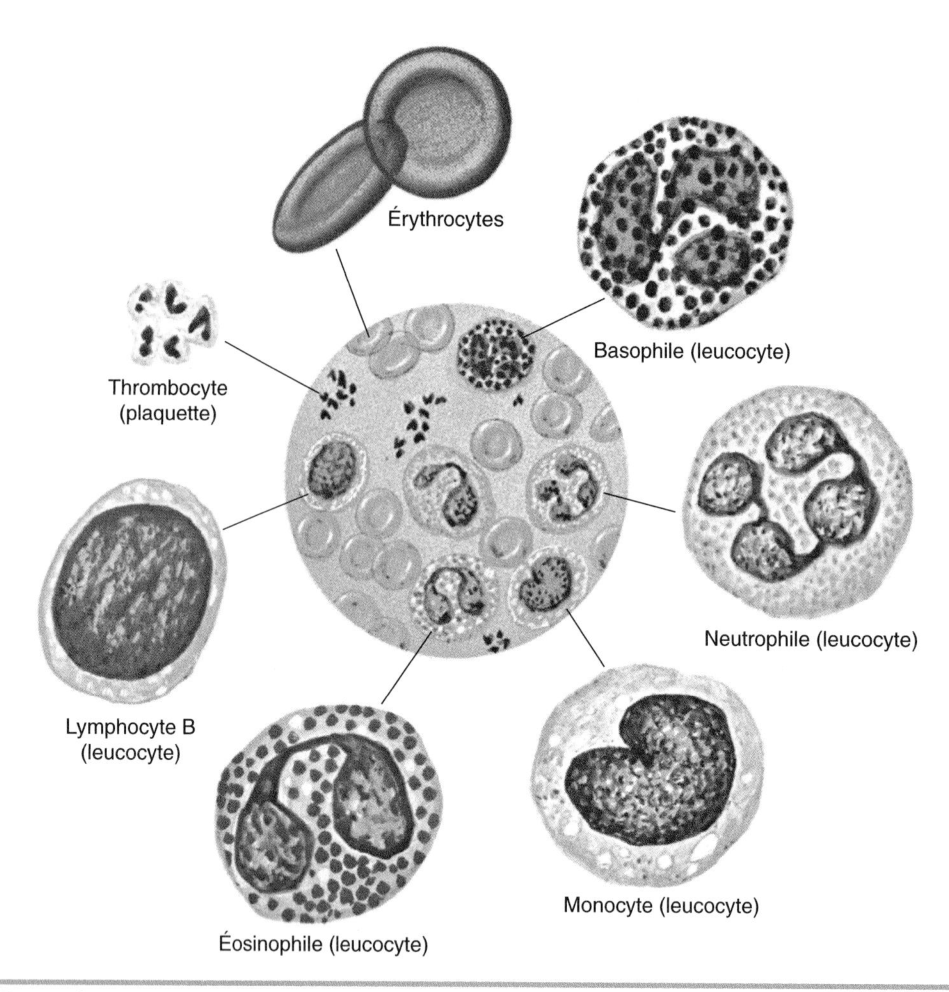

FIGURE 35-2 ■ Les diverses formes de globules sanguins normaux.

façon passagère et réversible. Dans les poumons, l'oxygène se lie facilement à l'hémoglobine et est transporté sous forme d'**oxyhémoglobine** par le sang artériel. L'oxyhémoglobine est d'un rouge plus brillant que l'hémoglobine qui ne contient pas d'oxygène (désoxyhémoglobine, ou hémoglobine réduite); c'est pour cette raison que le sang artériel est d'un rouge plus vif que le sang veineux. Dans les tissus, où il est essentiel au métabolisme cellulaire, l'oxygène se détache rapidement de l'hémoglobine. Dans le sang veineux, l'hémoglobine se combine aux ions hydrogène produits par le métabolisme cellulaire et agit comme tampon, réduisant ainsi l'excédent d'acide. Normalement, le sang dans son entier contient environ 15 g d'hémoglobine pour 100 mL.

Érythropoïèse

Les érythroblastes proviennent des cellules souches myéloïdes primitives produites par la moelle osseuse. L'érythroblaste est une cellule nucléée qui, lors du processus de maturation dans la moelle osseuse, emmagasine de l'hémoglobine et perd graduellement son noyau. À ce stade, il porte le nom de réticulocyte. Au fur et à mesure qu'elle mûrit, la cellule se transforme en érythrocyte. Au cours de ce processus, elle pâlit et rétrécit légèrement. L'érythrocyte arrivé à maturité est libéré dans la circulation. Lorsque l'**érythropoïèse** (production d'érythrocytes) s'effectue rapidement, les réticulocytes et les autres cellules immatures (par exemple les **globules rouges nucléés**) peuvent être libérés prématurément dans la circulation.

La production d'érythroblastes par différenciation des cellules souches myéloïdes primitives de la moelle est stimulée par l'**érythropoïétine**, hormone produite principalement par les reins. Si le rein détecte de faibles concentrations d'oxygène (entre autres dans les cas d'**anémie**, lorsque le nombre d'érythrocytes capables de fixer l'oxygène est plus faible, ou en haute altitude), la libération d'érythropoïétine est accélérée. La moelle doit alors produire davantage d'érythrocytes. L'ensemble du processus exige habituellement cinq jours.

Pour produire des érythrocytes normaux, la moelle osseuse a aussi besoin de fer, de vitamine B_{12}, d'acide folique, de pyridoxine (vitamine B_6), de protéines et d'autres facteurs. Si l'un de ces facteurs est présent en quantité insuffisante au cours de l'érythropoïèse, il peut se produire une diminution de la production d'érythrocytes pouvant mener à l'anémie.

Réserves de fer et métabolisme Pour suppléer aux pertes de fer, notre corps doit bénéficier d'un apport de 1 à 4 mg de fer par jour (9 mg chez les personnes âgées de 50 ans et plus). L'alimentation canadienne procure en moyenne de 10 à 20 mg par jour qui seront absorbés dans une proportion de 5 à 10 %, ce qui suffit à combler les pertes (Institut de l'anémie, 2002). Le taux d'absorption est régulé par la quantité de fer emmagasinée dans l'organisme et par la vitesse de production des érythrocytes. Les femmes doivent absorber des quantités additionnelles de fer, jusqu'à 2 mg en plus par jour, pour remplacer le fer perdu pendant les règles. L'organisme de l'adulte renferme en moyenne une quantité totale de fer d'environ 3 g, dont la plus grande partie se trouve dans l'hémoglobine ou dans l'un de ses produits de dégradation. Le fer est emmagasiné dans l'intestin grêle, sous forme de ferritine, ainsi que dans les cellules réticulo-endothéliales. Au besoin, le fer est libéré dans le plasma, se lie à la transferrine et est acheminé vers les membranes des normoblastes (précurseurs des érythrocytes), à l'intérieur de la moelle, où il s'incorpore à l'hémoglobine. Le fer, qui provient de la bile, du sang et des cellules des muqueuses intestinales, est évacué dans les fèces.

La concentration de fer dans le sang est de 13 à 31 μmol/L chez les hommes et de 11 à 29 μmol/L chez les femmes. En cas de carence, les réserves médullaires de fer baissent rapidement; la synthèse de l'hémoglobine diminue, et les érythrocytes produits par la moelle sont petits et renferment peu d'hémoglobine. Une carence en fer chez l'adulte signifie généralement qu'il y a eu perte de sang (à la suite d'une hémorragie intestinale ou de règles abondantes, par exemple). Chez l'adulte, l'insuffisance de l'apport alimentaire en fer constitue rarement la seule cause de l'anémie ferriprive; on devrait déterminer rapidement la cause de cette carence, car celle-ci pourrait être le signe d'une hémorragie intestinale ou d'un cancer du côlon.

Métabolisme de la vitamine B_{12} et de l'acide folique La vitamine B_{12} et l'acide folique sont des éléments essentiels à la synthèse de l'ADN dans de nombreux tissus, mais la carence de l'une ou l'autre de ces vitamines influe surtout sur le mécanisme de l'érythropoïèse. La vitamine B_{12} et l'acide folique proviennent tous deux de l'alimentation. L'acide folique est absorbé depuis la partie proximale de l'intestin grêle, mais seules de petites quantités sont emmagasinées dans l'organisme. Si l'apport alimentaire en acide folique est insuffisant, les réserves de cette vitamine s'épuisent rapidement. Comme la vitamine B_{12} n'est présente que dans les aliments d'origine animale, les végétariens stricts risquent de ne pas la consommer en quantité suffisante. La vitamine B_{12} se combine à un facteur intrinsèque produit par les glandes gastriques. Le complexe vitamine B_{12} et facteur intrinsèque est absorbé dans la région distale de l'iléon. Ce facteur intrinsèque n'étant plus produit en quantités suffisantes chez les personnes qui ont subi une gastrectomie partielle ou totale, la vitamine B_{12} pourrait être moins bien absorbée. Les effets d'une faible absorption ou d'un faible apport alimentaire en vitamine B_{12} ne deviennent manifestes qu'au bout de deux à quatre ans.

Les carences en vitamine B_{12} et en acide folique se caractérisent par la production d'érythrocytes anormalement volumineux, appelés mégaloblastes. Comme ces cellules sont anormales, elles sont séquestrées (emprisonnées) en grand nombre dans la moelle osseuse; peu d'entre elles sont libérées dans la circulation. En réalité, certaines de ces cellules meurent dans la moelle avant d'être libérées. La forme d'anémie qui s'ensuit porte le nom d'anémie mégaloblastique.

Destruction des érythrocytes

La durée de vie moyenne d'un érythrocyte circulant normal est de 120 jours. Les érythrocytes mûrs sont moins élastiques et restent emprisonnés dans les petits vaisseaux sanguins, particulièrement dans ceux de la rate. Ils sont extraits du sang par les cellules réticulo-endothéliales, les cellules hépatiques et spléniques surtout. Au fur et à mesure que les érythrocytes sont détruits, l'hémoglobine qu'ils contiennent est en grande partie recyclée. Une certaine portion de l'hémoglobine se décompose aussi pour former la bilirubine, qui est sécrétée dans la bile. Le fer est en grande partie recyclé pour former de nouvelles molécules d'hémoglobine à l'intérieur de la moelle osseuse; de petites quantités de fer sont par ailleurs éliminées quotidiennement dans les fèces et l'urine et, tous les mois, dans le sang menstruel.

Leucocytes

Les leucocytes (globules blancs) se divisent en deux grandes catégories: les granulocytes et les agranulocytes. Normalement, le sang contient de 5 000 à 10 000 leucocytes par millimètre cube. De 60 à 70 % environ de ces leucocytes sont des granulocytes et de 30 à 40 % environ, des agranulocytes. Les leucocytes ont comme rôle principal de protéger l'organisme contre les infections et les lésions tissulaires.

Granulocytes

Les **granulocytes** se caractérisent par la présence de granulations (vésicules cytoplasmiques remplies de substances chimiques) dans le cytoplasme. On les divise en trois grands sous-groupes en fonction de la couleur des granulations (figure 35-2). Les granulations du cytoplasme des éosinophiles sont rouge clair; celles des basophiles sont bleu foncé. Les **neutrophiles**, sous-groupe de loin le plus nombreux, ont des granulations dont la teinte peut aller de rose à violet. Les neutrophiles portent aussi le nom de leucocytes neutrophiles ou de granulocytes neutrophiles.

Le noyau des neutrophiles mûrs est plurilobé (formé habituellement de deux à cinq lobes). Les lobes sont reliés par de minces filaments, et forment un «noyau segmenté» dont la taille est habituellement le double de celle d'un érythrocyte. Le granulocyte jeune, qui possède un noyau allongé unilobé, est appelé **granulocyte non segmenté**. Habituellement, les granulocytes non segmentés ne représentent qu'un petit pourcentage des granulocytes circulants, mais celui-ci peut s'accroître considérablement lorsque la production de neutrophiles augmente, par exemple lorsqu'une infection se déclare. Si le nombre de granulocytes non segmentés dans la circulation est plus élevé que la normale, on dit parfois qu'il s'agit d'une «déviation à gauche». (Sur un diagramme, on place traditionnellement la cellule souche du côté gauche et les diverses étapes de sa maturation, qui aboutissent à un neutrophile ayant atteint sa pleine maturité, du côté droit. L'expression «déviation à gauche» signifie que le sang contient un nombre plus élevé que la normale de cellules jeunes ou immatures.)

Les granulocytes produits à partir des cellules souches myéloïdes en réserve se différencient graduellement. De **cellules blastiques** ils se transforment peu à peu en granulocytes mûrs. Le processus, appelé **myélopoïèse**, est très complexe et dépend de nombreux facteurs. Ces facteurs, qui comprennent entre autres des **cytokines** spécifiques tels les facteurs de croissance, sont normalement présents dans la moelle. Au fur et à mesure que la cellule blastique mûrit, son cytoplasme change de couleur (passant du bleu au violet) et les granulations commencent à se former. La forme du noyau change également. Dans l'ensemble, le processus de maturation et de différenciation s'échelonne sur environ 10 jours (figure 35-1). Le granulocyte libéré depuis la moelle dans la circulation n'y reste que six heures environ, avant de migrer vers les tissus où il accomplit sa fonction de **phagocytose**, autrement dit d'ingestion et de digestion des bactéries et de diverses particules (figure 35-3 ■). Dans les tissus, les granulocytes ne vivent qu'un ou deux jours au maximum, puis ils meurent. Le nombre de granulocytes circulants chez une personne en bonne santé est relativement constant. Mais lorsqu'une infection apparaît, ces cellules sont rapidement libérées en grand nombre dans la circulation.

Agranulocytes (globules blancs mononucléés)

Monocytes Les **monocytes** (aussi appelés leucocytes mononucléés) sont des globules blancs dotés d'un noyau unilobé et d'un cytoplasme dépourvu de granulations, raison pour laquelle on les appelle des *agranulocytes*. Dans le sang de l'adulte en santé, les monocytes représentent environ 5 % du nombre total de leucocytes et sont les plus volumineux de tous les globules blancs. Produits par la moelle osseuse, ils demeurent peu de temps dans la circulation, avant de pénétrer dans les tissus et de se transformer en **macrophages** (gros mangeurs). Les macrophages sont particulièrement actifs dans la rate, le foie, le péritoine et les alvéoles pulmonaires.

Lymphocytes Les lymphocytes mûrs sont des cellules de petite taille, à cytoplasme très réduit. Les lymphocytes jeunes sont produits par la moelle, à partir de cellules souches lymphoïdes, ainsi que dans le cortex du thymus. Les cellules provenant du thymus sont appelées lymphocytes T. Celles qui proviennent de la moelle osseuse peuvent être, elles aussi, des lymphocytes T, mais sont surtout des lymphocytes B. La différenciation et la maturation des lymphocytes se poursuivent principalement dans les ganglions lymphatiques et dans les tissus lymphoïdes de l'intestin et de la rate, une fois qu'ils sont entrés en contact avec un antigène spécifique. Les lymphocytes mûrs sont des cellules qui réagissent à un antigène spécifique.

Rôle des leucocytes

Les leucocytes protègent l'organisme contre les bactéries et les autres substances étrangères, et ce, de bien des façons (tableau 35-2 ■). Les principales fonctions des leucocytes sont la phagocytose (figure 35-3), l'inflammation, la réaction immunitaire (chapitre 52) et les réactions allergiques (chapitre 55).

Thrombocytes (plaquettes)

Les plaquettes, ou thrombocytes, ne sont pas vraiment des cellules, mais plutôt des fragments granulaires de cellules géantes présentes dans la moelle osseuse et qu'on appelle mégacaryocytes. La production des plaquettes dans la moelle est réglée en partie par une hormone, la thrombopoïétine, qui stimule la production et la différenciation des mégacaryocytes à partir des cellules souches myéloïdes.

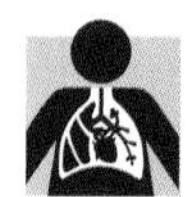

PHYSIOLOGIE/PHYSIOPATHOLOGIE

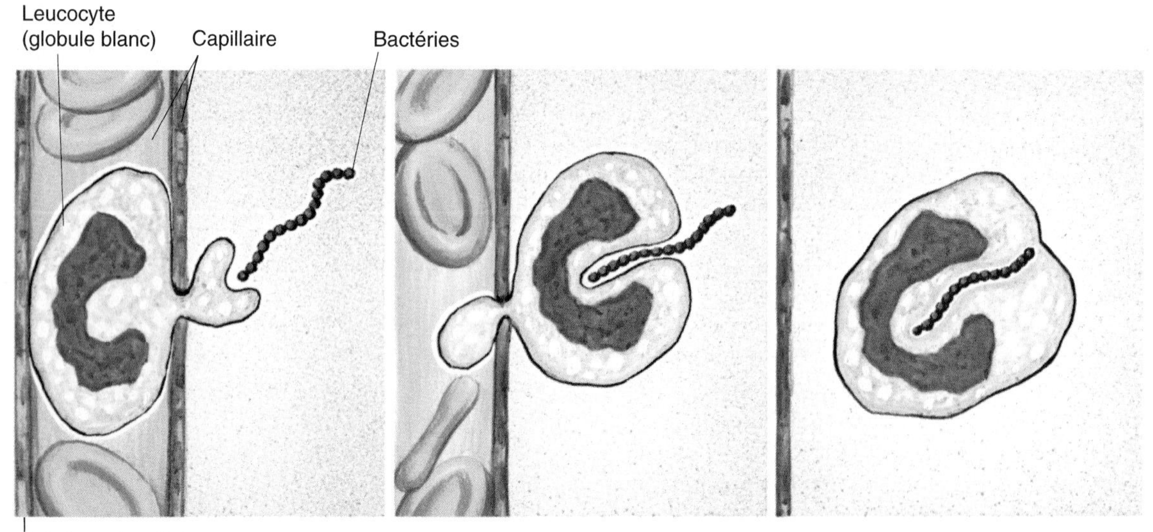

FIGURE 35-3 ■ Phagocytose. Lorsqu'une particule étrangère (une bactérie ou un fragment de tissu nécrosé, par exemple) entre en contact avec la membrane cellulaire du phagocyte, celle-ci l'entoure et l'emprisonne, tout en la laissant intacte. Le matériel englouti est gardé dans une vacuole, à l'intérieur du phagocyte, où il sera détruit par des enzymes.

Principales fonctions des leucocytes

TABLEAU 35-2

Types de leucocytes	Fonctions
Neutrophiles	Les neutrophiles agissent principalement par phagocytose. Ils parviennent en moins d'une heure au siège de la réaction inflammatoire et amorcent immédiatement le processus de phagocytose, mais leur durée de vie est très courte; c'est pourquoi leur action est particulièrement efficace dans la lutte contre les bactéries.
Éosinophiles	Les éosinophiles jouent un rôle important dans la phagocytose des parasites. L'augmentation de la concentration d'éosinophiles en présence d'une allergie indique que ces cellules participent à la réaction d'hypersensibilité, leur fonction étant de neutraliser l'histamine.
Basophiles	Les basophiles produisent et emmagasinent l'histamine, ainsi que les autres substances participant aux réactions d'hypersensibilité. La libération de ces substances provoque des réactions allergiques.
Lymphocytes	La fonction première des lymphocytes est la production de substances qui attaquent les particules étrangères.
▪ Lymphocytes B	Les lymphocytes B peuvent se transformer en plasmocytes, qui produisent les immunoglobulines (Ig), ou anticorps, molécules protéiques qui détruisent les substances étrangères à l'aide de plusieurs mécanismes. Le processus porte le nom d'*immunité humorale*.
▪ Lymphocytes T	Les lymphocytes T éliminent directement les cellules étrangères ou infectées par des virus. Ils libèrent diverses lymphokines, substances qui stimulent l'activité des lymphocytes B et des cellules phagocytaires. Les lymphocytes T sont chargés des réactions d'hypersensibilité différée, du rejet des tissus étrangers (organes transplantés, par exemple) et de la destruction des cellules tumorales. Le processus porte le nom d'*immunité à médiation cellulaire*.
Monocytes	Les monocytes jouent le rôle de macrophages dans la réaction inflammatoire. Ils poursuivent la phagocytose lancée par les neutrophiles, mais s'y livrent souvent pendant un long laps de temps. Ce processus constitue une deuxième barrière de défense de l'organisme contre les inflammations et les infections; cette barrière est particulièrement efficace dans la lutte contre les virus et les champignons.

Les plaquettes jouent un rôle essentiel dans l'hémostase. Inactives, elles circulent librement dans le sang et nourrissent l'endothélium des vaisseaux sanguins afin d'assurer l'intégrité des vaisseaux. Lorsqu'un vaisseau est lésé, elles s'agglutinent autour de la lésion, deviennent actives et forment un clou plaquettaire qui arrête pour un temps les saignements. Les substances libérées par les granules plaquettaires activent les facteurs de coagulation présents dans le plasma et mettent en branle la formation d'un caillot stable composé de **fibrine**, protéine filamenteuse. La durée de vie normale des plaquettes est de 7 à 10 jours.

Plasma et protéines plasmatiques

La partie liquide du sang, autrement dit ce qui reste une fois que les éléments cellulaires ont été retirés, est appelée plasma. Le plasma est constitué à plus de 90 % d'eau, les 10 % qui restent étant surtout composés de protéines plasmatiques, de facteurs de coagulation (en particulier de fibrinogène) et d'autres substances présentes en petites quantités, notamment des nutriments, des enzymes, des déchets et des gaz. Après la coagulation du plasma, la partie liquide qui reste porte le nom de **sérum**. Le sérum a essentiellement la même composition que le plasma, mais il ne contient ni fibrinogène ni facteurs de coagulation, car ceux-ci ont été éliminés au cours de la coagulation.

Les protéines plasmatiques sont constituées principalement d'albumine et de globulines. Les globulines se répartissent en trois grandes classes, alpha, bêta et gamma, composées chacune de protéines distinctes et remplissant diverses fonctions. Les protéines les plus importantes des classes alpha et bêta sont les globulines de transport et les facteurs de coagulation produits dans le foie. Comme leur nom l'indique, les globulines de transport acheminent dans le sang diverses substances sous forme liée. Par exemple, la thyréoglobuline transporte la thyroxine et la transferrine transporte le fer. Les facteurs de coagulation, entre autres le fibrinogène, restent à l'état inactif dans le plasma jusqu'à ce qu'ils soient activés par les réactions en cascade de la coagulation. Les gammaglobulines, immunoglobulines ou anticorps, sont des protéines produites par des lymphocytes et des cellules plasmatiques bien différenciées. On peut observer la séparation des globulines lors de l'électrophorèse, technique physicochimique permettant de séparer les protéines du sérum.

L'albumine joue un rôle particulièrement important dans le maintien de l'équilibre hydrique du système vasculaire. Les parois des capillaires sont imperméables à l'albumine, de sorte que sa présence dans le plasma crée une force osmotique (oncotique) qui retient le liquide à l'intérieur des compartiments vasculaires. L'albumine, qui est produite par le foie, peut se lier à des substances transportées par le plasma (à la bilirubine, par exemple, à certains médicaments ou à certaines hormones). Chez les personnes atteintes d'insuffisance hépatique, les concentrations d'albumine peuvent être moindres, d'où une baisse de la pression osmotique (oncotique) menant à un œdème généralisé.

Système réticulo-endothélial

Le système réticulo-endothélial (SRE) est constitué de macrophages tissulaires particuliers, dérivés des monocytes. Après avoir été libérés par la moelle, les monocytes passent un bref laps de temps dans la circulation (environ 24 heures), avant de pénétrer dans les tissus où ils continuent de se différencier pour devenir des macrophages, dont la durée de vie peut être de plusieurs mois. Les macrophages jouent un certain nombre de fonctions importantes. Ils phagocytent les envahisseurs étrangers (autrement dit les bactéries et les autres agents pathogènes), éliminent de la circulation les cellules vieilles ou abîmées, stimulent le processus inflammatoire et fournissent des antigènes au système immunitaire (chapitre 52). Les macrophages donnent naissance à des **histiocytes** tissulaires, dont les cellules de Kupffer du foie, à des macrophages péritonéaux, à des macrophages alvéolaires et à d'autres éléments du SRE. Le système réticulo-endothélial constitue donc un composant de nombreux autres organes, particulièrement de la rate, des ganglions lymphatiques, des poumons et du foie.

La rate est l'organe où se déroule l'activité de la plupart des macrophages. La majeure partie de la rate (75 %) est constituée de pulpe rouge ; c'est par là que le sang pénètre dans les sinus veineux en empruntant les capillaires entourés de macrophages. À l'intérieur de la pulpe rouge, on trouve de minuscules agrégats de pulpe blanche composée de lymphocytes B et T. La rate séquestre les réticulocytes qui viennent d'être libérés par la moelle et en retire des fragments nucléaires et d'autres matières (l'hémoglobine dénaturée, le fer, par exemple), avant que les érythrocytes ayant atteint dans l'intervalle leur pleine maturité ne retournent dans la circulation. Si la rate n'emmagasine qu'un très petit nombre d'érythrocytes (moins de 5 %), elle garde en réserve une proportion importante de plaquettes (de 20 à 40 %). En cas d'hypertrophie, elle séquestre un plus grand nombre d'érythrocytes et de plaquettes. La rate est la principale source de l'hématopoïèse pendant la vie fœtale. Elle peut déclencher une nouvelle hématopoïèse plus tard, à l'âge adulte, si cela s'avère nécessaire (en cas de fibrose de la moelle osseuse, par exemple). La rate remplit plusieurs fonctions immunologiques importantes. Elle fabrique une substance qui stimule la phagocytose des neutrophiles ainsi que la formation d'anticorps IgM lors d'une exposition à un antigène.

HÉMOSTASE

L'hémostase est le processus qui empêche le sang de se répandre hors des vaisseaux intacts et qui met fin au saignement dans les vaisseaux lésés. Pour que le sang ne puisse pas s'écouler des vaisseaux intacts, les plaquettes fonctionnelles doivent être en nombre suffisant. Les plaquettes nourrissent l'endothélium et assurent ainsi l'intégrité structurale de la paroi vasculaire. Deux processus entrent en jeu dans l'arrêt des saignements : l'hémostase primaire et l'hémostase secondaire (figure 35-4 ■).

Lors de l'hémostase primaire, le vaisseau sanguin lésé se resserre. Les plaquettes circulantes s'accumulent au siège de la lésion, adhèrent au vaisseau et s'agglutinent les unes aux autres pour former un clou hémostatique instable, appelé *clou plaquettaire*. Pour que la coagulation s'effectue adéquatement, les facteurs de coagulation circulant sous forme inactive doivent être activés. Cette activation se produit à la surface des plaquettes agglutinées au siège de la lésion. Elle aboutit à la formation de fibrine qui renforce le clou plaquettaire et le fixe solidement au siège de la lésion ; c'est l'hémostase secondaire. La coagulation sanguine est un processus très complexe. Elle peut être activée par la voie intrinsèque ou par la voie extrinsèque (figure 35-5 ■). Les deux voies sont indispensables à la mise en œuvre d'une hémostase normale.

De nombreux facteurs concourent aux réactions en cascade qui mènent à la formation de la fibrine. Lorsque le tissu est lésé, la voie extrinsèque est activée par la libération, par les tissus, d'une substance appelée thromboplastine. À la suite d'une série de réactions, la prothrombine, sous l'influence de la thromboplastine, se transforme en **thrombine**, laquelle à son tour catalyse la transformation du fibrinogène en fibrine. La coagulation par la voie intrinsèque est activée lorsque le collagène qui tapisse les vaisseaux sanguins se trouve exposé, à la suite d'un traumatisme de l'endothélium. Les facteurs de coagulation sont activés en séquence, comme dans le cas de la voie extrinsèque, jusqu'à ce que la fibrine se soit formée. Bien que le processus empruntant la voie intrinsèque soit plus lent, c'est probablement grâce à lui que la coagulation *in vivo* s'effectue le plus souvent.

PHYSIOLOGIE/ PHYSIOPATHOLOGIE

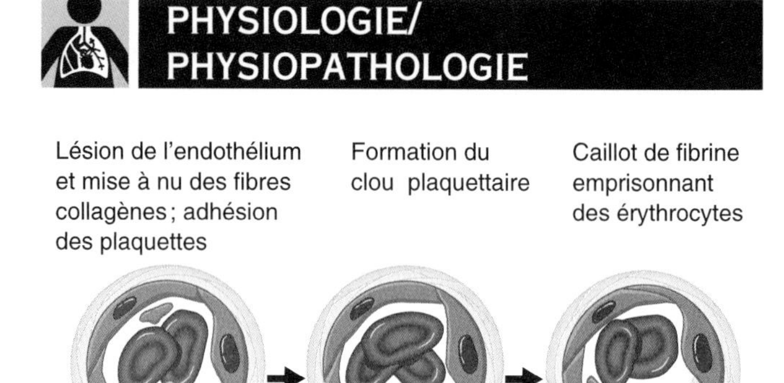

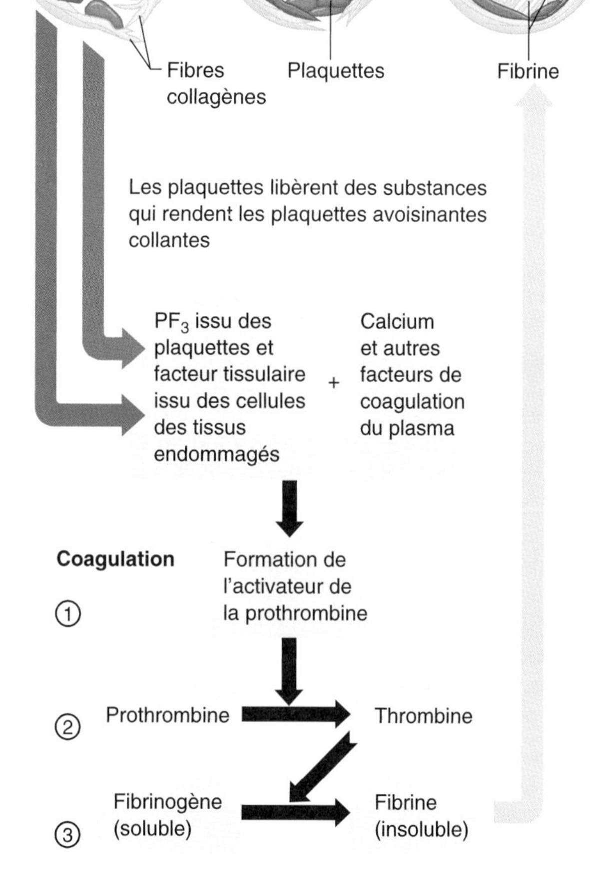

FIGURE 35-4 ■ Déroulement de l'hémostase primaire et de l'hémostase secondaire. SOURCE : E.N. Marieb (1999). *Anatomie et physiologie humaines* (2e éd.). Saint-Laurent : ERPI, p. 646.

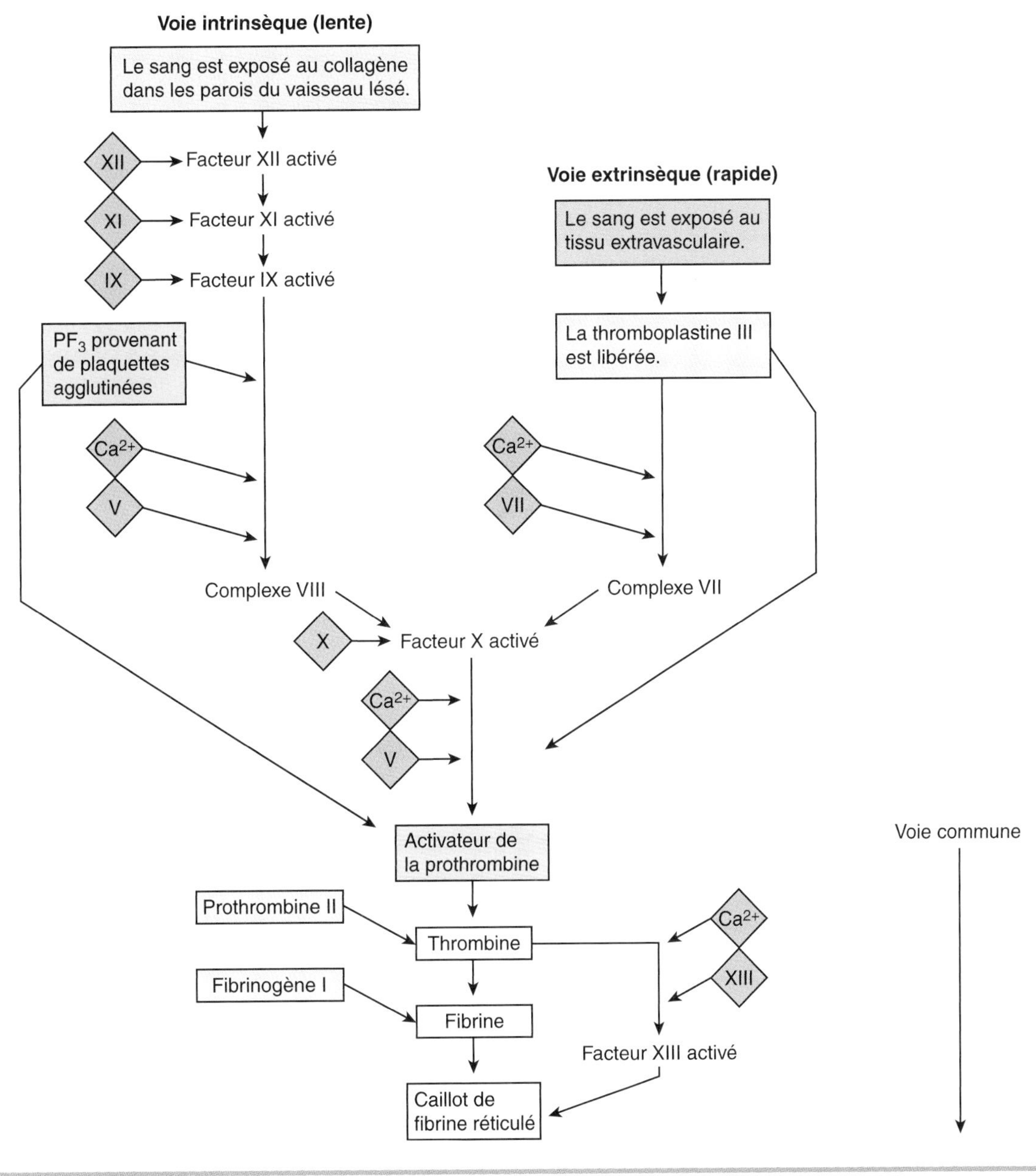

FIGURE 35-5 ■ Formation de la fibrine. La formation de la fibrine exige l'activation de nombreux facteurs de coagulation, dont les plus connus sont présentés ici, tant par la voie intrinsèque que par la voie extrinsèque.

SOURCE : P. Lemone et K. Burke (2004). *Medical-surgical nursing; Critical thinking in client care* (3e éd., p. 949). Upper Saddle River : Pearson Education. Traduit et reproduit avec l'autorisation de Pearson Education, Inc.

Au fur et à mesure que le vaisseau lésé se répare et se recouvre de nouveau de cellules endothéliales, le caillot de fibrine devient inutile. La fibrine est digérée par deux systèmes : le système fibrinolytique plasmatique et le système fibrinolytique cellulaire. Le **plasminogène**, substance nécessaire à la lyse (dégradation) de la fibrine et présente dans tous les liquides organiques, circule en compagnie du fibrinogène. Il s'incorpore par conséquent dans le caillot de fibrine en formation. Lorsque le caillot cesse d'être utile (quand le vaisseau sanguin lésé s'est cicatrisé, par exemple), le plasminogène est activé pour former la plasmine. La plasmine digère le fibrinogène et la fibrine. Les particules provenant de la décomposition du caillot (produits de dégradation de la fibrine) sont libérées dans la circulation. Les caillots se dissolvent donc au fur et à mesure que le tissu se répare et le vaisseau retrouve son état initial.

Physiopathologie du système hématologique

La plupart des affections hématologiques découlent d'une déficience du système hématopoïétique, hémostatique ou réticulo-endothélial. Cette déficience peut être quantitative (la production de cellules est trop importante ou insuffisante), qualitative (les cellules produites sont anormales sur le plan fonctionnel) ou les deux à la fois.

Particularités reliées à la personne âgée

Chez les personnes âgées, la moelle osseuse ne peut plus produire une quantité suffisante de cellules sanguines (érythrocytes, leucocytes et plaquettes) pour répondre aux besoins de l'organisme. Plusieurs facteurs expliquent ce phénomène, notamment la baisse de production, par les cellules souches de la moelle, des facteurs de croissance nécessaires à l'hématopoïèse et l'atténuation de la réaction aux facteurs de croissance (dans le cas de l'érythropoïétine). Lorsque l'organisme de la personne âgée réclame une plus grande quantité de cellules sanguines (de leucocytes, par exemple, lorsqu'une infection se déclare, ou d'érythrocytes, en cas d'anémie), la moelle osseuse peut être incapable d'en produire davantage. La personne peut alors souffrir de **leucopénie** (diminution du nombre de leucocytes circulants) ou d'anémie. Chez les personnes âgées, la moelle osseuse peut aussi être plus vulnérable aux effets myélodépresseurs des médicaments comme les médicaments antinéoplasiques utilisés en chimiothérapie.

L'anémie est la maladie hématologique la plus courante chez les personnes âgées; en effet, à chaque décennie qui s'ajoute, la fréquence de l'anémie augmente. L'anémie provient souvent d'une carence en fer (à la suite de saignements), d'une carence nutritive, particulièrement en acide folique ou en vitamine B_{12}, ou d'une dénutrition en protéines ou en énergie. Elle peut également être due à une inflammation ou à une maladie chronique. Le traitement à adopter pour soigner l'anémie dépend de l'étiologie de la maladie. Par conséquent, il est important de trouver la cause de l'anémie plutôt que de la considérer comme une conséquence inévitable du vieillissement. Les personnes âgées atteintes d'affections cardiaques ou pulmonaires concomitantes risquent de mal supporter l'anémie. C'est pourquoi une évaluation rapide et approfondie s'impose dans leur cas.

Examen clinique et examens paracliniques

Bien des affections hématologiques entraînent peu de symptômes. Pour poser le diagnostic d'une maladie hématologique, le médecin doit donc souvent recourir à des examens paracliniques complexes. Dans la plupart des cas, il faut effectuer un suivi constant au moyen d'analyses sanguines répétées, car il est très important d'évaluer les changements qui interviennent au fil du temps dans les résultats.

Examens hématologiques

Les analyses les plus fréquentes sont l'hémogramme (numération globulaire, souvent appelée formule sanguine complète, ou FSC) et l'examen des frottis du sang périphérique (tableau 35-3 ■). L'hémogramme permet de déterminer le nombre total de cellules sanguines (leucocytes, érythrocytes et plaquettes), ainsi que la concentration d'hémoglobine, l'**hématocrite** (volume de globules rouges, exprimé en pourcentage par rapport à l'unité de volume sanguin) et les indices érythrocytaires. Comme le diagnostic de la plupart des maladies hématologiques se fonde sur la morphologie cellulaire (forme et aspect des cellules), le médecin demande un examen des cellules sanguines en cause sur un frottis du sang périphérique. Cet examen peut faire partie de l'hémogramme. Une goutte de sang est étalée sur une lame de verre, colorée et examinée au microscope. La forme et la taille des érythrocytes et des plaquettes ainsi que l'aspect réel des leucocytes fournissent des renseignements utiles dans le diagnostic des maladies hématologiques. Le sang nécessaire à l'hémogramme est prélevé par ponction veineuse.

Ponction et biopsie de la moelle osseuse

La ponction et la biopsie de la moelle osseuse sont des examens essentiels lorsqu'on doit obtenir des renseignements additionnels sur la formation des cellules sanguines ainsi que sur la quantité et la qualité de chaque type de cellules produites par la moelle. On a également recours à ce type d'exploration pour déceler les infections ou les tumeurs médullaires.

La moelle normale est dans un état semi-liquide, et on peut l'aspirer à l'aide d'une aiguille de gros calibre conçue à cet effet. Chez les adultes, on ponctionne habituellement la moelle depuis la crête iliaque, parfois depuis le sternum. Le liquide d'aspiration ne fournit qu'un échantillon de cellules; utilisé seul, il ne permet de diagnostiquer qu'un certain nombre de maladies, comme l'anémie. Lorsqu'on souhaite poursuivre les recherches, on peut pratiquer une biopsie. Les fragments nécessaires à la biopsie sont prélevés depuis la partie postérieure de la crête iliaque; cependant, il arrive qu'on doive prélever l'échantillon depuis la partie antérieure. La biopsie de la moelle renseigne sur la structure de la moelle osseuse ainsi que sur les cellules qui la composent.

Pour la plupart des gens, aucune préparation particulière n'est nécessaire; il faut seulement expliquer soigneusement le déroulement de l'intervention. Toutefois, si la personne est très anxieuse, on peut lui administrer un anxiolytique. Il importe que le médecin ou l'infirmière décrivent l'intervention et les sensations qui en découleront, et fournissent des explications quant aux risques, aux avantages et aux solutions de rechange possibles. Avant de pratiquer l'intervention, il faut que la personne qui s'y soumet donne un consentement éclairé.

Avant la ponction, on nettoie la peau en respectant les règles de l'asepsie, comme pour toute autre chirurgie mineure. Puis, on insensibilise une petite région à l'aide d'un anesthésique local qu'on injecte dans la peau et dans le tissu sous-cutané, jusqu'au périoste. Il est impossible d'insensibiliser l'os. L'aiguille servant à la ponction est introduite à travers un stylet. Lorsqu'on sent que l'aiguille a traversé la couche corticale externe de l'os et qu'elle pénètre dans la cavité médullaire, on retire le stylet et on attache à l'aiguille une seringue permettant d'aspirer un petit volume (0,5 mL) de sang et de moelle. Tandis que l'aiguille progresse jusqu'à la position qu'elle doit avoir, la personne qui subit l'intervention ressent habituellement une pression. L'aspiration de la moelle dans la seringue cause toujours une douleur aiguë, mais brève, dont il faudrait prévenir la personne qui subit l'intervention. Pour essayer de rendre la ponction moins pénible, l'infirmière peut recommander à la personne de respirer profondément ou d'utiliser des techniques de relaxation.

Si une biopsie de la moelle osseuse s'avère nécessaire, il est préférable de l'effectuer après la ponction et de choisir un point avoisinant, car la structure de la moelle peut être modifiée après la ponction. La biopsie se pratique à l'aide d'une aiguille de plus gros calibre. Pour pouvoir introduire l'aiguille, le chirurgien pratique d'abord une incision de 3 ou

Examens paracliniques en hématologie

TABLEAU 35-3

Examens	Valeurs normales	Caractéristiques	Indications/commentaires
Numération globulaire (hémogramme, formule sanguine complète)		Exploration générale de la fonction de la moelle osseuse; évaluation des trois lignées cellulaires (leucocytes, érythrocytes et plaquettes).	Il est important de noter tous les changements qui interviennent au fil du temps; dans de nombreuses maladies hématologiques, on peut observer de légères modifications de l'hémogramme avant même que les symptômes ne se manifestent.
Érythrocytes (globules rouges)	▪ H: $4,7\text{-}6,1 \times 10^6$ ▪ F: $4,2\text{-}5,4 \times 10^6$	Ils transportent l'hémoglobine; ils ont une durée de vie de 120 jours.	
Hémoglobine (Hb)	▪ H: 135-175 g/L ▪ F: 115-155 g/L	Grâce à ses propriétés oxyphoriques, elle livre l'O_2 aux tissus et achemine le CO_2 des tissus vers les poumons.	Sa concentration diminue dans les cas d'anémie et augmente dans les cas de polycythémie.
Hématocrite	▪ H: 40-52 % ▪ F: 36-48 %	Il indique les proportions relatives du plasma et des érythrocytes (volume des érythrocytes par litre de sang entier).	Habituellement, l'hématocrite est trois fois supérieur à la concentration d'Hb.
Volume globulaire moyen (VGM)	▪ 81-96 μm^3	Il indique la taille des érythrocytes; il est très utile pour différencier les divers types d'anémies.	Si le VGM est < 80 μm^3, les cellules sont microcytaires; s'il est > 100 μm^3, les cellules sont macrocytaires.
Concentration corpusculaire moyenne en hémoglobine (CCMH)	▪ 330-360 g/L	Concentration moyenne des érythrocytes en Hb; elle est indépendante de la taille des cellules.	
Indice de distribution érythrocytaire (IDE)	▪ 11-14,5 %	Il permet de mesurer le degré de variation de la taille des érythrocytes.	
Numération réticulocytaire	▪ 0,5-1,5 %	Mesure de la production d'érythrocytes par la moelle; 1 % de la masse érythrocytaire est produite chaque jour (pour remplacer le 1 % de vieilles cellules qui meurent).	Indice de la réaction de la moelle à l'anémie (dans les cas d'anémie, le taux de réticulocytes devrait s'élever).
Numération leucocytaire	▪ 4 500-11 000/mm^3	Nombre total de leucocytes	Déviation à gauche: la moelle osseuse ↑ sa production de leucocytes; des cellules immatures sont libérées dans la circulation sanguine.
Formule leucocytaire	▪ Pourcentages des divers types de leucocytes	Pourcentage d'un type donné de leucocytes × nombre total de leucocytes = nombre absolu de ce type de leucocytes.	
Neutrophiles	▪ 40-75 % (2 500-7 500/mm^3)	Ils aident à prévenir ou à enrayer l'infection bactérienne; ils ont une durée de vie moyenne de 2 à 4 heures.	Leur nombre est > 8 000 dans les cas d'infection, de certaines maladies inflammatoires, de stress, de prise de corticostéroïdes ou d'autres médicaments, et dans le cas d'une maladie myéloproliférative. Si le taux absolu de neutrophiles (TAN) est < 500, risque accru d'infection; s'il est < 100, infection avérée (si la neutropénie persiste).
Lymphocytes	▪ 20-50 % (1 500-5 500/mm^3)	Composantes du système immunitaire	Si le nombre < 1 500: lymphopénie; si > 4 000: lymphocytose; nombre accru pendant la convalescence suivant une infection bactérienne ou virale ou dans le cas d'une maladie lymphoproliférative.
Monocytes	▪ 1-10 % (100-800/mm^3)	Ils pénètrent dans les tissus sous forme de macrophages; phagocytose.	Nombre accru dans les cas d'infection aiguë ou chronique, d'inflammation, de quelques maladies myéloprolifératives et de leucémie myélomonocytaire chronique.

➡

Examens paracliniques en hématologie (*suite*)

TABLEAU 35-3

Examens	Valeurs normales	Caractéristiques	Indications/commentaires
Éosinophiles	■ 0-6 % (0-440/mm³)	Ils participent aux réactions allergiques (ils neutralisent l'histamine); ils digèrent les protéines étrangères.	Nombre accru dans les cas d'allergies, de prise de certains médicaments, de présence de parasites, de leucémie myéloïde chronique (LMC), de métastases et de tumeurs nécrotiques.
Basophiles	■ 0-2 % (0-200/mm³)	Ils contiennent de l'histamine; ils jouent un rôle essentiel dans les réactions d'hypersensibilité.	Leur présence en grand nombre est rare, sauf dans les cas de LMC.
Plaquettes	■ 150 000-400 000/mm³	Nombre total de plaquettes en circulation; elles ont une durée de vie moyenne de 7 à 10 jours.	Thrombocytopénie grave si < 20 000/mm³; thrombocytopénie pouvant mettre la vie en danger si < 10 000/mm³.
Temps de prothrombine (TP)	■ Variable (si on la compare à une valeur témoin), 11-12,5 s	Mesure du temps écoulé jusqu'à la formation du caillot; mesure des voies extrinsèque et commune.	Il est prolongé dans les cas de maladie hépatique, de coagulation intravasculaire disséminée (CIVD), de maladie biliaire obstructive, de déplétion des facteurs de coagulation et d'administration d'un anticoagulant oral comme la warfarine (Coumadin).
Rapport international normalisé (RIN)	■ 1,0 ■ Traitement à la warfarine (Coumadin) d'intensité standard si RIN de 2,0-3,0; traitement à la warfarine (Coumadin) d'intensité élevée si RIN de 3,0-4,0	Méthode employée habituellement pour mesurer le temps de prothrombine, indépendamment de la thromboplastine utilisée comme réactif pour l'examen; on le calcule en divisant le résultat du TP obtenu par le TP normal moyen.	Le RIN est élevé en cas d'excédent d'anticoagulant et de dérèglements entraînant une prolongation du TP; il diminue lorsque la dose d'anti-coagulant est insuffisante et en présence de maladies qui raccour-cissent le TP. Une multitudes de facteurs peuvent faire varier le RIN à la hausse ou à la baisse, par exemple: interactions médicamenteuses, alimen-tation, prise d'alcool, dysfonction thyroïdienne, dysfonction hépatique.
Temps de céphaline	■ Variable (si on le compare à une valeur témoin), 25-35 s	Après ajout au plasma d'un agent tensioactif, on mesure le temps écoulé jusqu'à la formation du caillot; on obtient la mesure en passant par la voie intrinsèque et par la voie commune.	Le temps de céphaline se prolonge dans les cas de déficit en facteurs de coagulation, de CIVD, de maladie hépatique, d'obstruction biliaire et d'utilisation d'anticoagulants comme l'héparine.
Temps de thrombine	■ Variable (si on le compare à une valeur témoin), 8-11 s	Mesure du temps de transformation du fibrinogène en fibrine.	Le temps de coagulation est inversement proportionnel à la concentration de fibrinogène.
Fibrinogène	■ 170-340 mg/100 mL	Mesure de la concentration plasmatique du fibrinogène susceptible de se transformer en caillot de fibrine.	Concentration plus faible dans les cas de maladies hémorragiques, de grossesse, de tumeurs malignes et de maladies inflammatoires.
D-dimère	■ 0-0,5 µg/mL	Mesure de la quantité de fragments de fibrine pendant la lyse (dégradation); elle est utile pour distinguer la fibri-nolyse de la fibrinogénolyse.	Quantité accrue en présence d'activité fibrinolytique, de polyarthrite rhu-matoïde et de cancer ovarien.
Produits de dégradation de la fibrine (PDF)	■ < 10 µg/mL	Sous-produit de la fibrinolyse.	Une concentration > 40 µg/mL signale une CIVD.

de 4 mm avec une lame chirurgicale. Il fait ensuite pénétrer l'aiguille assez profondément dans la cavité médullaire. Lorsque l'aiguille se trouve dans la position appropriée, il creuse délicatement la moelle par un mouvement de rotation ou de balancement, afin de détacher un fragment de tissu qui sera extrait à l'aide de l'aiguille. Lors de cette intervention, la personne peut ressentir une certaine pression, mais ne devrait pas éprouver de douleur. L'infirmière devrait lui recommander de prévenir le médecin si elle souffre, afin qu'il lui administre une quantité supplémentaire d'anesthésique.

Les principaux risques associés à la ponction et à la biopsie de la moelle osseuse sont les saignements et les infections. Le risque de saignement s'accroît légèrement si le nombre de plaquettes est faible ou si la personne a pris un médicament (de l'aspirine, par exemple) qui modifie la fonction plaquettaire. Après le prélèvement de l'échantillon de moelle, on doit appliquer une pression sur le point de ponction pendant quelques minutes, puis le recouvrir d'un pansement stérile. La plupart des gens ne ressentent aucune douleur après la ponction de la moelle osseuse. Toutefois, le siège de la biopsie peut être sensible pendant un jour ou deux. Pour soulager cette douleur, la personne peut prendre des bains chauds et un analgésique léger (comme l'acétaminophène). On devrait s'abstenir de prendre de l'aspirine ou un anti-inflammatoire non stéroïdien, car ils peuvent augmenter le risque de saignement.

Prise en charge des affections hématologiques

Les affections sanguines les plus courantes sont l'anémie, la polycythémie, la leucopénie et la **neutropénie**, la leucocytose, la **leucémie,** le lymphome, le myélome multiple et divers troubles de l'hémostase et de la coagulation. Lorsque l'infirmière prend en charge des personnes atteintes de ces maladies, elle doit se livrer à un examen clinique et à un suivi attentifs et leur donner des soins et un enseignement appropriés afin de prévenir la détérioration de leur état et l'apparition de complications.

ANÉMIE

L'anémie ne constitue pas en soi une maladie spécifique, mais elle représente plutôt le signe d'une maladie sous-jacente. Elle est de loin l'affection hématologique la plus courante et elle se caractérise par des concentrations d'hémoglobine plus faibles que la normale, parce que le nombre d'érythrocytes dans la circulation est insuffisant. La conséquence principale est que la quantité d'oxygène acheminée vers les tissus est également restreinte.

On peut classer les anémies de diverses façons. Si on veut procéder à une classification physiologique (tableau 35-4 ■), on doit déterminer s'il faut attribuer le faible taux d'érythrocytes à une anomalie de production (anémie hypoproliférative), à la destruction qu'ils subissent (anémie hémolytique) ou à des saignements (anémie d'origine hémorragique). À savoir:

- *Baisse de la production d'érythrocytes* L'anémie peut découler d'une carence de l'un des cofacteurs (dont l'acide folique, la vitamine B_{12} et le fer) indispensables à l'érythropoïèse. La production d'érythrocytes peut également se trouver réduite en cas d'aplasie médullaire (due à une tumeur, à des toxines ou à certains médicaments) ou de stimulation inadéquate en raison d'une déficience en érythropoïétine (comme dans les maladies rénales chroniques).
- *Destruction accrue des érythrocytes* L'anémie peut découler de l'hyperactivité du système réticulo-endothélial (de l'hypersplénisme, entre autres) ou de la production par la moelle osseuse d'érythrocytes anormaux qui seront ensuite détruits par le SRE (comme dans la drépanocytose).
- *Perte d'érythrocytes* L'anémie est provoquée habituellement par des saignements provenant d'une source importante, comme le tractus gastro-intestinal, l'utérus, le nez ou une plaie.

Habituellement, les facteurs suivants permettent de déterminer si l'anémie est attribuable à la destruction des érythrocytes, ou à une production insuffisante:

- Capacité de la moelle à réagir à la diminution du nombre d'érythrocytes (confirmée par l'accroissement du nombre de réticulocytes circulants)

TABLEAU 35-4 Classification des anémies selon leur origine physiologique

Types d'anémies	Caractéristiques
Anémie hypoproliférative	Dans ce type d'anémie, la durée de vie des érythrocytes est habituellement normale, mais la moelle n'arrive pas à en produire en quantités suffisantes, comme en témoigne le faible nombre de réticulocytes circulants. La production insuffisante d'érythrocytes peut être attribuable à des lésions de la moelle causées par des médicaments ou par des produits chimiques (chloramphénicol, benzène, par exemple), ou à l'absence des facteurs nécessaires à la formation des érythrocytes (fer, vitamine B_{12}, acide folique, érythropoïétine).
Anémie hémolytique	L'anémie hémolytique est due à la destruction prématurée des érythrocytes, laquelle entraîne la libération dans le plasma de l'hémoglobine qu'ils contenaient. La destruction accrue des érythrocytes mène à une hypoxie tissulaire qui, à son tour, stimule la production d'érythropoïétine. Cette production accrue se traduit par l'augmentation du nombre de réticulocytes. L'hémoglobine libérée est transformée en grande partie en bilirubine; c'est pourquoi on observe une hausse de la concentration de bilirubine. L'**hémolyse** peut découler d'une anomalie des globules rouges (comme dans la drépanocytose et dans le cas d'une déficience en glucose-6-phosphate déshydrogénase [G-6-PD]) ou d'une anomalie du plasma (anémie hémolytique auto-immune), ou provenir de lésions affectant directement les globules rouges circulants (hémolyse due à une lésion mécanique provoquée par une prothèse cardiaque défectueuse, par exemple).
Anémie d'origine hémorragique	L'anémie de ce type est liée à une perte de sang.

- Taux de prolifération et mode de maturation des jeunes érythrocytes dans la moelle osseuse (révélés par la biopsie de la moelle osseuse)
- Présence ou absence dans la circulation de déchets provenant de la destruction des érythrocytes (concentration accrue de bilirubine, faible taux d'haptoglobine, par exemple)

On peut également classer les anémies selon leur étiologie (encadré 35-1 ■).

Manifestations cliniques

D'autres facteurs déterminent non seulement la gravité de l'anémie, mais aussi l'apparition de symptômes caractéristiques:

- La vitesse d'évolution de l'anémie
- La durée de l'anémie (sa chronicité)
- Les besoins métaboliques de la personne
- Les autres atteintes ou maladies concomitantes (maladie cardiovasculaire, par exemple)
- Les complications particulières ou les caractéristiques concomitantes de la maladie ayant provoqué l'anémie

En général, plus l'anémie évolue rapidement, plus les symptômes sont graves. Il arrive que chez des personnes par ailleurs en bonne santé, il se produise une réduction graduelle des concentrations d'hémoglobine pouvant aller jusqu'à 50 % sans que ces personnes présentent de symptômes prononcés ou d'incapacité importante, tandis qu'une réduction rapide, ne serait-ce que de l'ordre de 30 %, pourrait provoquer un grave collapsus cardiovasculaire. Les personnes qui souffrent d'anémie depuis très longtemps et dont les concentrations d'hémoglobine se situent entre 90 et 110 g/L ne présenteront habituellement pas de symptômes, ou seulement des symptômes légers, par exemple une légère tachycardie à l'effort ou de la fatigue.

Les personnes qui sont habituellement très actives ou qui ont de nombreuses responsabilités sont plus susceptibles de présenter des symptômes, lesquels seront vraisemblablement plus prononcés chez elles que chez les personnes sédentaires. Ainsi, une personne atteinte d'hypothyroïdie et ayant des besoins réduits en oxygène peut rester totalement asymptomatique, ne présenter ni tachycardie ni hausse du débit cardiaque, alors que sa concentration d'hémoglobine est de 100 g/L. Par ailleurs, les personnes souffrant également d'une maladie cardiaque, vasculaire ou pulmonaire peuvent présenter des symptômes d'anémie plus prononcés (par exemple dyspnée, douleurs thoraciques, douleurs ou crampes musculaires), tout en ayant une concentration d'hémoglobine plus élevée que les personnes qui ne souffrent pas de ce type de maladies.

Enfin, certaines anémies se compliquent en raison de diverses anomalies associées à la maladie sous-jacente. Ces anomalies peuvent entraîner des symptômes qui éclipsent entièrement ceux de l'anémie, comme dans les crises douloureuses de la drépanocytose.

Examen clinique et examens paraclиniques

Pour déterminer la nature et la cause de l'anémie, on peut recourir à un grand nombre d'examens hématologiques

ENCADRÉ 35-1

Étiologie des anémies hypoprolifératives et des anémies hémolytiques

ANÉMIES HYPOPROLIFÉRATIVES

- Anémie ferriprive
- Anémie consécutive à une atteinte rénale
- Anémie consécutive à une maladie chronique
- Anémie aplasique
- Anémie mégoloblastique
  - Anémie attribuable à une carence en acide folique
  - Anémie attribuable à une carence en vitamine B_{12}
- Anémie attribuable à une anomalie de la production d'érythropoïétine (en raison d'un dysfonctionnement rénal)
- Anémie attribuable à un cancer ou à une inflammation
- Syndromes myélodysplasiques

ANÉMIES HÉMOLYTIQUES

Anémies hémolytiques acquises

- Anémie liée aux anticorps
  - Anémie iso-anticorps/réaction transfusionnelle*
  - Anémie hémolytique auto-immune (AHAI)*
  - Maladie des agglutinines froides
- Anémie non liée aux anticorps
  - Anomalie de la membrane érythrocytaire
  - Hémoglobinurie paroxystique nocturne
  - Maladie hépatique
  - Urémie
  - Traumatisme
  - Lésion mécanique provoquée par une prothèse cardiaque défectueuse
  - Anémie hémolytique micro-angiopathique
  - Infection
    - Bactérienne
    - Parasitaire
  - Coagulation intravasculaire disséminée (CIVD)*
  - Toxines
  - Hypersplénisme*

Anémies hémolytiques héréditaires

- Hémoglobine anormale
  - Drépanocytose*
  - Thalassémie*
- Anomalie de la membrane érythrocytaire
  - Sphérocytose héréditaire (maladie de Minkowski-Chauffard)*
  - Elliptocytose héréditaire
  - Acanthocytose
  - Stomatocytose
- Déficits enzymatiques
  - Déficit en glucose-6-phosphate déshydrogénase (G-6-PD)*

* Affections présentées plus loin dans le texte.

(tableau 35-5 ■). Lors de la première évaluation, les examens suivants sont particulièrement utiles: mesure de l'hémoglobine et de l'hématocrite, numération réticulocytaire et indices érythrocytaires, en particulier volume globulaire moyen (VGM). On recourt fréquemment aussi à d'autres examens: bilan du fer (concentration sérique du fer, capacité totale de fixation du fer, pourcentage de saturation et taux de ferritine), dosage sérique de la vitamine B_{12} et des folates (ou acide folique), ou encore de l'haptoglobine et de l'érythropoïétine. Les autres éléments de l'hémogramme aident à déterminer si l'anémie représente un problème isolé ou si elle relève d'une autre maladie hématologique, par exemple de la leucémie ou du syndrome myélodysplasique. On peut aussi effectuer une ponction de la moelle osseuse. De plus, d'autres examens paracliniques peuvent être effectués pour déceler la présence d'une maladie chronique sous-jacente, d'un cancer par exemple, ou pour cerner l'origine d'un saignement, notamment des polypes ou des ulcères du tractus gastro-intestinal.

Complications

Les complications générales de l'anémie grave comprennent l'insuffisance cardiaque, les paresthésies et la confusion. Quelle que soit la gravité de l'anémie, les personnes atteintes d'une maladie cardiovasculaire sous-jacente ont beaucoup plus de risques que les autres de souffrir d'une angine ou de symptômes d'insuffisance cardiaque. Les complications associées à chaque type d'anémie accompagnent la description de l'affection en question.

Traitement médical

Le traitement de l'anémie vise à remédier au problème sous-jacent ou à le maîtriser. S'il s'agit d'une anémie grave, les érythrocytes détruits peuvent être remplacés grâce à la transfusion d'un culot globulaire (concentré de globules rouges). Le traitement médical des diverses anémies est exposé dans les pages qui suivent.

TABLEAU 35-5 Résultats des examens paracliniques en fonction des types d'anémies

Types d'anémies selon la cause	Résultats des examens paracliniques
ANÉMIE HYPOPROLIFÉRATIVE (PRODUCTION INSUFFISANTE D'ÉRYTHROCYTES)	
Ferriprive	Diminution des concentrations de réticulocytes, de fer et de ferritine; diminution du VGM*; augmentation de la CTFF**
Carence en vitamine B_{12}	Diminution de la concentration de vitamine B_{12}; hausse du VGM
Carence en acide folique	Diminution de la concentration d'acide folique; hausse du VGM
Anomalie de la production d'érythropoïétine (en raison d'un dysfonctionnement rénal)	Diminution de la concentration d'érythropoïétine; VGM et TCMH*** normaux; hausse de la concentration de créatinine
Cancer ou inflammation	VGM et TCMH normaux; concentration d'érythropoïétine normale ou basse; coefficient élevé de saturation en fer, hausse de la concentration de ferritine, concentration de fer et CTFF réduites
ANÉMIE D'ORIGINE HÉMORRAGIQUE (PERTE D'ÉRYTHROCYTES)	
Saignement provenant de l'appareil gastro-intestinal, ménorragie (règles abondantes), épistaxis (saignement de nez), traumatisme	Hausse de la concentration de réticulocytes; concentration d'Hb et hématocrite normaux au début des saignements, mais diminuant par la suite; VGM normal au départ, mais diminuant par la suite; plus tard, concentrations de ferritine et de fer réduites
ANÉMIE HÉMOLYTIQUE (DESTRUCTION DES ÉRYTHROCYTES)	
Anomalies de l'érythropoïèse (drépanocytose, thalassémie, autres hémoglobinopathies)	VGM réduit; érythrocytes fragmentés; hausse de la concentration de réticulocytes
Hypersplénisme (hémolyse)	Hausse du VGM
Origine médicamenteuse	Hausse du taux de sphérocytes (globules rouges sphériques de taille anormalement petite)
Auto-immune	Hausse du taux de sphérocytes
Lésion mécanique provoquée par une prothèse cardiaque défectueuse	Érythrocytes fragmentés

*VGM: volume globulaire moyen
**CTFF: capacité totale de fixation du fer
***TCMH: teneur corpusculaire moyenne en hémoglobine

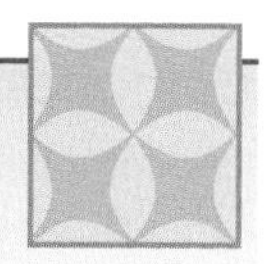

DÉMARCHE SYSTÉMATIQUE dans la pratique infirmière

Personne atteinte d'anémie

COLLECTE DES DONNÉES

L'anamnèse et l'examen physique fournissent des données essentielles sur la nature de l'anémie en cause, sur sa gravité, sur le type de signes et de symptômes qu'elle entraîne, ainsi que sur les répercussions que ces symptômes peuvent avoir sur la vie de la personne. Les signes et les symptômes de l'anémie touchant plusieurs fonctions, la collecte des données doit être systémique. La faiblesse, la fatigue et une sensation de malaise général représentent des symptômes courants, tout comme la pâleur de la peau et des muqueuses (conjonctive, bouche, lit des ongles).

L'ictère peut être présent chez les personnes atteintes d'anémie mégaloblastique ou d'anémie hémolytique. La langue peut être dépapillée, rouge et douloureuse, notamment dans l'anémie ferriprive ou mégaloblastique (figure 35-6 ■). Les coins de la bouche et les lèvres peuvent être fissurés (**chéilite commissurale**) dans ces deux types d'anémies. Les personnes présentant une carence en fer peuvent éprouver impérieusement le besoin de consommer de la glace, de l'amidon ou de la terre (perversion du goût connue sous le nom de pica); leurs ongles peuvent être cassants, bosselés et concaves.

Lors de la collecte des données, l'infirmière devrait se renseigner sur le traitement médicamenteux donné à la personne, car certains médicaments (chloramphénicol, méthotrexate, antibiotiques sulfamidés, pyriméthamine [Daraprim], sulfasalazine [Salazopyrin], notamment) peuvent entraîner une dépression médullaire ou modifier le métabolisme de l'acide folique. Elle se renseignera également sur les habitudes de consommation d'alcool (quantités ingérées et durée de la consommation). Les antécédents familiaux ont également de l'importance, car certaines anémies sont héréditaires. L'infirmière s'informe également du type d'activités sportives, car la pratique des exercices extrêmes peut ralentir l'érythropoïèse et la durée de vie des érythrocytes chez certains athlètes.

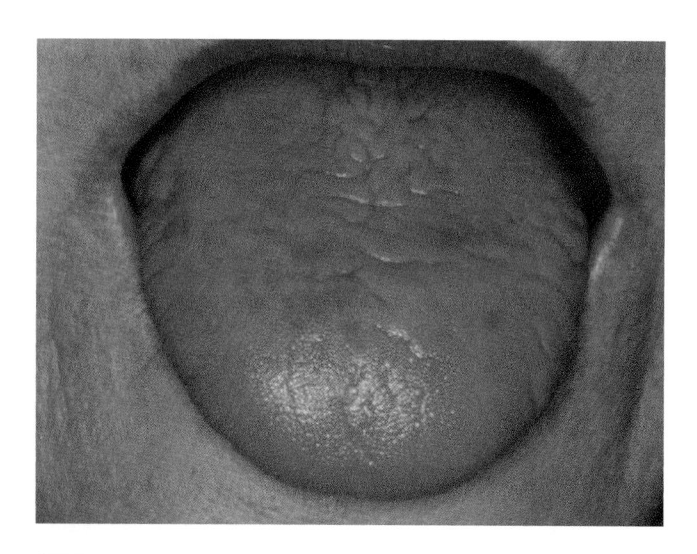

FIGURE 35-6 ■ Anémie mégaloblastique. SOURCE: VCU Libraries, Tompkins McCaw Library for the Social Sciences, 2003, Richmond (Virginia).

Il faut s'intéresser au bilan nutritionnel, qui permet de déceler les carences en nutriments essentiels, tels que le fer, la vitamine B_{12} et l'acide folique. Les enfants issus des milieux défavorisés ont un plus grand risque de souffrir d'anémie, en raison de carences nutritionnelles. Les végétariens stricts sont eux aussi exposés au risque d'anémie mégaloblastique s'ils ne prennent pas de suppléments de vitamine B_{12}.

La fonction cardiovasculaire doit faire l'objet d'une attention particulière. Lorsque la concentration d'hémoglobine est faible, le cœur tente de compenser le déficit en pompant le sang plus rapidement et plus fortement pour en livrer une plus grande quantité aux tissus hypoxiques. L'accroissement du travail cardiaque peut engendrer l'apparition de signes et de symptômes tels que la tachycardie, les palpitations, la dyspnée, les étourdissements, l'orthopnée ou la dyspnée à l'effort. De l'insuffisance cardiaque peut se manifester ultérieurement; elle se traduira par de très nombreux symptômes (chapitre 32).

Lors de l'examen de la fonction gastro-intestinale, l'infirmière interroge la personne à propos des douleurs abdominales, des nausées et des vomissements (elle se renseigne sur l'aspect des vomissures [par exemple: «Prennent-elles l'aspect du marc de café?»]), du méléna ou selles noires, de la diarrhée et de l'anorexie. L'analyse des selles peut révéler la présence de sang occulte. L'infirmière devrait poser aux femmes des questions précises au sujet de leur cycle menstruel (par exemple règles abondantes, autres saignements vaginaux) et de l'utilisation de suppléments de fer au cours de la grossesse.

L'examen de la fonction neurologique est également important, car il permet de déterminer l'effet de l'anémie pernicieuse sur les systèmes nerveux central et périphérique. Les questions porteront sur la présence de paresthésies périphériques (engourdissements ou picotements) et leur gravité, sur le manque de coordination et sur la confusion. Enfin, il faut suivre de près les résultats des examens paracliniques et noter tout changement qui intervient au fil du temps. La figure 35-7 ■ présente les effets systémiques les plus courants de l'anémie.

ANALYSE ET INTERPRÉTATION

Diagnostics infirmiers

En se fondant sur les données recueillies, l'infirmière peut poser les diagnostics infirmiers suivants:

- Intolérance à l'activité, reliée à la faiblesse, à la fatigue ou à un malaise général
- Alimentation déficiente (besoins non comblés), reliée à un apport insuffisant en nutriments essentiels
- Irrigation tissulaire inefficace, reliée à un volume sanguin insuffisant ou à un hématocrite réduit
- Non-observance du traitement prescrit

Problèmes traités en collaboration et complications possibles

En se fondant sur les données recueillies, l'infirmière peut déterminer les complications susceptibles de survenir, notamment:

- Insuffisance cardiaque
- Paresthésie
- Confusion

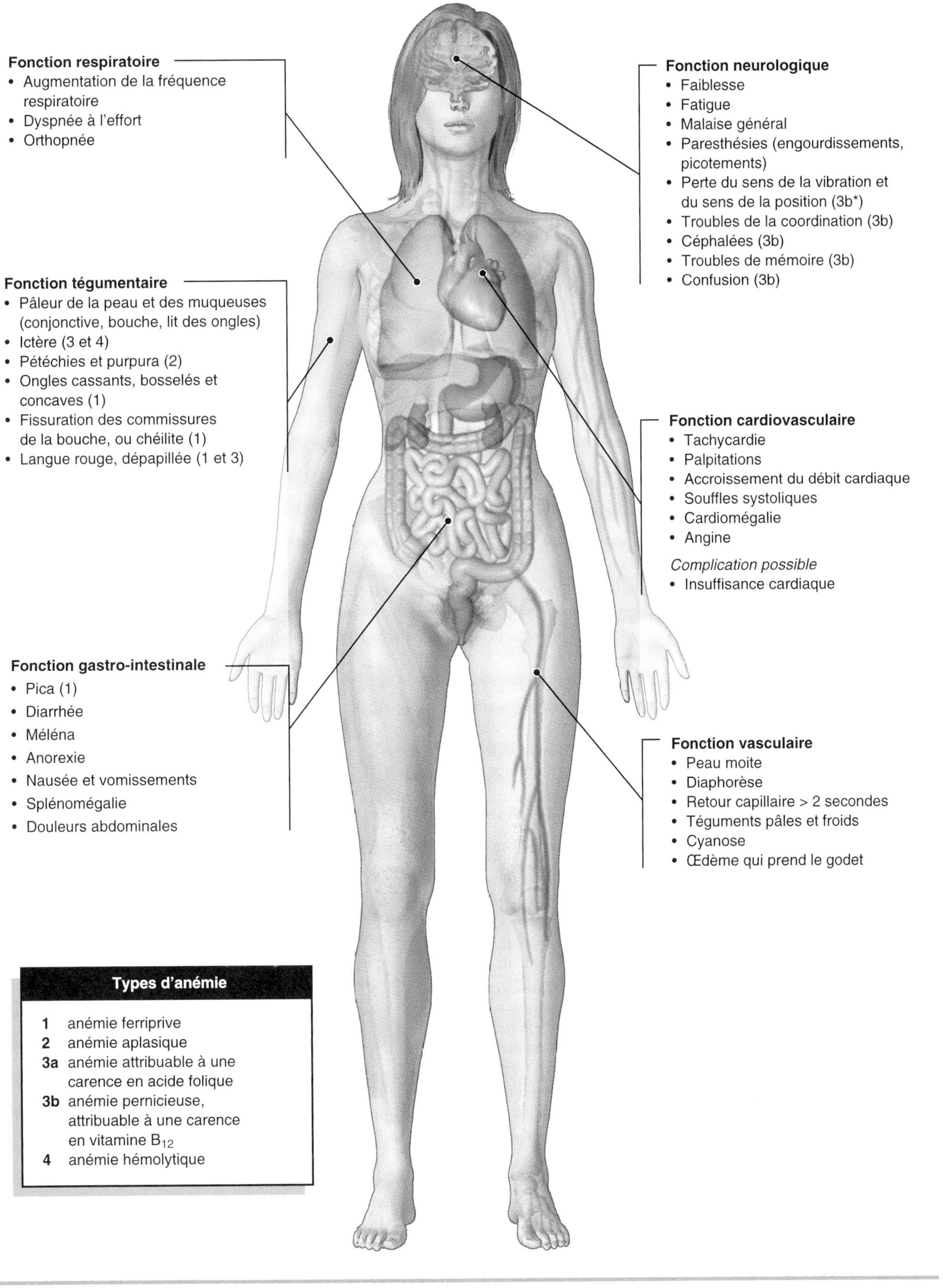

Fonction respiratoire
- Augmentation de la fréquence respiratoire
- Dyspnée à l'effort
- Orthopnée

Fonction neurologique
- Faiblesse
- Fatigue
- Malaise général
- Paresthésies (engourdissements, picotements)
- Perte du sens de la vibration et du sens de la position (3b*)
- Troubles de la coordination (3b)
- Céphalées (3b)
- Troubles de mémoire (3b)
- Confusion (3b)

Fonction tégumentaire
- Pâleur de la peau et des muqueuses (conjonctive, bouche, lit des ongles)
- Ictère (3 et 4)
- Pétéchies et purpura (2)
- Ongles cassants, bosselés et concaves (1)
- Fissuration des commissures de la bouche, ou chéilite (1)
- Langue rouge, dépapillée (1 et 3)

Fonction cardiovasculaire
- Tachycardie
- Palpitations
- Accroissement du débit cardiaque
- Souffles systoliques
- Cardiomégalie
- Angine

Complication possible
- Insuffisance cardiaque

Fonction gastro-intestinale
- Pica (1)
- Diarrhée
- Méléna
- Anorexie
- Nausée et vomissements
- Splénomégalie
- Douleurs abdominales

Fonction vasculaire
- Peau moite
- Diaphorèse
- Retour capillaire > 2 secondes
- Téguments pâles et froids
- Cyanose
- Œdème qui prend le godet

Types d'anémie

1	anémie ferriprive
2	anémie aplasique
3a	anémie attribuable à une carence en acide folique
3b	anémie pernicieuse, attribuable à une carence en vitamine B_{12}
4	anémie hémolytique

FIGURE 35-7 ■ Effets multisystémiques les plus courants de l'anémie.

SOURCE : © Stéphane Bourrelle.

Planification

Les principaux objectifs sont les suivants: accroître la tolérance à l'effort; assurer ou préserver un état nutritionnel satisfaisant; assurer une irrigation tissulaire adéquate; observer le traitement prescrit; et prévenir les complications.

Interventions infirmières

Prendre en charge la fatigue

La fatigue constitue le symptôme et la complication le plus souvent observés dans le cas de l'anémie. Les professionnels de la santé sous-estiment trop souvent l'importance de ce symptôme, qui a pourtant des effets très marqués sur la capacité d'agir de la personne et, par le fait même, sur sa qualité de vie. La fatigue due à l'anémie s'apparente à une sensation d'accablement. Elle peut être sérieuse, même si l'anémie n'est pas suffisamment grave pour que des transfusions s'imposent. Elle peut entraver la poursuite des activités quotidiennes, tant à la maison qu'à l'extérieur. Elle peut nuire aux rapports familiaux et amicaux. Les personnes qui en souffrent perdent souvent tout intérêt pour les loisirs et les activités, et même pour les rapports sexuels. La détresse provoquée par la fatigue est souvent liée aux responsabilités assumées par la personne qui en souffre et aux exigences de la vie, ainsi qu'à l'aide et au soutien qu'elle reçoit de son entourage.

Les interventions infirmières consistent surtout à aider la personne à établir un ordre de priorité pour ses activités, à atteindre un certain équilibre entre l'activité et le repos; cet équilibre devra être réalisable de son point de vue. Les personnes atteintes d'anémie chronique doivent s'adonner à des activités physiques afin de rester en forme.

Assurer une alimentation adéquate

Certaines anémies peuvent découler d'un apport insuffisant en nutriments essentiels, par exemple en fer, en vitamine B_{12}, en acide folique et en protéines. Les symptômes associés à l'anémie (la fatigue ou l'anorexie, par exemple) peuvent, à leur tour, nuire à une alimentation adéquate. L'infirmière devrait encourager la personne anémique à avoir une alimentation équilibrée. Comme l'alcool influe sur l'utilisation des nutriments essentiels, l'infirmière recommandera à la personne de s'abstenir de consommer de l'alcool, ou d'en limiter la consommation, en lui précisant le bien-fondé de cette recommandation. Elle personnalise les séances d'enseignement portant sur l'alimentation, en tenant compte des aspects culturels liés aux préférences alimentaires et à la préparation des plats. La participation des membres de la famille favorise l'observance des recommandations portant sur le régime alimentaire. L'infirmière peut également conseiller à la personne de prendre des suppléments (vitamines, fer, acide folique et protéines, par exemple).

Il importe également que la personne atteinte d'anémie et ses proches placent le rôle joué par les suppléments nutritifs dans le contexte approprié. En effet, de nombreux types d'anémies ne sont pas provoquées par des carences nutritionnelles; dans les cas de ce genre, même un apport important en suppléments ne remédiera pas à l'anémie. Un des problèmes qu'on peut observer chez les personnes qui doivent fréquemment recevoir des transfusions sanguines est l'usage abusif qu'elles font des suppléments de fer. À moins qu'elles ne suivent un programme intensif de traitements par chélation, ces personnes sont exposées à un risque accru de surcharge en fer, lié aux transfusions. L'ajout d'un supplément de fer ne fait qu'aggraver cette surcharge.

Assurer une irrigation tissulaire adéquate

L'irrigation tissulaire peut être inadéquate chez les personnes qui subissent une hémorragie aiguë ou une hémolyse grave, en raison de la réduction du volume sanguin ou de l'insuffisance du nombre d'érythrocytes circulants (hématocrite réduit). On peut remédier à la déplétion volémique à l'aide de transfusions sanguines ou de perfusions intraveineuses de solutés, selon les symptômes et les résultats des épreuves de laboratoire. Il faut parfois administrer une oxygénothérapie, laquelle est rarement de longue durée, sauf si la personne présente une maladie cardiaque ou pulmonaire sous-jacente grave. L'infirmière doit suivre de près les signes vitaux. Il peut être nécessaire d'adapter la dose des médicaments antihypertenseurs ou de cesser leur administration.

Favoriser l'observance du traitement prescrit

Le médecin prescrit souvent aux personnes atteintes d'anémie des médicaments ou des suppléments nutritifs afin d'atténuer ou de faire disparaître les symptômes de l'anémie. L'infirmière fournit pour sa part des explications détaillées concernant l'objectif du traitement et sa durée, la posologie du médicament et la façon d'en traiter les effets secondaires. Pour favoriser l'observance du traitement, elle peut aider la personne à trouver des moyens d'adapter le plan de traitement à ses habitudes de vie, au lieu de lui remettre simplement une liste de consignes. Par exemple, de nombreuses personnes ont du mal à prendre les suppléments de fer en raison des effets gastro-intestinaux qu'ils entraînent. Plutôt que de consulter un professionnel de la santé qui pourrait les conseiller à cet égard, certaines arrêtent tout simplement de prendre les suppléments de fer.

Le fait de cesser brusquement de prendre certains médicaments peut avoir des conséquences graves, notamment dans le cas des fortes doses de corticostéroïdes utilisées dans le traitement de l'anémie hémolytique.

Prévenir et traiter les complications

L'insuffisance cardiaque représente une complication importante de l'anémie. Elle découle d'une déplétion prolongée du volume sanguin et de la surcharge de travail que fournit le cœur pour tenter d'accroître le débit cardiaque. Les personnes anémiques devraient faire l'objet d'une évaluation des signes et symptômes de l'insuffisance cardiaque. Il peut être utile de mesurer quotidiennement le poids corporel, intervention qui fournit des résultats précis, alors qu'il n'en est pas toujours ainsi dans le cas des ingesta et des excreta. Si on observe une rétention hydrique associée à l'insuffisance cardiaque, on peut administrer des diurétiques.

Dans les formes mégaloblastiques de l'anémie, les complications importantes qui peuvent survenir sont d'ordre neurologique. Par conséquent, l'infirmière effectuera un examen neurologique des personnes atteintes d'anémie mégaloblastique avérée ou potentielle. Ces personnes peuvent d'abord se plaindre de paresthésie (sensation anormale en présence d'un stimulus anodin) dans les membres inférieurs. La sensation qui l'accompagne prend habituellement la forme d'engourdissements et de picotements dans les orteils; ces symptômes évoluent graduellement. Au fur et à mesure que l'anémie s'aggrave ou lorsque la moelle épinière est atteinte, d'autres signes se manifestent. On observe alors un affaiblissement du sens de la position et du sens vibratoire; les troubles de l'équilibre ne sont pas rares et certaines personnes éprouvent aussi des troubles de la démarche. On peut aussi noter de la confusion, légère au début et s'aggravant peu à peu.

ÉVALUATION

Résultats escomptés

Les principaux résultats escomptés sont les suivants:

1. La personne tolère l'effort s'il est d'un niveau sûr et acceptable.
   a) Elle sait équilibrer le repos, les activités et l'effort.
   b) Elle établit un ordre de priorité pour ses activités.
   c) Elle pratique des activités correspondant à son degré d'énergie.
2. La personne a atteint un équilibre nutritionnel approprié et elle le conserve.
   a) Elle consomme des aliments sains.
   b) Elle conçoit des menus qui favorisent une nutrition optimale.
   c) Elle prend des quantités suffisantes de fer, de vitamines et de protéines, d'origine alimentaire ou provenant de suppléments.
   d) Elle respecte les recommandations de son médecin concernant la prise de suppléments alimentaires.
   e) Elle montre qu'elle comprend pourquoi on lui recommande de prendre des suppléments alimentaires.
   f) Elle montre qu'elle comprend pourquoi on lui conseille de s'abstenir de prendre des suppléments alimentaires qui ne lui ont pas été recommandés.
   g) Elle montre qu'elle comprend pourquoi on lui recommande de consommer moins d'alcool.
3. La personne conserve une irrigation tissulaire adéquate.
   a) Ses signes vitaux se situent dans ses valeurs de base.
   b) La saturation de l'hémoglobine en oxygène se situe dans les valeurs normales.
4. La personne ne présente pas de complications.
   a) Elle évite de s'adonner à des activités qui provoquent de la dyspnée, des palpitations, des étourdissements ou de la tachycardie, ou elle en limite la fréquence.
   b) Elle prend des mesures qui lui assurent le repos et le bien-être dans le but d'atténuer la dyspnée.
   c) Ses signes vitaux se situent dans ses valeurs de base.
   d) Elle ne manifeste aucun signe de rétention hydrique accrue (œdème des membres inférieurs, réduction du débit urinaire, dilatation de la veine jugulaire, par exemple).
   e) Elle s'oriente bien par rapport au temps, à l'espace et à son entourage.
   f) Elle se déplace en toute sécurité, en utilisant les aides dont elle a besoin.
   g) Elle évite les chutes ou les accidents.
   h) Elle montre qu'elle comprend l'importance qu'il y a à obtenir des formules sanguines complètes à intervalles réguliers.
   i) Elle prend des mesures pour prévenir les accidents au domicile et, au besoin, se fait aider.

Anémies hypoprolifératives

Parmi les anémies hypoprolifératives, on distingue l'anémie ferriprive, les anémies consécutives à une insuffisance rénale ou à une affection chronique, l'anémie aplasique, l'anémie mégaloblastique et les syndromes myélodysplasiques.

Anémie ferriprive

L'anémie ferriprive se manifeste quand l'alimentation ne procure pas suffisamment de fer pour que la synthèse de l'hémoglobine s'accomplisse. L'organisme peut emmagasiner de un quart à un tiers environ du fer dont il a besoin, et l'anémie ne se manifeste qu'au moment où les stocks sont épuisés. L'anémie ferriprive est le type le plus courant d'anémie dans tous les groupes d'âge; c'est celle qui se rencontre le plus fréquemment à l'échelle mondiale. Plus de 500 millions de personnes en sont atteintes, surtout celles qui vivent dans les pays en voie de développement, car les réserves de fer de l'organisme y sont insuffisantes en raison d'un apport en fer inadéquat (phénomène observé également chez les végétariens qui ne prennent pas de suppléments) ou de saignements (comme dans le cas des personnes atteintes d'ankylostomiase intestinale). Les carences en fer sont également courantes au Canada. Chez les enfants, les adolescents et les femmes enceintes, l'anémie ferriprive provient souvent de l'insuffisance de l'apport alimentaire, lequel ne peut combler les besoins de l'organisme qui se trouve en période de croissance. Toutefois, chez la plupart des adultes, l'anémie ferriprive est provoquée par des saignements. En fait, jusqu'à preuve du contraire, on devrait considérer que pour ce groupe de personnes, l'anémie ferriprive est imputable aux saignements.

La carence en fer chez les hommes et chez les femmes ménopausées est le plus souvent attribuable à des saignements engendrés par des ulcères, une gastrite, une maladie intestinale inflammatoire ou des tumeurs gastro-intestinales. Par ailleurs, chez les femmes en âge de procréer, la cause la plus courante d'anémie ferriprive est la ménorragie (saignements menstruels très abondants) et la grossesse, si la personne ne prend pas de suppléments de fer en quantité suffisante. Chez les personnes atteintes d'alcoolisme chronique, l'anémie ferriprive est souvent la conséquence de pertes sanguines de longue durée depuis le tractus gastro-intestinal, qui entraînent une carence en fer. Parmi les autres causes possibles, citons la malabsorption du fer découlant d'une gastrectomie ou de la maladie cœliaque.

Manifestations cliniques

Les personnes qui souffrent d'une carence en fer présentent surtout les symptômes caractéristiques de l'anémie. Si la carence est importante ou prolongée, on observera également les symptômes suivants: langue dépapillée et sensible, ongles cassants et bosselés, chéilite (fissuration des commissures des lèvres). La personne atteinte peut également présenter un pica. Ces symptômes disparaissent une fois les réserves de fer reconstituées. L'anamnèse renseigne l'infirmière sur les grossesses nombreuses ou les saignements gastro-intestinaux.

Examen clinique et examens paracliniques

L'examen paraclinique permettant de poser sans équivoque le diagnostic d'anémie ferriprive est la ponction de la moelle osseuse, qui peut confirmer l'absence de réserves médullaires de fer; grâce à cet examen, on décèle la plus petite quantité de fer colorable. Toutefois, parmi les personnes dont l'état donne à penser qu'elles souffrent d'anémie ferriprive, seul un petit nombre seront soumises à une ponction de la moelle osseuse. On peut dans bien des cas poser le diagnostic à l'aide d'autres examens, en particulier si les personnes sont atteintes de maladies qui les prédisposent à ce type d'anémie.

Les paramètres des analyses sanguines qui renseignent sur les réserves de fer et les concentrations d'hémoglobine sont fortement corrélés. Lorsque les réserves de fer sont épuisées (faible concentration sérique de ferritine), la concentration d'hémoglobine chute à son tour. La réduction de la réserve de fer cause la production d'érythrocytes de petite taille. Par conséquent, au fur et à mesure que l'anémie évolue, le volume globulaire moyen (VGM), qui indique la taille des érythrocytes, diminue également. L'hématocrite et les concentrations d'érythrocytes baissent en même temps que les concentrations d'hémoglobine. D'autres examens de laboratoire renseignant sur les réserves de fer ont également leur utilité, mais ils sont moins fiables que le dosage de la ferritine, qui permet de mesurer ces réserves. En effet, la faible ferritinémie est l'indice le plus sûr d'une réserve de fer insuffisante. Habituellement, la concentration de fer sérique est faible chez les personnes atteintes d'anémie ferriprive, alors que la capacité totale de fixation du fer (CTFF) est élevée. La capacité totale de fixation du fer sert à mesurer le taux de protéines de transport qui approvisionnent la moelle en fer, selon les besoins (ces protéines portent le nom de transferrines). Toutefois, d'autres problèmes de santé, comme les infections et les inflammations, peuvent également abaisser la concentration sérique de fer et la capacité totale de fixation du fer, tout en élevant la ferritinémie. C'est pourquoi les résultats des épreuves de laboratoire qui permettent de diagnostiquer l'anémie ferriprive avec la plus grande certitude sont les concentrations de ferritine et d'hémoglobine.

Traitement médical

Sauf en cas de grossesse, on devrait toujours rechercher la cause sous-jacente d'un déficit en fer. L'anémie peut être le signe d'un cancer gastro-intestinal ou d'un fibrome utérin. On devrait analyser des échantillons de selles afin de détecter la présence de sang occulte. Les personnes âgées de 50 ans et plus devraient se soumettre à une coloscopie, à une endoscopie ou à une radiographie du tractus gastro-intestinal permettant de déceler les ulcérations, les gastrites, les polypes et les cancers. On peut traiter l'anémie ferriprive en donnant des préparations de fer administrées par voie orale, par exemple du sulfate ferreux, du gluconate ferreux ou du fumarate ferreux. Grâce à elles, la concentration d'hémoglobine peut s'élever en l'espace de quelques semaines, et on peut remédier à l'anémie en quelques mois. Comme la reconstitution des réserves de fer exige davantage de temps, il est important de continuer à prendre des suppléments pendant au moins 6 à 12 mois.

Dans certains cas, le fer pris par voie orale est insuffisamment absorbé ou mal toléré, ou encore il faut en consommer de grandes quantités. Il est alors conseillé d'administrer du fer sous forme de fer-dextran (Infufer) par voie intraveineuse ou intramusculaire, ou du fer sucrose (Venofer) par voie intraveineuse. Avant d'administrer la première dose par voie parentérale, on devrait faire un essai avec une faible dose, pour prévenir le risque d'anaphylaxie associé à la voie parentérale (surtout avec le fer-dextran). On devrait donc toujours garder à portée de la main des médicaments d'urgence (épinéphrine, par exemple). Si au bout de 60 minutes on n'observe aucun signe de réaction allergique, on administre le reste de la dose. Il faut donner plusieurs doses pour rétablir pleinement les réserves de fer.

Soins et traitements infirmiers

Comme l'anémie ferriprive est courante chez les femmes menstruées ou enceintes, il faut leur apprendre à la prévenir. Les aliments riches en fer comprennent les abats (foie de bœuf ou de veau, foie de poulet), les autres viandes, les fèves (haricots noirs, haricots pinto et pois chiches), les légumes verts à feuilles (épinards, choux de Bruxelles), les raisins secs et la mélasse. Si on consomme des aliments riches en fer en même temps que des aliments renfermant de la vitamine C, l'absorption du fer s'effectue de manière plus efficace.

Il incombe à l'infirmière d'aider les personnes à choisir des aliments sains. Elle peut aussi donner des conseils nutritionnels à celles dont l'alimentation n'est pas adéquate. Elle informera les personnes qui suivent des régimes miracles ou des régimes végétariens stricts que ces types d'alimentation n'assurent pas un apport suffisant en fer absorbable. Elle les encouragera également à prendre les suppléments de fer pendant toute la durée indiquée dans l'ordonnance, même si elles ne ressentent plus de fatigue.

L'absorption du fer étant optimale lors d'une ingestion à jeun, l'infirmière doit préciser qu'il faut prendre les suppléments une heure avant ou deux heures après les repas. Les antiacides, le café, le thé, les produits laitiers, les œufs et le pain de blé entier réduisent de 33 % l'absorption du fer. Il faut éviter de prendre des comprimés enrobés ou des préparations à libération lente, car ils libèrent le fer trop loin dans l'intestion, et l'absorption se fait surtout au niveau du duodénum et du jéjunum. D'autres personnes ont de la difficulté à prendre des suppléments de fer en raison des effets secondaires gastro-intestinaux qu'ils occasionnent (constipation surtout, mais aussi crampes, nausées et vomissements). Dans ce cas, il faudrait leur conseiller d'utiliser certaines préparations de fer qui entraînent moins d'effets secondaires gastro-intestinaux ou de prendre un laxatif pour soulager la constipation. Des outils didactiques particuliers, tels que les consignes fournies dans l'encadré 35-2 ■, peuvent aider les personnes qui doivent prendre des suppléments de fer.

Si le supplément de fer pris à jeun provoque des douleurs gastriques, la personne peut le prendre avec des aliments, bien que dans ce cas l'absorption soit réduite d'au moins 50 %, ce qui prolonge le temps nécessaire à la reconstitution des réserves de fer. Cependant, il ne faut pas consommer d'antiacides, de suppléments de calcium ou de magnésium, ni de produits laitiers en même temps que le fer (il faut espacer leur consommation de plusieurs heures), car ils en diminuent grandement l'absorption. Le fer étant mieux absorbé en milieu acide, on l'administre parfois avec des comprimés de vitamine C (acide ascorbique).

On peut également se procurer du fer en préparations liquides, qui occasionnent moins de malaises gastro-intestinaux. Toutefois, ces préparations tachent les dents. Il est donc préférable de les boire à l'aide d'une paille; après quoi il faut se rincer la bouche avec de l'eau. Une bonne hygiène buccale est essentielle. Enfin, l'infirmière doit également prévenir la personne que les sels de fer peuvent donner aux selles une coloration vert sombre ou noire. Cependant, les suppléments de fer n'entraînent pas de résultats faussement positifs aux analyses visant à dépister le sang occulte dans les selles.

L'injection intramusculaire de fer-dextran entraîne des douleurs locales et peut tacher la peau. Pour atténuer ces effets secondaires, on doit injecter le fer-dextran profondément dans le muscle grand fessier (dans la fesse), en utilisant la technique en Z. Il faut éviter de frotter l'endroit après l'injection.

Anémie consécutive à une insuffisance rénale

La gravité de l'anémie qui se manifeste dans les cas d'insuffisance rénale grave varie grandement d'une personne à l'autre, mais en général la maladie n'est observable que lorsque la concentration sérique de créatinine dépasse 250 µmol/L pour un adulte de poids normal. Les symptômes de l'anémie sont souvent ceux qui seront le plus susceptibles d'incommoder la personne. L'hématocrite s'abaisse habituellement pour se situer entre 20 et 30 %; il peut descendre jusqu'à moins de 15 %, mais cela se produit rarement. Le frottis de sang périphérique révèle des érythrocytes d'aspect normal.

L'anémie consécutive à une insuffisance rénale est due à un léger raccourcissement de la durée de vie des érythrocytes et à la diminution de la sécrétion d'érythropoïétine (substance nécessaire à l'érythropoïèse). Au fur et à mesure que la fonction rénale s'affaiblit, la sécrétion d'érythropoïétine rénale diminue également. Comme l'érythropoïétine est également produite ailleurs que dans les reins, la sécrétion peut se poursuivre jusqu'à un certain point, même à la suite d'une néphrectomie bilatérale. Toutefois, la quantité produite dans ce cas et l'érythropoïèse qui s'ensuit sont insuffisantes.

Chez les personnes soumises à une hémodialyse prolongée, la carence en fer s'explique par la perte de sang lors du traitement, tandis que la carence en acide folique est attribuable au passage de cette vitamine dans le liquide de dialyse. C'est pourquoi les personnes doivent faire l'objet de dosages du fer et de l'acide folique; si on détecte des carences, il faut leur administrer le traitement approprié.

Depuis le lancement sur le marché des érythropoïétines recombinantes (époétine alfa [Eprex], darbépoétine [Aranesp]), la manière de traiter l'anémie engendrée par l'insuffisance rénale grave s'est considérablement modifiée. En effet, grâce à ce type d'agents, on peut diminuer la fréquence des transfusions sanguines et donc les risques qui en découlent. L'érythropoïétine, administrée en association avec des suppléments de fer donnés par voie orale ou parentérale, peut hausser l'hématocrite et le maintenir à des taux se situant entre 33 et 38 %. Ce traitement s'est avéré efficace chez les personnes soumises à une dialyse. Nombreuses sont celles qui signalent une diminution de la fatigue, un regain d'énergie, un sentiment de mieux-être, une meilleure tolérance à l'effort et aux traitements de dialyse, et une meilleure qualité de vie en général. L'hypertension est l'effet secondaire le plus grave parmi cette population, si l'hématocrite s'élève rapidement. Par conséquent, il faut mesurer l'hématocrite fréquemment lorsqu'une personne atteinte de maladie rénale entame un traitement à l'érythropoïétine. On devrait adapter la dose d'érythropoïétine jusqu'à ce qu'on obtienne l'hématocrite souhaité. Chez certaines personnes, un hématocrite élevé et l'hypertension qui en découle peuvent imposer le recours à un traitement antihypertenseur.

Anémie consécutive à une affection chronique

L'expression « anémie consécutive à une affection chronique » désigne en fait l'anémie qui n'apparaît qu'en présence de certaines atteintes chroniques comme les maladies inflammatoires, les infections et le cancer. De nombreuses maladies

ENCADRÉ 35-2

ENSEIGNEMENT

Suppléments de fer

Les suppléments de fer sont généralement administrés par la bouche, habituellement sous forme de sulfate ferreux ($FeSO_4$). Bien des gens ont de la difficulté à tolérer les suppléments de fer, particulièrement en raison des effets gastro-intestinaux (nausées, crampes abdominales, constipation). Voici quelques consignes utiles qui leur faciliteront la prise des suppléments de fer:

- Prenez le fer à jeun (une heure avant ou deux heures après les repas). Le fer est moins bien absorbé s'il est pris avec des aliments, particulièrement avec des produits laitiers, du café ou du pain de blé entier.
- Pour prévenir les malaises gastro-intestinaux, voici une méthode qui pourrait être utile (s'il vous faut prendre plusieurs comprimés par jour): commencez par prendre un seul comprimé par jour pendant quelques jours, puis passez à deux comprimés par jour, puis à trois. Cette méthode permet à l'organisme de s'adapter graduellement à l'apport de fer.
- Augmentez votre consommation de vitamine C (agrumes, fruits ou jus, fraises, tomates, brocoli) pour améliorer l'absorption du fer.
- Consommez des aliments riches en fibres pour réduire la constipation.
- N'oubliez pas que vos selles prendront une couleur plus sombre que d'habitude.

Les préparations liquides de fer peuvent être mieux tolérées que les formes solides, mais leur prix est plus élevé. Elles peuvent aussi modifier la couleur des dents. Pour atténuer cet effet, buvez la préparation à l'aide d'une paille ou placez la cuillère à l'arrière de la bouche, puis rincez-vous bien la bouche avec de l'eau.

inflammatoires chroniques sont associées à une anémie **normochrome** et **normocytaire** (les érythrocytes sont de taille et de couleur normales). Ces maladies comprennent la polyarthrite rhumatoïde, les infections chroniques graves et de nombreux cancers. Par conséquent, afin de prescrire le traitement approprié, il est impératif de détecter l'affection chronique qui est à la source du problème, et ce, dès qu'un diagnostic de cette forme d'anémie est posé.

L'anémie est habituellement légère ou modérée et non évolutive. Elle s'installe graduellement en six à huit semaines et se stabilise ensuite à un hématocrite rarement inférieur à 25 %. La concentration d'hémoglobine chute rarement sous les 90 g/L. De plus, les éléments cellulaires de la moelle osseuse sont normaux et les réserves en fer accrues, car le fer provient du sérum (c'est pour cette raison qu'il ne produit pas de facteurs de croissance en mesure de lutter contre l'envahissement des agents pathogènes). La concentration d'érythropoïétine est faible, probablement parce que la production est réduite, et les **cellules de la lignée érythroïde** (les cellules qui sont ou qui deviendront des érythrocytes mûrs) monopolisent l'utilisation du fer. De plus, le temps de survie des érythrocytes se trouve légèrement raccourci.

La plupart des gens ne présentent qu'un petit nombre de symptômes; il n'est donc pas indispensable de traiter leur anémie. Si la maladie sous-jacente est prise en charge avec efficacité, le fer de la moelle osseuse servira à la production d'érythrocytes, et la concentration d'hémoglobine s'élèvera.

Anémie aplasique

L'anémie aplasique est une maladie plutôt rare; on l'attribue à une anomalie ou à la diminution du nombre des cellules souches, à une anomalie du micro-environnement de la moelle ou au remplacement de la moelle par des tissus adipeux, ce qui entraîne l'**aplasie** de la moelle osseuse (réduction marquée de l'hématopoïèse). L'anémie grave s'accompagne alors d'une neutropénie et d'une thrombocytopénie (faible teneur en plaquettes) marquées.

Physiopathologie

L'anémie aplasique peut être congénitale ou acquise, mais dans la plupart des cas elle est idiopathique (autrement dit sans cause apparente). Elle peut être déclenchée par des infections, la grossesse, certains médicaments, des agents chimiques (anticonvulsivants, benzène, chloramphénicol, insecticides) ou des radiations. Parmi les agents qui causent souvent l'aplasie de la moelle, citons le benzène et ses dérivés (la colle d'avion, par exemple). On a observé que certaines substances toxiques, notamment l'arsenic non organique et quelques pesticides (entre autres le DDT, qui a été retiré du marché au Canada et aux États-Unis), font également partie des agents qui peuvent provoquer ce genre d'anémie, tout comme divers médicaments.

Manifestations cliniques

Les manifestations de l'anémie aplasique sont souvent insidieuses. Les complications liées à la défaillance de la moelle osseuse peuvent survenir avant que le diagnostic ne soit posé. Les complications les plus courantes sont l'infection et les symptômes d'anémie (fatigue, pâleur, dyspnée, par exemple). Le purpura (formation d'ecchymoses) peut apparaître plus tard; dans ce cas, il faut effectuer un bilan hématologique et un hémogramme, si ce genre d'exploration n'a pas été entrepris dès le départ. Lorsqu'on observe de fréquentes infections de la gorge, une adénopathie cervicale peut être présente. D'autres types d'adénopathies et une splénomégalie se manifestent parfois et les hémorragies rétiniennes sont courantes.

Examen clinique et examens paracliniques

Dans de nombreux cas, l'anémie aplasique survient à la suite de l'ingestion, à des doses toxiques, d'un médicament ou d'une substance chimique. Toutefois, un petit nombre de personnes ayant pris le médicament à la dose recommandée en souffrent également. Dans ce cas, on considère l'affection comme une réaction idiosyncrasique de personnes très sensibles, qui serait due probablement à un défaut génétique dans la biotransformation du médicament ou dans son élimination. La ponction de la moelle osseuse révèle que celle-ci, extrêmement hypoplasique ou même aplasique (renfermant un petit nombre de cellules, sinon aucune), a été remplacée par des tissus adipeux.

Traitement médical

On suppose que les lymphocytes des personnes atteintes d'anémie aplasique détruisent les cellules souches et entravent par conséquent la production des érythrocytes, des leucocytes et des thrombocytes. Malgré sa gravité, l'anémie aplasique peut être traitée avec succès dans la plupart des cas. En effet, une personne de moins de 60 ans par ailleurs en bonne santé et pour laquelle on a trouvé un donneur compatible peut espérer se rétablir grâce à une greffe de moelle osseuse ou de cellules souches provenant du sang périphérique. Chez d'autres personnes, l'anémie peut être traitée grâce à des médicaments immunosuppresseurs. On administre le plus souvent en association de la globuline antithymocyte et de la cyclosporine. Les agents immunosuppresseurs empêchent les lymphocytes de détruire les cellules souches. En cas de rechute (autrement dit si la personne est atteinte de pancytopénie [diminution du nombre de cellules dans les trois principales lignées]), on peut administrer une fois de plus les mêmes agents immunologiques, qui permettront une nouvelle rémission. Les corticostéroïdes ne sont pas d'une grande utilité à titre d'agents immunosuppresseurs, car les personnes atteintes d'anémie aplasique semblent être particulièrement sensibles aux complications osseuses occasionnées par ces agents (par exemple, la nécrose aseptique de la tête fémorale).

Le traitement de soutien joue un rôle important dans la prise en charge de l'anémie aplasique. Il faut tout d'abord cesser d'administrer tout médicament qui pourrait être en cause et transfuser des érythrocytes et des plaquettes selon les besoins. Le décès est habituellement imputable à une hémorragie ou à une infection.

Soins et traitements infirmiers

Les personnes atteintes d'anémie aplasique sont prédisposées aux affections associées aux déficits en érythrocytes, en leucocytes et en plaquettes. Les infirmières doivent être à l'affût des signes d'infection ou d'hémorragie. On trouve une description des interventions particulières dans les sections qui traitent de la neutropénie et de la thrombocytopénie.

Anémie mégaloblastique

Les anémies dues aux carences en vitamine B_{12} ou en acide folique (vitamine B_9) se caractérisent par des changements identiques dans la moelle osseuse et le sang périphérique, car les deux vitamines sont essentielles à la synthèse normale de l'ADN. Dans ce type d'anémies, les érythrocytes ont une taille anormalement grosse et portent le nom de mégaloblastes. Les autres cellules dérivées des cellules souches myéloïdes (leucocytes non lymphoïdes, plaquettes) sont également anormales. L'analyse de la moelle osseuse révèle une **hyperplasie** (augmentation anormale du nombre de cellules); les précurseurs des érythrocytes et les cellules myéloïdes sont volumineux et d'aspect irrégulier. Ces érythrocytes et ces cellules myéloïdes anormaux sont détruits en grand nombre à l'intérieur de la moelle, de sorte que les cellules mûres qui quittent la moelle sont peu nombreuses, d'où le risque de **pancytopénie** (diminution du nombre global de cellules dérivées des cellules souches myéloïdes). Dans les stades avancés, la concentration d'hémoglobine peut n'atteindre que 40 à 50 g/L, le nombre de leucocytes n'être que de 2 000 à 3 000/mm^3 et le nombre de plaquettes être inférieur à 50 000/mm^3. Les cellules libérées dans la circulation ont souvent une forme anormale. Les neutrophiles sont hypersegmentés. Les plaquettes peuvent être anormalement grosses. Les érythrocytes, de forme anormale, prennent des aspects très variables (poïkilocytose). Comme les érythrocytes sont très volumineux, le VGM est très élevé, habituellement supérieur à 110 μm^3.

Physiopathologie

Anémie par carence en acide folique

L'acide folique, une vitamine nécessaire à la production des érythrocytes normaux, est emmagasiné sous forme de composés appelés folates. Les réserves de folates dans l'organisme sont bien plus modestes que les réserves de vitamine B_{12} et s'épuisent rapidement (en quatre mois) lorsque l'apport alimentaire est insuffisant. On retrouve les folates dans les légumes verts et dans le foie des animaux. On décèle souvent des carences en folates chez les personnes qui consomment peu de légumes crus. L'ingestion d'alcool accroît les besoins en acide folique; de plus, le régime alimentaire des personnes qui consomment de fortes quantités d'alcool est généralement pauvre en vitamine B_{12}. Les besoins en acide folique sont également plus élevés chez les personnes atteintes d'anémie hémolytique chronique et chez les femmes enceintes, car elles doivent produire davantage d'érythrocytes. Par ailleurs, chez certaines personnes atteintes de maladies de malabsorption de l'intestin grêle (comme la maladie cœliaque), l'acide folique peut ne pas être absorbé normalement.

Anémie par carence en vitamine B_{12}

La carence en vitamine B_{12} peut se manifester de diverses façons. L'apport alimentaire est rarement insuffisant, mais les végétariens stricts, qui ne consomment ni viande ni produits laitiers, peuvent présenter ce genre de carence. La malabsorption depuis le tractus gastro-intestinal se rencontre plus fréquemment (surtout dans la maladie de Crohn, ou encore à la suite d'une résection iléale ou d'une gastrectomie). On constate parfois l'absence du facteur intrinsèque, dans l'anémie pernicieuse par exemple. Le facteur intrinsèque est normalement sécrété par les cellules pariétales de la muqueuse gastrique; habituellement, il se fixe à la vitamine B_{12} de source alimentaire et est acheminé avec elle jusqu'à l'iléon, où la vitamine est absorbée. En l'absence du facteur intrinsèque, la vitamine B_{12} alimentaire ne peut être absorbée, ce qui conduit à une diminution de la production d'érythrocytes. Même si la vitamine B_{12} et le facteur intrinsèque sont présents en quantités suffisantes, une carence peut survenir si une maladie de l'iléon ou du pancréas entrave l'absorption de la vitamine B_{12}. L'anémie pernicieuse, qui est souvent héréditaire, touche surtout les adultes, plus particulièrement les personnes âgées. L'anomalie affecte la muqueuse gastrique. La paroi de l'estomac s'atrophie et ne peut plus sécréter le facteur intrinsèque, de sorte que l'absorption de la vitamine B_{12} est grandement entravée.

L'organisme possède normalement de grandes réserves de vitamine B_{12}; il peut donc se passer plusieurs années avant que la carence n'engendre l'anémie. Comme l'organisme compense très bien la carence, l'anémie peut devenir grave avant que les symptômes ne se manifestent. Pour des raisons inconnues, le nombre de cancers de l'estomac est plus élevé chez les personnes atteintes d'anémie pernicieuse qu'au sein de la population en général. Ces personnes devraient donc se soumettre régulièrement à une endoscopie (chaque année ou tous les deux ans) afin que le cancer de l'estomac puisse être dépisté rapidement.

Manifestations cliniques

Les symptômes associés aux carences en acide folique et en vitamine B_{12} sont similaires et les deux types d'anémies peuvent coexister. Toutefois, les manifestations neurologiques qui caractérisent la carence en vitamine B_{12} n'apparaissent pas dans les cas de carence en acide folique et elles persistent si la vitamine B_{12} n'est pas remplacée. Par conséquent, il faut bien distinguer ces deux types d'anémies. On peut mesurer les concentrations sériques de ces deux vitamines. En cas de carence en acide folique, de faibles quantités de folates suffisent pour en élever le taux sérique et le ramènent même parfois au niveau normal. La mesure de la concentration érythrocytaire en folates (folates des globules rouges) représente donc une analyse plus sensible lorsqu'on souhaite déterminer s'il s'agit vraiment d'une carence en folates.

Une fois les réserves de vitamines B_{12} de l'organisme épuisées, des signes d'anémie peuvent apparaître. Toutefois, comme l'anémie s'installe et évolue graduellement, l'organisme peut compenser les carences jusqu'au moment où l'anémie devient grave, de sorte que les manifestations caractéristiques de l'anémie (faiblesse, apathie, fatigue) peuvent ne pas être apparentes au départ. Les effets hématologiques de la carence s'accompagnent d'effets sur les autres appareils et systèmes organiques, particulièrement sur le tractus gastro-intestinal et le système nerveux. Chez les personnes atteintes d'anémie pernicieuse, on observe les signes suivants: langue rouge, dépapillée et douloureuse, légère diarrhée, pâleur extrême, particulièrement au niveau des muqueuses, confusion et, plus souvent, paresthésie des membres (engourdissements et picotements dans les pieds et les jambes, notamment). On peut aussi noter des problèmes d'équilibre en raison de lésions de la moelle épinière et une perte du sens de la position du corps (proprioception). Ces symptômes s'installent graduellement, bien que l'évolution de la maladie puisse être marquée par des rémissions et des exacerbations partielles et spontanées. En l'absence de traitement, l'anémie peut mener en quelques années à une issue fatale, habituellement par insuffisance cardiaque secondaire.

Examen clinique et examens paracliniques

L'épreuve diagnostique classique qui permet de déterminer la cause de la carence en vitamine B_{12} est l'épreuve de Schilling. Elle se déroule comme suit: on administre d'abord, par voie orale, une faible dose de vitamine B_{12} marquée par un isotope radioactif, puis quelques heures plus tard, une forte dose de vitamine B_{12} non radioactive, par voie parentérale (qui favorise l'excrétion rénale de la dose radioactive). Si la vitamine donnée sous forme orale est absorbée, une fraction de plus de 8 % sera excrétée dans les urines en 24 heures. Par conséquent, si on ne note aucune radioactivité dans l'urine (autrement dit si la vitamine B_{12} radioactive reste dans le tractus gastro-intestinal), on en conclut que la carence est causée par la malabsorption gastro-intestinale de la vitamine B_{12}. Au contraire, si on décèle de la radioactivité dans les urines, la carence n'est attribuable ni à la maladie iléale ni à l'anémie pernicieuse. Plus tard, on procède de nouveau à cette épreuve, mais cette fois on ajoute le facteur intrinsèque à la vitamine B_{12} radioactive administrée par voie orale. Si aucune radioactivité n'est décelée dans les urines (autrement dit si, en présence du facteur intrinsèque, la vitamine B_{12} a été absorbée par le tractus gastro-intestinal), on peut poser le diagnostic d'anémie pernicieuse. L'épreuve de Schilling est utile seulement si l'on recueille tous les échantillons d'urine; par conséquent, l'infirmière doit donner des explications détaillées sur le déroulement de l'épreuve, afin que la personne comprenne bien la marche à suivre et qu'elle accepte de fournir tous les échantillons d'urine nécessaires.

Le dosage des anticorps anti-facteur intrinsèque représente aussi une analyse utile et facile à réaliser. Si on obtient un résultat positif à ce dosage, on peut conclure à la présence d'anticorps qui se fixent au complexe vitamine B_{12}-facteur intrinsèque, l'empêchent de se lier aux récepteurs présents dans l'iléon et entravent ainsi l'absorption de la vitamine. Malheureusement, il ne s'agit pas d'un examen spécifique de l'anémie pernicieuse. Il peut cependant aider à poser le diagnostic.

Traitement médical

On traite la carence en folates en augmentant la quantité d'acide folique alimentaire et en administrant une dose de 1 mg d'acide folique par jour. L'acide folique est administré par voie intramusculaire seulement chez les personnes qui ont des problèmes de malabsorption. À l'exception des vitamines prises au cours de la grossesse, la plupart des suppléments de vitamines ne contiennent pas d'acide folique; il faut donc le prendre séparément. Quand la concentration d'hémoglobine est revenue à la normale, on peut cesser d'administrer les suppléments d'acide folique. Toutefois, les personnes qui consomment de grandes quantités d'alcool devraient continuer de recevoir de l'acide folique tant qu'elles n'abandonneront pas cette pratique.

On peut traiter la carence en vitamine B_{12} en recourant à des suppléments. Les végétariens peuvent prévenir ou traiter ce genre de carence en prenant des vitamines par voie orale ou du lait de soja enrichi. Lorsque la carence est due à la malabsorption ou à l'absence du facteur intrinsèque, le traitement consiste en une injection intramusculaire de vitamine B_{12}: habituellement une dose de 100 à 1 000 µg par jour pendant 7 à 10 jours, puis par semaine pendant 4 semaines, enfin par mois à long terme. La vitamine B_{12} peut aussi être administrée à haute dose (1 000 à 2 000 µg par jour) par voie orale chez les personnes ayant une déficience en facteur intrinsèque, car environ 1 % de son absorption est indépendante du facteur intrinsèque. La quantité absorbée est plus que suffisante, étant donné l'apport quotidien recommandé de 1 à 2 µg par jour. Le nombre de réticulocytes s'élève en moins d'une semaine et, après quelques semaines, l'hémogramme revient à la normale. L'aspect de la langue s'améliore en quelques jours. Toutefois, les manifestations neurologiques mettent plus de temps à disparaître; en cas de neuropathie grave, la personne pourrait ne jamais se rétablir complètement. Pour prévenir la récurrence de l'anémie pernicieuse, on doit continuer à suivre le traitement à la vitamine B_{12} toute sa vie.

ALERTE CLINIQUE *En raison de l'augmentation du volume sanguin qu'elles provoquent, les transfusions sanguines peuvent provoquer une surcharge liquidienne et un œdème aigu du poumon, particulièrement chez les personnes âgées ou chez celles qui présentent une altération de la fonction cardiaque. S'il est nécessaire d'effectuer des transfusions, l'infirmière s'assure que la perfusion est lente et elle reste à l'affût des signes et symptômes de surcharge liquidienne. Des diurétiques peuvent aussi être donnés pendant ou après la transfusion pour limiter l'augmentation du volume circulant.*

Soins et traitements infirmiers

L'examen clinique des personnes atteintes d'anémie mégaloblastique ou présentant des risques comprend l'inspection de la peau et des membranes des muqueuses. On peut noter un léger ictère, surtout sur la conjonctive bulbaire où il est visible sans qu'on doive employer une lampe fluorescente. Chez les personnes atteintes d'anémie pernicieuse, on observe souvent un vitiligo (plaques de peau dépigmentée) et un grisonnement prématuré des cheveux; la langue est dépapillée, rouge et douloureuse. Étant donné les complications neurologiques associées à l'anémie mégaloblastique, il est important d'effectuer un examen neurologique attentif comprenant des examens visant à évaluer le sens de la position et le sens de la vibration.

Favoriser les soins à domicile et dans la communauté

L'infirmière prête une attention particulière à la façon dont la personne se déplace, elle observe sa démarche et sa stabilité. Elle vérifie également si cette personne se sert d'accessoires fonctionnels (d'une canne ou d'une marchette, par exemple) et si elle a besoin de se faire aider pour effectuer ses activités quotidiennes. L'infirmière doit s'assurer, d'abord et avant tout, que la personne dont la proprioception et la coordination ainsi que la démarche sont touchées ne court aucun danger. Parfois, il faut diriger cette personne vers la physiothérapie et l'ergothérapie.

Si les sens de la personne sont atteints, l'infirmière doit la prévenir qu'il lui faut éviter la chaleur et le froid excessifs.

Comme la bouche et la langue sont endolories, la personne peut avoir du mal à manger, et de ce fait son apport alimentaire diminuera. L'infirmière lui conseille donc de consommer des aliments mous, d'éviter les mets épicés, de manger fréquemment, mais de petites portions. Elle peut également lui expliquer que des maladies engendrées par des carences, par exemple l'anémie causée par l'abus d'alcool, peuvent provoquer des problèmes neurologiques.

L'infirmière explique également à la personne que sa maladie est chronique et qu'elle doit recevoir chaque mois des injections de vitamine B_{12}, même en l'absence de symptômes. Souvent, la personne peut apprendre à s'autoadministrer les injections. L'atrophie gastrique associée à l'anémie pernicieuse accroît le risque de cancer de l'estomac; la personne doit donc savoir qu'il est important de se faire suivre par un médecin et de se soumettre à des examens de dépistage.

Syndromes myélodysplasiques

Les syndromes myélodysplasiques (SMD) constituent un groupe de maladies qui touchent les cellules souches myéloïdes et entraînent la **dysplasie** (développement anormal) d'un ou de plusieurs types de lignées cellulaires. La myélodysplasie la plus courante est la dysplasie des érythrocytes, qui se manifeste sous la forme d'une anémie macrocytaire. Toutefois, les leucocytes (cellules myéloïdes, neutrophiles particulièrement) et les plaquettes peuvent également être dysplasiques. Bien que la moelle osseuse soit en réalité hypercellulaire, un grand nombre de ses cellules meurent avant d'être libérées dans la circulation. Par conséquent, le nombre de cellules circulantes anormales est habituellement plus faible que dans des circonstances normales. Outre l'anomalie d'ordre quantitatif (le nombre de cellules est inférieur à la normale), on observe également une anomalie d'ordre qualitatif, les cellules étant dysfonctionnelles. Les neutrophiles ont une capacité de phagocytose des bactéries qui se trouve réduite; les plaquettes s'agglutinent moins et adhèrent moins les unes aux autres. Ces anomalies qualitatives se traduisent par une hausse du risque d'infection et d'hémorragie, même lorsque le nombre de cellules en circulation n'a pas sensiblement baissé. De nombreux SMD évoluent vers une leucémie myéloïde aiguë (LMA) qui réagit peu au traitement habituel.

Les SMD primaires touchent surtout les personnes âgées; en effet, 80 % des personnes atteintes de SMD sont âgées de plus de 60 ans. Les SMD secondaires, qui peuvent survenir à tout âge, se manifestent chez les personnes qui ont été exposées à des doses toxiques d'agents chimiques, administrés notamment au cours d'une chimiothérapie (particulièrement les agents alkylants). Le pronostic des SMD secondaires est en général plus sombre que celui des SMD primaires.

Manifestations cliniques

Les SMD se manifestent sous des formes très variées. De nombreuses personnes sont asymptomatiques; le SMD est alors souvent décelé fortuitement, d'après un hémogramme effectué pour d'autres raisons. Certaines personnes présentent par contre des symptômes et des complications graves. Une fatigue plus ou moins marquée est souvent présente. Le dysfonctionnement des neutrophiles prédispose aux infections; les pneumonies récurrentes ne sont pas rares. Comme le fonctionnement des plaquettes est parfois touché, il y a risque d'hémorragie. Ces problèmes peuvent rester assez stables pendant des mois, voire des années. Ils peuvent également évoluer au fil du temps; au fur et à mesure que la dysplasie se transforme en leucémie, la gravité des complications augmente.

Examen clinique et examens paracliniques

La formule sanguine complète révèle habituellement une anémie macrocytaire; le nombre de leucocytes et de plaquettes peut également être réduit. Les concentrations sériques d'érythropoïétine et le nombre de réticulocytes sont parfois très faibles. La maladie évoluant vers une LMA, les analyses révèlent un nombre de plus en plus élevé de cellules blastiques immatures.

Traitement médical

Pour guérir les SMD, il n'existe pas à l'heure actuelle d'autre traitement que la greffe de moelle osseuse allogène. La chimiothérapie a été utilisée, particulièrement chez les personnes présentant des exacerbations aiguës de la maladie, mais en règle générale les résultats ont été décevants (Deeg et Applebaum, 2000; Beran, 2000). Toutefois, il n'est pas nécessaire, en général, de traiter les personnes présentant une cytopénie légère (nombre insuffisant de globules sanguins). Chez la plupart des personnes atteintes de SMD, des transfusions sanguines s'imposent pour maîtriser l'anémie et ses symptômes. Ces personnes qui subissent un grand nombre de transfusions risquent de souffrir d'une surcharge de fer et des effets secondaires qui la caractérisent. Pour contrer ce problème, on doit amorcer rapidement un traitement par chélation permettant d'éliminer le fer en excédent (voir plus loin la section «Soins et traitements infirmiers»). Dans certains cas, les érythropoïétines recombinantes permettent de diminuer le nombre de transfusions et les complications qu'elles entraînent. Par ailleurs, il faut, chez certaines personnes, effectuer des transfusions répétées de plaquettes afin de prévenir le risque de saignement majeur. Les infections doivent être traitées vigoureusement et rapidement. Dans certains cas, l'administration de facteurs de croissance (particulièrement de facteurs stimulant la formation de colonies de granulocytes), d'érythropoïétine ou des deux éléments, a permis de faire augmenter le nombre de neutrophiles et d'atténuer l'anémie; toutefois, ces agents coûtent cher et leur effet disparaît si le traitement est interrompu. Comme les SMD touchent le plus souvent les personnes âgées, les autres maladies chroniques dont elles souffrent peuvent limiter le nombre d'options thérapeutiques qui s'offrent à elles. Les SMD secondaires et les SMD qui évoluent vers une LMA semblent beaucoup plus réfractaires que les autres aux traitements classiques de la leucémie.

Soins et traitements infirmiers

Les soins et traitements infirmiers prodigués aux personnes atteintes de SMD représentent un défi de taille, car la maladie est imprévisible. Comme dans les autres maladies hématologiques, certaines personnes (particulièrement celles qui sont asymptomatiques) ne saisissent pas qu'elles souffrent d'une maladie grave qui peut les exposer à des risques de complications mettant leur vie en danger. À l'autre extrême, nombreuses sont celles qui ont du mal à composer avec la trajectoire incertaine de leur maladie et qui craignent que celle-ci ne se transforme soudainement en LMA.

L'infirmière doit bien informer les personnes quant aux risques d'infection, à la façon de prévenir les infections, aux signes et symptômes qui les accompagnent et aux mesures à prendre pour les traiter. Elle les renseignera au sujet des risques d'hémorragie. Chez les personnes atteintes de SMD qui sont hospitalisées, il faut également prendre des précautions contre la neutropénie.

Par ailleurs, l'infirmière suit de près les résultats des examens de laboratoire pour prévoir le moment où il deviendra nécessaire d'effectuer des transfusions et pour déterminer la réaction au traitement par les facteurs de croissance. Les personnes qui ont des transfusions à répétition devraient habituellement être munies d'un dispositif d'accès vasculaire qui facilitera les interventions. L'infirmière fournira également aux personnes qui reçoivent des facteurs de croissance, ou un traitement par chélation de l'information sur les médicaments, leurs effets secondaires et les techniques d'administration.

Le traitement par chélation est un procédé qui vise à éliminer l'excédent de fer accumulé à la suite de transfusions répétées. Le fer se fixe à l'agent de chélation (comme la déféroxamine [Desferal]) puis est excrété dans l'urine. Les présentations orales de ces agents ne se sont pas avérées utiles (en raison de leur efficacité réduite ou de leur toxicité excessive). Le traitement par chélation le plus efficace est celui qu'on donne sous forme de perfusion sous-cutanée administrée pendant 8 à 12 heures. La plupart des gens préfèrent recevoir le traitement pendant la nuit. Comme le traitement par chélation ne retire qu'une petite quantité de fer à la fois, les personnes dont l'état exige de nombreuses transfusions (entraînant une surcharge de fer) doivent continuer à recevoir le traitement par chélation tant que la surcharge de fer persiste, probablement leur vie durant. Les personnes qui se soumettent au traitement par chélation doivent faire preuve d'une grande motivation. L'infirmière leur fournit des explications concernant la technique de perfusion sous-cutanée et le mode d'entretien de la pompe de perfusion; de plus, elle leur donne des consignes sur la prise en charge des effets secondaires. L'effet indésirable le plus courant est un érythème au point d'injection qui ne nécessite habituellement aucun traitement. Il faut que les personnes se prêtent également à un examen de l'ouïe et de la vue, car le traitement peut entraîner une perte auditive et des troubles visuels.

Anémies hémolytiques

Dans l'anémie hémolytique, la durée de vie des érythrocytes se trouve raccourcie. Par conséquent, le nombre d'érythrocytes en circulation baisse, ce qui entraîne une diminution de l'oxygène disponible pour les tissus; une hypoxie stimule la libération d'érythropoïétine rénale, qui à son tour stimule la moelle osseuse. Pour compenser la baisse du nombre d'érythrocytes, celle-ci en produit de nouveaux et en libère quelques-uns dans la circulation, parfois prématurément, sous la forme de réticulocytes. Si la destruction des érythrocytes persiste, l'hémoglobine se décompose de façon excessive; une fraction d'environ 80 % du hème est transformée en bilirubine, qui est conjuguée dans le foie puis excrétée dans la bile.

Le mécanisme de destruction des érythrocytes varie, mais tous les types d'anémies hémolytiques ont les mêmes caractéristiques en ce qui concerne les résultats des examens paracliniques: le nombre de réticulocytes est élevé, la fraction de bilirubine indirecte (non conjuguée) s'est accrue et l'apport en haptoglobine (protéine de fixation de l'hémoglobine libre) a diminué, car une plus grande quantité d'hémoglobine a été libérée. La concentration plasmatique d'haptoglobine est donc faible. Si la moelle osseuse ne peut pas remplacer les érythrocytes détruits, l'anémie s'aggravera.

L'anémie hémolytique revêt diverses formes. Parmi les formes héréditaires, citons les affections suivantes:

- Drépanocytose (anémie falciforme)
- Thalassémie
- Bêtathalassémie majeure
- Déficit en glucose-6-phosphate déshydrogénase (G-6-PD)
- Sphérocytose héréditaire

Les formes acquises comprennent entre autres les affections suivantes:

- Anémie hémolytique auto-immune (AHAI)
- Hémoglobinurie paroxystique nocturne (HPN) à médiation non immunologique
- Anémie hémolytique micro-angiopathique
- Hémolyse par lésion mécanique d'une prothèse cardiaque défectueuse
- Anémies associées à l'hypersplénisme

Drépanocytose

La drépanocytose, ou anémie falciforme, est une anémie hémolytique héréditaire grave, attribuable à la transmission d'un gène défectueux de l'hémoglobine S, ou HbS. Ce gène modifie la structure de la molécule d'hémoglobine. L'hémoglobine S forme un gel semi-solide lorsqu'elle se trouve dans une zone où la pression en oxygène est basse. La pression en oxygène du sang veineux peut être suffisamment basse pour provoquer ce changement. Par conséquent, le globule rouge renfermant l'HbS, qui ressemblait à un disque rond, biconcave et très souple, devient falciforme, autrement dit il prend la forme d'une faucille déformée et rigide (figure 35-8 ■). Les érythrocytes allongés et rigides peuvent adhérer à l'endothélium des petits vaisseaux; lorsqu'ils s'empilent les uns sur les autres, le flux sanguin irriguant une région ou un organe peut être entravé (Hoffman *et al.*, 2000). Si une ischémie ou un infarctus s'ensuit, la personne présente parfois des douleurs, un œdème ou de la fièvre. Le processus de falciformation de l'érythrocyte est lent; si l'érythrocyte est de nouveau exposé à une quantité suffisante d'oxygène (par exemple, lorsqu'il est acheminé par la circulation pulmonaire) avant que sa membrane ne devienne trop rigide, il peut reprendre sa forme normale. C'est pour cette raison que les «crises des cellules falciformes du sang» sont intermittentes. Le froid peut intensifier la falciformation, car la vasoconstriction ralentit le flux sanguin. Le transport de l'oxygène peut également être perturbé par une viscosité accrue du sang, qu'il y ait ou non une occlusion due à l'adhésion des cellules falciformes; dans ce cas, le phénomène se manifeste dans des vaisseaux plus gros, tels que les artérioles.

La transmission du gène de l'HbS est héréditaire chez les personnes d'origine africaine et, à un moindre degré, chez les personnes issues du Moyen-Orient ou de la région méditerranéenne et chez les membres des tribus aborigènes de l'Inde. La drépanocytose (ou anémie falciforme) est la forme la plus grave de la maladie des cellules falciformes. L'hémoglobinose C, l'hémoglobinose D et la bêtathalassémie sont des formes moins graves de la maladie. Les manifestations cliniques et les traitements sont les mêmes pour ces formes-là que pour la drépanocytose. L'expression *trait drépanocytaire* s'applique aux personnes porteuses du gène défectueux de l'HbS; il s'agit du type le plus bénin, puisque moins de 50 % de l'hémoglobine érythrocytaire apparaît sous forme d'HbS. Toutefois, sur le plan génétique, ce sont des maladies graves. Si les deux membres d'un couple sont porteurs du trait drépanocytaire et qu'ils ont des enfants, ceux-ci peuvent hériter de deux gènes anormaux. Dans ce cas, ils ne produiront que de l'HbS et souffriront par conséquent de drépanocytose.

Manifestations cliniques

Les symptômes de la drépanocytose varient et ne dépendent qu'en partie de la quantité d'HbS produite. Les symptômes et les complications découlent d'une hémolyse ou d'une thrombose chroniques. Les érythrocytes falciformes ont une durée de vie raccourcie. Les personnes atteintes souffrent toujours d'anémie et présentent habituellement des concentrations d'hémoglobine se situant entre 70 et 100 g/L. L'ictère en est le signe caractéristique, habituellement observable sur la conjonctive bulbaire. La moelle osseuse augmente de volume pendant l'enfance, car l'organisme tente de neutraliser l'anémie; le processus mène parfois à une hypertrophie des os du visage et du crâne. L'anémie chronique est associée à la présence de tachycardie, d'hypertension artérielle, d'un souffle cardiaque et, souvent, d'un cœur plus volumineux que la normale (cardiomégalie). De l'arythmie et de l'insuffisance cardiaque peuvent se manifester chez les adultes.

Presque tous les organes peuvent être touchés par la thrombose, mais les principaux sièges de l'affection sont les régions où la circulation est ralentie, comme la rate, les poumons et le système nerveux central. Les tissus et les organes sont tous sujets à des interruptions de la microcirculation qui sont dues à la falciformation; par conséquent, ils peuvent subir des lésions hypoxiques ou une véritable nécrose ischémique. Les personnes atteintes sont particulièrement prédisposées aux infections, à la pneumonie et à l'ostéomyélite surtout. Les complications de la drépanocytose comprennent les infections, les accidents vasculaires cérébraux, l'insuffisance rénale, l'impuissance, l'insuffisance cardiaque et l'hypertension pulmonaire. On trouve au tableau 35-6 ■ le résumé des complications entraînées par la drépanocytose.

Crise des cellules falciformes du sang

La présence de cellules falciformes dans le sang peut donner lieu à trois types de crises chez les adultes.

- Les *crises drépanocytaires* (les plus courantes) sont très douloureuses, en raison de l'hypoxie et de la nécrose tissulaires entraînées par l'insuffisance de l'irrigation sanguine dans une région donnée.
- Les *crises aplasiques* sont provoquées par une infection attribuable au parvovirus humain. La concentration d'hémoglobine chute rapidement et la moelle n'arrive pas à compenser le phénomène, comme en témoigne l'absence de réticulocytes.
- Les *crises de séquestration aiguë d'hématies falciformées* surviennent lorsque d'autres organes emmagasinent des cellules falciformes. Chez les enfants, c'est dans la rate que les crises de séquestration se produisent le plus souvent: vers l'âge de 10 ans, la plupart des enfants atteints de drépanocytose ont subi un infarctus de la rate, et cet organe est devenu dysfonctionnel. Chez les adultes, la séquestration a lieu le plus souvent dans le foie et, ce qui est plus grave, dans les poumons.

Syndrome thoracique aigu

Le syndrome thoracique aigu se manifeste par une chute rapide de la concentration d'hémoglobine, par de la tachycardie, par de la fièvre et par la présence d'infiltrats bilatéraux

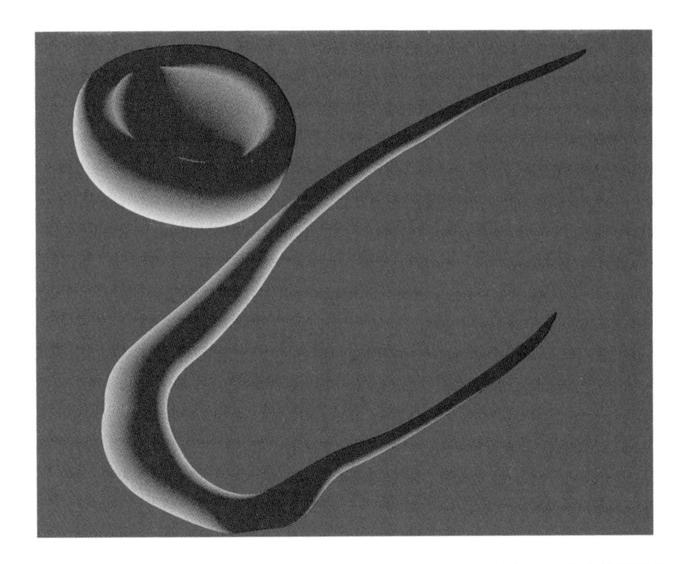

FIGURE 35-8 ■ Érythrocyte normal (*dans le coin supérieur gauche*) et érythrocyte falciforme.

TABLEAU 35-6

Complications de la drépanocytose*

Organes	Mécanismes*	Résultats de l'examen physique	Signes et symptômes
Rate	■ Siège principal de la falciformation → infarctus → ↓ phagocytose par les macrophages	■ Diminution du volume de la rate; ↑ infections (surtout pneumonie, ostéomyélite)	■ Douleurs abdominales; fièvre, signes d'infection
Poumons	■ Infection ■ Infarctus → ↑ pression pulmonaire → hypertension pulmonaire	■ Infiltrat pulmonaire ■ ↑ $sPLA_2$†	■ Douleurs thoraciques; dyspnée
Système nerveux central	■ Infarctus	■ AVC (accident vasculaire cérébral)	■ Faiblesse (cas graves); troubles d'apprentissage (cas légers)
Reins	■ Falciformation → lésion de la région médullaire du rein	■ Hématurie; incapacité de concentrer l'urine; insuffisance rénale	■ Déshydratation
Cœur	■ Anémie	■ Tachycardie; hypertension artérielle, cardiomégalie → insuffisance cardiaque	■ Faiblesse, fatigue, dyspnée
Os	■ ↑ production d'érythrocytes ■ Infarctus des os	■ Élargissement des cavités médullaires et amincissement de la région corticale ■ Ostéosclérose → nécrose avasculaire	■ Douleurs continues ■ Ostéalgie, particulièrement dans la hanche
Foie	■ Hémolyse	■ Ictère et formation de calculs biliaires; hépatomégalie	■ Douleurs abdominales
Peau et vaisseaux périphériques	■ ↑ viscosité/stase → infarctus → ulcères de la peau	■ Ulcères de la peau; ↓ cicatrisation des plaies	■ Douleurs
Yeux	■ Infarctus	■ Taches sur la cornée, hémorragie, décollement de la rétine	■ ↓ vision; cécité
Pénis	■ Falciformation	■ Priapisme → impuissance	■ Douleurs, impuissance

* Les complications de la drépanocytose varient; elles constituent les répercussions de divers mécanismes, comme l'illustre ce tableau. Les résultats de l'examen physique et les symptômes courants diffèrent également.

† $sPLA_2$: phospholipase A_2 sécrétoire, examen paraclinique qui permet d'annoncer l'imminence du syndrome thoracique aigu (voir ci-dessous).

révélée par les radiographies pulmonaires. Ces symptômes ressemblent souvent à ceux d'une infection. En fait, des études récentes ont montré que l'infection est une des grandes causes de ce syndrome (Vichinsky *et al.*, 2000), tout comme l'embolie pulmonaire graisseuse. La concentration de phospholipase A_2 sécrétoire ($sPLA_2$) annonce l'imminence du syndrome thoracique aigu. En effet, de grandes quantités d'acides gras libres peuvent entraîner une perméabilité accrue de l'endothélium pulmonaire et des fuites dans les capillaires pulmonaires. Bien que le syndrome puisse mener à une issue fatale, une intervention rapide peut donner de bons résultats.

Examen clinique et examens paracliniques

Chez la personne porteuse du trait drépanocytaire, la concentration d'hémoglobine, l'hématocrite et le frottis sanguin sont habituellement normaux. Par contre, chez la personne atteinte de drépanocytose, l'hématocrite est bas et des cellules falciformes apparaissent sur le frottis. On peut confirmer le diagnostic par une électrophorèse de l'hémoglobine.

Pronostic

On pose habituellement le diagnostic de drépanocytose au cours de l'enfance, car l'anémie s'installe très tôt et les crises drépanocytaires surviennent dès l'âge de 1 ou 2 ans. Certains enfants meurent au cours de leur première année, habituellement d'une infection; mais heureusement, l'usage des antibiotiques et l'enseignement donné aux parents ont grandement amélioré le pronostic. Toutefois, étant donné les moyens thérapeutiques dont on dispose actuellement, l'espérance de vie moyenne, de 42 ans, est encore sous-optimale. Les jeunes adultes sont souvent obligés de composer avec les complications, multiples et souvent graves, de leur maladie. Chez certains d'entre eux, les symptômes et les complications diminuent vers l'âge de 30 ans ; ces personnes peuvent vivre jusqu'à la soixantaine et même au-delà. Il est actuellement impossible de prévoir qui appartiendra à ce sous-groupe.

Traitement médical

Le traitement de la drépanocytose fait l'objet de recherches qui se poursuivent (Steinberg, 1999). On mène actuellement de nombreuses études portant sur certains médicaments utilisés pour prévenir la falciformation et l'adhérence en cas de crises vasculaires occlusives. Toutefois, mis à part le traitement dynamique des symptômes et des complications, il n'existe actuellement que trois grandes méthodes de traitement des drépanocytoses : la greffe de moelle osseuse, l'administration d'hydroxyurée et les transfusions répétées d'érythrocytes.

La greffe de moelle osseuse offre la possibilité de guérir cette maladie. Toutefois, ce traitement n'est accessible qu'à un petit nombre de personnes, faute de donneurs compatibles, ou parce que certains organes (reins, foie, poumons, par exemple) ont subi des lésions graves.

Pharmacothérapie

L'hydroxyurée (Hydrea), qui est un agent chimiothérapeutique, s'est avérée efficace pour faire augmenter les concentrations d'hémoglobine F chez les personnes atteintes de drépanocytose, et donc pour contrer la falciformation permanente. Chez les personnes recevant de l'hydroxyurée, on observe une baisse de la fréquence des syndromes thoraciques aigus et des épisodes douloureux de crises drépanocytaires ; de plus, on recourt moins souvent aux transfusions (Ferster *et al.*, 2001). Toutefois, on ne sait pas si l'hydroxyurée peut prévenir ou inverser les lésions des organes. Les effets secondaires de l'hydroxyurée sont la suppression prolongée de la formation de leucocytes (myélodépression) et la tératogenèse. La réaction au médicament varie considérablement. La fréquence et la gravité des effets secondaires dans un intervalle posologique donné sont également très variables. Chez certaines personnes, une très faible dose (5 mg/kg par jour) peut être toxique, tandis qu'une dose beaucoup plus élevée (35 mg/kg par jour) n'entraîne chez d'autres que de légers effets toxiques. Il est donc indispensable de poursuivre les recherches pour savoir sur quels groupes de sujets le médicament aura les meilleurs effets.

Thérapeutique transfusionnelle

Les transfusions prolongées d'érythrocytes se sont avérées très efficaces dans les cas d'exacerbation aiguë de l'anémie (de crise aplasique, notamment). Elles ont pu prévenir les complications graves de l'anesthésie et de la chirurgie, et améliorer la réaction aux infections, contractées en raison d'une anémie exacerbée (Ohene-Frempong, 2001). Elles ont également réduit le nombre de crises drépanocytaires chez les femmes enceintes, sans que la vie des fœtus ait pu cependant être prolongée. Les transfusions peuvent prévenir efficacement les complications de la drépanocytose. Certaines données controversées appuient l'administration de transfusions prolongées chez les personnes atteintes de lésions ischémiques cérébrales (révélées par l'imagerie par résonance magnétique [IRM] ou le Doppler) afin de prévenir des problèmes plus graves, comme les AVC. Plus de 50 % des personnes asymptomatiques présentent une certaine ischémie cérébrale, attestée par l'IRM. Une étude récente (Adams, 2000) a révélé qu'une transfusion prolongée d'érythrocytes entraînait une réduction de 90 % des AVC chez les enfants exposés au risque de cette complication, comme en témoigne la viscosité sanguine plus élevée que révèle une ultrasonographie crânienne réalisée au moyen d'un Doppler. Les transfusions peuvent également être utiles dans le traitement des cas graves de syndromes thoraciques aigus.

Il est important de tenir compte des risques de complications liés à la transfusion, notamment du risque de surcharge en fer, laquelle nécessite un traitement prolongé par chélation (voir plus haut la section consacrée aux soins et traitements infirmiers prodigués dans les cas de SMD), du risque d'un accès veineux difficile, qui dicte le recours à un dispositif d'accès vasculaire (avec le risque associé d'infections ou de thrombose), des risques d'infections (hépatite, infection due au virus de l'immunodéficience humaine [VIH]) et du risque d'allo-immunisation due aux transfusions répétées. Mentionnons également une autre complication possible des transfusions, soit l'élévation de la viscosité sanguine avant que la concentration d'hémoglobine S ne soit réduite. On peut utiliser l'exsanguinotransfusion, la transfusion autologue ou l'autotransfusion (technique consistant à transfuser à une personne son propre sang) pour diminuer le risque d'élévation excessive de la viscosité ; l'objectif est d'abaisser l'hématocrite jusqu'à moins de 30 % de sa valeur, au moyen de transfusions fournissant plus de 80 % du volume sanguin. Enfin, il faut tenir compte du coût important des transfusions répétées et des traitements par chélation.

Les personnes atteintes de drépanocytose doivent prendre quotidiennement des suppléments d'acide folique pour conserver les réserves nécessaires à l'accroissement de l'érythropoïèse, en raison de l'hémolyse. On doit traiter rapidement les infections avec les antibiotiques appropriés, car elles constituent la cause principale des décès.

On traite le syndrome thoracique aigu par une antibiothérapie qu'il faut également amorcer rapidement. L'inspirométrie a grandement réduit la fréquence des complications pulmonaires. Dans les cas graves, une bronchoscopie permettra de déceler la source de l'infection pulmonaire. La restriction des liquides peut donner de meilleurs résultats qu'une hydratation massive. L'administration de corticostéroïdes peut aussi être utile. Les transfusions renversent l'hypoxie et diminuent la concentration de phospholipase A_2 sécrétoire. Des explorations régulières de la fonction pulmonaire permettent de dépister rapidement l'hypertension pulmonaire. En cas de dépistage précoce, le traitement (hydroxyurée, transfusions ou greffe de moelle osseuse) peut donner de bons résultats.

En raison des transfusions sanguines répétées, il existe un risque de formation de plusieurs auto-anticorps rendant problématiques les épreuves de compatibilité croisée. Chez les personnes atteintes de cette affection, la maladie hémolytique par incompatibilité sanguine (voir plus loin) peut se manifester par des signes et symptômes ressemblant à ceux d'une crise drépanocytaire. Les deux affections se distinguent par le fait que dans le cas de la maladie hémolytique par incompatibilité sanguine, l'anémie s'aggrave après la transfusion.

Les personnes doivent être suivies de près ; dans la mesure du possible, on évitera d'effectuer des transfusions tant que le processus hémolytique est en cours. Pour remédier à cet effet des transfusions, on peut administrer des corticostéroïdes, des immunoglobulines par voie intraveineuse ou de l'érythropoïétine recombinante (Eprex).

Traitement de soutien

L'un des problèmes les plus préoccupants est le traitement de la douleur. La fréquence des crises drépanocytaires douloureuses est très variable ; certaines personnes ressentent des douleurs au quotidien. Quand les douleurs sont tolérables, la personne hésite à consulter un professionnel de la santé, même si les douleurs peuvent être suffisamment intenses pour entraver sa capacité à travailler et à remplir son rôle au sein de sa famille. Les crises douloureuses ont tendance à se résorber spontanément, bien qu'elles puissent durer plusieurs heures, voire plusieurs jours. Si la personne n'arrive pas à soulager la douleur par ses propres moyens, elle ira habituellement à l'urgence. Il est essentiel d'assurer une hydratation adéquate au cours d'un épisode douloureux. L'hydratation par voie orale est acceptable, si la personne est en mesure d'absorber des quantités suffisantes de liquide. Toutefois, pour soulager les crises drépanocytaires, il est en général nécessaire d'administrer des liquides par voie intraveineuse ; on donne habituellement une solution de dextrose à 5 % dans de l'eau ou de dextrose à 5 % dans un soluté isotonique de chlorure de sodium à 0,25 (3 $L/m^2/24$ h). Il peut également se révéler nécessaire d'administrer de l'oxygène.

L'utilisation de médicaments pour soulager la douleur est d'une grande importance (voir le chapitre 13, qui porte sur le traitement de la douleur). L'aspirine est très utile pour atténuer les douleurs légères ou modérées, mais aussi pour diminuer l'inflammation et le risque de thrombose (car elle réduit l'aggrégation des plaquettes). Les anti-inflammatoires non stéroïdiens (AINS) sont indiqués pour soulager les douleurs modérées, seuls ou en association avec des analgésiques opioïdes. Bien que les AINS n'engendrent pas d'effet de tolérance, on observe un effet de plafonnement, car la majoration de la dose n'accroît pas l'analgésie. L'administration d'AINS doit être suivie de près, car ces médicaments peuvent causer un dysfonctionnement rénal et des saignements gastro-intestinaux. Lorsqu'on décide d'administrer des opioïdes, la morphine est le médicament de prédilection pour soulager la douleur aiguë. On emploie fréquemment dans ce cas la méthode d'analgésie contrôlée par la personne.

La fréquence de la douleur chronique augmente avec l'âge. Chez la personne âgée, la douleur est due aux complications de la falciformation, telles que la nécrose avasculaire de la hanche. Le traitement de la douleur chronique vise en premier lieu à permettre à la personne de vivre le plus normalement possible. Cependant, il n'est pas possible d'éliminer complètement la douleur sans affecter le fonctionnement. La personne âgée aura de la difficulté à accepter cette idée. Les professionnels de la santé devront lui fournir des explications et du soutien tout en s'abstenant d'émettre des jugements. Dans ce cas, les méthodes non pharmacologiques de soulagement de la douleur sont cruciales. Citons, entre autres, la physiothérapie (notamment l'application de chaleur, les massages et les exercices), l'ergothérapie, les interventions cognitives et comportementales (entre autres la relaxation et les thérapies de motivation) et l'aide fournie par les groupes de soutien.

Traiter la personne qui a connu de nombreux épisodes très douloureux peut représenter un défi de taille. Il est important que le professionnel de la santé comprenne que cette personne doit composer avec des douleurs intenses et imprévisibles sa vie durant. Des douleurs de ce genre entravent considérablement sa capacité de se livrer à ses activités quotidiennes, entre autres sur le plan social, et peuvent entraîner un sentiment de détresse. Les personnes qui ne bénéficient pas d'un réseau de soutien social adéquat peuvent avoir plus de mal que les autres à supporter les douleurs chroniques.

Thalassémie

Les thalassémies forment un groupe de maladies héréditaires qui proviennent d'un défaut dans la synthèse des chaînes polypeptidiques de l'hémoglobine. Bien que ces maladies puissent se manifester dans toutes les parties du monde, on les observe surtout chez les personnes originaires du bassin méditerranéen, d'Afrique et d'Asie du Sud-Est (Hoffman *et al.*, 2000). La thalassémie se caractérise par l'**hypochromie** (diminution anormale de la teneur en hémoglobine des érythrocytes), par la **microcytose** (diminution anormale de la taille des érythrocytes), par la destruction des globules sanguins (hémolyse) et par une anémie plus ou moins grave. Les érythrocytes sont plus rigides et sont sujets à une destruction prématurée.

On classe les thalassémies en deux grands groupes, selon la chaîne de globine dont la synthèse est réduite : l'alphathalassémie et la bêtathalassémie. L'alphathalassémie touche surtout les populations de l'Asie et du Moyen-Orient, alors que la bêtathalassémie est plus répandue au sein des populations du bassin méditerranéen, bien qu'elle touche également celles d'Asie et du Moyen-Orient. L'alphathalassémie est une maladie moins grave que la bêtathalassémie ; elle est souvent asymptomatique. La taille des érythrocytes est extrêmement réduite, mais si elle provoque une anémie, celle-ci sera légère.

La gravité de la bêtathalassémie dépend du degré de modification des chaînes d'hémoglobine. Les formes de moindre gravité se caractérisent par une anémie microcytaire légère. Cependant, la bêtathalassémie grave (bêtathalassémie majeure, ou anémie de Cooley) qui se manifeste chez les enfants et n'est pas traitée peut mener à une issue fatale durant les premières années de la vie.

Bêtathalassémie majeure

La bêtathalassémie majeure (anémie de Cooley) se caractérise par une forte anémie, une hémolyse marquée et une érythropoïèse inefficace. Des transfusions répétées, commencées tôt dans la vie, faciliteront la croissance et le développement de l'enfant. Les dysfonctionnements organiques dus à une surcharge de fer sont attribuables aux excédents de fer provenant des transfusions répétées d'érythrocytes. Les traitements par chélation administrés à intervalles réguliers permettent de réduire les complications découlant d'une surcharge de fer et de prolonger la vie des personnes. On peut guérir la maladie par greffe de moelle osseuse, si l'intervention peut être pratiquée avant que le foie ne soit atteint (autrement dit durant l'enfance).

Déficit en glucose-6-phosphate déshydrogénase (G-6-PD)

Le déficit en glucose-6-phosphate déshydrogénase (G-6-PD) est causé par une anomalie du gène de la G-6-PD, qui produit une enzyme assurant la stabilité de la membrane érythrocytaire. Chez un certain nombre de personnes, l'enzyme est présente en si petite quantité qu'elles sont atteintes d'anémie hémolytique chronique. Cependant, le type d'anomalie qui se rencontre le plus souvent n'engendre une hémolyse que lorsque les érythrocytes sont soumis à un certain stress, par exemple lorsque la personne a de la fièvre ou prend certains médicaments. Cette affection a été découverte fortuitement pendant la Deuxième Guerre mondiale par des chercheurs qui ont observé une hémolyse chez certains soldats suivant un traitement à la primaquine, médicament antipaludéen; la maladie touche surtout les personnes originaires d'Afrique noire, de Grèce et d'Italie. Le type de déficit qui caractérise les personnes originaires du bassin méditerranéen a des conséquences plus graves que celui qu'on note au sein de la population antillaise d'origine africaine, l'hémolyse étant plus marquée et l'anémie pouvant être mortelle. Tous les types de déficits en G-6-PD sont héréditaires et liés à une anomalie du chromosome X; les hommes sont par conséquent exposés à un risque plus élevé que les femmes. Aux États-Unis, l'affection touche environ 12 % des hommes originaires d'Afrique noire, mais elle est également courante chez les personnes d'origine asiatique et au sein de certaines populations juives.

Ce sont surtout les médicaments oxydants qui exercent des effets hémolytiques chez les personnes atteintes de déficit en G-6-PD; citons notamment les agents antipaludéens, les sulfamides, les analgésiques courants (dont l'aspirine à dose élevée), l'isoniazide, la nitrofurantoïne (Macrodantin), la phénazopyridine (Pyridium), le bleu de méthylène, le chloramphénicol et la vitamine K.

Manifestations cliniques

La plupart du temps, les personnes atteintes sont asymptomatiques; leur concentration d'hémoglobine et le nombre de leurs réticulocytes sont normaux. Toutefois, quelques jours après qu'elles ont pris l'un des médicaments ayant des effets hémolytiques, les signes ou symptômes suivants peuvent se manifester: pâleur, ictère et hémoglobinurie (présence d'hémoglobine dans l'urine). Le nombre de réticulocytes s'élève et des symptômes d'hémolyse apparaissent. On peut alors déceler des corps de Heinz (hémoglobine décomposée) dans les globules rouges que l'on trouve dans certains échantillons de sang périphérique. Souvent légère, l'hémolyse guérit spontanément. Cependant, dans les formes graves de déficits en glucose-6-phosphate déshydrogénase de type méditerranéen, la guérison peut ne pas être spontanée, auquel cas des transfusions peuvent être nécessaires.

Examen clinique et examens paracliniques

On pose le diagnostic grâce à un examen de dépistage ou à une analyse quantitative de la G-6-PD.

Traitement médical

Le traitement consiste à abandonner le médicament ayant des effets hémolytiques. Des transfusions sont indiquées s'il s'agit d'une forme grave de déficit en glucose-6-phosphate déshydrogénase de type méditerranéen.

Soins et traitements infirmiers

Il faut sensibiliser la personne à sa maladie et lui transmettre la liste de médicaments qu'il lui faudra éviter d'absorber. Les interventions infirmières sont les mêmes dans ce genre d'hémolyse que dans celles qu'exigent les hémolyses de toute autre origine.

Sphérocytose héréditaire

La sphérocytose héréditaire (ictère chronique congénital, anémie sphérocytaire ou maladie de Minkowski-Chauffard) est une forme d'anémie hémolytique assez commune (touchant 1 personne sur 5 000). Elle se caractérise par une perméabilité anormale de la membrane érythrocytaire. De ce fait, les cellules changent de forme et deviennent sphériques; ces cellules sphériques sont détruites prématurément dans la rate. La gravité de ce type d'anémie hémolytique varie; l'ictère peut être intermittent, mais il y a également risque de splénomégalie (hypertrophie de la rate). La principale méthode utilisée pour traiter cette affection est l'ablation de la rate.

Anémie hémolytique d'origine immunitaire

Certaines anémies hémolytiques sont causées par l'exposition des érythrocytes à des anticorps. Ces derniers peuvent être des allo-anticorps ou des auto-anticorps. L'organisme produit des allo-anticorps lors de l'exposition à des antigènes d'un autre individu (si une personne Rh^- reçoit du sang Rh^+, par exemple). Les allo-anticorps sont généralement volumineux (de type IgM) et détruisent immédiatement les érythrocytes étrangers. Le type le plus commun d'anémie hémolytique causée par des allo-anticorps chez l'adulte est dû à une incompatibilité sanguine.

Il arrive que l'anémie hémolytique soit provoquée par des autoanticorps. La production de ceux-ci peut être attribuable à diverses causes. Dans la plupart des cas, il s'agit d'un dysfonctionnement du système immunitaire, l'organisme prenant à tort ses propres globules rouges pour des corps étrangers et dirigeant contre eux des anticorps. Ce dysfonctionnement du système immunitaire est fréquent dans les cas de leucémie lymphoïde chronique (LLC). Il est également courant dans les cas de déficit en lymphocytes T suppresseurs, cellules qui préviennent normalement la formation d'anticorps dirigés contre les propres antigènes de l'organisme. Les autoanticorps sont généralement de type IgG. Les globules rouges sont séquestrés dans la rate et détruits par les macrophages qui se trouvent à l'extérieur des vaisseaux sanguins (hémolyse extravasculaire).

On classe les anémies hémolytiques auto-immunes selon la température de l'organisme au moment où se produit la réaction entre les anticorps et l'antigène érythrocytaire. Les anticorps chauds se lient plus activement aux globules rouges à une température de 37 °C ; on observe les anticorps froids sur la surface des globules rouges à une température de 0 °C. La plupart des anémies hémolytiques auto-immunes sont des anémies à médiation par anticorps chauds. L'anémie hémolytique auto-immune est souvent engendrée par des médicaments, un lymphome, la leucémie lymphoïde chronique (LLC) ou d'autres cancers, la maladie vasculaire du collagène, une maladie auto-immune ou des infections. Dans le cas de l'anémie hémolytique auto-immune idiopathique, on ne sait pas pour quelle raison le système immunitaire produit des anticorps. Ce type d'anémie peut toucher les personnes des deux sexes, quel que soit leur âge, alors que l'anémie secondaire est plus fréquente chez les femmes et chez les personnes de plus de 45 ans.

Manifestations cliniques

Les manifestations cliniques peuvent prendre diverses formes, selon la gravité de l'anémie. L'hémolyse peut être très légère, auquel cas la moelle peut produire suffisamment de nouveaux globules rouges, et la personne est asymptomatique. À l'autre extrême, l'hémolyse peut être très grave et l'anémie, mortelle. Les réactions les plus courantes sont la fatigue et les étourdissements. L'examen clinique révèle le plus souvent une splénomégalie, présente chez plus de 80 % des personnes atteintes. L'hépatomégalie, l'adénopathie et l'ictère sont également fréquents.

Examen clinique et examens paracliniques

Les épreuves de laboratoire révèlent de faibles concentrations d'hémoglobine et un hématocrite bas, s'accompagnant le plus souvent d'un nombre élevé de réticulocytes. La forme des érythrocytes est anormale, les sphérocytes sont courants. Les concentrations sériques de bilirubine sont élevées ; si l'hémolyse est importante, la concentration d'haptoglobine est faible ou nulle. Le test de Coombs, ou épreuve à l'antiglobuline, qui permet de dépister les anticorps fixés sur la surface des globules rouges, donnera dans ce cas un résultat positif.

Traitement médical

Il faut cesser immédiatement d'administrer tout médicament pouvant exercer des effets hémolytiques. Le traitement consiste à donner de fortes doses de corticostéroïdes (équivalant à 1 à 2 mg/kg par jour de prednisone) jusqu'à ce que l'hémolyse diminue. Les corticostéroïdes réduisent la capacité des macrophages à détruire les érythrocytes sur lesquels se sont fixés les anticorps. Si les concentrations d'hémoglobine tendent à se normaliser, habituellement au bout de quelques semaines, on peut abaisser la dose de corticostéroïdes et, dans certains cas, mettre fin à la corticothérapie après un sevrage graduel. Toutefois, les corticostéroïdes procurent rarement une rémission durable. Dans les cas graves, des transfusions s'imposeront. Comme la réaction des anticorps peut se déclencher quelle que soit la cellule, le typage sanguin doit être effectué avec beaucoup de soin et la transfusion doit se faire lentement et prudemment.

La splénectomie permet d'éliminer le principal siège de destruction des globules rouges ; cette intervention chirurgicale est indiquée si les corticostéroïdes n'engendrent pas de rémission. Lorsque ni la corticothérapie ni la splénectomie ne donnent les résultats escomptés, on peut administrer des agents immunosuppresseurs. Les deux agents le plus souvent prescrits sont la cyclophosphamide (Cytoxan, Procytox), aux effets rapides, mais relativement toxiques, et l'azathioprine (Imuran), aux effets plus lents, mais moins toxiques. Le danazol (Cyclomen), qui est un androgène synthétique, peut être efficace dans certains cas, particulièrement en association avec des corticostéroïdes, sans qu'on sache à quoi attribuer l'efficacité de ce traitement. Quand on met fin à un traitement aux corticostéroïdes ou aux immunosuppresseurs, il faut effectuer un sevrage très graduel pour prévenir toute réaction « hyperimmune » de rebond et toute exacerbation de l'hémolyse. Les immunoglobulines sont efficaces chez environ le tiers des gens, mais leur effet est transitoire. Si l'anémie est grave, des transfusions seront nécessaires ; il peut cependant être très difficile de se procurer des unités de globules rouges compatibles avec ceux de la personne atteinte.

Soins et traitements infirmiers

Les personnes atteintes ont quelquefois de la difficulté à saisir toute la complexité du processus morbide qui sous-tend leur maladie. Il faut donc leur donner des explications à répétition, en utilisant des termes qu'elles peuvent comprendre. Les personnes qui ont subi une splénectomie devraient être vaccinées contre les infections à pneumocoques, à méningocoque et à *Hæmophilus influenzæ* B. L'infirmière les informera qu'elles seront exposées leur vie durant à un risque plus élevé pour ce type d'affections. Il faut suivre de près les personnes qui se soumettent à une corticothérapie prolongée, particulièrement celles qui sont atteintes de diabète ou d'hypertension. L'infirmière leur explique le bien-fondé du traitement et insiste sur le fait qu'il ne faut jamais y mettre fin brusquement. Elle leur remet des explications écrites ainsi qu'un calendrier de sevrage graduel, tenant compte des concentrations d'hémoglobine qu'elles présentent. Le même genre d'enseignement est fourni aux personnes qui suivent un traitement aux immunosuppresseurs. La corticothérapie comporte des risques importants, et il faut rester à l'affût des complications éventuelles (encadré 35-3 ■ et chapitre 44).

ALERTE CLINIQUE *Il peut se révéler difficile de procéder à une épreuve de compatibilité croisée lorsque le sang contient des anticorps. S'il faut transfuser des hématies qui ne sont pas parfaitement compatibles, l'infirmière doit amorcer la transfusion très lentement (de 10 à 15 mL en 20 à 30 minutes) et observer de près la personne transfusée pour déceler tout signe ou symptôme de maladie hémolytique par incompatibilité sanguine.*

ENCADRÉ 35-3

PHARMACOLOGIE

Complications de la corticothérapie

Toutes les corticothérapies exposent à un risque élevé de complications. Les posologies varient considérablement, selon l'affection hématologique sous-jacente et la réaction au traitement. Par exemple, bien des chimiothérapies comportent l'administration de doses élevées de corticostéroïdes pendant plusieurs jours; après quoi on cesse la médication, sans entreprendre de sevrage. Dans d'autres cas, par exemple celui du purpura thrombocytopénique idiopathique ou ceux des anémies hémolytiques, il faut réduire la posologie très graduellement pour prévenir le rebond de la maladie sous-jacente. Sauf pour les personnes atteintes de diabète, d'hypertension ou d'ostéoporose, on peut difficilement prévoir le type de complication susceptible de survenir. Lorsqu'on administre des doses élevées de corticostéroïdes pendant une période supérieure à quelques semaines, il faut rester à l'affût des symptômes associés aux complications indiquées ci-dessous afin d'en atténuer la gravité.

COMPLICATIONS À COURT TERME

Complications liées à un déséquilibre hydroélectrolytique

- Rétention hydrique
- Rétention sodique
- Déplétion potassique
- Alcalose hypokaliémique
- Hypertension artérielle

Complications endocriniennes

- Diminution de la tolérance aux glucides
- Diabète
- Hyperglycémie

Complications neurologiques

- Maux de tête

Complications musculosquelettiques

- Faiblesse musculaire

Complications psychologiques

- Dépression
- Euphorie
- Irritabilité
- Insomnie
- Psychose

Complications immunologiques

- Absence ou diminution de la réaction aux tests cutanés

COMPLICATIONS À LONG TERME

Complications endocriniennes

- Ralentissement de la fonction corticosurrénalienne
- Diminution de la capacité d'adaptation au stress
- Diminution de la tolérance aux glucides
- Ralentissement de la croissance (enfants)
- Syndrome de Cushing
- Cycle menstruel irrégulier
- Sudation accrue
- Diabète

Complications métaboliques

- Catabolisme des protéines menant à un déséquilibre azoté

Complications gastro-intestinales

- Gastrite
- Œsophagite ulcérative
- Ulcère gastroduodénal
- Pancréatite

Complications musculosquelettiques

- Diminution de la masse musculaire
- Ostéoporose avec ou sans fracture
- Nécrose aseptique de la tête du fémur ou de l'humérus

Complications neurologiques

- Vertiges
- Augmentation de la pression intracrânienne
- Convulsions

Complications ophtalmiques

- Cataracte
- Glaucome
- Exophtalmie

Complications dermatologiques

- Cicatrisation retardée des plaies
- Formation d'ecchymoses
- Fragilité cutanée accrue
- Amincissement de la peau
- Pétéchies

Complications immunologiques

- Immunodépression
  - Prédisposition accrue aux infections
  - Masquage des signes d'infection précoce
  - Risque accru d'infections opportunistes (infection à *Pneumocystis carinii* et zona, par exemple)
  - Absence ou diminution de la réaction aux tests cutanés

HÉMOCHROMATOSE

L'hémochromatose est une affection génétique qui se caractérise par l'absorption excessive de fer par le tractus gastro-intestinal. Les quantités de fer excédentaires se déposent dans divers organes, particulièrement le foie, les testicules, la thyroïde et le pancréas; à la longue, ces organes deviennent dysfonctionnels. On estime qu'au Canada près de 12 % de la population de race blanche serait porteuse du gène de cette maladie. De 2 à 5 personnes sur 1 000 souffriraient d'hémochromatose, soit plus de 100 000 personnes au Canada et plus d'un million aux États-Unis. L'hémochromatose est la maladie héréditaire la plus fréquente dans la population de race blanche; elle se rencontre fréquemment chez les personnes dont les ascendants étaient originaires d'Europe du Nord (Irlande, Écosse, pays de Galles, France, Angleterre et Suède). On retrouve ces personnes un peu partout dans le monde, notamment au Canada, aux États-Unis et en Australie. Selon certaines données récentes, l'hémochromatose pourrait être une cause courante de diabète (Schechter *et al.*, 2000). Grâce à l'élimination naturelle du fer dans le sang menstruel, les femmes en sont moins affectées que les hommes.

Comme la surcharge de fer s'installe graduellement, il arrive souvent que les lésions tissulaires ne deviennent manifestes que vers la quarantaine ou la cinquantaine. Des symptômes comme la faiblesse, la léthargie, l'arthralgie, la perte de poids et la diminution de la libido s'observent fréquemment. On peut noter une hyperpigmentation de la peau par des dépôts de mélanine (parfois d'**hémosidérine**, pigment contenant du fer); la peau prend alors une couleur bronzée. Il y a également risque d'arythmie cardiaque et de cardiomyopathie entraînant de la dyspnée et de l'œdème. Les dérèglements endocriniens se manifestent sous forme d'hypothyroïdie, de diabète et d'hypogonadisme (atrophie des testicules, diminution de la libido et impuissance). Un des effets les plus importants de l'hémochromatose est l'apparition d'un carcinome hépatocellulaire (tumeur qu'on retrouve chez un tiers des personnes atteintes de cette anomalie génétique). Généralement, la formule sanguine complète n'indique aucune anomalie. Les paramètres les plus révélateurs sont des taux sériques élevés de fer et un coefficient élevé de saturation sérique de la transferrine (> 60 % chez les hommes; > 50 % chez les femmes). L'épreuve diagnostique de référence est la biopsie du foie. On a découvert récemment qu'une mutation du gène *HFE* se produit chez la plupart des personnes atteintes d'hémochromatose génétique (Gochee et Powell, 2001). Les personnes homozygotes en ce qui concerne ce gène présentent un risque élevé de contracter la maladie.

Traitement médical

Le traitement consiste en une phlébotomie (saignée thérapeutique d'une veine) visant à retirer le fer excédentaire; on en retire ainsi de 200 à 250 mg par unité de sang. Généralement, on se fixe comme objectif de ramener la ferritine sérique sous la barre des 50 µg/L et d'obtenir une saturation en transferrine inférieure ou égale à 35 %. Dans ce but, on pratique dans un premier temps des saignées fréquentes (une ou deux unités de sang prélevées par semaine), qu'on espacera graduellement pendant un à trois ans. La fréquence des phlébotomies peut ensuite être réduite davantage; il suffit de prélever une unité de sang à plusieurs mois d'intervalle pour prévenir l'accumulation de nouveaux dépôts de fer. L'élimination des quantités de fer excédentaires semble atténuer la gravité du diabète et l'hyperpigmentation de la peau, et améliorer la fonction cardiaque.

Soins et traitements infirmiers

Les personnes atteintes d'hémochromatose pensent qu'elles doivent obligatoirement limiter leur consommation de fer alimentaire, mais cela s'est révélé très inefficace et ne doit pas être encouragé. Toutefois, ces personnes doivent absolument éviter de surcharger davantage leur foie; c'est pourquoi on leur conseille de consommer de l'alcool en quantité modérée. Des dépistages de l'hépatome doivent être effectués en série, à l'aide d'alphafœtoprotéines. Il faut également rechercher les signes et symptômes de dysfonctionnement touchant d'autres organes, particulièrement le cœur et les glandes endocrines, afin de pouvoir commencer rapidement le traitement qui convient. Comme les personnes atteintes d'hémochromatose doivent se soumettre à des phlébotomies fréquentes, les problèmes liés à l'accès vasculaire ne sont pas rares. Bien que les personnes hétérozygotes quant au gène *HFE* ne contractent jamais la maladie, il faut les informer du risque de transmettre le gène à leurs enfants.

POLYCYTHÉMIE

La **polycythémie** (ou polyglobulie) est un syndrome prolifératif qui se caractérise par l'augmentation de la masse de globules rouges et la hausse de l'hématocrite (> 55 % chez les hommes; > 50 % chez les femmes). Bien que la déshydratation (diminution du volume plasmatique) puisse engendrer une hausse de l'hématocrite, cette élévation ne peut pas atteindre les mêmes niveaux que dans la polycythémie. Cette affection peut être vraie, ou secondaire.

Polycythémie vraie

La polycythémie vraie, ou polyglobulie essentielle, est une maladie proliférative due à la suppression des mécanismes normaux assurant la régulation des cellules souches myéloïdes. En présence de cette anomalie, la moelle osseuse est hypercellulaire; de plus, le nombre d'érythrocytes, de leucocytes et de plaquettes dans le sang périphérique est élevé, bien que l'hyperplasie touche surtout les globules rouges. L'hématocrite peut être supérieur à 60 %. Cette phase peut durer 10 ans ou plus. La rate doit de nouveau assurer l'hématopoïèse, et elle se dilate. Avec le temps, la moelle osseuse peut devenir fibreuse, de sorte qu'elle ne produit plus autant de cellules («phase d'épuisement»). Chez bon nombre de gens, la maladie évolue vers une métaplasie myéloïde accompagnée de myélofibrose ou vers une leucémie myéloïde aiguë (LMA). En général, cette forme de LMA résiste aux traitements usuels (Hoffman *et al.*, 2000). Le temps de survie médian dépasse 15 ans (Gruppo Italiano Studio Policitemia, 1995).

Manifestations cliniques

Les signes habituels sont une érythrose du visage et une splénomégalie. Les symptômes sont dus à l'augmentation du volume sanguin (maux de tête, étourdissements, acouphène, fatigue, paresthésie et vision floue) ou de la viscosité du sang (angine, claudication, dyspnée et thrombose), particulièrement si les vaisseaux sanguins sont touchés par l'athérosclérose. Un autre symptôme courant et très gênant est le prurit généralisé, qui pourrait être attribuable à une libération accrue d'histamine en raison de l'augmentation du nombre de basophiles. On note aussi parfois la présence d'une érythromélalgie, sensation de brûlure dans les doigts et les orteils, que des compresses froides ne peuvent soulager complètement.

Examen clinique et examens paracliniques

On pose le diagnostic après avoir dépisté (grâce à la médecine nucléaire) une augmentation de la masse érythrocytaire, la saturation en oxygène étant normale, et une hypertrophie de la rate. D'autres paramètres permettent de confirmer le diagnostic, entre autres le nombre élevé de leucocytes et de plaquettes. La concentration d'érythropoïétine n'est pas aussi élevée qu'un hématocrite accru pourrait le laisser présager; elle est plutôt normale ou légèrement inférieure à la normale. Il faut s'assurer que les facteurs susceptibles d'être à l'origine d'une polyglobulie secondaire ont été écartés (voir les explications fournies plus bas).

Complications

Les personnes atteintes de polycythémie vraie sont exposées à un risque élevé de thrombose pouvant mener à un AVC ou à un infarctus du myocarde. Le décès survient le plus souvent à la suite de complications thrombotiques. L'hémorragie représente aussi une complication possible, probablement parce que les plaquettes, souvent très volumineuses, sont jusqu'à un certain point dysfonctionnelles. Les hémorragies peuvent être importantes et prendre la forme de saignements de nez, d'ulcères et de saignements gastriques marqués.

Traitement médical

Le traitement a pour objectif de réduire la masse globulaire, trop élevée. La saignée constitue un volet important du traitement; il faut y recourir fréquemment afin de s'assurer que l'hématocrite se maintient dans les limites normales. Pour ce faire, on soustrait une quantité suffisante de sang (500 mL au début du traitement, une ou deux fois par semaine) pour épuiser les réserves de fer de l'organisme. Il s'ensuit une carence en fer, et l'organisme ne peut plus produire de globules rouges en excédent. Il faut prévenir les personnes concernées qu'elles doivent éviter de prendre des suppléments de fer et même des multivitamines qui en contiennent. Si des concentrations élevées d'acide urique apparaissent, on utilise l'allopurinol (Zyloprim), qui permet de prévenir les crises de goutte. Les antihistaminiques ne sont pas d'une grande utilité pour soulager les démangeaisons. Pour supprimer la fonction de la moelle osseuse, on peut administrer du phosphore radioactif (^{32}P) ou de l'hydroxyurée (Hydrea), mais ces médicaments myélodépresseurs accroissent le risque de leucémie. Chez les personnes qui reçoivent de l'hydroxyurée, les complications thrombotiques semblent moins fréquentes, probablement parce que le nombre de plaquettes tend à se normaliser. L'administration d'aspirine à faible dose permet de réduire les risques de complications thrombotiques. Toutefois, l'aspirine peut accroître les risques de complications hémorragiques et être contre-indiquée pour les personnes ayant des antécédents de saignements gastro-intestinaux. L'aspirine présente également une certaine utilité dans le soulagement de la douleur associée à l'érythromélalgie. L'anagrélide (Agrylin) inhibe l'agrégation plaquettaire et réduit la thrombocytose qui caractérise la polycythémie vraie. L'interféron alpha-2 (Intron-A) permet aussi de réduire la thrombocytose, mais est peu utilisé pour cette indication en raison de ses nombreux effets secondaires (Tefferi *et al.*, 2000; Lengfelder, Berger et Hehlmann, 2002).

Soins et traitements infirmiers

L'infirmière a d'abord pour tâche d'éduquer. Elle évalue les facteurs de risque concernant les complications thrombotiques et décrit les signes et symptômes de thrombose. Il faut indiquer aux personnes qui ont des antécédents de saignements qu'il leur est habituellement déconseillé de prendre de l'aspirine (acide acétylsalicylique), puisque ce médicament modifie la fonction plaquettaire. L'infirmière doit également insister sur la nécessité de restreindre la consommation d'alcool afin de réduire encore davantage les risques de saignements. Pour soulager le prurit, elle peut recommander de prendre des bains tièdes ou froid.

Polycythémie secondaire

La polycythémie (ou polyglobulie) secondaire est due à une production excessive d'érythropoïétine. Elle peut être provoquée par l'hypoxie, par l'inhalation habituelle de la fumée de cigarettes, par la BPOC, par une maladie cardiaque cyanotique ou encore par un séjour prolongé en haute altitude. La polycythémie secondaire peut également résulter d'un néoplasme du rein qui stimule la production d'érythropoïétine.

Traitement médical

Il n'est pas toujours indispensable de traiter la polycythémie secondaire; lorsqu'un traitement s'impose, celui-ci doit viser la cause première. Quand on ne peut régler le problème initial (en traitant le néoplasme du rein ou en améliorant la fonction respiratoire, par exemple), il peut être nécessaire de pratiquer une phlébotomie chez les personnes symptomatiques, afin de réduire le volume et la viscosité du sang.

LEUCOPÉNIE ET NEUTROPÉNIE

La leucopénie et la neutropénie sont des affections interreliées, la première découlant de la seconde.

Leucopénie

La leucopénie, affection qui se caractérise par la diminution du nombre de leucocytes, est provoquée par la neutropénie (diminution du nombre de neutrophiles) ou par la lymphopénie (diminution du nombre de lymphocytes). Même si le nombre de leucocytes appartenant à d'autres catégories (monocytes, basophiles) diminue, ces globules blancs ne sont pas suffisamment nombreux pour réduire de façon marquée la quantité totale de leucocytes. La lymphopénie (nombre de lymphocytes inférieur à 1 500/mm^3) peut être provoquée par divers facteurs: rayonnements ionisants, corticothérapie prolongée, urémie, certains néoplasmes (comme les cancers du sein et du poumon ou la maladie de Hodgkin à un stade avancé) et certaines entéropathies se caractérisant par une perte protéique (qui entraîne la déplétion des lymphocytes présents dans les intestins).

Neutropénie

La neutropénie (nombre de neutrophiles inférieur à 2 000/mm^3) découle de la baisse de production des neutrophiles ou de la destruction accélérée de ces cellules (encadré 35-4 ■). Les

ENCADRÉ 35-4

Causes de la neutropénie

BAISSE DE LA PRODUCTION DES NEUTROPHILES
- Aplasie médullaire engendrée par des médicaments ou par des toxines
- Cancer métastatique, lymphome, leucémie
- Syndromes myélodysplasiques
- Chimiothérapie
- Radiothérapie

INEFFICACITÉ DE LA GRANULOCYTOPOÏÈSE
- Anémie mégaloblastique

DESTRUCTION ACCÉLÉRÉE DES NEUTROPHILES
- Hypersplénisme
- Origine médicamenteuse*
- Maladie auto-immune (lupus érythémateux disséminé [LED], par exemple)
- Maladie virale (hépatite infectieuse, mononucléose, par exemple)
- Infections bactériennes

* Formation d'anticorps antimédicaments qui entraîne une diminution rapide du nombre de neutrophiles.

neutrophiles jouent un rôle essentiel dans la prévention des infections bactériennes; ils en limitent également la gravité. La personne qui présente une neutropénie est davantage sujette aux infections exogènes et endogènes (le tractus gastro-intestinal et la peau représentent souvent des foyers de contamination endogène). Le risque d'infection ne provient pas uniquement de la gravité de la neutropénie (nombre très bas de neutrophiles), mais aussi de sa durée. Le taux réel de neutrophiles, qu'on appelle **taux absolu de neutrophiles (TAN)**, peut être déterminé à l'aide d'un calcul mathématique simple utilisant les résultats de la numération globulaire et de la formule leucocytaire. Plus le nombre de neutrophiles diminue, plus le risque d'infection augmente: le risque est non négligeable lorsque le TAN est inférieur à 1 000 et élevé lorsqu'il est inférieur à 500; l'infection est presque inévitable lorsque le TAN est inférieur à 100. Le risque de contracter une infection augmente proportionnellement à la durée de la neutropénie, même si celle-ci est légère. Par ailleurs, une neutropénie grave mais de courte durée, notamment dans le cas d'une chimiothérapie, ne cause pas nécessairement d'infection (encadré 35-5 ■).

Manifestations cliniques

Avant qu'une infection ne survienne, la neutropénie ne se manifeste pas par des symptômes particuliers. La numération globulaire accompagnée de la formule leucocytaire, comme celle qui est effectuée systématiquement après une chimiothérapie, peut révéler une neutropénie avant que l'infection ne se déclare.

Traitement médical

On traite la neutropénie selon l'étiologie. Si la maladie a été causée par un médicament, il faut cesser d'administrer celui-ci, dans la mesure du possible. Le traitement d'une tumeur sous-jacente peut aggraver la neutropénie de façon passagère, mais l'état de santé peut s'améliorer ensuite grâce à des interventions visant à guérir la moelle osseuse. Dans le cas d'une maladie auto-immune, on peut administrer une corticothérapie. Lorsque la neutropénie est attribuable à la diminution de la production des neutrophiles, les facteurs de croissance comme le G-CSF ou le filgrastim (Neupogen) (facteurs stimulant la croissance de colonies de granulocytes) peuvent stimuler la production de ces polynucléaires. Si la neutropénie a été causée par une chimiothérapie ou par une radiothérapie, il faut soit espacer les séances, soit diminuer les doses administrées. Cependant, quand il s'agit d'une thérapie qui pourrait permettre à la personne de se rétablir, on préférera administrer un facteur de croissance afin d'obtenir un effet antitumoral maximal. Si la neutropénie s'accompagne de fièvre, on suppose automatiquement que la personne a contracté une infection et, dans ce cas, on décidera habituellement de l'hospitaliser. Il faudra effectuer des prélèvements de sang, d'urine et d'expectorations, en vue de procéder à des cultures, et réaliser une radiographie thoracique. Pour détruire les microorganismes infectieux, on administrera des antibiotiques à large spectre dès que les échantillons auront été prélevés, quitte à les remplacer par d'autres antibiotiques une fois qu'on aura déterminé la nature de l'agent infectieux et sa sensibilité.

Soins et traitements infirmiers

Les infirmières de tous les milieux jouent un rôle crucial dans l'évaluation de la gravité de la neutropénie, ainsi que dans la prévention et le traitement de ses complications infectieuses. L'enseignement est également très important, particulièrement en consultation externe, car ce n'est qu'ainsi que la personne atteinte pourra prendre les mesures d'autosoins appropriées et savoir à quel moment elle doit consulter un médecin (encadré 35-6 ■). Les personnes exposées au risque de neutropénie doivent se soumettre à des prélèvements sanguins permettant d'effectuer une numération globulaire comportant une formule leucocytaire; la fréquence de ces examens dépend de la gravité et de l'ancienneté présumées de la neutropénie. Les infirmières doivent comprendre les résultats du TAN et savoir évaluer la gravité de la neutropénie ainsi que les facteurs de risque concernant une infection. Les interventions infirmières dans les cas de neutropénies sont indiquées à l'encadré 35-7 ■.

Leucocytose et leucémie

Le terme de *leucocytose* désigne une affection qui se manifeste par un nombre élevé de globules blancs (leucocytes) circulants. En règle générale, un seul type de cellules augmente en nombre. Comme les cellules de plusieurs catégories (éosinophiles, basophiles et monocytes) ne sont pas très nombreuses au départ, la hausse seule du taux de neutrophiles ou de lymphocytes peut être suffisamment importante pour élever le nombre total de globules blancs. Bien que la leucocytose puisse constituer une réaction normale à l'accroissement des besoins (comme dans le cas d'une infection aiguë), le nombre de globules blancs devrait s'abaisser au fur et à mesure que ces besoins diminuent. Toute élévation prolongée ou graduelle du nombre de leucocytes est anormale et devrait faire l'objet d'une évaluation. Le cancer représente l'une des principales causes de la leucocytose.

ENCADRÉ 35-5

FACTEURS DE RISQUE

Infections et saignements chez les personnes atteintes d'une maladie hématologique

RISQUE D'INFECTION

- *Gravité de la neutropénie:* Le risque d'infection est proportionnel à la durée et à la gravité de la neutropénie.
- *Durée de la neutropénie:* Plus la neutropénie se prolonge, plus le risque d'infection est élevé.
- *État nutritionnel:* La diminution des réserves de protéines entraîne un affaiblissement de la réaction immunitaire et une diminution de la vitalité.
- *Sédentarité:* La sédentarité diminue l'amplitude respiratoire et mène à une accumulation accrue des sécrétions.
- *Lymphocytopénie; maladies du système lymphoïde (leucémie lymphoïde chronique [LLC], lymphome, myélome):* Dans ce cas, l'immunité à médiation humorale et cellulaire est affaiblie.
- *Interventions effractives:* Toute atteinte à l'intégrité de la peau favorise la pénétration d'un nombre accru de microorganismes dans le sang.
- *Hypogammaglobulinémie:* L'organisme est moins en mesure de produire des anticorps.
- *Piètre hygiène:* Le nombre de microorganismes qui prolifèrent sur la peau et les muqueuses est plus élevé.
- *Mauvaise dentition; inflammation des muqueuses:* Toute atteinte à l'intégrité de l'endothélium de la bouche et des dents favorise la pénétration d'un nombre accru de microorganismes dans le sang.
- *Antibiothérapie:* Le risque de surinfection, surtout fongique, est plus élevé.
- *Certains médicaments:* Se reporter au texte.

RISQUE DE SAIGNEMENT

- *Gravité de la thrombocytopénie:* Le risque s'accroît au fur et à mesure que le nombre de plaquettes diminue; habituellement, le risque n'est pas très élevé tant que le nombre de plaquettes n'a pas chuté sous la barre des 20 000/mm^3, ou sous la barre des 50 000/mm^3 en cas d'intervention effractive.
- *Durée de la thrombocytopénie:* Le risque augmente avec la durée (ainsi, le risque est plus faible si la thrombocytopénie est transitoire, comme après une chimiothérapie, que si elle est permanente, comme lorsque la moelle osseuse ne produit pas suffisamment de cellules).
- *Septicémie:* On ne connaît pas la raison de ce phénomène, mais la destruction des plaquettes semble s'accroître dans les cas de septicémie.
- *Pression intracrânienne accrue:* L'accroissement de la pression artérielle provoque la rupture des vaisseaux.
- *Dysfonctionnement hépatique:* On note, dans ce cas, la réduction de la synthèse des facteurs de coagulation.
- *Dysfonctionnement rénal:* Il réduit la fonction plaquettaire.
- *Dysprotéinémie:* Les protéines se fixent sur les plaquettes et les rendent dysfonctionnelles; les protéines augmentent aussi la viscosité du sang, ce qui accroît l'étirement des capillaires, d'où un risque de saignement plus élevé.
- *Abus d'alcool:* L'effet myélodépresseur de l'alcool entraîne la diminution de la production des plaquettes et un dysfonctionnement plaquettaire; le dysfonctionnement hépatique entraîne la diminution de la production des facteurs de coagulation.
- *Splénomégalie:* Destruction accélérée des plaquettes; la rate emprisonne les plaquettes circulantes.
- *Pharmacothérapie concomitante:* Se reporter au texte.

L'hématopoïèse se caractérise par une régénération cellulaire rapide et constante. Normalement, ce sont les besoins de l'organisme qui régissent de manière rigoureuse la production d'un type particulier de globules sanguins à partir de ses cellules souches. Si les mécanismes qui régulent la production de ces globules se modifient, les cellules peuvent proliférer en trop grand nombre et atteindre un niveau potentiellement dangereux. On classe les cancers qui découlent d'une modification de l'hématopoïèse selon les cellules touchées. La leucémie, littéralement le «sang blanc», est provoquée par la prolifération aberrante d'un type particulier de globules (granulocytes, monocytes, lymphocytes ou mégacaryocytes). La transformation maligne prend naissance dans une cellule souche myéloïde ou lymphoïde du tissu hématopoïétique. Les lymphomes sont des néoplasmes issus du tissu lymphoïde, affectant habituellement les lymphocytes B. Le myélome multiple est provoqué par une transformation maligne des lymphocytes B les plus mûrs, les plasmocytes.

Les leucémies ont comme caractéristique commune la prolifération impossible à maîtriser des globules blancs dans la moelle osseuse. Dans les formes aiguës ou dans la phase terminale des formes chroniques, la prolifération des cellules leucémiques est telle que la production de cellules normales devient presque nulle. Les cellules leucémiques peuvent également proliférer dans le foie et dans la rate (hématopoïèse extramédullaire). Dans la leucémie aiguë, on peut découvrir des infiltrations dans d'autres organes, notamment dans les méninges, les ganglions lymphatiques, les gencives et la peau. Bien qu'on n'ait pas encore parfaitement élucidé l'étiologie de la leucémie, certains éléments donnent à penser que des facteurs génétiques de même qu'une pathogénie virale pourraient y être associés. La leucémie peut également découler d'une atteinte de la moelle osseuse due à l'exposition à des radiations ou à des produits chimiques, notamment aux benzènes ou aux agents alkylants (melphalan [Alkeran], par exemple).

On classe habituellement les leucémies comme suit:

- *Leucémie myéloïde*
  - Leucémie myéloïde aiguë
  - Leucémie myéloïde chronique
- *Leucémie lymphoïde*
  - Leucémie lymphoïde aiguë
  - Leucémie lymphoïde chronique

ENCADRÉ 35-6

GRILLE DE SUIVI DES SOINS À DOMICILE

Personne exposée au risque d'infection

Après avoir reçu l'enseignement sur les soins à domicile, la personne ou le proche aidant peut:	Personne	Proche aidant
■ Expliquer pourquoi la personne est exposée au risque d'infection.	✔	✔
■ Décrire les signes et symptômes d'une infection.	✔	✔
■ Expliquer comment on reconnaît les signes et symptômes d'une infection.	✔	✔
■ Indiquer avec qui il faut communiquer si on détecte des signes d'infection, et à quel moment et comment il faut le faire.	✔	✔
■ Énumérer les comportements qu'il convient d'adopter pour prévenir une infection: • Bien se laver les mains; avoir une bonne hygiène corporelle et assurer l'intégrité de la peau. • Éviter de manipuler des fleurs coupées, des plantes ou de la terre (en faisant du jardinage), de nettoyer les cages d'oiseaux ou de changer les litières. • S'abstenir de consommer des salades crues, des fruits et des légumes non pelés. • Suivre un régime alimentaire hyperénergétique et hyperprotéique et boire au moins 3 000 mL de liquide par jour (sauf en cas de restriction). • Éviter de se trouver dans une foule ou d'entrer en contact avec des personnes contaminées. • Faire des exercices de respiration profonde, utiliser un inspiromètre toutes les quatre heures, pendant les heures d'éveil. • Assurer une lubrification suffisante du vagin par des attouchements manuels délicats avant le coït; éviter de pratiquer le coït anal.	✔	✔
■ Décrire les mesures à prendre en cas d'infection.	✔	✔

ENCADRÉ 35-7

Précautions à prendre en cas de neutropénie

DIAGNOSTIC INFIRMIER

Risque d'infection, relié à une incompétence immunitaire dont les causes sont les suivantes:

- Diminution du nombre de neutrophiles (voir ci-dessous) en raison de l'envahissement de la moelle ou d'une régénération cellulaire insuffisante due aux médicaments
- Dysfonctionnement des neutrophiles (consécutif à un syndrome myélodysplasique, par exemple)
- Dysfonctionnement des lymphocytes ou diminution de leur nombre
- Hypogammaglobulinémie
- Anergie ou affaiblissement de la réaction immunitaire
- Malnutrition
- Chirurgie ou intervention effractive
  - Antibiothérapie (accroissement du risque de surinfection)
  - Souvent, les personnes contaminées qui sont neutropéniques *ne présentent pas* les signes classiques d'une infection ou d'une inflammation (rougeur, aspect trouble des liquides physiologiques); le seul signe pourrait être la fièvre (et souvent il survient plus tard dans le cours du processus infectieux).
  - La peau et les muqueuses représentent les premières lignes de défense de l'organisme contre l'infection; si l'intégrité des cellules épithéliales n'est plus assurée, les microorganismes peuvent envahir le sang et le système lymphatique.

EXAMEN CLINIQUE

Lors de chaque visite ou à chaque changement d'équipe (ou au cours des visites ponctuelles pendant le quart de travail, si la personne est hospitalisée), effectuer un examen clinique portant sur les éléments énumérés ci-dessous et prévenir le médecin si on décèle des signes d'infection ou si l'état de la personne s'aggrave.

- *Fonction tégumentaire:* rechercher la sensibilité au toucher, la présence d'un œdème, d'une atteinte à l'intégrité de la peau, d'écoulements et de lésions (particulièrement au niveau des seins, des aisselles, de l'aine, des plis cutanés, des protubérances osseuses, du périnée); inspecter tous les points de ponction (points de ponction intraveineuse) pour déceler les signes d'une infection ou d'une inflammation.
- *Muqueuses de la bouche:* vérifier le degré d'humidité et la couleur des muqueuses de la bouche; rechercher la présence de lésions (examiner le palais, la langue, la muqueuse buccale, les lèvres, l'oropharynx).
- *Fonction respiratoire:* rester à l'affût d'une toux ou de maux de gorge; ausculter les bruits respiratoires pour rechercher des bruits surajoutés.
- *Fonction gastro-intestinale:* rester à l'affût d'une gêne ou d'une distension abdominale, de nausées, d'une modification des habitudes de défécation; ausculter les bruits intestinaux.
- *Fonction rénale:* rester à l'affût d'une dysurie et de mictions fréquentes ou impérieuses; vérifier la couleur, la clarté et l'odeur de l'urine.

- *Fonction neurologique:* noter les céphalées, la rigidité de la nuque, les troubles visuels; évaluer le niveau de conscience, l'orientation dans les trois sphères, le comportement.
- *Température:* mesurer la température toutes les quatre heures ou à chaque visite; prévenir le médecin traitant si elle dépasse 37 °C, si la fièvre ne peut être abaissée par de l'acétaminophène ou si l'état hémodynamique de la personne se détériore.

EXAMENS PARACLINIQUES

- Vérifier quotidiennement la numération globulaire et la formule leucocytaire (particulièrement le taux absolu de neutrophiles [TAN]).
- Prévenir le médecin si le TAN est < 1 000, s'il s'est considérablement modifié depuis la numération précédente ou si des symptômes apparaissent (fièvre).
- Noter les concentrations de globuline, d'albumine et de protéines totales.
- Noter les résultats de toutes les cultures et de tous les antibiogrammes.
- Noter les résultats radiologiques.

INTERVENTIONS INFIRMIÈRES

Entourage et personnel

- **Demander à tous ceux qui entrent dans la chambre de la personne de se laver méticuleusement les mains.**
- Interdire à tous ceux qui souffrent de rhume ou de maux de gorge de s'occuper de la personne, d'entrer dans sa chambre ou de la toucher (si elle est soignée à domicile).
- S'occuper en priorité de la personne neutropénique (dans la mesure du possible).
- Installer la personne dans une chambre privée, si son TAN < 1 000.
- Ne pas laisser des fleurs coupées dans sa chambre (eau stagnante).
- S'assurer que la chambre est nettoyée à fond tous les jours.

Alimentation

- Servir des aliments qui contiennent peu de bactéries.
- Ne pas servir de salades crues ni de fruits et de légumes non pelés.

Personne

- Éviter d'administrer des suppositoires ou des lavements, et de prendre la température rectale.
- Inciter la personne à faire des exercices respiratoires (à l'aide d'un inspiromètre) toutes les quatre heures, lorsqu'elle ne dort pas.
- Inciter la personne à marcher; si la neutropénie est grave, lui demander de porter un masque de protection respiratoire filtrant, à haute efficacité contre les particules.
- Prévenir le dessèchement de la peau; appliquer des produits lubrifiants hydrosolubles, particulièrement sur les zones à haut risque (lèvres, commissures, coudes, pieds, protubérances osseuses).

Hygiène

- Assurer une hygiène quotidienne méticuleuse (utiliser de préférence des solutions antimicrobiennes); bien nettoyer le périnée après chaque défécation.
- Assurer une bonne hygiène buccale; veiller à ce que la personne se lave les dents après chaque repas et toutes les quatre heures lorsqu'elle ne dort pas; la solution saline est efficace; éviter d'employer des tampons imbibés de glycérine citronnée ou des rince-bouche vendus dans le commerce.

Traitement intraveineux (IV)

- Ne pas utiliser de canules en plastique pour les intraveineuses périphériques, si le TAN est inférieur à 500 (à condition que cette façon de faire soit conforme aux pratiques de l'établissement); opter pour un dispositif central d'accès vasculaire en cas de traitement IV prolongé ou intensif.
- Inspecter tous les points de ponction veineuse à chaque changement d'équipe; rester à l'affût de toute sensation gênante; il peut ne pas y avoir d'érythème.
- Prodiguer les soins qui s'imposent autour des points de ponction.
- Nettoyer la peau avec une solution antimicrobienne avant chaque ponction veineuse (si la personne n'y est pas allergique).
- Changer les tubulures intraveineuses selon les règles en usage dans l'établissement, en respectant les normes de l'asepsie.
- Administrer les antibiotiques à l'heure prévue.

Résultats escomptés

- La personne ne présente aucun signe d'infection, comme en témoigne l'absence de fièvre, de frissons, d'inflammation, d'écoulements, de toux, de dyspnée, de maux de gorge, de dysurie ou de mictions fréquentes.
- La personne ne présente aucun signe d'infection, comme en témoignent les données suivantes: les signes vitaux sont dans les limites normales, la peau est intacte et l'état neurologique est inaltéré.

Durée de l'évaluation

Jusqu'à la disparition de la neutropénie et de l'infection.

La répartition en leucémies myéloïdes et leucémies lymphoïdes se fait d'après les cellules souches en cause, et la répartition en leucémies aiguës et leucémies chroniques se fait selon le mode d'évolution des symptômes au fil du temps et selon la phase à laquelle le développement cellulaire s'arrête, la différenciation des globules blancs ayant pratiquement cessé au-delà de cette phase.

Dans la leucémie aiguë, les symptômes apparaissent brusquement, souvent en quelques semaines. Le développement des leucocytes s'arrête à la phase blastique; c'est pourquoi la plupart des globules blancs sont des blastes ou des cellules indifférenciées. La leucémie aiguë évolue très rapidement; faute de traitement vigoureux, le décès survient en quelques semaines ou en quelques mois. Les symptômes de la leucémie chronique, quant à eux, évoluent en quelques mois ou en quelques années et la majorité des leucocytes atteignent la maturité. La leucémie chronique se caractérise par une évolution lente pouvant s'étendre sur un certain nombre d'années.

Leucémie myéloïde aiguë

La leucémie myéloïde aiguë (LMA) est attribuable à une anomalie des cellules souches hématopoïétiques, qui se différencient pour former des cellules myéloïdes de tout genre:

monocytes, granulocytes (neutrophiles, basophiles, éosinophiles), érythrocytes et plaquettes. Bien qu'elle se déclenche parmi tous les groupes d'âge, la fréquence s'accroît avec l'âge, atteignant un sommet à 60 ans. La LMA est la forme la plus courante de leucémie non lymphoïde.

Le pronostic varie énormément et n'est pas toujours tributaire de paramètres liés à la personne atteinte ou à la maladie. La LMA est une affection curable, mais en général le pronostic est moins encourageant pour les personnes âgées ou pour celles qui sont atteintes d'une forme plus indifférenciée.

S'il existe des antécédents de syndrome myélodysplasique ou de traitement antinéoplasique par des agents alkylants (LMA secondaire), le pronostic est plus sombre encore. Dans ce cas, en effet, la leucémie se montre plus rebelle au traitement, de sorte que les rémissions sont plus courtes. Après le traitement, l'espérance de vie des personnes est en moyenne inférieure à un an, le décès étant attribuable à une infection ou à une hémorragie.

Manifestations cliniques

La plupart des signes et symptômes découlent de l'insuffisance de la production des globules sanguins normaux. La fièvre et l'infection sont provoquées par la neutropénie, la faiblesse et la fatigue, par l'anémie et la prédisposition aux saignements, ainsi que par la thrombocytopénie. La prolifération des cellules leucémiques dans divers organes entraîne un éventail de symptômes additionnels : douleur, en raison d'une hypertrophie du foie ou de la rate, hyperplasie des gencives et douleurs osseuses, en raison de la dilatation de la moelle. Les effets multisystémiques de la leucémie sont présentés en résumé à la figure 35-9 ■.

Examen clinique et examens paracliniques

La maladie survient soudainement, les symptômes apparaissant en l'espace de quelques semaines ou de quelques mois. La numération globulaire révèle une diminution du nombre d'érythrocytes et de plaquettes. Que le nombre total de leucocytes soit bas, normal ou élevé, le pourcentage de cellules normales est en général extrêmement faible. L'analyse de la moelle osseuse révèle un excédent de blastes immatures (plus de 30 %). On peut d'ailleurs répartir les LMA en sept sous-groupes, selon la cytogénétique, l'histologie et la morphologie (aspect) des blastes. Bien que le pronostic ne soit pas exactement semblable pour tous les types de LMA, l'évolution clinique et le traitement sont essentiellement les mêmes, sauf pour la leucémie promyélocytaire aiguë (LPA). Les personnes atteintes de cette forme de leucémie aiguë sont bien plus sujettes aux saignements que les autres, en raison de la coagulopathie sous-jacente et d'une coagulation intravasculaire disséminée (CIVD) plus fréquente.

Complications

Les complications de la LMA comprennent les saignements et l'infection, qui constituent la principale cause de décès. Les risques de saignements sont proportionnels à la réduction du nombre de plaquettes (thrombocytopénie). Une numération plaquettaire trop basse peut entraîner la formation d'**ecchymoses** (bleus) et de **pétéchies** (petites taches rougeâtres ou violacées apparaissant sur la peau). Lorsque le nombre de plaquettes chute sous la barre des 10 000/mm^3, il y a également risque d'hémorragie majeure. Les saignements se produisent le plus souvent dans le tractus gastro-intestinal, les poumons ou le cerveau. Pour des raisons obscures, la fièvre et l'infection élèvent également les risques de saignements.

En raison de la pénurie de granulocytes matures et normaux, les personnes atteintes de leucémie sont fortement prédisposées aux infections. Le risque d'infection s'élève avec la gravité et la durée de la neutropénie. Lorsque la numération de neutrophiles se maintient au-dessous de 100/mm^3, la personne se trouve fortement exposée à une infection généralisée. Si la neutropénie grave persiste, la personne est également exposée à un risque élevé d'infection fongique.

Traitement médical

Globalement, le traitement de la LMA vise la rémission complète, qui se définit par l'absence de cellules leucémiques résiduelles décelables dans la moelle osseuse. Pour atteindre ce résultat, on entreprend une chimiothérapie intensive portant le nom de thérapie d'induction ; celle-ci exige habituellement l'hospitalisation de la personne pendant un certain nombre de semaines. En règle générale, la thérapie d'induction recourt à des doses élevées de cytarabine (Cytosar) et de daunorubicine (Cerubidine), de mitoxantrone (Novantrone) ou d'idarubicine (Idamycin) ; parfois, on ajoute de l'étoposide (VP-16, VePesid). Le choix des agents se fonde sur l'état physique de la personne et sur ses antécédents de traitement antinéoplasique.

Le but du traitement d'induction est d'éradiquer les cellules leucémiques, mais il arrive souvent qu'on élimine en même temps des cellules myéloïdes normales. De ce fait, la neutropénie s'aggrave (il n'est pas rare que le TAN soit de 0), la personne devient de plus en plus anémique et thrombocytopénique (le nombre de plaquettes est souvent inférieur à 10 000/mm^3). La personne atteinte de leucémie, alors très malade, présente un risque élevé de contracter des infections bactériennes, fongiques et parfois virales ; en outre, elle présente des saignements et une inflammation grave des muqueuses gastro-intestinales qui engendre de la diarrhée et une inaptitude croissante à se nourrir convenablement. Les soins de soutien consistent à administrer des produits sanguins (érythrocytes et plaquettes) et à traiter rapidement les infections. L'administration de facteurs stimulant les colonies de granulocytes, comme le G-CSF (filgrastim [Neupogen]), peut écourter la durée de la neutropénie grave : l'agent stimule la production des leucocytes par la moelle osseuse, apparemment sans accroître le risque que les cellules leucémiques se mettent en même temps à proliférer.

Lorsque la personne s'est rétablie, après le traitement d'induction (autrement dit lorsque le nombre de leucocytes et de plaquettes s'est normalisé et que l'infection a été éradiquée), on lui administre un traitement d'entretien. Celui-ci a pour but d'éliminer toutes les cellules leucémiques résiduelles, cliniquement indécelables, afin de réduire le risque de rechute. On utilise plusieurs types de traitements ; ceux-ci recourent à divers agents, contenant habituellement de la cytarabine (Cytosar). Il arrive souvent qu'on administre des médicaments semblables à ceux que la

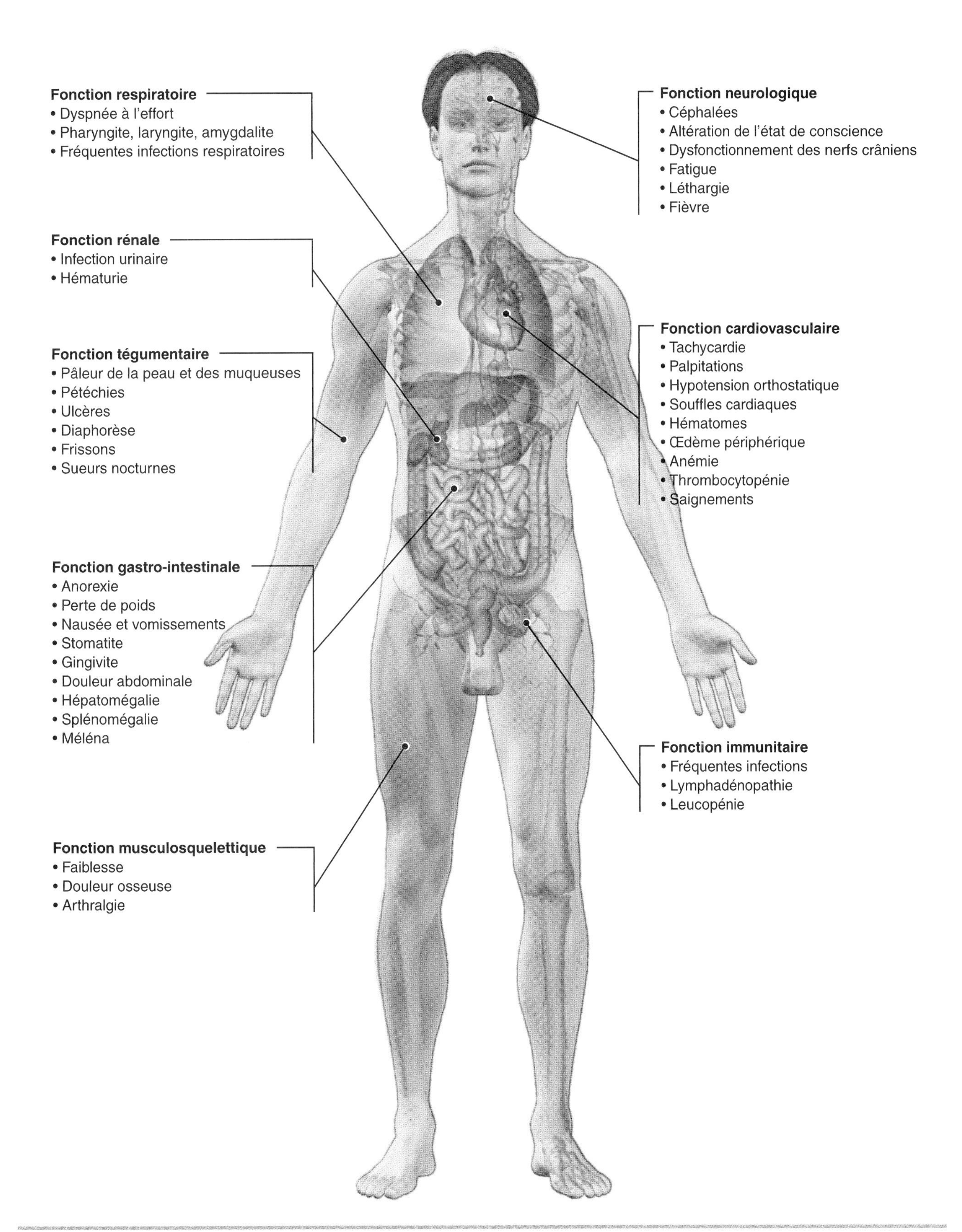

FIGURE 35-9 ■ Effets multisystémiques de la leucémie myéloïde aiguë.
SOURCE : © Stéphane Bourrelle.

personne a reçus pendant la phase d'induction, les mêmes parfois, mais à une dose plus faible (ce qui rend le traitement moins toxique).

Malgré la chimiothérapie intensive, il y a peu d'espoir que la rémission soit durable. Environ 70 % des personnes atteintes de LMA rechutent (Hiddemann et Buchner, 2001). Selon une étude portant sur la survie à longue échéance des personnes souffrant de LMA, 11 % seulement d'entre elles survivent pendant 10 ans ou plus (Micallef *et al.*, 2001).

La greffe de moelle osseuse ou de cellules souches du sang périphérique représente une autre option de traitement intensif. Lorsqu'on réussit à trouver un donneur compatible, le receveur est soumis à une chimiothérapie encore plus vigoureuse (parfois en association avec la radiothérapie), dont l'objectif est cette fois d'inhiber la fonction hématopoïétique de la moelle. Ensuite, à titre de traitement de «sauvetage», on lui perfuse les cellules souches du donneur afin de relancer la production de globules sanguins. La personne est alors exposée à un risque très élevé d'infection et d'antagonisme entre l'hôte et le greffon (les lymphocytes du donneur [greffon] voient dans l'hôte un «étranger» et déclenchent à son endroit une série de réactions immunologiques), de même qu'à d'autres complications. La transplantation de cellules souches a permis de guérir la LMA chez 25 à 50 % des personnes à haut risque de rechute ou qui avaient rechuté une fois (Radich et Sievers, 2000).

Il ne faut pas non plus négliger la solution des soins palliatifs. En fait, les soins palliatifs pourraient constituer la seule solution possible pour les personnes qui présentent des maladies intercurrentes graves, associées notamment à un important dysfonctionnement cardiaque, pulmonaire, rénal ou hépatique. On n'administre pas alors de traitement intensif contre la leucémie et on utilise parfois pendant un court laps de temps de l'hydroxyurée (Hydrea) pour freiner l'accroissement de la production de blastes. D'habitude, on administre aux personnes une antibiothérapie et des transfusions, selon les besoins. Elles peuvent ainsi rester chez elles un peu plus longtemps, bien que le décès survienne souvent en quelques mois, généralement à la suite d'une infection ou de saignements.

Complications du traitement

La destruction massive des cellules leucémiques provoquée par la chimiothérapie entraîne la libération dans la circulation systémique des liquides et des électrolytes qu'elles contenaient. On note une élévation des concentrations d'acide urique, de potassium et de phosphate. Ce processus porte le nom de syndrome de **lyse** tumorale (chapitre 16 ⊂⊃). Les concentrations élevées d'acide urique et de phosphate prédisposent la personne à la formation de calculs rénaux et à des coliques néphrétiques pouvant évoluer vers une insuffisance rénale aiguë. L'hyperkaliémie et l'hypocalcémie peuvent provoquer de l'arythmie cardiaque, de l'hypotension orthostatique et des réactions neuromusculaires, entre autres des crampes, de la faiblesse, des spasmes ou de la tétanie, de la confusion et des convulsions. Afin de prévenir la formation de cristaux d'acide urique et les calculs rénaux en résultant, les personnes doivent recevoir un apport liquidien élevé, avoir un traitement pour alcaliniser leur urine et recevoir une prophylaxie avec de l'allopurinol (Zyloprim). L'infiltration de leucocytes anormaux dans les viscères et la toxicité des agents administrés en chimiothérapie peuvent entraîner des problèmes gastro-intestinaux. L'anorexie, les nausées, les vomissements, la diarrhée et l'inflammation grave des muqueuses constituent des symptômes fréquents. En raison des effets myélodépresseurs importants de la chimiothérapie, la neutropénie et la thrombocytopénie prononcées entraînent en règle générale des infections graves et des risques accrus de saignements.

Soins et traitements infirmiers

On présente les soins et traitements infirmiers destinés à la personne atteinte de leucémie aiguë à la fin de la section concernant les leucémies, plus loin dans le chapitre.

Leucémie myéloïde chronique

La leucémie myéloïde chronique (LMC) découle de la mutation des cellules souches myéloïdes. La production des cellules myéloïdes normales se poursuit, mais surtout sous la forme de blastes (cellules jeunes). Le sang contient, par conséquent, une vaste gamme de cellules appartenant à divers types, allant des blastes de formes variées aux neutrophiles matures. En raison de cette prolifération cellulaire désordonnée, la moelle contenue dans les cavités des os longs se dilate (dans le fémur, par exemple) et des cellules peuvent aussi se former dans le foie et dans la rate (hématopoïèse extramédullaire), ce qui mène à une hypertrophie parfois douloureuse de ces organes. Chez 90 à 95 % des personnes atteintes de LMC, l'ADN contenu dans le chromosome 22 (chromosome Philadelphie [Ph1]) est dépourvu d'un de ses fragments, qui a fait l'objet d'une translocation sur un autre chromosome. La LMC se rencontre rarement chez les personnes de moins de 20 ans, mais sa fréquence s'élève avec l'âge (l'âge médian des personnes atteintes se situe entre 40 et 50 ans).

Tant que la LMC reste en phase chronique, l'espérance de vie médiane globale est de 3 à 5 ans. Pendant ce laps de temps, les symptômes et les complications de la maladie sont peu fréquents, tout comme les infections et les saignements. Néanmoins, une fois que la maladie est entrée en phase aiguë (crise blastique), la survie dépasse rarement quelques mois.

Manifestations cliniques

Le tableau clinique de la LMC varie. Un grand nombre de personnes atteintes sont asymptomatiques; la leucocytose est décelée fortuitement lors d'un hémogramme effectué pour une autre raison. En général, le nombre de leucocytes dépasse 100 000/mm^3. Les personnes dont le nombre de leucocytes est extrêmement élevé peuvent parfois souffrir d'essoufflement ou de confusion légère, parce que l'irrigation capillaire des poumons et du cerveau diminue en raison de la leucostase (les leucocytes en nombre excessif entravent la circulation du sang dans les capillaires). Parfois, la rate est hypertrophiée et douloureuse; le foie peut également être hypertrophié. Certaines personnes présentent des symptômes non spécifiques, entre autres des malaises, de l'anorexie ou une perte de poids. L'adénopathie se rencontre rarement. La LMC comporte trois phases: la phase chronique, la phase de transition et la phase accélérée (crise blastique). Les symptômes et les complications se multiplient au fur et à mesure que la maladie s'aggrave.

Traitement médical

Depuis qu'on comprend mieux la pathologie moléculaire de la LMC, des progrès spectaculaires dans le traitement de cette affection ont été faits. Une préparation se prenant par voie orale et contenant un inhibiteur de la tyrosine kinase, l'imatinib (Gleevec), bloque les signaux dans les cellules leucémiques qui renferment la protéine *BCR-ABL*; de ce fait, les réactions chimiques en chaîne qui entraînent la croissance et la division cellulaires se trouvent stoppées (Tennant, 2001; Goldman et Melo, 2001). L'imatinib semble donner de meilleurs résultats durant la phase chronique de la maladie. Il a été généralement bien toléré durant les études cliniques. Les antiacides et le jus de pamplemousse peuvent réduire l'absorption du médicament; des doses élevées d'acétaminophène, administrées simultanément, peuvent provoquer une hépatotoxicité. Les effets à long terme de l'imatinib, son effet sur la survie et la durée optimale du traitement font l'objet de recherches.

Dans le traitement traditionnel, c'est la phase de la maladie qui détermine la nature des interventions. Pendant la phase chronique, on espère remédier à l'anomalie chromosomique (transformation des cellules souches oncogènes en cellules normales). Dans ce but, on a administré de l'interféron-alpha (Intron-A) et de la cytarabine (Cytosar), souvent en association, sous forme d'injections sous-cutanées quotidiennes. Le traitement n'est pas dépourvu d'effets secondaires que bien des gens ne peuvent tolérer: grande fatigue, dépression, anorexie, inflammation des muqueuses et incapacité de se concentrer. On recourt aussi à une technique thérapeutique moins intensive qui ramène le nombre de leucocytes à un niveau plus normal, sans cependant renverser les modifications cytogénétiques. On peut atteindre cet objectif en administrant par voie orale une chimiothérapie généralement à base d'hydroxyurée (Hydrea) ou de busulfan (Myleran). En cas de leucocytose extrême (nombre de globules blancs supérieur à 300 000/mm^3), il faut administrer un traitement de première urgence. On entreprend alors une leucaphérèse (intervention durant laquelle on extrait le sang de la personne, on le filtre pour l'épurer des leucocytes qu'il contient, puis on rend le sang ainsi épuré à la personne). Cette intervention permet de réduire de façon transitoire le nombre de leucocytes. Une chimiothérapie reposant sur une anthracycline comme la daunorubicine (Cerubidine) peut également permettre d'abaisser rapidement le nombre de leucocytes jusqu'à un niveau moins dangereux; après quoi on amorce un traitement plus classique.

La phase de transition peut être insidieuse, mais elle signale l'évolution de la maladie vers la phase accélérée (crise blastique). Pendant la phase de transition, la personne peut éprouver des douleurs osseuses, avoir de la fièvre (sans qu'on puisse observer de signe évident d'infection) et perdre du poids. Malgré la chimiothérapie, la rate continuera peut-être de s'hypertrophier. L'anémie et la thrombocytopénie peuvent s'aggraver; la numération globulaire révèle un nombre élevé de basophiles. Bien qu'elle soit une maladie des cellules souches myéloïdes, chez 25 % des gens la LMC va se transformer pour ressembler non pas à la LMA, mais plutôt à la leucémie lymphoïde aiguë (LLA), les blastes prenant une apparence lymphoïde (Derderian *et al.*, 1993). L'évolution vers la phase aiguë peut être graduelle ou rapide.

Lorsque la LMC entre dans la phase accélérée (crise blastique), le traitement peut ressembler à la thérapie d'induction de la leucémie aiguë et comporter les mêmes médicaments que ceux qui sont administrés pour traiter la LMA ou la LLA. Les personnes dont la maladie évolue vers une crise blastique «lymphoïde» pourraient revenir à une phase chronique après avoir reçu la thérapie d'induction. Par contre, le traitement ne conduira probablement pas à une seconde phase chronique chez les personnes dont la maladie évolue vers la LMA. Les saignements et les infections mortelles s'observent fréquemment au cours de la phase accélérée. On arrive parfois à guérir la LMC grâce à une greffe de moelle osseuse ou de cellules souches du sang périphérique. Les personnes qui reçoivent ce genre de greffe pendant la phase chronique de la maladie ont de meilleures chances de se rétablir que les personnes qui la reçoivent pendant la phase aiguë. On peut envisager une transplantation chez les personnes de moins de 70 ans qui sont par ailleurs en bonne santé.

Leucémie lymphoïde aiguë

La leucémie lymphoïde aiguë (LLA) découle d'une prolifération impossible à maîtriser de cellules jeunes (lymphoblastes) dérivées des cellules souches lymphoïdes. Dans 75 % des cas de LLA, la cellule d'origine est un précurseur du lymphocyte B et dans 25 % des cas, c'est un précurseur du lymphocyte T. On retrouve la translocation du gène *BCR-ABL* dans 20 % des blastes. La LLA touche surtout les jeunes enfants, les garçons plus souvent que les filles; la fréquence atteint un sommet vers l'âge de 4 ans. Après l'âge de 15 ans, cette maladie est relativement rare. Plus l'enfant est avancé en âge lorsque la maladie s'installe, plus la survie est courte (Heerema *et al.*, 1999). Grâce aux progrès qu'a connus le traitement de la LLA, plus de 80 % des enfants peuvent survivre pendant au moins cinq ans. Même s'il y a une rechute, une nouvelle thérapie d'induction permet souvent d'obtenir une seconde rémission complète. La greffe de moelle osseuse peut être efficace même après une deuxième rechute.

Manifestations cliniques

Les lymphocytes immatures prolifèrent dans la moelle osseuse et inhibent la croissance des cellules myéloïdes normales. L'hématopoïèse normale est entravée, d'où une diminution du nombre de leucocytes, d'érythrocytes et de plaquettes. Que le nombre de leucocytes soit bas ou élevé, la proportion de cellules immatures est toujours importante. Les manifestations de l'infiltration de cellules leucémiques dans d'autres organes sont plus fréquentes dans la LLA que dans les autres leucémies. Elles comprennent la douleur provoquée par l'hypertrophie du foie ou de la rate, les douleurs osseuses, les maux de tête et les vomissements (parce que les méninges sont atteintes).

Traitement médical

Le traitement vise la rémission complète. Normalement, les blastes lymphoïdes sont sensibles aux corticostéroïdes comme la prednisone (Deltasone), aux alcaloïdes de la pervenche comme la vincristine (Oncovin) et aux anthracyclines comme la daunorubicine (Cerubidine), raison pour laquelle ces médicaments font partie intégrante de la thérapie d'induction d'abord administrée. De multiples combinaisons comprenant ces agents et d'autres, comme le cyclophosphamide (Cytoxan, Procytox), la cytarabine (Cytosar) et la L-asparaginase (Kidrolase), sont possibles. Comme les cellules leucémiques de la LLA envahissent souvent le système nerveux central, une radiothérapie du crâne ou une chimiothérapie par voie intrathécale (à base de méthotrexate, par exemple), ou les deux à la fois, administrées à des fins prophylactiques, font également partie intégrante du plan de traitement.

Les plans de traitement de la LLA tendent à être complexes, la chimiothérapie pouvant faire intervenir un grand nombre d'agents. Ils prévoient souvent une phase d'entretien qui peut durer jusqu'à trois ans, et pendant laquelle on administre de faibles doses de médicaments. Malgré la complexité des traitements, on peut les administrer dans certaines circonstances en consultation externe, jusqu'au moment où des complications graves surviennent.

Les infections, surtout virales, sont fréquentes. L'administration de corticostéroïdes en traitement de la LLA rend la personne atteinte davantage sujette aux infections. Le plus souvent, la personne atteinte de LLA réagit mieux au traitement que celle qui est atteinte de LMA. En cas de rechute après traitement, la greffe de moelle osseuse ou de cellules souches du sang périphérique offre la possibilité d'obtenir une rémission prolongée ou même de guérir.

Soins et traitements infirmiers

On présente les soins et traitements infirmiers destinés à la personne atteinte de leucémie aiguë à la fin de la section concernant les leucémies, plus loin dans le chapitre.

Leucémie lymphoïde chronique

La leucémie lymphoïde chronique (LLC) touche d'habitude les personnes âgées, les deux tiers des personnes atteintes ayant plus de 60 ans au moment où le diagnostic est posé. En Amérique du Nord et en Europe, c'est la forme de leucémie la plus courante; plus de 120 000 personnes en sont atteintes. On l'observe rarement en Asie. La survie moyenne se situe entre 14 ans (premier stade) et 2,5 ans (stade terminal).

Physiopathologie

La LLC est en général attribuable à un clone malin des lymphocytes B (la LLC à lymphocytes T est moins courante). Contrairement aux formes aiguës de leucémies, dans la LLC, la plupart des cellules leucémiques ont atteint leur pleine maturité. Ces cellules semblent ne pas subir d'**apoptose** (mort cellulaire programmée), d'où une accumulation excessive de ces cellules dans la moelle osseuse et dans le sang. L'antigène CD52 est présent sur la surface d'un grand nombre de ces lymphocytes B leucémiques. La maladie comprend trois ou quatre stades (on utilise deux systèmes de classification). Les deux premiers stades se caractérisent par la hausse du nombre de lymphocytes, qui peut dépasser la barre des 100 000/mm^3. Comme les lymphocytes sont de petite taille, ils traversent facilement les petits vaisseaux capillaires; c'est pour cette raison que les complications cérébrales et pulmonaires de la leucocytose (qui caractérisent les leucémies myéloïdes) ne se manifestent pas en général dans la LLC.

Lorsque les lymphocytes restent emprisonnés dans les ganglions lymphatiques, une adénopathie se manifeste. Les ganglions peuvent se tuméfier et sont parfois douloureux. Par la suite, une hépatomégalie et une splénomégalie apparaissent.

Aux derniers stades, on note un risque de neutropénie et de thrombocytopénie. Habituellement, le traitement débute au cours de ces stades, car les chances de survie ne semblent pas améliorées par un traitement plus précoce. Les complications auto-immunes peuvent survenir à tous les stades; elles prennent la forme d'une anémie hémolytique auto-immune ou d'un purpura thrombocytopénique idiopathique. Le processus auto-immun incite le système réticulo-endothélial (SRE) à détruire les érythrocytes ou les plaquettes de l'organisme.

Manifestations cliniques

Comme un grand nombre de personnes ne présentent pas de symptômes, la LLC est décelée fortuitement au cours d'un examen physique ou du traitement d'une autre maladie. Cependant, une lymphocytose (nombre élevé de lymphocytes) est toujours présente. Le nombre d'érythrocytes et de plaquettes peut être normal ou, au cours des derniers stades de la maladie, inférieur à la normale. L'adénopathie (tuméfaction des ganglions lymphatiques) est fréquente; elle peut être grave et parfois douloureuse. La rate peut également être hypertrophiée (splénomégalie).

On peut observer la présence de «symptômes B» chez les personnes atteintes de LLC. Il s'agit d'une constellation de symptômes, dont la fièvre, la diaphorèse (surtout nocturne) et une perte de poids non planifiée. Chez ces personnes, l'immunité à médiation cellulaire et l'immunité humorale sont déficientes, de sorte que les infections sont courantes. La baisse de l'immunité cellulaire, qui porte le nom d'**anergie**, se traduit par l'absence de réaction, ou l'affaiblissement de la réaction, aux tests cutanés (*Candida*, oreillons). Les infections mortelles sont fréquentes, elles aussi. Les infections virales, comme le zona, peuvent se propager largement.

Traitement médical

Il n'est pas impératif de traiter la LLC lorsqu'elle en est au premier stade. Lorsque les symptômes sont graves (sudation nocturne excessive, adénopathie douloureuse) ou lorsque la maladie évolue vers les derniers stades (avec l'anémie et la thrombocytopénie qui en découlent), on administre souvent une chimiothérapie à base de corticostéroïdes et de chlorambucil (Leukeran). Le cyclophosphamide (Cytoxan, Procytox), la vincristine (Oncovin) et la doxorubicine (Adriamycin) peuvent également se révéler utiles. Un grand nombre de personnes qui n'avaient pas réagi à ces médicaments ont obtenu une rémission grâce à la fludabarine (Fludara), médicament qu'on utilise de plus en plus souvent en traitement de première intention. Le principal effet secondaire de la fludabarine est une aplasie médullaire à long terme, qui se traduit par des épisodes prolongés de neutropénie, de lymphopénie et de thrombocytopénie. Les personnes atteintes sont alors exposées à des risques élevés d'infections attribuables à *Pneumocystis carinii*, à *Listeria*, aux mycobactéries, au virus de l'herpès et au cytomégalovirus (CMV). Le rituximab (Rituxan), qui est un antinéoplasique de type anticorps monoclonal, peut également être efficace dans le traitement de la LLC. On l'administre souvent dans le cadre d'une chimiothérapie d'association. Les recherches ont montré que l'alemtuzumab (Campath), qui est également un anticorps monoclonal, cible l'antigène CD52 qu'on retrouve communément dans les cellules leucémiques de la LLC et qu'il élimine ces cellules de la moelle et du sang sans affecter les cellules souches. Comme on retrouve l'antigène CD52 tant dans les lymphocytes B que dans les lymphocytes T, les personnes qui prennent de l'alemtuzumab sont fortement prédisposées aux infections; c'est pourquoi on leur prescrit en association à des fins prophylactiques des agents antiviraux et des antibiotiques, par exemple du triméthoprime-sulfaméthoxazole (TMP-SMX [Bactrim, Septra]) en prévention de la pneumonie à *Pneumocystis carinii*. Ce traitement prophylactique doit être poursuivi pendant au minimum les deux mois qui suivent l'arrêt de la chimiothérapie. L'alemtuzumab n'est toutefois pas encore disponible au Canada. Les infections bactériennes étant fréquentes chez les personnes atteintes de LLC, certaines d'entre elles recevront des immunoglobulines par voie intraveineuse.

DÉMARCHE SYSTÉMATIQUE dans la pratique infirmière

Personne atteinte d'une leucémie aiguë

COLLECTE DES DONNÉES

Bien que le tableau clinique varie en fonction du type de leucémie et du traitement administré, l'anamnèse peut révéler un éventail de symptômes légers qui se sont manifestés avant même que l'examen physique ne permette de diagnostiquer l'affection. La faiblesse et la fatigue sont des symptômes courants non seulement de la leucémie, mais aussi des complications qui en résultent, comme l'anémie et les infections. Si la personne est hospitalisée, la collecte des données doit être mise à jour quotidiennement, voire plus souvent, selon les symptômes. Les signes physiques pouvant être ténus au départ, il faut entreprendre un examen clinique systématique de tous les appareils et de toutes les fonctions de l'organisme. Par exemple, une toux sèche, une légère dyspnée et des murmures vésiculaires diminués peuvent indiquer la présence d'une infection pulmonaire, qu'un examen radiologique pourrait ne pas déceler à ses débuts. La destruction des neutrophiles retarde le déclenchement de la réaction inflammatoire à l'infection pulmonaire; or seule cette réaction entraîne des modifications visibles à la radiographie. La numération plaquettaire peut être dangereusement basse, et exposer la personne à des risques de saignements importants. Les organes et fonctions qui doivent faire l'objet d'un examen clinique sont indiqués dans les encadrés 35-7 et 35-8 ■, qui portent respectivement sur les précautions à prendre en cas de neutropénie et de saignements. Lorsque l'infirmière effectue des examens cliniques en série, elle doit comparer les résultats qu'elle vient d'obtenir aux résultats précédents pour déterminer si l'état de la personne s'est amélioré ou aggravé.

L'infirmière suit également de près les résultats des épreuves de laboratoire. Les feuilles de soins qui comprennent des tableaux comparatifs des résultats sont particulièrement utiles, car elles permettent de procéder à une évaluation minutieuse de la numération leucocytaire et plaquettaire, du TAN, de l'hématocrite, des concentrations de créatinine et d'électrolytes, et des résultats des tests d'exploration de la fonction hépatique. Les résultats des cultures doivent être communiqués immédiatement afin que le médecin puisse prescrire une antibiothérapie ou modifier l'ordonnance.

ANALYSE ET INTERPRÉTATION

Diagnostics infirmiers

En se fondant sur les données recueillies, l'infirmière peut poser les diagnostics infirmiers suivants:

- Risque d'infection et de saignement
- Risque d'atteinte à l'intégrité de la peau, relié aux effets toxiques de la chimiothérapie, aux changements dans l'état nutritionnel et à la mobilité réduite
- Échanges gazeux perturbés
- Atteinte à l'intégrité des muqueuses, reliée aux modifications du revêtement épithélial du tractus gastro-intestinal à la suite d'une chimiothérapie ou d'une antibiothérapie prolongée
- Alimentation déficiente (besoins non comblés), reliée à l'accélération du métabolisme basal, à l'anorexie, à l'inflammation des muqueuses, à la douleur et aux nausées
- Douleur aiguë, reliée à l'inflammation des muqueuses, à l'infiltration de leucocytes dans les tissus, à la fièvre et à l'infection
- Hyperthermie, reliée à la lyse tumorale et à l'infection
- Fatigue et intolérance à l'activité, reliées à l'anémie et à l'infection
- Mobilité réduite, reliée à l'anémie et à l'isolement de protection
- Risque d'excès de volume liquidien, relié au dysfonctionnement rénal, à l'hypoprotéinémie et au recours à de nombreux médicaments et produits sanguins administrés par voie intraveineuse
- Diarrhée, reliée à l'anomalie de la flore intestinale et à l'érosion des muqueuses
- Risque de déficit de volume liquidien, relié à la diarrhée, au saignement et à l'accélération du métabolisme
- Déficit de soins personnels, relié à la fatigue, aux malaises et à l'isolement de protection
- Anxiété, reliée aux connaissances insuffisantes et à un avenir incertain
- Image corporelle perturbée, changement dans l'apparence, la capacité d'agir et l'exercice des rôles
- Deuil, relié aux pertes anticipées et aux changements dans l'exercice des rôles
- Risque de détresse spirituelle

ENCADRÉ 35-8

Précautions à prendre en cas de saignements

DIAGNOSTICS INFIRMIERS

Risques de saignements* et d'atteinte à l'intégrité de la peau, reliés à la thrombocytopénie ou à une coagulation anormale, engendrées par l'un ou l'autre des problèmes suivants:

- Envahissement de la moelle osseuse par des cellules cancéreuses
- Aplasie médullaire due à la chimiothérapie (surtout si elle utilise des agents alkylants, des antibiotiques antitumoraux ou des antimétabolites) et à la radiothérapie
- Splénomégalie
- Coagulation intravasculaire disséminée
- Anomalie de la coagulation

EXAMEN CLINIQUE

Personne

Effectuer un examen clinique portant sur les éléments énumérés ci-dessous, lors de chaque visite ou à chaque changement d'équipe (ou lors de visites ponctuelles pendant le quart de travail, si la personne est hospitalisée), et prévenir le médecin si l'un des problèmes suivants se présente ou s'aggrave:

- *Fonction tégumentaire:* pétéchies (situées habituellement sur le torse ou sur les cuisses), ecchymoses ou hématomes, hémorragies conjonctivales, saignement des gencives, saignements aux points de ponction (ponction veineuse, lombaire, médullaire)
- *Fonction cardiovasculaire:* hypotension, tachycardie, étourdissements, épistaxis
- *Fonction respiratoire:* dyspnée, détresse respiratoire, hémoptysie, tachypnée
- *Fonction gastro-intestinale:* méléna, distension abdominale, saignement rectal
- *Fonction rénale:* saignement au niveau du méat urinaire ou hématurie
- *Fonction reproductrice:* saignement vaginal ou sang dans le sperme
- *Fonction neurologique:* maux de tête, vision floue, altération de l'état de conscience

EXAMENS PARACLINIQUES

- Suivre de près la numération globulaire et plaquettaire (effectuée au moins une fois par jour), ainsi que les résultats des épreuves de coagulation.
- Prévenir le médecin si le nombre de plaquettes est inférieur à 10 000/mm^3 ou si ce nombre (notamment les paramètres de la coagulation) a changé de façon marquée depuis la numération précédente, ou encore si des symptômes apparaissent.
- Si la personne a été hospitalisée en vue d'une thérapie d'induction (dans le cas d'une leucémie aiguë), s'assurer que son sang a été soumis à une épreuve d'histocompatibilité (dépistage des antigènes du système HLA) avant le début de la transfusion ou de la chimiothérapie.
- Noter, le cas échéant, la numération plaquettaire obtenue une heure après la transfusion.
- Rechercher la présence de sang occulte dans les urines, les fèces et les vomissures.

INTERVENTIONS INFIRMIÈRES

Prévenir les complications

- Dans la mesure du possible, éviter d'administrer de l'aspirine (acide acétylsalicylique) ainsi que tous les autres agents qui inhibent la fonction plaquettaire.
- Ne pas administrer d'injections intramusculaires.
- Ne pas installer de sondes à demeure.
- Ne pas prendre la température par voie rectale; ne pas administrer de suppositoires ni de lavements.
- Administrer des laxatifs par voie orale afin de prévenir la constipation.
- Pour effectuer une ponction veineuse, utiliser les plus petites aiguilles disponibles.
- Appliquer une pression sur les points de ponction veineuse pendant au moins 5 minutes ou jusqu'à ce que le saignement s'arrête.
- Proscrire l'usage de la soie dentaire et des rince-bouche vendus dans le commerce.
- Lors des soins d'hygiène dentaire, utiliser uniquement des brosses à dents à poils doux.
- Utiliser exclusivement des brosses-éponges si le nombre de plaquettes est inférieur à 10 000/mm^3 ou si les gencives saignent.
- Toutes les deux heures pendant que la personne est à l'état de veille, lubrifier ses lèvres à l'aide d'un lubrifiant hydrosoluble.
- Éviter dans la mesure du possible de procéder à toute intervention d'aspiration; sinon, pratiquer l'aspiration très délicatement.
- Prévenir la personne qu'elle devrait éviter de tousser ou de se moucher trop vigoureusement.
- Utiliser uniquement des rasoirs électriques.
- Rembourrer les ridelles du lit, au besoin.
- Prévenir les chutes en accompagnant la personne lors de ses déplacements, au besoin.

Prévenir les saignements

- Appliquer une pression directe.
- En cas d'épistaxis, installer la personne dans la position de Fowler, appliquer une compresse de glace sur sa nuque et une pression directe sur son nez.
- Prévenir le médecin en cas de saignement prolongé (qu'on ne peut arrêter en l'espace de 10 minutes).
- Transfuser des plaquettes, du plasma frais congelé ou des culots globulaires, selon les consignes du médecin.

ÉVALUATION ET RÉSULTATS ESCOMPTÉS

- Absence de saignements, comme en témoigne l'absence de pétéchies spontanées, d'ecchymoses, d'épistaxis, d'hémoptysie, d'hémorragie conjonctivale, de saignements vaginaux, d'hypotension et de saignements prolongés aux points de ponction.
- Absence de saignements, comme en témoignent les données suivantes: les signes vitaux sont dans les limites normales et l'état neurologique est inaltéré.

* Dans les cas de thrombocytopénies légères, les hémorragies graves sont peu fréquentes lorsqu'on n'observe pas de lésion locale (ulcère gastro-intestinal, saignements hémorroïdaux, cystite).

- Connaissances insuffisantes sur l'évolution de la maladie, son traitement, la prise en charge des complications et les mesures d'autosoins

Problèmes traités en collaboration et complications possibles

En se fondant sur les données recueillies, l'infirmière peut déterminer les complications susceptibles de survenir, notamment:

- Infection
- Saignement
- Dysfonctionnement rénal
- Syndrome de lyse tumorale
- Déficit nutritionnel
- Inflammation des muqueuses

Planification

Les principaux objectifs sont les suivants: prévenir les complications et la douleur; atteindre un état nutritionnel satisfaisant et le maintenir; accroître la tolérance à l'activité; améliorer la capacité d'autosoins et d'adaptation au diagnostic et au pronostic; rétablir une image corporelle positive; et assurer une bonne compréhension de l'évolution de la maladie et du traitement.

Interventions infirmières

Prévenir et traiter les infections et les saignements

Les interventions infirmières visant à réduire les risques d'infections et de saignements figurent dans les encadrés 35-7 et 35-8.

Traiter l'inflammation des muqueuses

Bien qu'on s'attarde surtout sur la muqueuse buccale, il faut savoir que l'intégrité de toute la muqueuse gastro-intestinale peut être lésée, en raison non seulement des effets de la chimiothérapie, mais aussi de ceux d'une antibiothérapie prolongée. L'infirmière examine très attentivement la cavité buccale, en enlevant les prothèses dentaires au préalable. Son examen porte sur le palais, la muqueuse buccale, la langue, les gencives, les lèvres, l'oropharynx et la région sous-linguale. Elle doit pouvoir non seulement repérer et décrire les lésions, mais aussi noter la couleur et le degré d'humidité des muqueuses.

Il est impératif d'assurer l'hygiène buccale, car cette intervention permet de diminuer le nombre de bactéries qui prolifèrent dans la cavité buccale, de maintenir l'humidité du milieu et d'améliorer le bien-être de la personne. On peut utiliser des brosses à dents à poils doux si le nombre de neutrophiles et de plaquettes n'est pas trop bas; sinon, on les remplacera par des brosses-éponges. Il faut proscrire les tampons imbibés de glycérine citronnée et les rince-bouche vendus dans le commerce, car la glycérine et l'alcool que renferment ces produits dessèchent fortement les tissus. Les solutés isotoniques constituent une solution peu coûteuse mais efficace, car ils permettent de bien nettoyer la muqueuse buccale et de l'hydrater. En raison des risques élevés d'infections à levures ou à champignons, on prescrit souvent d'autres types de préparations, entre autres des rince-bouche à base de chlorhexidine ou des pastilles de clotrimazole (Canesten). L'infirmière indique à la personne que ces médicaments ont des effets notables et qu'il lui faut en respecter la posologie. Les rince-bouche à base de chlorhexidine peuvent décolorer les dents.

Pour atténuer les complications périnéales ou rectales, il faut bien nettoyer la région en question après chaque défécation. L'infirmière rappellera aux femmes qu'elles doivent se nettoyer le périnée de l'avant vers l'arrière. Les bains de siège constituent une méthode de nettoyage pratique; il faut ensuite bien sécher le périnée, la région anale et les fesses pour réduire le risque d'excoriation. On administre aussi des laxatifs pour ramollir les fèces. Toutefois, l'infirmière observera la texture des fèces pour diminuer la dose de laxatifs ou pour cesser de les utiliser si les fèces deviennent trop liquides.

Améliorer l'apport nutritionnel

La maladie et surtout la septicémie peuvent accélérer le métabolisme et accroître les besoins nutritionnels. Souvent, la personne a du mal à s'alimenter en raison de la douleur et de la gêne provoquées par la stomatite. Les soins de la bouche, avant et après les repas, et l'administration d'analgésiques avant les repas peuvent l'aider à mieux s'alimenter. Si on lui administre des anesthésiques topiques oraux, il faut lui conseiller d'user de prudence en mâchant, pour éviter de se mordre par inadvertance la langue et la muqueuse buccale.

Les nausées ne devraient pas empêcher la personne de s'alimenter, les antiémétiques disponibles ayant une grande efficacité. Cependant, comme les nausées peuvent aussi être attribuables à l'antibiothérapie ou à d'autres médicaments comme les opioïdes, il faut parfois administrer des antiémétiques une fois que la chimiothérapie a pris fin.

Les repas légers mais fréquents et les aliments mous et tièdes pourraient être mieux tolérés. On recommande habituellement des aliments qui contiennent peu de bactéries (la personne évitera de manger les fruits et les légumes crus ou ceux qu'il faut consommer sans les peler). On administre fréquemment des suppléments nutritifs. Pour suivre de près l'équilibre hydrique, on pèse la personne tous les jours (et on mesure ses ingesta et excreta).

Il est utile de déterminer l'apport énergétique des aliments et d'évaluer l'état nutritionnel par des mesures plus précises. Souvent, on doit recourir à l'alimentation parentérale pour maintenir l'état nutritionnel.

Soulager la douleur et assurer le bien-être

Des fièvres récurrentes, s'accompagnant parfois de frissons intenses (frissons solennels), surviennent fréquemment dans les cas de leucémies aiguës. Des myalgies et des arthralgies peuvent en découler, ainsi que la diaphorèse. On administre habituellement de l'acétaminophène pour faire baisser la fièvre. Il est alors conseillé d'éponger la personne avec une serviette imbibée d'eau tiède; on s'abstiendra d'employer de l'eau froide et des compresses de glace, car la chaleur ne peut pas s'échapper des vaisseaux sanguins contractés. La literie sera changée souvent. Pour améliorer le bien-être de la personne, l'infirmière peut aussi lui masser délicatement le dos et les épaules.

La stomatite peut également être très gênante. Outre les soins d'hygiène buccale, l'analgésie contrôlée par la personne constitue un bon moyen de soulager la douleur (chapitre 13).

La personne atteinte de leucémie aiguë doit être hospitalisée et faire l'objet de soins et de traitements rigoureux (lors des thérapies d'induction ou d'entretien, ou encore lorsqu'il survient une complication); elle est donc souvent privée de sommeil. Les infirmières doivent faire preuve de créativité et mettre au point des stratégies qui permettent à la personne de bénéficier de quelques heures de sommeil ininterrompu, tout en lui donnant ses médicaments à l'heure prévue.

À l'exception de la forte inflammation touchant les muqueuses (stomatite grave), la leucémie aiguë engendre moins de douleur que les autres formes de cancers. La personne atteinte de leucémie peut toutefois éprouver une souffrance psychologique considérable. Une écoute active peut donc lui être d'un grand secours.

Atténuer la fatigue et lutter contre la baisse de forme physique

La fatigue est un problème courant et très accablant. Les interventions infirmières doivent viser la recherche d'un juste équilibre entre les activités et le repos. La personne atteinte de leucémie aiguë doit conserver un certain niveau d'activité physique et faire des exercices pour prévenir la baisse de forme découlant de l'immobilité. Même la personne atteinte de neutropénie grave peut quitter sa chambre si elle porte un masque de protection respiratoire filtrant, à haute efficacité contre les particules. Elle pourrait également utiliser un vélo d'exercice (mais rares sont les personnes qui se sentent suffisamment motivées pour le faire). Au minimum, l'infirmière devrait inciter la personne à rester assise plutôt que couchée pendant les heures où elle est éveillée; cette simple activité peut accroître le volume respiratoire courant et améliorer la circulation sanguine. La physiothérapie peut également être bénéfique.

Maintenir l'équilibre hydroélectrolytique

Les épisodes de fièvre, les saignements et un remplissage vasculaire inadéquat ou excessif peuvent entraîner un déséquilibre hydrique. Par ailleurs, une diarrhée persistante, des vomissements et certaines antibiothérapies de longue durée risquent de provoquer un déficit électrolytique marqué. L'infirmière mesure soigneusement les ingesta et les excreta et elle pèse la personne tous les jours. Elle surveille les signes de déshydratation, mais aussi de surcharge liquidienne, en prêtant une attention particulière à l'état respiratoire et en restant à l'affût d'un œdème déclive. Elle note les résultats des épreuves de laboratoire, particulièrement ceux qui concernent les électrolytes, l'urée, la créatinine et l'hématocrite, et elle les compare aux résultats précédents. Dans la plupart des cas, il faut assurer un rééquilibrage électrolytique, tout particulièrement une recharge en potassium et en magnésium. Les personnes qui reçoivent de l'amphotéricine B ou certains antibiotiques sont davantage prédisposées à souffrir de déséquilibre électrolytique.

Enseigner les autosoins

Les mesures d'hygiène étant d'une importance capitale dans ce cas, il incombe à l'infirmière d'en assumer la responsabilité lorsque la personne est incapable de le faire. Elle devrait cependant encourager celle-ci à assurer sa propre hygiène, dans la mesure du possible, pour préserver sa mobilité et son autonomie, ainsi que pour conserver son estime de soi. La personne qui ne peut plus s'occuper d'elle-même peut nourrir des sentiments négatifs et même éprouver du dégoût à l'égard de son propre corps. On lui rend service en l'écoutant avec empathie et en la réconfortant de façon réaliste: ses déficits peuvent être passagers. Au fur et à mesure que la personne se rétablit, il faut l'aider à assumer de plus en plus la responsabilité de ses propres soins. Il arrive souvent qu'à sa sortie de l'hôpital, la personne soit munie d'un dispositif central d'accès vasculaire (d'un cathéter de Hickman ou d'un cathéter central tunnélisé en périphérie, par exemple). La plupart du temps, elle sera capable de l'entretenir convenablement si elle reçoit les consignes appropriées et si on lui donne l'occasion de s'exercer sous les yeux de l'infirmière.

Soulager l'anxiété et atténuer le chagrin

Apprendre que l'on souffre de leucémie aiguë peut être une nouvelle terrifiante. Souvent, il faut entreprendre le traitement très rapidement et demander à la personne de prendre des décisions à cet égard, sans lui laisser le temps de composer avec le fait qu'elle souffre de cette maladie. Il est d'une importance capitale que l'infirmière offre à la personne du soutien émotionnel et qu'elle l'écoute parler de l'avenir incertain qu'elle doit désormais envisager. L'infirmière détermine également ce que la personne souhaite savoir à propos de sa maladie, du traitement qu'on lui propose et des complications possibles. L'intérêt pour ce genre d'informations et le désir de les obtenir doivent être réévalués de temps en temps, car ils se modifient au cours de la maladie et du traitement. Il incombe à l'infirmière d'établir des priorités de façon à pouvoir expliquer convenablement les interventions, les examens cliniques et les attentes à l'égard des autosoins, même aux personnes qui ne souhaitent pas être trop renseignées à ce sujet.

La plupart du temps, la personne est déprimée et éprouve du chagrin pour toutes les pertes qu'elle subit sur le plan de l'exercice du rôle familial et professionnel et des responsabilités qui en découlent, ainsi que sur le plan de l'exercice des rôles sociaux et du fonctionnement physique. Les infirmières peuvent l'aider à découvrir les raisons de son chagrin et l'encourager à prendre le temps de s'adapter aux changements majeurs que la maladie lui impose. La personne doit parfois réorganiser complètement sa vie familiale et professionnelle. Une fois de plus, il est important que l'infirmière l'aide à recenser les solutions et qu'elle l'incite à prendre le temps qu'il faut pour bien peser les décisions à prendre.

La sortie de l'hôpital comporte, elle aussi, son lot d'anxiété. Bien que la plupart des gens soient très désireux de rentrer à la maison, ils peuvent ne pas se sentir assez sûrs d'eux-mêmes lorsqu'il leur faut prendre en charge les complications possibles de leur maladie ou reprendre leurs activités normales. L'existence d'une étroite communication entre les infirmières appartenant aux divers milieux de soins saura les rassurer; ils n'auront pas l'impression qu'on les abandonne.

Procurer du soutien sur le plan spirituel

Comme la leucémie aiguë est une maladie grave, susceptible d'entraîner le décès, l'infirmière peut offrir du soutien sur le plan spirituel à la personne qui en est atteinte. L'infirmière devrait explorer avec la personne les pratiques spirituelles et religieuses qui sont importantes pour elle, et lui proposer des services de pastorale qui conviennent à ses besoins. Tout au long de la maladie, l'infirmière aide la personne à continuer d'espérer, sans cependant l'encourager à nourrir des espoirs irréalistes. Il faut que la personne sache que sa maladie risque de s'aggraver. En effet, si en début de maladie elle peut espérer raisonnablement qu'elle pourra guérir, lorsque les rechutes se multiplient et que les soins ne sont plus que palliatifs, elle pourrait tout simplement aspirer à une mort paisible et digne.

Surveiller et traiter les complications

Les interventions infirmières ayant trait aux complications ont été décrites plus haut.

Favoriser les soins à domicile et dans la communauté

Enseigner les autosoins

La plupart des personnes s'adaptent mieux à leur état si elles comprennent ce qui leur arrive. Selon leur niveau d'instruction, leur capacité de lecture et leurs intérêts, l'enseignement que l'infirmière leur donnera ou donnera à leurs proches devrait porter sur la maladie (et comporter quelques notions de physiopathologie), sur le traitement proposé, et surtout sur les risques d'infections et de saignements qui en découlent (encadrés 35-6 et 35-9 ■).

La plupart du temps, les personnes et leurs proches pourront apprendre à s'occuper des dispositifs d'accès vasculaire. L'infirmière qui travaille dans une clinique de consultation externe ou assure les soins à domicile, ou un autre soignant, pourrait se charger de l'entretien de ces dispositifs et effectuer le suivi de la personne qui en est munie.

Assurer le suivi

Le virage ambulatoire et les traitements offerts en consultation externe ont considérablement modifié la prestation des soins destinés à la personne atteinte de leucémie aiguë. Les interventions peuvent fréquemment s'effectuer en consultation externe, une fois que l'état de la personne s'est stabilisé sur le plan clinique, même s'il est encore nécessaire de lui administrer des transfusions ou des antibiotiques par voie parentérale. Il faut que les infirmières travaillant dans les divers milieux communiquent régulièrement les unes avec les autres. Les personnes atteintes de leucémie doivent savoir quels sont les paramètres à observer et la méthode de suivi préconisée. On leur expliquera aussi de manière précise quand il leur faut consulter le médecin ou un autre professionnel de la santé.

La personne atteinte et les membres de sa famille doivent bien comprendre la maladie et son pronostic. Le rôle de l'infirmière est de s'assurer que ces renseignements leur ont été communiqués. Lorsque la personne ne réagit plus au traitement, il est important de respecter les décisions qu'elle prend concernant notamment l'acharnement thérapeutique ou les autres mesures à prendre en rapport avec la mort. La personne qui est en phase terminale aura l'impression de garder une certaine emprise sur les derniers moments qui lui restent à vivre si elle peut prendre des dispositions concernant l'acharnement thérapeutique et faire un testament biologique.

Au stade terminal de la maladie, un grand nombre de personnes souhaitent mourir chez elles. Les proches ont alors besoin de soutien. La coordination des soins à domicile et des consignes éclairées peuvent grandement soulager l'anxiété qu'engendrent les soins à donner au mourant. Au fur et à mesure que la personne s'affaiblit, les soins incombent de plus en plus à ceux qui doivent s'occuper d'elle. En outre, il faut encourager les proches aidants à s'occuper d'eux-mêmes, à prendre le temps de se reposer et à accepter de recevoir du soutien émotionnel. Le personnel des centres de soins palliatifs peut donner un peu de répit aux membres de la famille et participer aux soins à prodiguer au mourant. On doit également aider celui-ci ainsi que ses proches à s'adapter aux changements qui interviennent dans l'exercice des rôles et dans les responsabilités qui en découlent. Le deuil par anticipation est l'une des tâches qu'il faut absolument mener à terme durant cette période (chapitre 17).

ENCADRÉ 35-9

GRILLE DE SUIVI DES SOINS À DOMICILE

Personne exposée au risque de saignements

Après avoir reçu l'enseignement sur les soins à domicile, la personne ou le proche aidant peut:	Personne	Proche aidant
■ Préciser le lieu de formation et la fonction des plaquettes et des facteurs de coagulation.	✔	✔
■ Expliquer pourquoi il y a risque de saignements.	✔	✔
■ Énumérer les médicaments et les substances à éviter (médicaments à base d'acide acétylsalicylique, alcool, par exemple).	✔	✔
■ Faire la démonstration des moyens permettant de dépister les signes de saignement.	✔	✔
■ Indiquer à qui il faut signaler les signes de saignement, et quand et comment il convient de le faire.	✔	✔
■ Prévenir le dentiste du risque de saignements avant tout traitement dentaire.	✔	✔
■ Énumérer les mesures à prendre pour empêcher les saignements (éviter d'employer des suppositoires, lavements et tampons; prévenir la constipation, s'abstenir de rapports sexuels trop vigoureux et de pratiquer le coït anal; n'utiliser que des rasoirs électriques et des brosses à dents à poils doux).	✔	✔
■ Faire la démonstration de la conduite à adopter si des saignements surviennent.	✔	✔

Chez les personnes atteintes de leucémie aiguë, le décès survient habituellement à la suite d'une infection ou de saignements. Il faut informer les proches de ces complications et des mesures à prendre si elles se produisent. Bien des proches ne sont plus en mesure de prodiguer les soins nécessaires lorsque la personne commence à saigner, et ils ne peuvent plus la garder à la maison. Il faut alors examiner les autres possibilités qui s'offrent à eux. Par ailleurs, si les proches ne peuvent plus garder le mourant chez lui et choisissent une autre solution, ils peuvent se sentir très coupables d'avoir pris cette décision; l'infirmière doit alors leur donner du soutien.

ÉVALUATION

Résultats escomptés

Les principaux résultats escomptés sont les suivants:

1. La personne ne présente aucun signe d'infection.
2. Elle ne saigne pas.
3. Ses muqueuses buccales sont intactes.
   a) Elle participe à ses soins d'hygiène buccale.
   b) Elle ne signale pas de douleur dans la bouche.
4. Elle s'alimente adéquatement.
   a) Elle conserve son poids en augmentant sa consommation d'aliments et de liquides.
   b) Ses réserves de protéines (albumine) sont suffisantes.
5. Elle ne signale ni douleur ni gêne.
6. Elle se sent moins fatiguée et hausse son niveau d'activité.
7. Elle conserve un bon équilibre hydroélectrolytique.
8. Elle participe à ses propres soins.
9. Elle compose avec son anxiété et son chagrin.
   a) Elle parle de ses inquiétudes et de ses craintes.
   b) Elle utilise adéquatement les techniques de gestion du stress.
   c) Elle participe aux décisions concernant les soins prodigués en fin de vie.
10. Aucune complication ne survient.

MÉTAPLASIE MYÉLOÏDE

La métaplasie myéloïde, également appelée myélofibrose, est une maladie proliférative chronique de la moelle osseuse qui découle de la transformation maligne d'une cellule souche hématopoïétique immature. La maladie se caractérise par les éléments suivants: fibrose médullaire, splénomégalie, hématopoïèse extramédullaire (en général dans le foie, la rate, ou les deux à la fois), leucocytose, thrombocytose et anémie. Chez certaines personnes, on observe une diminution du nombre total de cellules dérivées des cellules souches myéloïdes (pancytopénie). Dans la métaplasie myéloïde, l'**angiogenèse** (formation de nouveaux vaisseaux) dans la moelle augmente. Souvent, des globules sanguins immatures (notamment des érythrocytes nucléés et des fragments de mégacaryocytes) entrent dans la circulation. La métaplasie myéloïde touche surtout les personnes âgées, l'âge médian auquel on pose le diagnostic se situant entre 60 et 65 ans. La survie peut aller de 1 an à plus de 30 ans, la survie moyenne étant de 4 à 5 ans (Anderson, Hamblin et Traynor, 1999). Les causes courantes de décès sont l'insuffisance cardiaque, les complications de l'aplasie médullaire et l'évolution vers une LMA.

Traitement médical

Le traitement médical est essentiellement palliatif; il vise à soulager les symptômes associés à la cytopénie, à la splénomégalie et à l'hypermétabolisme. Bien que le tiers des personnes anémiques réagisse bien à l'association d'androgènes et de corticostéroïdes, le principal traitement reste la transfusion d'érythrocytes. Comme on recourt fréquemment à des transfusions d'érythrocytes, la surcharge de fer pose souvent problème. Le traitement par chélation du fer ne devrait être amorcé que chez les personnes dont l'espérance de vie est de plusieurs années (Anderson, Hamblin et Traynor, 1999). On administre souvent de l'hydroxyurée (Hydrea) pour enrayer l'élévation du nombre de leucocytes et de plaquettes, et diminuer la taille de la rate. Pour freiner la splénomégalie massive qui peut se présenter, on peut aussi procéder à une radiothérapie ou à une splénectomie. Toutefois, ces deux interventions exposent la personne à un risque accru d'infection. La greffe de moelle osseuse ou de cellules souches du sang périphérique peut être une modalité de traitement efficace chez les personnes jeunes, par ailleurs en bonne santé.

Soins et traitements infirmiers

Chez la personne atteinte de métaplasie myéloïde, la splénomégalie peut atteindre des proportions considérables, la rate hypertrophiée pouvant toucher le bord de l'os du bassin. Il arrive que la personne en soit extrêmement incommodée et que son apport nutritionnel diminue fortement. Les analgésiques se révèlent souvent inefficaces. Les interventions visant à réduire la taille de la rate sont habituellement plus efficaces que les analgésiques pour soulager la douleur. La splénomégalie accompagnée d'hypermétabolisme engendre une perte de poids (souvent importante) et une fonte musculaire. Des repas très légers, composés d'aliments hyperénergétiques, riches en protéines et servis fréquemment, seront profitables. La faiblesse, la fatigue et une image de soi négative posent également des problèmes. L'enseignement des méthodes de conservation de l'énergie et l'écoute active sont dans ce cas des interventions infirmières importantes. L'infirmière expose également à la personne les signes et symptômes d'infection et lui explique ce qu'il convient de faire lors de l'apparition d'une infection.

LYMPHOME

Le lymphome est une prolifération maligne de cellules lymphoïdes. Les tumeurs se forment habituellement dans les ganglions lymphatiques, mais elles peuvent aussi prendre naissance dans les tissus de la rate, du tractus gastro-intestinal (notamment dans la paroi de l'estomac), du foie ou de la moelle osseuse. On les classe souvent selon le degré de différenciation cellulaire et selon l'origine des cellules malignes prédominantes. On distingue essentiellement deux grands types de lymphomes: la maladie de Hodgkin et les lymphomes non hodgkiniens (LNH).

Maladie de Hodgkin

La maladie de Hodgkin est une maladie néoplasique relativement rare, qui se caractérise par des taux de guérison spectaculaires. Elle est un peu plus courante chez les hommes que chez les femmes et sa courbe de répartition selon l'âge présente deux sommets: le premier, au début de la vingtaine, et le second, après la cinquantaine. Contrairement aux autres lymphomes, la maladie de Hodgkin est unicentrique, autrement dit elle se manifeste dans un seul ganglion, à partir duquel elle se dissémine de façon contiguë de ganglion en ganglion tout au long du système lymphatique. Bien que la cause de la maladie soit inconnue, on songe à une étiologie virale. En fait, on a retrouvé des fragments du virus d'Epstein-Barr chez 40 à 50 % des personnes atteintes, surtout chez les plus jeunes d'entre elles (Weiss, 2000). Il semble également exister une prédisposition génétique: chez les parents du premier degré, la fréquence de la maladie est plus élevée que la normale. On n'a pas fait la même démonstration pour les parents non liés par le sang (les conjoints).

La cellule maligne caractéristique de la maladie de Hodgkin est la cellule de Reed-Sternberg; il s'agit d'une cellule tumorale gigantesque dont la morphologie est unique et qui semble se former à partir d'une cellule lymphoïde immature. Sa mise en évidence constitue le repère pathologique et le critère diagnostique essentiel de la maladie de Hodgkin. Cependant, la tumeur est très hétérogène et peut en réalité contenir peu de cellules de Reed-Sternberg. Pour confirmer le diagnostic, il faut parfois procéder à des biopsies à répétition.

On distingue habituellement cinq sous-types dans la maladie de Hodgkin, selon les analyses anatomopathologiques qui mettent en lumière l'évolution naturelle de la tumeur et permettent d'établir un pronostic. Par exemple, quand les lymphocytes prédominent, quand le nombre de cellules de Reed-Sternberg est réduit et quand l'atteinte ganglionnaire est minime, le pronostic est bien meilleur qu'en présence d'une faible numération lymphocytaire, lorsque des cellules tumorales du type le plus primitif envahissent virtuellement tout le ganglion lymphatique. Chez la plupart des personnes qui en sont atteintes, la maladie de Hodgkin prend la forme des sous-types dits de «sclérose nodulaire» et de «cellularité mixte». C'est chez les jeunes femmes qu'on diagnostique le plus souvent la maladie de Hodgkin à sclérose nodulaire. Bien qu'on puisse la dépister à un stade plus précoce, son pronostic est plus sombre que la maladie de Hodgkin à cellularité mixte, qui touche davantage les hommes; celle-ci s'accompagne d'un plus grand nombre de symptômes généraux, mais son pronostic est meilleur.

Manifestations cliniques

Habituellement, la maladie se manifeste d'abord par la tuméfaction indolore d'un ou de plusieurs ganglions lymphatiques situés d'un côté du cou. Les ganglions touchés sont indolores et fermes, sans être durs. L'adénopathie siège le plus souvent dans les ganglions cervicaux, supraclaviculaires et médiastinaux; les ganglions iliaques et inguinaux et la rate sont plus rarement atteints. La radiographie thoracique peut révéler une masse médiastinale parfois suffisamment volumineuse pour comprimer la trachée et provoquer une dyspnée. Le prurit est fréquent, mais d'origine inconnue. Environ 20 % des personnes ressentent une douleur brève mais intense après avoir bu de l'alcool (Cavalli, 1998). Cette douleur surgit dans les zones touchées, mais là encore on n'en connaît pas la cause.

La maladie de Hodgkin peut se disséminer dans tous les organes. Les symptômes proviennent de la compression de l'organe malade par la tumeur. Mentionnons notamment les symptômes suivants: toux et épanchement pleural (en raison des infiltrats pulmonaires), ictère (en raison de l'atteinte hépatique ou de l'obstruction des voies biliaires), douleur abdominale (en raison de la splénomégalie ou de l'adénopathie rétropéritonéale) et douleur osseuse (en raison des lésions osseuses). Le zona est également fréquent. Un ensemble de symptômes généraux, qu'on désigne sous le nom de «symptômes B», influe fortement sur le pronostic (encadré 35-10 ■).

On retrouve les «symptômes B» chez plus de 40 % des personnes atteintes, plus fréquemment aux stades avancés de la maladie.

Le signe hématologique le plus souvent observé est une légère anémie. Le nombre de globules blancs peut être élevé ou faible. La numération plaquettaire est généralement normale, à moins que la tumeur n'ait envahi la moelle osseuse et provoqué la diminution de l'hématopoïèse. Certains cliniciens évaluent la gravité de la maladie au moyen de la **vitesse de sédimentation (VS)** des érythrocytes et du taux de cuivre dans le sang. L'immunité cellulaire des personnes atteintes de la maladie de Hodgkin est réduite, d'où l'affaiblissement (ou la défaillance) de la réaction aux épreuves cutanées (*Candida*, oreillons, par exemple).

Examen clinique et examens paracliniques

Les manifestations de la maladie de Hodgkin étant sur bien des points similaires à celles qui caractérisent une infection, on doit effectuer un certain nombre d'examens diagnostiques pour écarter l'étiologie infectieuse. Le diagnostic repose sur la découverte de cellules de Reed-Sternberg sur une coupe biopsique prélevée sur un ganglion lymphatique. Une fois le diagnostic confirmé et le type histologique déterminé, il reste à définir le stade de la maladie.

Au cours de l'anamnèse, l'infirmière doit rechercher la présence éventuelle des «symptômes B». Lors de l'examen physique, elle devra palper attentivement et systématiquement toute la chaîne ganglionnaire, ainsi que la rate et le foie, pour en évaluer le volume, la sensibilité et la texture. La radiographie thoracique et la tomographie axiale du thorax, de

ENCADRÉ 35-10

«Symptômes B» de la maladie de Hodgkin

- Fièvre (non accompagnée de frissons)
- Diaphorèse (surtout nocturne)
- Perte de poids non planifiée de plus de 10 %

l'abdomen et du bassin sont des interventions essentielles, car elles permettent de déterminer l'étendue de l'adénopathie dans les régions en question. Les épreuves de laboratoire indispensables sont la numération globulaire et plaquettaire, la vitesse de sédimentation des érythrocytes et les épreuves d'exploration des fonctions hépatique et rénale. Si des signes d'atteinte médullaire se manifestent, on procède à une biopsie de la moelle osseuse; certains médecins effectuent de façon systématique des biopsies bilatérales. La scintigraphie osseuse permet de déceler une atteinte musculosquelettique. On ne pense plus qu'il soit obligatoire de pratiquer une laparotomie et une lymphographie visant à définir le stade de la maladie, d'autant plus que la tomodensitométrie donne des renseignements très fiables.

Traitement médical

Dans la maladie de Hodgkin, quel que soit le stade, l'objectif du traitement est la guérison. C'est le stade de la maladie, plutôt que le type histologique, qui en premier lieu oriente le traitement. Toutefois, on mène actuellement des recherches approfondies en vue de rattacher les régimes thérapeutiques aux sous-types histologiques ou aux caractéristiques du pronostic. Traditionnellement, dans les cas de maladies de Hodgkin précoces, on procédait à une laparotomie pour déterminer le stade, puis cette intervention était suivie d'une radiothérapie. En ce qui concerne certains sous-types de la maladie qui sont à un stade précoce (IA et IIA), les données récentes font état de l'amélioration des résultats et de la réduction du nombre de complications lorsque la personne atteinte est soumise à une chimiothérapie de courte durée (de deux à quatre mois), suivie d'une radiothérapie; les personnes dont la maladie n'en est qu'à un stade précoce et dont le pronostic est bon peuvent être traitées par radiothérapie uniquement (Mauch, Armitage et Hoppe, 1999). Quand la maladie a atteint un stade plus avancé (les stades III et IV et tous les stades B), le traitement usuel consiste à administrer une polychimiothérapie comportant, par exemple, de la doxorubicine (Adriamycin), de la bléomycine (Blenoxane), de la vinblastine (Velban) et de la dacarbazine (DTIC); on l'appelle ABVD.

La radiothérapie est encore très utile chez les personnes dont l'adénopathie est étendue, car des cellules cancéreuses résiduelles peuvent subsister après la fin de la chimiothérapie; on a montré que, dans ce cas, l'irradiation des régions adjacentes (champs élargis) prolonge la survie.

En cas de rechute, une chimiothérapie à dose élevée puis une autogreffe de moelle osseuse ou de cellules souches du sang périphérique peuvent enrayer la maladie et prolonger la survie.

Complications à long terme du traitement

On connaît maintenant assez bien les effets à long terme de la chimiothérapie et de la radiothérapie, surtout parce qu'un grand nombre de personnes atteintes de la maladie de Hodgkin se sont rétablies grâce à ces interventions. Les diverses complications du traitement sont énumérées dans l'encadré 35-11 ■. Il faut toujours évaluer les facteurs de risque pour d'autres cancers et assurer un suivi prolongé. Le risque d'apparition d'un deuxième cancer préoccupe de toute évidence les personnes atteintes de la maladie de Hodgkin, et il faudrait aborder ce sujet avec elles au moment où on décide du traitement. Il est toutefois important de considérer la maladie de Hodgkin comme une maladie dont on peut guérir. Les modalités thérapeutiques nouvelles visent à réduire les risques de complications, sans diminuer en même temps les chances de guérison.

Lymphomes non hodgkiniens

Les lymphomes non hodgkiniens (LNH) forment un groupe hétérogène de cancers qui découlent de la prolifération maligne de cellules lymphoïdes. Comme dans le cas de la LLC, les cellules malignes se forment à partir d'un seul clone malin de lymphocytes; mais la morphologie des cellules responsables des LNH peut varier. Dans la plupart des cas de LNH, il s'agit de cellules leucémiques B malignes; ce n'est que dans 5 % des cas qu'on retrouve des lymphocytes T. Contrairement à la maladie de Hodgkin, les tissus lymphoïdes atteints sont fortement infiltrés de cellules malignes. Le mode de dissémination des cellules malignes est imprévisible, et il est rare que la maladie soit réellement localisée. De nombreux ganglions lymphatiques peuvent être infiltrés, tout comme d'autres tissus se trouvant à l'extérieur de la chaîne lymphatique (tissus extraganglionnaires).

La fréquence des LNH s'est accrue de façon spectaculaire au cours de la dernière décennie, tant au Canada qu'aux États-Unis (Greenlee, Hill-Harmon, Murray et Thun, 2001; Zelenetz et Hoppe, 2001). La fréquence s'accroît avec chaque décennie d'âge; l'âge moyen où le diagnostic est posé se situe entre 50 et 60 ans. Bien qu'on n'ait pas pu repérer de facteur étiologique commun, on note une augmentation de la fréquence des LNH chez les personnes présentant une immunodéficience ou une maladie auto-immune, ou des infections virales (entre autres par le virus d'Epstein-Barr ou le VIH), ou chez celles qui ont été exposées à des pesticides, à des solvants ou

ENCADRÉ 35-11

Complications à long terme du traitement de la maladie de Hodgkin

- Dysfonctionnement immunitaire
- Infections herpétiques (zona et varicelle)
- Septicémie à pneumocoques
- Leucémie myéloïde aiguë (LMA)
- Syndromes myélodysplasiques (SMD)
- Lymphome non hodgkinien
- Tumeurs solides
- Cancer de la thyroïde
- Hyperplasie du thymus
- Hypothyroïdie
- Péricardie (aiguë ou chronique)
- Cardiomyopathie
- Pneumonite (aiguë ou chronique)
- Nécrose avasculaire
- Retard de croissance
- Stérilité
- Impuissance
- Caries dentaires

à des colorants. Le pronostic des divers types de LNH est très variable. On observe souvent une survie prolongée (plus de 10 ans) dans le cas des lymphomes mal différenciés, localisés. Même les formes plus agressives peuvent être guéries chez le tiers des personnes soumises à un traitement énergique.

Manifestations cliniques

Étant donné les diverses formes que peut prendre la maladie, les symptômes varient considérablement. Lorsqu'elle en est à un stade précoce ou appartient à un type à évolution lente, les symptômes peuvent être quasiment absents ou mineurs. Dans ce cas, la maladie n'est pas diagnostiquée tant qu'elle n'a pas évolué jusqu'à un stade plus avancé où elle est devenue plus symptomatique. Aux stades III et IV, l'adénopathie est notable. Chez le tiers des personnes atteintes, on observe des symptômes B (fièvre récurrente, forte diaphorèse nocturne et perte pondérale non planifiée de 10 % et plus).

Examen clinique et examens paracliniques

Le diagnostic des LNH repose sur un système de classification très complexe qui se fonde sur l'histopathologie, l'immunophénotypage et l'analyse cytogénétique des cellules malignes. Le type histopathologique particulier dont relève la maladie influe considérablement sur le pronostic. Le traitement varie également en fonction de ces éléments. Les types de LNH dont l'évolution est plus lente se caractérisent par des cellules petites, réparties dans les follicules. Les types plus agressifs ont tendance à se caractériser par des cellules volumineuses ou immatures qui se répartissent dans les ganglions de manière plus diffuse. La définition du stade, qui est également un facteur important, s'appuie généralement sur les résultats des tomographies axiales, des biopsies de la moelle osseuse et, parfois, des analyses du liquide céphalorachidien. Le stade se définit d'après le siège du lymphome et la dissémination vers d'autres zones. Par exemple, un lymphome de stade I est très localisé et peut très bien réagir à un traitement local (comme la radiothérapie). Un lymphome de stade IV peut au contraire être décelé dans au moins une zone extraganglionnaire. Un lymphome peu disséminé peut n'exiger aucun traitement tant que la maladie n'évolue pas jusqu'à un stade plus avancé. L'expérience nous enseigne de plus qu'un tel type de lymphome réagit relativement peu au traitement; autrement dit, la plupart des moyens thérapeutiques employés n'améliorent pas la survie globale. En présence de LNH plus agressifs (lymphome lymphoblastique, lymphome de Burkitt), il faut amorcer rapidement la chimiothérapie; ces types de lymphomes ont tendance à mieux réagir au traitement.

Traitement médical

Le traitement se fonde sur la classe à laquelle appartient la maladie, sur le stade, sur la réaction de la personne à un traitement antérieur, le cas échéant, et sur sa capacité à tolérer les interventions possibles. Si la maladie ne fait que débuter, si elle évolue lentement et est vraiment localisée, la radiothérapie utilisée seule peut être le traitement de choix. Lorsqu'on doit traiter des types de LNH plus agressifs, on administre des polychimiothérapies intensives, même aux stades précoces. Le protocole de traitement CHOP (cyclophosphamide [Cytoxan, Procytox], doxorubicine [Adriamycin], vincristine [Oncovin] et prednisone [Deltasone]) est souvent utilisé en raison de son faible taux d'effets toxiques graves et de son efficacité comparable à celle des autres traitements intensifs. On traite couramment les lymphomes intermédiaires, de stade I et II, en recourant à une association de chimiothérapie et de radiothérapie. L'interféron, qui est un modificateur de la réaction biologique, est utilisé pour le traitement des lymphomes folliculaires peu disséminés; un anticorps monoclonal anti-CD20, le rituximab (Rituxan), a permis quant à lui d'obtenir des résultats partiels dans les cas de lymphomes peu disséminés mais récurrents. Les études portant sur ces agents administrés en association avec la chimiothérapie traditionnelle ont montré qu'ils prolongeaient la survie (Coiffer, 2002; Emmanouilides *et al.*, 2000; Petrykk et Grossbard, 2000). Les formes agressives de LNH peuvent toucher le système nerveux central. On ajoute alors à la chimiothérapie par voie générale une radiothérapie des tissus cérébraux ou une chimiothérapie intrathécale. Le traitement des rechutes fait l'objet d'un débat. On peut envisager une greffe de moelle osseuse ou de cellules souches du sang périphérique chez les personnes qui ont moins de 60 ans (chapitre 16).

Soins et traitements infirmiers

La plupart des soins que reçoivent les personnes atteintes de la maladie de Hodgkin ou de lymphomes non hodgkiniens sont prodigués en consultation externe, tant qu'il n'y a pas de complications (infection, difficultés respiratoires dues à une masse médiastinale, par exemple). Chez les personnes qui doivent être traitées, les techniques les plus couramment utilisées sont la radiothérapie et la chimiothérapie. La chimiothérapie provoque des effets secondaires généraux (aplasie médullaire, nausées, alopécie, prédisposition aux infections, entre autres), alors que les effets secondaires de la radiothérapie se limitent aux zones exposées aux rayons. Par exemple, les personnes soumises à une radiothérapie abdominale peuvent souffrir de nausées et de diarrhée, mais ne perdront pas leurs cheveux. Sans égard au type de traitement, toutes les personnes peuvent ressentir de la fatigue.

Les personnes sont aussi exposées à un risque élevé d'infection, non seulement en raison de l'aplasie médullaire provoquée par le traitement, mais aussi parce que la maladie engendre une déficience de la réaction immunitaire. L'infirmière doit enseigner aux personnes les méthodes permettant de réduire le risque d'infection et les moyens pour déceler les signes d'infection. Elle les incite également à contacter un professionnel de la santé si des signes apparaissent (encadré 35-6).

Les traitements actuels permettent de guérir un grand nombre de lymphomes. Toutefois, plus la survie se prolonge, plus la fréquence des cancers secondaires augmente, particulièrement celle de la LMA et des syndromes myélodysplasiques. Il faut donc examiner à intervalles réguliers les personnes qui sont en rémission, pour rechercher des cancers secondaires éventuels.

Les lymphomes forment une constellation très complexe de maladies. Lorsqu'elle administre des soins à une personne atteinte de lymphome, l'infirmière doit connaître le type de maladie et son stade, les antécédents de traitement et le plan de traitement en cours.

ALERTE CLINIQUE *Il faut penser à la possibilité d'un myélome chez toute personne âgée qui se plaint de maux de dos et dont le taux de protéines totales est élevé.*

MYÉLOME MULTIPLE

Le myélome multiple est une maladie néoplasique attribuable à la prolifération d'une forme mature de lymphocytes B, les plasmocytes. Il n'est pas classé parmi les lymphomes. Les plasmocytes sécrètent des immunoglobulines, ou anticorps, protéines qui combattent l'infection.

Physiopathologie

Dans les cas de myélomes, les plasmocytes malins produisent une quantité accrue d'immunoglobulines spécifiques dysfonctionnelles. Bien que les plasmocytes sains continuent de produire des immunoglobulines normales, celles-ci ne sont plus en quantité suffisante. On peut déceler les immunoglobulines spécifiques sécrétées par les plasmocytes malins dans le sang et dans l'urine; elles se nomment protéines monoclonales, ou protéines M. Ces protéines constituent un marqueur utile permettant de suivre l'évolution de la maladie et la réaction au traitement. On en fait la mesure par électrophorèse des protéines contenues dans le sérum ou dans l'urine. Par ailleurs, le taux des protéines totales est généralement élevé lui aussi, toujours en raison de la production de protéines M. Les plasmocytes malins sécrètent aussi certaines substances qui stimulent la formation de nouveaux vaisseaux sanguins, processus qui porte le nom d'angiogenèse. L'angiogenèse favorise la prolifération des plasmocytes malins. Parfois, ces derniers s'infiltrent dans d'autres tissus; on les appelle alors des plasmacytomes. On les trouve dans les sinus, dans la moelle épinière et dans les tissus mous. La survie médiane des personnes atteintes est de 3 à 5 ans. Le décès est habituellement attribuable à une infection.

Manifestations cliniques

La douleur osseuse constitue en général le premier symptôme du myélome multiple; on le ressent habituellement dans le dos ou dans les côtes. Au moment du diagnostic, les deux tiers des personnes signalent ce symptôme. Contrairement à la douleur arthritique, la douleur associée au myélome est intensifiée par les mouvements mais diminue au repos; les personnes atteintes indiquent souvent que la douleur est moins forte au réveil, mais qu'elle s'accroît au fur et à mesure qu'on avance dans la journée. Dans cette affection, une substance sécrétée par les plasmocytes, le facteur activateur des ostéoclastes, et d'autres substances, comme l'interleukine-6 (IL-6), stimulent la croissance des ostéoclastes. On pense que les deux mécanismes interviennent dans le processus de destruction osseuse. C'est pour cette raison que la radiographie des os révèle à l'occasion une lésion ostéolytique ainsi que de l'ostéoporose (que la scintigraphie ne permet pas de détecter). La destruction osseuse peut être suffisamment grave pour engendrer des fractures, notamment des fractures de la colonne vertébrale qui entraînent le tassement des vertèbres et de ce fait la compression de la moelle épinière. C'est cette destruction osseuse qui provoque des douleurs intenses.

Si la destruction osseuse est assez importante, une grande quantité d'ions de calcium, éliminés des os, se retrouvent dans le sérum, d'où le risque d'hypercalcémie (qui se manifeste par une soif intense, la déshydratation, la constipation, la perturbation des opérations de la pensée, la confusion et même le coma). L'insuffisance rénale représente également un symptôme du myélome malin; les tubules rénaux subissent des lésions engendrées par des immunoglobulines circulantes ayant une configuration particulière (surtout s'il s'agit d'un myélome à chaîne légère lambda).

Plus la production de plasmocytes malins s'accroît, moins la moelle est apte à produire des érythrocytes, de sorte que la personne peut devenir anémique. L'anémie est attribuable aussi en grande partie à la diminution de la production rénale d'érythropoïétine. Les personnes atteintes d'anémie se plaignent de fatigue et de faiblesse. Aux stades ultimes de la maladie, on peut également observer une diminution du nombre de leucocytes et de plaquettes en raison de l'infiltration de la moelle osseuse par des plasmocytes malins.

Lorsque les plasmocytes sécrètent des quantités trop importantes d'immunoglobulines, particulièrement d'IgA, la viscosité du sérum peut s'élever également. Les manifestations cliniques de l'hyperviscosité sont les saignements du nez et de la bouche, la vision floue, la paresthésie et l'insuffisance cardiaque.

Examen clinique et examens paracliniques

L'un des principaux critères diagnostiques du myélome multiple est la présence d'une concentration très élevée de protéines monoclonales dans le sérum (révélée par l'électrophorèse des protéines sériques) ou dans l'urine (révélée par l'électrophorèse des protéines urinaires), ou la présence d'une protéine à chaîne légère dans l'urine (appelée aussi protéine de Bence Jones). La présence de lésions ostéolytiques révélées par la radiographie, l'anémie et l'hypercalcémie constituent des critères diagnostiques additionnels. Le diagnostic du myélome multiple peut être confirmé par une biopsie de la moelle osseuse; la présence de nappes de plasmocytes est le critère diagnostique cardinal. Comme les plasmocytes malins ne s'infiltrent pas uniformément dans la moelle osseuse, il se peut que dans un échantillon donné leur nombre ne soit pas plus élevé que la normale (résultat faussement négatif).

Particularités reliées à la personne âgée

La fréquence du myélome multiple augmente avec l'âge; on diagnostique rarement la maladie chez des personnes âgées de moins de 40 ans. En raison du vieillissement de la population, le nombre de personnes atteintes de cette affection s'accroît. La greffe de moelle osseuse ou de cellules souches du sang périphérique peut prolonger la rémission, et peut-être même dans certains cas apporter la guérison, mais elle n'est pas toujours possible en raison de l'âge avancé. Les maux de dos, qui constituent souvent le premier symptôme de la maladie, doivent faire l'objet d'une investigation poussée chez les personnes âgées.

Traitement médical

Le myélome multiple est une maladie incurable. La plupart des autorités en la matière considèrent même que la greffe de moelle osseuse ou de cellules souches du sang périphérique ne fait que prolonger la survie, sans apporter de guérison. Toutefois, il est possible de prendre en charge cette maladie et de permettre ainsi à un certain nombre de personnes de vaquer à leurs activités de façon satisfaisante pendant quelques années. La chimiothérapie constitue l'intervention de premier recours. Les corticostéroïdes, notamment la dexaméthasone (Decadron) et la prednisone (Deltasone), sont particulièrement efficaces, surtout lorsqu'on les associe à d'autres agents, comme le melphalan (Alkeran), le cyclophosphamide (Cytoxan, Procytox), la doxorubicine (Adriamycin), la vincristine (Oncovin) ou la carmustine (BiCNU).

La radiothérapie permet de renforcer l'os au niveau d'une lésion donnée, surtout lorsque celle-ci risque d'entraîner une fracture ou la compression de la moelle épinière. Elle est également indiquée pour soulager la douleur osseuse et réduire la taille des tissus plasmocytaires tumoraux qui se disséminent à l'extérieur du squelette. Toutefois, comme il ne s'agit pas d'un traitement par voie générale, il ne permet pas de diminuer la production des plasmocytes malins qui est à l'origine de la maladie osseuse. C'est pour cette raison qu'on associe souvent la radiothérapie à un traitement par voie générale, comme la chimiothérapie.

L'interféron alpha, qui est un modificateur de la réponse biologique, a permis de prolonger la rémission dans le cas de certains types de myélomes, particulièrement celui des myélomes à IgA, mais son rôle dans la prolongation de la survie fait l'objet de débats. On signale que les bisphosphonates intraveineux, comme le pamidronate (Aredia) et l'acide zolédronique (Zometa), permettent d'atténuer la douleur osseuse et éventuellement de prévenir les fractures. Ces agents peuvent aussi traiter l'hypercalcémie ou la prévenir. D'après certaines données probantes, les bisphosphonates pourraient même agir sur certaines cellules malignes en inhibant un facteur de croissance indispensable à leur survie (Berenson, 2001). D'autres informations sur le sujet seront fournies plus loin dans ce chapitre.

Si des signes et symptômes d'hyperviscosité se manifestent, la plasmaphérèse peut abaisser les concentrations d'immunoglobulines. Le recours à cette intervention dépend plus de la nature des symptômes présents que du degré de viscosité du sérum.

Les nouvelles possibilités thérapeutiques proviennent d'une meilleure compréhension du processus d'angiogenèse. La thalidomide (Thalomid), sédatif d'abord utilisé à titre d'antiémétique, exerce des effets bénéfiques, puisqu'elle inhibe les cytokines nécessaires à la formation de nouveaux vaisseaux, notamment le facteur de croissance endothéliale, ainsi qu'à la prolifération et à la survie des cellules malignes, comme l'IL-6 et le facteur de nécrose tumorale (TNF). Elle améliore aussi la réaction immunitaire antitumorale, en créant les conditions propices à l'apoptose (mort cellulaire programmée) des plasmocytes malins. La thalidomide est efficace contre le myélome réfractaire et contre les formes «latentes» de la maladie, qu'elle pourrait empêcher d'évoluer vers des formes actives. Cependant, cet agent n'est pas utilisé habituellement en chimiothérapie et il comporte un profil d'effets secondaires qui lui est propre. La fatigue, les étourdissements, la constipation, les éruptions et la neuropathie périphérique sont fréquents, alors que l'aplasie médullaire est rare (Goldman, 2001). La thalidomide est contre-indiquée pendant la grossesse, car elle entraîne de graves anomalies congénitales.

Soins et traitements infirmiers

Le soulagement de la douleur est de première importance chez les personnes atteintes de myélome multiple. Les AINS sont très efficaces lorsque la douleur est légère. On les administrera en association avec des analgésiques opioïdes lorsqu'elle s'intensifie. Il faut cependant les utiliser avec prudence, car ils peuvent provoquer un dysfonctionnement rénal. On prévient les personnes atteintes qu'elles doivent apporter certaines modifications à leur vie (par exemple s'abstenir de lever des poids de plus de 4,5 kg et éviter d'effectuer certains mouvements). Parfois, il leur faut porter des corsets pour soutenir la colonne vertébrale.

L'infirmière doit également sensibiliser les personnes aux signes et symptômes d'hypercalcémie. Pour atténuer les exacerbations de cette complication, il est primordial de préserver l'hydratation et la mobilité; toutefois, la principale cause de décès est la maladie elle-même. Il faut également suivre de près la fonction rénale. L'insuffisance rénale peut devenir très grave et imposer le recours à la dialyse. Pour prévenir cette complication, il faut assurer un débit urinaire élevé (3 L/jour).

La production d'anticorps se trouvant entravée, les infections sont courantes, particulièrement les infections bactériennes, et peuvent être mortelles. L'infirmière doit expliquer aux personnes atteintes comment prévenir l'infection (encadré 35-6) et les inciter à contacter un professionnel de la santé si elles présentent de la fièvre ou tout autre signe ou symptôme qui pourrait faire penser à une infection. Il faut administrer un vaccin contre le pneumocoque et un vaccin antigrippal aux personnes atteintes de myélome multiple. Parfois, on administre également une antibiothérapie en prophylaxie. En cas d'infection récurrente, les immunoglobulines administrées par voie intraveineuse peuvent être utiles.

Troubles de l'hémostase

Les mécanismes hémostatiques normaux peuvent arrêter les saignements issus des vaisseaux et prévenir les saignements spontanés. Le vaisseau qui saigne se contracte et les plaquettes s'agglutinent au siège du saignement pour former un clou hémostatique instable. Les facteurs de coagulation circulants s'activent à la surface des plaquettes agglutinées, formant de la fibrine qui fixe le clou plaquettaire au siège de la lésion.

La défaillance des mécanismes hémostatiques normaux peut entraîner des saignements, parfois graves. Les saignements sont généralement provoqués par des traumatismes, mais dans certains cas ils peuvent être spontanés. Lorsqu'ils sont attribuables à des anomalies touchant les plaquettes ou les facteurs de coagulation, les saignements spontanés peuvent survenir n'importe où dans l'organisme. Lorsqu'il s'agit d'une anomalie vasculaire, le saignement peut être localisé. Chez certaines personnes, plusieurs mécanismes hémostatiques font défaut en même temps.

Dans diverses circonstances, la moelle osseuse peut accroître la production de plaquettes (thrombopoïèse), en réaction à un saignement abondant (il s'agit ici d'un mécanisme d'adaptation) ou à une hématopoïèse accrue (réponse plus générale, comme dans les cas d'anémies ferriprives). Parfois, le nombre de plaquettes augmente non pas en raison de l'accroissement de la production, mais plutôt en raison de la diminution de la séquestration des plaquettes dans la rate (à la suite d'un traumatisme splénique, par exemple). Dans des conditions normales, la rate séquestre en tout temps environ le tiers des plaquettes circulantes. Lorsqu'on pratique une splénectomie, le réservoir de plaquettes se trouve supprimé par le fait même et une quantité anormalement élevée de plaquettes pénètre dans la circulation. À la longue, la thrombopoïèse ralentit afin de normaliser la numération plaquettaire.

Manifestations cliniques

Les signes et symptômes des troubles de l'hémostase (maladies hémorragiques) dépendent de l'anomalie en cause, qui peut être vasculaire, plaquettaire ou liée aux facteurs de coagulation. Pour déterminer le type d'anomalie hémostatique, il faut recueillir tous les détails de l'anamnèse et effectuer un examen physique minutieux.

Les anomalies *vasculaires* entraînent des saignements locaux, habituellement sous-cutanés.

Chez les personnes qui présentent une anomalie *plaquettaire*, on observe souvent des pétéchies. Celles-ci sont attribuables aux plaquettes, qui sont les premières à arrêter les saignements des petits vaisseaux; souvent agglutinées en grappes, sur la peau et sur les muqueuses, les pétéchies peuvent apparaître à n'importe quel endroit du corps. Les saignements attribuables aux anomalies plaquettaires peuvent être abondants. À moins que l'anomalie plaquettaire ne soit grave, on peut arrêter rapidement le saignement en appliquant une pression directe. Normalement, le saignement ne reprend pas lorsqu'on relâche la pression.

Par contre, les anomalies des *facteurs de coagulation* n'entraînent pas de saignements superficiels, puisque les mécanismes hémostatiques primaires sont restés intacts. Les saignements se produisent plutôt à l'intérieur de l'organisme (hématomes sous-cutanés ou intramusculaires, hémarthrose). Le saignement externe s'arrête très lentement si on applique une pression à l'endroit où il s'est déclenché, mais il reprend souvent après qu'on a arrêté la pression. Par exemple, plusieurs heures après l'extraction d'une dent, une forte hémorragie peut survenir. Les facteurs de risque pour le saignement sont indiqués dans l'encadré 35-8.

Traitement médical

Le traitement varie en fonction des causes du saignement. Si le saignement est intense, des transfusions de produits sanguins sont indiquées, selon l'anomalie sous-jacente. Dans des circonstances particulières, lorsque la fibrinolyse est importante, on peut l'arrêter à l'aide d'agents hémostatiques comme l'acide aminocaproïque (Amicar) ou l'acide tranéxamique (Cyclokapron). Il faut cependant administrer ces agents avec prudence, car l'inhibition excessive de la fibrinolyse peut provoquer une thrombose.

Soins et traitements infirmiers

Les personnes qui sont atteintes de maladies hémorragiques ou qui sont exposées à ce type de problème, parce qu'elles souffrent d'une autre maladie ou parce qu'on leur administre certains médicaments, doivent être encouragées à rester à l'affût des saignements et à procéder régulièrement à un autoexamen attentif. On leur expliquera qu'il est important pour elles de ne pas s'adonner aux activités qui accroissent les risques de saignements, aux sports de contact par exemple. Elles doivent examiner leur peau pour déceler les pétéchies et les hématomes, ainsi que leur nez et leurs gencives pour déceler tout saignement. Par ailleurs, l'infirmière analysera tous les écoulements et excreta (selles, urines, vomissures et écoulements gastriques) des personnes hospitalisées afin de déceler la présence de sang visible ou occulte. L'infirmière peut également remettre aux personnes atteintes des bandelettes réactives qui les aideront à détecter la présence de sang occulte dans les selles.

Thrombocytémie primaire

La thrombocytémie primaire, aussi appelée essentielle, découle d'une anomalie des cellules souches de la moelle osseuse. Elle entraîne une augmentation marquée du nombre de plaquettes donnant lieu à une numération plaquettaire constamment supérieure à 600 000/mm^3. La taille des plaquettes peut être anormale, mais leur durée de vie est généralement normale. Parfois, l'augmentation du nombre de plaquettes peut s'accompagner d'une augmentation du nombre d'érythrocytes ou de leucocytes, ou des deux types d'éléments, sans toutefois que ce nombre soit aussi élevé que dans les cas de polycythémie vraie, de LMC ou de myélofibrose. Bien qu'on n'en connaisse pas la cause, cette affection est similaire aux autres maladies myéloprolifératives, particulièrement à la polycythémie vraie. Contrairement à ces maladies, elle évolue rarement vers une leucémie aiguë.

Manifestations cliniques

De nombreuses personnes atteintes de thrombocytémie primaire sont asymptomatiques; la maladie est diagnostiquée fortuitement, au moment où on découvre que la numération plaquettaire est élevée sur l'hémogramme. Les symptômes, s'ils se manifestent, découlent principalement de l'hémorragie ou de l'occlusion des microvaisseaux. Des symptômes peuvent aussi survenir lorsque le nombre de plaquettes est supérieur à 1 million/mm^3. Toutefois, les symptômes ne sont pas toujours proportionnels à la hausse du nombre de plaquettes. La thrombose artérielle ou veineuse se rencontre fréquemment; de 15 à 40 % des personnes atteintes souffrent d'une thrombose grave (Jantunen *et al.*, 2001). Comme les plaquettes sont parfois dysfonctionnelles, des hémorragies mineures ou majeures peuvent également survenir. Les saignements des muqueuses du nez et de la bouche sont courants et il arrive qu'on observe un saignement gastro-intestinal important. Généralement, les saignements ne surviennent que quand le nombre de plaquettes dépasse la barre de 1 million/mm^3.

Le plus souvent, l'occlusion des vaisseaux se manifeste sous la forme d'une érythromélalgie. Elle est causée par les effets toxiques des substances excrétées par les plaquettes, qui entraînent des douleurs semblables à des brûlures, une sensation de chaleur et un érythème dans les doigts et les orteils. On peut également noter des manifestations neurologiques, notamment des engourdissements, des picotements et des troubles visuels. Les occlusions peuvent mener à un accident vasculaire cérébral, à des convulsions et, plus rarement, à un infarctus du myocarde. La rate peut augmenter de volume, mais elle ne s'hypertrophie pas.

Examen clinique et examens paracliniques

Pour poser le diagnostic de thrombocytémie, il faut écarter les autres possibilités. La carence en fer doit être exclue, puisqu'elle s'accompagne souvent d'une augmentation du nombre de plaquettes. De même, il faut exclure les maladies myéloprolifératives (LMC, polycythémie vraie). La numération globulaire indique un nombre élevé de plaquettes anormales. L'analyse de la moelle osseuse (par ponction et biopsie) révèle une augmentation marquée du nombre de mégacaryocytes (précurseurs des plaquettes); la LMC ne figure donc plus parmi les causes possibles de la hausse du nombre de plaquettes. La maladie, qui touche également les hommes et les femmes, a tendance à survenir vers la quarantaine ou la cinquantaine. La survie médiane est supérieure à 10 ans.

Rien ne permet de prévoir les complications de manière fiable. Parmi les facteurs de risque de complications thrombotiques, mentionnons l'âge (plus de 65 ans), une complication thrombotique antérieure et une thrombocytose de longue date. Les saignements majeurs surviennent surtout lorsque le nombre de plaquettes est très élevé.

Traitement médical

Le traitement de la thrombocytémie primaire fait l'objet d'un vif débat. Le risque de complications thrombotiques et hémorragiques peut ne pas être élevé si le nombre de plaquettes ne dépasse pas 1 million/mm^3 (Briere et Guilmin, 2001). La décision de traiter ou non la maladie doit reposer sur l'évaluation attentive des autres facteurs de risque, notamment des antécédents de maladie vasculaire périphérique, d'usage de produits du tabac, d'athérosclérose et de complications thrombotiques. Chez les personnes jeunes qui ne présentent pas de facteurs de risque, un traitement à base d'aspirine à faible dose peut suffire pour prévenir les complications thrombotiques. Toutefois, l'aspirine peut accroître le risque de complications hémorragiques et être contre-indiquée pour les personnes ayant des antécédents de saignements gastro-intestinaux. Les faibles doses d'aspirine peuvent soulager les symptômes neurologiques (maux de tête et érythromélalgie) et visuels de la thrombocytémie primaire.

Il faut parfois recourir à des mesures plus énergiques pour les personnes plus âgées et celles qui présentent d'autres facteurs de risque. L'hydroxyurée (Hydrea), qui est un myéloodépresseur, abaisse le nombre de plaquettes. Cet agent s'administre par voie orale et ses effets secondaires sont minimes (sauf pour ce qui est d'une leucopénie liée à la dose). Toutefois, on remet aujourd'hui en question son potentiel leucogène. L'anagrélide (Agrylin) agit sur la numération plaquettaire plus spécifiquement que l'hydroxyurée, mais il s'accompagne d'effets secondaires plus nombreux. Des maux de tête intenses obligent de nombreuses personnes à cesser de prendre ce médicament. De la tachycardie et des douleurs thoraciques peuvent également se manifester. Par ailleurs, l'anagrélide est contre-indiqué pour les personnes atteintes d'affections cardiaques intercurrentes. On a constaté que l'interféron alpha-2b (Intron A) diminuait le nombre de plaquettes au moyen d'un mécanisme qui reste inconnu.

Il est rare que les effets thrombotiques soient graves au point qu'il faille réduire immédiatement le nombre de plaquettes. La thrombocytophérèse (voir plus bas) permet de réduire le nombre de plaquettes circulantes, mais seulement de manière transitoire. On ne sait pas exactement dans quelle mesure elle permet de réduire les symptômes et les complications (les thromboses, par exemple).

Soins et traitements infirmiers

Il faut informer les personnes atteintes de thrombocytémie primaire des risques d'hémorragie et de thrombose qui sont associés à la maladie. L'infirmière leur indique quels sont les signes et symptômes de la thrombose, particulièrement les manifestations neurologiques que sont les modifications de la vision, les engourdissements, les picotements et la faiblesse. Elle évalue également les facteurs de risque pour la thrombose et encourage la personne à prendre des mesures pour les réduire (abandon de la cigarette, tout particulièrement). Par ailleurs, elle prévient les personnes qui prennent de l'aspirine qu'elles sont plus exposées au risque de saignements que celles qui n'en prennent pas. De manière générale, les personnes qui sont exposées au risque de saignements doivent savoir que des médicaments comme les AINS, l'aspirine, le clopidogrel (Plavix), la ticlopidine (Ticlid) et le dipyridamole (Persantine; en association avec l'aspirine dans Aggrenox) ainsi que l'alcool modifient la fonction plaquettaire. Il revient à l'infirmière d'apprendre aux personnes qui sont sur le point de suivre un traitement à l'interféron le mode d'autoadministration de cet agent et de prise en charge des effets secondaires.

Thrombocytose secondaire

L'accroissement de la production des plaquettes constitue la première cause de la **thrombocytose** secondaire, ou réactive. Bien que le nombre de plaquettes soit supérieur à la normale, il dépasse rarement 1 million/mm^3, contrairement à ce qu'il en est dans la thrombocytémie primaire. La fonction plaquettaire est normale; la durée de vie des plaquettes est normale ou réduite. Les symptômes associés à l'hémorragie ou à la thrombose se manifestent rarement. Un grand nombre d'affections peuvent provoquer une augmentation du nombre de plaquettes. Citons entre autres les maladies inflammatoires chroniques, la carence en fer, les cancers, les hémorragies aiguës et la splénectomie (voir plus haut l'exposé portant sur la thrombocytémie primaire). Le traitement doit s'attaquer au problème sous-jacent. Si on a administré le traitement approprié, le nombre de plaquettes revient habituellement à la normale.

Thrombocytopénie

La **thrombocytopénie** (faible numération plaquettaire) peut avoir plusieurs causes: production inadéquate de plaquettes par la moelle osseuse, destruction ou utilisation accrue des plaquettes. Les causes de la maladie et les types de traitements sont présentés dans le tableau 35-7 ■.

Manifestations cliniques

Les saignements et les pétéchies sont habituellement absents lorsque le nombre de plaquettes est supérieur à 50 000/mm^3, mais des saignements excessifs peuvent survenir à la suite d'une chirurgie ou d'un autre traumatisme. Lorsque le nombre de plaquettes passe sous la barre des 20 000/mm^3, on peut noter l'apparition de pétéchies, ainsi que des saignements du nez et des gencives, un accroissement du flux menstruel et des saignements excessifs à la suite d'une intervention chirurgicale ou d'une extraction dentaire. Lorsque le nombre de plaquettes passe sous la barre des 5 000/mm^3, il existe un risque d'hémorragie mortelle au niveau du système nerveux central ou du tractus gastro-intestinal. Si le dysfonctionnement plaquettaire est provoqué par une maladie (comme un syndrome myélodysplasique) ou par un traitement médicamenteux, le risque de saignement peut s'élever considérablement, même si le nombre de plaquettes n'a pas fortement diminué.

Examen clinique et examens paracliniques

Effectuer une ponction ou une biopsie de la moelle osseuse permet de diagnostiquer un déficit plaquettaire attribuable à la diminution de la production (en raison d'une leucémie ou d'un syndrome myélodysplasique, par exemple). Si la thrombocytopénie est provoquée par la destruction des plaquettes, on trouve dans la moelle un nombre accru de mégacaryocytes (précurseurs des plaquettes), alors que la production de plaquettes est normale ou même s'est accrue, car l'organisme tente de contrebalancer la diminution du nombre de plaquettes circulantes. La séquestration des plaquettes dans la rate représente une autre des causes possibles de la thrombocytopénie. Le tiers environ des plaquettes circulantes est séquestré dans la rate; fortement hypertrophiée, la rate séquestre les plaquettes en plus grand nombre.

Traitement médical

Pour prendre en charge la thrombocytopénie, on traite habituellement la maladie sous-jacente. Si la production de plaquettes est entravée, les transfusions de plaquettes permettent d'en élever le nombre, de faire cesser les saignements et de prévenir les hémorragies spontanées. Dans le cas d'une destruction plaquettaire excessive, les plaquettes transfusées seront

TABLEAU 35-7 Causes de la thrombocytopénie et types de traitements

Causes	Types de traitements
PRODUCTION INSUFFISANTE DE PLAQUETTES	
Cancers, particulièrement les leucémies aiguës	■ Traitement de la leucémie; transfusion de plaquettes
Syndromes myélodysplasiques: envahissement de la moelle osseuse par les métastases d'une tumeur solide	■ Traitement du SDM; transfusion de plaquettes; traitement de la tumeur solide
Anémie aplasique	■ Traitement de la maladie sous-jacente
Anémie mégaloblastique	■ Traitement de l'anémie sous-jacente
Toxines	■ Retrait de la toxine
Médicaments	■ Abandon du médicament
Infections (particulièrement la septicémie, les infections virales, la tuberculose)	■ Traitement de l'infection
Alcool	■ Abandon de l'alcool
Chimiothérapie	■ Diminution des doses, report de la chimiothérapie à une date ultérieure; administration de facteurs de croissance; transfusion de plaquettes
DESTRUCTION ACCRUE DES PLAQUETTES	
Attribuable à des anticorps ■ Purpura thrombocytopénique idiopathique (PTI) ■ Lupus érythémateux ■ Lymphome malin	■ Traitement de la maladie en cause
■ Leucémie lymphoïde chronique (LLC)	■ Traitement de la LLC ou du PTI, ou des deux à la fois
■ Médicaments	■ Abandon du médicament
Attribuable à une infection ■ Bactériémie ■ Infection virale	■ Traitement de l'infection
Séquestration des plaquettes dans la rate hypertrophiée	■ Dans le cas d'une thrombocytopénie grave, une splénectomie peut être nécessaire
UTILISATION ACCRUE DES PLAQUETTES	
Coagulation intravasculaire disséminée (CIVD)	■ Traitement de la maladie qui déclenche la CIVD; administration d'héparine, d'acide aminocaproïque (Amicar) ou d'acide tranéxamique (Cyclokapron) (dans certains cas de saignements majeurs menaçant la vie), de produits sanguins

également détruites et la numération plaquettaire ne pourra pas s'élever. La cause la plus courante de la destruction plaquettaire excessive est le purpura thrombocytopénique idiopathique (PTI), dont il sera question plus loin. Dans certains cas, la splénectomie pourrait être utile, mais il arrive souvent qu'elle ne fasse pas partie des options thérapeutiques, par exemple chez les personnes dont l'hypertrophie de la rate provient de l'hypertension portale causée par une consommation d'alcool trop importante.

Soins et traitements infirmiers

Les interventions concernant les personnes atteintes de thrombocytopénie sont présentées dans l'encadré 35-8.

Purpura thrombocytopénique idiopathique

Le purpura thrombocytopénique idiopathique (PTI), également appelé purpura thrombocytopénique essentiel ou encore thrombocytopénie chronique idiopathique, peut toucher les personnes de tous les âges, mais est plus fréquent chez les enfants et les jeunes femmes. La maladie peut être aiguë ou chronique. La forme aiguë, plus fréquente chez les enfants, survient souvent d'une à six semaines environ après une maladie virale. Cette forme de purpura est résolutive, la rémission se produisant spontanément en l'espace de six mois. Parfois, on doit administrer des corticostéroïdes pendant un bref laps de temps. Le diagnostic de PTI chronique est souvent posé une fois que les autres causes possibles de la thrombocytopénie ont été écartées.

Physiopathologie

Bien que la cause précise du PTI reste inconnue, on note que des infections virales précèdent parfois l'apparition de la maladie chez les enfants. Des médicaments tels que les sulfamides, la grossesse ou des maladies comme le lupus érythémateux disséminé peuvent provoquer le PTI. On trouve dans le sang des auto-anticorps antiplaquettes qui se lient aux plaquettes dans le sang des personnes atteintes. Ces plaquettes sont alors phagocytées et détruites par le système réticulo-endothélial (SRE) ou par les macrophages tissulaires. En réaction à cette destruction, la moelle augmente sa production de plaquettes.

Manifestations cliniques

Un grand nombre de personnes sont asymptomatiques, et la découverte d'une numération plaquettaire peu élevée (souvent inférieure à 20 000/mm^3 et même à 5 000/mm^3) est souvent fortuite. L'apparition d'un hématome au moindre traumatisme, des règles abondantes et la formation de pétéchies sur les membres ou sur le tronc représentent les manifestations physiques les plus courantes. Certaines personnes ne présentent que de simples ecchymoses ou pétéchies, alors que d'autres présentent des saignements provenant des muqueuses, notamment des muqueuses du tractus gastro-intestinal (bouche comprise) ou de l'appareil respiratoire (hémoptysie). Plus les saignements sont généralisés, plus le risque d'hémorragie cérébrale est élevé. Bien que la numération plaquettaire soit basse, les plaquettes sont jeunes et très fonctionnelles. Elles adhèrent aux surfaces endothéliales et s'agglutinent les unes aux autres, ce qui explique pourquoi les saignements spontanés sont rares.

Examen clinique et examens paracliniques

Dans certains cas, on observe une diminution du nombre de plaquettes (lequel descend souvent au-dessous de 20 000/mm^3), mais aussi une augmentation du nombre de mégacaryocytes (précurseurs des plaquettes) dans la moelle, signe décelable grâce à une ponction.

Traitement médical

Le traitement vise principalement à normaliser la numération plaquettaire. Comme le risque de saignements ne s'élève généralement que si le nombre de plaquettes descend au-dessous de 10 000/mm^3, il suffit d'observer attentivement la personne quand ce nombre se maintient dans une fourchette allant de 30 000 à 50 000/mm^3. Lorsque le nombre de plaquettes chute au-dessous de 20 000/mm^3 ou si des saignements surviennent, le traitement a pour objectif d'améliorer la numération plaquettaire plutôt que de guérir la maladie. En général, les modalités de traitement revêtent plusieurs formes. Si elle prend un médicament qui provoque le PTI (comme la quinine, la ticlopidine [Ticlid] ou un médicament contenant des sulfamides), la personne devra l'abandonner immédiatement. Le principal élément d'un traitement de courte durée est la thérapie immunosuppressive. Les immunosuppresseurs bloquent les récepteurs de liaison avec les macrophages, et empêchent ainsi la destruction des plaquettes. L'immunosuppresseur le plus souvent administré est la prednisone ; elle est efficace dans environ 75 % des cas. Le cyclophosphamide (Cytoxan, Procytox) et l'azathioprine (Imuran), ou la dexaméthasone (Decadron), peuvent également se révéler efficaces. Dès que débute la corticothérapie, le nombre de plaquettes s'élève en l'espace de quelques jours. Les effets de l'azathioprine se font sentir plus lentement. En raison des effets secondaires des corticostéroïdes, on ne peut pas prendre des doses élevées de ces médicaments indéfiniment. Il arrive assez souvent que le nombre de plaquettes chute de nouveau lorsqu'on se met à diminuer graduellement la dose de corticostéroïdes en vue d'obtenir le sevrage. Chez certaines personnes, un traitement d'entretien comportant une faible dose de prednisone (de 2,5 à 10 mg, un jour sur deux, par exemple) peut donner des résultats satisfaisants.

L'administration des immunoglobulines par voie intraveineuse est également une pratique courante. Ces médicaments inhibent la liaison avec les récepteurs des macrophages, mais il faut en administrer des doses élevées (1g/kg en deux jours) et ils coûtent très cher. La splénectomie fait également partie des options de traitement, mais elle ne permet de normaliser le nombre de plaquettes que dans 50 % des cas. Toutefois, de nombreuses personnes qui ont subi l'ablation de la rate peuvent conserver un nombre de plaquettes considéré comme « sûr » (supérieur à 30 000/mm^3). Une thrombocytopénie grave peut cependant se déclarer au bout de quelques mois ou de quelques années, même chez les personnes qui ont bien toléré la splénectomie. N'oublions pas de mentionner que les personnes qui subissent une splénectomie sont exposées à un risque permanent de septicémie. Il faut administrer à ces personnes des vaccins contre les infections à pneumocoques, à méningocoques et à *Hæmophilus influenzæ* B, de préférence de deux à trois semaines avant l'intervention. La vaccination contre le pneumocoque doit être pratiquée de nouveau tous les 5 à 10 ans.

L'administration de vincristine (Oncovin), qui est un agent antinéoplasique, constitue également une option de traitement. Elle bloque les récepteurs des macrophages, empêchant ainsi la destruction des plaquettes ; elle peut également stimuler la thrombopoïèse. Selon certaines données, le rituximab (Rituxan), anticorps monoclonal, peut également hausser le nombre de plaquettes et conduire à une rémission de la maladie dans certains cas de PTI chroniques réfractaires aux traitements (Kojouri et George, 2005).

On peut aussi traiter le PTI chronique au moyen d'immunoglobulines anti-Rh_oD (WinRho) chez les personnes Rh_oD^+. Bien qu'on ne connaisse pas précisément le mode d'action de ces immunoglobulines, on a émis comme hypothèse qu'elles se lieraient aux globules rouges puis que ceux-ci seraient détruits par les macrophages. Occupés à détruire les complexes anti-Rh_oD/globules rouges, les macrophages ne peuvent éliminer les plaquettes. Les immunoglobulines anti-Rh_oD causent une baisse passagère de l'hématocrite s'accompagnant d'une élévation de la numération plaquettaire, chez un grand nombre de personnes atteintes de PTI, mais pas chez toutes. Elles semblent plus efficaces chez les enfants et moins efficaces chez les personnes ayant subi une splénectomie.

Bien que le nombre de plaquettes soit extrêmement bas, on évitera de donner des transfusions ; elles sont en général inefficaces, du fait que les anticorps antiplaquettes de l'organisme se lient aux plaquettes transfusées et les détruisent. Après une transfusion de plaquettes, la numération plaquettaire peut même chuter. Cependant, la transfusion protège parfois les personnes atteintes contre des saignements catastrophiques. L'acide aminocaproïque (Amicar) ou l'acide tranéxamique (Cyclokapron) peuvent être utiles en cas de saignements importants de la muqueuse nasale qui seraient réfractaires aux autres traitements.

Soins et traitements infirmiers

L'infirmière procède à une collecte des données portant sur le mode de vie des personnes dans le but de déterminer si le saignement n'est pas déclenché par les activités auxquelles elles s'adonnent. Elle se renseigne également sur les traitements médicamenteux qui leur sont administrés, notamment les médicaments offerts en vente libre, les produits naturels et les suppléments nutritionnels. Les personnes qui prennent des médicaments à base de sulfamides ou des agents qui modifient la fonction plaquettaire (entre autres les agents qui contiennent de l'aspirine ou d'autres AINS) doivent être suivies de près. L'infirmière demandera aux personnes si elles souffrent depuis peu d'une maladie virale, de maux de tête ou de troubles visuels (qui sont peut-être les premiers symptômes de l'hémorragie cérébrale). Chez les personnes hospitalisées qui seraient atteintes de purpura et qui auraient une numération plaquettaire trop basse, la prise systématique des signes vitaux doit s'accompagner d'un examen neurologique. Il faut éviter de donner à ces personnes des injections intramusculaires ou de leur administrer des médicaments par voie rectale, ou encore de prendre la température rectale, pour ne pas augmenter inutilement les risques de saignements.

L'infirmière explique aux personnes quels sont les signes d'exacerbation de la maladie (pétéchies, ecchymoses) et leur indique à quel moment elles doivent contacter un professionnel de la santé. Elle leur fournit aussi le nom des médicaments qui provoquent le PTI (le cas échéant) et des explications concernant le traitement qu'on leur administre (nom des médicaments, mode de diminution graduelle des doses, le cas échéant, et effets secondaires) et elle les informe de la fréquence à laquelle elles doivent se soumettre à des numérations plaquettaires. Il faut inciter les personnes à s'abstenir de consommer des agents qui entravent la fonction plaquettaire et de se livrer à une manœuvre de Valsalva, tout comme de faire usage de soie dentaire. L'infirmière les prévient qu'elles ne doivent utiliser que des rasoirs électriques et des brosses à dents à poils doux. Elle les met en garde contre des rapports sexuels trop vigoureux et contre le coït anal si le nombre de plaquettes chute au-dessous de la barre des 10 000/mm^3. Les personnes soumises à une corticothérapie de longue durée sont exposées à des risques de complications comme l'ostéoporose, les myopathies, la formation de cataractes et l'immunodépression (encadré 35-3). Il faut effectuer chez elles un suivi régulier de la teneur en substance minérale des os. Pour éviter qu'elles ne subissent d'importantes pertes osseuses, il peut leur être prescrit du calcium, de la vitamine D et un bisphosphonate.

Anomalies plaquettaires

Les anomalies quantitatives sont certes les plus fréquentes ; cependant on rencontre aussi des anomalies qualitatives. Dans ce cas, les plaquettes seront en quantité normale, mais ne fonctionneront pas correctement. La fonction plaquettaire est le plus souvent évaluée par le temps de saignement, bien que cette épreuve ne fournisse, au mieux, que des valeurs approximatives.

L'aspirine entraîne une anomalie plaquettaire fonctionnelle importante. Même de faibles doses d'aspirine peuvent réduire l'agrégation plaquettaire et augmenter le temps de saignement pendant plusieurs jours, car l'action antiplaquettaire de l'aspirine est irréversible. L'effet persiste donc pendant toute la durée de vie des plaquettes exposées à l'aspirine. Bien que l'aspirine ne provoque pas de saignements chez la plupart des gens, les personnes atteintes d'une maladie hémorragique (comme l'hémophilie) ou de thrombocytopénie peuvent connaître des saignements marqués après avoir pris de l'aspirine, particulièrement si elles subissent une intervention chirurgicale ou si elles ont souffert d'un traumatisme.

Les AINS inhibent aussi l'agrégation plaquettaire, mais leur effet est moins durable que celui de l'aspirine, car leur action est réversible (moins de 24 heures, par rapport à 7 à 10 jours). Parmi les autres causes de dysfonctionnement plaquettaire, citons les maladies en phase avancée, probablement parce que les produits du métabolisme affectent la fonction plaquettaire, les syndromes myélodysplasiques, le myélome multiple (parce que les protéines anormales entravent la fonction plaquettaire), ainsi que certains médicaments et certaines substances (encadré 35-12 ■).

ENCADRÉ 35-12

PHARMACOLOGIE

Médicaments et substances modifiant ou pouvant modifier la fonction des plaquettes

ANESTHÉSIANTS
- Anesthésiques locaux
- Halothane

ANTIBIOTIQUES
- Bêtalactames
  - Pénicillines
  - Céphalosporines
- Nitrofurantoïne

ANTICOAGULANTS
- Héparine
- Agents fibrinolytiques

ANTINÉOPLASIQUES
- Carmustine (BiCNU)
- Daunorubicine (Cerubidine)
- Mithramycine (Mutamycin)

MÉDICAMENTS CARDIOVASCULAIRES
- Bêtabloquants
- Bloquants des canaux calciques
- Nitrates
- Nitroglycérine
- Nitroprusside (Nipride)
- Inhibiteurs de l'enzyme de conversion de l'angiotensine
- Amrinone (Inocor)
- Inhibiteurs de l'HMG-CoA réductase (statines)

MÉDICAMENTS ANTIPLAQUETTAIRES
- Dipyridamole (Persantin; en association avec l'aspirine dans Aggrenox)
- Prostacycline
- Ticlopidine (Ticlid)
- Clopidogrel (Plavix)
- Aspirine et anti-inflammatoires non stéroïdiens
- Antagonistes GP IIb/IIIa:
  - Abciximab (Reopro)
  - Eptifibatide (Integrilin)
  - Tirofiban (Aggrastat)

ALIMENTS ET ADDITIFS ALIMENTAIRES
- Caféine
- Champignons noirs
- Clous de girofle
- Cumin
- Éthanol
- Huiles de poisson
- Ail
- Extraits d'oignon
- Curcuma

SOLUTIONS DE REMPLISSAGE VASCULAIRE
- Dextran
- Pentastarch (Pentaspan)

PSYCHOTROPES
- Antidépresseurs tricycliques
- Phénothiazines

DIVERS
- Antihistaminiques
- Héroïne
- Agents de contraste
- Vitamine E

PRODUITS NATURELS
- Chrysanthème-matricaire
- Gingembre
- Gingko
- Ginseng
- Kava

Manifestations cliniques

Les saignements peuvent être légers ou graves. Leur intensité n'est pas nécessairement liée à la numération plaquettaire ni aux résultats des épreuves qui mesurent la coagulation du sang (temps de prothrombine, temps de céphaline). On observe fréquemment des ecchymoses, particulièrement sur les membres. Les personnes atteintes peuvent être exposées à des risques de saignements importants après avoir subi un traumatisme ou une intervention effractive (une biopsie ou l'extraction d'une dent, par exemple).

Traitement médical

Si le dysfonctionnement plaquettaire est attribuable à un traitement médicamenteux, il faut cesser dans la mesure du possible d'administrer le médicament en cause, particulièrement si des saignements surviennent. Si le dysfonctionnement plaquettaire est marqué, on peut souvent prévenir les saignements par des transfusions de plaquettes avant toute intervention effractive. Parfois, on devra administrer de l'acide amniocaproïque (Amicar) ou de l'acide tranéxamique (Cyclokapron) après ces interventions, pour prévenir les saignements importants.

Soins et traitements infirmiers

L'infirmière explique aux personnes qui présentent un dysfonctionnement plaquettaire marqué qu'elles doivent éviter d'ingérer des agents qui affaiblissent la fonction plaquettaire, entre autres certains médicaments offerts en vente libre, les produits naturels et les suppléments nutritionnels, ainsi que l'alcool. Elle leur conseille de prévenir, avant toute intervention effractive, les autres professionnels de la santé (le dentiste, par exemple) qu'elles souffrent de cette maladie, afin qu'on puisse prendre les mesures qui s'imposent pour diminuer les risques de saignements. Par ailleurs, elle leur enseigne les précautions à prendre pour prévenir les saignements (encadré 35-8).

Hémophilie

Bien que les manifestations cliniques de deux maladies hémorragiques héréditaires, soit l'hémophilie A et l'hémophilie B, soient identiques, les résultats des épreuves de laboratoire permettent de les distinguer l'une de l'autre. L'hémophilie A se caractérise par une anomalie génétique qui entraîne un déficit en facteur VIII, alors que l'hémophilie B (aussi appelée maladie de Christmas) est attribuable à une anomalie génétique qui entraîne un déficit en facteur IX. L'hémophilie est une affection relativement rare; l'hémophilie A se manifeste chez 1 nouveau-né sur 10 000; elle est trois fois plus fréquente que l'hémophilie B. Transmis par une anomalie du chromosome X, les deux types d'hémophilies atteignent presque uniquement les sujets de sexe masculin. Les femmes peuvent être porteuses, mais elles sont presque toujours asymptomatiques. On dépiste cette affection assez tôt, en général chez les très jeunes enfants. Toutefois, chez les personnes présentant une hémophilie légère, la maladie ne sera souvent diagnostiquée qu'à la suite d'un traumatisme important (blessure lors d'une activité sportive parascolaire, par exemple) ou au cours d'une chirurgie. L'hémophilie touche tous les groupes ethniques.

Manifestations cliniques

L'hémophilie se manifeste sous la forme d'hémorragies qui peuvent se produire dans diverses parties de l'organisme, même à la suite d'un léger traumatisme. Leur fréquence et leur gravité dépendent de l'ampleur du déficit en facteur, de même que de l'intensité du traumatisme déclencheur. Par exemple, les personnes qui présentent un léger déficit en facteur VIII (leurs taux sont de 6 à 50 % par rapport aux taux normaux) ont rarement des hémorragies spontanées ; les hémorragies, dans leur cas, surviennent habituellement à la suite d'un traumatisme. Cependant, les personnes atteintes d'un fort déficit en facteur VIII (leurs taux sont de moins de 1 % par rapport aux taux normaux) ont des hémorragies spontanées qui peuvent être fréquentes et prendre en particulier la forme d'hémarthroses et d'hématomes. Ces personnes doivent se soumettre à une thérapie substitutive, à intervalles fréquents.

Chez les personnes hémophiles, environ 75 % des saignements surviennent dans les articulations. Les articulations le plus souvent touchées sont celles des genoux, des chevilles, des épaules, des poignets et des hanches. La douleur articulaire se manifeste souvent avant l'œdème ou les difficultés de mouvement. Les hémarthroses récurrentes entraînent parfois des lésions d'une gravité telle qu'elles peuvent provoquer une douleur chronique ou de l'ankylose (perte de la mobilité). En raison des lésions articulaires, bon nombre de personnes présentant un déficit grave en facteur deviennent invalides avant d'atteindre l'âge adulte. On peut observer des hématomes superficiels ou des hémorragies profondes dans les muscles ou les tissus sous-cutanés. Chez les personnes présentant un déficit grave, les hémorragies peuvent survenir sans qu'il y ait de traumatisme connu et se propager graduellement dans toutes les directions. Lorsque les hématomes touchent les muscles, particulièrement ceux des membres, ils peuvent exercer une pression sur les nerfs périphériques. À la longue, cette pression entraîne dans la zone touchée une diminution des sensations s'accompagnant de faiblesse et d'atrophie des tissus. Des hématuries spontanées et des hémorragies gastro-intestinales peuvent également se produire. On observe tout aussi fréquemment des saignements provenant d'autres muqueuses, par exemple de celles des voies nasales. Les hémorragies les plus dangereuses sont celles qui touchent la tête (qu'elles soient extracrâniennes ou intracrâniennes). Tout traumatisme crânien exige un examen et un traitement rapides. Les interventions chirurgicales entraînent habituellement des saignements importants dans le champ opératoire. Comme les caillots tardent à se former, la cicatrisation tarde également. Les saignements se produisent le plus souvent lors des extractions dentaires.

Traitement médical

Autrefois, la seule option thérapeutique dans les cas d'hémophilies était la perfusion de plasma frais congelé. Il fallait cependant en perfuser des quantités telles qu'une surcharge volémique s'ensuivait. De nos jours, les banques de sang disposent de concentrés de facteur VIII et de facteur IX. Le fait de disposer de préparations de facteurs recombinants (obtenus par génie génétique) rend moins impératif le recours aux concentrés de facteur. On administre des concentrés dans les cas d'hémorragie active ou à titre de mesure préventive avant de pratiquer une intervention effractive (ponction lombaire, extraction dentaire, chirurgie). On doit enseigner à la personne hémophile et à ses proches le mode d'administration du concentré par voie intraveineuse, à domicile, et leur indiquer qu'il faut l'injecter dès le premier signe de saignement. Il est essentiel de commencer le traitement dès que possible pour prévenir les complications liées aux saignements. Il peut arriver, mais c'est rare, que des anticorps anti-concentrés se forment avec le temps ; il devient alors impossible d'élever les taux des facteurs déficitaires. Ce problème engendre de grandes difficultés qui conduisent souvent à un échec.

L'acide aminocaproïque (Amicar) et l'acide tranéxamique (Cyclokapron) sont des inhibiteurs de l'enzyme fibrinolytique pouvant ralentir la dissolution des caillots sanguins qui se forment malgré tout. Il s'agit d'agents très efficaces pour un traitement d'appoint, après une chirurgie buccale ; ils servent également à traiter les saignements provenant des muqueuses. Un autre agent, la desmopressine (DDAVP), entraîne une élévation transitoire du taux de facteur VIII grâce à un mécanisme qui est encore inconnu. La desmopressine est d'une grande utilité pour les personnes atteintes d'une forme légère d'hémophilie A, car elle réduit de façon marquée la quantité de produits sanguins qui leur est nécessaire. Toutefois, elle est inefficace en cas de déficit marqué en facteur VIII.

Soins et traitements infirmiers

C'est le plus souvent au cours de l'enfance qu'on pose le diagnostic d'hémophilie. Il faut aider les personnes hémophiles à s'adapter à la maladie, puisqu'elle est chronique, impose des restrictions à leur vie et est héréditaire. On doit aider l'enfant hémophile à s'accepter, à composer avec la maladie et à reconnaître les aspects positifs de sa vie. La personne doit apprendre à être indépendante, mais aussi à faire preuve d'une vigilance de chaque instant afin de prévenir tout traumatisme inutile qui pourrait provoquer des épisodes de saignements aigus et entraver ses activités normales pendant un certain temps. Au fur et à mesure qu'elle accepte la maladie, elle assume une part de responsabilité toujours plus importante dans la préservation d'une santé optimale.

Les personnes présentant un léger déficit en facteur peuvent n'être diagnostiquées qu'à l'âge adulte si elles ne subissent pas de traumatismes importants ni de chirurgies au cours de l'enfance. Il faut fournir à ces personnes des explications très claires concernant les restrictions relatives aux activités et leur enseigner les autosoins afin qu'elles puissent réduire les risques d'hémorragies et les risques de complications qui en découlent. L'infirmière insiste sur l'obligation de prendre des mesures de sécurité tant à la maison qu'au travail.

Elle met en garde les personnes hémophiles contre la prise de substances qui entravent l'agrégation plaquettaire : l'aspirine, les AINS, certains produits naturels, certains suppléments alimentaires et l'alcool. Les restrictions s'appliquent aussi aux médicaments proposés en vente libre, notamment aux médicaments contre le rhume. L'hygiène dentaire comme mesure préventive est très importante, parce que les extractions dentaires représentent un grand danger. Si le déficit en facteur est faible, il peut suffire d'appliquer une pression pour maîtriser les saignements provoqués par un léger traumatisme. On devrait s'abstenir d'introduire des tampons d'ouate dans les narines, parce que les saignements reprennent lorsqu'on les retire. Les attelles et autres appareils orthopédiques peuvent être utiles aux personnes présentant des hémorragies articulaires ou musculaires. Il faut éviter de donner des injections, limiter dans la mesure du possible les interventions effractives (endoscopie ou ponction lombaire, par exemple) ou les pratiquer après avoir administré le facteur approprié. On encourage les personnes atteintes d'hémophilie à conserver sur elles une pièce d'identité sur laquelle apparaît le nom de leur maladie.

Au cours d'une hémorragie, il faut évaluer attentivement l'importance du saignement. La personne exposée à un risque élevé (saignement dans les voies respiratoires ou dans le cerveau, en particulier) doit faire l'objet d'une étroite surveillance permettant de déceler les complications (détresse respiratoire, perturbation des opérations de la pensée). Si la personne a subi depuis peu une intervention chirurgicale, l'infirmière examinera attentivement et à intervalles fréquents le siège de la chirurgie, à la recherche de saignements. Elle prendra fréquemment les signes vitaux jusqu'à ce qu'elle soit convaincue qu'il n'y a pas de saignements excessifs attribuables à l'intervention.

On doit souvent employer des analgésiques pour soulager la douleur causée par les hématomes et les hémarthroses. Bon nombre de personnes signalent que les bains chauds favorisent la détente, améliorent la mobilité et atténuent la douleur. Toutefois, comme la chaleur aggrave les saignements, on appliquera des compresses froides plutôt que des compresses chaudes durant un épisode hémorragique.

Bien que les virus (notamment le VIH et le virus de l'hépatite) puissent aujourd'hui être éliminés des concentrés de facteurs VIII et IX grâce aux techniques récentes (par exemple au traitement par des concentrés de facteurs «pasteurisés» ou purifiés au moyen d'un solvant détergent), bon nombre de personnes ont été contaminées. Il faut aider ces personnes et leur famille à composer avec ce genre de diagnostic et avec les conséquences qu'il entraîne.

Chez environ 15 à 50 % des personnes atteintes d'hémophilie A et chez environ 1 à 3 % des personnes atteintes d'hémophilie B, il se forme des anticorps en réaction aux concentrés de facteurs, ce qui complique le traitement substitutif (Lusher, 2000; White, Greenwood, Escobar et Frelinger, 2000). Il faut alors recourir à la plasmaphérèse ou à un traitement immunosuppresseur concomitant, particulièrement si on observe des saignements importants. Chez les personnes présentant un déficit en facteur important, il faut procéder au dépistage des anticorps, surtout avant de pratiquer une chirurgie majeure.

Maladie de von Willebrand

La maladie de von Willebrand est une anomalie de l'hémostase à transmission autosomique dominante et touchant les deux sexes. Elle est causée par un déficit en facteur von Willebrand (FvW), élément indispensable au maintien de l'activité du facteur VIII. Le FvW favorise aussi l'adhérence des plaquettes au siège d'une lésion vasculaire. Bien que la synthèse du facteur VIII soit normale, sa demi-vie est écourtée; par conséquent, les taux de facteur VIII sont en général un peu trop faibles (de 15 à 50 % des taux normaux).

Manifestations cliniques

Les saignements de nez, les hémorragies provenant des coupures, les règles abondantes et les saignements anormaux après une intervention chirurgicale constituent des symptômes courants, mais les hémorragies massives des tissus mous ou les hémarthroses sont très rares. Les résultats des épreuves de laboratoire varient tout autant que l'importance des saignements. Par exemple, l'infirmière peut apprendre, lors de l'entrevue concernant les antécédents de saignements, que la personne a eu peu de saignements après une intervention chirurgicale mais a souffert de saignements majeurs après une extraction dentaire.

Examen clinique et examens paracliniques

Les examens paracliniques révèlent une numération plaquettaire normale, mais un temps de saignement prolongé et, parfois, un temps de céphaline légèrement allongé. En raison des variations qui caractérisent la maladie, les résultats des examens de laboratoire peuvent fluctuer grandement au fil du temps.

Traitement médical

On peut remédier au déficit en facteur et aux anomalies plaquettaires qui en découlent en administrant un cryoprécipité contenant du facteur VIII, du fibrinogène et du facteur XIII (ou du plasma frais congelé, si on ne dispose pas de cryoprécipité). On doit poursuivre le traitement substitutif pendant quelques jours pour s'assurer que le déficit en facteur VIII a été corrigé. Après une chirurgie majeure, le traitement peut parfois être appliqué durant 7 à 10 jours. Pour prévenir les saignements engendrés par les interventions dentaires ou chirurgicales, ou encore pour faire cesser un léger saignement postchirurgical, on peut administrer de la desmopressine par perfusion intraveineuse ou par voie nasale (DDAVP); il s'agit d'un analogue synthétique de la vasopressine qui provoque une élévation transitoire de l'activité coagulante du facteur VIII et qui peut aussi influer sur le temps de saignement. Pour prévenir les saignements liés à une chirurgie majeure ou à une intervention très effractive, il peut être nécessaire d'administrer en même temps de la desmopressine et un cryoprécipité.

Troubles acquis de la coagulation

Les troubles de la coagulation peuvent découler par exemple d'une affection hépatique ou d'une carence en vitamine K; il peut s'agir de complications de l'anticoagulothérapie ou d'une coagulation intravasculaire disséminée.

Affection hépatique

Le foie synthétise la plupart des facteurs de la coagulation, à l'exception du facteur VIII. Par conséquent, l'insuffisance hépatique, attribuable à une cirrhose, à une tumeur ou à une hépatite (chapitre 41), peut entraîner une baisse de la quantité de facteurs nécessaires à la coagulation et au maintien de l'hémostase. L'allongement du temps de prothrombine, à moins qu'il ne soit causé par une carence en vitamine K, peut évoquer une insuffisance hépatique grave. Mis à part les saignements mineurs, comme les ecchymoses, qui sont courants, les personnes atteintes d'une maladie hépatique sont également exposées à des risques de saignements importants, particulièrement après un traumatisme ou une chirurgie. Il faut leur transfuser du plasma frais congelé pour remplacer les facteurs de coagulation et pour prévenir les saignements ou les faire cesser. Des hémorragies potentiellement létales, attribuables à un ulcère gastro-duodénal ou à des varices œsophagiennes, peuvent également survenir. Il faut alors administrer du plasma frais congelé, un culot globulaire et des plaquettes.

Carence en vitamine K

La synthèse de bon nombre de facteurs de coagulation dépend de la vitamine K. La carence en vitamine K se rencontre, de manière caractéristique, chez les personnes atteintes de malnutrition. De plus, certains antibiotiques détruisent la flore intestinale qui produit la vitamine K, ce qui entraîne une déplétion des réserves de cette vitamine. L'administration de vitamine K (phytonadione, donnée par voie orale ou sous-cutanée) permet de remédier rapidement à la carence. La normalisation du temps de prothrombine atteste du fait que la synthèse des facteurs de coagulation s'effectue correctement.

Complications de l'anticoagulothérapie

On administre des anticoagulants pour prévenir la thrombose ou pour la traiter. Ces agents peuvent provoquer des saignements. Si le temps de prothrombine ou le temps de céphaline se prolonge au-delà des limites souhaitées et s'il n'y a pas de saignements, on peut cesser d'administrer le médicament ou en réduire la dose. En cas d'intoxication à la warfarine, on administre de la vitamine K. La demi-vie de l'héparine étant courte, il est rarement nécessaire de recourir à la protamine si une surdose d'héparine se déclare. En présence de saignements importants, le plasma frais congelé remplace les facteurs de coagulation tributaires de la vitamine K. On traite des autres complications de l'anticoagulothérapie au chapitre 33.

Coagulation intravasculaire disséminée

La coagulation intravasculaire disséminée (CIVD) n'est pas une maladie, mais plutôt le signe d'une affection sous-jacente. Elle peut être déclenchée par une septicémie, un traumatisme, un cancer, un choc, un décollement placentaire, des toxines ou des réactions allergiques (encadré 35-13 ■); elle peut être mortelle.

Physiopathologie

La CIVD se caractérise par une anomalie des mécanismes hémostatiques entraînant la formation d'une quantité importante de petits caillots dans la microcirculation. Au début, le temps de coagulation est normal. Toutefois, au fur et à mesure que les plaquettes et les facteurs de coagulation se transforment en microthrombus, la coagulation devient excessive. Le résultat paradoxal de cette coagulation trop marquée est le saignement. La CIVD se manifeste dans les organes par la formation d'un nombre excessif de caillots (d'où une ischémie partielle ou totale de l'organe) ou par une hémorragie. S'il se produit une hémorragie, les analyses de l'hémostase révèlent les données suivantes: faibles concentrations de fibrinogène et de plaquettes, allongement des temps de prothrombine, de céphaline et de thrombine, et quantité accrue de produits de dégradation de la fibrine, ou **D-dimères** (tableau 35-8 ■).

Dans les cas de CIVD, le taux de mortalité peut dépasser les 80 %. En repérant les personnes à risque et en reconnaissant les premiers signes cliniques du syndrome, on peut commencer rapidement le traitement, ce qui pourrait améliorer le pronostic, mais pas autant que de traiter l'affection qui a déclenché la CIVD.

! ALERTE CLINIQUE *Les saignements soudains provenant des muqueuses, des points de ponction veineuse, du tractus gastro-intestinal ou des voies urinaires peuvent constituer des signes de CIVD.*

Manifestations cliniques

Les saignements des muqueuses, des points de ponction veineuse, du tractus gastro-intestinal et des voies urinaires signalent une CIVD. Les saignements peuvent être plus ou moins intenses, allant de saignements internes et occultes jusqu'à une hémorragie massive depuis tous les orifices corporels. Les microthromboses, les macrothromboses et les hémorragies peuvent mener à des dysfonctionnements organiques, par exemple à une insuffisance rénale ou pulmonaire, ou bien à des accidents vasculaires cérébraux se déclarant en plusieurs endroits du système nerveux central.

Au cours de la première phase de la maladie, la personne peut ne pas présenter de nouveaux symptômes; on observera seulement chez elle une diminution graduelle de la numération plaquettaire. Plus la thrombose se propage, plus les signes et symptômes de thrombose deviennent apparents dans l'organe atteint. Ensuite, au fur et à mesure que les facteurs de coagulation et les plaquettes sont absorbés pour former des

ENCADRÉ 35-13

FACTEURS DE RISQUE

Coagulation intravasculaire disséminée (CIVD)

- Septicémie
- Complications liées à la grossesse ou à l'accouchement
- Hémolyse aiguë (réaction transfusionnelle, par exemple)
- Traumatisme
- Choc
- Cancer (cancer de la prostate et leucémie promyélocytaire, notamment)
- Réactions allergiques

thrombus, des saignements apparaissent. Au début, on signale des saignements légers, qui peuvent cependant se transformer en hémorragie. Les signes et symptômes varient selon les organes atteints ; ils sont énumérés dans le tableau 35-9 ■.

Traitement médical

La priorité est de traiter l'affection ayant déclenché la CIVD. Tant qu'on n'aura pu remédier à la cause de la maladie, la coagulopathie persistera. Le deuxième objectif consiste à prendre en charge les conséquences de l'ischémie tissulaire, en améliorant l'oxygénation, en corrigeant les déséquilibres hydroélectrolytiques et en administrant des vasopresseurs. En cas d'hémorragie grave, on peut administrer un traitement substitutif de facteurs de coagulation et de plaquettes en vue de normaliser l'hémostase et, par conséquent, de diminuer les saignements. On administre un cryoprécipité pour remplacer les fibrinogènes et les facteurs V et VII, de même que du plasma frais congelé pour remplacer les autres facteurs de coagulation.

L'utilisation d'héparine pour arrêter la progression du processus thrombotique est controversée. L'héparine peut inhiber la formation de microthrombus et, de ce fait, permettre à l'irrigation des organes (peau, reins ou cerveau) de reprendre. Cependant, elle est habituellement réservée aux personnes chez qui les manifestations thrombotiques prédominent ou chez qui des traitements substitutifs intenses n'ont pas réussi à arrêter l'hémorragie ou à élever les taux de fibrinogène et des autres facteurs de coagulation. Quand on administre de l'héparine, il arrive que l'hémorragie s'aggrave au départ, tant que le processus thrombotique ne s'est pas arrêté. On doit remplacer les plaquettes et les facteurs de coagulation qui ont été absorbés. La normalisation des taux plasmatiques de fibrinogène et la diminution des saignements confirment que l'héparine a été efficace.

DÉMARCHE SYSTÉMATIQUE dans la pratique infirmière

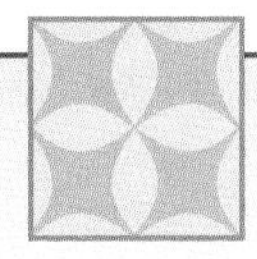

Personne atteinte du syndrome de coagulation intravasculaire disséminée

COLLECTE DES DONNÉES

L'infirmière doit savoir repérer les personnes exposées au risque de CIVD, syndrome dont les causes les plus courantes sont la septicémie et la leucémie aiguë. Elle doit examiner ces personnes attentivement et fréquemment, à la recherche de signes et symptômes de thrombus et de saignements, et le cas échéant suivre de près l'évolution de ceux-ci (tableau 35-9).

ANALYSE ET INTERPRÉTATION

Diagnostics infirmiers

En se fondant sur les données recueillies, l'infirmière peut poser les diagnostics infirmiers suivants :

- Risque de déficit de volume liquidien, relié aux saignements
- Risque d'atteinte à l'intégrité de la peau, relié à l'ischémie ou aux saignements
- Risque d'excès de volume liquidien, relié au remplacement excessif de facteurs et de composés sanguins
- Irrigation tissulaire inefficace, reliée à la formation de microthrombus
- Anxiété, angoisse face à la mort et peur

TABLEAU 35-8 Résultats des examens paracliniques en cas de coagulation intravasculaire disséminée (CIVD)*

Examen	Paramètre évalué	Valeurs normales	Changements
Numération plaquettaire	Nombre de plaquettes	150 000-450 000/mm³	↓
Temps de prothrombine	Voie extrinsèque	11-12,5 secondes	↑
Temps de céphaline	Voie intrinsèque	23-35 secondes	↑
Temps de thrombine	Formation de caillots	8-11 secondes	↑
Fibrinogène	Quantité disponible pour la coagulation	170-340 mg/100 mL	↓
D-dimère	Fibrinolyse locale	0-0,5 μg/mL	↑
Produits de dégradation de la fibrine	Fibrinolyse	< 10 μg/mL	↑
Temps de lyse des euglobulines	Activité fibrinolytique	≥ 2 heures	≤ 1 heure

* Comme la coagulation intravasculaire disséminée est une maladie dynamique, les résultats des examens paracliniques varient au fil du temps. C'est pourquoi les changements observés dans les valeurs de l'un ou l'autre des paramètres mesurés, que ces valeurs augmentent graduellement ou diminuent, peuvent se révéler plus importants que la valeur absolue d'un résultat ponctuel.

TABLEAU 35-9

Comment déceler la thrombose et les saignements en cas de coagulation intravasculaire disséminée (CIVD)*

	Signes et symptômes	
Fonctions	**Thrombose microvasculaire**	**Saignements microvasculaires et saignements avérés**
Fonction tégumentaire	↓ température, sensations; ↑ douleur; cyanose des extrémités inférieures et supérieures, du nez, des lobes des oreilles; foyers d'ischémies locales, gangrène superficielle	Pétéchies, présentes également sur les muqueuses péri-orbitaires et buccales; saignement des gencives, suintement des plaies, d'anciens points de ponction, de la région qui entoure les cathéters (IV, trachéotomie); épistaxis; ecchymoses diffuses; hémorragie sous-cutanée; douleurs articulaires
Fonction cardiovasculaire	↓ fréquence et amplitude du pouls; temps de remplissage des capillaires > 3 secondes	Tachycardie
Fonction respiratoire	Hypoxémie (provoquée par un caillot logé dans les poumons); dyspnée; douleurs thoraciques lors des respirations profondes; ↓ murmures vésiculaires dans les zones comportant plusieurs embolies	Diminution des murmures vésiculaires; tachypnée; ↑ consolidation du tissu pulmonaire; signes et symptômes d'une détresse respiratoire aiguë
Fonction gastro-intestinale	Douleurs gastriques; « brûlures d'estomac »	Hématémèse (présence de sang, occulte ou non, dans le liquide de succion nasogastrique), méléna (présence de sang dans les selles → selles goudronneuses → émission de sang rouge par le rectum), saignements rétropéritonéaux (abdomen ferme et sensible au toucher; distendu; ↑ volume de l'abdomen)
Fonction rénale	↓ débit urinaire; ↑ créatinine, ↑ urée	Hématurie
Fonction neurologique	↓ vigilance et orientation; ↓ réflexe pupillaire; ↑ réaction aux consignes; ↓ force et amplitude des mouvements	Anxiété; agitation; altération de l'état de conscience, perturbation des opérations de la pensée; céphalées; troubles visuels; hémorragie conjonctivale

**Remarque*: Les signes de thrombose microvasculaire sont attribuables à l'activation inappropriée du processus de coagulation entraînant l'occlusion thrombotique des petits vaisseaux qui irriguent les divers organes. Au fur et à mesure que les plaquettes et les facteurs de coagulation sont absorbés, des signes de saignements macrovasculaires apparaissent. Les saignements peuvent se transformer rapidement en hémorragie déclarée. On doit traiter l'affection sous-jacente, sinon le stimulus qui déclenche la coagulation intravasculaire disséminée persistera.

Problèmes traités en collaboration et complications possibles

En se fondant sur les données recueillies, l'infirmière peut déterminer les complications susceptibles de survenir, notamment:

- Insuffisance rénale
- Gangrène
- Embolie pulmonaire ou hémorragie
- Perturbation des opérations de la pensée
- Syndrome de détresse respiratoire
- Accident vasculaire cérébral

PLANIFICATION

Les principaux objectifs sont les suivants: assurer l'équilibre hémodynamique; préserver l'intégrité de la peau et des muqueuses buccales; préserver l'équilibre hydrique et assurer l'irrigation des tissus; améliorer les stratégies d'adaptation; et prévenir les complications (plan thérapeutique infirmier ■).

INTERVENTIONS INFIRMIÈRES

Voir ci-contre le plan thérapeutique infirmier destiné à la personne atteinte du syndrome de coagulation intravasculaire disséminée.

Surveiller et traiter les complications

Même si des mesures vigoureuses ont été prises, l'absence d'irrigation des reins peut entraîner une insuffisance rénale aiguë nécessitant parfois le recours à la dialyse. Chez ces personnes, il est toutefois très risqué de mettre en place un cathéter de dialyse de gros calibre; cette intervention devrait s'accompagner de transfusions appropriées de plaquettes et de plasma.

ÉVALUATION

L'évaluation et les résultats escomptés chez la personne atteinte du syndrome de coagulation intravasculaire disséminée figurent dans le plan thérapeutique infirmier.

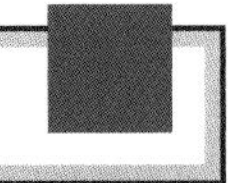

PLAN THÉRAPEUTIQUE INFIRMIER

Personne atteinte du syndrome de coagulation intravasculaire disséminée

INTERVENTIONS INFIRMIÈRES	JUSTIFICATIONS SCIENTIFIQUES	RÉSULTATS ESCOMPTÉS
Diagnostic infirmier: risque de déficit de volume liquidien, relié aux saignements **Objectifs:** préserver l'état hémodynamique; assurer un débit urinaire ≥ 30 mL/h		
1. Éviter d'effectuer des interventions et des activités qui pourraient accroître la pression intracrânienne (toux, efforts de défécation intenses et prolongés, par exemple).	1. Prévention des saignements intracrâniens	■ Stabilité de l'état de conscience ■ PVC 5 – 12 cm H_2O, PAS ≥ 70 mm Hg ■ Débit urinaire ≥ 30 mL/h ■ Diminution des saignements ■ Diminution des suintements ■ Réduction des ecchymoses ■ Aménorrhée ■ Absence de saignements buccaux et bronchiques ■ Muqueuse buccale propre, humide, intacte ■ Absence d'hémorragie
2. Suivre de près les signes vitaux, notamment les signes neurologiques: a) Suivre de près l'hémodynamie. b) Examiner le volume de l'abdomen. c) Mesurer le débit urinaire.	2. Dépistage rapide des signes d'hémorragie ou de choc	
3. Dans la mesure du possible, ne pas administrer de médicaments qui modifient la fonction plaquettaire (aspirine, AINS, antibiotiques bêtalactames).	3. Réduction des troubles associés à l'agrégation et à l'adhérence plaquettaires	
4. Éviter de poser une sonde rectale et d'administrer des médicaments par voie rectale.	4. Réduction du risque de rectorragie	
5. Éviter d'administrer des injections par voie intramusculaire.	5. Diminution des risques de saignements intramusculaires	
6. Mesurer la quantité de sang perdue par des saignements externes.	6.	
a) Compter le nombre de pansements, noter le % de saturation; le temps écoulé jusqu'à la saturation du pansement constitue une donnée plus objective que « pansement modérément saturé ».	a) Évaluation précise et objective de l'importance des saignements	
b) Mesurer la quantité de sang aspirée et tous les excreta.	b) Confirmation de la présence de saignements ou possibilité d'avoir des données quantitatives	
c) Compter le nombre de serviettes sanitaires chez les femmes menstruées.	c) Quantification de la gravité des saignements	
d) Si possible, administrer des progestatifs pour faire cesser les règles.	d) Réduction du risque d'hémorragie des organes reproducteurs	
7. Utiliser peu de pression lors des aspirations.	7. Prévention des traumatismes excessifs pouvant entraîner une hémorragie	
8. Dispenser les soins d'hygiène buccale avec prudence. a) Éviter d'utiliser des tampons imbibés de glycérine citronnée ou des rince-bouche commerciaux. b) Utiliser un écouvillon muni d'une éponge à son extrémité, des rince-bouche à base de sel/bicarbonate de soude.	8. Prévention des traumatismes excessifs pouvant entraîner une hémorragie. La glycérine et l'alcool (contenus dans les rince-bouche commerciaux) assèchent la muqueuse et augmentent ainsi les risques de saignements	
9. Éviter que les caillots se détachent, notamment ceux qui se sont formés autour du point d'injection ou du point de ponction IV.	9. Prévention des saignements excessifs	
Diagnostic infirmier: risque d'atteinte à l'intégrité de la peau, relié à l'ischémie ou aux saignements **Objectifs:** préserver l'intégrité de la peau; préserver l'intégrité de la muqueuse buccale		
1. Examiner la peau en prêtant une attention particulière aux saillies osseuses et aux plis cutanés.	1. Cette méthode de dépistage précoce d'une atteinte ou d'un risque d'atteinte à l'intégrité de la peau favorise la précocité des interventions et, par conséquent, la prévention des complications.	■ L'intégrité de la peau est préservée; peau chaude et de couleur normale. ■ L'intégrité de la muqueuse buccale est préservée; muqueuse buccale de couleur rosée, humide et sans saignement.
2. S'assurer que les changements de position s'effectuent en douceur; installer la personne sur un matelas qui réduit le risque de formation de plaies de pression. 3. Administrer les soins de la peau avec prudence, toutes les deux heures, en prêtant une attention particulière aux parties déclives, aux saillies osseuses et au périnée.	2-3. Les soins méticuleux de la peau et les mesures empêchant l'exercice d'une pression sur les saillies osseuses peuvent réduire les risques de traumatismes de la peau.	

Personne atteinte du syndrome de coagulation intravasculaire disséminée (*suite*)

INTERVENTIONS INFIRMIÈRES	JUSTIFICATIONS SCIENTIFIQUES	RÉSULTATS ESCOMPTÉS
4. Exercer une pression prolongée (au moins 5 min) après une injection ou une intervention, le cas échéant. 5. Prodiguer les soins d'hygiène buccale avec prudence (voir ci-dessus).	4. Le clou plaquettaire formé au début est très fragile et se détache facilement, ce qui peut intensifier les saignements. 5. Les soins méticuleux permettent de réduire les risques de traumatismes, de saignements et d'infections.	
Diagnostic infirmier: risque d'excès de volume liquidien **Objectifs:** prévenir l'œdème; prévenir les crépitements; assurer l'équilibre des ingesta et des excreta		
1. Ausculter les murmures vésiculaires toutes les 6 heures. 2. Évaluer l'étendue de l'œdème. 3. Mesurer le volume des solutions administrées par voie IV et des produits sanguins; diminuer, dans la mesure du possible, le volume des médicaments administrés par voie IV. 4. Administrer un diurétique, si le médecin l'a prescrit.	1. Des crépitants peuvent apparaître rapidement. 2. Des liquides peuvent s'infiltrer dans les compartiments extravasculaires. 3. Ces mesures aident à prévenir les surcharges liquidiennes. 4. Les diurétiques abaissent le volume des fluides.	■ Murmures vésiculaires normaux ■ Absence de bruits surajoutés ■ Absence d'œdème ■ Équilibre des ingesta et des excreta ■ Stabilité pondérale
Diagnostic infirmier: risque d'irrigation tissulaire inefficace, relié aux microthrombus **Objectifs:** préserver l'état neurologique; prévenir l'hypoxémie; maintenir les pouls périphériques dans les limites normales; préserver l'intégrité de la peau; s'assurer que le débit urinaire reste ≥ 30 mL/h		
1. Examiner la fonction neurologique, les poumons, la peau et les phanères. 2. Être à l'affût de la réaction au traitement à l'héparine. 3. Mesurer la quantité de sang perdu. 4. Mesurer les concentrations de fibrinogène. 5. Cesser d'administrer de l'acide aminocaproïque ou de l'acide tranéxamique en cas de symptômes de thrombose (tableau 35-9).	1. Les premiers signes de thrombose peuvent être ténus. 2. Ce sont les taux de fibrinogène qui mesurent la réaction au traitement à l'héparine avec le plus de précision. 3. La mesure objective des saignements depuis tous les sièges permet d'évaluer avec précision l'ampleur de la perte de sang. 4. Le taux de fibrinogène permet de mesurer avec plus de précision la réaction au traitement à l'héparine. 5. L'administration d'acide aminocaproïque ou d'acide tranéxamique est réservée aux cas d'hémorragies importantes, rebelles aux traitements supplétifs.	■ Gaz artériels, saturation du sang en oxygène, sphygmooxymétrie et niveau de la conscience se situant dans les limites normales ■ Absence de bruits adventices ■ Absence d'œdème ■ Équilibre des ingesta et des excreta ■ Stabilité pondérale
Diagnostic infirmier: risque de peur de l'inconnu et d'angoisse face à la mort **Objectifs:** favoriser la reconnaissance et la verbalisation des peurs; encourager la personne à garder espoir, de façon réaliste		
1. Aider la personne à retrouver les stratégies d'adaptation utilisées antérieurement, si possible. Encourager la personne à y recourir, selon les besoins. 2. Expliquer toutes les interventions et leur raison d'être dans un langage que la personne et ses proches peuvent comprendre. 3. Aider la famille à soutenir la personne atteinte. 4. Recourir aux services d'un psychologue ou d'un aumônier, si besoin est.	1. Aider la personne à se souvenir d'expériences stressantes peut lui permettre de se souvenir des stratégies d'adaptation efficaces qu'elle a utilisées par le passé. 2. L'insuffisance des connaissances et l'incertitude peuvent accroître l'anxiété. 3. La famille peut aider la personne à utiliser des stratégies d'adaptation efficaces et à garder espoir. 4. L'intervention d'autres professionnels peut être nécessaire, particulièrement si les stratégies d'adaptation ne conviennent pas ou sont inefficaces.	■ Usage de stratégies d'adaptation utilisées par le passé, permettant à la personne de composer avec sa situation ■ Compréhension des interventions et de la situation par la personne dans les limites de ses possibilités

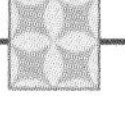

Affections thrombotiques

Comme dans de nombreux troubles de saignement, bien des affections peuvent perturber l'hémostase et engendrer une thrombose excessive. Les anomalies qui prédisposent aux complications thrombotiques sont, entre autres, les suivantes: diminution du taux d'inhibiteurs de la coagulation présents dans la circulation (ce qui favorise la coagulation), modification de la fonction hépatique (pouvant réduire la production de facteurs de la coagulation ou l'élimination des facteurs de la coagulation activés), déficit en enzymes fibrinolytiques ainsi que présence de vaisseaux tortueux (favorisant l'agrégation plaquettaire). Le tableau 35-10 ■ donne un aperçu des affections thrombotiques les plus fréquentes. La formation de thrombus est un processus multifactoriel et la thrombose peut entraîner de nombreuses complications, dont l'infarctus du myocarde (chapitre 30 🔗), l'accident vasculaire cérébral (AVC, accident ischémique; chapitre 65 🔗) et l'occlusion artérielle périphérique (chapitre 33 🔗). En outre, bien des affections héréditaires ou acquises, notamment l'hyperhomocystéinémie, le déficit en antithrombine III, le déficit en protéine C, la résistance à la protéine C activée, la mutation du facteur V Leiden et le déficit en protéine S, peuvent prédisposer à des épisodes thrombotiques récurrents. On donne à ces affections le nom de troubles de l'hypercoagulabilité, ou encore de thrombophilie. Nous présentons ces troubles dans le tableau 35-11 ■, en les différenciant selon les anomalies qui y sont associées dans les résultats de laboratoire et selon la nécessité de soumettre ou non les autres membres de la famille à des épreuves de dépistage.

La thrombose doit être traitée par anticoagulothérapie. La durée du traitement varie selon l'emplacement et l'ampleur de la thrombose, selon les facteurs déclenchants (traumatisme, immobilisation, par exemple) et selon les autres facteurs de risque présents (usage de contraceptifs oraux, vaisseaux sanguins tortueux, antécédents d'épisodes thrombotiques, par exemple).

Traitement médical

L'anticoagulothérapie est la principale méthode utilisée dans le traitement des maladies thrombotiques. Toutefois, en présence de thrombophilie, il existe un désaccord quant au moment où le traitement doit débuter (en prophylaxie ou non) et quant à sa durée (toute la vie ou pendant un certain laps de temps). L'anticoagulothérapie comporte des risques, le plus important étant le risque de saignement. Les risques associés à l'anticoagulothérapie sont énumérés dans le chapitre 33 🔗. On présente les principaux anticoagulants à la section suivante.

Pharmacothérapie

L'anticoagulothérapie doit toujours s'accompagner de la réduction des facteurs de risque prédisposant à la thrombose. Lorsqu'il est impossible d'éliminer les facteurs de risque (entre autres l'immobilisation après une chirurgie, la grossesse), il peut être nécessaire d'administrer une anticoagulothérapie en prophylaxie.

Traitement à l'héparine non fractionnée L'héparine est un anticoagulant naturel qui augmente l'effet de l'AT III. Pour prévenir la thrombose, on administre en général de l'héparine sous forme d'injection sous-cutanée, deux ou trois fois par jour, alors que pour la traiter, on l'administre par voie intraveineuse. On évalue les effets thérapeutiques de l'héparine grâce à des mesures sériées du temps de céphaline activée; on adapte la dose de manière à ce que les résultats soient de 1,5 à 2,5 fois la valeur témoin du laboratoire.

L'une des complications sérieuses que risque de provoquer le traitement à l'héparine est la thrombocytopénie induite par l'héparine (TIH). Il en existe deux types: la TIH de type 1 et la TIH de type 2.

- *TIH de type 1* Elle se présente chez 10 à 20 % des personnes recevant de l'héparine, cause une baisse légère ou modérée des plaquettes, dont le nombre passe rarement sous la barre des 100 000/mm³. Elle survient dans les quatre permiers jours de traitement, se résout d'elle-même avec la poursuite du traitement et n'entraîne habituellement pas de complication. Elle est due à un effet direct et réversible de l'héparine sur les plaquettes.
- *TIH de type 2* Elle affecte jusqu'à 5 % des personnes recevant de l'héparine, cause une baisse importante du nombre de plaquettes, qui atteint souvent un niveau inférieur à 50 000/mm³ (Kelton, 1999). Elle survient généralement de 5 à 10 jours après le début du traitement ou plus rapidement si la personne a déjà reçu de l'héparine. Dans ce cas, l'organisme produit des anticorps contre les complexes d'héparine et d'AT III, ce qui engendre une agrégation plaquettaire. Les personnes sont exposées à un risque accru de thrombose veineuse ou artérielle en raison des agrégats plaquettaires. La thrombose peut se manifester notamment sous la forme d'une thrombose veineuse profonde, d'un infarctus du myocarde, d'un AVC, d'un accident ischémique cérébral ou de lésions ischémiques des membres pouvant nécessiter l'amputation. Le traitement consiste à cesser l'héparine et à administrer un autre anticoagulant. Le risque de TIH n'est pas lié à la dose administrée. La TIH peut survenir avec des doses faibles comme celles qui servent à maintenir la perméabilité des voies veineuses (< 500 unités par jour).

Traitement avec une héparine de faible poids moléculaire Les héparines de faible poids moléculaire (HFPM; daltéparine [Fragmin], énoxaparine [Lovenox], par exemple) sont une forme particulière d'héparine dont les effets s'exercent plus spécifiquement sur un facteur donné de la coagulation (facteur X_a). À cause de leurs propriétés biochimiques, les HFPM ont une demi-vie plus longue et un effet plus prévisible et plus reproductible que l'héparine non fractionnée. Grâce à ces traits distinctifs, on peut administrer une HFPM une ou deux fois par jour, sans habituellement avoir à effectuer d'analyses de laboratoire pour adapter la dose. La fréquence de la TIH est moins élevée lorsqu'on administre une HFPM. Dans plusieurs cas, le recours à une HFPM permet d'administrer l'anticoagulothérapie en consultation externe uniquement. On traite de nombreux cas de thromboses veineuses profondes non compliquées en dehors du milieu hospitalier. Les HFPM sont aussi utilisées en «traitement de relais», lorsqu'une personne qui bénéficie d'une anticoagulothérapie (warfarine) doit subir une intervention effractive (biopsie ou chirurgie, par exemple). Dans ce cas, on cesse d'administrer de la warfarine et on la remplace par une HFPM jusqu'à la fin de l'intervention; le traitement à la warfarine est alors repris. On cesse d'administrer l'HFPM au moment où le Rapport international normalisé (RIN) visé avec la warfarine est réatteint.

Traitement à la warfarine Les anticoagulants coumariniques (warfarine [Coumadin], nicoumalone [Sintrom]) sont des antagonistes de la vitamine K. Ils entravent par conséquent la synthèse des facteurs de la coagulation tributaires de la vitamine K (facteurs II, VII, IX et X). Les anticoagulants

Affections thrombotiques

TABLEAU 35-10

Affections	Caractéristiques
Hyperhomocystéinémie	La hausse des concentrations plasmatiques d'homocystéine constitue un facteur de risque important non seulement pour la thrombose veineuse (thrombose veineuse profonde, embolie pulmonaire), mais aussi pour la thrombose artérielle (entre autres AVC, infarctus du myocarde). L'affection peut être héréditaire ou découler d'une carence alimentaire en acide folique ou, à un degré moindre, d'une carence en vitamines B_{12} et B_6, puisque ces vitamines sont des cofacteurs du métabolisme de l'homocystéine. Pour des raisons inconnues, les personnes âgées qui sont atteintes d'insuffisance rénale ou qui fument peuvent présenter des concentrations élevées d'homocystéine qui ne sont pas attribuables à une carence en ces vitamines. Dans les cas d'hyperhomocystéinémies, l'endothélium des parois vasculaires est exposé, ce qui peut favoriser la formation accélérée de thrombus. Des études ont établi que l'affection était beaucoup plus courante qu'on ne le croyait. Lors d'une étude épidémiologique de longue durée portant sur la santé des infirmières (Rimm *et al.*, 1998), on a observé chez les femmes ayant pris des suppléments alimentaires d'acide folique et de vitamine B_6 une fréquence plus faible d'affections thrombotiques telles que la thrombose veineuse profonde. Une autre étude n'a toutefois démontré aucun bénéfice sur le risque d'événements cardiovasculaires avec la prise d'acide folique, de vitamine B_{12} et de vitamine B_6, même si les niveaux d'homocystéine étaient abaissés (Bonaa, 2005). La prise de ces suppléments de façon systématique en présence d'hyperhomocystéinémie n'est donc pas recommandée.
Déficit en antithrombine III	L'antithrombine est une protéine qui inhibe la thrombine et certains facteurs de la coagulation. Le déficit en AT III est une affection héréditaire courante qui prédispose à la thrombose veineuse, particulièrement lorsque les taux sont inférieurs à 60 % des valeurs normales. Les personnes présentant un déficit en AT III peuvent souffrir d'une thrombose veineuse au début de l'âge adulte; à l'âge de 50 ans, les deux tiers de ces personnes ont eu au moins un épisode de thrombose veineuse profonde. La thrombose se forme le plus souvent dans les veines profondes des jambes ou dans le mésentère. La thrombose est souvent récurrente. Comme on note fréquemment une résistance accrue à l'héparine, il peut être nécessaire d'administrer de plus grandes quantités d'héparine pour obtenir le niveau d'anticoagulation approprié. On devrait recommander aux proches des personnes présentant un déficit en AT III de se soumettre à des épreuves de dépistage pour déterminer s'ils en souffrent également.
Déficit en protéine C	La protéine C est une enzyme qui, une fois activée, inhibe la coagulation. Lorsque les concentrations de cette protéine n'atteignent pas un niveau suffisant, le risque de thrombose s'élève. La thrombose se déclare souvent de façon spontanée. Le déficit en protéine C est au moins aussi fréquent que le déficit en AT III. Les personnes qui souffrent de ce déficit peuvent présenter une thrombose dès l'âge de 15 ans. La nécrose cutanée causée par la warfarine est une complication rare, mais importante, de l'anticoagulothérapie chez les personnes présentant un déficit en protéine C (Hoffman *et al.*, 2000). Elle semble découler d'une thrombose qui s'installe graduellement dans les capillaires cutanés; son étendue peut être très importante.
Résistance à la protéine C activée et mutation du facteur V Leiden	La résistance à la protéine C activée est un trouble courant qui peut accompagner d'autres troubles de l'hypercoagulabilité. La protéine C activée est un anticoagulant, et la résistance à cette protéine accroît le risque de thrombose veineuse. Une anomalie moléculaire du gène du facteur V, appelée mutation du facteur V Leiden, a été relevée chez la plupart des personnes (90 %) présentant une telle résistance. C'est la cause la plus courante d'hypercoagulabilité héréditaire parmi les personnes de race blanche, sa fréquence étant beaucoup plus faible parmi les autres groupes ethniques. La mutation du facteur V Leiden augmente le risque de thrombose chez les personnes présentant d'autres facteurs de risque (usage de contraceptifs oraux, chirurgie, hyperhomocystéinémie, âge avancé, par exemple). L'hormonothérapie ne semble pas accroître le risque d'épisodes thrombotiques chez les femmes au même titre que les contraceptifs oraux, car la dose d'œstrogènes que contiennent les agents administrés dans cette forme de thérapie substitutive est beaucoup plus faible que dans les contraceptifs oraux. Les homozygotes présentant la mutation du facteur V Leiden sont exposés à un risque extrêmement élevé de thrombose.
Déficit en protéine S	La protéine S représente, elle aussi, un anticoagulant endogène produit par le foie. La protéine C activée ne peut inactiver certains facteurs de la coagulation en l'absence de la protéine S. En cas de déficit en protéine S, le processus d'inactivation est ralenti et le risque de thrombose s'accroît. Tout comme les personnes présentant un déficit en protéine C, celles qui ont un déficit en protéine S sont exposées à un risque accru de thrombose veineuse récurrente dès l'âge de 15 ans.
Thrombophilie acquise	La présence d'anticorps anti-phospholipides constitue une cause courante de thrombophilie (trouble d'hypercoagulabilité) acquise. Les anticorps anti-phospholipides les plus courants sont les anticorps anti-lupiques et anti-cardiolipines. La présence de ces deux anticorps peut être transitoire, découlant d'une infection ou de la prise de certains médicaments. La plupart des complications thrombotiques sont veineuses, mais dans un cas sur trois elles peuvent aussi être artérielles. Les personnes chez qui les tests révèlent constamment la présence de l'un ou l'autre des deux anticorps et qui ont des antécédents d'épisodes thrombotiques sont exposées à un risque élevé (plus de 50 %) de thromboses récurrentes. Les thromboses récurrentes sont souvent du même type, autrement dit une deuxième thrombose veineuse suit une première thrombose veineuse, et une deuxième thrombose artérielle suit une première thrombose artérielle. Le cancer est l'une des autres causes de la thrombophilie acquise. Le plus souvent, la thrombophilie est attribuable à des types particuliers de cancers de l'estomac, du pancréas, des poumons et des ovaires. Le type de thrombose qui en résulte est inhabituel. En effet, plutôt que de prendre la forme d'une thrombose veineuse profonde ou d'une embolie pulmonaire, la thrombose survient à des endroits inhabituels, comme la veine porte, les veines hépatiques et rénales ou la veine cave inférieure. Une thrombophlébite superficielle migratrice ou une endocardite thrombosante non bactérienne peut aussi se manifester. L'anticoagulothérapie peut être difficile à gérer chez ces personnes, car la thrombose peut évoluer malgré l'administration de doses normales d'anticoagulant.

Troubles de l'hypercoagulabilité

TABLEAU 35-11

Troubles	Résultats anormaux des épreuves de laboratoire*
TROUBLES HÉRÉDITAIRES (LES AUTRES MEMBRES DE LA FAMILLE DOIVENT SE SOUMETTRE À DES ÉPREUVES DE DÉPISTAGE)	
▪ Hyperhomocystéinémie	↑ de l'homocystéine après une charge en méthionine
▪ Déficit en antithrombine III (AT III)	↓ AT III
▪ Déficit en protéine C	↓ de l'activité de la protéine C (à mesurer avant ou après le traitement à la warfarine [Coumadin])
▪ Résistance à la protéine C activée	À mesurer avant ou après l'anticoagulothérapie; temps de prothrombine doublé lorsque la protéine C activée est ajoutée. En cas de résistance à la protéine C, le temps de coagulation s'élève moins qu'il ne serait normal (autrement dit, le temps de coagulation se prolonge moins qu'il ne devrait le faire).
▪ Facteur V Leiden	Positif
▪ Déficit en protéine S	↓ de l'activité de la protéine S; à mesurer avant ou après le traitement à la warfarine (Coumadin)
▪ Fibrinolyse déficitaire	↑ temps de thrombine; ↑ du temps de reptilase; ↓ du fibrinogène fonctionnel; dosage spécial du fibrinogène souvent nécessaire
TROUBLES ACQUIS (LES AUTRES MEMBRES DE LA FAMILLE N'ONT PAS À SE SOUMETTRE À DES ÉPREUVES DE DÉPISTAGE)	
▪ Anticorps anticardiolipines	Positif
▪ Cancer	
▪ Anticoagulant lupique	Positif
▪ Hyperhomocystéinémie	↑ de l'homocystéine après une charge en méthionine
▪ Déficit en AT III	↓ de l'AT III
▪ Hémoglobinurie paroxystique nocturne	Test positif de Ham-Dacie
▪ Troubles myéloprolifératifs	Résultats variables selon l'affection
▪ Syndrome néphrotique	Résultats variables selon l'affection
▪ Chimiothérapie du cancer	Résultats variables selon l'affection

* Les protéines C et S dépendent de la vitamine K. La warfarine (Coumadin) entrave la synthèse hépatique des facteurs tributaires de la vitamine K, ce qui peut abaisser les concentrations des protéines C et S. Par conséquent, il faut mesurer les concentrations de protéines C et S avant de commencer le traitement à la warfarine ou lorsqu'il est interrompu.

coumariniques se lient à l'albumine, sont métabolisés par le foie et ont une demi-vie extrêmement longue. En général, on commence par administrer en même temps de l'héparine (soit sous forme non fractionnée, soit sous forme d'HFPM) et de la warfarine. Lorsque le rapport international normalisé (RIN) atteint une valeur s'inscrivant dans l'intervalle thérapeutique, on cesse d'administrer de l'héparine. La dose nécessaire pour que cette valeur se maintienne dans l'intervalle thérapeutique (variable selon l'indication, mais correspondant souvent à un RIN compris entre 2,0 et 3,0) varie énormément selon les personnes et même chez une seule personne. Il est essentiel de mesurer le RIN à intervalles réguliers, afin qu'on puisse adapter la posologie aux besoins. La warfarine interagit avec de nombreux médicaments. Il faut consulter le pharmacien pour connaître la liste des médicaments, produits naturels et suppléments nutritionnels qui interagissent avec la warfarine; cette liste, non exhaustive, figure dans l'encadré 35-14 ▪.

Soins et traitements infirmiers

Les personnes présentant des troubles thrombotiques devraient éviter de se trouver dans des situations ou des positions qui favorisent la stase circulatoire (immobilité, en position assise, les jambes croisées). Il est essentiel de s'adonner à des activités physiques, notamment de marcher plusieurs fois par jour. Au cours des longs voyages en voiture ou en avion surtout, il faut essayer de faire de l'exercice, autant que possible. On peut parfois prescrire des médicaments qui entravent l'agrégation plaquettaire, comme l'aspirine à faibles doses. Certaines personnes devront suivre toute leur vie un traitement à la warfarine.

On doit évaluer les facteurs de risque concernant une thrombose concomitante, et si possible y remédier, chez les personnes présentant des troubles thrombotiques, particulièrement chez celles qui souffrent de thrombophilie. Par exemple, le tabac et les produits à base de nicotine, qui exacerbent le problème, doivent être proscrits.

Tout comme c'est le cas pour d'autres affections, les personnes atteintes de troubles thrombotiques, particulièrement de thrombophilie, devraient connaître le nom de leur maladie et en comprendre la gravité. Souvent, il n'est pas nécessaire d'administrer une anticoagulothérapie en prophylaxie aux personnes jeunes qui souffrent de thrombophilie. Mais l'anticoagulothérapie en prophylaxie ou en traitement à vie peut être de mise s'il existe des facteurs de risque concomitants, comme la grossesse ou l'âge avancé, ou en cas de complications thrombotiques ultérieures. L'anamnèse détaillée peut être extrêmement utile et faciliter le choix des interventions thérapeutiques appropriées. L'infirmière devrait encourager les personnes dont l'affection est héréditaire à inciter leurs frères et sœurs de même que leurs enfants à se soumettre à une épreuve de dépistage.

ENCADRÉ 35-14

PHARMACOLOGIE

Agents interagissant avec les anticoagulants oraux

Bien que la warfarine (Coumadin), qui est un anticoagulant oral, soit couramment utilisée dans le traitement et la prévention de la thrombose, elle fait l'objet d'un très grand nombre d'interactions médicament-médicament et médicament-aliments. Lorsque le médecin prescrit une anticoagulothérapie par voie orale, il doit avoir une bonne connaissance des antécédents pharmacologiques de la personne (y compris l'ingestion de médicaments offerts en vente libre, de produits naturels et d'autres agents comme les vitamines et les minéraux). Il recommandera aussi à la personne de consulter le pharmacien pour faire évaluer l'importance des interactions avec l'anticoagulant et la nécessité d'une adaptation posologique. Un certain nombre d'agents qui interagissent avec la warfarine sont énumérés ci-dessous.

AGENTS QUI DIMINUENT L'ACTIVITÉ DES ANTICOAGULANTS ORAUX

- Aliments ou produits riches en vitamine K : légumes verts, thé vert, luzerne
- Aminoglutéthimide (Cytadren)
- Barbituriques
- Carbamazépine (Tegretol)
- Cholestyramine (Questran)
- Contraceptifs oraux
- Corticostéroïdes (peuvent augmenter ou diminuer l'action des anticoagulants oraux)
- Éthanol (prise chronique)
- Griséofulvine (Fulvicin)
- Œstrogènes
- Phénytoïne (Dilantin)
- Rifampicine

AGENTS QUI POTENTIALISENT L'ACTIVITÉ DES ANTICOAGULANTS ORAUX

- Acétaminophène (hautes doses)
- Acide valproïque (Depakene) et divalproex (Epival)
- Allopurinol (Zyloprim)
- Amiodarone (Cordarone)
- Antibiotiques en général, mais plus particulièrement
  - Métronidazole (Flagyl)
  - Ciprofloxacine (Cipro)
  - Trimétoprime-sulfaméthoxazole (Bactrim, Septra)
- Cimétidine (Tagamet)
- Colchicine
- Corticostéroïdes (peuvent augmenter ou diminuer l'action des anticoagulants oraux)
- Éthanol (prise aiguë)
- Fluconazole (Diflucan)
- L'aspirine, les anti-inflammatoires non stéroïdiens et les agents anti-plaquettaires augmentent les risques de saignements sans modifier l'effet des anticoagulants oraux.
- Les médicaments qui agissent sur la fonction thyroïdienne (propylthio-uracile [Propyl-Thyracile], méthimazole [Tapazole], lévothyroxine [Synthroïd]) peuvent augmenter ou diminuer l'effet des anticoagulants oraux.
- Produits naturels : chrysanthème-matricaire, chondroïtine, griffe du diable, angélique, échinacée, ail, gingko, ginseng, dong quai
- Propafénone (Rythmol)
- Quinidine
- Salicylates
- Stéroïdes anabolisants
- Sulfinpyrazone
- Vitamine E

Lorsque les personnes atteintes d'affections thrombotiques sont hospitalisées, il faut les examiner fréquemment pour déceler tout signe ou symptôme avant-coureur de la formation d'un thrombus. L'infirmière prête une attention particulière aux jambes (thrombose veineuse profonde) et aux poumons (embolie pulmonaire). Elle devrait encourager les personnes à marcher ou à faire des exercices d'amplitude et à porter des bas compressifs dès que possible pour réduire la stase. On prescrit couramment à ces personnes des anticoagulants en prophylaxie.

Traitements des affections hématologiques

Les affections hématologiques donnent lieu à des opérations – splénectomie, hémaphérèse, phlébotomie –, à des transfusions de sang et à des greffes.

SPLÉNECTOMIE

Il est parfois nécessaire de procéder à l'ablation chirurgicale de la rate (splénectomie) après un traumatisme à l'abdomen. La rate étant très vascularisée, la rupture de cet organe peut entraîner une hémorragie grave, et il faut dans ce cas pratiquer une splénectomie d'urgence.

On peut aussi recourir à la splénectomie pour traiter d'autres maladies du sang. Par exemple, la rate hypertrophiée peut devenir le siège d'une destruction excessive des globules sanguins. Si cette destruction met en jeu la vie de la personne, celle-ci peut être sauvée grâce à l'intervention chirurgicale. Ainsi, la splénectomie s'impose quand, dans les cas d'anémie hémolytique auto-immune et de purpura thrombocytopénique idiopathique, les mesures traditionnelles, comme l'administration de corticoïdes, ne donnent pas les résultats escomptés. L'intervention peut également être indiquée pour les personnes atteintes d'une anémie grave imputable à une défaillance dans la synthèse des globules rouges (thalassémie, par exemple).

En général, le taux de mortalité à la suite d'une splénectomie est faible. Il est possible de recourir dans certains cas à la splénectomie par laparoscopie, ce qui réduit le taux de mortalité postopératoire. Parmi les complications possibles de l'intervention, citons l'atélectasie, la pneumonie, la distension abdominale et la formation d'un abcès. Bien que les jeunes enfants soient exposés aux risques les plus élevés à la suite d'une splénectomie, les personnes appartenant à tous les groupes d'âge sont exposées elles aussi à des risques d'infections foudroyantes aboutissant à une issue fatale. Avant d'effectuer l'intervention chirurgicale, on devrait dans la mesure du possible leur administrer des vaccins contre les infections à pneumocoques, à méningocoques et à *Hæmophilus influenzæ* B.

L'infirmière doit recommander aux personnes de consulter un médecin dès que des symptômes d'infection, aussi minimes soient-ils, se manifestent. Souvent, lorsque la numération plaquettaire est élevée avant l'intervention, elle peut s'élever davantage après, pour atteindre plus de 1 000 000/mm^3, ce qui prédispose à des troubles thrombotiques ou hémorragiques graves ; il s'agit toutefois d'une hausse passagère.

HÉMAPHÉRÈSE THÉRAPEUTIQUE

« Aphérèse » vient d'un mot grec qui signifie « séparation ». Pour pratiquer une aphérèse (appelée aussi hémaphérèse thérapeutique), on prélève le sang de la personne, puis on le centrifuge pour en retirer un composant particulier (tableau 35-12 ■). Le sang qui reste est ensuite restitué à la personne. Comme toute l'opération s'effectue en circuit fermé, le risque de contamination bactérienne est extrêmement faible. Lorsqu'on extrait les plaquettes ou les globules blancs, leur nombre dans la circulation ne diminue que pendant un certain laps de temps. Toutefois, cette diminution passagère est suffisante pour que les agents suppresseurs (comme ceux qui sont administrés en chimiothérapie) puissent exercer leurs effets thérapeutiques. Parfois, l'hémaphérèse a comme objectif d'extraire du plasma plutôt que des globules sanguins, principalement pour réduire la concentration plasmatique de certaines protéines anormales jusqu'à ce qu'on puisse commencer un traitement de longue durée.

On recourt aussi à l'aphérèse pour prélever chez un donneur une plus grande quantité de plaquettes que celle qu'on obtiendrait à partir d'une seule unité de sang entier. L'unité de plaquettes ainsi obtenue correspond à six à huit unités provenant de six à huit donneurs qui auraient fait un don de sang par la méthode traditionnelle. Le don de plaquettes en aphérèse peut se faire tous les 14 jours. On peut aussi prélever des globules blancs grâce à cette méthode, habituellement après que le donneur a reçu des facteurs de croissance (G-CSF) pour stimuler la formation de leucocytes additionnels, donc pour hausser la numération leucocytaire. Le recours aux facteurs de croissance stimule aussi la libération de cellules souches dans la circulation. L'aphérèse est utilisée pour recueillir (habituellement au cours d'une période s'étendant sur plusieurs jours) des cellules souches qui seront utilisées pour la greffe de cellules souches du sang périphérique (chapitre 16 ∞).

PHLÉBOTOMIE THÉRAPEUTIQUE

La phlébotomie thérapeutique est une saignée effectuée en milieu contrôlé. On peut traiter les personnes dont l'hématocrite est élevé (en cas de polyglobulie essentielle, par exemple) ou l'absorption de fer excessive (en cas d'hémochromatose, par exemple) en prélevant chez elles à intervalles réguliers une unité de sang entier (environ 500 mL). Cette méthode peut provoquer à long terme une carence en fer, car l'organisme

TABLEAU 35-12 Types d'aphérèses*

Procédés	Objectifs	Indications cliniques
Aphérèse plaquettaire	Épuration des plaquettes	Thrombocytose extrême, thrombocythémie essentielle (mesure provisoire); transfusion de plaquettes provenant d'un seul donneur
Leucaphérèse	Épuration des globules blancs (peut être spécifique : neutrophiles ou lymphocytes)	Leucocytose extrême (LMA, LMC, par exemple; mesure très provisoire); collecte de globules blancs en vue d'une transfusion
Érythrocytaphérèse (échange de globules rouges)	Épuration des globules rouges	Dyscrasie érythrocytaire (drépanocytose); remplacement des globules rouges par transfusion
Plasmaphérèse (échange de plasma)	Épuration des protéines plasmatiques	Syndromes d'hyperviscosité, traitement de certaines affections rénales et neurologiques (syndrome de Goodpasture, syndrome de Guillain-Barré, par exemple)
Collecte de cellules souches	Extraction des cellules souches circulantes	Greffe (collectée chez un donneur ou autologue)

* L'aphérèse thérapeutique sert à traiter une grande diversité d'affections. Lorsqu'elle est utilisée pour traiter une affection qui entraîne l'élévation d'un type particulier de globules circulants ayant une courte durée de vie (globules blancs, plaquettes), la réduction du nombre de ces globules est temporaire, mais suffisamment longue pour que l'effet du traitement de longue durée (une chimiothérapie, par exemple) soit manifeste. L'aphérèse peut aussi être employée pour obtenir des cellules souches en vue d'une greffe, soit d'un donneur compatible (don allogène), soit de la personne elle-même (don autologue).
LMA : leucémie myéloïde aiguë; LMC : leucémie myéloïde chronique.

ne peut produire un aussi grand nombre de globules rouges. Le procédé utilisé pour effectuer une phlébotomie thérapeutique est semblable à celui dont on se sert dans le cas d'un don de sang (voir ci-contre).

TRANSFUSION DE SANG ET DE PRODUITS SANGUINS

Une unité de sang entier renferme 450 mL de sang et 50 mL d'anticoagulant. On peut extraire une unité de sang entier et l'administrer. Toutefois, il est plus approprié, intéressant et pratique de séparer les principaux composants du sang de cette unité: globules rouges, plaquettes et plasma; on utilise rarement les globules blancs (voir, plus loin, la section «Complications liées aux transfusions»). Comme le plasma a été retiré, l'unité de globules rouges est très concentrée (hématocrite à environ 70 %). Chaque composant doit être traité et conservé de façon différente pour que la durée de vie des globules rouges et des facteurs qu'ils contiennent puisse être prolongée au maximum ; les composants ont chacun leur durée de conservation propre. Les culots globulaires (concentrés de globules rouges) doivent être conservés à 4 °C. Si on leur ajoute des agents de conservation spéciaux, on peut les conserver pendant une période pouvant aller jusqu'à 42 jours; après quoi on doit s'en débarrasser. Par ailleurs, il faut conserver les plaquettes à la température ambiante, parce qu'elles sont détruites par le froid. Leur durée de conservation n'est que de cinq jours. Pour empêcher les plaquettes de s'agglutiner, il faut les agiter délicatement au cours de l'entreposage. Le plasma doit être congelé immédiatement pour que le caractère actif des facteurs de la coagulation qu'il contient soit préservé. On peut le conserver pendant un an au congélateur. Il est possible de mélanger le plasma provenant de plusieurs donneurs, puis de le fractionner pour obtenir des dérivés sanguins comme l'albumine, les immunoglobulines, le facteur VIII et le facteur IX. La description de chaque composant du sang et de son utilisation courante figure dans le tableau 35-13 ■.

Autres composants sanguins D'autres composants du sang peuvent également être extraits et traités pour une administration thérapeutique.

- *Concentré de facteur VIII (facteur antihémophilique)* Concentré préparé à partir d'un pool de plasma humain fractionné et lyophilisé (soumis à la congélation pour en retirer l'eau). On s'en sert pour traiter l'hémophilie A.
- *Concentré de facteur IX (complexe de prothrombine)* Concentré préparé à partir d'un pool de plasma humain fractionné et lyophilisé. Il renferme des facteurs II, VII, IX et X. Il est principalement utilisé pour traiter les déficits en facteurs IX (hémophilie B). Il est utile aussi dans le traitement des déficits congénitaux en facteurs VII et X.
- *Albumine plasmatique* Molécule de grande taille qui reste d'habitude dans les vaisseaux et qui contribue de façon importante à la pression oncotique. On utilise cette protéine pour accroître le volume sanguin en cas de choc hypovolémique ou, plus rarement, pour élever la concentration d'albumine circulante en cas d'hypoalbuminémie.
- *Immunoglobuline* Solution concentrée d'anticorps IgG. Elle renferme peu d'IgA ou d'IgM. On la prépare à partir de larges pools de plasma. La solution pour injection intraveineuse est administrée dans diverses circonstances cliniques pour remplacer les IgG chez les personnes exposées à un risque d'infection bactérienne récurrente (notamment dans les cas de leucémie lymphoïde chronique, de greffe de la moelle osseuse ou de greffe de cellules souches du sang périphérique). La solution d'immunoglobuline parentérale, contrairement à tous les autres composants fractionnés du sang, des globules ou du plasma, peut être exposée à une température allant jusqu'à 60 °C (140 °F), et ce, pendant 10 heures, en vue d'éliminer tous les contaminants viraux.

Collectes de sang et de produits sanguins

Don de sang

Pour protéger tant le donneur que les receveurs, tous les donneurs potentiels doivent passer un examen et une entrevue avant qu'on les autorise à faire un don de sang. L'entrevue porte sur l'état de santé général du donneur et permet de relever les facteurs de risque qui pourraient causer du tort aux receveurs. Les donneurs doivent être en bonne santé et ne pas présenter les risques suivants pour les receveurs:

- Antécédents, récents ou anciens, d'hépatite virale ou antécédents de contacts étroits, au cours des six mois précédents, avec une personne atteinte d'hépatite ou soumise à une dialyse.
- Transfusion de sang ou de l'un de ses composants (autre que l'albumine sérique) reçue au cours des six mois précédents.
- Antécédents de syphilis ou de malaria non traités, car ces maladies peuvent être transmises par transfusion même après plusieurs années. Les personnes qui ont été atteintes de malaria, qui ne présentent pas de symptômes et qui ne sont plus soumises à un traitement depuis trois ans peuvent faire un don de sang.
- Antécédents d'autoadministration de drogues par injection, car l'usage de drogues injectables est souvent associé à l'hépatite et à un risque élevé d'infection par le virus de l'immunodéficience humaine (VIH).
- Antécédents d'exposition possible au VIH. Les personnes qui pratiquent le coït anal, qui ont plus d'un partenaire sexuel, qui font usage de drogues injectables, mais aussi les partenaires sexuels de personnes exposées au risque de contamination par le VIH et les hémophiles sont toutes des personnes à risque.
- Infection de la peau, en raison du risque de contamination de l'aiguille et, par la suite, du sang lui-même.
- Antécédents récents d'asthme, d'urticaire ou d'allergie médicamenteuse, car l'hypersensibilité peut être transmise de façon passive au receveur.
- Grossesse au cours des six mois précédents, en raison des exigences nutritionnelles imposées à la mère.
- Extraction ou chirurgie dentaire remontant à moins de 72 heures, car ce type d'intervention est souvent associé à une bactériémie transitoire.
- Exposition à une maladie infectieuse au cours des trois semaines précédentes, en raison du risque de transmission au receveur.

TABLEAU 35-13

Sang et composants du sang couramment utilisés lors des transfusions*

	Composition	Indications et données à prendre en considération
Sang entier	■ Cellules et plasma; hématocrite à environ 40 %	■ Expansion volémique et capacité de transporter l'oxygène; transfusion habituellement réservée aux cas d'hémorragies massives (pertes de volume sanguin > 25 %)
Concentré de globules rouges (culot globulaire)	■ Globules rouges comportant peu de plasma (hématocrite à environ 75 %); quelques plaquettes et globules blancs résiduels	■ ↑ masse des globules rouges ■ Anémie symptomatique: les plaquettes de l'unité ne sont pas fonctionnelles; les globules blancs résiduels peuvent déclencher une réaction et ne sont pas fonctionnels.
Plaquettes (plusieurs donneurs)	■ Plaquettes ($5,5 \times 10^{10}$ plaquettes/unité) ■ Plasma; quelques globules rouges et globules blancs résiduels	■ Saignements dus à une importante ↓ du nombre de plaquettes ■ Prévention des saignements lorsque le nombre de plaquettes est < 5 000 à 10 000/mm^3 ■ ↓ de la durée de vie en présence de fièvre, de frissons, d'infection ■ Traitement répété → ↓ de la durée de vie en raison de l'allo-immunisation
Plaquettes (un seul donneur)	■ Plaquettes (3×10^{11} plaquettes/unité) ■ 1 unité équivaut à 6 à 8 unités de plaquettes provenant de plusieurs donneurs	■ Traitements répétés: ↓ du risque d'allo-immunisation par exposition à plusieurs donneurs
Plasma (plasma frais congelé)	■ Plasma; tous les facteurs de la coagulation ■ Complément	■ Saignements chez les personnes présentant un déficit en facteurs de la coagulation; plasmaphérèse
Granulocytes (aphérèse)	■ Neutrophiles (> 1×10^{10}/unité); lymphocytes; quelques plaquettes et globules rouges résiduels	■ Neutropénie grave chez certaines personnes; cet usage fait l'objet d'un débat.
Globules blancs (leucaphérèse)	■ Lymphocytes (le nombre varie)	■ Stimulation de l'effet du greffon contre la maladie
Cryoprécipité	■ Fibrinogène ≥ 150 mg/sac, facteur antihémophilique (facteur VIII:C): 80-110 unités/sac, facteur de von Willebrand; fibronectine	■ Maladie de von Willebrand ■ Hypofibrinogénémie ■ Hémophilie A
Facteur antihémophilique (facteur VIII)	■ Facteur VIII	■ Hémophilie A
Concentré de facteur IX	■ Facteur IX	■ Hémophilie B (maladie de Christmas)
Complexe de facteur IX	■ Facteurs II, VII, IX, X	■ Déficit héréditaire en facteurs VII, IX, X; hémophilie A accompagnée d'inhibiteurs du facteur VII
Albumine	■ Albumine à 5 %, à 25 %	■ Hypoprotéinémie; brûlures, expansion volémique de 5 % pour accroître le volume sanguin; 25 % → ↓ de l'hématocrite
Gammaglobulines par voie intraveineuse	■ Anticorps IgG	■ Hypogammaglobulinémie (dans les cas de leucémie lymphoïde chronique et d'infections récurrentes); purpura thrombocytopénique idiopathique; déficits immunitaires primaires
Concentré d'antithrombine III (AT III)	■ AT III (traces d'autres protéines plasmatiques)	■ Déficit en AT III ou risque de thrombose

* Composition de chaque produit sanguin et description des indications les plus courantes pour chacun d'entre eux. Les produits sanguins le plus souvent utilisés sont les globules rouges (culot globulaire), les plaquettes et le plasma frais congelé. Lorsqu'on transfuse ces produits sanguins, il est important de se souvenir que chacun de ces composants est «contaminé» par de très petites quantités d'autres produits sanguins (par exemple, des globules blancs dans une unité de plaquettes). Cette contamination peut entraîner des problèmes, particulièrement l'isosensibilisation, chez certaines personnes.

- Vaccination récente, en raison du risque de transmission de microorganismes vivants (délai d'attente de deux semaines pour les microorganismes vivants atténués; un mois pour la rubéole; un an pour la rage).
- Tatouage ou perçage récent de la peau, en raison du risque d'infection véhiculée par le sang (hépatite, VIH, par exemple).
- Cancer, en raison de l'incertitude qui règne quant à sa transmission.
- Don de sang entier remontant à moins de 56 jours.

On doit demander aux donneurs potentiels s'ils ont pris de l'aspirine ou des produits contenant de l'aspirine au cours des trois jours qui précèdent. Bien que le fait de prendre de l'aspirine n'écarte pas la possibilité de donner du sang, les plaquettes obtenues pourraient être dysfonctionnelles, donc inutilisables. Toutefois, les globules rouges et le plasma ne sont pas modifiés par l'aspirine.

Tous les donneurs doivent satisfaire au moins aux critères suivants:

- Le poids doit être supérieur à 50 kg pour le don usuel de 450 mL. La quantité de sang prélevée chez les donneurs pesant moins de 50 kg doit être proportionnelle à leur poids.
- Les personnes doivent avoir entre 18 et 70 ans.
- La température buccale ne doit pas dépasser 37,5 °C.
- Le pouls doit être régulier, de 50 à 100 battements par minute.
- La pression artérielle systolique devrait se situer entre 90 et 180 mm Hg et la pression diastolique entre 50 et 100 mm Hg.
- La concentration d'hémoglobine doit être d'au moins 125 g/L chez les femmes et 135 g/L chez les hommes.

Don dirigé Parfois, les parents ou les amis d'une personne désirent lui faire un don de sang. On dit de ces dons de sang qu'ils sont «dirigés». Ils ne sont pas plus sûrs que ceux que font les inconnus, car les donneurs de ce type ne seront pas nécessairement prêts à divulguer les facteurs de risque qui les disqualifieraient.

Don normal La phlébotomie est une ponction veineuse suivie d'un prélèvement de sang; on emploie les précautions d'usage. Le donneur est allongé dans un fauteuil à dossier inclinable. On nettoie soigneusement le pli du coude avec une préparation antiseptique, puis on applique un garrot et on pratique une ponction veineuse. Le prélèvement de 450 mL de sang s'effectue habituellement en moins de 15 minutes. Une fois l'aiguille retirée, on demande au donneur de surélever le bras et on applique une pression ferme à l'aide d'une compresse de gaze stérile pendant deux à trois minutes ou jusqu'à ce que le saignement cesse. On applique ensuite un pansement adhésif. Le donneur reste allongé jusqu'à ce qu'il se sente en mesure de s'asseoir, habituellement au bout de quelques minutes. Le donneur qui se sent faible ou perd connaissance doit se reposer un peu plus longtemps. On sert ensuite au donneur de la nourriture et des liquides et on lui demande de rester assis pendant encore 15 minutes.

On conseille au donneur de laisser en place le pansement adhésif et on lui donne les consignes suivantes: éviter de soulever des objets lourds pendant quelques heures; s'abstenir de fumer pendant une heure; s'abstenir de consommer des boissons alcoolisées pendant trois heures; accroître la consommation de liquides pendant deux jours; et manger des aliments sains pendant deux semaines. On analyse les échantillons de sang prélevés pour déceler les infections et pour déterminer le groupe sanguin (voir ci-contre).

Don autologue Il est possible de prélever le sang de la personne elle-même en vue d'une transfusion ultérieure; on emploie cette méthode dans de nombreuses chirurgies électives qui nécessiteront probablement des transfusions (au cours d'une intervention orthopédique, par exemple). Dans le meilleur des cas, les dons sont prélevés de quatre à six semaines avant la chirurgie. Durant cette période, on prescrit des suppléments de fer pour prévenir la déplétion des réserves de fer. À l'occasion, on administre de l'érythropoïétine (époétine alfa [Eprex]) pour stimuler l'érythropoïèse, afin de s'assurer que l'hématocrite demeure assez élevé pour que la personne puisse faire des dons de sang. En général, une unité de sang est prélevée chaque semaine; le nombre d'unités prélevées varie selon le type d'intervention chirurgicale (autrement dit, selon le nombre prévu d'unités à transfuser). Il ne faut pas effectuer de phlébotomie dans les 72 heures qui précèdent ou qui suivent l'intervention. On peut aussi prélever des composants sanguins particuliers.

La transfusion autologue a comme principal avantage de prévenir la transmission des infections virales. Les autres avantages sont l'absence de risque de réaction aux transfusions chez les personnes ayant des antécédents de réactions de ce genre, la prévention de l'allo-immunisation et l'élimination des complications chez les personnes présentant des alloanticorps. Les règlements de la Croix-Rouge stipulent que le sang autologue doit être administré uniquement au donneur. Si le sang n'est pas utilisé, il peut être congelé jusqu'à ce que le donneur en ait besoin (dans un délai de 10 ans). Le sang n'est jamais conservé au même endroit que les produits sanguins provenant des dons ordinaires à usage universel.

Par contre, le don autologue comporte un inconvénient, dans la mesure où on pratique le prélèvement même s'il est peu probable qu'on s'en serve. Il va sans dire que les dons autologues inutiles coûtent cher, prennent du temps et mobilisent le personnel. En outre, la quantité de sang autologue conservée peut être insuffisante en situation d'urgence, et il faudra peut-être quand même recourir à des unités provenant de la banque de sang.

Le don de sang autologue est contre-indiqué dans les cas d'infection aiguë, de maladie chronique grave, de concentrations d'hémoglobine inférieures à 110 g/L, d'hématocrite inférieur à 33 %, d'angine instable et de maladie cardiovasculaire ou vasculaire cérébrale aiguë. Les personnes atteintes d'un cancer peuvent faire un don autologue.

Récupération du sang au cours d'une intervention Cette méthode de transfusion est utilisée lorsque la personne ne peut faire de don autologue avant l'intervention ou lorsqu'elle subit une intervention vasculaire, orthopédique ou thoracique. Lors de l'intervention chirurgicale, le sang perdu dans une cavité stérile (par exemple dans l'articulation de la hanche) est aspiré par un appareil de récupération des cellules. Cet appareil purifie, souvent à l'aide d'une solution salée, les globules rouges, qu'on restitue ensuite à la personne à l'aide d'une perfusion intraveineuse. On ne peut conserver le sang recueilli au cours d'une intervention, parce qu'il est impossible d'en extraire complètement les bactéries.

Hémodilution Dans cette méthode, la transfusion commence avant l'anesthésie ou quand celle-ci débute. On prélève une ou deux unités de sang veineux ou artériel chez la personne qui devra subir l'intervention chirurgicale et on les remplace simultanément par une solution colloïde ou cristalloïde. Le sang ainsi prélevé est transfusé après l'intervention (Kreimeier et Messmer, 2002). Cette méthode est avantageuse parce qu'elle s'accompagne d'une moindre perte de globules rouges pendant l'intervention. En effet, les solutions administrées par voie intraveineuse diluent les concentrations de globules rouges et abaissent l'hématocrite. Il ne faut toutefois pas recourir à l'hémodilution chez les personnes qui présentent des risques de lésions myocardiques, car on les soumettrait ainsi à un stress additionnel.

Complications associées au don de sang

Le saignement abondant observé au point de ponction veineuse peut parfois être attribuable à des troubles de saignements chez le donneur. Mais, en général, on doit plutôt l'imputer à une erreur technique: lacération de la veine, trop forte pression du garrot ou application d'une pression insuffisante après le retrait de l'aiguille.

L'évanouissement est courant après un don de sang. Il peut être lié à des facteurs affectifs, à une réaction vasovagale ou à un jeûne prolongé avant le don. De l'hypotension ou une syncope peuvent se manifester au moment où le donneur se remet debout, en raison de la baisse du volume sanguin. Si le donneur est pâle ou se sent faible, il doit immédiatement s'allonger ou s'asseoir, en plaçant sa tête entre les deux jambes. Il faut le garder en observation pendant 30 minutes.

Des douleurs thoraciques de nature angineuse peuvent survenir chez les personnes qui présentent une coronaropathie non diagnostiquée. Chez les donneurs épileptiques, le prélèvement de sang peut déclencher une crise, mais cela se produit rarement. L'angine et les crises épileptiques doivent donner lieu à une évaluation médicale plus approfondie.

Bon nombre de personnes croient à tort qu'elles peuvent contracter le sida ou d'autres infections en faisant un don de sang. Il faut sensibiliser les donneurs potentiels au fait que le matériel employé est stérile, qu'il est utilisé en circuit fermé et n'est pas réutilisable; il n'existe donc aucun risque de contracter des infections lorsqu'on fait un don de sang.

Traitement du sang

On prélève des échantillons de l'unité de sang immédiatement après le don, afin de pouvoir déterminer le groupe sanguin et analyser le sang prélevé. On analyse chaque unité séparément pour dépister la présence d'anticorps anti-VIH 1, anti-VIH 2 et anti-HBc, et d'anticorps spécifiques du virus de l'hépatite C (HC) et du virus du lymphome humain à cellules T, de type I (anti-HTLV-I-II). On analyse aussi le sang pour dépister la présence d'antigènes de surface de l'hépatite B (HbsAG) et de la syphilis. Pour que le sang puisse être utilisé, tous les résultats doivent être négatifs. Chaque unité portera une étiquette certifiant les résultats. Une nouvelle méthode, le test d'amplification de l'acide nucléique, accroît la possibilité de déceler le virus de l'hépatite C et le virus de l'immunodéficience humaine, parce qu'elle permet de dépister les acides nucléiques génomiques du virus lui-même plutôt que les anticorps contre le virus (Korman, Leparc et Benson, 2001). La période pendant laquelle il est impossible de déceler le VIH ou le virus de l'hépatite C dans l'unité de sang s'en trouve considérablement raccourcie, ce qui permet d'établir de manière plus sûre l'innocuité du sang. On analyse également le sang pour dépister le cytomégalovirus.

Il est tout aussi crucial de déterminer le groupe sanguin que de dépister les virus. On a découvert plus de 2 000 antigènes à la surface des membranes des globules rouges. Parmi ces antigènes, les plus importants en ce qui concerne la sécurité de la transfusion sont les systèmes ABO et Rh. Le système ABO permet d'analyser les sucres présents à la surface de la membrane d'un globule rouge particulier: A, B, A et B, ou ni l'un ni l'autre (groupe O). Pour prévenir les réactions trop fortes, il faut transfuser le même type de globules rouges.

L'antigène Rh (aussi appelé antigène D) est présent à la surface des globules rouges de 85 % de la population (Rh^+). En son absence, le sang est dit Rh^-. On analyse le sang systématiquement pour établir tant le rhésus que le groupe sanguin. Le culot globulaire transfusé doit être compatible avec le rhésus du receveur.

Transfusion

Pour administrer du sang ou des composants du sang, il faut bien connaître les techniques d'administration appropriées de même que les complications possibles. Il est très important de se familiariser avec les lignes directrices et les pratiques en usage dans l'établissement. Les méthodes utilisées dans la transfusion des composants sanguins figurent dans les encadrés 35-15 ■ et 35-16 ■. Les complications possibles des transfusions sont exposées plus bas.

Milieu de soins La plupart des transfusions sont effectuées dans un établissement de soins, mais il arrive que des transfusions soient pratiquées dans des services de consultation externe. En général, les personnes qui reçoivent régulièrement des transfusions mais dont l'état physique est stable sont de bons candidats aux transfusions effectuées en consultation externe. La vérification et l'administration des produits sanguins se font de la même façon que dans un centre hospitalier. Bien que la plupart des produits sanguins puissent être transfusés à l'extérieur d'un centre hospitalier, on ne transfuse en général à domicile que des culots globulaires et des facteurs (le facteur VIII chez les hémophiles, par exemple).

Collecte des données avant la transfusion

Anamnèse

L'anamnèse du receveur constitue un élément important de la collecte des données précédant la transfusion, car elle

ENCADRÉ 35-15

Transfusion de culots globulaires (concentrés de globules rouges)

MARCHE À SUIVRE AVANT LA TRANSFUSION

1. Confirmer la demande de transfusion.
2. S'assurer qu'on a déterminé le groupe sanguin du receveur et qu'on a effectué les épreuves de compatibilité croisée.
3. S'assurer que la personne qui doit recevoir la transfusion a signé une formule de consentement, conformément aux règles en vigueur dans l'établissement.
4. Expliquer le déroulement de l'intervention à la personne qui se soumet à la transfusion. Exposer les signes et symptômes associés aux réactions transfusionnelles (démangeaisons, urticaire, œdème, essoufflement, fièvre, frissons).
5. Mesurer la température, le pouls, la pression artérielle et la respiration pour établir les valeurs de base qui serviront de points de comparaison lorsqu'on prendra les signes vitaux pendant la transfusion.
6. Se laver les mains et enfiler des gants, selon les règles.
7. Préparer une aiguille, de calibre 20 ou plus, qui sera introduite dans une grosse veine. Utiliser une tubulure à filtre intégré qui pourra capter les petits caillots de fibrine et autres débris. Évacuer l'air.

MARCHE À SUIVRE PENDANT LA TRANSFUSION

1. Se procurer le concentré de globules rouges auprès de la banque de sang *après* avoir installé la tubulure IV. (Dans certains établissements, les règles stipulent qu'on ne peut livrer qu'une seule unité à la fois.)
2. En collaboration avec une autre infirmière ou avec un médecin, vérifier si le groupe sanguin ABO et le facteur rhésus correspondent à ceux qui apparaissent sur la carte de compatibilité sanguine. S'assurer que le numéro d'identification et le type inscrits sur l'étiquette apposée sur l'unité de sang du donneur correspondent à ceux qui sont inscrits au dossier de la personne qui recevra la transfusion. Demander à la personne de se nommer et vérifier son bracelet.
3. Examiner le sang pour déceler les bulles de gaz, toute couleur inhabituelle ou une apparence trouble. (Les bulles de gaz peuvent indiquer une prolifération bactérienne. Une couleur anormale ou la turbidité peuvent être les signes d'une hémolyse.) Commencer la transfusion du concentré de globules rouges dans les 30 minutes suivant son retrait du réfrigérateur de la banque de sang.
4. Transfuser lentement pendant les 15 premières minutes, sans dépasser un débit de 5 mL/min. Observer attentivement la personne transfusée pour déceler toute réaction indésirable. Si aucune réaction ne se manifeste au cours des 15 premières minutes, accroître la vitesse de perfusion, sauf si la personne est exposée à un risque élevé de surcharge circulatoire.
5. Surveiller de près la personne transfusée pendant 15 à 30 minutes pour déceler tout signe de réaction. Prendre les signes vitaux à intervalles réguliers, selon les pratiques en vigueur dans l'établissement; comparer les résultats aux valeurs de base. Prendre les signes vitaux plus fréquemment si l'état de la personne l'exige. Suivre la personne de près pendant toute la durée de la transfusion pour déceler tout signe de réaction indésirable, entre autres: agitation, urticaire, nausées, vomissements, douleurs à la poitrine ou au dos, essoufflement, bouffées vasomotrices, hématurie, fièvre ou frissons. Si l'une ou l'autre de ces réactions se manifeste, mettre fin immédiatement à la transfusion, informer le médecin et se conformer aux pratiques en vigueur dans l'établissement en matière de réactions transfusionnelles.
6. Le temps d'administration ne doit pas dépasser quatre heures, en raison du risque de prolifération bactérienne.
7. Rester à l'affût des signes de réactions indésirables: surcharge circulatoire, septicémie, fièvre, allergie et réaction hémolytique aiguë.
8. Changer la tubulure après avoir transfusé deux unités, afin de réduire le risque de contamination bactérienne.

MARCHE À SUIVRE APRÈS LA TRANSFUSION

1. Prendre les signes vitaux et les comparer aux valeurs de base.
2. Mettre au rebut le matériel, selon les pratiques en vigueur.
3. Inscrire l'intervention au dossier médical, sans oublier les données portant sur le déroulement de la transfusion et la tolérance de la personne à l'intervention.
4. Suivre de près la réaction de la personne à la transfusion et évaluer l'efficacité de l'intervention.

Remarque: Ne jamais ajouter de médicament au sang ou à ses composants; si le sang est trop épais et ne s'écoule pas facilement, on peut y ajouter du soluté. Si on doit réchauffer le sang, utiliser un réchauffeur intégré à la tubulure, muni d'un système de thermorégulation.

permet à l'infirmière de se renseigner sur le déroulement des transfusions préalables et sur les réactions que celles-ci ont déclenchées. L'infirmière recueille donc des données sur le type de réaction, ses manifestations, les interventions auxquelles elle a donné lieu et les mesures préventives qui ont été prises lors des transfusions subséquentes. Il faut demander aux femmes combien de grossesses elles ont eues, parce que la multiplicité des grossesses peut accroître le risque de réaction, en raison des anticorps produits à la suite de l'exposition au sang du fœtus. L'infirmière devrait également prendre connaissance de tout autre problème de santé touchant la personne, en accordant une attention particulière aux maladies cardiaques, pulmonaires et vasculaires.

Examen physique

Il faut effectuer un examen physique systématique et prendre les signes vitaux avant la transfusion de tout produit sanguin. L'examen de la fonction respiratoire comprend notamment une auscultation pulmonaire attentive visant à déceler toute réduction des murmures vésiculaires ou la présence de crépitants. L'examen de la fonction cardiovasculaire doit comprendre une inspection minutieuse visant à déceler un œdème ou tout autre signe d'insuffisance cardiaque (la dilatation des jugulaires, par exemple). Pendant l'examen de la peau, il faut relever les éruptions, les pétéchies et les ecchymoses. L'examen de la conjonctive permettra d'écarter la présence d'ictère. Si une

ENCADRÉ 35-16

Transfusion de plaquettes ou de plasma frais congelé

MARCHE À SUIVRE AVANT L'INTERVENTION

1. Confirmer la demande de transfusion.
2. S'assurer que la personne qui doit recevoir la transfusion a signé une formule de consentement, conformément aux règles en vigueur dans l'établissement.
3. Expliquer le déroulement de l'intervention à la personne qui se soumet à la transfusion. Exposer les signes et symptômes associés aux réactions transfusionnelles (démangeaisons, urticaire, œdème, essoufflement, fièvre, frissons).
4. Mesurer la température, le pouls, la pression artérielle et la respiration pour établir les valeurs de base qui serviront de points de comparaison lorsqu'on prendra les signes vitaux pendant la transfusion.
5. Se laver les mains et enfiler des gants, selon les règles.
6. Préparer une aiguille, de calibre 22 ou plus, qui sera introduite dans une grosse veine, si possible. Utiliser la tubulure prescrite par les règles en vigueur dans l'établissement (la tubulure servant à la transfusion des plaquettes est souvent différente de celle qu'on utilise pour la transfusion des autres produits sanguins).

MARCHE À SUIVRE PENDANT LA TRANSFUSION

1. Se procurer les plaquettes ou le plasma frais congelé auprès de la banque de sang (seulement *après* avoir installé la tubulure IV).
2. En collaboration avec une autre infirmière ou avec un médecin, vérifier si le groupe sanguin ABO correspond à celui qui est inscrit sur la carte de compatibilité sanguine (vérification habituellement superflue dans le cas des plaquettes; à faire seulement lorsqu'on a commandé des plaquettes compatibles). S'assurer que le numéro d'identification et le type inscrits sur l'étiquette apposée sur l'unité de plaquettes du donneur correspondent à ceux qui sont inscrits au dossier de la personne qui recevra la transfusion. Demander à la personne de se nommer et vérifier son bracelet.
3. Examiner le produit du sang pour relever toute couleur inhabituelle ou la présence d'agglomérats (une couleur trop rouge indique que le produit a été contaminé par une grande quantité de globules rouges). Commencer la transfusion des plaquettes ou du plasma frais congelé dès que les unités ont été livrées.
4. Perfuser chaque unité aussi rapidement que ce que la personne peut tolérer pour réduire l'agglomération des plaquettes pendant l'administration. Observer attentivement la personne pour déceler tout effet délétère, notamment une surcharge circulatoire. Au besoin, diminuer la vitesse de perfusion.
5. Garder la personne sous étroite surveillance pendant toute la durée de la transfusion pour déceler toute réaction indésirable, entre autres: agitation, urticaire, nausées, vomissements, douleurs à la poitrine ou au dos, essoufflement, bouffées vasomotrices, hématurie, fièvre ou frissons. Si l'une ou l'autre de ces réactions se manifeste, mettre fin immédiatement à la transfusion, informer le médecin et se conformer aux règles en vigueur dans l'établissement concernant les réactions transfusionnelles.
6. Prendre les signes vitaux à la fin de la transfusion, conformément aux règles en vigueur dans l'établissement, et les comparer aux valeurs de base.
7. Rincer la tubulure avec un soluté après la transfusion pour la purger des débris sanguins.

MARCHE À SUIVRE APRÈS LA TRANSFUSION

1. Prendre les signes vitaux et les comparer aux valeurs de base.
2. Mettre au rebut le matériel, selon les règles en vigueur.
3. Inscrire l'intervention au dossier médical, sans oublier les données portant sur le déroulement de la transfusion et la tolérance de la personne à l'intervention.
4. Suivre de près la réaction de la personne à la transfusion et évaluer l'efficacité de l'intervention. Pour faciliter cette évaluation, on peut demander une numération plaquettaire, une heure après la fin de la transfusion.

Remarque: Dans le cas du plasma frais congelé, il faut vérifier la compatibilité du groupe sanguin, mais non du facteur rhésus. On n'effectue habituellement pas d'épreuve de compatibilité croisée dans le cas des plaquettes. Il ne faut jamais ajouter de médicament au sang ou aux produits sanguins.

réaction transfusionnelle venait à se manifester, on comparerait les signes et symptômes qui apparaissent pendant la transfusion avec les données recueillies pendant l'examen physique, ce qui permettrait de distinguer les divers types de réactions.

Enseignement

Il est essentiel d'exposer à la personne qui n'a jamais reçu de transfusion auparavant les signes et symptômes d'une réaction possible. Même dans le cas des personnes qui ont reçu des transfusions, une révision rapide des signes et symptômes d'une éventuelle réaction transfusionnelle est toujours utile. Il s'agit des signes et symptômes suivants: fièvre, frissons, détresse respiratoire, douleurs lombaires, nausées, douleur au point d'injection ou toute manifestation «inhabituelle». Bien que cette révision soit d'une grande importance, il faut aussi rassurer la personne qui sera transfusée, en lui indiquant qu'on procède à des épreuves de compatibilité croisée qui permettent de s'assurer que le sang du donneur est en tous points compatible avec le sang du receveur, ce qui réduit le risque de réaction indésirable. Par ailleurs, il est utile de préciser de nouveau que le risque de contracter une infection par le VIH est très faible lors d'une transfusion; cette crainte subsiste dans l'esprit de nombreuses personnes.

Complications liées aux transfusions

Des complications peuvent survenir chez toute personne recevant une transfusion. Lorsque l'infirmière explique les raisons de la transfusion, elle parle des risques et des avantages de cette intervention, indique à quoi il faut s'attendre pendant et après la transfusion. Elle informe les personnes qui recevront une transfusion du fait que, même si les réserves de sang font l'objet de nombreuses analyses, certains risques peuvent persister. Les soins et traitements infirmiers visent à prévenir les complications, à les déceler rapidement si elles se manifestent et à prendre les mesures appropriées, le cas échéant. La section qui suit décrit les complications le plus fréquemment associées aux transfusions, ainsi que celles qui peuvent être les plus graves.

Réaction fébrile non hémolytique

La réaction non hémolytique, déclenchée par les anticorps anti-leucocytes toujours présents dans le sang du donneur ou dans les composants sanguins, est le type de réaction le plus couramment (90 % des cas) associé à la transfusion. Elle survient le plus fréquemment chez les personnes qui ont reçu des transfusions dans le passé (exposition à divers antigènes provenant de produits sanguins) et chez les femmes Rh^- qui ont donné naissance à des enfants Rh^+ (l'exposition à un fœtus Rh^+ élève les concentrations d'anticorps chez la mère). Ces réactions surviennent dans 1 % des cas de transfusions de plasma frais congelé et dans 20 % des cas de transfusions de plaquettes. Plus de 10 % des personnes qui reçoivent régulièrement des transfusions présentent ce type de réaction.

Pour poser le diagnostic de réaction fébrile non hémolytique, on doit tenir compte des autres causes possibles, qu'il s'agisse d'une réaction hémolytique ou de la contamination bactérienne du produit sanguin. Les signes et symptômes de la réaction transfusionnelle fébrile non hémolytique sont des frissons (parfois absents, ils peuvent aussi être très intenses), suivis de fièvre (hausse de la température de plus de 1 °C). La fièvre s'installe généralement au cours des deux heures qui suivent le début de la transfusion. Bien que cette réaction ne soit pas mortelle, certaines manifestations – la fièvre, et particulièrement les frissons et la rigidité musculaire – peuvent effrayer la personne transfusée.

On peut atténuer ce type de réaction, et même en prévenir l'apparition, en éliminant le plus possible les globules blancs du sang du donneur, à l'aide d'un filtre d'épuration leucocytaire. Le sang peut être déleucocyté au cours du traitement, méthode qui donne de meilleurs résultats mais qui est plus coûteuse, ou pendant la transfusion même, en intégrant le filtre à la tubulure d'administration. On peut aussi administrer des antipyrétiques pour prévenir la fièvre, mais cette mesure est déconseillée, car on risque de masquer ainsi la présence d'une réaction transfusionnelle plus grave.

Réaction hémolytique aiguë

La réaction la plus dangereuse à une transfusion, pouvant mener à une issue fatale, a lieu lorsque le sang du donneur est incompatible avec celui du receveur. Les anticorps présents dans le plasma du receveur se lient rapidement aux antigènes des globules rouges du donneur. Les globules rouges circulants sont hémolysés, autrement dit détruits (hémolyse intravasculaire). L'hémolyse la plus rapide se produit lorsqu'il y a une incompatibilité au niveau du système ABO. Cette réaction peut se manifester même si on n'a transfusé que 10 mL de globules rouges. L'incompatibilité avec le facteur rhésus entraîne habituellement une réaction moins grave. Les réactions hémolytiques aiguës proviennent le plus souvent d'erreurs commises dans l'étiquetage des composants sanguins et dans l'identité de la personne transfusée, d'où l'administration d'une transfusion de produits incompatibles.

! ALERTE CLINIQUE *Les symptômes de la réaction hémolytique aiguë sont la fièvre, les frissons, les douleurs lombaires, les nausées, l'oppression thoracique, la dyspnée et l'anxiété. L'administration de 10 mL de globules rouges suffit à déclencher la réaction.*

Les symptômes sont la fièvre, les frissons, les douleurs lombaires, les nausées, l'oppression thoracique, la dyspnée et l'anxiété. Au fur et à mesure que les globules rouges sont détruits, l'hémoglobine qu'ils contenaient est libérée puis excrétée par les reins ; c'est pourquoi on la retrouve dans l'urine (hémoglobinurie). Il peut s'ensuivre de l'hypotension, des bronchospasmes et un collapsus vasculaire. La diminution de la perfusion rénale provoque une insuffisance rénale aiguë ; une coagulation intravasculaire disséminée peut aussi survenir.

Il faut déceler la réaction rapidement et mettre fin immédiatement à la transfusion. On doit prélever des échantillons de sang et d'urine et les faire analyser pour confirmer l'hémolyse. Le traitement vise à assurer le maintien du volume sanguin et de la perfusion rénale, ainsi que la prévention et la prise en charge de la coagulation intravasculaire disséminée.

Comme on peut prévenir les réactions hémolytiques aiguës associées à la transfusion, on n'insistera jamais assez sur la nécessité de prêter une attention toute particulière aux indications apparaissant sur l'étiquette apposée sur l'unité de sang et de produits sanguins.

Réactions allergiques

Pendant la transfusion, certaines personnes peuvent présenter de l'urticaire ou des démangeaisons généralisées. Ces symptômes semblent traduire l'hypersensibilité à une protéine plasmatique présente dans le composant sanguin transfusé. Les symptômes de la réaction allergique sont l'urticaire, les démangeaisons et les bouffées de chaleur ; il sont habituellement légers, et l'administration d'antihistaminiques suffit à les dissiper. S'ils disparaissent après l'administration de l'antihistaminique (notamment de la diphenhydramine [Benadryl], par exemple), on peut reprendre la transfusion. Il peut arriver, mais c'est rare, que la réaction allergique soit grave, se caractérisant par des bronchospasmes, un œdème laryngé et un état de choc. On peut traiter ces réactions par de l'épinéphrine, des corticostéroïdes et un vasopresseur.

L'administration d'un antihistaminique avant la transfusion pourrait prévenir ce genre de réactions. En cas de réactions graves, tout composant sanguin administré à l'avenir doit être débarrassé des protéines plasmatiques. Les filtres d'épuration leucocytaire sont inutiles, parce que les protéines plasmatiques en cause peuvent les traverser.

Excès de volume liquidien

La transfusion trop rapide d'une trop grande quantité de sang provoque parfois un excès de volume liquidien (EVL). Cette surcharge peut être encore plus importante chez les personnes qui présentent au départ un volume circulatoire accru (entre autres, les personnes atteintes d'insuffisance cardiaque). Il est donc plus sûr d'utiliser des concentrés de globules rouges que du sang entier. Si la vitesse d'administration est suffisamment lente, il est possible de prévenir l'EVL. Chez les personnes exposées au risque de surcharge circulatoire ou chez celles qui souffrent de surcharge circulatoire, on administre un diurétique après la transfusion ou entre deux unités de concentrés de globules rouges. Les personnes recevant du plasma frais congelé ou des plaquettes peuvent aussi présenter un EVL. La vitesse de perfusion de ces composants doit être adaptée à la tolérance de la personne.

Les signes d'EVL sont la dyspnée, l'orthopnée, la tachycardie et une anxiété qui se manifeste soudainement. On peut aussi noter la dilatation des veines jugulaires et la présence de crépitants à la base des poumons. Si la transfusion se prolonge, il y a risque d'œdème aigu du poumon, caractérisé par une dyspnée grave et l'expectoration de crachats spumeux roses.

En cas de surcharge liquidienne légère, on peut souvent poursuivre la transfusion à une vitesse moindre, après avoir administré un diurétique. Toutefois, si la surcharge est importante, on installe la personne en position assise, les jambes déclives, on met fin à la transfusion et on informe le médecin. On laisse la tubulure de perfusion ouverte, en administrant très lentement du soluté physiologique pour maintenir l'accès veineux au cas où il faudrait administrer un médicament par voie intraveineuse. En cas de dyspnée grave, il peut être nécessaire d'administrer de l'oxygène.

Contamination bactérienne

La contamination des composants du sang par des bactéries est très rare. Cependant, l'administration de produits contaminés expose la personne à de grands risques. La contamination peut survenir à tout moment durant le prélèvement ou le traitement. Bon nombre de bactéries ne peuvent survivre aux températures auxquelles les culots globulaires sont conservés (les plaquettes risquent plus d'être contaminées, parce qu'elles sont conservées à la température ambiante), mais certains microorganismes peuvent survivre à de basses températures.

Les soins méticuleux apportés lors du prélèvement et du traitement des composants du sang font partie des mesures à prendre pour prévenir la contamination. Lorsqu'on transfuse des concentrés de globules rouges ou du sang entier, il faut les administrer en moins de quatre heures, car la température ambiante favorise la prolifération bactérienne. Les unités contaminées peuvent paraître normales ou être d'une couleur anormale.

Les signes de contamination bactérienne sont la fièvre, les frissons et l'hypotension. Ces signes peuvent ne survenir qu'après la transfusion, parfois même quelques heures plus tard. Si on ne traite pas la personne immédiatement en lui administrant des liquides et des antibiotiques à large spectre, elle peut entrer en état de choc. Malgré une prise en charge vigoureuse, comportant notamment le soutien donné par des vasopresseurs, le taux de mortalité est élevé.

Dès qu'on détecte la réaction, il faut mettre fin à la transfusion et laisser la tubulure ouverte à l'aide d'un soluté physiologique. Il faut informer le médecin et la banque de sang, et renvoyer le sac de sang à la banque pour que son contenu soit analysé et mis en culture. On traite la septicémie en administrant des liquides et des antibiotiques par voie intraveineuse; il peut aussi être nécessaire d'administrer des corticostéroïdes et des vasopresseurs.

Lésion pulmonaire aiguë

Réaction idiosyncrasique pouvant être d'issue fatale, la lésion pulmonaire aiguë survient moins de 1 fois sur 5 000. Les anticorps plasmatiques (habituellement du plasma du donneur) présents dans le produit sanguin stimulent les globules blancs du receveur; il se forme des amas de globules blancs qui bloquent les vaisseaux pulmonaires de petit calibre. La lésion pulmonaire se manifeste par un œdème pulmonaire et peut survenir dans les quatre heures qui suivent la fin de la transfusion.

Les signes et symptômes sont la fièvre, les frissons, la détresse respiratoire aiguë et les infiltrats pulmonaires bilatéraux. Un traitement de soutien vigoureux (oxygène, intubation, diurétiques) peut prévenir le décès.

Réaction hémolytique tardive

La réaction hémolytique tardive se manifeste habituellement dans les 14 jours suivant la transfusion, lorsque l'élévation des concentrations d'anticorps est suffisante pour qu'une réaction apparaisse. L'hémolyse des globules rouges est extravasculaire; produite par le système réticulo-endothélial, elle s'effectue graduellement.

Les signes et symptômes de la réaction hémolytique tardive sont la fièvre, l'anémie, des concentrations accrues de bilirubine, des concentrations diminuées ou nulles d'haptoglobine et, parfois, l'ictère. On observe rarement une hémoglobinurie. En général, la réaction n'est pas dangereuse, mais il est utile de savoir la détecter, car toute transfusion ultérieure de produits renfermant ces anticorps pourrait causer une réaction hémolytique plus grave. Toutefois, elle peut être difficile à déceler car, la personne n'étant plus nécessairement hospitalisée à ce moment-là, on ne peut pas la soumettre à des épreuves diagnostiques. Même si la personne est hospitalisée, il se peut que la réaction soit trop légère pour être décelée sur le plan clinique. La quantité d'anticorps présente pouvant être trop faible pour être décelée, il est difficile de prévenir les réactions hémolytiques tardives. Ces réactions sont habituellement légères et n'exigent aucune intervention.

Maladies transmises par les transfusions

Malgré les progrès enregistrés en matière de dépistage des donneurs et d'analyse du sang, certaines maladies peuvent encore être transmises par les transfusions. On en trouve des exemples dans l'encadré 35-17 ■.

Complications des transfusions à répétition

Les complications dont il a été question plus haut exposent à un risque véritable toute personne qui doit recevoir une unité de sang; cette remarque vaut pour toutes les transfusions. Toutefois, les personnes qui doivent recevoir de nombreuses transfusions (notamment dans les cas de syndrome myélodysplasique, de thalassémie et de drépanocytose) sont exposées à un risque accru de transmission d'une infection par transfusion et de sensibilisation accrue aux antigènes des donneurs, tout simplement parce qu'elles reçoivent davantage d'unités de

ENCADRÉ 35-17

Maladies transmises par transfusion sanguine

HÉPATITE (HÉPATITE B, HÉPATITE C)

- Les épreuves de dépistage permettent de déceler les virus de l'hépatite B et de l'hépatite C dans la plupart des cas.
- Le risque de transmission est estimé à 1 pour 10 000.

SIDA (VIH ET VIRUS DU LYMPHOME HUMAIN À CELLULES T)

- On analyse le sang du donneur pour déceler la présence d'anticorps anti-VIH.
- Le risque de transmission est estimé à 1 pour 670 000.
- Les personnes présentant des comportements à risque élevé (plus d'un partenaire sexuel, pratique du coït anal, utilisation de drogues IV) et les personnes présentant des signes et symptômes évocateurs du sida ne devraient pas faire de don de sang.

CYTOMÉGALOVIRUS (CMV)

- Le risque de transmission est plus élevé chez les nouveau-nés prématurés dont les mères n'ont pas d'anticorps anticytomégalovirus et chez les receveurs immunodéprimés qui sont CMV négatifs (notamment chez les personnes atteintes d'une leucémie aiguë, les greffés d'organe ou de tissu).
- L'utilisation de produits sanguins «déleucocytés» peut faire baisser le risque de transmission du virus.

MALADIE DU GREFFON CONTRE L'HÔTE

- Elle ne survient que chez les personnes fortement immunodéprimées (maladie de Hodgkin, greffe de moelle osseuse).
- Les lymphocytes du donneur se greffent chez le receveur dont ils attaquent les lymphocytes ou les tissus; les signes et symptômes sont la fièvre, une éruption cutanée rougeâtre diffuse, les nausées, les vomissements et la diarrhée.
- En guise de mesure préventive, on peut irradier les produits sanguins pour inactiver la prolifération des lymphocytes du donneur (aucun risque connu pour le receveur du produit irradié) et utiliser un filtre d'épuration leucocytaire.

MALADIE DE CREUTZFELDT-JACOB

- Maladie rare, à l'issue fatale, qui entraîne des lésions irréversibles au cerveau.
- Rien ne prouve qu'elle se transmette par des transfusions, mais les personnes hémophiles et autres s'inquiètent de ce risque.
- Tous les donneurs doivent faire l'objet d'un dépistage des antécédents familiaux de la maladie.
- Les donneurs potentiels qui ont passé au moins un mois au Royaume-Uni, trois mois en France ou six mois et plus dans les autres pays d'Europe occidentale entre 1980 et 1996 ne peuvent donner leur sang; il faut retirer de la banque de sang les produits sanguins provenant d'une personne chez qui la maladie de Creutzfeldt-Jacob a été diagnostiquée.

sang provenant d'un grand nombre de donneurs. Les complications associées aux transfusions fréquentes figurent dans le tableau 35-14 ■.

Surcharge de fer Une unité de concentré de globules rouges renferme 250 mg de fer. Les personnes qui reçoivent régulièrement des transfusions peuvent rapidement accumuler dans leur organisme plus de fer qu'elles n'en utilisent, ce qui mène à une surcharge de fer. Avec le temps, le fer en excès se dépose dans les tissus et peut engendrer des lésions organiques, particulièrement dans le foie, le cœur, les testicules et le pancréas. L'amorce rapide d'un traitement de chélation du fer (notamment avec la déféroxamine [Desferal]) peut prévenir les lésions des organes cibles dues à une intoxication par le fer (Giardina et Grady, 1995).

Soins et traitements infirmiers dans les cas de réactions

Si l'on pense qu'une réaction se manifeste, il faut immédiatement mettre fin à la transfusion et informer le médecin. Il faut examiner attentivement la personne transfusée, car la symptomatologie de bon nombre de complications est similaire. Voici les mesures à prendre pour établir la nature et la gravité de la réaction:

- Mettre fin à la transfusion. Laisser la tubulure intraveineuse ouverte à l'aide d'un soluté physiologique, administré lentement.
- Observer attentivement la personne. Comparer ses signes vitaux aux valeurs de base. Évaluer avec soin la fonction respiratoire. Noter la présence de bruits surajoutés, l'utilisation des muscles accessoires de la respiration, la gravité de la dyspnée (le cas échéant) et tout changement dans l'état mental, notamment l'anxiété et la confusion. Indiquer s'il y a des frissons, de la diaphorèse, des maux de dos, de l'urticaire ou une dilatation jugulaire.
- Informer le médecin des résultats de l'examen et appliquer les mesures qu'il prescrit. Continuer de prendre les signes vitaux et d'évaluer les fonctions respiratoire, cardiovasculaire et rénale.
- Informer la banque de sang qu'une réaction pouvant être attribuée à la transfusion est survenue.
- Envoyer le sac de sang et la tubulure à la banque de sang pour une nouvelle détermination du groupe sanguin et une nouvelle mise en culture. Les étiquettes et les numéros d'identification doivent être vérifiés.

Si l'infirmière pense à une réaction hémolytique ou à une infection bactérienne, elle doit procéder comme suit:

- Prélever les échantillons de sang appropriés.
- Prélever un échantillon d'urine dès que possible pour effectuer un dosage de l'hémoglobine.
- Fournir les données concernant la réaction, selon les règles en vigueur dans l'établissement.

Complications courantes survenant chez les polytransfusés recevant des culots globulaires*

TABLEAU 35-14

	Manifestations	Interventions infirmières
Infection	■ Hépatite (B, C)	■ Immuniser éventuellement la personne contre l'hépatite B; administrer de l'interféron-alpha contre l'hépatite C; suivre de près la fonction hépatique.
	■ Cytomégalovirus (CMV)	■ Utiliser des filtres d'épuration leucocytaire pour protéger la personne contre le cytomégalovirus.
Surcharge de fer	■ Insuffisance cardiaque ■ Insuffisance endocrinienne (diabète, hypothyroïdie, hypoparathyroïdie, hypogonadisme)	■ Administrer un traitement par chélation, à titre préventif.
Réaction transfusionnelle	■ Sensibilisation	■ Atténuer le risque par phénotypage des globules rouges et par utilisation de produits déleucocytés.
	■ Réactions fébriles	■ Atténuer le risque en utilisant des produits déleucocytés.

* Les personnes qui doivent subir des transfusions à répétition sont exposées non seulement aux risques des réactions dont il a été question plus haut, mais également à ceux des complications que nous avons présentées. Dans de nombreux cas, l'utilisation de produits sanguins déleucocytés (débarrassés des leucocytes) est la mesure qui s'applique pour les personnes qui doivent recevoir des transfusions de culots globulaires à répétition. Le fait d'administrer un traitement vigoureux par chélation peut prévenir les problèmes liés à la surcharge de fer.

Pharmacothérapie pouvant remplacer les transfusions

Il est courant d'administrer des médicaments pour stimuler la production médullaire d'un ou de plusieurs types de cellules sanguines; certains d'entre eux sont présentés dans l'encadré 35-18 ■.

La recherche d'un substitut sanguin qui serait pratique et sûr se poursuit. Les substituts du sang mis à l'essai auparavant ne se sont pas révélés efficaces. Ceux qu'on met au point actuellement ne sont destinés qu'à l'oxygénation des tissus, en tant que substituts érythrocytaires (Rabinovici, 2001). Les substituts du sang utilisés lors des essais cliniques ont chacun leurs avantages et désavantages par rapport aux érythrocytes humains. Il s'agit de solutions d'hémoglobine qui peuvent être stérilisées sans que le substitut du sang soit détruit. Il n'est pas nécessaire de les conserver au réfrigérateur et ils semblent avoir une durée de conservation plus longue (probablement de un an, comparativement à un peu plus de un mois pour les concentrés de globules rouges). Plus important encore, il n'est pas indispensable d'effectuer des épreuves de compatibilité croisée, parce que ces agents ne contiennent pas de membranes de globules rouges pouvant interagir avec les anticorps du sérum du receveur. Par contre, leur durée de vie dans la circulation est extrêmement courte: une journée environ, comparativement à 30 jours pour une transfusion traditionnelle de globules rouges. Par conséquent, l'utilisation de ces produits devrait probablement être réservée aux cas où il faut intervenir à court terme (chirurgie, traumatisme). Finalement, les substituts du sang seront vraisemblablement extrêmement coûteux.

GREFFES

La greffe de cellules souches du sang périphérique et la greffe de moelle osseuse sont des traitements qui peuvent apporter la guérison à un certain nombre de personnes atteintes d'une affection hématologique telle que l'anémie aplasique grave, certaines formes de leucémies et la thalassémie. La plupart des affections hématologiques découlant d'un dysfonctionnement médullaire, la greffe autologue (autogreffe des cellules souches) ne constitue pas une option aussi courante que la greffe allogénique. Dans ce dernier cas, la personne qui doit recevoir la greffe subit une chimiothérapie (parfois accompagnée de radiothérapie) visant à détruire complètement les cellules hématopoïétiques de sa moelle. Les cellules souches prélevées chez le donneur (dans le meilleur des cas un frère ou une sœur compatible) ou la moelle du donneur elle-même sont injectées de la même manière que les globules rouges lors d'une transfusion. Les cellules souches atteignent la moelle, et le processus d'hématopoïèse s'amorce lentement. L'autogreffe permet de réduire les risques de complications et de mortalité; toutefois, le risque de rechute est élevé également.

L'immunothérapie adoptive représente une stratégie relativement nouvelle qui recourt à certains mécanismes immuns puisés dans les lymphocytes du donneur (Slavin *et al.*, 2001; Margolis, Borrello et Flynn, 2000). Quand on fait ce qu'on appelle une «mini-greffe», la préparation du receveur comporte une destruction des cellules hématopoïétiques qui est moins importante que dans le cas d'une greffe traditionnelle; la personne qui reçoit la greffe est tout de même immunodéprimée, mais pendant une période plus courte. Par conséquent, l'intervention est moins toxique et on constate une diminution marquée de la morbidité.

Une fois que le receveur a été préparé (pendant la période où il est immunodéprimé), on pratique l'allogreffe de moelle ou de cellules souches. On vise à déclencher une réaction des lymphocytes du donneur qui doivent s'attaquer à toutes les cellules malignes restantes et les détruire. Pour intensifier le processus, on administre habituellement au receveur de la greffe des lymphocytes du donneur. S'il se produit une rechute, on a observé que la perfusion répétée de lymphocytes du donneur permettait de rétablir la rémission chez de nombreuses personnes. Cette démarche est prometteuse, particulièrement pour les cancers du sang, et pourrait représenter une solution permettant de pratiquer un plus grand nombre de greffes que par les méthodes traditionnelles.

Le succès de la greffe repose sur la compatibilité des tissus et sur la tolérance à l'immunodépression découlant de la destruction des cellules hématopoïétiques de la moelle osseuse. Les personnes qui subissent une greffe doivent recevoir des soins et traitements infirmiers constants visant à prévenir toute infection et à déceler les signes et symptômes avant-coureurs de complications. L'une des complications les plus courantes est la formation de lymphocytes qui définissent l'hôte comme «étranger» et déclenchent une série de réactions contre cet «étranger». Ce phénomène, appelé maladie du greffon contre l'hôte, peut toucher la peau, le tractus gastro-intestinal et le foie. Il représente parfois une menace pour la vie. Dans les cas de cancers du sang, une réaction de ce genre est parfois souhaitable, car ainsi les lymphocytes du donneur peuvent réagir contre toutes les cellules tumorales résiduelles. On donne à ce processus le nom de réaction du greffon contre la malignité. La maladie du greffon contre l'hôte constitue une complication grave découlant soit d'une greffe qui ne comporte pas de destruction complète des cellules hématopoïétiques du receveur, soit de l'allogreffe traditionnelle. Les complications à retardement (survenant plus de 100 jours après la transplantation) sont fréquentes; les personnes, particulièrement celles qui reçoivent une greffe allogène, doivent être suivies de près et pendant de nombreuses années après la transplantation. (On trouve au chapitre 16 plus de détails sur la maladie du greffon contre l'hôte.)

ENCADRÉ 35-18

Solutions de rechange par rapport aux transfusions sanguines

FACTEURS DE CROISSANCE

Les techniques recombinantes ont permis de générer les facteurs de croissance hématopoïétique nécessaires à la production de cellules sanguines dans la moelle osseuse. En augmentant la production de cellules sanguines, on peut s'abstenir de donner des transfusions et éviter les complications qui résultent de la diminution du nombre de ces cellules (infections dues à la neutropénie ou à la transfusion, par exemple). Toutefois, pour que l'administration des facteurs de croissance soit efficace, la moelle osseuse doit être fonctionnelle.

ÉRYTHROPOÏÉTINE

L'administration d'érythropoïétine (époétine alfa [Eprex], darbépoétine [Aranesp]) est un traitement de rechange efficace chez les personnes atteintes d'une anémie chronique découlant d'une baisse de la concentration d'érythropoïétine, comme dans le cas de la néphropathie chronique. Le médicament stimule l'érythropoïèse. On l'a aussi administré à des personnes devenues anémiques à la suite d'une chimiothérapie ou d'un traitement par la zidovudine (AZT) et à celles qui sont atteintes de maladies entraînant une aplasie médullaire, comme les syndromes myélodysplasiques. L'administration d'érythropoïétine peut aussi permettre à une personne de donner plusieurs unités de sang en vue d'un usage ultérieur (don autologue préopératoire, par exemple). On peut administrer cet agent par voie intraveineuse ou sous-cutanée, bien que les concentrations plasmatiques se maintiennent davantage lors de l'administration sous-cutanée. Les effets secondaires sont rares, mais l'érythropoïétine peut engendrer de l'hypertension ou l'exacerber. Si l'on remédie trop rapidement à l'anémie ou si on le fait de façon excessive, la hausse de l'hématocrite peut provoquer des céphalées et, parfois, des convulsions. Ces effets se produisent rarement, sauf chez les personnes atteintes d'insuffisance rénale. Il faut effectuer une série d'hémogrammes accompagnés de formules leucocytaires pour évaluer la réponse au traitement. On adapte la posologie à l'hématocrite.

FACTEUR STIMULANT LA FORMATION DE COLONIES DE GRANULOCYTES (G-CSF)

Le G-CSF (filgrastim [Neupogen]) est une cytokine qui stimule la prolifération et la différenciation des cellules souches myéloïdes; il engendre une élévation rapide du nombre de neutrophiles circulants. Le G-CSF traite efficacement la neutropénie transitoire mais grave qui peut suivre une chimiothérapie ou certaines formes de syndromes myélodysplasiques. Il est particulièrement utile dans la prévention des infections bactériennes qui accompagnent habituellement la neutropénie. Le G-CSF doit être administré tous les jours par voie sous-cutanée. Le principal effet secondaire est la douleur osseuse, probablement attribuable à l'élévation de l'hématopoïèse dans la moelle. Il faut effectuer des hémogrammes en série pour évaluer la réponse au traitement et pour s'assurer que la hausse du nombre de globules blancs n'est pas trop forte. L'effet du G-CSF sur la myélopoïèse est de courte durée; le nombre de neutrophiles chute lorsqu'on met fin au traitement.

EXERCICES D'INTÉGRATION

1. Vous travaillez dans une unité d'hémato-oncologie. Les examens paracliniques révèlent un résultat inquiétant dans le cas d'une personne atteinte de leucémie lymphoïde chronique : le taux de réticulocytes est de 25 %. Quels autres résultats devriez-vous vérifier ou prendre en considération ? La personne présente une anémie grave ; cette donnée confirme-t-elle votre première idée quant au problème de santé ou aux interventions ? Quel traitement le médecin prescrira-t-il, à votre avis ? Quelles seraient selon vous les interventions infirmières appropriées dans ce cas ?
2. Vous soignez un jeune adulte qui fait de nombreux séjours à l'hôpital en raison de crises de drépanocytose. Quels facteurs devriez-vous évaluer pour définir les besoins de cette personne en matière d'enseignement, d'adaptation à la maladie et de soulagement de la douleur ? Quels sont les principaux éléments qui doivent apparaître dans le plan thérapeutique à préparer pour ce jeune adulte ?
3. Vous vous occupez d'une personne atteinte de leucémie qui est soignée à domicile. Ses proches s'inquiètent beaucoup du risque d'infection à la maison. Quelles sont les évaluations qu'il vous faut effectuer pour déterminer l'importance de ce risque ? Quelles consignes devriez-vous donner pour l'atténuer ?
4. Vous donnez des soins à une personne atteinte de septicémie qui reçoit deux culots globulaires. Une fois que la première moitié de la deuxième unité lui a été administrée, sa température atteint 38,5 °C. Quelles sont les causes possibles de la fièvre ? Quelles sont les interventions infirmières indiquées dans ces circonstances ?

RÉFÉRENCES BIBLIOGRAPHIQUES

en anglais • en français

Adams, R.J. (2000). Lessons from the Stroke Prevention Trial in Sickle Cell Anemia (STOP) study. *Journal of Child Neurology, 15*(5), 344–349.

Anderson, K., Hamblin, T.J., & Traynor, A. (1999). Management of multiple myeloma today. *Seminars in Hematology, 36*, (1 Suppl. 3), 3–8.

Beran, M. (2000). Intensive chemotherapy for patients with high-risk myelodysplastic syndrome. *International Journal of Hematology, 72*(2), 139–150.

Berenson, J. (2001). New advances in the biology and treatment of myeloma bone disease. *Seminars in Hematology, 38*(2, Suppl. 3), 15–20.

Bonaa KH (for the NORVIT Study Group). NORVIT (2005): Randomised trial of homocysteine lowering with B vitamins for secondary prevention of cardiovascular disease after acute myocardial infarction. European Society of Cardiology, September 3-7, 2005, Abstract 1334.

Briere, J., & Guilmin, F. (2001). Management of patients with essential thrombocythemia: Current concepts and perspectives. *Pathologie-biologie, 49*(2), 178–183.

Cavalli, F. (1998). Rare syndromes in Hodgkin's disease. *Annals of Oncology, 9* (Suppl. 5), S109–S113.

Choquet, S. (2003). *Hématologie*. Paris : Ellipses.

Coiffer, B. (2002). Rituximab in the treatment of diffuse large B-cell lymphomas. *Seminars in Oncology, 29*(1, Suppl. 2), 30–35.

Cordonnier, C. (2001). *Les infections en hématologie*. Montrouge : John Libbey.

Deeg, H.J., & Applebaum, F.R. (2000). Hematopoietic stem cell transplantation in patients with myelodysplastic syndrome. *Leukemia Research, 24*(8), 653–663.

Derderian, P.M., Kantarjian, H.M., Talpaz, M., O'Brien, S., Cork, A., Estey, E., Pierce, S., & Keating, M. (1993). Chronic myelogenous leukemia in the lymphoid blastic phase: Characteristics, treatment response, and prognosis. *American Journal of Medicine, 94*(1), 69–74.

Emmanouilides, C., Rosen, P., Telatar, M., Malone, R., Bosserman, L., Menco, H., Patel, R., Barstis, J., & Grody, W. (2000). Excellent tolerance of rituximab when given after mitoxantrone/cyclophosphamide: An effective and safe combination for indolent non-Hodgkin's lymphoma. *Clinical Lymphoma, 1*(2), 146–151.

Fenaux, P. (2000). *Les syndromes myéloblastiques*. Montrouge : John Libbey.

Ferster, A., Tahriri, P., Vermylen, C., Sturbois, G., Corazza, F., Fondu, P., Devalck, C., Dresse, M., Feremans, W., Hunninck, K., Toppet, M., Philippet, P., Van Geet, C., & Sariban, E. (2001). Five years of experience with hydroxyurea in children and young adults with sickle cell disease. *Blood, 97*(11), 3628–3632.

Garban, F. (2003). *Guide pratique d'hématologie*. Paris : MMI édition.

Giardina, P.J., & Grady, R.W. (1995). Chelation therapy in beta-thalassemia: The benefits and limitations of desferrioxamine. *Seminars in Hematology, 32*(4), 304–312.

Girot, R., Bégué, P., et Galacteros, F. (2003). *La drépanocytose*. Montrouge : John Libbey.

Gochee, P.A., & Powell, L.W. (2001). What's new in hemochromatosis. *Current Opinion in Hematology, 8*(2), 98–104.

Goldman, D.A. (2001). Thalidomide use: Past history and current implications for practice. *Oncology Nursing Forum, 28*(3), 471–477.

Goldman, J., & Melo, J. (2001). Targeting the BCR-ABL tyrosine kinase in chronic myeloid leukemia. *New England Journal of Medicine, 344*(14), 1084–1086.

Greenlee, R.T., Hill-Harmon, M., Murray, T., & Thun, M. (2001). Cancer statistics, 2001. *CA: A Cancer Journal for Clinicians, 51*(1), 15–36.

Gruppo Italiano Studio Policitemia (GISP). (1995). Polycythemia vera: The natural history of 1213 patients followed over 20 years. *Annals of Internal Medicine, 123*(9), 656–664.

Heerema, N.A., Sather, HN., Sensel, M.G., Liu-Mares, W., Lange, B.J., Bostrom, B.C., Nachman, J.B., Steinherz, P.G., Hutchinson, R., Gaynon, PS., Arthur, DC. & Uckun, F.M. (1999). Association of chromosome arm 9p abnormalities with adverse risk in childhood acute lymphoblastic, Blood, 94(5), p. 1537-44.

Hiddemann, W., & Buchner, T. (2001). Current status and perspectives of therapy for acute myeloid leukemia. *Seminars in Hematology, 38* (3, Suppl. 6), 3–9.

Hoffman, R., Benz, E.J., Shattil, S.J., Furie, B., Cohen, H.J., Silberstein, L.E., et al. (Eds.). (2000). *Hematology: Basic principles and practice* (3rd ed.). New York: Churchill Livingstone.

Institut de l'anémie (2002) http://www.institutdelanemie.ca.

Jantunen, R., Juvonen, E., Ikkala, E., Okansen, K., Antilla, P., & Ruutu, T. (2001). The predictive value of vascular risk factors and gender for the development of thrombotic complications in essential thrombocythemia. *Annals of Hematology, 80*(2), 74–78.

Kelton, J.G. (1999). The clinical management of heparin-induced thrombocytopenia. *Seminars in Hematology, 36*, (1 Suppl. 1), 17–21.

Kojouri, K, & George, JN (2005). Recent advances in the treatment of chronic refractory immune thrombocytopenic purpura. Int J Hematol 2005; 81:119.

Korman, M.T., Leparc, G., & Benson, K. (2001). Nucleic acid amplification testing: The new infectious disease testing method for donor blood. Available at: http://www.moffitt.usf.edu/pubs/ccj/v6n5/dept5.htm. Accessed June 28, 2001.

Kreimeier, U., & Messmer, K. (2002). Perioperative hemodilution. *Transfusions and Apheresis Science, 27*(1), 59–72.

Lengfelder,E., Berger, U., & Hehlmann, R. (2002). Interferon alpha in the treatment of polycythemia vera. *Annals of Hematology, 79*(3), 103–109.

Lusher, J.M. (2000). Inhibitor antibodies to factor VIII and factor IX: Management. *Seminars in Thrombosis and Hemostasis, 26*(2), 179–188.

Margolis, J., Borrello, I., & Flynn, I. W. (2000). New approaches to treating malignancies with stem cell transplantation. *Seminars in Oncology, 27*(5), 524–530.

Mauch, P.M., Armitage, J.O. & Hoppe, R.T. (1999). Hodgkin's Disease. Philadelphia: Lippincott Williams & Wilkins. p. 802.

Mehta, A.B. (2003). *Hématologie*. Paris: De Boeck.

Micallef, I.N., Rohatiner, A.Z., Carter, M., Boyle, M., Slater, S., Amess, J.A., & Lister, T.A. (2001). Long-term outcome of patients surviving for more than ten years following treatment for acute leukemia. *British Journal of Haematology, 113*(2), 443–445.

Ohene-Frempong, K. (2001). Indications for red cell transfusion in sickle cell disease. *Seminars in Hematology, 38* (1, Suppl. 1), 5–13.

Petrykk, M., & Grossbard, M.L. (2000). Rituximab therapy of B-cell neoplasms. *Clinical Lymphoma, 1*(3), 186–194.

Rabinovici, R. (2001). The status of hemoglobin-based red cell substitutes. *Israel Medical Association Journal, 3*(9), 691–697.

Radich, J., & Sievers, E. (2000). New developments in the treatment of acute myeloid leukemia. *Oncology, 14*(11A), 125–131.

Rimm, E.B., Willett, W.C., Hu, F.B., Sampson, L., Colditz, G.A., Manson, J.E., Hennekens, C., & Stampfer, M.J. (1998). Folate and vitamin B6 from diet and supplements in relation to risk of coronary heart disease among women. *Journal of the American Medical Association, 279*(5), 359–364.

Ronchin, P. (2004). *Cancérologie, onco-hématologie*. Paris: Vernazobres-Greco.

Schechter, G., Berliner, N., & Telen, M. J. (Eds.). (2000). *Hematology 2000*. [Monograph]. San Francisco: American Society of Hematology Educational Program Book.

Slavin, S., Or, R., Aker, M., Shapira, M.Y., Panigrahi, S., Symeonidis, A., Cividalli, G., & Nagler, A. (2001). Nonmyeloablative stem cell transplantation for the treatment of cancer and life-threatening nonmalignant disorders: Past accomplishments and future goals. *Cancer Chemotherapy and Pharmacology, 48* (Suppl. 1), S79–S84.

Solary, E., et Belon, J.-P. (1999). *Hématologie*. Paris: Masson.

Spaëth, D. (2002). *L'anémie en cancérologie*. Montrouge: John Libbey.

Steinberg, M.H. (1999). Management of sickle cell disease. *New England Journal of Medicine, 340*(13), 1021–1030.

Tefferi, A., Solberg, L.A., & Silverstein, M.N. (2000). A clinical update in polycythemia vera and essential thrombocythemia. *American Journal of Medicine, 109*(2), 141–149.

Tennant, L. (2001). Chronic myelogenous leukemia: An overview. *Clinical Journal of Oncology Nursing, 5*(5), 218–219.

Vichinsky, E. P., Neumayr, L. D., Earles, A. N., Williams, R., Lennett, E. T., Dean, D. D., Nickerson, B., Orringer, E., McKie, V., Bellevue, R., Daeschner, C., & Manci, E. A. (2000). Causes and outcomes of the acute chest syndrome in sickle cell disease. National Acute Chest Syndrome Study Group. *New England Journal of Medicine, 342*(25), 1855–1865.

Weiss, L.M. (2000). Epstein-Barr virus and Hodgkin's disease. *Current Oncology Reports 2*(2), 199–204.

White, G.C., Greenwood, R., Escobar, M., & Frelinger, J.A. (2000). Hemophilia factor VIII therapy: Immunological tolerance. *Haematologica, 85* (10, Suppl.), 113–116.

Zelenetz, A., & Hoppe, R. T. (2001). NCCN: Non-Hodgkin's lymphomas. *Cancer Control, 8*(6, Suppl. 2), 102–113.

En complément de ce chapitre, vous trouverez sur le Compagnon Web:

- une bibliographie exhaustive;
- des ressources Internet.

INDEX des six volumes

Les lettres *e*, *f* et *t* renvoient respectivement à des encadrés, à des figures et à des tableaux; les mentions **V1** à **V6** renvoient aux différents volumes.

C

D

G

H

I

J

K

L

N

P

Q

R

U

V

W

X

Y

Z

RUBRIQUES des six volumes

EFFETS MULTISYSTÉMIQUES

PHYSIOLOGIE/PHYSIOPATHOLOGIE

ENSEIGNEMENT

ÉTHIQUE ET CONSIDÉRATIONS PARTICULIÈRES

EXAMEN CLINIQUE

FACTEURS DE RISQUE

GÉRONTOLOGIE

GRILLE DE SUIVI DES SOINS À DOMICILE

PHARMACOLOGIE

PLAN THÉRAPEUTIQUE INFIRMIER

PROMOTION DE LA SANTÉ